中国环境科学学会学术年会

论 文 集

（2010）

第四卷

中国环境科学学会 编

中国环境科学出版社

·北 京·

目　录

（第四卷）

三、固体废弃物污染防治

四、噪声污染防治

第九章 环境保护相关领域研究进展

Fe－Bir 型锰氧化物的制备及其 CO 催化氧化性能的研究

叶　青　赵　俊　李冬辉　赵建生　程水源　康天放

（北京工业大学环境与能源工程学院环境科学系　北京　100124）

摘　要　通过氧化还原方法制备出具有层状结构的锰氧化物 K－Bir，再以 K－Bir 为模板，通过湿插入法合成铁负载型催化剂，并运用 XRD 对其物相结构进行分析，以 CO 氧化反应为模型对 Fe－Bir 催化活性进行了测试。结果表明，负载 Fe 后，Fe－Bir 保持 K－Bir 的层状结构，Fe－Bir 催化剂的 CO 催化氧化活性明显增强，这可能与 Fe 的加入增强了 Bir 的氧化还原性能，从而提高了 Fe－Bir 催化剂的催化氧化性能。

关键词　铁　锰氧化物　CO　催化氧化

一氧化碳（CO）是所有大气污染物中数量最大，分布最广的一种。主要来源于含碳物质的不完全燃烧。CO 气体易燃、易爆，有毒有害，对环境和人体健康都有极大的危害，寻求合理有效的 CO 去除途径具有重要的现实意义。催化燃烧技术因其操作简单，成本低廉，效率较高而成为去除 CO 的有效方法之一。

锰氧化物是一种微孔或介孔结构的过渡金属氧化物。以锰氧化物为载体所制备催化剂催化 CO 氧化反应的研究也已有不少报道。Xu 等[1]采用水热法制备了 $\alpha-MnO_2$ 和 $\beta-MnO_2$ 并进一步以其为模板利用湿插入法制 $Ag/\alpha-MnO_2$ 和 $Ag/\beta-MnO_2$，评价了所制催化剂的 CO 催化氧化性能，结果表明 $\alpha-MnO_2$ 的催化活性高于 $\beta-MnO_2$，掺 Ag 后的催化剂活性高于掺杂前。Wang 等[2]以 MnO_x 为载体尿素为沉淀剂采用沉淀沉积法制备了 $Au-Mn_2O_3$、$Au-MnO_2$、$Au-Mn_3O_4$ 等金负载型氧化锰催化剂，评价了产物的 CO 催化氧化性能，结果表明 $Au-Mn_2O_3$ 催化性能最佳。Birnessite 锰氧化物是一种二维层状锰氧化物。相邻片层间夹有一定量的阳离子（如 Na^+、K^+等）和水分子。其特殊的片层结构利于发生层间离子交换反应，生成新型负载层状锰氧化物，本文以 Birnessite 型层状锰氧化物为载体，通过湿插入法制的铁负载型催化剂，并通过 CO 催化氧化反应对催化剂的催化性能进行了研究。

一、实验部分

（一）试剂与原料

合成用的 CH_3CH_2OH、KOH、$KMnO_4$、Fe（NO_3）$_3$ · $9H_2O$ 均为分析纯试剂；洗涤用水为去离子水。

（二）催化剂的制备

K－Bir 的制备采用已有的氧化还原法，将一定量的乙醇和 KOH 混合，再加入 $KMnO_4$溶液中，持续搅拌、老化，产物用去离子蒸馏水冲洗至中性，得到钾型层状锰氧化物，记为 K－Bir。K－Bir 与一定浓度的 $Fe(NO_3)_3 \cdot 9H_2O$ 溶液，室温下搅拌，冲洗、过滤、干燥，再以 1℃/min 的速率程序升温至 200℃，保温 2h，得到铁负载型层状锰氧化物，记为 Fe－Bir。

（三）催化剂的表征

XRD 测试采用日本理学公司 D/MAX－3C 型 X 射线衍射仪，测试条件：Cu 靶 Kα 线；电压 35 kV；电流 35mA；扫描范围 10°～80°（2θ）；扫描速度 3°/min。

（四）催化活性评价

催化剂活性评价在微型固定床反应器（内径为 6mm）中进行，反应气为 CO，载气为 H_2、空气为平衡气。床层反应温度通过反应管中热电偶测试，温控仪显示。检测部分为日本株式会社岛津制作所 GC－14C 气相色谱仪，采用热导检测器；数据分析部分为浙江大学 N－2000 双通道色谱工作站。

二、结果与讨论

（一）XRD 谱图分析

由图 1 可知 K 型层状锰氧化物 K－Bir 的 XRD 特征谱峰 $2\theta = 12.5°$ 和 $2\theta = 25°$ 处清晰可见，这与文献［3］报道一致。Fe－Bir 在 $2\theta = 12.5°$处出现 Birnessite 的特征峰，这表明在所制的催化剂仍保持载体的层状结构。与 K－Bir 相比较 Fe－Bir 中 Birnessite 的峰形减弱并且宽化，并出现了 Mn_2O_3 的特征峰。这表明在升温过程中 Birnessite 型锰氧化物会逐渐转换为 Mn_2O_3，这是由于 Birnessite 型锰氧化物本身的亚稳态结构所造成的。Birnessite 的二维片层结构是由共边的 MnO_6 八面体结构单元组成，其中多为 Mn（IV）O_6但也含有一定量的 Mn（III）O_6和 Mn（Ⅱ）O_6。片层结构上每隔 6 个锰氧八面体 MnO_6 就有一个空位，同时还存有晶格缺陷以及同晶置换现象即 Mn（II）或 Mn（III）置换 Mn（IV）。这一特性决定了不同价态锰之间的容易发生相互转变（主要是 Mn^{2+} 和 Mn^{4+}），形成多种中间价态的锰。

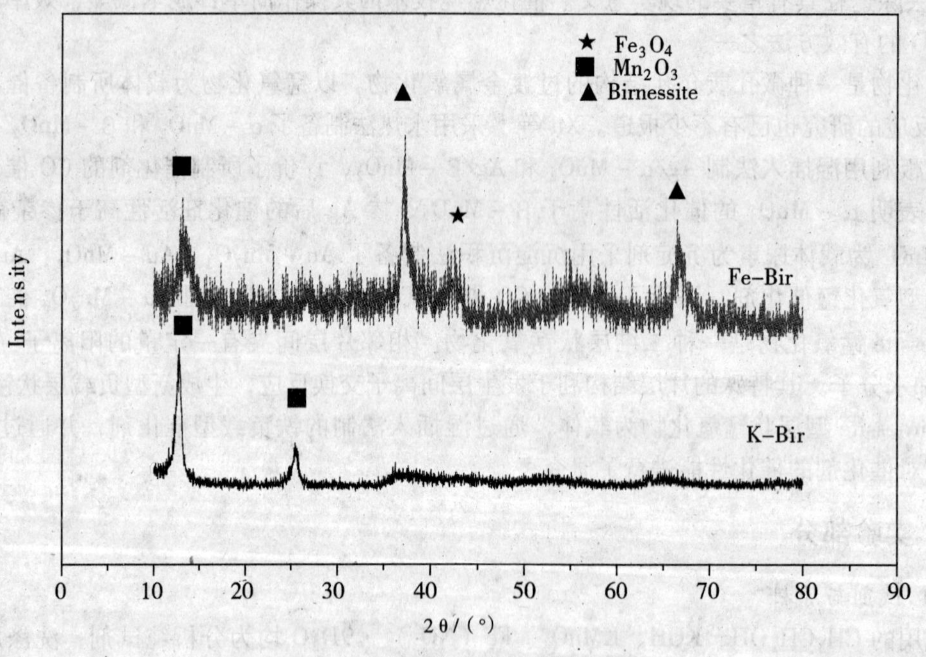

图 1　K－Bir 和 Fe－Bir XRD 谱图

（二）催化活性评价

图 2 为 K－Bir 和 Fe－Bir 催化剂对 CO 氧化反应的催化活性随温度的变化关系图，从图中可以看出，较 K－Bir 而言 Fe－Bir 对 CO 具有更好的催化性能，掺入 Fe 后 CO 的完全转化时的温度大大降低。在起始阶段（转化率 10% 处）Fe－Bir 和 K－Bir 两催化剂的转化速率差别不大。随着温度的升高，催化剂的活性都逐步增强，但 Fe－Bir 的增长速率远远大于 K－Bir，转化率 50% 处两者已有明显差别，Fe－Bir 存在条件下 150℃左右 CO 转化率即可达到 50%，K－Bir 存在时达到相同转化率时温度为 260℃左右。当反应温度达到 210℃左右时，Fe－Bir 对 CO 的转化率已达到 100%，而 K－Bir 却低于 50%，K－Bir 存在下直到 400℃左右 CO 才转化完全。这一评价结果表明 Fe 的引入对 CO 的氧化反应产生了助催作用，加强了 Fe 与载体间的相互作用，提高了 Fe－Bir 的氧化还原性能，从而具有较好的 CO 的催化氧化性能。

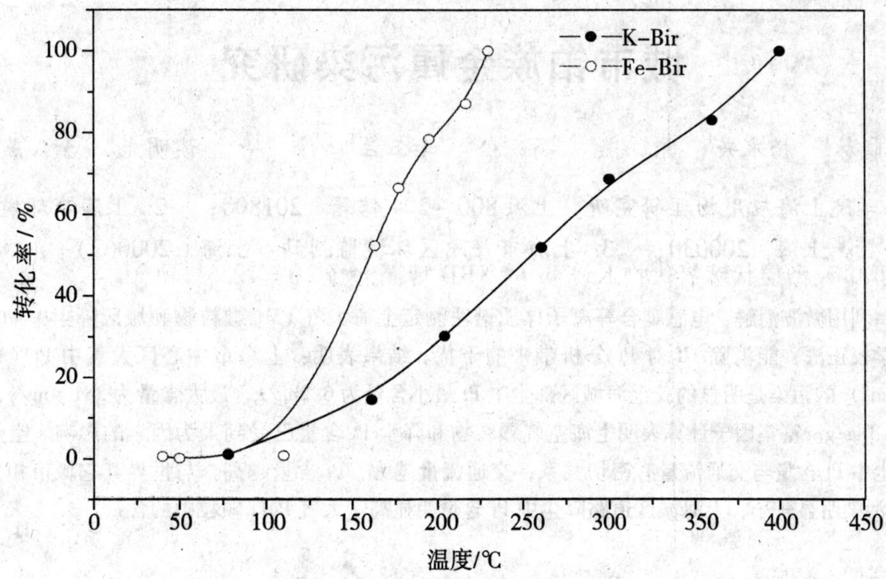

图2　CO 氧化反应的催化活性图

三、结　论

以 K - Bir 为模板采用离子交换法合成的 Fe 负载型 Birnessite 催化剂，XRD 结果表明 Fe - Bir 仍具有二维层状结构。以 CO 催化氧化反应为模型对所制样品的催化活性进行了测试，结果表明铁离子的引入加强了铁离子与载体间的相互作用，提高了 Fe - Bir 的氧化还原性能，从而具有较好的 CO 的催化氧化性能。

参考文献

[1] Run Xu, Xun Wang, Dingsheng Wang, Kebin Zhou, Yadong Li. Surface structure effects in nanocrystal MnO_2 and Ag/MnO_2 catalytic oxidation of CO [J]. Journal of Catalysis, 2006, 237: 426 - 430.

[2] Lu - Cun Wang, Qian Liu, Xin - Song Huang, Yong - Mei Liu, et al. Gold nanoparticles supported on manganese oxides for low - temperature CO oxidation [J]. Applied Catalysis B: Environmental, 2009, 88: 204 - 212.

[3] Lihui Liu, Qi Feng, K. Yanagisawa. Characterization of birnessite - type sodium manganese oxides prepared by hydroth - ermal reaction process [J]. Journal of Materials Science Letters, 2000, 19: 2047 - 2050.

城市铂族金属污染研究

李晓林[1] 杨永兴[1] 朱 燕[1] 高 松[2] 李玉兰[1] 徐 崎[3] 谈明光[1] 李 燕[1]

（1. 中国科学院上海应用物理研究所 上海 800－204 信箱 201800； 2. 上海市环境监测中心 上海 200030； 3. 上海市普陀区环境监测站 上海 200062）

摘 要 利用微波消解、电感耦合等离子体质谱法测定上海大气 PM_{10} 颗粒物和城区降尘中 Pt 浓度，通过数学校正法，能消除 Hf 对 Pt 分析带来的干扰。结果表明：上海市中心区大气中 Pt（1.69 ± 0.93pg/m^3）的污染是明显的；上海城区降尘中 Pt 最小含量为 6.2ng/g，最大含量为 381.4ng/g，平均含量 37.3ng/g。富集因子计算表明上海空气颗粒物和降尘 Pt 含量已受到人为因素的影响。空气颗粒物和降尘中 Pt 含量与交通流量有密切关系，交通流量越大，Pt 含量越高。与世界其它城市相比，上海市 Pt 污染明显较小，上海城区道路降尘中 Pt 含量明显高于大气 PM_{10} 颗粒中的含量。

为减轻汽车尾气排放对大气的污染，含贵金属铂（Pt）、钯（Pd）、铑（Rh）的三元催化转换器被广泛安装在汽车上。在使用过程中，三元催化剂能有效地将机动车尾气中的 CO、NO_x 和碳氢化合物转化成无毒或低毒的 CO_2、N_2、H_2O，虽然这种催化转换器在净化空气方面功不可没，但在使用过程中由于机械磨损、化学反应等原因会排放出铂族元素（PGE）的微粒[1]。虽然金属态的铂元素是生物惰性的，但是水溶性的铂化合物则具有生物活性，已有研究表明，汽车尾气中有 10% 左右的铂可溶于生理盐水，也有研究证实 Pt 在环境中会发生复杂的转化，这就可能形成有害人体健康的物质，而相关的研究已经表明水溶性铂会对人体健康产生危害，如 Barefoot 在铂的生物活性老鼠实验中发现铂能够与血浆中的蛋白结合，研究表明铂的化合物具有致突变效应，张澍也论述了含铂颗粒物对人体健康有急慢性毒性、致敏性和致癌作用。因此，随着含 Pt 气溶胶被吸入人体，部分 Pt 势必会被进入人体代谢过程，对人体产生潜在的危害。人体从环境中接触致癌物，平均潜伏期为 15～20 年，如水俣病（汞中毒）和骨痛病（镉中毒）从发现症状到发现污染根源分别用了 15 年和 57 年。所以有必要及时关注 Pt 这种重金属污染。最近欧美科学家已经对土壤、冰雪、大气气溶胶中贵金属污染开展了一系列研究，而在我国相关研究还没有开展。上海作为我国的特大型城市，人口密集，交通密度大，汽车尾气污染相对严重，而且于 2002 年 8 月开始实施欧洲Ⅱ号标准，这意味着大量含铂、钯、铑的三元催化转化器已在汽车上安装使用。铂族元素在环境中会不断积累，所以有必要测定其在大气环境中的含量，以了解其对环境的污染程度。本工作首次评价了上海市大气 PM_{10} 颗粒物和降尘中铂元素污染状况。

一、材料与方法

（一）样品采集

颗粒物采样：实验用 PM_{10}－2 型可吸入颗粒物采样器采集 PM_{10} 样品，样品收集在聚四氟乙烯（PTFE， =90mm）膜上。每个样品采样时间为两周左右，为防止采样过程中采样器流量的变化以及停电等造成的采样体积误差，将一煤气表与采样仪连接，通过采样始末煤气表流量计数可以计算采样体积。样品采自 4 个采样点：上海应用物理研究所（郊区清洁对照点），普陀区（居民住宅和交通混合区），钢铁研究所（工业区）和人民广场（市中心交通密集区）。人民广场采样时间为 2003 年 12 月至 2005 年 12 月，4 个采样点同时采样共采集四套样品，采样时间分别为 2005 年 1 月，2005 年 3 月，2006 年 1 月，2006 年 3 月。

降尘采样：实验采集了上海城区 11 个行政区中不同交通干道附近的 20 个道路降尘，采样时间为2008年1月，采样频率为1个月，是一个月内的连续累积采样（上海2008年1月份上中旬平均气温为2.2℃，下旬平均气温为0.7～1.6℃）。道路降尘是在道路两侧高3～5m高度采集的降尘样品，上海市降尘监测采用国家统一制定的监测技术标准[11]，通过装有水溶液的集尘桶，收集空气中自然沉降的颗粒物（包括干沉降和湿沉降）。

（二）样品分析

1. 仪器与试剂 X-7型电感耦合等离子体质谱仪（美国热电公司）；Ethos-320高压密闭微波消解系统（Milestone公司）；A-10型Mili-Q超纯水装置（美国，Millipore公司）；EH20A Plus电热板（Lab Tech）；HNO_3（67%）、HF（40%）、HCl（37%）均为超纯级；In和Ir内标（国家标准物质，1000mg/L）；Pt单元素标准溶液（国家标准物质，1000mg/L）；Hf单元素标准溶液（国家标准物质，1000mg/L）；BCR-723 PGEs国际标准参考物质（欧盟联合研究中心标准物质测试研究所，比利时）。整个实验过程中没有特别说明所用的酸均为高纯酸，水为超纯水。

2. 采集到的空气颗粒和道路降尘经处理后置于干燥器中。测定时，称取样品于PTFE消解罐中。另外用一空的PTFE消解罐做过程空白，用两步微波消解法进行消解，样品放入PTFE消解罐中后，加入混酸（$2mlH_2O+3mlHF+3mlHNO_3$），设定消解步骤进行微波消解，20min时间温度从室温升到180℃，保持5min，再从180℃升到190℃，在190℃保持10min。消解结束后冷却，取出样品。在电热板上蒸发至近干（约3h）。再加入混酸（$1mlHNO_3+3mlHCl+4mlH_2O$），进行微波消解。25min时间温度从室温升到190℃，并在190℃保持20min。消解结束后冷却，取出样品。在电热板上蒸发近干后，加1mlHCl再蒸发近干，重复3次。最后用0.8mol/LHCl溶液定容到10ml。对X-7型电感耦合等离子体质谱仪工作参数优化后，用In和Ir的混合内标进行测定。

（三）质量保证

179Hf在离子化过程中产生的复合离子179Hf16O，其m/z与195Pt的m/z相同，179Hf16O和195Pt产生谱峰重叠，因此Hf是Pt元素测定的谱干扰元素[4]。一般采用数学校正法来消除Hf的干扰。

$$C_{Pt}=C_{Pt,s}-C_{Hf,s}\cdot R_{HfO/Hf}$$

式中：C_{Pt}表示样品中Pt的真实浓度；$C_{Pt,s}$表示测得的样品中Pt浓度；$C_{Hf,s}$表示样品中Hf的浓度；$R_{HfO/Hf}$表示样品中HfO与Hf的比值。通过数学校正法，能很好地消除Hf带来的干扰。实验采用PGEs国际标准参考物质BCR-723，验证分析方法的准确性。BCR-723中Pt测量平均值为78.9ng/g（n=6），标准值为81.3（3.3ng/g），测量值在标准值的误差范围内，说明实验所用分析方法是可靠的[2]。

二、结果与讨论

（一）上海大气颗粒物PM_{10}中Pt元素含量变化趋势

对2003年12月到2004年12月两年间在上海市中心区人民广场采集的46个PM_{10}样品做了Pt元素分析，其含量的变化见图1。从Pt的分析结果可以看出，Pt含量最高值为4.64pg/m^3，而最低值为0.43pg/m^3，其平均值为1.69pg/m^3。虽然测得的数值中有个别值波动较大，但是在2003年12月到2005年12月两年间，上海市中心城区PM_{10}中Pt含量并没有明显增加，从线性拟合可以看出，气溶胶中Pt含量增长趋势不显著。机动车尾气中排放出的Pt附着在大气颗粒物中，而大气颗粒物的浓度受风和降雨等气象条件影响，风和降雨作用会导致大气中的Pt随颗粒物扩散与沉降，从而延缓了其在大气气溶胶中的积累。因此，铂元素在大气环境中的积累是缓慢的，短时期内大气中Pt元素含量并没有明显增高。Zereini等人研究了德国奥芬巴赫和法兰克福两城市1988—1998年来气溶胶中 Pt 含量，发现 Pt 含量由 1988 年不到 10pg/m^3 增至 1998 年的 100pg/m^3 左右。由此也可以看出，虽然大气中的 Pt 在短时期内积累不明显，但随着长期大量使用含 Pt 催化转换器，Pt 在大气中的积累将会变得明显。因此，有必要关注这种潜在的重金属污染。

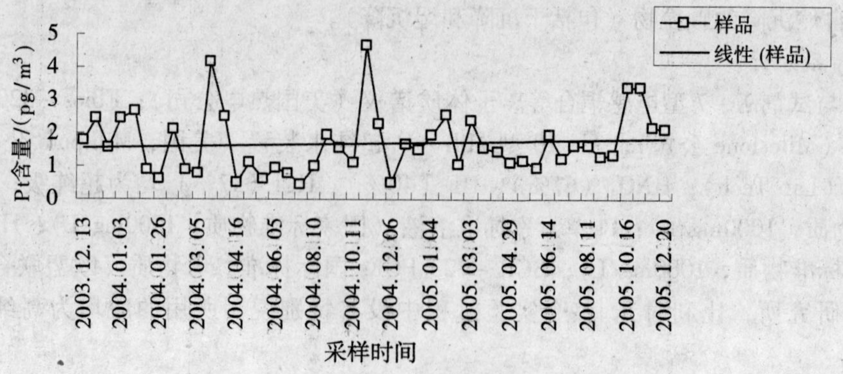

图 1　上海市人民广场大气气溶胶中 Pt 含量的变化

（二）大气 PM_{10} 中 Pt 含量在不同季节的变化

从人民广场 2004 年和 2005 年 1—12 月份 PM_{10} 中 Pt 平均含量值可以看出，Pt 含量在不同季节有所变化（图 2）：5—9 月份 Pt 浓度明显偏低，且波动较小，即在夏秋两季偏低，而在冬春季节含量偏高，且波动较大。本次工作我们同时监测了人民广场 2004 年至 2005 年大气中 PM_{10} 颗粒物的月平均浓度（图 3）。比较图 3 和图 2，可以看出 2004 年和 2005 年 PM_{10} 的月平均浓度变化也是夏秋两季偏低，而冬春季节偏高，与 Pt 月平均浓度变化呈现一致性。另外殷小雯通过对上海市 2002 年以来 PM_{10} 颗粒物浓度变化研究也证实上海市大气 PM_{10} 浓度有同样的季节性变化的特征（殷小雯，2005）。大气中 Pt 浓度变化与大气中颗粒物浓度变化一致，其原因可能与 Pt 在大气中存在状态有关。这些含 Pt 微颗粒进入大气后，在空气中的滞留与其他空气颗粒物一样受气象条件影响。杨书申等研究了中国典型城市（包括上海）2004 年大气颗粒物浓度与气象条件的关系，证明降雨是导致颗粒物浓度降低的主要原因。上海市近 30 年的气象统计资料表明，上海地区夏秋两季雨量明显高于春冬季节（中国气象科学数据共享服务网），上海地区这种气候特征决定了上述颗粒物浓度变化趋势。

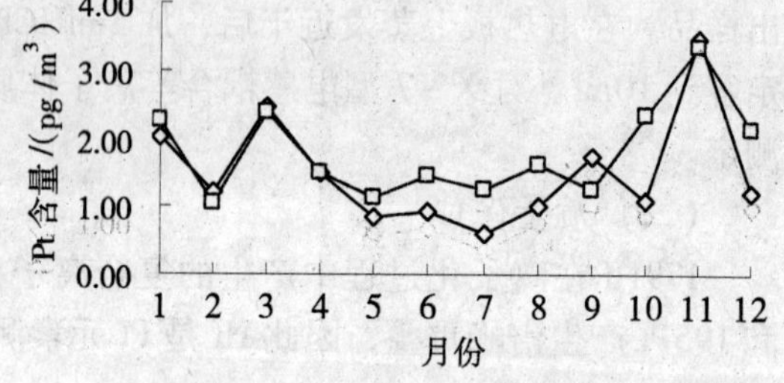

图 2　上海市人民广场 PM_{10} 中 2004 年、2005 年各月份 Pt 平均含量变化

（三）上海市不同采样点大气 PM_{10} 中 Pt 含量的变化

图 4 为上海市四个采样点 4 次同时采集的 4 套样品中 Pt 元素平均含量（采样时间分别为 2005 年 1 月，2005 年 3 月，2006 年 1 月，2006 年 3 月），可以看出大气气溶胶中 Pt 含量因采样点的不同而不同。其中上海应用物理研究所采样点位于上海市郊区，远离公路，四周为农田，四百亩所区多被树林覆盖，受交通条件影响

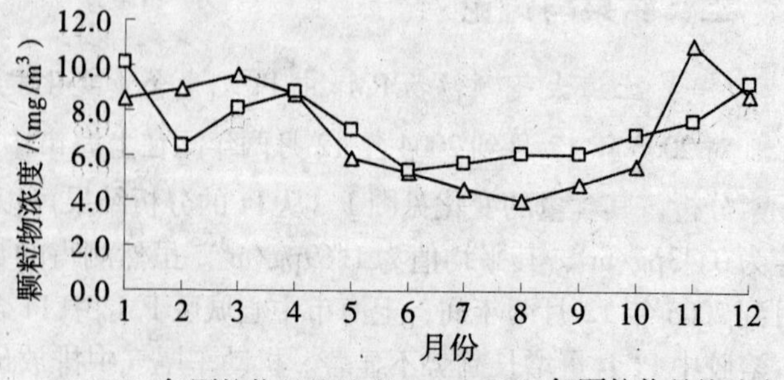

图 3　上海市人民广场 2004 年、2005 年各月份 PM_{10} 浓度变化

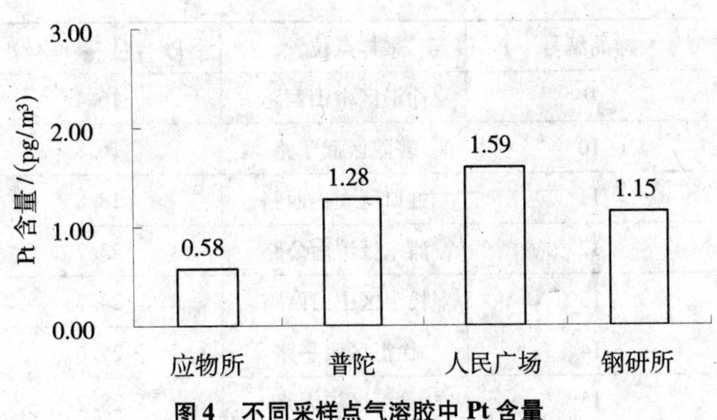

图4 不同采样点气溶胶中 Pt 含量

小，是清洁对照点，其 Pt 含量最低，为 0.58pg/m³，可以视为背景值。普陀区采样点位于居民生活和交通混合区，交通密度较大，Pt 含量为 1.28pg/m³。人民广场采样点位于上海市中心区，交通密度最大，其 Pt 含量为 1.59pg/m³，比背景值高出近 3 倍，同背景值比较，上海市中心区大气气溶胶中 Pt 的污染是明显的。钢铁研究所采样点位于宝山钢铁工业区，距公路较远，其 Pt 含量为 1.15pg/m³，高于应用物理所。这说明钢铁工业不是大气中 Pt 污染的主要排放源。Ely 等人研究了美国不同道路旁表层土壤中铂族元素含量，结果表明随采样点离道路垂直距离越远，Pt 含量下降趋势越明显；S. Rauch 等人分别用碰撞采样器和低流量采样器同时采集瑞典哥德堡市不同交通条件下气溶胶样品，对碰撞采样器采集的 PM_{10} 分析结果表明，在交通高密度区 Pt 平均含量为 14.1pg/m³，而在交通低密度区 Pt 平均含量为 2.1pg/m³；对低流量采样器采集样品分析结果表明，在交通高密度区 Pt 平均含量为 28pg/m³，而在交通低密度区 Pt 平均含量为 3.6pg/m³，郊区则为 1.4pg/m³。我们的研究与国外的研究都表明，大气气溶胶中 Pt 含量与交通密度紧密相关，说明汽车尾气是大气中 Pt 污染的主要排放源。

（四）上海市城区降尘 Pt 含量及与交通流量关系

研究表明，影响 PGEs 在街道降尘中浓度的主要因素有交通流量、地质条件、环状交叉路口的类型等，其中起决定性作用的是交通流量。根据有关调查数据分析，上海市各交通干道的车流量空间分布并不均衡，所以 Pt 在各点的含量也不尽相同。由表 1 可见，降尘中 Pt 含量范围为 6.2 ~ 318.4ng/g，采样点 4、7、9、11、13、16、17、18、19、20 位于上海市区内环线附近，后 6 个采样点附近有高架桥或立交桥，其 Pt 含量明显于其他采样点。如位于点 18 立交桥附近的采样点，其 Pt 含量达 43.9ng/g。据报道，上海市内环以内的南北高架桥和延安高架桥车流量最高。结果表明内环以内降尘 Pt 含量明显高于其他地方。由图 2 可见，位于延安高架桥附近的 13 号采样点及位于南北高架桥附近的 17、19、20 号采样点的降尘样品其 Pt 含量明显较其他地方。采样点 20 处于南北高架桥和延安高架桥的交叉路口附近，车流量更大，此处降尘中 Pt 含量达 318.4ng/g。

表1 Pt 含量分析结果

样品编号	采样点位置	Pt 含量/（ng/g）	Ti 含量/（μg/g）	EF
1	卢湾区打浦路	6.2	2530	18.8
2	杨浦区杨树浦路	7.6	2465	23.7
3	卢湾区中山南一路	9.3	3247	22
4	普陀区中山北路	9.4	2170	33.2
5	长宁区天山路	11.2	2801	30.7
6	闸北区共和新路	12.9	2886	34.3
7	浦东新区龙阳路	13.9	3494	30.5
8	闵行区七莘路	16.1	3128	39.5

样品编号	采样点位置	Pt 含量/（ng/g）	Ti 含量/（μg/g）	EF
9	徐汇区中山西路	16.4	2891	43.5
10	普陀区武宁路	16.8	3453	37.3
11	虹口区大连西路	18.8	2835	50.9
12	浦东区沪南公路	23.7	3392	53.6
13	长宁区中山西路	24.7	2847	66.6
14	徐汇区康平路	25.6	2713	72.4
15	徐汇区沪闵路	28.2	2878	75.2
16	黄浦区中山南路	29.1	3298	67.7
17	黄浦区西藏南路	40.2	3462	89.1
18	虹口区中山北二路	43.9	2356	143
19	闸北区中山北路	72.8	2659	210.1
20	静安区北京路	318.4	2351	1039.4

（五）上海市道路降尘中 Pt 含量与世界其他城市的比较

在我国，由于使用三元催化转换器的时间较短，PGEs 的环境污染近年才被认识[3]。上海大气可吸入颗粒物中 Pt 元素的污染状况与特征研究表明，上海市大气 PM_{10} 中 Pt 元素的污染是明显的，三元催化转换器是上海大气铂污染的来源。WANG. X 等研究了徐州城市路旁表层土壤中的 Pt 和 Pd 的污染，结果表明路旁表层土壤中的 Pt 和 Pd 主要来自汽车尾气排放。WANG. J 等研究了北京市高速环线路旁道路降尘（直接从地面采样）中 Pt、Pd、Rh 的分布，结果显示，Pt、Pd、Rh 的污染是十分显著的。

与世界其他城市相比较（表 2），上海城市降尘 Pt 浓度处于较低水平。WANG. J 等研究的北京地区不同交通流量地区 Pt 浓度为 3.96 ~ 356.3ng/g，这个范围和本实验测得的 Pt 含量是一致的，但北京地区道路降尘中 Pt 平均含量为 97.6ng/g，明显高于上海。北京比上海早实行欧Ⅱ标准，而且北京机动车数量已经超过了 300 万辆，上海机动车数量则在 200 万辆左右，因此北京的机动车尾气排放明显大于上海。同欧美国家城市相比，上海城市降尘铂污染程度明显较低（表 2），如在英国的 Sheffield 道路降尘中 Pt 含量为 27 ~ 408ng/g，平均值为 146ng/g，远比上海要高。

表 2　世界各地道路降尘中 Pt 含量比较　　单位：ng/g

城　市	范围	平均值	文献
谢菲尔德（英国）	27 ~ 408	146	[21]
北京（中国）	3.96 ~ 356.3	97.16	[19]
奥卢（芬兰）		71.9	[22]
比亚维斯托克（波兰）	34.2 ~ 110.9	101.9	[8]
珀斯（澳大利亚）	30 ~ 420	53.84	[17]
卡尔斯鲁厄（德国）	100 ~ 300		[23]
马德里（西班牙）	31 ~ 2252	317	[7]
伦敦（英国）	101.6 ~ 764.2		[24]
上海（中国）	6.2 ~ 381.4	37.3	This study

（六）道路降尘和大气 PM_{10} 中 Pt 含量的比较

机动车尾气排放的含铂颗粒物除一部分随降尘沉降外，还有一部分会滞留在空气中污染大气环境。研究结果表明上海市 PM_{10} 中，Pt 的平均含量为 21.8ng/g，远低于本研究测得的上海城区道路降尘中 Pt 平均含量 37.3 ng/g。这表明在城市环境中降尘可能是 PGEs 污染的最主要媒介，街道路面可能是 PGEs 污染的主要场所。由于下雨，PGEs 污染物又会随降尘进入土壤和水体中沉淀富集。同 PM_{10} 大气颗粒物相比，降尘中含有较多的粗颗粒。道路降尘中 Pt 含量高于 PM_{10} 颗粒，提示机动车尾气排放的铂元素可能主要富集在较粗的颗粒中。国外机动车排放实验表明，汽车尾气排放的含 Pt 颗粒物，粒径大于 10μm 占 60%～67%，粒径在 3.1～10μm 约占 21%，粒径小于 3.1μm 的约占 13%[1]，这个与本研究结果是吻合的。

三、结　论

1. 上海大气 PM_{10} 中个别样品铂元素含量值之间的波动较大，但是从线性拟合关系看出其整体增长趋势不大，PM_{10} 中 Pt 含量随季节性变化，夏秋偏低，春冬偏高，与 PM_{10} 颗粒物浓度变化趋势相同，而两者均受上海地区特殊的气候特征所影响。

2. 上海大气 PM_{10} 和降尘中 Pt 的含量和车流量有着密切的关系。车流量越大，降尘中 Pt 含量越高。

3. 与欧美国家相比，上海大气 PM_{10} 和降尘中铂元素污染相对较轻。

4. 道路降尘中 Pt 含量高于 PM_{10} 颗粒，提示机动车尾气排放的铂元素可能主要富集在粗颗粒中。

参考文献

[1] Fathi Zereini, Friedrich Alt, Eds. Anthropogenic Platinum－Group Element E missions. Springer, 1999.

[2] Sutherland. R. A. Platinum－group element concentrations in BCR－723: A quantitative review of published analyses. [J]. Analytica Chimica Acta, 2007, 582: 201－207.

[3] WANG. J, ZHU. R. H, SHI. Y. Z. Distribution of platinum group elements in road dust in the Beijing metropolitan area, China. [J]. Environmental Sciences, 2007, 19: 29－34.

沈阳城区春节期间大气细颗粒物元素的浓度变化及其来源

洪　也[1]　周德平[1]　马雁军[1]　李潮流[2]　刘宁微[1]　董玉敏[3]

（1. 中国气象局沈阳大气环境研究所　沈阳　110016；
2. 中国科学院青藏高原研究所　北京　100085；3. 辽宁工业大学　锦州　121001）

摘　要　为了解城市春节期间大量燃放烟花爆竹造成的大气污染状况，2008 年 1 月 30 日至 2 月 9 日，用安德森分级撞击式采样器在沈阳市城区进行了大气气溶胶分级采样，并用电感耦合等离子体质谱仪（ICP－MS）对细颗粒物样品中 41 种元素进行了分析。同时通过富集因子和主因子分析，讨论了沈阳市春节期间大气细颗粒物中元素的组成及来源。结果表明：大量燃放烟花爆竹使春节期间空气中污染物浓度急剧增加，颗粒物浓度在除夕夜零点达到最高值，约为平时的 5 倍多；同时大气细颗粒物中的元素浓度也明显高于冬季平时状态的数倍甚至数百倍，其中燃放烟花爆竹的标识元素 Ba、Sr、K 等元素浓度非常高；由交通和工业生产产生的污染元素 Cd、As、B、Pb、Zn 等在细颗粒物中也有大量的富集，显示了春节期间除燃放烟花爆竹造成的颗粒物污染外，来自冶炼、餐饮、化学工业以及汽车尾气等人为污染源的释放也占有重要地位。据此提出进一步限制烟花爆竹燃放及综合治理大气污染物排放的建议。

关键词　烟花爆竹　细颗粒物　元素　富集因子　因子分析

随着人民生活水平的提高，春节期间烟花爆竹燃放量不断增加，由此导致的火灾和人身伤害给国家和人民造成了巨大的损失，也导致城市大气环境明显恶化。我国很早就已经开展了该方面的研究。张恩飞[1]在 20 世纪 80 年代根据春节期间对城市居民身体健康的调查资料以及监测资料，讨论分析了燃放烟花爆竹对城市居民身体健康的影响。1995 年孙作平等[2]基于 5 年的监测数据，分析了除夕夜燃放烟花爆竹对环境产生的严重影响，据此提出在城市区域禁止燃放的建议。近年来，徐敬等[3]采用 TEOM 于 2003 年 1 月 31 日至 2 月 25 日对北京城区 $PM_{2.5}$ 和 PM_{10} 质量浓度和化学成分进行了研究。金军等[4]利用 2006 年春节期间的大气颗粒物浓度及粒径谱分布资料，进一步分析了北京市鞭炮燃放禁改限后大气颗粒物污染的变化规律。国外对燃放烟花爆竹也很关注：其中研究发现燃放烟花爆竹排放的颗粒物金属含量远远高于日常大气颗粒物，其中 Ba 浓度为燃放前的 103 倍[5]；也发现烟花燃烧时会释放有害微粒，能引起哮喘等呼吸道疾病[6]；燃放产生的大量颗粒物主要为细粒子，其中 K 元素和 S 元素含量最多[7]；燃放烟花甚至可能产生致癌的多氯代二苯并－对－二恶英（PC－DDs）和多氯代二苯并呋喃（PCDFs）[8,9]。

作为我国东北最大的重工业城市，沈阳市的大气可吸入颗粒物污染一直比较严重[10,11]。图 1 是根据沈阳大气成分站 Grimm180 颗粒物分析仪在 2007 年春节期间监测到的可吸入颗粒物（PM_{10}、$PM_{2.5}$ 和 PM_1）浓度资料绘制的，由图 1 可见，PM_{10}、$PM_{2.5}$ 和 PM_1 浓度均在除夕夜（17 日）的 22 时开始至次日（18 日）凌晨 2 时之间达到浓度的高峰值，峰值浓度约为平时的 5 倍多。按照习俗，除夕夜的 24 时前后是市民燃放烟花爆竹最集中的时段。因此，为了解春节期间城市颗粒物质量浓度的变化以及除夕夜集中燃放烟花爆竹产生颗粒物污染的程度，我们于 2008 年春节期间在沈阳市区采集了气溶胶样品，测定了样品的质量浓度和元素成分，并对污染物的来源进行了初步探讨，以期了解目前沈阳市城区内燃放烟花爆竹造成的大气污染的程度和变化规律，并可为沈阳大气污染治理及政府相关决策提供参考依据。

一、样品采集与分析

采样点位于沈阳市内两条主干道文化路与青年大街的交会处，沈阳区域气象中心大楼 15 楼

楼顶平台上。由于平台位置较高，周围没有障碍物影响采样，故采得的样品可以代表周边一定区

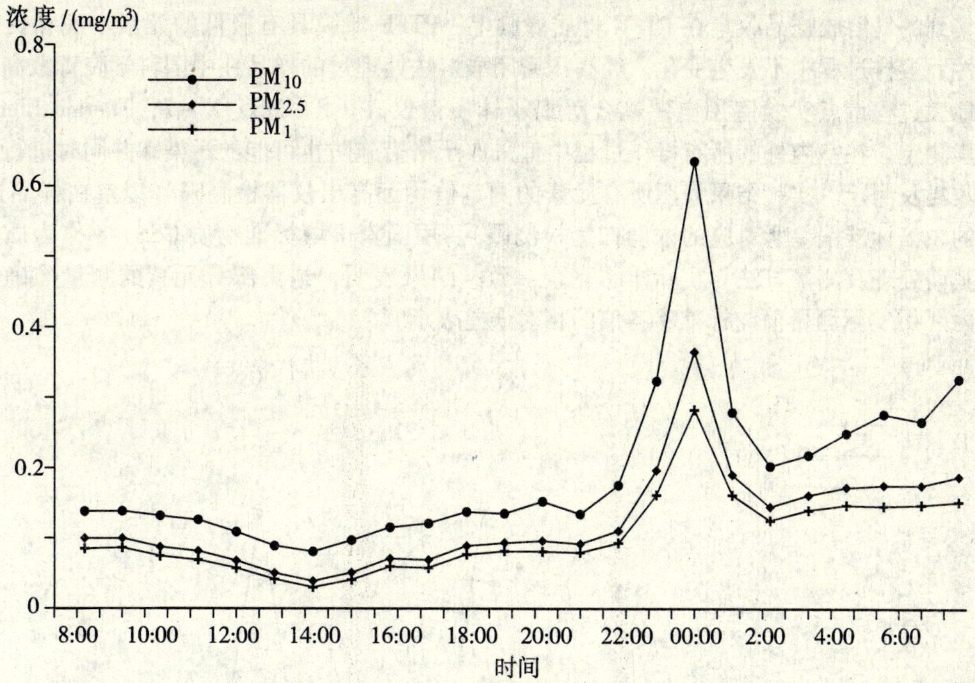

图1　除夕至初一颗粒物小时浓度的变化

域内大气气溶胶的平均状况。使用 FA－3 型 Anderson 撞击式气溶胶分级采样器，采样器大气入口高度距平台地面约 1.5m，瞬时流量为 28.3L/min。采样日期自 2008 年 1 月 30 日至 2 月 9 日，每天连续采集约 24h。采样膜使用聚四氟乙烯滤纸（Teflon）和玻璃纤维滤膜。本次实验，共采集到 7 组样品，分别记为 1#～7#，每组样品的采样时间列于表 1，采样方法和记录均按照监测规范进行。

表1　各组样品的采集时间

样品号	采样开始时间	采样结束时间
1#	2008－01－30　13：10	2008－01－31 16：57
2#	2008－01－31　17：24	2008－02－02 19：07
3#	2008－02－02　9：39	2008－02－03 10：30
4#	2008－02－04　9：50	2008－02－05 11：00
5#	2008－02－05　12：40	2008－02－06 14：08
6#	2008－02－06　14：50	2008－02－07 15：50
7#	2008－02－08　17：21	2008－02－09 18：10

Anderson 采样器共分 9 级，各级代表的空气动力学等效直径分别为，0 级：9～10 μm、1 级：5.8～9.0μm 、2 级：4.7～5.8μm 、3 级：3.3～4.7μm 、4 级：2.1～3.3μm、5 级：1.1～2.1μm、6 级：0.65～1.1μm、7 级：0.43～0.65μm 和 8 级：＜0.43μm。由于本次实验的目的是着重分析细颗粒物的化学成分，所以在 5～8 级用聚四氟乙烯滤纸采样以便分析其元素含量，在其余各级采用玻璃纤维滤膜只分析其质量浓度。滤膜在采样前、后均置于温度为 25 ℃，相对湿度为 35 %的恒温恒湿箱中恒重 48 h 后称重（其中玻璃纤维滤膜要先放在马弗炉中用 400℃高

温烘烤 2h）。

采集到的气溶胶样品收集在 PTFE 材质滤膜上，PTFE 滤膜具有极低的元素本底和良好的化学稳定性，溶样过程中不发生变化。经高压密闭酸溶法处理过的样品在中国科学院青藏高原环境变化与地表过程重点实验室用电感耦合等离子体质谱仪（ICP－MS，X－7，Thermo Elemental）进行元素测定。在室内外的所有操作过程中都采取严格措施防止可能的污染，并同时进行了空白样品的收集及测定。实验结果表明所有元素的测定值均远高出仪器检测限（以空白样品连续 11 次测定的 3 倍标准偏差所对应的浓度作为检测限）。用国家土壤标准物质 GSS－8 作为质量控制样品，其前处理及测量方法与实际样品完全一致，结果表明，绝大部分元素的测量准确度均在 10% 以内（用实际测量值与标准参考值的相对误差表示）。

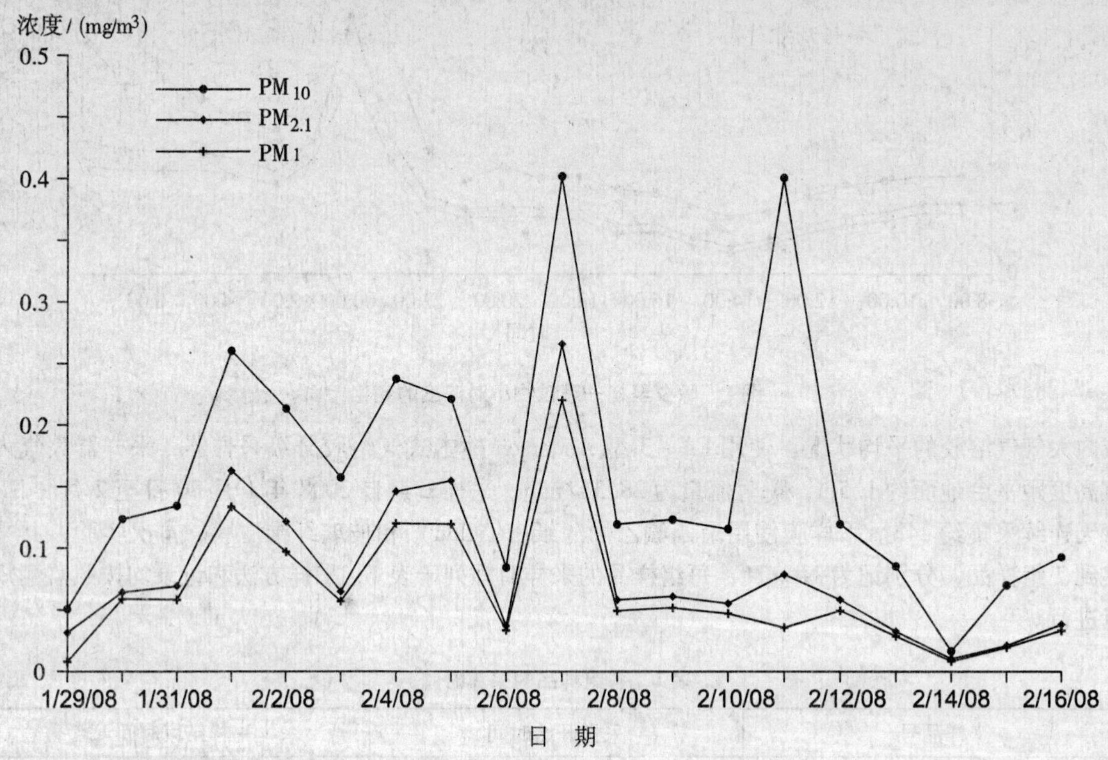

图 2　春节前后气溶胶日均浓度分布图

二、结果分析

（一）颗粒物质量浓度的变化

本研究把空气动力学直径 2.1μm 作为粗、细粒子的分界。用 Anderson 采样器采集的 9 个级别颗粒物浓度之总和为 PM_{10}，第 5～8 级之和为 $PM_{2.1}$，6～8 级之和为 PM_1。图 2 为可吸入颗粒物日均浓度的分布结果。由图 2 可知，1 月 30－31 日 PM_{10}、$PM_{2.1}$ 和 PM_1 值较低，随着春节的临近，从 2 月 1 日（农历廿五）开始，颗粒物的浓度出现明显升高，在除夕（2 月 6 日）和大年初一（2 月 7 日）达到最高值，PM_{10}、$PM_{2.1}$ 和 PM_1 高达 0.400mg/m^3、0.265mg/m^3 和 0.220mg/m^3，PM_{10} 的日均浓度超过国家二级标准[12] 2.67 倍，$PM_{2.1}$ 的日均浓度是美国 $PM_{2.5}$ 日均浓度标准的 7 倍多[13]。初一过后，浓度又明显降低。至初五（2 月 11 日）粗、细粒子浓度又出现另一高值，究其原因，主要是因为这一天有沙尘天气发生，同时，按照民间"破五"的习俗也是燃放烟花爆竹的高峰期。尤其是春节假期结束后，颗粒物浓度明显减少。可见，春节期间燃放烟花爆竹对可吸入颗粒物日均浓度的增加，尤其是细粒子的日均浓度增加有非常显著的作用。

（二）细颗粒物的化学成分分析

大气颗粒物的化学特征是质量浓度外的另一个重要指标。了解大气颗粒物的化学成分，不但可以定性识别各类污染排放源，而且可以定量解析各个排放源贡献的大小，从而为有效进行颗粒物污染治理提供科学依据。由于烟花爆竹燃放产生的颗粒物主要为细粒子[7]，本研究测定了 $PM_{2.1}$和 PM_1 中的 Li、Be、Al、K、Sc、Ti、V、Cr、Mn、Fe、Co、Ni、Cu、Ga、Rb、Sr、Y、Zr、Nb、Cs、Ba、La、Ce、Pr、Nd、Sm、Eu、Gd、Tb、Dy、HO、Er、Tm、Yb、Lu、Hf、Ta、Tl、Th、U 共 40 种元素的质量浓度。

为分析春节期间（1 月 30 日至 2 月 8 日）由于燃放烟花爆竹引起的细颗粒物化学成分的变化情况，把春节前后各日 $PM_{2.1}$和 PM_1 中各元素浓度值求平均，即为平时均值；除夕日 $PM_{2.1}$和 PM_1 的值是 6#样品即 2 月 6 日 14：50 至 2 月 7 日 15：50 采样期间的元素浓度值。把除夕日值与平时均值相除，为相差倍数。然后把已测的 41 种元素按除夕日 $PM_{2.1}$的元素浓度值大小进行排序，取前 24 种元素值（ng/m^3）作为参比元素。把除夕与平时 PM_1 和 $PM_{2.1}$中各元素浓度进行对比。表 1 为除夕与平日 PM_1 和 $PM_{2.1}$中各元素浓度（ng/m^3）对比表。

由表 2 可见，在平时均值中，$PM_{2.1}$中元素浓度在 200 ~ 1010 ng/m^3 的元素有 K、Ca、Mg、Al、Zn、Na 等常量元素，这几种元素浓度占总浓度百分比的 88.59%；在 10 ~ 200 ng/m^3 的元素有 Pb、B、Ti、Ga、Mn、Cu、Ba、As、Cr；<10 ng/m^3 的元素为 Mo、Sr 等微量元素和一些稀土元素。PM_1 中元素浓度在 200 ~ 1000ng/m^3 的元素有 K、Mg、Zn、Na、Fe、Ca、Al 等常量元素，

表 2　除夕与平日 $PM_{2.1}$与 PM_1 中各元素浓度（ng/m^3）对比表

	平　日				除　夕				除夕与平日相差倍数	
	$PM_{2.1}$		PM_1		$PM_{2.1}$		PM_1			
	元素浓度	百分比/%	元素浓度	百分比/%	元素浓度	百分比/%	元素浓度	百分比/%	$PM_{2.1}$	PM_1
总和	3708	100	2793	100	48142	100	43966	100	15.74	12.98
K	1005	27.12	927.47	33.21	37139	77.14	35284	80.25	38.04	36.94
Mg	763.15	20.58	446.69	16.00	2319	4.82	1465	3.33	3.28	3.04
Al	284.88	7.68	154.53	5.53	2171	4.51	1632	3.71	10.56	7.62
Ba	23.89	0.64	20.71	0.74	1808	3.76	1654	3.76	79.86	75.68
Pb	98.99	2.67	95.10	3.41	744.36	1.55	684.10	1.56	7.19	7.52
Na	269.09	7.26	226.77	8.12	738.75	1.53	662.90	1.51	2.92	2.75
Ca	347.01	9.36	202.36	7.25	729.80	1.52	448.53	1.02	2.22	2.10
Zn	271.76	7.33	258.33	9.25	653.20	1.36	622.85	1.42	2.41	2.40
Fe	343.52	9.26	222.54	7.97	532.01	1.11	368.10	0.84	1.65	1.55
Sr	5.37	0.14	4.18	0.15	499.71	1.04	459.79	1.05	109.98	93.08
B	92.84	2.50	83.85	3.00	154.65	0.32	137.48	0.31	1.64	1.67
Ti	62.72	1.69	27.02	0.97	112.23	0.23	61.91	0.14	2.29	1.79
Mn	28.86	0.78	23.72	0.85	88.95	0.18	72.70	0.17	3.07	3.08
Ga	24.65	0.66	24.08	0.86	43.66	0.09	42.28	0.10	1.76	1.77
Cr	11.11	0.30	9.06	0.32	35.85	0.07	29.64	0.07	3.27	3.23
Mo	6.06	0.16	5.79	0.21	12.97	0.03	12.51	0.03	2.16	2.14

	平日				除夕				除夕与平日	
	$PM_{2.1}$		PM_1		$PM_{2.1}$		PM_1		相差倍数	
	元素浓度	百分比/%	元素浓度	百分比/%	元素浓度	百分比/%	元素浓度	百分比/%	$PM_{2.1}$	PM_1
Ni	6.17	0.17	5.37	0.19	12.47	0.03	10.98	0.02	2.04	2.02
Rb	2.91	0.08	2.65	0.09	10.94	0.02	10.12	0.02	3.82	3.76
V	5.83	0.16	3.90	0.14	9.35	0.02	6.88	0.02	1.76	1.60
La	0.16	0.00	0.07	0.00	0.39	0.00	0.15	0.00	2.06	2.40
Y	0.13	0.00	0.06	0.00	0.24	0.00	0.10	0.00	1.71	1.82

占总浓度百分比的87.33%，在10～200 ng/m^3 的元素有Al、Pb、B、Ti、Ga、Mn、Cu、Ba、As；<10 ng/m^3 的元素为Cr 、Mo、Sr等元素。由PM_1 和$PM_{2.1}$的对比中可以发现，一些来自于人为源污染的元素明显地聚集在PM_1 中。如K元素的浓度在PM_1 中占百分比为33.21%，在$PM_{2.1}$中则降低为27.12%，Ba、Pb、Na、Zn、Sr、Cu、Cr、As、Bi和B等一些人为源污染的元素也是相对聚集在PM_1 中，而一些来自于自然源的元素如Al、Mg、Fe、Ti、Rb、V、Zr、Tl、Co、La、Ce等则更多地相对富集在$PM_{2.1}$中。

在6#样品中，无论是$PM_{2.1}$还是PM_1，元素的浓度都远远高于平时元素的浓度，$PM_{2.1}$除夕浓度总和为48142 ng/m^3，是平时浓度的15.74倍，这说明这一天污染物排放非常严重。除夕日$PM_{2.1}$中元素浓度在200～30000 ng/m^3 的元素有K、Mg、Al、Ba、Pb、Na、Ca、Zn、Fe、Sr、Cu和Sr，其中元素K的浓度最高，高达37139 ng/m^3，是平时的38.04倍，仅K一种元素就占总浓度百分比的77.14%，而在PM_1 中的K元素所占的比例更高，达80.25%。另外在除夕增长倍数更高的元素还有Sr、Ba等元素，在$PM_{2.1}$中这两种元素分别是平时的109.98倍和79.86倍。因此。从监测结果显示：元素Sr、Ba和K在除夕夜的浓度远远高于平时，且与烟花爆竹中的钾盐的成分一致，可见这3种元素与烟花爆竹有很直接的关系，之后的元素的富集因子和因子分析结果也验证了这一点。

（三）气溶胶元素的富集因子及其来源的分析

富集因子（enrichment factors，EFs）常用于研究大气中气溶胶粒子的元素富集程度，可以有效地消除各种因素的影响，并可以判断和评价气溶胶中元素的来源[14-19]。

研究中一般选择Al、Fe、Ti等作为参考元素，地壳元素的平均含量通常采用Taylor提出的上地壳（UCC）元素数据[20]。富集因子可表示为：

$$EF_X = \frac{(C_X/C_R)_{\text{气溶胶}}}{(C_X/C_R)_{\text{地壳}}}$$

式中：C_X 为待检验元素，C_R 为参考元素，EF_X 为待评价元素的富集因子值。本文以Fe作为参考元素，把富集因子高于2的元素视为受到了人类活动的明显影响。

图3给出了沈阳市除夕日大气$PM_{2.1}$和PM_1 中测定元素相对上地壳元素Fe的富集因子值。根据富集因子（EF）值的大小把沈阳市春节期间大气气溶胶的化学元素分成二类：一类为典型的地壳组成元素和稀土元素：Na、Al、Fe、Sc、Zr、Th、U等地壳元素以及La、Ta、Eu、Lu、Dy等稀土元素，其EF值都小于1，基本上保持地壳中元素的平均丰度水准，受到人类活动的影响很小；第二类为受到人类活动影响较大的元素，如Ba、Sr 、K、Ni、V、Cs、Mn、Li、Pb、Rb的EF值都在10～100，其中K、Ba、Sr等主要来自在除夕的浓度比平时的浓度高出近40倍、80倍和100倍（见表2），可以看出它与除夕燃放烟花爆竹直接相关；Ni、V等来自冶金化工和燃油等[21]，Pb主要来自燃煤燃油和汽车尾气外还有电池生产、废弃物燃烧和冶炼工业等的排

放[22]；As、B、Cd、Zn、Tl、Cu 等的 EF 值大于 100，说明这几种元素受到了人类活动的强烈影响。这些元素除了少量自然源外有着复杂的人为来源，例如 As 主要来自燃煤，B 被广泛地应用于玻璃制造以及各种复合材料中；Cd 的来源包括金属矿产（如 Zn，Ni，Pb，Cd）的开采和冶炼，化石燃料如煤和石油的燃烧、垃圾焚烧、水泥的制造、钢铁生产、磷肥、木材燃烧等[23]，Zn 一般来自化石燃料的燃烧、金属冶炼以及垃圾焚烧等活动[24,25]。沈阳市是我国的著名的重工业城市，As、B、Cd、Zn、Tl、Cu 等元素的高富集因子值表明这些污染主要是由于春节期间繁忙的交通、取暖、工业燃煤、燃油、冶炼等原因造成的。As、Cu、Pb、Mg、Mn 等重金属元素在大气中虽然总含量不高，但富集程度很高，其潜在毒性会造成对人体的伤害。如儿童高血铅与空气中铅含量密切相关[26]。沈阳除夕 Pb 含量为 684 ng/m^3（见表2），超过世界卫生组织（WHO）年平均标准（500 ng/m^3）的 1.4 倍，其他有毒元素，通过呼吸作用也会对人体尤其是儿童、老年人等特殊群体造成危害。因此，建议有关部门能够进一步做好污染源的减控。

由表 3 中 $PM_{2.1}$ 与 PM_1 富集因子值对比可以看出，不同粒径组成的气溶胶粒子，其性质、来源和元素的富集程度都有很大区别，更重要的是一些元素主要集中在细粒子（PM_1）中，如 As、B、Cd、Zn、Tl、Cu 等这些主要来自人为源的元素在细粒子 PM_1 上富集的程度更高，达几百倍至几千倍，而主要来自地壳的元素如 Na、Al、Fe、Sc、Zr、Th、U 等地壳元素以及 La、Ta、Eu 等稀土元素多富集在较粗粒子 $PM_{2.1}$ 上，$PM_{2.1}$ 与 PM_1 富集因子值相差不大。

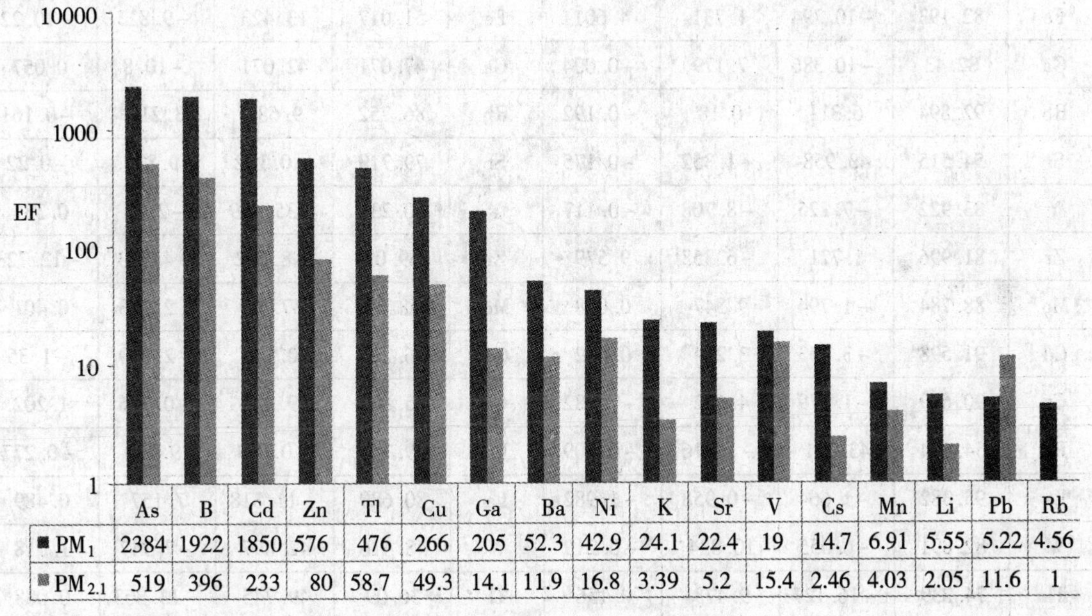

	As	B	Cd	Zn	Tl	Cu	Ga	Ba	Ni	K	Sr	V	Cs	Mn	Li	Pb	Rb
■ PM_1	2384	1922	1850	576	476	266	205	52.3	42.9	24.1	22.4	19	14.7	6.91	5.55	5.22	4.56
■ $PM_{2.1}$	519	396	233	80	58.7	49.3	14.1	11.9	16.8	3.39	5.2	15.4	2.46	4.03	2.05	11.6	1

图3　除夕 $PM_{2.1}$ 和 PM_1 中元素的富集因子

（四）沈阳春节期间气溶胶来源的因子分析

经验正交函数（EOF）在气溶胶元素浓度资料的统计分析中已经有了较为广泛的应用[27,28]，可以确定多元变量之间的关系，提供更直接的统计显著性评估。本文利用 EOF 来研究春节期间沈阳气溶胶中 PM_1 和 $PM_{2.1}$ 中各种源的相对贡献。表 3 是 PM_1 和 $PM_{2.1}$ 中元素浓度经验正交分析结果。

从表 3 中可以看出，元素浓度 EOF 分解的收敛速度很快，PM_1 和 $PM_{2.1}$ 中前三个向量的累计方差贡献率很高，分别达到了 97.4% 和 95.1%。在 PM_1 中，EOF_1 代表的是来自土壤的排放源，方差贡献率为 79.5%，其中负载最大元素的为 Li、Na、Ca、Sc、V、Ni、Mn、Fe、Rb 等典型的地壳元素，其贡献率达 80% ~90%。EOF_2 的方差贡献率为 10.7%，负载最大元素的为 Sr、Ba、

表 3　气溶胶 PM_1 和 PM_2 中主要元素经验正交分析结果

PM_1					$PM_{2.1}$				
元素	EOF_1	EOF_2	EOF_3	EOF_4	元素	EOF_1	EOF_2	EOF_3	EOF_4
Li	95.887	0.166	3.583	0.232	Li	79.243	20.323	0.042	-0.041
B	41.743	0.429	47.804	-8.72	B	24.578	50.098	2.586	22.626
Na	98.152	1.286	-0.021	0.01	Na	85.413	11.395	0.103	-2.398
Mg	74.436	21.255	-0.305	-3.905	Mg	92.341	-0.931	6.178	0.3
Al	63.591	34.667	-1.67	-0.073	Al	84.785	-0.489	14.154	-0.487
K	57.258	41.433	-1.175	-0.13	K	80.891	-0.006	18.708	-0.281
Ca	90	3.496	2.014	-1.186	Ca	96.222	0.004	-0.012	3.431
Ti	66.362	4.374	27.502	1.755	Ti	62.837	18.755	-2.396	13.103
V	96.156	0.753	0.536	-2.553	V	76.969	13.926	2.539	1.227
Cr	77.4	6.792	-0.206	14.117	Cr	69.939	7.343	6.022	-14.151
Mn	83.063	4.164	1.369	10.875	Mn	69.386	13.729	5.893	-6.186
Fe	82.193	-10.794	1.731	4.601	Fe	51.017	13.423	-9.823	-10.22
Ga	82.43	-10.386	7.179	-0.004	Ga	47.071	42.071	-10.8	0.057
Rb	92.894	6.311	0.18	-0.192	Rb	86.752	9.683	3.216	-0.161
Sr	54.515	43.958	-1.352	-0.175	Sr	79.719	-0.102	19.837	-0.22
Y	83.922	-7.225	-8.708	-0.117	Y	60.236	-35.949	-2.83	0.381
Zr	81.996	1.721	-6.353	9.579	Zr	69.09	-8.702	-4.573	-12.723
Mo	88.784	-1.794	9.347	0.028	Mo	58.69	37.32	-2.933	0.401
Cd	91.598	-3.453	3.274	0.682	Cd	56.227	40.115	-2.299	-1.35
Cs	90.649	-1.579	4.632	-2.582	Cs	65.861	29.986	-0.746	1.202
Ba	54.854	43.721	-1.316	-0.109	Ba	79.751	-0.074	19.733	-0.277
La	95.382	-1.664	-0.958	-1.982	La	80.689	-11.318	7.157	0.489
W	82.891	-6.055	10.834	-0.219	W	48.416	42.097	-7.747	1.718
Tl	74.239	-16.127	9.473	0.156	Tl	36.09	49.745	-13.863	0.088
Pb	75.738	24.16	-0.089	0.002	Pb	86.897	1.909	10.471	-0.433
Th	78.175	-15.821	-5.133	-0.461	Th	54.341	-42.276	-3.141	0.135
U	82.57	-11.258	6.037	0.13	U	54.246	33.134	-12.517	0
合计/%	79.5	10.7	7.2	1.8	合计/%	66.9	21.7	6.5	3.5

K、Al、Mg、Cu、Eu、Pb 等元素，其中 Sr、Ba、K 负载最高，方差百分比高达 40% 以上。Al、Mg、K、Ba 这元素的负载几乎均为 EOF_1 和 EOF_2 所分担，并且 EOF_2 的分担率仅次于自然来源的 EOF_1，说明这几种元素的来源除主要来自于土壤源外，很大一部分也来源于另一种人为源。目前生产烟花爆竹的主要原料有强氧化剂 KNO_3、$KClO_3$、$KClO_4$，还原剂硫黄、木炭、火焰着色闪光添加剂 Mg、Ba、Li、Al、Na、Cu 等金属粉末[5]，前文曾经对除夕 6#样品进行分析，Sr、

Ba、K 的元素浓度是平时的几十倍甚至是数百倍，Cu、Al 超过平时十几倍；在富集因子的分析中 Sr、Ba、K 等元素富集程度也很高，属于受到人类活动的影响较大的元素；而因子分析中的结果更进一步地说明它们与春节期间燃放烟花爆竹直接相关，Sr、Ba、K 是烟花爆竹的标识元素，Mg、Li、Al、Na、Cu 等金属元素也均与制造焰火的物质有关，春节期间烟花爆竹的其他研究也支持了这一观点[6,7]。EOF_3 中 Ta、B、Ti、Nb、W 的负载最大，总的方差贡献率为 7.2%。B 等元素为工业上制造玻璃的主要元素，与沈阳市的重化学工业污染有关。$PM_{2.1}$ 的元素浓度经验正交分析结果中，EOF_1 的贡献率为 66.9%，略低于 PM_1，负载最大的也为 Ca、Na、Mg、Al 等地壳元素；EOF_2 的方差贡献率为21%，远高于 PM_1 中的 EOF_3，主要负载元素为 As、Cs、W、Ti、U、B、Li、Ti 等，从这些元素和前面的富集因子的探讨中可以分析出它可能主要来源于工业源，而且 $PM_{2.1}$ 中 EOF_2 贡献高于 PM_1 中 EOF_3 的 3 倍，说明工业来源的元素主要赋存于较粗的 $PM_{2.1}$ 中。EOF_3 中的方差贡献率为 6.5%，低于 PM_1 中的 EOF_2，主要负载元素为 Sr、Ba、K、Al、Mg、Ca 等，说明它同 PM_1 中的 EOF_2 一样，来源于燃放烟花爆竹的元素，不同之处在于 $PM_{2.1}$ 中的 EOF_3 的贡献率低于 PM_1 中的 EOF_2，说明 Ba、Sr、K 等代表烟花的元素在 PM_1 细粒子中的元素含量高于 $PM_{2.1}$ 较粗粒子的含量。

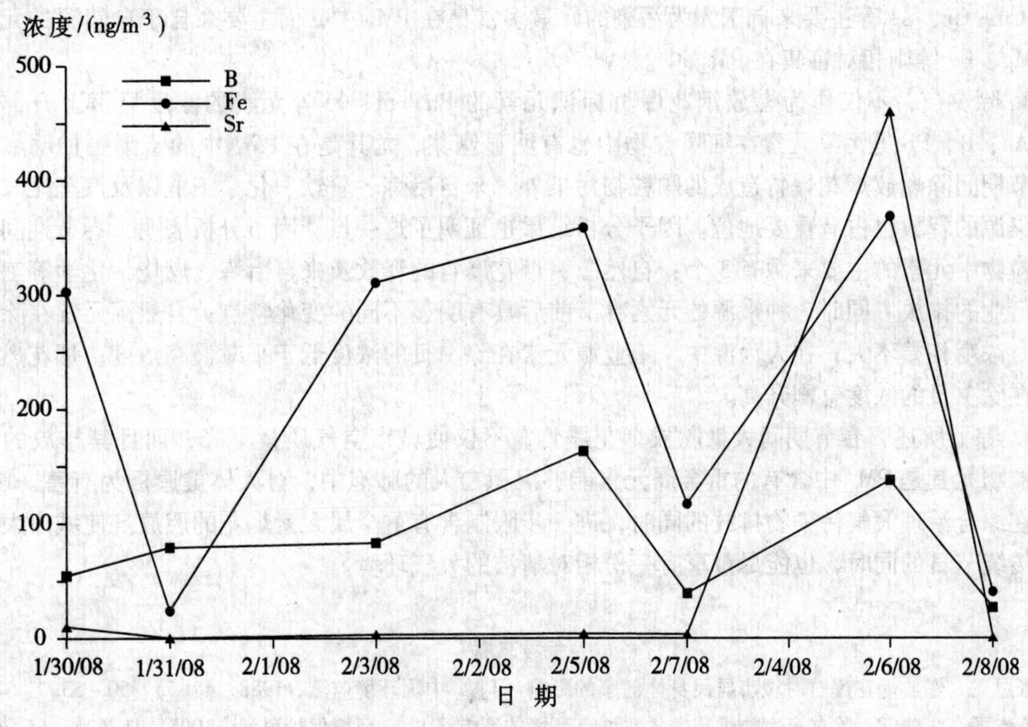

图 4　春节期间 PM_1 代表元素浓度时间变化

总之，在 PM_1 中，EOF_1、EOF_2 和 EOF_3 解释了总体变化的 97.4%，$PM_{2.1}$ 中解释 95.1%。这 3 个特征向量反映了沈阳春节期间气溶胶的主要来源有 3 个：自然源、来自烟花爆竹释放及来自冶炼、燃烧、化学等工业及交通行业的排放等。在人为源中，烟花爆竹的释放贡献占重要地位。

（五）代表元素浓度的时间变化

为分析春节期间不同来源元素浓度的时间变化特征，选用 Sr、B、Fe 研究 3 种不同来源元素在春节前后（1 月 30 日至 2 月 8 日）的时间变化特点（图4）。其中 Sr 代表燃烧烟花爆竹产生的元素；B 代表工业生产过程中产生的元素；Fe 代表地壳元素。图 4 中，元素浓度最高的是 6#样品即 2 月 7 日（大年初一）的 Sr 元素，浓度高达 459 ng/m^3，是平时的 93 倍（详见表 2），这主要是由于除夕夜烟花爆竹的大量燃放引起的，前面富集因子和因子分析的结果也同样证实了其来源是烟花爆竹。K、Ba 等元素也具有相同的特征，简明起见，这里不一一列出，以下均同。元素 B 的浓度在除夕期间波动不大，可能因为大多数工人放假，工厂污染物释放比较稳定，As 等元素也有这样的变化特征；地壳元素的代表元素 Fe 的浓度在这一日与平时相差不大，说明地壳元素无论是平时还是除夕它的含量均相对稳定。

三、结　论

通过对沈阳市春节期间大气细颗粒物的监测分析与来源探讨，可以得到如下结论：

1. 2008 年春节期间沈阳市颗粒物质量浓度明显高于同期的平均状况，除夕至初一 PM_{10} 的日均浓度超过国家二级标准 2.67 倍，$PM_{2.1}$ 的日均浓度是美国 $PM_{2.5}$ 日均浓度标准的 7 倍多；可吸入颗粒物浓度在除夕夜零点时达到最高值；大气中一些与燃放烟花爆竹有关的典型污染元素浓度更是达到了平时的数倍至数百倍。进一步说明大量燃放烟花爆竹，会使城市空气质量急剧恶化，极易引发比较严重的大气污染事件。

2. 冬季大气可吸入颗粒物中主要常量元素由 Ca、Mg、Al 等和微量元素 Pb、B、Ti 等组成，其中 Cu、Cr、As 等主要来自于人为污染的元素多富集在 PM_1 中，而主要来自于自然源的元素如 Al、Mg、Fe 等则相对富集在 $PM_{2.1}$ 中。

3. 除夕夜，不仅作为燃放烟花爆竹标识元素的 Ba、Sr、K 等元素的浓度显著上升，而且 Cd、As、B、Pb 等污染元素在细颗粒物中也有明显富集，尤其是在 PM_1 中的富集更加明显。说明春节期间除燃放烟花爆竹造成的颗粒物污染外，来自冶炼、餐饮、化学工业以及汽车尾气等人为污染源的释放也占有重要地位。因子分析结果也证明了这一点。因子分析表明，春节期间可吸入颗粒物中元素的主要来源有 3 个：自然源、烟花爆竹的释放及来自冶炼、燃烧、化学等工业及交通行业的排放。同时 3 种来源的元素春节前后具有明显不同的变化特点：自然源元素在除夕日和平时浓度相差不大；在人为源中，工业源元素在除夕日的浓度低于平时最高浓度；烟花燃放源元素在除夕日的浓度急剧升高。

4. 综上所述，春节期间大量燃放烟花爆竹，不仅使城市空气质量下降，而且其排放的可吸入颗粒物尤其是 PM_1 中含有的重金属元素能够沉积在人的肺泡中，对人体健康极为有害。因此，建议在综合治理大气污染物排放的同时，进一步限制含有重金属元素烟花的燃放。使城市人民在欢度传统节日的同时，也能尽量享有一份相对清洁的大气环境。

参考文献

[1] 张恩飞．燃放烟花爆竹对城市居民身体健康的影响［J］．中国环境监测，1988，4（5）：50－53.

[2] 孙作平，张建学．除夕夜燃放烟花爆竹对城市环境的影响［J］．环境保护科学，1995，21（2）：65－68.

[3] 徐敬，丁国安，颜鹏，等．燃放烟花爆竹对北京城区细粒子的影响［J］．安全与环境学报，2006，6（5）：79－82.

[4] 金军，王英，李令军，等．北京春节期间大气颗粒物污染及影响［J］．环境污染与防治，2007，29（3）：229－232.

[5] UC Kulshrestha, TN Rao, S Azhaguvel, et al. Emissions and accumulation of metals in the atmosphere due to crackers and sparkles during Diwali Festival in India［J］. Atmospheric Environment, 2004, 38（27）: 4421－4425.

[6] Georg Steinhauser, Thomas M. Klapötke. "Green" Pyrotechnics: A Chemists' Challenge［J］. Angewandte Chemie ,2007, 47（18）: 3330 - 3347.

[7] DUTCHER D D. PERRYKD, CAHILL T A , et al. Effects of indoor pyrotechnic displays on the air quality in the Houston Astrodome［J］. Journal of the Air &Waste Management Association, 1999, 49.

[8] Fleischer. O, Wichmann. H, Lorenz, W. Release of poly－chlorinated dibenzo－p－dioxins and dibenzofurans by

setting off fireworks [J]. Chemosphere, 1999, 39 (6): 925-932.

[9] P Dyke, P Coleman, R James. Dioxins in ambient air, Bonfire Night 1994 [J]. Chemosphere, 1997, 34 (1): 5-7.

[10] 马雁军，崔劲松，刘晓梅，等.1987—2002 年辽宁中部城市群大气污染物变化特征分析 [J]. 高原气象，2005, 24 (3): 428-435.

[11] 严文莲，周德平，王扬峰，等. 沈阳冬夏季可吸入颗粒物浓度及尺度谱分布特征 [J]. 应用气象学报，2008, 19 (4): 435- 443.

[12] 中华人民共和国国家标准. 环境空气质量标准 [S]. GB 3095—1996.

[13] U. S. Environmental Protection Agency. A National Ambient Air Quality Standard for Particulate Matter: Final Rule. Fed. Regist. [S]. 2006, 71: 61144-61233.

[14] Yü cel Tasdemir, Can Kural, Slddlk S., et al. Assessment of trace element concentrations and their estimated dry deposition fluxes in an urban atmosphere [J]. Atmospheric Research, 2006, 81: 17-35.

[15] Chester, R., Nimmo, M., Preston, M. R., et al. The trace metal chemistry of atmospheric dry deposition samples collectedat cap Ferrat: a coastal site in the western Mediterranean [J]. Chem. 1999, 68: 15-30.

[16] Harrison, R. M., Tilling, R., Romero, M. S. C., et al. A study of trace metals and polycyclic aromatic hydrocarbons in the roadside environment [J]. Atmos. Environ. 2003, 37: 2391-2402.

[17] Odabasi, M., Muezzinoglu, A., Bozlaker, A. Ambient concentrations and dry deposition fluxes of trace elements in Izmir, Turkey [J]. Atmos. Environ, 2002, 36: 5841-5851.

[18] Yay, O. D., Tuncel, G.. Projection of soil data to source assessment for atmospheric aerosols. In: Topcu, S., Yardim, M. F., Incecik, S. (Eds.), Proceedings of Second International Symposium on Air Quality Management at Urban [J]. Regional and Global Scales, Istanbul, Turkey, 2001: 456-462.

[19] Sternbeck, J., Sjö din, A., Andreasson, K. Metal emissions from road traffic and the influence of resuspension, results from two tunnel studies [J]. Atmos. Environ., 2002, 36: 4735-4744.

[20] Taylor S R, McLennan S M. The geochemical evolution of the continental crust. Reviews of Geophysics, 1995, 33 (2): 241-265.

[21] 温玉璞，除晓斌，汤洁，等. 青海瓦里关大气气溶胶元素富集特征及其来源 [J]. 应用气象学报，2001, 12 (4): 400-408.

[22] Rogge W F, Hildemann L M, Mazurek M A, et al. Sources of fine organic aerosol. 3. Road dust, tire debris, and organometallic brake lining dust: roads as sources and sinks [J]. Environmental Science & Technology, 1993, 27 (9): 1892-1904.

[23] Pacyna J M. "Atmospheric trace elements from natural and anthropogenic sources", in J. O. Nriagu and C. I. Davidson (eds). Toxic Elements in the Atmosphere. 1986: 33-52. John Wiley Sons, Wiley Interscience Publications.

[24] Khillare P S, Balachandran S, Meena B R. Spatial and temporal variation of heavy metals in atmospheric aerosol of Delhi. Environmental Monitoring and Assessment, 2004, 90: 1-21.

[25] Chueinta W, Hopke P K, Paatero P. Investigation of sources of atmospheric aerosol at urban and suburban residential areas in Thailand by positive matrix factorization [J]. Atmospherie Environment, 2000, 34: 3319-3329.

[26] 戚其平，杨艳伟，姚孝元，等. 中国城市儿童血铅水平调查 [J]. 中华流行病学，2002, 23 (3): 162 - 164.

[27] Meeker, L. D., Mayewski, P. A., Bloomfield, P., A new approach to glaciochemical time series analysis. In: Delmas, R. J. (Ed.), Ice CoreStudies of Biogeochemical Cycles. NATO ASI Series, Springer, Berlin, 1995, 130, pp. 383-400.

[28] Hopper J F, Barrie L A. Regional and back ground aerosol trace elemental composition observed in eastern Canada. Tellus, 1988, 40B: 446-462.

氧化钙固硫反应的量子化学研究

何正泉　石从云　刘兴重　王志喜　伊双莉

（武汉科技大学化学工程与技术学院　湖北　武汉　430081）

摘　要　在 B3LYP/6-311++G（d，p）水平上研究了氧化钙在干法固硫过程中与二氧化硫反应的微观机理。优化得到了中间体、过渡态和产物的构型及相应的能量值。我们发现 CaO 与 SO_2 反应首先是无势垒络合形成具有链状结构的中间体 $O1SO_2CaO_3$，随后链端的 O1 和 O3 原子分别进攻链中的钙原子和硫原子，经两条路径生成产物 $CaSO_3$。通过比较发现两条路径对产物生成的贡献差不多相等。

关键词　氧化钙　二氧化硫　量子化学计算。

一、前　言

我国是燃煤大国，煤炭占一次能源消费总量的75%[1]。众所周知，燃煤产生重要的污染物二氧化硫。我国排放的二氧化硫总量居世界首位，酸雨和二氧化硫污染造成的经济损失每年在1000 亿元以上[2-3]。我国能源结构的特点决定了必须尽可能地控制和减少二氧化硫污染。钙基干法固硫方法具有投资少、操作方便等优点被广泛应用[1,4-7]。在实验上人们用各种方法研究钙基脱硫的反应动力学[3,8-15]。

一般认为，钙基固硫是用石灰石（主要成分是 CaO）作为原料进行下式化学反应。

$CaO + SO_2 + O_2 = CaSO_4$

一些研究结果[16-18]表明，CaO 固硫的整个过程分为两个阶段：

（1）表面化学反应阶段：$SO_2 + O_2$ 在 CaO 颗粒表面进行反应，生成 $CaSO_4$ 产物层；

（2）产物层扩散控制阶段：随着 $CaSO_4$ 产物层的增厚，SO_2 通过 $CaSO_4$ 产物层，扩散到内部 CaO 表面，继续进行脱硫反应，生成 $CaSO_4$。

在第一阶段中，首先是 SO_2 进攻 CaO 分子生成 $CaSO_3$，这一过程在固硫过程中极为重要。对于这一反应的机理研究未见报道。本文用量子化学计算的方法研究了 SO_2 与 CaO 反应生成 $CaSO_3$ 的详细路径，弄清了反应物原子进攻的方式和络合物异构化过程。

二、计算方法

本次研究的计算工作均由 Gaussian03 程序完成[19]。在 B3LYP/6-311++G（d，p）水平上，对各反应通道上的所有驻点，包括反应物、过渡态、中间体和产物的几何结构进行了优化。同时采用内禀反应坐标（IRC）计算方法确认了过渡态和中间体之间的关系。

三、结果和讨论

图 1 为反应势能面示意图。图 2 为优化得到的反应物、中间体、过渡态、产物的几何构型。零点能校正值（ZPE）包含在单点能内。符号 TSm/n 表示连接 IMm 与 IMn 的过渡态。通过对各个驻点进行的振动分析表明，反应物、中间体和产物的力常数矩阵本征值都为正，可知它们都是势能面上的稳定点；而过渡态有且仅有一个虚频，说明这些过渡态都是真实的。内禀反应坐标（IRC）计算所得到的结果确认了能级示意图里的各反应路径的正确性。

理论计算得到的反应物、中间体和产物的振动频率以及可得到的实验值都列于表 1。在UB3LYP/6-311++G（d，p）水平上计算的所有驻点的总能量和相对能量及可获得的实验值都列于表 2。其中相对能量是以反应物的能量为零，其他各驻点的能量值皆以反应物为基准。我们

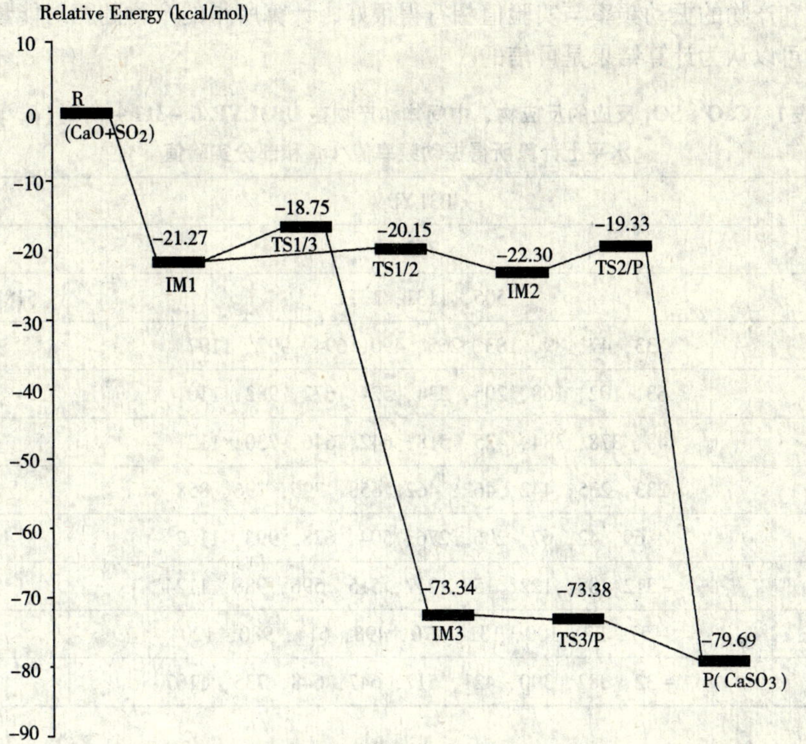

图1 $CaO+SO_2$ 反应在 B3LYP/6-311++G(d, p) 水平上的能级示图（零点能校正值也包含在其中）

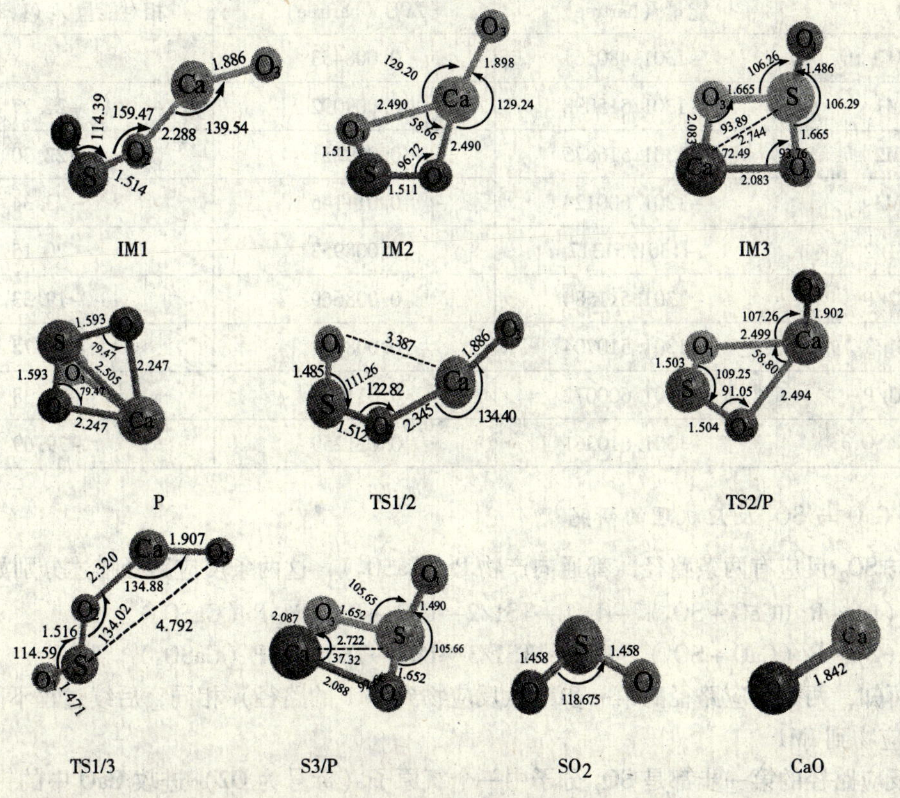

图2 $CaO+SO_2$ 反应的中间体、过渡态、反应物和产物在 B3LYP/6-311++G(d, p) 水平上优化得到的几何构型。其中键长是以埃（Å）为单位，键角以度（°）为单位

发现，反应物和产物的振动频率与实验值相符得很好，计算所得的产物的相对能量与实验值也基本相符，所以可以认为计算结果是可信的。

表1　$CaO+SO_2$ 反应的反应物、中间体和产物在 UB3LYP/6-311++G（d，p）水平上计算所得振动频率值/cm 和部分实验值

Species	B3LYP	Expt[20]
CaO	763	727.3
SO_2	505，1131，1311	518，1151，1362
IM1	33，47，89，183，265，490，694，992，1197	
IM2	63，102，168，205，234，524，672，982，1101	
IM3	48，378，384，425，518，642，646，730，1121	
P（$CaSO_3$）	233，235，442，462，462，658，796，796，858	
TS1/2	-69，42，67，206，276，504，678，993，1162	
TS2/P	-312，85，122，158，217，515，596，988，1124	
TS1/3	-57，32，100，131，270，498，614，980，1204	
TS3/P	-32，382，390，421，517，647，648，735，1107	

表2　$CaO+SO_2$ 反应的反应物、中间体、过渡态和产物在 UB3LYP/6-311++G（d，p）水平上计算所得能量值

驻点	能量（hartree）	ZPE（hartree）	相对能量/（kcal/mol）
R（$CaO+SO_2$）	-1301.480561	0.008453	0
IM1	-1301.515098	0.009092	-21.27
IM2	-1301.516875	0.009231	-22.30
IM3	-1301.600124	0.011145	-73.34
TS1/2	-1301.51317	0.008953	-20.15
TS2/P	-1301.511584	0.008669	-19.33
TS1/3	-1301.510704	0.008721	-18.75
TS3/P	-1301.600072	0.011033	-73.38
P（$CaSO_3$）	-1301.610361	0.011259	-79.69

（一）CaO 与 SO_2 反应机理的研究

CaO 与 SO_2 反应有两条路径，都通向产物 P（$CaSO_3$），这两条反应路径描述分别如下：

路径（1）：R（$CaO+SO_2$）→IM1→TS1/2→IM2→TS2/P→P（$CaSO_3$）

路径（2）：R（$CaO+SO_2$）→IM1→TS1/3→IM3→TS3/P→P（$CaSO_3$）

由上可知，两条反应路径的第一步（从反应物到 IM1 的路径）相同，后续过程不同。

1. 反应物到 IM1

两条反应路径的第一步都是 SO_2 分子中一个氧原子（标号为 O2）进攻 CaO 中的钙原子，经无势垒络合得到 S 形的链状络合物 $O1SO_2CaO_3$（IM1）。

2. IM1 分别由路径（1）、路径（2）到产物 P（$CaSO_3$）

路径（1）：在链状络合物 IM1 中，O1 原子向 Ca 原子靠近，同时 S－O2－Ca 键角变小（由 159.47°变为 96.72°），经过过渡态 TS1/2，生成具有四元环（O1－S－O2－Ca）结构的中间体 IM2。在 IM2 中，该四个原子（O1－S－O2－Ca）近似处于一个平面上，O1－Ca 键的键长为 2.490Å，O3－Ca－S 三原子组成 136.99°的角。

接着，IM2 中，近似平面的四元环 O1－S－O2－Ca 以 O1－O2 为轴发生折叠，与此同时 O3 原子与 S 原子相互靠近，生成产物 P（$CaSO_3$）。在过渡态 TS2/P 中，虚频为（312i/cm），对应的振动模式是四元环 O1－S－O2－Ca 以 O1－O2 为轴的折叠运动。产物 P（$CaSO_3$）具有的三棱双锥结构，S 原子和钙原子分别在双锥的顶点上。

路径（2）：链状络合物 IM1 中，O3 原子向 S 原子靠近，同时键角 Ca－O2－S 变小（由 159.47°变为 93.76°），经过过渡态 TS1/3，生成非平面的四元环（O3－S－O2－Ca）中间体 IM3。过渡态 TS1/3 的虚频（56.5i/cm）振动模式对应的是 O3 原子进攻 S 原子。IM3 与 IM2 形状相似，但 IM3 中，O1 原子处于四元环外，且与 S 原子相连成键，而 IM2 中，O3 原子处于四元环外，它与 Ca 相连成键。

IM3 生成后，O1 原子向 Ca 靠近，由 3.393 Å变为 2.247 Å，生成产物 P（$CaSO_3$）。在过渡态 TS3/P 中 Ca－O1 的距离为 3.29 Å，过渡态虚频（32.2i/cm）的振动模式对应的是 Ca－O1 键的伸缩振动。

（二）从能量的角度分析反应机理

图 1 为反应路径的能级示意图，其中标注的数值为反应路径上各驻点的相对能量。

反应有两条路径生成产物 $CaSO_3$，我们有必要通过能量分析确定主反应路径。两条路径中，第一步都生成中间体 IM1，从 IM1 生成产物的路线不同，只需通过比较从 IM1 分别通过路径（1）、路径（2）到产物 P（$CaSO_3$）过程中的过渡态所处的能量的高低就可以弄清主反应路径。

由图 1 可以看出，在路径（1）中，TS2/P 的能量高于该路径上其他的过渡态能量，由此可知由 IM2 生成产物 P 为路径（1）的决速步骤。在路径（2）中，TS1/3 的能量高于反应势能面上其他的过渡态，由此可知由 IM1 生成 IM3 为路径（2）的决速步骤。

在路径（1）和路径（2）中，处于最高位的过渡态分别为 TS2/P 和 TS1/3，它们的能量分别为－19.33kcal/mol 和－18.75kcal/mol，且两路径所经过的反应步数相同，由此可知路径（1）和路径（2）对产物的生成有着同等重要的贡献。两条路径上的过渡态能量都低于反应物能量，说明 SO_2 与 CaO 结合生成 $CaSO_3$ 的反应是容易的。

四、结　论

通过量子化学计算研究，发现氧化钙与二氧化硫反应的第一步是氧化钙中的钙原子进攻二氧化硫中的一个氧原子，经无势垒络合生成 S 形的链状中间体，然后链端的两个氧原子分别向 Ca 原子和 S 原子结合，生成四元环中间体，最后环外的氧原子向环内的 S 原子和 Ca 原子靠近形成产物 $CaSO_3$。两条路径可能都为主反应路径。研究还发现，氧化钙很容易与 SO_2 反应生成 $CaSO_3$。

参考文献

[1] 邱炜，周刚，付英杰．干法烟气脱硫综述［J］．电站系统工程，2005，21（3）：19－20.

[2] 卓小芳，何祖威，苟小龙，等．石灰石/石膏湿法烟气脱硫塔的实时仿真研究［J］．计算机仿真，2008，25（6）：237－239，264.

[3] 颜岩，彭晓峰，傅国光，等．氧化钙脱硫过程反应动力学研究［J］．热科学与技术，2002，1（1）：46－47.

［4］郑 敏，沈来宏，高正平，等．化学链燃烧中钙基载氧体 $CaSO_4$ 再生的氧化反应机理［J］．环境科学学报，2009，29（2）：330－338.

［5］秦 宏，孙佰仲，柏静儒，等．气化炉内钙基脱硫剂硫化反应的研究［J］．东北电力大学学报，2007，27（6）：4－7.

［6］王春玉，李红英，薛士科．烟气脱硫技术综合性能评价及方案选择［J］．广东化工，2009，36（196）：139－143.

［7］陈列绒．电石渣干法烟气脱硫技术的研究进展［J］．山东煤炭科技，2008（5）：151－152.

［8］Wen C Y, Ishida M. Reaction rate of sulphurdioxide with particles containing calcium oxide［J］. Environment Science Technology, 1973, 7（8）：703－708.

［9］Yan B W. Reaction of SO_2 with Natural Limestone of Taiwan［D］. Taiwan：Taiwan University, 1982.

［10］Giona M. First－order reaction－diffusion kinetics in complex fractal media［J］. Chemical Engineering Science, 1992, 47（6）：1503－1515.

［11］Coppens M O, Froment G F. Diffusion and reaction in a fractal catalyst pore—I：Geometrical aspects［J］. Chemical Engineering Science, 1995, 50（6）：1013－1026.

［12］武增华，寇 鹏，邱新平，等．催化剂对 CaO 固硫反应动力学的影响［J］．化学学报，2000，58（11）：1316－1321.

［13］武增华，寇 鹏，杨海波，等．烧结程度对 CaO 固硫反应转化率及动力学参数的影响［J］．燃料化学学报，2001，29（3）：2732－2761.

［14］陈列绒，武光辉．钙基固硫剂固硫反应机理的研究进展［J］．陕西煤炭，2008（5）：41－43.

［15］韩奎华，赵建立，路春美，等．添加剂影响 CaO 固硫反应活性的动力学分析［J］．环境科学，2006，27（2）：219－223.

［16］武增华，许 玲，陈昌和．添加剂对氧化钙固硫促进作用的机理探讨［J］．煤炭转化，2000，23（3）：722－761.

［17］韩翔宇，陈皓侃，李保庆．石灰石在煤燃烧过程中固硫反应机理研究进展［J］．煤炭转化，2000，23（1）：222－281.

［18］邱宽嵘，蒋 玢，张 洪．CaO 颗粒脱硫化学反应研究［J］．中国矿业大学学报，1996，25（4）：932－971.

［19］Frisch M J, Trucks G W, Schlegel H B, et al. Gaussian 03. Revision B.05; Gaussian, Inc., Pittsburgh, PA, 2003.

［20］In NIST Chemistry WebBook, NIST Standard Reference database Number 69, 479 March 2003 Release（vibrational frequency data compiled by Jacox, M. E.）.

我国烧结烟气脱硫现状及其发展趋势

孙鹏辉[1]　廖洪强[2]　宋存义[1,3]　佘广炜[2,3]　张作顺[1]　杨婷婷[2]

（1. 北京科技大学；2. 首钢总公司环保产业事业部；3. 北京首科兴业工程技术有限公司
北京市石景山区石景山路68号　100041）

摘　要　烧结烟气是钢铁工业的主要污染物，成为钢铁企业 SO_2 减排的重点，减排形势日趋严重。本文阐述了钢铁企业烧结烟气的现状，介绍了国内常见的几种烧结烟气脱硫技术及其特点，分析了国内目前烧结烟气脱硫技术的应用状况，并指出了未来烧结烟气脱硫技术的发展趋势。

关键词　烧结烟气　SO_2　脱硫　现状　发展趋势

引　言

钢铁生产在其热加工过程中消耗大量的燃料和矿石，同时排放大量的空气污染物。按中国钢铁工业协会公布的“2007 年吨钢 SO_2 的排放量为 1.95 kg”计算，2007 年钢铁工业 SO_2 的排放量应为 95.36 万 t。2008 年 SO_2 排放量为 91.74 万 t 较上年同期降低了 3.82%。2009 年，我国粗钢产量约为 5.678 亿吨[1]，预计 2010 年我国粗钢产量将达到 6.2 亿 t、烧结矿 7.6 亿 t、球团矿 1.5 亿 t，SO_2 的排放也将达到 127 万 t，我国钢铁行业烧结工序 SO_2 的排放量占钢铁行业 SO_2 总排放量的 40% ~80%[2]，因此控制烧结机生产过程中 SO_2 的排放，既是钢铁企业 SO_2 污染控制的重点，同时对于实现“十一五”钢铁行业 SO_2 减排目标和“十二五”减排规划具有重要的意义。

一、烧结烟气特点

钢铁行业烧结烟气[3]是烧结混合料点火后随台车运行，在高温烧结过程中产生的含尘废气。烧结烟气具有以下特点[4,5]：

（一）不稳定性

由于烧结自身工艺的不稳定，所产生的烟气流量、温度、SO_2 浓度会有大幅度变动，且变化频率高。烟气流量变化可高达 30% 以上，烟气温度变化可在 80 ~ 180℃ 范围内变化，SO_2 浓度值取决于烧结生产负荷、所用铁矿粉、熔剂、燃料及其他添加物的成分等，变化范围可在 700 ~ 5000mg/m^3 以上。

（二）含水量大、成分复杂

为了提高烧结混合料的透气性，混合料在烧结过程中必须加适量的水制成小球，所以烧结烟气含水量大，按体积比计算，水分含量可达 10% ~12%，烟气的饱和温度高。由于烟气中含有 SO_2、HCl、HF 等腐蚀性气体，一旦烟气降温会产生强酸性冷凝水，将造成严重的腐蚀问题。

（三）连续性

烧结是钢铁生产的中间环节，一旦烧结出现问题，整个企业生产都将受到影响。

综上所述，烧结烟气的主要特点是排放量大、SO_2 排放浓度低且波动范围宽、排放总量大等。钢铁行业的烧结烟气与燃煤电厂的烟气有着明显的区别。

二、烧结烟气主要工艺

目前，烟气脱硫技术有数百种，得到大规模应用的也只有 10 余种。按工艺特点可分为湿法、干法和半干法三种。日本从 20 世纪 70 年代开始进行烧结烟气的治理，是世界上最早进行烧结烟气治理的国家，钢铁企业烧结烟气脱硫最早采用的是湿法烟气脱硫工艺。钢铁企业烧结烟气实际应用的技术有石灰石－石膏法、活性炭法、电子束法（等离子法）、有机胺法、氨水法、钙（镁）基干法，上述脱硫方法的优缺点如表1所示。

表1　烧结烟气脱硫实际应用工艺优缺点

编号	工艺名称	优　点	缺　点
1	石灰石－石膏法	成本较低，脱硫率较高，副产物较易处理	初期投资和运行成本较高，设备系统难以操作维护，占地面积较大
2	活性炭法	具有良好的脱硫脱硝、脱除重金属和二恶英等有害物质的能力，并能得到以硫酸为主的脱硫副产物	设备系统复杂，初期投资和运行成本高，防腐要求严格
3	电子束法（等离子法）	同时具有脱硫脱硝功能，占地面积相对小，脱硫副产物可资源化利用	设备系统复杂，初期投资较高，能耗较高，存在氨逃逸的风险，技术成熟度有待于进一步验证
4	有机胺法	脱硫效率高，脱硫副产物易于实现资源化利用	设备系统防腐要求严格，初期投资较高，再生蒸汽耗量大，能耗高，需要脱除有机胺抗氧化过程中产生的热稳定性盐，技术成熟度有待于进一步验证
5	氨水法	脱硫效率高，脱硫副产物可资源化利用	设备系统防腐要求严格，存在氨逃逸的技术风险
6	钙（镁）基干法	脱硫效率高，脱硫副产物可资源化利用	脱硫效率相对较低，脱硫副产物资源化利用率较低

由于具有投资省、运行费用低、占地面积小，可同时脱除多种污染物等优势，干法脱硫工艺已逐渐成为烧结烟气脱硫的主导方向。

三、烧结烟气脱硫技术应用现状

（一）已建成的烧结脱硫装置

我国烧结烟气治理可追溯到20世纪50年代。当时包钢从苏联引进喷淋塔除氟脱硫工艺，在脱氟的同时附带脱除30% SO_2，2005年之前我国还没有进行烧结烟气脱硫，随着环保要求的日趋严格，节能减排已成为当前宏观调控的重点，很多钢铁企业已经开始实施烧结脱硫或将其提上日程，至2008年底，国内已实施烧结烟气脱硫企业共11家，已投产烧结烟气脱硫装置情况见表2。

表2　已投产烧结烟气脱硫装置情况

序号	企业名称	烧结机规格/m^2	脱硫工艺	脱硫效率/%	投运时间
1	包钢	1×265	ENS半干法	75	2005.12
2	柳钢	2×83	氨－硫铵法	90～95	2007.05
3	济钢	1×120	循环流化床	60	2007.05
4	石钢	2×50	密相干塔法	85	2007.06
5	三钢	1×180	循环流化床	90	2007.10
6	梅钢	180	石灰石－石膏法	90～95	2008.03
7	宝钢	数台	石灰石－石膏法	90	调试中

序号	企业名称	烧结机规格/m^2	脱硫工艺	脱硫效率/%	投运时间
8	三钢	1×180，1×200	循环流化床	90	2008.12
9	邯钢	400	GSCA 循环流化	未知	2008.12
10	韶钢	1×105	氢氧化镁法	未知	2008.12
11	昆钢	360	密相塔干法	未知	2008.12

（二）新建或者在建脱硫装置

随着国家节能减排力度的不断加强，钢铁企业加快了建设烧结烟气脱硫工程的步伐，2009年后新建和在建的烧结烟气脱硫工程的企业见表3。

表3　2009年国内新建和在建烧结烟气脱硫情况

序号	企业名称	烧结机规格/m^2	脱硫工艺
1	梅钢	1×400	循环流化床
2	涟钢	1×360	MEROS 法
3	莱钢	1×265	有机氨
4	攀钢	1×360	循环流化床
		1×173.6（6#）	离子液循环吸收法
5	柳钢	1×110，1×265	氨-硫铵法
6	马钢	1×300	NID 法
7	南钢	1×150	氨-硫铵法
8	湘钢	1×360	石灰石-石膏法
9	武钢	1×360	离子液循环吸收法
10	日照钢铁公司	2×180（一期）	氨-硫铵法
11	玉溪钢铁公司	2×90	氨-硫铵法
12	文丰钢铁公司	1×126	循环流化床
13	安源钢铁公司	2×90	循环流化床
14	普阳钢铁公司	1×180	氨-硫铵法
15	东山冶金公司	1×72	石灰石-石膏法
16	邢钢	1×198	氨-硫铵法
17	首钢矿业公司	360	密相干塔法

由表2、表3可知，我国烧结机的技术装备取得了很大发展，烧结机大型化趋势明显。在当前烧结单机平均面积大幅度增加的情况下，加大烧结烟气高水平脱硫专项技术装备的研究开发，密相塔干法脱硫技术在北京科技大学环境工程中心的指引下应运而生，占有国内大量烧结烟气脱硫市场。该工艺的原理[6]是利用干粉状的钙基脱硫剂，与密相干塔及布袋除尘器除下的大量循环灰一起进入加湿器内进行增湿消化，使混合灰的水分含量保持在3%～5%之间，加湿后的循环灰由塔上部进料口进入塔内。含水分的循环灰有极好的反应活性和流动性，与由塔上部进入的烟气发生反应。脱硫剂不断循环利用，脱硫效率可达95%。最终脱硫副产物由灰仓溢流出循环系统，通过气力输送装置送入废料仓。该工艺的特点是脱硫剂用量少而且利用率高、耗水量低，能够适应不同浓度的烟气和负荷、无腐蚀或冷凝现象，无废水产生和烟气无需再加热即可排放，

节省能耗。

四、烧结烟气脱硫市场分析

《国家环境保护“十一五”规划》也提出：“十一五”末我国要形成30万t/a的烧结烟气脱硫能力。我国还将烧结烟气脱硫技术列为2020年钢铁行业科技发展指南和科技发展规划重点开发课题。但到目前为止，我国5亿t左右的烧结矿产能，配套建设烟气脱硫装置的烧结矿产能不足3000万t，还有4亿多t烧结矿产能需配套建设烧结烟气脱硫设施，技术研发和推广的市场空间巨大。国家环保总局出台的《国家酸雨和二氧化硫污染防治“十一五”规划》中指出，落实14个烧结机烟气脱硫示范工程，在总结示范经验的基础上，制定钢铁行业二氧化硫减排规划，重点推进钢铁行业烧结机烟气脱硫工程。到“十二五”末，烧结脱硫市场容量见表4。

表4　烧结脱硫市场容量预测　　单位：亿元

年度	“十一五”		“十二五”					累计
	2009	2010	2011	2012	2013	2014	2015	
市场产值	4	6	11	13	13	13	10	60

随着我国烧结烟气脱硫产业政策措施的逐渐实施，并随着“十一五”期间烧结烟气脱硫项目的投产，必将推动全国近400台烧结机烟气脱硫项目的有效实施。考虑到小型烧结机上脱硫项目的可能性较小，仅按100台大中型烧结机计算，若每个烧结烟气脱硫项目投资为8000万元，“十二五”期间这部分烧结机90%的能够完成烟气脱硫项目建设，则也将产生70多亿元的市场容量。

五、烧结烟气脱硫技术发展趋势

（一）脱硫、脱硝和脱除二恶英合三为一

2007年4月14日，我国批准的《国家实施计划》将钢铁行业定为减排二恶英的重点行业之一，要求分阶段逐步控制和减少二恶英排放。推测，集脱硫、脱硝、脱二恶英、脱HF/HCl/SO_3等酸性气体、脱重金属于一体的一体化烧结烟气脱硫技术，即将取代单组分脱硫技术。

（二）投资小、运营成本低、综合利用价值高的技术成主流

投资大、运营成本高、占地面积大、副产物综合利用价值低且处置费高、废水量大等问题，已成为制约我国钢铁企业建设烧结烟气脱硫设施的重要因素，工艺布置灵活、节地、投资小、二次污染小、副产物综合利用价值高的技术正快速得到工业化应用和推广。目前我国半干法烟气脱硫技术在实验室研究的基础上，各地相继实施了一批中小锅炉半干法烟气脱硫示范工程，经过几年的实践，我国主要的脱硫企业基本掌握了从工艺设计到运行调试全过程的技术[7]，如具有自主知识产权的CFB—FGD脱硫装置。基本掌握设计、制造100MW机组烟气脱硫的喷雾干燥法脱硫技术。

（三）中小型烧结机向大型烧结机扩展

近年来，我国烧结机的技术装备取得了很大发展，烧结机大型化趋势明显。2007年前，我国投产烧结烟气脱硫设施中，与其配套的烧结机最大面积仅180m^2。2007年后，开始出现与200m^2烧结机配套的烧结烟气脱硫装置。2008年后，我国先后启动马钢300m^2、武钢和南钢以及湘钢360m^2、梅钢和邯钢400m^2、太钢450m^2等大型烧结机配套脱硫装置[8]。2009年，首钢矿业公司启动360m^2烧结机的烧结烟气脱硫装置和首钢曹妃甸地区建设一台500m^2烧结脱硫装置。可见我国烧结烟气脱硫技术由中小型烧结机向大型烧结机演变特点明显。

(四) 选择性脱硫成选择

由于烧结机各风箱烟气中SO_2浓度不同，呈现出中间高、两头低的显著特点，峰值出现于料层接近烧透点之前几个风箱。福建三钢采用选择性脱硫工艺，对烧结风箱中高浓度SO_2的烟气进行集中处理，克服了传统上大排量、低浓度SO_2烧结烟气的治理难题，对烧结工况变化的适应能力强，能达到稳定运行要求，工程投资、运行费用也较低。由此可见选择性烟气脱硫技术将会很好地适应烧结烟气的特点。

六、结束语

由于钢铁企业本身要求不同、烧结烟气特点不一，采用的烧结烟气脱硫技术也各不相同。但从投资成本、操作实用性以及副产物的再次利用等方面考虑，烧结烟气的脱硫技术的发展应该朝着投资小、实用性强、不产生二次污染、副产物可以综合利用等，具有较高的经济效益和社会效益，综合成本低的方向发展。同时企业应当借鉴国内外烧结烟气脱硫技术，结合自身生产工艺特点，选择适合企业自身的成熟工艺，并采用多种融资方式，吸引社会投资。

参考文献

[1] 魏增敏．中国金属冶金报［M］．北京：冶金工业出版社，2010：1，26.
[2] 宋伟明．钢铁联合企业控制二氧化硫污染的讨论［J］．钢铁，1999，34（7）：66－69.
[3] 何宝．钢铁工业烧结烟气脱硫技术的探讨［J］．科技和产业，2009，9（7）：7.
[4] 长沙黑色冶金矿山设计研究院．烧结设计手册［M］．北京：冶金工业出版社，1999：127－131.
[5] 杨扬．烟气脱硫与宝钢SO_2控制［J］．冶金环境保护，1998（1）：3－7.
[6] 郝继峰，等．钢铁厂烧结烟气脱硫技术的探讨［J］．太原理工大学学报，2005，36（4）：7.
[7] 袁莉莉．半干法烟气脱硫技术研究进展［J］．山东化工，2009，38（8）：19－25.
[8] 廖美春．烧结烟气脱硫技术工业化应用现状及趋势［J］．冶金管理，2009（6）.

火电厂烟气脱硝技术现状与发展趋势

邢　军　马　骏

（大连市环境监测中心　116023）

摘　要　我国氮氧化物排放量中70%来自于煤炭的直接燃烧，在未来30年内，虽然煤电所占比重将逐年有所下降，但其在电源结构中的主导地位不会改变。只有大力发展火电厂烟气脱硝技术，才能切实有效地减少氮氧化物的排放量，从而达到保护大气环境的目的。

关键词　脱硝技术　氮氧化物　脱硝效率　发展趋势

一、引　言

氮氧化物是造成大气污染的主要污染源之一，是造成酸雨和光化学烟雾的主要因素。而我国NO_x排放量中70%来自于煤炭的直接燃烧。我国是以煤炭作为主要一次能源生产电能的国家。2009年底，我国电力行业发电容量已经达到874GW，其中火电发电装机容量达652GW，占总容量的74.6%。随着我国经济的稳定快速发展，电业行业必将快速发展，必将导致NO_x的排放量越来越大，如不加强控制，NO_x对我国环境的影响越来越严重。

二、脱硝技术的现状

降低NO_x排放主要有两种措施：一是控制燃烧过程中NO_x的生成，即低NO_x燃烧技术；二是对生成的NO_x进行处理，即烟气脱硝技术。

（一）低NO_x燃烧技术

为了控制燃烧过程中NO_x的生成量所采取的措施原则为：①降低过量空气系数和氧气浓度，使煤粉在缺氧条件下燃烧；②降低燃烧温度，防止产生局部高温区；③缩短烟气在高温区的停留时间等。低NO_x燃烧技术主要包括空气分级燃烧技术、燃料分级燃烧技术、烟气再循环技术、低NO_x燃烧器等技术。低NO_x燃烧技术存在的问题主要为脱硝效率低；煤粉炉易结渣、腐蚀；配风系统复杂；投资运行费用较高，占地面积大等。

（二）烟气脱硝技术

1. 选择非催化还原法

选择性非催化还原（SNCR：Selective Non - Catalytic Reduction）法就是不使用催化剂，在850~1100℃温度范围内喷入氨或尿素等还原剂直接还原NO_x的方法。还原剂喷入锅炉折焰角上方水平烟道（900~1100℃），在NH_3/NO_x摩尔比为2~3情况下，脱硝效率30%~50%。如果脱硝效率达到85%时，NH_3的逃逸率太高，达到10ml/L以上，造成二次污染。

在950℃左右温度范围内，反应式为：$4NH_3+4NO+O_2 \rightarrow 4N_2+6H_2O$；

当温度过高时，会发生如下的副反应，又会生成NO：$4NH_3+5O_2 \rightarrow 4NO+6H_2O$。

SNCR法工艺特点：

（1）投资少，是SCR法投资的20%~30%；脱硝率中等，为25%~40%；不使用催化剂，因而不会提高烟气中SO_2的氧化率，SO_3浓度不会增加，生成的NH_3HSO_4造成空气预热器的堵塞和腐蚀程度比SCR法低。

（2）布置相对简易，且工程造价低、占地面积小、维护简便，目前更适合老厂改造，新炉可依锅炉设计配合使用。

2. 选择催化还原法

选择性催化还原（SCR：Selective Catalytic Reduction）法是利用氨气对 NO_x 的还原功能，在催化剂的作用下将 NO_x（主要是 NO）还原为无害的 N_2 的和 H_2O 的方法，这是目前应用最为广泛的烟气脱硝技术。主要有氨法和尿素法两种 SCR 工艺。

SCR 技术的核心——催化剂，包括贵金属催化剂、分子筛催化剂和金属氧化物催化剂。贵金属催化剂目前主要用于低温 SCR 及燃气发电方面，但由于选择性较差和成本较高，在通常的 SCR 反应中已被常规的金属氧化物催化剂所取代。分子筛催化剂主要用于高温燃气热电厂 SCR 净化的场合。在常规燃煤电厂工艺中广泛采用的是金属氧化物催化剂，其中绝大多数是 V_2O_5/TiO_2 基催化剂。

影响脱硝效率的主要工艺因素为反应温度、反应时间、催化剂性能、NH_3/ NO_x 物质的量比等。SCR 法因其技术成熟，脱硝效率高（70% ~90%），在国际上得到了广泛应用。在环境要求高的德国、日本等发达国家，火电厂锅炉的 NO_x 排放标准小于 200mg/m^3，在新建和改造老机组上安装 SCR 脱硝装置已经成为一项不成文的规定。

SCR 法也有它的不足：燃料中含有硫分，燃烧过程中可产生一定量的 SO_3。添加催化剂后，在有氧条件下，SO_3 的生成量大幅增加，并与过量的 NH_3 生成 NH_3HSO_4。NH_3HSO_4 具有腐蚀性和黏性，可导致烟道尾部设备损坏。

3. 选择性还原脱硝技术

表1　选择性还原脱硝技术比较

技术方法	SCR	SNCR	SNCR/SCR 混合型
还原剂	NH_3 或尿素	尿素或 NH_3	尿素或 NH_3
反应温度	320 ~400℃	850 ~1250℃	前段：850 ~1250℃，后段：320 ~400℃
催化剂	成分主要为：TiO_2，V_2O_5，WO_3	不使用催化剂	后段加装少量催化剂（成分同前）
脱硝效率	70% ~90%	大型机组 25% ~40%，小型机组配合 LNB、OFA 技术可达 80%	40% ~90%
反应剂喷射位置	多选择于省煤器与 SCR 反应器间烟道内	通常炉膛内喷射	综合 SCR 和 SNCR
SO_2/SO_3 氧化	会导致 SO_2/SO_3 氧化	不导致 SO_2/SO_3 氧化	SO_2/SO_3 氧化较 SCR 低
NH_3 逃逸	<3ppm	5 ~10ppm	<3ppm
对空气预热器影响	催化剂中的 V、Mn、Fe 等多种金属会对 SO_2 的氧化起催化作用，SO_2/SO_3 氧化率较高，而 NH_3 与 SO_3 易形成 NH_3HSO_4 造成堵塞或腐蚀	不会因催化剂导致 SO_2/SO_3 的氧化，造成堵塞或腐蚀的机会为三者最低	SO_2/SO_3 氧化率较 SCR 低，造成堵塞或腐蚀的机会较 SCR 低
系统压力损失	催化剂会造成较大的压力损失	没有压力损失	催化剂用量较 SCR 小，产生的压力损失相对较低
燃料的影响	高灰分会磨耗催化剂，碱金属氧化物会使催化剂钝化	无影响	影响与 SCR 相同
锅炉的影响	受省煤器出口烟气温度的影响	受炉膛内烟气流速、温度分布及 NO_x 分布的影响	受炉膛内烟气流速、温度分布及 NO_x 分布的影响
占地空间	大（需增加大型催化剂反应器和供氨或尿素系统）	小（锅炉无需增加催化剂反应器）	较小（需增加一小型催化剂反应器）

选择性还原脱硝技术包括选择性非催化还原（SNCR）法、选择性催化还原（SCR）法和

SNCR/ SCR 混合法。在这些方法中 SNCR 的主要优点是投资及运行费用低，缺点是对温度依赖性强，脱硝率只有 30% ~50%，氨的逃逸量大。实际工程中应用最多的是 SCR 法。SNCR/ SCR 混合法是一种有前景的烟气脱硝技术，但牵涉的系统更多，对技术的要求更高。

三、脱硝技术的发展趋势

在上述脱硝技术中，脱硝率最高的为 SCR 技术，目前世界各个发达国家均采用 SCR 技术对火电厂废气进行脱硝。但是，SCR 技术也具有一定的缺点，比如投资成本、运行成本较高，催化剂活性、寿命不够长，价格较贵等问题。

近几年，随着环境保护意识的逐渐增强，我国新建大型燃煤机组都按要求同步采用低 NO_x 燃烧方式，一批现有电厂结合技术改造也安装了低 NO_x 燃烧器。综合考虑我国的技术经济发展水平和电力企业的承受能力，今后将继续应用低 NO_x 燃烧技术，继续研究脱硝效率更高、经济性更好的低 NO_x 燃烧技术，为大型火力发电机组提供新一代燃烧技术，也为 SCR 和 SNCR 技术的应用提供配套技术。

参考文献

[1] 王旭伟，鄢晓忠，陈彦菲．国内外电厂燃煤锅炉烟气同时脱硫脱硝技术的研究进展［J］．电站系统工程，2007，23（4）：5 -7.

[2] 赵全中，田雁冰．火电厂烟气脱硝技术介绍［J］．内蒙古电力技术，2008，26（4）：1 -3.

[3] 程慧，解永刚，朱国荣．火电厂烟气脱硝技术发展趋势［J］．浙江电力，2005（2）：38 -50.

[4] 高润良，王睿．氮氧化物污染防治技术进展［J］．环境保护科学，2002（8）：1 -3.

[5] 董晓红，倪允之．火电厂烟气脱硝技术探讨［J］．内蒙古环境科学，2008，20（1）：40 -46.

[6] 钟秦．燃煤烟气脱硫脱硝技术及工程实例［M］．北京：化学工业出版社，2002.

[7] 石祥彬，王玉召，王启民．循环流化床锅炉喷氨高效脱硝研究［J］．东北电力技术，2007，28（5）：1 -6.

[8] 赵卫星，肖艳云，林亲铁．烟气脱硝技术进展［J］．广东化工，2007，34（5）：59 -61.

活性焦烟气脱硫/脱硝工艺在火电及钢铁行业中的应用

谢　浩　朴桂林

（南京师范大学动力工程学院　江苏　南京　210042）

摘　要　介绍了我国火电及钢铁行业烟气脱硫技术应用现状以及所面临的问题，阐述了活性焦干法脱硫/脱硝技术的原理和工艺流程，对该技术在火电行业及钢铁工业中应用的可行性及技术经济性进行了评估。分析表明：随着我国加大了环保减排的考核力度，活性焦烟气脱硫/脱硝技术以其节约水资源和无二次污染等优点，在我国火电及钢铁行业烟气脱硫中将有很大的发展潜力。

关键词　火电　钢铁　活性焦　脱硫　脱硝

一、引　言

2009 年，全国废气中二氧化硫（SO_2）总排放量为 2214.4 万 t，电力行业的 SO_2 排放量占全国工艺排放量的 45% 左右，钢铁行业的 SO_2 排放量占全国工艺排放量的 11% 左右，仅次于电力行业。SO_2 的大量排放造成了严重的大气环境污染和酸雨等日趋严重的生态问题，尤其在我国中西部地区，具有富煤缺水的地域特性，也是我国火电厂、钢铁厂相对集中地带，如何因地制宜地开发适合这些地区的烟气脱硫技术势在必行。

目前，我国 300MW 以上大型燃煤发电厂的新建或扩建都已安装脱硫设备，2008 年底全国脱硫装机容量达到 3.63 亿 kW，装备脱硫设施的火电机组比例由 2007 年的 48% 提高到了 60% 左右，但仍有很大的提升空间。而在我国钢铁行业，由于烧结烟气量大、烟气成分复杂、负荷不稳定以及副产物难以有效利用等诸多问题，使全面实施烧结烟气脱硫亟待解决的问题更多。

我国的烟气脱硫绝大部分采用石灰石－石膏湿法脱硫工艺，同时还有循环流化床烟气脱硫、海水脱硫、氨－硫铵法、旋转喷雾半干法脱硫等工艺，在实施运行中，存在的主要问题有：许多烟气脱硫工程设备本身问题较多、运行管理水平较低；普遍火电煤质有所下降，大部分电厂实际含硫量超过了设计值；脱硫电价补贴不到位，影响了脱硫设备运行的积极性；脱硫副产品得不到有效的利用，如脱硫石膏综合利用率仅为 45% 左右，大部分采用灰场堆放或填埋处理。

随着经济的发展，我国将执行更高的污染物排放标准，烟气脱硫工艺系统的更新与改造日益迫切。针对以上问题，本文提出了一种活性焦烟气脱硫/脱硝工艺，具有较高的脱硫/脱硝效率，高度节约水资源，可以回收经济性较高的硫黄或硫酸，失效的活性焦可以通过燃烧进行处理，既符合环保排放的要求，又符合我国经济可持续发展的战略。

二、活性焦烟气脱硫/脱硝工艺

（一）活性焦简介

活性焦是以煤炭为原料生产的一种吸附剂，由原料经过粉化、配比、成形、焦化、活化等多道工序生产而成。对于不同的吸附对象，其原料种类、原料配比和工艺参数等不一样。在火电及钢铁行业的烟气脱硫工艺中，使用的活性焦是一种直径为 5mm（或者 9mm）、长 3～10mm 的圆柱或扁豆状颗粒如图 1 所示。与活性炭相比，活性焦是一种综合强度（耐压、耐磨损、耐冲击）高、比表面积小，具有更好的脱硫、脱硝性能，能够通过脱硫再生多次循环利用，且其堆积密度较小。因此，它具有如下特点：对 SO_2 具有良好的吸附能力，对于流过的烟气具有较低的阻力。

活性焦在脱硫的同时还能脱除重金属和有毒气体，同时，由于其对固体颗粒有过滤作用，故还有一定的除尘能力。由于活性焦具有催化能力，在安装脱硫装置的同时，可预留脱硝位置，只需增加少量设备，就能实现脱硝要求，为烟气的进一步净化打下基础。

图1　活性焦外形

（二）脱硫/脱硝原理

在活性焦表面的吸附和催化作用下，烟气中的 SO_2 在120～180℃的温度下，与烟气中氧气、水蒸气发生如下反应：

$$SO_2 + H_2O + 1/2O_2 \rightarrow H_2SO_4$$

$$SO_2 + 2NH_3 + H_2O \rightarrow (NH_4)_2SO_4$$

NO 与投入的 NH_3 以及烟气中的氧在吸附剂表面上进行反应：

$$NO + NH_3 + 1/4O_2 \rightarrow N_2 + 3/2H_2O$$

SO_2 转化为硫酸吸附在活性焦孔隙内，同时活性焦吸附层相当于高效颗粒吸附过滤器，在惯性碰撞和拦截效应作用下，烟气中的大部分粉尘颗粒在床层内部不同部位被捕集，完成烟气脱硫除尘净化。

吸附 SO_2 后的活性焦被加热至400℃左右时，解吸出 SO_2（浓度20%～30%），而使活性焦恢复活性，其化学反应如下：

$$H_2SO_4 \rightarrow SO_3 + H_2O$$

$$SO_3 + 1/2\ C \rightarrow SO_2 + 1/2\ CO_2$$

$$(NH_4)\ 2SO_4 \rightarrow 2NH_3 + H_2SO_4$$

$$2NH_3 + 3/2O_2 \rightarrow N_2 + 3H_2O$$

活性焦的解吸反应相当于对活性焦进行再次活化，经过解吸再生后的活性焦，被再生塔冷却至120℃以下，由物料输送机械送至吸附脱硫塔循环使用，保持高吸附和活化性能的活性焦一般可以重复循环5～10次。

解析出的高浓度 SO_2，在采用成熟的化工工艺，可生产出多种含硫元素的商品级产品，如硫磺、浓硫酸、稀硫酸、液体 SO_2 等。

（三）脱硫/脱硝工艺流程

活性焦烟气脱硫/脱硝系统安装于除尘器和烟囱之间。经过电除尘器的脱硫烟气进入移动床脱硫/脱硝吸附塔，在吸附塔内烟气中的 SO_2 被氧化成 SO_3 并溶于水中，产生稀硫酸气溶胶，被活性焦吸附；同时，向吸附塔内注氨，氨与 NO_x 在活性焦催化还原作用下生成 N_2，净化后的烟气经过再次除尘，最终由烟囱排入大气。吸附有 SO_2 的活性焦通过物料输送系统进入再生塔，利用烟气加热法再生，解吸出 SO_2 气体，恢复活性焦活性，产生的 SO_2 气体进入副产品转化装置，整个工艺流程如图2所示。

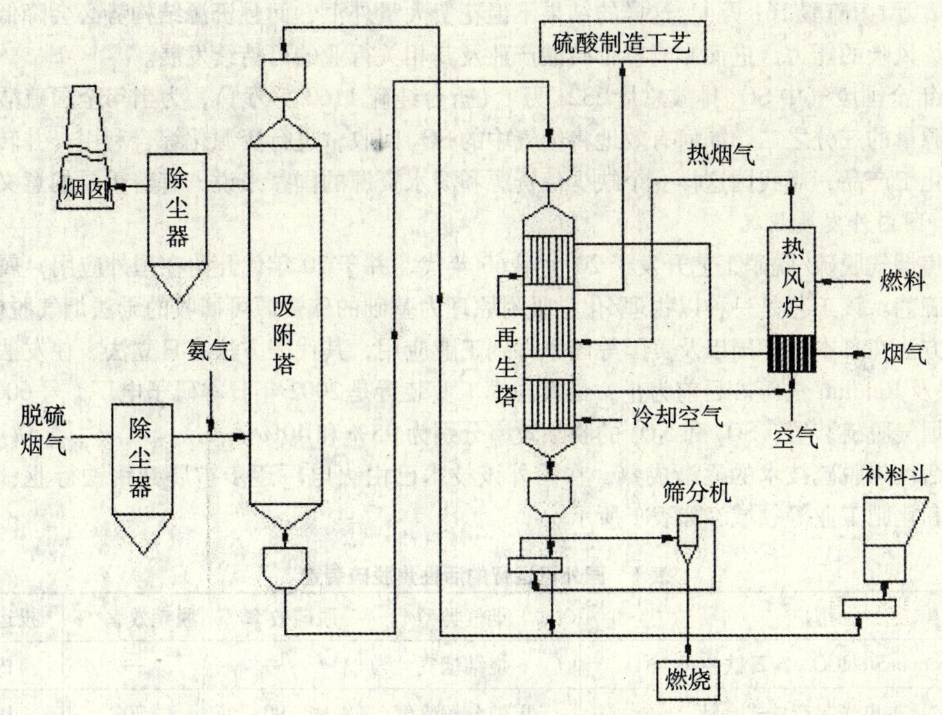

图 2　活性焦干法脱硫/脱硝工艺流程

经过再生塔处理的活性焦被送至吸附塔循环利用，一般可以有效循环 5 ~ 10 次，需要定期更换或补充新鲜活性焦。失效的活性焦、循环过程中分离出来的小颗粒活性焦以及灰分可经过筛分送入燃烧设备进行燃烧处理。

活性焦烟气脱硫/脱硝技术是一种干法技术，脱硫过程中不消耗工艺水，净化后的气体排烟温度高，大于 120℃，不用进行烟气再加热。脱硫过程中无废水、废渣排放。由于装置的操作温度较高，系统防腐要求低。活性焦烟气脱硫/脱硝技术脱硫效率可达 95%，脱硝效率达 60% ~80%。

（四）脱硫副产品利用

活性焦烟气脱硫工艺在脱硫过程中通过解吸再生工艺获得高浓度 SO_2 气体，干基体积比达 20% ~30%，以其为原料，采用现有成熟的化工工艺，可生产出多种含硫元素的商品级产品。从图 3 可以看出，其通过直接或深加工转化的产品应用范围，涉及国民经济的各个领域。

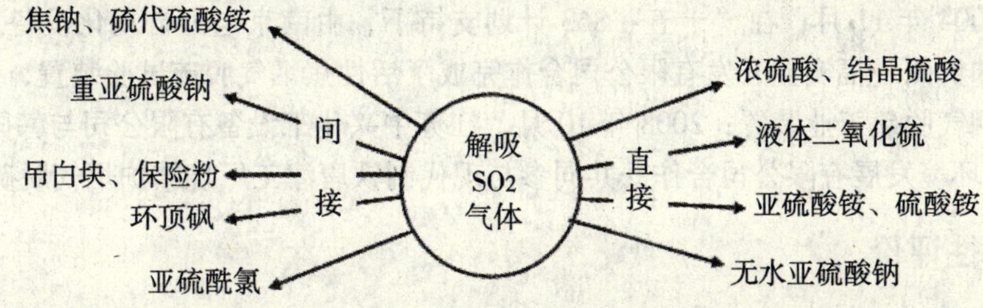

图 3　解吸的 SO_2 气体利用情况

各种硫资源通过不同途径转化成硫酸后被广泛的应用，目前，我国已取代美国成为世界上最大的硫酸消费国，2008 年，我国硫酸表观消费量已达 5499 万 t（折合纯硫 1795.6 万 t），且每年还在以 10% 左右的速度递增。为弥补硫资源不足，我国每年进口大量的硫黄和硫酸，2008 年进口硫黄842万t，硫酸161万t，这样的结果不但花费大量外汇，而且资源结构势必会降低硫酸行业抵御市场风险的能力，进而影响整个硫酸产业及其相关行业的可持续发展。

2008年全国废气中SO_2排放总量2321万t（折合纯硫1160.5万t），为当年全国硫酸生产所消耗硫资源量的三分之二。如何有效地将废气中的SO_2回收，进行资源化综合利用，并转化为不同种类的化工产品，对我国这样一个缺少硫资源和淡水资源的国家来说，有着重要的意义。

（五）国内外发展状况

活性焦烟气脱硫/脱硝工艺开发于20世纪60年代，并于70年代开始在国外应用，属于干法烟气脱硫工艺。该工艺是一种以物理/化学吸附原理为基础的硫资源可回收的干法烟气脱硫工艺。已有数种方法在日本、德国以及美国等国家得到工业应用，其代表方法有日立法、住友法、鲁奇法、BF法及Reidluft法等。目前为止，最大规模工业装置是2002年日本矶子电厂1号600MW燃煤机组的烟气脱硫装置，SO_2和NO_x的脱除效率分别为95%和40%。

随着活性焦脱硫技术的逐渐成熟，在国外该技术已由火电厂逐步扩展到钢铁行业、石油化工、硫酸和化肥工业等领域，如表1所示。

表1　国外已运行的活性焦脱硫装置

用户	烟气类型	脱硫效率/%	脱硝效率/%	投运时间
NipponSteelCO. 新日铁公司	烧结烟气	—	—	1987
日本出光兴产株式会社	重油分解废气	90	70	1987
E. V. O. AG 德国	燃煤烟气	98	60	1987
Hoec hst AG 德国	燃煤烟气	92	78	1989
KubotaCorp 久保田铁工厂	焚烧炉烟气	100	60	1994
日本电源开发株式会社竹原电厂	燃煤烟气	98	80	1995
日本电源开发新矶子电厂	燃煤烟气	95	20～40	2002
韩国浦项制铁	烧结烟气	—	—	2004
澳大利亚博思格钢铁公司	烧结烟气	97	—	2004

近年来我国科研机构也在不断进行活性炭、活性焦脱硫的研究。首先，在活性炭制备与改性方面取得了很多实验成果，2000年前后，我国的一些生产企业，如山西新华化工厂、山西玄中化工实业公司、宁煤集团活性炭公司等，开始进行脱硫活性焦的生产，生产能力可达到年1万t，他们生产的活性焦约80%以上出口国外用于烟气净化。其次，国内一些单位正参与或投运活性焦脱硫工程，2004年11月，在“十五”863计划支持下，由南京电力自动化设备总厂、北京煤化工研究分院和贵州宏福实业开发有限公司合作完成了活性焦烟气脱硫试验装置，这是国内目前唯一的活性焦烟气脱硫工业装置；2008年10月，江苏中兴化工设备有限公司与韩国WIA公司以及CFTech未来环境发展有限公司合作，共同参与现代制铁唐津工厂烧结炉烟气脱硫制酸工程。

三、经济性评价

无论是针对电厂锅炉烟气还是钢铁厂烧结烟气，活性焦烟气脱硫/脱硝工艺的经济性评价主要取决于脱硫烟气的特性，包括烟气量、烟气成分以及工况稳定性等。以某钢铁厂一台132m^2的烧结机运行参数为例，拟采用活性焦烟气脱硫/脱硝工艺的经济性评价如表2所示。

表2　活性焦脱硫脱硝工艺在电厂中应用的经济性评价

项 目	单 位	脱硫/脱硝	硫酸制造	备 注
烧结机面积	m^2	132		
年运行小时数	h	7920		
FGD入口烟气量	m^3/h	831600		
工程总投资费用	万元	10000		
小计	万元	6350	3650	
工程年折旧费	万元/a	423.3	243.3	
初期活性焦充填量	t	1732	0	
初期活性焦折算	万元/a	57.7	0	活性焦价格5000元/t
活性焦年补充量	t/a	1080	0	
活性焦年补充费用	万元/a	540	0	
年耗电费用	万元/a	361.2	202.8	电价0.4元
年用水费用	万元/a	0	5.1	水费按0.8元/t
液氨年费用	万元/a	392.8	0	液氨价格按3100元/t
轻柴油费用	万元/a	0	0.86	轻柴油价格按5350元/t
钒催化剂	万元/a	0	8.5	钒催化剂价格2.59万元/t
人工费用	万元/a	25	50	脱硫5名、硫酸制造10名
大修费	万元/a	111.1	63.9	固定资产成形率为70%
年运营费小计	万元/a	1911.2	574.4	
SO_2浓度	mg/m^3	1400		钢铁厂提供
氮氧化物浓度	mg/m^3	650		钢铁厂提供
粉尘浓度	mg/m^3	142		钢铁厂提供
SO_2量	t/a	9220.78		
NO_x量	t/a	4281.08		
粉尘量	t/a	935.25		
脱硫效率	%	95		设计值
脱硝率	%	70		设计值
除尘率	%	70		设计值
除SO_2量	kg/a	8759741.8		
SO_2当量数	kg/a	9220780.8		SO_2当量值（kg）为0.95
脱硝量	kg/a	2996753.8		
NO_x当量值	kg/a	3154477.6		
可减少气体排放费	万元/a	866.27		排污收费按0.7元/kg
除尘量	kg/a	654675.4		
可减少粉尘排放费	万元/a	1.96		排污收费按30元/t

项 目	单 位	脱硫/脱硝	硫酸制造	备 注
减排费用	万元/a	868.2		
硫酸年产量	t/a		14107.8	
硫酸效益	万元/a		836.4	硫酸市场价 1000 元/t
脱硫/脱硝及硫酸制造运行成本	万元/a	1042.9	-262.0	
年脱硫/脱硝运行成本	万元/a	780.9		

虽然采用活性焦脱硫工艺初投资相对较高，但若将初投资折算到运行费用中，可以看出，年运营总费用主要包括工程折旧费、物料费（包括活性焦、液氨、催化剂、轻柴油等）、水电费、维修费以及人工费等，除去由于减排节约的费用和硫酸收益的费用，活性焦烟气脱硫/脱硝工艺年运行成本反而降低了。预算表明，对于火电厂锅炉烟气脱硫而言，活性焦烟气脱硫/脱硝年运行成本在 1 ~4 元/MWh 之间，而对于钢铁厂烧结烟气脱硫，活性焦脱硫/脱硝年运行成本在 7 ~ 13 元/t 钢之间。

四、总 结

活性焦烟气脱硫/脱硝工艺具有以下几点优势：不需要水资源，适宜于工业用水困难或缺乏地区，如我国的东北、华北和西北区域；我国煤质资源丰富，活性焦的制取工艺成熟，为活性焦烟气脱硫/脱硝工艺的推广提供了保证；基于活性焦的吸附特性，在脱硫/脱硝同时可以有效脱除烟气中的二恶英、重金属及粉尘等有害物质；通过回收富集的 SO_2 气体，可生产硫黄、硫酸等我国紧缺的化工产品；失效的活性焦可以通过燃烧处理，真正做到无二次污染。

活性焦烟气脱硫/脱硝工艺在国外的成功运行业绩，表明在火电或钢铁行业采用活性焦烟气脱硫/脱硝工艺在技术上是可行的、成熟的。借鉴国外先进技术，结合国内研究力量开发具有自主知识产权的活性焦烟气脱硫/脱硝技术，是目前我国活性焦脱硫工业化推广的有效手段。

鉴于活性焦烟气脱硫/脱硝技术的诸多优点以及符合循环经济和可持续发展的需要，该技术必将成为我国未来烟气脱硫的发展方向。下一步需要重点解决的问题：一是如何制造优质廉价的活性焦吸附剂、简化硫资源回收处理外围系统及活性焦循环利用系统，以进一步降低运行成本；二是对解吸的 SO_2 进行有效地净化、处理，提高副产品的利用率。

参考文献

[1] 火电厂大气污染物排放标准（GB 13223—2003）[S]. 北京：中国环境科学出版社，2003，12.

[2] 清洁生产标准钢铁行业（烧结）（ HJ/T 426—2008）[S]. 北京：中国环境科学出版社，2008，4.

[3] 张方炜. 烟气活性焦干法脱硫工艺及其在电厂中的应用 [J]. 电力勘测设计，2009，19 (3)：34 -41.

[4] 赵恩婵. 活性焦烟气脱硫方案及经济分析 [J]. 热力发电，2009，37 (9)：1 -4.

[5] 刘文权. 钢铁行业烧结烟气脱硫技术的发展 [J]. 中国环保产业，2009 (5)：24 -27.

[6] 陶贺，金保升，朴桂林，等. 活性焦烟气脱硫脱硝的静态实验和工艺参数选择 [J]. 东南大学学报，2009，39 (3)：635 -640.

SCR 烟气脱硝液氨系统关键设备的仿真

孙克勤　沈　凯　徐海涛　周长城

（东南大学能源与环境学院　江苏　南京　210096）

摘　要　以选择性催化还原（SCR）法烟气脱硝系统为研究对象，通过对其液氨系统工艺特点的研究，建立了液氨系统关键设备的一系列仿真数学模型，并在此基础上搭建了液氨系统的优化控制方法，仿真实验表明该控制方法是可行的，可有效消除系统内设备在控制过程中的相互影响。可为液氨系统的运行优化提供参考。

关键词　SCR 系统　液氨系统　仿真　控制

减少 NO_x 排放的措施主要分为两大类：燃烧过程控制和燃烧后烟气脱硝技术[1]。燃烧过程控制主要是通过降低炉膛内部最高温度或减少煤粉在高温区域的停留时间，从而抑制或减少锅炉燃烧过程中 NO_x 的产生量。烟气脱硝技术包括：选择性催化还原（SCR）技术和选择性非催化还原（SNCR）技术等，SCR 技术是目前应用最广、最有效的烟气脱硝技术，能达到 90% 以上的脱硝效率。据 2002 年统计，日本、欧盟和美国安装 SCR 装置的装机容量分别达 23.1GW、55GW 和 100GW[1]。而我国在 SCR 技术开发与应用方面刚刚起步，2004 年底投运的福建漳州后石电厂 600MW 机组烟气脱硝装置是我国内陆地区安装的第一台 SCR 装置[2]；2006 年初投运的国华太仓 600MW 机组烟气脱硝装置是我国第一台具有自主知识产权的 SCR 装置[3]。

一、SCR 系统工艺及反应机理

SCR 装置的工艺流程相对比较简单，主要由供氨系统和 SCR 反应器系统两大部分组成。供氨系统的主要作用是将槽车运送来的液氨通过减压、扩容、蒸发等方法变为氨气，再通过氨空气混合后通过喷氨格栅喷入 SCR 反应器在催化剂的作用下，氨与烟气中的氮氧化物发生反应生成无毒无害的氮气和水。具体反应为[4,5]：

$$4NO + 4NH_3 + O_2 \longrightarrow 4N_2 + 6H_2O \tag{1}$$

该反应为气－固两相催化反应，NO 和 NH_3 在催化剂存在下由下列步骤组成：

①NO、NH_3、O_2 从气流主体扩散到催化剂的外表面；

②NO、NH_3、O_2 进一步向催化剂的微孔内扩散进去；

③NO、NH_3、O_2 在催化剂的表面上被吸附；

④被吸附的 NO、NH_3、O_2 转化成反应的生成物；

⑤H_2O 和 N_2 从催化剂表面上脱附下来；

⑥脱附下来的 H_2O 和 N_2 从微孔内向外扩散到催化剂外表面；

⑦H_2O 和 N_2 从催化剂外表面扩散到主流气体中被带走。

反应①、②主要是在催化剂表面进行的，催化剂的外表面积和微孔特性很大程度上决定了催化剂反应活性，研究表明，①、②、③、④四个步骤速度较慢，为 SCR 脱硝反应的控制步骤。

SCR 烟气脱硝工艺流程如图 1 所示。SCR 脱硝工艺主要由脱硝反应系统、氨储存及供应系统、氨气/空气喷雾系统等组成。其中氨储存及供应系统主要用于为 SCR 系统提供反应所需的还原剂。其主要控制设备包括：液氨蒸发器和气氨缓冲罐。

（一）液氨蒸发器

液氨蒸发器一般为螺旋管式。管内为液氨，管外为温水浴缓冲槽维持适当温度及压力。蒸发槽，以蒸汽直接喷入水中加热至 40℃，再以温水将液氨汽化，并加热至常温。氨气流量受蒸发槽本身水浴温度控制调节。当水的温度高过55℃时，则切断蒸汽来源，并在控制室DCS上报警显示。蒸发罐上装有压力控制阀将气氨压力控制在0.2MPa。当出口压力达到0.38MPa时，切断液氨进料。在氨气出口管线上装有温度检测器。当温度低于10℃时，切断液氨进料，使氨气至缓冲槽维持适当温度及压力。蒸发槽也安装安全阀，可防止设备压力异常过高。

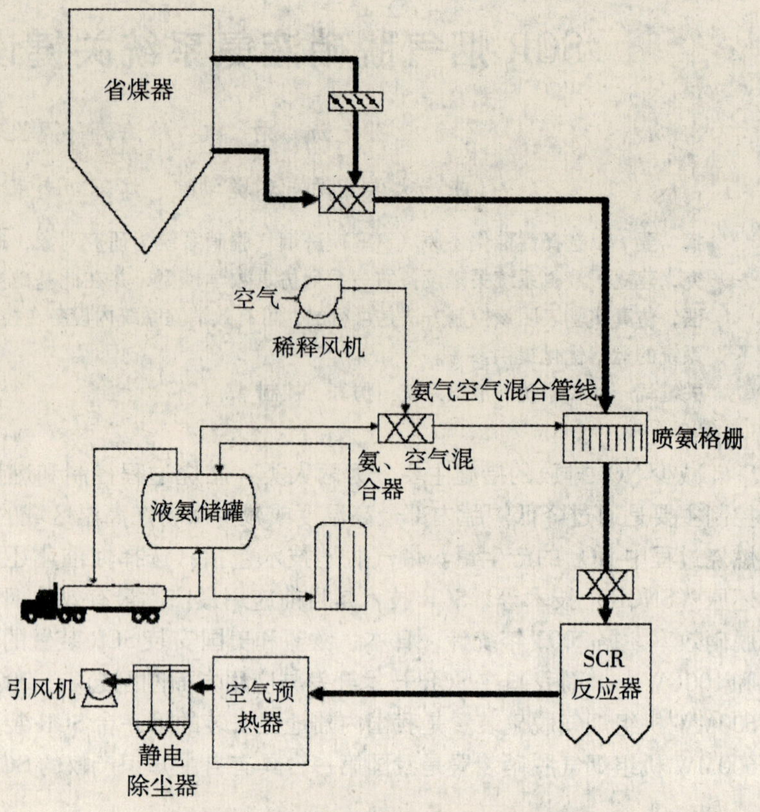

图1　SCR系统工艺流程示意图

电厂提供的蒸汽压力一般为0.8～1.3MPa，温度280～375℃，以此作为蒸发器热源。采用螺旋管式蒸发器，适用于氨量少的蒸发。液氨通过减压，温度迅速下降到－20℃，压力降至0.2～0.38MPa，此外有部分液氨汽化，进入蒸发器后升温至10℃以上并全部汽化。

氨蒸发器水温通过控制过热蒸汽调节阀，使氨蒸发器内水温保持在40℃，正常蒸汽流量为152kg/h。

（二）气氨缓冲槽

液氨经过液氨蒸发器蒸发为氨气后进入气氨缓冲槽，其作用是对氨气进行一个缓冲作用，保证氨气有一个稳定的压力。气氨缓冲槽的结构相对简单，主要有氨气的进出口、安全阀以及排污阀等。通过氨汽化器汽化的氨气被送入气氨缓冲槽，在汽化器的上游设置有压力控制阀，通过压力控制阀的流量控制，使氨的消耗量和稳压器内的压力均保持恒定。由于氨供给设备有可能设置在远离需求点的场所，所以稳压器的内压设定应充分考虑到途中压头的损失。通过控制氨蒸发器进口调节阀，控制液氨蒸发流量，使气氨储罐压力保证在0.2MPa，进口调节阀保持正常流量。

二、数学模型

（一）氨蒸发器水温控制回路及水温传递函数

采用单回路的反馈控制系统，将液氨蒸发器的水温作为被调量，通过控制液氨蒸发器进口蒸汽调节阀开度来控制水温。$W_0(s)$ 是水温的传递函数，在换热器中，一般流量 G 与对出口温度 T_o 的传递函数可以用带有二阶纯滞后的环节 $W_0(s) = \frac{K}{(T_1s+1)(T_2s+1)}e^{-\tau s}$ 来近似。

其中，根据相关原理可以推导出静态增益 K 可以用如下计算公式求得：

$$K = \frac{\Delta T_o}{\Delta G} = \frac{-(T_{2i}-T_{1i})}{\left[\frac{G_1c_1}{KF}+0.5\left(1+\frac{G_1c_1}{G_2c_2}\right)\right]^2}\left(\frac{c_1}{KF}+0.5\frac{c_1}{G_2c_2}\right)$$

式中，根据工艺要求，蒸汽流量 $G_2=152\text{kg/h}$，$T_{2i}=40℃$，$T_{1i}=320℃$，$K=520\text{W/}(\text{m}^2\cdot℃)$，$c_1=0.7253\text{g/ml}$，$c_2=3.7338\text{kg/m}^3$，$F=12.63\text{m}^2$。根据以上数据及公式，计算得到，$K\approx3$。

液氨蒸发器水浴的水温传递函数可以表示为：$W_0(s)=\dfrac{3}{(30s+1)(30s+1)}e^{-8s}$。$W_a(s)$ 是控制器的传递函数，采用 PI 调节器作为控制器。

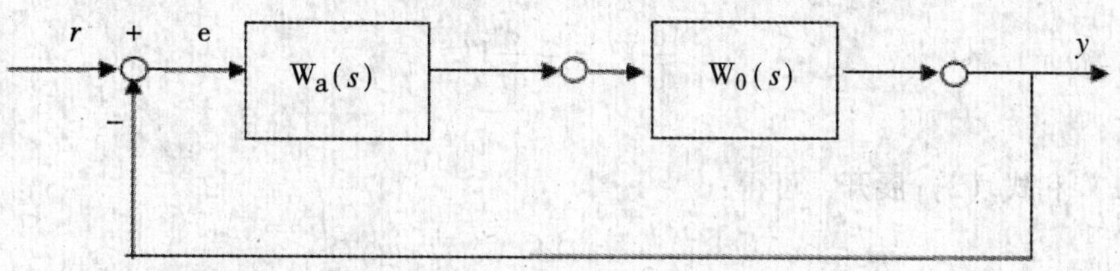

图 2　氨蒸发器水温单回路控制回路

（二）气氨缓冲罐控制回路及压力传递函数

和液氨蒸发器类似，气氨缓冲罐也采用单回路的反馈控制系统。选取气氨罐压力作为被调量，通过控制液氨蒸发器进口液氨调节阀开度来控制气氨罐压力。也采用 PI 调节器作为控制器。

气氨罐在整个系统中起着很重要的作用。因为整个 SCR 系统各部分是连通的，前一个系统的输出就是后一个系统的输入，例如，液氨蒸发器蒸发出的氨气是喷氨系统的一个输入量。而喷氨系统所需要的氨气量是依据烟气中的 NO_x 含量决定的，而 NO_x 含量又取决于锅炉的运行状况。所以，当锅炉的运行工况发生变化的时候，喷氨系统对氨气量的需求就会发生波动，这势必导致液氨蒸发器的输出突然增大，而由于水温的传递函数具有一定的滞后性，这就使得液氨蒸发器的运行滞后于喷氨系统的要求。

为了解决两个相连的系统在输出量和输入量的矛盾，可以采用均匀控制系统，使二者被调量变化区域抑制，但是这就增加了调节器设计的工作量，也增加了控制的难度。鉴于 SCR 系统的氨供应系统体积并不算大，蒸发量也不算大，所以，在液氨蒸发器和喷氨系统之间安装一个气氨储罐就可以解决这一矛盾，同时增加的设备投资也不大。气氨储罐就相当于锅炉中间储仓式制粉系统中的煤粉仓，任何时刻都存储一部分煤粉，以便在锅炉负荷发生变动的时候及时调节出口开度，弥补磨煤机的滞后，使煤粉的供给跟得上负荷的变动。同理，气氨储罐中储存的氨气可以补偿液氨蒸发器喷氨系统对于氨气需求量的波动。同时，气氨储罐也起到了保持氨气进入喷氨系统的压力稳定的作用。

但是，必须保持气氨储罐中的压力稳定，不能让氨气过快进入喷氨系统，这样会造成氨气在喷氨系统中混合不均匀。也不能让氨气在气氨储罐中停留太长时间，这样会使压力上升，影响液氨蒸发的沸点。所以，气氨储罐在调节过程中发挥着很重要的作用，气氨储罐的压力是一个很重要的监测量。

对于气氨储罐压力 P 和进入液氨蒸发器的液氨的进料量 d 之间的传递函数，可以用如下方法进行推导[6,7]。

假设：①蒸发器内各处工质的压力和温度同步变化，随时相等；②蒸发区内工质处于饱和状态；③忽略金属的蓄热；④在蒸发区内压力变化不大的条件下，工质内能变化近似等于焓的变化。

质量平衡：

$$\Delta D_{ya}-\Delta D_{qa}=\frac{d}{d\tau}\left(\rho'V'+\rho''V''\right) \tag{1}$$

能量平衡：

$$\Delta Q_{zf} + \Delta D_{ya} H_{ya} - \Delta D_{qa} H'' = \frac{\mathrm{d}}{\mathrm{d}\tau} (\rho' V' H' + \rho'' V'' H'') \tag{2}$$

式中：ΔD_{ya} 、ΔD_{qa} 和 ΔQ_{zf} 分别代表液氨的质量变化、气氨的质量变化和蒸发吸热量，V' 和 V'' 分别代表蒸发区内液氨和气氨的体积，ρ' 和 ρ'' 分别代表蒸发区内液氨和气氨的密度，H' 和 H'' 分别代表蒸发区内液氨和气氨的焓，H_{ya} 为来自液氨压缩机的液氨的焓。

蒸发区内，$V' + V'' = V_{zf} = \mathrm{const}$。两边微分得：

$$\frac{\mathrm{d}}{\mathrm{d}\tau} V'' = -\frac{\mathrm{d}}{\mathrm{d}\tau} V'$$

将式（1）和式（2）展开，可得：

$$\Delta D_{ya} - \Delta D_{qa} = V' \frac{\mathrm{d}}{\mathrm{d}\tau}\rho' + V'' \frac{\mathrm{d}}{\mathrm{d}\tau}\rho'' + \rho' \frac{\mathrm{d}}{\mathrm{d}\tau}V' + \rho'' \frac{\mathrm{d}}{\mathrm{d}\tau}V''$$

$$\mathrm{Q}_{zf} + (H' - H_q)\Delta D_{ya} - (H' + r)\Delta D_{qa} = V'(\rho' \frac{\mathrm{d}}{\mathrm{d}\tau}H' + H' \frac{\mathrm{d}}{\mathrm{d}\tau}\rho') + V''(\rho'' \frac{\mathrm{d}}{\mathrm{d}\tau}H'' + H'' \frac{\mathrm{d}}{\mathrm{d}\tau}\rho'') + \rho' H' \frac{\mathrm{d}}{\mathrm{d}\tau}V' + \rho'' H'' \frac{\mathrm{d}}{\mathrm{d}\tau}V''$$

消去 $\frac{\mathrm{d}}{\mathrm{d}\tau}V''$ 和 $\frac{\mathrm{d}}{\mathrm{d}\tau}V'$，得：

$$\Delta Q_{zf} + (\frac{\rho''}{\rho' - \rho''}r - H_q)\Delta D_{ya} - (\frac{\rho'}{\rho' - \rho''}r)\Delta D_{qa} = V'[\rho' \frac{\mathrm{d}}{\mathrm{d}\tau}H' + (\frac{\rho''}{\rho' - \rho''}r)\frac{\mathrm{d}}{\mathrm{d}\tau}\rho'] + V''[\rho'' \frac{\mathrm{d}}{\mathrm{d}\tau}H'' + (\frac{\rho'}{\rho' - \rho''}r)\frac{\mathrm{d}}{\mathrm{d}\tau}\rho'']$$

用 $\frac{\mathrm{d}}{\mathrm{d}\tau} = \frac{\partial}{\partial P}(\frac{\mathrm{d}P}{\mathrm{d}\tau})$，可以整理出压力变动速度的表达式：

$$\frac{\mathrm{d}P}{\mathrm{d}\tau} = \{\Delta Q_{zf} + (\frac{\rho''}{\rho' - \rho''}r - H_q)\Delta D_{ya} - (\frac{\rho'}{\rho' - \rho''}r)\Delta D_{qa}\} \div \{[\rho' \frac{\mathrm{d}}{\mathrm{d}\tau}H' + (\frac{\rho''}{\rho' - \rho''}r)\frac{\mathrm{d}}{\mathrm{d}\tau}\rho']V' + [\rho'' \frac{\partial}{\partial P}H'' + (\frac{\rho'}{\rho' - \rho''}r)\frac{\partial}{\partial P}\rho'']V''\}$$

令 $\varepsilon_1 = \frac{\rho''}{\rho' - \rho''}r$，$\varepsilon_2 = \frac{\rho'}{\rho' - \rho''}r$，$\varepsilon_3 = \rho' \frac{\mathrm{d}}{\mathrm{d}\tau}H' + (\frac{\rho''}{\rho' - \rho''}r)\frac{\mathrm{d}}{\mathrm{d}\tau}\rho'$，

$$\varepsilon_4 = \rho'' \frac{\partial}{\partial P}H'' + (\frac{\rho'}{\rho' - \rho''}r)\frac{\partial}{\partial P}\rho'']V''$$

考虑饱和氨蒸气焓随压力的变化，$\Delta H'' = \frac{\partial}{\partial P}H''\Delta P$

则 $\frac{\mathrm{d}P}{\mathrm{d}\tau} = \frac{Q_{zf} + (\varepsilon_1 - H_q)D_{qa} - \varepsilon_2 D_{qa} - D_{qa}(\frac{\partial}{\partial P}H'')\Delta P}{\varepsilon_3 V' + \varepsilon_4 V''}$，

$\Delta D_{qa} = k_d \Delta P$

对上面的微分方程进行拉普拉斯变换，则可以得到气氨储罐压力 P 和进入液氨蒸发器的液氨的流量 d 之间的传递函数：

$$G(s) = \frac{\varepsilon_1 H_q k D_{qa}}{(H'' - H_{ya})(1 + T_{ps}) + k\mathrm{d}\varepsilon_2 Pk}$$

式中：$k=\dfrac{H''-H_{ya}}{P\dfrac{\partial}{\partial P}H''}$，$T_p=\dfrac{H''-H_{ya}}{Q\dfrac{\partial}{\partial P}H''}\{V'[\rho'\dfrac{d}{d\tau}H'+(\dfrac{\rho''}{\rho'-\rho''}r)\dfrac{d}{d\tau}\rho']+V''[\rho''\dfrac{d}{d\tau}H''+(\dfrac{\rho'}{\rho'-\rho''}r)\dfrac{d}{d\tau}\rho'']\}$

通过氨的物性参数可以确定：

$\rho'=0.7253g/ml$，$\rho''=0.771g/L$，$r=1.374MJ/kg$，$H'=380kJ/kg$

$H''=1650kJ/kg$，$H_{ya}=330kJ/kg$，$\dfrac{\partial}{\partial P}H''\approx1100kJ/(kg\cdot MPa)$

所以，$\varepsilon_1=0.0015MJ/kg$，$\varepsilon_2=1.375MJ/kg$，$k=6$，$T_p=3.2$

依据工艺设计要求，蒸发器的换热系数$K=520W/(m^2\cdot℃)$，传热端差平均值$\Delta t=40-10=30℃$，换热面积$A=12.63\ m^2$，则换热量$Q=K\Delta tA=520\times30\times12.63=197028W=197kW$，在计算中再做一些近似处理，可以得到：$G(s)=\dfrac{5}{1+15s}$。同时，由于液氨的进料量和气氨储罐的压力之间有一定的滞后，故应该在乘以一个纯延迟环节$e^{-\tau s}$。取$\tau=2s$，则气氨储罐压力和液氨进料量的传递函数为$G(s)=\dfrac{5}{1+15s}e^{-2s}$。

三、液氨蒸发器水温和气氨储罐压力的优化控制方法

系统中两个控制系统分别投入运行时，各个控制系统能正常运行，但是，如果两个控制系统同时运行时，控制阀的开度不仅对各自控制系统有影响，同时对另一个控制系统也有影响。

如果分别对液氨蒸发器的水浴温度和气氨储罐的压力进行控制，必然漏失了一个重要的影响因素——通过调节蒸汽进口阀门的开度会影响水浴温度，但进而也改变了液氨的蒸发量，进而改变了气氨储罐的压力。同时，改变液氨进入蒸发器的阀门开度，可以改变液氨的进料量，改变气氨储罐的压力，但同时也改变了液氨和水的传热端差和换热量，进而改变水浴温度。所以还要考虑两个系统之间的相互影响（图3）。液氨蒸发器的水浴温度和气氨储罐的压力控制就属于典型的耦合系统。

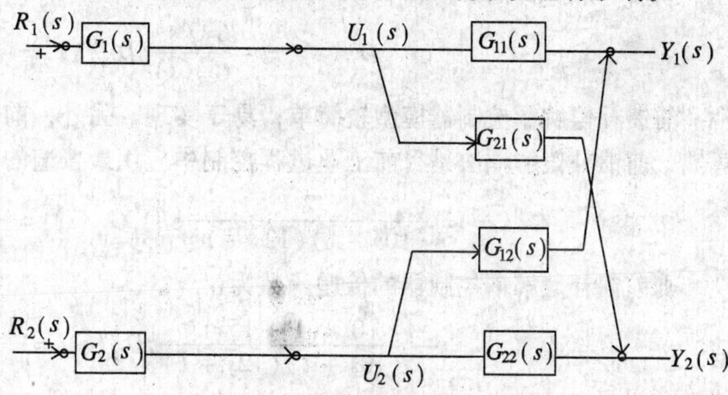

图3　双输入双输出耦合系统框图

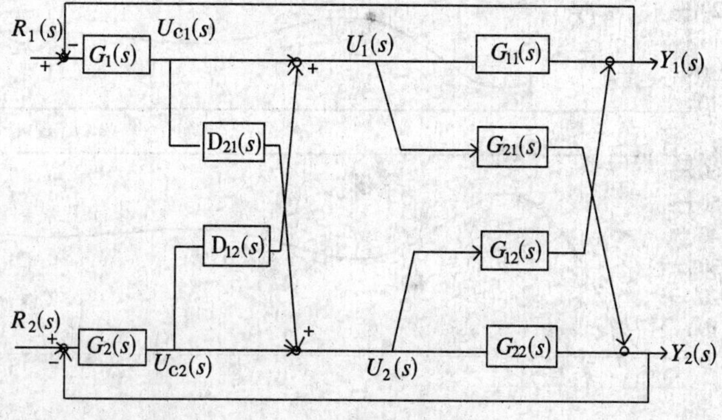

图4　解耦控制系统框图

系统某一通道输入对输出的第一增益是指在其余通道开路的情况下该通道的静态增益，某一通道输入对输出的第二增益是指其他控制回路均为闭环时该通道的增益。相对增益是某一通道输入对输出的第一增益与第二增益的比值，是第一

增益占第二增益的分数率。

系统的耦合程度可以用相对增益来表示，在相对增益矩阵中，如果 λ_{ij} 在 0.3 ~ 0.7 之间或者大于 1.5 时，说明系统存在严重的耦合，必须解耦控制系统设计方法去解除解耦。

上述系统中，$G_{21}(s) = \dfrac{2}{(10s+1)(12s+1)}e^{-2s}$，$G_{12}(s) = \dfrac{-1}{(4s+1)(12s+1)}e^{-8s}$，

则静态放大系数矩阵 $K = \begin{pmatrix} 3 & -1 \\ 2 & 5 \end{pmatrix}$

$$C = [K^{-1}]^T = \begin{pmatrix} 0.29 & -0.12 \\ 0.06 & 0.18 \end{pmatrix}$$

所以相对增益矩阵 $\Lambda = K \cdot C = \begin{pmatrix} 0.66 & 0.34 \\ 0.34 & 0.66 \end{pmatrix}$

从相对增益矩阵可以看出，液氨蒸发器的水浴温度和气氨储罐的压力控制系统通道之间存在严重的耦合。这时，可采用前馈补偿解耦控制（图 4），从而消除系统的相互关联。控制回路的框图如下：

要实现对 U_{c1} 和 Y_2、U_{c2} 和 Y_1 之间的解耦控制，根据前馈补偿器的不变性原理可得：

$$U_{c1}(s)D_{21}(s)G_{22}(s) + U_{c1}(s)G_{21}(s) = 0$$

$$U_{c2}(s)D_{12}(s)G_{11}(s) + U_{c2}(s)G_{12}(s) = 0$$

因此，前馈补偿解耦控制器的传递函数为：

$$D_{21}(s) = -\frac{G_{21}(s)}{G_{22}(s)}, D_{12}(s) = -\frac{G_{12}(s)}{G_{11}(s)}$$

前馈补偿解耦控制器模型较简单，易于实现。另外，前馈补偿解耦还可以实现对扰动信号的解耦，前馈补偿解耦法是目前工业过程控制中应用最普遍的一种解耦方法。

$$G_{21}(s) = \frac{2}{(10s+1)(12s+1)}e^{-2s}, G_{12}(s) = \frac{-1}{(4s+1)(12s+1)}e^{-8s}$$

则前馈补偿解耦控制器的传递函数为：

$$D_{21}(s) = -\frac{0.4(1+15s)}{(10s+1)(12s+1)}, D_{12}(s) = \frac{0.33(1+30s)(1+30s)}{(4s+1)(12s+1)}$$

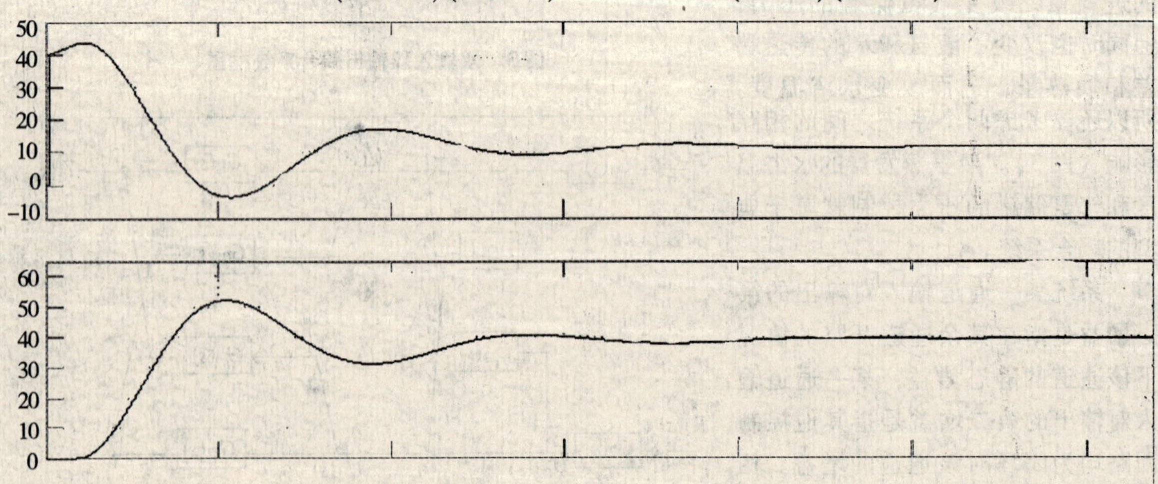

图 5　设定值为 40℃的液氨蒸发器温度阶跃响应曲线

采用解耦控制后，以水浴温度40℃为给定值，气氨缓冲罐压力0.2MPa为系统给定值对解耦控制方式下各参数控制回路进行仿真模拟计算可得到相应的响应曲线如图5、图6所示。

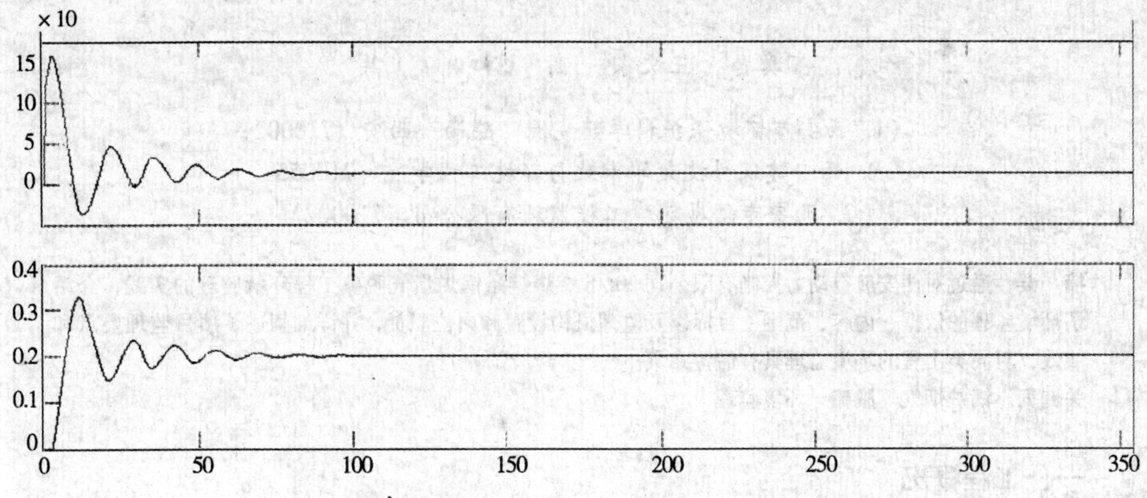

图6　设定值为0.2MPa的气氨缓冲槽压力阶跃响应曲线

四、结　论

1. 在研究了SCR工艺的基础上建立了包含SCR烟气脱硝液氨系统各主体设备在内的仿真数学模型以及控制系统模型。

2. 搭建了液氨系统的优化控制方法，控制系统仿真表明该解耦控制方法是可行的。

3. 通过模型仿真计算验证了仿真数学模型及控制方法可以满足系统仿真对模型实时性和精度的要求。

参考文献

[1] 赵华，丁经纬，毛继亮．选择性催化还原法烟气脱氮技术现状［J］．中国电力，2004，37（12）：74－76.

[2] 李勇．后石电厂600MW机组烟气脱硝系统及工艺特点介绍［J］．山东电力技术，2001，120（4）：41－44.

[3] 孙克勤，华玉龙．OI^2－SCR烟气脱硝核心技术的研究开发及其在2×600MW机组上的应用［J］．中国电力，2005，38（11）：75－78.

[4] H. Bosch, F. Janssen, Catal. Today 2 1988：369.

[5] P. Forzatti, L. Lietti, Heter. Chem. Rev. 3，1996（1）：33.

[6] Luca Lietti, Isabella Nova, Enrico Tronconi, Pio Forzatti. Transient kinetic study of the SCR－DeNO$_x$ reaction, Catalysis Today. 1998（45）：85－92.

[7] A. Santos, A. Bahamonde, M. Schmid, P. Avila, F. Garcia－Ochoa. Mass transfer influences on the design of selective catalytic reduction（SCR）monolithic reactors, Chemical Engineering and Processing. 1998（37）：117－124.

锅炉烟气脱硫工程的环境监理实践

丁真真[1] 王文东[2] 高 榕[1,3] 高 兵[1,3]

（1. 西安市环境保护科学研究院 陕西 西安 710002；
2. 西安建筑科技大学市政与环境工程学院 710055；
3. 西安市皓盛环境工程监理有限公司 710002）

摘 要 通过对西安航空动力控制有限公司20t/h燃煤链条锅炉烟气脱硫工程环境监理的实践，介绍了环境监理的依据、内容、范围、目标以及监理机构设置和岗位职责，并详细阐述了项目监理要点和成效，对同类工程的环境监理具有借鉴意义。

关键词 锅炉烟气 脱硫 环境监理

一、工程概况

西安航空动力控制有限责任公司现有20t/h燃煤链条炉1台，主要为公司冬季供暖使用。锅炉烟气采取老式麻石水膜除尘处理，但仍不能解决二氧化硫的超标问题，加之除尘器老化，附近居民投诉频繁。为了落实西安市环境保护局《关于规范我市中小型燃煤锅炉烟气脱硫工程建设标准的通知》（市环发［2009］223号），满足烟气中SO_2和烟尘的达标排放，西安航空动力控制有限责任公司决定对脱硫除尘装置进行相关改造，由于工期限制，暂时保持原来的水膜除尘器（2010年非采暖期改为高效布袋除尘器），并采用在除尘器后设置喷淋吸收塔作为吸收设备、生石灰作为脱硫剂的石灰法脱硫工艺对烟气进行脱硫处理。项目脱硫工艺流程为：锅炉→原有水膜除尘器→引风机（改造）→脱硫装置→直排烟囱，主要工艺参数如表1所示。其中，现有SO_2排放浓度为1298.6 mg/m^3，烟尘浓度为211.8 mg/m^3，工艺升级改造后烟气中的污染物浓度需满足地方排放标准，SO_2排放浓度限值应在300 mg/m^3以下，烟尘排放浓度限值应在80 mg/m^3以下。

二、工程环境监理的依据

进行该锅炉烟气脱硫项目的主要依据为《中华人民共和国环境保护法》、《锅炉大气污染物排放标准》（GB 13271—2001）、《工业锅炉及炉窑湿法烟气脱硫工程技术规范》（HJ462—2009）、《关于下达2009年第二批主要污染物减排项目计划的通知》（市财发［2009］533号）、西安市环境保护局《关于规范我市中小型燃煤锅炉烟气脱硫工程建设标准的通知》（市环发［2009］223号）、《西安市二氧化硫减排工作方案的通知》（市政发［2008］91号）、《市级环保专项资金工程项目管理暂行办法的通知》（市环发［2008］404号）；经委托人认可的环境监理文件、会议纪要、监理协议、委托书，正式的设计图纸、设计说明、施工预算和设计变更等材料[1,2]。

表1 项目工艺参数一览表

项 目	单 位	工艺参数	项 目	单 位	工艺参数
系统组成		1×20t/h	SO_2排放浓度	mg/m^3	≤300
热态烟气量	m^3/h	60000	标况烟气量	m^3/h	38813.21
烟气温度	℃	150	进口SO_2浓度	mg/m^3	1298.6
燃煤量	t/h	3.5	脱硫速率	kg/h	38.3

项　目	单　位	工艺参数	项　目	单　位	工艺参数
应用基含硫量	%	0.8	脱硫渣量（干）	t/h	0.09
石灰纯度	%	85	脱硫渣含水率	%	80.00
石灰用量	kg/h	41.4	系统总耗水量	m^3/h	2.57

三、工程监理的内容

（一）工作内容

（1）监督项目施工期环境污染控制（废气、废水、噪声及固废）；

（2）监督项目环保设施的建设与实施，检查工程环保设施质量、运行效果及缺陷，对缺陷原因进行调查分析，审核整改方案并监督实施；

（3）协调项目建设单位、施工单位与环保部门的关系；

（4）协助建设单位进行环境保护设施竣工验收。

（二）监理范围

依据环境监理技术合同委托内容，对该项目的环境监理工作范围是对脱硫工程建设和自控系统的实施进行全过程监理。

（三）监理目标

1. 施工期环境污染控制目标

（1）施工期扬尘污染控制

加强监督管理，严格执行《西安市人民政府关于进一步加强扬尘污染控制通告》（市政告字[2008] 5号），确保施工期施工扬尘防治措施落到实处。

（2）施工期噪声污染控制

项目建设过程中，注重选用效率高、噪声低的机械设备，并注意对机械的维修养护和正确操作，把噪声影响降到最低，强噪声施工机械夜间停止作业。

（3）施工期固废污染控制

施工期间产生的废弃建材及生活垃圾应分类收集、合理处置，渣土应按西安市环卫部门指定的地点倾倒，运输车辆禁止沿途散落。

（4）现场危化品的控制

①施工现场的危险化学品应专库存放，专人管理；

②危险化学品专用库应配备必要的消防器材，设置明显标志。防止泄漏火灾、爆炸事故的发生。

③危险化学品的使用应符合危化品安全使用规范要求；

④应建立危化品事故应急预案，定期组织演练，对预案进行评审。

2. 环境保护工程的质量、投资和进度目标

（1）质量目标。监督项目业主和项目施工单位按项目设计文件、环评及批复的要求，建设或实施项目环境保护工程（设施或装置），按照项目技术方案的要求组织施工，安装质量符合国家和有关部门颁发的专业工程验收规范、规程和检验评定标准，环境保护设施运转正常，项目各项污染物达标排放，并符合总量控制的要求，顺利通过项目环境保护竣工验收。

（2）投资目标。监督项目业主全面履行项目各项环保工程的投资，严格控制项目污染控制设施设计变更。

（3）工期目标。要求施工单位对项目环保工程的施工进度计划近期安排确切、仔细、切实

可行，便于操作、检查和落实，进度计划近期和远期相结合。

（4）环境监理效果目标。①加强施工期环境保护管理和监测，制订施工期环境保护管理计划，落实施工期各项污染防治；②该项目竣工后，协助建设单位按规定程序申请环境保护验收，验收合格后投入运行。

四、项目环境监理机构组织方式

根据本项目的特点，项目环境监理组织按直线式编制，实行总监负责制，按照监理规范全面履行监理合同，基本组织方式如图 1 所示。

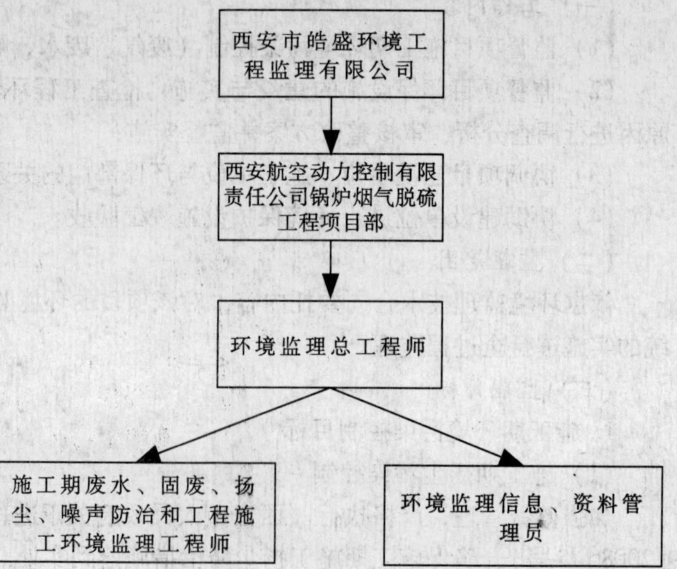

图 1　项目环境监理机构组织形式

五、工程环境监理成效

（一）施工准备阶段

（1）明确工程进度和污染物排放控制目标：烟气除尘项目必须在 2009 年 12 月 25 日前完成建设工作。脱硫效率大于90%，SO_2 浓度限值小于 300mg/m^3，烟尘排放浓度限制小于 80mg/m^3。

（2）审查施工单位的脱硫技术方案、开工报告、企业资质、施工组织设计、安全施工管理措施和临时用电方案，对施工过程中的环保措施提出审查意见。

脱硫技术方案可行，符合《工业锅炉及炉窑湿法烟气脱硫工程技术规范》（HJ 462—2009）和西安市环境保护局《关于规范我市中小型燃煤锅炉烟气脱硫工程的通知》（市环发［2009］223 号）的要求。

施工单位具备环境污染防治工程（废气）乙级工程设计证书和建筑施工安全生产许可证，符合西安市环境保护局《关于规范我市中小型燃煤锅炉烟气脱硫工程建设标准的通知》（市环发［2009］223 号）中对设计资质的要求。

经审查施工组织设计中包括安全管理、施工用电安全措施、环境保护措施、文明施工保证措施，该施工组织设计合理可行。

（3）通过第一次环境监理例会，对工程的环保目标、环保措施及环境监理内容提出要求。

要求施工方制定详细的施工进度表，确保工程能够按期完工；认真做好进场材料、设备的资料报验工作，严把工程质量关；要求施工方提供防腐施工专项组织方案，确保工程的防腐质量。

（二）施工阶段

施工阶段环境监理的工作方式以定期巡视和审查为主，对特别关注的关键部位、设施、特殊工艺的施工进行旁站监理，必要时进行环境监测，对发现的环境污染问题及脱硫设备施工不符合要求的情况，立即通知施工单位限期整改，主要环保措施和监理成效如表 2 所示。

1. 基础施工

基础施工的环境监理工作内容主要是监督废渣土拉运车辆的冲洗、废渣土拉运时采取的密闭措施、施工现场临时堆放的废渣土采取的遮盖措施以及施工噪声的控制，禁止夜间施工。

施工单位基本能够按照要求文明施工，未造成扬尘污染，废渣土定期拉运至后围寨村垃圾站。

2. 脱硫设备施工

环境监理工作内容是监督脱硫主体设备安装；监督脱硫塔体的防腐、保温及防锈措施建设，脱硫塔体内部件、烟道、管道、引风机等辅助设备防腐及保温措施建设是否按照脱硫技术规范要求进行，对关键部位、特殊工艺施工进行旁站工程监理，并进行现场记录。

（1）脱硫剂、浆液制备与输送系统：石灰中氧化钙（CaO）含量大于85%，浆液细度250目大于95%过筛率；脱硫剂浆液制备系统设置了脱硫剂的计量装置，脱硫剂浆液的浓度与消耗量可自动控制；脱硫剂采用自动加料系统；脱硫剂浆液泵一用一备；浆液管道上具有排空和停运后的冲洗设施；浆液罐安装了搅拌器；输送浆液管路采用碳钢衬塑管；浆液储罐容积等均满足设计要求。

（2）吸收系统：吸收塔塔体材质为碳钢衬玻璃鳞片防腐，内径φ2200mm，塔高16m；喷头材质为SiC，喷淋层材质为FRP，共3层；除雾器材质为PPR，采用折流式，并设有清洗装置；塔釜搅拌器叶片防腐；冷却降温喷嘴材质为SiC，当进入脱硫塔前的烟温超过上限值时烟气降温系统开启；脱硫塔外设计了操作平台及爬梯，各项设计均符合相关设计要求。

发现施工过程中对脱硫塔喷砂打磨工序中产生大量粉尘，对周边大气环境造成了不良影响，要求该工序在无风天气下进行施工，并及时洒水抑尘。

（3）烟风系统：所有烟道均采用岩棉保温，外加彩色钢板；入口烟道和出口烟道材质均为碳钢衬玻璃鳞片防腐；入口烟道设有烟道补偿器；入口和出口烟道上均设置了一个检查孔；引风机风量增加至60000m^3/h，各项设计均符合相关设计要求。

（4）自控和在线监测系统：脱硫系统自来水用水管路未安装水表，已及时修改，这样可计量脱硫系统新鲜用水量。

自控系统对脱硫装置的脱硫剂浓度、脱硫液pH值、液位、系统阻力、烟气温度、循环泵电流、物料消耗、烟气流量以及二氧化硫、烟尘浓度等主要参数进行监控，对脱硫剂的浓度、脱硫液的pH值、液位等进行了自动调节和控制，各项设计均符合相关设计要求。

（5）脱硫渣处理系统：脱硫渣排入该工程旁边原有的锅炉水沉灰池，利用原有抓渣方式出渣，符合相关设计要求。但原有沉灰池体积较少，考虑现场已无其他可利用空地，建议增加清渣次数，提高沉灰池有效利用率。

（6）外排水系统：施工过程中产生的烟道清洗废水存在乱排现象，要求施工单位将其排入锅炉水沉渣池中。

脱硫装置的浆液、清液以及冷却水等排入该工程旁边的锅炉水沉渣池后循环利用，符合相关设计要求。

3. 进场材料、设备审查

对施工过程中所涉及的材料，特别是防腐材料、防锈漆质量进行审查，对设备型号、规格、出产厂商及产品质量检验报告进行审查，对可燃材料、危险品的存放及保管方式进行审查。

4. 环境监测

试运行期监测：协助建设单位工程调试完成后进行72h连续试运行验收监测，监测内容为烟尘排放浓度、SO_2排放浓度和脱硫效率。

表2　施工期环保措施监理要点和成效

环境要素	环保措施	监理成效
粉尘和废气	1. 对产尘部位及时洒水和覆盖以避免扬尘； 2. 为防腐漆施工工人发放防护面具	1. 定时对操作场地进行洒水，有效地控制了空气的扬尘； 2. 保障了工人的人身安全

环境要素	环保措施	监理成效
固体废物	1. 制订合理的土地利用计划，剩余土方用于平整场地； 2. 一般废物及时清运至后围寨垃圾处理站； 3. 危险废物（防腐漆等废弃油漆桶）交与有资质的单位处置	1. 基本做到了土方量平衡； 2. 对周围环境的影响较小
施工噪声	1. 合理安排施工计划，禁止夜间施工； 2. 采用低噪声的设备	施工噪声对周围的影响较小
施工废水	烟囱清洗水和试运行产生的废水排入锅炉沉渣池	施工废水对周围水环境的影响较小

六、环境监理结论和建议

该脱硫工程施工期环境监理工作在建设单位和施工单位的大力支持和配合下进展顺利，环境监理结论和建议如下：

（1）2009 年 9 月由施工单位对西安航空动力控制有限责任公司现有 20t/h 锅炉烟气安装除尘脱硫装置，工程进度基本如期完成。2009 年 12 月中旬西安市环境监测站进行了现场验收监测，监测结果均达到相关排放要求。2009 年 12 月底西安市环境保护局对该项目进行了环保竣工验收，该项目得到了相关领导的一致认可。

（2）施工单位脱硫技术方案、企业资质、施工组织方案以及工程实际建设均符合《工业锅炉及炉窑湿法烟气脱硫工程技术规范》（HJ 462—2009）和西安市环境保护局《关于规范我市中小型燃煤锅炉烟气脱硫工程建设标准的通知》（市环发［2009］223 号）相关要求。

（3）加强对脱硫设施、设备的监督管理，进一步完善设施、设备运行检查记录表，定期对环保设施、设备进行检查、维修、保养，确保设备持续正常运行。

（4）按照《工业锅炉及炉窑湿法烟气脱硫工程技术规范》（HJ 462—2009）的要求，蒸发量≤65t/h 锅炉烟气量的工业锅炉及炉窑烟气脱硫工程不得设置烟气旁路，现有烟气旁路应尽快拆除。

（5）定期对锅炉的脱硫除尘效果进行环保监测及在线监测装置的比对工作；浆液输送管道停用时，应及时排空并清洗，防止管路结垢；人工向斗提机投加石灰粉时产生粉尘污染，应采取适当措施进行有效治理。

（6）2009—2010 年采暖季过后，应尽快实施除尘改造工程，完善污染治理，并制定脱硫设施发生故障时的应急措施，最大限度地降低环境风险。

参考文献

［1］崔朝栋．建筑工程监理实例应用手册［M］．北京：中国建筑工业出版社，2002.

［2］曹晓红，李继文．建设项目工程环境监理中的问题和建议［J］．环境与可持续发展，2006，2：14－15.

针对烟气净化工程实际，基于具体的湿法烟气脱硫技术进行细节完善的思考与研究

张志仁　吕　菲　王子剑

（沈阳新北热电有限责任公司　沈阳沈河北站东二路18号）

摘　要　商业环境下的脱硫工程，不太注重脱硫技术本身与锅炉本体之间的匹配性和针对性。工程在完成选型—安装—运行后，常常出现与锅炉本体针对性差，与运行实际匹配性差等问题。其主要原因就是欠缺用户自己在衔接环节上的思考，缺失承包商对锅炉运行工况的应有把握，进而造成了工程性价比的偏低、运行费用的偏高和净化功效的较差。针对工程实际，基于具体的湿法烟气脱硫技术进行细节上的思考和研究并完成相应的完善设计可真正实现低成本运行条件下有效脱硫。

关键词　烟气净化工程　湿法脱硫技术　分立配置　系统独立体系　旁路通道

我国是煤炭消费大国。大约90%的冬季供热量、80%的发电量和65%的工业用热量都要通过各类锅炉从煤炭中转化而得来。应用实践表明：同样是1GJ热量，从煤炭中获取其费用约为15元/GJ；而从燃油中获取其费用约为75元/GJ，从天然气中获取其费用约为85元/GJ，从工业电中获取其费用约为230元/GJ。因此，煤炭在我国被认为是最经济、最安全的能源；因此，2003年我国煤炭消耗总量一跃达到16.3亿t；2004年这个数字又变成17.8亿t；预计到2010年其值将达到24.8亿t。然而作为能源，煤炭虽经济性好，可在清洁方面却远不理想。因为与上述数据相适应，那些煤炭在完成热能转换的同时，它还产生了约14.7万亿m^3、16万亿m^3和22.3万亿m^3的烟气以及2 158万t、2 255万t和3 183万t的二氧化硫。而以GB 3095—1996规定的二级空气质量指标为基准，我国二氧化硫的环境容量仅仅才是1200万t/a。可见，在讲究和谐发展的今天，低成本的有效脱硫和切实的节能减排系统的研究应是所有煤炭消费密集型企业谋求科研创新和产业进步的首选课题。

近年来，通过FGD湿法烟气脱硫技术在几项烟气净化成套装置内的应用实践，我们发现：商业运作环境下的脱硫工程，不太注重脱硫技术本身与锅炉本体之间的匹配性和针对性。这种情况会造成什么后果呢？与锅炉不匹配——缺失针对性的烟气净化装置在实际运行中造成的结果就是所谓的“两高一低”，即：系统一次费用高、运行成本高和脱硫效率低。

一、对两个细节的忽视是造成“两高一低”的基本因素

1. 工业锅炉在全年的工作负荷是大幅度变化的；如图1所示，是新北热电2008—2009年度日供热曲线图。由曲线可以发现，在供热期内日供热量的最大值几乎是最小值的2.6倍。

众所周知，热输出与煤炭耗量成正比，煤炭耗量又与烟气量及其二氧化硫排放量成正比（参见如下经验公式）。将上述图表的典型点位具体数字化，那么其最大日煤耗就是1 600t/d（热值=13400kJ/kg），相应的烟气量和二氧化硫排放量便分别是1120万m^3/d、22.5t/d；而最小日煤耗则是610t/d，相应的烟气量和二氧化硫排放量则分别是430万m^3/d、8.5t/d。

2. 锅炉所用燃煤的品种也是多变的；比如，新北热电2008—2009年度的主力煤种是“霍林河”和“沈阳清水”，而两者的硫分、低位发热量是存在许多差异的，具体检验指标对比见表1。

根据经验公式，单位质量燃煤的实际烟气量：$V=(V_{min}+1.016(\alpha_{air}-1)L_{min})$ [m^3/kg]；煤炭燃烧二氧化硫［SO_2］排放量：$F_{SO_2}=2\xi Q_m S_{ar}$ (t/h)；

式中：V_{min}为理论烟气量$V_{min}=\frac{2.13}{10000}h_u+1.65$，($m^3$/kg)；$L_{min}$为理论空气量$L_{min}=\frac{2.65}{10000}h_u$

+0.5，(m^3/kg)；α_{air}为过量空气系数，通常取1.3～1.5；h_u为低位发热量，(kJ/kg)；ξ为二氧化硫［SO_2］生成系数，通常取0.95；Q_m为锅炉对燃煤的消耗量，(t/h)；S_{ar}为燃煤的硫分，依据实际我们通常取0.7%。

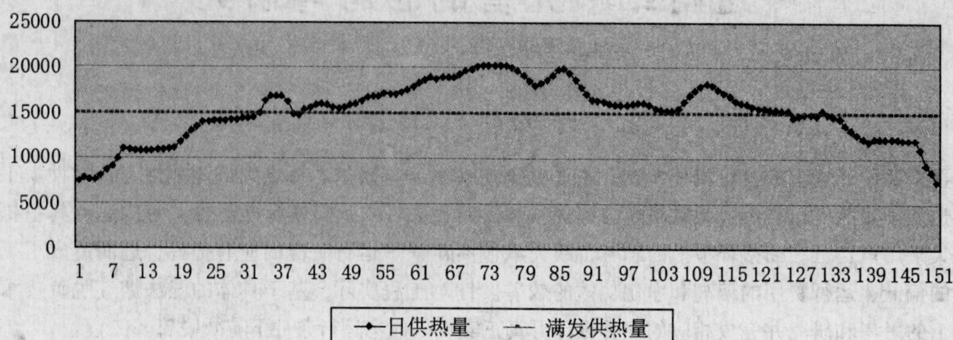

图1　新北热电2008—2009年度日供热曲线图

表1

序号	检验指标对比项目	对比数值		备注（检验标准）
		霍林河	沈阳清水	
1	干燥基灰分/%	32.66	39.32	GB/T 212—2001
2	干燥基全硫/%	0.48	0.86	GB/T 214—1996
3	最低发热量/（mJ/kg）	13.11［3135大卡/kg］	13.77［3287大卡/kg］	GB/T 213—1996

在一年、一个供热期乃至一天的运行时间里，这种由锅炉自然存在的工作负荷不同、所用燃煤最低热值以及硫分的不同，必然要导致锅炉尾部烟气体积流量的变化和烟气中二氧化硫浓度的变化，甚至是大幅度的变化。与之相适应，烟气净化系统脱硫液的流量、脱硫液的pH值和亚硫酸盐的氧化率等指标都应该随之有相应的改变。这样，才能实现其化学过程的“有的放矢”，以确保净化系统与锅炉本体在运行过程中的匹配性和经济性。然而，在充斥着商业理念的烟气净化工程中，这个匹配性和适应关系往往是不被看重的。它们或者脱硫液“扑捉”烟气中二氧化硫的活性远大于实际需求，或者情况完全相反；或者虽然脱硫液的活性与拟“扑捉”的烟气中二氧化硫的浓度相适应，而两者在净化空间里的接触时间、接触面积以及接触环境（温度—分压）都没有达到应有的条件……其结果就造成了不是系统运行成本偏高，就是脱硫效率低下。

二、用“系统独立体系”代替“分立配置”

所谓“分立配置”：就是常规的烟气净化装置与锅炉本体的一对一配置，如图2所示。

“系统独立体系”：则是将分立的烟气净化装置进行结构整合，形成相对独立体系并与诸锅炉本体并联，如图3所示。

与分立配置的烟气净化装置比对，系统独立体系对于净化成套装置而言其直接的收益有：①减少设备的占地面积约20%～40%；②节省成套装置一次费用约10%～30%；③节省总运行费用约10%～15%。

在系统独立体系配置上我们建议，其净化能力与烟气实际流量比应在85%～120%。

针对一个实际的应用需求，基于具体湿法烟气脱硫的技术特点，进行相应的工程细节思考和匹配性关键技术研究，是我们通过几期实践而总结出来的专有工作流程。用“系统独立体系”代替“分立配置”是其中在系统布局层面内的一个重要环节，它能给项目带来明显的经济效益。

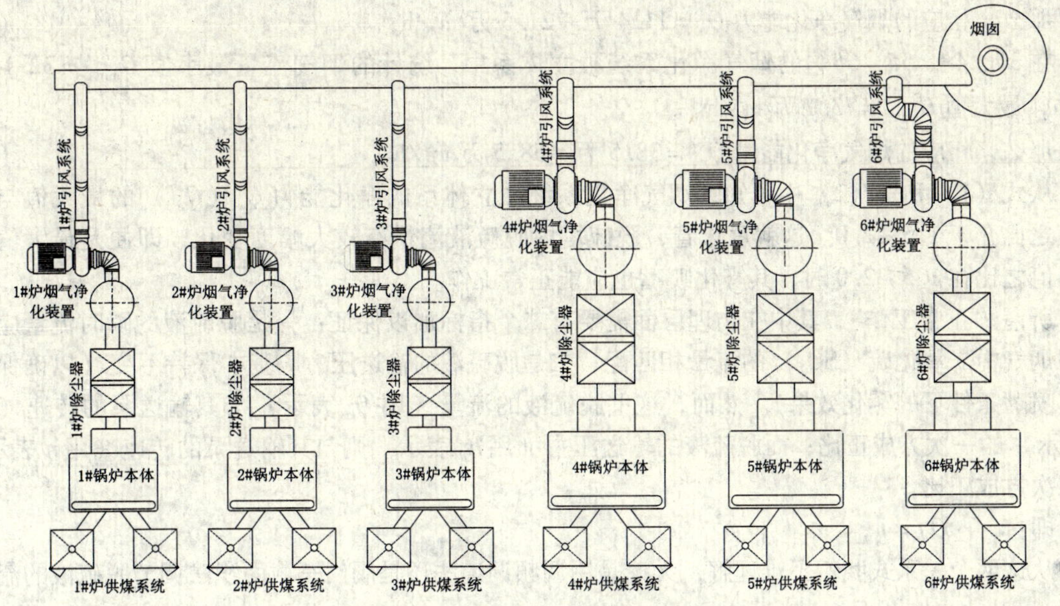

图2　烟气净化分立配置示意图

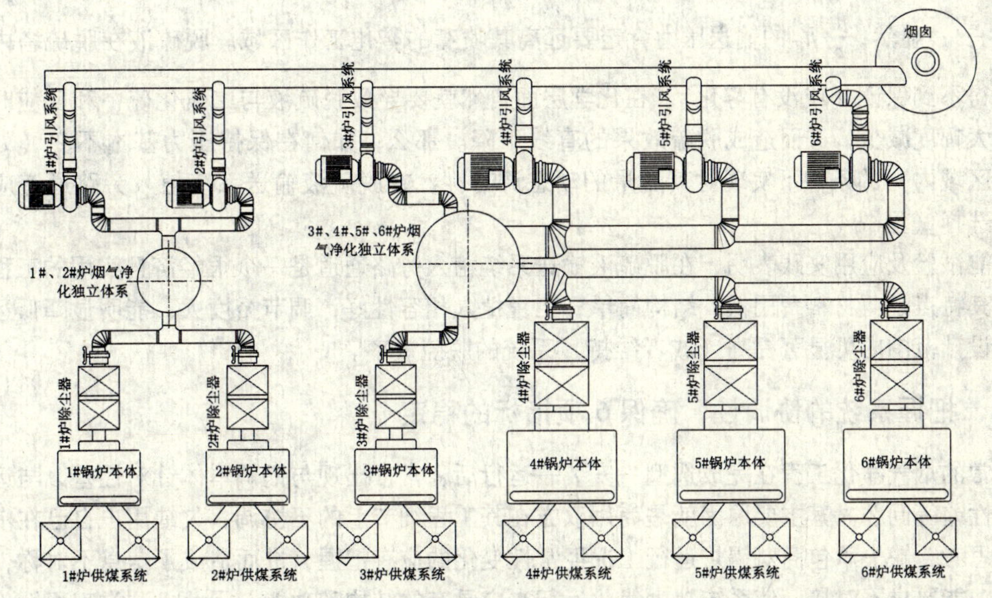

图3　烟气净化系统独立体系示意图

三、在脱硫液输送系统植入旁路通道

由一对一“分立配置”整合而成的烟气净化“系统独立体系”的烟气额定净化能力与烟气实际流量比，其推荐值在85%～120%。就是说，如果系统独立体系的烟气额定净化能力用 Q_e 表示；烟气的实际流量用G表示。那么，$\frac{Q_e}{G_{min}}=120\%$；$\frac{Q_e}{G_{max}}=85\%$。

其中：G_{min} 和 G_{max} 是统计值，分别为烟气实际流量可能会出现的最小值和最大值；这样，$Q_e=120\%G_{min}\sim85\%G_{max}$。

以图3所示的系统配置为例，在1#、2#炉的烟气净化系统独立体系中，统计的烟气流量最小值 $G_{min}=9.5$ 万 m^3/h，最大值 $G_{max}=26.8$ 万 m^3/h。

那么，相应的烟气净化能力 Q_e = 11.4 万 ~ 21.5 万 m^3/h；　　(1)

在 3#、4#、5#、6#炉的烟气净化系统独立体系中，统计的烟气流量最小值 G_{min}' = 32.1 万 m^3/h，最大值 G_{max}' = 73.1 万 m^3/h。

那么，相应的烟气净化能力 Q_e' = 38.5 万 ~ 58.5 万 m^3/h。　　(2)

从式（1）和式（2）中可知，烟气净化系统独立体系的净化能力 Q_e（Q_e'）的最大值与最小值之比介于 1.5 ~ 2.0。这就意味着，脱硫塔内脱硫液流量有较大幅度变化，即便是最大值与最小值之比在 1.5 ~ 2.0 时，其雾化喷嘴也应能正常工作。

所谓“正常工作”，其中在物理层面需要有二个指标加以保证：一是脱硫液的瞬时流量应与此间烟气中二氧化硫（SO_2）的流量相匹配；二是脱硫液的输送压力应基本保持不变（以确保基于其喷嘴条件下的雾化效果）。然而，这里脱硫液的流量（用 Q_{ds} 表示）与其输送泵的转速（用 n 表示）的一次方成正比；而脱硫液的输送压力（用 h_{ds} 表示）则与其输送泵的转速（用 n 表示）的二次方成正比，

即：　$Q_{ds} \propto n$；　$h_{ds} \propto n^2$

从这两个关系式我们不难理解，无论是用调频调速法还是阀门—截面积法调节脱硫液的流量 Q_{ds} 和输送压力 h_{ds}，都会出现两者的平方漂移；就是：若流量 Q_{ds} 减少 $\frac{1}{2}$ 的话，那么输送压力 h_{ds} 将减少 $\frac{1}{4}$；显然，$\frac{1}{4}$ h_{ds} 的输送压力肯定要远离其喷嘴的雾化工作区域。脱硫液在脱硫塔内雾化效果将得不到保证（或没有雾化），在化学层面自然就要导致脱硫液与二氧化硫中和反应时接触面积的大幅度减少，进而造成脱硫效果的直线下降。那么，如何在保持压力基本不变（处于雾化工作区域内）的条件下实现对其流量的动态调节呢？在脱硫液输送系统植入旁路通道应该是最好的选择（见图 4）。

功能试验及应用实践表明，在脱硫液输送系统植入旁路通道是一个很经济且实用的工程解决方案。其特点是：材料费用低；结构简单；工程植入相容性好；调节裕度大；能明显降低运行成本；在设计范围内可显著提高（或者维持）系统的脱硫效率。

四、把握系统的协调性，确保 6 项指标的稳定

通常的烟气净化工程在完成选型—安装—运行后，常常出现与锅炉本体针对性差，与运行实际匹配性差等问题。其主要原因就是商用双方在其工程细节上的不协调，欠缺用户自己在衔接环节上的思考，缺失承包商对锅炉运行工况经常性变化的应有把握，进而造成了信息不对称，财政计划与功能要求不对接，使系统缺少优化运行本应具有的结构和功能。因此，这类工程性价比的偏低、运行费用的偏高和净化功效的较差就成为很自然的事了。

针对一项具体的烟气净化工程实际，基于具体的 FGD 湿法烟气脱硫技术特点，由全面掌握锅炉习性和运行特点的现场技术人员进行匹配性工程细节思考与研究，将两个功能成熟而彼此独立的体系以最优化的形式衔接起来；这应该是规避上述“不协调、不对称和不对接”的最有效做法。我们用“系统独立体系”代替“分立配置”和在脱硫液输送系统植入旁路通道就是实现这种衔接的具体手段，在一期具体的工程实践中，这两者与成套装置其他功能部件一道所要保证的是系统在运行过程中的如下 6 项指标（仅供参考）：

（1）净化能力与烟气实际流量比在 85% ~ 120% 的匹配性；

（2）净化环境温度在 50℃附近的稳定性；

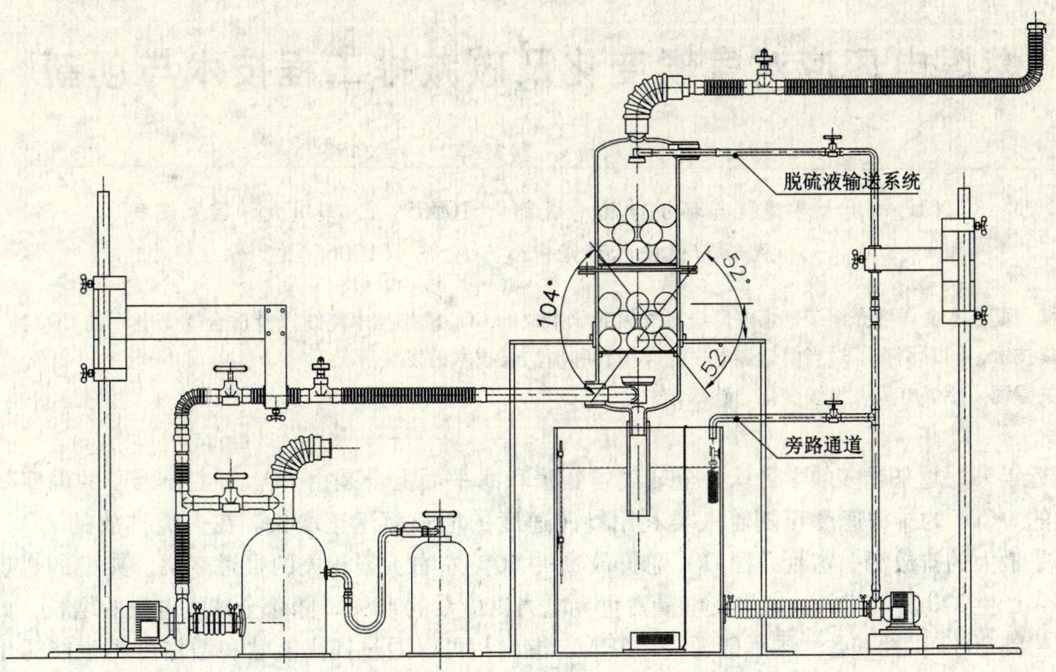

图4　脱硫液输送旁路通道功能模型示意图

（3）烟气在净化空间滞留时间约为4秒的稳定性；

（4）氧化池亚硫酸盐的氧化率在40%附近的稳定性；

（5）在净化区域内的液气比约为3L/m^3（双碱法—NaOH）的稳定性；

（6）脱硫液pH值约为6.2的稳定性。

五、结　论

由深刻理解锅炉（能量转换和二氧化硫发生装置）习性和运行特点的用户技术人员针对烟气净化工程实际，基于具体的湿法烟气脱硫技术进行细节上的思考和研究并完成相应的完善设计是实现烟气净化成套装置真正低成本运行条件下有效脱硫的充分和必要做法。在系统布局上，因势利导变净化装置的“分立配置”为“系统独立体系”；在结构细节上，因地制宜适时加装脱硫液输送系统的旁路通道；被证明是最经济和最实用的完善手段，实际效果显著。净化能力与烟气流量在经济运行区间的匹配性、净化环境在理想温度附近的稳定性、烟气在净化空间最佳滞留时间的稳定性、氧化池的亚硫酸盐氧化率在合理值附近的稳定性、净化区域内的液气比在优选值附近的稳定性、脱硫液酸碱度呈微酸性的稳定性等是让烟气净化成套装置真正实现低成本有效脱硫的基本保证。

参考文献

[1] 张新民．空气污染学［M］．天津：天津大学出版社，2006.

[2] 蒋文举．烟气脱硫脱硝技术手册［M］．北京：化学工业出版社，2007.

[3] 陈东，谢继红．热泵技术及其应用［M］．北京：化学工业出版社，2006.

[4] 王修彦．工程热力学［M］．北京：机械工业出版社，2008.

燃煤电厂应对气候变化及碳减排工程技术与创新

孙明超[1]　张慧娟[2]　郭家秀[1,2]　尹华强[1,2]

（1. 四川大学建筑与环境学院　成都　610065；2. 四川大学国家烟气脱硫工程技术研究中心　成都　610065）

摘　要　本文详细介绍了燃煤电厂应对气候变化采取的CO_2减排技术路线以及适合燃煤电厂的CO_2捕集技术，同时调查了对当前燃煤电厂捕碳项目和清洁煤技术的发展情况。

关键词　燃煤电厂　气候变化　碳减排

近年来，越来越多的学者认为全球气候变暖和海平面上升是由CO_2为主导因子的温室效应引发的。CO_2的排放速度正随着人类利用能源速度的增长而迅速增长。在人类排放的CO_2中，电厂是最大的排放源，占到我国CO_2总排放量的50%左右。据相关的报道表明，典型的燃煤电厂每年产生370万吨CO_2。煤炭发电量占世界电力供应量的40%，随着全球发电量的增长，此比例有望到2030年翻一番。国际能源局（IEA）指出，可以通过提高能效和增加可再生能源生产来减少CO_2排放，但其发展潜力有限。Bellona基金会则强调了碳捕集和封存的重要性，全球采用碳捕集和封存技术（CCS），到2050年能解决全球50%～80% CO_2排放，是减少温室气体排放的关键。在未来10～20年内，CCS是减少CO_2排放最有发展潜力的技术。因此，碳捕集与封存技术是燃煤电厂应对气候变化，降低碳排放的关键。

一、燃煤电厂CO_2捕集的技术路线

煤基电站主要有三类：一是传统的燃煤电站；二是整体煤气化联合循环电站（IGCC）；三是富氧燃烧电站。现在，绝大多数商业运行的燃煤电站是传统的燃煤电厂，只在欧美等极少几个商业运行的IGCC电站和中试的富氧燃烧电站。针对煤基电站不同的燃烧方式，CO_2捕集也存在以下几种方式。

1. 燃烧后捕集。CO_2捕集是将低浓度的CO_2进行富集，这样更容易进行封存和利用。燃烧后捕集，即在燃烧排放的烟气中进行捕碳。理论上讲，该技术路线适合于任何一种火力发电。但是，通过燃烧系统产生的烟气通常压力接近于大气压，而且CO_2的浓度低（10%～15%），含有大量的氮气，产生的气体流量巨大，捕集系统庞大，需耗费大量的能源，该种方式并不经济。

2. 燃烧前捕集。燃烧前捕集主要运用于IGCC系统中。由于IGCC一般为高压富氧气化（$>20\times10^5$Pa），产生的煤气经过水煤气变换后，主要含有H_2和CO_2，气体压力和CO_2的浓度都很高。在此时对CO_2进行富集，捕集系统小、能耗低，加上在其他污染物控制以及效率上的潜力，这种路线得到了广泛关注。近年来，很多国家都重新提出并开始了IGCC发电的项目。国内除了国家电网公司的烟台IGCC项目外，华能、大唐、中电投等发电集团也开始实质性推进IGCC项目。IGCC发电技术仍存在投资成本高、可靠性有待提高、稳定性差等问题，但是该技术是具有发展潜力的技术。

3. 富氧燃烧捕集技术。富氧燃烧仍采用传统燃煤电站的技术流程，只是通过制氧技术，将空气中大比例的N_2脱除，直接采用高浓度的氧气与抽回的部分烟气的混合气体来替代空气，这样烟气中将直接得到高浓度的CO_2，可以直接进行处理和封存。现在，在欧洲已有在小型电厂进行改造的富氧燃烧的项目。该技术路线遇到的最大的困难是制氧技术的投资和能耗太高，现在还没找到一种廉价低耗能动技术，需进一步进行探索。

二、燃煤电厂的捕碳技术

燃烧前和燃烧后捕碳技术所需处理的气体在压力和成分上差别很大，不同的捕碳路线有不同的捕碳技术。

1. 化学吸收法。是利用 CO_2 的酸性特点，采用碱性溶液进行酸碱化学反应吸收，然后借助逆反应实现溶剂的再生。强碱如 K_2CO_3 等，虽然也能作为溶剂且可以进行加热再生，但这种溶剂存在的最大问题是对系统腐蚀严重。目前，工程上应用较多的燃烧后 CO_2 捕集技术——醇胺法，该技术利用带有羟基和胺基的碱性水溶液作为溶剂，利用吸收塔和再生塔组成系统对 CO_2 进行捕集。工业中常用的几种醇胺的碱性为：MEA >DEA >DIPA >MDEA >TEA。其中，MEA 的分子量小，吸收酸性气体能力强，所以对捕集燃烧后烟气中的低浓度 CO_2 最具优势，这也是被研究和运用的最主要技术。用醇胺法进行捕碳的主要问题是富液中的 CO_2 和溶剂降解产物对系统的腐蚀，以及由于氧化、热降解、发生不可逆反应和蒸发等原因，造成溶剂的损失和溶液性能的改变，存在吸收剂易降解、能耗高、腐蚀严重等缺点。

冷冻氨工艺（CAP）吸收剂稳定便宜，能耗较低，具有较好的应用前景。CAP 工艺是以阿尔斯通公司为主开发的一种 CO_2 捕集技术，利用碳酸铵和碳酸氢铵混合浆液作为循环利用的 CO_2 吸收剂，实现 90% 脱碳率，同时能高效脱除烟气中残留的 SO_2、SO_3、HCl、HF、PM 等污染物。

最近几年，用氨水洗涤烟道气脱除 CO_2 的技术得到了世界范围的关注。美国 Powerspan 公司开发了 ECO_2 捕集工艺，可用氨水捕集电厂烟气中的 CO_2。BP 替代能源公司与 Powerspan 公司展开合作，对 Powerspan 公司基于氨水 CO_2 捕集技术进行进一步的开发和验证工作，希望把该技术应用于燃煤电厂。ECO_2 采用氨水喷淋的方法，总反应如下式：

$$CO_2 + NH_3 + H_2O \rightleftharpoons NH_4HCO_3$$

实际反应比较复杂，首先生成 NH_2COONH_4，经过多步反应后最终生成 NH_4HCO_3，相关的反应如下：

$$CO_2 + NH_3 \rightleftharpoons NH_2COONH_4$$

$$NH_2COONH_4 + H_2O \rightleftharpoons NH_4HCO_3 + NH_3$$

$$NH_3 + H_2O \rightleftharpoons NH_4OH$$

$$NH_4HCO_3 + NH_4OH \rightleftharpoons (NH_4)_2CO_3 + H_2O$$

$$(NH_4)_2CO_3 + CO_2 + H_2O \rightleftharpoons 2NH_4HCO_3$$

NETL 等的研究表明氨水吸收 CO_2 有较高的负荷能力，无腐蚀问题，在烟气环境下不会降解，可使吸收剂补充量降到最小，再生所需能量很少，运行成本远低于 MEA 法。ECO_2 和 MEA 两种工艺相比，ECO_2 工艺的优点是蒸汽负荷小、产生较浓的 CO_2 携带物、较低的化学品成本、副产品可供销售，可实现多污染物控制。氨水吸收 CO_2 的反应不是纯放热反应；每千克氨可吸收高达 1.0kg 以上的 CO_2；氨水易于再生、可得到高纯度的 CO_2；副产品 NH_4HCO_3 是氮肥，具有一定的经济价值。同时，因为许多电厂用氨水来脱除 NO_x，所以该法占用设备及场地很少。

2. 物理吸附法。是利用固态吸附剂对混合气中 CO_2 的选择性可逆吸附来分离回收 CO_2 的。吸附法又分为变温吸附法（TSA）和变压吸附法（PSA），吸附剂在高温或高压时吸附 CO_2，降温或降压后将 CO_2 解析出来，通过周期性的温度或压力变化，从而使 CO_2 分离出来。常用的吸附剂有天然沸石、分子筛、活性氧化铝、硅胶和活性炭等。采用吸附法时，一般要多台吸附器并联使用，以保证整个过程能连续取出 CO_2 和未吸附气体。该法的关键是吸附剂的载荷能力，其主要决定因素是温差或压差。吸附法工艺过程简单、能耗低，但吸附剂容量有限，用量很大，且吸附、解吸频繁，要求自动化程度高。英国伯明翰大学和皇家科技大学的科学家研究了一种以钾为促进剂的水滑石吸附介质，能从 208 ~ 302℃的烟气中回收 CO_2，吸附 CO_2 的能力高达 0.8mol/

kg，如对吸附剂的再生循环时间严加控制，其脱除 CO_2 的效率可达97%。日本 Toshiba Corporate R&D Center 研究的锂钇锆酸盐吸附剂，可吸附自身体积500倍的 CO_2，但吸附剂的成本较高，如果能在高效和降低成本方面取得突破并进一步优化工艺，该技术将有望成为一种有竞争力的技术。

3. 膜分离法。膜分离法尚处于发展阶段，但却是公认的在能耗降低和设备紧凑方面具有相当潜力的技术。膜分离法按材料主要分为无机膜和有机膜。根据 IGCC 处理气体具有高压的特点，无机膜技术更具优势，而有机膜也有可能进行烟气捕碳的技术。目前各种用于气体分离的无机膜正在被广泛开发，其中以钯基膜产品的开发得到最迅速的发展。我国大连化物所已开发出具有非常可观分离参数的钯基膜，该产品已得到了电力行业的关注，现正与西安热工研究院针对电厂情况进行进一步考察研究。钯基膜一个比较大的问题是其分离的气体是 H_2 而非 CO_2，尾气中除富集了 CO_2 外，还有 N_2 和 H_2 等气体，这将对下一步气体的处理带来一定的困难；另外就是近期内仍有一些工程化过程中的问题没有解决，很难达到工业级规模；有利的一方面是，CO_2 产品气仍保持高压，减少了下游气体的压缩耗功。日本 Yamaguchi 大学的研究小组制造了一种沸石矿物膜，CO_2 通过膜的速度是 N_2 的100倍。英国 BG 公司用溴磺化聚环氧丙烷制成一种脱除 CO_2 有机膜，对 CO_2 和天然气的渗透比为59:1。但是，膜分离法回收 CO_2 成本高，长期运行的可靠性有待进一步解决。

三、燃煤电厂捕碳项目的发展情况

（一）以 IGCC 为基础的燃烧前捕碳项目

2003年，IGCC 技术在经过美国和欧洲近10年的示范运行后，美国首先提出了建立基于 IGCC 的燃烧前捕碳的近零排放电站的“未来发电”计划。项目计划用10年时间，设计、建设并运行一套装机容量275MW、以煤为燃料、采用 CO_2 存储技术、达到接近零排放的制氢和发电的示范电厂。我国政府以及中国华能集团公司也参与了项目的投资。欧盟提出了相似的 Hypogen 计划。项目计划建立一套400MW 的 IGCC 电站，利用变换将气化的合成气变换成 H_2 和 CO_2，分离后的 CO_2 进行封存，而 H_2 则进行燃料电池和燃机循环发电。日本进行的相似计划是新阳光计划中的“鹰”（煤的气液电多联产）项目。该项目也是基于 IGCC，加上燃料电池与氢气燃机，形成煤气化燃料电池燃机汽轮机的整体联合循环。在此基础上，再进行 CCS，通过提高发电效率和捕集 CO_2 来降低碳的排放。项目首先建成了一个 IGCC 系统。现在该项目已建成了中试系统，其采用深冷空分生产4600 m^3/h 的浓度为95%的氧气，气化炉为150 t/a 夹带流两段式气化炉，气化压力为2.5 MPa；净化部分采用两级水洗加上 MDEA 与石灰石湿法吸收脱除14800 m^3/h 的合成气中的颗粒物和硫；发电岛中，项目只配备了1台8000 kW 的燃机。在2009年以前，该项目除了进一步对系统进行实验以外，还将从进燃机前的合成气中抽出10%的合成气，建设和测试 CO_2 的捕集系统。与此相似的计划还有澳大利亚的零排放发电，德国 RWE 公司的450MW IGCC 以及 CCS 项目，力拓公司和 BP 公司联合进行的“Kwinana”项目（500MW）。

（二）燃烧后捕集项目

在电厂进行燃烧后捕集 CO_2 的项目主要在美国和日本，欧洲和澳大利亚近期也开始了中试规模的实验研究。国外正在运行的电厂燃烧后捕碳项目见表1。2008年7月16日，国内首个燃煤电厂烟气二氧化碳捕集示范工程——华能北京热电厂二氧化碳捕集示范工程建成投产，采用 MEA 化学吸收法，CO_2 捕集量为3000~5000 t/a，成功捕集出纯度为99.99%的二氧化碳，达到设计标准。

表1　国外正在运行的燃煤电厂燃烧后捕碳项目

电厂名称	规模/（t/d）	捕集技术	国别
Shady Point	200（食品级）	ABB Lummus	美国
Warrior Run	150（食品级）	ABB Lummus	美国
Sumitomo 化工厂	150~165（食品级）	Fluor	日本
Yokosuka	5（99%的 CO_2）	PTSA	日本

（三）富氧燃烧项目

富氧燃烧发展的方向主要是降低制氧的成本和能耗以及对系统的运行示范。该技术已经在美国、加拿大、欧洲、日本、澳大利亚和韩国等国家进行了中试示范研究，这些项目中很多都是利用现有的小型机组进行改造。美国正在 JameStone 电厂示范 50MW 循环流化床的富氧燃烧系统，并计划于2013 年放大到400~600 MW。德国从2006 年5 月开始动工建造一个30MW 的富氧燃烧电站，据报道该项目已经开始运行。澳大利亚正在开展 Callide 项目，该项目与日本等国家进行合作，对一个20 世纪60 年代建造的4 台30MW 的电站进行改造，利用2 台330t/a 的空分系统提供氧气（98%），每天回收75 tCO_2。项目计划4 年完成，现在正处于项目前期。Total 公司正准备在法国 Lacq 电厂完成一个30MW 的项目，并计划2009 年开始示范运行。

四、结　论

在我国能源相对紧张的情况下，原煤价格不断攀升，发电企业成本大幅飙升，加之我国 CPI 的持续上涨，发电企业面临着前所未有的生产成本和管理成本的巨大压力，而与此同时，环境与气候问题越来越受到各方的关注。本文提出了应对气候与环境挑战的我国燃煤电厂在减碳工程上面临的技术选择，在采用先进技术对策的前提下，运用组合战略，协调处理好电力工业的快速发展和电力工业与环境之间的相互影响，实现电力工业与环境的协调发展。

参考文献

[1] 黄斌，刘练波，许世森．二氧化碳的捕获与封存技术进展［J］．中国电力，2007，40（3）：14-17.

[2] 黄斌．燃煤电站 CO_2 捕集与处理技术的现状与发展［J］．电力设备，2008，9（5）：3-6.

[3] Thomas Carbon dioxide capture for storage in deep geologic formations - result from the CO_2 Capture Project I［M］. UK，ELSEVIER，2005.

[4] 王宝群．IGCC 系统控制 CO_2 的过程机理与一体化集成［D］．北京：中国科学院工程热物理研究所，2004

[5] 汤蕴琳．低碳排放燃煤电厂的开发和未来趋势，电力建设，2007，28（10）：1-6.

[6] Brian Sherrick，Mike Hammond，Gary Spitznogle，David Muraskin，Sean Black，Matt Cage. CCS with Alstom's Chilled Ammonia Process at AEP's Mountaineer Plant［R］. Paper No. 167，American Electric Power & Alstom Power，Inc.，2008.

[7] 马双忱，孙云雪，马京香，等．电厂烟气中二氧化碳的捕集技术［J］．电力环境保护，2009，25（6）：58-62.

[8] 任德刚．冷冻氨法捕集 CO_2 技术及工程应用［J］．电力建设，2009，30（11）：56-59.

[9] 刘练波，黄斌，郜时旺，等．燃煤电站3000~5000 t/a CO_2 捕集示范装置工艺及关键设备［J］．电力设备，2008，9（5）：21-24.

[10] 刘芳，王淑娟，陈昌合，徐旭常．电厂烟气氨法脱碳技术研究进展［J］．化工学报，2009，60（2）：269-276.

循环流化床粉煤灰用于烟气脱硫的研究

彭 蕾 刘心中

（福州大学 福建福州闽侯县大学城学园路2号；福建工程学院环境与设备工程系
福建福州闽侯县大学城学园路3号 350108）

摘 要 本研究将循环流化床粉煤灰与$Ca(OH)_2$混合水热化合，利用正交实验和单因素实验研究水热温度、水热时间、灰钙比、水固比、研磨时间对产物比表面积的影响，为用于烟气脱硫提供保障。结果表明，水热化合反应能够提高循环流化床粉煤灰的比表面积，水热温度和水热时间对产物比表面积的影响显著。当水热温度为91℃，水热时间为14h，灰钙比为2.7，水固比为16，研磨时间为33min时产物比表面积最大，可达$55.8950m^2/g$，但建议使用未研磨粉煤灰。

关键词 循环流化床粉煤灰 $Ca(OH)_2$ 烟气脱硫 水热化合 比表面积

一、引 言

近年来，特别是2009年哥本哈根会议结束以后，降低温室效应，发展低碳经济成了人们关注的焦点。作为环保工作者，应该在应对环境问题的同时，协调经济的低碳化发展，也就是低耗能发展。如果我们能够使废物最大化的资源化利用，以废治废，在废物产生的同时消除另一种废物的影响，降低资源的消耗，进而减少温室气体的排放，就是在某种程度上对低碳经济作出了贡献。而循环流化床粉煤灰作为一种资源型固体废弃物就地用于烟气脱硫就是以废治废的一种途径。对于电厂而言，粉煤灰廉价且取材方便，利用粉煤灰会降低电厂整个运行成本，并且粉煤灰脱硫后的产物利用比钙基吸收剂产物综合利用的成本更低、制品应用范围更广。

目前，干法/半干法烟气脱硫工艺逐渐得到了广泛的推广应用。但是干法/半干法烟气脱硫存在的一个问题就是脱硫率不高、钙利用率低。提高脱硫率和钙利用率的研究主要集中在灰渣循环、使用添加剂和开发高效脱硫剂上。开发高效吸收剂最具代表的是以粉煤灰为基础的高效吸收剂。循环流化床粉煤灰是煤在循环流化床上以850～950℃燃烧时生成的，它具有普通粉煤灰的特性：表面多孔、粒径较小、比表面积较大，为SO_2提供了较大的球形接触面积和多孔的传质结构；另外，循环流化床粉煤灰中含有燃烧时加入的未反应的脱硫剂（钙基吸收剂），所以一般为高钙灰，含钙量高则相对活性物质含量较少，这使得粉煤灰在其他资源化利用方面受到了限制，而这恰为烟气脱硫提供了方便。未反应的钙基吸收剂可以继续用于烟气脱硫，并且，粉煤灰中的活性物质SiO_2和Al_2O_3在有钙基吸收剂存在的条件下能与钙基吸收剂发生火山灰反应即水热化合反应而生成以水化硅酸钙、水化硅铝酸钙为主的一系列水化产物。

$$Ca(OH)_2 + SiO_2 + H_2O \rightarrow (CaO)_x(SiO_2)_y(H_2O)_z$$

$$Ca(OH)_2 + Al_2O_3 + H_2O \rightarrow (CaO)_x(Al_2O_3)_y(H_2O)_z$$

这些水化产物为大纤维状凝胶体，相互交叉构成空间结构。除了增大比表面积外，这些凝胶体还可以促进气、固扩散，并具有高持水性能，可以保持钙基吸收剂表面湿润，这些都对干法/半干法烟气中SO_2的吸收提供了保障。

$$Ca(OH)_2 + Al_2O_3 + SiO_2 + H_2O \rightarrow (CaO)_x(Al_2O_3)_y(SiO_2)_z(H_2O)_w$$

$$Ca(OH)_2 + Al_2O_3 + SO_2 + H_2O \rightarrow (CaO)_x(Al_2O_3)_y(CaSO_3)_z(H_2O)_w$$

比表面积的增大是提高脱硫率的保障，粉煤灰与钙基吸收剂水热化合过程中比表面积的变化将会受到多个因素的影响，为了得到合适的产物将其应用于干法/半干法烟气脱硫，本研究以循环流化床粉煤灰和$Ca(OH)_2$为原料，研究粉煤灰与$Ca(OH)_2$混合水热化合中各因素对产物比表面积的影响。

二、实验部分

（一）实验原料

$Ca(OH)_2$ 为分析纯，由天津市福晨化学试剂厂生产。

粉煤灰取自福建省龙岩坑口火力发电厂循环流化床粉煤灰，外观呈铁黄色，其主要化学成分如表1所示。

表1　循环流化床粉煤灰化学成分表

成分	SiO_2	Al_2O_3	CaO	Fe_2O_3	MgO	K_2O	SO_3
含量/%	47.4	23.7	7.3	10.6	2.5	3.2	3.6

其中，CaO 含量为 7.3%，高于 7%，属于高钙灰。高钙灰中的 f－CaO 一方面可以在烟气脱硫时与粉煤灰表面吸附的 SO_2 发生化学反应，防止一部分 SO_2 由于吸附后得不到化学反应而发生脱附现象；另一方面，f－CaO 在粉煤灰水热活化时水解为 Ca $(OH)_2$，促进高钙灰活性的释放。

粉煤灰累积粒度分布曲线如图1所示。

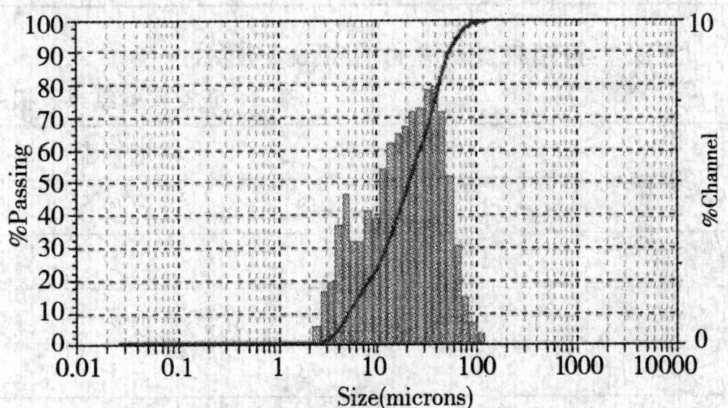

图1　循环流化床粉煤灰累积粒度分布曲线

粉煤灰平均粒径为 21.04μm，比表面积为 5.268 m^2/g。按照国家细度标准 GB1596—1991，介于国家一级灰与二级灰之间。粉煤灰粒度越小，比表面积越大，相应的吸附能力就越强。

粉煤灰的 X 射线衍射分析如图2所示。

由图可知，粉煤灰中的主要矿物成分为：石英、莫来石、赤铁矿及氧化钙。粉煤灰是急速冷却形成的，在形成过程中大部分 SiO_2 和 Al_2O_3 以莫来石和石英晶体形式富集在玻璃体内部，只有少量可溶的 SiO_2 和 Al_2O_3 存在，因此，粉煤灰的活性需要适当的激发，其中研磨和水热化合都是激发的方式。

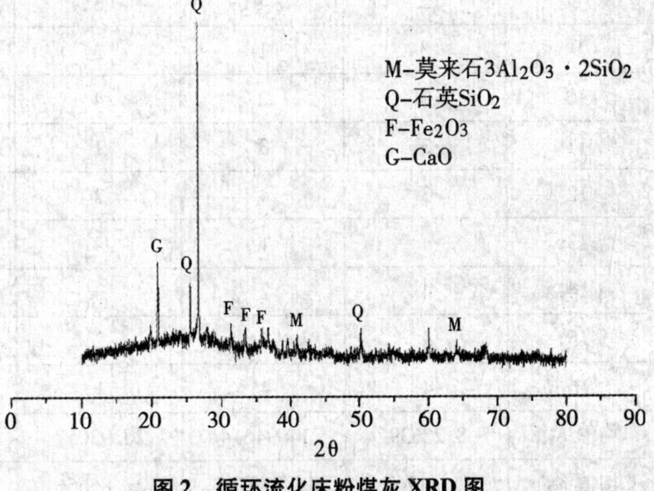

图2　循环流化床粉煤灰 XRD 图

（二）实验方法

将粉煤灰研磨一定的时间后与 Ca $(OH)_2$ 按一定的比例混合，放入锥形瓶中。按比例加入适量的蒸馏水，搅拌均匀，放在集热式恒温搅拌器中。恒温搅拌一定的时间后用定量滤纸过滤，然后放入恒温干燥箱中 150℃恒温干燥 2h 后得产物。

三、实验结果及分析

（一）正交实验

正交实验以水热温度、水热时间、灰钙比、研磨时间和水固比5个因素为研究对象，以产品比表面积为主要指标，每个因素取4个水平，选用$L_{16}(4^5)$正交表，设计5因素4水平的正交实验。正交实验因素水平如表2所示。

表2 正交实验因素水平表

因素		水平			
序号	名称	1	2	3	4
1	水热温度/℃	45	60	75	90
2	水热时间/h	6	8	10	12
3	灰钙比/质量比	1	2.5	4	5.5
4	水固比/质量比	5	10	15	20
5	研磨时间/h	0	0.5	1	1.5

正交实验结果及极差计算如表3所示：

表3 正交实验结果及极差计算表

实验号	因素					比表面积/(m^2/g)
	1	2	3	4	5	
1	1	1	1	1	1	6.46336
2	1	2	2	2	2	7.90527
3	1	3	3	3	3	7.62580
4	1	4	4	4	4	10.91114
5	2	1	2	3	4	9.40067
6	2	2	1	4	3	9.07683
7	2	3	4	1	2	10.00186
8	2	4	3	2	1	15.99133
9	3	1	3	4	2	17.91647
10	3	2	4	3	1	19.08289
11	3	3	1	2	4	19.93112
12	3	4	2	1	3	33.15368
13	4	1	4	2	3	26.00406
14	4	2	3	1	4	31.81783
15	4	3	2	4	1	41.00661
16	4	4	1	3	2	48.25097
均值$\bar{K}_{1j}$	8.22639	14.94614	20.93057	20.35983	20.63605	
均值$\bar{K}_{2j}$	11.11767	16.970705	22.86656	17.45795	21.01864	
均值$\bar{K}_{3j}$	22.52104	19.64135	18.33786	21.09008	18.96509	
均值$\bar{K}_{4j}$	36.76987	27.07678	16.49999	19.72776	18.01519	
极差R	28.54348	12.13064	6.36657	3.63213	3.00345	

由表3可知，$R_1 > R_2 > R_3 > R_4 > R_5$，即对产品比表面积的影响程度由大到小依次是：水

热温度、水热时间、灰钙比、水固比、研磨时间。由均值可以看出，水热温度的最优值为90℃，水热时间的最优值是12h，灰钙比的最优值是2.5，水固比的最优值是15，研磨时间的最优值是0.5h。

（二）单因素实验

单因素实验根据正交实验中所得的各因素的最佳值，固定其他4个因素的水平不变，变动因素取5个水平，考察产物比表面积随单一因素变化而变化的规律。

1. 水热温度的影响

在水热时间12h，灰钙比2.5，水固比15，研磨时间0.5h的条件下进行反应，反应的水热温度分别取80℃、85℃、90℃、95℃、100℃，研究水热温度对产物比表面积的影响。实验结果如图3所示。

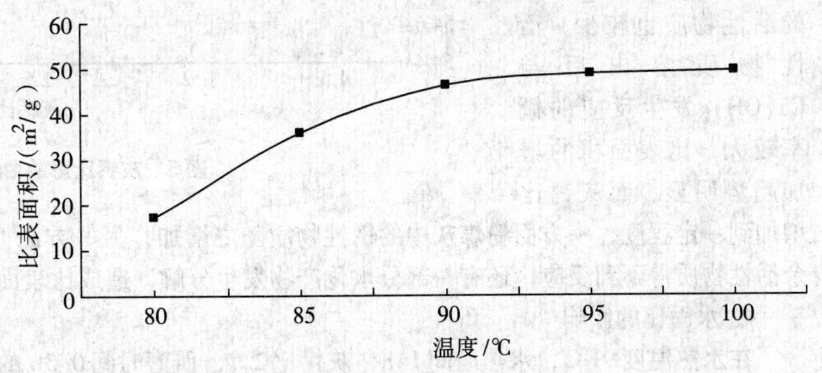

图3　水热温度影响曲线

水热温度对比表面积的影响较大，水热温度的增大有利于产物比表面积的提高。由图3可见，当反应温度小于91℃时，产物的比表面积随温度的增大而增大的速度较快，当反应温度大于91℃时，比表面积增长缓慢。这是因为粉煤灰中的活性物质SiO_2和Al_2O_3在水热条件下与$Ca(OH)_2$发生的水热反应是需要吸收热量的，反应环境提供的温度越高，热量就越多，相应地反应产生的水化硅酸钙和水化硅铝酸钙就越多，而水化产物这种大纤维状的胶凝体是提高产物比表面积的主要因素。但是热量达到一定的程度，可以参加反应的活性物质变得很少，这时温度的提高对产物的影响就不再明显。

2. 水热时间的影响

在水热温度91℃，灰钙比2.5，水固比15，研磨时间0.5h的条件下进行反应，反应的水热时间分别取11h、12h、13h、14h、15h，研究水热时间对产物比表面积的影响。实验结果如图4所示。

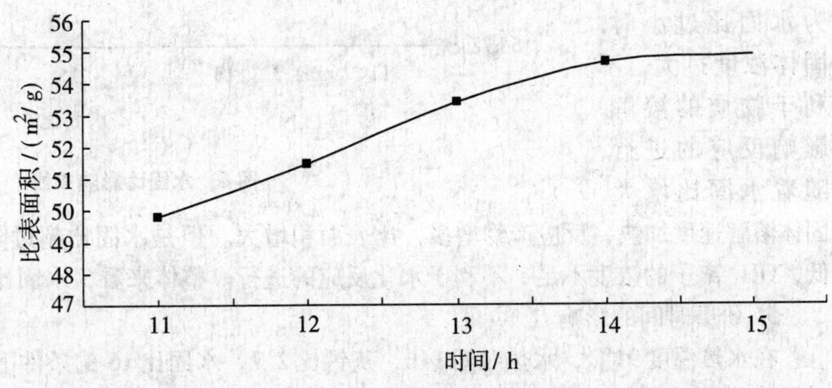

图4　水热时间影响曲线

水热时间同水热温度一样，对产物比表面积有显著的影响，这种影响也分为两个阶段：第一个阶段是小于14h的部分，比表面积线性大幅度增加。这个时期，$Ca(OH)_2$的溶解及粉煤灰中活性物质的溶出速度都较快，水化产物生成速率高，比表面积增加显著；第二个阶段是14h以后的部分，比表面积趋于稳定，仅发生小范围变动。这时水化反应达到平衡，当一部分水化产物生成的同时另一部分发生分解，整体趋于稳定。可见水热反应需要一定的时间，时间不足则反应不完全，但时间过长则造成浪费。

3. 灰钙比的影响

在水热温度91℃，水热时间14h，水固比15，研磨时间0.5h的条件下进行反应，混合物的灰钙比分别取1.5、2、2.5、3、3.5，研究灰钙比对产物比表面积的影响。实验结果如图5所示。

由图5可知，灰钙比在小于2.7时，比表面积随粉煤灰比例的增加而增加，超过2.7，比表面积有所下降。粉煤灰比例较少时，体系中的活性物质也较少，活性物质溶出后与$Ca(OH)_2$发生反应的概率较大，比表面积的增加趋势明显。而灰钙比增加到一定程度，一方面粉煤灰中的惰性物质随之增加；另一方面$Ca(OH)_2$的量不足，导致剩余活性物质得不到反应，还有一部分水化产物发生分解，造成比表面积反而有所下降。

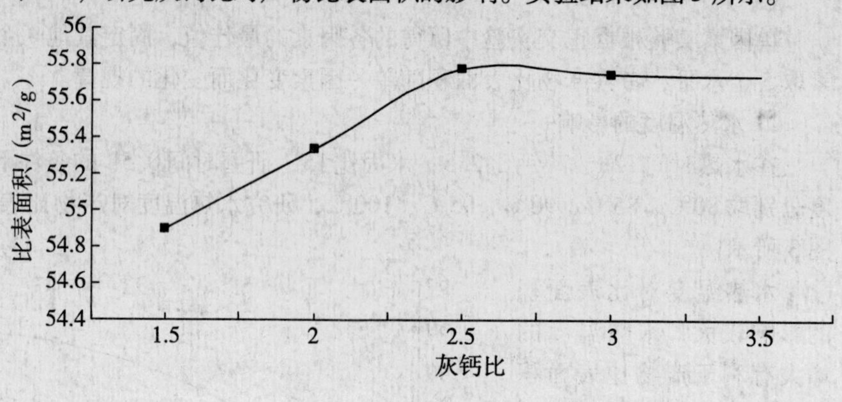

图5　灰钙比影响曲线

4. 水固比的影响

在水热温度91℃，水热时间14h，灰钙比2.7，研磨时间0.5h的条件下进行反应，反应的水固比分别取11、13、15、17、19，研究水固比对产物比表面积的影响。实验结果如图6所示。

水为水热反应提供了反应介质，影响水热反应环境中的固体浓度及pH值，从SiO_2的溶出公式：$(SiO_2)_x + 2H_2O + OH^- \rightarrow (SiO_2)_{x-1} + Si(OH)_5^{-1}$ [2]可知，固体浓度和pH值对活性物质的溶出有相当的意义。从图6中看，当水固比为16时，比表面积最大，在这个基础上减小或增大水固比，都将使比表面积减小。这是因为水固比过小时，固体浓度过大，不利于物质的溶解，影响反应的进行；随着水固比增大，固体溶解速度加快，反应产物增多，比表面积增大。但是水固比超过限值时，浓度过小，pH值低，OH^-离子的浓度不足，不利于水化反应的进行。整体来看，水固比对反应的影响不很显著。

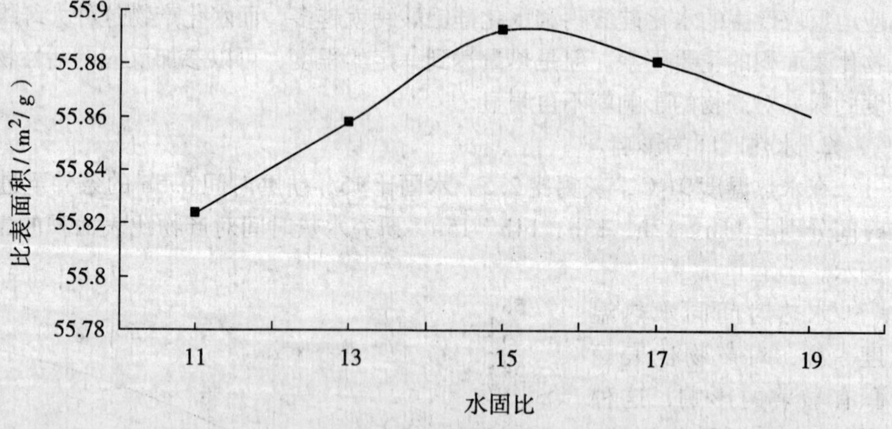

图6　水固比影响曲线

5. 研磨时间的影响

在水热温度91℃，水热时间14h，灰钙比2.7，水固比16的条件下进行反应，粉煤灰的研磨时间分别取10min、20min、30min、40min、50min，研究粉煤灰研磨时间对产物比表面积的影响。实验结果如图7所示。

研磨可以使粉煤灰的粒径变小，比表面积增大，从而增大脱硫反应的气固传质面积；同时，可以使粉煤灰表面坚实的玻璃质外壳破坏而形成表面缺陷，这样有利于外来离子入侵，加速可溶

性 SiO_2 和 Al_2O_3 的溶解；还可以使一部分 ≡Si－Si≡、≡Si－Al≡断裂，破坏粉煤灰表面网络结构和晶格，使内部 SiO_2 和 Al_2O_3 暴露出来。因此，粉煤灰粒径越小，活性物质含量越高。但是，研磨所能激发的活性是有限的，达到一定程度就不再增加。并且研磨后颗粒粒径不均匀会造成小颗粒堵塞在大颗粒的表面空隙中，阻碍反应的进行，使比表面积出现下降趋势，正如图7所示。本实验所采用的粉煤灰粒径较小，所以研磨的影响并不明显。如果经济考虑，建议使用未研磨的粉煤灰。

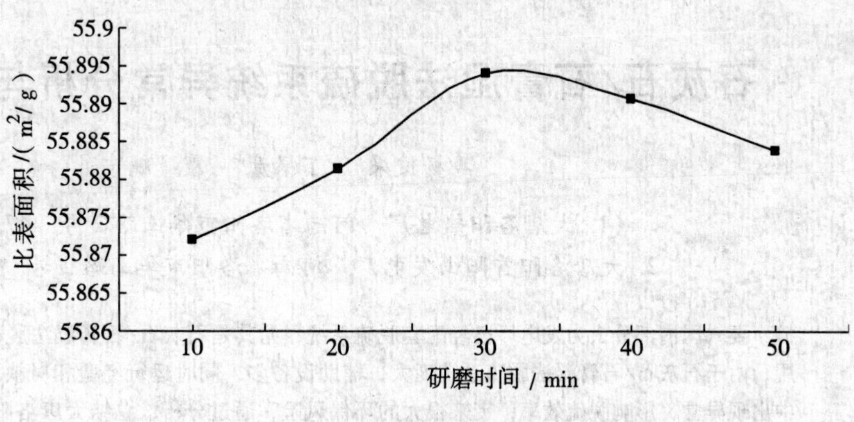

图7 研磨时间影响曲线

四、结 论

1. 循环流化床粉煤灰与 $Ca(OH)_2$ 混合水热化合后能够使产物的比表面积增大，为用于烟气脱硫提供了保证。

2. 水热温度和水热时间对产物比表面积影响显著，灰钙比其次，水固比和研磨时间影响不明显。

3. 在水热温度为91℃，水热时间为14h，灰钙比为2.7，水固比为16，研磨时间为33min时产物比表面积最大，可达55.895m^2/g，但就经济性考虑，建议使用未研磨的粉煤灰。

4. 总体来看，水热化合对粉煤灰活性的激发是有限的，产物的比表面积有待进一步提高，这可以通过使用适当的催化剂来实现。

参考文献

[1] 程紫润，管一明．干法脱硫工艺及提高吸收剂利用率［J］．污染防治技术．1994，7（1）：38－40.

[2] 王晋刚，胡金榜，王道斌，等．粉煤灰与氢氧化钙的火山灰反应制备烟气脱硫剂的动力学分析［J］．化学反应工程与工艺，2006，22（4）：329－333.

[3] Xinzhong Liu，Rengui Wen，Zhuxing Chen. Study on production of Aerated Concrete by Circulating Fluidized Bed Fly Ash［J］. Acta Scientiarum Naturalium Universitatis Sunytseni，2009，48（24）：27－29.

[4] F. Montagnaro，et al. Steam hydration－reactivation of FBC ashes for enhanced in situ desulphurization．Fule，2009：1092－1098.

[5] Chiung－Fang Liu，Shin－Min Shih，Ren－Bin Lin. Effect of $Ca(OH)_2$/fly ash weight ratio on kinetics of the reaction of $Ca(OH)_2$/fly ash sorbents with SO_2 at low temperatures. Chemical Engineering Science，2004，59：4653－4655.

[6] Yuran Li，Haiying Qi，Changfu You，et al. Kinetic model of CaO/fly ash sorbent for flue gas desulphurization at moderate temperatures. Fuel，2007，86：785－792.

[7] Ho C S，et al. Ca（$OH)_2$/fly ash sorbents for SO_2 removal. Ind. Eng. Chem. Res. 1992，31（4）：1130－1135.

石灰石/石膏湿法脱硫系统异常分析与故障处理

杨俊果[1]　丁禄彦[2]　霍　鹏[1]

（1. 大唐洛阳热电厂　河南省洛阳市华山路2号　471039；
2. 大唐洛阳首阳山发电厂　河南省洛阳市华山路2号　471039）

摘　要　国内部分火力发电厂已经配套脱硫系统，尤其是石灰石/石膏湿法脱硫技术已经得到推广应用，由于石灰石/石膏湿法脱硫系统庞大，辅助设备多，同时运行经验相对缺乏，导致该系统在运行中出现异常，影响脱硫效率，带来很大的环保风险，通过分析，总结大唐洛阳热电厂石灰石/石膏湿法脱硫系统投运以来的运行及故障处理，优化了脱硫系统的运行管理，极大地提高了脱硫系统的运行可靠性。

关键词　脱硫系统　石灰石　故障　原因　处理

一、引　言

大唐洛阳热电厂2×300MW燃煤机组设计采用石灰石/石膏脱硫工艺进行烟气脱硫。脱硫装置采用一炉一塔设计，脱硫系统采用湿磨制浆制作吸收剂，副产品为石膏。FGD按设计单塔烟气处理量为171万m^3/h，烟气脱硫效率设计不低于95%，正常运行时，脱硫装置出口SO_2浓度不超过120mg/m^3，烟囱入口烟气温度大于80℃，FGD系统停运的最低温度不低于160℃。FGD整套装置的可用率大于95%，脱硫设备年利用小时按5500h考虑，使用寿命30年[1]。

脱硫系统主要包括：烟气系统（烟道挡板、GGH烟气换热器、增压风机等）、吸收系统（吸收塔、循环泵、氧化风机、除雾器等）、吸收剂制备系统（石灰石储仓、湿磨机、石灰石浆液罐、浆液泵等）、石膏脱水及储存系统（石膏浆泵、石膏旋流器、真空脱水机等），以及公用系统（工艺水、压缩空气、电气等）组成。这其中吸收剂制备和石膏脱水系统为300MW机组和165MW机组公用系统。

二、脱硫系统介绍

（一）工艺原理[2]

石灰石或碳酸钙浆液与经过GGH冷却后进入吸收塔的烟气接触混合，烟气中的二氧化硫（SO_2）与吸收塔浆液中的碳酸钙（$CaCO_3$）以及鼓入空气中的氧气（O_2）发生化学反应。生成二水硫酸钙（$CaSO_4 \cdot 2H_2O$），即石膏。脱硫后的烟气流经过除雾器除去雾滴，再经GGH加热升温后，经烟囱排入大气。

化学反应过程如下：

石灰石的溶解：$CaCO_3 + CO_2 + H_2O \rightarrow Ca(HCO_3)_2$

与SO_2反应：$Ca(HCO_3)_2 + 2SO_2 \rightarrow Ca(HSO_3)_2 + 2CO_2$

氧化：$Ca(HSO_3)_2 + CaCO_3 + O_2 \rightarrow 2CaSO_4 + CO_2 + H_2O$

石膏生成：$CaSO_4 + 2H_2O \rightarrow CaSO_4 \cdot 2H_2O$

去除SO_2总反应方程式：

$$CaCO_3 + SO_2 + \frac{1}{2}O_2 + 2H_2O \rightarrow CaSO_4 \cdot 2H_2O + CO_2$$

石灰石或碳酸钙在水中的低溶解性在吸收塔内被二氧化碳提高。通过溶解过程，生成碳酸氢钙。碳酸氢钙与二氧化硫反应生成可溶的亚硫酸氢钙。在氧化区，亚硫酸氢钙与空气中的氧发生反应，生成硫酸钙。浆液中的硫酸钙再结晶生成二水硫酸钙，即石膏。吸收塔浆池被分成氧化区和结晶区，在上部氧化区内，氧化空气通过一个分配系统吹入，在 pH 为 5.5～5.6 的浆液中生成石膏；产生的石膏浆液通过石膏浆液排出泵连续抽出，根据吸收塔浆池的液位高低决定将石膏浆液送至石膏水力旋流器进行脱水或将浆液送回吸收塔。

（二）FGD 烟气系统

FGD 烟气系统主要由增压风机、GGH、烟气挡板组成。锅炉的原烟气从与烟囱相连的主烟道中引出后，进入脱硫烟气系统，经 FGD 原烟气挡板，进入增压风机，增压风机为静叶可调轴流风机，FGD 系统的风压损失由增压风机克服。烟气经增压风机升压后，依次通过烟气换热器（GGH）降温侧、冷却后流入吸收塔，在吸收塔中烟气向上升，而从吸收塔内喷淋管组喷出的液滴向下降，形成逆向流，烟气中的 SO_2、SO_3、HCl、飞灰和其他污染物得到去除，从吸收塔顶部经除雾器流出，净烟气经烟气换热器（GGH）升温侧再热后从烟囱排放到大气中。在 FGD 烟气系统入口的出口分别设置 FGD 原烟挡板和 FGD 净烟挡板，以及烟道上旁路挡板门。

GGH 烟气换热系统采用豪顿回转式烟气换热器。它是利用未处理烟气的热量加热处理后的净烟气，从而保证在设计工况下烟囱入口烟气温度不低于 80℃。为减小未处理烟气对洁净烟气的污染，GGH 采取了低泄漏密封系统，其漏风率保持在小于 1% 范围内。

FGD 的挡板门采用百叶窗式双挡板门，在设计压力和设计温度下具有 100% 的严密性。挡板的密封空气由密封风机提供，密封气压力维持比烟气最高压力高 0.5kPa 。系统设计挡板密封风机 2 台，每台容量为 100% 单套 FGD 装置最大用气量，一运一备，同时密封空气站配有电加热器。

（三）吸收剂制备系统

2×1025T/H 锅炉脱硫岛和 4×420T/H 锅炉脱硫岛的脱硫装置公用一套石灰石浆液制备系统。FGD 工艺以石灰石作为二氧化硫吸收。颗粒尺寸在 20mm 以下的石灰石经震动给料机、斗式提升机、埋刮板输送机送至混凝土石灰石贮仓内，石灰石再通过称重皮带给料机进入湿式球磨机系统与滤液混合制成石灰石浆液。石灰石浆液的颗粒度为 44μm。

石灰石贮仓的有效容积为 950m^3，按 6 台锅炉 BMCR 工况下运行 3d 的吸收剂耗量设计，贮仓设计两个出料口分别供给每台湿磨机，出料口设计有防堵的措施。湿式球磨机出力为 15t/h，每台磨机按 6 台锅炉 BMCR 工况设计煤种脱硫剂用量的 75% 容量设计。石灰石旋流器用于湿磨机出口石浆液的分离，经分离后的溢流浆液直接进入石灰石浆液箱，而底流返回湿式磨机。石灰石浆液箱，其有效容积为 325m^3，按不小于 6 台锅炉 BMCR 工况的 8h 的石灰石浆液量设计。石灰石浆液的浓度控制在 20%～30%（Wt）之间。石灰石旋流站出力 Q=60 m^3/h 。

（四）SO_2 吸收系统

吸收塔采用喷淋塔布置。烟气与石灰石/石膏浆液逆流接触，被冷却到绝热饱和温度，烟气中的 SO_2 和 SO_3 与浆液中的石灰石反应，形成亚硫酸钙和硫酸钙，烟气中的 HCl、HF 也与浆液中的石灰石反应而被吸收。脱硫后的饱和烟气温度约 48℃，经吸收塔顶部除雾器除去夹带的雾滴后经 GGH 加热后排入烟囱。每个吸收塔系统设计有两台氧化风机，吸收塔内还设计有 3 根氧化空气管，其均匀在吸收塔反应浆池中。氧化空气从每根管上的孔中喷出，与浆液充分混合，并进行氧化反应，将亚硫酸钙氧化成硫酸钙，过饱和的硫酸钙溶液结晶生成石膏（$CaSO_4 \cdot 2H_2O$）。为保持液中固体颗粒的悬浮和强化氧化反应，吸收塔浆池还配置四台搅拌器。石膏浆液通过吸收塔排浆泵送至石膏脱水系统。

每个吸收塔配 4 台浆液循环泵和两级除雾器，烟气穿过循环浆液喷淋层后，流经两层 Z 字形除雾器除去所含浆液雾滴。

烟气通过两级除雾后，其烟气携带水滴含量低于 75mg/m^3。

（五）排空及浆液抛弃系统

FGD岛内设置一个事故浆液箱，事故浆液箱的容量为1450m^3，满足单个吸收塔检修排空时和其他浆液排空的要求，并作为吸收塔重新启动时的石膏晶种。吸收塔内浆液通过吸收塔排浆泵输送到事故浆液箱中，通过1台事故浆液泵，浆液可从事故浆液箱喉头回吸收塔。

吸收塔区排水坑和制浆区排水坑用来收集吸收塔区的制浆区正常运行、清洗和检修中产生的排出液。排水坑高液位时，排水坑泵自动将其中的浆液输送至吸收塔或石灰石浆液箱。每个排水坑配一台顶进式搅拌器。

（六）石膏脱水系统

石膏脱水系统为2×1025T/H锅炉脱硫岛和4×420T/H锅炉岛共用一套公用系统，采用两级脱水方式，浓度为15%～17%的石膏浆液由吸收塔排浆泵送入石膏旋流器，旋流器底流浆液浓缩到50%左右后排至石膏浆液箱，石膏旋流器的溢流一部分返回吸收塔，另一部分可排至灰浆前池。当吸收塔浆液的Cl^-含量高或超标时，可通过石膏旋流器的溢流进行排污。真空皮带脱水机将石膏浆液脱水后送入石膏库房，其成品石膏含水率小于10%。石膏浆液也可由石膏浆液泵排至灰浆前池。

（七）工艺水系统和压缩空气系统

工艺水系统的水源厂内300MW机组主机循环水上水管，FGD系统设置2台工艺水泵和3台除雾器冲洗水泵，工艺水箱有效容积为160m^3。工艺水主要用于石灰石浆液制备、吸收塔补充水、所有浆液输送泵和管道（包括：石灰石浆液系统、排放系统、石膏排出系统、吸收塔浆液循环系统）的冲洗水。

FGD区域设置1个压缩空气储气罐，其压缩空气储气罐容积为12m^3，主要用于GGH吹扫及真空脱水系统。

三、脱硫系统异常及事故处理

（一）脱硫系统事故处理的一般原则

1. 未经当地环境保护行政主管部门批准，不得停止运行脱硫装置。由于紧急事故造成脱硫装置停止运行时，应立即报告当地环境保护行政主管部门[3]。

2. 发生事故时，主值在值长的直接指挥下，运行人员应综合参数的变化及设备异常现象，正确判断和处理事故，限制事故发生的范围，防止事故扩大。

3. 运行人员应视恢复所需时间的长短使FGD进入短时停机或长期停机状态；在处理过程中应首先考虑出现浆液在管道内沉淀堵塞、在吸收塔、箱、罐、池及泵体内沉积的可能性，尽快排放这些管道和宣传品中的浆液，并用工艺水冲洗干净，防止系统堵塞。

4. 当脱硫系统电源故障时，应尽快恢复电源，启动各搅拌器和除雾器冲洗水泵、工艺水泵、增压风机轴承冷却风机运行。若8h内不能恢复供电，泵、管道、容器内的浆液必须排出，并冲洗干净。

5. 事故处理结束后，运行人员应实事求是地把事故发生的时间、现象及所采取的措施详细记录在工作记录本上，并汇报有关领导。

6. 值班中发生的事故，下班后应由值长、主值召集有关人员，对事故现象的经过及采取的措施认真分析，总结经验教训。

（二）FGD系统的严重故障、原因及处理

发生下列情况之一，脱硫系统增压风机跳闸，并联开旁路烟气挡板，紧急停运FGD烟气系统。

1. 原烟气进口温度>160℃。

2. 原烟气挡板前烟气压力高 > +400Pa 延时 6s。

3. 原烟气挡板前烟气压力低 < -1000Pa 延时 6s。

4. GGH 检测箱 JHJ1、2 传感器转速低，GGH 电流超出定值且原烟气挡板未关，延时 15s。

5. 四台浆液循环泵任意三台跳闸延时 30min，或四台浆液循环泵跳闸。

6. 增压风机跳闸。

7. 主机甲、乙引风机均跳闸。

8. 锅炉 MFT。

（三）6kV 电源中断

1. 现象

（1）6kV 母线电压消失，DCS 报警信号发出。

（2）运行中的 FGD 跳闸，对应母线所带 6kV 电机停运。

（3）对应低压脱硫变备自投动作，备用电源投入，否则 380V 负荷也会失电跳闸。

2. 原因

（1）6kV 母线故障。

（2）发电机跳闸，备用电源未联动投入。

3. 处理

（1）立即确认脱硫连锁跳闸动作是否完成，若旁路烟气挡板动作不良应立即停手动按下旁路挡板紧急按钮，将其开启。

（2）如 380V 母线未失电。确认保安段、UPS 段、直流系统供电正常，应将因电压低引起的跳闸设备视现场情况恢复运行。

（3）如低压脱硫变备自投切换不正常，造成 380V 母线失电（将造成 FGD 跳闸），手动断开工作变高、低压形状，合上原备用变高、低压开关，380V 母线电压恢复正常后，将重要设备启动运行。

（4）就地检查保护动作情况，联系值长及电气检修人员，查明故障原因恢复供电。

（5）并尽快将停运管道和泵体内的浆液排出以免沉积。

（6）将增压风机调节挡板关至最小位置，做好重新启动脱硫装置的准备。

（7）若 6kV 电源短时间不能恢复，按停机相关规定处理。

4. 6kV 母线工作电源开关跳闸，备用开关联投成功时，母线低电压动作将跳开氧化风机和真空泵，发现 6kV 备自投动作，6kV 工作、电源开关切换正常时，及时启动备用氧化风机（因工作氧化风机运行中线圈温度高，重新启动时，启动电流大，影响电机绝缘寿命，故启动时要求先启动备用氧化风机）。

（四）6kV 母线 PT 回路断线

1. 现象

（1）6kV 电压回路断线光字牌亮。

（2）电压表批示异常。

2. 处理

（1）汇报值长。

（2）退出该段母线所带负荷的低电压保护。

（3）断开 PT 二次交流空气开关；颜色款 PT 小车拉出柜外检查 PT 各部有无异常。

（4）如属 PT 高压保险熔断，应测绝缘合格，更换新的高压保险后送电。

（5）处理完毕母线电压正常后投入锁退保护。

（五）380V 电源中断

1. 现象

（1）380V 母线电压低 DCS 报警信号发出。

（2）380V 母线电压指示到零，低压电机跳闸。

（3）工作照明跳闸，事故照明投入。

2. 原因

（1）工作低压脱硫变跳闸或所在 6kV 电源消失，备用变示自动投入。

（2）380V 母线故障。

3. 处理

（1）立即确认脱硫连锁跳闸动作是否完成，若旁路烟气挡板动作不良应立即手动按下旁路挡板紧急按钮，将其开启。

（2）若属 6kV 电源故障引起，参照 6kV 失电处理方法。

（3）就地检查保护动作情况，若 380V 母线故障，确认保安段、UPS 段、直流系统供电正常，就地检查母线有明显故障点（开关处有焗味，开关示跳闸）时，将故障点隔离后，恢复 380V 两段母线送电。

（4）如没有明显故障点，将分段开关断开，测两段母线绝缘正常后，用低压变对母线充电，恢复母线运行。

（5）母线恢复送电后，试送吸收塔及公用 MCC 段，每启动一个设备，检查马达控制器面板指示是否有故障信号，开关是否异常，就地检查电机情况，发现有异常时测电机绝缘是否正常，绝缘不合格时，将其解备。将重要设备（搅拌器、油泵等）恢复运行。

（6）吸收塔搅拌器恢复时，应开启冲洗门冲洗 1min 后启动。

（7）各泵恢复运行时，应先冲洗入口门 1min。

（8）当 380V 电源全部中断，且电源在 6h 内不能恢复，应将所有泵、管道的浆液排尽并及时冲洗。

（9）电气保护动作引起的电源中断严禁盲目强行送电。

（六）增压风机故障

1. 现象

（1）增压风机跳闸 DCS 报警信号发出。

（2）增压风机颜色由红变黄闪，电机停止转动。

（3）FGD 跳闸，旁路挡板开启。

2. 原因

（1）FGD 跳闸原因引起。

（2）原烟气挡板未开，延时 60s。

（3）增压风机轴承温度。

（4）增压风机电机轴承温度。

（5）增压风机电机线圈温度。

（6）增压风机振动。

（7）油站润滑油压低。

（8）增压风机电气开关保护动作跳闸。

（9）净烟气挡板门关闭。

3. 处理

（1）立即确认脱硫连锁跳闸动作是否完成，若旁路烟气挡板动作不良应立即手动按下旁路挡板紧急按钮，将其开启。

（2）检查增压风机跳闸原因，若属连锁动作造成，应待系统恢复正常后，方可重新启动。

（3）若属风机设备故障造成，应及时汇报值长，联系检修人员处理。在故障未查实处理完毕之前，严禁重新启动风机。

（七）GGH 故障

1. 现象

（1）GGH 差压增大。

（2）GGH 出口烟温升高。

（3）主传动电机过电流。

（4）GGH 轴承温度高。

（5）GGH 转速低或低信号发出。

2. 原因

（1）电机马达过载或传动装置故障。

（2）密封过紧或卡涩。

（3）杂物卡住。

（4）导向轴承或支承轴承损坏。

（5）GGH 换热元件表面积灰。

（6）锅炉排烟温度过高。

（7）温度测量及控制回路异常。

3. 处理

（1）查明原因进行处理。

（2）如果主、辅电机都出现电流过大，电机过热时，则联系值长停运脱硫装置，停止 GGH 运行，手动盘车，以使 GGH 温差降至规定范围，及时联系检修处理。

（3）根据 GGH 差压情况加强吹灰。

（4）若发现 GGH 系统温度显示异常应检查温度测点是否完好。就地检查轴承油位是否正常。

（八）吸收塔浆液循环泵全停[4]

1. 现象

（1）吸收塔循环泵跳闸声光报警信号发出。

（2）吸收塔循环泵红灯灭、黄灯闪，电机停止转动。

（3）连锁开启旁路挡板，停运增压风机，关闭脱硫装置进出口烟气挡板。

2. 原因

（1）6kV 电源中断。

（2）吸收塔液位过低。

（3）吸收塔液位控制回路故障。

3. 处理

（1）确认连锁动作正常。确认脱硫旁路挡板、增压风机跳闸，若增压风机未跳闸、挡板动作不良，应手动处理。

（2）查明再循环泵跳闸原因，及时汇报值长，必要时通知相关检修人员处理。

（3）若短时间内不能恢复运行，按短时停机的有关规定处理。

（4）单一浆液循环泵跳闸时，可根据保护动作情况就地检查设备情况，联系检修处理。停运时注意将泵体、管道浆液排空。

（九）SO_2 脱除效率低

影响因素	原　因	解决方法
SO_2 测量	SO_2 测量不准确	校验 SO_2 测量仪
pH 值测量	pH 值测量不准确	校验 pH 值测量仪
烟气	烟气流量增加增加	一层运行喷淋层
	SO_2 入口浓度增大	增加一层运行喷淋层
吸收塔浆液 pH 值	pH 值过大	1. 检查石灰石剂量，加大石灰石浆液给料量； 2. 检查石灰石反应性能； 3. 浆液含尘量大，加大排污； 4. 氧化反应不充分，切换备用泵或再启动一台氧化风机
液气化	循环流量减小	检查运行的循环泵的处理
吸收塔浆液氯化物浓度	吸收塔浆液氯化物浓度过高	增大废水排量
GGH	从原烟气到净烟气的泄漏	检查 GGH 的密封风机

（十）除雾器结垢

1. 现象

（1）除雾器差压升高。

（2）除雾器差压高报警信号发出。

2. 原因

（1）运行时间长，清洗不充分。

（2）除雾器上部结垢。

3. 处理

（1）根据吸收塔液位手动加强对除雾器的冲洗。

（2）如冲洗无效，属除雾器上部结垢，需申请停塔人工进行冲洗。

（十一）吸收塔浆液浓度高

影响因素	原　因	解决方法
密度测量不准确	密度计测量误差	校验密度计
烟气	烟气流量过大	降低 FGD 负荷
	SO_2 入口浓度过高	降低 FGD 负荷
	烟尘入口浓度过高	提高电除尘效率，降低锅炉负荷
排浆泵	出力不足	1. 检修排浆泵； 2. 冲洗管道，防止管道堵塞
石膏旋流器	运行的分离器数量太少	增加运行的分离器数量
	入口压力太低	检查排浆泵出力
	石膏旋流器	清洗石膏旋流器
	旋流子喷嘴太小	增大旋流子的喷嘴

（十二）脱水石膏质量

影响因素	原　因	解决方法
氯化物浓度太高	冲洗水氯化物浓度增加	改善冲洗水质
	冲洗时间减少	加长冲洗时间
浓度过高	石灰石太多（pH 过高）	减慢石灰石给料速度
晶体尺寸不够大	吸收塔内结晶时间过短	加强循环
浓度过高	氧化反应不足	加大氧化空气量
杂质含量过高	烟气中飞灰浓度增大	检查锅炉电除尘的运行
	石灰石质量降低	检查石灰石质量

（十三）烟气温度异常

1. FGD 出口烟气偏低时，首先应检查 FGD 入口烟气压力、温度是否满足要求。若不满足要求，汇报值长要求提高烟气温度和压力；若烟气满足要求，则可能是 GGH 结灰，应加强压缩空气吹灰或用高压冲洗水泵进行冲洗。

2. 若 GGH 发生故障，需根据具体情况确定是否需要停运整个 FGD 系统。

3. 若 FGD 入口烟气温度偏高超出 150℃时，应及时通知值长调整降低锅炉排烟温度，了解排烟温度异常升高的原因。并监视吸收塔入口烟气温度。当 FGD 入口烟气温度达到 155℃时，应注意旁路挡板联开情况，调整增压风机入口静叶挡板至 40%，减少进入 FGD 烟气量，并汇报值长。若 FGD 入口烟气温度达到 160℃时，FGD 保护动作增压风机跳闸，关闭 FGD 原烟气挡板及停运低泄漏风机，汇报值长。等待排烟温度降至正常运行温度值时，重新启动烟气系统或听从值长命令停运 FGD 系统。

（十四）氧化空气系统

1. 若两台氧化风机均无法运行，并可以短时恢复，FGD 系统仍可运行 4h。此时应注意吸收塔液位，特别是吸收塔上部液位高时，应加除泡剂。吸收塔浆液的 pH 因强制氧化不足而降低，pH 最低降到 4.5 后须将 FGD 系统解列。

2. 若在氧化空气管道中长时间没有氧化空气，则管道必须清洗。

3. 运行中吸收塔氧化空气压力异常升高，可能管道氧化空气喷孔堵，可依次用工艺水冲洗各管道。

（十五）循环泵和排浆泵滤网堵塞

如果循环泵和排浆泵前的压力太大，滤网就有可能被堵塞，控制室内发出报警信号，此时，备用的循环泵必须启动，发出报警的循环泵停止运行。排浆泵可以开启入口门进行冲洗。吸收塔浆液循环泵可以灌水至入口压力 170kPa 后，开启入口门反冲洗。

（十六）吸收塔 pH 计故障

1. 若某个 pH 计的测量值变化太快，则自动不计该值。此时需对 pH 计进行冲洗。

2. pH 计须立即修复，核准后尽快投入使用。

（十七）密度测量故障

若密度计故障，密度需人工测量，尽快修复，校准后尽快投入使用。

（十八）液体流量测量故障

用工艺水冲洗或联系热工重新校验。

（十九）烟气在线检测仪故障

发现烟气在线检测数据不正确，及时联系热控处理。

（二十）液位测量故障

用工艺水清洗或通知热控处理。

（二十一）烟气流量故障

当烟气流量无法准确测量时，石灰石浆液的加入应改为手动。并注意 pH 值的变化趋势以作出相应调整。

（二十二）挡板密封风机故障及处理

1. 运行的密封风机跳闸，备用密封风机不能自动启动时，汇报值长，联系检修前来处理故障，尽快投入运行。

2. 若两台密封风机都故障停运且 FGD 走旁路时，考虑烟气进口挡板有少量烟气漏入吸收塔，为冷却需要，根据吸收塔内的温度，定时开一层除雾器的冲洗水门进行降温，以保证吸收塔的安全。

（二十三）电除尘器故障

FGD 在运行时，如电除尘器单侧有 2 个或以上的电场故障停运，FGD 出口烟气含尘量大于 $230mg/m^3$ 时，汇报值长，开启旁路烟气挡板，将增压风机静叶切手动并关小至 35% 左右（注意增压风机应无失速报警信号）。

（二十四）烟道严重积灰

FGD 的进口烟道和旁路烟道发生严重积灰对挡板的正常开关有一定影响，在 FGD 系统和锅炉停运时，要联系检查并清理积灰。

（二十五）箱、坑搅拌器故障及处理

1. 现象：搅拌器停运时，DCS 发出报警信号。

2. 原因：开关或热控保护停，事故按钮动作。

3. 处理：搅拌器开关、电机及机械故障，汇报值长，联系检修处理。

（二十六）排浆泵故障及处理

1. 现象：排浆泵故障停运时，DCS 发出信号，石膏漩流器进口压力指示为 0。

2. 原因：开关或热控保护停，事故按钮动作。

3. 处理：应确认备用泵已经启动，并汇报值长，联系检修前来处理，若两台排浆泵都发生故障停运，同时吸收塔浆液浓度超过 $1150kg/m^3$ 时，汇报值长，退出 FGD 运行。

（二十七）石膏漩流器故障处理

1. 现象 1：漩流器底流减小。

2. 原因：漩流器积垢，管道堵塞及漩流器堵塞。

3. 处理：漩流器及其管道积垢影响运行时，停止排浆泵运行，人工冲洗漩流器及其管道，如冲洗无效时汇报值长，联系检修前来处理。

4. 现象 2：漩流器底流增大。

5. 原因：漩流器磨损。

6. 处理：停止排浆泵运行，联系检修更换相应的部件。

（二十八）石灰石浆液泵故障及处理

1. 现象：石灰石将液泵故障停运，DCS 发出报警信号。出口流量指示为 0。

2. 原因：泵保护停止，事故按钮动作。

3. 处理：确认备用泵已经启动，并汇报值长，联系检修处理。若两台石灰石浆液泵都发生故障，且吸收塔的 pH 值不断下降时至 4.5 短时不能恢复，汇报值长退出 FGD 运行。

4. 当运行中发现泵的电流变小，可能原因为出口管道堵塞，或入口滤网堵塞，可相应进行冲洗。

（二十九）球磨机故障及处理

1. 现象：球磨机故障停运，DCS 发出报警信号。

2. 原因：电机线圈温度高；电机轴承温度高；球磨机轴承温度高；事故按钮运行。

3. 处理：若两台球磨机都发生故障无法制浆，当吸收塔的 pH 值不断下降时，汇报值长，退出 FGD 运行。

4. 磨机循环箱搅拌器故障：当发生搅拌器故障时，应立即停运磨机、给料机及滤液水，当循环箱低液位时停运循环泵，开启循环箱底部放水门，检查搅拌器故障原因，非电气故障，盘车无异常时，可以启动一次。启动不起来时，联系检修。

（三十）工艺水泵故障及处理

1. 现象：工艺水泵故障停运时，DCS 发生报警信号，出口压力为 0。

2. 原因：保护停，电机故障，事故按钮动作。

3. 处理：应确认备用工艺水泵已经启动，并汇报值长，联系检修前来处理。如两台工艺水泵都发生故障停运，汇报值长，退出 FGD 运行。将各系统管道及泵通过放水门，将浆液放尽。

（三十一）工艺水中断的处理

1. 现象

（1）工艺水压力低报警信号发出。

（2）现场各处用水中断。

2. 原因

（1）运行工艺水泵故障，备用水泵联动不成功。

（2）工艺水泵出口阀关闭。

（3）工艺来水中断工艺水箱液位太低，工艺水泵跳闸。

（4）工艺水管破裂。

3. 处理

（1）可以启动备用工艺水泵的，将恢复工艺水系统，联系检修处理故障设备。

（2）查明工艺水中断原因，及时汇报值长，联系恢复供水。

（3）空气温度高，风机跳闸，注意吸收塔液位。

（4）关闭石膏漩流器至石膏浆液箱电动门，石膏浆液返回至吸收塔循环。

（5）立即停止制浆系统运行。从磨机循环泵入口将管道浆液放出。

（6）检查滤液水箱液位，及时向吸收塔补水。

（7）在处理过程中，密切监视吸收塔液位及石灰石浆液箱液位变化情况，必要时按短时停机规定处理。

（三十二）除雾器水泵故障及处理

1. 现象：除雾器水泵故障停运时，发生报警信号，出口压力为 0。

2. 原因：保护停，电机故障，事故按钮动作。

3. 处理：应确认备用除雾器水泵已经启动，并汇报值长，联系检修前来处理。如工作、备用除雾器水泵都发生故障停运，汇报值长，退出 FGD 运行。

（三十三）发生火灾时现象及处理

1. 现象

（1）火警系统发出声、光报警信号。

（2）运行现场有烟、火及焦味。

（3）电缆着火时，相关设备可能跳闸，参数发生剧烈变化。

2. 处理

（1）正确判断火灾的地点、性质及危险性。

（2）选择正确的灭火器迅速灭火，必要时停止脱硫系统。

（3）联系值长及有关部门，根据指示进行。

（4）灭火工作结束后，恢复正常运行。

（三十四）事故非连锁停机

1. 当脱硫系统运行中出现下列现象时系统虽不跳闸，但出于对设备的保护，运行人员应尽快隔离脱硫系统，并采取相应措施。

2. 当负荷300MW，GGH原烟气侧或净烟气侧差压大于1.6kPa时发出差压高报警信号，采用高压水冲洗无效后，影响增压风机运行，运行人员应汇报值长申请操作停机。

3. 当两条石灰石制浆管线故障不能制浆时，pH值低至4.5短时不能恢复，运行人员应汇报值长申请操作停机。

4. 电除尘故障不能投运FGD入口烟尘含量大于400mg/m^{3}时，运行人员应汇报值长申请停运吸收塔。

5. 产生现场和控制室发生意外情况危及设备和人身安全时，运行人员应立即停机。

四、结　语

随着燃煤火电机组装机和发电量的快速增长，电力SO_2、SO_3排放量呈逐年上升趋势，控制硫氧化物的排放已经成为电力环保行业的重点。大唐洛阳热电厂在烟气石灰/石膏湿法脱硫装置的安装、日常维护和运行管理上积累了一定的经验，对石灰/石膏湿法脱硫系统常见的运行、维护问题进行了原因分析，并制定了处理措施，保证了石灰/石膏湿法脱硫系统安全稳定运行，对促进烟气脱硫技术在行业内推广和电厂建设具有积极的示范和借鉴作用。

参考文献

[1] 大唐环境科技工程有限公司．大唐洛阳热电厂2×300MW燃煤机组脱硫工程设计．2003.10.

[2] 火电厂烟气脱硫脱硝技术应用与节能环保及国家强制性条文［M］．北京：中国环境科学出版社，2007.

[3] 火电厂烟气脱硫工程技术规范　石灰石/石灰－石膏法（HJ/T 179—2005）．

[4] 大唐洛阳热电厂．大唐洛阳热电厂除灰脱硫运行规程．2009.3.

济南市可持续发展状况评价

石敬华　潘　光　李恒庆　由希华　丁　君

（山东省环境监测中心站　山东　济南　250013）

摘　要　对2002—2006年济南市生态足迹和人类发展指数进行计算，从生态、社会和经济等多角度分析济南市可持续发展状况。结果表明：2002—2006年，济南市生态足迹需求与供给的比例由4.66:1增至5.42:1，供需矛盾日益突出；化石能源地生态足迹最大，在总生态足迹中所占比例由2002年的42.1%增至2006年的49.5%，是导致济南市生态超载的主要原因；济南市人类发展水平较高，并且逐年提高；济南市生态环境系统和社会经济系统处于不协调发展状态。最后对如何提高济南市可持续发展能力提出了一些建议。

关键词　生态足迹　人类发展指数　可持续发展　济南市

自1987年联合国世界与环境发展委员会在《我们共同的未来》报告中正式提出可持续发展概念以来，可持续发展战略已经成为世界各国21世纪重要的社会经济发展战略。可持续发展是指既满足当代人的需求，又不对后代人满足其需求的能力构成危害的发展。可持续发展能力的定量测度一直是国内外可持续发展研究领域的热点和难点[1]。通过可持续发展评价可以准确了解区域可持续发展的现状和存在的问题，为制订发展规划提供科学指导，使可持续发展理论和社会经济发展实践紧密结合[2]。

“生态足迹”也称“生态占用”，在20世纪90年代初由加拿大大不列颠哥伦比亚大学规划与资源生态学教授里斯（William E. Rees）提出。它显示在现有技术条件下，指定的人口单位内（一个人、一个城市、一个国家或全人类）需要多少具备生物生产力的土地和水域，来生产所需资源和吸纳所衍生的废物。1999年我国学者徐中民率先开展生态足迹核算[3]，随后这一方法被广泛研究，现已成为评价我国可持续发展能力的重要指标，并在引导决策支持方面发挥了重要作用[1,4,5]。但生态足迹模型只是对人类的生态足迹需求与自然生态系统能提供的生态服务的一种生物物理量的测量，不能对人类可持续发展所涉及的人文发展方面作出全面衡量[6]。

联合国开发计划署在1990年首次发布的《人类发展报告》中提出了“人类发展指数”（Human Development Index，HDI）的概念，用以从经济、教育和健康水平3个方面来衡量一个国家或地区的发展状况。此方法在我国也取得了长足进展和广泛应用，目前已成为综合测度经济社会可持续发展能力的重要指标[7,8]。但“人类发展指数”未能涵盖可持续发展中资源持续利用方面，从而也不能对可持续发展作出全面衡量[9]。

本文结合侧重社会综合发展状况的人类发展指数和侧重资源持续利用状况的生态足迹，从社会、经济和生态等多角度对济南市可持续发展状况进行综合评价和分析，为区域发展战略的制定和“以人为本”的和谐社会构建等提供科学依据和参考[10]。

一、研究方法

（一）生态足迹模型

生态足迹的计算基于以下两个事实：①人类能够估计自身消费的大多数资源及其所产生的废弃物数量；②这些资源以及废弃物大部分都可以转换成可提供这些功能的生物生产性土地。生物生产性土地可分为6大类：耕地、草地、林地、水域、建设用地和化石能源地。由于这6类生物生产性土地的生态生产力不同，要将这些具有不同生态生产力的生物生产性土地面积转化为具有相同生态生产力的土地面积（单位为全球公顷，gha），以汇总生态足迹和生态承载力，需要对

计算得到的各类生物生产性土地面积乘以一个均衡因子。即

$$r_j = d_j / D \ (j = 1, 2, 3, \cdots, 6) \tag{1}$$

式中：r_j 为均衡因子，d_j 为全球第 j 类生物生产面积类型的平均生态生产力，D 为全球所有各类生物生产面积类型的平均生态生产力。根据全球各类生物生产性土地的平均生态生产力，均衡因子规定如下：耕地、建筑用地为2.8，森林、化石能源地为1.1，草地为0.5，海洋为0.2。

生态足迹和生态承载力计算公式如下：

$$EF = N \times ef = N \sum aa_i = N \sum c_i / p_i \ (i = 1, 2, 3, \cdots, m) \tag{2}$$

$$EC = N \times ec = N \times a_j \times r_j \times y_j \ (j = 1, 2, 3, \cdots, 6) \tag{3}$$

式中：EF 为总生态足迹；ef 为人均生态足迹；aa_i 为人均 i 种商品折算的生物生产性土地面积；c_i 为 i 种商品的人均消费量；p_i 为第 i 种消费商品的（世界）年均产量；EC 为区域总人口的生态承载力；N 为人口数；ec 为人均生态承载力；a_j 为人均生物生产面积；r_j 为均衡因子；y_j 为产量因子，用某个国家或地区某类土地的平均生产力与世界同类土地的平均生产力的比率表示。同时出于谨慎性考虑，在生态承载力计算时应扣除12%的生物多样性保护面积。

区域生态足迹如果超过了区域所能提供的生态承载力，就出现生态赤字；如果小于区域的生态承载力，则表现为生态盈余。

（二）人类发展指数模型

人类发展指数是由一国人类发展的3项基本分项指数计算得到的一项综合指数。3个分项指数包括：①预期寿命指数，反映居民健康长寿的生活水平，以人口出生时的预期寿命来衡量，阈值为25～85岁；②教育指数，以成人识字率（占2/3权重）和综合毛入学率（占1/3权重）来测度，阈值为0～100%；③GDP指数，以购买力平价法（PPP）计算的美元人均GDP指数来表示，阈值为100～40000美元。分项指数＝（实际值－最小值）／（最大值－最小值），HDI的最终数值就是这3个方面指数的简单平均值。

二、结果分析

（一）数据来源和计算

所需数据主要来源于《济南统计年鉴》2003—2007年和《山东统计年鉴》2003—2007年。

（二）生态足迹动态分析

1. 生态足迹与生态赤字动态分析

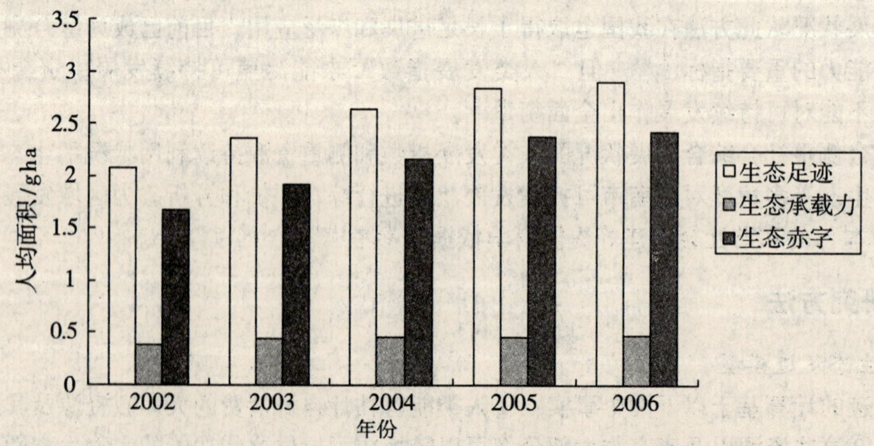

图1 济南市2002—2006年人均生态足迹与生态赤字变化

运用生态足迹的分析方法，对济南市2002—2006年的生态足迹和生态承载力进行了实证分

析与计算。图1结果表明，济南市人均生态足迹从2002—2006年一直呈上升态势，从2002年的2.07 gha增加到2006年的2.90 gha，年增长率为10.08%；人均生态承载力从2002年的0.44 gha增加到2006年的0.54 gha，年增长率为5.14%；生态足迹远远超出其生态承载力，生态赤字显著并迅速增长，由2002年的1.68 gha增加到2006年的2.43 gha。生态赤字的存在表明人类对自然资源的掠夺式开采超出了其生态承载能力的范围，可认为济南市的发展是通过消耗自然资本存量来弥补生态承载力的不足，是一种不可持续的发展模式[11]。

2. 生态足迹分项动态分析

对济南市6种土地类型的生态足迹进行了动态分析（图2a和图2b），结果显示：化石能源地对生态足迹的贡献最大，在总生态足迹中所占比例由2002年的42.1%增至2006年的49.5%；耕地和林地其次；而水域、林地和建筑用地在生态足迹中占的比例最小。从2002—2006年，化石能源地生态足迹呈逐渐放缓的上升态势，但上升速率明显高于耕地和草地的上升速率，平均每年增长16.26%。这表明尽管济南市近些年的产业结构调整取得了一定效果，资源利用效率逐步提高，但对能源的需求增长迅速，能源用地生态足迹的增加仍然是总生态足迹增加的主要原因。耕地和草地生态足迹的变化趋势与化石能源地一致，都是呈逐渐放缓的上升态势，但增长速度明显低于化石能源地，年增长率分别为6.19%和5.21%，说明历年人们对于食物的需求量缓慢增长，对于生态足迹增加的影响低于化石能源地。水域的生态足迹增长速度最慢，年增长率为0.44%，对生态足迹增加的贡献最小。而林地和建筑用地虽然在总生态足迹构成中占的比重较小，但增长速率较快，年增长率分别为8.56%和12.69%，对生态足迹增加的作用不容忽视。

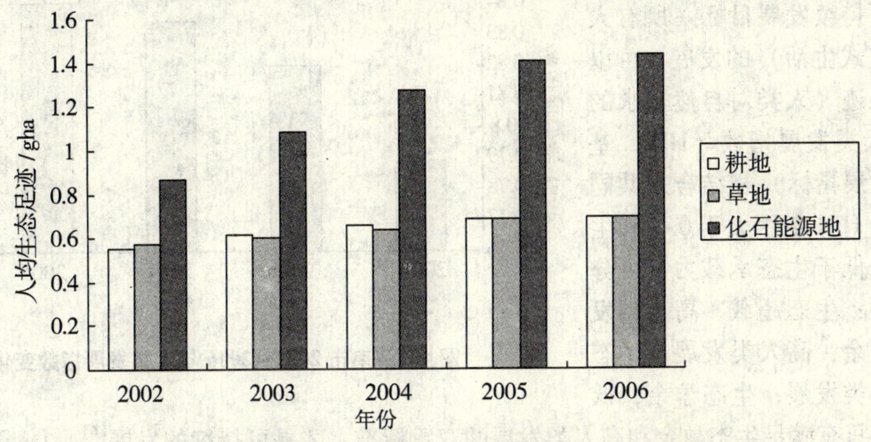

图2a　济南市2002—2006年耕地、草地和化石能源地人均生态足迹变化

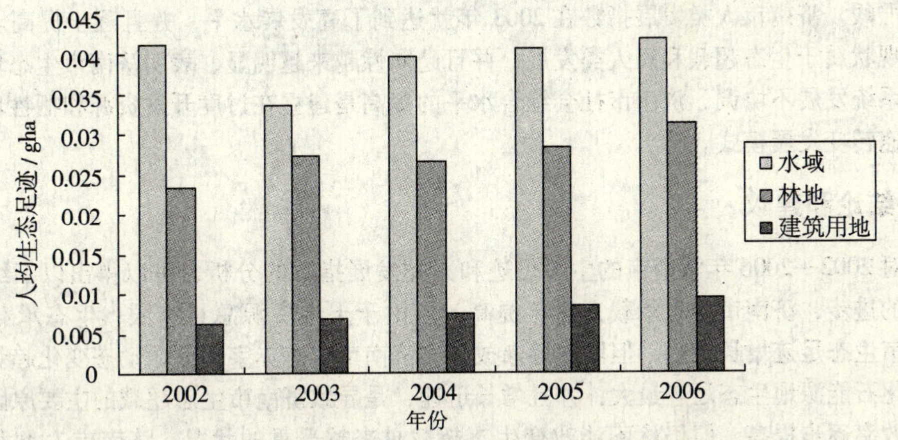

图2b　济南市2002—2006年水域、林地和建筑用地人均生态足迹变化

3. 万元 GDP 生态足迹动态分析

对济南市每万元 GDP 占有的生态足迹进行了动态分析（图 3），从 2002—2006 年，济南市万元 GDP 生态足迹呈总体下降趋势，平均年下降率为 4.94%。分析结果表明济南市 5 年间的区域资源利用效率逐步提高，区域经济逐步由粗放、耗能型向集约、节能型转变。

（三）人类发展指数动态分析

通过对济南市人类发展指数的动态分析（图 4），发现济南市人类发展指数逐年递增，平均年增长率为 1.78%。由于济南市人类发展指数的基数较大（2002 年为 0.79），只有 2003 年增长速率相对较快，为 3.86%，之后增速逐渐放缓。济南市在 2003 年就已达到了联合国开发计划署（UNDP）规定的高人类发展水平阈值（HDI > 0.80）。这与济南市居民生活质量改善、受教育程度提高以及社会医疗保障体系逐步完善密切相关，表明济南市综合实力总体水平较高，并且日益增强。

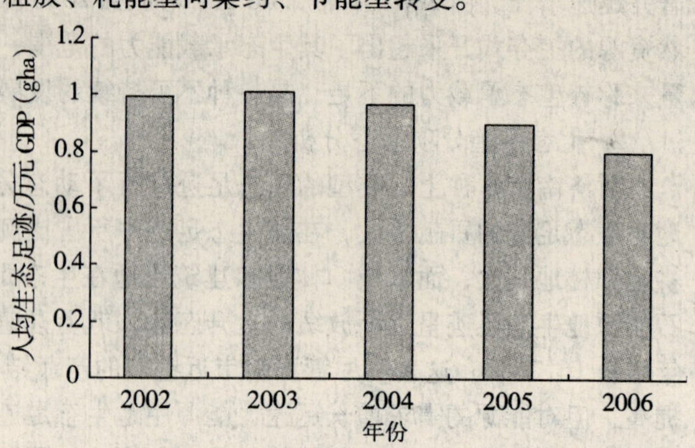

图 3　济南市 2002—2006 年万元 GDP 人均生态足迹变化

（四）可持续发展现状分析

满足可持续发展目标（所有人用自然的方式生活）的发展，可以通过生态足迹（人类对自然需求的指标）和人类发展指数（HDI，基本的人类发展指标）相结合来共同检验。根据 HDI 是否大于 0.8 和生态足迹是否低于生态承载力，可分为 4 种类型：生态超载，高人类发展；生态盈余，高人类发展；生态超载，低人类发展；生态盈余，低人类发展。只有满足生态盈余和高人类发展的双重标准，才是可持续的发展[6]。

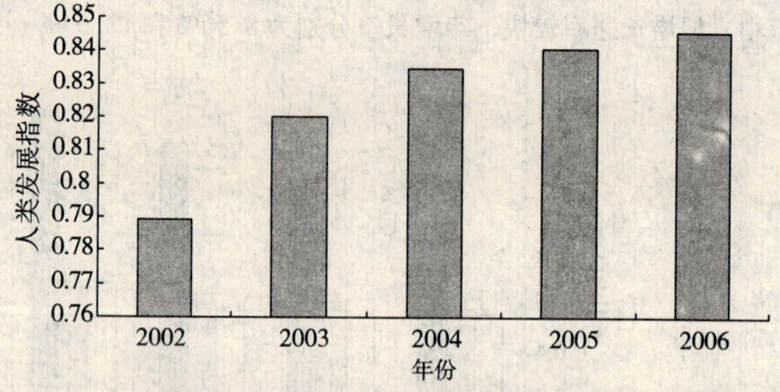

图 4　济南市 2002—2006 年人类发展指数变化

2002—2006 年，济南市生态足迹需求与供给的比例由 4.66:1 增至 5.42:1，供需矛盾突出，并且日益严峻。济南市人类发展指数在 2003 年就达到了高发展水平，并且逐步提高。济南市目前的发展现状属于生态超载和高人类发展，并且趋向性越来越明显，表明济南市生态环境系统与社会经济系统发展不协调，济南市社会综合水平的提高是建立在过度开发资源和牺牲环境基础上的，应迅速转变发展模式。

三、结论和建议

通过对 2002—2006 年济南市的生态足迹和人类发展指数的分析，可以得出以下结论：随着科学技术的进步，济南市生态承载力逐年提高，但由于土地资源总量有限，生态承载力增幅较小；济南市生态足迹增长迅速，但增速逐渐放缓；济南市生态赤字明显，动态变化趋势与生态足迹相似。化石能源地生态足迹最大，并且增长迅速，是导致济南市生态超载的主要原因。济南市资源利用效率逐步提高，但仍然不能改变生态超载越来越严重的状况。济南市人类发展水平较高，并且逐步提高。济南市生态环境系统和社会经济系统处于不协调发展状态。

为实现济南市社会、经济和生态环境的可持续发展，必须努力减少生态赤字，提高可持续发展的程度，可采取以下途径：①增加科技投入，提高生态承载力，如通过应用科学技术，提高土地利用率和耕地质量、加大灾毁耕地防治和复耕力度、集约节约利用建设用地等；②调整产业结构，提高资源利用效率，如限制、改造高资源投入高污染排放的产业，积极鼓励和扶持低资源投入低污染排放的产业[12]，发展循环经济，构建循环社会发展模式等[13]；③执行计划生育政策，控制人口数量，减少总的生态消耗；④改变传统的消费方式，提倡绿色消费，如减少不必要的消费、均衡膳食、节约水电、选购环保型商品等。

参考文献

[1] 杨振，牛叔文，常慧丽，等. 基于生态足迹模型的区域生态经济发展持续性评估［J］. 经济地理，2005，25（4）：542－546.

[2] 高成康，王少平，陆雍森，等. 生态足迹的修正及其在城市生态规划中的应用——以上海市为例［J］. 环境科学与技术，2006，29（4）：58－60.

[3] 徐中民，张志强，陈国栋，等. 中国1999年生态足迹计算与发展能力分析［J］. 应用生态学报，2003，14（2）：280－285.

[4] 李利锋，成升魁. 生态占用——衡量可持续发展的新指标体系［J］. 资源科学，2000，15（14）：375－382.

[5] 王书华，毛汉英，王忠静. 生态足迹研究的国内外近期进展［J］. 自然资源学报，2002，17（6）：776－782.

[6] 王勤花，张志强. 地球的生态负债与人类的可持续发展挑战［J］. 生态学报，2008，28（5）：2424－2429.

[7] 田辉，朱必祥，孙剑平. 人类可持续发展指数模型构建的原则与方法［J］. 学习与探索，2009，（2）：164－166.

[8] 吴映梅，普荣，白海霞. 中国省级人类发展指数空间差异分析［J］. 昆明理工大学学报（社会科学版），2008，8（8）：53－58.

[9] Neumayer E. The human development index and sustainability－a constructive proposal［J］. Ecol Econ，2001（9）：101－114.

[10] 王安周，耿秀丽，张桂宾. 基于生态足迹和R/S分析的河南省可持续发展评价［J］. 地域研究与开发，2009，28（2）：104－107.

[11] 姜海风，张金屯. 云南省生态足迹与可持续发展评价［J］. 北京师范大学学报（自然科学版），2006，42（5）：526－529.

[12] 岳书平. 可持续发展与产业结构调整——以济南市为例［J］. 国土与自然资源研究，2004(2)：23－24.

[13] 赵强，李秀梅，蒋兴华. 济南市循环社会发展模式研究［J］. 济南大学学报（社会科学版），2007，17（4）：11－15.

节能减排高效脱硫脱氮除尘除雾一体化工艺

宁海泽

（河北省河间市环保研究所　062450）

一、前　言

随着现代工业的发展，燃煤锅炉排放大量的二氧化硫和烟尘，严重污染大气环境。给工农业生产、城乡环境和广大人民群众的身心健康带来很大危害，越来越引起政府及广大公众的热切关注。二氧化硫是主要大气污染物之一，“酸雨”就是由于大气层中二氧化硫的浓度增高所至。因此，国家新出台的《大气污染防治法》和《燃煤二氧化硫排放污染防治技术政策》都要求锅炉必须配套脱硫除尘设备，并且强调优先采用湿式脱硫除尘一体化工艺。近年来党中央、国务院大力提倡节能减排，并将节能减排列为我国的基本国策，全国上下正全力抓紧贯彻落实。

为了节省脱硫除尘的运行费用，新锅炉最好不要安装静电除尘器和布袋除尘器，旧锅炉改上脱硫塔的最好拆除原有静电除尘器和布袋除尘器或者闲置不用。原来，大部分的锅炉用户在脱硫除尘上多考虑除尘或者先除尘后脱硫，没有认识到烟尘中富含氧化铝和氧化钙、氧化镁、氧化钾、氧化钛等多种碱性金属氧化物，它们都是二氧化硫的吸收剂，是非常好的脱硫剂，而被疏忽造成了资源浪费；也可能是原有的湿法脱硫除尘器的除尘效果达不到环保要求，不得已而为之。因为静电除尘设备和布袋除尘器大都投资巨大，特别是它们的运转费用和维护费用更不可忽视，通常情况下烟气含尘量为2000～30000mg/m^3，其中有脱硫作用的金属氧化物占50%左右，这是非常可观的资源，应该让其充分发挥有效作用。应该改变以前那种先除尘再脱硫、除尘脱硫各行其是的旧观念，对脱硫除尘应该综合考虑。选择“节能减排高效脱硫脱氮除尘除雾一体化工艺”就完全能够实现这个目的，既可让烟尘充分发挥脱硫作用让二氧化硫达到国家和地方环保要求，又可让烟尘达到国家和地方环保要求，实现节能减排双达标。

“节能减排高效脱硫脱氮除尘除雾一体化工艺”是宁海泽高级工程师经过近20年研究改进完善，已经发展为第五代产品。也叫“本工艺”或“高效低耗涡轮导波旋涡微分潜水脱硫除尘脱水一体化装备”。该项发明于2006年获得国家专利，原理新颖独到，技术成熟完善，其技术指标已经达到世界先进水平。脱硫效率可达到99.3%、除尘效率可达99.8%，脱硫除尘脱水一体化，效率更高，而且省水、省电、省脱硫剂，能耗更低，十分符合国家节能减排政策。

二、技术特点

“节能减排高效脱硫脱氮除尘除雾一体化工艺”专利技术产品与国内现有湿碱法同类技术产品比较具有如下特点：

1. 脱硫脱氮除尘除雾一体化，效率更高。由于气液两相接触特别充分，即使不另外加任何脱硫剂和脱氮剂，其脱硫效率和脱氮效率也可达到70%～80%，完全可使二氧化硫和氮氧化物的排放浓度达到国家标准。这是因为它能自然借用了烟气中碱性灰尘的脱硫作用和从炉渣中获取碱水用于脱硫。只要补充少量脱硫剂（火碱、生石灰或氧化镁等碱性物质）即可使脱硫效率达到99%；

2. 投资省，运行费用更低。因为本工艺用水量微小，锅炉房三废（废水、废渣、灰尘）可用于本工艺脱硫，可以其废治其污，可让污水实现零排放，省水省电省脱硫剂，运行费用更低（微乎其微，脱除1kg二氧化硫的费用不足5分钱）；

3. 无喷嘴无堵塞无须维护，运行安全可靠，操作简便；

4. 运行阻力小，约800Pa，可根据锅炉是否好烧，能够调节运行阻力，保证锅炉正常运行；

5. 脱水除雾效果特好，烟囱出口不见白气不见烟，安装在引风机前后均可，引风机寿命长；

6. 适用玻璃钢、不锈钢和钢板加防腐材料制造，耐腐蚀寿命长；

7. 自动化程度高，加水加脱硫剂排灰清灰等全部实现自动控制；

8. 体积小，占地省，结构紧凑，外形美观；

9. 副产品可资源化，吸附了二氧化硫的灰尘即变成“富硫生物”的复合肥料，可提高土壤质量，可以改良盐碱地、沙荒地等，可使农作物增产；

10. 适用于大、中、小各型锅炉和窑炉，更适用于火电厂锅炉、焦化炉，炼钢厂烧结炉的脱硫除尘。

三、技术原理

其技术原理：从锅炉排出的含硫含尘烟气进入本工艺的高效脱硫脱氮除尘除雾塔（以下简称本脱硫塔）内碱性水中，先经涡轮式导波旋涡机构旋转旋涡碰撞，再经微分潜水机构微分细分潜游，迫使烟气与水充分接触充分反应充分洗涤，气液两相接触特别充分，接触面积特别大，烟气中的二氧化硫和灰尘及氮氧化物同时被水充分吸收，净化后的烟气上升至涡轮式脱水机构高速离心旋转甩干，彻底脱水后经引风机进入烟囱排入大气；脱水机构脱出的水流入本脱硫塔内水中；灰尘沉入水下经自控或手控蝶阀定时排出，随水流入本脱硫塔下部的小型沉淀池，灰水沉淀池里配置有自动清灰装置，再用翻斗车及时运走，可以卖给农民用来改良盐碱地或直接用作肥料肥田增产；因为灰尘属于碱性物质，被本脱硫塔内的水吸收后因能够在水中积存一定时间，灰尘中的碱性则能够充分释放给水，自然起到脱硫剂的作用。还因锅炉燃煤产生的炉渣也属碱性，炉渣掉入炉渣碱水池内可充分释放碱性被水吸收使水成为碱性水，自控水泵不断的抽炉渣碱水池的碱水给脱硫塔供水，本脱硫塔排出的水不断的流回炉渣碱水池，如此循环则可源源不断地从炉渣中获取碱水用于本脱硫塔脱硫。因此本工艺可充分利用锅炉燃煤产生的废物治理锅炉燃煤产生的二氧化硫污染，以其废治其污，能真正实现节能减排；如炉渣碱水池缺水而锅炉房碱性废水又补水不足时可自动补充自来水，由于本脱硫塔用水量微小，一般只需要补充蒸发掉的水分，能保持它们的工作水位即可，废水完全可以实现零排放，无二次污染。由于本脱硫塔的气液两相接触特别充分，能自然借用烟气中碱性灰尘的脱硫作用和从炉渣中获取碱水用于脱硫，即使不另外加任何脱硫剂，其脱硫效率也可达到70%～80%，完全可使二氧化硫排放浓度达到国家标准，只要补充少量脱硫剂（火碱、生石灰或氧化镁等碱性物质）则很容易使脱硫效率达到99%。

1. 其化学吸收特性如下：

（1）SO_2 是中等强度的酸性氧化物，用碱性物质吸收，生成盐类。

（2）SO_2 在水中具有中等程度溶解度。溶于水后生成 H_2SO_3，可氧化成稳定的 H_2SO_4。

（3）SO_2 与氧接触时，被氧化成 SO_3，酸性增强，易与碱性物质中和反应。

2. 其中和反应式如下：

（1）使用 $Ca(OH)_2$ 脱硫剂化学反应式：

①$SO_2(\text{气态}) + H_2O \rightarrow H_2O \cdot SO_2(\text{水溶液})$

②$H_2O \cdot SO_2(\text{水溶液}) \rightarrow H^+ + HSO_3^- \rightarrow 2H^+ + SO_3^{2-}$

③$CaO + H_2O \rightarrow Ca(OH)_2 \rightarrow Ca^{2+} + 2OH^-$

④$Ca(OH)_2 + SO_2 = CaSO_3 \cdot \frac{1}{2}H_2O + \frac{1}{2}H_2O$

⑤$CaSO_3 \cdot \frac{1}{2}H_2O + \frac{1}{2}H_2O + SO_2 = Ca(HSO_3)_2$

（2）使用 CaO 和 MgO 脱硫剂化学反应式：

①$Mg(OH)_2\downarrow + SO_2 + H_2O = MgSO_3 \cdot \frac{1}{2}H_2O + \frac{1}{2}H_2O$

②$MgSO_3 \cdot \frac{1}{2}H_2O + \frac{1}{2}H_2O + SO_2 = Mg(HSO_3)_2$

③$Mg(HSO_3)_2 + Ca(OH)_2 = MgSO_3 + CaSO_3 \cdot \frac{1}{2}H_2O + \frac{3}{2}H_2O$

④$Mg_2SO_3 + Ca(OH)_2 + H_2O = Mg(OH)_2 + CaSO_3 \cdot \frac{1}{2}H_2O\downarrow + \frac{1}{2}H_2O$

烟气中的 SO_2 与碱液反应，生成固态物质后被脱除。

四、关于脱氮

根据实际测试报告，本工艺不仅有很高的脱硫除尘效果，同时也有较好的脱氮效果，在没有特意加入脱氮剂的情况下，氮氧化物的排放浓度都已达到并远远优于国家和地方新出台的氮氧化物排放标准。这是因为烟气中通常会同时含有 NO_x 与 SO_2，我们用一个脱硫塔同时脱除这两种有害气体，是大有前途的。脱硫后的终止物就是 $(NH_4)_2SO_3$ 和 $(NH_4)_2SO_4$（少量）和一部分 $(NH_4)HSO_3$ 溶液。这些物质又是吸收 NO_x 的吸收剂。一般在生产硫酸同时又生产硝酸的行业中，多数都是利用处理硫氧化物而得到的 $(NH_4)_2SO_3$ 和 $(NH_4)HSO_3$ 溶液来吸收硝酸生产中的 NO_x。其原理是利用亚硝酸铵溶液作为吸收剂和 NO_x 反应，使 NO_x 还原为 N_2：

$4(NH_4)_2SO_3 + 2NO_2 \rightarrow 4(NH_4)_2SO_4 + N_2\uparrow$

$4(NH_4)HSO_3 + 2NO_2 \rightarrow 4(NH_4)HSO_4 + N_2\uparrow$

$4(NH_4)_2SO_3 + NO + NO_2 + 3H_2O \rightarrow 2N(OH)(NH_4SO_3)_2 + 4NH_4OH$

$4(NH_4)HSO_3 + NO + NO_2 \rightarrow 2N(OH)(NH_4SO_3)_2 + H_2O$

$2(NH_4)OH + NO + NO_2 \rightarrow 2NH_4NO_2 + H_2O$

按照排放浓度达标要求，脱氮效率达到 72% 就可以了，所以只要控制住吸收液的浓度，一般在 180 ~ 200g/L，最后得到的溶液一部分重复循环使用，多余的部分进行下道工序，处理后溶液还可以再生，以节省大量的运行费用。烟气中 NO 含量占 90% 以上，因此脱除的主要是 NO。如果煤的含硫量比较低和氨反应产生的亚硫酸铵较少而不能满足脱除氮氧化物的要求，或者因为炉膛燃烧温度高，产生的氮氧化物量较大，此时应该给脱硫塔内连续加入适量的氨催化剂与 NO_x 继续反应，以提高脱氮效率，这种方法称之为“氨的选择性催化还原法”。

$4NH_3 + 4NO + O_2 = 4N_2\uparrow + 6H_2O$

$8NH_3 + 6NO_2 = 7N_2\uparrow + 12H_2O$

把氮还给大自然，水回收再循环使用。

以上各式反应都是用同一个介质——氨、在同一套设备内、同时与 SO_x、NO_x 瞬时交替进行的，这就是实现脱硫、脱氮一体化工艺的道理。

根据脱氮脱硝系统设备介绍，虽然系统庞大，但其核心装置是脱硝反应器。如果将来环保对脱氮要求更高，可以在本工艺的进烟管注入脱硫剂的同时再注入少量的脱氮剂（氨或尿素等催化剂）即可，让烟气与脱氮剂也在本装备内均匀混合充分反应，则可使本装备在实现高效率脱硫除尘的同时又实现高效率的脱氮，即用同一台设备既脱硫除尘脱水又脱氮。

用同一台设备既脱硫又脱氮，如果该设备的结构能使烟气与碱性水充分接触，脱硫效果特别好，那么，用它同时脱氮效果自然也会特别好，因为脱氮也需要烟气与水充分接触。

国家将要求大型电厂锅炉在要求烟气脱硫的同时还要求脱硝。因此电厂锅炉采用本工艺后，将来可不必另外再配备庞大复杂的脱氮设备，只需要在该塔的进烟管注入少量脱氮剂就可实现既高效率脱硫又高效率脱氮。

五、工艺流程图

工艺流程如图 1 所示。

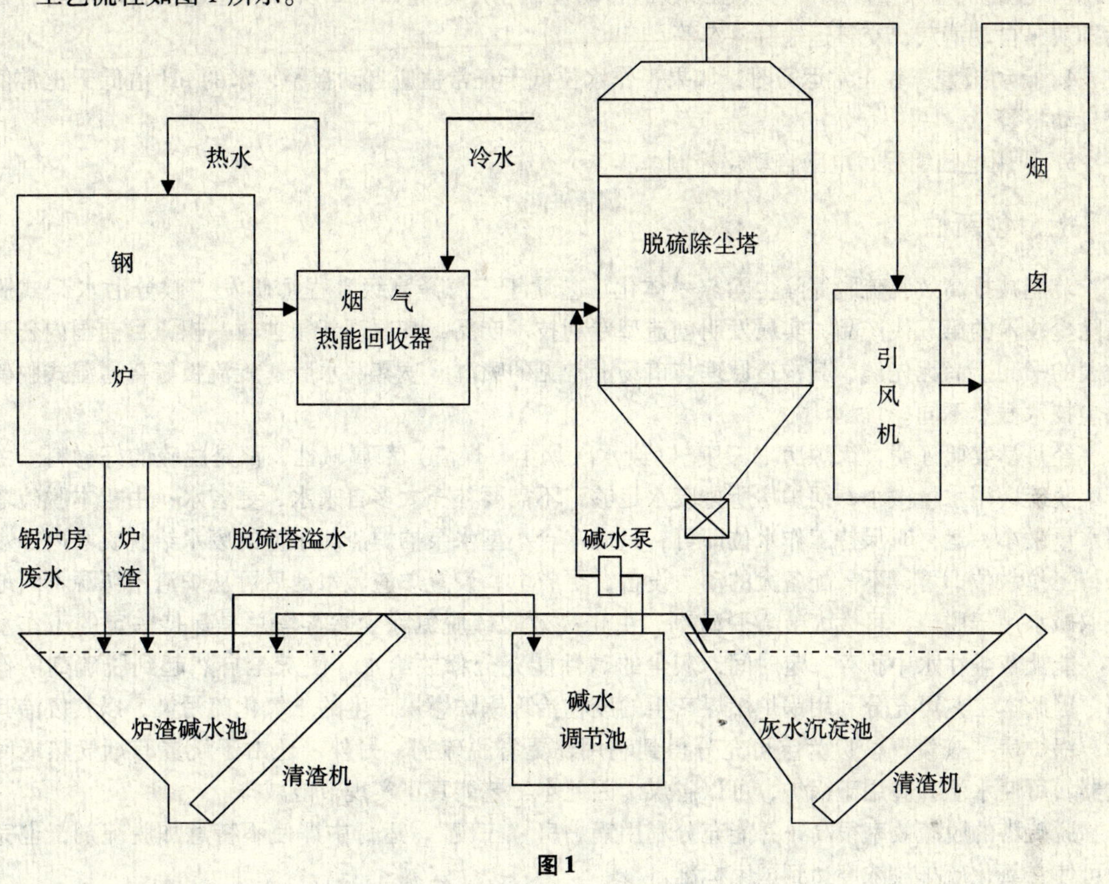

图 1

六、自动控制

通常各被控参数的自动控制构成原理如图 2 所示。

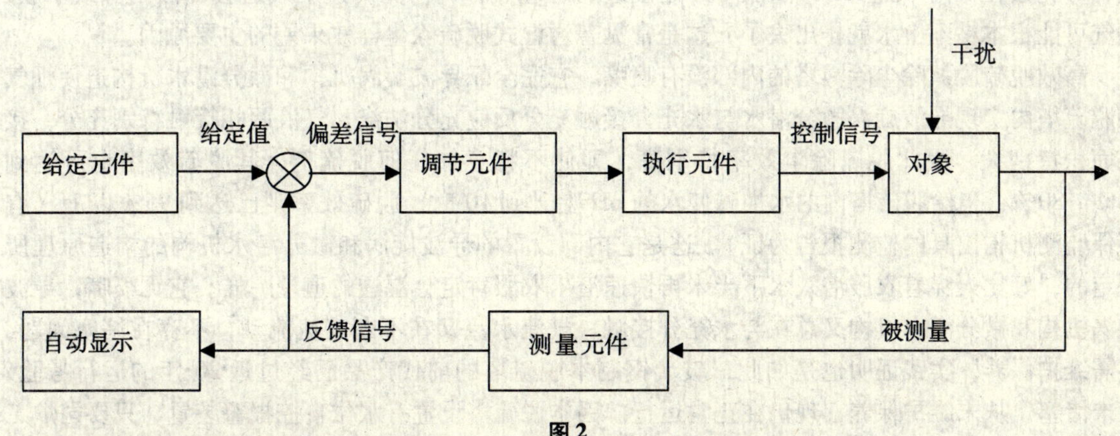

图 2

自动控制包括自动监测、自动计算、自动显示、自动控制和自动报警。

1. 监测及显示：需要自动监测的参数有工作水位，pH 值；烟气入口的流量、压力、温度、烟尘浓度、二氧化硫浓度；烟气出口的流量、压力、温度、烟尘浓度、二氧化硫浓度；供水量，排水量，积灰量。

2. 自动计算及显示：根据自动监测的数据应自动计算并显示出除尘效率、脱硫效率数值。

3. 自动控制：需要自动控制的参数有工作水位、供水量、排水量、排灰量、排渣量、水的 pH 值和脱硫剂输入量。通常各被控参数的自动控制构成原理如图 2 所示。还包括自动加药，自动排灰，自动清灰，交替运输翻斗车等。

4. 自动报警：在正常运行时，如果工作水位低于正常值应自动报警，水的 pH 值低于正常值应自动报警。

5. 采用电脑编程，电脑自动化控制。

七、创新性

节能减排高效脱硫脱氮除尘除雾一体化工艺属于宁海泽高级工程师研发“微分潜水”式脱硫除尘技术的第五代产品，实属发明创造型专利技术产品，其原理新颖独树一帜，目前国内公开发表的书刊上尚无先例，其构造原理与市场上常见的喷淋、喷雾、水膜、旋流板等普通湿式脱硫除尘技术截然不同。

经科学实验证明，锅炉房“三废”（废水、烟尘、煤渣）都属碱性，都是脱硫的好材料。由于本脱硫塔用水量微小，锅炉房所排废水足够，不需要补充太多自来水，更省水；由于本脱硫塔用水量微小，运行时保持工作水位即可，只需一台小型水泵抽炉渣碱水池的废水给脱硫塔内补水保持工作水位即可，不需配备大的动力设备，更省电；设置炉渣碱水池后可从炉渣中源源不断地获取碱水用于脱硫，可大大节省脱硫剂。由于高效脱硫脱氮除尘除雾塔总是保持一定的工作水位，能让灰尘在水中积存一定时间，灰尘的碱性能充分释放给水，使灰尘自然起到脱硫剂的作用。因此本工艺可充分利用锅炉燃煤产生的废物治理锅炉燃煤产生的二氧化硫污染，以其废治其污，锅炉房“三废”变废为宝可充分得到利用，更省脱硫剂；另外，还由于设置有烟气热能回收器，可使水温升高用于锅炉，可以省煤。因此本工艺能真正实现节能减排。

脱硫塔的脱硫效率很高，并能充分利用锅炉房“三废”，运行中即使不特意加脱硫剂，也完全可使二氧化硫排放浓度达到国家标准。

普通湿式脱硫除尘技术产品普遍设置有喷嘴和较大功率的循环供水泵，除尘器内为空筒，存不住水也存不住灰，喷嘴易堵塞，筒内温度高防腐难度大，气液两相接触不充分，脱硫除尘效果差，好比人在大雨中跑 100 米衣服不一定湿透的道理一样，何况高速烟气还会冲散雨雾或水膜，烟气可能根本粘不上水就排出去了，这是常见普通湿式脱硫除尘器效果差的主要原因。

高效脱硫脱氮除尘除雾塔的内部没有喷嘴，它完全靠导波旋涡机构和微分潜水机构迫使烟气在脱硫塔内实现导波旋涡微分潜水与水充分接触充分反应充分洗涤，气液两相接触特别充分，接触面积特别大，因此脱硫除尘效率特别高，即使不特意加任何脱硫剂，其脱硫效率也可达到 70% ~80%，当给脱硫塔内的水加碱使水的 pH 上升到 10 时，脱硫效率则已达到 95% 以上（有环保监测机构出具的监测报告为证）。这是它内部设置的导波旋涡和微分潜水机构的构造原理所决定的，好比人穿着衣服潜入水下半米再快速潜出衣服肯定会湿透的道理一样。它无喷嘴，导波旋涡机构和微分潜水机构又总在与水充分接触，气流水流又在不断高速流动，不存在堵塞问题，不需维护保养，实践证明也是如此，玻璃钢制本脱硫塔的前代产品已经过近 20 年的运行考验，从未堵塞，从未维护保养，现仍在正常运行。因本脱硫塔设置有水位自控报警装置，只要司炉工按操作规程操作，运行时保证工作水位，其使用寿命可达 30 ~ 50 年。

另外，它所补充的脱硫剂不局限于石灰石和烧碱等价格昂贵的化工品，可以利用对二氧化硫有吸收作用的所有废渣，包括有色金属冶炼炉渣、钢渣、铁渣、煤渣、电石渣、氧化铝、氧化镁等，还可以是碱性泥土和海水。不仅可以节省大量费用，而且扩大了吸收剂选择范围，可因地制宜选择最合理的吸收剂。烟气治理使用后的废渣即变成了改良盐碱地并提高农作物增产的复合肥料。因此本工艺可以实现以废治污的目的，省水省电，省脱硫剂，运行费用微乎其微。

八、先进性

从技术特点和技术原理很容易看出本工艺所具有的先进性。由于设置炉渣碱水池后可从炉渣中源源不断地获取碱水用于脱硫，可大大节省脱硫剂；由于高效脱硫除尘除雾塔总是保持一定的工作水位，能让灰尘在水中积存一定时间，灰尘的碱性能充分释放给水，使灰尘自然起到脱硫剂的作用。因此本工艺可充分利用锅炉燃煤产生的废物脱除锅炉燃煤产生的二氧化硫污染，以其废治其污；还由于设置了烟气热能回收器可使水温升高用于锅炉，可以省煤。因此本工艺能真正实现节能减排。

脱硫脱氮除尘除雾一体化，效率更高，即使不特意加脱硫剂和脱氮剂，也可使脱硫效率和脱氮效率达70%～80%，完全可使二氧化硫和氮氧化物排放浓度达到国家排放标准。当给脱硫装备的水加碱使水的pH上升到10时，脱硫效率则达到95%以上了，这在普通湿式脱硫除尘技术产品是根本不可能的。本脱硫塔仅用石灰为脱硫剂，经环保部门现场测试：二氧化硫排放浓度由2414mg/m^3脱降到了23mg/m^3，脱硫效率为99%，除尘效率99.8%，而且脱水效果特别好，烟气绝不带水，烟囱出口不见白气不见烟，其技术指标已经达到世界先进水平。

另外，它省水、省电、省脱硫剂，运行费用更低，无喷嘴无堵塞，阻力小可调节，也是它所具有的先进性。

九、材料选择

玻璃钢是一种塑料，是用玻璃纤维增强的塑料，可用英文字母FRP表示。塑料，从字面上讲，是指可塑性的材料，现在一般是指人造塑料，即由树脂加上各种添加剂制成的，如果树脂中没有添加任何添加剂则不能称为塑料，只能叫做树脂。因树脂有热塑性和热固性之分，所以塑料也分为热塑性和热固性两种。如果用玻璃纤维去增强热塑性塑料，可称为热塑性玻璃钢，如果用玻璃纤维增强热固性塑料，就叫做热固性玻璃钢。目前生产的玻璃钢主要指热固性而言。如果从材料使用角度来看，FRP是一种复合材料，如果从其本身的复合结构来看，把FRP又可以看做一种结构。由于玻璃钢主要成分是玻璃纤维和塑料，因而它的性能远远超过塑料。玻璃钢重量轻、强度高，虽然玻璃钢的比重只有碳钢1/4～1/5，但其拉伸强度超过碳钢，比强度可以与高级合金钢相比。因此，玻璃钢在航空、火箭、宇宙飞行器、高压容器、防弹装甲等方面应用广泛，性能卓越。玻璃钢耐腐蚀性能好，对一般浓度的酸、碱、盐、多种油类和溶剂都有较好的抵抗力，玻璃钢正应用于化工防腐的各个方面，可取代碳钢、不锈钢、木材、有色金属材料。玻璃钢是一种高分子复合材料，用这种材料制作沼气池，易成型，工艺简单，便于机械化操作，工厂化生产；建池速度快，沼气池整体性能好，具有抗拉、抗压、抗弯曲、抗暴晒、耐腐蚀、密封性好、不透水、不透气等优点，池体轻，便于移动和运输。寿命可以达到30～50年。

玻璃钢是公认的防腐材料，它耐酸碱、耐高低温、耐水耐磨、强度可与钢板相比，并具有抗太阳辐射、抗老化功能，现被广泛用于航空航天、汽车、化工、冷却塔及各种管道。玻璃钢技术已是国内外非常成熟的技术，全国各地到处都有。由于玻璃钢耐化学腐蚀而且造价比高镍合金低，所以许多湿法脱硫系统装置使用玻璃钢已取得了很好的效果，据国外国内资料介绍，玻璃钢已在湿法脱硫系统方面获得了成功应用：①吸收塔塔体，②石灰溶解槽，③集液器、除雾器，④浆液输送管路，⑤烟道，⑥烟囱。近年来，由于大直径玻璃钢缠绕技术问世（容器直径可从3.6～25m），国内外有几家大公司对化工、火电厂脱硫系统中的主要部件采用玻璃钢生产已经有一些成功的经验和案例。

因此，本脱硫塔最好选用耐酸碱耐高温玻璃钢材料制造。由于脱硫塔内装有一定深度的水，工作时自动补水总保持其工作水位，水温不超过100℃，正常运行时脱硫塔内的水温一般为60℃左右、排烟温度一般为90℃左右，只要运行时保障供水，不易损坏，使用寿命可达30～50年，其它防腐材料如不锈钢也是远远不及的。

十、安装方法

湿式脱硫除尘器一般有两种安装方法，有安装在引风机之前的，也有安装在引风机之后的。如果湿式脱硫除尘器安装在引风机之前，则要求除尘器的除尘脱硫脱水效果都好才行，如果湿式脱硫除尘器的除尘脱硫脱水效果不好，烟气中的灰尘将对引风机产生摩擦，烟气带水（酸碱性水）或冒浓浓的白气（酸碱性水蒸气）将对引风机产生腐蚀；若湿式脱硫除尘器安装在引风机之后，虽可避开腐蚀，但未经处理的灰尘对引风机磨损严重。因高效脱硫除尘除雾塔的三种效果都特别好，对引风机既无摩擦也无腐蚀，因此，脱硫塔可安装在引风机之前也可安装在引风机之后，都可延长引风机的使用寿命。

十一、关于脱硫副产品资源化

烟气中的灰尘、二氧化硫和氮氧化物在脱硫塔内水中与加入的碱性脱硫剂充分接触充分反应中和后，生成固态（灰尘）或液态硫酸盐碳酸钙等物质，含有17种土壤所需要的微量元素，是一种新的无机肥料——复合肥。经有关专家多年研究实验证明：这些物质即脱硫副产品都是可以用作改良盐碱地和酸性土壤的宝物，并可直接用作促进农作物增产的肥料，使用该肥料种植的农作物平均每亩可增产18.5%，富硫生物有机肥作为一种新型的肥料具有广泛的作用，适用于多种农作物，值得大力推广。

我国西北、华北、东北和滨海地区共有34.6万km^2的盐碱土地。酸性土壤则是我国南方主要的耕作土壤，总面积达203.5万km^2，约占国土面积的21%。盐碱地和酸性土壤均不利于作物生长，要高产都必须设法改良。

清华大学最先提出并组织了利用烟气脱硫废渣改良盐碱地和酸性土壤的研究。从2000年开始，清华大学与广东省生态环境与土壤研究所合作，进行利用脱硫废渣改良酸性土壤的试验。试验结果表明，施用烟气脱硫废渣可提高红壤的花生产量。据分析，其原因是长期以来土壤受强烈的风化淋溶、呈酸性，而主要施用氮磷钾肥造成土壤养分比例失调，中微量元素营养严重缺乏。脱硫废渣富含的钙素养分可与土壤形成钙胶体凝聚，有利于土壤团粒结构的形成，从而改善红壤的土壤结构。

豆科作物根瘤的形成和它的共生固氮作用的发挥，依赖于高浓度的钙营养。脱硫废渣富含钙，会刺激花生根瘤生长和繁殖。硫是固氮酶组成成分，为豆科作物固氮所必需，施用硫肥有利于豆科作物形成根瘤。脱硫废渣含有较丰富的硫素营养，有利于根瘤的生长繁殖。脱硫废渣的施用提高了作物对氮磷钾等营养元素的吸收量，减少了氮磷钾的淋洗损失，对环境保护也有非常好的生态效果。

这项试验已在内蒙古土默川平原的40亩盐碱地上进行了4年。结果表明，施用烟气脱硫废渣的土地一直保持高产，每亩草玉米（奶牛饲料）的产量为3300～5900kg，按最低价每公斤0.1元计算，每亩地可收入330～590元，与不施脱硫废渣的土地平均产出（产量530kg，收入53元）相比，高出280～540元。沈阳康平则连续7年保持高产。广东的试验表明，酸性土壤经过改良，产量提高16%以上。

为解决烟气脱硫副产物的资源化利用问题，课题组还通过小区试验和示范相结合的方法，初步提出了脱硫副产物改良不同盐碱化程度土壤的施用、耕作、栽培和管理等方法，并在内蒙古乌拉特前旗树林的盐碱荒地上建成了 $3hm^2$ 的大田试验示范区，示范区葵花出苗率均达到了80%以上，葵花长势良好，目前亩产已达到200kg以上。既实现了盐碱土壤的改良，又实现了脱硫废弃物的资源化合理利用。

脱硫除尘废渣还可以用于制砖、生产水泥和修路。

十二、经济效益分析

这里以电厂230T/H锅炉一台为例，烟气量按理论烟气量 $690000m^3/h$ 计算，耗煤量约为48350kg/h，运行时间一天24h，年运行天数为365天，燃煤种类为烟煤，燃煤的含硫量为2%，经过计算二氧化硫的排放量为10879920kg/a。

230T/H锅炉选用“节能减排高效脱硫脱氮除尘除雾一体化工艺”后，因为设有炉渣碱水池可源源不断地从炉渣中获取碱水用于本脱硫塔脱硫，可大大节省脱硫剂。为使脱硫效率更高，让脱硫塔内水的pH达到11，需每小时向碱水调节池补充生石灰（脱硫剂）约120kg，配一台约15kW的水泵抽炉渣碱水池流向碱水调节池的碱性废水给本脱硫塔供水即可，给碱水调节池配一台3kW的搅拌机，给炉渣碱水池和灰水沉淀池各配一台约6kW的自动清灰机。那么，这里的运行费用只有水泵、搅拌机和自动清灰机的耗电费和需要补充少量生石灰的费用。（对于旧锅炉安装脱硫塔，因原配引风机不需要增大和更换，还用原配引风机，所以这里没有计算引风机的耗电费）。

电厂一台230T/H锅炉采用节能减排高效脱硫脱氮除尘除雾一体化工艺，一次性投资万元左右，一年的运行费用47.82万元，每千克二氧化硫的处理费用还不到5分钱。按照现行国家环保政策，每年则少交二氧化硫排污费699.9万元。因为该塔同时具有非常高的除尘功效，每年还可以少交烟尘排污费数百万元。因为该塔输入脱氮剂后也有较好的脱氮功效，以后每年还可少交数百万元的氮氧化物排污费。按照国家新的环保政策，二氧化硫排污费三年将加倍上升为1.26元/kg，那么这台230T/H锅炉一年可节省二氧化硫排污费1399.8万元。我们已经知道经过脱硫以后产生的粉尘灰渣已经是改造盐碱地和肥田增产的上等复合肥料，附近的农民肯定将会积极购买。还可以用于制砖、生产水泥和修路。230T/H锅炉每年将要产生大量的粉尘灰渣，那么锅炉用户每年卖灰渣将有非常可观的经济收入。因为本工艺设有炉渣碱水池可源源不断地从炉渣中获取碱水用于本脱硫塔脱硫，可节省大量的脱硫剂费用。不仅脱硫效果好，还能给用户带来很好的经济效益。

由此看来，电厂大锅炉选用节能减排高效脱硫脱氮除尘除雾一体化工艺非常划算，经济效益、环境效益、社会效益巨大。

滤筒除尘器将更新换代袋式除尘器

梅　谦[1]　杨振坤[1]　杨国亮[2]　张和平[1]　万法江[1]　路合银[1]

（1. 鹤壁市东方环保设备生产有限公司　2. 安阳钢铁集团公司）

摘　要　应用了上百年的袋式除尘器将会被新一代滤筒除尘器所取代，因为滤筒除尘器有优于袋式除尘器的诸多种优点，如占地面积小，除尘效率更高，检修更方便，耗钢量减少 1 倍以上，产品售价也会降低 1 倍以上。而且体积越大处理风量越大的滤筒除尘器优点就更加明显。

关键词　滤筒除尘器　袋式除尘器　更新换代

一、概　述

滤筒式除尘器早在 20 世纪 70 年代就已经在美国、日本和西欧一些国家出现，具有体积小，效率高，投资省，易维护等优点，但因其设备容量小，难组合成大风量设备，过滤风速偏低，应用范围窄，仅在烟草等行业应用，所以多年来未能大量推广。我公司在 1990 年曾经与台商合作引进了美国唐纳森生产的滤筒除尘器，应用在河南郑州、新郑 2 个大烟厂。当时的价格就达数十万元一台，是我国国内一般也可以说大部分厂家无法承受的。近年来，随着新技术、新材料不断地发展，在国内相继出现了诸多厂家，据粗略估算可以生产滤筒除尘器的厂家近千家。对除尘器的结构和滤料进行了消化吸收、改进，使得滤筒除尘器广泛地应用于水泥、钢铁、电力、食品、冶金、化工等工业领域，整体容量增加数倍，已经完全可以组装成过滤面积 $>2000m^2$、处理风量几十万 m^3/h 的大型除尘器，解决了传统袋式除尘器对超细粉尘收集难、过滤风速高、清灰效果差、滤袋易磨损破漏、运行成本高的缺陷，和市场上现有各种袋式、静电除尘器相比具有有效过滤面积大、压差低、低排放、体积小、使用寿命长等特点，成为工业除尘器发展的新方向。但是这么好的技术装备为什么在国内没有大面积推广应用？一是对滤筒除尘器的优点了解的还不够，二是对新事物人们往往有等靠看的思想，在没有看到实施实例之前都在观望，因此本文将详细地阐述和介绍，以期使这项好的技术尽早尽快的在国内推广应用。

二、滤筒式除尘器的结构

其实它和袋式除尘器没有区别，只是滤袋过滤材料结构为袋式变成了滤筒。

滤筒式除尘器的结构也是由进风口、排风口、箱体、灰斗、清灰装置、导流装置、气流分流分布板、滤筒及电控装置组成，类似气箱脉冲袋除尘结构。

滤筒在除尘器中的布置很重要，既可以垂直布置在箱体花板上，也可以倾斜布置在花板上，从清灰效果看，垂直布置较为合理。花板下部为过滤室，上部为气箱脉冲室。在除尘器入口处装有气流分布板。

三、滤筒式除尘器工作原理

和袋式除尘器一样含尘气体进入除尘器下部后，由于气流断面突然扩大及气流分布板作用，气流中一部分粗大颗粒在重力和惯性力作用下沉降在灰斗；粒度细、密度小的尘粒进入滤尘室后，通过布朗扩散和筛滤等组合效应，使粉尘沉积在滤料表面上，净化后的气体进入净气室由排气口经风机排出。

滤筒式除尘器的阻力也是随滤料表面粉尘层厚度的增加而增大。阻力达到某一规定值时进行清灰。此时 PLC 程序控制脉冲阀的启闭，首先一分室提升阀关闭，将过滤气流截断，然后电磁脉冲阀开启，压缩空气以极短的时间在上箱体内迅速膨胀，进入滤筒，使滤筒产生振动，并在逆向气流冲刷的作用下，附着在滤袋外表面上的粉尘被剥离落入灰斗中。清灰完毕后，电磁脉冲阀关闭，提升阀打开，该室又恢复过滤状态。清灰各室依次进行，从第一室清灰开始至下一次清灰开始为一个清灰周期。脱落的粉尘掉入灰斗内通过卸灰阀排出。这里详细介绍袋式与滤筒除尘器的区别。

（一）关于袋式除尘器

袋式除尘器实际上是一种过滤式除尘器，即烟气通过纤维制造物，把烟尘过滤下来净化气体排放的另一种除尘技术，这在当今世界发达国家也应用很普遍，它的优点是性能稳定，只要滤袋不坏，就可以保证对微米或亚微米的烟尘过滤效率达到99%以上，烟尘排放可保在50mg/m^{3}以下。对粉尘性质不挑剔，不受粉尘比电阻限制。但它也有不足之处：其一是要求过滤风速低，为每分钟1m，而电收尘器是每秒1m，占地面积大，投资大，特别是滤袋寿命，一般仅在一年左右，不仅换袋费工费时，滤袋价格也高，增加了很大一部分维护费用。特别在有些高温场合，没有严格的降温措施就会烧袋报废，因此对温度要求极为严格，更绝对不允许有微小的火星进入除尘器内，再者就是怕潮湿，一旦煳袋就会堵死报废，它要求烟气要绝对干燥。

（二）滤筒式除尘器（如图1所示）

以前这种除尘器只在很少的卷烟厂采用过，其除尘效率可达99.9%，如在郑州烟厂应用排尘浓度仅2mg/m^3，低于车间内空气的粉尘含量，除了由于依赖进口，价格较高，而未能普遍推广应用外，还因为我国没有这些滤材和折叠的设备。

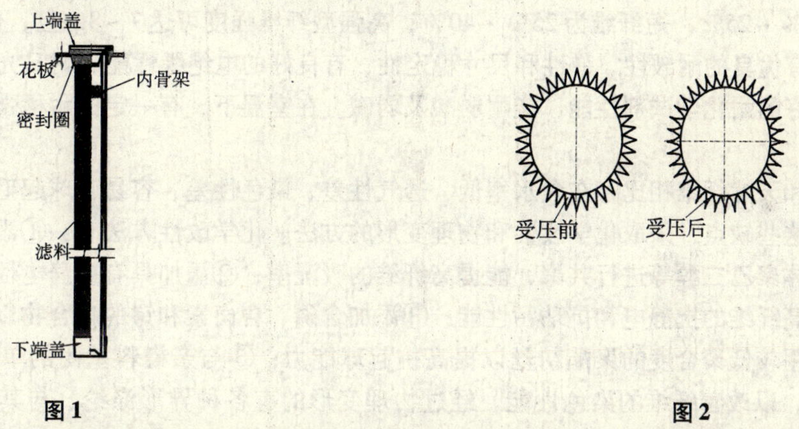

图1　　图2

近年来不仅有美国的唐纳森公司在我国建立了分公司，更有河南省鹤壁东方环保公司研制出了多种用于折叠滤筒的滤材，更研制出了用于折叠的热压设备，已经可以生产各种规格的滤筒了。

1. 它也可以同时叫做弹夹式除尘器，因为更换筒（袋）像装子弹一样容易，彻底解决了常规袋式除尘器更换滤袋时特大的工作量。

2. 这种滤筒是采用星形折叠式（如图2所示），同样过滤面积可增大5~7倍，从而减少了占地面积，相对降低了用钢量和成本。

3. 滤材表面有防水、防油、防静电的涂层，可以水冲洗，彻底解决了常规袋式怕水、怕油、糊袋的弊端。

4. 滤材为聚酯纤维，不怕腐蚀又耐磨，寿命可达到5年以上，从而降低了维护费用。

5. 滤材为芳纶纤维时可允许温度在210℃以上。

6. 设计有配气室，一为使气流分布均匀，二为粉尘浓度大时起到了一级降尘作用。

7. 它有特殊的橡胶密封圈，只要用手把滤筒推入除尘器的花板孔内，即可严格密封，既方便又严密。

8. 它没有任何金属件与气体接触，因此不怕含酸、碱性气体腐蚀，从而保证了寿命长达5年以上。

9. 系列规格：可按要求任意组合如：φ150×2000；过滤面积为6m^2，内孔直径为85，φ325×660；过滤面积10m^2 等。

10. 滤材型号：<120℃为PNA滤材；<120℃为V－W为防结露滤材；<120℃为Nomex滤材。

11. 控制系统：全部配有PPC控制箱，可根据阻力、粉尘浓度等设定自动清灰。

（三）关于滤材的比较

滤筒式除尘器所采用的滤材一般和袋式除尘器材料性质是一样的，都是涤纶化纤织物。但是制造方法上有很大区别，袋式除尘器的滤材克重一般300~800g/m^2，按使用用途不同，有涤纶针刺毡，防静电针刺毡，混纺型针刺毡，pps针刺毡，诺美塔斯针刺毡，氟耐斯针刺毡等，它的克重都在500g/m^2 以上。而滤筒除尘器所用的滤材，克重一般为240g/m^2，材料的材质一般为聚酯纤维 polyesterfibre。

聚酯纤维由有机二元酸和二元醇缩聚而成的聚酯经纺丝所得的合成纤维。工业化大量生产的聚酯纤维是用聚对苯二甲酸乙二醇酯制成的，中国的商品名为涤纶。

性能涤纶的比重为1.38；熔点255~260℃，在205℃时开始黏结，安全熨烫温度为135℃；吸湿度很低，仅为0.4%；长丝的断裂强度为4.5~5.5g/旦，短纤维为3.5~5.5g/旦；长丝的断裂伸长率为15%~25%，短纤维为25%~40%；高强型纤维强度可达7~8g/旦，伸长为7.5%~12.5%。涤纶有优良的耐皱性、弹性和尺寸稳定性，有良好的电绝缘性能，耐日光，耐摩擦，不霉不蛀，有较好的耐化学试剂性能，能耐弱酸及弱碱。在室温下，有一定的耐稀强酸的能力，耐强碱性较差。

改性涤纶和天然纤维相比存在含水率低、透气性差、染色性差、容易起球起毛、易玷污等缺点。为了改善这些缺点，采取化学改性和物理变形的方法。化学改性方法有：①添加有亲水基团的单体或低聚体聚乙二醇等进行共聚，能提高纤维的吸湿率；②添加具有抗静电性能的单体进行共聚，可以提高纤维的抗静电和抗玷污性能；③添加含磷、含卤素和锑的化合物以改善纤维耐燃烧性能；④采用较低聚合度的聚酯纺丝以提高抗起球能力；⑤与亲染料基团的单体（如磺酸盐等）进行共聚，以改善纤维的染色性能。经过物理变形的有各种异形涤纶、与其他高聚物复合纺丝、着色的涤纶、细旦涤纶和高收缩涤纶等。

在粉尘浓度较低的行业，用滤筒式除尘器替代布袋式除尘器，已经得到客户的认可，但在粉尘浓度较高的行业，滤筒除尘器的应用一直受客户怀疑，毕竟，在水泥、铸造、电力、矿产等领域，应用范围还是比较大的。各种脉冲褶式滤筒，滤筒长度为660~2500mm之间可选，滤筒直径φ125~φ350之间甚至更大，滤材采用长纤维聚酯及后处理材质，采用浅褶距易清灰设计，其过滤面积是普通相同规格滤袋的5~7倍，布袋除尘器和滤筒除尘器作以下比较。

过滤材料与原理

项　目	滤筒除尘器	布袋除尘器
滤筒或滤袋	硬质滤料呈折叠布置形成圆筒，无骨架，筒短，筒间间距大，清灰彻底，无二次污染	软质滤料缝成滤袋，套入钢筋焊成的骨架上，滤袋竖向密布
滤料种类	长聚酯纤维及其后处理材质	多为单层普通工业涤纶布
过滤原理	表面过滤原理、粉尘不深入滤料内	深层过滤原理，粉尘深入滤料内。靠滤料外表面建立粉尘层维护除尘效率

主要性能比较

项　目	滤筒除尘器	布袋除尘器
滤料特性	抗结露，透气性好，超细粉尘、纤维性粉尘都不易透过	滤料粗糙，易黏粉尘，透气性差，超细粉尘、纤维性粉尘易透过
除尘效率	除尘效率高达99.7%~99.9%工作稳定，可降低排放浓度，有利于对总排放量的控制，适合高浓度工况	除尘效率不如滤筒式高，为99%~99.5%，对控制排放浓度及总排放量均不利不适用于高浓度工况
除尘器阻力	阻力低，一般粉尘：1000Pa以下	阻力大，一般粉尘1500Pa有时更高
反吹系统	压缩空气反吹力大、均匀，效果好	风机反吹力小，因滤袋长而反吹不均匀，效果差，一般粉尘的过滤风速超过1.0m/min时，粉尘吹不下来。压缩空气反吹，力量大，但滤袋过长，反吹不均匀（脉冲式）
漏风率	设备开口少，漏风率小于4%	设备开口多，漏风率5%甚更高
外形尺寸，重量，安装与组合	外形尺寸很小，重量轻，可单元组合，并可与主风机组成机组，除尘器上部无工作面安装方便，占用空间小。设备本体上无运动部件，无维修工作量。滤筒在工作及反吹的不断交换运动中，无机械磨损，使用寿命长，有时可达数年。拆滤筒不需任何工具，拆装方便	外形庞大，笨重，为单体设备，主风机为散件，安装占用空间大，上部须留3m高抽袋空间。顶部有反吹风机、回转臂、脉动阀等几个机械运动部件，长年运行，易损坏。滤料与骨架在工作与反吹时一吸一鼓，不断摩擦，损伤滤料严重，换滤袋繁琐、费钱、费力、又产生二次污染

四、气量分布板

滤筒除尘器均设计有气流分布板，可阻挡进口处由于风速较高造成对滤料的高磨损区域。气流分布板用于滤筒式除尘器有独特要求，气流分布必须十分稳定和均匀，才有利于气流的上升和粉尘的下降，气流分布板开孔率35%。根据计算，阻力系数<2，由此可见在气流速度<0.8m/s的情况下，多孔气流分布板可以满足滤筒式除尘器的要求。

五、工业应用

我们以过滤面积同样为40m^{2}和400m^{2}两种型号图纸进行对比（见图3~图6），便可清晰地看出其减少面积和用钢量以及降低造价的优点。

（1）设备费：420m^{2}滤筒除尘器总重2400kg，420m^{2}袋式除尘器总重12500kg，按每吨10000元计相差5倍；40m^{2}滤筒除尘器重量600kg，袋式40m^{2}除尘器重量1410kg，按每吨10000元计相差3倍。

（2）耗钢量：上述可见重量相差5倍。

（3）占地面积：420m^{2}滤筒除尘器占地面积8.8m^2，420m^{2}袋式除尘器占地面积25m^{2}差3倍多。40m^{2}滤筒除尘器占地面积1m^2，40m^{2}袋式除尘器占地面积3m^{2}差3倍多。

（4）阻力损失：滤筒850Pa，袋式1700Pa相差1倍。

（5）能量消耗：相差1倍。

（6）维修：滤筒开门即换，滤袋需要上部抽出换代空间3m。维修费用相差5倍以上。

（7）滤筒可以水洗，滤袋不能水洗。

（8）寿命：滤筒为自带骨架，而袋式除尘器需要袋笼。在不断的清灰反吹中布袋与袋笼磨损严重，因此寿命最多半年到1年，而滤筒最少两三年以上。

六、结束语

从上述经济性对比中可以看出，体积越大的处理风量越大的经济效果越明显，而钢铁、水泥、化肥、电力等行业均需要几十万到上百万风量的大型除尘设备，而从滤材轻1倍以上，体积减小必然减少框架的耗钢量，在目前节能减排中就会产生不可估量的作用。

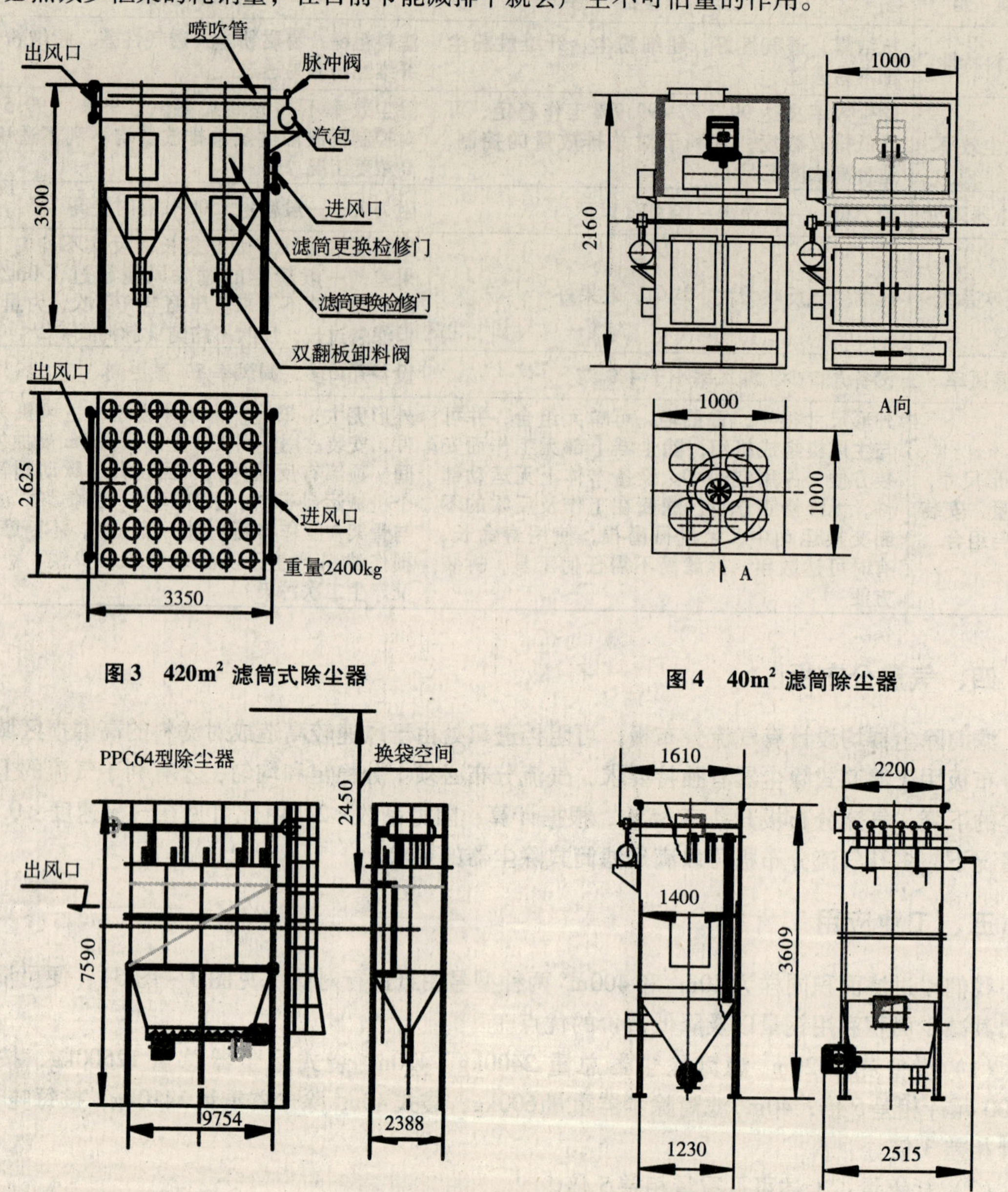

图3 420m² 滤筒式除尘器

图4 40m² 滤筒除尘器

图5 PPC 64－8，420m² 袋式除尘器

图6 MC－40m² 袋式除尘器

相对湿度对烟气脱硫及烟气监测的影响

李恒庆　潘　光　由希华　魏子勇

（山东省环境监测中心站　山东　济南　250013）

摘　要　烟气脱硫是目前国际上广泛采用的控制二氧化硫的成熟技术，其中半干法烟气脱硫工艺在电厂烟气脱硫装置中占到20%～30%。该工艺的核心是将燃煤烟气绝热增湿，以促进氢氧化钙与二氧化硫反应的进行。其衡量指标之一为烟气相对湿度。烟气湿度大，烟气脱硫效果好，但不利于烟气排放。为此，本文分析了相对湿度的概念、对脱硫的影响。同时本文根据多年的实践经验，分析了相对湿度对烟气监测的影响，并提出了相应的解决办法。

关键词　烟气脱硫　半干法　相对湿度　烟气监测

在电厂烟气脱硫装置中，半干法烟气脱硫工艺目前占到20%～30%，该工艺采用喷雾干燥原理，将熟石灰浆液雾化成100μm左右细液滴（或将熟石灰粉）喷入到烟气中，液滴中的氢氧化钙与二氧化硫反应，从而脱除其中的二氧化硫。该工艺的核心是将燃煤烟气绝热增湿，以促进氢氧化钙与二氧化硫反应的进行。其衡量指标之一为烟气相对湿度。烟气湿度大，烟气脱硫效果好，但不利于烟气排放。为此，本文分析了相对湿度的概念、对脱硫的影响等。同时本文根据多年的实践经验，分析了相对湿度对烟气监测的影响，并提出了相应的解决办法。

一、相对湿度

（一）相对湿度的定义

烟气中所含的水蒸气的质量与绝热干烟气的质量之比，称为烟气的湿度 H（kg/kg）。烟气湿度反映了烟气中所含水分的绝对量。它可表示为：

H＝烟气中水蒸气的质量/烟气中干烟气的质量

若烟气的分子量近似取29，根据分压定律可得：

$$H = \frac{18P}{29(P-p)} = 0.622\frac{P}{P-p}$$

式中：p 为水蒸气的分压，Pa；P 为烟气的总压，Pa。

烟气的相对湿度 RH 定义为烟气的湿度与同温度下饱和湿烟气的湿度之比的百分数，即

$$RH = \frac{H}{H_A \times 100\%}$$

显然，相对湿度反映了烟气中水蒸气的含量接近饱和的程度，RH 值越小表示烟气越干燥，吸收水分的能力越强；反之，RH 值越大，表示烟气越潮湿，吸收水分的能力越弱。在半干法烟气脱硫中，近绝热饱和温差、相对湿度在一定程度上反映了烟气增湿的程度。

（二）相对湿度（RH）与近绝热饱和温差（$AAST$）的关系

如图1所示，随着烟气出口的近绝热饱和温差的升高，烟气出口的相对湿度呈线性降低，二者是线性反比关系。因此，脱硫塔烟气出口近绝热饱和温差和烟气相对湿度都是脱硫性能的表现参数，二者是异曲同工的。近绝热饱和温差的降低和相对湿度的增加，都使得喷水量的增加。

二、相对湿度对脱硫的影响

（一）对炉内喷钙尾部增湿脱硫技术的影响

炉内喷钙脱硫技术由于装置简单、操作方便、投资少、成本低而受到广泛关注，但其脱硫效

率偏低，在炉内吸硫后随烟气带出的吸着剂，尚有大量未反应的氧化钙。可利用这一部分氧化钙，使之在锅炉后部继续发挥脱硫作用，提高总的脱硫效率。

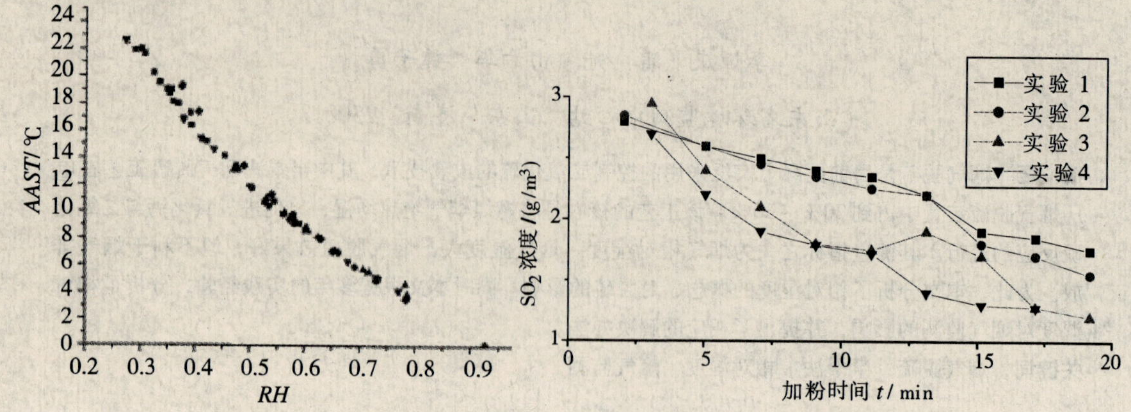

图1　烟气出口的 *AAST* 与 *RH* 之间的关系　　**图2　SO_2 浓度随加粉时间的变化**

相对湿度对炉内喷钙尾部增湿脱硫技术脱硫效率的影响如图 2 和表 1 所示。

表 1　试验工况及脱硫效率

实验号	实验 1	实验 2	实验 3	实验 4
相对湿度/%	24.16	28.21	50.76	61.08
脱硫率/%	38.73	50.05	58.04	61.73

从图 1、表 1 中可以看出，脱硫率受烟气中相对湿度的影响非常明显。从图 1 的 4 条曲线的倾斜程度可以看出，随着相对湿度的加大，脱硫率也随之加大。在本实验范围内，相对湿度由 24% 增加至 61%，脱硫率由 39% 增加至 62%，增加将近 1.6 倍，也就是说随着相对湿度的增加脱硫率明显增大，这是因为床内相对湿度越大，吸收剂粒子表面就越润湿，$Ca(OH)_2$ 生成越迅速，烟气中 SO_2 被吸收的量越多，从而使脱硫率增大。同时看出相对湿度对脱硫率的影响趋势，相对湿度较小时影响较大，而相对湿度较大时，则影响变小。

（二）对半干法循环流化床烟气脱硫的影响

半干法循环流化床烟气脱硫的增湿方式包括喷浆增湿和喷粉增湿两种。图 3、图 4 分别给出了浆液雾化、喷粉增湿工艺下脱硫效率随近绝热饱和温差对脱硫效率的影响规律及两种工艺的比较。图 3、图 4 是不同增湿方式不同脱硫剂时 *AAST* 对脱硫效率的影响。

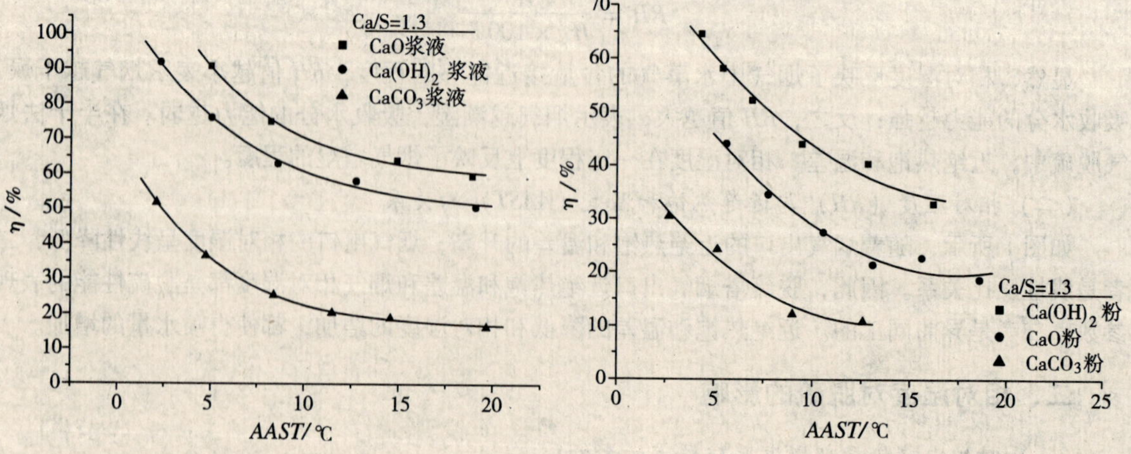

图3　浆液雾化时 AAST 对脱硫效率的影响　　**图4　喷粉增湿时 AAST 对脱硫效率的影响**

由图3、图4可以看出，脱硫效率随 *AAST* 降低，几乎呈线性递增趋势机理分析表明，较低的近绝热饱和温差以3种方式强化了脱硫。首先，当近绝热饱和温差降低时，液滴的寿命将提高，延长了二氧化硫与液滴的反应时间；其次，近绝热饱和温差的降低，导致喷雾量的增加，从而提高了可供传质的表面积；最后，较低的近绝热饱和温差，意味着喷水量的增加，以及烟气相对湿度的提高。等到液滴完全干燥，较高的烟气温度提高了那些未跟液滴反应吸收剂颗粒的反应活性，强化了工艺中的气固反应。

三、相对湿度对脱硫效率测量的影响

我国目前使用的 SO_2 监测方法主要有碘量法、甲醛缓冲溶液吸收－盐酸副玫瑰苯胺分光光度法和定电位电解仪器法等几种方法。定电位电解仪器法多为便携式仪器，由于测量范围广、直接读数、迅速方便而受到使用者的欢迎，成为目前在脱硫装置性能检测中主要使的仪器。但是这种仪器在实际使用中容易受到很多方面的影响，相对湿度便是其中的一个影响因素。

相对湿度对测量结果的影响是因为 SO_2 容易溶于水形成酸酐，在正常状况下每毫升水可溶解40ml的 SO_2。因此，在采样过程中遇水会损失，从而严重影响测量结果。定电位电解仪器配备的采样管本身通常没有加热措施，所以在烟气相对湿度比较高的时候，烟气在途中降温，很容易在管壁上出现凝结水，尤其是多次重复测量使用时，影响更为显著，使用时间越长影响越大。

此外，取样烟气烟尘浓度过大、烟道负压过大也对测量结果影响较大。

解决措施如下：

1. 对取样管进行加热保温　采样烟气温度下降，引起烟气中水蒸气结露将直接影响测量结果准确，因此，对烟气采样装置进行保温和加热是最直接的方法。目前经常采用的是在烟气采样器前连接烟气预处理器，以达到加热保温、烟气测试准确的效果。多次实验证明对于含湿量在5%以上的烟气进行监测时，若对取样管不进行加热保温，二氧化硫监测结果明显偏低。

2. 对取样烟气进行增压　便携式烟气分析仪采样装置抽力不足是高负压烟气采样测量的一个难题，尤其在烟道负压高于4000Pa以上时更为明显。因此，在负压较高时，必须采用有增压辅助装置的分析仪。

3. 烟尘和其他颗粒物的滤除　如果烟气中含尘量较大、尤其是含有碱性物质时，应增加采样烟气预除尘装置。每次使用完毕，除按照使用说明将仪器采用清洁空气归零外，经常用压缩空气吹扫采样管路和过滤器，以尽量减少管路附着物对测量结果的影响。

四、总　结

从以上可看出，相对湿度对半干法脱硫的脱硫效率有很大的影响，在不影响烟气排放情况下，相对湿度大则脱硫效率高。另外，使用便携式烟气分析仪对烟气脱硫效率检测时，相对湿度大则测得的数据偏低，对取样管采取必要的措施才能保证测得的数据较为准确。

参考文献

[1] 董勇．烟气脱硫循环流化床内物料分离循环的研究［D］．哈尔滨：哈尔滨工业大学，2004，1，72－73.

[2] 刘海波，杨学富，钱枫，等．相对湿度对烟气脱硫效率的影响［J］．北京轻工业学院学报，2000，3，18（1）：1－3.

[3] 高继慧，马春元，吴少华，等．烟气中 SO_2 采样测量技术的应用与改进［J］．环境工程，2001，10，19（5）：48－49，53.

烟气脱硝技术及在我国的应用

潘　光　李恒庆　由希华　石敬华

（山东省环境监测中心站　山东　济南　250013）

摘　要　氮氧化物气体是危害最大、最难处理的大气污染物之一。随着经济的发展，有效控制燃煤造成的大气污染形势已经刻不容缓，特别是控制燃煤过程中的氮氧化物，烟气脱硝技术显得相当重要。本文分析了几种常用的烟气脱硝技术（选择性催化还原脱硝技术、选择性非催化还原脱硝技术、碱性溶液吸收法和等离子体活化法等）的原理、技术特点以及在我国的应用情况。最后基于我国的实际情况提出了烟气脱硝的可行方案，从而为工业废气脱硝技术的进一步开发和研究提供参考。

关键词　氮氧化物　烟气脱硝技术　选择性催化还原脱硝技术　选择性非催化还原脱硝技术

引　言

大气中 NO_x 来源于自然和人为排放，其中人为排放的 NO_x 主要来自于火力发电站等工业的燃料燃烧和机动车废气排放。我国燃煤电站 2000 年 NO_x 的排放为 469 万 t，2002 年为 520 万 t，预计到 2010 年将达到 550 万 t。如果按照燃煤电厂目前的机组扩容速度和排放情况，只控制了 SO_2 的排放，而不采取有效的烟气脱硝技术控制 NO_x 的排放，2010 年以后的 5 ~ 10 年，NO_x 排放总量将会超过 SO_2，成为电力行业的第一大酸性气体污染排放物[1-3]。

1982 年 4 月 6 日国务院颁布了《大气环境质量标准》（GB 3095—1982），并于 1982 年 8 月 1 日实施，大气环境质量标准分为三级，规定了 NO_x 的浓度限值日平均排放标准。1996 年修订为《环境空气质量标准》（GB 3095—1996），在此基础上根据各地区的地理、气候、生态、政治、经济和大气污染程度，确定大气环境质量分为三类。另外还特别规定 NO_2 的浓度限值。1996 年国家环保局修订了《火电厂大气污染物排放标准》（GB 13223—1996），在本标准中首次规定了 NO_x 排放量标准限值，规定 1997 年 1 月 1 日起环境影响报告书待审查批准的新、扩、改建火电厂 300MW 及以上机组固态排渣煤粉炉 NO_x 排放质量浓度不得超过 $650mg/m^3$，液态排渣煤粉炉不得超过 $1000mg/m^3$。在 2003 年 12 月 23 日发布了进一步修订的《火电厂大气污染物排放标准》（GB 13223—2003），并于 2004 年 1 月 1 日执行。该标准规定，不同时段的火电厂 NO_x 最高允许排放质量浓度按表 1 规定执行。

表 1　火力发电锅炉及燃气轮机组 NO_x 最高允许排放浓度　　单位：mg/m^3

时　段		第 1 时段	第 2 时段	第 3 时段
		2005 年 1 月 1 日	2005 年 1 月 1 日	2004 年 1 月 1 日
燃煤锅炉	Vdaf < 10%	1500	1300	1100
	10% < Vdaf < 20%	1100	650	650
	Vdaf > 20%			450
燃油锅炉		650	400	200
燃气轮机组	燃油			150
	燃气			80

现在，对火电厂排放 NO_x 实行总量控制已基本具备法律、排放标准、排污收费、治理技术等方面的条件，从“十一五”开始，对火电厂排放 NO_x 实施总量控制是最佳时机；最新修订的

火电厂排放标准对新老机组执行同样严格的排放浓度标准，在《排污费征收使用管理条例》中也规定，到2005年7月，对NO_x执行与SO_2相同的排污费征收标准。

因此，随着经济的发展，有效控制燃煤造成的大气污染形势已经刻不容缓，特别是控制燃煤过程中的氮氧化物，脱硝技术显得相当重要[4-6]。

一、NO_x控制技术的分类

根据NO_x的产生机理，NO_x的控制主要有三种方法：①燃料脱氮；②改进燃烧方式和生产工艺，即燃烧中脱氮，包括空气分级燃烧、燃料再燃、低NO_x燃烧器、浓淡偏差燃烧、低氧燃烧和烟气再循环燃烧等；③烟气脱硝，即燃烧后NO_x控制技术；根据不同目的可分为不同的方法：按照操作特点可分为干法、湿法和干－湿结合法三大类，其中干法又可分为选择性催化还原法（SCR）、吸附法、高能电子活化氧化法等；湿法分为水吸收法、络合吸收法、稀硝酸吸收法、氨吸收法、亚硫酸氨吸收法等；干－湿结合法是催化氧化和相应的湿法结合而成的一种脱硝方法；根据净化原理可分为催化还原法、吸收法和固体吸附法等。

燃料脱氮技术至今尚未很好地开发，相关的报道还很少，有待于今后继续研究。燃烧中改进燃烧方式和生产工艺脱氮技术，国内、外已做了大量研究，开发了许多低NO_x燃烧技术和设备，并已在一些锅炉和炉窑上应用。但由于一些低NO_x燃烧技术和设备有时会降低燃烧效率，造成不完全燃烧损失增加，设备规模随之增大，NO_x的降低率也有限，所以目前低NO_x燃烧技术和设备尚未达到全面实用阶段。因此，烟气脱硝是近期内NO_x控制措施中最重要的方法，探求技术上先进、经济上合理的烟气脱硝技术是现阶段工作的重点[7]。

二、常用的烟气脱硝技术及在我国的应用

（一）选择性催化还原脱硝（SCR）

SCR（Selective Catalytic Reduction）[2]是由美国Eegelhard公司发明并于1959年申请了专利，而日本率先在20世纪70年代对该方法实现了工业化。它是利用NH_3和催化剂（铁、钒、铬、钴、钼及碱金属）在温度为200～450℃时将NO_x还原为N_2。NH_3具有选择性，只与NO_x发生反应，基本上不与O_2反应。其主要的化学反应如下：

$$4NO + 4NH_3 + O_2 \rightarrow 4N_2 + 6H_2O \tag{1}$$

$$6NO + 4NH_3 \rightarrow 5N_2 + 6H_2O \tag{2}$$

$$6NO_2 + 8NH_3 \rightarrow 7N_2 + 12H_2O \tag{3}$$

$$2NO_2 + 4NH_3 + O_2 \rightarrow 3N_2 + 6H_2O \tag{4}$$

SCR法中催化剂的选取是关键。对催化剂的要求是活性高、寿命长、经济性好和不产生二次污染。在以氨为还原剂来还原NO_x时，虽然过程容易进行，铜、铁、铬、锰等非贵金属都可起有效的催化作用，但因烟气中含有SO_2、尘粒和水雾，对催化反应和催化剂均不利，故采用SCR法必须首先进行烟气除尘和脱硫，或者是选用不易受肮脏烟气污染影响的催化剂；同时要使催化剂具有一定的活性，还必须有较高的烟气温度。通常是采用TiO_2为基体的碱金属催化剂，最佳反应温度为300～400℃。

SCR法是国际上应用最多，技术最成熟的一种烟气脱硝技术。在欧洲已有120多台大型的SCR装置的成功应用经验，NO_x的脱除率达到80%～90%；日本大约有170套SCR装置，接近100 000MW容量的电厂安装了这种设备；美国政府也将SCR技术作为主要的电厂控制NO_x技术。该法的优点是：反应温度较低；净化率高，可达85%以上；工艺设备紧凑，运行可靠，还原后的氮气放空，无二次污染。但也存在一些明显的缺点：烟气成分复杂，某些污染物可使催化剂中毒；高分散的粉尘微粒可覆盖催化剂的表面，使其活性下降；投资与运行费用（投资费用80美

元/ kW）较高。

我国 SCR 技术研究开始于 20 世纪 90 年代。1995 年，台湾台中电厂 5 ~ 8 号 4 × 550MW 机组就安装了 SCR 脱硝装置，大陆第一台脱硝装置安装于福建后石电厂 6 × 600MW 机组，1999 年陆续投运。自 2004 年 11 月，国华宁海电厂 600MW 和国华台山电厂 600MW 机组烟气脱硝装置国际招标开始，中国脱硝市场迅速升温。世界各脱硝公司纷纷云集中国抢占市场，同时受近年中国烟气脱硫市场竞争的影响，中国脱硝市场一开始就呈现激烈竞争的局面。目前国内已有十多个大型环保工程公司和锅炉厂完成和正在进行 SCR 脱硝技术引进。截至 2005 年底，我国大陆已通过环境影响评价批准和待批准的火电脱硝机组容量 2900MW，大部分集中在江苏省沿江火电密集地区，或者上海、天津、厦门、长沙、宁波、济南、广东等人口稠密和敏感区域。目前中国在建的脱硝项目超过 14 个，脱硝机组容量达 11 400MW 以上，其中 SCR 技术占在建脱硝项目总容量的 70% 左右。目前我国正处于 SCR 脱硝项目示范阶段，已运行和在建的 SCR 装置主要处于环保指标要求较严格的城市和新建的大型燃煤机组[7]。

（二）选择性非催化还原脱硝（SNCR）

选择性非催化还原脱硝[2]（Selective Non - Catalytic Reduction，SNCR）是用 NH_3、尿素等还原剂喷入炉内与 NO_x 进行选择性反应，不用催化剂，因此必须在高温区加入还原剂。还原剂喷入炉膛温度为 900 ~ 1200℃ 的区域，该还原剂迅速热分解成 NH_3 并与烟气中的 NO_x 进行 SNCR 反应生成 N_2，该方法是以炉膛为反应器。其中 NH_3 或尿素作为还原剂还原 NO_x 的主要反应为：

NH_3 为还原剂

$$4NH_3 + 4NO + O_2 \rightarrow 4N_2 + 6H_2O \tag{5}$$

尿素为还原剂

$$(NH_4)_2CO \rightarrow 2NH_2 + CO \tag{6}$$

$$NH_2 + NO \rightarrow N_2 + H_2O \tag{7}$$

$$CO + NO \rightarrow N_2 + CO_2 \tag{8}$$

当温度更高时，NH_3 则会被氧化为 NO，即

$$4NH_3 + 5O_2 \rightarrow 4NO + 6H_2O \tag{9}$$

实验证明，低于 900℃ 时，NH_3 的反应不完全，会造成所谓的氨漏失；而温度过高，NH_3 氧化为 NO 的量增加，导致 NO_x 排放浓度增大，所以 SNCR 法的温度控制是至关重要的。

此法的脱硝效率约为 40% ~ 70%，多用作低 NO_x 燃烧技术的补充处理手段。SNCR 技术目前的趋势是用尿素代替氨作为还原剂，值得注意的是，近年的研究表明，用尿素作为还原剂时，NO_x 会转化为 N_2O，N_2O 会破坏大气平流层中的臭氧，除此之外，N_2O 还被认为会产生温室效应，因此产生 N_2O 问题已引起人们的重视。但较高浓度的逃逸 NH_3 与 SO_2 结合，容易出现由于硫酸铵的生成引起在加热器上的沉积和飞灰中高 NH_3 浓度等问题。

与 SCR 法相比，SNCR 法除不用催化剂外，基本原理和化学反应基本相同。因没有催化剂作用，反应所需温度较高（900 ~ 1200℃），温度控制是关键，以免氨被氧化成氮氧化物。该法投资较 SCR 法小（投资费用 15 美元/ kW），但氨液消耗量大，NO_x 的脱除率也不高。SNCR 技术是已投入商业运行的比较成熟的烟气脱硝技术，建设周期短、投资少、脱硝效率中等，比较适合于中小型电厂改造项目。

20 世纪 70 年代，SNCR 技术首先在日本投入商业应用，目前全世界约有 300 套 SNCR 装置，其中 30 个为电站锅炉，装机容量约为 7100MW，其中 600MW 以上电站锅炉有 5 套，最大容量达 640MW。日本的松岛火电厂的 1 ~ 4 号燃油锅炉、四日市火电厂的两台锅炉、知多火电厂 350MW 的 2 号机组和横须火电厂 350MW 的 2 号机组都采用了该法。由于 SNCR 技术的 NO_x 脱除率较低（<30%），而氨的逃逸率却较高，所以目前世界上大型电站锅炉单独使用 SNCR 技术的较少，

绝大部分是将 SNCR 技术和其他脱硝技术联合应用，如 SNCR 和低氮燃烧技术联合，以及 SNCR/SCR 混合技术等。此外，SNCR 还与低 NO_x 燃烧器和再燃烧技术等联合应用。

目前国内应用 SNCR 技术的分别是江苏阚山电厂 2×600MW 和江苏利港电厂 2×600MW 及 2×600MW 超临界机组。这两个项目都是在应用低 NO_x 燃烧技术的基础上，采用 SNCR/SCR 联合烟气脱硝技术。脱硝工程分为两期，首先实施 SNCR 部分，SCR 部分在环保标准要求更高时实施[7]。

（三）碱性溶液吸收法

该法是采用 NaOH、KOH、Na_2CO_3、$NH_3 \cdot H_2O$ 等碱性溶液作为吸收剂对 NO_x 进行化学吸收。其中氨的吸收率最高，为进一步提高吸收效率，又开发了氨－碱溶液两级吸收：首先氨与 NO_x 和水蒸气进行完全气相反应，生成硝酸铵和亚硝酸铵白烟雾；然后用碱性溶液进一步吸收未反应的 NO_x，生成硝酸盐和亚硝酸盐，NH_4NO_3、NH_4NO_2 将溶解于碱性溶液之中。吸收液经多次循环，碱液耗尽之后，将含有硝酸盐和亚硝酸盐的溶液浓缩结晶，可作肥料使用[7-9]。

该法广泛用于我国常压法、全低压法硝酸尾气处理和其他场合的含 NO_x 的废气治理。采用该法的优点是能将 NO_x 回收为有销路的亚硝酸盐或硝酸盐产品，有一定经济效益；工艺流程和设备也较简单。缺点是吸收效率不高，对烟气中的 NO_2/NO 的比例有一定限制。

（四）等离子体活化法

等离子体活化法是 20 世纪 80 年代发展起来的一种新型烟气脱硝技术，其原理主要是利用高能辐射激发烟气的各种气体分子，使之产生自由电子和活性基团，从而与 SO_2 及 NO 反应达到脱硫脱硝目的。根据高能电子的来源可分为电子束法（EBDC）和脉冲电晕等离子法（PPCP）[7-9]。

电子束法（EBDC）是 20 世纪 70 年代初由日本提出的，它是利用阴极并经电场加速形成高能电子束（500～800keV），这些电子束辐照烟道气时产生辐射化学反应，生成 OH、O 和 HO_2 等自由基，这些自由基可以和 SO_2、NO_x 生成硫酸和硝酸，经分离达到净化目的。该法已达中试阶段，脱硝率达 75% 左右，脱硫率达 90% 以上，我国于 1998 年在成都电厂建成了电子束烟气脱硫示范工程。该法不足之处是需昂贵的电子加速器，处理单位体积的烟气能耗较高，并要求有 X 射线屏蔽装置。

脉冲电晕法（PPCP）是 20 世纪 80 年代提出的，它是在直流高电压上叠加一脉冲电压，形成超高压脉冲放电，在超高压脉冲放电下，需处理的烟气可在极短时间内，使空间电场强度发生突然的巨大变化，反应器中烟气被瞬间激活，自由能猛增，形成活化分子。这些活化分子在发生频繁碰撞的瞬间，将动能转化为分子内部的势能，原有的化学键发生断裂，生成新的单一原子气体或单质固体微粒，达到烟气净化目的。该法具有显著的脱硫、脱氮效果，去除率均可达到 80% 以上，而且还可同时脱除烟气中的重金属，除尘效果也优于直流电晕方式的传统静电除尘技术，有望成为一种脱硫、脱氮、除尘一体化的新工艺。目前已成为研究热点，正处于工业性试验阶段。

三、结　语

据估算，截至 2004 年底，全国发电装机总容量突破 4.4 亿 kW，其中火电总装机容量突破 3.25 亿 kW。至 2010 年全国电力行业约需新建、改建烟气脱硝装机总容量可达上亿千瓦，脱硝领域将形成一个容量达到 1100 亿元的大市场。由于我国前期投入不足，目前尚无成熟的烟气脱硝技术。目前，国内已建成的或正在建设的大型烟气脱硝工程均需全套进口或引进关键技术和设备。这些设备建成投产的效果虽然比较好，但同时又存在建设投资大、运行费用高等问题，同时需要支付高额的技术使用费，在工期、技术方面受制于人等问题。缺乏自主知识产权的大型火电机组烟气脱硝的核心技术是我国大面积实施烟气脱硝的关键问题。

针对我国国情，特别是经济承受能力，选用何种控制技术，应因地制宜，充分利用当地资源，做到经济上可行、技术上成熟、运行可靠。相信随着 NO_x 的排放收费以及一些烟气脱硝工艺技术的成熟，我国脱硝工业将进入一个崭新的发展时期。

参考文献

[1] 毛健雄，毛健全，赵树民．煤的清洁燃烧［M］．北京：科学出版社，1998.

[2] 苏亚欣，毛玉如，徐璋．燃煤氮氧化物排放控制技术［M］．北京：化学工业出版社，2005：10－13.

[3] 曾汉才．大型锅炉高效低 NO_x 燃烧技术的研究［J］．锅炉制造，2001，3（1）：1－11.

[4] 王恩禄，张海燕，罗永浩，等．低 NO_x 燃烧技术及其在我国燃煤电站锅炉中的应用［J］．动力工程，2004，24（1）：23－28.

[5] 路涛，贾双燕，李晓芸．关于烟气脱硝的 SNCR 工艺及其技术经济分析［J］．现代电力，2004，21（1）：17－22.

[6] 陈秉衡，洪传洁，朱惠刚．上海城区大气 NO_x 污染对健康影响的定量评价［J］．上海环境科学，2002，21（3）：129－131.

[7] 蒋文举．烟气脱硫脱硝技术手册［M］．北京：化学工业出版社，2007.

[8] 侯建鹏，朱云涛，唐燕萍．烟气脱硝技术的研究［J］．电力环境保护，2007，23（3）：24－27.

[9] 赵卫星，肖艳云，林亲铁，等．烟气脱硝技术研究进展［J］．广东化工，2007，34（5）：59－61.

湿式镁法脱硫技术治理烧结机烟气的优势

朱　彤　刘延令　王　俩　宋宝华

（六合天融（北京）环保科技有限公司）

摘　要　本文说明了烧结机烟气的特点，同时提出了适用于烧结机烟气治理的湿式镁法脱硫技术，并详细阐述了湿式镁法脱硫技术的工艺流程和独特的镁法脱硫优势。通过本文为烧结机烟气治理的技术难点提供了新的解决方案，引导烧结机烟气治理技术发展进入一个新的领域。

关键词　湿式镁法脱硫技术　烧结机烟气　副产品效益

一、概　述

根据国家环保规划要求，“十一五”期间，钢铁等非电行业要形成30万t脱硫能力。而烧结机脱硫是控制钢铁行业二氧化硫减排目标的重中之重。国家对烧结机烟气的排放指标日益严格，烧结脱硫将是政府和企业关注的减排重点和难点。

烧结烟气具有二氧化硫浓度变化大，温度变化大，流量变化大，水分含量大，含氧量高，含有多种污染成分等特点，使得其处理难度加大，具体特点如下：

1. 温度较高，120～180℃，有时波动达到80～180℃；

2. 烟气量波动大，高达50%；

3. 烟气水分含量高且波动大，10%～15%；

4. 烧结烟气含有各种杂质很多，甚至有一定量重金属，粉尘浓度可以达到10g/m^3；

5. 含湿量大，为了提高烧结混合料的透气性，混合料在烧结前必须加入适量水制成球状，按体积算，水分含量在9%～16%；

6. 含有腐蚀性和有毒气体，根据不同的矿源，含有一定量的HCl、SO_x、NO_x和微量的重金属等；

7. 风箱的SO_2浓度差别较大。通常烧结机大烟道首部和尾部6个风箱中烟气的SO_2平均浓度不足350mg/m^3，可以不经处理而直接达标排放；而中段9个风箱的SO_2浓度是首尾处的15倍，烟气量也仅为总烟气量的一半多。

而湿式镁法脱硫技术拥有着独特的技术性能和技术优势，具有解决这些技术难点的能力。

二、工艺介绍

湿式镁法脱硫系统主要由吸收剂制备系统、烟气系统、吸收系统、后处理系统和其他工艺系统（包括工艺水、供电、集控系统）组成。

来自于烧结机的原烟气经增压风机提升压头，进入吸收塔。同时，喷入工艺水降低烟气温度，并可以去除一部分灰尘。排入吸收塔的烟气中的SO_2被氢氧化镁喷淋浆液所吸收，进入液相。吸收塔循环泵从吸收塔浆池区中不断地将循环吸收的浆液送至吸收塔内的喷淋管中，浆液经喷嘴雾化成细小液滴再循环喷出。吸收塔下面的浆池区既是喷淋液的贮存罐，也作为循环泵物料的供给罐，与吸收塔成为一体。经洗涤后的烟气需先经过除雾器除去烟气中夹带的液滴。除雾器需定时冲洗，以免物料堵塞流道。离开除雾器的洁净、饱和烟气流经脱硫系统出口烟道，由烟囱排入大气中。

氢氧化镁吸收剂通过熟化氧化镁制得。制备好的吸收剂浆液用浆液给料泵泵出，一部分打入到吸收塔浆池区中，另一部分通过吸收塔循环泵进入脱硫系统。已吸收的SO_2大部分在吸收塔浆池区中以亚硫酸镁形式存在。随着烟气中SO_2的不断被吸收，吸收塔浆池区中不断地产生亚硫酸镁，当浆液中的亚硫酸镁达到一定浓度时，用排出泵把浆液打入到曝气池中，曝气池的底部分布有来自氧化风机的氧化空气，还需添加辅助剂，最终使亚硫酸镁氧化成硫酸镁。再经过处理得到硫酸镁清液，通过蒸发结晶，最后离心干燥包装成七水硫酸镁产品。

三、镁法脱硫技术治理烧结机烟气的优势

（一）脱硫效率高

业主建设脱硫项目的主要目的就是完成环保减排的目标，同时为以后环保排放指标的日益严格做出裕度，避免附加投资，甚至是二次投资。而镁法脱硫是脱硫效率最高最稳定的技术，尤其适用于烧结机烟气脱硫治理。

在化学反应活性方面氧化镁要远远大于钙基脱硫剂，而且在反应过程中，中间产物也参加吸收二氧化硫的反应，大大提高了反应速率，因此其他条件相同的情况下氧化镁的脱硫效率要高于钙法的脱硫效率，一般情况下镁法脱硫效率可达到96%～98%，最高可达99%，镁法能够保证97%的脱硫效率，并保证达到环保要求。对烧结烟气工况适应性极强，同时极大的缓解了日益严格的环保压力，降低了附加投资的可能性。

（二）运行费用少

运行费用同样是任何建设单位最关心的问题之一。镁法脱硫系统具有电耗成本低（含增压风机，见注解），系统检修量小、维护费用低，副产品效益高等众多优势，同时中国是世界氧化镁储量最丰富、产量最大的生产基地，因此脱硫剂价格低廉、简单易得、运输方便。综合各种因素后，确认镁法脱硫系统具有运行成本低，副产品可获得经济效益的优势。

注解：由于增加脱硫系统，导致压力损失增高，从而设置系统增压风机，脱硫系统的电耗应该包含增压风机的电耗，增压风机的电耗是脱硫系统电耗中比重最大的一部分，是影响脱硫系统运行成本的主要因素。

（三）占地面积小

烧结机现有的可建设面积比较小，因此选择的脱硫方法也要具有占地面积小，可立体布置的特点。镁法脱硫由于其小的液气比和高效的反应活性，因此系统设计和设备选型都较其他湿法脱硫技术节省用地，同时设备成熟，体积小，可立体布置。六合天融（北京）环保科技有限公司具有多年的工程总包、建设和设计经验，通过实地勘察，可对系统平面进行优化设计，单台265m^2烧结机的占地面积不大于700m^2，现场完全可以布置下整套脱硫装置。

（四）三系统杂质无影响

1. 氟、氯

烟气中F、Cl都是极易溶于水中，在吸收塔内F、Cl绝大部分被冲刷下来，因此本脱硫工艺同时具有除氟、除氯的作用，去除率可以达到98%以上。27℃ MgF_2的溶解度为8.4mg/100g，当F^-浓度达到60mg/L时就会结晶析出，通过后处理系统的混凝沉淀去除。氯盐的溶解度比硫酸镁的溶解度要大，绝大部分的氯仍然存在于溶液中，最终随着废液被排到系统外，不会影响脱硫副产品的品质。产生的废水量约为3 t/h。

系统产生的废水达到国家的二级标准和钢铁工业水污染物排放标准，可排至厂区综合水处理系统综合利用。

2. 重金属

在七水硫酸镁结晶系统前端设置后处理系统，首先经过曝气氧化将大部分的亚硫酸镁氧化成溶解态的硫酸镁，然后加入有机硫形成重金属硫化物沉淀，沉淀反应完成后加入絮凝剂，在澄清器沉淀并进入污泥废渣中，从而从系统中去除。值得一提的是烧结机烟气中含有H_2S，S^{2-}很容

易与重金属离子形成金属硫化物沉淀，降低了有机硫的使用量。绝大部分的重金属、尘等杂质都被以固体的形式排放到系统外，保证了 $MgSO_4 \cdot 7H_2O$ 的品质。

在进入蒸发器前设置过滤系统，进一步保证了 $MgSO_4 \cdot 7H_2O$ 的纯度。$MgSO_4 \cdot 7H_2O$ 纯度可达到99%，各项指标均达到工业级和肥料级质量要求。

（五）脱硫剂供应充足

在我国氧化镁的储量十分可观，目前已探明的氧化镁储藏量约为160亿t，占全世界的80%左右。其资源主要分布在辽宁、山东、四川、河北等省，其中辽宁占总量的84.7%，其次是山东莱州，占总量的10%。氧化镁完全能够作为充足的脱硫剂应用于烧结厂的脱硫系统中去。

辽宁地区附近的海城、大石桥和凤城等地区是我国乃至世界最大的氧化镁储量和生产基地，所以用量和运输上没有问题。同时，辽宁地区的氧化镁品质好，氧化镁含量高、杂质含量低、二氧化硅含量低、活性高等优点，因此对脱硫系统的稳定运行和副产品的高品质提供了帮助。

（六）副产品品质好

镁法脱硫副产品的品质是可以保证的。首先是通过蒸发前的预处理系统将重金属和其他杂质去除，然后在结晶釜内通过结晶，进一步进行提纯优化。副产品的品质稳定在主含量（以 $MgSO_4 \cdot 7H_2O$ 计）95.0%以上，重金属和氯化物等各项指标的含量不超过国家对于七水硫酸镁的要求指标。

（七）副产品销售稳定

辽宁、山东和天津是世界上镁资源最丰富的地区，同时也是硫酸镁肥料的主要生产、销售基地和出口区域，六合天融（北京）科技有限公司在山东和天津有着广泛的合作资源和销售经验，同时在辽宁地区与众多肥料厂家有着密切的联系。

六合天融（北京）科技有限公司掌握硫酸镁深加工的技术，硫酸镁作为一种重要的肥料，具有非常大的市场需求，公司可以提供畅通的销售渠道。可以负责副产品的包销工作，产生利润可与业主方共享。

将脱硫浆液依次经过曝气氧化（提高浆液内硫酸镁浓度）、絮凝沉淀（除杂）、蒸发结晶（采用三效蒸发、结晶器配干燥器）等工序，实现七水硫酸镁最终产品的制备。$MgSO_4$ 的深加工产品有七水硫酸镁、一水硫酸镁和无水硫酸镁等。

硫酸镁是重要的一种肥料，是农业施肥过程中不可或缺的营养肥，其应用：

1. 可直接作基肥、追肥和叶面喷肥使用；

2. 可单独施用亦可作为组分之一掺混使用；

3. 既可在传统农业领域也可在高附加值精细农业、花卉和无土栽培领域中应用。对水果、蔬菜、经济作物、油料作物、粮食作物的增产均有效，镁是植物叶绿素的有效成分。硫、镁营养元素在不同地区对不同作物增加产量和提高品质方面的应用也很广。

四、结　论

现阶段的烧结机烟气治理技术可谓是百花齐放，真正适合、实用、成熟的烧结机烟气治理技术很少，而硫酸镁工艺非常适用于烧结机烟气脱硫治理。

在氧化镁－硫酸镁工艺中，由于烧结机烟气中氧含量（15%～19%）很高，故吸收塔浆液池内的浆液大部分很容易被氧化成硫酸镁，生产出来的七水硫酸镁具有相当大的经济价值。而且氧化镁－硫酸镁烧结机烟气治理技术具有脱硫效率高、适应烧结机工况、运行费用少、占地面积小、脱硫剂供应充足、杂质去除效率高、副产品品质好、副产品销售稳定等诸多优势，故氧化镁－硫酸镁烧结机烟气治理技术是适用于中国国情下烧结机烟气治理的优势技术。

CEMS 烟气在线监测系统的组成与维护

张　良　张　玮　曹亚明

（河北省环境监测中心站　河北省石家庄市裕华西路106号　050051）

摘　要　CEMS是用来监测固定污染源的污染物排放监测系统，本文结合西门子公司制造的烟气在线监测系统详细介绍了该系统的组成与日常维护。

关键词　在线监测系统　组成　维护

国家环保部在环境保护“十五”计划中把实现污染源在线监测作为工作重点，要求全国重点城市实现占区域污染负荷65%以上的企业安装烟气和水质在线监测设备，并全面实现网络化管理。随着国家对环境监测能力建设投入的加大和自动监测技术的日益成熟，烟气自动监测系统在全国得到了广泛应用，其获取的大量、连续、完整的基础数据，为政府管理和决策部门提供了及时、全面的烟气排放信息。

一、CEMS 系统简介

烟气连续监测系统（Continuous Emission Monitoring System，CEMS），用于连续自动监测固定污染源的污染物排放浓度。将仪器安装在污染源上，实时测量监测污染物的排放浓度和排放量，同时，将监测的数据传送到环保监控中心。

目前越来越多的国外CEMS产品进入我国，按取样方法来分，有代表性的有3种：稀释法CEMS（美国热电子为代表），直接抽取法CEMS（西门子为代表）及原位直接测量法CEMS。因我省大部分电厂采用了直接抽取法的CEMS产品，因此本文结合西门子厂家产品，详细介绍CEMS在电厂环保监测中的应用及维护。

二、系统描述

（一）总体说明

本系统主要用于烟气排放连续监测，适用于电厂、钢厂等行业。监测参数主要有SO_2、NO_x、O_2、粉尘浓度、流量、温度、压力等。烟气监测参数经过信号处理传输至PLC再经过特定软件对这些数据进行分析处理，以实现环保数据的存储、打印、统计和传输的功能。

（二）气体监测

烟气的气体分析主要包括SO_2、NO_x、O_2其中SO_2、NO_x是通过伴热管线取样到气体分析仪测量，气体分析系统由采样探头、取样管线、样品预处理系统、气体分析器、分析仪表柜等组成。

（三）烟气其他参数

烟气其他参数主要包括粉尘、流量、温度、压力等，这些参数的监测由安装在烟道上的仪器直接测量，测量结果以4～20mA电流信号方式传至上位机直接显示。

（四）数据采集处理系统

数据采集处理系统由数据采集和数据处理两部分组成。数据采集系统采用西门子S7－200系列PLC，由CPU226、模拟量输入模块EM231及模拟量输出模块EM232构成。数据处理系统由计算机、烟气监测处理软件等组成。

三、系统维护

（一）SO_2、NO_x 测量原理

首先利用取样泵，从烟道内部连续抽取烟气，通过伴热管线（由于烟气温度比较高，且伴热管线比较长，如果不加热，烟气样会在传送途中冷却，从而水分从烟气中冷凝出来，而与烟气中的 SO_2 和 NO_x 反应，生成硫酸和硝酸，这样不仅对系统产生腐蚀，而且对测量造成影响）传送到冷凝器。冷凝器的温度一般设定在5℃，能使烟气中的水分迅速冷凝下来，冷凝的水分通过连续运转的蠕动泵排走，使其不与烟气中的 SO_2、NO_x 发生化学反应，冷凝器内的蠕动泵连续抽取冷凝水，为了使水分能顺利排出系统外，通过管线与外界相通，空气通过过滤器进入冷凝器内，除去水分的烟气通过精密气体过滤器，传送到气体分析仪。气体分析仪是基于不分光红外线吸收的原理，利用一定波长的红外光的吸收衰减来测量气体的浓度值。具体气路图见图1。

为了保证系统取样管路不被烟气中的粉尘堵塞，气体分析仪设定了定期用空气压缩机压缩空气通过电磁阀 SV1 对伴热管线进行吹扫。

（二）气体分析仪启用前的准备

1. 启动前的准备

由于该仪器是气体分析仪所以在启动前首先要检查气体是否存在泄漏，检查气体是否泄漏通常用一个 U 形管压力计便可以用最简便的方法测量出压力。

（1）在样气路中施加大约 0.1bar 的压力；

（2）记下压力，继续等 15 分钟后再次记下压力；

（3）如果在 15 分钟内，压力的变化量不大于 1hPa（1mbar），则说明气路具有足够的防泄漏性。

2. 分析仪的标定

在分析仪安装好之后，可以用标定气来对分析仪进行标定。标定应该使用一种含有足够浓度被测组分气体（在 N_2 或者合成空气中样气的满量程值的 70% ~100%）来进行。进行标定时应确保气体流量在 1.2 ~2.0L/min 之间。在开始测量之前，分析仪至少要运行 30 分钟，因为只有在这段时间之后，分析部分的充分稳定才可以得到保证。

（三）气路系统的维护

1. 取样探头的维护

应每 6 个月检查一次探头过滤器，可以采用压缩空气对其进行吹扫清洗。如果滤芯严重堵塞或者裂缝应及时更换。

2. 采样管线的维护

采样管线通常为免维护的，需要注意的是不要使重物压在管线上，以避免内部取样管与加热带接触而造成取样管损坏，若取样管损坏将难以修复，必须更换。

3. 冷凝器的维护

气体冷凝器维护量很小，每 6 个月更换一次安装在冷凝器下端的蠕动泵泵管。如果发现冷凝器内有粉尘时可采用人工用水清洗的方法进行处理。

4. 保护过滤器的维护

当有水汽或粉尘物通过保护过滤器时，保护过滤器中的滤纸会变色。这时应更换滤芯。如果保护过滤器的滤芯变色较快，应对过滤器前级气路进行检查。原因可能是探头过滤器失效，冷凝器工作失常所致。

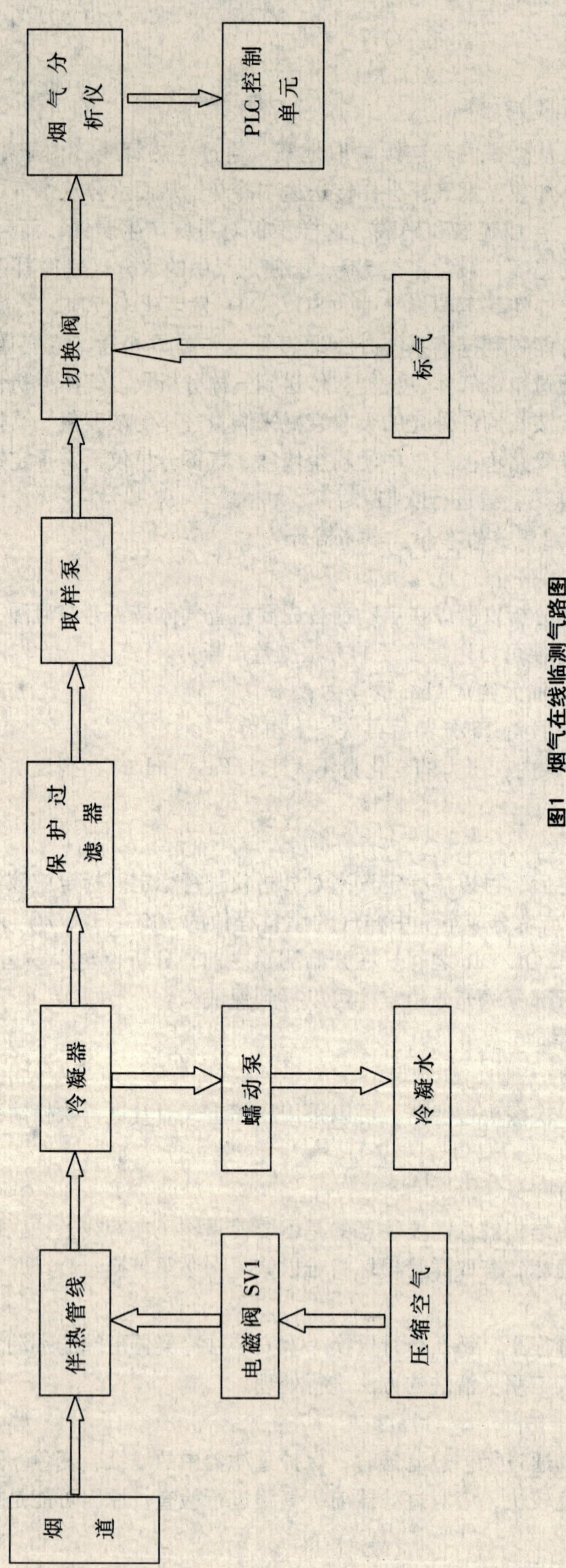

图1 烟气在线监测气路图

5. 测尘仪的维护

正常情况下，应每季度检查一次，如经首次检查发现仪器运行环境恶劣，不能满足要求，则需经常更换空气过滤器。在正常情况下，测尘仪仅仅需要清洁光学窗口，清洁液为50%的酒精和蒸馏水的溶液，酒精需要化学纯级的，不能用含油的酒精，用含油分的酒精溶液清洁光学窗口时，当酒精挥发掉后仍有残留的油分，会影响测量结果的准确性。

四、常见故障及处理方法

（一）流量过低

探头过滤器堵塞或取样泵工作不正常是主要原因，气体分析仪内部为了减缓气体流速，增加了一个用塑料做的气体扩容器，在长时间有腐蚀性气体的冲刷下，可能产生破损现象，也应检查扩容器完整情况。在检查清除泄漏后，要及时处理。

（二）保护过滤器故障

保护过滤器的故障主要表现在积尘过多和过滤器变色。积尘过多的主要原因是探头过滤器损坏，应及时检查清洗或更换。过滤器变色应及时检查探头加热、取样管加热、冷凝器、蠕动泵工作是否正常。如果保护过滤器异常不及时处理，可能造成取样管线的堵塞，那时清洗的工作量将会很大。

（三）冷凝器故障

冷凝器故障主要表现在其后管路有水汽，这时应检查蠕动泵泵管是否正常，如泵管不在正常位置时应及时调整，如泵管损坏应及时更换。

（四）自动校准漂移过大

自动校准漂移过大，应检查使用标气是否过期，一般的标准气体的保质期为半年左右，另外因为校准是在气体分析室进行的，应检查气体分析室是否被污染，检测器是否损坏，红外光源是否充足。

（五）粉尘仪故障

当看到显示粉尘仪的测量数据有异常时，应及时检查粉尘仪的保险丝是否被烧断或者发射端的变压器是否被烧毁，如果确定是，则需寄回厂家维修。另一个原因是粉尘仪发射端的灯泡是消耗品，当连续使用一段时间后，灯泡的光强度可能衰减到很低的水平或者灯泡的灯丝被烧断，如果灯泡还有亮度但强度不够，应及时更换。

五、结束语

在线监测是环境监测工作发展的方向，虽然大部分重点企业已经安装了在线监测仪器，但是在企业内部缺乏专业的设备维护人员，因而常常出现有设备无人管，监测数据出现很大误差等现象。希望本文能对在线监测设备的维护人员给予一定的帮助，让我们共同为我国环保事业的发展多作贡献。

参考文献

[1] 郜武．烟气连续监测系统（CEMS）技术及应用［J］．中国仪器仪表，2009.
[2] 刘琦．烟气在线连续监测系统维护与故障分析．

氮氧化物排放控制原理及新技术

李俊华　陈　亮　常化振　郝吉明

（清华大学环境科学与工程系　清华大学环境系　100084）

摘　要　NO_x 排放量逐年增加，造成区域酸沉降趋势不断恶化，大气中二次颗粒物臭氧（O_3）和微细可吸入颗粒物（$PM_{2.5}$）居高难下，严重影响人体健康和生态环境质量。本文介绍了我国 NO_x 排放趋势，重点讨论了 NO_x 控制原理及关键控制技术的研究进展。基于目前烟气脱硝技术存在的问题，提出了脱硝催化剂原材料和制备工艺国产化、针对我国不同煤种研究催化剂适应性的问题，以及下一步燃煤烟气协同污染控制最新研究方向。

关键词　氮氧化物　燃煤烟气　稀燃汽车　排放　脱硝催化剂　协同控制

一、我国 NO_x 排放现状

《国家环境保护"十一五"规划》提出确保实现 SO_2 减排目标，实施燃煤电厂脱硫工程，实施酸雨和 SO_2 污染防治规划，重点控制高架源的 SO_2 和 NO_x 排放，综合改善城市空气环境质量。随着"十一五"期间对电厂实施烟气脱硫效果明显，大气 SO_2 浓度及硫沉降均有所下降。但 NO_x 作为一类主要的大气污染物，在我国其排放量仍在增加，不仅对人体健康造成直接危害，同时也会造成空气中 NO_2 浓度的增加、区域酸沉降趋势不断恶化，还会使对流层 O_3 浓度增加，并在空气中形成微细颗粒物（PM），影响大气环境质量[1,2]。

我国以煤为主的能源结构和发电结构，使得燃煤成为 NO_x 的最大来源，全国 NO_x 排放量的67%来自煤炭燃烧，其中燃煤电厂是 NO_x 排放的最大分担者。2007 年全国 NO_x 排放量为 1643.4 万 t，工业排放 NO_x1261.3 万 t，其中火电厂排放 811 万 t，占全国 NO_x 排放量的 49.4%，占工业 NO_x 排放的 64.3%[3]。今年 NO_x 排放量将达到 1800 万 t，未来若无控制措施，NO_x 排放在 2020 年将达到 3000 万 t 以上，届时我国将成为世界上第一大 NO_x 排放国，污染将进一步加重。我国于 2004 年 1 月 1 日起执行的《火电厂大气污染物排放标准》（GB 13223—2003），将新建燃煤电厂的氮氧化物的排放浓度控制在 450mg/m^3。对于氮氧化物污染严重和环境容量有限的经济发达地区，当地政府提出了更高的排放要求，如北京为了迎接 2008 年奥运会，将 NO_x 排放标准严格到 100mg/m^3。因此针对重点源开展 NO_x 排放控制原理及新技术的研究变得十分必要和迫切。

二、固定源烟气 NO_x 排放控制原理及技术

通常把通过改变燃烧条件来降低燃料燃烧过程中产生的 NO_x 的各种技术措施统称为低 NO_x 燃烧技术。通常情况下，采用各种低 NO_x 燃烧技术最多仅能降低 NO_x 排放量的50%左右。因此，当对燃烧设备的 NO_x 排放要求较高时，单纯采用燃烧改进措施往往不能满足排放要求，这就需要采用尾部烟气脱硝技术来进一步降低 NO_x 的排放。燃烧后烟气脱硝技术是指通过各种物理、化学过程使烟气中的 NO_x 还原或分解为 N_2，或者以清除含 N 物质的方式去除 NO_x。按反应体系的状态，烟气脱硝技术可大致分为干法（催化法）和湿法（吸收法）两类。湿法烟气脱硝是指各种利用水或酸、碱、盐及其他物质的水溶液来吸收废气中的 NO_x，使废气得以净化的工艺技术方法。但该技术存在一些难以克服的问题造成应用价值有限。

干法烟气脱硝技术主要包括选择性催化还原法（SCR）、选择性非催化还原法（SNCR）、电子束法（EB）、脉冲电晕低温等离子体法（PCIPCP）、SNRB（$SO_x-NO_x-RO_x-BO_x$）联合控制工艺、联合脱硝脱硫技术（SNO_x）工艺、固体吸收/再生法等。与湿法脱硝技术相比，干法脱硝

技术效率较高、占地面积较小、不产生或很少产生有害副产物，也不需要烟气加热系统，因此绝大部分电厂锅炉采用干法烟气脱硝技术。下面重点介绍氨气选择性催化还原法（NH_3－SCR）的烟气脱硝技术。

（一）氨气选择性催化还原 NO_x 技术原理

氨选择性催化还原 NO_x（NH_3－SCR）脱硝技术是还原剂 NH_3 在催化剂作用下选择性将 NO_x 还原为 N_2 的方法。对于固定源脱硝来说，主要是采用向温度为 280～420℃的烟气中喷入尿素或氨，将 NO_x 还原为 N_2 和 H_2O。

如果尿素做还原剂，首先要发生水解反应：

$$NH_2-CO-NH_2 \rightarrow NH_3+HNCO\text{（异氰酸）} \tag{1}$$

$$HNCO+H_2O \rightarrow NH_3+CO_2 \tag{2}$$

氨选择性还原 NO_x 的主要反应式如下：

$$4NH_3+4NO+O_2 \rightarrow 4N_2+6H_2O \tag{3}$$

$$8NH_3+6NO_2 \rightarrow 7N_2+12H_2O \tag{4}$$

$$2NH_3+NO+NO_2 \rightarrow 2N_2+3H_2O \tag{5}$$

通过使用适当的催化剂，可以使主反应在 200～450℃的温度范围内有效进行。反应时，排放气体中的 NO_x 和注入的 NH_3 几乎是以 1∶1 物质的量之比进行反应，可以得到 80%～90%的脱硝率[4]。NH_3－SCR 脱硝技术的关键是催化剂，催化剂的催化性能直接影响到 SCR 系统的整体脱硝效率。

（二）脱硝 SCR 催化剂

钒基催化剂的有效活性温度区间较宽，对于商用的 $V_2O_5-WO_3/TiO_2$ 和 $V_2O_5-MoO_3/TiO_2$，在 NH_3/NO 为 1∶1 的化学当量比情况下，最佳反应温度区间在 380～420℃。当温度超过这一区间的上限时，NH_3 氧化的副反应发生，生成 N_2O 和 NO，从而降低了 NO 的转化率[5]。该催化剂体系中各活性成分的主要作用是：

V_2O_5：钒是其中最主要的活性组分。钒的担载量通常不超过 1%（质量分数）[6]，因为较高负载量的 V_2O_5 能将 SO_2 氧化成 SO_3，造成催化剂上硫酸盐沉积，对 SCR 反应不利[7]。

TiO_2：以具有锐钛矿结构的 TiO_2 作为载体主要是因为钒的氧化物在 TiO_2 的表面有很好的分散度；在 TiO_2 载体上 SO_2 氧化生成 SO_3 的反应很弱且可逆[8]；同时，在 TiO_2 表面上生成的硫酸盐的稳定性要比其他氧化物如 Al_2O_3 和 ZrO_2 差，因此在工业应用过程中硫酸盐不会遮蔽表面活性位，相反这部分少量的硫酸盐还会增强反应活性。

WO_3：其含量一般很大，大约能够占到 10%（质量分数），主要作用是增加催化剂的活性和热稳定性。

MoO_3：MoO_3 的加入能够提高催化剂活性、防止烟气中的 As 导致催化剂中毒[9,10]。但是 MoO_3 抑制 As 中毒的机理现在还不是很清楚。

其他添加剂：在工程实际应用的蜂窝状催化剂中加入一些硅基的颗粒可以提高催化剂的机械强度，但由于这些硅基颗粒中通常含有一些碱性的阳离子，对催化剂来说是一种毒性物质，因此会造成工程实际应用中催化剂活性有所下降。

三、烟气脱硝技术存在的问题及研究方向

近年来我国一些厂家通过引进、吸收、消化国外先进脱硝技术，建成了许多脱硝装置。随后，许多国内厂家也开始引进了催化剂的生产技术，主要有东方凯特瑞引进德国 KWH 的整套催化剂制备生产线，并在 2006 年投产运营；北京国电龙源环保工程有限公司引进日本触媒化成的

催化剂制备技术，于2008年12月初投入商业运行；重庆远达催化剂公司引进美国Cormetech的催化剂生产技术，并于2009年9月正式投运。福建大拇指公司、三融环保也分别与日本触媒化成签订了催化剂生产技术引进合同。另外还有几家也先后开始了建厂工作。预计到2010年底，全国催化剂总产能可能会达到50000m^3以上。但是，由于外方技术保密和考虑到技术引进成本的问题，从目前这些厂商的技术引进范围来看，基本都没有引进原料生产的技术。现在主要的原料供货商有日本的石原化工、法国的美礼联等公司，数量很少，而且已经基本形成了稳定的价格体系，使得原料成本难以大幅下降。此外中国煤质丰富，不同煤种燃烧灰分对催化剂的中毒机制及催化剂的适应性仍需深入研究。

（一）催化剂专用钛白粉国产化

目前广泛使用的脱硝催化剂一般都是采用TiO_2作为载体，V_2O_5为活性组分，其中TiO_2的用量超过80%。催化剂用超细晶型钛白粉为锐钛型，采用硫酸法制备，对成品的结晶型式、粒径分布、比表面积等有着非常严格的技术要求，另外还需要严格控制碱金属、硫酸根、SiO_2、重金属的含量，经调研目前国内产品尚不能满足要求。添加了WO_3对$V_2O_5-TiO_2$催化剂的成型性能、反应活性、抗毒性、Brφnsted酸度、催化剂的热稳定性都有较大提高，同时还会抑制SO_2的氧化反应。因此，脱硝催化剂一般都采用钛钨粉作为活性成分的载体。

国外钛钨粉的制备和生产，经过30年的发展已经比较成熟。目前，国内对此方面的研究并不深入，尚未达到工业化生产的地步。目前主要存在的问题是普通钛白粉的精制工艺的研究，国内拥有大量的钛白粉生产厂家，主要集中在四川、山东、辽宁等地，产品以金红石型钛白粉为主，一般都同时生产锐钛型产品，但是产品质量基本达不到催化剂产品的性能要求，需要进行精加工处理。

（二）脱硝催化剂的适应性

目前国内催化剂制造技术几乎都是引进国外技术，我国与国外的煤质差别很大，具有高钙、高硫、高灰等特点，使得国外催化剂在中国应用适应性差，主要体现在中毒和灰堵等方面。

CaO中毒的主要原因是由于沉积在催化剂表面的CaO与烟气中的SO_3反应造成催化剂微孔的堵塞。反应生成的$CaSO_4$的体积会膨胀14%左右，遮蔽反应活性位，堵塞催化剂表面，影响反应物在催化剂的扩散，中国山西出产的神华、神府煤的灰钙含量均超过20%，与美国PRB煤比较接近，按照美国康宁公司的经验，此类煤催化剂体积耗量将超过普通煤种的一倍以上，而据调研其他催化剂厂实际上在进入中国市场以前基本没有高钙煤的运行业绩，即使是康宁公司，也仅有少量的运行经验，所以此类问题值得深入研究。

砷中毒是引起催化剂钝化的重要因素之一。砷是大多数煤种中都存在的成分，催化剂的砷中毒是由气态砷的化合物不断聚积，堵塞进入催化剂活性位的通道造成的，As_2O_3分散到催化剂中并固化在活性、非活性区域，使反应气体在催化剂内的扩散受到限制，且毛细管遭到破坏。这种由相变引起的催化剂中毒是不可逆的，对SCR运行影响巨大。

烟气灰分中除金属元素外，还含有氟、氯、磷、硫和氮等非金属元素，分别对应氟化物、氯化物、磷酸盐、硫酸盐和硝酸盐等。一方面，这些化合物可以覆盖在催化剂表面或堵塞催化剂的孔道使催化剂失活，另一方面，氟化物和氯化物也可以与活性组分相互作用，影响催化剂的活性。氟化物、氯化物、磷酸盐、硫酸盐和硝酸盐等化合物若只是覆盖在催化剂的表面或堵塞催化剂的孔道，可以采用洗脱等去除，但若与活性组分发生了相互作用，这种中毒则是不可逆的。

我国很多电厂燃煤的灰分非常高，达到50g/m^3以上，催化剂很容易产生严重的磨损现象，导致催化剂机械寿命大大降低，国内早期安装的进口SCR装置已经出现了催化剂磨损严重的故障，并导致锅炉非正常停机。实际上据了解由于国外电厂用煤普遍经过洗选，含尘量基本在30g/m^3以下，目前国外催化剂厂商处理的烟气含尘量在30g/m^3以上的实际业绩是非常有限的，所以开展催化剂耐磨损技术已成为当前该领域的重点研究任务之一。

（三）低温脱硝催化剂的开发及应用

从我国固定源烟气排放现状和控制措施来看，目前国外普遍采用的 V_2O_5/TiO_2-NH_3-SCR 体系在实际应用中仍存在一些问题：一是该体系操作温度必须高于300℃，脱硝装置需安装在空气预热器和除尘器之前，而我国燃煤锅炉烟道气中灰尘和 SO_2 含量很高，容易造成催化剂中毒、堵塞；二是将 V_2O_5/TiO_2-NH_3-SCR 体系装置置于空气预热器、除尘器和脱硫装置之前，工业锅炉改造的空间和技术等问题势必对现有装置产生很大影响，导致工程改造复杂和经济上的巨大损失。因此，从我国大多数燃煤工业锅炉和电厂排烟特点考虑，大力发展低温 NH_3-SCR（100～250℃）技术十分必要。低温SCR催化剂床层可置于除尘器甚至脱硫装置之后，避免烟气的预热耗能，便于和现有的锅炉系统相匹配，降低脱除 NO_x 成本，还可以缓解 SO_2 和粉尘对催化剂的毒化和堵塞，延长催化剂寿命。

目前，低温 NH_3-SCR 催化剂主要包括碳基催化剂、分子筛类和锰基催化剂。活性炭具有廉价易得、性质稳定、无毒无害、活性炭表面孔道和化学基团易于修饰等优点，以其为载体负载过渡金属氧化物催化剂展示出良好的低温活性。Teng 等[11]研究了活性炭负载Fe、Cu金属氧化物的SCR活性，200℃，空速为10000rh时，NO转化率分别为90%和100%。Huang 等[12]发现 V_2O_5/AC 催化剂可将SCR反应温度降至200℃，但进一步提高低温活性和抗 SO_2/H_2O 性能有待深入研究。在分子筛载体方面，Qi 等[13]制备的 Ce－Mn/USY 催化剂，在150℃反应条件下的NO转化率高达95%，但低温抗 H_2O/SO_2 性能较差。Mn基催化剂包括负载型、非负载型锰基催化剂以及锰基复合氧化物催化剂，具有优良的低温活性。Yang 等[14-16]研究了Fe－Mn、Fe－Mn－Zr、Fe－Mn－Ti、Mn－Ce等催化剂体系，其中最好的能够在120℃、空速42000rh时，将NO 100%转化。

在分子筛脱硝催化剂方面，清华大学李俊华等[17,18]使用离子交换法、共浸渍法制备了分子筛负载Cu、Fe催化剂，发现Fe/Beta具有最好的活性和稳定性，并考察了碳氢化合物对催化剂的影响。10%Mn－8%Fe/USY催化剂具有良好的低温性能，80℃起活，120℃时NO转化率接近90%，150～300℃时NO基本完全转化，反应温度低于180℃时检测不到 N_2O 生成，具有很好的选择性。Mn－Fe/USY催化剂中Fe助剂提高了Mn－Fe/USY催化剂的表面酸性，促进 NH_3 在催化剂表面的吸附活化，并形成晶格氧，使NO更容易氧化为 NO_2 并在催化剂表面生成更多单齿双齿硝酸盐物种。此外他们使用低温固相法制备的纳米 MnO_x 催化剂，80℃时NO转化率达到98%以上，100～150℃时达100%；使用流变相反应法制备的催化剂活性最高，但抗水抗硫性能不足[19,20]。Liu 等[21]开发的 $Fe_xMn_{1-x}TiO_y$ 系列催化剂具有极佳的低温 NH_3-SCR 活性，50000rh空速下100℃和150℃时 NO_x 转化率分别达到50%和90%。

低温 NH_3-SCR 催化剂的开发在低温活性方面已经取得了一些进展，但现有催化材料较低的耐水、耐硫性能已成为决定催化剂寿命、能否工程实用化的瓶颈，还需要进一步研究改进。

参考文献

[1] Maheswaran R, Haining R P, Brindley P, et al. Outdoor air pollution, mortality, and hospital admissions from coronary heart disease in Sheffield, UK: a small－area level ecological study. European Heart Journal, 2005, 26: 2543－2549.

[2] Mauzerall D L, Sultan B, Kim N, et al. NO_x emissions from large point sources: variability in ozone production, resulting health damages and economic costs. Atmospheric Environment, 2005, 39: 2851－2866.

[3] 郝吉明，贺克斌，王书肖．中国氮氧化物污染：历史趋势、未来挑战和控制策略［C］．大气 NO_x 污染控制技术研讨会，2009：1－14.

[4] 贺泓，李俊华，何洪，等．环境催化剂：原理及应用［M］．北京：科学出版社，2008.

[5] Busca G, Lietti L, Gianguido R, et al. Chemical and mechanistic aspects of the selective catalytic reduction of NO_x by ammonia over oxide catalysts: A review. Appl. Catal. B, 1998, 18: 1 - 36.

[6] Amiridis M D, Duevel R V, Wachs I E. The effect of metal oxide additives on the activity of V_2O_5/TiO_2 catalysts for the selective catalytic reduction of nitric oxide by ammonia. Appl. Catal. B, 1999, 20: 111 - 122.

[7] Finocchio E, Baldi M, Busca G, et al. A study of the abatement of VOC over $V_2O_5 - WO_3/TiO_2$ and alternative SCR catalysts. Catal. Today. , 2000, 59: 261 - 268.

[8] Choo S T, Lee Y G, Nam I S, et al. Characteristics of V_2O_5 supported on sulfated TiO_2 for selective catalytic reduction of NO by NH_3. Appl. Catal. A, 2000, 200: 177 - 188.

[9] Lietti L, Nova I, Ramis G, et al. Characterization and Reactivity of $V_2O_5 - MoO_3/TiO_2$ De - NO_x SCR catalysts. J. Catal. , 1999, 187: 419 - 435.

[10] Tops N Y. Mechanism of the selective catalytic reduction of nitric oxide by ammonia elucidated by in situ Fourier Transform Infrared Spectroscopy. Science, 1994, 265: 1217 - 1219.

[11] Teng H, Tu Y T, Lai Y C, et al. Reduction of NO with NH_3 over carbon catalysts. The effects of treating carbon with H_2SO_4 and HNO_3. Carbon, 2001, 39: 575 - 582.

[12] Huang Z G, Zhu Z P, Liu Z Y, et al. Formation and reaction of ammonium - sulfate salts on V_2O_5/AC catalyst during selective catalytic reduction of nitric oxide by ammonia at low temperatures. Journal of Catalysis, 2003, 214: 213 - 219.

[13] Qi G S, Yang R T, Chang R. Low - temperature SCR of NO with NH_3 over USY - supported manganese oxide - based catalysts. Catal. Lett. , 2003, 87: 67 - 71.

[14] Qi G S, Yang R T. Low - temperature selective catalytic reduction of NO with NH_3 over iron and manganese oxides supported on titania. Appl. Catal. B, Environ. , 2003, 44: 217 - 225.

[15] Qi G S, Yang R T. Characterization and FTIR studies of $MnO_x - CeO_2$ catalyst for low - temperature selective catalytic reduction of NO with NH_3. J. Phys. Chem. B. , 2004, 108: 15738 - 15745.

[16] Qi G S, Yang R T. Low - temperature SCR of NO with NH_3 over noble metal promoted Fe - ZSM - 5 catalysts. Catal. Lett. , 2005, 100: 243 - 248.

[17] Tang X L, Hao J M, Li J H. Low temperature selective catalytic reduction of NO_x with NH_3 over amorphous MnO_x catalysts prepared by three methods. Catal. Commun. , 2007, 8: 329 - 334.

[18] Tang X F, Li J H, Wei L S, Hao J M. $MnO_x - SnO_2$ Catalysts Synthesized by a Redox Coprecipitation Method for Selective Catalytic Reduction of NO by NH_3. Chinese Journal of Catalysis, 2008, 29: 531 - 536.

[19] Li J H, Zhu R H, Cheng Y S, Lambert C K, Yang R T. Mechanism of propene poisoning on Fe - ZSM - 5 for selective catalytic reduction of NO_x with ammonia, Environmental Science and Technology, 2010, 44: 1799 - 1805.

[20] Lin Q C, Li J H, Ma L, Hao J M. Selective catalytic reduction of NO with NH_3 over Mn - Fe/USY under lean burn conditions, Catalysis Today, in press.

[21] Liu F D, He H, Ding Y, et al. Effect of manganese substitution on the structure and activity of iron titanate catalyst for the selective catalytic reduction of NO with NH_3. Appl. Catal. B: Environ. , 2009, 93: 194 - 204.

燃煤电厂烟气二氧化碳减排技术分析

姜雨泽

（山东电力研究院　山东　济南　250002）

摘　要　温室气体 CO_2 减排是全球性的环保问题，作为将化石燃料煤转化为清洁电能中转站的火电厂，面临巨大的减排压力。本文对在燃煤电厂有应用可能的几种烟道气 CO_2 分离吸收技术进行了分析探讨。

关键词　燃煤烟气　二氧化碳　分离　吸收　减排

一、引　言

全球变暖、温室效应是全球性的重大环境问题，我国在哥本哈根会议上承诺，到2020年单位GDP的二氧化碳排放将比2005年下降40%～45%。下一步国家发改委将把这个目标落实在地方与行业的发展规划中，并准备试行建立碳排放强度考核制度。燃煤发电厂将燃煤热能转化为清洁的电能，是主要的 CO_2 排放源之一，是二氧化碳碳排放控制冲击最大的行业，因此必须未雨绸缪，对燃煤电厂烟气中 CO_2 捕集技术进行研究探讨。

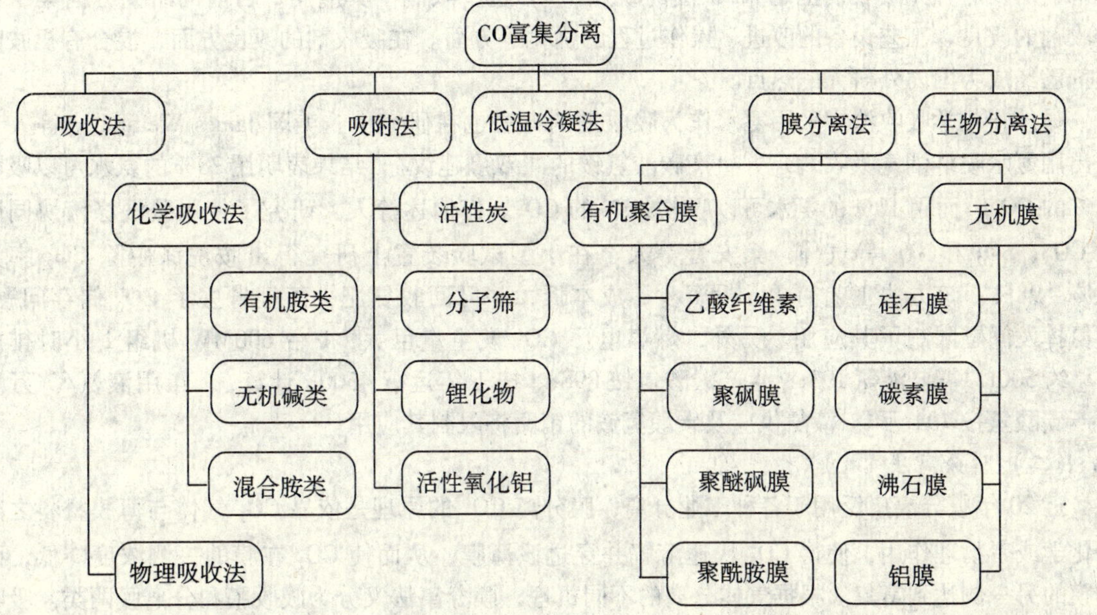

图1　脱碳技术分类汇总图

燃煤电厂烟气中 CO_2 的吸收脱除具有以下特点：①气体流量大；②烟气中 CO_2 含量约为8%～15%，CO_2 分压低；③含有大量的惰性气体 N_2；④烟气参数和其他烟气净化装置密切相关，上游除尘装置性能好，脱硫为湿式系统，烟气温度40～50℃，烟气含尘浓度可能在30～70mg/m^3。如果上游脱硫装置为干式脱硫装置，烟气温度可能在100℃以上，含尘量也可能在50～100mg/m^3。现有 CO_2 分离回收技术如图1所示[1]，尽管有多种二氧化碳分离回收技术已经在合成氨等工业中应用，但烟气条件等发生了重大变化，尚未有完全成熟的脱碳技术能够解决燃煤电厂的 CO_2 排放问题。

二、燃煤电厂 CO_2 减排可选技术方案

对现有常规发电锅炉，CO_2 减排可供选用技术方法有如下几种。

（一）化学吸收分离法

化学吸收法，利用 CO_2 和某种吸收剂之间的化学反应将 CO_2 气体从烟道气中分离出来。典型的化学吸收法脱除烟气中 CO_2 的工艺流程如下：待处理的烟气经冷却、除尘、脱硫后进入吸收塔，吸收塔既可以是空塔也可以是填料塔，吸收液和烟气逆流通过吸收塔，在此过程中吸收液吸收烟气中的 CO_2，除去 CO_2 后的烟气经水洗（回收被烟气夹带的吸收液）后排入大气。吸收了 CO_2 的吸收剂富液进入热交换器预热后进入再生塔，再生塔操作温度为 100～120℃，在再生塔中解析出 CO_2 的贫液经过过滤、冷却后再回到吸收塔循环利用。再生塔塔顶出口 CO_2 经低温冷凝压缩变成液体 CO_2，进行后续利用或储存。

常用的吸附剂有热碱溶液、一乙醇胺（MEA）、二乙醇胺（DEA）、三乙醇胺（TEA）、二异丙醇胺（ADIP）、甲基二乙醇胺（MEDA）、氨基酸盐 SG、位阻胺 AMP 和二甘醇胺等[1,2]。MEA 吸收法是研究最多、应用最多、最为成熟的 CO_2 化学吸收方法，在天然气工业和烟气分离中都有商业应用，华能北京热电厂燃煤电站 3000～5000t/aCO_2 捕集示范装置采用的就是这种方法[3]。该方法 CO_2 回收率和纯度均可在 99% 以上。MEA 法工艺处理复杂，投资巨大，吸收剂再生能耗高，运行费用高，据 Idem 等[4]估算，加热释放 CO_2 回收 MEA 所耗费的额外能耗占整个 CO_2 捕捉成本的 70%。设备腐蚀率高，烟气中的 SO_2、NO_2、HCl、HF、O_2 等会使吸收剂中毒，吸收剂降解，需及时补充吸收剂也是 MEA 法的缺点[5,6]，这些限制了其应用。目前的研究方向集中在吸收剂的改良、工艺设备的改进、操作过程的优化等方面。在吸收剂的改良方面，混合有机胺吸收剂已经成为国内外研究的热点。

另外，化学吸收法中采用氨水作为吸收剂的方法也在研究中。美国 James Weifu Lee 等人[7]提出用氨水喷淋烟气吸收 CO_2 并生产碳酸氢铵的“双赢建议”，结果表明用 28% 的氨水可以吸收 98% 的 CO_2，而用 10% 的氨水可以吸收 80% 的 CO_2。何伯述等人[8]研究了使用胺洗涤液协同脱除 CO_2、SO_2 和 NO_x 等气体。巢安晋等人[9]在小型试验装置上研究得出胺洗涤脱除 CO_2 率为 95%～98%。该方法工艺简单，投资少，成本低，并可回收氨肥，而且省去了 CO_2 储存问题，但氨挥发问题限制了其应用。另外，燃煤电厂 CO_2 发生量巨大，1 台 600MW 机组 1 小时排放 CO_2 约 500t，需要液氨 193t，生产碳酸氢铵 898t。按 1 年运行 4500h 计算，1 年用液氨 87 万 t，生产碳酸氢铵 404 万 t。液氨供应及碳酸氢铵的销路将限制其应用。

（二）膜分离法

近 20 年膜分离广泛用于各种工业分离，膜分离 CO_2 的原理是依靠 CO_2 气体与薄膜材料之间的化学或者物理作用，使得 CO_2 快速溶解并穿过该薄膜，从而使 CO_2 在膜的一侧浓度降低，而在膜的另一侧达到富集。根据气体分离的不同机理，膜分离法又分为吸收膜和分离膜两类。吸收膜是在薄膜的另一侧有化学吸收液，并依靠吸收液来对 CO_2 进行选择吸收，而微孔分离膜只起到隔离气体与吸收液的作用。目前膜分离法用于分离烟气中的 CO_2 面临以下问题：烟气中 CO_2 浓度太低，烟气处理量巨大；烟气必须冷却到 100℃之下以防止高温对膜的破坏；需提前除掉烟气中的化学物质或对膜进行化学处理，以防止膜受到烟气中的化学物质破坏；膜处理烟气前后需要压差，需要耗费额外的能量。所以用于分离烟气中 CO_2 的膜必须具备以下性质：良好的 CO_2 渗透性、高效的 CO_2/N_2 选择性、耐高温以及化学腐蚀、使用寿命长、成本低、易于加工等。新发展的碳膜、二氧化硅膜、沸石膜碳具有良好的耐高温性和化学腐蚀性，是分离烟气中 CO_2 的备选材料。

（三）低温冷凝法

低温冷凝法主要利用多次压缩和冷凝方式将 CO_2 液化或固化成干冰，利用各种成分的相变来达到分离 CO_2 的目的。此法由于设备庞大、能耗较高、分离效果较差，因而成本较高，不适应中小规模的生产，对于体积浓度达60%以上的CO_2高回收较为经济，一般适用于油田开采现场，富氧燃烧或化学循环燃烧所排放的尾气也可以通过低温蒸馏法回收，化学吸收法CO_2分离后的富集气体采用此方法回收处理。

（四）电化学法

Winnick等[10]首先利用熔融碳酸盐燃料电池膜（MCFC）从太空飞行舱的空气中分离出CO_2，并进行了MCFC膜分离烟气中CO_2的实验研究，估算从烟气中分离捕集CO_2的费用约为20美元/t。此后日本大阪研究社、英国石油（以下简称BP）公司和意大利Ansaldo公司也对用熔融碳酸盐电化学系统分离捕集烟道气中CO_2进行了实验研究[11-13]。熔融碳酸盐是一种糊状腐蚀剂，其制作和操作都很困难，会被烟道气中的SO_2毒化。在高温烟道气环境下，电解质隔离和电极退化也是严重的问题。而固态电解质比熔融碳酸盐电池的操作温度低，容易处理，腐蚀问题大大减少，比熔融碳酸盐具有更长的使用寿命。因此，使用固态电解质膜联合熔融碳酸盐从烟道气中分离CO_2是具有前景的方向之一[14]。

（五）吸附分离法

吸附法按吸附原理可分为变压吸附法（PSA）和变温吸附法（TSA）及变温变压吸附法（PTSA）法，PSA法是基于固态吸附剂对原料气中CO_2有选择性吸附作用，在高压时吸附，低压解吸的方法，TSA法是通过改变吸附剂的温度来进行吸附和解吸的，较低温度下吸收，较高温度下解吸。PSA法的再生时间比TSA法短很多，且TSA法的能耗是PSA法的2~3倍，因此工业上普遍采用的是PSA法，近年来对PTSA的研究比较活跃。日本东京电力建造了2套采用PTSA法、处理烟气量$1000m^3/h$的分离CO_2试验装置[15]。

吸附法常用吸附剂有沸石、活性炭、分子筛、氧化铝凝胶等。对火电厂烟气而言，现有吸附剂吸附能力和对CO_2的吸附选择性较差，导致能耗较高，不太适用。但是，美国加州大学洛杉矶分校（UCLA）的化学家Omar Yaghi[16]领导的团队研制出一种属于沸石咪唑骨架结构的多孔晶体材料，由一些可调整孔洞大小及化学性质的金属有机配位子结构构成。可以选择性地吸附大量二氧化碳气体却不吸收其他气体，因此可以降低能耗，具有能在烟道气中分离CO_2的应用前景，至于具体能降低多少，需要到电厂进行应用测试。

对电力企业来说，以下几种清洁燃烧及发电技术为发电企业的发展及脱碳提供了崭新的途径。

（六）O_2/CO_2富氧燃烧技术

O_2/CO_2富氧燃烧技术最早由Horne和Steinburg于1981年提出，目前该技术的研究已列为IEA控制温室气体排放研究与计划的主要项目之一，在加拿大政府能源技术研究中心（CETC）的0.3MW的煤粉O_2/CO_2燃烧半工业规模的试验系统上进行了试验。美国Argonne国家实验室（ANL）在美国能源部的资助下，早在1982年就开始对O_2/CO_2燃烧技术进行了研究，证明常规锅炉只需进行适当的改造就可实现由空气燃烧到O_2/CO_2燃烧的转变。此外，其他发达国家，如：日本、英国、荷兰、法国、德国及瑞典等均投入巨资，对该燃烧技术展开了研发工作，其中美国、日本、加拿大等国已经开展了中试规模的试验研究。国内的浙江大学、华中科技大学、华北电力大学等都在进行积极的研究[15]。

该技术的主要优越性在于：①该方法利用空气分离获得的O_2和部分循环烟气的混合物来代替空气并与燃料组织燃烧，以烟气中的CO_2来替代助燃空气中的氮气，这样能使排烟中的CO_2浓度大为提高（95%以上），可直接回收CO_2，因而大幅度降低脱碳成本；②SO_2、NO_x排放低，同时矿物质的蒸发量也可望较常规空气燃烧时有显著地下降，是一种污染物综合排放低的环境友好型的燃烧方式；③烟气再循环使得燃烧装置的排烟量大为减少（仅为传统方式的1/5），从而大大减少排烟损失，由此锅炉热效率得以显著提高；④通过调整 CO_2 的循环比例有可能实现燃烧、传热的优化设计[17,18]。但是，由于制氧设备和 CO_2 的压缩设备所需要消耗大量的电力，因此，总的电站效率会有所下降，同时，富氧燃烧在空气漏风、空气分离等方面还有许多问题需要解决，要在电厂实际应用还需要大量的研究。

（七）基于循环氧载体的化学链燃烧技术

化学链燃烧（CLC）技术是一个基于零排放理念的先进发展方向，其使用氧载体（通常是金属氧化物）中的氧原子来代替空气中的氧来完成燃料的燃烧过程。最基本的 CLC 系统如图 2 所示，包括串联的空气反应器和燃料反应器。金属在空气反应器中与空气中的氧气发生氧化反应，成为金属氧化物形式的携氧状态，接着燃料和金属氧化物在燃料反应器中发生还原反应，生成 CO_2、H_2O 和被还原的金属，以此循环使用。

CLC 的主要优点在于：该技术基于两步化学反应，实现了化学能梯级利用，具有更高的能量利用效率；空气反应器排放的主要是 N_2，不会污染空气；燃料在载氧剂的催进下燃烧，温度较低（600～1200℃），不会生成氮氧化物；燃料反应器排放的气体主要为 CO_2 和蒸汽，只需要简单的冷凝就可以分离出高纯度的 CO_2，而无需消耗过多的能量。Ishida[19] 估算该技术可使电厂热效率提高到 50%～60%。

目前，CLC 的研究重点集中在载氧体的制备和反应性研究、反应器的设计和运行、系统集成优化三部分。Richter 等[20] 认为合适的载氧剂应具备以下性能：高温条件下多次氧化还原反应中保持稳定性；具有流动性，不易结块；具有一定的机械性能，可以抵抗颗粒循环中摩擦应力；价格低廉，对环境无害。过渡金属如镍、铜、钴、铁、锰等都是比较合适的选择，特别是镍系氧化物，在多次氧化还原反应中保持良好的稳定性，是最有前途的载氧剂之一。目前国际范围内载氧剂方面的研究很多。载氧剂一般附着在惰性载体（热载体）上，用于惰性载体的化合物常常有 Al_2O_3、SiO_2、MgO、TiO_2、ZrO_2、六价铝酸盐等[21]；另外，研究者还对非金属氧化物作为氧载体进行了可行性研究。Koronberger 等[22] 提出了一个全面的 CLC 设计流程，包括燃料和载氧剂的流速、载氧剂的载氧能力、载氧剂和燃料之间的反应动力学。另外还考虑了颗粒携带率、滞留时间、压降以及 CO_2泄漏系数等水力学问题。瑞典 Chalmers University of Technology、韩国能源研究院、TDA Research 公司以及国内的东南大学都搭建了可以连续运行的试验规模的化学链燃烧系统[21]。

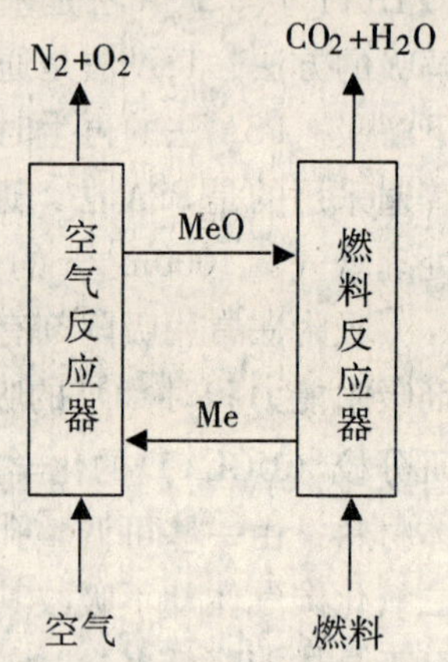

图 2　化学链置换燃烧示意图

三、结束语

以上对燃煤电厂烟气脱碳可选技术进行了分析介绍。综上所述，关于烟道气 CO_2 脱除已经进行了大量研究，其中化学吸收法已经在其他行业达到商业应用的程度，但还需要进一步完善，降低成本。其他几种方法处于实验研究阶段，新一代清洁燃烧技术 O_2/CO_2 富氧燃烧技术、化学链燃烧（CLC）技术为电力企业低碳排放提供了新希望，但距离实际应用还有相当长的距离。

参考文献

［1］赵伟．氨基盐 SG 溶液吸收烟道气中二氧化碳的研究［D］．杭州：浙江大学，2008，6.

［2］李小森，鲁涛．二氧化碳分离技术在烟气分离中的发展现状［J］．现代化工，2009，29（4）：25－30.

［3］刘练波，黄斌，郜时旺，等．燃煤电站 3000～5000 t/a CO_2 捕集示范装置工艺及关键设备［J］．电力设备，2008，9（5）：21－24.

[4] Idem R , Wilson M, Tontiwachwuthikul P, et al . Pilot plant studies of the CO_2 capture performance of aqueous MEA and mixed MEA/MDEA solvents at the University of Regina CO_2 capture technology development plant and the boundary dam CO_2 capture demonstration plant [J] . Industrial and Engineering Chemistry Research , 2006 , 45 (8) : 2414 - 2420.

[5] Fauth D J, Frommell E A, Hoffman J S, et al. Eutectic salt promoted lithium zirconate: Novel high temperature sorbent for CO_2 capture [J] . Fuel Processing Technology, 2005 , 86 (14/ 15) : 1503 - 1521.

[6] Yeh J T, Resnik K P, Rygle K, et al . Semi batch absorption and regeneration studies for CO_2 capture by aqueous ammonia [J] . Fuel Processing Technology, 2005 , 86 (14/ 15) : 1533 - 1546.

[7] James Weifu Lee. Integration of fossil energy systems with CO_2 sequestration through NH_4HCO_3 production [J] . Energy Conversion and Management, 2003, 44: 1535 - 1546.

[8] 何伯述，郑显玉，王淑娟，等. NH_3 脱除烟气中气态污染物的应用前景 [C] . 中国工程热物理学会第十届年会，2001.

[9] 巢安晋，白嵘麟. 氨水与二氧化碳温室气体反应之探讨 [C] . 第十三届空气污染控制技术研讨会，台湾，1997.

[10] Winnick J, Toghiani H, Quattrone P. Carbon dioxide concentration for manned spacecraft using a molten carbonate electrochemical cell [J] . AIChE J, 1982, 28 (1) : 103 - 111.

[11] Amorelli A. An experimental investigation into the use of molten carbonate fuel cells to capture CO_2 from gas turbine exhaust gases [C] . / / Sixth International Conference on Greenhouse Gas Control Technologies. Proceedings of the Sixth International Conference on Greenhouse Gas Control Technologies - GHGT26, Kyoto : Torazza A , 2002 : 3 - 4.

[12] Sugiura K. The carbon dioxide concentrator by using MCFC [C] .//Cameron D S. The Eighth Grove Fuel Cell Symposium, London : Johnson Mathey , 2004 : 32 - 37.

[13] Sugiura K, Takei K, Tanimoto K, et al . The carbon dioxide concentrator by using MCFC [J] . Journal of Power Sources , 2003 , 118 (1) : 218 - 227.

[14] Sugiura K. The removal characteristics of carbon dioxide in molten carbonate for the thermal power plant [C] . // CS1RO Energy Technology. Proceedings of GHGT25 , Australia : Caims , 2000 : 1 - 3.

[15] 张卫风. 中空纤维膜接触器分离燃煤烟气中二氧化碳的试验研究 [D] . 浙江大学，2006.

[16] 王润. 低成本捕获二氧化碳 [J] . 世界科学，2008，22 (4)：10 - 11.

[17] T. kiga , S. takano , N. kimura , et al . Characteristic of pulverized - coal combustion in the system of oxygen/ recycled flue gas combustion [J] . Energy Convers Mgmt , 1997 (38): 129 - 134.

[18] Liu hao, Ramlan Zailani, Bernard M Gibbs. Comparisons of pulverized coal combustion in air and in mixtures of O_2/ CO_2 [J] . Fuel , 2005 (84): 833 - 840.

[19] Ishida M, Zheng D, Akehata T. Evaluation of a chemical looping combustion power - generation system by graphic energy analysis [J] . Energy, 1987 , 12 : 147 - 154.

[20] Richter H J, Knoche K F. Reversibility of combustion processes [J] . ACS Symposium Series, 1983, 235 : 71 - 85.

[21] 李庆钊，赵长遂. 燃煤电站二氧化碳控制技术研究 [J] . 锅炉技术，2007，38 (6)：65 - 69.

[22] Koronberger B, Lyngfelt A , Loffler G, et al. Design and fluid dynamicanalysis of a bench - scale combustion systemwith CO_2 separation chemical - looping combustion [J] . Industrial & Engineering Chemistry Research , 2005 , 44 : 546 - 556.

活性炭选择性催化还原 NO_x 的研究

汪小蕾[1]　朴桂林[2]　谢　浩[2]　赵晓媛[1]

（1. 东南大学能源与环境学院　南京　210096；2. 南京师范大学动力工程学院　南京　210042）

摘　要　采用活性炭作催化剂，NH_3 为还原剂，进行活性炭脱硝机理实验研究，分别考察了烟气组分、温度、活性炭的比表面积及不同材质对 NO_x 去除率的影响。结果表明：活性炭作为单纯的吸附剂，其 NO 吸附容量较小，O_2 的加入使吸附容量增大，NH_3 与 O_2 同时存在达到最佳去除效果，H_2O 的存在不利于活性炭的催化作用；温度在 200℃左右时，活性炭催化活性达低谷；煤质活性炭催化效果优于木质；在一定范围内，比表面积的增大有利于催化活性的提高。

关键词　活性炭　SCR　NO_x

近年来氮氧化物（NO_x）已成为火电厂排放污染物中继二氧化硫（SO_2）之后的一大焦点，其危害主要有诱发光化学烟雾、酸雨作用等，还会引起温室效应，其中 NO 会造成臭氧层空洞[1]。以 NH_3 为还原剂的选择性催化还原法（SCR）是目前被验证的最为有效的脱硝技术[2]之一，商业运行的 SCR 系统常用催化剂为金属氧化物，其活性温度区域 302～450℃[3]，温度过低则催化活性不高，而近来 SCR 单元均安装在布袋除尘器之后，此时烟气需再加热，且金属催化剂造价较高，其费用通常占到 SCR 系统初始投资的 50%～60%[4]。催化剂的选取是关键，理想的催化剂要价格低廉并在较低温条件下保持高 NO_x 去除率。活性炭有着极好的先天条件，丰富的表面微孔使其吸附势高，表面化学官能团使其在未负载金属阳离子活性中心的情况下仍有较好的催化性能，机械强度高，造价较金属氧化物催化剂相对低，且在低温段（120～150℃）也有较高的脱硝效率，易于实现火电厂的烟气脱硫脱硝的一体化[5]。

国际上活性炭脱硫脱硝技术已经成熟并投入商业化运行[6]，国内对于活性炭的脱硝技术研究尚处于初步阶段，进一步研究为其在国内的产权自主化提供理论基础十分必要。陶贺等[7]对于活性炭烟气脱硫脱硝静态试验特性研究中，得出了最佳工艺参数。在此基础上，本研究为了把握实际脱硝效果和不同颗粒形状以及原料对于脱硝效率的影响，本文采用混合气模拟电厂烟气，考察烟气中各组分对活性炭以 NH_3 为还原剂催化还原 NO_x 的影响，比较不同温度情况下活性炭催化效果，分析其催化反应机理，还考察了不同比表面积及材质的活性炭对催化反应的影响，从而为选择合适的活性炭催化剂提供理论依据。

一、实验装置及实验方法

（一）活性炭性质表征及其预处理

本实验采用不同材质、粒度、比表面积的活性炭作为催化剂，其中 Sample1 为文献[7]同样的山西某厂生产的直径约 8mm，平均高度 12mm，比表面积为 209.14 m^2/g 的成型圆柱状煤质活性炭（可视为活性焦），为考察粒度对脱硝效率的影响，将 Sample1 破碎为 Sample2，直径约为 2.5mm，Sample3 为南京某活性炭厂生产的直径约 1.5mm，比表面积为 550.89 m^2/g 的煤质粒状活性炭，选择 Sample4 为直径约 0.3mm，比表面积 779.08 m^2/g 的木质活性炭，其性质如表 1 所示。

所有样品在实验前于 120℃下干燥 4h，以脱除活性炭吸附的水分，从而消除水分对脱硝过程的影响。

（二）实验装置

如图 1 所示，实验装置由配气系统、反应器、温度控制系统以及采样分析系统组成，由于在

电厂烟气 NO_x 的组成中，有约 90% 为 NO，故模拟烟气中以 NO 来代替 NO_x，以钢瓶混合气（其中 NO、NH_3 均是以 N_2 为平衡气的混合气，NO 为 2.02%，NH_3 为 3.00%）模拟电厂烟气，水蒸气发生器由微型注射泵与加热带控制；反应器为内径 30mm 的石英玻璃管，带调压温控系统的横式管式加热炉提供反应温度环境；由 U 形管来测量床层压降；NO_x 的浓度由烟气分析仪（便携式 MRU SAE－19）在线监测。

表 1　活性炭性质样品编号材质粒度

样品编号	材质	粒度/mm	比表面积/（m^2/g）	孔容/（cc/g）	堆积密度/（g/L）	实密度/（g/L）
Sample1	煤质	6～15	209.14	66.2636	436.8	1153.1
Sample2	煤质	2～3	209.14	66.2636	528.8	1079.6
Sample3	煤质	1～2	550.89	166.3292	608.0	1192.2
Sample4	木质	0.1～0.5	779.08	226.1392	578.0	1344.2

实验脱硝效率由下公式（1）计算：

$$\eta = \frac{\omega_{in} - \omega_{out}}{\omega_{in}} \times 100\% \qquad (1)$$

式中：η 为脱硝效率；ω_{in} 为 NO_x 进口体积分数，ppm；ω_{out} 为 NO_x 出口体积分数，ppm。

实验中，入口 NO 浓度为 1000ppm，参考日本正在运行的活性炭脱硫脱硝设备空间速度[8]，本实验空间速度为 552/h，氨氮比为 1.2∶1。

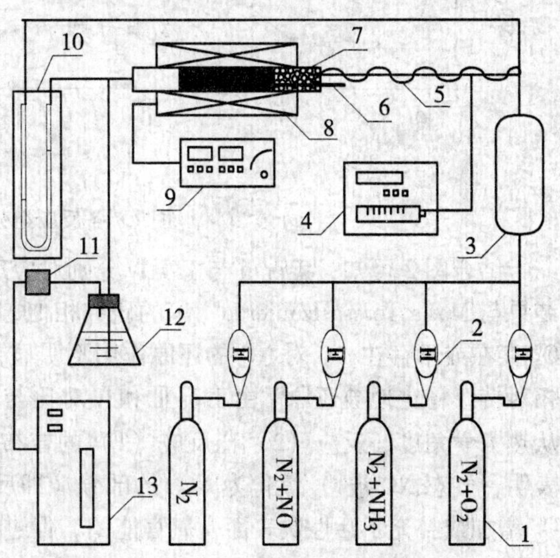

图 1　实验装置图

1. 高压气瓶；2. 转子流量计；3. 气体混合器；4. 微型注射泵；5. 加热带；6. 热电偶；7. 玻璃珠布风区；8. 管式炉；9. 温控器；10. U 形管；11. 过滤器；12. 磷酸溶液；13. 烟气分析仪

二、结果与讨论

（一）气体组分对 SCR 反应的影响

为了探讨不同烟气组分对活性炭脱硝过程的影响，选用 Sample1 作为催化剂，入口 NO 浓度为 1000ppm，氨氮比为 1.2∶1，氧气浓度为 5.0%，水蒸气浓度为 6.0%，空速为 552/h，温度为 150℃的条件下按表 2 所示工况分别进行试验。

表 2　模拟烟气组分工况

工况	气体组分			
	NO/ppm	NH_3/ppm	O_2/%	H_2O/%
Ⅰ	1000	0	0	0
Ⅱ	1000	1200	0	0
Ⅲ	1000	0	5	0
Ⅳ	1000	1200	5	0
Ⅴ	1000	1200	5	6.0

为了验证投入 NH_3 的转换率，对于反应管入口和出口的氨气进行了分析，其转换率达到了 81%，由此说明，投入的 NH_3 在脱硝反应过程中基本上参与了反应。

其实验结果如图 2 所示，如工况Ⅰ仅有 NO 的气氛下，活性炭对 NO 的物理吸附初始效率为 40%，活性炭作为单纯的物理吸附剂在没有 NH_3 存在的情况下吸附时间只有 10min，而加入 NH_3 后脱硝效率趋于稳定，但 NO_x 去除效率仅为 12% 左右，且初始效率明显低于单纯的物理吸附，

可见 NH_3 与 NO 在活性炭 fdr 表面存在吸附竞争，NH_3 在一定程度上可以稳定还原 NO，但化学转化速率不高，在工况Ⅲ加入 O_2 的情况下，初始吸附效率可达 45%，吸附量明显高于单纯 NO 的物理吸附，可见 O_2 的存在利于 NO 在活性焦上的吸附；工况Ⅳ在 NH_3 和 O_2 同时存在的情况下，脱硝效率达到 48% ~50%，且稳定性好。理论上，NO_x 的催化还原过程主要有以下反应：

$$6NO + 4NH_3 \rightarrow 5N_2 + 6H_2O,\ \Delta G_m\ (420K) = -25991.838 kJ/mol \tag{1}$$

$$4NO + 4NH_3 + O_2 \rightarrow 4N_2 + 6H_2O,\ \Delta G_m\ (420K) = -36022.185 kJ/mol \tag{2}$$

$$2NO + O_2 \rightarrow 2NO_2 \tag{3}$$

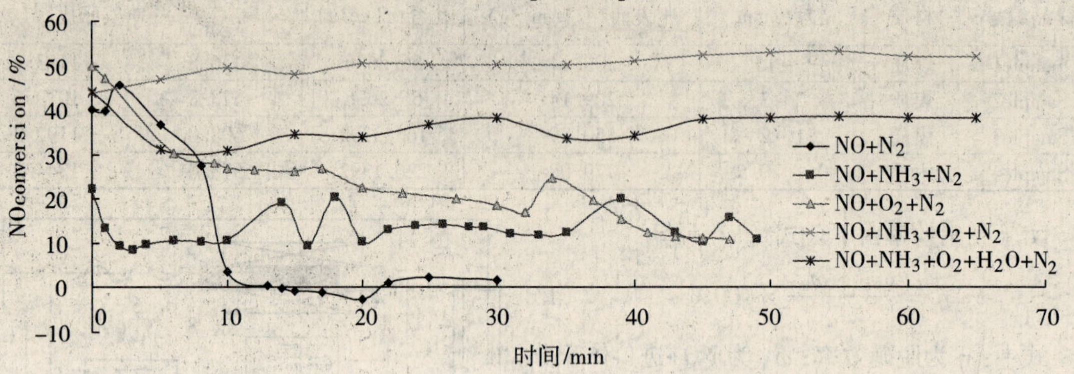

图 2　各反应组分对 SCR 过程的影响

结合图 2 可知，工况Ⅱ与工况Ⅳ分别对应反应（1）与反应（2），相比于工况Ⅰ与工况Ⅲ的结果与 Maria Teresa Izquierdo[9] 等的研究相似，活性炭本身也可作还原剂，但在本试验中，无论 O_2 存在或不存在，C 对 NO 的还原作用不明显，而仅有吸附作用，在有 NH_3 存在情况下，NO 可相对持续稳定地被还原。由工况Ⅲ和Ⅳ对比与工况Ⅰ和Ⅱ，O_2 的存在促进了吸附和还原反应，从热力学角度，反应（2）比反应（1）的吉布斯自由能小得多。根据 Rao 和 Hougen[10] 等的研究表明，气态 NO 被 O_2 氧化为 NO_2 的部分（即反应 3）比 NO 在活性炭上的异质氧化部分少得多，O_2 增加或补充了活性炭表面含氧官能团，促进 NO 在活性炭表面的吸附氧化，提高了 NO 在活性炭表面的吸附量，由普遍认同的 Eley – Rideal[11] 机理，表面含氧官能团的增多利于 NH_3 在活性炭上的吸附，从而提高了 NO 的转化效率[12]。工况Ⅴ表明 H_2O 的存在对催化过程不利，可能因为水蒸气覆盖了活性炭催化剂表面的活性位，导致 NH_3 单位时间内吸附量减少，且反应产物的脱附也会受到一定的影响，故催化反应速率降低。

（二）温度以及水蒸气的存在对催化效果的影响

选用 Sample1 作为催化剂，空速为 552/h，研究不同温度对活性炭脱硝率的影响。如图 3 所示为各温度工况下 NO 去除率变化曲线，可以看出在未负载任何金属阳离子活性中心的情况下，活性炭仍有稳定较高的催化效果，特别是低温段所显现出来的高催化转化作用，35℃下 NO 转化率达到 88.5%；从图中可以看出 200℃之前 NO 去除率随温度升高降低，而之后则随着温度的升高脱硝率不断上升。在 200℃所显现的 NO 转化率低谷

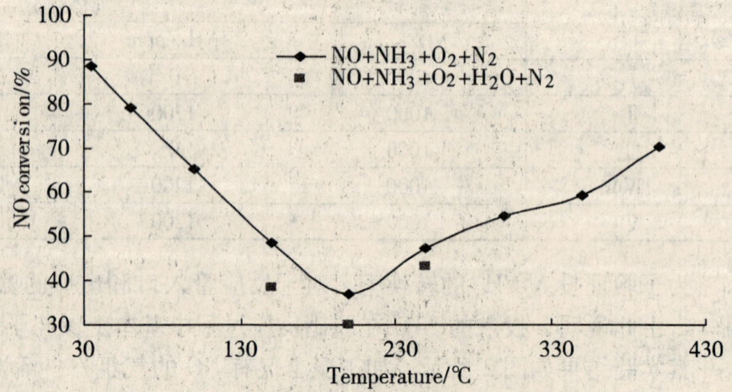

图 3　反应温度对 NO 去除的影响

验证了活性炭作为催化剂在反应中所发挥的两种催化机制：在低温段，活性炭更倾向于为反应物（NH_3 和 NO_x）提供物理吸附位点从而利于 NO_x 的下一步转化；在高温段时，物理吸附作用削弱，化学催化活性被激活，从而在反应过程中发挥化学催化作用，降低反应所需活化能，且根据阿伦尼乌斯定理，温度上升会导致化学反应速率的提高；另一方面，高温会促进反应产物从活性炭表面的脱附，为后续反应的反应物提供足够的吸附位点；而在200℃左右时两种作用机制均处于抑制状态，故显现出较低的催化效率，再次验证了 Grzegorz S. Szymanski[13] 等人的发现。从图中还可以看出，在模拟烟气中加入水蒸气后，NO 去除率有所降低，但其负面影响随温度的升高逐步减小。如何控制烟气中可观水蒸气含量（6% ~9%）对 SCR 过程的影响有待进一步研究。

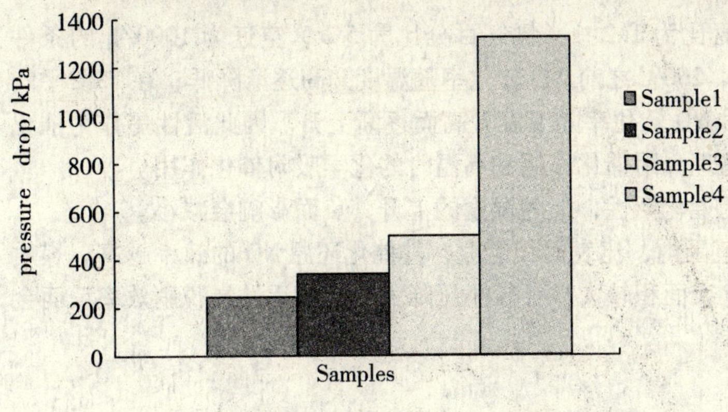

图 4　不同样品填充层压降

电厂烟气温度（120 ~180℃）并非处于活性炭催化最佳温度区，为达到国家规定的排污标准，可采取与燃烧中控制 NO_x 相结合的方法双重控制 NO_x 的排放[14]，或对活性炭进行改性处理使其物理吸附活性温度域右移，化学吸附催化活性温度域左移，从而提高催化效果。

（三）不同比表面积、材质活性炭对 SCR 过程的影响

设置入口 NO 浓度为 1000ppm，氨氮比为 1.2∶1，氧气百分比为 5%，空速为 552/h，温度为 150℃的条件下分别采用表 1 中的四种样品作为工况。如图 5 所示，Sample1 和 Sample2 相比可看出破碎后小颗粒的活性炭脱硝率有所增长，但幅度不大，仅为 10.2%，压降却增加了 36%（如图 4 所示）。增大比表面积的煤质活性炭 Sample3 脱硝率大幅度上升至 79%，增长率约为 53.1%，故煤质活性炭比表面积增加可促进其催化效果。而高比表面积的木质活性炭（Sample4）催化效果则大幅度降低，而压降却增至原来的 5.3 倍，从性价比上来看，木质活性炭不适合作为 SCR 过程中的催化剂。煤质活性炭的催化活性由于木质活性炭，其原因有待进一步研究。

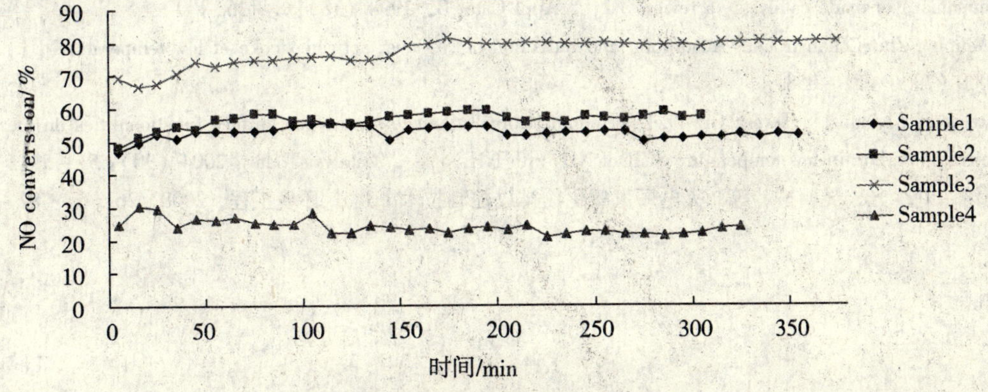

图 5　不同样品活性炭脱硝效率的比较

三、结　论

1. 活性炭作为单纯的物理吸附剂对 NO 的吸附效率低于 30%，且很快达到饱和，工程上没有可行性；加入 O_2 后 NO 的吸附量明显增加；再加入还原剂 NH_3 后，NO 的催化转化率大幅度

上升至50%左右，且活性炭催化效果相对稳定；而仅有 NO 和 NH_3 的情况下，催化还原效率较低，O_2 存在可增加或补充活性炭表面的含氧官能团，促进 NO 在活性炭表面的吸附氧化，提高 NH_3 的吸附量。

2. 入口 NO 浓度为 1000ppm，氨氮比为 1.2∶1，氧气百分比为5%，空速为 1000/h 的条件下，200℃为活性炭催化效率的转折点，200℃之前 NO 转化率随温度升高逐渐降低，在35℃平均转化率能达到88.5%，而在200℃之后 NO 转化率随温度升高而逐渐上升。因此活性焦作为催化剂有两种催化机制，分别为低温下的物理吸附催化作用和高温时的化学吸附催化作用。

3. H_2O 的存在会破坏活性炭表面的催化活性，但随温度的上升其负面影响会减小。

4. 对于煤质活性炭而言，在一定范围内，比表面积越大，其催化还原NO的效率越高。煤质活性炭的催化活性优于木质活性炭，比表面积较大粒径较小压降大的木质活性炭脱硝效率反而会降低。

参考文献

[1] 王志轩．论我国火电厂氮氧化物控制［J］．中国电力企业管理，2009，8：16－19.

[2] 田耀鹏，嵇鹰．低 NO_x 燃烧和排放控制技术的研究进展［J］．电力环境保护，2009，25（1）：27－30.

[3] 李保刚．选择性催化还原（SCR）烟气脱硝技术探讨［J］．宁夏电力，2006，4：61－64.

[4] 段传和，夏怀详，等．燃煤电站SCR烟气脱硝工程技术［M］．北京：中国电力出版社，2008.

[5] 李云鹏，王彬，方月兰，等．活性炭联合脱硫脱硝技术及应用前景［J］．化学工业与工程技术，2008，29（6）：38－40.

[6] 李同川，牛和三．脱硫脱硝活性炭的研究［J］．新型碳材料，2005，20（2）：178－181.

[7] 陶贺，金保升，朴桂林，等．活性炭烟气脱硫脱硝的静态试验和工艺参数选择研究［J］．东南大学学报，2009，39（3）：635－640.

[8] Tsuji k，Shiraish I. Combind desulfurization，denitrification and reaction of air oxics using activated coke 1. activity of activated coke［J］. Feul，1997（76）：555－560.

[9] Maria Teresa Isquierod，Begona，Rubio. Influence of char physicochemical features on the flue gas nitric oxide reduction with chars［J］．Environ. Sci. Technol，1998，32－40.

[10] Rao. M. N，Hougen. O. A. Chem. Eng. Prog. Symp，1952（4）：110.

[11] Busca G，lietti L，Ramis G，et al. Chemical and mechanistic aspects of the selective catalytic reduction of Nox by ammonia over oxide catalysts：a review［J］．Appl Catal B，1998（18）：1－36.

[12] Zhenping Zhu，Zhenyu Liu. Adsorption and reduction of NO over activated coke at low temperature［J］. Fuel，2000（79）：651－658.

[13] Grzegorzs Szymanski，Teresa Grzybeck，Helmut papp. Influence of nitrogen surface functionalities on the catalytic activated carbon in low temperature SCR of NO_x with NH_3［J］．CatalysisToday，2004（90）：51－59.

[14] 周涛，刘少光，吴明进，等．火电厂氮氧化物排放控制技术［J］．环境工程，2008，26（6）：82－85.

关于我国水泥行业氮氧化物排放和监测的思考

薄以匀[1] 胡学毅[2]

（1. 北京市劳动保护科学研究所；2. 北京首钢国际工程技术有限公司）

摘　要　本文简要介绍了水泥窑 NO_x 的产生及影响因素，我国水泥行业 NO_x 相关的排放标准；指出目前我国 NO_x 环境统计当中缺乏扎实有效的监测基础，统计数据可信度低；同时根据资料查阅及现场调研所收集的有限数据剖析，提出借鉴电力行业 NO_x 监测中的经验教训，及早深入研究各类窑的 NO_x 排放规律，为水泥工业 NO_x 污染控制奠定必要的科学基础。

关键词　水泥窑　NO_x 排放　排放标准　烟气监测　在线监测系统

一、引　言

水泥工业是我国重要的材料工业，消耗大量的资源和能源，同时也排放大量的废气和污染物。根据《中国水泥统计年鉴》，水泥行业的废气排放量在全国工业行业废气排放总量中，仅次于火力发电业和黑色金属冶炼及压延加工业，位于第三。水泥行业的废气排放量，约占到建材工业废气排放总量的84%。在污染物种类方面，水泥行业首先控制的是烟粉尘，经过多年的努力，已卓有成效。从2000—2007年，水泥产量从5.93亿t到13.61亿t，增加近129.51%；废气量从22850亿标准立方米增加到51356亿标准立方米，增加124.75%，为同步增长；烟粉尘排放量从809万t，下降到444万t，下降了45.12%，实现了增产减污。图1所示为2000—2007年我国水泥产量、废气量和烟粉尘排放量的变化曲线。

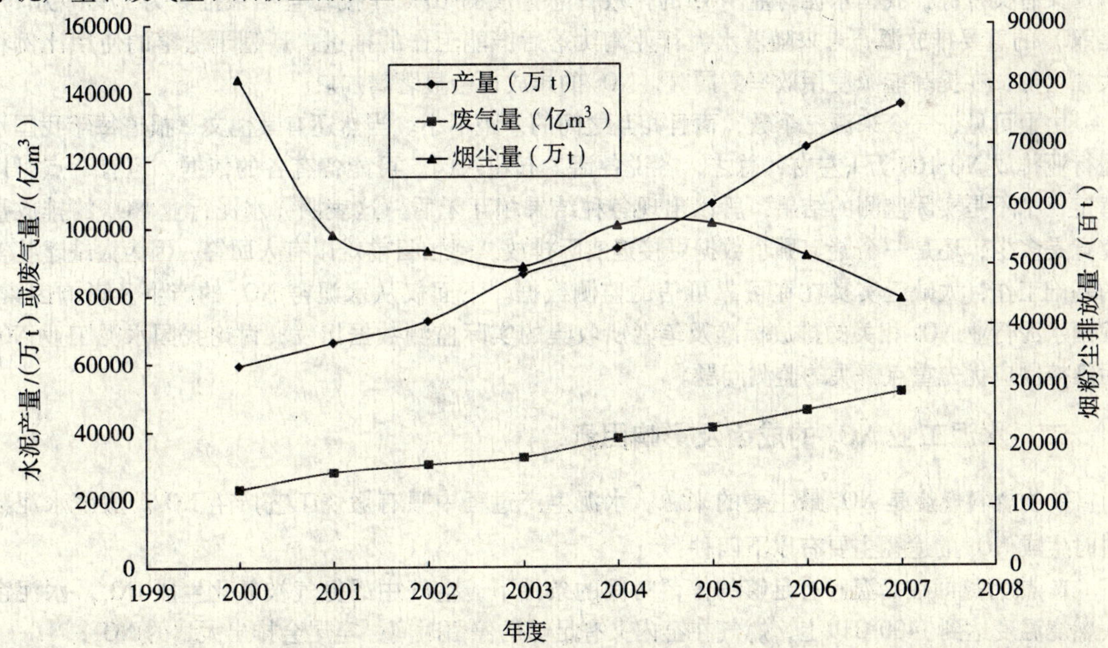

图1　2000—2007年我国水泥产量、废气量和烟粉尘排放量

水泥生产除了排放烟粉尘外，还排放二氧化硫（SO_2）、氮氧化物（NO_x）、氟化物等大气污染物。产生这些污染物的环节主要是熟料的煅烧过程，即水泥窑排放的煅烧烟气。水泥窑排放的烟气量占水泥生产线的70%以上，是水泥行业大气污染物的主要排放源。

近年来我国 NO_x 排放总量持续增长。根据2008年普查数据，2007年全国 NO_x 排放量为 1797 万 t（环境统计为 1643 万 t），预计到 2010 年将达 2000 万 t 左右，如不加以控制，将很快超过 SO_2 排放量，并可能部分抵消 SO_2 减排带来的环境效益，“十二五”全面开展 NO_x 污染防治工作已经迫在眉睫。但由于我国在 NO_x 控制方面起步较晚，2006 年以前 NO_x 尚未列入国家环境统计数据，故缺乏常年排放监测数据的积累，对各个行业 NO_x 的排放状况并不很清楚。

水泥行业从 2005 年才开始在部分环监部门进行 NO_x 的监测，2006 年的环境统计年报中增加了 NO_x 排放量的内容。2008 年全国污染源的普查工作也促进了 NO_x 的监测。由于是起步阶段，受条件所限，实际上许多单位并没有进行实测，而只是按照排放系数进行的估算。因此，到目前为止真正对水泥窑 NO_x 排放进行系统监测和研究的单位还很少，想了解各类窑的实际排放情况比较难，缺乏数据支持。

我国对 NO_x 污染控制首先是在耗煤大户电力行业展开的，其间就出现过燃煤锅炉现场实测数据，普遍比环境统计报表推荐的计算公式或国外相关报道的数据低，有的要低很多的现象，是什么原因造成我国燃煤锅炉 NO_x 排放普遍偏低，一直未有很明确的答案。现在开始对水泥窑进行 NO_x 的监测，也出现了类似的问题，值得国内同行反省。

目前至少有一点是可以肯定的，水泥行业 NO_x 现有的排放量数据还是非常粗线条的，以估算为主。2006 年水泥行业才将 NO_x 列入环统数据，2007 年才有 NO_x 的排放量数据。根据 2008 年水泥统计年鉴，2007 年水泥行业 NO_x 排放 68.48 万 t，比 2006 年增长 14.44%；NO_x 达标排放率 80.42%，比 2006 年提高 6.5%。

近期有文章称：2007 年，我国水泥总产量为 13.6 亿 t，排放 NO_x157 万 t，占全国工业排放总量的 15%，已是居火力发电、汽车尾气之后的第三大 NO_x 排放大户。

又有文章称：我国水泥行业 NO_x 的排放占总排放的 10%（按普查结果推算为 179.7 万 t），是 NO_x 的重要排放源，未来随着水泥行业淘汰落后产能工作的推进，新型干法窑的使用比例将大幅增加，在提高能源使用效率的同时，NO_x 的排放也会显著增加。

由上可见，三个来源三个数，而且相互之间的差距不小。当然还有其他文章报道每年我国水泥行业排放 NO_x100 万 t 左右，总之，各说各话，五花八门。可能各有各的依据，但有一点可以肯定，都不是实际监测的结果，所以出现各种结果相互矛盾。这表明，水泥行业 NO_x 的排放量究竟是多少，还是一个谜。哪个数据更接近实际排放，恐怕目前难以有人回答，因为太缺乏扎实的基础工作，太缺乏实实在在可靠可信的监测数据。下面仅从水泥窑 NO_x 的产生及影响因素、我国水泥行业 NO_x 相关的排放标准及笔者所收集的实际监测数据出发，讨论我国水泥工业 NO_x 污染控制应优先重点解决的监测问题。

二、水泥工业 NO_x 的成因及影响因素

矿物燃料燃烧是 NO_x 最主要的来源。水泥生产过程中只有煅烧工艺产生 NO_x。煅烧水泥熟料时生成 NO_x 的途径主要有以下四种：

1. 热力氮即在高温和有足够的停留时间的条件下，空气中的氮气被氧化生成 NO_x。水泥窑头燃烧温度达到 1400℃以上，燃气在窑内又有足够的停留时间，窑尾会排出大量的 NO_x；

2. 瞬间氮是有碳氢根存在的条件下，于火焰前端瞬发形成的 NO_x，一般工业条件下，这种瞬间 NO_x 生成量的比例很小，可以忽略；

3. 燃料氮是由燃料中所含的氮化物所产生的。例如煤中约含有 0.5% ~2% 的氮（按质量计）。因为燃料中氮原子的结合能较小，所以在水泥窑系统相对较低温的分解炉内产生的燃料 NO_x 较多；

4. 生料氮是由窑喂料中含氮的化合物分解后而形成的 NO_x，例如 NH_4 等。

NO_x 是 NO 和 NO_2 的总和，在窑尾废气中 NO_2 一般仅占 NO_x 总量的5%以下，NO 则占总量的95%以上。根据 NO_x 的生成机理，可以推断，在原燃料的组成确定的情况下，窑炉温度越高，所生成的 NO_x 也就越多。旋窑的窑温高于立窑，因此，旋窑排放的 NO_x 高于立窑。而旋窑中，新型干法生产系统中，由于50%～60%的燃料是在温度较低的分解炉中燃烧的，因此，新型干法窑外分解窑中排放的 NO_x 低于传统窑型。

需要说明的是，立窑生产规模小，工艺过程不稳定，所排放废气的温度、湿度、烟气量等在不同工况下波动很大，窑温一般在1350～1450℃之间，但实际上波动范围有的达到200℃，甚至更高，导致产品质量不稳定，是逐渐要被淘汰的炉型。但从全国范围看，立窑的产能还占到四成以上。2007 年末全国的水泥熟料产能达到 125972 万 t，其中预分解窑为 64781 万 t，立窑 56991 万 t，分别占 51.42% 和 45.24%。像上海、北京、浙江等特大城市和发达地区，预分解熟料占熟料生产能力的比例已达到95%以上，基本消灭了立窑；而绝大部分城市和地区的立窑熟料还占相当的比例，尤其是西部和西南比较落后的地区，立窑的比例达到50%以上。因此，水泥工业须计入立窑 NO_x 的排放。

由水泥煅烧过程 NO_x 的成因可知，影响 NO_x 生成多少的因素主要有温度、燃料和生料的含氮量及含氮化合物的组分。其中温度是主要影响因素，因为对于特定的地区和企业，原燃料的来源是比较稳定的，因此其含氮量及组分变化相对较小。而窑温不仅与窑型有关，还与负荷和操作情况有关，故变数较大。

三、我国与水泥行业有关的 NO_x 排放标准

我国于1996 年颁布了《大气污染物综合排放标准》（GB 16297—1996）。该标准规定了 33 种大气污染物的排放限值。NO_x 是第二号污染物，主要针对硝酸、氮肥和火炸药生产，硝酸使用和其他等工业。浓度限值分别为 1700mg/m^3 和 420mg/m^3。针对不同的排气筒高度规定有最高允许排放速率。1996 年修订的《火电厂大气污染物排放标准》开始对新建的 1000t/h 以上的锅炉规定了 NO_x 的排放要求，对其他锅炉的 NO_x 排放没有要求。2003 年修订时，则按时段和燃料特性分别规定了燃煤、燃油锅炉的 NO_x 排放限值。《锅炉大气污染物排放标准》也有类似的修订过程，增加了 NO_x 的排放限值。

水泥行业对 NO_x 规定排放限值，可见 2004 年修订的《水泥工业大气污染物排放标准》（GB 4915—2004）。其中规定了水泥窑及窑磨一体机生产过程中排放的 NO_x（以 NO_2 计，10% 氧含量），浓度限值为 800mg/m^3，单位产品排放量为 2.40kg/t。

为进一步改善环境空气质量，北京市制订了地方标准《冶金、建材行业及其他工业炉窑大气污染物排放标准》（DB 11/ 237—2004），其中对位于 B 区水泥窑规定了 NO_x 的排放浓度限值和单位产品排放量，分别为 500mg/m^3 和 1.50kg/t（以 NO_2 计，10% 氧含量）。北京 B 区是指除城近郊区、北京经济技术开发区和郊区、县的城区（城关镇），以及市人民政府划定的其他高污染燃料禁燃区域以外的其他地区。

为了给水泥工业开展清洁生产提供技术支持和导向，环保部科技标准司组织制定了《清洁生产标准水泥工业》（HJ 467—2009），其中规定了污染物产生指标（末端处理前），NO_x（以 NO_2 计）一级标准为≤2.00kg/t，二级和三级标准为≤2.40kg/t。一级对应≥4000（t/d）的水泥生产线，二级和三级对应≥2000（t/d）的水泥生产线。

现将这些与水泥有关的 NO_x 排放标准汇总于表 1。

由表 1 可见，北京市的标准限值最为严格，为 500mg/m^3；清洁生产标准的一级指标次之，为≤2.00kg/t，若按烟气量 3000m^3/t 折算，浓度为≤670mg/m^3；清洁生产标准的二、三级指标为≤2.40kg/t，与国家标准一致，折算为排放浓度限值为 800mg/m^3。

表1　我国与水泥行业有关的 NO_x 排放标准

标准名称	标准号	浓度限值/（mg/m^3）	单位产品排放量/（kg/t）	备注
水泥工业大气污染物排放标准	GB 4915—2004	800	2.40	以 NO_2 计，O_2 含量10%
冶金、建材行业及其他工业炉窑大气污染物排放标准	DB 11/ 237—2004	500	1.50	以 NO_2 计，O_2 含量10%，B区
清洁生产标准 水泥工业	HJ 467—2009		一级≤2.00kg/t，二级和三级≤2.40kg/t。	以 NO_2 计，一级规模≥4000（t/d），二级和三级规模≥2000（t/d）

注：由国标和北京地方标准的浓度限值和单位产品排放量之间的关系可以分析出，吨产品的烟气量是按 $3000m^3/t$ 考虑的。

我国2007年水泥产量已达13.6亿t，占世界水泥总产量的一半以上，其中新型干法水泥产量约7.5亿t，比重由2000年的14%升至55%。那么我国水泥行业 NO_x 的排放标准与国外发达国家比较，是否存在差距？现以德国为例说明国际上的发展趋势。据文献报道，德国20世纪70年代开始对全德水泥窑的 NO_x 排放情况进行了全面的检测研究工作，80年代初公布的调查结果是，各种不同型式的水泥窑年平均的 NO_x 排放浓度为300～$2200mg/m^3$，视原燃料种类、窑型及其操作情况而异。当时水泥工业采用二次燃料的还很少，绝大多数水泥企业都是采用天然矿物燃料，故当时德国水泥工业 NO_x 的允许排放标准限值为400～$2000mg/m^3$。但随着技术进步和对 NO_x 的控制，标准限值不断被修订。德国2005年12月28日开始实施的国家标准是目前在世界范围内水泥工业对 NO_x 排放限制最严格的。该标准规定：当水泥企业采用二次燃料的替代率≤60%时，其排放废气中的 NO_x 浓度不得超过 $500mg/m^3$（以 NO_2 计，10% O_2）；当二次燃料替代率为60%～100%时，则不得超过 $200mg/m^3$。现在德国几乎每一家水泥企业都或多或少的采用了二次燃料替代天然矿物燃料（煤、石油、天然气）。全德水泥工业二次燃料的替代率平均已达到50%以上。许多北欧和西欧各国的水泥行业目前虽然对 NO_x 的排放限值仍为500～1200 mg/m^3，但经过多年的准备，预计不久都会向德国标准靠拢。日本规定水泥 NO_x 的国家排放标准为480ppm，即 $984mg/m^3$，而采取 NO_x 减排措施的太平洋水泥熊谷工厂的实际排放浓度在340ppm（$697mg/m^3$）以下。

由此可见，我国的标准限值已接近国际的平均水平，北京标准相当于德国现行标准（二次燃料的替代率≤60%）。那么对于我国的水泥企业，达标排放有无难度，现有的监测结果是否可信，请看实际情况。

四、我国水泥窑 NO_x 排放实测情况

有文献报道，国内运行的新型干法水泥窑 NO_x 排放浓度尚缺乏系统的统计数据，根据一些不完全的监测数据显示，大约在800～$1600mg/m^3$ 左右。

据了解，在制订水泥排放标准 GB 4915—2004 之前，标准编制组曾调研了20个新型干法窑，平均 NO_x 排放浓度为 $508.65mg/m^3$，最低的为 $105mg/m^3$，最高的为 $920mg/m^3$。在调研的水泥企业中，有60%可在 $500mg/m^3$ 以下，100%可在 $800mg/m^3$ 以下。这也是当时制订 NO_x 排放标准的主要依据。

但令人困惑的是，在笔者深入水泥企业现场，通过北京市各水泥窑的在线监测系统观测到的 NO_x 排放浓度普遍比上述提到的浓度低。表2为笔者现场调研所观察到的数据。

表 2　北京某些新型干法旋窑在线监测系统显示窑尾烟气排放的 NO_x 浓度值

企业编号	窑生产规模/(t/d)	含氧量/%	实测 NO_x 浓度/(mg/m^3)	折算 NO_x 浓度/(mg/m^3)	备注
PE	1500	16.09	148.29	329.20	氧折算
XG	1200	9.3	156.0	146.7	氧折算
TH	3200	11.0	415	601	NO 折算到 NO_2
LM	2500	8.84	154.63	148.03	氧折算
QL	1500	10.50	254.71	266.94	氧折算
SS	1200	9.00	458.19	445.62	氧折算

由表 2 可见，在现场实际看到的正常运行的干法水泥窑的在线监测系统显示的数据多数在 300mg/m³ 以下，有的甚至只有 100 多 mg/m³，只有少量的在 500mg/m³ 以上。北京地方标准是 500mg/m³。向有关监测部门了解，多数测试的 NO_x 排放浓度的确没有想象的那么高，最高的也就是到 900mg/m³，一般在 500mg/m³ 以下，1000mg/m³ 的鲜有。未曾获得现场监测和在线监测的比对数据。

北京保留的水泥企业都是新型干法窑，并都安装了在线监测系统与市监测中心联网运行。在市监测中心可随时观看到各窑头窑尾排放烟气的变化情况，但目前这些数据并不作为企业污染物排放量的依据，人工现场监测的数据是认定的依据。未采用在线监测的数据，缘于对其实时监测的可靠性、真实性尚未认定。但不可否认，经过多年的努力，在线监测系统运行的可靠性、完好率已得到极大提升。若干年前，笔者所到之处见到的在线监测系统几乎没有能够正常读数的，即使可以读数，参数短缺也是常事，看不到完整的参数，也无从判断数据的合理性。而现在所到之处，只要窑在运行，在线监测系统就能读数，从显示屏幕上看，数据基本完整、合理。

2008 年在全国范围进行了污染源普查，该次普查所用的水泥窑排放因子是通过现场实测、现场调查、历史调查的方法得出的。对于水泥生产线，按照生产工艺分为新型干法、立窑和粉磨站三种：新型干法生产规模按照日产熟料量分为大型、中型和小型三种；立窑生产规模依据年产量分为大型和小型两种，粉磨站属于外购熟料，没有煅烧过程，故没有 NO_x 排放。表 3 列出 2008 年用于水泥行业污普各类窑型的 NO_x 排放系数。因是直排，产污系数等于排污系数。

表 3　2008 年水泥行业 NO_x 产排污系数　kg/t 熟料

工艺名称	规模等级	排污系数/(kg/t 熟料)	窑炉烟气量/(m^3/t 熟料)	计算窑尾烟气量*/(m^3/t 熟料)	折算浓度*/(mg/m^3)
新型干法	≥4000t 熟料/d	1.584	3964	2775 (3000)	570 (528)
	2000～4000t 熟料/d	1.746	4069	2848 (3000)	610 (582)
	>2000t 熟料/d	1.746	4069	2848 (3000)	610 (582)
立窑	≥10 万 t 水泥/a	0.243	2644	2644	92
	<10 万 t 水泥/a	0.202	3275	3275	62

注：带有 * 号的是本文计算得出的。括号中的数据是按水泥标准烟气量计的。

新型干法旋窑烟气排放分为窑头和窑尾两部分，窑尾排放的是煅烧气体，故只有窑尾排放 NO_x。若按照烟气量窑头窑尾 3:7 的比例划分，则可得到窑尾烟气排放量，进而推算出 NO_x 的排放浓度。如果按照现行水泥排放标准的烟气量 3000m³/t 熟料计，则可得到另外的 NO_x 排放浓度。而立窑烟气排放只有一个出口，可直接推算 NO_x 的排放浓度。由表 3 可见，NO_x 排放立窑明显低于新型干法。这符合火焰温度越高，则 NO_x 排放越多的规律。

为说明污染源监测方面存在的问题，在这里摘抄了东北某市立窑的实测数据。该市水泥企业较多，而且都是立窑。为核定水泥企业 NO_x 排放系数进行了大量的实测工作。

表 4　东北某市立窑企业基本情况及 NO_x 实测数据

企业序号	立窑规格	燃煤量/（t/h）	年运行小时/（h/a）	燃煤产地	生产负荷/%	炉温/℃	废气流量/（m^3/h）	NO_x 浓度/（mg/m^3）	NO_x 排放速率/（kg/h）
1	Φ3.8×11m	1.5	7200	辽阳	95	1450	18968	324.0	6.14
	Φ3.8×11m	1.5	7200	辽阳	95	1450	39492	26.3	1.04
	Φ3.8×11m	1.5	7200	辽阳	95	1450	60578	18.5	1.12
2	Φ3.0×11.5m	1.8	3312	辽源	90	1350	25117	36.0	0.86
3	Φ3.3×12m	2.6	4380	辽源	90	1350	30686	107.0	3.28
4	Φ3.2×11m	3.0	4320	长白山	90	1450	31379	92.4	2.91
5	Φ3.0×10m	2.4	5040	本溪	90	1350	50476	23.0	1.16
6	Φ2.8×10m	2.1	6480	本溪	95	1350	38801	77.3	3.0
	Φ2.8×10m	2.1	6480	本溪	95	1350	31279	60.0	5.0
	Φ2.8×10m	2.1	6480	本溪	95	1350	37633	26.6	1.0
7	Φ2.3×6.5m	0.9	5040	本溪	90	1400	120726	22.6	27.28
8	Φ2.8×10.5m	1.1	5040	本溪	90	1400	34620	100.2	3.47
	Φ2.8×10.5m	1.1	5040	本溪	90	1400	176484	157.7	27.84
9	Φ2.5×8.5m	0.52	5760	本溪	90	1400	57665	55.0	3.17
10	Φ2.8×10m	2.78	5760	本溪	90	1400	31255	16.0	0.50
11	Φ3.0×10m	1.67	4500	本溪	90	1350	20990	76.0	1.60
12	Φ3.2×11.5m	1.74	5424	本溪	90	1400	55273	189.4	10.47

表 4 的数据肯定是现场人工测试的，其工作量之大，可以想象。总体上数据相对完整。但其中有些数据是否合理值得商榷。如规格为 Φ2.8×10.5m 的两个窑，风量分别为 34 620m^3/h 和 176 484m^3/h，相差4.10 倍，是否可信？而规格 Φ2.3×6.5m 的窑风量就达到120726m^3/h，窑的断面风速达到8.09m/s。如果测试没问题，那该立窑的漏风可非同一般。另外文中说明 NO_x 和 SO_2 是用同一台仪器所测，并没有明确所测得的 NO_x 是否经过 NO 到 NO_2 的折算。从上表可见，直接测得的 NO_x 的浓度不高（未经过氧折算），最大仅为 300 多 mg/m^3，最小的只有不到 20mg/m^3，在所给出的 17 组数据中，NO_x 小于 50mg/m^3 的有 7 个，50～100mg/m^3 的有 5 个，100～200mg/m^3 之间的有 5 个，大于 300mg/m^3 的仅有一个。当然按照表 3 排放系数的推算结果，立窑 NO_x 的排放浓度也就在 100mg/m^3 以下。那么又何以解释300 多 mg/m^3 的数据，是特例，还是常态？

五、讨论与结语

本文介绍了水泥工业 NO_x 的产生及影响因素、我国水泥行业 NO_x 相关的排放标准、我国水泥窑 NO_x 排放实测情况等，目的是想说明，我国水泥窑 NO_x 排放的情况值得研究。若不把源排放的基本情况摸清，加强对水泥行业 NO_x 的总量控制就是一句空话。因为排放总量都不清楚，控制到多少合适根本无从谈起。

从本文涉及的资料和数据，都表明我国水泥行业的 NO_x 超标排放的情况不突出，很多水泥企业都能达标排放，而且低于标准限值很多，即不用治理，就已经能够达到国外经过多种 NO_x 减排措施才能达到的排放目标，难免让人匪夷所思。

笔者曾就我国锅炉 NO_x 监测排放浓度偏低的现象发表论文，指出偏低的原因无外乎两种，一是监测方面的问题，包括监测方法、表达方式、含氧量折算等；二是燃烧设备本身运行的问题，包括设备的密封和保温、运行负荷、运行工况等。关于前者，水泥标准规定的很明确，但实际当中执行如何尚不清楚，但不会比实施多年 NO_x 测试的电力行业还强吧。关于后者，水泥的窑型多种多样，运行操作也不相同，恐怕全国各地的差异就更大了。因此，只有把这两方面的问题都尽量规范统一，或定格在某一范围，NO_x 的监测结果才能真正反映我国水泥窑的排放实情。

鉴于大气 NO_x 污染日趋严重，水泥工业对 NO_x 的控制势在必行。建立水泥行业 NO_x 的排放清单迫在眉睫。由于存在文中提到的问题，有关部门须引起足够重视，否则会“因小失大”。因为 NO_x 的测试方法是成熟的，在监测过程中没有难点，NO_x 以二氧化氮计，是个非常简单的问题，也很容易做到。但如果忽略了这个环节，则可能造成数据的混乱，搞不清所统计的排放量是以一氧化氮计，还是以二氧化氮计，或是混搭。如不及早重视，加以解决，就可能造成积累了大量数据之后，因为说不清它们指何物，数据无法利用的尴尬局面。

另一方面，我国制订的水泥排放标准是否太宽松了，还是监测有问题，也值得探讨。建议国家有关部门应立题进行这方面的研究。不要蜻蜓点水，搞泛泛的低水平重复的工作，而是要深入研究相关的 NO_x 排放规律，选择代表性强的典型地区、典型窑型，进行不同工况、不同原燃料的排放测试，确保测试数据可靠、可信，并结合窑的具体情况深入分析测试结果，给出各类窑 NO_x 排放的真实浓度范围，在此基础上提出的排放系数才更符合实际需要。

参考文献

[1] 中国水泥协会. 2001—2005 年中国水泥年鉴. 长春：吉林教育出版社，2007.

[2] 中国水泥协会. 2007 年中国水泥年鉴. 年鉴出版社，2008.

[3] 中国水泥协会. 2008 年中国水泥年鉴. 年鉴出版社，2009.

[4] 高长明. 水泥工业废气脱氮技术. 中国硅酸盐学会环境保护分会学术年会论文集. 2007：333-335.

[5] 于飞，吴险峰，柴发合. 日本 NO_x 总量控制带来哪些启示 [N]. 中国环境报，2010-02-02.

[6] 王雅明，郝庆军，袁秀霞. 水泥制造业产排污系数研究与应用 [S]. 中国硅酸盐学会环境保护分会学术年会论文集. 2009：21-27.

[7] 李丽. 在环境统计工作中对水泥行业 NO_x 与 SO_2 排放系数的核定 [J]. 统计与咨询，2007，5：29-30.

[8] 薄以匀，庄德安，岳涛. 试论 NO_x 的监测与表达 [J]. 火电厂 NO_x 排放控制技术研讨会论文集. 2008，5：240-251.

[9] 清华大学环境科学与工程系. 国家中长期氮氧化物控制方案——氮氧化物排放现状、趋势及控制对策建议. 2004. 10.

有机废气的净化处理技术

邢巍巍　宋国华

（大连市环境监测中心　大连市沙河口区连山街58号　116023）

摘　要　有机废气处理问题，是当前工业废气处理的难点、热点问题。本文介绍了目前国内外处理有机废气的几种技术方法：包括氧化法、生物法、冷凝法、吸附法、膜分离法等。

关键词　有机废气　净化处理　破坏法　回收法

一、介　绍

有机废气是石油化工、喷漆、制药、印刷所排放的最常见的污染物。废气中的有机物为挥发性有机物，简称VOCs，包括各种烃类、醇类、醛类、酸类、酮类和胺类等；这些有机废气会造成大气污染，且多数具有毒性，对人类的健康和环境均具有危害。部分有机物被列为致癌物，如苯、多环芳烃、氯乙烯、乙腈等。由于VOCs的危险性，很多国家均颁布法令对VOCs排放进行控制，我国的《大气污染防治法》也要求对工业产生的VOCs气体进行回收利用，这些均促使VOCs处理技术的发展和进步。目前国内外对治理挥发性有机废气开展了大量的研究和应用，下面将对这些处理技术加以介绍。

二、净化处理技术

要想从根本上避免或者减少有机废气的排放，首先要不断改进生产的工艺和设备，包括改进原材料、操作的工艺条件，从源头上减少VOCs的生成和挥发。

目前国内外VOCs的处理方法主要有两类：一类是破坏法，另一类是回收法。破坏法主要有热氧化、催化燃烧、生物氧化及集成技术。该类方法主要是通过化学或者生物反应，用热、催化剂和微生物将有机物转变成为CO_2和水。

回收法主要有：冷凝法、吸收法、吸附法和膜分离法。

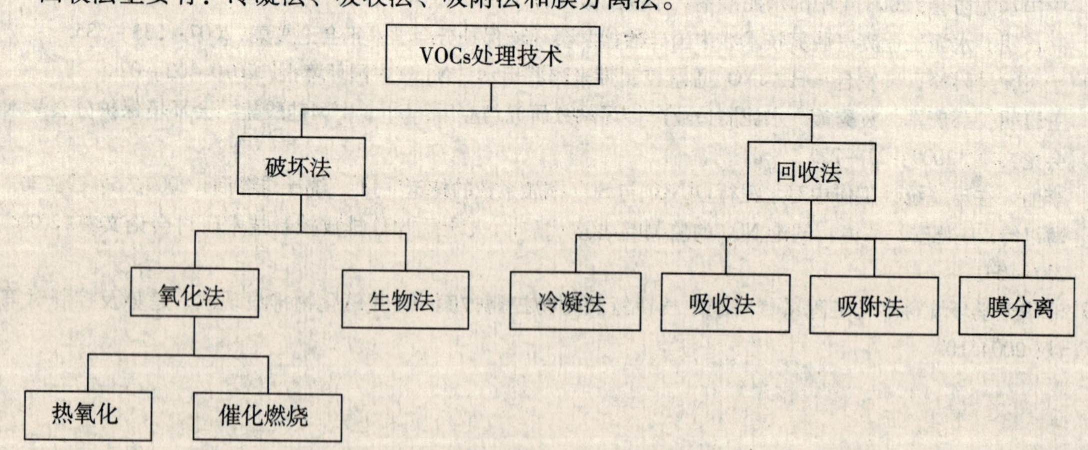

图1　有机废气的主要处理技术方法

三、破坏法技术

（一）热氧化法

热氧化系统也称为微粒污染物焚烧炉，可以去除95%～99%的VOCs。系统的处理能力为

1500～800000m^3/hr，VOCs的浓度范围为100～2000ppm。一般停留时间为0.5～1s。热氧化的操作温度为700～1000℃[1]。为了操作的安全起见，进气中VOCs的浓度最好不要超过其爆炸下限的25%。在燃烧氯代烃以及含硫化合物时，由于有酸性物质生产，需要对燃烧尾气进行进一步处理。

（二）催化燃烧法

催化燃烧系统采用贵金属铂、钯催化剂，使得有机气体中的碳氢化合物在较低的温度下（500～700℃），通过催化剂的作用被氧化分解成无害气体并释放热量。这种高浓度的有机气体在催化燃烧时所放出的热量足以维持其催化反应时所需要的温度，无需外加热源[2]。在催化燃烧过程中，燃烧反应温度低，一般比热焚烧要低300～500℃，由于燃烧完全不会产生CO和剩余可燃气体，不易生成高温下的二次污染物如二恶英、氮氧化物等，而且脱除污染物效率高，还可以回收热量节约能源，最终有机气体在催化剂的作用下于一定温度下转化为水和二氧化碳，并排向大气。此处理方法的关键问题是开发与研制一种起燃点低、催化活性高、稳定和价廉的催化剂，提高催化剂对有毒气体和污染气体的消除率。

（三）生物技术

生物技术最初是用于降低废气中的恶臭，随着技术的发展证明生物法是高效、低价的VOCs脱除方法[3]。其实质就是在适宜的环境条件下，附着在滤料介质中的微生物利用废气中的有机成分作为碳源和能源，维持生命活动并将有机物分解成为CO_2和H_2O的过程，有机氮被转化为氨气，继而转化为硝酸，硫化物先转化为硫化氢，继而氧化为硫酸。对VOCs的脱除率的顺序为硫化氢＞芳烃＞醛类和酮类＞卤代烃。除含氯较多的有机物分子难以降解外，一般的气态污染物在生物过滤器中的降解速度为10～100g/m^3·h，生物过滤器对挥发性有机物的去除率可达95%，对恶臭物质达99%。用于净化有机废气的生物膜处理装置，有生物滤池、生物滴滤池和生物洗涤塔三种形式。

四、回收法技术

（一）冷凝法

通过降低气体的温度或者增加气体的压力，使得VOCs处于过饱和状态，将VOCs组分冷凝下来。该方法适用于气量小、高沸点和高浓度VOCs的回收。由于处理的VOCs浓度较高，其浓度往往处于爆炸上限，这样在后续的冷凝过程中，气体会进入爆炸范围，存在爆炸的危险，在系统的设计上需要增加惰性气体保护等措施。冷凝法处理后的VOCs的浓度偏高，往往通过结合其它的过程，如吸附、吸收、膜分离法等，使得VOCs的浓度能够达到排放标准。

（二）吸收法

一般采用物理吸收，根据有机物相似相溶的原理，常采用沸点较高、蒸汽压较低的柴油、煤油作为溶剂，使VOCs从气相转移到液相，然后对吸收液进行解析处理，回收其中的VOCs，同时使溶剂得以再生。即将废气引入吸收液进行净化，待吸收液饱和后经加热、解析、冷凝回收；本法适用于大气量、低温度、低浓度的废气，VOCs的脱除率在95%～98%。

（三）膜分离法

膜分离是选用人工合成的或天然的膜材料为分离介质，根据VOCs和空气在膜内渗透速率的差异，来实现两者的分离[4]。传递过程的推动力为气体组分在膜两侧的分压差。该法是一种新的高效分离方法。用膜分离法可回收的有机物包括脂肪族和芳香族化合物，卤代烃、醛、酮、腈、酚、醇、胺、酯等。该法最适合处理有机物浓度较高的废气回收效率可以达到97%以上。膜分离技术的传统工艺如图2所示。

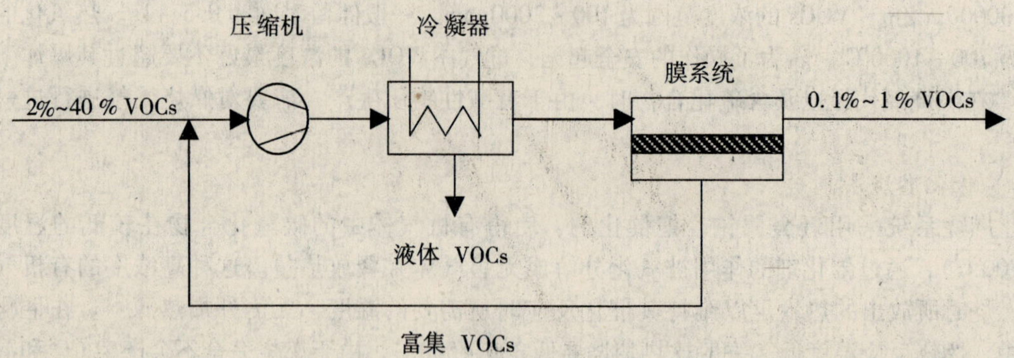

图 2　膜分离技术的传统工艺

有机废气进入压缩机增压后进入冷凝器中冷凝，其中冷凝下来的有机物可以回收，余下未冷凝的部分通过膜分离单元分成两股，一部分为低压富集 VOCs 的渗透气流，返回至压缩机入口，另一部分为贫 VOCs 气流，直接从系统中排出。膜分离法回收有机气体最早使用于汽油回收方面。目前在国内的加油站和油库已经安装了 200 多套的装置[5]。

（四）吸附法

根据吸附质和吸附剂的作用原理可以分成物理吸附和化学吸附，VOCs 处理过程大多是物理吸附。按照操作模式，物理吸附又分成变温吸附和变压吸附。目前使用的吸附剂为活性炭。

活性炭多是粉末状或颗粒状，经过特殊的工艺处理后，能产生丰富的微孔结构，这些人眼看不到的微孔能够依靠分子力，吸附各种 VOCs，从而达到净化的目的。活性炭变温吸附过程包括吸附净化和热脱再生。吸附净化过程是将有机废气由排气风机送入吸附床，有机废气在吸附床被吸附剂吸附而使气体得到净化，热脱再生过程是当吸附床内吸附剂所吸附的有机物达到允许的吸附量时，该吸附床已经不能再进行吸附操作，而转入脱附再生。脱附再生即用热空气吹扫吸附剂，使吸附的有机物脱附出来达到使吸附剂的吸附能力再生的目的。

变压吸附 PSA 技术是利用气体组分在固体吸附材料上吸附特性的差异，通过周期性的压力变化过程实现气体的分离与净化。在常温及一定压力条下，可把有机废气中吸附在活性炭上，没有被吸附的气体进入下一个工段。吸附有机废气以后的吸附剂，通过降压抽真空把有机物解吸，使吸附剂再生。再生后的吸附剂重新去吸附废气中的有机物，以此循环往复。生产过程中采用 4 个相同的吸附塔在一台计算机的控制下，通过调节阀变向不断改变气流的流向和改变各塔的工作阶段，来实现各塔的吸附与再生交替进行。PSA 装置采用四塔二均式工艺，该工艺的每个吸附塔必须经过吸附、一均降、顺向放压、二均降、逆向放压、冲洗、二均升、一均升和终充 9 个步骤；四个塔步骤相互错开，组成一个吸附—解吸循环[6]。

活性炭吸附法适用于大风量、低浓度、温度不高的有机废气治理。在工业吸附过程中，活性炭是使用得最为广泛的一种吸附剂。但它也存在不耐高温、在湿润的条件下不能保持很好的吸附能力、易燃的缺点。憎水性沸石吸附剂具有优异的热稳定性，不易燃，作为一种很好的替代吸附剂，已被逐步开发应用。

五、不同技术的分析

实际中采用何种技术来处理有机废气，主要考虑诸多因素，如 VOCs 的浓度、气体流量以及排放要求、回收的可能性、爆炸和火灾的危险等，不同技术的比较见表 1。

表1 有机废气处理技术的比较

处理技术	VOCs浓度/ppm	脱除效率/%	操作温度/℃	优 点	缺 点
热氧化	20~1000	95~99	700	简单易行	成本高
催化燃烧	100~1000	90~98	300	应用广泛，净化彻底	投资和运行成本高
生物法	<5000	60~95	常温	无二次污染	不能处理高浓度有机废气
冷凝法	>5000	70~85	常温或低温	投资运行费用低	效率低，设备庞大
吸收法	500~15000	90~98	常温或低温	技术成熟，适应性强	吸附容量有限
吸附法	700~10000	80~90	<60	脱除效率高，能耗低	吸附剂需再生，流程复杂
膜分离法	2000~50000	90~99	常温	过程简单	处理气量小

六、结 语

对于有机废气的净化处理，无论是广泛采用的传统处理方法，还是新开发的处理技术，由于其适用范围、去除性能、投资运行费用等多方面因素，皆制约了单元处理技术的应用。目前，除了推广有机物的单元处理工艺外，重点开发不同单元处理工艺的组合技术，以达到提高去除效率，降低投资运行费用，减少二次污染的目的。随着有机产品的大量使用，有机物污染已引起世界的高度重视，控制这类污染已成为各国一项义不容辞且刻不容缓的任务。我国是一个发展中国家，面临经济发展和环境保护的双重任务。为促使经济、社会、环境的协调发展，开发经济有效的有机物的净化处理技术已成为我国解决有机污染的重要课题。

参考文献

[1] 周玉昆．挥发性有机化合物的污染控制技术［J］．化工环保，1993（4）．
[2] 李志松，蔡复礼．催化焚烧处理挥发性有机物技术进展［J］．工业催化，1998（5）．
[3] 李琳，刘俊新．挥发性有机污染物与恶臭的生物处理技术及其工艺选择［J］．环境污染治理技术与设备，2001（5）．
[4] 黄冬琳，柳丽芬，杨凤林，等．应用膜技术分离回收挥发性有机物［C］．中国环境保护优秀论文精选，2006.
[5] 肖友根，黄坤，雷霞，等．油气回收技术及其在油库中的应用［J］．石油天然气学报，2009（2）．
[6] 高招．VOCs的吸附和变压吸附法净化回收研究［D］．中国优秀硕士学位论文全文数据库，2007（5）．

城市机动车尾气排放控制研究

曲艳敏　徐　鹤

（南开大学环境科学与工程学院　天津市南开区卫津路 94 号　300071）

摘　要　我国汽车产业迅猛发展，机动车保有量激增，机动车排放污染问题已经引起广泛的重视。本文研究了国内外对机动车排放控制的理论与方法，分析了机动车尾气污染的主要影响因素，介绍了目前常用的几种控制机动车污染的技术，并结合国情，提出了适合我国实际的机动车污染控制对策。

关键词　机动车尾气污染　控制技术　控制对策

一、引　言

截至 2009 年底，全国机动车保有量已超过 1.86 亿辆，我国已成为全球最大的汽车消费市场。由于在用汽车数量的增多，其排放所带来的空气污染已成为全世界共同面临的重大问题。我国城市环境空气质量监测表明，70% 的城市环境空气质量不达标。北京、上海、广州等大城市机动车排放的一氧化碳和碳氢化合物所占比例都在 80% 以上；深圳市机动车排放的氮氧化物、碳氢化合物和一氧化碳分别占排放总量的 64.9%、70.6% 和 94.5%。据预测，按目前机动车的发展趋势：未来几年我国将有 60% 左右的城市空气污染从以煤烟型为主转为以机动车污染型为主。[1,2]

二、国内外机动车尾气排放控制的发展

（一）国外情况

1960 年美国加州开始立法控制汽车尾气排放污染，1965 年美国联邦政府正式颁布全国汽车排放法规。日本于 1966 年正式颁布汽车排放法规，欧洲则于 1970 年开始颁布汽车排放法规。

20 世纪 80 年代中期，加拿大、澳大利亚等国对汽车尾气排放也采取了强制性要求[3]。90 年代，美国修订了清洁空气法案，美国加州决定从 1994—2003 年分 3 个时段实行过渡低排污车（TLEV）、低排污车（LEV）、超低排放车（ULEV）标准[4]。随后美国全面推行了这一标准。欧盟国家经过几年的讨论，通过了近似于加州的排放法规。其中对于汽油机轿车从 2000 年 1 月起执行欧洲Ⅲ阶段的排放法规，从 2005 年 1 月起执行欧洲Ⅳ阶段的排放法规[5]。

（二）国内情况

以颁布和实施排放法规为标志，中国的机动车污染防治工作始于 20 世纪 80 年代。1983 年，原城乡建设环境保护部颁布了我国第一批机动车排放标准和检测方法标准，为我国开展机动车污染防治工作奠定了基础，提供了技术依据。

90 年代，原国家环境保护局对国家机动车排放标准进行了全面的修订和完善，制定了《车用汽油机排气污染物排放标准（GB 14761.2—1993）》等 6 项标准。

1998 年，国务院作出了 2000 年全国实现车用汽油无铅化和轿车电喷化的重大决定，为落实国务院决定，1999 年，原国家环境保护总局制定了车用汽油有害物质控制标准和相当于欧洲 1 号和欧洲 2 号排放法规的国家第 1、第 2 阶段轻型汽车和重型车用压燃式发动机排气污染物排放标准，使我国的汽车污染物排放标准的控制水平向前推进了 20 年。

研究方面，莫秀贞、冯滨等人首次在国家层次上提出适合中国国情以及在适当时期内逐步实现与国际接轨的机动车排放污染控制管理体系框架[6]。清华大学郝吉明、吴烨等人吸收发达国家原有控制规划体系的主体思想，将其改造成能够更适合我国城市的特点的控制规划体系。该体系结构的

核心内容主要由机动车排放因子的确定、机动车污染物排放时空分布规律的确定、大气环境质量状况的模拟和分析、机动车排放优化模型的建立和综合控制实施影响评估四部分组成[7]。武汉理工大学的吕林、锁国涛利用自主开发的一套车载测试系统，采用双参数法对试验车辆在不同道路上行驶时的实际行驶工况进行统计分析，从而分析比较了不同路况下车辆行驶工况分布以及挡位使用概率的差别，为试验车辆传动系统及发动机性能的优化匹配提供试验依据[8]。

三、机动车尾气污染物排放的影响因素

（一）机动车性能

经计算，1kg 汽油完全燃烧需要 14.6kg 空气。可燃混合气中空气与燃料的比值为空燃比，理论空燃比为 14.6∶1。空燃比可作为可燃混合气浓度的衡量标准，用于判断发动机燃烧工作状况。

根据统计数据分析，我国汽车排放性能水平较发达国家晚约 8 年。以轿车为例，全国平均排放因子 HC 与 CO 约为美国平均水平的 3.5 倍，NO_x 约为 2.5 倍；我国摩托车排放控制技术水平远远落后于美国和欧盟[9]。

（二）机动车运行工况的影响

由于我国城市交通设施落后，道路质量较差，城市干道、支路、小区道路在布局上、网络层次上不甚合理，再有就是机动车保有量的迅速膨胀，造成道路不畅。行驶工况中较高的加、减速时间比率和较高的怠速时间比率反映出行驶的汽车经常处于急起、急停的运行状态之中。

国内外研究表明，车速是影响汽车污染物排放的重要因素，当车速为 10～20km/h 时，HC 的排放量是车速为 30～40km/h 时的 1.55 倍，CO 的排放量是 1.9 倍，怠速时汽车污染物排放量更高。在拥堵时，由于汽车频繁启动、制动和怠速，从而引起汽车行驶速度更低，污染物排放量增多，同时也使得汽车燃油消耗量增大[10]。

（三）燃油品质的影响

我国目前使用的车用汽油、柴油在品质上尚达不到世界燃油规格中的第Ⅰ类燃油标准，这降低了车用发动机的使用寿命。即便是进口发动机，其排放也会迅速恶化[11]。车用燃油中硫含量高，会增加汽车尾气的排放，环保达标车若使用品质差的油，容易使污染物排放增加。目前，我国车用燃料中的平均含硫量在 500～2 000ppm 之间，而欧美已达到低于 150ppm 的水平。

（四）在用车检查维修的影响

我国的在用车检查维修只偏重于机动车的安全性和动力性，不重视排放性。以轻型汽油车为例，在实际运行条件下，我国车辆为国外同类型在用车排放因子的 8～10 倍。出租车、公交车、运输车等高频率使用车辆，由于超载、过度使用，维护保养状况相对更差，在正常使用情况下，要比美国的排放水平高 15 倍以上。

四、机动车尾气污染控制技术

（一）燃料处理技术

1. 改善汽油品质

中国车用汽油以催化裂化汽油为主组成，烯烃含量高（体积百分数为 30%～35%），高辛烷值组分少，芳烃含量（10%～30%）、苯含量（1.5%～2.5%）及含氧量相对较低，部分炼油厂生产的汽油硫含量较高，清洁剂应用不普及[12]。而国外汽油调配中，催化重整汽油、烷基化汽油、异构化汽油等高辛烷值组分调和比例大，烯烃含量较低，美、日汽油烯烃含量一般在13%～20%。因此，应提高催化裂化汽油的质量，改造和更新汽油炼制技术，改善汽油品质。

2. 降低柴油中含硫量

我国柴油的十六烷值低（40～45），安定性较差，硫含量高（质量分数 0.1%～0.2%），芳

烃含量高，缺少专用于交通运输的车用柴油。美国、欧洲、日本等国家和地区对柴油中的含硫量要求非常严格，限值为0.05% ~0.1%[13]。严格控制柴油中硫含量，不仅可以降低硫氧化物等污染物的排放，还有利于柴油车尾气的催化净化。

3. 掺入添加剂，改变燃料组分

甲醇、乙醇、异丁醇、叔丁醇等许多含氧化合物具有很高的辛烷值，是良好的抗爆剂。汽油中加入少量的含氧化合物可以改善燃料的燃烧性能，可明显地减少CO、NO_x和HC的生成。

在改善柴油品质方面，国外也早已开发生产了多种柴油添加剂，适量地加入一定比例的柴油添加剂，能使柴油得到活化，提高其雾化能力，有利于减少碳微粒的生成。

4. 寻找替代燃料

从发展潜力和实用价值两方面来看，天然气和液化石油气是比较理想的替代燃料。天然气汽车尾气中不含铅并且基本不含硫化物，与汽油车相比，CO降低97%，HC降低72%，NO_x降低39%。液化石油气辛烷值较高，燃料费比酒精、汽油、柴油等便宜，CO、NO_x等气体排放量低于汽油机排放，基本上消除黑烟和颗粒物，且所排气体无臭味，发动机工作噪声低。

（二）机动车排放的净化技术

1. 机内净化技术

机内净化是通过改变发动机的设计、制造工艺及精制燃油等手段来降低有害物质的生成，但不能从根本上消除有害气体。

（1）废气再循环技术　采用废气再循环装置把少量发动机废气（约为排气量的10%）引至发动机进气口，经冷却器冷却后，再进入进气端与新气混合后进入汽缸燃烧，从而实现再循环。此技术不但降低了氧的浓度，而且降低了最高燃烧温度，从而抑制了NO_x在燃烧过程中的生成，改善燃油经济性，降低了NO_x的排放[14]

（2）稀薄燃烧技术　指通过改进发动机燃烧的方法，使稀薄燃烧方式在大于理论空燃比的条件下进行燃烧。稀薄燃烧可提高燃烧完全性，能降低CO、HC排放量。为降低NOx排放量，要采用高能点火系统或预燃烧方式或分层进气系统等措施。

2. 机外净化技术

机外净化是利用催化转化器将产生的有害气体转化为无害气体，是减少汽车排气污染简便而有效的方法，目前被世界发达国家广泛采用。

（1）催化净化技术　在汽车尾气排入大气之前，利用催化转化装置将其转化为无害气体。催化剂是净化效果的关键。根据所使用的主催化组分不同，可把催化剂分为三类贵金属型、非贵金属型、贵金属与稀土复合型。另外，为避免催化剂高温失效，目前已开发出耐高温达到1 050°C的净化催化剂[15]。

（2）机外低温等离子体技术　利用等离子体体系中的活性物种，将汽车尾气中的有害物质通过氧化、还原或离解而转化为无害或低害物质，以达到降低环境污染的目的[16]。

（3）碳氢收集器　利用沸石作为吸附剂吸收汽油机冷启动后未完全燃烧的HC，沸石能在400℃脱附HC。脱附的HC随着排气流被转化后排出，有效降低了冷起动时的HC排量。试验表明，碳氢收集器能吸附60% ~70%的HC。

五、机动车污染控制的对策

1. 完善有关的法律法规，制定严格的机动车尾气排放标准

我国目前的机动车排放标准主要是参考欧洲的排放标准制定出来的，考虑我国国情，如不经过过渡阶段，直接强制执行国际标准是不现实的。在此情况下，各地区要根据其区域的经济和社会情况，在国家标准的框架下，制定符合地方经济和环境持续发展的排放标准并严格监督执行。

2. 坚持实行在用车的I/M（检测与维护）制度

I/M制度即定期检查/强制维护制度，它是美国现行的控制在用车辆尾气排放的最主要手段[31]。所谓的检测，其主要内容有定期检测、抽检、强制修复后的复检等；而维修的主要内容有定期维护、强制修理、故障修理等。I/M制度是一种控制汽车尾气污染的科学、经济、有效、合理的措施，通过进一步完善和加大实施管理，可望在机动车排放控制中起到更大的作用。

3. 加强城市综合规划与道路基础建设，改善道路交通状况

在城市综合规划中，应合理设置红绿灯，尽量减少机动车在行驶中的减速、怠速和加速；对车流量大而且人流量密集的重点路段可设立人行天桥或地下通道，将行人分流，确保市区主要道路畅通；对现有道路狭窄，车流量大的路段进行拓宽改造。

4. 优先发展公共交通事业，鼓励市民乘坐公共交通工具

要尽快解决目前公交经营中存在的公交线路偏少、站点布局不合理、绕道行驶等问题。公交线路和停靠站点要尽量向居住小区、商业区、学校聚集区等城市功能区延伸，方便人民群众生产生活。同时政府要加大对公交系统的财政补助，发挥客运价格的导向和杠杆作用，继续用价格优势吸引市民乘坐公共交通工具。

5. 实行机动车污染控制的经济鼓励政策，推广使用清洁能源汽车

政府部门要出台一些有效的经济政策。只有在政府部门和企业的宣传与推广之下，才能积极促进我国汽车产业向清洁能源方向发展。

参考文献

[1] 刘蔚．机动车污染已成城市空气质量大患［N］．中国环境报，2004-09-06.

[2] 王玲，李会，梁晓亮．欧2、欧3与谁有关［N］．经济日报，2004-07-11.

[3] Christopher S, et al. Motorcycle emission standards and emission control technology［M］. Sacramento: Engine Fuel and Emission. Engineering Inc., 1994.

[4] Cooper B J. Challenges in emission control catalysis for the next decade［J］. Platinum Metals Rev, 1994, 38 (1): 2.

[5] 赵昱东．国外机动车排放污染控制技术的发展［J］．中国环保产业，2002，6：40-43.

[6] 莫秀贞，冯滨，等．中国机动车排放控制管理体系研究［J］．广州环境科学，1998，13（4）：18-22.

[7] 郝吉明，吴烨，傅利新，等．中国城市机动车排放污染控制规划体系研究［J］．应用气象学报，2002，13：195-203.

[8] 吕林，锁国涛．不同路况下汽车行驶工况的测试与分析［J］．武汉理工大学学报（交通科学与工程版），2006，30（5）：781-784.

[9] 何书彬．厦门出招驱散灰霾［N］．厦门日报，2007-02-07.

[10] 訾琨，黄永青，涂先库．宁波市区汽车行驶工况和污染物排放调查研究［J］．内燃机工程，2006，27（1）：81-84.

[11] 黄远峰，罗澍，何龙，等．深圳市机动车氮氧化物排放、环境空气污染预测和控制对策［J］．中国环境监测，2001，17（1）：7-10.

[12] 冯权莉，宁平．机动车尾气排放控制及试验方法综述［J］．化工环保，2004，24：167-170.

[13] 吴忠标，李伟，王莉红．城市大气环境概论［M］．北京：化学工业出版社，2003：346-358.

[14] 胡晖，胡瑞玲，李志强．冷却的废气再循环控制技术（EGR）——降低NO_x排放的主要措施［J］．湖南大学学报（自然科学版），2003，30（6）：65-67.

[15] 周小霞，刘作华，李晓红，等．汽车尾气净化技术现状及发展［J］．压电与声光，2003，25（5）：410-413.

[16] 龚大国，袁宗宣，谢春梅，等．等离子体汽车尾气治理技术［J］．重庆环境科学，2003，25（2）：28-33.

简易瞬态工况条件下轻型汽油车的排放特性

农加进　双菊荣　陈彦宁

（广州市环境监测中心站　广州　510030）

摘　要　为掌握在用轻型汽油车的排放特征及各影响因素对污染物排放的作用规律，探索机动车污染物减排措施，使用简易瞬态工况法进行了实车测试。分析结果表明，化油器车辆单位行驶里程污染物排放量明显高于电喷车辆，各污染物排放值受车龄、总行驶里程、发动机排量等因素的影响规律不明显，其20%高排放车的CO、HC和NO_x排放分别占该类车辆排放总量的52%、56%和37%；对于电喷车辆，各污染物排放值受车龄、总行驶里程、发动机排量等因素的影响规律明显，车辆各污染物排放随车龄、总行驶里程的增加而明显增加，而发动机排量约为1.6L的车辆在简易瞬态工况条件下污染物排放值相对较低，其20%高排放车的CO、HC和NO_x排放分别占该类车辆排放总量的51%、56%和59%。

关键词　汽油车　简易瞬态工况　排放特性

为了鼓励技术进步、节约资源，2001年2月6日公安部印发了《关于实施〈关于调整汽车报废标准若干规定的通知〉有关问题的通知》（公交管［2001］2号），取消了部分汽车的强制报废期限，可见，我国部分地区，特别是经济相对落后的地区，将在未来相当长的一段时期内继续使用现有的化油器汽油车，甚至出现经济发达地区的化油器车辆向经济欠发达地区转移的情况，形成化油器和电喷车，即国0和非国0车共存的局面。但鉴于这两类车的污染物排放控制技术落差大，污染物排放水平差异明显，这就要求管理部门根据实际情况及“新车新标准、老车老标准”的原则对这两类车的排气监管区别对待，实施差异化管理。因此，从技术层面掌握各类车辆的实际排污水平，筛选车辆排气主要监管对象，制定符合实际的措施，将是确保在用机动车排污治理工作有效性的关键。为此，本文通过简易瞬态工况法的实车测试方式，利用工况法检测能表征车辆单位行驶里程污染物排放量的优势，分析在用轻型汽油车的污染物排放状况，分析影响车辆排放水平的主要因素及作用规律，为在用车排气监管工作提供技术支持，并为已经或即将推广在用车简易工况法检测的地区提供参考，确实推进机动车污染物的减排工作。

一、试验简介

简易瞬态工况法（VMas）是将车辆置于底盘测功机上，通过控制系统控制底盘测功机的加载，模拟汽油车在道路上加速、减速、怠速、匀速行驶时的工况，检测其尾气中污染物CO、HC和NO_x质量排放的动态检测方法，可检测出机动车在检测工况循环下的单位行驶里程污染物质量排放克数，也因此在我国部分机动车污染严重的城市或地区得到了推广应用。一个完整的简易瞬态工况法检测循环共耗时195s，最高车速可达50 km/h[1]。

本文组织了322辆化油器和487辆电喷轻型汽油车进行简易瞬态工况法排气测试，获取车辆模拟行驶工况下的污染物排放数据，表征车辆在测试工况下的排放水平。所有试验车辆随机选取，具有良好的代表性，涵盖了轻型车中不同车龄、行驶里程和发动机排量的不同生产厂家、不同品牌的车型。

二、试验结果与分析

（一）总体排放情况

1. 排放达标情况

由于我国大部分地区还没有推广简易瞬态工况法，没有制定相应的地方排放限值，因此，根据 HJ/T 240—2005[2] 提供的点燃式发动机在用汽车简易瞬态工况法排气污染物排放限值范围，以及制定限值时“新车新标准、老车老标准”、“初始放松、逐步加严”的原则，本文使用 HJ/T 240—2005 提供的最低限值进行统计。结果表明，试验车辆中，化油器车辆总体超标率为 18.6%，在 HJ/T 240—2005 推荐的 10% ~25% 的城市控制高排放车辆比例范围内，而电喷车辆的总体超标率为 6.8%，低于 10%。可见，采用简易瞬态工况法的地区，在制定排放限值时，国 0 化油器车辆的限值可直接使用 HJ/T 240—2005 提供的最低限值，而非国 0 类电喷车辆的限值则应适当严于 HJ/T 240—2005 提供的最低限值，方能获得较好的在用车排气监管效果。

2. 化油器车辆排放分布情况

VMas 检测数据表明各车辆间排放差异较大，其中 CO 排放均值为 26.92 g/km，最大值为 162.73 g/km；HC 排放均值为 2.01 g/km，最大值为 26.12 g/km；NO_x 排放均值为 2.56 g/km，最大值为 9.7 g/km。图 1、图 2 和图 3 分别为 CO、HC 和 NO_x 的排放累积图，横坐标分别为按从小到大排序后的 CO、HC 和 NO_x 检测值，纵坐标为累积百分比，其中“车辆”累积线表示排放值小于等于某特定值的车辆数占所有试验车辆总数的百分比，“排放”累积线表示小于等于某特定值的车辆的排放值之和占所有试验车辆排放总量的比例，图中虚线给出 80% 低排放车辆的累积排放量占总体排放量的比例。

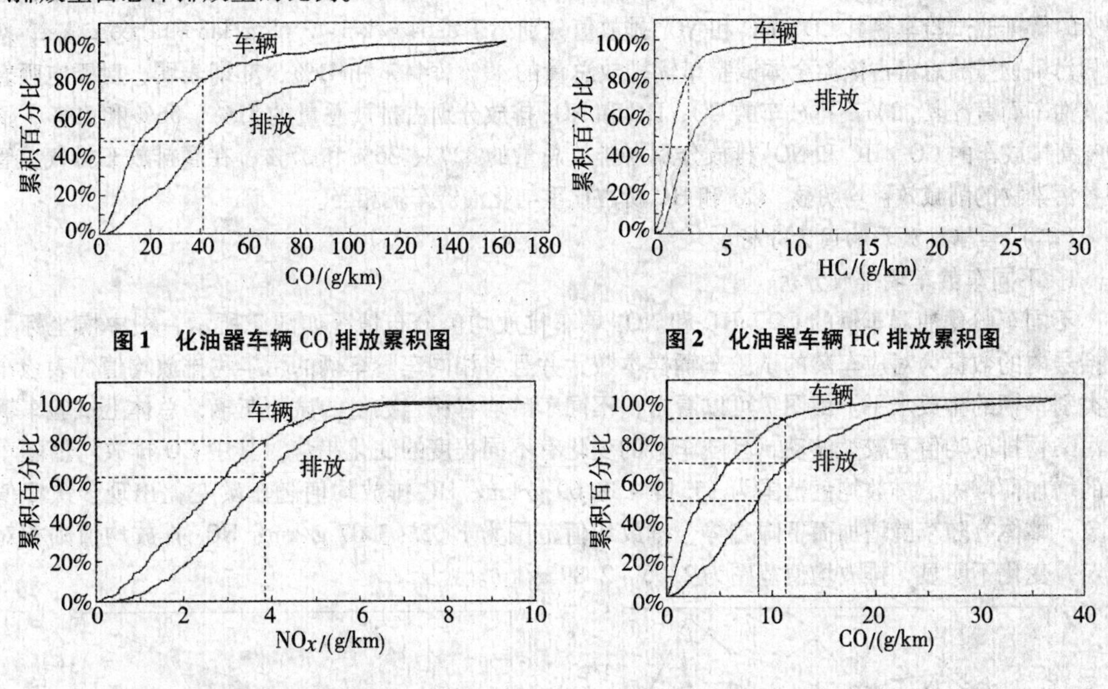

图 1　化油器车辆 CO 排放累积图

图 2　化油器车辆 HC 排放累积图

图 3　化油器车辆 NOx 排放累积图

图 4　电喷车辆 CO 排放累积图

由图中各累积线可知，试验车辆 CO、HC 和 NO_x 排放分布趋势基本一致，均分布在较大的范围内，但车辆累积线在对应的 CO、HC 低值段迅速上升，随后上升趋势平缓，表明 CO、HC 低值段的试验车辆占较大比重，而车辆累积线随 NO_x 检测值的变化相对稳定，甚至呈现较为明显的线性相关情况。结合图形曲线，80% 的低排放试验车辆其 CO、HC 和 NO_x 排放值分别小于 41.09 g/km、2.38 g/km 和 3.84 g/km，对应的污染物排放总量占该类全体试验车辆排放总量的 48%、44% 和 63%，亦即表明，对于化油器轻型汽油车而言，其 20% 高排放车的 CO、HC 和 NO_x 排放分别占排放总量的 52%、56% 和 37%，在高排放车排气监管中 CO 和 HC 的削减效益较明显。

3. 电喷车辆排放分布情况

VMas 检测数据表明整体上电喷车辆排放明显小于化油器车辆，排放数据间差异相对较小，其中 CO 排放均值为 5.17 g/km，最大值为 37.18 g/km；HC 排放均值为 0.41 g/km，最大值为 5.03 g/km；NO_x 排放均值为 0.90 g/km，最大值为 6.16 g/km。图4、图5 和图6 分别为 CO、HC 和 NO_x 的排放累积图。

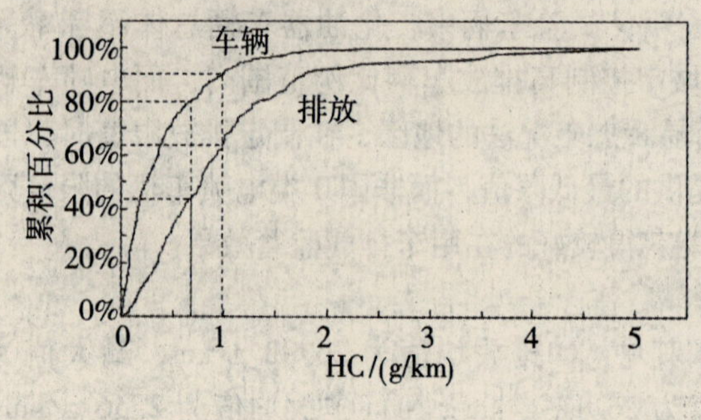

图5 电喷车辆 HC 排放累积图

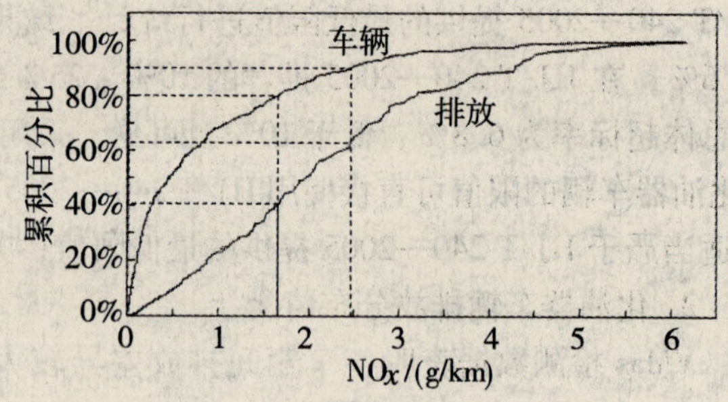

图6 电喷车辆 NO_x 排放累积图

由图中各累积线可知，试验车辆 CO、HC 和 NO_x 排放分布趋势基本一致，均分布在较大的范围内。车辆累积线在对应的 CO、HC 和 NO_x 低值段迅速上升，随后上升趋势平缓，表明处于污染物排放低值段的试验车辆占较大比重，其中 CO、HC 排放累积图形状与化油器车辆的类似，而 NO_x 排放累积图形状与化油器车辆的差异明显，说明电喷车的 NO_x 排放得到较好控制。结合图形曲线，80% 的低排放试验车辆其 CO、HC 和 NO_x 排放值分别小于 8.64 g/km、0.68 g/km 和 1.65 g/km，对应的污染物排放总量占该类全体试验车辆排放总量的 49%、44% 和 41%，亦即表明，对于电喷轻型汽油车而言，其 20% 高排放车的 CO、HC 和 NO_x 排放分别占排放总量的 51%、56% 和 59%，而 10% 高排放车的 CO、HC 和 NO_x 排放分别占排放总量的 32%、36% 和 37%，在高排放车排气监管中各污染物的削减效益均明显，CO 和 HC 所占比重与化油器车辆相当。

（二）车辆排放影响因素分析

1. 不同车龄车辆排放分析

不同车龄化油器车辆的 CO、HC 和 NO_x 单车排放均值分布情况如图 7 所示，图中横坐标上方括号内的数据为对应车龄的试验车辆样本数，并且将相同车龄车辆的污染物排放均值代表该车龄类别车辆的排放水平。由图 7 可以看出，不同车龄均有相当数量的试验车辆，总体上试验车辆各污染物排放均值有较大波动，且随车龄的变化有不同程度的变化趋势，其中 CO 排放均值随车龄的增加而增大，排放均值范围为 15.48 ~ 38.69 g/km；HC 排放均值随车龄变化出现多次峰值现象，整体有随车龄增加而下降趋势，排放均值范围为 1.05 ~ 3.07 g/km；NO_x 排放均值则相对稳定，变化不明显，排放均值范围为 2.05 ~ 2.89 g/km。

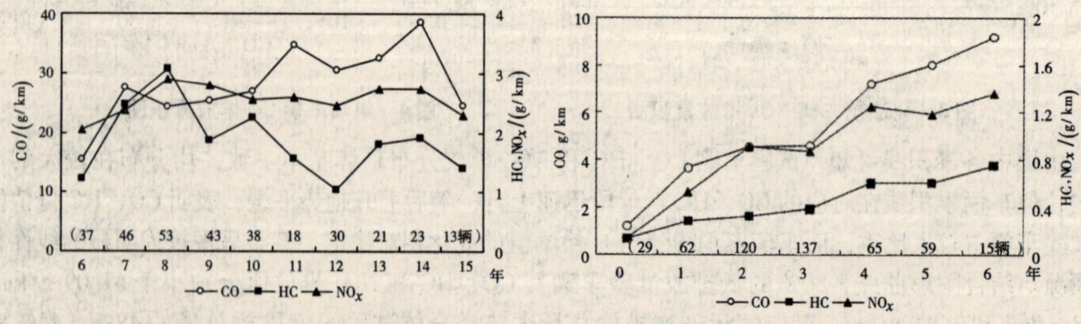

图7 各车龄化油器车辆排放均值　　图8 各车龄电喷车辆排放均值

不同车龄电喷车辆的 CO、HC 和 NO_x 单车排放均值分布情况如图 8 所示，其中车龄为 0 和 1 的车辆分别为国Ⅲ和国Ⅱ车，其余为国Ⅰ车。由图 9 可以看出，不同车龄均有相当数量的试验车辆，试验车辆各污染物排放均值随车龄的增加而明显上升，说明对于电喷车辆而言，随车龄的增加，车况的老化，车辆排放控制装置的劣化明显，是排气监管工作的重点对象。与图7化油器车辆的数据曲线相比较，电喷车辆各污染物排放水平明显较低，其中CO排放均值为1.21~9.20 g/km，HC排放均值范围为0.13~0.75 g/km，NO_x排放均值为0.13~1.36 g/km。

2. 不同行驶里程车辆排放分析

不同行驶里程化油器车辆的CO、HC和NO_x排放均值分布情况如图9所示，图中将某里程范围内车辆的污染物排放均值代表该车类的排放水平。由于我国第一类和第二类轻型车分别从2000年7月1日和2001年10月1日起实施第一阶段排放标准，此后的车辆均为电喷式车辆，因此在用化油器类车辆使用年限均较长，其行驶里程也相对较大，图中以5万公里为间隔进行统计。由图可以看出，总体上20万~30万公里范围内试验车辆CO排放值相对较大，HC呈随车辆行驶里程的增加而下降的趋势，NO_x排放均值则相对稳定。各统计里程范围内，CO排放均值范围为23.46~34.64 g/km，HC排放均值范围为1.35~2.90 g/km，NO_x排放均值范围为2.36~2.99 g/km。

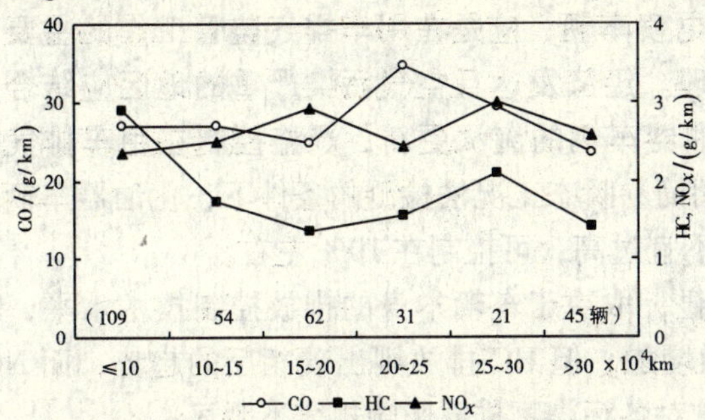

图9 各行驶里程化油器车辆排放均值

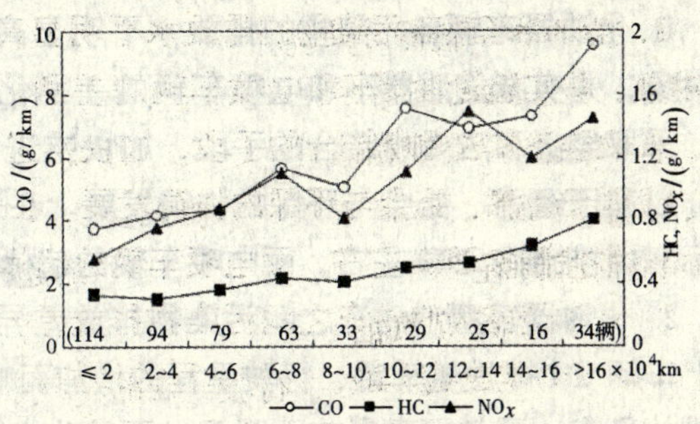

图10 各行驶里程电喷车辆排放均值

不同行驶里程电喷车辆的CO、HC和NO_x排放均值分布情况如图10所示，由于电喷车辆使用年限相对较短，总体上行驶里程不大，途中以2万公里为间隔进行统计。由图可以看出，总体上电喷车辆各污染物的排放均值随车辆行驶里程的增加而增加，趋势明显，说明车况的老化对污染物排放影响明显。各统计里程范围内，CO排放均值范围为3.74~9.55 g/km，HC排放均值范围为0.33~0.80 g/km，NO_x排放均值范围为0.55~1.45 g/km。

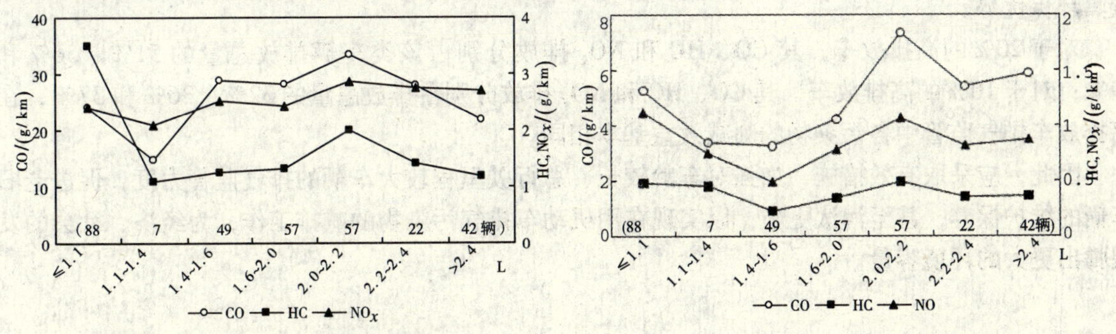

图11 各排量化油器车辆排放均值

图12 各排量电喷车辆排放均值

3. 不同发动机排量车辆排放分析

不同发动机排量化油器车辆的CO、HC和NO_x排放均值分布情况如图11所示，图中将某排量范围内车辆的污染物排放均值代表该车类的排放水平；各发动机排量区间是根据市场上第一类轻型汽油车主流排量进行划分，如排量区间“1.1~1.4”表示排量大于1.1L且小于等于1.4L。由图可以看出，除排量小于等于1.1L车辆的HC排放量较大外，总体上试验车辆污染物排放均值相对稳定，排量1.6~2.4L区间车辆污染物排放均值相对略高，CO、NO_x有随车辆排量的增加而上升的微小趋势。不同排量车辆 CO 排放均值范围为 14.77～33.36 g/km，HC 排放均值范围为 1.09～3.50 g/km，NO_x 排放均值范围为 2.09～2.85 g/km。

不同发动机排量电喷车辆的 CO、HC 和 NO_x 排放均值分布情况如图 12 所示。由图可以看出，发动机排量小于等于 1.6L 范围内的车辆，各污染物排放均值呈随排量增加而减小的趋势，CO 排放均值由 5.28 g/km 下降至 3.27 g/km，HC 排放均值由 0.48 g/km 下降至 0.23 g/km，NO_x 排放均值由 1.12 g/km 下降至 0.49 g/km。发动机排量 1.6～2.2L 范围内的车辆，各污染物排放均值则呈随排量增加而变大的趋势，CO 排放均值由 3.27 g/km 上升至 7.35 g/km，HC 排放均值由 0.23 g/km 上升至 0.50g/km，NO_x 排放均值由 0.49 g/km 上升至 1.07g/km。其余排量大于车辆污染物排放相对稳定，且低于 2.0～2.2L 排量车辆的排放水平，说明在接近城市道路交通状况的简易瞬态工况条件下，约 1.6L 排量车辆的排污相对较小，具有一定的环保优势。

三、结　论

1. 化油器车辆各污染物的排放水平明显高于电喷车辆，应是在用车排气监管工作的主要监管对象，并实施化油器车和电喷车辆的差别化管理。经济发达且空气污染严重的地区应结合实际，采取经济和法规相结合的手段，加快推进化油器车辆的淘汰更新，严格控制在用车排气污染，以利于经济、社会与环保的协调发展。在采用简易瞬态工况法检测的条件下，化油器车辆的超标率可控制在 20% 左右，而电喷车辆的超标率不宜过高，可控制在 10% 左右。

2. 化油器轻型汽油车之间污染物排放差异明显，取决于车辆本身的排放控制技术水平，总体上车辆 CO 排放随车龄、行驶里程的增加而略微增加，但 HC 排放则出现相反的趋势，而 NO_x 则排放稳定，受各因素影响不明显，而发动机排量对各污染物排放影响规律不明显。

对于 20% 的高排放车，其 CO、HC 和 NO_x 排放分别占该类车辆排放总量的 52%、56% 和 37%，CO 和 HC 排放是监管重点。

3. 电喷轻型汽油车之间污染物排放差异程度小于化油器车辆，得益于车辆本身的排放控制技术，电喷车辆整体排放情况相对较好，排放值较低，规律性明显。总体上各污染物排放随车龄、行驶里程的增加而明显增大，说明污染物排放状况随车况的老化而明显恶化。但对于车辆发动机排量因素，在简易瞬态工况条件下，1.4～1.6L 排量电喷车辆的污染物排放水平相对较低，较具环保优势。

对于 20% 的高排放车，其 CO、HC 和 NO_x 排放分别占该类车辆排放总量的 51%、56% 和 59%；对于 10% 的高排放车，其 CO、HC 和 NO_x 排放分别占排放总量的 32%、36% 和 37%，在高排放车排气监管中各污染物的削减效益基本相同。

因此，应采取有效措施，加强对车龄较长、总行驶里程较大车辆的排气监管力度，促进老旧车辆的维护保养，甚至淘汰更新，以实现在用机动车排气污染物的减排工作，为经济、社会的发展腾出更大的环境容量。

参考文献

[1] GB 18285—2005 点燃式发动机汽车排气污染物排放限值及测量方法（双怠速法及简易工况法）[S].
[2] HJ/T 240—2005 确定点燃式发动机在用汽车简易工况法排气污染物排放限值的原则和方法 [S].

机组碳排放指标计算方法及节能发电调度策略

刘进雄[1,2]　刘涤尘[2]

（1. 武汉大学电气工程学院　430072；2. 湖北西塞山发电有限公司　435001）

摘　要　随着节能减排工作的深入，如何减少电力行业中占据较大比例的燃煤机组的碳排放是当前的新课题。本文提出了一种利用电厂目前已有的数据计算每台机组碳排放指标的方法，解决了电厂公用一个烟囱或机组参数不一致时碳排放指标计算的难题。此外，根据节能发电调度理念，提出了一种基于碳排放指标的节能发电调度策略，确保了区域电网中的碳排放量最少。最后以湖北电网实际运行的数据对本文提出的算法进行了分析和验证。

关键词　碳排放　调度　节能减排

一、引　言

目前，我国温室气体二氧化碳排放量已位居世界第二。预测表明，到2025年前后，我国的二氧化碳排放总量很可能超过美国，居世界第一位[1]。《京都议定书》规定：从2005年开始至2012年间必须将温室气体排放水平在1990年的基础上平均减少5.2%，而温室气体中二氧化碳占60%[2]。

根据我国节能减排的目标要求，碳排放量将作为保护环境、绿色发展的一个重要的国家及企业的考核指标。发电企业作为国民经济中的一个重要组成部分，燃煤火力发电占据了其中很大的比重，我国煤炭燃料排放的二氧化碳量占矿物燃料排放二氧化碳量的八成以上[3]，以煤炭化石燃料作为发电的一次能源耗用越大，碳排放量就越多，节能减排的压力就越大。

当前，我国发电调度是按照国办发［2007］53号文《节能发电调度办法（试行）》执行，机组发电序位表同类型火力发电机组按照能耗水平由低到高排序，节能优先；能耗水平相同时，按照污染物排放水平由低到高排序。机组运行能耗水平近期暂依照设备制造厂商提供的机组能耗参数排序，逐步过渡到按照实测数值排序，污染物排放水平以省级环保部门最新测定的数值为准[4]。

一般来说，机组烟气排放体积可以采用流量计进行测量，而烟气中二氧化碳浓度检测也可以直接测量实现。直接用烟气流量与二氧化碳浓度进行积分计算比较简单，但目前发电厂基本没有安装相应的测量装置，而且大部分电厂都是公用一根烟囱，当机组型号不一致时，单台机组的碳排放指标无法得出。故在机组没有实现二氧化碳检测的基础上，还不能采用此方法进行。

本文提出了一种利用电厂目前已有的数据计算每台机组碳排放指标的方法，解决了电厂公用一个烟囱或机组参数不一致时碳排放指标计算的难题。此外，根据节能发电调度理念，提出了一种基于碳排放指标的节能发电调度策略，确保了区域电网中的碳排放量最少。最后以湖北电网实际运行的数据对本文提出的算法进行了分析和验证。

二、二氧化碳排放量计算

二氧化碳排放量的计算有的是采用重量计算，如薛新民在《我国能源活动二氧化碳排放量的计算及其国际比较》所采用的方法[5]，以及何介南引用的ORNL计算方法[6,7]。主要采用化石燃料消费总量计算二氧化碳排放量，该方法基本采用了经济合作与发展组织（OECD）专家组于1991年推荐的计算方法。有的是采用体积计算，如房靖华、梅国栋等采用的二氧化碳计算方法[8-9]。其计算方法基本都是采用气体摩尔体积的基本原理进行计算。

（一）燃煤电厂中碳消耗量计算

设燃煤电厂每天所发的上网电量为 P，每天消耗的煤炭量为 B，按照其低位发热量折算到标准发热量下可以得出每度电的标准煤耗率。由于煤炭中有各种元素，碳含量只是其中一部分，通过工业元素分析，都以收到基为基准。计算其碳含量时我们必须剔除煤中所含的全水分、灰分、挥发分、硫元素等各种元素后才得出碳元素的含量[10]。因氢、氮、氧等元素含量较低，此处为分析简便忽略其影响，得公式如下：

$$C_{ar} = 100 - (M_{ar} + A_{ar} + V_{ar}) - S \tag{1}$$

式中：C_{ar} 为煤中碳含量，%；M_{ar} 为煤中水分含量，%；A_{ar} 为煤中灰含量百分数，%；V_{ar} 为挥发分百分数，%； S 为煤中硫含量，%。

（二）产生的二氧化碳体积

根据燃烧理论我们知道碳的完全燃烧反应式 $C + O_2 = CO_2$，即 1 摩尔（12 kg）碳将产生体积为 $T_0 \times R/P_0 = 22.4 Nm^3$ 的二氧化碳（这里 T_0 和 P0 是标准状态下的气体绝对温度和压力，R 是理想气体常数）[8]。

由于碳元素燃烧后基本都转化成二氧化碳，此外，燃料中还有少量的碳在炉内未完全燃烧生成一氧化碳气体随烟气逸出锅炉排入大气。但考虑到这些一氧化碳最终仍将氧化成二氧化碳，因此本文将这少量的碳也归入锅炉燃烧生成二氧化碳的碳量中。故单位电量的碳元素消耗所排放的二氧化碳体积为：

$$V_{CO_2} = \frac{22.4}{12} BC_{ar} \tag{2}$$

三、考虑不完全燃烧热损失的修正

由锅炉燃烧理论可知，锅炉煤炭燃烧存在不完全燃烧热损失[11]。进入锅炉的碳元素因氧化燃烧不完全存在未能充分转换为二氧化碳，而仍以碳颗粒的形式被烟气带出炉膛和排入冷灰斗，故公式（2）直接根据机组耗用碳元素量计算二氧化碳的排放量存在不准确性，实际计量中应该剔除这部分。

（一）炉灰（包括炉渣和飞灰）中未燃尽碳的总量的确定

煤中的理论含灰量为：

$$A = B \times A_{ar}$$

式中：A—— 煤中灰的理论总含量，t。

根据灰平衡原理有：进入炉膛燃料中的总灰量应当等于飞灰和灰渣中的灰量之和。通过实测的经验数据，锅炉燃烧后产生飞灰的比例占灰渣总量的 90%，而产生的渣含量占灰渣总量的 10%，飞灰含碳量和灰渣含碳量指的是简单的重量比。飞灰含碳、灰渣含碳应当是纯碳，而飞灰与灰渣量之和应为煤中灰的总含量，即：

$$A = A_f + A_z$$

式中：A_f 为飞灰量，t；A_z 为灰渣量，t。

飞灰含碳量为

$$F_c = C_{1f}/(BA_f + C_{1f}) ;\%$$

灰渣含碳量为

$$Z_c = C_{1z}/BA_z + C_{1z} ;\%$$

式中：C_{1z} 为灰渣含碳总量，t；C_{1f} 为飞灰中的含碳总量，t。

灰中总含碳量为

$C_1 \approx C_{1f} + C_{1z}$，即：

$$C_1 = \frac{BA_fF_c}{1-F_c} + \frac{BA_zZ_c}{1-Z_c} \tag{3}$$

（二）飞灰、灰渣含碳量的计量

由于锅炉设计及燃烧工况不一样，每台锅炉的飞灰含碳量及灰渣含碳量均不一样，由于灰渣含碳量不能在线检测，人工分析不仅滞后而且周期较长。而通过在线监测飞灰含碳量，在运行工况稳定时基本波动不大。根据文献[9]：对某一具体锅炉，当锅炉的 q_2、q_3、q_5、q_6 四项热损失的和 $\sum q_i$ 等于某一个特异值时，锅炉每供出单位有效热量所排放的二氧化碳量与机械未完全燃烧热损失 q_4 无关，只决定于该锅炉所用燃料的含碳量与低位发热量之比。故飞灰、灰渣含碳量可以选取历史记录的平均值。

当不考虑漏煤及其他机械不完全燃烧热损失，根据上述三式可以得出。

（三）修正后碳排放总量的计算

根据式（1）、式（3）得入炉煤量中实际烧掉的碳量 C_2 为

$$C_2 = BC_{ar} - C_1 = B\left(C_{ar} - \frac{A_fF_c}{1-F_c} - \frac{A_zZ_c}{1-Z_c}\right)\ (\text{kg/h})$$

根据所产生的二氧化碳体积为

$$V_{CO_2}{}' = \frac{22.4}{12}C_2 = \frac{22.4B}{12}\left(C_{ar} - \frac{A_fF_c}{1-F_c} - \frac{A_zZ_c}{1-Z_c}\right)\ (\text{m}^3/\text{h})$$

单位电量下二氧化碳的排放量为

$$\overline{V_{CO_2}} = V_{CO_2}{}'/P_{\text{日电量}}$$

式中：$\overline{V_{CO_2}}$为单位电量的碳排放量，电网调度某台机组时的预计碳排放总量为

$$V_{CO_2}{}'' = \overline{V_{CO_2}} \times P_e \tag{4}$$

（四）考虑碳排放指标的节能发电调度

节能调度电力市场通过排队的方法优先让可再生电源、水电、核电等清洁能源发电，燃煤火电用等微增率法进行调度。在理论上可以达到火电厂的节能效率最高，温室气体 CO_2 等气体的排放量达到最小[12]。基于该理论，这样整个电网系统需要增加一定量发电负荷时，所增加的碳排放指标最少[13]。

设电网中有 n 台机组处于备用状态，调用机组 u_i 的能耗及排放数学模型为

$$E_{u_i} = f_{ui}(b_{zh.i}, \overline{V_{CO_2.i}})$$

机组运行状态判据：

假如：　$f_{ui}\ (b_{zh.i},\ \overline{V_{CO_2.i}}) \leqslant f_{uj}\ (b_{zh.j},\ \overline{V_{CO_2.j}})$

那么　$u_i = 1$

及　$u_i = 0$

其中 $i = 1\cdots n$ 且 $i \neq j; j = (1\cdots n) \cap \bar{i}$

约束条件为

$$\sum_{i=1}^{n} u_i \times P_{u_i} = P_{xt}$$

$$\sum_{i=1}^{n} u_i \times E_{u_i} = \min \sum_{i=1}^{n} u_i \times f_{u_i}(b_{zh.i}, \overline{V_{CO_2.i}})$$

式中：$b_{zh.i}$ 为第 i 台机组的综合供电煤耗率；$\overline{V_{CO_2.i}}$为第 i 台机组的 CO_2 单位电量排放率；u_i 为第 i 台机组的状态，为 1 表示运行，为 0 表示停运；P_{u_i} 为第 i 台机组的负荷；P_{xt} 为系统当前需要

的负荷；其他类推。

当系统需要 P_{xt} 的负荷时，系统中的 n 台处于备用状态的机组均可调用，按照节能调度的原理，第 u_i 台机组其能耗水平 E_{u_i} 与综合供电煤耗率和其 CO_2 单位电量排放率有关，越小就越先调用，当机组发电负荷满足系统负荷需要时，确保其能耗及排放最小。

四、应用实例

（一）湖北电网负荷情况

图 1 为湖北区域电网日负荷变化曲线图。从图中可以看出湖北省电网某日及前一天负荷从 0：00～10：00 的变化趋势，早上 5：00 负荷大约 8300MW，前一天负荷约 8000MW，而到早上 8：30 左右，机组负荷可达 10400MW，前一天负荷也可达 9800MW，负荷波动约 2000MW。考虑到电网调峰 15%～35% 的能力[14]，保留事故备用容量为最大发电负荷的 10% 左右[15]，新增机组容量大约在 600MW。

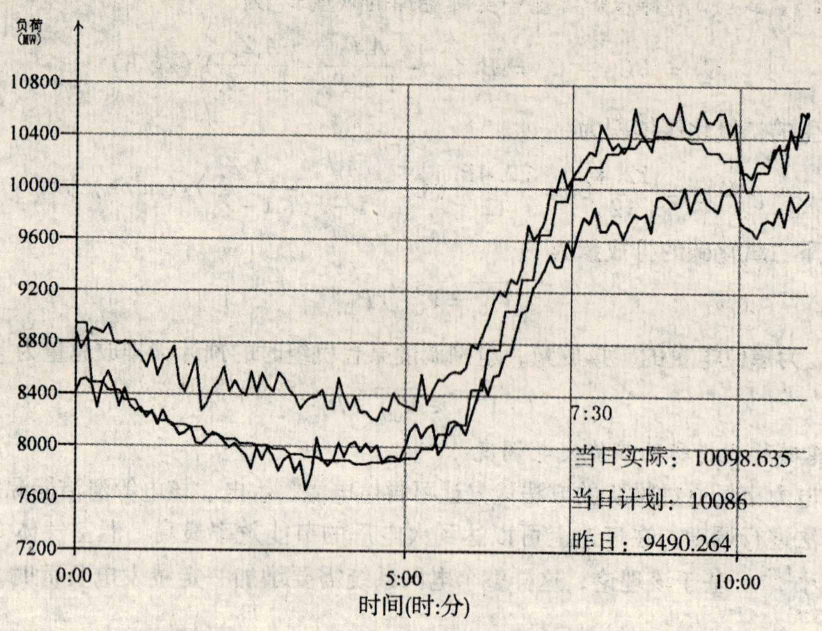

图 1　湖北省电网某日负荷曲线

（二）可供调用的机组情况

电网燃煤发电的主力机组一般是 600MW、300MW、200MW 三个等级，不同等级机组各选几台进行分析，其中 600MW①为两台超临界机组（锅炉型号 DG1900/25.4－Ⅱ1，汽轮机型号 N600－24.2/566/566），600MW②为两台超临界机组（锅炉型号 SG1910/25.4－MXXX，汽轮机型号 N600－24.2/566/566）、两台 300MW 亚临界机组和一台 200MW 超高压机组。表 1 是上述机组历史上相同时间段连续 9 天的数据，包括该时间段的煤炭指标数据、日上网电量、日原煤耗量、入炉煤的元素分析等。

（三）基于碳排放指标的节能发电调度结果

通过计算各机组的供电标准煤耗率，我们可以得出各机组的供电标煤耗率如表 4 所示；通过计算可以得到不同机组单位电量的二氧化碳排放量数据，见表 5 及图 2。

考虑碳排放指标的节能发电调度结果见表 6。

根据结果，电网调度一台燃烧碳含量较低煤种的 600MW 机组时，其碳排放量最小，符合国家的节能减排要求。

表1　几种不同电厂的燃烧指标数据

类别	日 期	4月1日	4月2日	4月3日	4月4日	4月5日	4月6日	4月7日	4月8日	4月9日
600MW等级机组（1）	上网电量（万 kW/h）	1351.9	1344.75	1395.9	1343.1	1383.8	1472.7	1432.3	1714.45	1923.25
	发电用天然煤量（t）	5962	6419	5772	6376	6497	8185.2	9112.7	11556.8	10635.3
	应用基低位发热值（MJ/kg）	21.75	21.409	21.39	20.737	21.111	19.988	16.643	15.507	17.584
	收到基含碳量（%）	49.17	42.15	49.69	43.59	43.04	40.97	35.56	37.21	41.48
600MW等级机组（2）	上网电量（万 kW/h）	2088.19	2111.06	1974.81	1912.44	1872.63	1894.45	1926	1887.25	1827
	发电用天然煤量（t）	9993	11924	10932	10800	11600	11970	9540	10100	9630
	应用基低位发热值（MJ/kg）	18.3	17.77	16.76	16.71	14.74	12.83	16.23	15.86	16.39
	收到基含碳量（%）	37.85	37.36	35.38	35.41	31.81	28.47	33.62	33.18	35.23
300MW等级机组	上网电量（万 kW/h）	1138.5	1237.5	1342	1146.75	1339.25	1289	1246.5	1053.25	1160.5
	发电用天然煤量（t）	5217.15	5270.43	6322.54	5067.32	5791.66	6157.65	5490.64	4644.61	4881.06
	应用基低位发热值（MJ/kg）	21.399	21.33	21.586	22.033	21.466	21.667	22.11	20.894	21.005
	收到基含碳量（%）	51.41	50.47	52.17	53.77	51.52	52.12	52.70	50.80	51.24
200MW等级机组	上网电量（万 kW/h）	406.55	430.03	425.18	410.53	450.39	435.56	426.76	389.17	390.96
	发电用天然煤量（t）	2120	2217	2105	2089	2045	2481	2254	2035	2094
	应用基低位发热值（MJ/kg）	22.747	20.037	22.057	21.319	22.961	18.765	21.723	22.157	21.017
	收到基含碳量（%）	54.59	48.40	53.22	50.59	55.26	46.97	53.93	52.76	51.32

表2　通过实测得到机组的飞灰含碳量

名称	单位	4月1日	4月2日	4月3日	4月4日	4月5日	4月6日	4月7日	4月8日	4月9日	平均	总平均
飞灰含碳量	%	1.6	1.5	1.6	1.4	1.2	1.8	1.8	1.5	1.3	1.53	2.0
飞灰含碳量	%	2	2.5	2.6	2.4	2.6	2.7	2.4	2.6	2.3	2.47	

飞灰含碳量及灰渣含碳量根据历史数据进行统计，选取其平均值为飞灰含碳量为2%，灰渣含碳量在3.1%（表2，表3）。

表3　通过实测得到机组的灰渣含碳量

名称	单位	7日	9日	14日	16日	28日	平均
灰渣含碳量	%	3.41	0.65	2.87	4.43	5.78	3.1

我们可以看出，容量越大的机组单位电量的碳排放量越小。这主要是机组容量越大，单位电量的煤耗越小，大容量机组单位电量耗用更少的煤时，产生的二氧化碳就更少。高参数相同等级机组如600MW机组在燃用不同含碳量煤种时，单位电量所产生的碳排放是不同的，当煤种含碳量较高时，机组单位电量将生成较多的二氧化碳。而当大容量机组运行经济性下降时会导致机组碳排放指标上升，甚至有时600MW机组单位电量所产生的二氧化碳排放量也高于300MW机组所产生的二氧化碳排放。

表4　计算每日单位电量的碳排放量

名称	机组	4月1日	4月2日	4月3日	4月4日	4月5日	4月6日	4月7日	4月8日	4月9日	平均值
单位电量 CO_2 排放/(m^3/MWh)	600MW (1)	0.70	0.64	0.66	0.66	0.64	0.72	0.71	0.79	0.73	0.72
	600MW (2)	0.58	0.67	0.62	0.63	0.62	0.56	0.53	0.56	0.59	0.60
	300MW	0.75	0.69	0.79	0.76	0.71	0.80	0.74	0.72	0.69	0.75
	200MW	0.91	0.80	0.84	0.82	0.80	0.85	0.91	0.89	0.88	0.85

表5　各机组的供电标准煤耗率

名称	机组	4月1日	4月2日	4月3日	4月4日	4月5日	4月6日	4月7日	4月8日	4月9日	平均值
供电煤耗率/(kJ/kg)	600MW (1)	327.69	349.13	302.17	336.32	338.62	379.53	361.75	357.11	332.20	342.72
	600MW (2)	299.18	342.90	316.96	322.39	311.94	276.95	274.65	289.97	295.14	303.34
	300MW	335.01	310.35	347.44	332.62	317.14	353.61	332.72	314.78	301.82	327.28
	200MW	405.24	352.91	373.07	370.61	356.17	365.17	391.97	395.82	384.57	377.28

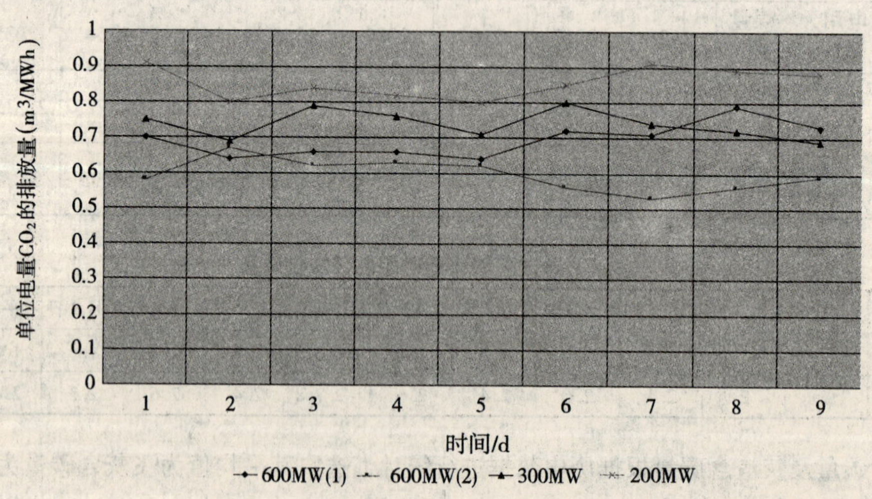

图2　不同等级机组单位电量碳排放曲线图

表6 不同调度方案的碳排放量

方案	机组构成	每小时碳排放量
最差	三台200MW	509.18 m^3/h
较差	两台300MW	447.80 m^3/h
较优	一台600MW（1）	432.30 m^3/h
最优	一台600MW（2）	357.68 m^3/h

五、结 论

从上述数据可以看出，在锅炉燃烧后生成的飞灰含碳量及灰渣含碳量相同情况下，明显大机组比小机组的碳排放量要小，或者说能耗低的机组碳排放量要小，按照绿色调度的原则，减少区域电网碳排放的途径是优先调度大机组或者是能耗更低的机组。而当大容量机组运行经济性下降时会导致机组碳排放指标上升，因此实现在线监测碳排放指标进行负荷调度，对于节能减排具有重要意义。

调度相同等级机组时应当考虑燃烧煤种的含碳量和机组的经济性，作为燃煤电厂应当尽量降低机组的能耗率及选用含碳量较低的煤种。

本文因为飞灰含碳量及灰渣含碳量没有获得实测值，不同机组都采取相同飞灰及灰渣含碳量。故当锅炉的不完全燃烧热损失不同时，其单位电量的二氧化碳排放将做进一步的修正。

参考文献

[1] 王铮，朱永彬．我国各省区碳排放量状况及减排对策研究［J］．战略与决策研究，2008，23（2）：109－115.

[2] 邱丽霞，郝艳红．常规燃煤电厂两种 CO_2 排放控制方法经济性比较［J］．热力发电，2008，37（6）：6－8.

[3] 李志平．化石燃料——二氧化碳排放的元凶［J］．生命世界，2009（2）：14－15.

[4] 发展改革委，环保总局，电监会，能源办．节能发电调度办法（试行）［S］．2007，08.

[5] 薛新民．我国能源活动二氧化碳排放量的计算及其国际比较［J］．环境保护，1998（4）：27－28.

[6] 何介南，康文星．湖南省化石燃料和工业过程碳排放的估算［J］．中南林业科技大学学报，2008，28（5）：52－58.

[7] ORNL Estimate of CO_2 emission from fossil fuel burning and cement manufacturing. ORNL/CDIAC－25［J］．Carbon Dioxide Information Analysis Center，Oak Ridge National Laboratory，1990.

[8] 房靖华，赵玉兰，曾涛方．燃煤锅炉的 CO_2 排放计算和讨论［J］．煤炭转化，1991（1）：63－66.

[9] 梅国栋，韩瑞国．锅炉二氧化碳排放量的计算及减少途径［J］．城市环境与城市生态，2000，13（4）：52－54.

[10] 尹世安．动力用煤煤质检测与管理［M］．北京：中国电力出版社，2000，9（1）：261－276.

[11] 金维强，涂仲光．电厂锅炉［M］．北京：中国电力出版社，1997：65－66.

[12] 傅书逷，王海宁．关于节能减排与电力市场的结合［J］．电力系统自动化，2008，32（6）：32－34.

[13] 于天飞．碳排放权交易的市场研究［D］．南京：南京林业大学，2007，12：22－27.

[14] 能源办［1990］1162号．加强电网调峰工作若干规定［S］．能源部，1990年12月31日发布．

[15] 电力系统技术导则［S］．国家电网公司技术规范，1984－12－24.

建筑物下洗对烟塔排烟最大地面落地浓度的影响对比分析

周　阳　黄浩云　李志强

（天津市环境保护科学研究院　天津　300191）

摘　要　采用新的大气环评技术导则 HJ 2.2—2008 预测模式 AERMOD，以天津某电厂为实例，预测分析不同排放高度下，不同风速条件下，建筑物下洗对下风向污染物落地浓度分布的影响。结果显示，下洗影响随环境风速的增大而增强，而增加烟塔排烟高度有利于减轻下洗影响。

关键词　大气新导则　AERMOD 模式　建筑物下洗

一、概　述

93 版大气环评技术导则的大气预测模式采用的是基于 20 世纪 60—70 年代的大气边界层理论的高斯模型，该模型没有考虑建筑物下洗对地面浓度的影响，使受建筑物影响区域的浓度明显偏低。2009 年 4 月 1 日起执行新的大气环评技术导则 HJ 2.2—2008 中，推荐采用美国环保署开发的新一代法规性质的大气扩散模型 AERMOD，该模型采用了自 20 世纪 90 年代以来最新的大气边界层和大气扩散理论研究成果，能够计算建筑物下洗的影响，用烟羽抬升模型改进（PRIME）算法来估计受建筑物影响的烟羽的增长和抬升变化。PRIME 通过计算背风涡边界将烟羽分为背风涡区域和尾迹区域。背风涡区域的扩散基于建筑物的几何形状，在垂直风向均匀混合。在尾迹区域很远的地方，建筑物的影响可以忽略，浓度用 AERMOD 公式估算。为确保尾迹区域内 PRIME 估算浓度和尾迹区域远处 AERMOD 估算浓度之间平滑过渡，尾迹区域远处浓度为这两种估算浓度的权重和。为进一步研究建筑物下洗对地面落地浓度的影响，现以天津市某电厂为例，计算不同排烟高度以及不同风速条件下，下风向污染物浓度分布情况。

二、实例计算试验

拟建电厂项目采用了新型的烟塔合一技术，设计两座冷却塔，烟气通过其中一座冷却塔排放，省去了传统的高烟囱和烟气再加热装置，因而具有很好的经济性。为评估另一冷却塔建筑物造成的烟气下洗对落地浓度的影响，现设计一组试验，计算 110 ~ 140m 不同高度排烟冷却塔在不同风速条件下，在受另一冷却塔下洗影响时，下风向污染物浓度分布情况。相关计算参数设置如下：

（一）污染物排放参数

以 NO_2 污染物排放为例，污染物排放参数设计见表 1。

表 1　大气污染物排放参数

污染物	排放速率/（g/s）	烟气温度/K	出口流速/（m/s）	烟塔直径/m
NO_2	90.2	314.15	3.4	49

（二）冷却塔建筑物

产生下洗影响的冷却塔相关参数如表 2 所示。

表2　建筑物下洗所需输入参数　单位：m

建筑物名称	下方向距离	高度	长度	宽度
冷却塔	113	110	49	49

（三）气象参数

为使计算结果更具可比性，本次计算采用年平均气温下、单一风向下，1～15m/s 不同风速的气象参数，相关气象参数设置如表3所示。

表3　气象参数设置

气温	风向	风速	总云量	低云量
26.9℃	270°	1～15m/s	0	0

（四）相关模式参数

采用简单、平坦地形条件，以50m网格间距计算污染源下风向2km范围内的轴线浓度分布。

（五）计算结果

将上述气象条件参数及污染源参数、建筑物参数输入 AERMOD，分别计算不考虑和考虑下洗两种情形下，不同风速下污染物的最大落地浓度和距离，统计整理结果分别见表4和表5。

表4　不考虑下洗时不同烟塔高度不同风速下下风向最大落地浓度及距离

烟塔高度	风速/(m/s) 结果	1	2	3	4	5	6	7	8	9	10	11	12	13	14	15
110m	最大落地浓度/(mg/m^3)	0.007	0.012	0.016	0.019	0.020	0.021	0.019	0.017	0.017	0.017	0.016	0.016	0.016	0.015	0.015
	下风向距离/m	1050	750	850	900	900	950	1000	1100	1100	1100	1100	1100	1100	1100	1100
120m	最大落地浓度/(mg/m^3)	0.007	0.011	0.015	0.017	0.018	0.018	0.017	0.015	0.015	0.015	0.014	0.014	0.014	0.014	0.013
	下风向距离/m	1050	800	900	950	950	1000	1100	1150	1150	1150	1150	1150	1150	1150	1150
130m	最大落地浓度/(mg/m^3)	0.007	0.010	0.014	0.015	0.016	0.016	0.015	0.014	0.013	0.013	0.013	0.012	0.012	0.012	0.011
	下风向距离/m	1200	850	950	1000	1000	1000	1150	1200	1250	1250	1250	1250	1250	1250	1250
140m	最大落地浓度/(mg/m^3)	0.007	0.010	0.012	0.014	0.015	0.015	0.014	0.013	0.012	0.012	0.012	0.011	0.011	0.011	0.010
	下风向距离/m	1250	950	1000	1050	1100	1100	1200	1300	1300	1300	1300	1300	1300	1300	1300

从结果中可以看出，当不考虑建筑物烟气下洗影响时，随着烟气排放高度的增加，污染物的最大落地浓度逐渐减小，落地浓度距离逐渐增大；随着风速从1m/s开始逐渐增大，最大落地浓度有所增加，但当风速大到一定值，如8m/s后，污染物最大落地浓度的变化幅度迅速减小，浓度基本保持不变。

而当考虑建筑物对烟气的下洗影响时，当风速小于烟气出口流速时，下洗作用并不明显，最大落地浓度维持在较低水平，随着排放高度的增加，下风向的污染物最大落地浓度呈下降趋势，而最大落地浓度距离显著增加。而当环境风速大于烟气出口流速时，下洗作用逐渐明显，随着风速的增强，下洗造成的最大落地浓度不断增加。对于不同排放高度，下洗作用影响的程度也不尽相同。当冷却塔排放高度为110m，下风向50m距离处出现最大落地浓度的起始风速为到9m/s时，最大落地浓度为1.080mg/m^3，而当冷却塔提升到140m时，50m距离处开始出现最大落地浓度的风速起始风速为15m/s，最大落地浓度为1.855mg/m^3。由此可看出，随着排放高度增加，造成相当程度下洗影响所需的风速也随之增大，而根据厂址所在地区全年逐日逐时风速统计，风速大于6.0m/s 的出现频率为6.7%，风速大于8.0m/s 的出现频率为1.8%，风速大于10.0m/s 的出现频率为0.3%。因此增加排放高度将有利于减轻建筑物下洗对其周边产生的影响。

表5　考虑下洗时不同烟塔高度不同风速下下风向最大落地浓度及距离

烟塔高度	风速/(m/s) 结果	1	2	3	4	5	6	7	8	9	10	11	12	13	14	15
110m	最大落地浓度/(mg/m^3)	0.008	0.026	0.076	0.155	0.309	0.435	0.606	0.810	1.080	1.422	1.798	2.172	2.514	2.797	3.004
	下风向距离/m	600	400	300	250	100	100	100	100	50	50	50	50	50	50	50
120m	最大落地浓度/(mg/m^3)	0.007	0.023	0.060	0.114	0.180	0.368	0.632	0.845	1.137	1.497	1.888	2.271	2.616	2.894	3.083
	下风向距离/m	650	450	350	300	250	150	100	100	50	50	50	50	50	50	50
130m	最大落地浓度/(mg/m^3)	0.007	0.020	0.048	0.090	0.121	0.178	0.291	0.506	0.949	1.560	1.963	2.355	2.700	2.973	3.148
	下风向距离/m	1050	500	400	350	350	300	200	150	100	50	50	50	50	50	50
140m	最大落地浓度/(mg/m^3)	0.007	0.018	0.040	0.073	0.091	0.116	0.156	0.215	0.297	0.403	0.547	0.680	0.927	1.113	1.855
	下风向距离/m	1200	550	450	400	400	350	300	250	200	200	150	100	100	100	50

三、结　论

经过以上考虑下洗和不考虑下洗两种情形下不同风速下下风向污染物最大落地浓度的分析可以看出，建筑物下洗情形对其周边污染物浓度有着严重影响，以往的大气导则由于没有考虑这种影响，预测结果浓度明显偏低。新的大气导则模式 AERMOD 能较好地模拟出下洗情形及其对周边的影响程度，预测结果更能反映出实际情形，更为真实、可靠，这有助于我们更好地评价建设项目造成的环境影响，从而为更科学、准确地提出预防措施提供可靠依据。

参考文献

[1] EPA (USA). User's Guide for the AERMODUG, EPA (USA) Document [R]. USA: U.S. Environmental Protection Agency, Office of Air Quality Planning and Standards Emissions, Monitoring, and Analysis Division, Research Triangle Park, North Carolina 27711 1998, 1-228.

[2] HJ/T 2.2—2008，环境影响评价技术导则——大气环境［S］.

[3] 蒋维楣．空气污染气象学［M］．南京：南京大学出版社，2003.

垃圾飞灰与煤灰混合后的灰熔融特性试验研究

别如山　卢　杰

（哈尔滨工业大学　哈工大454信箱　150001）

一、引　言

预计我国2010年城市生活垃圾焚烧总量达到48000t/d，每天产生的飞灰量按5%焚烧量计算将达到2400t/d[1]。众所周知，飞灰中含有大量的重金属及二恶英，例如，上海御桥垃圾焚烧厂进口炉排炉（尾气喷活性炭吸附后）飞灰中Pb：972～2480mg/kg；Cd：50～66mg/kg；二恶英含量在980～1520ng－TEQ/kg[2]；哈尔滨垃圾焚烧厂进口内循环流化床垃圾焚烧炉布袋除尘器捕集灰中Pb含量870mg/kg，Cd为16mg/kg；二恶英含量达到800 ng－TEQ/kg[3]，甚至有的炉排炉飞灰中二恶英含量高达7530ng－TEQ/kg[4]。这些飞灰若处理不善将对人们的生存环境构成潜在威胁，而目前这些飞灰基本上处于无序排放状态。因此，研究焚烧飞灰的无害化处理是亟待解决的问题。高温熔融是处理焚烧飞灰最彻底的方法，它能够分解飞灰中99.9%以上的二恶英，达到二恶英零排放，同时，高温熔融处理后的飞灰可作为水泥原料或建筑材料，变废为宝，实现资源化利用。发达国家通常采用燃烧重油、焦炭或采用电热熔融的方法熔融处理飞灰[5]，运行费用昂贵，在我国目前条件下难以推广应用。为此，本文作者提出以煤为辅助燃料，采用旋风炉高温熔融飞灰技术，以降低运行成本，该技术已获得国家发明专利[6]。本文研究煤灰与飞灰混合后灰的熔融特性，为设计飞灰熔融炉提供基础数据。

二、试验装置及条件

（一）灰熔点仪

灰熔点是在AF－1型灰熔点仪上进行的，仪器主要由计算机、数据采集、视频采集、高温炉、热电偶、控制元件等组成。升温速度为在900℃之前20～30℃/min，900℃之后（5±1）℃/min，功率8kW。

（二）试验煤样及垃圾飞灰样

采用两种煤样（煤样A、煤样B）和两种典型垃圾飞灰样（飞灰样#1和飞灰样#2）。两种煤样分别为三类烟煤（A）与二类烟煤（B），其工业分析结果见表1，垃圾飞灰#1取自哈尔滨某垃圾焚烧厂循环流化床垃圾焚烧炉，垃圾飞灰#2取自苏州某炉排炉垃圾焚烧厂。

表1　两种煤样工业分析

项　目	煤样A	煤样B
收到基水分 Mar/%	2.65	2.31
灰分 Aar /%	13.98	35.40
挥发分 Var /%	15.80	23.28
固定碳 FCar/%	67.57	39.01
收到基低位热值 Qar，net（kJ/kg）	23994.37	18524.83

（三）氧化性气氛下垃圾飞灰与煤灰混合后的灰熔点试验

煤灰的制取是通过马弗炉进行灼烧后获得。垃圾飞灰需要进行筛分，粒径小于0.09mm的合格飞灰在 105～110℃的环境中烘干至恒重。在做每一次试验之前，垃圾飞灰与煤灰按比例进行混合后作为试验样本。用10%的阿拉伯树胶水滴入试验样本中，经过搅拌，将混合物放入灰锥模具中，制作灰锥。之后将其放入烘干箱，50℃的环境下加热半个小时左右，使灰锥成型。一个试验样本做三个灰锥样进行试验，防止误差过大。试验的目的是得到混合灰样的 DT（变形温度）、ST（软化温度）、HT（半球温度）、FT（流动温度）。

（四）还原性气氛下垃圾飞灰与煤灰混合灰样的灰熔点试验

与氧化性气氛做法相同，所不同的是在试样附近加一块焦炭，使试样区为还原性气氛。

三、氧化性气氛下煤灰与垃圾飞灰混合灰样的灰熔点试验结果及讨论

（一）煤样 A 与垃圾飞灰#1 不同配比下灰熔融特性

煤样 A 与飞灰样#1 在不同配比下的灰熔点试验结果如图 1 所示。由图 1 可以看出，对于不同比例的混合灰样，变形温度 DT 的变化几乎没有规律，这是因为灰样变形大小、程度是靠目测确定的，试验误差较大在所难免。软化温度、半球温度和流动温度由于有比较明确的判定标准，因此在图线上面看出较为明显的规律。从图 1 中看出，在煤灰含量低于 40% 左右时，混合灰样的灰熔点低于任一种灰样的灰熔点；大于 40% 后混合样的熔点高于垃圾飞灰熔点直至达到煤的灰熔点。

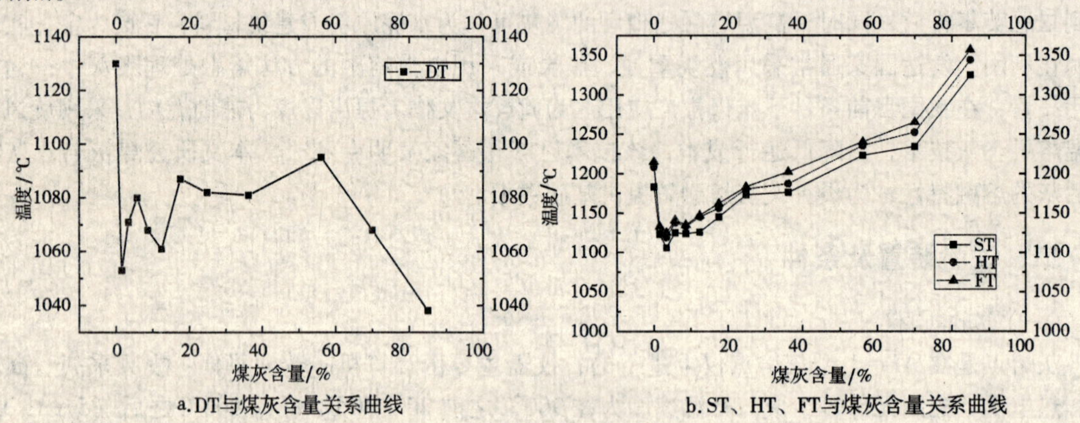

a. DT与煤灰含量关系曲线　　b. ST、HT、FT与煤灰含量关系曲线

图 1　煤样 A 与飞灰样#1 灰熔点试验结果

（二）煤样 B 与垃圾飞灰#1 不同配比下灰熔融特性

煤样 B 与垃圾飞灰#1 混合灰样的灰熔点试验结果如图 2 所示。其变化趋势与图 1 相同。

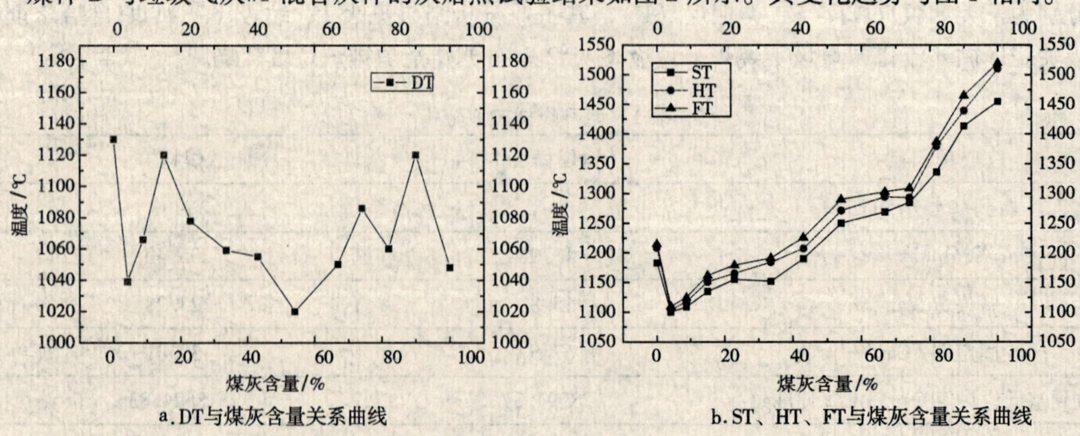

a. DT与煤灰含量关系曲线　　b. ST、HT、FT与煤灰含量关系曲线

图 2　煤样 B 与飞灰样#1 灰熔点试验结果

（三）煤样A与垃圾飞灰#2不同配比下灰熔融特性

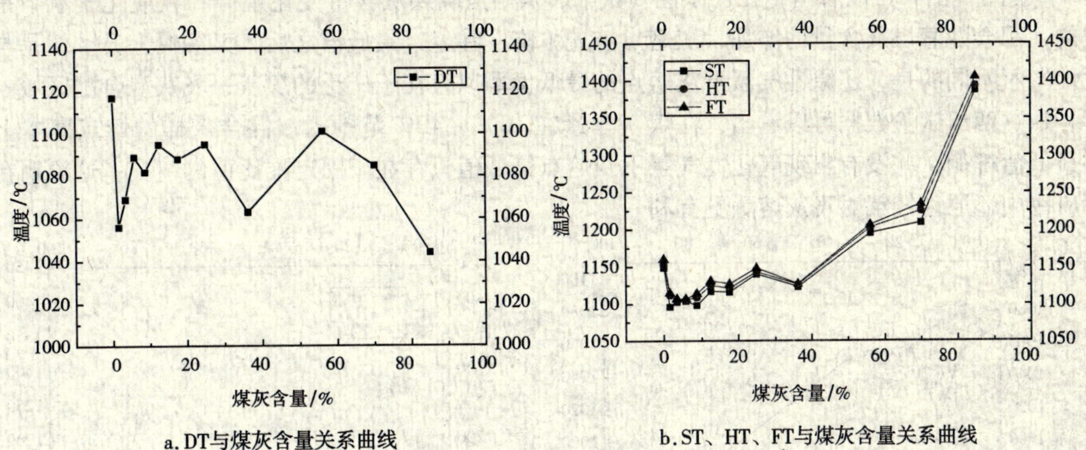

a. DT与煤灰含量关系曲线　　b. ST、HT、FT与煤灰含量关系曲线

图3　煤样A与飞灰样#2灰熔点试验结果

从图3中看出，混合灰样的熔融特性与图1、图2类似。但是发现飞灰#2的熔点比飞灰#1的熔点值低50℃左右。这是因为飞灰#2来源于进口炉排炉，一般辅助燃料为轻油，而飞灰#1来源于进口循环流化床炉，辅助燃料是煤，因而导致飞灰#1的熔点高出50℃。

（四）煤样B与垃圾飞灰#2不同配比下灰熔融特性

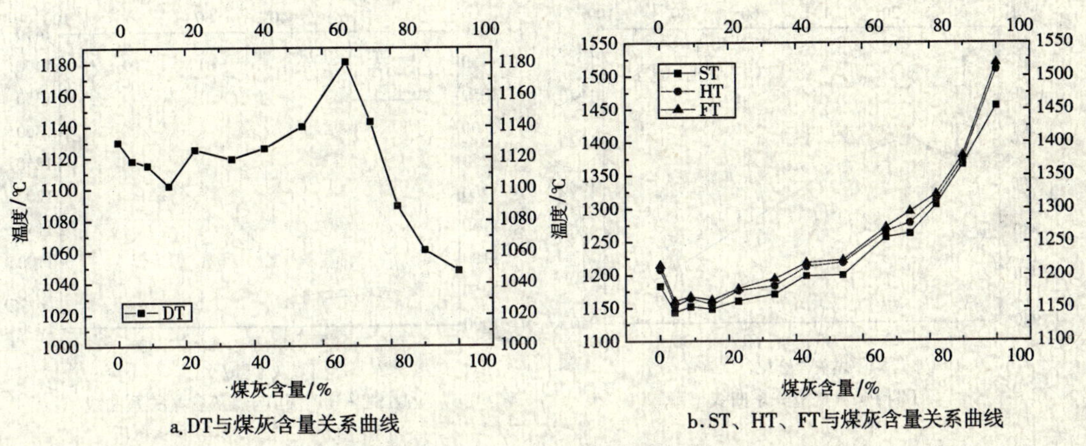

a. DT与煤灰含量关系曲线　　b. ST、HT、FT与煤灰含量关系曲线

图4　煤样B与飞灰样#2灰熔点试验结果

从图4可以发现这一组试验所反映的现象和以前的试验是一样的，混合灰样灰熔点同样会经过一个先下降再上升至煤灰熔点的过程。混合灰样熔点在较大区域内徘徊在最低值附近，这正是实际应用所需要的。

四、还原性气氛下煤灰—垃圾飞灰混合灰样灰熔点试验结果及讨论

为了有效降低NO_x排放，实际应用过程中飞灰熔融是在还原性气氛下进行[6]。人们知道还原性气氛会使灰熔点下降，这对于维持旋风炉稳定运行具有重要意义。

（一）煤样A与垃圾飞灰#1不同配比下灰熔融特性（图5）

（二）煤样A与垃圾飞灰#2不同配比下灰熔融性试验（图6）

（三）煤样B与垃圾飞灰#1不同配比下灰熔融性试验（图7）

（四）煤样 B 与垃圾飞灰#2 不同配比下灰熔融性特性（图 8）

从图 5～图 8 可以看出，在还原性气氛下，灰熔点随煤灰含量变化规律和在氧化气氛下是一样的，都会随着煤灰含量的增加，灰熔点首先下降，在经过最低值之后，又缓慢上升。但是与氧化性气氛不同的是，还原性气氛下灰熔点的最低值可以存在于广泛的煤灰—飞灰混合配区域。

从这四组试验数据可以看出，在煤灰含量在 10%～40% 范围内，混合灰样的熔点基本上都在最低值徘徊，并没有出现氧化性气氛下灰熔点最低值只存在于固定配比值的情况。这说明在实际应用中还原性气氛对飞灰熔融更有利。

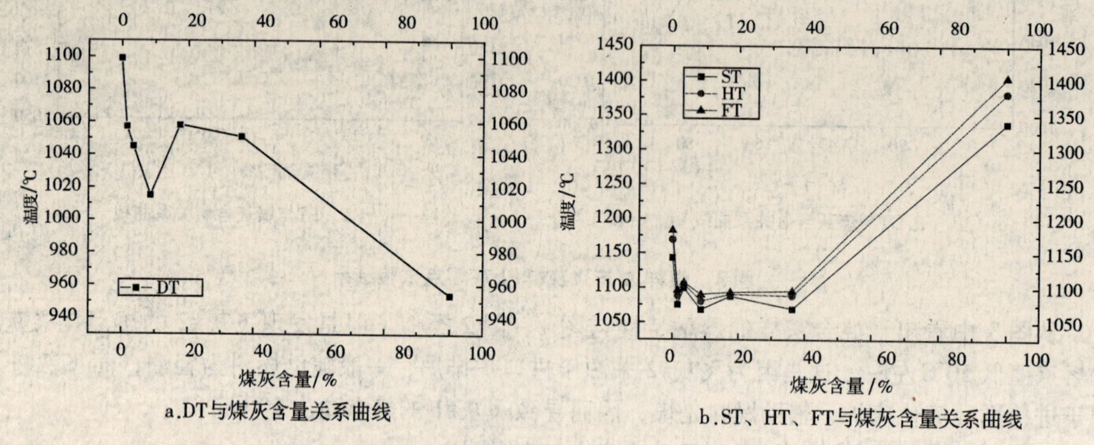

a.DT与煤灰含量关系曲线　　b.ST、HT、FT与煤灰含量关系曲线

图 5　煤样 A 与飞灰样#1 灰熔点试验结果

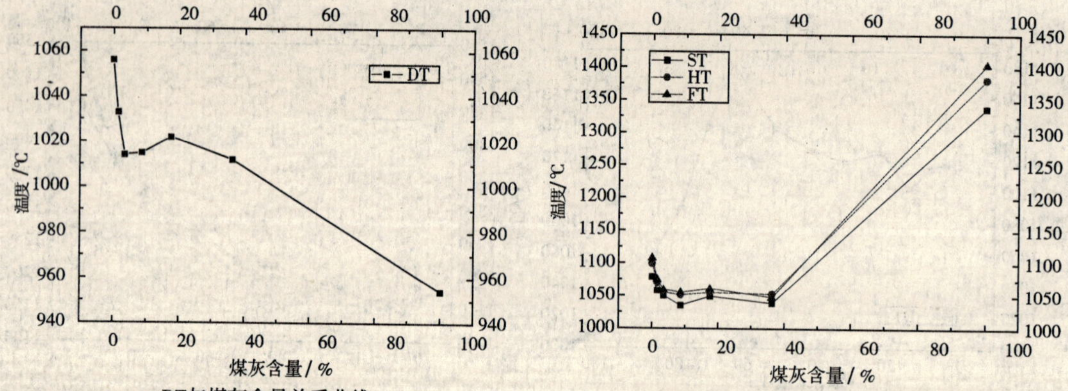

a.DT与煤灰含量关系曲线　　b.ST、HT、FT与煤灰含量关系曲线

图 6　煤样 A 与飞灰样#2 灰熔点试验结果

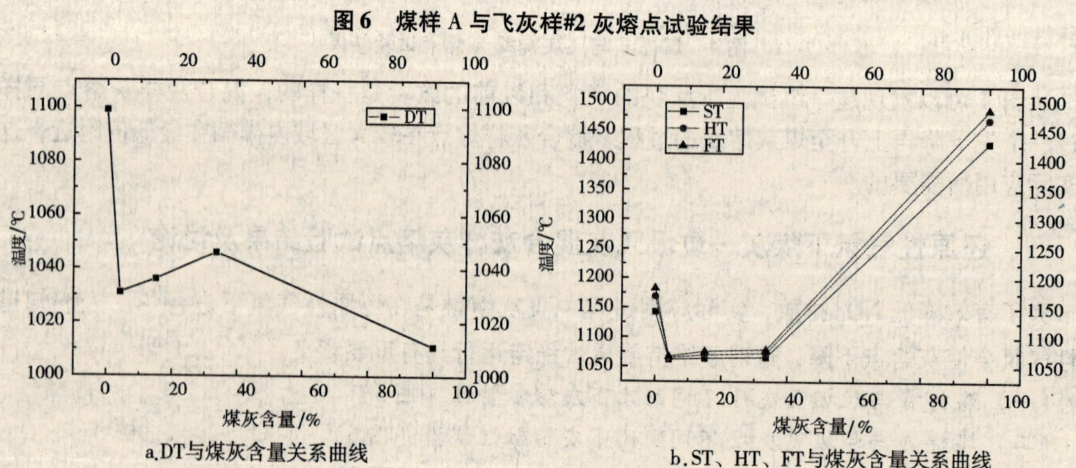

a.DT与煤灰含量关系曲线　　b.ST、HT、FT与煤灰含量关系曲线

图 7　煤样 B 与飞灰样#1 灰熔点试验结果

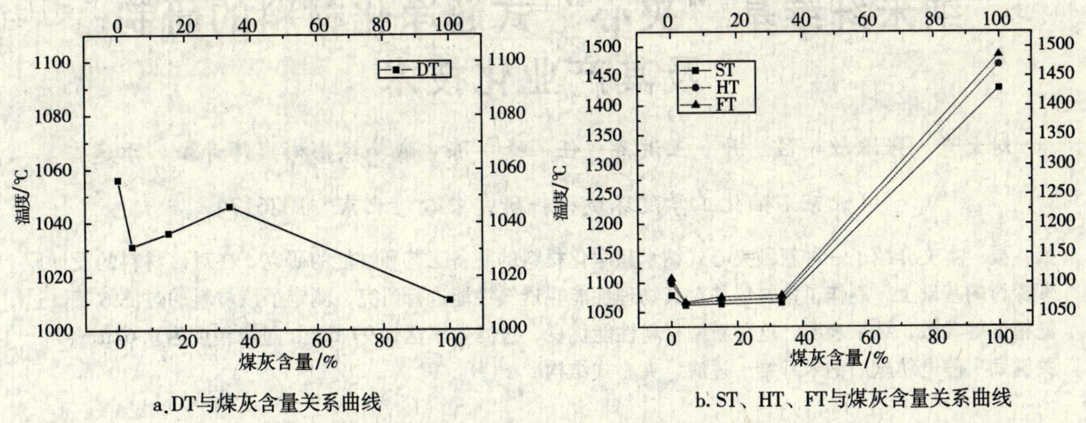

a. DT与煤灰含量关系曲线　b. ST、HT、FT与煤灰含量关系曲线

图8　煤样B与飞灰样#2灰熔点试验结果

试验结果还发现，还原性气氛下灰熔点比氧化性气氛下降低50～100℃，说明在实际应用中，还原性气氛比氧化性气氛更加安全，更加节省燃料。此外，还原性气氛同样是降低NO_x排放的有效方法。

五、结　论

通过实验研究得出如下结论：①循环流化床垃圾焚烧炉飞灰的灰熔点高于炉排炉约50℃；②煤灰与飞灰混合后，在较宽的范围内其灰熔点低于任一组分的灰熔点；③还原性气氛下混合灰样的灰熔点较氧化性气氛下低50～100℃，对飞灰熔融炉的稳定运行具有重要意义。

参考文献

[1] 万晓．焚烧飞灰中重金属浸出的主要控制过程研究［D］．北京：清华大学，2006.

[2] Pin－Jing He，Hua Zhang，Can－Gang Zhang，Duu－Jong Lee. Characteristics of air pollution control residues of MSW incineration plant in Shanghai. Journal of Hazardous Materials. 2004，B116：229－237.

[3] 哈尔滨垃圾发电厂布袋捕集飞灰二恶英分析检测报告．2003，10.

[4] 金宜英，田洪海，聂永丰，等．3个城市生活垃圾焚烧炉飞灰中二恶英类分析［J］．环境科学，2003，24（3）：21－25.

[5] 王华，何方，马文会，等．二恶英低减化生活垃圾焚烧灰渣熔融处理技术［J］．昆明理工大学学报，2003，27（1）：17－21.

[6] 中国发明专利：ZL 200410044191.8［P］.

纳米纤维基“夹心”式超净化材料的研制及其产业化技术

刘太奇 张淑敏 吕 丹 王洪涛 任 峰 陈 曦 操彬彬 师奇松 于建香

（北京石油化工学院环境材料研究中心 北京 102617）

摘 要 本文介绍了一种新颖夹心式纳米超净化材料的制备工艺和性能的研究。在对该材料的设计原理探讨的基础上，制作了该材料并对其物理性能、透气性能进行研究，测定了该材料的过滤效率、过滤精度等参数，结果表明，这种新型材料性能优良，过滤效率达到99.6%，过滤精度为0.67μm。

关键词 静电纺丝 纳米纤维 过滤 夹心式结构

静电纺纳米纤维直径极细，具有高比表面积、高吸附性、物理性能优异[1~3]等特点，可以用于制造过滤材料、生物组织工程支架、复合材料增强体、纳米级电器元件等。实验证明，由静电纺纳米纤维制作的新型空气过滤材料比传统的过滤材料能更有效地去除空气中的细微粒子，具有更高的过滤效率[4]。笔者所在实验室利用静电纺纳米纤维研制成功了夹心式纳米超净化材料[5]，生产工艺简单，产品质量好，用于过滤空气中的微粒效果显著，已经获得了国家专利[6]。

一、过滤机理分析

空气过滤器是为了过滤气体中有害粉尘、微粒，净化空气，或者进行气液、气固分离的目的产生的，随着人们环保意识增强和科技发展需要，一些传统的空气过滤器具已经不能满足人们的需求，例如国内的医用防护口罩一直是传统的纱布口罩，SARS 病毒的爆发使人们意识到纱布口罩存在阻隔病菌效率低的缺陷，不能避免交叉感染。传统的纱布口罩采用粗纤维交叉编织，层层纱布叠加而成，纤维孔径 1mm，假如第二层纱布的纤维恰好从第一层纱布的网孔横向中间穿过，第三层纱布的纤维从第一层纱布的网孔纵向中间穿过，第四层纱布从前三层纱布形成的小网孔横向中间穿过，第五层纱布从前三层纱布形成的小网孔纵向中间穿过，依此类推，$2n$ 层纱布的孔径为 $1/2^{n-1}$ mm，如果要过滤直径大约 100nm 的 SARS 病毒，所需的过滤层数为

$$\frac{10^6}{2^{(n-1)/2}} < 100\text{，解得 } n > 29$$

由于以上最佳方案的概率很小，实际所需的纱布层数远远大于 29。传统的医用纱布口罩由于纤维粗、孔隙大造成过滤效率、过滤精度都比较低，已不能满足医院隔离室、生化研究室以及其他高污染危险行业的要求，因此要提高过滤性能必须改变材质，降低材料的直径。

纤维型过滤介质捕集空气中的悬浮微粒是通过纤维的拦截效应、惯性效应、扩散效应、重力效应、静电效应的共同作用完成的[7]，其中，拦截效应、惯性效应、扩散效应受到纤维直径大小的影响，三者的效率与纤维直径的关系可以利用单纤维过滤理论进行模拟解释。

1. 单纤维直接拦截效率 $E_R =(D_P/D_F)\ 2/K_U$

式中：D_P 为颗粒直径；D_F 为纤维直径；K_U 为 Kuwabara 常数。可以看出由直接拦截引起的过滤效率与纤维直径的平方成反比。

2. 单纤维惯性沉降效率 $E_I \propto St/(2K_U 2)$

式中：$St = S_D/D_F$；S_D 为停止距离。可以看出由惯性沉降引起的过滤效率与纤维直径成反比。

3. 单纤维扩散作用效率 $E_D = 2.7/(Pe)\ 2/3$

式中：Peclet 常数 $Pe = D_F U/D$；U 为流体速度；D 为扩散系数。同样，随着纤维直径减小，

单纤维扩散作用效率增大。纤维直径的大小对过滤性能的影响还可以从图1中进一步分析，图中两个模型的纤维直径不同，纤维直径与纤维间距比例相同。

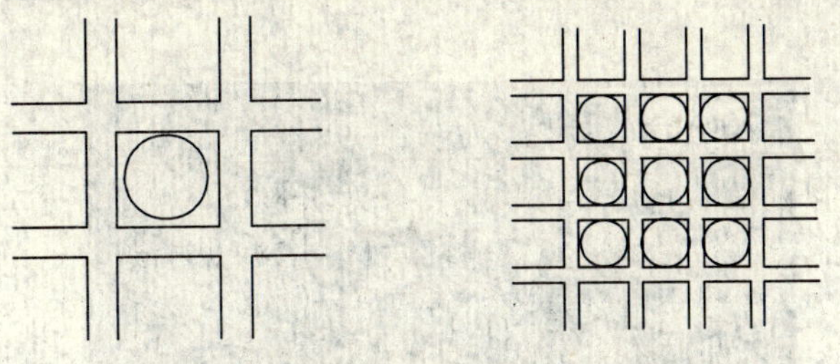

图1 不同纤维直径的过滤模型示意图

从图1中的模型容易看出，在纤维直径与纤维间距比例相同的情况下，纤维直径越细，纤维之间形成的孔隙越小，能滤掉的微粒直径越小，过滤效率、过滤精度都有很大提高。

静电纺纳米纤维具有纤维直径细，比表面积大，表面吸附性高的特点，夹心式纳米超净化材料利用了静电纺纳米纤维的这一特性，其夹心层纳米纤维相互缠绕形成孔径在微米—亚微米级的纳米纤维膜，相对于粉尘粒径，纳米纤维形成的孔径很小，过滤效率、精度都很高。

二、实验部分

（一）制备夹心式纳米超净化材料

配制静电纺丝溶液：将尼龙6溶入甲酸中配制成13%（wt）的溶液，搅拌2～3h溶解形成透明溶液备用。

制备夹心式纳米超净化材料：自行研制开发的生产设备简单示意图如图2所示，采用多针头静电纺丝[8]，纺丝电压15kV，纺丝针头到接收板距离为8cm。净化材料的夹心层是静电纺纳米纤维膜，两种基材分别是玻璃纤维网格布和普通工业滤布。

（二）夹心式纳米超净化材料性能研究

利用场发射扫描电子显微镜（Hitachi S－4500，日本日立公司）对夹心式纳米超净化材料的表面形貌进行表征。用拉力试验机（LJ2500，承德试验机总厂）对普通工业滤布、玻璃纤维网格布和夹心式纳米超净化材料做拉伸试验，采用10mm/min拉伸速率。测定纳米纤维的直径，用比表面积分析仪（SSA－3500型，北京彼奥德电子有限责任公司）测定它的比表面积。通过测定一定流量下材料前后的压差对材料的透气性能进行表征。用激光粒度仪（RISE－2008，济南润之科技有限公司）测试在过滤前后滑石粉粉尘的粒径大小确定过滤精度，通过称重过滤前后滑石粉粉尘的质量差，代入公式（1）计算过滤效率。

$$\eta = \frac{W_1 - W_2}{W_1} \times 100\% \qquad (1)$$

式中：η 为过滤效率；W_1 为过滤前粉尘重量，g；W_2 为过滤后粉尘重量，g。

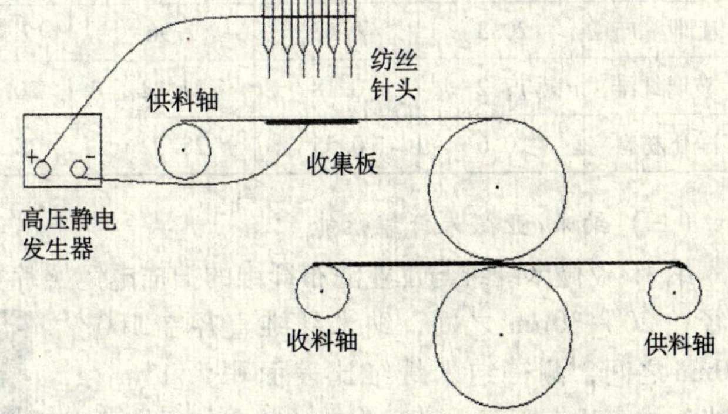

图2 夹心式纳米超净化材料生产设备简单示意图

试验所用滑石粉的粒径分布在0.3～8μm的范围内，其中粒径小于2.2μm占75%以上，粒径小于5μm占98%以上。

三、结果与讨论

（一）结构表征

通过控制静电纺丝时间可以控制夹心层纳米纤维的面密度，图3是从玻璃纤维一侧拍摄的不同纳米纤维面密度的净化材料的扫描电镜照片。如图3（a）所示纳米纤维密度较小，能清楚地看到普通工业滤布纤维与纳米纤维，（b）纳米纤维密度较大，形成纳米纤维膜，几乎不能直接看到普通滤布纤维。

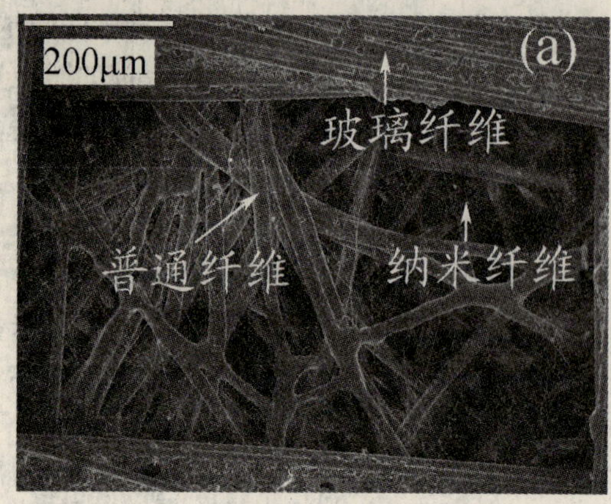

（a）夹心层纳米纤维少

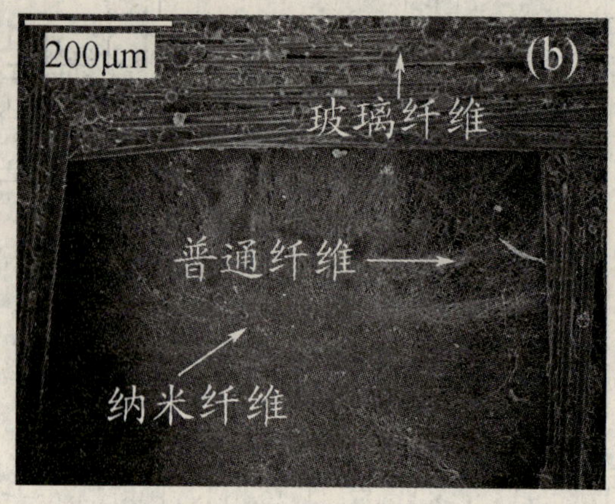

（b）夹心层纳米纤维多

图3　夹心式纳米超净化材料的扫描电镜照片

（二）材料物理性能

测定夹心式纳米超净化材料的平均面密度为226g/m^2，平均样厚0.55mm，夹心层纳米纤维面密度控制在500mg/m^{2}左右。各种材料的拉伸性能列于表1中。从表1中可以看出，玻璃纤维的拉伸强度大，能够提高材料整体的拉伸强度，使净化材料拉伸强度和屈服强度都增强，比工业滤布的拉伸强度提高了约10倍，净化材料的断裂强度和弹性模量也比工业滤布有所提高，但是低于玻璃纤维。工业滤布一方面保护纳米纤维免遭破坏，另一方面也可以对大颗粒进行预过滤。

表1　材料物理性能测试

材料	平均样宽/（mm）	平均样厚/（mm）	拉伸强度/（MPa）	屈服强度/（MPa）	断裂强度/（MPa）	弹性模量/（MPa）	断裂伸长率/%
工业滤布	20.3	0.53	2.96	2.71	2.70	4.16	96.23
玻璃纤维	17.2	0.18	21.22	20.96	18.53	286.47	1.67
净化材料	20.6	0.55	28.92	28.84	7.87	129.56	33.62

（三）纳米/亚微米纤维性能

纳米/亚微米纤维与工业滤布纤维的扫描电镜照片如图4所示。从图4看出，工业滤布纤维直径在20～30μm之间，纳米纤维直径在100～500nm之间，测得纳米纤维比表面积为15m^2/g，纳米纤维高比表面积、高吸附性的特点使得它可以制成性能优异的过滤材料。

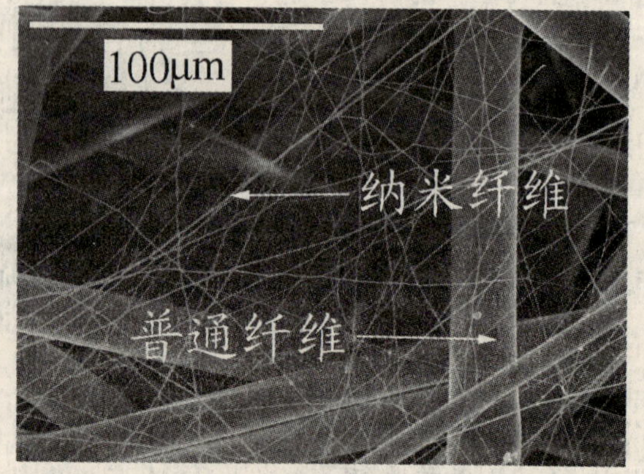

图4　纳米纤维与工业滤布的扫描电镜照片

（四）透气性能

纳米纤维直径很细，形成的孔径也比普通纤维小得多。当气体流量在0.7m^3/h时，普通工业滤布的平均阻力为0.1kPa，夹心式纳米超净化材料的平均阻力为2 kPa，透气性没有太大的降低，应用纤维表面滑流模型[9]可以进行解释。

传统的纤维型过滤材料过滤理论假定气体绕着

纤维连续流动，在纤维表面没有滑动，而当纤维直径小到一定程度，气体分子的分子运动相对于纤维直径和流场不能再忽略不计，传统的过滤理论就需要进行修正。纤维表面滑流模型指出当纤维直径足够细时，气体在纤维表面的速度不再为零，称之为滑流。由于滑流的影响，气体在经过纤维时对纤维的拉力小于气体在纤维表面速度为零时的拉力，这就造成了过滤材料的空气阻力比较低，而且研究发现当纤维直径小于 0.5μm 时，必须将滑流因素考虑在内。夹心式纳米超净化材料的纳米纤维的直径在 100 ~ 500nm 之间，受到滑流因素的影响透气性能没有太大的降低。

（五）过滤性能

表 2　工业滤布与净化材料的过滤效率

材料	第 1 次	第 2 次	第 3 次	第 4 次	第 5 次	平均
工业滤布	91.5%	93.97%	94.21%	91.53%	93.34%	92.91%
净化材料	99.77%	99.62%	99.52%	99.7%	99.58%	99.64%

由表 2 可知，工业滤布和净化材料的平均过滤效率分别为 92.91% 和 99.64%。粒度分析测得工业滤布和净化材料的过滤精度分别为 5.81μm 和 0.67μm。相对于工业滤布，夹心式纳米超净化材料的过滤效率和过滤精度都很高。这是因为过滤效率、过滤精度与过滤材料的纤维直径大小密切相关，从图 4 中可以看出，纳米纤维相互缠绕形成的孔径比普通纤维小得多，纤维直径越细，形成的孔径越小，对粒径较小的粉尘的拦截效果越显著，过滤效率、过滤精度就越高。

四、结　论

纤维型过滤介质的过滤性能与纤维的直径大小密切相关，直径越小，过滤效率与过滤精度越高。夹心式纳米超净化材料利用了静电纺纳米纤维直径细、比表面积大的特性，其夹心层纳米纤维相互缠绕形成孔径在微米—亚微米级的纳米纤维膜，透气性好，过滤效率、过滤精度都很高，过滤效率达到99.64%，过滤精度达到 0.67μm。夹心式纳米超净化材料生产工艺简单，成本低廉，物理性能优良，是静电纺纳米纤维在过滤材料领域的创新应用。

参考文献

[1] Thandavamoorthy Subbiah, G. S. Bhat, R. W. Tock, S. Parameswaran, S. S. Ramkumar, Electrospinning of Nanofibers [J]. Applied Polymer Science, 2005, 96: 557 - 569.

[2] 任峰，刘太奇. 夹心式纳米超净化材料的制备及净化除菌性能 [J]. 高分子材料科学与工程，2008，24 (5)：135 - 138.

[3] ZHANG Shumin, LIU Taiqi. Study on Preparation and Property of Nano - Nylon Fibers [J]. Polymer Materials Science and Engineering, 2005, 21 (5): 289 - 292.

[4] 姚永毅，朱谱新，吴大诚，等. 静电纺丝法和气流静电纺丝法制备聚砜纳米纤维 [J]. 高分子学报，2005，5：687 - 692.

[5] Phillip G, Heidi SG, Donald R. Transport properities of porous membranes based on electrospun nanofibers [J]. Colloids and surfaces A, 2001, 187188: 469 - 481.

[6] 刘太奇. 纳米空气净化技术 [M]. 北京：化学工业出版社，2004：89 - 91.

[7] 刘太奇，张淑敏. 一种夹心式纳米/亚微米电纺丝基过滤材料的制备方法 [P]. 中国专利：200410029988.0，2005.1.12.

[8] 许钟麟. 空气洁净技术原理 [M]. 北京：科学出版社，2003：82 - 94.

[9] S. A. Theron, A. L. Yarin, E. Zussman, E. Kroll, Multiple jets in electrospinning: experiment and modeling [J]. Polymer, 2005 (46): 2889 - 2899.

[10] Kristine G, Ming O, Tom R, Polymeric. Nanofibers in Air Filtration Applications. The Fifteenth Annual Technical Conference & Expo of the American Filtration & Separations Society, Galveston, Texas, 2002.

湖南衡山地区一次酸雨过程气象条件的数值模拟研究

樊　琦[1]　范绍佳[1]　易建平[2]　丁知明[2]　钟流举[3]　王安宇[1]　冯瑞权[4]

（1. 中山大学季风与环境研究中心大气科学系　广州　510275；2. 湖南省衡阳市南岳区气象局　湖南　421900；3. 广东省环境监测中心　广州　510045；4. 澳门地球物理暨气象局　澳门）

摘　要　利用MM5中尺度气象模式对湖南衡山地区2009年3月22～24日一次典型酸雨过程的气象条件进行了详细的数值模拟研究。从酸雨实测、实际天气图和污染物浓度资料出发，结合数值模拟结果对造成典型酸雨过程的降水场、流场、温度场以及边界层结构进行分析。结果表明：此次酸雨过程主要是由于冷暖空气交汇造成的辐合型降水。从水平流场来看，衡山周围地区的污染物贡献不容忽视。另外酸雨发生前后整个边界层层结相对稳定，边界层高度较低，同时伴随有逆温过程，均不利于污染物的扩散输送。

关键词　酸雨　气象条件　数值模拟

随着人口和经济的快速增长，人类活动向大气排放了大量污染物质，导致酸雨问题也越来越为严峻。中国气象局酸雨监测网的资料表明我国长江以南地区已成为全球的强酸雨中心区域之一。鉴于酸雨对环境生态等各方面的重要影响，科学家们针对酸雨开展了大量的观测试验，在观测资料的基础上对各个地区酸雨产生的物理过程及其化学成分等方面都进行了深入的研究，取得了很多有意义的研究成果[1-3]。气象场条件和污染排放源是影响酸雨的两大主要因素。针对不同地区影响酸雨过程主要天气系统方面也有相当的研究。雷恒池等[4]利用1985—1993年我国10个省市飞机观测云水化学资料进行分析时指出降水天气系统对云水化学有一定的影响，南方地区静止锋降水时云水较酸从而导致雨水也酸。郑凤琴等[5]分析了不同大气环流背景下1991—2004年广西南宁市降水化学成分变化特征，指出影响酸雨的主要系统是高空槽锋面，其次是高压后部和热带气旋。林长城等[6]利用1991—2000年福州市的探空、雨量和酸雨资料对不同气象条件对酸雨的影响进行了研究，指出逆温越明显降水越酸，另外1500m上空风对该地区的酸雨有明显的影响。上述研究多采用再分析资料或者常规观测资料进行分析，很少从数值模式的角度出发来细致探讨酸雨气象场的特点。作者曾利用MM5模式系统对发生在广东地区一次典型酸雨过程的气流场、温度场等进行了细致的模拟研究[7]，结果表明高时空分辨率的模式模拟结果可以很好地用以分析酸雨出现过程的各种气象要素场特征，尤其是空间垂直结构特征，为更进一步地探讨云水中污染物输送过程提供了很好的基础。

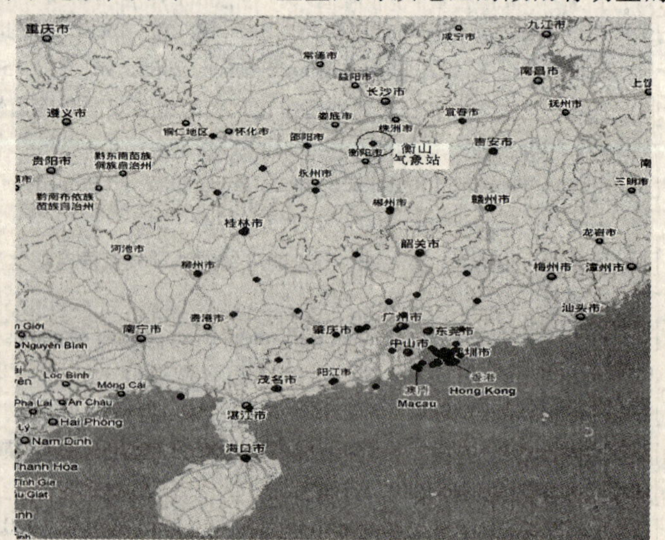

图1　湖南衡山气象站位置

本研究将探讨湖南衡山地区一次酸雨过程的气象场特征。高山地区酸雨研究也有不少的成果。王艳等[8]曾对2004年7－12月泰山地区的23场降水过程进行了分析，表明泰山降水已受到酸性污染，而酸性最强的降水气团来自于我国南部地区或沿途经过华东地区。

一、衡山地区酸雨一般特征和典型个例的天气形势及污染物浓度变化特征

（一）近年衡山地区酸雨一般特征

南岳高山气象观测站位置为112°42′E，27°18′N，观测场海拔高度为1265.9m。图1为衡山气象站的观测位置。

根据2009年1月—5月衡山高山站的酸雨观测资料，5个月共出现降水60次，其中pH值低于5.6以下的降水次数为57次，酸雨频率达到95%，所有降水的平均pH值为4.4，衡山地区基本上是逢雨必酸，酸雨情况相当严重。

图2为衡山地区2007年1月—2009年5月降水pH变化趋势。其中平均pH和最小pH的变化趋势非常一致，都明显降低，在2008年前月平均最低pH基本位于4~5，但2008年后酸雨情况变得更加严峻，逐月平均的最低pH基本位于3~4。

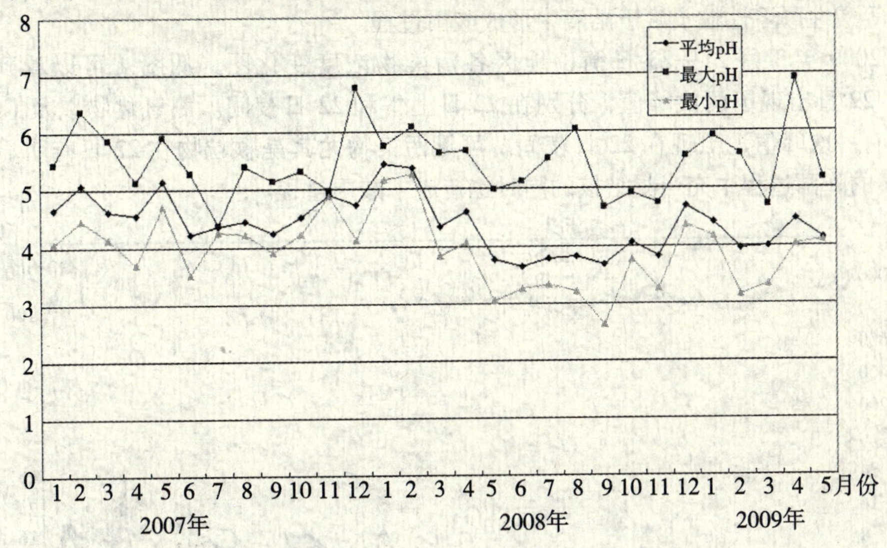

图2　衡山地区2007年1月—2009年5月酸雨pH变化趋势

图3为2009年3月降水出现日期及其对应的pH分布。3月衡山地区出现了四次降雨过程，每次均为酸雨过程。降水量与pH之间没有明显的关系。

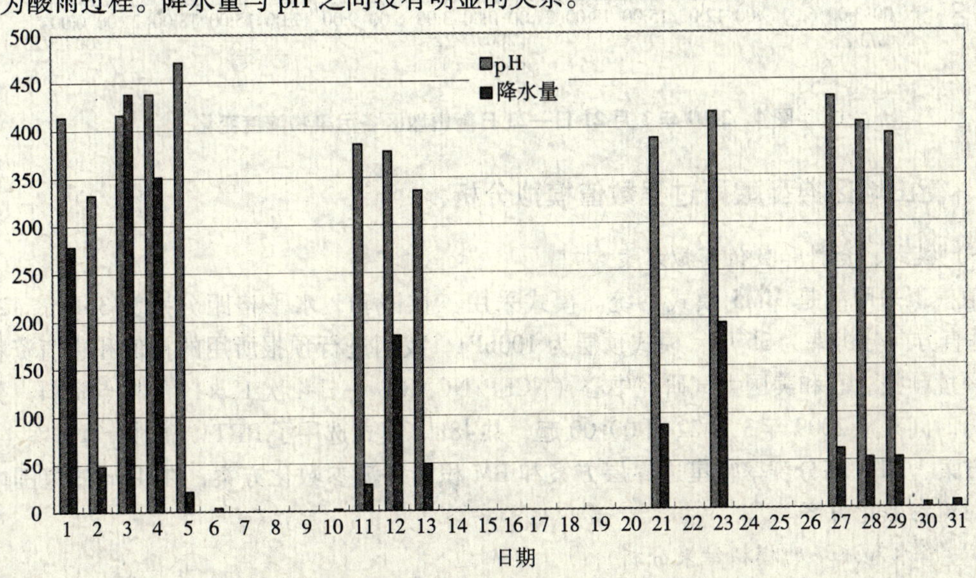

图3　2009年3月降水出现日期及对应的pH分布

根据实际观测的污染物浓度变化资料，本文选择 3 月 22—23 日这次典型的酸雨过程进行模拟研究。

（二）典型酸雨过程的天气形势及污染物浓度变化特征

2009 年 3 月 23 日衡山地区出现的降水主要是由于冷暖空气交汇出现的辐合过程造成的。从地面天气图上可以看到（图略）2009 年 3 月 21 日 08：00 在重庆、贵阳地区有大低压中心的存在，虽然衡山地区不处在低压辐合的中心，但衡山以南的地区，例如桂林、广州等地地面为偏南风，而以北的地区，例如长沙为偏北风，衡山地区处在南北气流的辐合区。南面的暖湿气流为这次衡山地区的降水过程提供了很好的水汽来源。3 月 22 日和 23 日 08：00 的地面图上前一天的低压中心仍然存在，但此时衡山以南的广州地区地面风场已转为偏北风，冷空气的影响范围已逐渐向南推进。因此在前期水汽条件满足的情况下，随着冷空气南推过程的降温机制促使水汽凝结，从而出现降雨。由于处于辐合气流区，周围地区的污染物在风场的作用下在衡山地区积聚，硫酸根和硝酸根等酸性可溶性粒子溶于雨滴中形成酸雨过程。

图 4 是 2009 年 3 月 21—23 日衡山地区各污染物浓度变化图。从图 4 可以看到，PM_{10} 和 $PM_{2.5}$ 在 3 月 22 日出现了两次峰值，分别在 22 日上午和 22 日夜间。氮氧化物以及 CO、SO_2 和 NH_3 也分别有一次峰值，出现在 22 日夜间。可见污染物尤其是颗粒物在 22 日有明显的积聚过程，在 23 日的降雨过程中充当凝结核的同时也造成了酸雨过程。

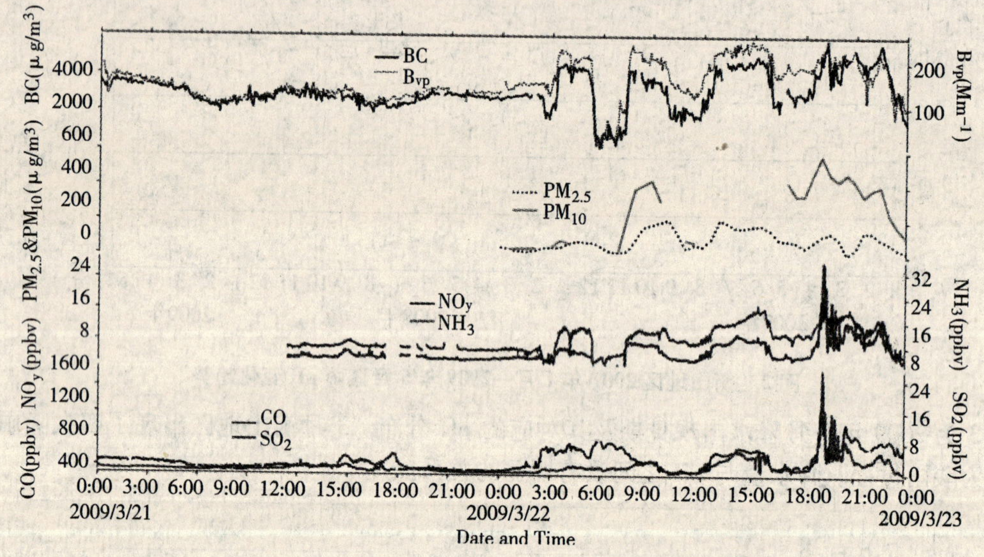

图 4　2009 年 3 月 21 日—23 日衡山地区各污染物浓度变化

二、衡山地区典型酸雨过程数值模拟分析

（一）模式、资料和数值模拟方案

数值模拟采用的是 MM5 模式系统。模式采用三重嵌套，水平格距分别为 36km、12km 和 4km，垂直方向分辨率为 35 层，模式顶层为 100hPa。我们进行预报所用的初值和边值资料是取自美国环境预报中心和美国大气研究中心（NCEP/NCAR）一日 4 次 1°×1° 的格点资料。数值模拟的积分时间是从 2009 年 3 月 22 日 00:00 起，共 48h。模式选用了 RRTM 辐射计算方案、Schultz 水汽方案、MRF 高分辨率行星边界层方案和 BM 积云对流参数化方案，在 4km 的范围内不采用积云对流参数化方案。

（二）降水和流场的模拟结果分析

图 5 和图 6 分别是模式模拟的和实际台站观测的 2009 年 3 月 23 日 08:00 ~ 24 日 08:00 衡山

及其周围地区24h累计的地面降水量分布。从图5可以看到24h在衡山地区（112°42′E，27°18′N）累计的模拟降水量为20.9mm。模拟结果与实况资料进行对比可见降水区域以及降水出现的时间均模拟较为准确，衡山周围地区实际的累计降水量为20mm左右，并且降水主要出现时间在23日，主要的降水区域分布在衡山偏东南方向。

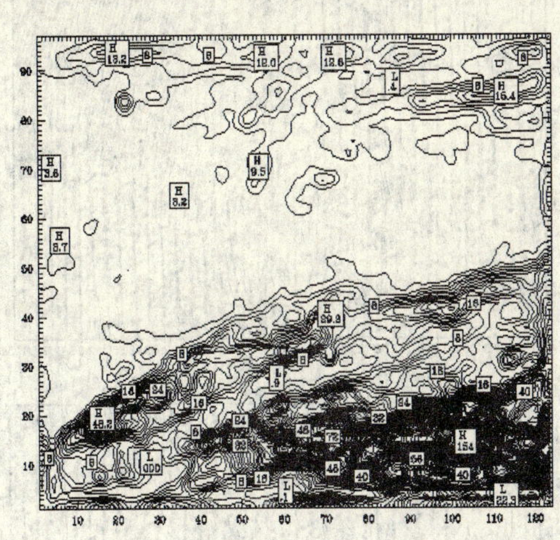

图5　模式模拟的衡山及周围地区24h累计降水

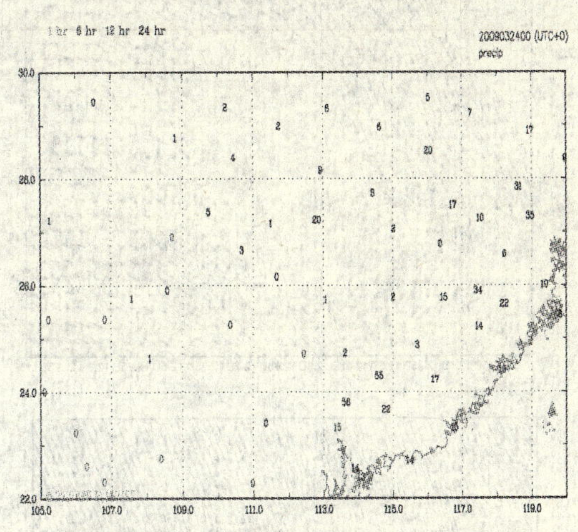

图6　实测的衡山及周围地区24h累计降水

图7是模式模拟的衡山点辐散度随高度和时间变化。从图7可以看到23—24日衡山地区近地层均为辐合，辐合大值出现在850hPa附近。图8、图9和图10分别是模式模拟的980hPa、940hPa和850hPa流场23日08:00、14:00、20:00和24日02:00的流场分布。从图8上可以看到23日08:00衡山及其周围地区为偏北风控制，风速相对较小，23日14:00和20:00风速明显增大，北风推进过程加强，温度也随之迅速下降，该区域出现降水过程，24日02:00风速较之前相对减小很多。在940hPa的流场图上（图9）却是不一样的情况。23日08:00衡山地区为偏南风所控制，暖湿气流仍然是水汽输送的主要来源。23日14:00风场开始转变，940hPa也为偏北风控制，并且北风风速加强，20:00风速仍然很大，直至24日02:00有所减弱。另外我们也对比了900hPa流场的模拟结果（图略）与940hPa的情况基本相同。但是从850hPa（图10）的图上看到的情况又有所不同。在23日08:00和14:00时衡山地区一直是受偏南风控制，在高空暖湿气流促使水汽不断向衡山地区输送，直至20:00时风场才转变为偏北风。结合高、中、低这三层的流场变化形势可以得出，北面的冷空气是逐渐从下而上逐步成为主导，而出现这样的情况是受地形的影响所造成的。暖湿空气提供了充足的水汽条件，冷空气提供了降温的触发机制，再加上辐合区的污染物提供了云凝结核，形成降水的条件满足后，成云降雨过程开始。另外污染物随着冷暖空气也向辐合中心区域堆积，造成22日该地区的污染物浓度高值以及23日的酸雨过程。

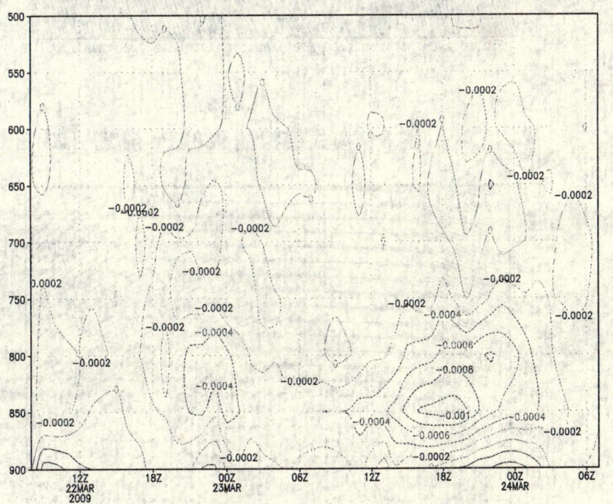

图7　模式模拟的衡山点辐散度随高度和时间变化

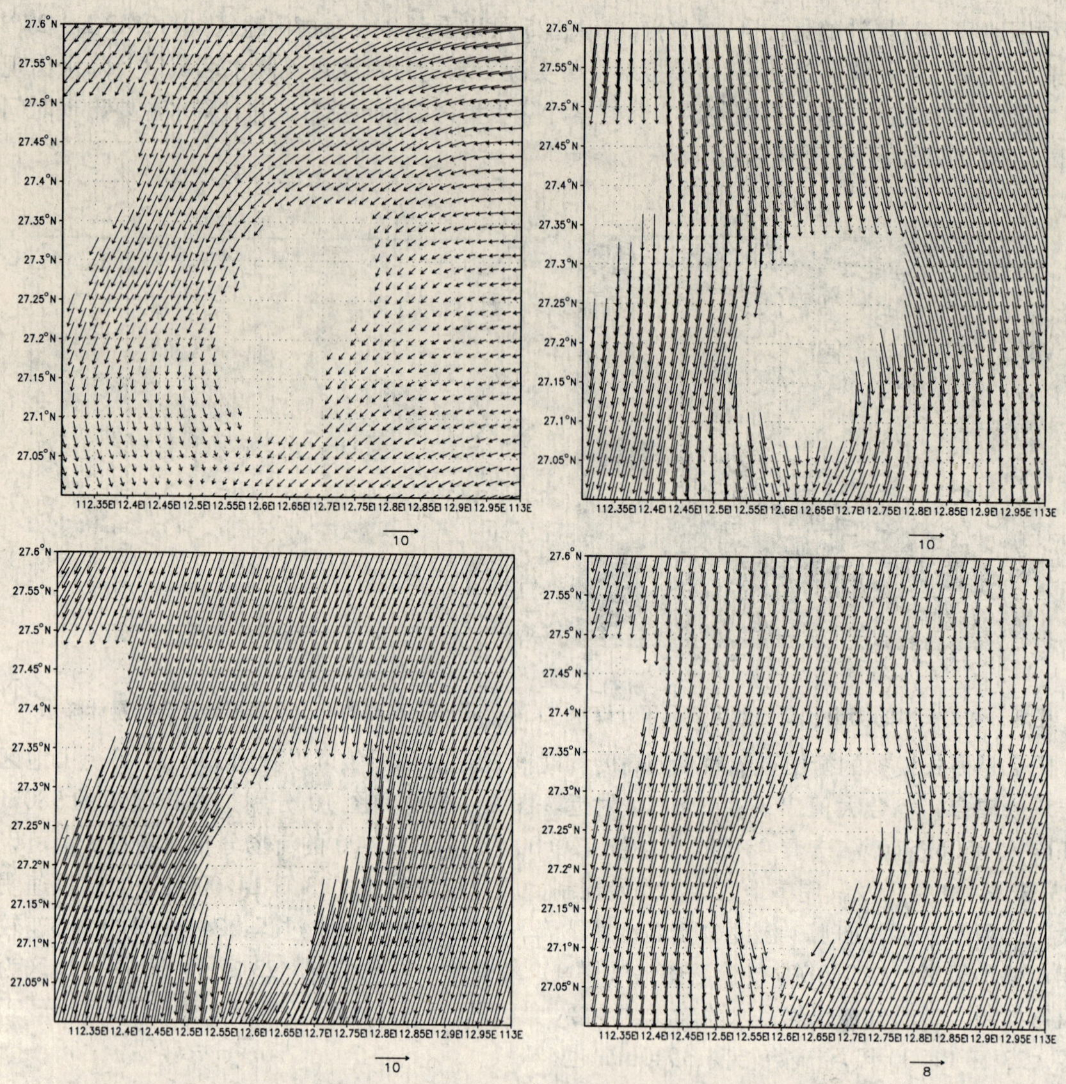

图 8　模式模拟的 980hPa 流场（23 日 08:00，14:00，20:00 和 24 日 02:00）

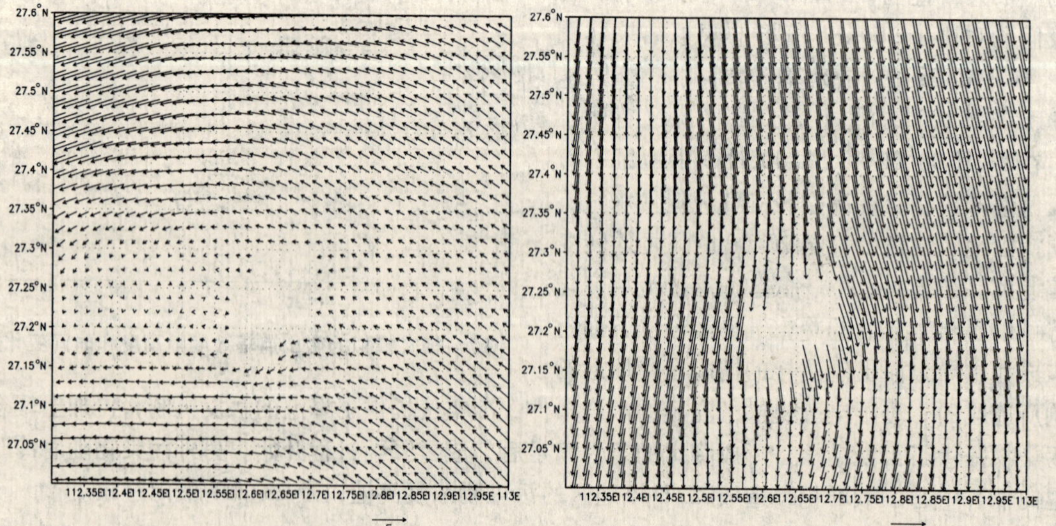

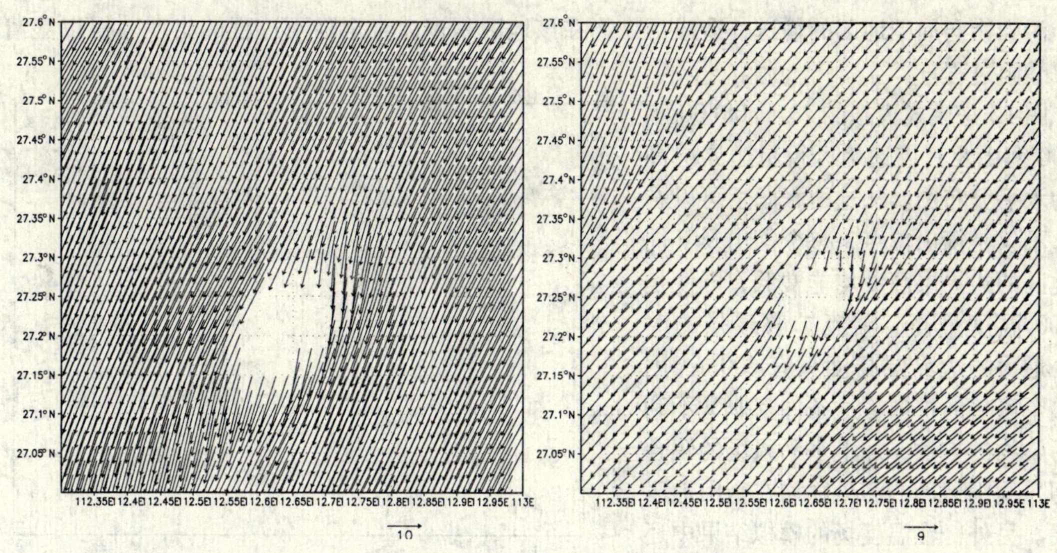

图9　模式模拟的940hPa流场（23日08:00，14:00，20:00和24日02:00）

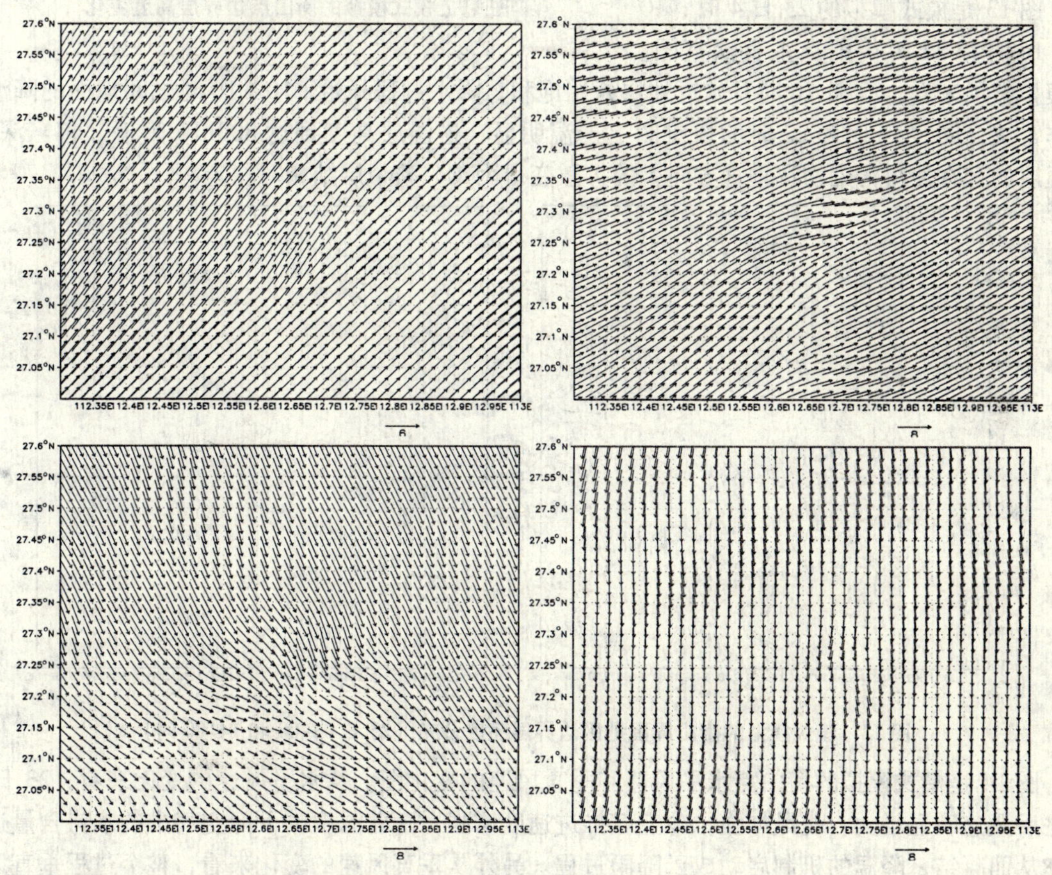

图10　模式模拟的850hPa流场（23日08:00，14:00，20:00和24日02:00）

（三）边界层特征的模拟结果分析

边界层的变化对污染物的扩散输送有很重要的影响。图11是模式模拟的衡山地区边界层高度48h的变化。从图11可以看到整个过程的边界层高度都偏低，最大值1000m出现在22日15:00，之后边界层高度迅速下降，22日和23日夜间的边界层高度都非常低，只有几十米。23日白天的边界层高度也不高，最大可达500m。可见，整个边界层的扩散输送条件较差，非常不利于污染物向周围地区的输送，造成污染物在该地区积聚，直至降雨过程的出现才得以湿清除，造成酸雨过程。

图 12 是模式模拟的 23 日 08:00 和 14:00 衡山及其周边地区行星边界层高度的水平分布图。从这两张图上可以看到，不仅是衡山单点，整个衡山及其周边地区的边界层高度均非常低，即使是 14:00 温度最高、湍流扩散最强的时候，最大的边界层高度只有 600m，因此整个区域的扩散输送条件都非常不利于污染物的扩散，加上水平风场的辐合作用，周围地区的污染物均在衡山地区聚集。另外，在温度场的模拟结果中还发现该地区出现了明显的逆温过程。

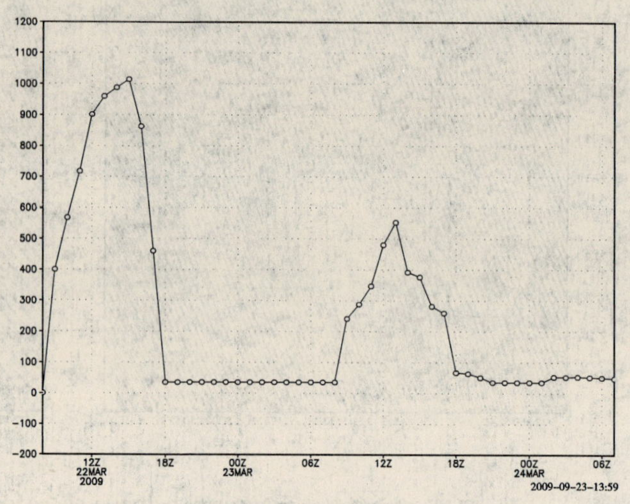

图 11　模式模拟的衡山点边界层高度变化

图 13 是模式模拟的 23 日 4 时、10 时、16 时和 22 时衡山点垂直探空图。从模拟结果来看，23 日 10 时开始近地层开始饱和，降水过程开始。10 ~ 16 时之间地面的降温过程非常快，同时 16 时和 22 时的探空图上逆温明显，逆温层高度到达 800hPa 附近，相当深厚。逆温层的存在使得污染物在垂直方向上的扩散变得困难，整个层结相对稳定。

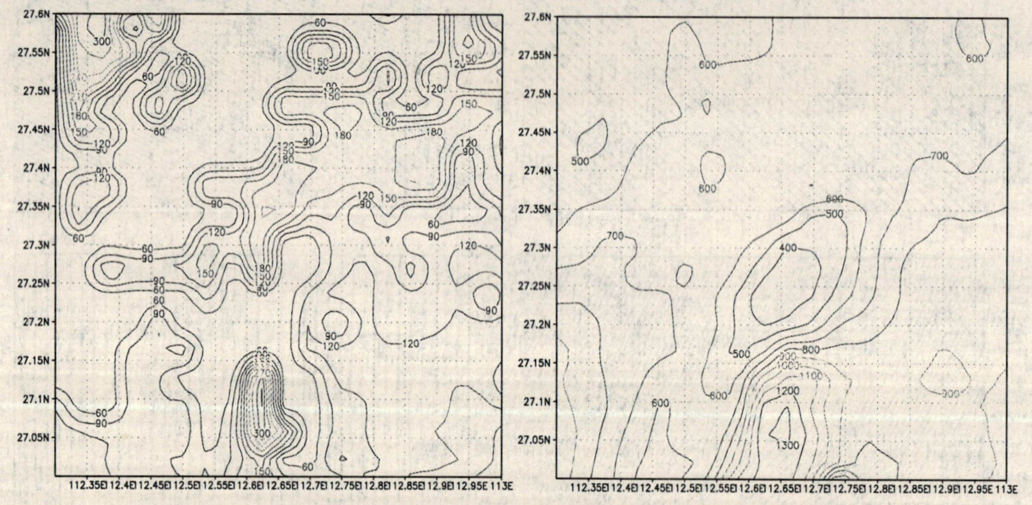

图 12　模式模拟的衡山周围地区边界层高度分布（23 日 08:00 和 14:00 时）

图 14 是模式模拟的衡山点水平风速和垂直风速的变化图。从水平风速的变化来看，23 日 12 时之后风速明显增大，北风加强，冷空气推进速度增强，随着温度的下降空气中的水汽含量达到饱和从而凝结，降温的机制启动成云降雨过程。另外从垂直风速的变化来看，整个过程垂直风速都相对较小，一方面不利于污染物的垂直扩散；另一方面也说明此次降雨过程不属于对流性降雨，是由于水平方向的冷暖空气辐合造成的。因此衡山周围地区的污染源对该次酸雨过程的贡献不容忽视。

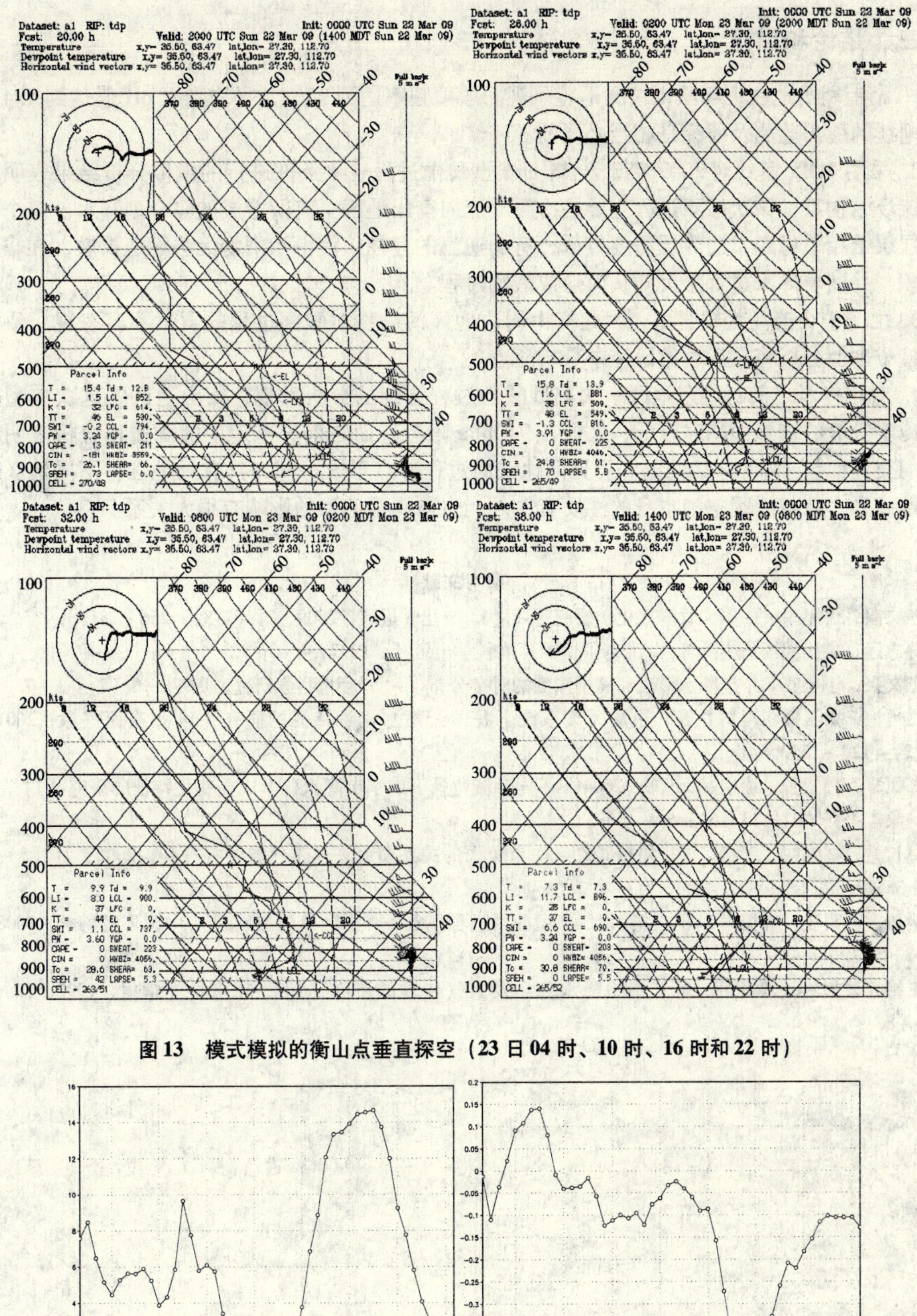

图 13　模式模拟的衡山点垂直探空（23 日 04 时、10 时、16 时和 22 时）

图 14　模式模拟的衡山点水平风速和垂直风速变化

三、结论和讨论

1. 湖南衡山地区近年酸雨情况不容乐观。酸雨频率达到95%，平均降雨 pH 值达到4.4。加强该地区的酸雨监测及研究是相当必要的。

2. 采用 MM5 模式对 2009 年 3 月 23 日典型酸雨过程气象条件进行的模拟分析结果表明：从水平流场结构看，该次酸雨过程主要是冷暖气流向衡山地区平流所造成的辐合型降水。整个过程边界层层结相对稳定，边界层高度较低，有弱逆温的存在，使得污染物无法输送扩散，在辐合中心堆积，并随着降水过程湿沉降从而形成酸雨过程。

3. 由于整个流场为辐合型，因此衡山周边地区污染物对酸雨过程的贡献不容忽视。致酸气溶胶粒子来源分析将在后续的研究中分析。

4. 对比作者之前对广东地区一次典型酸雨过程详细的分析发现，衡山地区的这次典型酸雨过程冷暖空气的交界面相对较低，大概在 940hPa 附近。而之前广东地区酸雨过程分析表明冷暖空气的交界面位于 900 ~ 800hPa。可见两地酸雨过程特点不太一样，具有局地性。不同地区酸雨局地性差异，除与冷暖空气本身的性质有关外，也与周围地形的影响有很大关系。

参考文献

[1] 王文兴，许鹏举．中国大气降水化学研究进展［J］．化学进展，2009，21（2/3）：266－281.

[2] 陈志远，中国酸雨研究［M］．北京：中国环境科学出版社，1997，4.

[3] 王文兴，丁国安．中国降水酸度和离子浓度的时空分布［J］．环境科学研究，1997，10（2）：1－7.

[4] 雷恒池，吴玉霞，肖辉，等．不同天气系统下我国云雨水化学特征的研究［J］．高原气象，2001，20（2）：127－131.

[5] 郑凤琴，孙崇智，谢宏斌．1999—2004 年不同环流背景下南宁市降水化学成分变化特征的研究［J］．热带气象学报，2007，23（6）：664－668.

[6] 林长城，林祥明，邹燕，等．福州气象条件与酸雨的关系研究，热带气象学报［J］．2005，21（3）：330－336.

[7] 樊琦，范绍佳，钟流举，等．华南地区典型酸雨过程气象条件的数值模拟［J］．中国环境科学，2008，28（3）：279－284.

[8] 王艳，葛福玲，刘晓环，等．泰山降水化学及大气传输的研究［J］．环境科学学报，1992，12（1）：1－8.

大气细颗粒物污染对动脉粥样硬化影响的流行病学证据

王菲菲　丁明玉　刘芳盈

（中国环境科学研究院　北京朝阳安外大羊坊8号　100012）

摘　要　近年来，国内外已有大量流行病学调查和实验室研究表明，大气颗粒物与心血管系统疾病有密切关系，其中细颗粒物（$PM_{2.5}$）尤为值得关注。动脉粥样硬化（atherosclerosis，AS）是心血管系统疾病中最常见的疾病，也是众多心脑血管疾病共同的病理基础，现今更被确立为大气颗粒物污染影响心血管疾病的机制假说之一。毒理实验研究结果也已证实 $PM_{2.5}$ 污染与动脉粥样硬化存在相关关系，而流行病学的研究相对较少。笔者对现有研究结果进行综述，对 $PM_{2.5}$ 与 AS 之间关系的流行病学研究结果进行初步分析。

关键词　细颗粒物　$PM_{2.5}$　动脉粥样硬化　AS　心血管疾病

心血管疾病（CVD）是现今许多国家人口死亡的主要原因，而且随着人口老龄化的影响，CVD 更为值得关注。CVD 是由许多因素促成的，包括缺乏锻炼、不良饮食和吸烟。但是现有证据逐渐显示，暴露于环境污染物对心脏的健康也有着深远的影响。环境污染与 CVD 的联系已经被广泛重视，某些学者将其命名为"环境心脏病学"[1]。Dockery 和 Pope 等[2]对美国哈佛 6 城市队列研究是关于大气污染与心血管疾病相关关系的最早研究之一，该研究于 1993 年发表于《新英格兰医学》杂志，结果显示空气污染与心血管疾病死亡相关，并提示细颗粒物（$PM_{2.5}$，空气动力学粒径≤2.5）空气污染与心肺疾病的死亡增加显著相关。Pope 等[3]接下来在美国癌症协会（ACS）队列研究中的结果显示，在控制各项混杂因素后，细颗粒物（$PM_{2.5}$，空气动力学粒径≤2.5）年均浓度每增加 $10\mu g/m^3$，心血管疾病死亡率增加 8%，且死亡率与空气动力学粒径 >2.5 的颗粒物相关关系不明显。可见，$PM_{2.5}$ 可能是与 CVD 有关的主要环境污染物之一。

动脉粥样硬化（atherosclerosis，AS）是心血管系统疾病中最常见的疾病，也是众多心脑血管疾病共同的病理基础，现今更被确立为大气颗粒物污染影响心血管疾病的机制假说之一[4-6]。毒理实验研究结果也已证实 $PM_{2.5}$ 污染与动脉粥样硬化存在相关关系[7-9]，而流行病学的研究相对较少[10-13]。笔者对现有研究结果进行综述，对 $PM_{2.5}$ 与 AS 之间关系的流行病学研究结果进行初步分析。

一、$PM_{2.5}$ 对心血管疾病死亡率的影响及其机制

早期的 $PM_{2.5}$ 与 CVD 相关关系研究的健康结局主要关注死亡率。目前有数百例的流行病学研究表明 $PM_{2.5}$ 长期暴露及短期波动均与人群心血管疾病死亡率相关，国内学者已对现有研究结果进行了综述[14,15]。20 世纪 90 年代以来，美国、欧洲及我国已采用时间序列和病例交叉研究方法对 $PM_{2.5}$ 污染对人群心血管疾病死亡率的急性作用进行了广泛探讨，研究结果均证实了短期暴露于高浓度 $PM_{2.5}$ 可引起人群心血管疾病死亡率上升。与急性短期效应相比，$PM_{2.5}$ 长期暴露与心血管疾病死亡率相关关系的研究现对较少，美国哈佛 6 城市研究和美国癌症协会队列研究均证实 $PM_{2.5}$ 长期暴露与人群心血管疾病死亡率上升相关。

2004 年 Pope 等[16]在《循环》杂志发表研究结果显示，$PM_{2.5}$ 污染导致的心血管疾病死亡率的上升中缺血性心脏病、心率失常、心力衰竭和心脏骤停占主要部分；健康效应机制主要包括肺部炎性反应、动脉粥样硬化加速及自主神经功能紊乱。因此 $PM_{2.5}$ 是否是影响 AS 的危险因素值得关注。

二、$PM_{2.5}$与 AS 的流行病学研究

最早的$PM_{2.5}$与 AS 关系流行病学证据由 Kunzli 等发表于 2005 年《环境健康展望》，目前公开发表相关研究均采用横断面研究和队列研究方法对$PM_{2.5}$长期暴露对 AS 的慢性健康效应进行探索，并利用动脉粥样硬化临床前期病变（Preclinical Atherosclerosis，PCA），也亚临床动脉粥样硬化病变（Subclinical Atherosclerosis）指标来检测 AS，包括冠状动脉钙化积分（CAC）、颈动脉内－中膜厚度（CIMT）、BAI 等，结果均证实$PM_{2.5}$与 AS 存在相关关系，见表 1。

Kunzli 等[10]利用横断面研究方法，以洛杉矶 798 名临床实验人群为研究对象，分析了$PM_{2.5}$长期暴露与动脉粥样硬化之间的关系。结果发现，$PM_{2.5}$年均浓度每增加 10μg/m^3，颈动脉内－中膜厚度（CIMT）增加 5.9%（95%可信区间，1%～11%），初步提示人群$PM_{2.5}$长期暴露与动脉粥样硬化相关。德国 4494 人的队列研究结果进一步支持了该结论，交通要道附近$PM_{2.5}$浓度水平与人群 CAC 值增高相关，且距离主干道越近 CAC 值越高[11]。最近，美国利用动脉粥样硬化的多种族研究（the Multi－Ethnic Study of Atherosclerosis，MESA）数据，运用 CAC、CIMT 及 BAI 指标对$PM_{2.5}$对动脉粥样硬化的影响进行分析，结果显示颗粒物可引起 CIMT 的增高且未观察到 CAC 和 BAI 的相关关系。并进一步用 MESA 队列进行了$PM_{2.5}$与 AS 关系的横断面研究，结果发现$PM_{2.5}$暴露与 CAC 指标呈弱相关，且长期居住于交通干道的人群风险增大[12,13]。

表 1　$PM_{2.5}$与 AS 的流行病学研究结果汇总第一作者颗粒物 AS

第一作者	颗粒物	AS 评价指标	主要结果	参考文献
Kunzli	$PM_{2.5}$	CIMT	5.9% increased in CIMT per every 10μg$PM_{2.5}$/m^3	10
Hoffmann	$PM_{2.5}$	CAC	Increased CAC scores with shorter distances to a major road	11
Diez Roux	$PM_{2.5}$$PM_{10}$	CIMT	1%～3% increase in CIMT per every 21 and 12.5 μg/m^3 in PM_{10} and $PM_{2.5}$ respectively	12
		CAC		
		BAI		
Allen	$PM_{2.5}$	CAC	A slightly elevated risk of aortic calcification（RR = 1.06；95% confidence interval = 0.96 － 1.16）with a 10μg/m^3 contrast in $PM_{2.5}$	13

三、小　结

$PM_{2.5}$是我国城市大气主要污染物，且随着城市化进程和机动车数量的急剧增多，有进一步加重的趋势。人口老龄化也使得心血管疾病成为我国主要的疾病负担。动脉粥样硬化的引发和加重是大气细颗粒物致心血管损伤机制的假说之一。上述流行病学研究为$PM_{2.5}$对动脉粥样硬化的影响提供了证据并为$PM_{2.5}$致心血管损伤机制研究提供了线索。但目前细颗粒物与动脉粥样硬化关系的人群流行病学数据十分有限，我国尚未开展这方面工作，因此，很有必要深入探讨$PM_{2.5}$对动脉粥样硬化影响及其机制。

参考文献

[1] Bob Weinhold. 环境心脏病学：了解事务的核心. Environmental Health Perspectives，Chinese Edition Volume 113，No. 3c，September 2005.

[2] Dockery D W，Pope C A 3rd，Xu X，et al. An association between air pollution and mortality in six U. S. cities

[J]. N Engl J Med, 1993, 329 (24): 1753 - 1759.

[3] Pope C A 3rd, Burnett R T, Thun M J, et al. Lung cancer, cardiopulmonary mortality, and long - term exposure to fine particulateair pollution [J]. JAMA, 2002, 287 (9): 1132 - 1141.

[4] Pope C A, Dockery D W. Health effects of fine particulate air pollution: lines that connect. J Air Waste Manag Assoc. 2006, 56: 709 - 742.

[5] Mills N L, Tornqvist H, Robinson S D, et al. Air pollution and atherothrombosis. Toxicol, 2007; 19: 81 - 89.

[6] Donaldson K, Stone V, Seaton A, et al. Ambient particle inhalation and thecardiovascular system: potential mechanisms. Environ Health Perspect, 2001, 109: 523 - 527.

[7] Suwa T, Hogg J C, Quinlan K B, et al. Particulate air pollution induces progression of atherosclerosis. J Am Coll Cardiol, 2002, 39: 935 - 942.

[8] Chen L C, Nadziejko C. Effects of subchronic exposures to concentrated ambient particles (CAPs) in mice: V. CAPs exacerbate aortic plaque development in hyperlipidemic mice. Inhal Toxicol, 2005, 17: 217 - 224.

[9] Sun Q H, Wang A X, Jin X M, et al. Long - term air pollution exposure and acceleration of atherosclerosis and vascular inflammation in an animal model. J Am Med Assoc, 2005, 294: 3003 - 3010.

[10] Kunzli N, Jerrett M, Mack W J, et al. Ambient air pollution and atherosclerosisin Los Angeles. Environ Health Perspect, 2005, 113: 201 - 206.

[11] Hoffmann B, Moebus S, Mohlenkamp S, et al. Residential exposure to traffic isassociated with coronary atherosclerosis. Circulation, 2007, 116: 489 - 496.

[12] Diez Roux A V, Auchincloss A, Green T L, et al. Long - term exposure to ambient particulate matter and prevalence of subclinical atherosclerosis in the Multienthic Study of Atherosclerosis. Am J Epidemiol, 2008, 167: 667 - 675.

[13] Allen R W, Criqui M H, Diez. Roux A V, et al. Fine Particulate Matter Air Pollution, Proximity to Traffic, and Aortic Atherosclerosis. Epidemiology, 2009, 2: 254 - 264.

[14] 陈威，郭新彪．大气颗粒物对心血管系统影响的研究进展 [J]．环境与健康杂志，2005，22 (6): 488 - 490.

[15] 钱孝琳，闲海东．大气颗粒物污染对心血管系统影响的流行病学研究进展 [J]．中华流行病学，2005，26 (12): 999 - 1001.

[16] Pope C A, Burnett R T, Thurston G D, et al. Cardiovascular mortality and long2term exposure to particulate air pollution: epidemiological evidence of general pathophysiological pathways of disease [J]. Circulation, 2004, 109: 71 - 77.

气动雾化吸收 NO_x 可行性研究

段广杰　李登新

（东华大学环境科学与工程学院　上海　201620）

摘　要　硝酸作为一种潜在的可循环强氧化剂，正被越来越多的应用到一些难选矿种的预处理上，但受目前的 NO_x 吸收技术所限，其应用受到了禁锢。本文通过阐述气动雾化吸收的原理，研究气动雾化吸收的临界喷气压，分析气动雾化吸收的气液体积比与喷气管/喷液管口径、喷雾高度、临界喷气压之间的关系，验证 NO_x 气动雾化吸收效果，得出对于小气量、高浓度 NO_x 气体，气动雾化吸收是一种高效的吸收方法。

关键词　气动雾化吸收　NO_x　临界喷气压　气液体积比　可行性

一、概　述

硝酸是无机化学工业中三大强酸之一，有强氧化性、强腐蚀性和硝化性，它可以氧化除金、铂外的其他大部分金属，生成 NO、NH_4，由于 NO 很容易被 O_2 氧化成 NO_2，NO_2 又可以被水吸收形成硝酸循环利用。随着人们环保意识的提高、清洁生产理念的普及和自然资源的日趋减少，各国科学家、学者对硝酸这种既具有强氧化性，又可循环利用，价格适中，已经可以大规模工业化生产的特性产生了浓厚的兴趣。近些年来，随着易选金矿资源的减少，人们将目光转向难选矿藏，但难选矿藏的提金率低，不利于资源的开发，是一个急需解决的问题。于是，我国科学家结合国外研究成果，尝试着将硝酸用于提金行业，通过氧化预处理金精矿，将金精矿中的包裹物质氧化掉，再利用传统方法提金，可以明显改善提金率。虽然利用这种方法对提金率有极大提高，但由于未能解决好 NO_x 的吸收再生问题，使得该方法的应用受到了限制：一方面 NO_x 对环境造成巨大的破坏，2010 年的“两会”上，环保部副部长在回答记者问题时说道中国的酸雨类型已经由硫酸型酸雨转化为硫酸和硝酸混合型酸雨；另一方面，NO_x 对人体的呼吸系统会造成巨大的伤害。因此，开发一种吸收效率高、成本低的 NO_x 吸收方法（硝酸再生装置）是当前硝酸用于提金行业亟待解决的问题。

本课题组发明了一种在三相流化床中循环催化氧化高硫高砷难选冶金精矿或氰化尾渣的工艺，该工艺也同样面临着 NO_x 吸收再生为 HNO_3 的问题，为了充分利用现有设备，尽量减少该工艺的运行成本，提出了一种气动雾化吸收方法。

二、气动雾化吸收 NO_x 原理

（一）吸收原理

1. NO 的氧化

常压下，温度低于 100℃ 或 5×10^5Pa 时，NO 氧化成 NO_2 的反应可认为是不可逆的，反应方程式为

$$NO(g)+0.5O_2(g)\rightarrow NO_2$$

该反应为放热反应，相对于氮氧化物吸收过程的其他反应速率最慢，因此该反应决定了 NO 氧化的程度，由上式可知高压和低温有利于反应的进行。

2. NO_2 聚合为 N_2O_4

据报道 NO_2 聚合成 N_2O_4 的反应大约在 10^{-4}s 内便达到平衡，该反应式为

$$2NO_2(g)\rightarrow N_2O_4(g)$$

3. 氮氧化物气体被水吸收的主要反应为

$$2NO_2(g) + H_2O(l) \rightarrow HNO_3(l) + HNO_2(l)$$

$$N_2O_4(g) + 2H_2O(l) \rightarrow HNO_3(l) + HNO_2(l)$$

$$HNO_2(l) \rightarrow 1/3HNO_3(l) + 2/3NO_2(g) + 1/3H_2O$$

总反应式 $3NO_2(g) + H_2O(l) \rightarrow 2HNO_3(l) + NO(g)$

4. 氮氧化物稀硝酸吸收原理

$$2NO(g) + HNO_3(l) + H_2O(l) \rightarrow 3HNO_2$$

$$HNO_2(l) \rightarrow 1/3HNO_3(l) + 2/3NO(g) + 1/3H_2O$$

（二）气动雾化原理

气动雾化是利用压缩机将气体进行压缩，然后经过一个尖口喷嘴高速喷出，利用尖口处喷出的高速气体所形成的局部真空将液体吸上来，高速的气体夹带着液体喷出，液体对 NO_x 进行首次吸收。气体利用其巨大的动量将液体破碎为细小的雾滴，由于雾滴直径很小，并不能立刻沉降下来，这就使得小雾滴充满整个反应装置，大大增加了吸收液与气体接触的机会，吸收液可以继续吸收首次未被吸收的气体，进行第二次吸收。在出气口有一块由多孔板和填料组成的除雾器，当小雾滴经过除雾器时，一部分结合成大的液滴沉降下来，并有一层液滴覆着在填料表面对 NO_x 气体形成三次吸收，从而极大的提高了吸收效率。

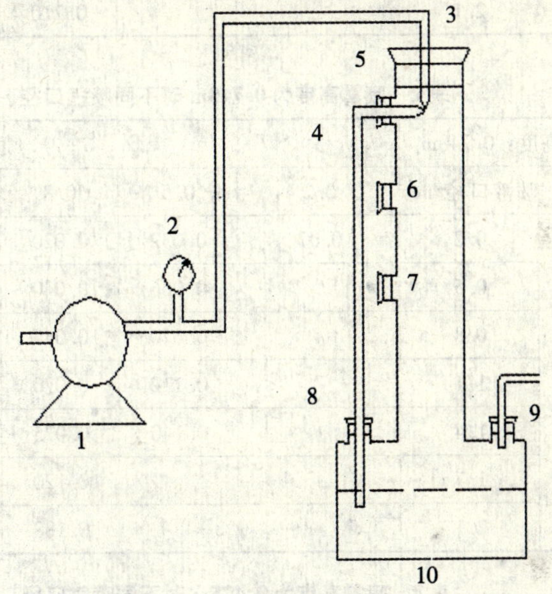

1. 空气压缩机 2. 压力表 3. 喷气管 4. 喷液管
5、6、7. 喷液孔 8. 吸液孔 9. 喷气孔 10. 喷雾吸收装置

图1 清水、空气实验工艺流程图

三、气动雾化吸收可行性研究

直接利用 NO_x 气体做实验探讨气动雾化吸收的可行性，面临着很高的成本问题，并且有可能造成环境污染及人身的伤害。因此，本实验首先用清水、空气进行研究，探讨喷气压力、喷雾高度、喷气/喷液管径对喷雾效果的影响，实验工艺如图1所示。

（一）喷雾临界压力研究

本实验主要是为了探讨在不同喷气/喷液口径和不同喷雾高度下使液体喷出所需的最小压力，以便根据压缩机所能提供的压力合理搭配喷气/喷液管口径。实验选用的喷气/喷液口径分别为：0.2mm、0.5mm、0.8mm、1.1mm、1.4mm、1.7mm、2.1mm 7种口径的管子和喷雾高度分别为0.475m（工艺图的7喷液口径）、0.740m（工艺图中的6喷液口径）、0.975m（工艺图中的5喷液口径）的三个高度来进行实验的，实验结果见表1～表3（数据空白处为在当前实验条件下无法测出，当前实验可提供的最大喷气压力为0.22MPa）。

表 1　喷雾高度为 0.975m 时不同喷气口径、不同喷液口径的临界喷气压力

喷雾高度：0.975m		喷气口径/mm						
	喷液口径/mm	0.2	0.5	0.8	1.1	1.4	1.7	2.1
临界喷气压力/MPa	0.2	0.11	0.040	0.030	0.040	0.033	0.033	0.039
	0.5		0.085	0.070	0.040	0.033	0.033	0.039
	0.8		0.090	0.070	0.042	0.038	0.033	0.039
	1.1		0.120	0.093	0.050	0.045	0.043	0.039
	1.4		0.150	0.100	0.055	0.050	0.044	0.039
	1.7			0.150	0.078	0.065	0.049	0.048
	2.1			0.210	0.111	0.090	0.063	0.058

表 2　喷雾高度为 0.740m 时不同喷气口径、不同喷液口径的临界喷气压力

喷雾高度：0.740m		喷气口径/mm						
	喷液口径/mm	0.2	0.5	0.8	1.1	1.4	1.7	2.1
临界喷气压力/MPa	0.2	0.07	0.032	0.020	0.019	0.018	0.020	0.020
	0.5		0.066	0.040	0.024	0.018	0.020	0.020
	0.8		0.070	0.045	0.028	0.021	0.020	0.020
	1.1		0.112	0.070	0.042	0.027	0.025	0.024
	1.4		0.140	0.075	0.045	0.030	0.029	0.027
	1.7			0.120	0.058	0.043	0.040	0.038
	2.1			0.188	0.080	0.052	0.048	0.040

表 3　喷雾高度为 0.475m 时不同喷气口径、不同喷液口径的临界喷气压力

喷雾高度：0.475m		喷气口径/mm						
	喷液口径/mm	0.2	0.5	0.8	1.1	1.4	1.7	2.1
临界喷气压力/MPa	0.2	0.05	0.023	0.015	0.016	0.017	0.018	0.018
	0.5		0.045	0.028	0.019	0.017	0.018	0.018
	0.8		0.049	0.029	0.019	0.017	0.018	0.018
	1.1		0.087	0.050	0.023	0.020	0.020	0.019
	1.4		0.095	0.055	0.027	0.021	0.020	0.021
	1.7		1.7	0.073	0.004	0.029	0.022	0.021
	2.1			0.122	0.005	0.040	0.029	0.027

通过上述研究，并经分析得知：喷雾高度、喷气/喷液管口径、液体密度及重力加速度对临界喷雾压力都有影响，分析数据可以建立以下模型：

$$P_{临} = Ad_{液}^{n1} d_{气}^{n2} h^{n3} P_{液}^{n4} g^{n5} \tag{1}$$

由于直接解方程比较困难，故采用量纲原则[6]对方程进行分析：

$$\frac{\mathrm{kg}}{\mathrm{m} \cdot \mathrm{s}^2} = \frac{\mathrm{m}^{(n_1+n_2+n_3+n_5-3n_4)} kg^{n_4}}{\mathrm{s}^{2n_5}} \tag{2}$$

通过量纲方程（2）得出 n_4、n_5 为 1，$n_1+n_2+n_3+n_5-3n_4=-1$，即

$$n_1+n_2+n_3=-1 \tag{3}$$

A、n_1、n_2、n_3 的计算步骤如下：

1. n_1 的计算将同一喷雾高度下，同一喷气管口径，不同喷液管口径下测出的临界喷气压力分别两两相除，取其对数；并将相应的喷液管口径也两两相除，取其对数；前一个对数除以后一个对数，即为 n_1 值，最后通过加权平均求出 n_1 的加权平均值，为 0.6116。

2. n_3 的计算将同一喷液/喷气口径，不同喷雾高度下测出的临界喷气压力分别两两相除，取其对数；并将相应的喷雾高度也两两相除，取其对数；前一个对数除以后一个对数，即为 n_3 值，最后通过加权平均求出 n_3 的加权平均值，为 1.0506。

3. n_2 的计算根据方程 3 求出 n_2，为 0.6622。

4. A 的计算将 n_1、n_2、n_3、n_4、n_5 代入方程（1）中，并将相应的喷液管口径、喷气管口径、喷雾高度、液体密度、重力加速度及对应的临界喷雾压力也代入方程（1）中，求出 A 值，最后通过加权平均求出 A 的加权平均值，为 0.5439。

故方程为：

$P_{临}=0.5439d_{液}^{0.6116}d_{气}^{0.6622}h^{1.0506}P_{液}g$ 通过对比由上述方程推导的临界喷气压力与测试的临界喷气压力，在方程后面加一个修正因子 −0.001，则方程为：

$P_{临}=0.5439d_{液}^{0.6116}d_{气}^{0.6622}h^{1.0506}P_{液}g-0.001$ 在对比了 120 多对由上述方程推导的临界压力与测试的临界压力之后，发现测试值与上述方程推导值的差值 51% 以上在［−0.01，0.01］以内，32% 以上在（0.01，0.03］以内，11% 在［−0.03，−0.01）以内，差值在［−0.03，0.03］以内的占 95% 以上。

（二）气液体积比的测试（喷雾量的测试）

测试气液体积比主要是为了寻找不同口径喷气管所适应的气体流量范围及喷气压力范围，并寻找在上述喷气压力下与其搭配的最佳喷液管口径，为做 NO_x 吸收实验提供参考。

本次实验首先通过流量计测试不同口径的喷气管在不同喷气压力下的喷气量；然后，再将图 1 中的喷液管 4 从吸液口中拔出，放进一个盛有特定量清水的量筒中，测试不同喷气管、不同喷液管在不同喷雾高度和喷雾压力下单位时间内的喷雾量，最终通过两者之比求出气液体积比。

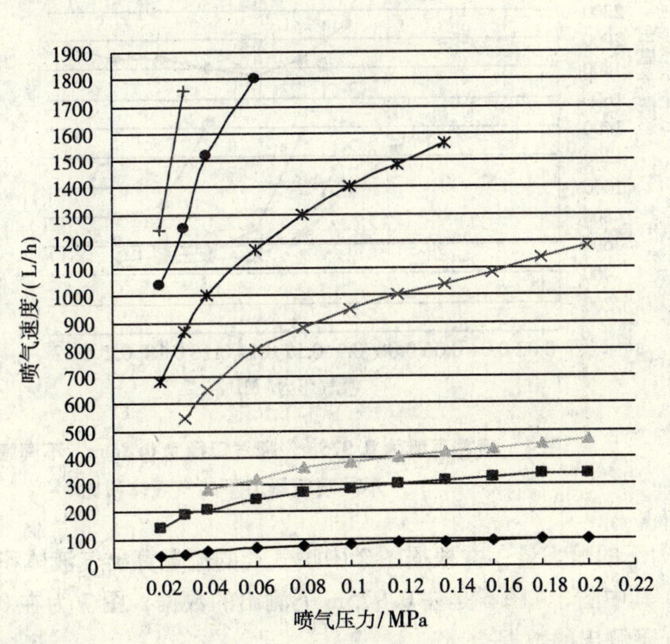

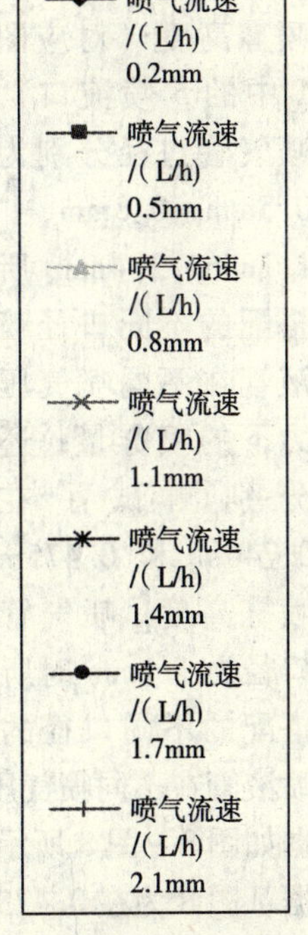

图 2　不同口径喷气管的喷气量

1. 喷气管喷气量的测试

测试数据如图 2 所示。

受流量计量程所限，喷气口径为 1.4mm 的管子只测到喷气压力为 0.14MPa 时的流量、1.7mm、2.1mm 的喷气管子则分别只测到喷气压力为 0.06MPa 和 0.03MPa 时的流量。从图 2 可知：

（1）喷气管的喷气量随着喷气压力而增大，但并非呈线性关系；

（2）喷气口径为 0.2mm、0.5mm、0.8mm 三根管子的喷气压力与流量的关系曲线刚开始增幅都比较大，但随着压力的增大，其喷气量增长速度逐渐变慢，可知不同口径的喷气管子都有一个合适的流量范围及喷气压力范围，过大的喷气压力可能使喷气管承受较高压力，容易损坏喷气管，而过小的喷气压力又不能将液体吸上，达不到所需要的吸收效果。

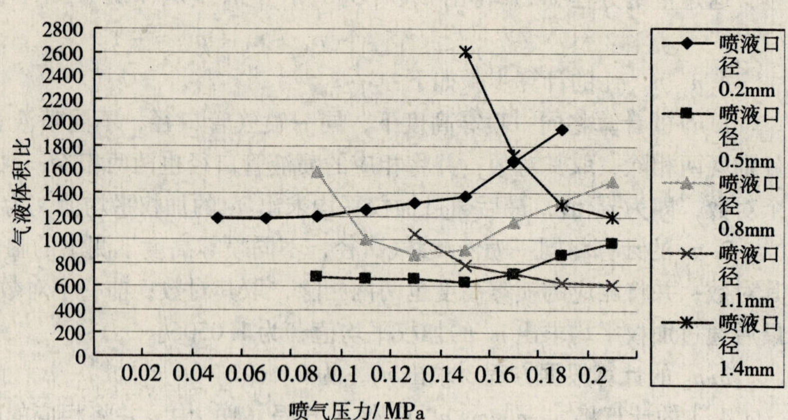

图 3　喷雾高度为 0.975m，喷气口径为 0.5mm，不同喷液口径在不同喷气压力下的气液体积比

2. 不同条件下气液体积比的测试

本次实验分别测试了在 0.975m 喷雾高度（对应图 1 中的 5 喷液口），喷气管口径分别为 0.5mm、0.8mm、1.1mm、1.4mm 所搭配的不同口径喷液管在不同喷气压力下的喷雾量；还分别测试了在 0.740m 和 0.475m 喷雾高度，喷气管口径为 1.1mm 时所搭配的不同口径的喷液管在不同喷气压力下的喷雾量；并根据图 2 中喷气管的流量算出气液体积比。气液体积比数据如图 3 ~ 图 8 所示，其中图 3 ~ 图 6 是在 0.975m 下测出的数据，图 7 为在 0.740m 下测出的数据，图 8 为在 0.475m 下测出的数据。

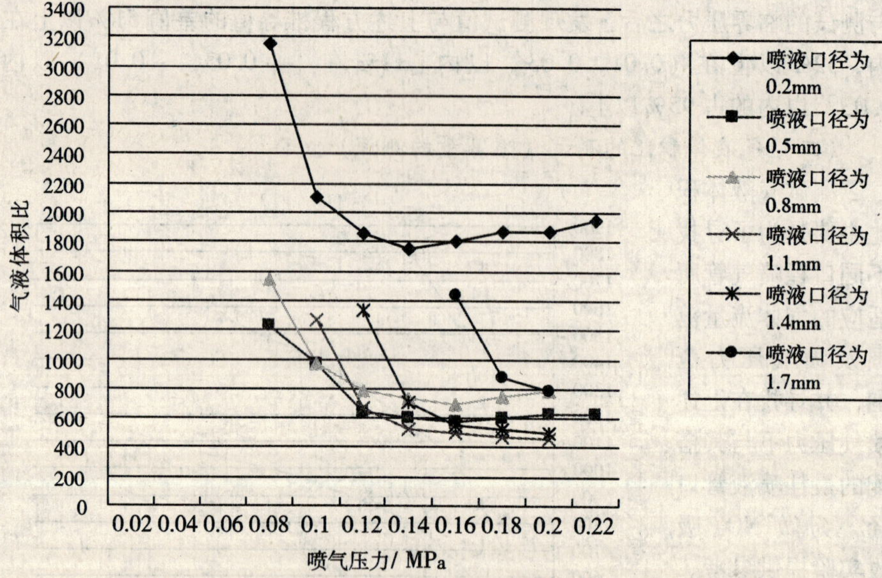

图 4　喷雾高度为 0.975m，喷气口径为 0.8mm，不同喷液口径在不同喷气压力下的气液体积比

由上述 6 图可以看出：

（1）喷气压力在 0.04 ~ 0.20MPa 范围内，当喷气管口径与喷液管口径相近时气液体积比相对较小，喷雾效果较好。

（2）喷气压力在 0.04 ~ 0.20MPa 范围内，喷雾高度为 0.975m 下，不同管径搭配所能达到的最小气液体积比在500 ~ 700 范围内。

（3）从喷气口径为1.1mm分别在0.975m、0.74m、0.475m三个喷雾高度下测出的系列气液体积比数据可以看出，气液体积比随着喷雾高度降低而增大：0.975m下可以达到的最小气液体积比在900左右，0.74m下可以达到的最小气液体积比在700左右，0.475m下可以达到的最小气液体积比在450左右。

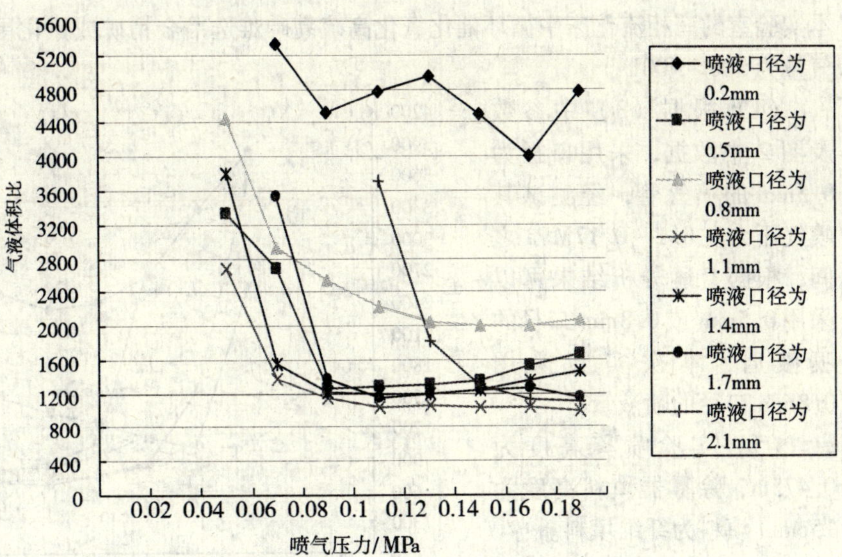

图5　喷雾高度为0.975m，喷气口径为1.1mm，不同喷液口径在不同喷气压力下的气液体积比

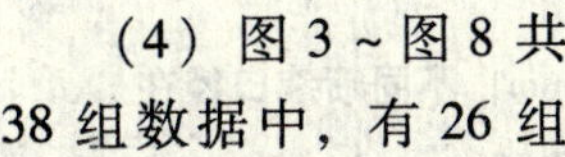

（4）图3～图8共38组数据中，有26组数据气液体积比在喷气压力从0.02～0.22MPa的变化中都呈现先降低，然后再增大的趋势，另外10组数据由于实验所能提供的喷气压力所限呈单方向减小或增大趋势，这就证明每一组喷气管/喷液管都有一个最佳的喷雾压力范围：在0.975m下，当喷气口径与喷液口径相近时，喷气压力为所对应临界喷气压的1.8～2.5倍时，气液体积比较小；0.74m下，当喷气口径与喷液口径相近时，喷气压力为所对应临界喷气压的2.5～3.5倍时，气液体积比较小；0.475m下，当喷气口径与喷液口径相近时，喷气压力为所对应临界喷气压的4～5倍时，气液体积比较小。

（三）NO_x 吸收探讨实验

图9为 NO_x 吸收实验工艺流程图。

1. NO_x 吸收实验条件

（1）NO是通过亚硝酸钠与硫酸反应产生，本次实验其配比为69g亚硝酸钠加150ml的硫酸（硫酸与水的体积比为1:2），理论上可以产生1mol的NO，45min钟反应结束，即相当于45min钟向装置内通入了1mol，大约24L的NO；

（2）O_2 是通过钢瓶供应，有两个作用：一是将NO氧化为 NO_2，另一个是保证整个系统处于常压或微负压状态；

（3）压缩机喷气为脉冲式喷气，正常运行时额定排气压力为1.2MPa，最大排气量为 $1m^3/h$，

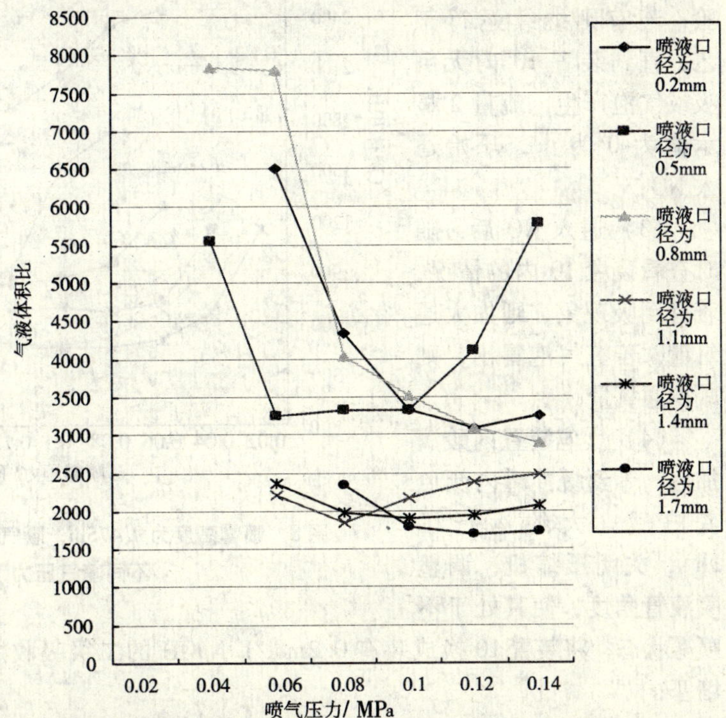

图6　喷雾高度为0.975m，喷气口径为1.4m，不同喷液口径在不同喷气压力下的气液体积比

本实验室的三相流化床中循环催化氧化高硫高砷难选冶金精矿或氰化尾渣的工艺运行时每小时产气量为300～400L；

（4）根据（3）中参数及图2中数据，采用口径为0.5mm的喷气管，经测试其喷气压力在0.1～0.17MPa之间，根据上述分析结果可以采用0.5mm或0.8mm口径的喷液管，本次实验采用0.8mm口径的喷液管；

（5）实验喷雾高度为0.475m，除雾器填料高度为15cm，填料为纤维填料。

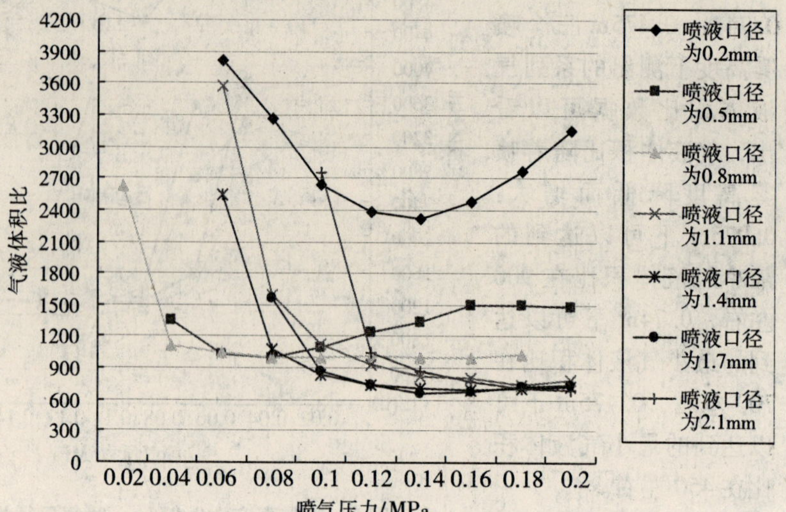

图7　喷雾高度为0.740m，喷气口径为1.1mm，不同喷液口径在不同喷气压力下的气液体积比

2. NO实验步骤要点

（1）先将NO的进气管与大气相连，然后打开空气压缩机，调整好喷气管、喷液管角度，使其处于喷雾状态；

（2）查看流量计2指示数值是否为0，装置10内是否有倒吸或气泡产生现象，若无则可以进行实验，若有则继续运行工艺，直到装置10内无倒吸或气泡产生，流量2显示值为0为止，开始通入NO；

（3）通入NO后，随时查看装置10内的情况，若有倒吸现象，则加大通氧量，若有气泡冒出，则减少通氧量；

（4）反应装置内酸滴加完，等到缓冲罐内颜色变白后（大约运行了1h），关闭压缩机，调整喷液管角度，使其处于不喷雾状态；将装置10换成装有0.2mol/L NaOH的二级吸收瓶，并将装置9到装置4的回流管堵塞；

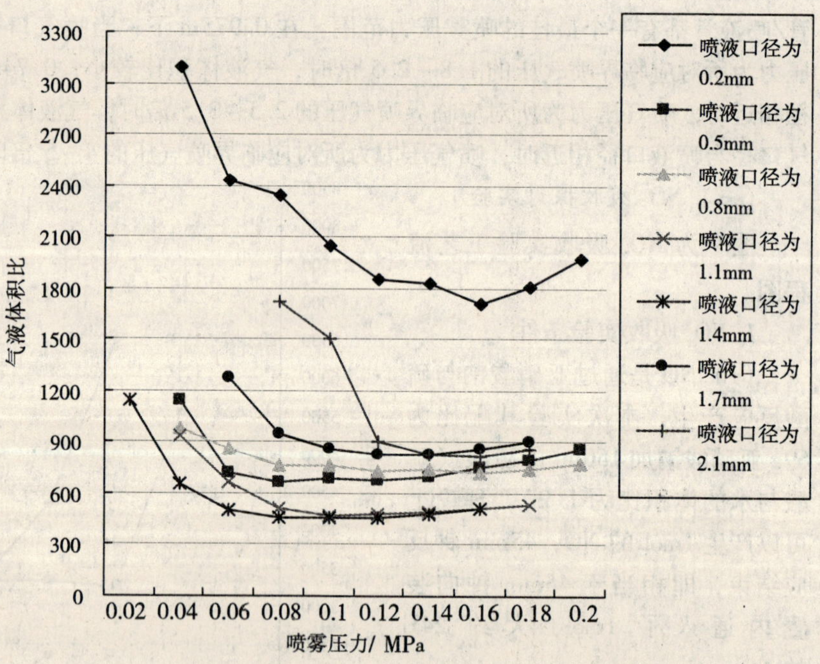

图8　喷雾高度为0.475m，喷气口径为1.1mm，不同喷液口径在不同喷气压力下的气液体积比

（5）重新打开压缩机，并向装置内持续通入O_2，运行40min中后，关闭压缩机。

（6）通过反滴定测试NaOH吸收液中吸收的NO_x含量。

3. 实验结果

（1）标准数据

NaOH 标准液，浓度为 0.0999mol/L 硫酸标准液，H^+ 浓度为 0.134865mol/L；

尾气吸收液中 NaOH 浓度为 0.2424 mol/L，总体积为 1L。

（2）滴定结果

取 5ml 经过吸收后的尾气吸收液，加入 20ml 酸标准液，用 NaOH 标准液进行滴定。

吸收液吸收的 NO_x 摩尔数

= (5 × 0.2424 + 15.58 × 0.0999 − 20 × 0.134865) ÷ 5 × 1 = 0.0142mol

吸收率 = (1 − 0.0142) × 100% = 98.58%

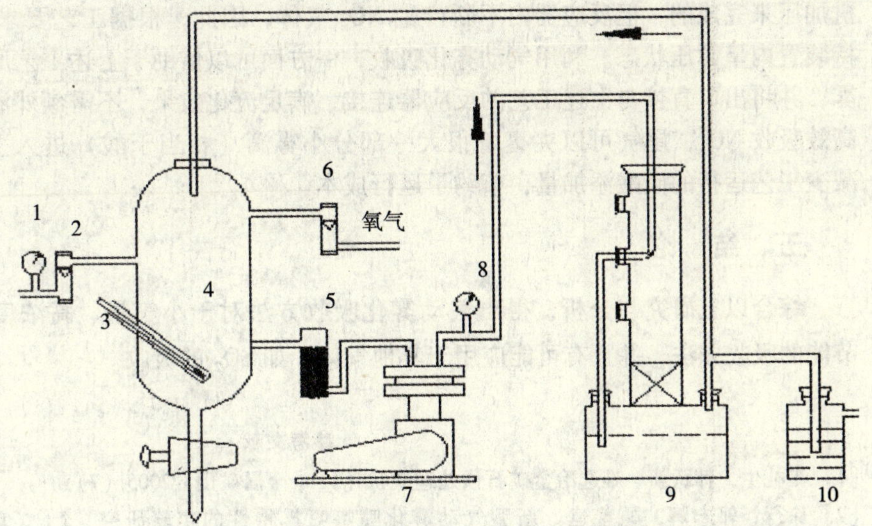

1、8. 压力表　2、6. 流量计　3. 温度计　4. 缓冲罐　5. 干燥塔
7. 隔膜式压缩机　9. 吸收装置　10. 系统压力指示装置

图 9　NO_x 吸收实验工艺流程图

NaOH 标准液初始读数/ml	3.63	7.75	4.65
NaOH 标准液最终读数/ml	19.21	23.30	20.26
消耗 NaOH 标准液体积数/ml	15.58	15.53	15.63
平均消耗 NaOH 标准液体积数/ml	15.58		

由于三相流化床中循环催化氧化高硫高砷难选冶金精矿或氰化尾渣的工艺为循环反应，整个工艺没有尾气排放，因此本次实验模拟该工艺的运行方式为循环吸收，没有尾气排放。实验通 NO 时间为 45min，当缓冲罐颜色变白时，停止实验，总计用了 80min。在实验中发现：当 NO 通气量骤然增高时（缓冲罐颜色变得很深），吸收系统可以在很短时间内将缓冲罐颜色变淡，但随后需要一个较长的时间才能使得缓冲罐颜色变白。另外，通过测试吸收液中的酸度发现：吸收液中的酸度最终只有 0.2 ~ 0.4mol，与通过尾气测试的吸收率并不吻合。经过观察分析得出：由于小雾滴直径很小，经过除雾器时并不能完全除掉，有很大一部分随着气体排出去，覆着在管壁上或进入缓冲罐内，而这部分小雾滴将吸收了很大部分的 NO_x。

四、气动雾化吸收可行性及应用范围分析

通过上述研究可以看出气动雾化吸收是一种高效的 NO_x 吸收技术，其雾化所需要的喷气压力一般在 0.04 ~ 0.2MPa 之间即可，气液体积比可通过不同的喷气/喷液管口径搭配、喷雾高度、喷气压力在 400MPa 以上进行任意调节。通过调节气液体积比、除雾器填料高度及填料种类可以实现对各种要求的 NO_x 吸收率。

气动雾化吸收可应用于 NO_x 气量不是很大，但是浓度很高的领域，尤其适合于利用 HNO_3 来做氧化剂，产生的 NO_x 需要回收的工艺。例如，在三相流化床中循环催化氧化高硫高砷难选冶金精矿或氰化尾渣的工艺中，其流化效果主要是由反应器产生的 NO_x 气体及其他气体通过压缩

机加压来完成的，但反应器内不断产生 NO_x 气体，因此，根据工艺要求必须吸收掉一部分，保持装置内呈常压状态。利用气动雾化吸收，一方面可以借助于上述工艺原有的空气压缩机进气喷雾，并将出口直接与上述工艺的反应器连接，满足流化效果，不需额外添加动力设备；另一方面高效吸收 NO_x，尾气可以夹裹着很大一部分小雾滴（相当于酸）进入上述工艺的反应装置内，减少工艺运行的硝酸添加量，节约了运行成本。

五、结　论

综合以上研究与分析，得出气动雾化吸收方法对于小气量、高浓度 NO_x 气体是一种高效、节能的吸收方法，并且有可能应用于其他气体，如 SO_2 的吸收。

参考文献

[1] 崔礼生，韩跃新．难选冶金矿石预处理现状［J］．金属矿山，2005（7）．

[2] 徐行，郭志辉，顾善建．新型气动雾化喷嘴喷雾特性的实验研究［J］．航空动力学报，1997（7）：295－298.

[3] 梁雪萍，郭志辉，徐行，等．气泡雾化喷嘴水平喷射的雾化特性研究［J］．北京航空航天大学学报，1998（2）：24－27.

[4] 曾卓雄，姜培正，谢蔚明．喷嘴雾化粒径的实验研究［J］．西安交通大学学报，2000（4）：75－77.

[5] 王海林，雍兴跃．NO_x 废气净化技术与不锈钢酸洗废气处理对策［J］．中国冶金，2009（5）：29－32.

[6] 夏清，陈常贵．化工原理（上册）（第一版）［M］．天津：天津大学出版社，2006.

[7] 李玉平，郭春梅，桑小红．在活性填料塔内用稀硝酸吸收废气中的 NO_x［J］．兵工学报，2000（5）：1580－1960.

[8] 徐运卿，王爱琴．用冷硝酸吸收法除 NO_x 的研究［J］．河南城建高等专科学校学报，2001（6）：48－50.

内蒙古呼和浩特市沙尘天气变化规律及防治对策

李红丽[1]　谷　雨[2]　董　智[1]

（1. 山东农业大学林学院　山东　泰安　271018；
2. 内蒙古环境监测中心站　呼和浩特　010011）

摘　要　本文以呼和浩特市30年（1971—2000年）气象资料为基础，运用数理统计理论，分析了呼和浩特市沙尘天气的时间变化特征及其与降水量、气温、风速、相对湿度、蒸发量等气象因子的关系。结果表明：沙尘暴、扬沙、浮尘等沙尘天气在年代际、年际、季节与月变化上具有一致性。沙尘天气在20世纪70年代发生的日数最多，从70年代到90年代沙尘天气发生日数总体上波动下降。沙尘天气的年际变化均以1972年最高，但不同沙尘天气发生日数最少年份不同，最小值为0d，2000年略有上升。沙尘天气呈现春冬季节发生日数多，夏秋发生日数少的季节变化趋势，每年的4月份为沙尘天气出现最多，7月份、8月份或9月份出现最少。沙尘天气的发生与空气相对湿度、降水量呈现极显著或显著的负相关，与风速、蒸发量呈现极显著或显著的正相关，与气温变化关系不明显。在明确沙尘天气发生规律的基础上，提出了完善监测体系、加强生态环境建设等沙尘天气防治对策。

关键词　呼和浩特　沙尘天气　沙尘暴　扬沙　浮尘　防治对策

沙尘天气是指强风从地面卷起大量尘沙，使空气浑浊，水平能见度明显下降的一种天气现象。依据沙尘的不同浓度把沙尘天气分为沙尘暴、扬沙和浮尘[1]。沙尘天气所携带的沙尘微粒所引发的气候学效应，不但对当地大气能见度、大气光学特征、地气辐射平衡等产生影响，导致自然生态环境的破坏，而且这些微粒被送入高空随风移动，又会造成大范围降尘和大气中气溶胶浓度的增加，对区域气候产生一定的影响[2]，危害人民群众的身体健康和日常生活[3]，而且会造成沃土蚕食、土地退化、交通受阻、渠道埋没等灾害，对人民群众的生产、生活、生态环境安全及社会经济的持续发展造成极大的威胁。沙尘天气的发生发展及其所带来的环境和气候效应已经成为一个全球性的科学问题。呼和浩特市坐落在内蒙古自治区的中部，地处内蒙古沙尘暴发生区域及多发区，且位于我国沙尘暴西北路传输路径之上，起源于阿拉善盟的沙尘暴，经银川平原、包头至呼和浩特地区而后传输至区外的下游区域，使京津地区发生沙尘天气。但关于呼和浩特地区沙尘天气的研究却少见报道。本文以呼和浩特市1971—2000年的气象资料为基础数据，研究了呼和浩特市地区沙尘天气的时间序列变化规律及其影响因子，以期为沙尘天气的预测和防治提供科学依据。

一、资料与统计

呼和浩特市位于东经110°46′～112°10′，北纬40°51′～41°8′，总面积17224km^2。呼和浩特市地势东北高，西南低，平均海拔约1000m。具有春秋季节短，昼夜温差大的气候特点。本文选取呼和浩特市气象站点30年（1971—2000年）的逐日沙尘暴、浮尘、扬沙日数，然后分别统计年代际均值、年均值、月均值等，探讨其发生规律及其时间变化趋势。同时分别统计逐日气压、风速、降雨量、相对湿度、气温等气象因子，并计算其月均值。采用SPSS14.0统计软件，分析沙尘天气的变化规律与风速、降雨量、相对湿度、气温等气象因素的相关关系。

资助项目：内蒙古科技厅项目20070501、20080508和环保公益性行业科研专项200709008。

二、结果与分析

（一）沙尘天气的年代际变化规律

对呼和浩特市年代际的平均沙尘天气日数进行统计，其结果如图 1 所示。呼和浩特市沙尘天气以 20 世纪 70 年代发生日数最多，平均 25. 2d/a，发生频率为 53. 2%。其次为 80 年代，平均发生日数为 11. 2d/a，频率为 23. 6%；90 年代发生日数较 80 年代略有减少，平均为 11. 0d/a，发生频率为 23. 2%。从总体趋势分析，呼和浩特市的沙尘天气发生日数趋于减少。

不同沙尘天气的年代际变化规律有所不同（图 1）。沙尘暴发生日数在 20 世纪 70 年代年均发生 4. 8d，80 年代发生年均 1. 1d，90 年代略有回升，年均发生日数 1. 7d。据蔡雪鹏（2001）对内蒙古中部地区沙尘暴的研究表明，呼和浩特市沙尘暴日数在 20 世纪 50 年代年均发生日数为 12. 4d，60 年代为 7. 7d。由此可知，呼和浩特市沙尘暴发生日数总体上趋于减少。

由图 1 可知，呼和浩特市 1971—2000 年的扬沙日数呈逐渐下降趋势。各年代际间扬沙日数以 20 世纪 70 年代发生日数最多，平均发生日数为 12. 7d/a，80 年代和 90 年代扬沙日数为 7. 1d/a 和 6. 6d/a。浮尘天气的变化与扬沙变化趋势相同，70 年代发生最多为 7. 7d/a，80 年代和 90 年代较 70 年代分别减少了 4. 7d/a。

通过浮尘天气统计图（图 1）中可以看出，浮尘天气在 20 世纪 70 年代发生次数最多，平均发生天数在 7. 8d，比 80 年代平均发生日数多出 4d，80 年代到 90 年代浮尘天气变化平稳。30 年来浮尘总体出现次数呈下降趋势。

（二）沙尘天气的年变化规律

由图 2 可以看出，呼和浩特市 20 世纪 70 年代沙尘天气发生日数较多，10 年沙尘天气平均发生日数为 25. 2d/a，之后趋于减少。最高值出现在 1972 年，共出现沙尘天气 43d，最低值是 1991 年，没有出现沙尘天气。从 20 世纪 80 年代初期开始呼和浩特市沙尘天气发生日数呈明显的波动下降趋势，但在 1991 年后，尽管沙尘天气日数一直低于多年平均水平，但又呈现出略微上升之势，在 2000 年又高于平均水平 15. 8d，达到 17d。

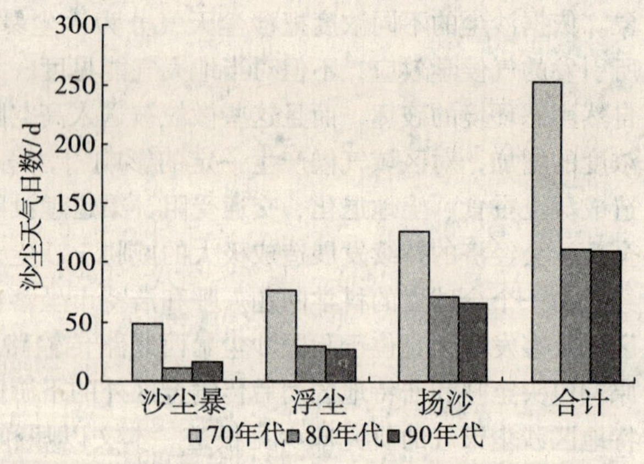

图 1　呼和浩特市 1971—2000 年沙尘天气的年代变化

从沙尘暴天气的年际变化规律来看（图 2），与总体上沙尘天气的变化趋势基本一致，但在最高最低值发生年份有所不同。1971—2000 年，70 年代发生的频度最高，波动也最为明显，最高值出现于 1972 年，达到 10d，70 年代末期减少趋势最为明显；80 年代沙尘暴发生日数最少且变化平稳，1981 年首先出现了未发生沙尘暴的年份，且有连续 6 年每年只出现一次沙尘暴天气，有两年（1981 年、1989 后）未出现沙尘暴天气；90 年代以来，1991 年、1995 年和 1997 年也未出现沙尘暴，但整体上又略有回升，2000 年的沙尘暴日数又达到 6d，高于 30 年的平均值 2. 5d。

扬沙的年际变化（图 2）表明，扬沙的最大值出现于 1978 年，达到 24 次，最小值出现于 1991 年，为 0d。30 年来扬沙天气的变化幅度最大，但总体趋于下降。从浮尘天气的年际变化规律分析（图 2），其最大值出现于 1972 年，为 16d，最小值出现于 1986 年，未出现浮尘天气，且 1989 年、1991 年、1994 年也未发生浮尘天气。整体上，呼和浩特市 30 年内浮尘天气呈现下降趋势。

（三）沙尘天气的季节变化规律

呼和浩特市沙尘天气的季节变化规律如图 3 所示。由图 3 看出，无论是沙尘暴、扬沙，还是浮尘天气，其总体变化规律一致，一年之内，春季发生日数最高，沙尘天气发生日数为 11. 8d，

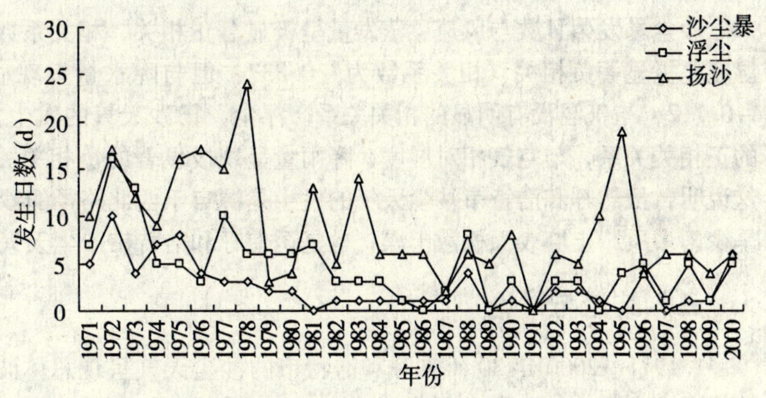

图2　呼和浩特市1971—2000年沙尘暴天气的年际变化

占全年平均水平的74.5%；其次为冬季，沙尘天气出现1.5d，占全年的9.7%；秋季沙尘天气出现最少，为1.1d，占全年的7.0%。从沙尘暴月均发生日数来看，存在着明显的季节性特征，即呈现出春冬季节高、夏秋季节少的趋势。这一特点与中国北方其他地区沙尘天气的发生特点有着相同之处，这与呼和浩特市处于沙尘暴传输的西北路径有关，受西北路径沙尘天气发生的季节变化规律影响而呈现出春冬多夏秋少的特征。

从沙尘天气发生的年内变化来看，以春季4月份发生次数最多，平均达5.5d/a，发生频率为34.8%，其次为5月份，沙尘天气出现日数为4.1d/a，出现频率为25.9%；八九月份沙尘天气出现最少，平均0.1d/a，发生频率为0.6%。各种沙尘天气的年内变化规律不同，沙尘暴以4月发生次数最多，平均1.3d/a，占全年沙尘暴出现日数的52%；3月、5月和6月次之，平均为0.3d/a，发生频率为12%，2月、9月未发生沙尘暴，其他月份均为0.1d/a。扬沙在每年春季的4月份、5月份发生日数最多，分别为2.5d/a和2.2d/a，发生频率为28.4%和25%，夏季的8月份最少，没有扬沙天气出现，每年的9月份至次年的3月份均有扬沙天气发生。浮尘天气以每年的4月份、5月份发生日数最高，分别为1.7d/a和1.5d/a，出现频率分别为37.7%和33.3%，二者占全年的71%，7~9月份出现次数为0，从10月份至次年的3月份均有不同日数的发生。

（四）　沙尘天气与气象因素的相关关系

通过SPSS软件分析可知，沙尘天气发生日数与降水量、气温、空气相对湿度、风速和蒸发量5个变量具有不同的相关关系（表1）。由表1可知，沙尘天气发生日数均与空气相对湿度、降水量呈显著或极显著负相关，与风速、蒸发量呈显著或极显著的正相关，与气温没有明显的相关关系。但不同沙尘天气与各气象因子的相关关系表现不同。

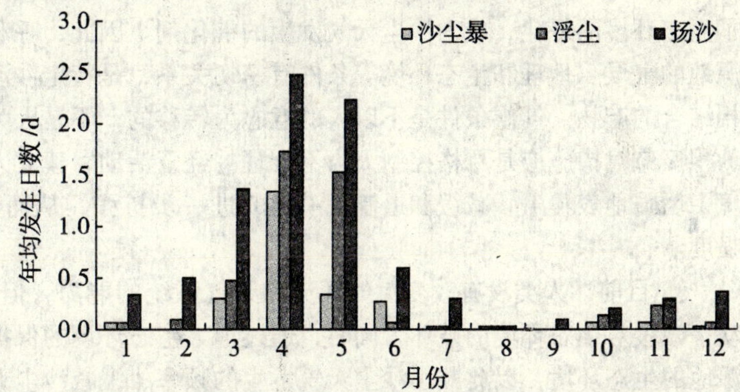

图3　呼和浩特市1971—2000年沙尘天气的月际变化

表1　沙尘天气与气象因素的相关关系分析

要素		相对湿度	降水量	气温	风速	蒸发量
沙尘暴	相关系数	-0.337**	-0.112*	0.064	0.374**	0.188**
	显著性	0.000	0.033	0.222	0.000	0.000
浮尘	相关系数	-0.415**	-0.140**	0.074	0.441**	0.246**
	显著性	0.000	0.008	0.161	0.000	0.000
扬沙	相关系数	-0.532**	-0.196**	0.044	0.575**	0.261**
	显著性	0.000	0.000	0.408	0.000	0.000

注：*表示通过了0.05的显著性水平检验，**表示通过了0.01的显著性水平检验。样本数为360个。

沙尘暴发生日数与风速、蒸发量呈极显著正相关，相关系数分别为0.374和0.188，与相对湿度呈极显著负相关，相关系数为－0.337，但与降水量呈现显著的负相关关系，相关系数为－0.112，与气温没有明显的相关关系。浮尘、扬沙天气的发生日数与风速、蒸发量有着极显著的正相关关系，与空气相对湿度、降雨量呈现极显著的负相关关系，与气温的相关关系不明显。这说明，虽然呼和浩特市沙尘天气的发生是源自于西北路径的沙尘暴过境影响的结果，但气候干旱少雨多风，土壤表面松散干燥，也是诱使呼和浩特市沙尘天气频繁出现的主要原因。

三、结论与讨论

1. 1971—2000年30年来呼和浩特市的沙尘天气呈现总体波动下降趋势，沙尘天气在70年代发生日数最多，90年代较80年代又有所回升。沙尘暴、扬沙、浮尘的发生日数在1972年均达到最大，出现最少的年份各不相同，从年际发生规律分析，沙尘天气均呈现波动下降趋势，但在2000年表现较为活跃，出现日数较多，达到或超过年平均水平。不同沙尘天气发生日数均呈现出春冬季多夏秋季少的季节变化规律，年内则以春季的4月份出现日数最高，其次为5月份，夏季的7月份、8月份或秋季的9月份发生次数最少。这与各月份的气象因素有着明显的相关关系。沙尘天气发生日数与风速、蒸发量呈极显著或显著的正相关，与降雨量和相对湿度呈现极显著或显著的负相关，气温对沙尘天气的影响不明显。

2. 沙尘天气的发生与气象因素有着显著的相关关系，沙尘天气主要发生在每年的4月份、5月份，而每年该期的相对湿度、降雨量都比较低，风速较大，说明该地区气候干旱，土壤表面松散干燥是形成沙尘天气的诱导因子。事实上，该期整个沙尘天气的策源地也处于气候干旱少雨的天气状态下，而且该期沙尘源区水资源严重不足，草场退化、沙化，地面缺乏有效覆盖，这也成为促使沙尘天气频繁发生的生态环境因子。此外，沙尘天气策源地区人为不合理的经营活动加速了生态环境的恶化，成为沙尘天气发生的催化剂。因此，呼和浩特市沙尘天气的发生与沙尘源策源地的气候、地理和生态环境等条件有密切关系，是特定沙漠化生态环境和气象条件、人为活动相结合的产物。气候条件是不以人的意志为转移的，不是人为可以控制的。所以，防治沙尘天气的积极应对措施应是严格控制人为不合理的经营活动，建立人与自然和谐关系，逐步改善生态环境，增强地表覆盖，减缓和遏制荒漠化的进一步扩张，从而有效地减缓沙尘天气的发生频度和强度。

3. 目前，人类没有改变大气环流和天气系统的能力，但可以通过改变人为不合理的经营活动，减缓对生态环境的破坏，同时，通过加大生态环境的保护与建设力度，综合治理沙尘天气策源地的生态环境，以此减小沙尘天气发生的频率、缓减沙尘天气的强度，降低沙尘天气造成的危害。为了降低沙尘天气的发生及其造成的损失，结合呼和浩特市沙尘天气发生的特点，应从以下几方面防治沙尘天气：①加强生态环境的保护和建设，系统地恢复自然生态环境。坚决贯彻与实施退耕还林（草）工程、京津风沙源治理工程、防护林建设工程等林业生态工程，严禁毁草开荒、超载放牧和乱砍滥伐滥挖，因地制宜，逐步恢复自然生态环境，增加地表覆盖，缓减沙尘危害。②建立与完善沙尘暴的监测、预报与预警系统，及时发布监测报告，预报沙尘天气发生源地、传输路径、沙尘天气等级、强度与危害，指导人民群众合理安排生产、生活，减少损失。③合理调整产业结构，科学利用沙区资源，发展知识密集型的沙产业，建立资源－环境－人口－产业一体化的持续发展体系，减少对环境的掠夺式破坏，减缓沙尘天气的发生与损失。

参考文献

[1] 中央气象局．地面气象观测规范［M］．北京：气象出版社，1979，2，27.

[2] 庄国顺，郭敬华，等．2000年我国沙尘暴的组成、来源、粒径分布及其对全球环境的影响［J］．科学通报，

2001，46（3）：171－177.

［3］钱正安，李万元，等．近50年来中国北方沙尘暴的分布及变化趋势分析［J］．中国沙漠，2002，22（2）：106－111.

［4］夏训诚，杨根生．中国西北地区沙尘暴灾害及防治［M］．北京：中国环境科学出版社，1996.

［5］王可丽，吴宏，等．2001年春季中国北方沙尘暴的环流动力结构分析［J］．高原气象，2002，21（3）：303－308.

［6］康杜娟，王会军．中国北方沙尘暴气候形势的年代际变化［J］．中国科学（D辑），2005，35（11）：1096－1102.

［7］张莉，任国玉．中国北方沙尘暴频数演化及其气候成因分析［J］．气象学报，2003，61（6）：744－750.

［8］Gillette D. A，Adams. Threshold velocities for in pot of soil particles in the air by desert soils，Joumak of geophysical research，1980，85：5621－5630.

［9］杨续超，刘晓东．东亚中纬度地区前期降水对中国北方春季强沙尘暴影响初探［J］．干旱区地理，2004，27（3）：293－299.

［10］顾卫，蔡雪鹏，等．植被覆盖与沙尘暴日数分布关系的探讨——以内蒙古中西部地区为例［J］．地球科学进展，2002，17（2）：273－277.

［11］韩永翔，宋连春，等．中国沙尘暴月际时空特征及沙尘的远程传输［J］．中国环境科学，2005，25（SuPpl）：13－16.

［12］蔡雪鹏．内蒙古中西部地区沙尘暴的气候特征及其与下垫因子的关系研究［D］．北京：北京师范大学，2001.

三、固体废弃物污染防治

我国城市垃圾填埋气资源化利用现状及前景研究

杜　娟

（宇星科技发展（深圳）有限公司　深圳　518057）

摘　要　垃圾填埋气（LFG）的回收利用具有重大的环境效益、能源效益和经济效益。本文首先概述了我国垃圾填埋气产生背景、危害性及资源性，然后对 LFG 收集利用及其 CDM 项目注册现状作了介绍，预测 LFG 在未来具有产量巨大、收集利用高效化、利用方式多元化、CDM 交易机制灵活化等特征，最后针对我国目前 LFG 收集利用还存在的问题提出了几点建议，为 LFG 项目的开发提供参考。

一、引　言

改革开放以来，中国经济迅猛发展，城市规模不断扩大。截至 2009 年底，我国地级及以上城市 660 余座，城镇人口为 6.2 亿人，占总人口比重的 46.6%，比 1978 年提高了 29 个百分点[1]。随着城市化进程的加快，城市生活垃圾产量也逐年递增。据统计，我国城市人均日产生活垃圾 1.12kg，年清运量 1.6 亿 t，且以平均每年 8.98% 的速度迅猛增长[2]，历史积存的生活垃圾堆积量已达 70 亿 t。目前全国城市生活垃圾无害化处理场有 700 多个，无害化处理率为 52%，垃圾无害化处理提升速度远远赶不上垃圾量的增速，垃圾围城已成为困扰城市发展的心病。

我国城市生活垃圾处置以填埋法为主。据中国环境保护产业协会资料显示，目前中国城市垃圾处理中填埋法处理的垃圾占 70%，堆肥占 20%，焚烧占 5%，其他（包括露天堆放、回收利用）占 5%。垃圾卫生填埋法具有处理量大、投资少、运行费用低等特点，同时填埋场相当于一个巨大的资源库，填埋气可回收、垃圾矿化后土地可重新开发使用，且严格按照标准设计的卫生填埋场不会产生二次污染，因此在世界各国特别是发展中国家广泛应用。

垃圾填埋气（Landfill Gas，LFG）是有机废物在厌氧微生物作用下降解产生的混合气体，也称垃圾沼气，主要成分为 CH_4 和 CO_2，体积占填埋气体总量的 90% ~99%，另外还含有 N_2、H_2S、NH_3、H_2、硫醇、氯乙烯、甲苯、乙烷、氯甲烷、二甲苯等微量成分。

LFG 成分复杂，且含有毒性较大的挥发性有机物（VOC），直接排放会散发恶臭、致病致癌；温室效应明显，CH_4 的全球变暖增加潜力是 CO_2 的 21 倍，来自城市垃圾处理场的 CH_4 排放量占全球总排放量的 12% 以上[3]；空气中 CH_4 浓度达到 5% ~15% 时易引起爆炸事故[4]，美国新泽西州、俄亥俄州及我国上海、北京、重庆、岳阳等城市都曾发生过 LFG 爆炸事故；VOC 及 CO_2 进入地下水会引起水质硬度升高，污染地下水；气体横向迁移，进入土壤后会使植物根系处于缺氧状态，导致地表植被生长不良甚至死亡。同时，LFG 中 CH_4 含量约占 45% ~60%，热值约为 4500 ~5500 kcal/m^3，是一种利用价值较高的清洁燃料。因此，从无害化、资源化角度出发，根据填埋场的具体情况，因地制宜地采用合适的 LFG 处置技术，对其进行回收利用，不仅可以达到温室气体减排、保护环境、消除安全隐患的目的，还可以缓解社会能源需求压力，对促进我国经济可持续发展和低碳社会建设具有重要意义。世界各国都对 LFG 的资源化利用进行了积极探索。

二、填埋气处理利用现状

填埋气回收利用的目的，是在提取利用 CH_4、CO_2 等成分的同时消除其他组分的污染，最大化实现 LFG 的综合利用和节能减排。国外对于 LFG 处理利用的研究始于 20 世纪 70 年代，80 年代就开始应用推广。我国起步较晚，到 90 年代垃圾填埋场的填埋气仍对空排放。1998 年 10 月，杭州天子岭垃圾填埋场 LFG 发电项目的建成及投产发电，开创了我国 LFG 资源化利用的先河，此后十几年来在国家政策及 CDM 机制激励下，LFG 回收利用工程发展迅速，商业化运作逐渐成熟。

目前国内外利用 LFG 的方式主要有：直接排放或收集后燃烧排空、发电、锅炉燃料和民用燃料、汽车燃料、渗滤液蒸发、提取化工产品等，其中 LFG 发电和工业民用燃料利用是国际上最广泛的利用方式[5]。从我国情况来看，直接排放、燃烧排空和气体发电是使用最普遍的方法，其他利用方式如渗滤液蒸发、汽车燃料等也开始有应用实例，具体如表 1 所示。

填埋场的产气量主要受填埋量、垃圾成分、含水率、填埋时间、地理条件、气候及 pH 值等参数影响。我国城市垃圾组分复杂，南北差异大，在进行 LFG 回收利用时应因地制宜，区别对待，不盲目追求产业化，应针对填埋场的自身条件和当地社会经济情况，从技术、经济、环境和资源的角度进行综合评价，制定最佳回收利用方案[6,7]。

三、CDM 机制下的填埋气资源化利用

近年来，国家激励政策、清洁发展机制（CDM）和全球碳交易市场的出现使得原本低利润和亏本的环境保护项目具备较好的经济可行性[13]，相关节能减排项目如风电、水电、LFG 利用、煤层瓦斯气利用等发展迅速，在联合国成功注册的 CDM 项目成倍增长。

CDM 机制是《京都议定书》中为工业发达国家在 2008—2012 年间实现温室气体减排量削减 5.2% 的目标提供的一种灵活履约方式。工业化国家可提供资金和先进技术设备，在发展中国家境内共同实施温室气体减排项目，由此获得的经核证的减排量（CERs）可用以抵消本国的温室气体减排义务。发展中国家可通过 CDM 项目获得资金、技术支持，促进本国社会经济可持续发展。

我国温室气体排放总量居世界第二，是最具潜力的温室气体减排发展中国家，开展 CDM 合作的市场前景广阔，吸引着众多国际买家参与 CDM 项目开发。截至 2010 年 2 月 28 日，我国在联合国 CDM 执行理事会成功注册项目数达 751 个，估计平均年减排量 CERs 达 2.04 亿 t CO_2 当量，已签发 CERs 为 1.88 亿 t CO_2 当量，占全球份额的 48.22%，居世界第一位[14]。碳交易市场的繁荣为填埋场气体回收利用和环保产业振兴提供了良好的发展契机和资本援助，推动我国实现 2020 年单位 GDP 碳排放量比 2005 年减少 40% ~45% 的减排目标。

目前我国在 CDM 执行理事会成功注册的 CDM 项目中涉及 LFG 收集和利用的项目为 20 个，利用方式以发电为主，估计年减排量为 370.2 万 t CO_2 当量（部分项目如表 2 所示）。

合格的 CDM 项目必须满足的基本条件是：①获得项目涉及的所有成员国的正式批准；②促进项目东道国的可持续发展；③产生实在的、可测量的、长期的温室气体减排效益；④符合经批准的基准线和监测方法学的要求；⑤减排环境效益及项目资金来源的额外性。因此，根据填埋场具体情况，选择或设计适合自身的方法学，确定合理的减排量基准线，正确进行额外性分析论证，是 LFG 利用 CDM 项目成功与否的关键。CDM 执行理事会已经批准了一系列有关 LFG 利用的基线和监测方法学，包括垃圾填埋气燃烧、供热、发电等利用方式（见表 3）。

四、填埋气利用前景

（一）LFG 产量巨大

由于生活垃圾堆肥和焚烧处置方式存在的技术、经济及推广问题一时还难以克服，所以在未来很长一段时间内，卫生填埋在我国城市生活垃圾的终端处置方法仍占据主体地位。同时考虑到我国社会主义新农村建设以及城乡一体化垃圾处理发展趋势，生活垃圾填埋场建设的需求还很大。据估计，到 2015 年，我国城镇生活垃圾总产量将超过 3 亿 t，若其中 60% 采用卫生填埋处

表1　我国填埋气资源化利用方式[8-12]

序号	利用方式	方法描述	研究现状	应用实例	方法评价
1	直接排放或燃烧排空	利用石笼或导气管将填埋气引出，或收集后引至燃烧火炬燃烧后排放，避免出现安全事故	一般作为处理LFG产量小或多余时的辅助手段	我国经济欠发达地区、中小型填埋场大多采取自然排放形式；山东青岛小涧西垃圾填埋场采用集中点火方式	直接排放污染环境、浪费资源；燃烧后排空可经济有效地实现温室气体减排，但资源利用率低
2	LFG发电	通过燃气发电机或沼气发电机将填埋气有效组分的化学能转化为电能	沼气发电设备、填埋气预处理设备、输电设备及电力入网技术均可国产化，规模化应用条件已成熟；主要问题是国产设备性能及效率的提高	国内大型垃圾填埋场大多采用此方式，典型案例如南京天井洼、深圳下坪、广州新丰、福州红庙岭LFG发电项目等	填埋量应大于100t，未封场或封场不久；填埋气中CH_4含量应在40%以上；技术成熟，国产设备可使成本降低一半以上；替代燃煤发电可获得更多的温室气体减排量；财政补贴0.25元/度，经济性好
3	锅炉燃料或民用燃料	热值低的LFG可以直接作为锅炉、窑炉的加热原料；热值高的经净化处理后用管道输送到居民用户可作为民用燃料	研究集中于采用单独燃烧或与其他燃料（煤气、天然气等）混燃的燃烧效果；作为民用燃料有待政策扶持和公众态度转变，同时完善天然气/煤气管网建设	香港地区将LFG净化提纯后注入城市燃气管道来进行利用	用作锅炉燃料设备简单、投资少，但使用范围小、资源利用率低；管道燃气的提纯标准高，投资大，技术要求高，适合于规模大的LFG利用工程或靠近供气管网的工程
4	汽车燃料	将填埋气体净化后，甲烷提纯到96%以上，压缩、脱水、储存，用作汽车燃料	LFG净化提纯是该方法的技术关键，通常使用膜分离技术和化学吸收法	鞍山市羊耳峪垃圾填埋沼气制取汽车燃料示范工程；深圳下坪垃圾填埋场也采用一部分LFG制汽车燃料	需对LFG施加高达20MPa的压力，工艺设备复杂，但产品附加值高；LFG用作车辆燃料具有热值较高，抗爆性好，有害气体排放大大减少等优点；环境效益好，可缓解能源紧张，在我国具有广阔的发展前景
5	渗滤液蒸发	利用LFG燃烧释放热量蒸发渗滤液处理后的浓缩液，解决渗滤液生化法和物理处理法投资大、运行成本高的问题	中科院工程热物理研究所、清华大学已开展相关研究，开发了LFG分级燃烧、二级浸没燃烧等蒸发技术	北京北神树、安定填埋场试点工程，安定LFG利用工程已被核准为CDM项目	低成本、高效率处理渗滤液；蒸发设备简单、便于控制、运行费用低；具有较好的环境效益和资源利用效率；可采用热电联用、余热利用等方式提高经济收益
6	制取化工产品	提取LFG中有用成分，生产CO_2、甲醇、二甲醚、甲醛等化工产品	LFG净化、低成本分离提取CO_2和甲醇是研究重点；中科院工程热物理研究所以国内成熟的“合成气一步气相法制二甲醚”为基础，进行工艺流程和设备改造，已形成生产二甲醚的完整技术路线	生产CO_2和生物甲醇在国内有应用，产业化规模小；中科院工程热物理所正与北京市环卫集团合作，拟启动建设年产二甲醚5000t级的工业示范装置	适用于地点偏远、远离输电网络、产气量小的垃圾填埋场；经济性有待评价

表 2 在 CDM 执行理事会成功注册的垃圾填埋气利用项目

序号	项目名称	GHG 减排类型	利用方式	年减排量 (tCO_2e)	注册日期
1	南京天井洼垃圾填埋气发电项目	甲烷回收利用	发电	246 107	2005. 12. 19
2	梅州垃圾填埋场沼气回收与能源利用项目	甲烷回收利用	发电	286 525	2006. 03. 04
3	北京安定填埋场填埋气收集利用项目	甲烷回收利用	渗滤液蒸发	90 000	2006. 04. 22
4	深圳下坪固体废弃物填埋场填埋气体收集利用项目	甲烷回收利用	发电 + 燃烧	749 186	2007. 05. 04
5	广州兴丰垃圾填埋气回收利用项目	甲烷回收利用	发电	626 834	2007. 09. 20
6	南京市轿子山垃圾填埋气回收利用供热项目	甲烷回收利用	供热	147 880	2007. 11. 31
7	天津市双口垃圾填埋场填埋气回收发电项目	可再生能源	发电	155 823	2008. 08. 28
8	昆明东郊白水塘垃圾填埋场沼气处理及发电项目	甲烷回收利用	发电	64 302	2008. 11. 21
9	沈阳老虎冲垃圾填埋沼气发电项目	甲烷回收利用	发电	126 179	2008. 12. 26
10	洛阳市生活垃圾填埋场填埋气发电项目	甲烷回收利用	发电	86 699	2009. 07. 28

表 3 已批准的垃圾填埋气 CDM 方法学

编号	方法学（包括基准线和检测方法）	应用
AM002	通过收集垃圾填埋气并由火炬点燃实现温室气体减排	LFG 燃烧减排
AM0003	垃圾填埋气收集项目的简化财务分析	垃圾填埋和处理
AM0010	垃圾填埋气收集发电项目，其中 LFG 收集不属法律强制	LFG 发电
AM0011	垃圾填埋气回收发电并且基准线情景中不收集不消除甲烷	LFG 发电
ACM0001	垃圾填埋气项目的统一监测方法学	LFG 收集和利用
AMS－Ⅲ. G	小规模垃圾填埋气收集监测方法学	适用于年均产生 $60000tCO_2$ 当量以下的项目
ACM0002	可再生能源发电上网的统一基准线方法学	LFG 发电上网
AMS－Ⅰ. D	小规模填埋气发电上网基准线方法学	适用于发电容量小于 15MW 的项目

理，则每年至少需处理 1.8 亿 t。按照经验数据，每千克垃圾可产生 0.064～0.44m^3 填埋气，假设收集率为70%，则可产生相当于40 亿～270 亿 m^3 的天然气，最大值约占我国目前天然气产量的 32.5%，具有非常广阔的利用前景和节能减排效益。

（二）LFG 收集利用高效化

我国生活垃圾未实现分类收集，垃圾中的餐厨类垃圾含量高，而纤维素、木素和其他降解缓慢的有机垃圾含量较低，同时填埋场技术水平低、未配备 LFG 收集装置，发电机组效率低，因此表现出填埋场垃圾分解速率快、产气高峰出现早、LFG 收集利用率低等特点。根据对某些已运行 LFG 发电项目的考察结果，目前我国 LFG 综合收集利用率一般难以超过25%，因此在 LFG 资源化利用效率方面还有很大的提升空间。随着技术水平发展和人们意识的提高，卫生填埋场的填埋方式、压实程度、覆盖层密闭性及运行管理等均会逐渐规范化，同时配备先进的 LFG 回收装置，研发新型高效垃圾填埋气燃烧发电系统及其优化运行，开发高效垃圾填埋气火炬燃烧系统，实现 LFG 回收利用高效化。

（三）LFG 利用多元化、多极化

在国家提倡及扶持下，目前 LFG 主要用于发电，但大多数填埋场规模较小，达不到发电要求或发电量小，因此应根据实际情况制定利用方案。产气量大、持续稳定时可发电上网，同时进行余热、CO_2 收集利用；气量较小的可收集后用于汽车燃料、蒸发渗滤液或制磷酸燃料电池；气量不足时可集中燃烧，或为温室提供热量和二氧化碳，实现多元化、多极化利用 LFG。同时可借鉴美国好氧反应器方法，将填埋场参照静态堆肥处理，将垃圾进行发酵堆肥，具有占地小、发酵时间短、建设运行费用低等优点。

（四）CDM 需求的增长及模式灵活化

由于哥本哈根气候大会未达成新的协议，在新的机制形成、正式实施之前，CDM 机制作为一种比较有效和成功的合作机制，在 2012 年后会继续得到实施。从环境保护和人类发展角度来看，未来世界节能减排特别是发达国家的深度减排是一个必然的趋势，发达国家将需要比第一承诺期大得多的海外减排量指标，以完成自身的减排义务，而 CDM 供应方将会逐渐萎缩，出现供不应求的态势。同时随着节能减排的逐渐深入，各行各业都设定排放上限后，更多新的交易模式将会出现。如国内企业之间、海外企业与中国企业之间的排污权合作交易机制，将会比 CDM 更加灵活、高效地促进温室气体的减排。不管我国 2012 年之后是否承担量化的减排指标，企业都应提前做好准备，调整自己的能源发展政策，适应低碳经济的到来。在这种背景下，对 LFG 进行资源化利用是推动企业在碳交易市场中占有一席之地的有效手段。

五、结论及建议

填埋场气体的回收利用是防治环境污染、节约能源的必要举措，具有巨大的环境效益、社会效益和经济效益，近年来 LFG 的回收利用逐渐受到人们的重视。同时，国家政策及 CDM 机制的运作使得 LFG 项目受到企业的青睐。为实现 LFG 高效综合利用，达到节能减排、变害为宝的目的，针对我国目前 LFG 收集利用还存在的问题，提出以下几点建议：

1. 出台行业标准。为使 LFG 收集利用规范化，我国应制定垃圾填埋场气体收集标准、技术规范，提出填埋场气体收集、利用装置的设计、建设和维护标准；同时在垃圾填埋气利用上的优惠政策和优惠条件应有配套、可操作、稳定的实施细则和措施保证；借鉴国外经验，建立我国 LFG 利用产业和商业运作模式。

2. 建立适合我国国情的 LFG 预测模型。我国在城市垃圾填埋处置方面的研究起步较晚，填埋场 LFG 的产量、产生速率和迁移模型大多参照国外研究成果，致使产气系数取值偏大、产气预测量偏高。近年来这方面的研究已开始引起国内学者越来越多的关注，但目前的成果大多针对某一个具体填埋场建立模型，不具备普适性。因此根据我国实际情况，建立统一的 LFG 预测模型，对项目投资决策有着重要作用。

3. 余热余能利用。根据笔者对一些 LFG 发电项目的考察结果，大多数工程均未对发电余热进行回收利用，造成了大量热能的损失。应加强对余热利用的开发，同时可对沼气及尾气中的 CO_2 进行收集利用，达到资源利用的最大化。

4. 建立中介资格认证机制，简化 CDM 审批程序。CDM 机制可有效地提高 LFG 利用项目的收益率，但 CDM 申请程序比较繁琐，须经“市—省—国家—联合国”的多重审批手续，耗时较长，且国内中介机构充斥市场、良莠不齐。国家可建立统计、核查、第三方监管体系，简化审批程序，同时出台 CDM 咨询行业的认证资质，整顿规范市场，优化行业发展。同时企业也应注意 CDM 市场价格波动和违约风险。

5. 加强国际交流与合作。CDM 作为一个契机，为我国引入先进理念和技术，在一定程度上促进了我国产业技术升级和低碳经济的发展。虽然《京都议定书》中所规定的核心技术转移从未真正实现过，但其最大的意义在于培育了国内可持续发展战略的意识并因此制定相关政策，同时开拓企业视野，促进其规范化、科学化和精细化管理，为其逐步做大做强、走向国际提供良好机遇。环保节能企业应主动加强国际交流与合作，开发具有自主知识产权的高端技术与设备，提升 LFG 回收利用效率。

参考文献

[1] 中华人民共和国国家统计局．2009 年统计公报．2010－2－25.

[2] 张宪生，沈吉敏，厉伟，等．城市生活垃圾处理处置现状分析［J］．安全与环境学报，2003，8.

[3] 齐文杰，查尔斯·彼得森，扎里娜·阿齐佐瓦，等．天津双口垃圾填埋场垃圾填埋气体收集、发电及清洁发展机制［J］．李孟颖译．国际城市规划，2009，24（3）：17－21.

[4] C. A. Amoor and al. Methane Migration Around Sanitary Landfills［J］. Journal of the Geotechnical Engineering Division，ASCE，1979，105（GT2）：131－144.

[5] 魏宁，李小春，王燕，等．城市垃圾填埋场甲烷资源量与利用前景［J］．岩土力学，2009，30（6）：1687－1692.

[6] 龚少鹏．填埋气体产量及处置方案评选研究［D］．武汉：华中科技大学，2006，11.

[7] 王里奥，王敏，等．垃圾填埋场沼气控制与利用的方案评选法［J］．重庆大学学报（自然科学版），2001，24（1）：122－125.

[8] 王立国，王广喜，徐刚．我国垃圾填埋场填埋气排放和利用现状分析［J］．黑龙江环境通报，2008，32（3）：72－73.

[9] 李湛江，周少奇，等．新建垃圾填埋场填埋气体发电利用规划及实践［J］．中国沼气，2007，25（4）：19－22.

[10] 王艳秋．国内垃圾填埋气利用新途径——压缩制汽车燃料气［J］．中国沼气，2004，22（1）：33－34.

[11] 周红军，吴全贵．垃圾填埋气的回收利用［J］．环境保护，2001（8）：44－46.

[12] 张斌，魏绪玲，刘宝勇，等．垃圾填埋气的资源化利用［J］．甘肃科技，2009，25（4）：60－62.

[13] 马晓鹏，马玉清．垃圾填埋气发电项目的经济评价及政策建议［J］．可再生能源，2005，3（121）：79－81.

我国电子废弃物回收处理系统及相关法律法规建设分析

王红梅　于云江　刘　茜

（中国环境科学研究院　北京　100012）

摘　要　电子废弃物（electronic waste，E－waste）增长势头迅猛，从节约资源与保护环境的角度出发，合理地回收E－waste及再生资源化处理将成为我国解决"电子垃圾"问题的最佳方法。开展E－waste处理处置过程的风险控制与管理技术研究是我国环境保护领域亟待解决的问题，本文系统地分析我国电子废物回收处理系统及相关法律法规的实施和发展情况，为环境部门有效地实施污染控制提供参考。

关键词　电子废弃物　回收处理体系　法律法规建设

一、我国目前的电子废弃物管理现状

（一）电子废弃物回收处理处置现状

目前我国电子产品市场的总规模已经超过10000亿元人民币，电子工业产值已跃居世界第4位[1]。国内电子产品的高速发展和产品更新速度的加大使电子废弃物（electronic waste，E－waste）以惊人的速度增长[2]。与此同时，国外E－waste通过各种非法途径进入我国，地域呈现出日益扩大的趋势，已从广东地区蔓延到浙江、上海、福建、山东等地。

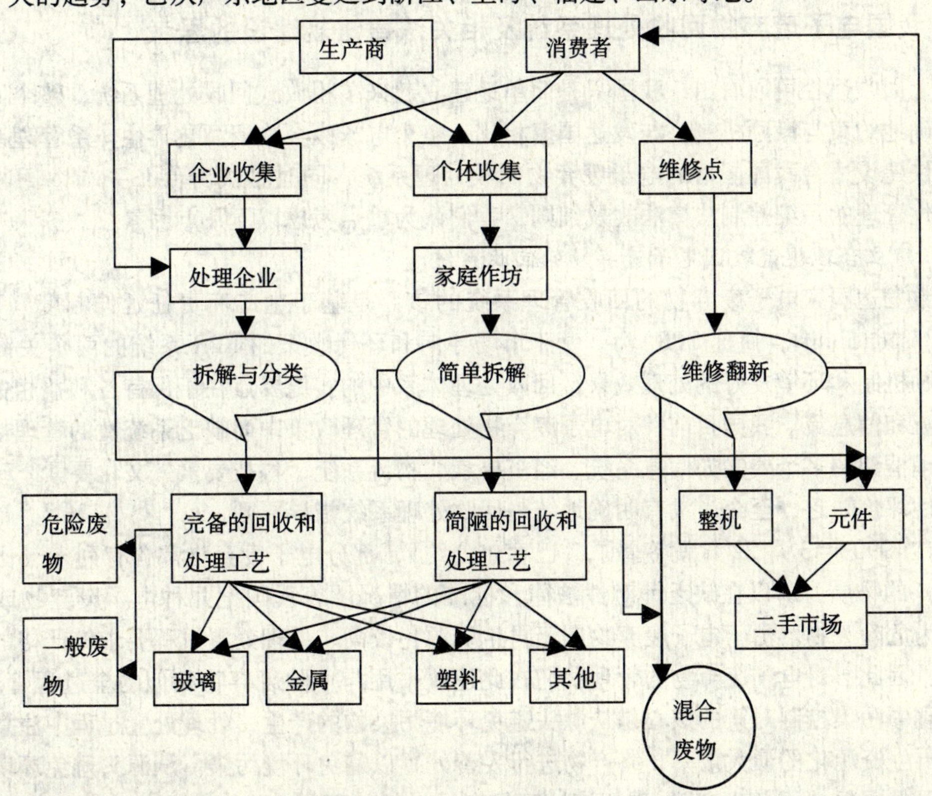

图1　国内现有E－waste回收站

我国E－waste的回收处理途径通常为：通过一定的渠道流入个体回收者、废品收购站、产品维修点或闲置；个体废品收购者走街串巷收购旧电器，然后售给低收入用户；当电子产品无法继续使用时，维修点拆解零部件再用于维修，对不可再利用的零部件通常采用简陋的方法提取贵金属，其余部分则作为垃圾遗弃。在这种粗放式拆解处理处置过程中，一方面资源的回收利用效率较低，另一方面，由于缺乏充分的科技知识，环保意识淡薄，对环境与人体带来潜在的风险。

总结国内现有 E - waste 回收链系统如下：

由于地区经济发展水平差异、民众文化水平等影响，我国目前的 E - waste 回收处理系统具有各地区复杂的自身特点。和国外较成熟的 E - waste 回收处理系统相比，我国具有企业收集、个体收集、维修点回收等多元化回收模式。在处理处置上也相应地出现了处理企业和家庭作坊并存的现象。

（二）电子废弃物环境管理现状

我国对 E - waste 的管理仍处于起步与探索阶段。借鉴发达国家的管理经验，针对我国特色，近年来政府出台的一些文件。2008 年 8 月 20 日国务院第 23 次常务会议通过《废弃电器电子产品回收处理管理条例》（将于 2011 年 1 月 1 日起施行）中明确提出国家鼓励和支持电子废弃物的再生资源化研究。环保部也发布了相应的《电子废物污染环境防治办法》（自 2008 年 2 月 1 日起正式实施），其中体现环保部对 E - waste 的管理将从规范拆解、利用、处置电子废弃物以及产生、贮存电子废弃物的再生资源化过程全程管理的原则。虽然中央政府已明确了对 E - waste 再生资源化过程进行重点管理的宏观环保战略思想，由于废弃电器电子设备种类繁多，产品和处理技术分类模糊，环境与健康影响基础数据不足，相应的法规体系缺乏，导致 E - waste 回收处理及再生资源化管理的细则与污染控制标准不明确，给环保部门有效实施管理，开展污染控制带来困难。

二、我国电子废弃物回收处理系统及相关法律法规建设的思考

从以上回收途径可以看出，我国只是简单地建立起来了粗放式回收处理系统，整个回收体系尚缺乏明确地约束与激励机制。与发达国家相比，整个电子废弃物资源化再生体系管理系统尚有不足。加快建设适合我国国情的电子废弃物回收处理系统，同时尽快出台 E - waste 回收处理及再生资源化管理的污染控制法律法规及细则，我们认为重点考虑以下几点因素：

（一）建立合理规范我国电子废弃物的回收系统

大多数发达国家电子废弃物的回收管理系统的核心是基于生产商责任延伸制度（Extended Producer Responsibility，简称 EPR）[3]。基于市场导向和环保政策的 EPR 系统的两个关键在于市场经济激励机制和环境友好的处理效果，回收处理体系中的实施要点在于保持各利益相关者的物流、资金流和信息流。我国目前针对电子废弃物处理的管理政策中尚缺乏系统性的管理规划，对于构成管理框架的多个要素如信息系统、经济要素、物流系统、科技要素、文化要素、政治要素等的综合性评价缺乏，至今尚没有明确地统一回收处理系统指导原则。

我国在 1990 年 3 月 22 日就签署了《巴塞尔公约》，部分电子废弃物都含有列入《国家危险废物名录》的物质，所以在缺乏针对性法律和标准的情况下，我国把几种电子废弃物或其中零部件均视为危险废物。由于电子废弃物属于再生资源化较高、处理处置过程要求较严格的特殊固体废弃物，因此，对电子废弃物的管理我们在此建议采用与危险废弃物相似的全过程管理原则。全过程管理中污染控制对策的核心是从源头避免环境污染物的产生，处理处置过程中注意综合利用以实现再生资源化的最大效率，终产物进行妥善处置以避免环境污染。从源头避免环境污染物的产生主要是提倡“绿色生产”，采用清洁环保型材料代替那些环境污染大的有毒有害物质，从源头控制污染物的产生和排放量。处理处置过程中的综合利用是实现资源和能源最有效的利用，主要措施有系统内部的回收利用、系统外的综合利用和区域集中管理。电子废弃物处理处置过程中排出的危险废物，可通过系统外的废物交换、物质转化、再加工等措施，实现其综合利用，同时，对处理处置场地进行区域内的集中管理显得十分必要。整个处理处置过程应该是进行无害化

或稳定化处理为主导，提倡清洁生产工艺。对电子废弃物处理终产物进行妥善处置应该以安全处置与定期监控，加强最终产物的风险控制。

真正实现一个有效的电子废弃物全过程管理体系需要兼顾各个相关实体的经济、社会、环境等多方的利益。只有各参与方均从体系中受益，才可能建立有效地持续稳定地再生资源化管理体系，结合我国实际情况，由于多种因素制约，实现理想模式的电子废弃物全过程管理存在一定的难度。目前当务之急是解决系统性管理规划中的几个要素：

1. 建立电子废弃物的管理信息系统

电子废弃物的信息管理和决策支持是建立在模型库和数据库之上的，电子废弃物的管理信息系统应该包括多种信息，如电子废弃物的回收、运输、综合利用、贮存、处理到最终处置的全过程进行管理和控制。管理信息数据库包括：①基于 GIS 信息化管理的电子废弃物的回收网络点、电子废弃物的回收量、种类、相应物流数据库；②电子废弃物的管理政策、制度与法规数据库；③电子废弃物危险特性信息数据库；④电子废弃物综合利用处理处置技术信息数据库；⑤电子废弃物供求信息数据库；⑥电子废弃物处理处置及综合利用数据库，包括处理处置厂家的信息等。数据库既为系统决策支持提供信息来源，同时也可以直接满足管理者在信息方面的需求，例如信息查询、信息储存和信息处理等。

2. 建立电子废弃物处理的资金支持体系

经济要素是建立电子废弃物回收处理系统的关键要素之一。我国电子废物回收和再生利用体系的建设应借鉴瑞士的经验[4]，充分发挥相关行业协会的组织和协调作用，并通过向生产者和进口者收取预付再生利用费的方式，解决电子废物回收和处理资金问题。同时，电子废物的处理也需要强调市场化运作下的政府管理职能。由于基础设施的建设和运营具有规模经济和自然垄断特征，这就要求政府一方面需要制定法规和标准，防止企业受经济利益的驱动而降低服务质量。另一方面，从效率和公平性角度，政府应实施严格的市场准入，通过许可证管理，保证进入该领域的企业具有一定的经济和技术实力，防止过多企业进入导致的资源浪费和恶性竞争[5]。在电子废弃物的处理处置中，也需要尽快出台一些地方政策，支持处理企业进行资源整合，由生产者单独承担本企业产品的回收处理责任，或由若干生产者组成联合体，成立非营利性的回收管理组织，承担电子废弃物的回收管理。以提高电子废弃物的回收处理效率，降低各生产厂家运行和管理成本，体现规模经济和效益。

3. 建立电子废弃物管理的物流系统

稳定的物流系统中包括回收、运输、拆解、处理等物流费用，明确用于支付物流运输和处理成本的责任体。如德国德同电子废弃物 EPR 体系属于竞争模式，系统中没有生产商责任组织（PR0s）对电子废弃物进行回收管理。生产商以合同形式委托处理厂和第三方物流公司代其履行运输和处理责任。处理商在产能允许的情况下，尽量争取更多的电子垃圾以最大化自己的利润，因此形成相互竞争，竞争的结果是处理费用降低。电子废弃物回收再循环系统涉及的各类成本包括回收、分类、拆解、处理等领域。统计表明，管理费用占 20%，运输费用占 50%，注册费用占 5%，处理费用占 25%。德国电子废弃物法规定生产商承担电子垃圾的回收处理费用，但允许生产商将该费用转移给消费者。生产商承担电子废弃物回收处理经济责任的方式可分为两种：独立承担延伸责任形式与集体分摊延伸责任形式。德国所采用的电子废弃物回收处理费用分摊方式是典型的集体分摊责任形式，只有包装材料等短生命周期的产品采用独立承担责任形式。

4. 加大电子废弃物全过程管理的科技投入

尽量从源头控制，倡导绿色生产，目前国外发达国家兴起了“绿色化学”的浪潮，利用清洁“绿色”的生产方式代替传统污染严重的生产方式和工艺，减轻环境污染。从目前我国技术发展状况来看，使用清洁生产工艺的实例不多，清洁生产潜力很大，促进资源的可持续性和集约使用，明确生产者的责任主体化，实现产品的循环过程，实现污染物的减量化、资源化和无害化，这样不仅节约资源、降低成本，还可以维持生态系统的良性循环。通过财政专项、信贷支持、联合研发平台建设等方法，支持公共研究机构和企业进行电子废弃物再生资源化过程中的多种技术研发。

5. 加强文化宣传力度，增强民众的环保意识

有学者曾提出对电子废弃物的回收管理采用自愿协议式管理[6]。经过详细的现场调研，我们认为由于我国各地区发展水平的差异，完全依赖于市场主导的自愿协议式管理并不完全适应于某些以粗放式拆解处理的广大地区。这些地区的民众由于经济原因和环保意识淡薄，以牺牲环境为代价换取一时的发展。因此，解决电子废物的回收处理问题关键是从根本上提高全民文化素质，增大环保宣传力度，增强民众环保意识。

6. 明确地方与中央的监督管理职责，建立社会监督管理体系

建立完善的环保监测系统，明确地方与中央的监督管理职责，不同部门的地方政府之间、不同地区的地方管理部门之间的管理职责，建立完善的社会监督管理体系。

（二）加强相应的法律法规建设，为电子废弃物管理提供科学依据

2002 年是我国电子废弃物立法的起始之年。2002 年 5 月原国家经贸委提出“将研究建立再生资源回收利用管理体系，组织制定《再生资源回收利用管理条例》、《废旧家电、电脑回收利用管理办法》，研究促进再生资源回收利用的激励政策，开发再生资源回收利用一体化示范点”。我国从 2002 年 6 月开始禁止进口电子废弃物，有关部委就研究制定电子废弃物的管理方法纷纷开展工作。为改变电子产品生产和废弃电子产品处理无标准可循的现状，我国在积极制定相关法律法规的同时，也组织电子产品设计、生产和处置单位与有关行业协会共同编制电子产品生产企业污染物排放标准，对电子产品生产企业和废弃电子产品处理处置企业处理过程进行规范。2004 年 10 月，国家环保总局召开了“电子行业污染物排放标准讨论会”，明确了制定有关电子行业污染物排放标准的重要性。2005 年 2 月，国家环保总局下达了 12 项环境保护标准修订工作任务的通知，其中的 6 项是关于电子污染物的标准，这 6 项标准计划于 2006 年底完成。2005 年 3 月，国家环保总局委托信息产业部就电子产品的生产过程中污染防治和电子废弃物的处理与处置制定 6 项国家标准。目前，《电子信息产品中有害物质的限量要求》、《电子信息产品中限用物质的检测方法》、《电子信息产品污染防治标识及要求》、《无铅焊料的化学成分》等几项已经完成了送审稿。2005 年 6 月，国家环保总局委托信息产业部编制的《废弃电子电器产品处理技术规范》开始制定。该规范在制定中体现了循环经济的观念，涉及的产品和技术种类多，它的制定将解决目前我国在电子废弃物处理与处置无技术规范的局面。通过一年多的编制，目前该技术规范主要内容已经形成，覆盖了电子废弃物从接收与收集、运输、贮存、一直到拆解和处理的整个流程。

虽然我国新修订的《固体废物污染环境防治法》已于 2005 年 4 月 1 日生效实施，国家环保总局同时也颁发了《关于加强废弃电子电气设备环境管理的公告》、《危险废物经营许可证管理办法》等文件，但这些法律文件主要是方向性和原则性的，可操作性不强，需要进一步针对电子废弃物进行更细更具有操作性的立法，如包括回收处理资质认定、污染防治责任主体、责任承担机制等，这样才能达到法律所要达到的真实目的。

尽快出台电子废弃物的污染控制细则及法规文件，随着我国社会经济和环保事业发展，现行环境保护标准和技术规范暴露出一些亟须解决的问题：现行的污染物排放标准体系不完善，行业针对性不强，综合排放标准难以控制一些行业重点污染物的排放，有的标准使用时间过长、技术依据不够充分，致使宽严尺度不合理，执行困难。我国目前普遍采用的《大气污染物综合排放标准》（GB 16297—1996）和《污水综合排放标准》（GB 8978—1996），这两个标准只是综合的排放标准，其中没有关于电子行业的专门规定。随着现代电子工业的飞速发展，新的污染物也随

之产生，特别在废电子电器产品方面缺乏控制方法，亟须标准进行规范、控制。由于废弃电器电子设备种类繁多，产品分类或处理技术分类模糊，管理依据的多种环境基础数据不足，如含有阻燃剂混合塑料的识别和分离技术，环境与健康影响基础数据不足等原因制约，导致相应的法规体系缺乏，导致 E - waste 处理处置过程管理细则与污染控制标准不明确，给环保部门有效地实施管理带来困难。

因此，欲建立电子废弃物全过程管理的系统性的法律法规决策支持系统，目前亟须解决几个问题：

1. 电子废弃物的分类

由于废弃电器电子设备种类繁多，产品分类或处理技术分类模糊，使得管理依据较为含糊，我们建议将电子废弃物的回收分类与处理处置分类分开进行。这是鉴于我国实际电子废弃物处理处置情况。因为我国目前尚未建立以企业为主体的回收处理模式，在南方广大地区依然存在明显的拆解产品产业链。因此，对拆解产品的处理市场趋向于以拆解后的部分为主。这样的分类有利于环境管理部门的标准出台。

2. 缺乏制定标准依据的环境与健康影响科技支撑数据

由于多种因素制约，含有阻燃剂混合塑料的识别和分离技术，环境与健康影响基础数据不足等原因制约，导致制定管理依据的标准或细则等产生“瓶颈效应”，目前尚缺乏针对电子废弃物全过程管理的依据标准及细则。

三、结　论

由于我国各地经济、文化等差异，电子废弃物的管理不可能一概而论，摆在环保工作者面前的将是一个艰巨的任务。

参考文献

[1] 吴雯杰，王景伟，王亚林，等. 对我国电子废弃物处理技术规范制定的思考［J］. 上海第二工业大学学报，2007，24（2）：134 - 139.

[2] 吴彩斌，向速林，姜宾延. 电子废弃物综合利用技术现状及其对策分析［C］. 中国环境保护优秀论文集，2005：1624 - 1627.

[3] 王兆华，尹建华. 基于循环经济的电子废弃物回收管理与资源化对策研究［J］. 工业技术经济，2006，25（12）：44 - 46.

[4] 滕吉艳，林逢春. 典型电子废物回收再利用体系对社会环境影响［J］. 环境卫生工程，2006，10，14（5）：49 - 53.

[5] 徐成，林翎，陈利. 瑞士电子废物法规和技术标准研究［J］. 环境科学与技术，2008，2（31）：152 - 154.

[6] 杨高英，雷兆武，刘茉，等. 电子废弃物循环利用与自愿协议式管理［J］. 环境科学与管理，2006，11，31（8）：31 - 34.

我国城市生活有机垃圾处理技术分析与展望

徐晓燕

（天津农学院资源环境科学系　天津　300384）

摘　要　本文通过对我国城市生活有机垃圾处理的各种技术的分析与评价，结合世界垃圾处理技术的最新进展和发展方向，提出我国要根据国情和各地区域情况实行多元化垃圾综合处理系统，重点在于垃圾的源头分类收集、原始技术创新和产业化推进。

关键词　填埋法　焚烧法　堆肥法　生物系统技术

城市生活有机垃圾是指城市居民日常生活中或在为城市日常生活提供服务的活动中所产生的有机废弃物，是城市垃圾的主要组成部分，在城市建设期可占20%～30%，在城市生长期可占50%～60%，在城市成熟发展期高达70%～80%。其主要特点是成分复杂，含水量高，易于腐败变质，有些有机物甚至不易或难处理。垃圾中有机物成分是污染其他垃圾的根源，是造成污水横流，臭味熏天的原因，也是造成垃圾分类收集处理困难的原因，因此进一步加强我国城市垃圾的环境管理，提高城市垃圾的处理处置水平已迫在眉睫。目前，世界各国都在研究处理城市垃圾的方法，以减少垃圾的污染程度，但是均以混合垃圾为对象，没有针对其中的有机物。以下是城市垃圾处理的几种方法。

一、垃圾处理单一技术方式及评价

（一）填埋法

填埋法是将垃圾尽可能减容后，与外界隔离，使垃圾在厌氧条件下发酵，以达到无害化处理和避免环境污染的一种垃圾处置手段。

填埋法主要存在垃圾渗滤液对水环境的影响及有机物厌氧分解产生废气对大气环境的影响问题，因此，必须在填埋场地的底部敷设防渗材料，铺设集水气管线。垃圾分层填埋压实并覆盖土层，直到整个填埋场完全填满、封坑覆土。

1. 卫生填埋的主要优点是：投资省，运行费用低，设施和设备较为简单，操作管理方便。

2. 卫生填埋的缺点是：填埋场占地面积大；水汽污染严重，填埋场臭气扩散、渗滤液多而且处理难度大、二次污染较严重，并且存在垃圾层产生的甲烷气体易爆、垃圾有害物质诱发疾病的危险；资源综合利用差，填埋处理同时埋掉了大量可回收利用物质。因此，卫生填埋法作为单一的垃圾最终处理方式的地位将越来越减弱，卫生填埋的处理对象应是经过资源化、减量化之后的垃圾。由于城镇建设规模日益扩大，在城市近郊寻找合适的填埋场地越来越困难，远离城市的填埋场将增加更多的运输费用，而且随着填埋处置标准的提高，填埋法的处理成本也会越来越高。由于采用其他工艺技术处理城市生活垃圾，最终都含有一定数量的残渣（包括无机物和不可燃物）。因此，卫生填埋是一种其他处理方法不能处理的固态残余物的最终处置方式，将与其他垃圾处理方法长期共存。

（二）焚烧法

垃圾在高温下燃烧，有机可燃成分氧化成简单气态氧化物，无机不可燃成分则形成稳定的固体残渣。采用焚烧法处理生活垃圾是工业发达国家广泛采用并且是卓有成效的办法。实践证明，焚烧法能够最大限度地实现生活垃圾的减量化、无害化和资源化，而且具有占用土地资源最少的优点。该法最大的问题是建厂投资高、操作运行费用较高、设备比较复杂；同时，为了保证垃圾正常燃烧，要求垃圾具有一定热值。

国外经济发达国家的生活垃圾焚烧技术源于19世纪末，至第二次世界大战后，焚烧技术迅速发展，如今，欧洲共同体、美国、日本的焚烧技术居世界领先地位。使用焚烧法的必要条件是垃圾中含有一定比例的可燃物（低位发热值应大于4127 kJ/kg），垃圾中的水分含量也不宜过高。20世纪80年代以后，国内一些省市引进了国外先进焚烧技术和设备，但由于当地垃圾的构成及理化指标与国外存在差异，实际运行时出现各种问题。因此，在引进、消化国外焚烧技术的同时，需要综合考虑当地垃圾的焚烧特性及变化趋势，研究开发具有自主知识产权的焚烧技术及设备。

1. 采用焚烧法处理垃圾的优点是：垃圾减容、减重能力较强；无害化彻底；占地面积小；可利用焚烧余热发电和供热。可见，对于那些城市生活垃圾热值高，土地紧张，地下水位高，用填埋法处理垃圾容易造成地下水污染的经济发达的大城市，采用垃圾焚烧技术不失为一种垃圾无害化处理的重要措施。

2. 焚烧法的缺点：设备复杂、一次性投资大；尾气控制不好会产生致癌物质二恶英，对有害气体的控制和处理是垃圾焚烧工艺不可缺少的环节；日常运行费用高，不是最终处理方式，但对于那些不能回收利用的废弃物，焚烧法应是比较科学、合理的处理方式。

3. 垃圾焚烧技术发展的动向是垃圾焚烧厂尾气净化技术，特别是二恶英等污染物的消除越来越受到重视，垃圾焚烧余热综合利用技术将进一步完善。为满足日益严格的环保要求，焚烧技术向着烟气净化、残渣与废水处理以及废热回收等设备整体化方向发展。

（三）堆肥法

所谓的堆肥处理，就是将垃圾与人畜粪尿、作物秸秆、杂草树叶等混合堆起来，在微生物的作用下，使其中有机物腐熟，成为一种含氧丰富的腐殖质，将其中的有机可腐物质转化为土壤可接受的有机营养物，基本实现垃圾的无害化，资源化。

1. 堆肥处理的优点是投资及运行费用低。虽垃圾处理投资费用略高于卫生填埋，但远低于焚烧；可作为有机肥利用；经营得当可产生经济效益。

2. 堆肥处理的缺点是：有机质流失多，肥效差。如果堆肥前没有分拣垃圾中的金属、玻璃、塑料等杂物，堆肥质量与安全难以保障，在成本、肥效上都难以与化肥竞争；传统堆肥法堆肥周期长，占地面积大，需较多生产周转和仓储场地，环境卫生条件差，不是最终处理方式 。单一的堆肥法不是城市生活垃圾的主要手段之一。堆肥法只有与其他方法（填埋、焚烧等）相结合，并采用快速发酵技术，才能成为一种有前途的垃圾处理技术。

3. 利用有机垃圾制作堆肥的改进技术

（1）堆肥养分含量不高，主要用作土壤改良剂。为适应不同用户要求，提高肥效，需针对不同情况，添加富含不同元素的肥源。国外已有这方面的业绩，但使堆肥成本提高，影响销售。

（2）我国城市垃圾均为混合收集，其中含塑料、玻璃、金属等非堆肥物相当多，使处理效率低、成品率低，从而垃圾减量化效果不高，也造成堆肥质量不佳，使销路受到限制。

（四）生物系统转化处理技术

城市生活有机垃圾生物系统转化处理技术就是以昆虫为核心，结合微生物菌剂，特种杂草，蚯蚓等一系列相关的生物构建的人工生物系统，最终将昆虫资源进行产业化开发，形成特色生态养殖，虫粪基生物强化有机肥、蛋白质及脂肪等。

腐食性昆虫，也称为环境昆虫，其自然特性就是取食环境中的不同腐败程度的有机物质，生物系统技术就是将“自然界中的清道夫”转变成为“人为产业化的清道夫”。

利用养殖蚯蚓处理城市垃圾，优点为无污染，投资少、见效快。由于蚯蚓的食量大，消化力强，垃圾的处理率高。试验表明，每条蚯蚓可吞食的垃圾量为体重的218倍，100万条蚯蚓每个月处理垃圾为24~36t，蚯蚓粪是很好的有机肥料。蚯蚓还可作为饲养动物的蛋白质来源之一。我国的台湾省及美国、日本、缅甸、印度等均利用此法处理垃圾，近年来，我国一些环境卫生科学研究所，也开展了用养殖蚯蚓处理垃圾的研究。

二、适合我国国情的垃圾处理

我国应该根据具体国情探索出一条综合处理与资源回收利用相结合的垃圾处理的路子。发达国家在综合处理方面已经有焚烧与填埋相结合，堆肥与填埋相结合，堆肥与焚烧、填埋相结合等的例子。在资源回收方面早已有各种各样的垃圾分选和回收技术、设备，将金属、玻璃、塑料、纸板等回收利用，将有机垃圾生产肥料、气体燃料、液体燃料和化学物质，利用填埋气进行发电，用焚烧热能发电和产生热能。目前我国采用的是堆肥、焚烧与填埋三结合处理。在我国垃圾成分中，有机垃圾占60% ~70% ，其中的含水量达到70%，因此造成了焚烧的困难；高水分的垃圾即使填埋也会造成大量的高浓度的垃圾渗出液。

根据我国垃圾成分的具体特点，焚烧和填埋处理十分困难，处理价格昂贵，还会造成严重的二次污染。而综合处理则将60% ~70%的有机物用于生产堆肥，不仅可避免高水分含量给焚烧带来的麻烦，也可避免渗出液造成严重的二次污染；同时还可促进城乡生态循环，获得良好的经济效益。这部分垃圾进行焚烧所产生的能量只需50%即可供全部垃圾堆肥，还有50%的热能可做其他用途。若采用目前最先进的气化发电技术，则可解决整个垃圾综合处理厂所需的全部电能，至于无机垃圾可用做建材或进行卫生填埋。由于无机垃圾中有机质含量很低，填埋场可大大简化，投资可大幅降低、只要采取比较简单的措施便可避免二次污染。基于这些原因，我国采用城市垃圾综合处理与资源回收利用相结合的方法是符合中国国情的。

（一）多元化垃圾综合处理系统

任何一种垃圾处理技术都有各自的优势和局限性，单靠一种处理技术难以满足城市生活垃圾处理要求，所以生活垃圾处理最理想的发展方向为多元化垃圾综合处理系统。针对不同的垃圾采用相应的处理方式，所谓综合处理系统就是卫生填埋、焚烧、堆肥等多种垃圾处理技术的有机结合，充分发挥各种垃圾处理系统的优势，扬长避短，从而真正实现生活垃圾的无害化、减量化和资源化。实行多元化垃圾综合处理系统，不仅可以完全处理垃圾，而且可以优化各种处理技术的条件，降低处理成本。随着经济的快速发展，尤其是在垃圾产生量大的大城市，这种方法可以使垃圾得到合理处理和利用，使资源充分回收，提高处理效率。

（二）不同区域要根据具体情况合理采用适当方法

目前我国大多城市时机不成熟或能力不足以进行垃圾焚烧处理，而堆肥处理或厌氧发酵一是受市场因素影响不可能建设很大的处理厂；二是即使处理后仍有大量废物需要填埋或焚烧处理。因此，对于绝大多数城市，目前还应首先建设垃圾卫生填埋场，先解决垃圾消纳和无害化处理问题。然后在有能力的条件下再考虑提高处理和利用水平。在中国的中西部地区，由于经济不太发达，人口密度相对小，因此在这些地区应优先选择卫生填埋方法。而在经济发达和沿海地区可以采用粗分选后焚烧、堆肥和填埋相结合的方式来处理城市垃圾。

参考文献

[1] 翟虎渠．农业概论［M］．北京：高等教育出版社，1999.

[2] 郑易生，钱薏红．中国问题报告：深度忧患——当代中国的可持续发展问题［M］．北京：今日中国出版社，1998.

[3] 包建中．中国的白色农业［M］．北京：中国农业出版社，1999：1－14.

[4] 刘玉升．构建腐屑生态体系开辟农业生产新战场［J］．农业系统科学与综合研究，2000，16（1）：57－59.

[5] 刘玉升，包建中，周长路，等．“三色农业”与生物资源的可持续利用［J］．现代化农业研究，1999，20（增刊）：17－19.

[6] 卞有生．生态农业中废弃物的处理与再生利用（第二版）［M］．北京：化学工业出版社，2005.

四川省电子废弃物处理现状及对策建议

朱天开

（四川省循环经济促进会　成都市西御街31号　610015）

摘　要　介绍四川省电子废弃物（废旧家电及电子产品）产生处置现状、存在的主要问题，并提出环境管理的对策和措施。

关键词　废旧家电及电子产品　处理　环境管理　对策

一、四川省电子废弃物的产生及处理现状

（一）电子废弃物产生的速度快、数量大

四川是我国西部经济和人口大省，随着社会经济迅猛发展，电子废弃物产生的速度越来越快，数量越来越多。据统计资料显示，2003年四川省平均每百户城镇居民家庭彩电拥有量为130.03台，电冰箱拥有量为90.39台[2]，特别是成都市城市居民彩电拥有量143.4台，空调55.2台，影碟机71.9台，手机94.9部；而成都市农村家庭彩电拥有量为96台，电冰箱26台，空调4.1台，影碟机50台，电话机为55部[3]。以手机寿命为3年，电视机寿命10年，电脑寿命8年，冰箱寿命10年，空调寿命12年，洗衣机寿命10年，复印机寿命7年，依据四川省电子电器产品零售量推算，四川省以后每年需要处理的电子废弃物的数量见表1。

表1　四川省需处理的电子废弃物数量

年份	彩电/万台	洗衣机/万台	空调/万台	冰箱/万台	电脑/万台	手机/万台	复印机/万台
2003	142.32	77.76	9.36	89.56	2.13	109.64	2.52
2004	137.32	82.92	18.36	97.44	7.806	162.92	3.4
2005	150.4	111.68	38.72	109.28	50.256	246.64	3.72
2006	144.48	98.64	77.92	105.8	149.116	522.56	3.96
2007	196.12	115.24	135.72	109.92	306.116		4.08
2008	243.48	140.84	156.44	129.64	511.416		5.72
2009	286.6	136.68	158.8	120	632.536		6.84
2010	322.76	135	163.48	135	681.376		
2011	353.72	152.2	149.08	141.84	739.36		
2012	398.88	178.44	168.4	164.56			
2013	447.84	204.68	175.12	189.92			

（二）电子废弃物危害大但潜在价值高

电子废弃物是毒物的集大成者。如1台15英寸的CRT电脑显示器就含有镉、汞、六价铬、聚氯乙烯塑料和溴化阻燃剂等有害物质，电脑的电池和开关含有铬化物和水银，电脑元器件中还含有砷、汞和其他多种有害物质；电视机、电冰箱、手机等电子产品也都含有铅、铬、汞等重金属；激光打印机和复印机中含有碳粉等。如果将废旧电子产品作为一般垃圾丢弃到荒野或垃圾堆填区域，其所含的铅等重金属就会渗透污染土壤和水质，经植物、动物及人的食物链循环，最终

造成中毒事件的发生；如果对之进行焚烧，又会释放出二恶英等大量有害气体，威胁人类身体健康，“贵屿现象”就是一个活生生的例子[4]。但从资源回收和循环利用的角度看，电子废弃物的潜在价值很高，是许多宝贵资源的富集地，废旧电器等电子垃圾全身都是宝，是可以开采的新型资源。以计算机为例，其成分如下：钢铁约占54%、铜铝20%、塑料17%、线路板及其他1%，而线路板还含有金、银、钯等许多贵重金属。随着矿产资源逐步衰竭和科学技术水平的不断提高，废旧电子电器产品将成为未来许多珍贵原材料的主要来源。

（三）电子废弃物回收处理形势严峻

据调查，四川省内电子废弃物的处理方式主要有三种，一是简单维修后经旧货市场转卖继续使用；二是作为垃圾被丢弃；三是拆解回收原材料。目前四川省电子废弃物回收处理存在的问题非常严峻，电子废弃物整体处于无序回收状态，基本上都由个体小商、小贩回收，而处理环节大多是由手工作坊完成，总体回收率不足国内平均指标的60%。他们采用最简单的方法进行拆解，把自认为有价值部分的材料卖出（大多是卖出钢材、塑料、木材等价值较低的部分），而把自己无法处理回收，一般都是有毒有害，价值也最珍贵的稀缺名贵原材料作为垃圾随意丢弃。这种原始落后的处理方式，不仅会造成严重的环境污染，而且会对二级消费者带来安全隐患，对人民的身体健康造成极大危害，更会造成极大的资源浪费。目前，四川省上规模、上水平、专业的电子废弃物回收处理工厂非常少，基本上还处于空白领域，成都地区也只有彭州市的“仁新电子废弃物再生利用（四川）有限公司”经营较好。正规的废旧电子拆解专业化处理厂，按照国家法律法规及行业标准处理电子废弃物，环境污染小，再生利用率高，但加工回收成本也高，在回收价格上没有优势，与小商小贩相比，反而没有竞争优势。

二、四川省电子废弃物管理存在的主要问题

目前，四川省电子废弃物的处理及环境管理主要存在以下问题：

（一）思想认识不到位

一些政府及其部门负责人对在全球资源日趋贫乏枯竭的大背景下建设“资源节约型、环境友好型”社会的重要性认识不深刻，对发展循环经济，走可持续发展道路口惠而实不至，对充分利用废旧资源，变废为宝产生的潜在经济价值不屑一顾，对废旧电器不合理处置造成的资源浪费和环境污染熟视无睹，在工作中放任自流，疏于监管。社会公众对电子垃圾的危害、回收、处置以及再利用价值的认识存在一定的盲区，对电子垃圾以及传统垃圾分类了解不多，对电子垃圾中的有害物质给人体及周边环境造成的危害认识不足，潜意识地认可了二手市场不当交易行为和非法回收渠道的存在。

（二）政策法制不健全

近年来，我国先后出台了《电子信息产品污染控制管理办法》、《废弃家电与电子产品污染防治技术政策》等政策法规，为推动电子垃圾的无害化、资源化处置发挥了积极作用。但至今仍没有制定一部专门规定电子产品生产、销售、回收和处置的法律，废旧电子产品缺乏完善的管理体系、组织体系。电子垃圾的管理涉及工业信息、商务、海关、质检、环保等多个部门，相互间存在职能交叉、职责不清、推诿扯皮的问题。各级政府及其部门的职能职责不明确，生产、经营和消费者的权利义务不清楚，责任不落实，电子废弃物回收利用的管理不规范。此外，国家鼓励和扶持废旧电器物处理的优惠政策措施不配套，没有形成长效机制。

（三）处置技术不先进

电子废弃物含有大量有毒有害物质，要想实现电子废弃物的无害化处置和回收利用，需要先进的技术、工艺和设备，也需要较大的投资。目前四川省电子废弃物收集与处置工作还处于起步阶段，既没有规范有序的回收系统和渠道；也没有统一的技术规范和工艺流程；更没有先进的现

代化设施设备。基本上是由收废品的小商小贩上门收购，能继续使用的经简单维修后流入农村或边远山区，不能继续使用的则人工拆解回收。大多数废家电拆解企业设备简陋，回收处理工艺和技术落后，回收率低。加之没有环境污染防治设施，存在着严重的环境污染隐患，经济效益和社会效益均很低。在欧美等发达国家，废旧电器回收处置早已形成体系，且处置工艺十分先进。在我国东部地区，2003 年国家发改委选择浙江省和青岛市（一省一市）率先开展废旧电器回收及资源化利用试点工作。2005 年又确定山东省为循环经济试点省，将废旧电器再生资源回收利用体系的建设列为发展循环经济的重要工作内容。这些地区的经验值得四川学习借鉴。

三、对策建议

（一）加强宣传教育，提高思想认识

加强对各级领导的宣传，让决策层牢固树立循环经济和可持续发展观念，从组织和领导上更加重视电子废弃物回收处置工作。加强对社会公众的宣传，提高公众对电子废弃物及其环境污染危害的认识，增强环境法制观念和污染预防意识，让公众知道如何处理处置废弃电子产品，以及随意丢弃废旧产品或不正确拆解可能带来的危害。引导和鼓励消费者优先购买对环境有利的电器电子产品，以及对电器电子产品废弃后负责到底企业的产品。开展资源节约、资源回收利用宣传教育活动，在全社会树立推动资源回收利用向纵深发展。加强对电子废弃物回收处置企业的宣传教育，增强企业节约资源，保护环境的社会责任感。

（二）完善政策法制，强化监督管理

加快电子废弃物管理立法，制定和完善相应的政策法规，使生产商和消费者有法可依、有法必依。依法落实各级政府和部门的责任，各部门按照自己的职责制定相关的经济技术政策，促进电子废弃物管理走上专业化和正规化的发展道路。建立完善电子废弃物回收渠道，实行生产者负责制度，即谁生产销售谁负责回收利用，落实生产者在整个产品生命周期中的法律责任。加强政府宏观调控作用，加大对相关企业和流通环节的政策性引导，政府在土地、工商、税收、城管、公安、环保和资金等方面给予扶持，引导企业走良性循环的发展道路。加强二手市场管理，加大对非法回收渠道的打击力度，对无证、无资质、无技术、无设备擅自回收、拼装、拆解处理废旧家用电器的小商、小贩、小作坊坚决取缔，以规范电子废弃物回收处理市场，为电子废弃物回收处理企业创造一个良好的生产经营环境。

（三）建立科技平台，扶持体系建设

针对废旧电器物的资源化综合利用技术研究较少，科技成果转化慢，应用推广网络不健全的问题。积极深入研究和开发先进的符合中国国情的废旧电器物资源化及无害化综合利用技术。建立废旧家电再生利用的科技成果转化平台，整合科研、生产企业的力量，综合考虑技术水平、环境问题、政策支持等，使科技成果尽快转变为生产力。尽快形成规范配套的工艺技术流程，制造先进配套的处理处置装备设施，使拆解处置回收率大大提高，使回收效益显著提高，使回收处置者有利可获。

参考文献

[1] 四川省统计局．四川统计年鉴—2009 [M]．2009.

[2] 成都市统计局．成都统计年鉴—2004 [M]．2004.

[3] 王莹．广东贵屿：为电子垃圾污染敲响警钟 [N]．人民日报，2004－05－17.

医疗废物处置现状及技术探讨

刘　波[1,3]　廖洪强[2]　王忠卫[1]　余广炜[2,3]　李世青[2]

（1. 山东科技大学；2. 首钢总公司环保产业事业部；3. 北京首科兴业工程技术有限公司
北京市石景山区石景山路68号　100041）

摘　要　综述了目前国内外医疗废物处置现状及技术发展趋势，比较分析了不同处置技术的优缺点。针对医疗废物有机物含量较高、热值较高的特点，结合我国钢铁企业现有优势，提出了利用传统焦化工艺高温炭化处理医疗废物的技术思路。

关键词　医疗废物　钢铁企业　焦化工艺　高温炭化

一、医疗废物处理技术现状

医疗废物具有传染性、感染性、潜伏性、危害面广，并可能给人类带来灾难性危害的特点，世界各国对医疗废物的处置十分重视，先后制定了相关法律法规来加强管理，同时也开发了多种技术来实现医疗废物的无害化处理和资源化利用。目前，国内外医疗废物处置方法主要有：高温高压蒸汽灭菌法、化学消毒法、电磁波灭菌法、等离子体法、高温焚烧法和热解法[1-3]。

高温高压蒸汽灭菌法是将医疗废物分拣破碎后，利用高温高压蒸汽（表压100kPa，121℃工艺条件下运行20min以上）杀灭细菌等微生物的过程。它具有工艺简单，操作方便，灭菌迅速彻底的特点，适宜处理感染性强的医疗废物，如微生物培养基、敷料、工作服、注射器等。该技术的缺点主要表现在：废物要求分拣和破碎，操作人员受感染几率高；处理过程中会产生有毒的废气和废液，污染环境；废物减量效果不明显；不适用于处理病理废弃物、液态废弃物、手术切割物和挥发性化学物质。目前高温高压蒸汽灭菌技术在发达国家已逐渐被限制使用。

化学消毒法是将破碎后的医疗废物与一定浓度的消毒剂（次氯酸钠、过氧乙酸、戊二醛、臭氧等）混合反应，在足够的接触时间内分解其中的有机物并杀灭有害微生物的过程。该技术具有工艺设备和操作简单方便，消毒过程迅速的特点，但缺点是医疗废物处理前要进行分拣和破碎，而且过程中使用的消毒液对人体有害。另外，化学消毒法不适用于处理化学疗法废弃物、放射性废弃物、挥发和半挥发性有机化合物等。

电磁波灭菌法是将微生物置于电磁波能量场中，利用微生物细胞选择性吸收能量的特性，使其自身产生高温，以此杀死病原微生物的过程。经电磁波处理后的医疗废物可以作为生活垃圾进行卫生填埋，也可以进行余热利用。电磁波灭菌法在美国、澳大利亚、德国和菲律宾都有应用实例，尤其在美国采用这种方法处理医疗废物的机构较多。该法具有灭菌效率高、处理过程不需加入化学消毒剂等优点，但缺点是废物减量效果不明显，而且工程建设和运行费用较高。

等离子体法是美国在20世纪90年代研发的用来处理危险废物的新技术，其原理是利用惰性气体电离时产生的高温杀死病原微生物。研究表明：等离子体技术可以将废物变成玻璃状固体或炉渣，产物可直接进行最终填埋处置。该技术可以处理任何形式的医疗废物，并具有处理效率高，二次污染小等优点。但该技术投资和运行费用较高，而且目前我国还未掌握其核心技术。

高温焚烧法是对医疗废物进行高温热化处理的一种技术，废物在800～1000℃的高温条件下燃烧，转化为气体和性质稳定的残渣。焚烧过程中释放出的能量可回收利用，残渣经处理后可直接填埋。作为目前国际上首推的医疗废物处置技术，高温焚烧法具有消毒杀菌彻底，减容减量效果明显，技术成熟、稳定安全等优点。但该技术存在以下问题：由于医疗垃圾中含有大量的PVC类一次性医疗用品，增加了焚烧过程中产生二恶英类物质的可能性；由于采用富氧燃烧，造成系统烟气处理量较大，增加了后续烟气处理的成本；焚烧专用设备投资及运行、维护费用较高。

目前医疗废物高温焚烧技术在美国、日本、欧盟各国被广泛采用。如日本在2000年时，全国共有医疗废物处置单位382家，其中采用焚烧技术的单位360家，所占比例高达94%[4]。我国医疗废物高温焚烧技术起步较晚，目前许多医院都是自己配备小型医用焚烧炉分散处理可燃医疗废物，但由于处理量少，运行费用较高，导致实际使用率很低。因此，从总体水平来看，我国高温焚烧工艺技术相比发达国家还很落后，焚烧过程难以实现达标排放[5]。

为了解决高温焚烧过程中产生的烟气污染问题而兴起的医疗废物热解技术是将医疗废物在无氧或缺氧状态下加热，使之分解为燃气、焦油和灰渣的化学过程。该工艺不仅能将医疗垃圾中的病原微生物彻底杀死，而且可以将废物中氯、硫、氮等元素分别转化为氯化氢、硫化氢和氨气，并用碱性液体洗涤吸收，废物中的大部分重金属被固定在残渣中，所以从原理上杜绝了二恶英和重金属剧毒物质的产生与扩散。热解技术与高温焚烧技术相比主要具有以下优点：医疗废物热解转化成燃气、焦油和残碳，相比焚烧技术资源化利用程度更高；NO_x、SO_2、HCl、二恶英及烟灰等污染物排放量小，节省工艺尾部净化设施的建设和运行费用。目前，热解技术在实际应用中存在的主要问题是系统工艺相对复杂，初投资和运行成本较高。

综上所述，相比其他处置技术，医疗废物热解技术具有无害化处理彻底，资源化程度较高，二次污染易于控制，从原理上杜绝了二恶英和重金属等剧毒物质的产生与扩散等优点，因此具有很大的发展潜力。但如何解决其中的技术难题，精简系统工艺流程，进一步降低其初投资和运行成本，将直接影响该技术的推广应用。

二、医疗废物高温炭化技术

为了解决热解技术在实际应用中存在的问题，在遵循医疗废物无害化和减量化处置的原则下，结合我国钢铁企业现有的炼焦炉系统、化产回收系统和焦炉煤气净化回收系统，提出利用传统焦化工艺高温炭化处理医疗废物的技术思路，从而实现医疗废物的高效资源化利用。

（一）技术背景

在钢铁企业中，有许多成熟的高温冶炼技术、设备及其完善的后续处理系统，如炼焦炉及其焦炉煤气处理系统、高炉炼铁及其高炉煤气净化系统、加热炉及其烟气余热回收系统等，这些技术和装备除了冶金生产功能以外，还具有消纳处理大宗废弃物的功能。早在20世纪90年代，德国、日本等国家已经开始大规模利用钢铁冶金工艺处理城市固体废弃物。如德国不来梅钢铁公司最早实现了高炉喷吹废塑料技术，并于1995年建成了高炉喷吹7万t/a废塑料粒的装置；日本新日铁公司成功开发了用普通废塑料作焦炉炼焦原料的技术，并随后建立了年处理废塑料达12万t的工业生产线[6]。近几年我国在相关技术上也取得了突破，我国首钢总公司[7]在国内率先实现了废塑料与煤共焦化技术，并申请了多项有关利用焦化工艺处理固体废弃物的专利。在上述研究的基础上，考虑到医疗废物有机物含量较高、热值较高的特点，笔者认为利用焦化工艺高温炭化医疗废物具有一定的技术可行性。

（二）技术原理

医疗废物高温炭化技术是医疗废物热解技术与现有炼焦炉高温炭化技术的有机结合，其基本思路是充分利用传统焦化工艺中的系统和设备，包括炼焦炉、化产回收系统和煤气净化回收系统来代替热解炉及其相关的回收净化系统，从而大大减少热解法处理医疗废物的初投资和运行成本。该技术的基本原理是将医疗废物与焦粉混合后，通过全密闭运输和给料系统送入焦炉中，并在焦炉内进行高温炭化处理，最终转化为半焦、焦油和可燃气。医疗废物中的有毒有害元素，包括氯、硫、氮等，在高温炉内发生热分解反应和还原反应，最终生成氯化氢、硫化氢、氨气，这些气体经焦化工艺的化产回收系统和气体净化系统集中处理，其中氯化氢和氨气溶入水中形成氯化铵盐，可进行回收处理；硫化氢进入脱硫工序，通过催化反应，转变为单质硫进行回收，从而实现医疗废物的高效资源化利用和无害化处理。

医疗废物高温炭化技术原则性工艺流程如图 1 所示。该工艺首先将袋装密闭医疗废物与粒度范围为 10～20mm 的焦粉混合，在密闭负压操作下，经皮带输送进入炭化室进行高温炭化，炭化过程中保证焦饼中心温度达到 1000～1100℃。经高温炭化后，医疗废物与焦粉共焦化为半焦、焦油和可燃气，其中半焦可作为燃料使用，焦油可作为重要的化工原料，可燃气可用于发电及系统自耗。

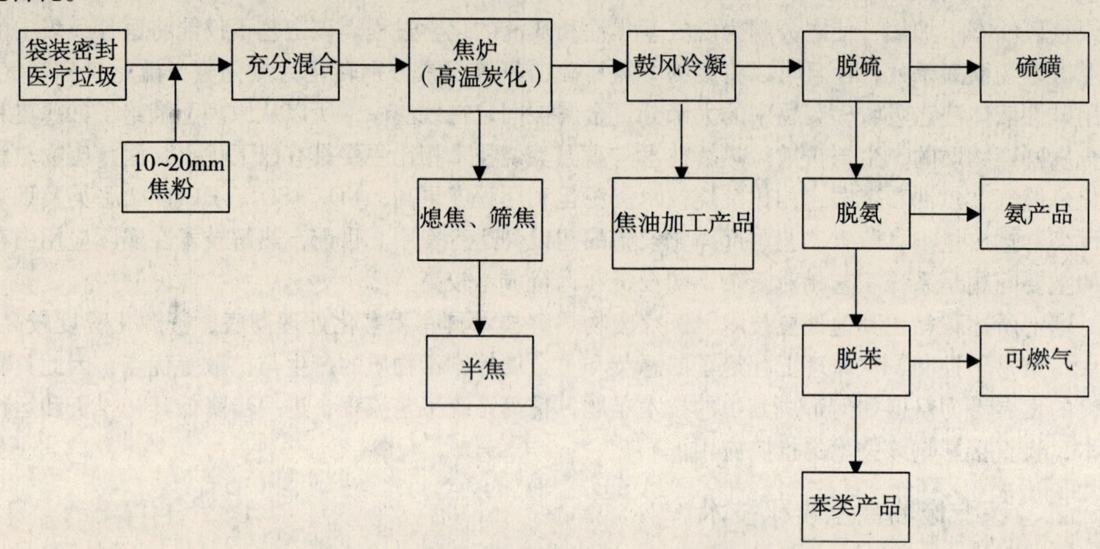

图 1　医疗废物高温炭化技术原则性工艺流程

（三）技术特点

医疗废物高温炭化技术具有以下优点：①医疗废物处理范围广，可以处理任何医疗废物；②充分利用现有成熟的焦化工艺及其系统设备来处理医疗废物，大大降低系统工艺初投资和运行费用；③处理过程在还原性气氛下进行，从原理上防止了二恶英和重金属等剧毒物质的产生及扩散，减少了对环境的污染；④整个工艺过程操作简单，运行可靠，保证了工作人员的职业健康和安全；⑤医疗垃圾与焦粉高温炭化得到半焦、焦油和可燃气，相比其他处置技术资源化利用更加高效，充分体现了循环经济的理念。

参考文献

［1］余波，张斌，黄正文．几种医疗垃圾处理技术综述［J］．广州环境科学，2009，24（2）：1－5.

［2］赵县防，王喜红．几种医疗废物处理工艺的比较及尾气净化技术的选择［J］．中国资源综合利用，2004（9）：3－15.

［3］刘锋，马海斌．医疗废物处理技术研究［J］．中国环保产业，2004（增刊）：57－59.

［4］Li Qianxi，Shinichi Okamoto. Medical Waste Disposal System in Japan［J］．Shanghai Environmental Sciences，2003，22（7）：508－511.

［5］陈红盛，邹亮，白庆中．我国医疗废物处理处置技术及其应用前景［J］．中国环保产业，2004，2（增刊）：32－35.

［6］Kansal Netsukagaku KK. Coke making utilizing waste plastic comprises charging preliminarily heat decomposed waste plastic with raw coal into coke oven［P］．Japan：07216361，1995.

［7］廖洪强，钱凯，余广炜，等．“白色污染”治理新技术——利用炼焦工艺高温炭化处理废塑料［J］．冶金能源，2003，5，22（3）：57－61.

固体废物的辐射处理

刘秀华　邓　义　何小波

（中国工程物理研究院　四川　绵阳　621900）

摘　要　辐射技术是新兴的环境污染治理技术，在固体废物的资源化处理中发挥着重要作用。本文阐述了辐射处理的特点和辐射技术在固体废物处理应用，包括医疗废物、港口垃圾、污水污泥的消毒以及废橡胶、废塑料等高分子固体废物的回收等。

关键词　辐射技术　固体废物　污染治理　环境保护

利用辐射技术对环境废物进行辐射处理是近30年发展起来的新技术，辐射技术是利用射线与物质间的作用，电离和激发产生的活化原子与活化分子，使之与物质发生一系列物理、化学与生物化学变化，导致物质的降解、聚合、交联，并发生改性。该技术为采用常规方法难以处理的废物提供了新的净化途径，已经成为固体废物处理的重要手段之一。辐照处理的固体废物大致可以分为两大类[1]，一类是辐照处理可以回收的高分子固体废物，如废橡胶和塑料等，另一类就是辐照处理需要消毒的废物，如城市污水污泥、生物医学废物、国际空港和海港的垃圾等。本文仅就辐射技术在固体废物处理方面比较成熟的几个主要应用范畴进行概述。

一、固体废物的辐照消毒处理

电离辐射（如电子束和γ射线）具有较高的能量（高于50eV），能直接或间接地导致分子的电离和激发[2]。固体废物表面吸附的水在受到射线辐照后吸收能量会产生辐射分解，生成初生态·OH、·H等活性很强的自由基，这些自由基能与有机化合物发生反应（自由基化合和自由基转移过程）导致其降解。细菌和病原体是由有机复合物构成的，所以辐照可以有效地将它们杀死。

（一）医疗废物和港口垃圾的处理

医疗废物和国际空港、海港的垃圾是产生量大且难处理的两大类固体废弃物。医疗废物即从医院、医疗中心和诊所的医疗服务中产生的临床废物，包括手术、包扎残余物、生物培养、动物实验残余物、传染性废物、废水处理污泥等。这些废物除含有大量的致病菌、病毒外，还含有化学药品，甚至重金属化合物，还有大约20%的塑料（比如聚乙烯、聚丙烯、聚氯乙烯等）。如果燃烧，会产生有毒气体产物。为了防止在处理这种废物时有传染疾病的危险，可通过辐照对医疗废物进行消毒。

国际空港和海港的垃圾含有大量的食物碎屑、塑料、纤维素等成分，可能存在潜在的动物传染病病原体（如口蹄疫、猪的传染性水疱病、非洲猪热病等），所以许多国家制定了专门处理这种“国际废物”的规章制度。加拿大规定对港口垃圾要采用焚化或加热（大约100℃以上至少保持30min）的办法进行消毒杀菌，并且规定，贮存和运输废物的容器在重复使用前必须进行清洗和消毒。国际废物消毒的一种可能替代方法是采用辐射技术。辐照装置可以设在空港区内进行自动和连续地工作，也可以由同一个辐照设施处理生物医学废物和港口垃圾，这种概念设计既可靠又经济，能够满足清洁环境的现代要求。

（二）污泥的处理

污泥是废水处理过程中不可避免的副产物，最普通的废水处理步骤是隔筛过滤、初级沉淀、生物处理、二级沉淀和杀菌。在生物处理前后的沉淀过程中都会产生污水污泥[3]。污泥的产生量已经达到了警戒水平，据估计每人每年大约产生26kg（干重）污泥[4]，在韩国，每天大约产生 4000t（湿重）污水污泥[5]，在美国，每年花费 20 多亿美元进行污泥的处理和管理来自超过 13000 个公立处理工厂的 500 万 ~ 700 万 t（干重）生物固体。在中国，2005 年就产生了大概 350 万 t（干重）污水污泥[4]。城市污泥有较高含量的水分、有机污染物和病原体，还含有相当浓度的重金属。污水污泥的适当处理和处置是环境保护的重要部分。

污泥中含有大量的能量与生物价值，是优良的农田肥料和土壤改良剂。但由于含有大量病原体而不能直接利用。在 1979 年，美国环境保护局（EPA）发布 CFR257 法规，要求控制污泥中的病原体。1982 年 9 月，该局又在补充环境影响报告中提出，下水系统的污泥是有用的资源。堆肥化、巴氏消毒或化学处理等常规的方法处理效果均不十分理想，难于实现工业化。辐射技术可以克服常用处理方法的缺点，辐射处理过的污水沉积物得到的肥料与以污水热处理法得到的肥料十分相似，但是各种原始水样在沉积时形成的淤泥的体积比运到消毒工厂的污水体积要小 1 ~ 2 个数量级，因此需要非常低的辐射功率。辐射技术是目前国际上普遍认为很有前途的污泥处理方法，γ 放射源和电子束辐照均可用于污泥的处理。辐射处理污泥的优点是：①能杀死污泥中的病菌和病毒，消毒效果比热处理可靠；②不破坏污泥中的有机氮化物，不会减少污泥的肥力和产生难闻的臭味（巴氏热处理法中氮损失较多，污泥的肥力下降）；③能防止污泥中的杂草种子发芽，但不会影响正常种子的发芽；④处理温度较低（25 ~ 30℃），减少对工厂设备的腐蚀；⑤可以氧化有毒的和危险的有机污染物（如杀虫剂、除草剂、多氯联苯等），把难于生物降解的物质转化为容易降解的化合物[4]；⑥辐照后的污泥具有良好的脱水性能，可省去化学絮凝剂和一些相应的设备。污泥经辐照灭菌后，可作为肥料直接在农田使用[7]。

世界工业发达国家在开发污泥辐射处理技术方面，也取得了积极的进展，其中最早建立的试验工厂是前联邦德国在 1973 年建造的。第一台用于污泥消毒的加速器安装在德国慕尼黑东面 10km 处的格梭布尔拉治处理厂（Geiselbullach Treatment Plant），用^{60}Co 作为辐射源，最初的活度大约 18kCi. 该厂采用瞬时的强 γ 辐射杀死污泥（含有 4% 的固体）中的病菌，经辐射处理的污泥仍有原来的养分，可作为肥料，其性能远优于用堆肥和巴氏消毒法处理过的污泥。1983 年又补充安装了^{137}Cs 辐射源。遗憾的是，该工厂在 1993 年春天由于需要大修而停止运行，当时德国的新法律禁止在草地和饲料生产地进一步使用污水污泥。格梭布尔拉治装置是 1993 年前全世界唯一的全规模污泥辐照装置，20 年的运行处理了约 50 万 m^3 的污泥，并为该领域的研究提供了宝贵的经验[8-9]。

在日本的内地和沿海地区大约有 60% 的污泥需要处置。日本原子能研究所已开始研究一个有效处理污泥的工艺——电子束灭菌，后制成堆肥。传统的制造堆肥方法必须利用堆肥时产生的热量对污泥进行灭菌。在传统的方法中，堆肥的制造是靠微生物，但堆肥产生的热量既能灭菌又对微生物构成杀伤，而且还需要很长时间才能制成。在日本原子能研究所高崎辐射化学研究中心研究的工艺中，是先灭菌，后堆肥，而且还可以选择最佳的制造堆肥的条件来获得更好的效果，并使堆肥制造周期缩到最短。堆肥的制成率受温度影响大，最佳的温度 40 ~ 50℃，最佳的 pH 值是 7 ~ 8。为了使需氧菌发酵，需要在直径大约为 5mm 的粒状污泥中补充氧。用辐照方法制造堆肥，排放 CO_2 时间只需 2 ~ 3d；而用传统方法则需要 10d 以上。为杀死致病的细菌，发酵温度需在 65℃以上。美国、印度、澳大利亚等国[2,10-12]也建立了污泥辐照装置，但是大多数装置只运行了 2 ~ 4a，没有再出现全规模污泥辐照装置。

二、高分子固体废物的辐照回收处理

电子束或 γ 射线辐照可以诱发高分子聚化合物的 C—C 键发生断裂而分解，辐射诱发降解获得了气态、液态和固态产物的小分子，它们可用作适当合成物的原材料。同时辐照还可以使分子发生交联，从而改变了高分子化合物的各种性质（如辐照过的聚乙烯具有较好的抗热性，是很好的电线绝缘包皮材料)。利用辐射技术与高分子材料相互作用的特点，可以对高分子固体废物进行回收再利用。

(一) 废塑料

废塑料是一种难降解的固体废物，其合理有效的处置一直是个棘手的问题。如聚四氟乙烯(PTFE)，用生化法不能将其分解，机械破碎也比较困难。如果用高温处理还会产生大量有毒的氟化物。辐射技术可以诱发塑料降解，解决了废塑料处理的难题。在20世纪五六十年代就完成了辐射诱发塑料降解的早期研究。日本曾利用γ射线辐照与加热联用的方法，再以机械破碎后，得到分子量不同的聚四氟乙烯蜡状粉末，可作为优良的润滑剂和添加剂。氯化聚乙烯在使用时会放出百倍的氯乙烯，因而被某些国家禁止使用。但经一定剂量γ射线照射后，不产生氯乙烯，从而扩大了使用面。

辐照诱发PTFE的降解是最典型的例子。目前全球PTFE的消费量约为8.4万t，而我国每年大约有1000t左右的废旧PTFE有待处理。PTFE具有很强的稳定性，不易降解，并且价格昂贵，所以废弃既会造成经济的浪费，又会造成环境污染。将回收的废旧PTFE经过辐照可以获得纳米级的粉末，粉末具有耐高温的性能，可以作为有机润滑剂及其添加剂，大大改善润滑油、润滑脂的性能，还可以用于制造墨水等[13]。γ射线和电子束都可用于PTFE的降解，通过用γ射线辐照，得到G=12.8(G值是辐射化学产额，即体系中吸收100eV电离辐射能量所形成或破坏的分子数。)，而用电子束辐照，得到G=41.2。为了得到所要求的分子大小的产品份额，在辐照期间，可通过所使用的剂量、剂量率和温度来控制辐射诱发过程。各种降解产物都有应用价值。如全氟烯烃，它们可以转化为一种具有特殊性能的氟化表面活性剂，或者可以氧化为有特殊用途的全氟羧酸。作为副产品出现的全氟烷烃，可以用做高质量的绝缘材料、溶剂和润滑剂。

利用废弃的聚丙烯(PP)和三元乙丙橡胶(含双环戊二烯，EPDM)，在混合物一系列不同比率下用γ射线进行辐照，可以增加其凝胶程度，使得EPDM发生化学交联，交联的EPDM以比较均匀的颗粒分散于PP连续相中，既可增大橡胶在合金中的硬度，又解决了流动性差的问题，能够用于注射成型，尤其是满足注射大型或者薄壁制件的加工需要。在一定比率下，2种混合物的物理特征得到改进，而在其他比率下也可能被裂解[14,15]。在对高密度聚乙烯(HDPE)和聚丙烯(PP)固体混合废弃物的辐照分离回收利用中，柠檬精油、异丙基等都是高密度聚乙烯典型的辐照产物[16]。

(二) 废橡胶

辐射技术可用于橡胶的硫化和废旧橡胶的脱硫化。辐射处理主要是利用橡胶对电子束和γ射线独有的敏感性，使废旧橡胶发生化学链解聚，从而改善它们的加工性能和耐用性能。采用辐射手段回收来自旧轮胎的橡胶是一种成熟的方法。在辐照剂量达到70kGy时可以明显增强原始橡胶树脂和回收橡胶混合物的可塑性，而像拉伸强度等其他物理性质在这个剂量下只是稍微减弱。大多数橡胶弹性体在射线作用下发生交联反应，只有极少数含有正4价碳原子基团的胶种如丁基硫化胶等在高能辐射场下呈现降解反应。丁基硫化胶主要用来制造汽车轮胎，而丁基橡胶是生产丁基硫化胶的主要原料，我国汽车的保有量逐年快速递增。从安全角度出发，通常轮胎的使用年限很短，每年报废的轮胎数量巨大。丁基硫化胶在辐照下发生降解反应，降解程度取决于辐照剂量，所以通过调节辐射剂量就可以方便地产生不同相对分子质量和不同塑性值的丁基再生橡胶[17]，丁基橡胶再生的效果非常理想。目前我国丁基橡胶的回收再利用已经达到了每年2000t的水平[18]。商业产品中的橡胶树脂25%是基于被回收利用的橡胶。另外，回收的橡胶还可以用在屋顶和船只的防水材料中。

辐射技术回收橡胶的过程一般是先把旧轮胎切割成小碎片，然后再用高能电子束或γ射线进行辐照，辐照后橡胶的大分子网络结构分解，力学性能发生改变。将其作为原料与其它组分混合便可用于新轮胎的生产。整个回收利用过程相当环保，几乎没有污染。但是该方法只适用于丁基橡胶等少数胶种的再生。

（三）纤维素

纤维素是棉花、木材和农产品秸秆的主要成分，普遍存在于城市废物与农业废物中。纤维素是由重复的葡萄糖单元组成的长链线性分子，经 γ 射线辐射后引起链断裂，产生还原性基团和酸性基团。纤维素的辐射降解存在后效应，即辐射终止后纤维素还会进一步发生降解。辐射剂量越大，后效应越严重，后效应会随着时间的延长而逐渐减小[19]。

日本曾用辐照法处理木屑、废纸、稻草等，通过糖化与发酵而得到酒精；美国则采用对这类纤维素用加酸后辐照处理的方法得到葡萄糖，其回收率高达 56%。美、俄等国研究用辐射技术处理棉纤维素制备火药黏结剂——硝化纤维素（NC），传统工艺中使用大量的硫酸，而采用辐射技术的新工艺中不使用硫酸，减少了废酸污染，辐射后棉纤维素分子量降低，提高了 NC 黏度可控性，并大大缩短了 NC 的安定处理时间，降低了工人的劳动强度[20]。上海大学周瑞敏等在 2002 年将小于 10kGy 辐射剂量处理的浆粕用于生产粘胶，粘胶纤维的磺化过程中 CS_2 的用量可减少约 30%[21]。

三、生活和工业垃圾的综合处理

俄罗斯物理动力研究所设计出一种利用快中子反应堆处理生活和工业垃圾的新技术，可以从垃圾处理中得到金属、建筑材料、化工产品、电力和热力。该技术是通过在包有不锈钢双层外壳的核反应堆中加砌一个烧垃圾的炉子来实现。在炉中要不断加入少量的煤来保持炉内高温，炉温可以达到 1500℃，此温度下所有的垃圾都会被气化。向炉子中定期装入生活和工业垃圾，垃圾掉入吹氧的高温渣缸中，易燃部分迅速汽化和燃烧，矿物质部分在渣中熔化，金属由于密度较大在熔化后沉入底部。将金属定期铸成铸件用于加工金属制品；炉渣用于加工建筑材料；炉子及炉内高温气体由反应堆的不锈钢双层外壳之间循环的液体钠来冷却，升温后的液体钠（高达 500℃）可为驱动汽轮发电机的蒸汽发生器供热。试验表明，这套装置可处理生活和工业垃圾 2×10^4 t/a，发电功率为 5kW/a，能够实现自给有余[22]。

四、其　他

除了电子束和 γ 射线外，质子等其他粒子在固体废物的处理方面也有应用，如用加速器产生的强束流质子可用于核废料处理、核燃料生产和以洁净的方式产生核能；用加速器产生的强束流轰击核废料，可以将其中的长寿命放射性元素转变为有用的或短寿命的元素[23]。

五、结　语

辐射技术在固体废物的处理中发挥着重要作用，许多国家开展了固体废物辐照处理的基础研究和工业实践。辐射源的造价较高，加上辅助工序较为复杂，限制了固体废物辐射处理技术的推广。尽管如此，该技术对一些特殊的难处理固体废物仍具较高的应用价值，如医疗废物和港口垃圾、废橡胶和废塑料等，该技术对这些废物的处理均获得了很好的效果，并得到了较为广泛的应用。

目前辐射技术在农林业、城市生活垃圾方面的应用较少，在与其他方法联合处理固体废物的研究也不多，所以开拓辐射技术在固体废弃物资源化方面的应用还大有可为。相信在不久的将来，随着辐射技术在环保领域应用研究的不断深入，辐射技术在固体废物的处理中将发挥更大的作用。

参考文献

[1] 伍庆昌，赵宏，任汉民，译. 国际原子能机构编. 同位素和辐射技术在环境中的应用［M］. 北京：原子能出版社，1995.

[2] 吴季兰，戚生初. 辐射化学［M］. 北京：原子能出版社，1993.

[3] Wei Y J, Liu Y S. Effects of sewage sludge compost application on crops and cropland in a 3 – year field study［J］. Chemosphere, 2005, 59: 1257 – 1265.

[4] Borrely S I, Cruz A C, Mastro Del N L, et al.. Radiation processing of sewage sludge: a review［J］. Progress in Nuclear Energy , 1998, 33 (1 – 2): 3 – 21.

[5] Kim E H, Cho J K, Yim S. Digested sewage sludge solidification by converter slag for landfill cover［J］. Chemosphere, 2005, 59: 387 – 395.

[6] Wang Jianlong, Wang Jiazhuo. Application of radiation technology to sewage sludge processing: A review［J］. J. Hazard. Mater. , 2007, 143: 2 – 7.

[7] E A 阿布拉勉［前苏联］. 赵渭江，等译. 刘经之校. 工业电子加速器及其在辐射加工中的应用［M］. 北京：原子能出版社，1990.

[8] Suess, A. , Lessel, T. , Radiation treatment of sewage sludge – experience with an operating pilot plant［J］. Radiat. Phys. Chem. , 1977, 9 (3 – 6): 353 – 365.

[9] Lessel T, Suess A, Ten – year experience in operation of a sewage sludge treatment plant using gamma irradiation［J］. Radiat. Phys. Chem. , 1984, 24: 3 – 6.

[10] Lessel T, Suess A. Europe's experience with sludge irradiation activities in the united states［J］. Radiat. Phys. Chem. , 1984, 24 (1): 3 – 19.

[11] Hashimoto S, Nishimura K, Machi S. Economic feasibility of irradition – compositing plant of sewage sludge［J］. Radiat. Phys. Chem. , 1988, 231 (1 – 3): 109 – 114.

[12] Ahlstron S. Irradiation of municipal sludge for pathogen control［J］. Radiat. Phys. Chem. , 1988, 31 (1 – 3): 131 – 138.

[13] Guillermina Burillo, Roger L. Cloughb, Tibor Czvikovszky. Polymer recycling: potential application of radiation technology［J］. Radiat. Phys. Chem. , 2002 (64): 41 – 51.

[14] Zaharescu T, Chipara M, Postolache M. Radiation processing of polyolefin blends Ⅱ, Mechanical properties of EPDM – PP blends［J］. Polym. Deg. Stab. , 1999 (66): 5 – 8.

[15] Zaharescu T, Setnescu R, Jipa S, et al.. Radiation processing of polyolefin blends. I. Crosslinking of EPDM – PP blends［J］. Appl. Polym. Sci. , 2001 (77): 982 – 987.

[16] Walker Camacho, Sigbritt Karlsson. Quality – determination of recycled plastic packaging waste by identification of contaminants by GC – MS after microwave assisted extraction (MAE)［J］. Polym. Deg. Stab. , 2001 (71): 123 – 134.

[17] 李海明，魏冬青，张子宏，等. 废旧橡胶辐射再生技术进展［J］. 橡塑资源利用，2008 (2): 23 – 26.

[18] Yang J. Radiation recycling of butyl rubber wastes［J］. Environ. Appli. Ion. Radiat. , 1998 (6): 601 – 611.

[19] J. C. 小阿瑟编. 陈德峻等译. 纤维素化学与工艺学［M］. 北京：轻工业出版社，1983.

[20] 宫宁瑞，刘继华，常德华. 辐射降解棉纤维素的研究现状［J］. 火炸药学报，1999 (1): 70 – 72, 69.

[21] 周瑞敏，唐述祥. 降低粘胶生产中废弃物的新工艺：纤维素的辐射降解［J］. 环境科学，2002, 12 (23): 118 – 120.

[22] 筱军. 将核技术用于环境保护［J］. 科技信息，1999, 5: 42.

[23] 张闯. 粒子加速器的回顾与展望［J］. 核科学与工程，2001, 21 (1): 39 – 44.

我国金属矿山固体废物污染及其对策分析

龙　涛　杨小聪

（北京矿冶研究总院　北京　100044）

摘　要　本文分析了金属矿山固体废物的来源，总结归纳了矿山固体废物破化生态平衡、污染环境及引发工程地质灾害等危害。为了从矿山开采的源头控制固体废物污染，提出了金属矿山开采的主要技术对策。

关键词　金属矿山　固体废物　污染　控制技术　对策分析

一、前　言

金属矿山固体废物是指矿山开采和矿物加工过程中产生的废石和尾矿。据统计，目前，仅有色金属矿山每采出1t矿石平均约产生1.25t废石，废石年产生量高达1.06亿t，新中国成立以来累计量高达21.5亿t；有色金属矿山每采出1t矿石平均约产出0.92t尾砂，尾砂年产生量达7780万t，累计量约11亿t，利用率仅为6%，占地约8000hm^2。

金属矿山是排出固体废物最多的行业之一，也是重金属污染的源头之一。在我国，由于受传统工艺和经营方式所限，把大量固体废物弃于地表，造成资源浪费，占用土地，污染环境，危害人类。目前最引起人们注意的是汞、镉、铬、铅等。重金属随废水废渣排出时，即使浓度很小，也可能造成危害。

二、金属矿山固体废物的来源

近年来，随着国民经济的快速稳定发展，金属矿山固体废物也逐年增长。据不完全统计，截至2006年，全国矿业开发占用和损坏的土地面积为154.5万hm^2，其中尾矿堆放91.5万hm^2，露天采坑23.0万hm^2，采矿塌陷区33.0万hm^2。

2006年，工业固体废物排放量超过100万t的行业为煤炭开采和洗选业、有色金属矿采选业、黑色金属冶炼业、黑色金属矿采选业4个行业。这4个行业工业固体废物排放量占统计工业行业固体废物排放总量的69.9%。

具体说来，在金属矿山采矿、选矿和冶炼（我国金属矿山主要为采选联合企业）生产过程中可能产生污染的固体废物有：①基建及生产时期剥离的覆盖层和岩石；②地面及井下开采过程中产生的表外矿石、岩石，即开采产生的废石；③尾矿、水砂、废石填料，露天及井下装载、运输、卸矿过程中撒下的矿石；④金属冶炼过程中各种冶金炉（反射炉、电炉、鼓风炉、烟化炉）等产生的炉渣，电解产生的阳极泥等。其中，产生量较大的一类是矿山采矿产生的废石，另一类是矿山选矿产生的尾矿。

三、矿山固体废物的危害

我国政府对矿山排放污染物制定了一系列法律法规、标准，但目前仅矿山废水的排放控制、污染治理取得了一定成效，这与各级政府、企业及科研单位的关注及重视是分不开的。而以废石、尾矿为主的矿山固体废物大量排放，不仅侵占大量土地，破坏自然景观，形成重要危险源，而且其成分十分复杂，含有多种有害成分甚至放射性物质，可污染矿区和周围环境，构成严重的社会公害。

（一）破坏生态平衡

矿山固体废物的危害，首先突出表现在对土地的占用和破坏上。为此，一些国家专门制定了相关的法律、法令及规章条例，对矿山企业占用、破坏土地加以严格控制。由于金属矿山超负荷开采，固体废物占据大片地表面积，超过生态环境承载能力，不仅大量侵占了农业耕地，直接影响农业生产，而且覆盖大片森林，大批植被被掩埋，造成植物、动物的物种减少。某些金属矿产区绿山变成了石山、秃山，水土流失逐年加剧，堵塞河流，摧毁农田。规模较大的废石堆在风力、水力、重力等自然力的作用下，容易引起滑坡、塌落，雨水量大时易导致泥石流的发生。特别是生态环境脆弱地区，如西藏、青海、内蒙古等，生态环境一旦破坏就很难修复重建。

（二）污染环境

长期堆存的矿山地表固体废物，终年暴露于大气中，往往会因风化作用而变成粉状，在干旱季节和风季里，易扬起大量粉尘而污染矿区的大气环境。对河南几个有色金属矿山的调查实测表明，由废石尾矿扬起的粉尘导致矿区采场和生活福利区空气中的粉尘含量超标 10 ~ 14 倍，矿区的大气污染相当严重。含硫废石堆在大气供氧充分及雨水冲刷、渗漏的条件下，可能会导致自热和自燃，从而产生大量 SO_2、H_2S 等有毒有害气体，污染矿区及周围大气环境，危害矿区植物和附近农作物的生长。

金属矿山的废石、尾矿等固体废物是造成矿山水体污染酸化，使水体含大量金属和重金属离子的主要的一次及二次污染源。由于矿山废石及尾矿量逐年增加，堆场越来越大，每逢雨季，大量的堆场固体废物流失，造成水溪、河流堵塞，使水体受到严重污染。如广东某露天矿，在开采初期，将每年排放的 100 多万 t 尾矿和 3000 多万 m^3 泥浆水全部灌入附近农田与河道，致使良田严重沙化，河水泥沙含量急剧增高，最后导致河流淤塞，河床升高，水体严重污染。

金属矿山固体废物中含有多种有毒有害物质，如重金属元素及一些放射性元素等，这些有毒有害物质随着雨水流失，与废石中的含硫矿物引发的酸性废水一起污染水体（包括地表水和地下水）和土壤，并被植物的根部所吸收，影响农作物生长，造成农业减产。如江苏某硫铁矿，由于废石堆中含有硫化物，在空气、水以及细菌的综合作用下生成硫酸，每逢降雨，酸性废水便流入附近的农田和太湖中，致使农业减产，湖鱼死亡。更可怕的是，这些有毒有害物质会通过食物链进入人体，从而危及人体健康。

此外，金属矿山固体废物中的重金属元素由于各种作用渗入到土壤中，会导致土壤毒化，造成土壤中大量微生物死亡，土壤逐渐失去腐解能力，最终沙化变成“死土”。不少金属矿山的固体废物中还含有放射性物质。据实测资料统计，在非铀金属矿山当中，有 30% 以上矿山的矿岩中含有放射性物质。含放射性物质的金属矿山固体废物不但不宜做建筑材料使用，而且还必须进行严格的处理，否则会使矿区及周围环境的污染范围扩大，引起严重后果[1]。

（三）引发工程地质灾害

金属矿山固体废物长期堆放，不仅在经济上造成巨大的损失，还会诱发重大的地质与工程灾害，如排土场滑坡、泥石流、尾矿库溃坝等，给国家及社会带来极大的损害。据统计，目前掌握全国共有尾矿库 12655 座，其中危库 613 座、险库 1265 座、病库 3032 座、正常库 7745 座。2001—2007 年，全国共发生 43 起尾矿库事故，其中：2001 年 3 起，2003 年 2 起，2004 年 3 起，2005 年 9 起，2006 年 12 起，2007 年 14 起，事故发生起数呈逐年上升趋势。43 起事故中，有 12 起造成了人员伤亡，死亡 66 人，失踪 4 人，其中较大以上事故 7 起，死亡 61 人，失踪 2 人。

我国非煤矿山每年产出尾矿约 3 亿 t，基本上堆存在大约 1500 座尾矿库中，其中 80% 属于黑色、有色冶金矿山，其他行业占 20%。这些库中最大设计坝高 260m，超过 100m 的有 26 座，库容大于 $1 \times 10^8 m^3$ 的有 10 座。坝高小于 30m 的小库占 80% 左右。但 20% 的大、中型库的库容占总设计库容的 80%。同时，非煤矿山中有许多尾矿库的地理位置十分重要，有的位于大江、大湖、重要水源地上游，有的位于重要公交设施上游，有的在密集的居民区上游。由于尾矿库的建设标准低，筑坝、维护、管理技术水平较低，大量的尾矿库带病运行，又得不到有效的治理，其安全状况不容乐观。在这些尾矿库中，正常运行的不足70%，相当数量的尾矿库处于险、病、超期服务状态，这是一个巨大的潜在隐患，甚至是灾难，如2008年9月8日，山西省临汾市襄汾县新塔矿业有限公司尾矿库发生特大溃坝事故，死亡277人，失踪4人，是我国迄今为止造成死亡人数最多的尾矿库溃坝事故[2]。

四、固废污染的对策分析

随着我国人口的增加和经济的发展，对金属矿物原料的需求量增加，矿产资源消耗加剧，环保压力越来越大，人们不得不转向依靠科技进步来开展矿山固体废物的综合回收和利用，从工业的源头控制重金属污染。因此，从开采的源头控制固体废物（特别是含有铅、汞、铬、砷、镉等有害元素）的资源化利用是金属矿山清洁生产亟待解决的首要技术问题，从而改变长期以来金属矿山（特别是重金属矿山）开采过程中矿山环境保护末端治理、治标不治本的现状。北京矿冶研究总院经过多年的技术积累与沉淀，基本形成了金属矿山开采过程固体废物源头控制的成套关键技术。主要有：①金属矿山井下废石就地高效充填综合技术。废石可以井下就地消纳，实现井下废石不出坑，从而彻底解决井下生产矿山的废石排放问题，并相应节约因提升和运输废石所产生的能源消耗；②膏体全尾砂充填技术。不仅为解决充填本身存在的一些问题提供了有效的途径，而且为实现无废开采开辟了广阔的前景，实现减小或取消建设尾矿库、降低水泥消耗及充填成本，提高选矿废水回收利用率，而且可以大大改善坑内外的环境，彻底解决尾矿的处置问题；③金属矿山无/少废采掘工艺技术。该技术可以实现金属矿山无/少废开拓系统，即露天开采低剥采比或地下开采低采掘比的开拓系统，形成低贫化采矿工艺技术，建立已建矿山无废采矿工艺的技术改造理论与方法，从金属矿开采的源头控制固体废物的产出，取得较好的社会、生态、经济和资源效益。④复杂开采环境下低贫损采矿技术。在资源开发最前端减少矿石的贫化损失，从而大大减少了废石的产出，保障安全的条件下，尽可能多回收国家宝贵的矿产资源。

对金属矿山的尾矿（渣）及废石的资源化处理，首先要遵循“减量化、资源化、无害化”原则，主要考虑的是就地消化，尽可能地合理利用，化害为利，同时能采取防护措施，减少它们对环境的污染。对待需要资源化处理的金属矿山固体废物，不仅要考虑回收矿物的效果（损失与贫化）及其经济利益，而且要考虑环境效益和社会效益。

国家有关部门可以通过经济杠杆和行政性强制政策来鼓励和支持矿山固体废物资源化技术的开发和应用，从消极的污染治理转为回收利用，向废物索取资源，实现可持续发展。

五、结　语

我国政府多次明确指出，要“以尽可能少的资源消耗和尽可能小的环境代价，取得最大的经济产出和最少的废物排放，实现经济、环境和社会效益相统一，建设资源节约型和环境友好型社会。”因此，矿山主管部门应该积极引导金属矿山企业对采矿工艺进行优化，加大科研、环境保护投入，因地制宜攻克金属矿山开采过程固体废物源头控制技术，从开采的源头控制固体废物的减量化、资源化，从而减小对矿区环境的影响，实现企业经济效益和社会和谐发展的共赢。

参考文献

[1] 陈华君，刘全军．金属矿山固体废物危害及资源化处理［J］．金属矿山，2009（4）：154－156.
[2] 龙涛，郭文晶．非煤矿山重大安全隐患整体解决方案研究［J］．有色金属（矿山部分），2009，61（6）：26－28.
[3] 于润沧．采矿工程师手册（上）［M］．北京：冶金工业出版社，2009：23－25.

新疆农业、加工业固体废弃物循环利用研究

张殿宇 朱 斌 程启明

（新疆建材环保监测站 乌鲁木齐市友好南路429号 830000）

摘 要 本研究利用农业、加工业固体废弃物的特性开展循环利用研究，综述了国内外农业固体物的利用方式。分析新疆农业、加工业固体废弃物现状，研究适合新疆的废弃物利用方式。

关键词 废弃物 无土栽培 基质

一、国内外废弃物利用方式

（一）国外废弃物生产基质研究进展

国外利用废弃物研究栽培基质有很长时间，沙砾最早被植物营养学家和植物生理学家用于栽培作物，因此，沙砾可以说是最早的栽培基质。1970 年丹麦 Grodan 公司开发的岩棉栽培技术和 1973 年英国温室作物研究所的 NFT 技术。随后可用作栽培的基质很快扩展到石砾、陶粒、珍珠岩、岩棉、海绵（尿醛）、硅胶、泥炭、锯末、树皮、稻壳、酚醛泡沫（泡沫塑料）、炉渣等以及一些混合基质。

Vavrina 研究用城市废料来育苗，Kiepas 等研究了生活垃圾对西红柿生长的影响。Bontemps 利用椰子纤维栽培花卉，发现可以提高产量并增加花的观赏价值。Gruda 等通过对莴笋的有机基质培发现可缓释足够的 N 供植物利用。Rufus L. 用河流污泥作为穴盘育苗基质的营养补充，效果都比较理想。而在生产上运用较多的有美国康奈尔大学开发的 4 种混合基质，英国温室作物研究所开发的 GCRI 混合物以及荷兰的岩棉、泥炭等。日本育苗常用的基质一般为砻糠灰、菜园土、沙、蛭石和珍珠岩，最近几年，日本又发明了一种专用育苗钵块，种子可以直接播入钵内，覆盖基质后，排列在育苗床上，用水喷湿即可，钵块的材料可用岩棉、草炭、椰壳发酵物等废弃物。

（二）国内废弃物生产基质研究进展

无土栽培基质原料包括有机基质材料和无机基质材料。选材原则应体现廉价、丰富、可再生及环保等方面。有机基质是指完全是有机物料或以有机物料为主的基质。自 1990 年以来我国许多科研院校对本地丰富廉价有机资源进行了研究。

随着国家现代农业产业化项目的实施和人们对优质农产品需求的不断增加，蔬菜产品的有机基质栽培迅速成为研究和应用热点，且有机基质的取材范围得到扩展。可作为基质原料的物质包括农业、林业副产有机物及废弃物，如各种农作物秸秆（玉米秸、高粱秸、油菜秸、葵花秸、麦秸等），中国农业科学院蔬菜花卉研究所利用各种农产废弃物（向日葵秆、玉米秆、玉米芯、菇渣、锯末等）作为原料配制有机生态型无土栽培基质栽培蔬菜，产量和品质均得到大幅度提高；各种农产品的副产物（椰子壳、玉米芯、花生壳、麦壳、稻壳等），南京农业大学用稻壳、药渣和造纸废弃物苇末等材料尝试对基质进行产业化开发，效果较佳；各种木材的锯末、刨花、树皮等；可二次利用的废弃有机物，如制糖厂榨糖后的甘蔗渣、生产食用菌后的蘑菇渣、造纸厂废渣芦苇末、糠醛渣、木糖渣、中草药渣、酒渣等，新疆农业科学院海南基地利用椰糠栽培厚皮甜瓜，有效解决了根系病害问题；华南农业大学对当地资源丰富的甘蔗渣进行较深入研究和开发，因地制宜利用本地丰富廉价的农产废弃资源；西南农业大学研究了农产废弃物基质中重金属含量和蔬菜产品器官中重金属含量的相关性，肯定有机基质的安全性。有机废弃物是较好的有机基质原料。

也有人将畜禽粪便如鸡粪、牛粪、羊粪、马粪等作为有机基质原料用于配制无土栽培基质，

而中国农业科学院蔬菜花卉研究所则利用这类含有丰富养分的资源，经过高温消毒或生物发酵等方式处理后，配制专用有机固态肥，应用于有机生态型无土栽培系统中，代替无机营养液供应作物养分。我国新开发应用的实用型无机基质主要包括炉渣、煤矸石（山东等地）、风化煤（山西等地）等。

二、新疆农业、加工业废弃物现状

新疆目前农业、加工业废弃物主要集中在酿造、制药和食用菌种植等行业，但分布范围和产量不同，其废弃物的处理方式也不同，酿造业的大部分废弃物主要用作饲料。废弃物大多数作为饲料在一定程度上也造成了废弃物利用方式单一，可能没有充分发挥废弃物资源化利用价值。

针对这一状况，对乌鲁木齐周边酿酒企业、番茄酱厂、味精厂、中药厂、酱醋厂、糖厂、蘑菇大棚等以农产品加工业为主的企业与大棚产生的废弃物资源进行调查，见表1。

表1 乌鲁木齐周边废弃物资源调查表

企业名称	废弃物名称	目前用途	废渣数量
新疆制药厂	中药渣	与煤掺混做燃料用	量少
天山制药厂	干草渣	农户廉价拉走	量大
奇康哈博维药有限公司	中药渣	农户廉价拉走	量少
屯河番茄酱厂	番茄皮渣	农户买走做饲料	量较少
中基番茄酱厂	番茄皮渣	番茄红素	量较少
菱花味精股份有限公司	味精废液	废液经过浓缩生产硫酸铵肥料	量大
天山味精厂	味精废液	停产	
新疆七一酿造有限公司	酱渣	1t 废渣价格 80 元农户做饲料用	量大
	醋渣	1t 废渣价格 80 元农户做饲料用	量较大
新疆笑厨有限公司	酱渣	1t 废渣价格 75 元农户做饲料用	量大
	醋渣	1t 废渣价格 75 元农户做饲料用	量较大
新疆啤酒厂	酒糟	与金牛公司签订了长期购货合同，做饲料用	量大
乌苏啤酒厂	酒糟	与金牛公司签订了长期购货合同，做饲料	量大
新天酒业有限公司	葡萄皮渣	与内地公司签订了长期购货合同，做保健品	量大
新安酒厂	酒糟	农户买走做饲料用	量较大
古城酒厂	酒糟	农户买走做饲料用	量较大
昌吉糖厂	糖渣	做饲料甘饽	量大
蘑菇大棚	蘑菇渣	生活燃料或直接掺入花土中	量大

调查结果表明乌鲁木齐周边大部分酿造业废弃物主要用作饲料，蘑菇种植业废弃物主要用作生活燃料或直接掺入花土中，没能充分发挥废弃物资源化利用价值。其他少部分废弃物综合利用率高，能充分发挥其资源价值。

三、新疆农业、加工业废弃物研究育苗基质

通过对乌鲁木齐周边农业、加工业调查后，根据目前各种废弃物用途及产量，筛选确定新疆七一酿造有限公司的酱渣、大棚的蘑菇渣为基质研究对象。通过对蘑菇渣、酱渣养分分析，见表

2，蘑菇渣、酱渣养分含量高，如果利用其研发育苗基质，能更加合理地利用资源，充分发挥其经济价值。

表2　不同废弃物养分含量分析

样　品	pH	有机碳/（g/kg）	全氮/（g/kg）	全磷/（g/kg）	全钾/（g/kg）	粗灰分/%
酱　渣	5.61	256.8	47.01	2.55	0.88	2.92
蘑菇渣	6.90	338.0	14.80	7.20	5.12	13.87

笔者采用国际上公认的最佳配方（草炭:蛭石 =2:1）作为对照，分别以蘑菇渣、酱渣与蛭石、珍珠岩混合配比，筛选出对番茄、辣椒育苗效果较好的蘑菇渣、酱渣复合基质，主要结果如下：

适合番茄育苗的蘑菇渣复合基质：菇渣:蛭石:珍珠岩 =1:1:1、菇渣:蛭石:珍珠岩 =2:1:2；适合辣椒育苗的蘑菇渣复合基质：菇渣:蛭石:珍珠岩 =1:1:1、菇渣:蛭石:珍珠岩 =3:1:1。适合番茄育苗的酱渣渣复合基质：酱渣:蛭石:珍珠岩 =1:1:1；适合辣椒育苗的酱渣复合基质：酱渣:蛭石:珍珠岩 =1:1:1、酱渣:蛭石:珍珠岩 =2:2:1。以上基质在番茄、辣椒育苗上均取得较好的效果。

各地科技人员利用废弃物研究获得一些适用基质配方，如林冠雄等（1996 年）用沙和蘑菇渣按 3:7 种植厚皮甜瓜；齐慧霞等（1998 年）筛选出锯末和棉籽皮按 1:1 混合，锯末、棉籽皮和炉渣按 1:1:1 混合的 2 种草莓无土栽培混合基质；朱世东等以锯末、碳化稻壳和河沙按 8:1:1 配制大棚黄瓜混合基质；李静等（2000 年）认为煤渣、珍珠岩和菌渣以 1:1:4 可配制较理想的莴笋栽培基质；秦嘉海等（2000 年）以炉渣、发酵羊粪和生物有机无机复合肥按体积比 3.5:1.5:0.5 配制出番茄全营养混合基质；祖艳侠等（2001 年）以草炭和菇渣 1:1 配制黄瓜袋培混合基质；刘运峰等（2001 年）以苇末和蛭石按 1:1 比例配制彩椒栽培基质；沈吾山等（2002 年）以砻糠灰、锯末屑和有机肥料按 6:3:1 配制营养基质种植“圣女”樱桃番茄等。

四、新疆农业、加工业废弃物利用前景

近年来，由于人们环保意识的提高，除稻壳、沙、珍珠岩、纤维素、岩棉、泥炭、蛭石、泡沫塑料外，各种有机废弃物，如椰子壳纤维、造纸厂下脚料等已成为主要的无土栽培基质材料。利用废弃物生产多样化、无害化无土栽培基质实现资源的可循环利用，是无土栽培基质选材的方向。利用工业生产废弃物作基质是今后无土栽培的一个主要方向。目前在这些方面已从事了很多卓有成效的工作。王利英等在温室中进行有机生态型和无机耗能型两种无土栽培基质的比较实验。李国景等研究也表明椰子壳基质比海绵基质和岩棉基质棉基质根际环境中 EC 和 pH 更稳定；栽培的番茄的每株采果数、平均单果重、果实总重和果实质量无明显差异。相对于传统的岩棉基质，海绵基质对番茄产量和质量无不良影响。刘洪凤介绍的新型无土栽培基质——秸秆型非织造布，是利用现代非织造生产技术，将农业废弃物秸秆变废为宝，充分利用农村资源的一种蔬菜无土栽培基质。这方面的工作还应该加强与深化，向经济环保型基质的研究方向发展。

随着新疆设施栽培与大田加工番茄等育苗产业的大力发展，对育苗基质的需求越来越大。新疆在基质研究与生产上还很欠缺，价格较高，增加了育苗成本，对设施农业和育苗移栽的发展较为不利。因此，利用农业、加工废弃物研究育苗基质，符合目前新疆农业发展的实际需要。能将废弃物利用和农业有机地结合在一起，形成有益的良性循环，在节约回收利用资源的同时，做到生态环境保护和农业产业的可持续发展，对于新疆建设节约型社会和发展循环经济、保护生态环境具有重要意义。用酱渣、蘑菇渣作为基质的基本原料，可提高废弃物的利用价值，降低生产成本，为新疆育苗基质的开发利用提供依据，有利于新疆设施农业的发展。

参考文献

［1］王皓生．花卉蔬菜无土栽培技术［M］．长沙：湖南科学技术出版社，1997.

［2］田吉林，汪寅虎．设施无土栽培基质的研究现状、存在问题与展望（综述）［J］．上海农业学报，2000，16（4）：88－89.

［3］崔秀敏，王秀峰．蔬菜育苗基质及其研究进展［J］．天津农业科学，2001，7（1）：40.

［4］王少先，林晓民，吴正景，等．黄瓜穴盘育苗低成本含土基质的筛选［J］．河南农业科学，2003（11）：17－19.

［5］崔秀峰，王秀峰，魏珉．几种复合育苗基质特性及在生菜上的育苗效果［J］．中国蔬菜，2002（3）：17－19.

［6］蒋为杰，刘伟，等．我国有机生态型无土栽培技术研究［J］．中国生态农业学报，2000（3）：17－21.

［7］李萍萍，毛罕平，等．苇末菇渣在蔬菜基质栽培中的应用效果［J］．南京农业大学学报，1998（5）：12－15.

［8］程斐，孙朝晖，等．芦苇末有机栽培基质的基本理化性能分析［J］．南京农业大学学报，2001，24（3）：19－22.

［9］刘士哲，连兆煌．蔗渣做蔬菜工厂化育苗基质的生物处理与施肥措施研究［J］．华南农业大学学报，1994，15（3）：1－7.

［10］李静，赵秀兰，等．无公害蔬菜无土栽培基质理化特性研究［J］．西南农业大学学报，2000，22（4）：112－115.

［11］张云舒，张殿宇，徐万里．蘑菇渣复合基质特性及对番茄幼苗的影响［J］．西北农业学报，2008，（3）.

［12］张云舒，张殿宇，范燕敏．酱渣复合基质在番茄育苗上的使用效果研究［J］．安徽农业科学，2008，（26）.

［13］刘伟，余宏军，蒋卫杰．我国蔬菜无土栽培基质研究与应用进展［J］．中国生态农业学报，2006，14（3）：4－5.

［14］王利英，郭雪梅．两种无土栽培基质在韭菜生产上的应用［J］．天津农业科学，2001，7（1）：43－45.

［15］李国景，徐志豪．环保型可重复利用的海绵无土栽培基质的研究应用［J］．浙江农业学报，2001，13（2）：61－66.

［16］刘洪凤．新型无土栽培基质——秸秆型非织造布［J］．非织造布，2001，9（2）：27－29.

浅谈城市生活垃圾资源化和无害化处理技术

李金生　罗清威　樊占国

（东北大学材料与冶金学院　沈阳市和平区文化路3巷11号417　110819）

摘　要　城市生活垃圾给城市环境造成了严重污染，威胁了城市居民的生存环境。传统的卫生填埋、焚烧、堆肥方法都有一定的局限性，生物制氢是一种新技术，不仅可以达到治理环境的效果，还具有明显的经济效益和社会效益，满足我们所追求的3R原则，最终实现循环绿色经济。

关键词　城市生活垃圾　卫生填埋　焚烧　堆肥　生物制氢

一、引　言

随着城市化进程的加快，城市生活垃圾的产生量也飞速激增，如何科学有效地处理城市生活垃圾，已成为摆在各级政府面前的重要议题。因为它不仅影响市容市貌，而且造成了严重的环境污染；不仅影响民众生活质量危及公众健康，同时也阻碍了经济的可持续发展，更重要的是与构建和谐健康社会相互冲突。面对垃圾泛滥成灾的现实，人们的环保意识也越来越强，一些城市正采取积极的态度和有力的措施，着手科学的处理、利用垃圾，将垃圾转化为能源和资源，以期达到人与自然的和谐发展，促进绿色家园建设进程，确保经济建设和环境建设同步进行、相互促进，真正实现可持续发展。

二、城市生活垃圾及危害现状

中国改革开放的30多年来，随着经济的高速发展，人民生活水平的逐步提高，城市化进程的不断加快，城市垃圾产生量急剧增加。目前，我国城市垃圾年产量已达1.4亿t以上，人均垃圾年产生量为450～500kg，且每年以8%～10%的速度增长。此外，城市生活垃圾存量约为60多亿t，垃圾侵占土地面积已超过5亿m^2，全国已有200多个城市被垃圾包围。

城市生活垃圾是人们生活中产生的固体废弃物。城市生活垃圾在输送、贮存与燃烧过程均存在产生二次污染[1-3]的可能，对大气、土壤、水体等造成污染，不仅影响城市环境质量，而且威胁着国民的健康，成为社会公害之一。当复杂多变、量大面广的生活垃圾被排放到人们四周时，就会对大气、水体、生态环境带来严重的破坏。①生活垃圾裸露污染大气。大量氨、硫化物等有害气体释放，严重污染大气。②严重污染水体。生活垃圾不但含有病原微生物，在堆放腐烂的过程中还会产生大量的酸性或碱性有机污染物，并会将垃圾中的重金属游解出来，形成有机物质、重金属和病原微生物三位一体的污染源，雨水淋入后混合的渗滤液必然会造成地表水和地下水的严重污染。③侵占并污染大量土地。大量的垃圾堆放就需要大量的地域面积，垃圾中的病原菌和重金属等污染因子通过垃圾渗滤液等多种途径直接进入土壤，导致大量的土壤被污染，从而在一定程度上破坏了生态环境。④垃圾的爆炸事故不断发生。随着城市中生活垃圾有机物含量的提高和由露天分散堆放变为集中堆存，如只采用简单覆盖易造成甲烷气体的厌氧环境，易燃易爆。

三、垃圾的处理方法

城市生活垃圾处理技术受地理环境、经济发展、垃圾状况、城市文明程度及气候条件等多种因素影响和制约。生活垃圾处理是指通过物理、化学、生物等加工的一切过程，使生活垃圾转化成为适于贮存、资源化利用，以及最终处置的一种手段。目前生活垃圾处理处置的方法基本上有卫生填埋、焚烧、堆肥、生物制氢四种。不同城市和地区要采用适合本地特点的处理方法。

（一）卫生填埋

卫生填埋是一种对各种垃圾成分适应性最好的垃圾处理方法，一般无需对垃圾进行预处理，只有极少数的垃圾填埋场采用了对垃圾进行压块预处理后再进行填埋的处理工艺，垃圾在填埋前进行压块处理可增加填埋密度，有效提高填埋场的空间利用率，延长填埋场的使用寿命[4]。工艺流程如图1所示。

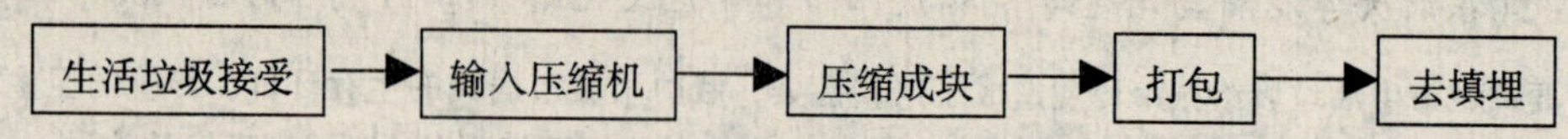

图1　城市垃圾卫生填埋工艺流程图

卫生填埋具有处理量大、方便简单、处理费用低及适应性强等优点，在我国城市生活垃圾处理中一直占最主要的位置。但是它也存在一定的局限性，比如说填埋场选址困难；垃圾中可回收利用部分被埋掉，造成资源浪费；渗滤液和废气污染地下水和大气，治理困难，费用较高。随着能源和资源回收工作的加强，它在垃圾处理中所占的比例将会越来越小。

（二）焚烧

焚烧是目前世界上一些经济发达国家和城市广泛采用的一种城市生活垃圾处理技术。垃圾焚烧、回收能源，以实现城市垃圾的减容化、无害化和资源化[5]，被认为是我国处理城市垃圾的一个重要方向。从资源再生利用的角度看，这是一种较佳的选择。垃圾焚烧后，减容减重分别达95%和75%～80%[6]，垃圾经过焚烧消毒彻底，降解了大部分有害物质，在焚烧过程中产生的热量，经热电系统处理后，可用于发电和供热，垃圾焚烧灰渣经预处理可用于制砖、铺路或固化填埋。虽然焚烧所产生的烟气和灰渣难以处理，但焚烧处理是实现垃圾无害化、减量化和资源化的有效手段之一，是垃圾处理的重要发展方向。目前，我国深圳、上海、天津、宁波、北京等城市垃圾焚烧发电厂或已投入运行或正在建设中。

结合我国城市垃圾处理现状及目前综合处理技术研究进展[7-8]，提出建立以垃圾焚烧发电厂为主体，形成分选回收、焚烧发电、厌氧发酵、建材生产相结合的综合处理模式。具体处理工艺流程如图2所示。

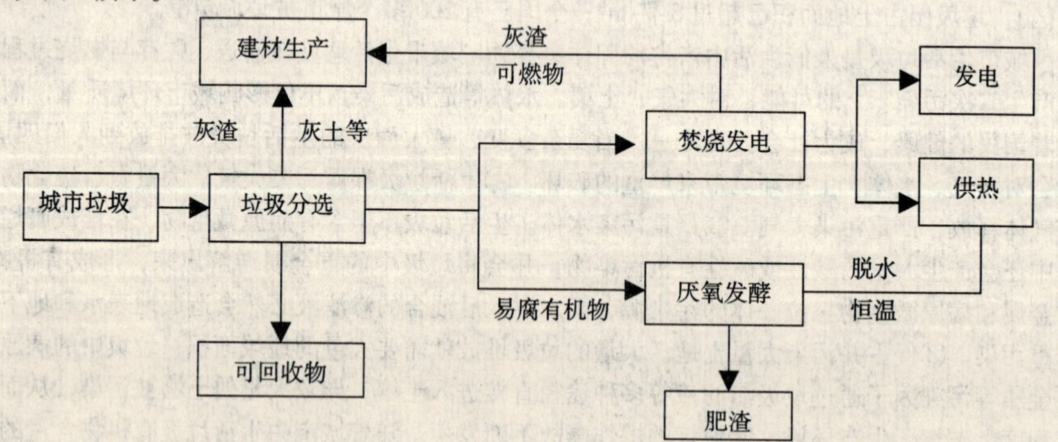

图2　城市垃圾焚烧综合工艺流程图

焚烧突出的优点是处理量大，减容性好，无害化彻底，而且能回收热能。不足之处在于它对垃圾的地位热值有一定要求，不是任何垃圾都能焚烧，因此在焚烧前需要进行分选；焚烧所产生的尾气如不妥善处理，极易造成二次污染；最后，限制其应用的关键是设备投资巨大，运转成本高，很多国家和地区都无力承担资金方面的压力。

（三）堆肥

堆肥法处理城市生活垃圾是垃圾处理的重要技术之一。城市生活垃圾进行堆肥处理，将其中的有机可腐物转化为土壤可接受且迫切需要的有机营养土，不仅能有效地解决城市生活垃圾的出路，解决环境污染和垃圾无害化问题，同时也为农业生产提供了适用的腐殖土，从而维持了自然界的良性物质循环。

堆肥是利用微生物人为地促进可生物降解的有机物向稳定的腐殖质转化的微生物反应过程。在生物化学反应过程中，垃圾中的有机物与氧气和细菌相互作用，析出二氧化碳、水和热，同时生成腐殖质，用作土壤改良剂或肥料。堆肥过程有好氧堆肥和厌氧堆肥两种。这两个过程中供氧情况不同，微生物种类不同，堆肥原理也不一样[4,9]。具体原理如图3、图4所示。

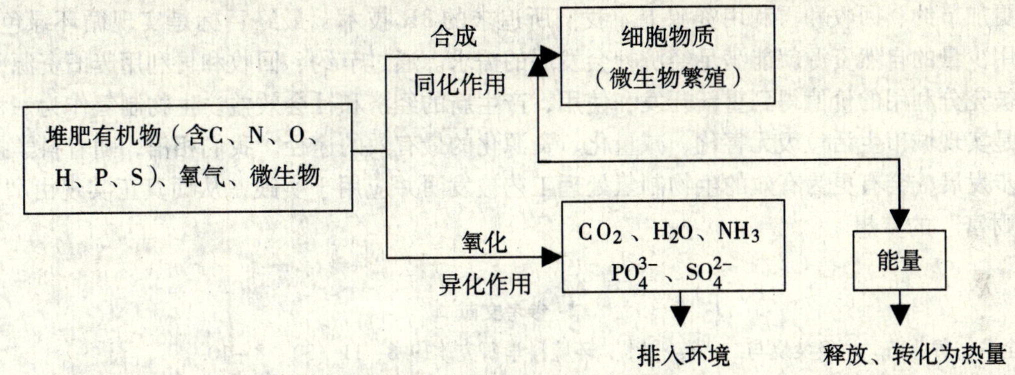

图3 有机物好氧堆肥分解

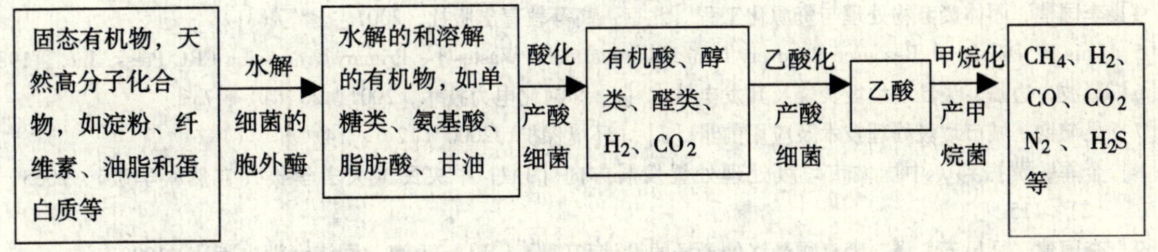

图4 厌氧堆肥过程

堆肥可以把垃圾转化为稳定的腐殖质，成为可施于农田的土壤改良剂。问题是堆肥周期长，占地面积大，卫生条件差；必须将垃圾中金属、塑料等不能被微生物分解的废物分拣出来，增加了处理费用；堆肥效率低，成本高，经济效益差。

（四）新技术——生物制氢

当今人类所面临的能源与环境双重压力，使生物制氢研究越来越受到重视，人们试着把氢气的获取和城市生活垃圾的处理结合起来，即以城市生活垃圾中的有机物为供氢体，利用纯的光合细菌或厌氧细菌制备氢气。20世纪90年代后期，人们直接以厌氧活性污泥作为天然产氢微生物菌群，通过厌氧发酵亦成功制备出了氢气[10]。

针对国内外以有机废弃物为原料的产氢技术研究中的问题，提出两步生物产氢的新思路，即光合细菌和厌氧非光合细菌联合制氢（暗发酵，光发酵耦联制氢[11]）。一方面，暗发酵细菌降解大分子有机物的能力很强，而光合细菌分解大分子有机物能力相对较弱，但可以有效地利用暗发酵细菌分解大分子有机物后产生的小分子物质，两者混合培养可以充分利用有机物质，提高产氢效率；另一方面，暗发酵细菌在发酵放氢的过程中会产生大量的有机酸等，使发酵液的pH下降至4.0~4.8[12]，偏离暗发酵细菌生长和放氢的最适条件，导致氢气产量下降，而光合细菌在放氢过程中可以分解、利用这些小分子有机酸，使发酵环境中的pH上升，恢复暗发酵细菌的产氢效率。同时，氨抑制光合细菌放氢气[13]，通过暗发酵可以去除氨。因此，把这两种微生物联合培养有利于提高底物的利用率和产氢率。

利用城市生活垃圾生物制氢，一方面可以减少垃圾的排放量，减轻垃圾给环境造成的压力，起到治理环境的作用；另一方面，使垃圾中的有用物质转化成能源及对环境有益的二次产物，具有明显的经济效益、环境效益和社会效益，是实现有机废物无害化、减量化、资源化的最有效的途径。

四、结　论

在21世纪，人类社会的发展方向将不再是建立在更多地消耗资源的基础上，人们的目光将落在更加节约、回收和再利用资源上。我们所追求的3R技术，最终目标是实现循环绿色经济，即只用少量的自然资源就能满足经济社会发展的需求。通过节约、回收和再利用废旧资源，使其尚未被充分利用的价值得到重新开发和使用，产生新的经济和社会效益。生物制氢作为一种新技术，是实现城市生活垃圾无害化、减量化、资源化的最有效的途径。我们相信，随着科学技术的进一步发展，会有更为有效的生物制氢处理工艺被发明并应用于实践，从而真正实现由“废物”变“财富”的梦想。

参考文献

[1] 全浩，黄业茹．垃圾焚烧与二恶英［J］．环境科学研究，1998，11（3）：8－10.

[2] 王伟，袁光钰．我国固体废物处理处置现状与发展［J］．环境科学，1997，18（2）：87－90.

[3] 凌加明，李茂德．城市固体废弃物处理技术比较［J］．能源研究与信息，1995，11（2）：35－40.

[4] 李国建．固体废弃物处理与资源化工程．北京：高等教育出版社，2001.

[5] Luis F, Diaz et al. Resource Recovery from Municipal Solid Wastes Ⅰ：Primary Processing CRC Press, Inc.，1982.

[6] 彭波，边疆，吴磊．垃圾焚烧及其发电技术［J］．河北电力技术，2001，20（1）：7.

[7] 吴鸿钧．城市垃圾处理技术及应用前景［J］．环境保护，2000（12）：14.

[8] 金军，贾振邦．中国城市垃圾处理处置发展方向［J］．中央民族大学学报（自然科学版），2005，14（2）：115.

[9] 李国建，吴星五，译．废弃物最终处置场的设计和建设［M］．上海：同济大学出版社，1998.

[10] Ueno Y，Haruta S. 1shii M，et a1. Microbial community in anaerobic hydrogen－producing microflora enriched fromsludge compost［J］. Appl Microbiol Biotechnl，2001，57：555－562.

[11] Kim MS. Back JS，Yun YS，et a1. Hydrogen production from Chlamydomonas reinhardtii biomass using two－step-conversion process：Anaerobic conversion and photosynthetic Fermentation［J］. Hydrogen Energy. 2006，31：812－816.

[12] Liu G Shen J. Effects of culture medium and medium conditions on hydrogen production from starch using anaerobic bacteria. J Biosci Bioeng，2004，98：251－256.

[13] Salerno MB，Park W，Zuo Y，et a1. Inhibition of biohydrogen production by ammonia［J］. Water Res，2006，40（6）：1167－1172.

关于下一代资源节约型、环境友好型MSW焚烧发电技术的探讨

全　浩

（中国环境科学学会固体废物分会　北京市朝阳区育慧南路1号　100029）

摘　要　本文以炉排炉和热选式气化改性熔融炉为例叙述了低空气比－高温空气燃烧技术，焚烧炉与炉灰渣处理一体化技术，对未经前处理的MSW直接压缩脱气，干燥和热解并经气化改性方式将MSW转化成为合成气以实现MSW能源化技术，炉灰渣零填埋技术以及利用无氧条件急冷方式控制二恶英技术等的新进展，进而探讨了下一代资源节约型、环境友好型MSW焚烧发电技术。

关键词　城市生活垃圾　生命周期成本　气化熔融设施　二恶英类

前　言

100多年前，即自1896—1898年在德国汉堡和法国巴黎先后建起了世界上最早的城市生活垃圾（MSW）焚烧厂以来，世界各地的MSW焚烧厂为防治城市环境污染、饮用水源污染和传染病传播等方面立下了不朽的功劳。然而到了1977年Olie等第一次在荷兰的3个MSW焚烧厂排放出来的尾气中检测出19种二恶英，人们开始认识到MSW焚烧厂是人们生活环境中的一个重要的二恶英污染源之一。1997年国际癌症研究机构（IARC）认定，二恶英对人类来说是致癌物质，而且把二恶英列为致癌风险度最高的第一号。另外，20世纪末在全球范围内面临着能源和资源危机的情况下世界目光转向了废物能源化（waste to energy，WTE），即向废物要能源并把它作为废物减量化、无害化的重要手段。因此，要建立一种下一代资源节约型、环境友好型MSW焚烧技术，便成为这个时代赋予环保工作者的一项重要任务。本文以炉排炉和热选式气化改性熔融炉为例探讨下一代资源节约型、环境友好型MSW焚烧工艺。

一、资源节约型、环境友好型MSW焚烧炉的基本概念

2005年2月开始生效的《京都议定书》中规定，为了实现节约能源，减少温室气体排放而在世界范围内开展清洁发展机制（CDM）项目的15个领域中专门列出了“废物处理处置”能源化的领域。从此以后的5年中，我国通过实施大量的废物CDM项目实践中取得了WTE的经验。与此同时，多年来我国不少地方在引进消化发达国家的MSW焚烧设备和技术的实践中掌握了WTE技术。这些经验都为在我国东部沿海地区，中部地区大、中城市中发展MSW焚烧发电方面不仅提供了技术支持，而且使其逐步成为我国MSW处理的重要发展方向之一。

根据国内外MSW焚烧技术发展情况，下一代MSW焚烧炉的概念应具备：①大幅度降低焚烧炉及其运行中的环境污染负荷并确保其环境安全；②大幅度提高能源和资源回收利用效率；③实现总体MSW焚烧系统的生命周期成本（life cycle cost，LCC）最少化。本文选择炉排炉和热选式高温气化改性熔融炉为例，探讨下一代新型MSW焚烧发电工艺。

二、下一代炉排炉

（一）机械炉排焚烧炉与炉灰渣处理一体化工艺

在MSW炉排炉焚烧处理过程中，MSW经焚烧之后仍有5%～20%的炉渣和飞灰以固体废物排出来。其中含有重金属、盐分和未燃尽有机物如：二恶英等有害物质。因此，我国相关法规中规定，炉渣按一般固体废物处理，而飞灰则按危险废物处理。为了对上述炉渣进行处理，不仅要

设置炉渣槽、冷却设施、输送设备、贮坑，而且还要把它运输到指定地点填埋。另外，飞灰中含有重金属和二恶英等，对它进行固化处理之后填埋或作为建筑材料再利用。

现在，无论是中国的沿海地区大中城市还是发达国家面临着寻找 MSW 填埋场地难，选址难，二恶英等有害物质的环境风险等问题，所以，人们正在研发资源节约型、环境友好型的下一代 MSW 焚烧炉与炉灰渣熔融处理一体化工艺（见图 1）。

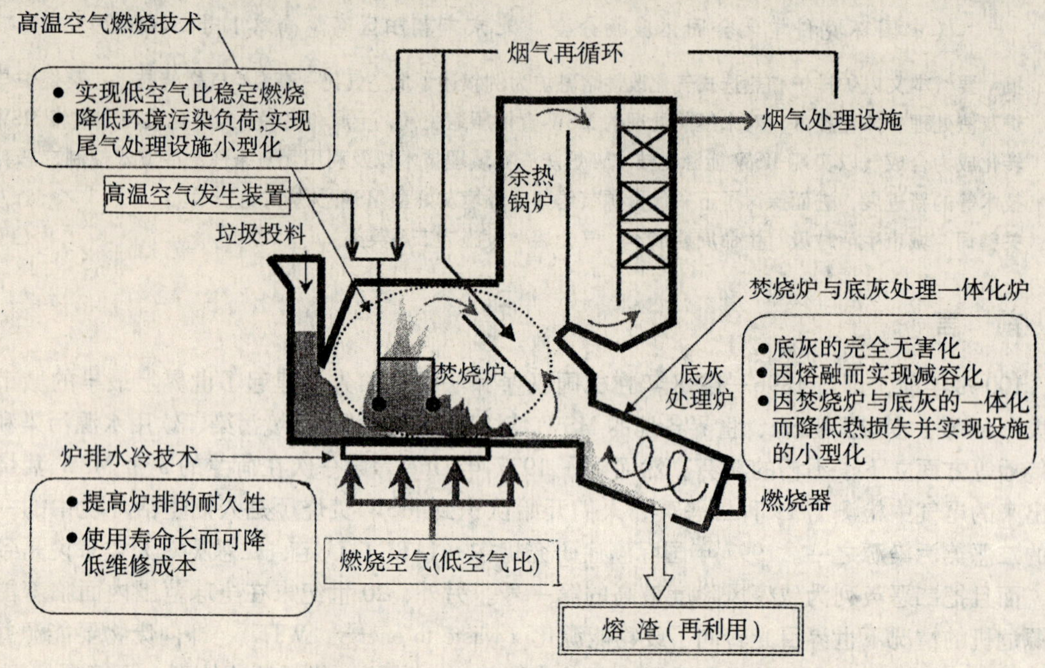

图 1　资源节约型、环境友好型炉排炉焚烧工艺流程

该工艺是：①利用燃料和电力对上述炉灰渣进行加热，使其在 1250 ~ 1450℃ 高温下熔融，因而它不仅使二恶英彻底分解，而且使金属类变成熔渣，可以防止重金属熔出来；②不再需要建设单独的炉灰渣处理设施以及炉渣槽（坑）、冷却、输送等设备，因而使焚烧系统设施规模变得简单、占地少，可以节省建设这些设施所需要的成本；③不仅可以把高温熔融炉的高温气体返回到焚烧炉，而且还可以直接利用由焚烧炉排放出的，呈高温状态的炉渣（约 400℃）的热能，因而节省炉灰渣熔融所需要的燃料，大幅度提高能源利用效率。总之，如果把 MSW 焚烧炉与余热锅炉一体化称为焚烧炉的第一次一体化升级，那么焚烧炉与炉灰渣处理一体化则成为焚烧炉的第二次一体化升级。

（二）低空气比 - 高温空气燃烧技术

由于 MSW 中不仅有可燃性有机物，同时混入了不少不可燃物质，所以通常要供给比理论空气量更多的空气量（实际空气量）。一般炉排炉采用空气比 1.5 ~ 2.0 来实现 MSW 的完全燃烧的目标。其结果不仅造成烟气排放量大，烟气处理设施规模也随之增大，而且多余氧气促使 NO_x 等有害气体的生成量也相应增大。然而当空气比低时，由于空气（氧气）量不足而 MSW 在炉膛内焚烧不均匀而出现 blow hole 或局部燃烧等现象和作为不完全燃烧指标的 CO 浓度和 NO_x 浓度增大。为了解决上述问题而开发出来的技术就是低空气比 - 高温空气燃烧工艺（见图 2、图 3）。

如图 2 中所示，通过在燃烧室侧面的喷嘴和高温空气发生装置分别快速供给再循环烟气和高温空气，促使在 MSW 层上面形成稳定燃烧区域的同时，可以维持温度分布均匀的高温（900℃）燃烧场。

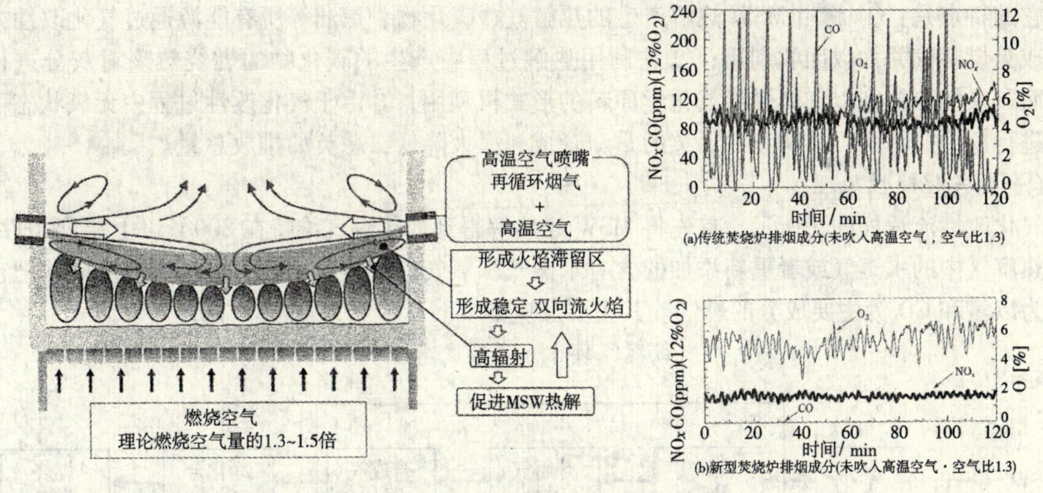

图 2　由吹入高温空气形成的稳定火焰及低空气比稳定燃烧　　**图 3　吹入高温空气的效果**

从图 3 中可以看出，由于采用了低空气比（1.3～1.5）和供给高温空气，NO_x 和 CO 浓度变化激烈的现象不再出现，而且在燃烧室内维持完全燃烧状态，因而 CO 浓度也大幅度下降，符合欧盟的完全燃烧标准。

（三）水冷式炉排技术

我国到目前为止 MSW 焚烧工艺中采用机械炉排炉较多。由于 MSW 在高温焚烧，而且 MSW 在高温燃烧反应中会产生酸性气体，因而炉排应具有能够耐受高温、热磨损和腐蚀等性能以及使用寿命长的要求。然而我国目前采用的炉排并不能完全满足上述要求，为了能解决这个问题，日本的 JFE 公司和德国 Noell 公司分别研发了超级炉排和炉排水冷技术。图 4 说明水冷式炉排（炉条）的水冷机制。该水冷式炉排是把传统的空气冷却式炉排的炉条温度 300～400℃控制在 100℃左右，因而不仅防止由于炉条温度高而出现的热磨损和腐蚀，而且大幅度延长了炉条的使用寿命并大大降低了炉排维修成本。

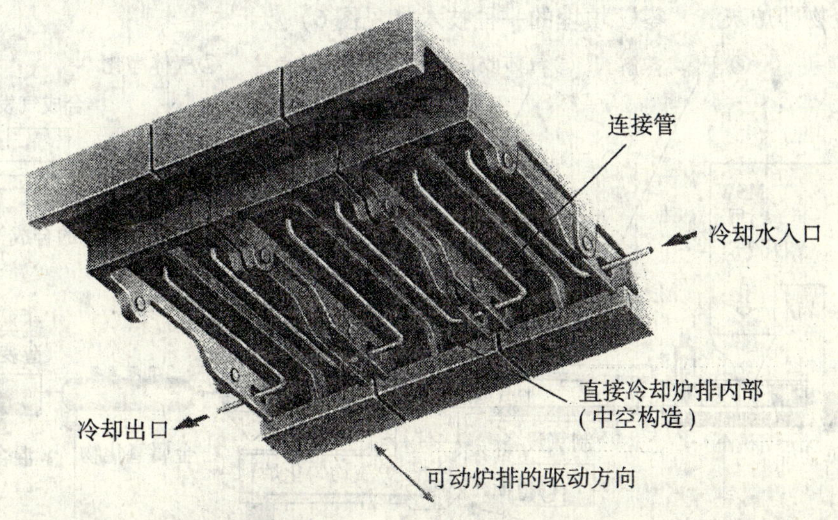

图 4　水冷式炉排（从炉排底部看到的炉排）

三、热选式气化改性焚烧技术

所谓热选式（thermo select）气化改性方式是在气化熔融方式的基础上发展起来的一种新工

艺。它的特点是：① 将由 MSW 热解产生的热解气、碳化物、焦油等所有能源通过气化改性方式转化成为燃料气并加以回收利用；②它利用热解过程中产生的碳化物的燃烧热来对灰分进行熔融，而剩余的热能则以气体燃料或化学原料的形式再利用；③由于气化改性过程中无氧状态下对烟气进行急冷，因而可以防止二恶英的重新合成，大大降低二恶英的排放总量。

（一）气化改性原理

气化改性流程如图 5 所示。首先将 MSW 经热解得到的热解气维持在 800℃以上温度条件下，利用热解气中的水蒸气或者重新添加的含有水蒸气和氧气的气体对热解气进行改性反应并把它转变成为以氢和 CO 为主要成分的燃气。其主要反应如下。

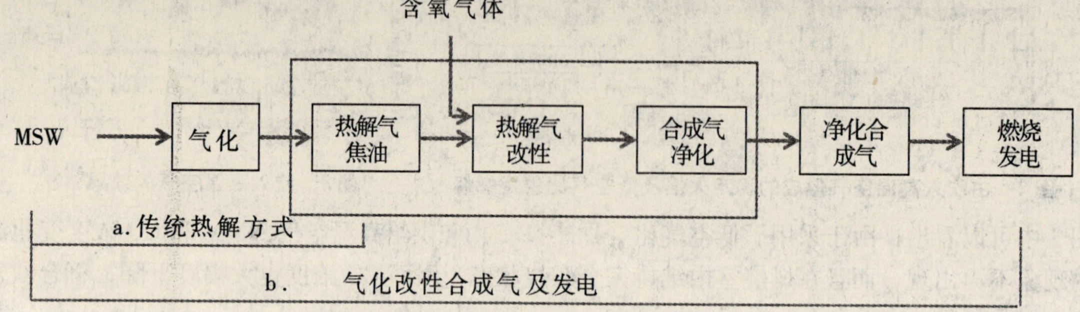

图 5　MSW 气化改性方式示意图

$$C_nH_m + nH_2O \rightarrow nCO + (\delta + 1/2 \cdot m)\ H_2 - \Delta Q \quad (1)$$

$$C + H_2O \rightarrow CO + H_2 - \Delta Q \quad (2)$$

$$C + CO_2 \rightarrow 2CO - \Delta Q \quad (3)$$

$$CH_4 + H_2O \rightarrow CO + 3H_2 \quad (4)$$

$$CO_2 + H_2 \rightarrow CO + H_2O \quad (5)$$

（二）热选方式

所谓热选方式是通过气化改性反应不仅实现资源回收的目的，而且同时实现 MSW 处理过程产生的固体废物即炉灰渣“零”填埋的一种技术（见图 6）。

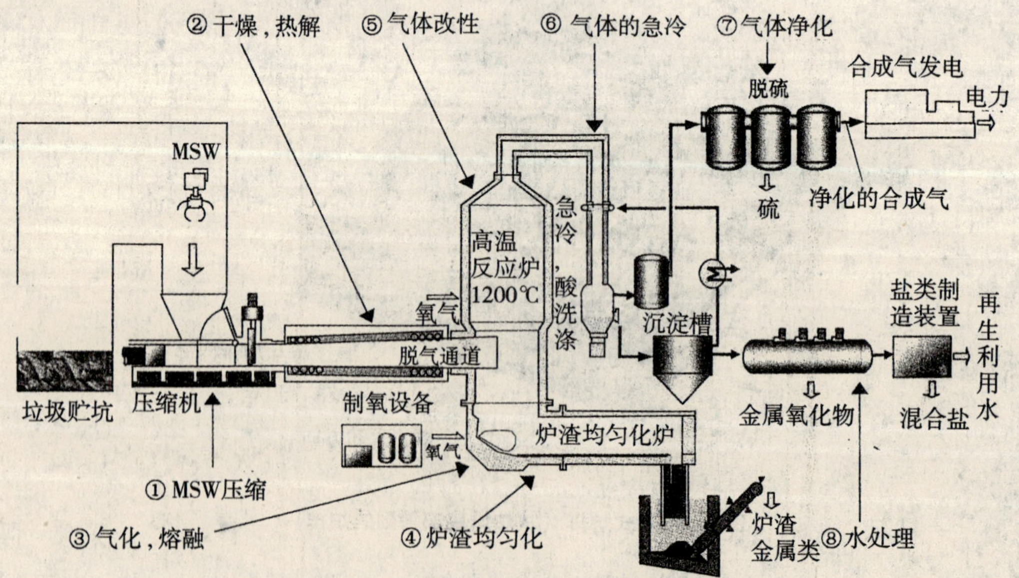

图 6　热选式气化熔融炉 MSW 焚烧技术工艺流程

从图6中可以看出，对 MSW 不经前处理直接进行压缩、脱水，然后在脱气通道中进行干燥、热解。热解产物被送入高温反应炉，并在氧与被热解碳的反应中产生的高温中不燃物得到熔融。熔融物由高温反应炉流入到温度约1600℃的均匀化炉，并在均匀化炉中因密度不同而被分为金属熔融物（下层）与炉渣（上层）。熔融物迅速地进入淬火系统而被冷却固化，进而分成熔渣与金属两个部分。

在这种气化改性条件下，气体中的焦油，二恶英的前置体（precursor）、予二恶英（predioxin）和二恶英（dioxins）都在水煤气反应中被分解而生成以 H_2、CO、CO_2、H_2O 为主成分的粗制合成气。这些气体在经过变换反应（shift reaction）最终得到净化合成气，被用来发电。而且熔渣、金属、金属氢氧化物、硫、盐类和再生利用水等，按各自的用途得到回收利用。从热选式气化改性工艺系统中向外排放的二恶英总量为0.00069μg－TEQ/t·msw（通常日本1吨 MSW 中二恶英含量为10μg－TEQ/t·msw）。由于气化改性方式具有强烈的二恶英分解能力，绝大部分二恶英能分解成为可燃气体，因而平均1吨 MSW 中10μg二恶英被削减到万分之一以下（见表1）。

表1　MSW 处理过程中二恶英类的分布与排放总量（实例）

回收物质	二恶英类含量	回收物质的量/干基	二恶英类含量/μg－TEQ/t·msw
净化的合成气	0.00039ng－TEQ/m^3	722m^3/t·msw	0.00028
炉渣	0.009ng－TEQ/kg	65kg/t·msw	0.00004
硫	0.35ng－TEQ/kg	0.52kg/t·msw	0.00018
金属氢氧化物	0.29ng－TEQ/kg	0.63kg/t·msw	0.00018
经处理过的水	0.0000ng－TEQ/L	680L/t·msw	0.00001
二恶英类排放总量			0.00069

注：通常，1吨原生 MSW 中二恶英类含量约为10μg－TEQ（日本：酒井伸一）。

（三）控制二恶英重新合成的机理

表2中列出了通常 MSW 焚烧系统中与二恶英重新合成有关的主要因素和热选式气化改性方式中控制二恶英重新合成机理。由此可看出，热选式气化改性方式中经过高温改性反应使二恶英几乎被彻底分解并转化为合成气，进而作为燃料回收利用。因此不需要布袋除尘器、活性炭吸附等繁杂的尾气净化设施和步骤，大大简化了尾气净化程序。

表2　热选式气化方式避免二恶英重新合成的机理

序号	MSW 焚烧系统与二恶英重新合成有关的主要因素	热选式气化改性方式中避免二恶英重新合成的机理
1	需要有可以合成二恶英的前置体（Precursor）等存在	在高温反应炉中几乎完全分解二恶英的前置体，二恶英和予二恶英
2	需要有适合重新合成二恶英的温度（200～500℃）	急冷时间很短（0.1秒），而且重新合成反应很慢，因而几乎不可能再合成
3	需要有重新合成需要的催化剂（如 Cu 合物等）	在高温中使起催化作用的金属处于熔融状态并被排出去，因而避免参与急冷中的再合成反应
4	需要有氧气存在	净化合成气中没有氧气，因而不能重新合成二恶英
5	需要有含氯（Cl）的气体存在	

如上所述，热选式气化改性方式具有以下几个特点。

1. 用500吨的压缩机对未经前处理的 MSW 直接进行压缩，使送入气化炉中的 MSW 体积压缩至原体积的1/5，并把 MSW 中的空气和水分挤出系统外，因而干燥、热解顺利。

2. 热解产物在高温反应炉中与氧和热解碳反应形成的高温条件下，不燃物经熔融后被分成熔渣、金属等物质，均可回收利用，因而炉灰渣等不再需要填埋，实现“零”填埋。

3. 通过本工艺中的气化改性条件下形成净化合成气并可用来发电。

4. 经过高温反应炉（1600℃）及其（上部1200℃）改性条件下可以维持停留2秒以上等条件，使得绝大多数二恶英被分解。与此同时，无氧条件下对合成气进行急冷而可以防止二恶英重新合成，因而削减了绝大部分的二恶英类排放量。

四、讨　论

如上所述，下一代炉排炉和热选式气化改性工艺已在一些国家得到使用，说明这类技术有很好的发展前景。从我国MSW焚烧技术发展上看，重点设计如下四个问题。

1. 垃圾分类。当采用焚烧方式时必须按焚烧的要求，将垃圾分为可燃与不可燃，并把可燃垃圾送入焚烧炉。由于我国MSW水分高，热值偏低，未分离出不可燃物，甚至一直未能实现净菜进城而造成带泥土的菜帮子、蜂窝煤灰渣等都进入炉内，其结果必然使焚烧炉“消化不良”，燃烧不均匀，影响炉温，出渣困难，焚烧灰渣多等问题。因此，垃圾分类是实现MSW焚烧或能源化的前提条件之一。

2. 从设备设计上必须要满足使MSW完全燃烧的条件。这是各种性能良好的焚烧炉的核心问题。其中包括选择恰当的空气比来减少有害气体产生量，以实现缩小设备规模，降低成本等。

3. 从焚烧炉运行机制中形成稳定的二恶英削减机制。换言之，在焚烧炉正常运行过程中要形成完全燃烧使二恶英得到充分分解，不再造成重新合成的机会或避免重新合成。与此同时在行政管理层面上也应有监督二恶英排放状况的监管制度。实践表明，只有二恶英排放标准，没有与之相匹配的监管制度是很难把握实际二恶英排放状况。

4. MSW的能源化是这个时代的要求。MSW焚烧技术是实现MSW的能源化、减量化、无害化的过程，因而在我国东部经济发达地区和大、中城市中采用MSW焚烧发电是必然的选择。这一点是已被100多年来世界各国的实践所证实的历史经验。

五、结束语

所谓MSW是指地球上的60多亿人口每天在生存，生活和消费中产生巨大的固体废物，它早已成为地球生物圈中的一大污染物。下一代MSW处理技术是人类向自然学习并利用自然界业已存在的物质循环规律来对MSW进行处理并使其最终融入自然界物质循环中的自然和谐型方式。我国的研究人员和业内人士早已洞察到下一代MSW处理技术的兴起和发展并已开始进行研究，但由于我们未能掌握国内信息，将在以后再做进一步介绍。

参考文献

[1]［日］化学工学会编．Environmental Process Engineering. TOKYO：丸善株式会社，2006：45-61.

[2] 胡华龙，温雪峰，罗庆明，等．废物焚烧［M］．北京：化学工业出版社，2009：191-228.

[3] 陈泽峰．世界垃圾焚烧100年［M］．福州：福建科学技术出版社，2009：92-117.

广东固体废物分类管理的探索与实践

许冠英[1,3]　罗庆明[2]　温雪峰[2]　周少奇[3]　胡华龙[2]

（1. 广东省废物管理中心　广东　广州　510630；
2. 环境保护部固体废物管理中心　北京　100029；
3. 华南理工大学环境科学与工程学院　广东　广州　510641）

摘　要　固体废物的定义与分类是管理工作的基础。我国固体废物的分类管理还不完善，广东在地方立法的基础上，提出了“严控废物”和“高危废物”的概念，开展分类管理的探索与实践。

关键词　广东　固体废物　分类管理　实践

固体废物可按来源、组成、形态及危害特性等有多种分类方式。发达国家的固体废物管理起步较早，形成了较为完善和科学的分类管理体系[1]。相对而言，我国固体废物的分类管理体系还不完善，给管理和统计工作带来较大困难。近年来，广东借鉴国外先进经验，通过地方立法，按照重点管理、突出实效的原则，以颁布名录的方式，从一般固体废物中筛选出需要严格管理的废物，列入严控废物名录；从《国家危险废物名录》中筛选出风险高、危害大的废物类别，列入高危废物名录，实施分类管理。

一、严控废物

（一）名录制订背景

发达国家大多是结合来源和危害特性对固体废物实施分类管理。日本固体废物的定义是指拥有者无法自行利用或不能有偿出售给他人的被抛弃的固态或液态物品、物质。其分类是先按来源分为产业固体废物和一般废物，将两类中“具有爆炸性、毒性、感染性以及其他有可能损害人类健康或生活环境的性状，而由政令规定的物质”，再按危害特性分为特别管理的一般废物和特别管理的产业废物，并对处理方法分别做了规定[2]。

美国《资源保护与再生法》（RCRA）中固体废物的定义指出了废物的产生来源，即“工业、商业、采矿业和农业生产以及社会活动”[3]。RCRA 将固体废物先按危害程度分为危险废物和非危险废物，再将危险废物结合行业来源和危害特性分为名录废物、特性废物、普遍性废物和混合废物；将非危险废物分为城市固体废物和产业废物，每类废物有更详细的分类和管理要求。

欧盟《欧洲废物名录》固体废物分类是先按行业来源或工艺和物质属性分为 20 类，列 20 章，每章再按更详细的产生来源或工艺和物质属性分为数目不等的节，每节中的危险废物和非危险废物分别标示或以镜像条目加以判断[4]，不同类别的废物实施不同的管理要求。

相比之下，我国固体废物分类体系不完善，主要问题有：一是分类混乱，种与类不分。我国排污申报登记统计的工业固体废物分为粉煤灰、锅炉渣、尾矿、皮革废物等 28 种[5]，环境统计则汇总为冶炼废渣、粉煤灰、炉渣、煤矸石、尾矿、脱硫石膏、其他废物、危险废物和放射性废物 9 类。《固体废物鉴别导则》明确指出放射性废物不属于固体废物，将其纳入统计不合适；粉煤灰、煤矸石等是指具体的某种废物，冶炼废渣、其他废物等则是表示某类废物，种与类不分模糊了废物的产生及流向信息，不利于发现问题。二是分类不全，标准不统一。我国《固体废物污染法》将固体废物按来源分为工业固体废物和生活垃圾两大类，没有提及农业、建筑业、商业等其他来源。建设部《城市生活垃圾分类及其评价标准》（CJJ/T 102—2004）将生活垃圾（不包括建筑垃圾）分为可回收物、大件垃圾、可堆肥垃圾、可燃垃圾、有害垃圾、其他垃圾 6

类。这个分类仅包括了部分日常生活中产生的固体废物，一些为日常生活提供服务的活动中产生的固体废物，如城镇生活污水厂污泥、废轮胎等，则没有包括在内，造成了法律和管理上的真空。有害垃圾的分类和名称与危险废物的法律定义也存在不衔接现象。三是没有体现“分类管理，风险预防，重点防控”的管理思路。

（二）名录制订及实施情况

固体废物具有资源性和潜在危害性的双重特性，不当的利用处置容易危害环境。《广东省固体废物污染环境防治条例》（以下简称《条例》）提出了严控废物的概念，对“未列入国家危险废物名录，但含有毒有害物质，或者在利用和处置过程中容易产生有毒有害物质的废物”，采用名录制加以严格管理，并规定，“由省人民政府环境保护行政主管部门会同有关部门制定其种类和处理方式的名录，严格控制其利用和处置过程”。2004 年《条例》实施后不久，广东省发布并实施了《广东省严控废物名录》（粤环［2004］106 号）。名录共录入 22 类严控废物，并明确了每类严控废物“需资质认定的处理处置方式”。

为摸清废物的产生及流向情况，2006 年广东省开展了“危险废物和严控废物产生源普查”。普查中发现严控废物的分类问题：一是名录中的部分严控废物属于当时正征求意见的新《国家危险废物名录》，应按危险废物进行管理；二是部分属于社会源固体废物，鉴于现有法规和管理体制，还不具备普查和有效管理条件；三是界定问题，同一种废物若不按名录所列方式处理处置，就不属于严控废物，不需要申领资质和申报，实际操作中难以判断。因此，仅将废覆铜板（HY04）、印染废水处理污泥（HY13）、造纸废水处理污泥（HY18）、废五金和废塑料拆解产生的不再利用废物及污水处理污泥（HY19）、有色金属选矿渣（HY20）、味精和酒精发酵废液（HY21）、饮食业产生的废油脂及植物油加工产生的残渣（HY22）7 类纳入普查。普查发现，污泥类严控废物排放率和委托利用处置率较高，污染风险较大，但因缺乏相应的利用处置设施信息，无法判断其利用处置是否符合环保要求。

2008 年，考虑到名录中严控废物类别过多，配套规章制度不完善，现有监管能力有限，实施效果不理想，只对处理处置方式实施许可管理的模式也不符合固体废物全过程管理原则。因此，广东省环保局决定对名录进行修订。2009 年 2 月，省政府颁布了《广东省严控废物处理行政许可实施办法》（粤府令第 135 号），以省府令附件的形式发布了新的《广东省严控废物名录》，将需许可的处理方式调整为收集、贮存、处理、处置；将废物类别调整为 6 类，并增加了城镇生活污水处理厂污泥。截至 2009 年 7 月，共有 15 家企业获得《广东省严控废物处理许可证》，核准处理处置规模 52.64 万吨，主要利用处置的废物是废覆铜板边角料和残次品（HY01）、城镇污水处理厂污泥（HY06）、废油脂（HY05）等。

（三）分析与思考

与修订前相比，新名录可操作性有所增强，但也存在一些问题。首先，许可内容不明确。严控废物的处理方式是行政许可的内容之一，但没有明确产废单位自行“贮存、处理、处置”是否需要行政许可。其次，废物流监测制度不完善。《条例》没有强调严控废物的分类申报制度，现行统计制度无法监测废物的产生和流向情况，无法保障废物的合理流向。再次，环境经济政策不配套。目前，国家和地方有危险废物处置收费政策，污泥类严控废物大多处理成本高，却没有配套的处置收费政策，废物处置产业化体制不完善，规范化处置能力不足。最后，部分严控废物类别的界定依然模糊，管理对象不明确，表述不清晰。如饮食业产生的食物加工废物和废弃食物及植物油加工厂产生的残渣（HY05），其本意是控制和管理饮食业隔油池油脂（潲水油），但表述中没有明确。《广东省严控废物名录》的制订与实施，有助于加强管理，防治环境污染，是我国固体废物分类管理的有益探索。严控废物的定义、管理模式、分类方式等还有待完善，至少两点值得借鉴：一是我国固体废物分类管理体系不完善，有必要对没有列入《国家危险废物名录》，但社会影响和危害大的废物实施更严格管理。二是实施分类管理必须配套相应的管理制度和经济政策，加强废物流的监测和管理。

二、高危废物

（一）名录制订背景

危险废物因具有毒性、易燃性、爆炸性、腐蚀性、反应性或传染性等一种或多种危害特性，不当管理和处置会造成危害。因此，对于不同的危险废物应划分不同的管理级别，实施差别化管理。欧盟国家按照危害程度和含量大小，对危险废物划定了不同的等级，对各个等级采取不同程度的管理措施。欧盟危险废物的危害特性包括爆炸性、腐蚀性、刺激性等多达 15 种，针对每一特性，都利用风险评价的方法相应地划分了等级。欧盟对危险废物含量也划定了等级，并且规定了最低含量标准，如毒性含量分为三级：剧毒品含量大于（等于）0.1% 的废物为剧毒性危险废物；有毒品含量大于（等于）93% 的废物为一般毒性危险废物；有害品含量大于（等于）25% 的废物为有害性废物。通过研究，欧盟列出了确定或怀疑为“三致”物质（致癌性、致畸性和致突变性）的名单，并且划定了含量分级标准[6]。根据产生量及危害程度，美国将危险废物产生源划分为大源（LQGs）、小源（SQGs）和有条件豁免小源（CESQG）三类，并规定了包括申报制度、联单管理、标签标识、人员培训、应急计划等多达 33 项不同的管理要求[7]。大源是指危险废物产生量大于 1000kg/月，或者急性危险废物产生量大于 1kg/月的产生源；小源是指产生量在 100～1000kg/月，或急性危险废物产生量在 1kg 以下，或在任一时间危险废物累积少于 6000kg 或急性危险废物累积少于 1kg 的产生源；危险废物产生量不超过 100kg/月，或急性危险废物产生量不超过 1kg/月，或者在任一时间危险废物累积不超过 1000kg 或急性危险废物产生量不超过 1kg 的产生源为有条件豁免小源[8]。急性危险废物是指 EPA 认为那些量虽小，但危害性大，需要采取与产生量大的废物类别同样的管制方法的废物。这类废物含有低剂量致死人类的物质或致死实验室动物的人类当量浓度，以危险代码“H”表示，被列入美国危险废物名录 P－list 以及 F－list 中的 F020－F023 和 F026－F027。P－list 是废弃的危险化学品名录，F－List 中的废物是指生产、配制、使用过程中废弃的六氯酚、四氯酚等非特定源废物。目前我国还没有单独针对危险废物制定分级标准，只是在危险化学品和农药行业有较为详细的分级标准，《危险废物鉴别标准——毒性物质含量鉴别》也只是规定了鉴别时不同有害物质的含量要求；2008 年我国颁布实施的新《国家危险废物名录》提出了优先管理类废弃危险化学品目录，但也没有规定相应的分类管理措施。

（二）名录制订及实施情况

为加强对环境风险高、特别是具有“三致”（致癌性、致畸性、致突变性）和高生物累积性的危险废物的管理，2008 年 11 月，广东省环保局依据《条例》有关规定，制订并发布了《广东省高危废物名录》（粤环［2008］114 号）。名录确定高危废物 18 类，列出了每类高危废物的编号、名称、危险特性、主要行业来源、典型工序及主要有毒有害成分。其编号是由 9 个字母和数字组成，前两位数字表示在名录中序号，最后两位数字代表该类废物在《国家危险废物名录》中的类别编号。高危名录是综合考虑废物的产生规模、行业来源、危害特性、暴露途径等因素，利用 2006 年全省危险废物产生源普查成果，采用层次分析法对广东产生的 42 类危险废物排定先后次序的结果。其先后次序是按危险废物产生量多少的行业来源赋值和层次分析的高危废物特性定量赋予权重排序的乘积大小确定的。其中危险废物产生量多少的行业来源赋值是按照等比例的图例方法进行的；对某行业的总体危险特性的赋值是在参考欧盟和英国危险废物特性的等级说明的基础上，按照层次分析法进行计算得出的。各行业产生的各类危险废物，又根据特性对其赋值排序，同一废物按同一赋值，各类废物赋予的权重之和为 1。

根据《条例》第二十三条的规定："高毒性、致畸、致癌、致突变性等高危险废物，应当由取得相应危险废物经营许可证的单位集中处置"。2006 年 12 月，省环保局在《广东省危险废物产生单位建设危险废物处理、处置设施的指导性意见》中"禁止企业自建高危险废物处理处置设施"，要求"产生危险废物的单位必须按照国家和省的有关规定处置危险废物，对产生的列入我省高危险废物名录的危险废物，产生单位不得自行处理处置"。

（三）分析与思考

广东省以颁布名录的方式，对具有高毒性和"三致"特性的危险废物实施差别化管理，是在借鉴国外分级管理经验基础上的有益探索，但在制度设计与具体实践中还存在一些问题。

首先，不确定性问题。发达国家的分级管理都是在风险评价的基础上，按各个危害特性的危害程度纵向分级的，鲜有根据危险废物产生量和危害特性进行综合评价实施分级的。姑且不论层次分析法在进行废物危害特性两两比较时，不可避免地出现权重分配的人为因素，就废物本身而言，并不是执行某种生产标准的产品，其物理形态、有害物质含量等具有不确定性。比如，很难判断两种分别具有反应性和腐蚀性的废物哪种危害大。随着产业结构调整和技术进步，危险废物的重点产生行业和类别也会有所变化，高危名录的确定与具体年份危险废物产生量挂钩，也使名录排序和废物类别具有不确定性。其次，可操作性问题。广东省产生的 42 类危险废物，有多达 18 类属于高危废物，其产生量约占全省产生总量的 50%。规定"产生单位不得自行处理处置"，明显会增加运输风险、处理处置成本和环保部门的监管压力，且与国家"要求危险废物产生量大的企业按照无害化的要求自行建设处置设施，鼓励接纳周边地区同类型危险废物"的原则不符，降低了名录实施的可操作性。

三、总结与建议

按照一定的分级分类标准，采取颁布名录的方式，实施差别化管理，是发达国家固体废物管理的重要经验。采用名录制实施分类管理，可以减少固体废物对环境的污染和对人类健康的危害，而且能在很大程度上节约管理资金以及人力和物力的投入，减小废物管理成本。

与发达国家相比，我国固体废物分级分类管理体系还不完善。建议从国家层面开展以下工作：①修订《固体废物污染法》，完善固体废物的定义、分类及相应的各相关方的法律责任；②完善按产生规模和危害特性的危险废物分级标准，制订差别化管理要求，对重点产生源或危害大的废物类别实施重点监控和管理；③完善固体废物申报登记制度，加强废物流的监控与管理，确保废物的合理流向。

参考文献

[1] 张继月，罗庆明，温雪峰．中日欧固体废物分类管理对比研究［J］．环境污染与防治，2009，网络版(6)：1-6.

[2] 陈燕平，胡华龙，李治琨．日本固体废物管理与资源化技术［M］．北京：化学工业出版社，2007.

[3] U. S. Environmental Protection Agency. RCRA orientation manual, 2008 edition, 530-R-02-016［R］. Washington, DC: U. S. Environmental Protection Agency, Office of Solid Waste, 2008.

[4] Sander, K., Schilling, S., Lüskow, H. Review of the European List of Waste［R］. 2008 (2).

[5] 国家环境保护总局．排污申报登记实用手册［M］．北京：中国环境科学出版社，2004.

[6] 张丽颖，黄启飞，王琪，等．危险废物分级管理方法研究［J］．环境污染与防治，2006 (1)：34-36.

[7] U. S. Environmental Protection Agency. Hazardous Waste Generator Regulations: A User-Friendly Reference Document［R］. 2007.

[8] Blackman, W. C. Basic hazardous waste management［M］. Boca Raton, Florida: CRC Press, 2001.

生活垃圾污染防治规划的重点及策略论析

陈海滨　周靖承　张　黎

（华中科技大学环境科学与工程学院　武汉　430074）

摘　要　近30年来我国的生活垃圾产生量增长迅速，特别是“十一五”期间我国城市生活垃圾年产生总量保持在1.5亿t以上，生活垃圾的污染防治现状不容乐观。“十二五”期间生活垃圾污染防治的策略应该是：宏观层面要做到区域统筹，以中心带动两厢，考虑到环境保护不同阶段和时期的规划重点，才能更好地发挥“系统效应”；中观层面上应该注重城乡统筹、以城带乡，突破行政隶属，考虑到经济基础条件和垃圾处理需求，才能更好地发挥“规模效应”；微观层面上应优化生活垃圾物流的流向处理，进行面域控制，以垃圾综合处理处置设施布局为核心，以收运线路为网络，构建生活垃圾处理组团格局，才能才能更好地发挥技术优势。

关键词　生活垃圾　污染防治　规划　策略

一、我国生活垃圾产生及处理的现状

目前，根据住房和城乡建设部相关资料得出，我国设市城市生活垃圾年清运量基本稳定在1.5亿t左右，2008年全国城镇生活垃圾产生总量超过2.2亿t，其中，城市生活垃圾年清运量为1.55亿t，县城和建制镇生活垃圾约为0.7亿t[1]。

而据统计，2008年我国总计655个设市城市的生活垃圾清运量达到1.54亿t，垃圾无害化处理量为10306.6亿t，无害化处理率约为66.8%。截至2008年底，全国655个设市城市生活垃圾清运量1.54亿t，有各类生活垃圾处理场（厂）579座，处理能力为31.5万t/d；其中城市生活垃圾填埋场465座，无害化处理能力25.3万t/d，填埋处理量约8424万t；城市生活垃圾堆肥厂20座，无害化处理能力0.54万t/d，处理量174万t；城市生活垃圾焚烧厂90座，无害化处理能力5.16万t/d，处理量1569.7万t；按无害化处理量统计，填埋、堆肥和焚烧处理比例分别占81.7%、1.7%和15.2%，按清运量统计分析，填埋、堆肥和焚烧处理比例分别占62.9%、1.3%和11.7%[2]。对于村镇而言，含建制镇19249个、乡15120个、行政村57万个，村镇的数量大、面域广、人口多，生活垃圾管理体制仍需完善，因而其生活垃圾产生及处理情况尚无详细的统计数据。

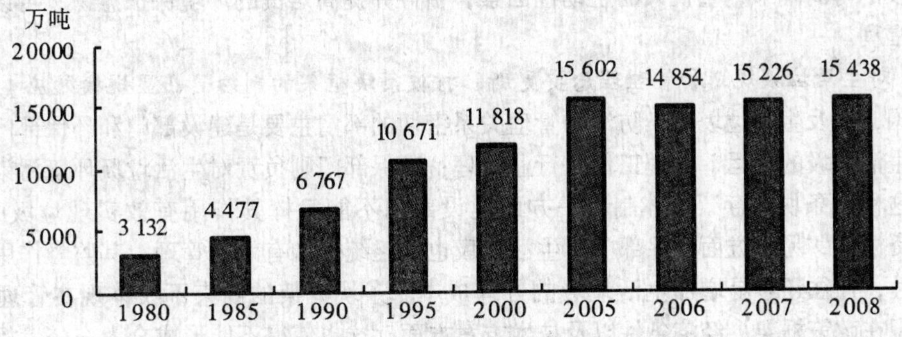

图1　1980—2008年我国生活垃圾产生量

以城市生活垃圾为例，从图1可以看出，设市城市生活垃圾的产生量由1980年的3132万t增长到现在的约1.55亿t（2008年我国的生活垃圾产生量以15438万t计），2005年以后我国生活垃圾产生总量维持在较高水平但年际变化趋势放缓，粗略估计我国现在的城市生活垃圾总量占世界比例为25%～30%，而近30年的生活垃圾年增长率也居于世界前列。

改革开放以来，我国国民经济实现了跨越式的发展，人民生活水平得到了明显的改善，社会发展已进入全面建设小康社会阶段。但是，伴随着社会经济的快速发展以及人口的不断增加，环境污染和生态环境破坏加剧的趋势仍未从根本上得到控制。在人们普遍关注的水和大气污染的防治得到明显加强的同时，生活垃圾的规划管理却相对薄弱，生活垃圾污染防治形势仍然十分严峻。

二、生活垃圾处理及其污染防治过程中的问题分析

（一）对生活垃圾处理项目的投资不能满足规划建设需要，垃圾处理收费不足以满足日常运营的需求

虽然近3年来国家加大了对生活垃圾处理的投入，但是长期以来城市生活垃圾处理的投入一直处于低水平状态，所欠旧账多，加上生活垃圾的产生和处理与人们的活动息息相关，因而导致“摊大饼”的现象日益严重，使得生活垃圾处理行业的快速发展仍然难堪重负。这主要表现在：①环卫事业投资占市政公用事业比例低，如1990—2005年，环卫设施固定资产投资占城市市政公用设施建设投资平均仅为2.2%[3]；②城市发展过程中，城市中心区和外围辖区、城市和村镇的生活垃圾处理出现两极分化的现象，一方面是城市中心区和外围辖区、城市和村镇的垃圾处理建设项目及其配套设施、设备差别较大，另一方面是生活垃圾的组织和作业缺乏衔接，垃圾清扫、收集和运输过程的二次污染现象得不到有效控制，封闭式运输和敞开式运输现象共存，主要囿于运距的因素大大增加了生活垃圾处理费用；③较低的投入也导致了生活垃圾处理水平仍然难以达到无害化的要求，对以填埋、焚烧或资源化利用等方式处理生活垃圾的监督管理不足，前期规划项目和后续的立项实施必须立足现实，利于长远发展；④以垃圾收费的方式补贴垃圾处理成本，既要看到垃圾处理费是一种服务性收费，具有公平性还能适当平衡财政支出，又要看到垃圾处理费作为一种经营性收费，需要由垃圾处理产业及其市场化成熟运作，更能够发挥其弥补城市建设维护税（费）的作用，同时起到“楔子”的作用在一定程度上激励居民减少垃圾产生量。

（二）对生活垃圾处理过程中的污染防治仍需重视，垃圾处理“减量化、资源化、无害化”效果需要强化落实

我国关于生活垃圾处理方面的标准规范已经相对比较完善，部分标准规范已接近或达到发达国家水平。但是，即便如此，对生活垃圾的污染防治与发达国家仍有相当差距，特别是在项目建设和运营两方面存在脱节现象。加强污染防治和综合管理，关注生活垃圾清运过程中的二次污染和处置环节的污染控制是重中之重。这也反映出提高生活垃圾处理行业的从业人员专业素质和水平是现阶段的薄弱环节，重视人的主动性因素，引导并提高居民的环境保护意识，可以增加环境和社会的福利。

（三）对生活垃圾规划和管理理念要更新，打破条块框架的制约，凸显规模效应

在我国，涉及生活垃圾污染防治和管理关系密切的部门主要是建设部门和环保部门，建设部门则负责生活垃圾的清运、处理工作及行业管理；环保部门则负责对生活垃圾环境污染的监督管理。由于这种“条块并存”的体制，一方面建设部门不能发挥其作用有效实现垃圾的无害化、减量化和资源化，另一方面环保部门对生活垃圾也缺乏统一和有效的管理，其监督作用呈现出一定的滞后性，往往还容易增加生活垃圾的处理成本。条块框架的约束不仅体现在管理体制的方面，还体现在政策框架、经济条件以及技术方案方面，这也使得不能形成合力充分发挥生活垃圾污染防治的“规模效应”。

三、生活垃圾污染防治规划的策略分析

（一）进行现状评估，分析在“十一五”规划期固体废物污染防治工作中存在的问题

首先应该把生活垃圾管理纳入固体废物管理体系统筹规划。在分析现状、确定需要优先解决的问题基础之上，确立规划的总体目标和主要内容，并使其与国家和地区的固体废物（生活垃

圾）管理政策和目标相一致；做好“十二五”规划前期研究和“十一五”规划实施的衔接。总体目标能够适宜引导固体废物规划及其管理向固体废物管理综合化、层次化、阶段化、分类化方向发展。按照这种多维度的、立体化的定义要求，需要优先考虑的是规划能够引导固体废物产生源单位贯彻循环经济与生命周期的生产方式，减少固体废物的产生并降低其危害，而且促使各级政府加速固废防治工程和基础设施的建设，对固体废物最大限度进行回收利用，最终达成固体废物的减量化、资源化、无害化。实践及经验表明，固体废物污染防治规划的制定和实施，应该注重固体废物产生源头和物流管理，同时充分考虑到技术、经济的支持，以及社会、环境的综合效益，固体废物污染防治规划及其研究还应结合能源利用和供给规划的协调。

（二）规划应把握好层次性，省（区）、市规划乃至区域性的防治规划要做好统筹结合

在国家固体废物污染防治规划中，首先应确定规划目标、发展战略、指导思想、原则、主要依据及主要内容，建立规划指标体系，以体现其宏观控制性；在省（区）、市规划中，则应依据国家确定的规划目标，发展战略，因地制宜地分解落实指标体系的各项任务，从而确保规划目标的达成。应遵循“SMART”原则，将规划指标体系应量化为多种指标，即“具体的、可测量的、可以达到的、现实的、有规划期时间限制的”。建立这些量化指标以明确阶段性任务，从而在汲取“十一五”固体废物规划及其实施的经验的基础上，完成“十二五”规划的前期基础研究和后续规划的制定。

（三）在下一阶段规划方案提出之前，进行规划的前期研究，保证规划发展的阶段性、衔接性和连续性。

不仅要注重技术及理论的支持，同时也要考虑社会经济要素的影响，在政策框架和管理体制方面寻求突破，进行诸如排污收费、成本控制、社会化融资、资源环境效益和产业化等方面的发展，还要涉及法规标准的配套、宣传教育等实现发展目标的保障。

四、生活垃圾污染防治规划的重点和任务

（一）“十二五”期间生活垃圾污染防治的规划重点

“十二五”时期必须先后完成的重点项目应包括以下内容：①对国家“十一五”生活垃圾污染防治规划实施的中期评估；②系统考察我国生活垃圾的组成、特性、产生量、危害等情况；③生活垃圾污染防治的区域状况和城市特征；④建立生活垃圾污染防治指标体系；⑤建立生活垃圾污染防治政策法规体系；⑥建立生活垃圾污染防治技术标准体系；⑦完善生活垃圾污染防治规划实施的保障体系；⑧构建“十二五”生活垃圾污染防治重大工程项目体系；⑨提出“十二五”生活垃圾污染防治规划目标；⑩测算生活垃圾污染控制的资金需求；⑪按不同类型固废产生源及性状特征，提出生活垃圾、工业废物、医疗垃圾、危险废物等的协调管理模式。

（二）“十二五”期间生活垃圾污染防治规划的任务

“十二五”期间生活垃圾污染防治规划的任务分解如下：

1. 调研、跟踪分析我国相关固体废物污染防治规划的执行情况，划分为三个层次对象——全国、省（自治区）、市（县）。并针对以上三个层次，结合国家“十一五”规划、环境保护规划的指导思想、目标和重点，比较和分析各省（区）固体废物污染防治规划的制定、修定和执行进展，调研并评估固体废物污染防治规划实施的程度和效果。

2. 按不同类型产生源进行固体废物污染防治研究，即对生活垃圾（含渗沥液处理）、工业废物、医疗废物、危险废物等分别进行专题研究，探求其综合利用的理论和方法，结合国情、省（区）情进行实证研究，并针对我国不同地区的具体情况，提出科学、实用的固废管理模式，制定具有针对性和可操作性的污染防治方案。与此同时，还应考虑到对固废污染防治技术及理论的更新与完善。

3. 分类研究生活垃圾（含渗沥液的处理）、工业废物、医疗废物、危险废物等的特征，污染产生源情况。依照我国固体废物污染防治的“减量化、资源化、无害化”目标和原则，充分咨询并参考国内外的固体废物管理和防治的理论、技术手段和经验，确定各类型固体废物管理及污染治理的基本政策和主要措施，明确“十二五”期间各类固体废物管理及污染治理的重点，以及相应的政策法规、技术标准、资源配置的需求，制定不同规划期（2015 年、2020 年）应分别实现的目标和任务。

4. 课题研究应充分考虑到我国经济及自然条件的现实情况，结合不同发展期的各方需求，进行规划期固体废物污染防治的投资匡算。尽管我国在“十一五”期间加大了对环境保护和污染治理的力度，逐年增加环保事业的资金投入，但由于环境保护工作整体上具有起步晚、起点低的特点，长期以来，环境污染治理投入与社会经济发展不平衡，还未形成完整的、系统的环境保护基础设施，因此，固体废物污染防治体系仍然需要逐步构建和完善。

5. 结合国家社会经济发展战略，明确国家固体废物污染防治的重点，提出国家级和省（区）级固体废物污染防治重大工程的数量、布局、规模及其主要技术经济指标。

基于上述分析，我国固体废物污染防治规划应遵循“统筹规划、近远结合、量入为出、分步实施、因地制宜、资源共享”的思路，体现“污染集中治理”和“规模效益”两大原则。

五、结论及建议

我国社会经济的快速发展为环境保护事业的发展提供了经济基础，而城乡一体化的发展又在更高层次上要求生活垃圾的污染防治工作要进行规划战略上的统筹，长期以来以“国家—省（自治区）—市（县）”为规划层次的垂直体系需要改变：①从宏观层面上来看，要做到区域统筹，以中心带动两厢，考虑到环境保护不同阶段和时期的规划重点，才能更好地发挥“系统效应”；②从中观层面上来看，城乡统筹、以城带乡，突破行政隶属，考虑到经济基础条件和垃圾处理需求，才能更好地发挥“规模效应”；③从微观层面上来看，对生活垃圾按照物流流向处理，进行面域控制，以垃圾综合处理处置设施布局为核心，以收运线路为网络，构建生活垃圾处理组团格局[4]，才能更好地发挥技术优势。做好以上三个层面的布置，有利于加快实现生活垃圾污染防治规划的目标，为“十二五”阶段固体废弃物的污染防治打下坚实基础。

参考文献

[1] 杜宇．我国城市生活垃圾年产生量稳定在 1.5 亿吨左右［EB/OL］．(2009 - 10 - 04)［2010 - 2 - 28］．http：//www. gov. cn/jrzg/2009 - 10/04/content_ 1432481. htm.

[2] 住房和城乡建设部计划财务与外事司．中国城市建设统计年鉴（2008 年）［M］．北京：中国计划出版社，2009.

[3] 徐海云，周宏春．城市生活垃圾处理现状与对策建议［J］．经济研究参考，2008，25：15 - 19.

[4] 陈海滨，周永锋，韩沁沁．城镇垃圾处理系统的统筹规划研究——中山市垃圾处理系统规划设计实践[J]．环境污染与防治，2005，27（5）：375 - 378.

关于电子垃圾的初步研究

雷　丽　罗清威　樊占国

（东北大学材料与冶金学院　沈阳市和平区文化路3巷11号417信箱　110819）

摘　要　伴随着电子工业的高速发展，电子废弃物污染不可避免地摆在了我们面前。电子垃圾处理不当，将会排放数百种有害物质。本文简单概述了国内外电子垃圾的处理处置现状，同时依据我国现存处置状况的不足，提出了相应的解决途径和建议。

关键词　电子垃圾　危害　解决途径

一、电子垃圾排放量巨大

科技的发展，使得电子产品更新换代的周期越来越短，由此产生的电子废物每年以18%的速度增长，成为世界上增长最快的垃圾。据统计，目前芬兰每年产生的电子垃圾达10万t、德国180万t、法国150万t，整个欧洲为600万~800万t，美国则是世界上最大的电子产品生产国和电子垃圾的制造国，每年产生的电子垃圾高达700万~800万t，而且产生量正在变得越来越大。在我国，从2004年起每年至少有500万台计算机、5000万部手机、500万台电视机、400万台冰箱、500万台洗衣机进入报废期，这尚且不包括随身听、音响、微波炉等家电。此外，全世界电子垃圾中的80%出口至亚洲，其中又有90%进入了中国[1]。据《美国新闻周刊》报道，目前世界上各地废弃的电脑软盘加在一起，每隔20min就可以形成一座100层高的“摩天大厦”。电子垃圾的增长速度比总废物量的增长速度快3倍，电子垃圾正成为新的危险废物污染源。

二、电子垃圾潜伏危机

电子垃圾含有很多有毒有害的物质，如不加以合理处置，会有越来越多的电子垃圾在垃圾场和河流中缓慢地降解，将会对水源和空气造成严重威胁。最为典型的是电池类产品，其主要组成成分铅和酸的比重非常高，一旦进入土壤便会严重污染水源。另外，焚化电子产品会释放大量重金属，如金属铅和铍会通过燃烧以灰尘和气体的形式渗入水体和空气中，污染环境。

电子垃圾中含有汞、镍、硒、镉、铅、铬、氯氟碳化物、卤素阻燃剂等有毒物质，会严重威胁人类健康。电脑的有害物质更多，制造一台电脑需要700多种化学原料，其中50%以上对人体有害。铅会破坏人的神经、血液系统以及肾脏，还会对儿童的脑发育造成极大的影响；铬化物会透过皮肤，经细胞渗透，少量便会造成严重过敏，更可能导致哮喘、破坏DNA；汞会破坏脑部神经；卤素阻燃剂的燃烧将会产生二恶英和呋喃等致癌、致畸物质[2]。

三、电子垃圾的处理处置现状

电子垃圾中含有大量可回收再利用的有色金属、黑色金属、玻璃、聚酯、塑料等物质。其中所含有的金属，尤其是贵金属，其品位是天然矿藏的几十倍甚至上百倍，回收成本一般低于开采自然矿床。有资料显示，1t随意收集的电子板卡中可分离286磅铜、1磅黄金、44磅锡；废弃电路板中仅铜的含量就高达20%。为防止电子产品废弃后对环境造成污染及其他公害，实现产品清洁生产，提高资源的有效利用效率，促进电子行业健康发展，越来越多的国家开始探索电子垃圾的回收处理处置技术。

（一）国外电子垃圾的处置现状

欧盟在2003年采纳两项指令去应对电子垃圾问题，即RoHS指令和WEEE指令。RoHS即限制使用有害物质指令，要求生产商停止在产品中使用有毒化学物质和重金属。WEEE 指令，即电气电子设备废物指令，要求生产商承担回收其品牌的电子垃圾的责任，尤其是经济上的责任[3]。瑞典法律规定废旧家电处理费用由制造商和政府承担。欧盟各国建立了很多处理与回收企业，仅瑞士就 20 多家。芬兰的世界第一家专门处理电子垃圾的现代化工厂在 2001 年已建成投产，良好的环保处理系统不会造成地下水源和空气的污染。德国知名企业建立信息网，加快信息的传递，促进废旧电子产品的回收体系的完善。此外，欧洲国家很早就开始研究电子垃圾的综合利用，并致力于手工拆卸和金属富集工艺技术的开发。主要采用物理技术，有效减少了对环境的影响。

美国在 20 世纪 90 年代初就对废旧家电的回收利用制定强制性条例，2002 又出台了相关法令，确保回收利用达到所规定的各项要求和技术指标。一项协议要求每台计算机零售价中增加 25～30 美元，用于资助计算机回收项目。美国拥有一批技术成熟、管理完善的废旧家电处理企业，并设有专业回收公司。但相对每年淘汰下来的大量家电而言，目前的回收能力几乎是杯水车薪。此外，美国还有很大一部分的电子垃圾被运到发展中国家。

在日本，大至彩电、小至电池，都会进行回收。在 2001 年，日本实施了《家用电器回收法》，规定家电生产企业必须承担回收和利用废弃家电的义务。同时还规定了生产企业回收利用废弃家电的比例。目前，约 82% 电子垃圾通过销售店回收处理，剩余的由地方途径解决。日本非常重视电子垃圾的循环利用，并取得了很好的成效。据 2009 年 1 月发布的一项调查结果显示，日本国内所有零件和产品中，所含的各种金属总量可以与资源大国匹敌。其中，日本的金、银累计总量占世界总储量的 16%～22%，铟、锑占 15%～19%。

（二）我国电子垃圾处理处置现状

目前，我国报废家电已迎来高峰期，加之国外大量涌进的电子垃圾给我国电子垃圾处理带来了很大困难。2003 年，国家信息产业部制定了《电子信息产品污染防治管理办法》。国家发展和改革委员会从资源回收利用角度将废弃家电及电子产品的回收利用列入《再生资源回收利用“十五”发展规划》，并明确提出：研究开发一批急需的废弃物无害化处理技术和再生资源加工利用技术，如废弃电路板，废旧镉镍电池等的无害化处理技术。另外还要求废家电电器和废计算机回收量达到废弃总量的 80% 以上。此外，国内的各大企业也纷纷加入到防治电子垃圾的行列：TCL 启动“以旧换新回收电子垃圾”活动，为顾客解决处理旧彩电的烦恼；中关村作为电子垃圾的主要回收渠道，担当了回收电子垃圾的正规军，由专业的维修技师对回收的电子废旧产品进行检测；北京越谷国际利用废旧电器外包装塑料外壳，制成色彩绚丽的“塑料花”或其他塑料用品；金隅红树林公司对无利用电子垃圾经过瞬间达到的高温处理，最大限度地减少“二恶英”的产生，实现最终环保处理。

然而，我国在电子垃圾的资源再生利用方面仍存在很多问题：主要障碍是缺少有效的组织，未形成产业规模，缺少技术研发。我国对电子垃圾的处理处置，自发形成的回收系统占据了主导地位，普通民工组成了电子垃圾回收活动的主体，家庭作坊、旧货市场和一些地区成为了电子废弃物的主要最终容纳场所[4]。

四、我国电子垃圾路在何方

近几年，我国电子垃圾的处置已有了长足进步，政府也给予了高度的重视。但仍存在一些管理的和技术上的不足，针对现阶段电子垃圾处理中的不足，现提出以下几种解决途径：

（一）建立健全相关法律法规

近年来，虽已制定了《电子信息产品污染控制管理办法》、《废弃家电与电子产品污染防治技术政策》、《电子废弃物污染环境防治管理办法》和《废旧家电及电子产品回收处理管理条例》等一系列相关条例，积极推动了电子垃圾的无害化、资源化处理。但是，电子垃圾的管理涉及诸如工业和信息化部、商务部、海关总署、质检总局、环境保护部等多个部门，存在职能交叉、职责不清等诸多问题[5]。这一点主要体现在各流通环节中责任主体和客体不明确和不具体。所以我国急需出台一部关于电子垃圾回收、处理的法规，明确回收过程中各相关的责任和义务等内容，协调好各管理部门的协同合作关系，进一步完善法律法规可操作性。

（二）改进生产技术，从源头治理

首先，从生产源头减少污染，使电子产品在废弃以后，对社会、对环境是最小的污染，才是最切合实际的做法。目的是做到产品从设计开发开始尽量选择一些无毒、无害的材料。在产品进入市场以后，消费者使用完结并加以回收，有利于最后的拆解、回收处理；此外，大力开发可通用的电子器件，如电池，充电器等，将大大减少电子配件的生产；改进生产工艺，研发领先技术，延长电子产品的使用寿命；同时，加快电子垃圾的相关处理技术的研发，减少分散的家庭作坊式的原始处理手段。从而减少电子垃圾带来的危害，有效减少电子垃圾的处理费用。

（三）加大政府引导和扶持力度

加强政府宏观经济调节作用，加强相关企业和相关流通环境进行政策性引导，切实提升对一线企业和部门的政策支持力度，以合理、准确且及时的宏观调控提升行业实力，并最终引导其走上良性发展模型。例如，引导外资，减免税收，加强二手市场管理以及加大非法回收渠道的打击力度等。

（四）提高人们的环保意识

由于社会物质文明和精神文明发展水平限制，我国公民对电子垃圾的危害、回收、处理以及再利用价值的认识存在一定的盲区。所以，我们应加大宣传力度，经常开展教育活动，提高人们对电子垃圾的认识。例如，加强人们对电子垃圾以及传统垃圾分类以及有害物质对人体和周围环境的危害认识；引导城乡居民理解并支持政府关于电子垃圾回收处理的政策，促进回收产业更好地实施，营造良好的环保氛围。

（五）加快正规产业链的建设

电子垃圾的回收处理产业，除具备传统企业所拥有的以营利为目的的特点外，还在很大程度上带有强烈的社会公益性。由于各种原因，当前国内相关企业存在严重的“吃不饱”和本土原料处理不足的尴尬局面。因此，我国需致力于产业链的通畅，协调上游和下游产业的有效配合，促进行业的良性发展。

五、总　结

我国在电子垃圾的再回收、再利用、再循环方面存在较大的潜力，大力发展资源再生产业，尽快出台相关政策，形成产业规模，并借鉴国外领先管理模式和技术，会较大程度地缓解我国资源紧缺、浪费巨大、污染严重的矛盾。

参考文献

[1] Hicks C, Dietmar R, Eugster M. The recycling and disposal of electrical and electronic waste in China: legislative and market responses [J]. Environmental Impact Assessment Review. 2005, 25: 459 – 471.

[2] 孙朋，于云江，李定龙．电子垃圾对环境与健康的影响研究进展［J］．环境与健康杂志，2005，25（5）．

[3] 母晓洁．“两指令”将引发供应链巨变［J］．中国电子报，2005（7）：14.

[4] 王红梅，张金良，王先良，等．中国电子垃圾现状及环境管理对策分析［J］．环境科学与管理，2008，33（5）．

[5] 刘亮岐，尹立孟，张新平．电子垃圾问题面临的挑战与解决途径［J］．材料导报，2008，22（9）．

建立固体废物回收监控体系探讨

郭　燕[1]　刘　伟[1]　王　燕[2]

（1. 青岛市环境监测中心站　青岛市延安一路39号　266003
2. 青岛市环境信息中心　青岛市延安一路41号　266003）

摘　要　在当今的环境保护问题中，固体废物因其日益庞大的数量和复杂的材料组分，正对环境造成日益严重的影响或破坏。建立一套运作方便可行、功能完备、技术先进、设置灵活的固体废物回收监控体系，实现固体废物申报、交换、回收的信息化服务、物流服务和在线实时管理。从而解决企业与企业间、与当地处置中心间、与政府主管部门之间的固废交换信息通畅的问题。

一、固体废物的危害性

工业固废产生企业由于没有利用和处置设施，所产生的危险废物只能暂时贮存在有限的场地内，这种状况已经给企业生产造成了很大压力，个别企业已经陷入停产半停产状态。已处理的危险废物大部分采用简易处理方法，处理工艺落后、设备简陋、处理规模小、缺乏污染防治设施，存在严重污染问题。部分废物进行了回收利用，但综合利用规模小、技术落后、操作人员大多数由于缺乏化工和环保知识，利用危险废物用作原料的生产、加工过程中不仅存在严重影响人体健康问题，还存在对空气、水体、土壤环境的二次污染。有些危险废物随意堆放，简易填埋，没有采取相应的安全处置措施，对周围地下水、土壤、地表水、大气等造成严重污染。有个别单位缺乏法制意识和对危险废物危害性的认识，将危险废物混入生活垃圾中倒掉或偷排入自然水域或空地之中，直接对生态环境和人体健康造成损害。根据2006年中国环境状况公报，2006年全国工业固体废物产生量为15.2亿t，比2005年增加13.1%，其中危险废物估计超过2000万t。固体废物产生量呈连年增长的趋势，造成的环境问题日益严峻。

二、建立固体废物回收监控体系的必要性

（一）固体废物回收交换体系的建立符合国家发展规划

随着社会发展，人民生活现代化程度的不断提高，以固体废物为代表的垃圾逐渐成为困扰全球环境保护和可持续发展的大问题。这些固体废物，如何利用好，再造资源，减少环境污染，是各国政府要解决的重要课题。为此，国家环保总局已经颁发实施的《固体废物污染防治技术政策》，为废弃物拆解处理资源化，再利用和处理设施的规划、立项、设计、建设、运行和管理提供技术指导，对引导相关产业的发展提供了技术保障。

（二）固体废物回收交换体系的建立能保证综合利用的实现

固体废物是一种可回收利用的再生资源，经过无害化处理，回收利用价值极高，其中含有纯度很高的铁、铜、铝以及金、锡、铂等稀有金属，同时含有各种玻璃、塑料等，有关资料显示，回收2t固体废物可获得1t铁，回收14t固体废物可获得1t铜。

对于一些特定的固废，可以成为一些工厂的生产原料，如果简单地像现有危废一样实施焚烧或填埋的处置，则会带来资源的浪费，而经过该平台的交换，可以达到资源化的最大利用并保证固体废物进入正规的固废处置企业。

（三）固体废物回收交换体系的建立是循环经济发展的必然要求

我国固体废物来源广泛，回收市场潜力很大。工业固废方面，根据2006年中国环境状况公报，2006年全国工业固体废物产生量为15.2亿t，比2005年增加13.1%，其中危险废物估计超

过2 000万t。固体废物产生量呈连年增长的趋势。面对这样的局面，固体废物回收监控体系的建立，顺应了当前市场经济形势下固体废物回收处理的发展趋势，对提高固体废物回收的资源化水平和循环利用率，促进循环经济的发展起到积极的作用。

（四）固体废物回收监控体系是政府监控的重要措施之一

固体废物回收及监控体系建设完成后，环境保护行政主管部门可以利用该体系对工业固体废物的产生单位、转移单位及处置单位进行有效的监控，同时可以及时地掌握各种固废信息，为制定相关的规定提供有力的依据与支持。

三、固体废物回收监控体系总体框架

（一）建设目标

建立一套运作方便可行、功能完备、技术先进、设置灵活的固体废物回收监控体系，实现固体废物申报、交换、回收的信息化服务、物流服务和在线实时管理。

固体废物产生企业：为承租本平台的固废处置中心所辖地区的工业固废产生企业提供围绕固废申报、交换，原料采购、产品代销等方面的信息化服务。

政府主管部门：为承租本平台的所在地政府主管部门提供固体废物回收、交换、运输等监管服务；为项目物流系统涉及地区的工业固体废物回收提供监管服务。

（二）固体废物回收交换体系

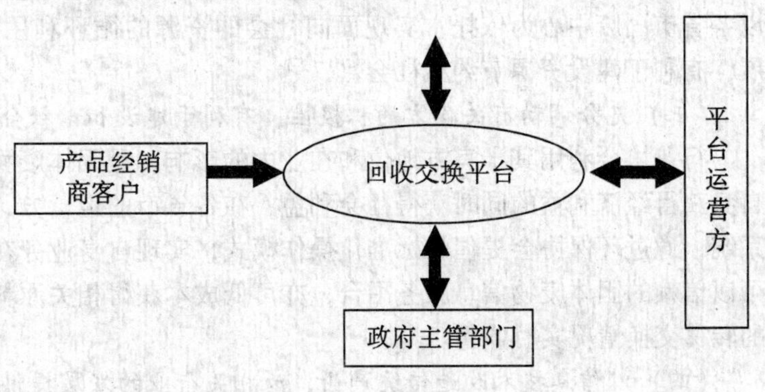

1. 固废生产企业或产品经销商向回收交换平台申报自己产生的固废和企业生产所需的原料，并在平台网站上发布；

2. 当地固废处置中心对企业提交固废进行检测；

3. 经检测，若某地企业1的固废正好是企业2的原料，则当地固废处置中心分别与这两个企业签订固废回收协议和原料供给协议；

4. 由当地固废中心或第三方有运输资质单位提供工业固废的运输，从企业1运到企业2；

5. 对于无法实现交换的固废则运输至当地处置场地实施无害化处置；

6. 政府主管部门对上述所有业务环节实施监管。

（三）固体废物回收流程体系

1. 各类客户将回收信息通过热线电话或网络提交给信息调度管理中心；

2. 信息调度中心向提交地回收站下达回收指令；

3. 回收站确认后实施上门取样；

4. 检测结果送处置中心；

5. 与企业签订回收处置合同；

6. 每收到回收信息后，上门回收，并送至处置中心；

7. 通过信息平台将上述所有环节在政府主管部门监管之中。

（四）信息调度管理中心

信息调度管理中心是固体废物回收监控体系的信息来源及管理部门，负责整个系统的信息采集、指令发送、信息管理等任务，其设计思路是：以呼叫中心回收热线为依托，建设固体废物回收交换平台，将固体废物回收的信息流、业务流、物流、资金流在统一的平台上进行运行，实现固体废物回收信息和处理信息体系化、公开化、资源集约化。

在信息调度管理中心建设固体废物网络管理平台，主要包括呼叫中心、固体废物回收系统、处理系统、财务管理系统、政府监督系统、固体废物处理信息网站。在信息调度管理中心设运输车队，负责把回收站收购的产品集中运输到处理厂。在处理厂设固体废物处理信息录入工作站，负责固体废物处理信息录入，由信息调度管理中心管理。

四、建立固体废物监控体系所产生的社会效应

（一）促进我国固体废物回收处置向规范化、高效化方向发展

固体废物污染问题在我国正逐步得到重视，控制工作取得一定进展，但总的来说尚处于起步阶段，固体废物的转移、交换、处置的中介服务缺少规范化管理，目前在一定程度上，特别在固废的转移、交换环节上，尚处于无序阶段，其安全性、可靠性难以得到保障。固体废物监控体系的建立，可以在技术层面上逐步扭转这一局面。

（二）充分利用资源，促进循环经济发展，有利于建设资源节约型社会

资源的循环利用，分成三个层面：第一，企业循环，即在一个或相邻几个企业实现资源循环利用；第二，园区循环，具体而言在生态园区内实现资源循环利用；第三，社会循环，面向整个省份或相邻省份的社会层面，实现资源的循环利用。固体废物回收监控体系充分利用信息技术，以各省市固废中心为依托，实现面向社会的资源的循环利用。从而促进整个社会的循环经济发展，有利于建设资源节约型社会。

（三）充分调动有关各方的积极性，有利于建设和谐社会

行业协会利用其半官方地位和在业内的影响，是固体废物回收体系在各地的主要推动方，使自身获得经济利益的同时获得社会利益；在各省市的运营方，可以以零成本获得一套完整的业务系统，通过环保协会提倡的标准化操作模式，实现自身业务在深度和广度上的推广；企业有一个可以信赖的固体废物信息服务平台，亦可低成本获得相关原料；而政府则可以方便地对当地固废的转移交换情况实时监督。

（四）以信息技术改造传统产业，为相关行业的发展提供了典范

一提起固体废物回收、交换等，首先给人的印象是脏乱、无序，其中主要原因之一是此类信息流的无序，这和缺乏一个统一的、占主导性的信息管理方式有关，固体废物监控体系的出现，以技术手段，在政府相关政策的指导下，规范各地固废信息流的流动，为相关行业的发展提供了典范。

只有逐渐杜绝固体废物随意丢弃和不规范处理，才能杜绝因固体废物处置不当而造成的相应环境污染，从而使固废的转移、交换、处置等环节上能与发达国家比肩，为我国环保事业的进步，作出实质性贡献。

固体废物回收及监控体系的建立，能保证企业固体废物能够有效交换或进入正规的固废处置企业；堪用的可以通过可控方式实现交换，实在不能交换的通过正规渠道进入按环保要求建设的拆解处理工厂，以得到有效的回收利用及无害化处置。

参考文献

[1] 杨建设. 固体废物处理处置与资源化工程［M］北京：清华大学出版社，2007.
[2] 国家环境保护部科技标准司. 危险废物污染防治技术指南［M］. 北京：中国环境科学出版社，2004.

电子废物的危害与污染防治对策的探讨

樊　旭[1]　高　山[2]

(1. 长春市危险废物管理中心　长春市卫星路7930号　130021；　2. 长春市环境监测中心站)

摘　要　随着电子产业的飞速发展，电子产品使用量的迅速增加，产生的电子废物中含有大量有毒有害物质，对人类健康和环境安全已构成严重威胁，本文分析了电子废物的成分、特征、危害以及我国电子废物现状，在借鉴国外先进经验的基础上，探讨了如何规范合理地处理和回收利用电子废物，提出了防治电子废物污染的建议和措施，提高全社会的废弃物资源化和循环经济理念和环境保护意识。

关键词　电子废物　危害　现状　污染防治

一、电子废弃物的危害

电视机和电脑对环境的污染主要来自阴极射线管（CRT）、印刷线路板（PWB）和塑料制件，还有砷、溴化阻燃剂、聚氯乙烯和其他有害物质。曾有报道一台电脑所含污染环境的有害物质高达10kg以上。废弃电视机的污染物——显像管所含铅玻璃，随意填埋会污染地下水系统，线路板含有少量有色金属及贵重金属。电冰箱使用周期普遍较长，目前到报废期的冰箱几乎都是20世纪的产品，冰箱制冷剂是氟利昂，氟利昂排空会破坏臭氧层。以下介绍了废旧电子产品中几种有害物质及其危害。

表1　废旧电子产品中几种有害物质及其危害

名称	用途/位置	主要危害
铅	金属接头，辐射屏蔽/阴极射线管，印刷电路板	损伤中枢和周围神经系统，循环系统及肾脏；影响内分泌系统和大脑发育
汞	电池，开关/罩盒，印刷电路板	慢性大脑、肾脏、肺及胎儿损伤；血压升高，心率加快，过敏反应，影响大脑功能和记忆力；可能是人类致癌物质
铬	装饰部件，硬化剂/（钢铁）罩盒	溃疡、痉挛、肝肾损伤，强烈的过敏反应，哮喘性支气管炎，可能会引起DNA损坏；致癌物质
铝	结构件，导体/罩盒，阴极射线管，印刷电路板，接头	皮疹、骨骼疾病、呼吸道疾病，包括哮喘；与老年痴呆症有关
溴化阻燃剂	机壳塑料、电路板	多溴化二苯醚（PBDE）——干扰内分泌并影响胎儿发育；多溴化二苯基（PBBs）——增加消化和淋巴系统患癌症的风险
氟利昂	制冷剂氯氟烃CFCs，发泡剂氢氯氟烃HCFCs	破坏臭氧层

二、电子废物的资源性

电子废弃物蕴涵着巨大的经济价值。如废旧电脑的中央处理器、散热器、硬盘驱动器等元件富含铜、银、黄金、铝等贵重金属；电脑外壳、电源线、键盘、鼠标中富含铜和塑料；空调、冰箱的外壳、制冷系统中含有铁、铝、铜、塑料等。日本某公司对报废手机成分进行分析发现，平均每100g手机机身中含有14g铜、0.19g银、0.03g金和0.01g钯；从手机锂电池中还能回收金属锂。该公司通过从报废手机中回收多种贵重金属，获得相当可观的经济效益。在电子废弃物中，以电路板的回收价值最大，根据丹麦的报告，1t随意搜刮的电子板卡中，可以分离出286磅铜、1磅黄金、44磅锡，其回收利用前景比天然矿石要好得多。这意味着电子废物的可利用价值很高，我们应该对其进行充分的利用。

三、国内电子废物现状分析

我国是电子产品生产和消费大国，家用电器已进入报废高峰期，按权威部门估算，2010年我国城镇电子产品报废总量将达到13亿台，仅北京市的电子废弃物将达到15.83万t。随着经济的迅速发展，我国电子垃圾的数量还将以每年5%至10%的速度迅速增加，所有这些电子废弃物，如果回收处理不当，都将是未来环境的主要污染物，将对经济社会的发展产生巨大影响。目前，我国的电子垃圾回收处理处于内忧外患的局面，不仅自身每年产生大量的电子垃圾，而且还遭遇国外电子垃圾的侵入。据《环球时报》报道，联合国环境规划署近日发表的报告警告说，今后10年，中国、印度以及非洲和拉丁美洲的发展中国家电子产品销量将急剧增长，如果不迅速采取行动，许多发展中国家都将面临严重的公共卫生和环境安全威胁。这份名为《回收——化电子垃圾为资源》的报告显示，全球电子垃圾数量每年增长约4 000万t，到2020年，南非和中国的废旧电脑将比2007年翻一番到两番，而印度则将增长5倍。此外，届时中国的废弃手机将增长7倍，印度将增长18倍。报告称，中国目前的电子垃圾产量约230万t，仅比最大的电子垃圾制造国美国少70万t。尽管中国政府已经禁止进口电子垃圾，但目前仍是发达国家电子垃圾的主要输出地。大量电子垃圾都由简易焚烧回收装置处理，只能回收少量的金属，却会释放出大量的有毒气体。报告的数据凸显了上述工作的紧迫性。面临严峻电子垃圾威胁还包括印度、巴西、墨西哥等发展中国家。把挑战转变为机遇，提高我国电子垃圾的回收率，不仅有助于保护人类健康，还能够减少温室气体排放，创造就业机会，并从中提取到包括金、银、铜、钯等在内的各种有用金属。

四、我国电子废物处理现状及其存在的问题

目前我国电子废物的流向主要有两个：一是通过小商贩上门回收或者通过生产厂家、销售商“以旧换新”等方式回收后，流入旧货市场，销售给低端消费者。二是拆解、处理，提取贵金属等原材料。废旧电子产品往往被转卖至偏远地区而继续使用，而这些继续使用的产品大都已远远超过了设计寿命期。因其绝缘性能降低、零部件损毁程度深、内含的有毒有害物质对人体辐射加大等，对人体健康、生命安全构成潜在威胁。有些废旧电子产品作为垃圾任意丢弃并直接焚烧，其中的有毒化学品、有害塑料和其他化学物质燃烧会对环境造成严重污染。

在废旧电子产品回收处理中也存在着许多问题。在国外，电子垃圾处理是技术专业性非常强的工作，因为电子垃圾处理所需的工艺复杂、设备昂贵，而且投资回报周期长，不是普通的垃圾分解机构所能承受的。我国的废弃电子产品再生利用处置水平低，回收再利用率低，工艺落后，污染严重。目前，很多小型企业往往采用手工拆解，露天焚烧、强酸浸泡等原始落后的方式提取贵金属，随意排放废气、废液、废渣，对大气、土壤和水体造成了严重污染，危害了人类健康。非法拆解行为对环境的破坏到了令人发指的地步。一些污染严重的地方，不仅河流全部污染，而且由于有毒物质、液体被填埋或渗入地下，连地下水都被污染，导致方圆几十里上百里已经找不到可饮用的水。同时土壤也被彻底毒化，变成了不毛之地。大力发展电子垃圾处理正规企业迫在眉睫。

五、国内外采取的主要政策

鉴于电子垃圾对环境所造成越来越大的危害，各国政府把电子垃圾的治理及立法工作提到了议事日程。日本2000年颁布的《家用电器再生利用法》规定制造商和进口商负责自己生产和进口产品的回收和处理。瑞典的法律规定处理费用由制造商和政府承担，而法国更强调全社会共同尽责，规定每人每年要回收4kg电子垃圾。欧盟对电子垃圾的处理已经做出有关规定，实施了《废弃电子电器设备指令》和《关于在电子电器设备中限制使用某些有害物质的指令》等，要求有毒垃圾必须与普通垃圾分放，并要求所有成员国自2005年开始，人均至少分拣出4kg电子垃圾。美国加州的立法机构2004年通过了一项在美国首开先河的提案，要求顾客在购买新的电脑或电视机时，交纳每件10美元的“电子垃圾回收费”，旨在为环保提供额外资金。

在国内，2004年1月国家发改委确定浙江省、青岛市为国家废旧家电及电子产品回收处理体系建设试点省市，旨在建立规范的废旧家电及电子产品回收处理体系。2006年起我国相继制定《电子信息产品污控制管理办法》、《废弃家电与电子产品污染防治技术政策》、《电子废弃物污染环境防治管理办法》和《废旧家电及电子产品回收处理管理条例》等一系列相关法律法规，积极推动了电子垃圾的无害化、资源化处理。

六、国内外电子废物处理技术

电子废弃物综合利用技术主要涉及机械处理、湿法冶金、火法冶金以及最近兴起的生物方法等。在美国，电子废弃物的资源化产业已经形成，拥有400多家公司，主要分为专业化公司、有色金属冶炼厂、城市固体废物处理企业、电子产品原产商（OEM）和经销商。在火法冶金方法方面，澳大利亚开发出一项利用废旧手机生产铺路材料的技术。在金属分选方面，气力摇床分选、涡电流分选和静电分选等技术也得到了广泛应用。德国研制了一种分离金属和塑料的静电分选机，在控制的条件下可以分离尺寸小于0.1mm的颗粒，甚至能够从粉尘中回收贵重金属，而这些粉尘在其他工艺中仅仅被当作危险废弃物。

电子废弃物的分类回收和拆卸通常是指电子废弃物在分类回收后运往拆卸公司，再由拆卸公司拆卸成各种碎片。在瑞典的斯特曼技术中心，电子废弃物先是被大致分成五大部分：大的金属零件、多氯联苯、包装材料、塑料零件和阴极射线管，然后再进一步拆分成70多种不同的碎片。电子废弃物中金属的回收过程比较复杂，通常是先通过高温使金属和杂质分离，然后通过几个相应的加工流程来提炼各种金属。电子废弃物中的铜、金、银、铂、钯等贵金属一般通过转炉加工回收。电子废弃物中所含的非金属成分主要是树脂纤维、塑料和玻璃。非金属处理经常采用填埋、焚烧或热解汽化技术。

在我国，随着电子环保法规及标准的出台与实施，电子废物处理主要包括：无铅化焊料和无溴阻燃剂的生产工艺技术；阴极射线屏幕和液晶显示器的拆解、循环利用和处置的成套技术装备；电子废弃产品破碎、分选及无害化处置的技术和装备；家用电器与电子产品无害化或低害化的生产原材料和生产技术；废弃电冰箱、空调器压缩机中含氟制冷剂、润滑油的回收技术与装备等。某企业开发的等离子弧加热装置，可以在一个全封闭环境中，运用高温将“电子垃圾”分解到分子状态，排放物对环境的危害极微。随着电子垃圾的日益增多，电子废物处理技术将成为新的技术热点，它对保护人类的生存环境、促进人类的可持续发展，都具有十分重要的意义。

七、电子废物处理的建议和措施

（一）建立完善合理的回收体系

近年，为了“拉动内需，刺激消费”，以“家电下乡”为龙头，国家相继出台了一系列政策。在这种情况下，电子垃圾回收完全可以以"家电下乡"为依托，大力宣传"以旧换新"，并最终将相应的废旧电子产品以报废的方式运往正规电子垃圾处理企业，加强以地区性非法回收渠道管理，加大对地区性正规回收和处理产业链的支持力度。2009 年 6 月，我国发布并实施《家电以旧换新实施办法》，拟在北京、天津、上海等省市开展家电"以旧换新"试点工作。环保部发布了《关于贯彻落实家电以旧换新政策加强废旧家电拆解处理环境管理的指导意见》以保障"以旧换新"过程产生的废旧家电得到妥善拆解处理，并推动《废弃电器电子产品回收处理管理条例》的实施。

（二）开发电子废物处理利用新技术加快产业化进程

相对电子业界的技术发展水平，对电子废物处理与利用的管理和技术水平已严重滞后，对电子废弃物的处置仍是各国环保专家面临的严峻问题，而电子废弃物无害化回收技术则是电子垃圾资源回收的主要研究方向。国家应加强电子垃圾处理与利用技术的研究，建立电子垃圾科技成果转化平台，综合考虑技术水平，环境问题，政策支持，使科技成果尽快转变为生产力。推动电子垃圾回收利用企业逐步向集约化、规模化、产业化方向发展，实现由分散处理转向集中产业化处理，由低水平逐步转向高科技，建立起正式的、严格管理的机制，促进大型高效的电子垃圾回收处理设施的建设。

（三）通过国家宏观调控，防止电子废物的非法流入

由于地区发展不平衡，国外或国内经济发达地区地区的废旧电子产品常通过二手市场流向经济欠发达地区。这无疑也是一种污染转让，必须通过制定相应的国家宏观调控政策，有条理、及时有效地防止电子垃圾的非法流入。全面加强二手市场准入制度管理，加强"旧"和"废"电子产品量化区分；制定符合本地区特色且具体可操作性强的法律和法规，从政策上加速各地区电子废物良性循环。

（四）加紧建设本地电子垃圾处理体系

为使废旧电子产品的回收和再利用取得良好效果，必须结合我国国情，在政策、法律、制度、技术和管理等方面进行深入细致的研究，开发电子垃废物处理的新领域。根据地区分布特点，对比较集中的若干地区或城市建立统一的电子垃圾处理基地，并以此为中心建立一个电子垃圾密度比较大的消化区，加强对电子垃圾重产区的治理力度，建立以点、线、面相结合的电子垃圾回收和处理产业链。

（五）加大宣传力度，引导公众进行绿色消费

电子废物的产生与处理和消费者的环境意识有极大关系。绿色消费就是人们为了生产和生活的需要，购买和消耗符合环境保护标准的商品。利用消费者的环保意识在市场上形成一个庞大的环保消费趋势，来引导企业生产和制造符合环境标准的产品，以达到保护环境、实现和谐社会的目标。加强宣传，利用电视、报纸、网络、广播等媒介的宣传作用深入基层，开展定期和不定期相结合且有针对性的电子垃圾知识普及，正确引导消费者进行绿色消费，引导消费向有利于环境保护，有利于生态平衡的方向发展。绿色消费是人类进入环境需求阶段的必然结果，它必将引起社会经济各领域的一场革命。在这个大的背景下，我国废旧电子产品的处理必将得到妥善解决。

参考文献

[1] 沙景华，刘淘宁，孔锐，等. 首都经济圈与可持续发展［M］. 北京：地质出版社，2007.

[2] 张颖. 废旧家电及电子产品污染现状及回收治理对策的探讨. 2007. 1 http：//www. cn－hw. net.

[3] 吴彩斌. 电子废弃物综合利用技术现状及其对策分析. 2005. 6 http：//paper. solidwaste. com. cn.

钢铁行业受污染滤料的原位再生技术应用研究

李鹏斐[1]　李宪平[2]

（1. 湖南娄底泰阳科技公司；2. 湖南人文科技学院）

摘　要　介绍了钢铁行业受污染滤料处理的原位再生技术，并通过实例对受污染滤料原位再生技术与传统方法的综合效益进行了比较，体现了原位再生技术的优越性，开拓了固体废物再生利用的新途径，指明了有效延长滤料的使用周期和节约资源的新方向。

关键词　钢铁行业　受污染滤料　原位再生

一、受污染滤料原位再生技术的研发背景及其技术原理

钢铁行业工业用水循环使用过程中必须通过过滤器（罐、池）进行净化。过滤器所使用的滤料主要是石英砂、精煤、核桃壳和陶瓷滤料等。根据循环水的使用场合及其污染情况，不同过滤器所填充的滤料种类、数量及滤床形式不同。

各种滤料在使用过程中会黏附大量的油类物质及粉尘类物质而受污染。这些污染物的成分复杂、黏附力强，从而出现滤料板结等状况，使滤料的过水性能不断降低、净水能力不断丧失，平均仅有10～12个月的有效使用周期。国内外曾经广泛采用化学清洗剂处理受污染滤料，处理方式一般是“搅拌式”。但此法处理效果差，只能清除滤料表面的大部分油垢污染物，但不能去除滤料颗粒内部的污物，同时很容易发生滤料的层间迁移而造成混层，无法成床恢复，直接影响过滤出水质量。因此通常必须在过滤器运行一定时间后停产，将被污染滤料更换为新滤料。

由于我国经济正处于高速发展中，钢铁行业的产品种类、产量正在逐年攀升，所产生的受污染滤料的数量随之逐年增加。根据保守估计，目前全国钢铁行业每年所产生的受污染滤料约为80万t，形成数目巨大的固体废弃物。若不加处理，不仅造成巨额资源的浪费，还会产生严重的环境问题。

然而目前我国大多数企业对受污染滤料的处理还处于低下水平阶段。当受污染滤料被新滤料置换出来后，部分有填埋场的企业采用填埋的方法，此种处理方式需要严格的环保措施配套，不然容易对环境造成二次污染；而部分企业无合适的掩埋固体废物场所时，就采取临时堆放于空地，成为工业垃圾堆放，这样的处理方式对周围环境造成的污染更为严重，极易引发环保事故。

所以对这类固体废物进行资源化、无害化处理，实现其综合利用，是摆在我们面前的一个极其严峻的任务，正在逐步得到相关企业和社会各界的重视。

为此我们湖南娄底泰阳科技公司，凭借长期从事水处理技术等环保项目的研发、工程设计与施工的优势，采取自主研发和引进国内外先进技术相结合的方针，首创了钢铁行业受污染滤料原位再生技术，填补了国内空白。

该技术摒弃了对钢铁行业过滤器中的受污染滤料所一直沿用反洗处理方法，无需周期性地更换新滤料，不要更改过滤器的结构，不额外添加固定机械设备，不产生二次污染，整合多种技术在过滤器内部直接对受污染滤料进行处理，使之再生而重复利用。图1为该技术的工艺流程图。

二、模拟实验与工程实例

（一）模拟实验

我们在实验室中严格模拟过滤器的环境，对现场进行了比例缩小，对不同层面所取得的样品按实际情况堆积，对进出水量经过计算后同比例缩小，使用系列再生介质，在多种技术共同作用

下，对滤料进行原位再生处理。实验结果表明，再生后的石英砂滤料洁净如初，无烟煤滤料乌黑发亮、表面清洁如新，粒径比较均匀，含泥量指标低于0.1%的标准。从其切面TEM图（图2、图3）可知，内部混合污染物被彻底清除，微型管道和孔隙清晰。

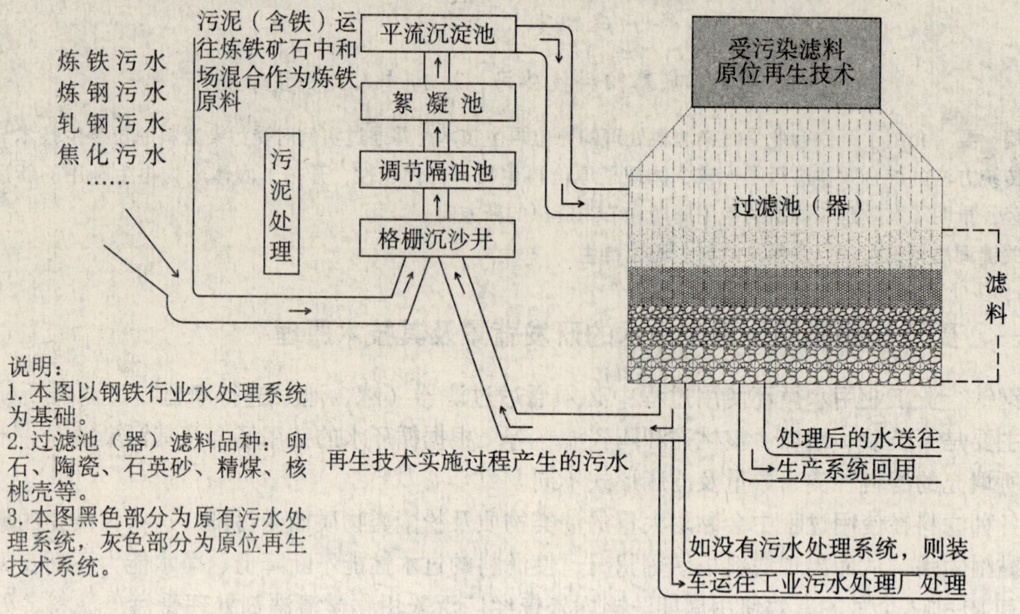

图1　原位再生技术工艺流程示意图

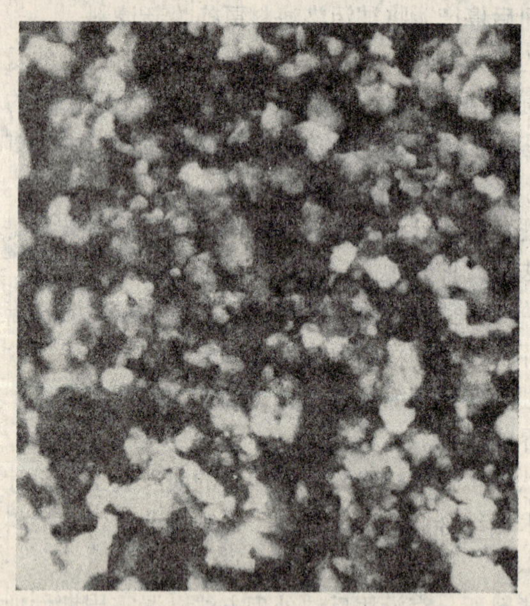

图2　废滤料的切面TEM图

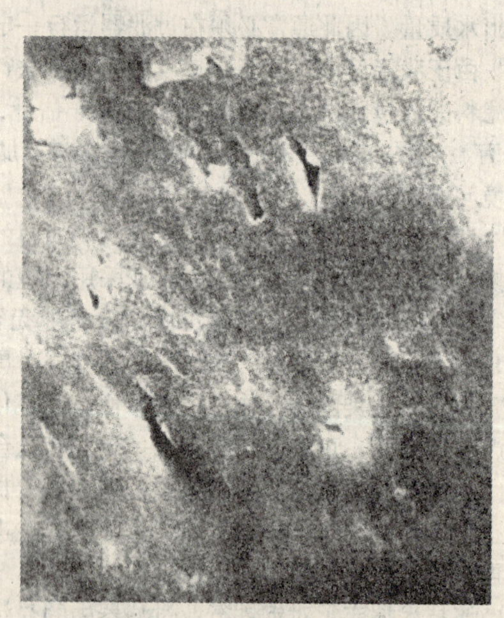

图3　再生滤料的切面TEM图

同时，根据滤料筛分曲线知其不均匀系数为1.88左右，小于新滤料的不均匀系数（1.94），再生滤料的孔隙率为0.40，略大于新滤料的孔隙率（0.39），这些数据表明再生滤料的比表面大于新滤料，因此其吸附性能和过滤效果都要优于新滤料，即再生滤料滤床比新滤料滤床具有较高的截污能力。

（二）工程实例

1. 含油类物质较少的受污染滤料

某厂过滤器主要用于过滤内循环水供冷却设备使用，滤料主要使用石英砂，水质要求为过滤后水浊度小于10，石油类物质小于5。该类过滤器滤料使用寿命平均为4年。如在使用4年后继续使用，则过滤器反冲洗频率加大，且过水量明显减小。经过检测，受污染滤料中含油量较少，主要污染物为粉尘类物质。我们同时进行了现场对比施工试验：一部分过滤器更换新滤料，另一部分过滤器进行受污染滤料原位再生施工，工程验收时的检测结果如表1所示。

表1　内循环水过滤器受污染滤料现场处理结果

	过水量/（t/h）	水浊度	出水含石油类物质
设计能力	220	10	5
再生前滤料	160	19.8	4.8
更换新滤料	310	1.6	0.8
原位再生滤料	315	未检出	0.3

对比使用效果发现，在对受污染滤料进行原位再生后，再生滤料的性能指标均高于设计使用要求。

2. 含油量较多的受污染滤料

某厂过滤器主要用于轧钢系统循环用水，滤料由陶瓷滤料、石英砂滤料、精煤滤料构成，水质要求为过滤后水浊度小于10，石油类物质小于2，其陶瓷滤料设计使用周期为8年。但一般在投入使用2年后已经不能满足使用要求，滤料呈整体板结状态。石英砂及精煤滤料使用周期一般为8~18个月。现场对比施工试验表明，在对受污染滤料进行原位再生后，再生滤料的性能指标也均高于设计使用要求。具体数据如表2所示。

表2　轧钢系统循环用水过滤器受污染滤料现场处理结果

	过水量/（t/h）	水浊度	出水含石油类物质
设计能力	500	10	4
再生前滤料	310	9.8	5.3
更换新滤料	745	6.3	2.2
原位再生滤料	735	3.1	0.8

三、原位再生技术优势

（一）企业用户直接经济效益

受污染滤料原位再生技术与直接更换新滤料并将受污染滤料掩埋的方法相比较，视受污染滤料的种类及污染程度的不同，原位再生技术能为企业节约10%~50%的综合成本，适合大规模推广使用。

（二）社会效益及环境效益

受污染滤料原位再生技术能延长滤料的使用寿命3倍以上，即采用原位再生方法能减少75%的滤料消耗。而滤料在受污染至失效后，吸附污垢增重为30%~100%，即1t滤料在受污染后会变成1.3~2t固体废物。而原位再生对滤料的再利用率为100%，无新的污染产生。该技术同时也具有较高的社会效益及环境效益。

（三）受污染滤料中的有用物质回收利用

通常钢铁行业受污染滤料中都含有较多的氧化铁粉体，这部分氧化铁粉如采用填埋的方式会浪费大量的可利用资源。而采用原位再生技术再生后，这部分氧化铁粉会回到水处理工艺的前端而被分离出来，可以和铁矿石混合作为原料再利用。不但具有直接的经济效益，同时也减轻了对环境的污染。

四、原位再生技术的现状及发展前景

目前我们研发的受污染滤料原位再生技术已经完成了小试和中试，技术上相对已经成熟，处于技术推广应用阶段。滤料原位再生技术不仅仅适用于钢铁行业，同时也能适合于其他的使用滤料作为过滤器填充物的行业，在实际操作中，机器人会根据受污染滤料及其污染物的成分、过滤器的结构等进行快速分析，对再生工艺进行调整即可。

但由于该技术属于原始性创新技术，在推广过程中还存在一定的困难。

五、结　论

模拟实验与现场施工试验表明，原位再生方法技术先进、工艺流程合理，适用于钢铁行业受污染滤料的处理，也可向其它行业推广，具有可观的经济效益、社会效益和显著的环境效益。

地震建筑垃圾资源化利用实验研究

邱慈长 王清远 何 东

（四川大学建筑环境学院 四川 成都）

摘 要 建筑垃圾中的废混凝土通过资源化利用可以制成新混凝土及其制品，即再生混凝土。本文通过对都江堰地震废弃混凝土再生粗骨料的宏观性能试验研究和微观结构形貌分析，得到再生混凝土粗骨料各宏观特性及相互关系、微观结构缺陷对宏观性能的影响以及再生混凝土不同取代率的强度特征。从而为地震灾区建筑垃圾的资源化利用提供了理论和试验依据。

关键词 建筑垃圾 再生混凝土 强度 资源化利用

引 言

四川汶川特大地震造成了巨大的人员伤亡和财产损失，同时导致了大面积的建筑物、道路、桥梁等基础设施的破坏。据有关部门统计，此次地震造成530多万间房屋倒塌，2143万间损毁，1300余万人转移安置，据此估计产生的建筑垃圾约为3.8×10^8t[1]，数量远超过目前中国每年建筑垃圾4000×10^4t 。如果能够利用这部分资源制成满足工程要求的再生混凝土粗骨料（Recycled Aggregate，RA），这不仅解决了灾区重建中建筑材料紧缺的问题，而且美化了灾区的建筑环境。因此，对灾区建筑垃圾进行资源化利用，其环境效益、经济效益和社会效益突出。

卵石和碎石等建筑资源是不可再生资源，其总量是有限的，而且大量开采卵石和碎石对环境的破坏性大，不利于我国可持续发展。再生骨料的利用在很大程度上解决了这个问题，推进了可持续发展的步伐。我国近年对再生混凝土已经进行了大量的研究，但与发达国家相比，我国还处在试验研究阶段，需要进一步的试验研究和工程试点来实现全面运用。目前，在都江堰灾区已成功利用再生砌块砌体建成两栋示范房屋[1-3]。

建筑垃圾的循环再生是一个复杂的系统工程，涉及建（构）筑物的拆除、回收与加工。当前，笔者课题组提出了适合地震灾区废弃混凝土破碎与再生骨料加工工艺，其具体的加工流程见图1。

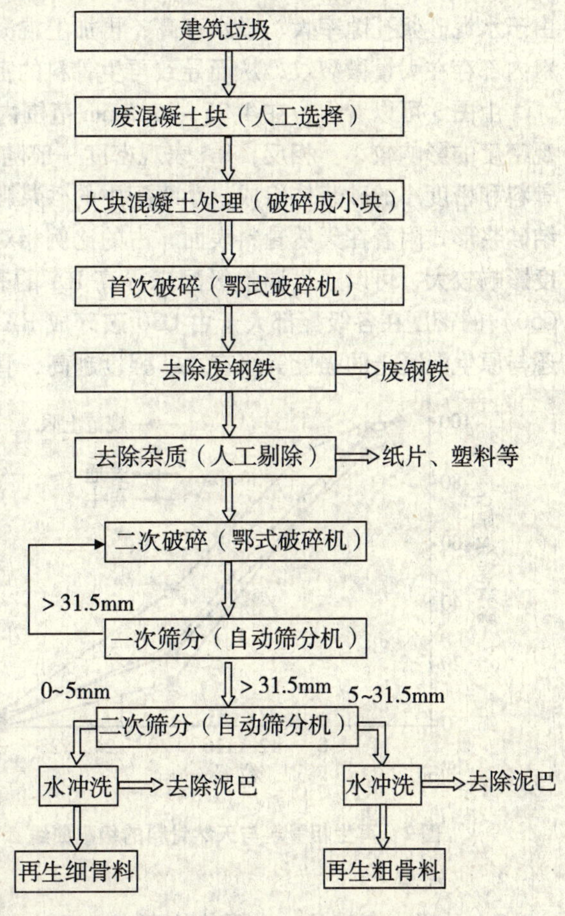

图1 再生混凝土骨料生产工艺

本文以都江堰震后建筑垃圾加工制成的再生混凝土粗骨料为研究对象，从宏观和微观两个方面进行实验研究，通过对比分析实验结果，总结再生混凝土的一些基本规律，说明地震建筑垃圾资源化利用的可行性。

一、试验方法

从都江堰灾区的建筑垃圾中提取废混凝土块，经颚式石料破碎机破碎成粒径不大于

31.5mm 的骨料，用 5mm 分筛将骨料筛分为 5～31.5mm 的粗骨料和小于 5mm 的细骨料。由于再生细骨料的性能差异大[3]，本试验仅对再生混凝土粗骨料的性能进行试验分析。

宏观方面，参照《建筑用卵石、碎石》（GB 14685—2001）研究了再生混凝土粗骨料的外形特征、针片状含量、级配、密度、吸水率、含沙率等特性和再生混凝土的抗压、抗拉强度；微观方面，用超声波清洗器对试样表面进行清洗，分析试样 SEM 图的微观结构形貌。

二、试验结果

（一）RA 的宏观性能

1. 级配

很明显，级配的优劣关系到混凝土拌和物的流动、离析、泌水性能，以及硬化混凝土的强度和耐久性。对普通粗骨料（Natural Aggregate，NA）和再生混凝土粗骨料进行筛分，结果如图 2 所示。

从图 2 看出，自然状态下 RA 的级配满足级配连续性的要求，与 NA 相似，且都落在规范[4]限定的区域，说明在普通机械破碎过程中能够获得满足级配要求的再生粗骨料。图 2 中小于 5mm 的细骨料来源是由于在筛分过程中，附着在石子表面的砂浆脱落和破碎骨料裂缝周边的小颗粒脱落。从本试验看，粒径为 9.5mm 的颗粒最多，占试样总质量的 34%，与其他学者[5]的试验结果有所差别，这是因为 RA 级配与原混凝土的配合比、骨料类型和来源等有关。

2. 密度

同天然砂石骨料相比，再生骨料表面还包裹着相当数量的水泥砂浆，表面粗糙、棱角较多。由于水泥砂浆孔隙率大、吸水率高，再加上混凝土块在解体、破碎过程中由于损伤积累使再生骨料内部存在大量微裂纹，从而导致再生骨料的密度和表观密度比普通骨料低。

由图 3 可以看出，在 4.75～31.5mm 范围内，由于天然骨料各级配中成分稳定，级配对其表观密度的影响较小。相反，RA 表观密度一般随粒径增大而增长，这是由于 RA 由密度大的天然骨料和密度小的砂浆体组成，小级配中的砂浆颗粒多、孔隙大，而在大颗粒中，砂浆则主要以黏结砂浆形式附着在天然骨料表面，占的比例相对较少。因此，级配对再生混凝土粗骨料的表观密度影响较大，可以通过调整级配来提高 RA 的表观密度。此外，图中由 C50 破碎成 RA（RA－C50）的密度在各级配都大于由 C30 破碎成 RA（RA－C30）的密度，这是因为 RA 的表观密度还与原生混凝土的强度等级有关，强度越高，骨料越密实，表观密度越大。

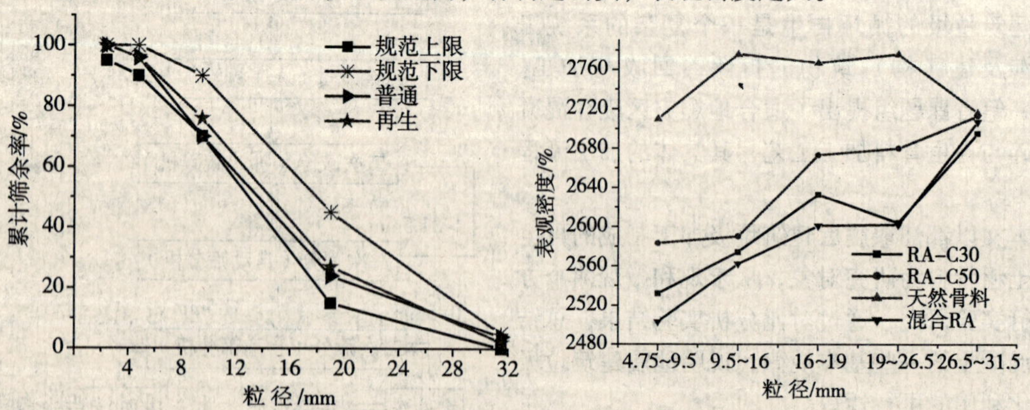

图 2 再生粗骨料与天然骨料的级配曲线

图 3 表观密度与颗粒级配的关系曲线

3. 吸水率

RA 的吸水率高是一个不争的事实，已被众多的试验研究者证实[1-5]。本试验测得 NA 的吸水率仅为0.87%，而RA的吸水率为2.95%，这主要是由于RA中砂浆含量高、孔隙率较大以及破碎微裂纹分布广等因素所致。

由于级配小的再生混凝土粗骨料砂浆块体含量高、比表面积大、质地松脆，使得RA的吸水率随着骨料粒径的减小而增加，试验结果如图4所示。此外，比较图中RA－C30和RA－C50的吸水率，发现用相同天然骨料浇注的原生混凝土强度越高，则再生粗骨料的吸水率越低，这是因为原生混凝土强度高，破碎时产生的损伤裂纹少以及高强混凝土内部结构密实，孔隙率低。与文献［6］试验结果比较，可知粗骨料的吸水率与原混凝土的级配、配合比、强度及施工质量、来源等因素有关。

4. 含沙率

参照Marta和Pilar测试砂浆含量方法[7]，取非石灰石再生粗骨料质量 m_0，用76%的浓硫酸浸泡30天使表面砂浆完全反应，将骨料冲洗后取出，刮去表面残留砂浆，烘干后测其质量 m_1，按 $x=(m_0-m_1)/m_0\times100\%$ 测得的砂浆含量见表1。

表1　级配砂浆含量关系

级配/mm	4.75~9.5	9.5~16	16~19	19~26.5	26.5~31.5
砂浆含量/%	51.62	42.59	30.76	31.82	6.05

由表1可以看出，随着颗粒粒径的减小，RA砂浆含量增加，骨料性能降低。因此，为了提高骨料的性能，可先筛分骨料，按需要将不同级配骨料均匀混合，得到满足工程要求的粗骨料。

再生混凝土粗骨料中砂浆多以砂浆块体和附着砂浆形式存在。砂浆块体的孔隙率大，强度低，且多呈扁平片状和多棱角状，对再生混凝土粗骨料的性能影响较大。而附着砂浆黏结在天然骨料的表面，使再生混凝土由单一的天然骨料—新砂浆界面变为骨料—新砂浆、老砂浆—新砂浆以及老砂浆—天然骨料三种不同形式的薄弱界面，造成再生混凝土破坏几率增大，降低了再生混凝土的抗压强度。

5. 强度

图5中RC1，RC2，RC3分别表示配合比为0.62、0.40、0.52的完全取代再生混凝土，其中RC1不考虑附加用水量；NC表示配合比为0.62的普通混凝土。从图中看，再生混凝土与普通混凝土的强度发展规律相似，前期强度发展快，后期逐渐减慢。相同水灰比的RC1和NC，前者强度明显高于后者，这是由于再生粗骨料吸水率大使RC1的实际水灰比降低很多，接近于RC2的水灰比。比较RC1与RC3，未考虑与考虑再生粗集料吸水特性两种情况下的再生混凝土，前者的强度要高于后者，原因是前者的有效水灰比较低，因而强度较高。

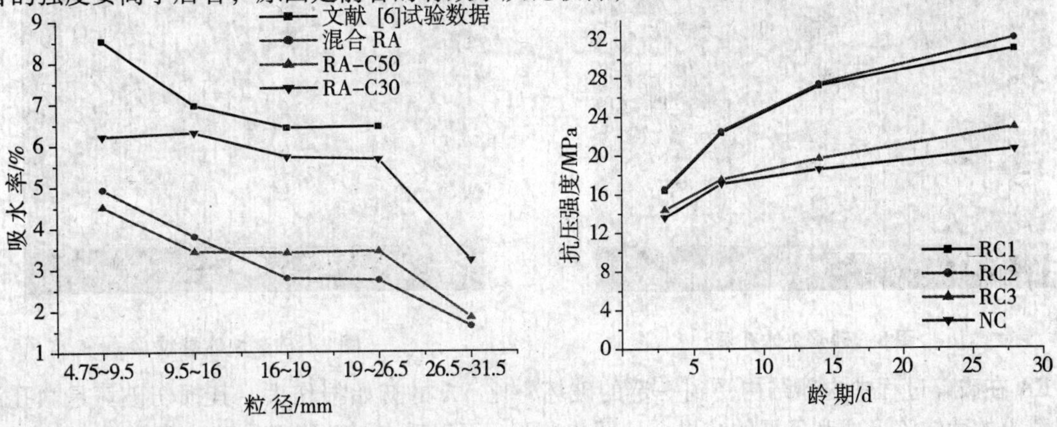

图4　再生粗骨料各级配的吸水率　　图5　不同配合比混凝土抗压强度发展曲线

不同取代率的再生混凝土强度试验结果见图 6 和图 7。其中 R0、R25、R50、R75、R100 分别表示再生粗骨料取代为 0%、25%、50%、75%、100%。由图 6 可以看出：①试件在前七天为水下养护，其抗压强度发展速度随着再生骨料取代率的增加而增加，而到后期强度发展速度均低于普通混凝土。②不同取代率再生混凝土 28 天抗压强度均低于普通混凝土，而且强度降低的程度随再生粗骨料取代率的增加而增加，这主要是由于再生粗骨料孔隙率较高，承受压力时容易形成应力集中所致。③不同取代率再生混凝土强度发展曲线与普通混凝土强度发展曲线相似，但是当再生混凝土取代率大于 50% 时，再生混凝土强度发展曲线波动较大，可能是受环境湿度影响。

图 7 为不同取代率再生混凝土劈裂试验结果。由图 7 可以看出，随着取代率的增加，再生混凝土的抗拉强度逐步降低。而取代率为 100% 的试件在两组试验中的结果差异较大，这可能是由于再生骨料过多，增加了试件内部的缺陷。

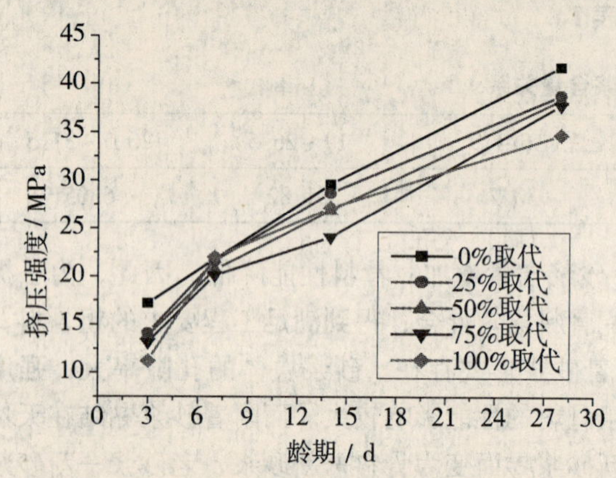

图 6　不同取代率混凝土抗压强度发展曲线

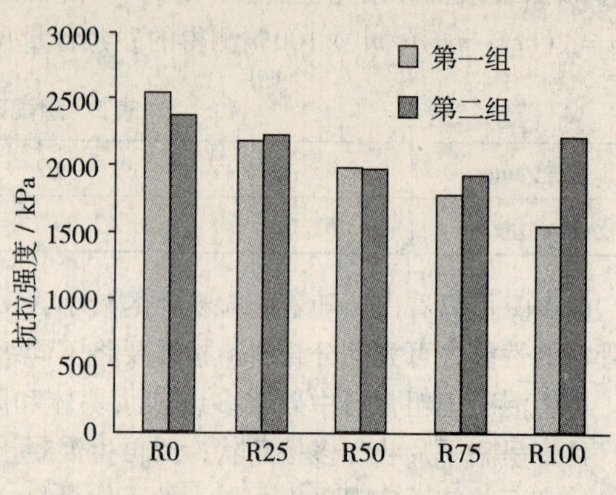

图 7　不同取代率混凝土抗拉强度

（二）再生混凝土粗骨料的微观结构

材料内部微观结构决定其宏观特征[8]，从材料的内部微观结构去认识材料的各项性能，再通过改变材料微观结构来改善材料的性能是一种很有效的方法。RA 的内部结构比 NA 的内部结构具有更高的不均匀性和复杂性，其内部缺陷分布的不确定性决定宏观特征的不稳定性。为此，笔者对再生粗骨料的三种组成成分（砂浆块体、砂浆与天然骨料的结合体、天然骨料）分别做了电镜扫描，分析各组分微观结构的形貌特征，并从微观学的角度解释了 RA 的宏观性能。

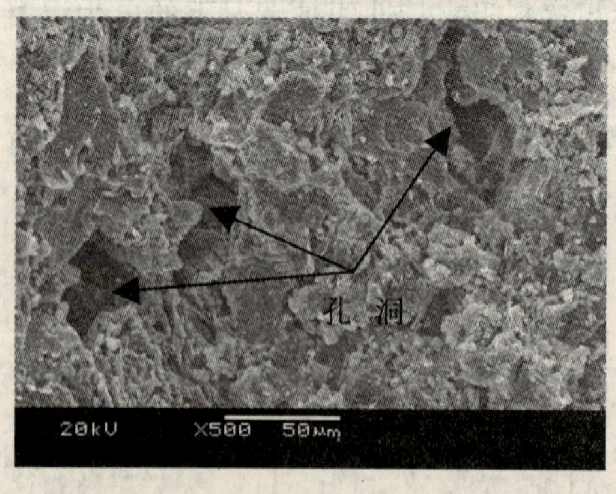

图 8　砂浆块体孔洞

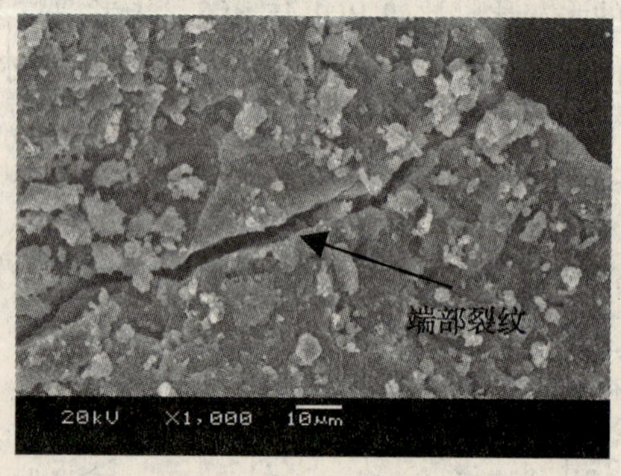

图 9　砂浆块体裂纹

RA 在破碎过程中内部结构受到一定的破坏，比 NA 的初始损伤大，其损伤破坏是微孔洞、微裂隙等的微缺陷形成和发展的结果。从图 8 和图 9 可以看出，砂浆经受破碎荷载后，使内部本来封闭的孔洞贯通表面，并形成连续的孔洞，致使砂浆的强度和密实度降低。另外，在局部区域，砂浆块体内部存在连续微观裂纹，端部存在放射状的裂纹，进一步降低了砂浆体强度，并提高了砂浆的吸水能力。

图 10 为 RA 中砂浆与天然骨料黏结界面结构，从图中可以看出界面过渡区受环境影响，部分区域已经碳化，呈现块状疏松结构。在骨料与碳化的水泥界面出现比较明显的微裂纹，裂纹首先在界面处出现，并在整个过渡区域形成微裂纹带。在长期的荷载作用下，由于旧砂浆和天然骨料的弹性模量相差较大，在界面上容易出现应力集中，使裂纹有所扩展。同时界面过渡区也存在孔隙率大、黏结强度低和微裂纹等特点，这使得 RA 的吸水性能加强。

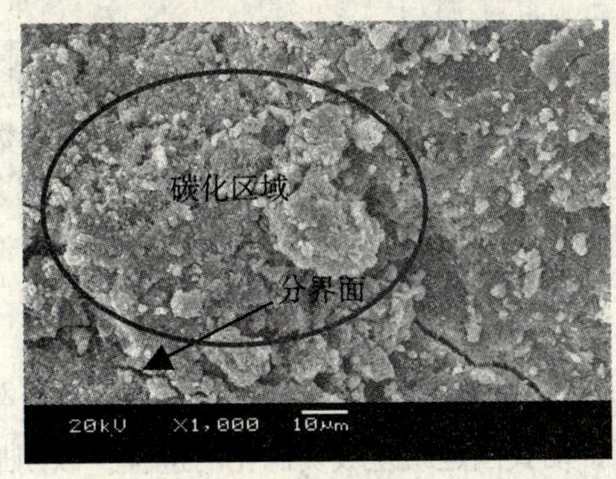

图 10　旧砂浆与天然骨料结合界面

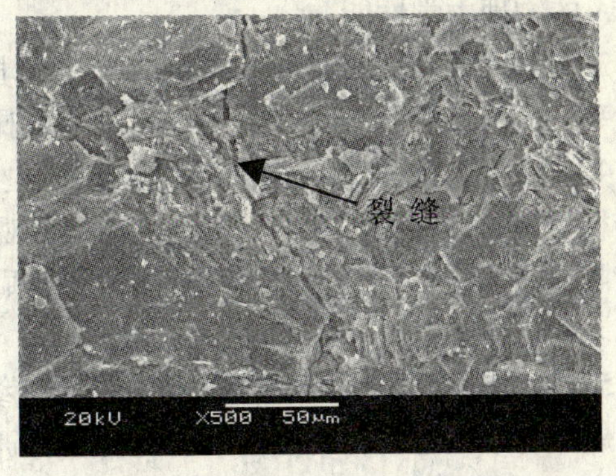

图 11　再生混凝土粗骨料中天然骨料裂纹

图 11 为再生粗骨料中天然骨料破碎面的微观结构。天然骨料在破碎后，在破碎面容易产生微细裂纹；由于天然骨料的弹性模量较大，变形能力差，在大的压力荷载下容易产生脆性断裂，并在断裂面上伴随着一些微细裂纹产生，裂纹的发展规律不一，有的呈片状节理微裂缝，有的则纵向延伸到天然骨料一定深度。在混凝土试块受压过程中，如果 RA 中天然骨料表面裂纹形成较大的薄弱区域时，在破坏荷载作用下，再生混凝土试块的破裂面就首先发生在天然骨料薄弱区域，而不是骨料与新砂浆的结合面。

（三）讨论

微观上，与砂浆含量一样，RA 的裂纹和孔洞越多，其表观密度越低，吸水率越大，承载力越低。因此，RA 的裂纹和孔隙的多少、孔隙的深度、裂纹开展宽度及其百分比等都对再生混凝土粗骨料的物理力学性能有较明显影响。

从图 12 中可以看到，再生混凝土破坏面不单是由于骨料与新砂浆的黏结破坏，同时在不同区域有天然骨料由微裂纹发展的平整断面。另外，在破裂面少数区域，还有少量旧砂浆的破坏，这是由于旧砂浆与新砂浆的结合面强度比较大，而老砂浆由于长期暴露在环境中，受到碳化和老化的影响，使强度不足而破坏。

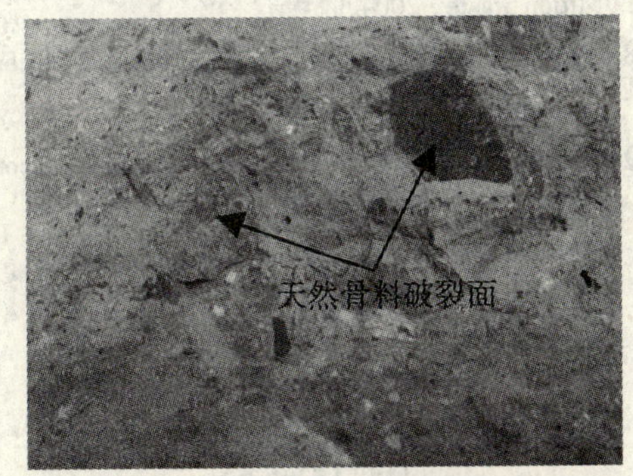

图 12　再生混凝土破碎面

因此，要获得性能稳定的高强再生混凝土粗骨料，应该对再生粗骨料进行强化和预处理，宏观上减少 RA 的砂浆含量和粒径，微观上减小 RA 的残余缺陷损伤，使其性能满足工程实际特殊要求。再生混凝土粗骨料在宏观和微观上的各种缺陷比普通骨料的缺陷多，再生混凝土的性能随着再生骨料的增多而逐渐变差，因此控制再生混凝土取代率是应用于实际工程的有效方法[9]。

三、结论和建议

1. 试验测得 RA 的表观密度、吸水率、级配等性能都能满足《普通混凝土用碎石或卵石质量标准及检验方法》的要求。因此，灾区建设中可以就地取材，不经过强化处理，可配置强度不超过 C30 的再生混凝土。这能有效地解决灾区建设中骨料紧张和环境污染等问题，符合我国可持续发展的要求。

2. RA 的颗粒级配对其他性能影响较大，因此，在规范允许范围内，可以通过调整级配来改善 RA 的物理力学性能。

3. 砂浆含量是 RA 区别与普通骨料的最根本因素，RA 中的表观密度、吸水率、压碎指标、含沙率之间有较强的线性相关性，可以用表观密度、吸水率等来作为评定 RA 质量的主要参数。

4. 再生混凝土骨料的微观结构决定了再生混凝土的宏观特性，再生混凝土粗骨料内部复杂的结构组成、微裂纹和孔洞的排列分布等微观缺陷降低了再生混凝土粗骨料的性能。因此，在工程实际应用中应对再生粗骨料进行强化与预处理来消除或减少不可忽略微裂纹和孔隙的不利影响。

5. 大力推行建筑垃圾资源化利用是可持续发展战略的必然要求和主流趋势，是解决建筑垃圾问题最有效的途径。再生混凝土的实践与研究不断推动我国建筑垃圾资源化的进程，以期最终科学有效地解决我国建筑垃圾这一难题。

参考文献

[1] 石宵爽，王清远．从灾后重建探讨再生混凝土的研究现状及其应用发展［J］．四川大学学报（工程科学版），2009，41（3）：301－310.

[2] 丁浩然，王清远．再生混凝土的耐久性及其改进措施［J］．四川建筑，2007，27（S1）：194－197.

[3] 刘数华，冷发光．再生混凝土技术［M］．北京：中国建材工业出版社，2007.

[4] JGJ 53—92 普通混凝土用碎石或卵石质量标准及检验方法［S］.

[5] 赵军，邓志恒，等．再生混凝土粗骨料性能的试验研究［J］．水泥与混凝土，2007，4：17－20.

[6] 李坤，张英华．再生混凝土粗骨料的基本性能试验研究［J］．建筑科学，2006，22（5）：58－60.

[7] S. J. Marta, A. G. Pilar. Influence of attached mortar content on the properties of recycled concrete aggregate [A]. Proceeding of International Conference on sustainable waste management and recycling [C]: Construction and demolition waste, 2004.

[8] W. Y. Tam, C. M. Tam. Vivian Removal of cement mortar remains from recycled aggregate using pre－soaking (approaches [J]. Resources Conservation &Recycling, 2007, 50: 82－101.

[9] Hansen T C. Recycled aggregate concrete second state－of－artreport developments 1945－1985 [J]. Material and Structure, 1986, 19 (111): 201－246.

电解铝固体废弃物的环境危害及处理技术研究现状

申士富[1]　王金玲[1]　牛庆仁[2]　贺　华[2]　叶力佳[1]　骆有发[1]

（1. 北京矿冶研究总院矿物加工科学与技术国家重点实验室　北京　100044；
2. 中电投宁夏青铜峡能源铝业集团有限公司　宁夏　青铜峡　751603）

摘　要　根据电解铝工艺中主要固体废弃物产出特征，分析了电解铝固体废弃物的化学组成及其严重危害，特别是废阴极炭块、阳极炭粒以及废耐火砖中的氟化物和氰化物的危害；介绍了国内外处理电解铝固体废弃物的方法，同时介绍了作者最新研究成果，即通过对青铜峡能源铝业集团有限公司电解铝固体废弃物的无害化研究，使废阴极炭块和废 $SiC-Si_3N_4$ 耐火砖中的氟得到固化并有效回收，炭素材料得到充分回收利用，新的 $SiC-Si_3N_4$ 复合材料纯度达到了96.45%。

关键词　电解铝、固体废弃物、阴极炭块、$SiC-Si_3N_4$ 耐火砖

一、前　言

进入21世纪，我国及世界的电解铝产量迅猛发展。据统计，我国电解铝的产量从2000年的282万t增加至2008年的1 376万t，增长了约3.8倍（见表1）；世界电解铝产量也从2 446万t增加到4 254万t，增长了80%。随着电解铝产量的增加，电解过程中产生的固体废弃物，如废阴极炭块、废阳极炭粒、废耐火砖、废保温砖、废保温炉渣的产量也迅速增加。通常情况下，每生产1万t电解铝将产生100t废碳素材料、80t废耐火材料以及一定数量的保温材料。目前，我国电解铝行业每年产生的固体废弃物约为25万t，并有200多万t的累积堆存。现有技术条件下，电解铝厂大多采用露天堆放或直接土壤填埋的方法处理电解铝固体废弃物，不仅占用了大量土地，而且其中含有的可溶性氟化物、氰化物还会随雨水流入江河，渗入地下污染土壤和地下水、地表水，对周围生态环境、人类健康和动植物生长造成极大危害。要实现电解铝行业的和谐发展，必须依靠科技进步开展电解铝固体废弃物的无害化处理技术研究。

表1　我国2000—2009年电解铝产量

年份	2000	2001	2002	2003	2004	2005	2006	2007	2008	2009
产量	282	342	436	510	600	720	960	1170	1376	1299

二、电解铝固体废弃物的组成及危害

（一）电解铝固体废弃物的组成

铝电解过程是在电解槽中进行的，电解槽的结构如图1、图2所示，其砌筑材料的技术数据如表2所示。现代大型铝电解预焙槽的电解温度在950～970℃之间，每生产1吨铝约消耗50kg电解质，电解质一般采用冰晶石、氟化铝、氟化镁等。

表2　铝电解槽砌筑材料的技术数据（以单台计算）

名称	砌筑材料及重量/t				
	保温材料	耐火材料	炭素材料	浇注料	合计
120kA 电解槽	3.4	10.0	15.7	2.6	31.7
150kA 电解槽	3.1	12.5	20.5	5.0	41.1
200kA 电解槽	5.9	14.2	22.2	6.4	48.7
350kA 电解槽	7.3	31.6	46.0	8.7	93.6

名称	砌筑材料及重量/t				
	保温材料	耐火材料	炭素材料	浇注料	合计
合 计	19. 7	68. 3	104. 4	22. 7	215. 1
备注	青铜峡能源铝业集团有限公司铝电解槽数据				

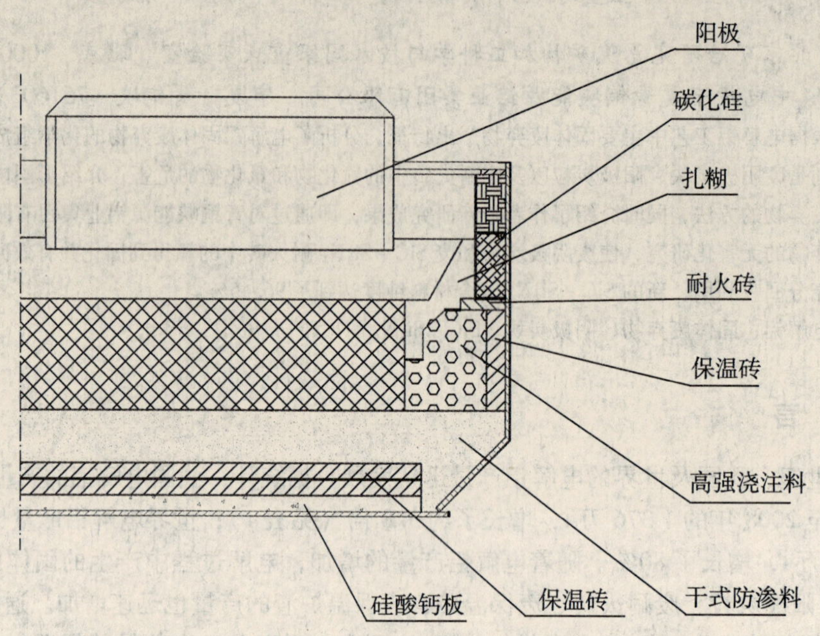

图 1 铝电解槽结构示意图

图 2 铝电解槽结构示意图

铝电解槽在工作 4 ~ 7 年后需进行大修，主要拆除的是废阴极炭块、废耐火材料、废保温材料等，同时在电解过程中还产生一定量的阳极炭粒。由于各个电解铝厂电流容量、内衬结构、内衬材料种类、电解工艺条件、操作制度、槽寿命差别较大，废弃物的具体组成也有较大差别，但主要组分基本相同。

1. 废阴极炭块。由于热作用、化学作用、机械冲蚀作用、电作用、钠和电解质的渗透等引起的熔盐反应、化学反应，铝电解槽中的阴极炭块使用一定时间后破损[1]。废阴极炭块一般含有 C、NaF、Na_3AlF_6、AlF_3、CaF_2、Al_2O_3 等，含 C 约为 50% ~70%，电解质氟化物约为50% ~30%，氰化物约为 0.2%。

图 3 是青铜峡能源铝业集团有限公司废阴极炭块现场照片，图 4 是该废阴极炭块的 *X*－射线衍射分析图谱，表 3 为该废阴极炭块的主要化学成分分析结果。由衍射分析结果可知，该废阴极炭块主要含有 C、Na_3AlF_6、NaF、CaF_2 等，其 F 的含量达到了 9.86%。

图 3　废阴极炭块现场照片

表 3　废阴极炭块主要化学成分分析结果

化学成分	烧失量	F	Na	Al	Ca	Fe	SiO_2
含量/%	58.56	9.86	11.86	2.42	1.36	0.74	4.33

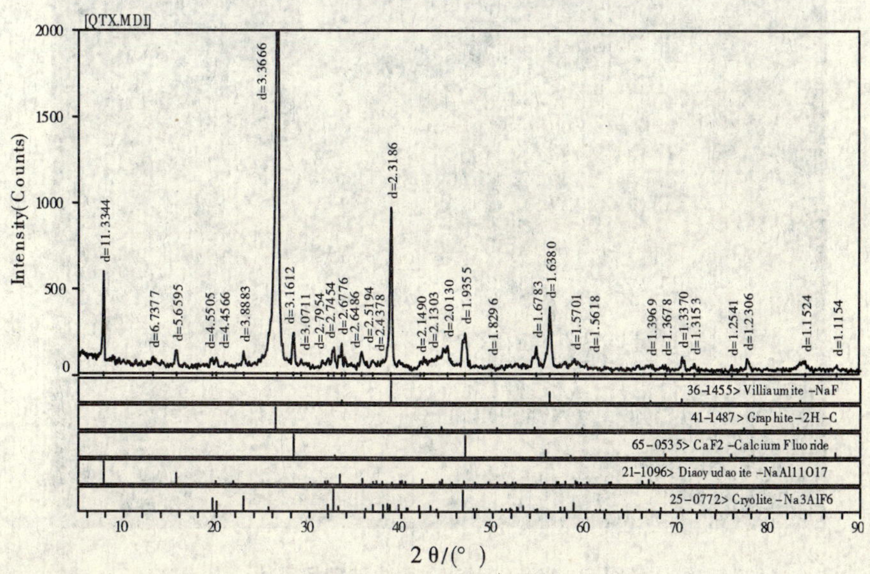

图 4　废阴极炭块 XRD 图谱

2. 废阳极炭粒。废阳极炭粒是铝电解过程中没有参与电解并吸收电解液中电解质的炭粒阳极，又称阳极炭渣。阳极炭粒的主要成分是以冰晶石（Na_3AlF_6）为主的钠铝氟化物、$\alpha-Al_2O_3$和碳。含碳约40%，电解质氟化物约60%。表4为青铜峡能源铝业集团有限公司废阳极炭粒的主要化学元素分析结果，表5为其主要物相分析结果。分析结果表明，该铝厂废阳极炭粒主要含有C、$\alpha-Al_2O_3$、冰晶石（Na_3AlF_6）、少量的氟铝镁钠石（Na_2MgAlF_7）和锥冰晶石（$Na_5Al_3F_{14}$）等，其中氟含量达到了32.26%。

表4 废阳极炭粒的主要化学元素分析结果

元素	F	Al	Na	Ca	Fe	Si	Mg	C
含量/%	32.26	12.91	16.34	1.08	0.52	1.70	0.82	19.68

表5 废阳极炭粒的主要物相分布率

相别	组成	分布率/%
冰晶石	Na_3AlF_6	40~45
氟铝镁纳石	Na_2MgAlF_7	5~10
锥冰晶石	$Na_5Al_3F_{14}$	5
氧化铝	$\alpha-Al_2O_3$	15
石墨	C	20
其他杂质	—	5

3. 废$SiC-Si_3N_4$耐火砖。主要成分是SiC、Si_3N_4以及在电解过程中浸入的NaF、Na_3AlF_6等。图5是青铜峡能源铝业集团有限公司废$SiC-Si_3N_4$耐火砖现场照片，表6是该耐火砖的化学元素分析结果，图6是废$SiC-Si_3N_4$耐火砖的XRD图谱。由*X*射线衍射分析结果可知，该废$SiC-Si_3N_4$耐火砖中主要含有SiC、Si_3N_4、NaF及微量的铝硅酸盐。

图5 废$SiC-Si_3N_4$耐火砖现场照片

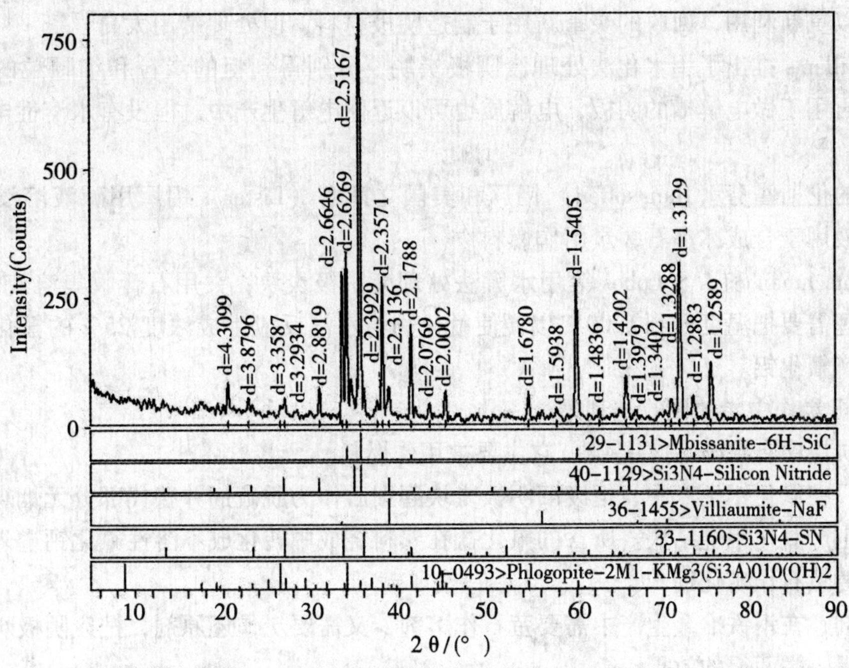

图6　废 $SiC-Si_3N_4$ 耐火砖的 XRD 图谱

表6　废 $SiC-Si_3N_4$ 耐火砖主要化学成分分析结果

化学成分	Si_3N_4	SiC	Al_2O_3	Fe_2O_3	C	Si	Na_2O	F
含量/%	19.53	67.16	1.19	0.23	1.41	0.26	3.74	3.65

（二）电解铝固体废弃物的危害

电解铝固体废弃物的浸出液氟含量可达 6000mg/L[1]，CN^- 含量可达 10～40mg/L（注：F^- 和 CN^- 的含量因槽型、使用寿命、电解槽内衬结构、操作工艺的不同而有所不同），大大超过国家《危险废物鉴别标准——浸出毒性鉴别》标准要求（$F^- < 50$mg/L、$CN^- < 1$mg/L），因此电解铝固体废弃物属工业危险废物。

电解铝固体废弃物的危害主要在于含有大量的可溶性的氟化物和氰化物。而目前铝厂普遍采用的填埋、堆存方法处理这些固体废弃物，所含的可溶性氟化物及氰化物会通过风吹、日晒、雨淋的作用转移或挥发进入大气，或随雨水混入江河、渗入地下污染土壤和地下水，对动植物及人体产生很大损害，破坏生态环境，影响农业生态平衡，使农作物减产，如不及时进行无害化处理，其危害将是长期的。

三、国内外处理技术现状

（一）废阴极炭块处理技术研究

目前，世界上处理废炭阴极炭块的方法有十几种，但这些处理方法中，实现工业应用得并不多，致使绝大多数铝电解槽废阴极炭块仍被弃置。

1. 废阴极炭块中电解质氟化物的处理

A1coa 公司开发的“AUSMELT”工艺在废槽衬中添加熔剂，混合料在 AUS—MELT 炉中进行处理，处理温度 1300℃，回收 HF 生成氟化铝，最终产品为玻璃态熔渣。该工艺已进行工业应用，年处理废槽衬 12000t[1]。

在废阴极炭块中加入石灰使之与其中的电解质发生反应，得到氟化钙、氟化钠和氟化铝，使氟得到固化以重新利用，回收的炭重新用于制造阴极材料，但处理费用太高[2]。

M. M. Willams 推出了用水化法处理废阴极炭块，分别得到粗的炭粒和细颗粒的电解质，回收的炭粒可再用于做电解槽的阴极，电解质也可以返回电解生产中，但没有水溶性电解质的回收技术报道。

奥地利的伦斯霍芬（Ranshoffen）铝厂和美国立斯塔（Lister）铝厂用碱液溶浸其中的电解质，其浸出液用于合成冰晶石，炭用作燃料[3]。

J. E. Dentschman 和 J. S. Lobos 等用水解法处理废阴极炭块，并用石膏收集溶液中的氟离子。热水解法处理需要把温度升到1200℃以便使氟化物与水汽反应生成浓度25%的氟化氢溶液，再用合成法生产氟化铝。

2. 废阴极炭块中炭的回收与利用

废阴极炭块中有60%左右是碳，它主要被用作燃料。

山东铝厂在氧化铝生产中，把废旧阴极炭块磨细后作为脱硫剂并替代部分无烟煤加入氧化铝熟料窑内，生产氧化铝烧结块。所含的氟化盐在熟料烧成中转化成不溶性氟化钙进入赤泥，在配制水泥时代替萤石作矿化剂[4]。

用作熔剂，在钢铁冶金生产中需要萤石作熔剂，又需要炭作还原剂，把废阴极炭块作为添加剂，可以取得一举两得的效果。

杨会宾等[5]利用水泥窑炉内部反应温度高，炭块在流程中停留时间长等条件，使废阴极炭块中的有害物质在高温环境中进行分解置换，并最终固化在水泥熟料中，同时废阴极炭块中的碳作为燃料降低了煤的消耗。但是，采用该方法的缺点也非常明显：氟对耐火砖有损害，并且氟容易随烟气排入空气造成大气污染；废阴极炭块中钠的含量极高，会对水泥后期强度有影响。

卢惠民、邱竹贤等人用浮选法回收炭和电解质，将废阴极炭块破碎、分级后得到一定粒度的粉末，加水调浆后加入捕收剂，以实现碳与电解质的最大限度的分离，从而得到以电解质为主和以炭为主的两种产品。其中的电解质可重新返回到铝电解槽内，石墨化的炭粉可以返回阴极生产系统[6]。

3. 废阴极炭块中氰化物的处理

废炭块中含有一定数量的氰化物，存在形式有两种报道。一种认为是氰化钠，另一种是 NaFe（CN）$_6$。

关于氰化物的处理，自20世纪40年代已开始研究。Wernlund. C. J and Zunick. M. J 考查了用弱酸溶解氰化物，然后用聚硫化物与之反应，产物为硫代氰酸盐和金属硫代物。在20世纪50～60年代，有人研究生化法处理氰化物技术，Pettet. A. E. J 用4种菌苗处理，并考查了 pH 范围和氰离子对处理的影响。高温氯化处理氰化物被用于铁氰化物的处理，氯化物的浓度、反应时间和反应速度是重要条件。Panova. V. A 在同样方法中提出用 Mn^{2+} 作催化剂，用紫外光加速氰化物的化学氧化来处理废炭块中的氰化物；紫外光处理后，98%的氰化物被分解，最佳波长为320～380μm。用臭氧和次氯酸钠作氧化剂，硫酸铁处理废炭块以分解氰化物也取得了成功，99%以上的氰化物被除去，但在实验中要消耗较多的酸和盐。20世纪80年代，Ganczryk. JJ 等人用聚硫化钙处理废炭块中的氰化物，其中的钙离子可与氟离子形成氟化钙沉淀。分解氰化物以实现除去炭块中的氰化物还有许多方法，但是可以实际应用得并不多。

（二）废阳极炭粒的处理技术研究

采用浮选工艺回收炭和电解质，将废阳极炭粒粉磨至一定粒度，加水调浆后加入捕收剂，使炭与电解质充分分离，从而得到以电解质为主和以炭为主的两种产品。其中的电解质可重新返回到铝电解槽内，炭粉可以用于铝电解自焙阳极制作阳极糊的原料[7]。

（三）废 SiC－Si_3N_4 耐火砖的研究

对废 SiC－Si_3N_4 耐火砖处理技术的研究基本处于空白。

四、最新研究进展

中国铝业郑州研究院开发了“铝电解废槽衬无害化技术研发及产业化应用”技术，该技术以石灰石为反应剂、粉煤灰为添加剂处理废槽衬。经处理的废槽衬可溶氟化物转化率达98%以上，氰化物去除率达99.5%以上，处理后的无害化渣平均可溶氟含量39.7mg/L，氰根离子含量0.053mg/L，低于国家固体废弃物排放标准，可用作路基材料、水泥原料或耐火材料原料，回收的氟化盐可返回电解槽使用[1]。

北京矿冶研究总院与中电投宁夏青铜峡能源铝业集团有限公司共同开发了“电解铝固体废弃物的无害化利用技术”，主要对废阴极炭块和废 SiC－Si_3N_4 耐火砖无害化利用技术进行了深入研究，取得了阶段性研究成果。①废阴极炭块氟的回收率达93.89%，回收得到的氟产品纯度较高可外销或作为电解铝电解质；对废阴极炭块中的碳进行了有效回收，碳的回收率可达95.90%，炭粉碳含量可以达到80%，可回用制备电解铝炭素材料或作为炼钢增碳剂、氧化铝脱硫剂；②废 SiC－Si_3N_4 砖的处理，氟的回收率97.53%，回收的氟部分可用于电解质生产，部分可作为水泥生料的原料；处理后的耐火材料产品 SiC＋Si_3N_4 含量为96.45%，氟含量0.09%，SiC－Si_3N_4 回收率接近100%；③对工艺流程中所产生的废气和废水进行了环保处理，达到了GB 8978—1996排放要求。该项目在2009年已完成实验室研究工作并通过评审，计划在2010年进入产业化生产。该项目产业化技术的开发不仅可以有效保护环境，减少电解铝固废外排和能源消耗，解决我国电解铝企业发展的关键共性技术难题，而且可以实现资源综合利用，创造较好的经济效益。

五、结　语

目前普遍采用的填埋、堆存方法处理电解铝固体废弃物会对环境造成极大危害，并且造成了大量资源浪费。作为行业共性的突出问题，有必要尽快突破电解铝固体废弃物无害化产业化技术难题。虽然许多科技工作者已经进行了大量研究，但是要开发产业化技术还要克服许多技术问题：①开发的工艺技术一定要适合节能减排的大趋势；②要解决好二次污染问题；③要解决产业化过程中的耐氟设备、耐氟工艺问题。

参考文献

[1] 黄尚展. 电解槽废槽衬现状处理及技术分析［J］. 轻金属, 2009, 4: 29－30.
[2] 曹继明, 李军英. 浅议铝电解槽废旧阴极炭块的回收与综合应用［J］. 炭素技术, 2004, 5 (23): 43－44.
[3] 邱竹贤, 翟秀静, 卢惠民, 等. 铝工业废旧炭阴极材料的综合利用［J］. 轻金属, 1999, 11: 43.
[4] 仇振琢. 铝电解槽废阴极炭块回收利用—— 有色金属（冶炼部分）［J］. 1989, 3: 44.
[5] 杨会宾, 田金承, 曹继利. 废阴极炭块在水泥生产中的应用研究［J］. 轻金属, 2008, 2: 60.
[6] 卢惠民, 邱竹贤. 浮选法综合利用铝电解槽废阴极炭块的工艺研究［J］. 金属矿山, 1997, 6: 34.
[7] 邱竹贤. 预焙槽炼铝［M］. 北京: 冶金工业出版社, 2008, 558－560.

钢铁行业用后耐火材料回收利用技术概况

赛音巴特尔[1]　余广炜[1,2]　冯向鹏[1]　岳昌盛[1]　廖洪强[1]

（1. 首钢总公司环保产业事业部　北京　100041；2. 北京首科兴业工程技术有限公司）

摘　要　本文概述了国内外用后耐火材料回收利用技术的情况，同时介绍了首钢利用用后铝镁碳砖制备了钢包永久衬用自流浇注料，利用用后铝碳质滑板颗粒与其他原料配制成的再生下水口材料，使用后黏土砖、硅砖和滑板砖为主要原料，合成了纯度较高的莫来石材料利用等一些科研成果。

关键词　用后耐火材料　回收　利用

一、引　言

耐火材料是钢铁冶金行业的重要辅助材料，在钢铁企业有着广泛的应用。钢铁行业每年消耗大量的耐火材料，产生出许多用后耐火材料，若能使用后耐火材料循环利用，可大幅度降低耐火材料的制备成本，并带动钢铁行业工业产品的成本下降，必将带来显著的环境、经济与社会效益。

二、国外用后耐火材料的再生利用状况

国外许多国家，尤其是发达国家，对用后耐火材料的回收、利用非常重视，用后耐火材料的再利用率在60%以上。有的公司与大学以及研究机构合作对用后耐火材料的回收、再利用进行了深入研究；有的地方还专门建立了用后耐火材料回收和再加工的公司；用后耐火材料正在向全部被利用、零排放的方向发展。

在日本[1]，出铁沟 $Al_2O_3-SiC-C$（ASC）浇注料已有50%得到再利用，主要用作出铁沟不定形耐火材料的骨料；用后镁铬砖料做偏心底出钢口的填料，其开浇率大于98%；$Al_2O_3-MgO\cdot Al_2O_3$ 浇注料回收后用作修补料和喷补料，也可以再加工制成耐火砖。鹿岛钢铁厂[2]成功研制出滑板的再利用工艺，他们使用浇注料浇注复原的方法和圆环镶嵌法，使修复后滑板和新滑板的使用寿命相同。知多钢厂以用后砖为原料，开发出钢包底周边捣打料、钢包浇注料以及不定形产品。如用85%再生料和15%的新原料混合生产出电炉炉池部位用不烧镁砖；以90%的再生料和10%的新料混合生产出电炉渣线用镁碳砖；全部使用再生料生产的RH底烧成镁铬砖等。使用效果与原始砖（新砖）基本相同。日本知多钢厂[3]用后耐火材料的再利用率达到了50%～100%。新日铁公司已成功地将用过的 $MgO-C$ 耐火材料加入到 $MgO-C$ 砖中，在铝尖晶石浇注料中加入了达20%的回收铝尖晶石骨料。吴制铁所[4]为了提高用后耐火材料的再循环利用比率，在 Al_2O_3-SiC 砖中添加用后滑动水口耐火材料，得出了很多有益的结论。

韩国浦项钢铁公司[5]统一把用后耐火材料回收，经过拣选和破碎成40mm以下颗粒，拣出废钢和不同的耐火材料。废钢作为炼钢原料，而耐火材料根据不同类别，分别作为耐火材料的原料、溅渣护炉料等冶金辅助料和铺路料等。

美国钢厂每年产生100万t用后耐火材料，以前几乎全被掩埋，仅有少量回收。1998年美国能源部、工业技术部和钢铁生产者联合制定了用来延长耐火材料的使用寿命和回收利用用后耐火材料的计划[6,7]。政府的支持、生产企业、用户和研究机构之间的合作，加强了对用后耐火材料回收利用的研究。回收的耐火材料应用范围是脱硫剂、炉渣改质剂、耐火骨料等产品。美国对用后白云石作为土壤调节剂和造渣剂进行了研究，取得了良好的结果，如今美国的用后耐火材料量已经减少了很多。

在欧洲，成立于1987年的法国Valoref公司[8]专门做全球用后耐火材料生意，开发出回收利用来自玻璃、钢铁、化工等工业的大多数用后耐火材料的技术；意大利Omcine Meccaniche di Ponzano Venetto公司[9]开发出一种回收利用钢铁工业各种炉子、中间包、铸锭模和钢包内衬用耐火材料的方法，将所回收的耐火材料直接喷吹入炉以保护炉壁。

三、国内用后耐火材料的再生利用状况

我国用后耐火材料再利用率不足20%，近几年随着国内环保政策的贯彻实施、耐火材料市场竞争的加剧，用后耐火材料的再利用逐步受到重视。目前，国内已有不少企业和科研机构看到了用后耐火材料回收利用的广阔前景和重要性，积极地开展了这方面的研究和应用，努力提高用后耐火材料的回收再利用率。

宝钢[10,11]利用用后镁碳砖料研制的再生镁碳砖性能如表1所示。从表中可以看出，其性能显著优于日本的再生镁碳砖的水平，将研制的再生渣线镁碳砖用于300吨钢包渣线上，钢包在RH、LF、CAS、KIP以及RH+LF、RH+RH等精炼方式下进行周转，使用中均未出现剥落、开裂和异常熔损等情况，使用结果稍优于同期使用新镁碳砖的水平。以用后镁碳砖为原料研制出的电炉出钢口填料，自开率达95%以上，与镁橄榄石质填料相当；以用后含碳耐火材料为原料，研制的精炼炉用引流砂、转炉大面热修补料以及溅渣料，也都取得了良好的使用效果。

表2给出了利用用后铁沟料制备再生铝碳化硅碳质耐火材料的性能，从表中可知，它们的性能都接近或达到了新产品的水平。特别是再生的铝碳化硅碳砖的性能指标优于目前某大型钢厂鱼雷车使用的铝碳化硅碳砖的性能指标，该砖有待于进行应用方面的研究。以用后铁沟料做成的渣沟浇注料、主沟接头捣打料、渣沟捣打料等材料在钢厂出铁场中应用取得了令人满意的结果，且废铁沟料最大使用量达95%。

表1　中国再生镁碳砖与日本再生镁碳砖性能对比

项目	中国再生渣线镁碳砖		日本再生渣线镁碳砖
	第一批	第二批	
体积密度/（g/cm^3）	2.90	2.90	2.83
显气孔率/%	1.0	3.0	5.1
常温耐压强度/（MPa）	56	49	50
高温抗折强度/（MPa）（1400℃×0.5h）	15.8	13.1	—
MgO/%	76.80	76.12	81.0
C/%	14.30	14.10	13.10

表2　再生ASC质耐火材料的性能

项　目		浇注料	捣打料	ASC砖
化学成分/%	SiC	10.2	11	10.7
	C	2.2	4.0	11.3
	Al_2O_3	83	81	83
低温热处理后	体积密度/（g/cm^3）	2.89	2.89	3.00
	显气孔率/%	16	12	6.3
	常温耐压强度/MPa	11.4	56.2	40.6

项　目		浇注料	捣打料	ASC 砖
1450℃，3h 碳化	体积密度/（g/cm^3）	2.92	2.86	3.01
	显气孔率/%	17.3	17.7	13
	常温耐压强度/MPa	119.1	41.4	38.7
用　途		出铁沟，沟盖，鱼雷车	出铁沟，铁水包	鱼雷车，混铁炉，高炉

宝钢用后耐火材料再利用的情况表明，用后耐火材料的再利用，不再是传统意义上的简单加工与替代，其应用水平也不再是必须降低使用档次的概念。通过技术这一平台，其利用价值将会得到充分的发挥和体现。

淮钢[12]将用后滑板作为中间包抗冲击板使用；以用后镁碳砖为原料作为钢包的填充料；与耐火生产厂进行合作，用80%的废砖量研制出再生 LMT 砖的性能为：$W_{(Al_2O_3)}=66\%$，$W_{(MgO)}=13\%$，$W_{(C)}=8.5\%$，体积密度为 3.61 g/cm^3，显气孔率为 8%，耐压强度为 39MPa；利用用后黏土砖，加入硫酸铝溶液做胶结剂配制耐火混凝土，用作中包包盖浇注料，使用效果非常明显。

安钢[13]将从废铝镁尖晶石浇注料中分离出的颗粒重新作为浇注料原料加入（配加量为20%），一年的使用结果表明，全年平均包龄达到了97.3炉，比上一年不加废浇注料颗粒的包衬平均还高3炉。这说明回收的用后浇注料颗粒完全可以再利用。

济钢对铝碳质耐火材料进行了深入的研究[14]。根据炼钢用铝碳质耐火材料的化学矿物组成，以及炼铁用铁沟捣打料对原料的要求，他们设计了把回收的铝碳质耐火材料用于铁沟捣打料来部分代替其中的高铝料的试验：将炼钢用废弃滑板砖、座砖、水口、塞棒等回收、破碎后，替代铁沟料中的高铝矾土。在实际应用中取得了较为理想的效果，提高了铁沟料的使用性能，增加了通铁量，降低了铁沟料成本，实现炼钢用含碳耐火材料的回收利用。

台湾中钢公司[15]目前正在开发将转炉废镁碳砖用于生产转炉热补料、溅渣料；废钢包及中间包铝碳质滑板用作高炉主沟盖料或铝碳质浇注料的骨料；在用后耐火材料中添加氧化铝，制造水泥纤维板防火建筑材料的工作，主要产品包括室内隔板、装饰壁板等。

北京科技大学对用后铝镁尖晶钢包浇注料进行了深入的研究并取得了很好的效果[16]。铝镁尖晶钢包浇注料是由特级铝矾土颗粒料、铝镁尖晶石细粉、镁砂粉、硅灰等优质耐火材料原料组成，在钢包上使用后，材质无多大变化。对用后铝镁尖晶钢包浇注料进行适当地加工处理得到质量合格的二次颗粒原料用于炮泥生产，所生产的炮泥用于 125 ~380 m^3 高炉，满足了高炉铁口的使用要求，取得了良好的节能环保效益和经济效益。

四、首钢用后耐火材料的再生利用状况

首钢利用经处理后的钢包用后铝镁碳砖替代铝镁自流浇注料的部分原料制备再生铝镁质自流浇注料其性能如表3所示，其中 B_0 表示使用纯原料的试样砖，B_1 表示使用 20% 用后耐火材料的试样砖。结果表明，添加一定量的用后耐火材料的铝镁质自流浇注料的性能达到甚至超过了由纯原料制备的两种耐火材料的性能。

表3　试样砖物理性能及与入厂砖标准值的比较

	入厂指标	B_0 试样砖	B_1 试样砖
体积密度/（g/cm^3）	≥2.85	3.05	3.00
气孔率/%	≤10	4.20	7.84

	入厂指标	B_0 试样砖	B_1 试样砖
高温抗折强度/MPa	≥6	10.91	6.71
耐压强度/MPa	≥45	47	74

应用60%用后铝碳质滑板颗粒与其他原料配制成的再生下水口材料的部分物理性能和使用性能如表4所示。结果表明其性能超过了首钢对下水口材料相应的指标要求。

表4　再生下水口材料的性能

检测项目	入厂指标	再生水口试样
常温抗折强度/MPa	—	13.4
高温抗折强度/MPa（1400℃）	—	6.09
常温耐压强度/MPa	≥50	59
常温体积密度/（g/cm^3）	≥2.8	2.9
常温气孔率/%	≤10	3.4
荷重软化温度/℃	>1650	>1650

为了提升用后耐火材料的使用价值，首钢利用化学和高温物理原理，使用用后滑板砖与硅、铝粉高温合成了赛隆－刚玉耐火材料；使用用后滑板砖、镁碳砖合成了镁阿隆材料；使用后黏土砖、用后硅砖和用后滑板砖为主要原料，合成了纯度较高的莫来石材料；使用用后焦炉硅砖合成了碳化硅材料。这彻底打破人们传统认识中，用后耐火材料只能降档次使用的观念，为用后耐火材料的高级利用开拓更广阔的应用前景。图1为利用后黏土砖、用后硅砖和用后滑板砖合成的再生莫来石材料的XRD衍射图。

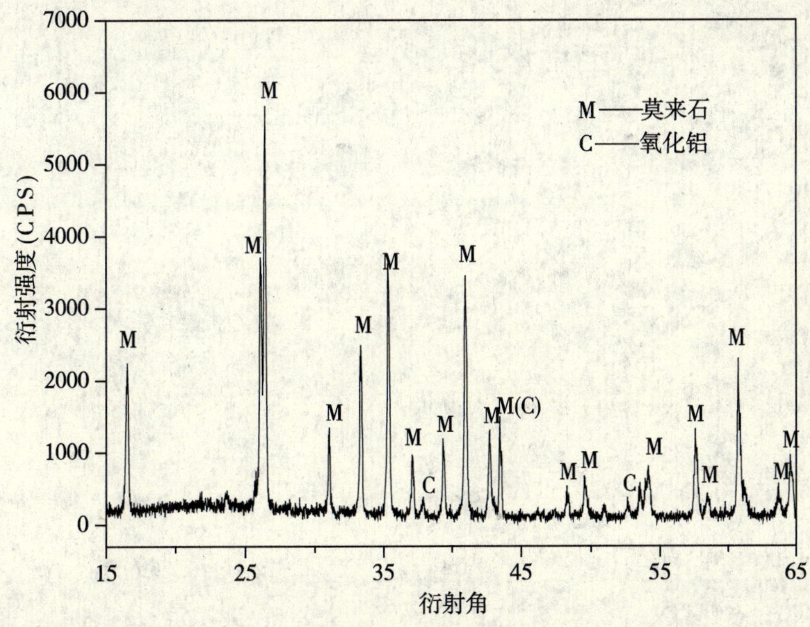

图1　再生莫来石材料的XRD衍射图

五、结　语

用后耐火材料是一廉价的二次再生资源，通过开发用后耐火材料回收利用技术，可实现用后耐火材料资源的合理、循环利用，降低冶炼成本，减少环境污染，能显著地提高钢铁企业的环境、经济社会效益，这都符合国家发展循环经济和可持续发展的产业政策。

参考文献

[1] Nakamura. Y.（Nippon Steel Corp）; Hirai. N; Tsui. Y. Recycling of refractories in the steel industry, Industrial Ceramics, 1999, 2（19）: 111－114.

[2] 王晓峰译．已用过滑板砖再利用工艺的进展［J］．国外耐火材料，1997（8）：16－21.

[3] Oxnard, Robert. Overview of refractory recycling. Proceedings of the TMS Fall Extraction and Processing Conference, 2000（4）：1351.

[4] 廖建国译．用过的滑动水口再循环用于生产 Al_2O_3－SiC 砖［J］．国外耐火材料，2003，28（6）：15－18.

[5] 姜华．宝钢用后耐火材料的技术研究与综合利用［J］．宝钢科技，2005，3：9－11.

[6] Maqinnis. M. Abbot（U. S. Bur of Mines）. Recycling spent refractory materials at the U. S. Bureau of Mines, Ceramic Engineering and Science Proceedings, 1995, 16（1）: 190－198.

[7] Fang. H; Smith. JD; Pleaslee. KD; Study of spent refractory waste recycling from metal manufacturers in Missouri, Conservation and Recycling, 1999, 25（2）: 111－124.

[8] 徐庆斌译．废弃耐火材料的回收利用［J］．国外耐火材料，1999（7）：36－38.

[9] Oxnard Robert. Refractory recycling, American Ceramic Society Bulletin, 1994, 73（10）: 46－49.

[10] 田守信．用后耐火材料的再生利用［J］．耐火材料，2002，36（6）：339－341.

[11] 冯慧俊，田守信．宝钢用后废弃 MgO－C 砖的再生利用［J］．宝钢技术，2006（1）：17－19.

[12] 王成．废弃耐火材料的再生利用［J］．江苏冶金，2003，31（6）：56－58.

[13] 李军希，等．废铝镁尖晶石的回收和再利用［J］．耐火材料，2004，36（3）：215－217.

[14] 马明锴，刘瑞斌．炼钢用铝碳质耐火材料的回收利用［J］．耐火材料，2006，2：150－151.

[15] 陈瑞敏．中钢耐火材料之资源回收［J］．技术与训练，2002，27（2）：112－119.

[16] 任魁锋，李福，孙加林．用后钢包浇注料的再生利用［J］．山西冶金，2006，102（2）：78－79.

选矿技术在城市固体废弃物资源化中的应用

刘书杰　李　晔　申士富　叶力佳　王金玲　骆有发

（北京矿冶研究总院矿物加工科学与技术国家重点实验室　北京　100044）

摘　要　选矿技术作为成熟的分离技术已广泛应用于城市固体废弃物资源化领域，不仅实现了矿业企业的环境友好功能，而且低成本地实现废弃物处理的无害化、减量化、资源化。本文结合实例介绍了国内外常用的各种固体废弃物的选矿工艺，指出选矿技术的运用对城市固体废弃物的资源化具有重大的实际意义。

关键词　城市固体废弃物　选矿技术　资源化

城市固体废弃物（municipal solid wastes，MSW）指人类在生产、消费、生活和其他活动中产生的固态、半固态废弃物质（国外的定义则更加广泛，动物活动产生的废弃物也属于此类），通俗地说，就是“垃圾”。主要包括固体颗粒、垃圾、炉渣、污泥、废弃的制品、破损器皿、残次品、动物尸体、变质食品、人畜粪便等。有些国家把废酸、废碱、废油、废有机溶剂等高浓度的液体也归为固体废弃物。据统计，我国每年产生近1.5亿t城市垃圾。其中80%～90%来自大、中城市[1]。到20世纪90年代末期，我国历年积存垃圾已超过60亿t。且每年以8%～10%的增长率递增，侵占土地0.5亿亩，有200多个城市陷入垃圾的包围之中。

固体废弃物的处理通常是指采用物理、化学、生物、物化及生化方法把固体废物转化为适于运输、贮存、利用或处置的过程，固体废弃物处理的目标是无害化、减量化、资源化。有人认为固体废物是“三废”中最难处置的一种，因为它含有的成分相当复杂，其物理性状（体积、流动性、均匀性、粉碎程度、水分、热值等）也千变万化，要达到上述“无害化、减量化、资源化”目标会遇到相当大的麻烦，一般防治固体废物污染方法首先是要控制其产生量，例如，逐步改革城市燃料结构（包括民用工业）控制工厂原料的消耗，定额提高产品的使用寿命，提高废品的回收率等；其次是开展综合利用，把固体废物作为资源和能源对待，实在不能利用的则经压缩和无毒处理后成为终态固体废物，然后再填埋和沉海，目前主要采用的方法包括压实、破碎、选冶、固化、焚烧、生物处理等。

一、固体废弃物的处理工艺现状

固体废弃物分选是实现固体废弃物资源化、减量化的重要手段，通过分选将有用的充分选出来加以利用，将有害的充分分离出来；另一种是将不同粒度级别的废弃物加以分离，分选的基本原理是利用物料的某些特性方面的差异，将其分离开。例如，利用废弃物中的磁性和非磁性或者电性和非电性差别进行磁电分选；利用粒径尺寸差别进行分级；利用比重差别进行重力分选；利用表面疏水性差别进行浮选分离等。根据不同性质，可设计制造各种机械对固体废弃物进行分选，分选包括手工捡选、筛选、重力分选、磁力分选、涡电流分选、光学分选等[2-5]。

（一）废弃纸张、纸盒的处理

废纸先经高速冲击脉冲粉碎机处理，随后添加具耐火性的生物添加剂改性，其产品为生态棉，它是低层建筑的隔热材料。废纸也可在圆锥振动惯性粉碎机里以干法或湿法碎解，以获得纤维状物质。干法制得的纤维可以作为混凝土和沥青混凝土的添加料，这样能够提高它们的抗拉断强度。湿法制得的纤维质可以用纸制铸模制造包装材料，或作为生产陶瓷产品的可烧掉的加入物。

（二）木材废弃物的处理

原木加工的废弃物可经两段粉碎或三段粉碎（回转式切碎机、高速冲击脉冲式粉碎机、圆锥振动惯性粉碎机）得到木浆或木质料。

湿式粉碎获得的木浆可以作为陶瓷产品生产中可烧掉的加入物。使用这种可烧掉的加入物，在陶瓷砖的强度不降低的前提下其孔隙率提高60%，并且使它具有高绝热性能。干式粉碎获得的木质料可以与石膏和其他添加物混合，并借助挤压机制成膏块，放置在仓库中干燥并硬化后可以作为轻质混凝土填料。

（三）废汽车轮胎的处理

在生产实践中，广泛用废汽车轮胎粉碎获得的橡胶粉末生产建筑材料。废汽车轮胎处理工艺原则流程如图1。

橡胶粉末被分成以下粒级：

1. 5～10mm 粒级作为再生橡胶配料的给料，用作生产橡胶的工业产品（电车轨道垫料、铁路道口的垫物等）；

2. 1～5mm 粒级用于回填体育设施（足球场、篮球场、网球场等）的地基；

3. <1mm 粒级用于生产防潮材料和沥青混凝土的添加剂。

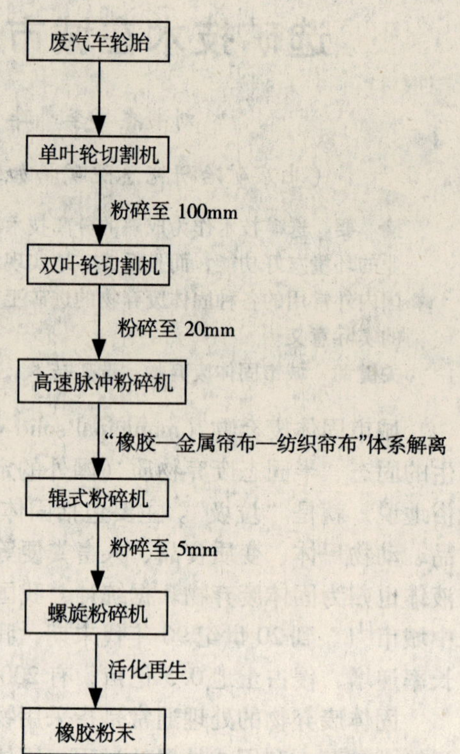

图1　废汽车轮胎处理工艺原则流程图

（四）塑料包装废弃物的处理

由聚酯合成纤维和聚烯烃（聚乙烯、聚丙烯、聚苯乙烯）生产的塑料包装废弃物是有价值的二次原料。可采用以下工艺进行回收：高速冲击粉碎机粉碎—洗涤—切割粉碎机中粉碎造粒—成团—与惰性填料混合—挤压成型。

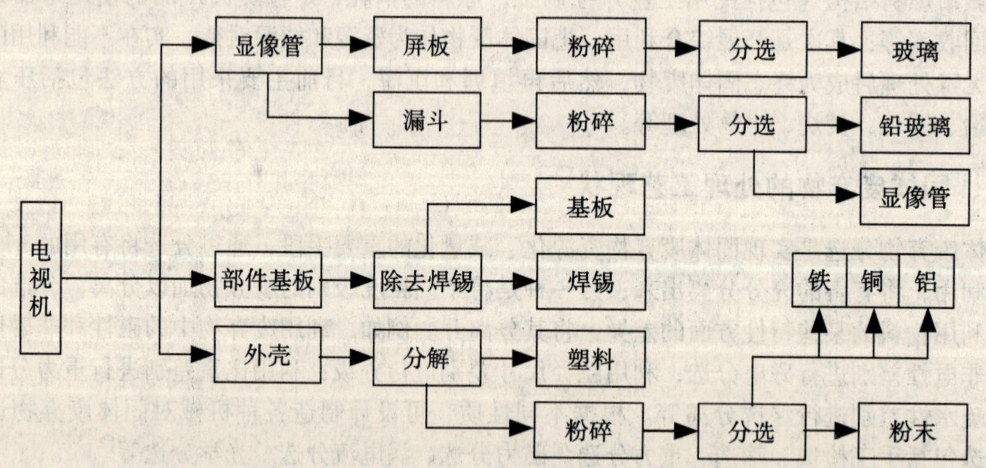

图2　家用电器废弃物（以电视机为例）的处理工艺流程图

（五）建筑废弃物的处理

含钢筋混凝土的建筑废弃物经过处理，可以分离出金属相和用于建筑业的惰性材料。所采用的工艺是：在第一段中用振动颚式粉碎机粉碎，保障由金属加固的强度很高的材料有效地粉碎，而在第二段中用圆锥振动惯性粉碎机粉碎，以保障获得需求量大的碎石——具有很高立方形和污染程度最低的水泥黏合料。此时，在圆锥振动惯性粉碎机 -5mm 筛下物受到机械活化，因此它们具有很高的黏性，可作为固结土料或者砌筑的混合料。

（六）家用电器废弃物的处理

在各种电器产品中，某些电子元件中含有镓、锗、硅、铟等电子材料，生产成本很高，再利用这些材料具有很好的经济效益[6]。而电冰箱、空调机的配件压缩机、热交换器经处理后，可回收部分铁、铜、铝；电视机阴极射线管（CRT）玻璃、印刷电路板上的焊锡处理后也可以再利用[7]。此外，各种废弃家电中的塑料都可以气化或油化后回收用作燃料。

家用电器废弃物（以电视机为例）的处理工艺流程如图2所示。

其他家用电器的处理与电视机的处理工艺流程类似，均采用“机体分解—粉碎—分选”的原则流程。

（七）家庭垃圾的处理

在美国、欧洲和日本同时进行城市垃圾处理研究推荐的众多方法中，最有代表性的例子是由德国亚琛（Aachen）工业大学选矿系所推荐的处理工艺流程，该工艺可从城市垃圾中回收所有有价物料。如图3所示。

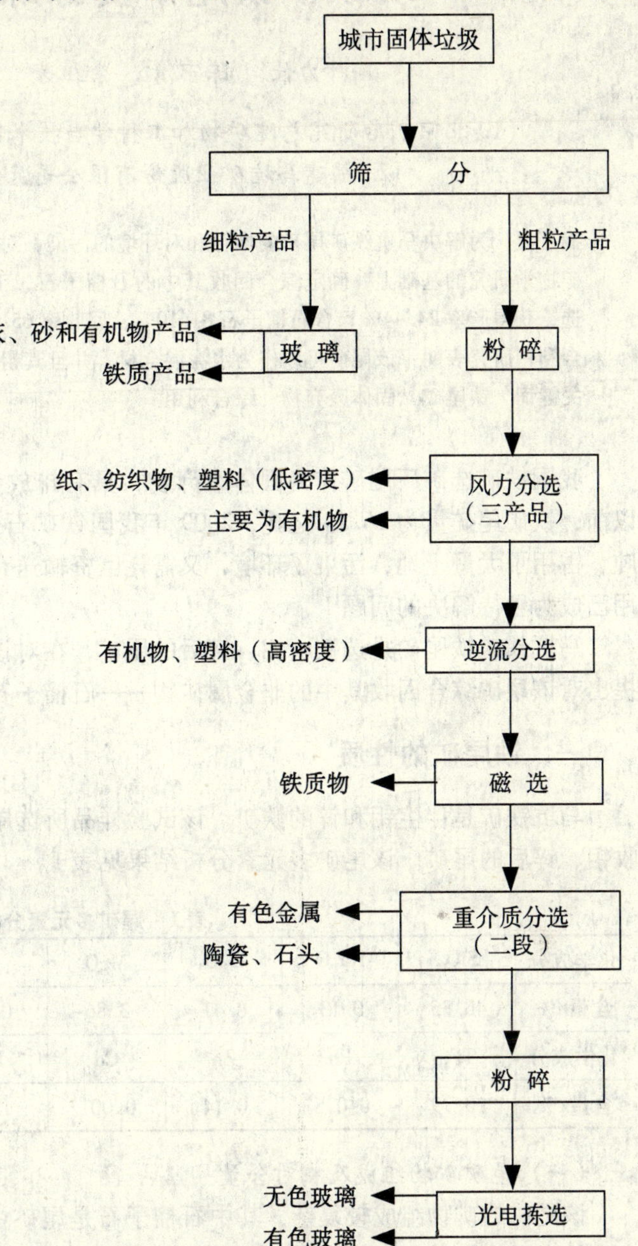

图3　处理家庭垃圾的亚琛（Aachen）工艺流程

二、结　语

选矿技术不仅可以应用于矿石的提纯分离，而且已经作为一种有效的分离技术被广泛地应用于工业生产，从而实现废弃物处理的无害化、减量化、资源化。国内外的科学研究和生产实例表明选矿技术应用于城市固体废弃物的资源化处理将大大提高我国废弃物的回收率，促进循环经济的发展，实现人与自然的和谐共存。

参考文献

[1] 宋亚芝．我国城市垃圾现状与处理对策［J］．煤炭工程，2002，3：42－43.

[2] 徐建平．物理选矿法的延伸与发展［J］．选煤技术，1999（4）：42－43.

[3] 元英，张红茹．选矿技术在污染治理中的应用［J］．中国矿业，2000，9（1）：88－91.

[4] 高忠爱，等．固体废物的处理与处置［M］．北京：高等教育出版社，1993.

[5] 庄伟强．固体废弃物处理与利用［M］．北京：化学工业出版社，2001.

[6] 张友良，田晖．积极开展中国废家用电器回收利用［J］．家用电器，2000（8）：2－3.

[7] 张友良，田晖．国外废家电回收利用现状及进展［J］．家用电器科技，1999（6）：27－28.

马坑铁矿铁尾矿资源综合利用技术研究

叶力佳[1] 陈宁清[2] 余祖芳[2] 申士富[1] 王金玲[1]

（1. 北京矿冶研究总院矿物加工科学与技术国家重点实验室 北京 100044；
2. 福建马坑矿业股份有限公司 福建 龙岩 364021）

摘 要 为解决马坑铁矿尾矿的堆存和对环境的污染，对该铁尾矿进行了综合利用技术研究。在工艺矿物学研究的基础上，确定综合回收其中的石榴子石，工艺路线是采用摇床重选抛尾，两次强磁精选，获得产率24.44%，含石榴子石81.10%，回收率65.06%的石榴子石精矿；对该尾矿的建材化综合利用研究表明：该尾矿可以作为水泥混合材，并且其粗砂可以代替建筑砂应用在混凝土中。

关键词 铁尾矿 固体废弃物 综合利用

我国铁矿选矿厂尾矿作为固体废弃物，具有排放量大、性质复杂等特点。据统计，2000年以前，铁矿尾矿量为26.14亿吨，2009年我国铁矿石采矿量约为7亿吨，尾矿排放量约为4亿吨，占用了大量土地，污染了环境，又需耗巨资输送和建库存放，因此如何对铁尾矿进行综合利用已成为亟待解决的问题[1]。

马坑铁矿铁尾矿是选铁、钼、锌后的尾矿，在对该尾矿进行详细工艺矿物学研究的基础上，提出对该尾矿综合回收其中的非金属矿物——石榴子石，并对该尾矿进行建材化综合利用。

一、铁尾矿的性质

马坑铁矿是伴生钼和锌的铁矿。该试验样品所选尾矿是经过磁选选铁，选铁尾矿再经浮选回收钼、锌后的尾矿。该尾矿多元素分析结果见表1。

表1 尾矿多元素分析结果

化学成分	SiO_2	Na_2O	Al_2O_3	MgO	C	K_2O	CaO	P	WO_3
含量/%	46.85	0.13	8.41	3.86	0.87	0.96	19.48	0.023	0.055
化学成分	TFe	Pb	Zn	Cd	Mn	Mo	Cu	S	—
含量/%	10.79	0.038	0.14	0.001	1.04	0.016	0.024	0.29	—

（一）尾矿矿物组成及相对含量

该尾矿的矿物组成较复杂，其中石榴子石是尾矿中含量最多的矿物，矿物量约为30%，其余矿物含量均较低，矿物组成及相对含量见表2。

表2 尾矿的矿物组成及相对含量

石榴子石	石英	透辉石－钙铁辉石系列	绿泥石	普通辉石和闪石	方解石
30%	16%	12%	12%	<7%	<7%
长石	云母	符山石	硫化物	其他矿物	—
4%	5%	5%	0.5%	余量	—

（二）尾矿中石榴子石的产出特征

尾矿中石榴子石主要是以钙铝榴石和钙铁榴石为端元的钙铝榴石－钙铁榴石类质同象系列矿

物。石榴子石的粒度较粗，100 微米以上占其矿物量的 50%；石榴子石基本已解离，仅有少量脉石矿物与石榴子石连生。石榴子石粒度分布见表 3。

表 3 石榴子石粒度分布情况

粒级/mm	含量/%	累计/%
+0. 208	21. 88	21. 88
-0. 208 +0. 147	14. 39	36. 27
-0. 147 +0. 104	12. 42	48. 69
-0. 104 +0. 074	10. 19	58. 88
-0. 074 +0. 043	15. 97	74. 85
-0. 043 +0. 020	13. 42	88. 27
-0. 020 +0. 010	8. 44	96. 71
-0. 010	3. 29	100. 00

二、回收尾矿中石榴子石的试验研究

(一) 重选试验

本试验分别采用摇床重选和螺旋溜槽重选，对铁尾矿进行了预选抛尾试验，结果表明，摇床重选获得的最终石榴子石品位和回收率均远高于螺旋溜槽试验结果，试验最终选用摇床预选抛尾。摇床重选试验流程见图 1，试验结果见表 4。

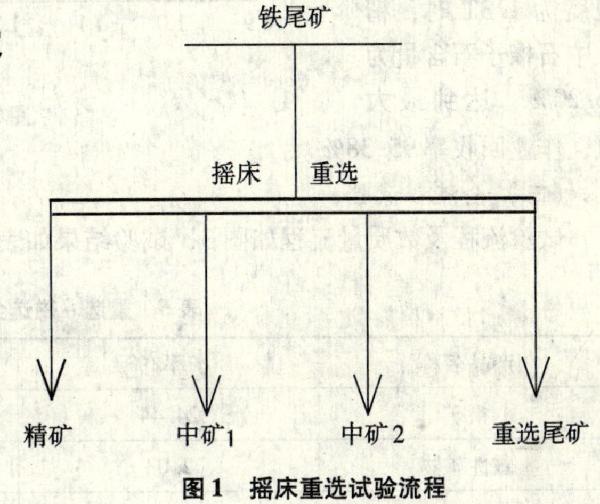

图 1 摇床重选试验流程

由表 4 试验结果可知：石榴子石主要富集在精矿和中矿 1 中，二者合并得到的合并精矿石榴子石含量为 62. 64%，回收率为 73. 36%，而中矿 2 和尾矿中石榴子石含量和回收率均很低，说明石榴子石在合并精矿（精矿 + 中矿 1）中得到了有效富集。

表 4 摇床重选试验结果

产品名称	产率/%	石榴子石含量/%	回收率/%
精矿	2. 10	69. 80	4. 77
中矿 1	33. 87	62. 20	68. 59
精矿 + 中矿 1（合并精矿）	35. 97	62. 64	73. 36
中矿 2	37. 14	18. 20	22. 00
重选尾矿	26. 89	5. 30	4. 64
铁尾矿	100. 00	30. 72	100. 00

（二）强磁选试验

以摇床所得的合并精矿经 0.4T 的中磁去除少量磁性铁及其连生体作为给矿，进行磁选强度试验，试验结果如图 2。

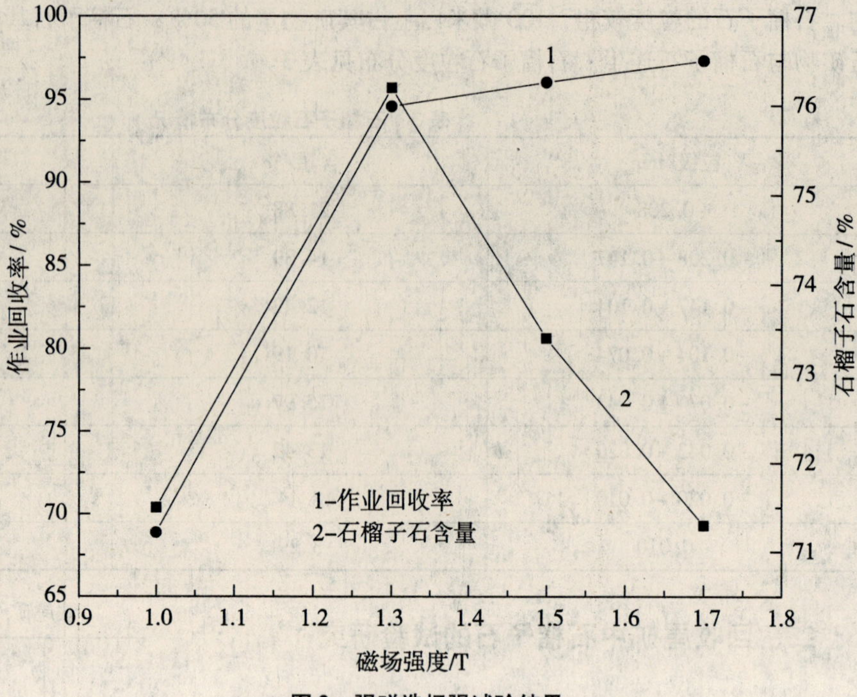

图 2　强磁选场强试验结果

由试验结果可以看出，随磁场强度的升高，精矿产率和回收率也在升高，而精矿中石榴子石含量先升高后降低。在磁场强度为 1.3T 时，精矿中石榴子石含量为 76.20%，达到最大值，作业回收率 95.38%。

（三）全流程试验

试验流程及数质量流程如图 3，试验结果如表 5。

表 5　重选－磁选全流程试验结果

产品名称	产率/%	石榴子石含量/%	回收率/%
精矿	24.44	81.10	65.06
磁性矿物	2.03	46.30	3.08
尾矿	73.53	13.20	31.86
铁尾矿	100.00	30.47	100.00

三、建材化利用技术研究

（一）铁尾矿放射性检测

铁尾矿可以作为原料生产水泥、砌块砖、黏土砖[2, 3]。用作建筑材料首先要符合建筑材料的放射性要求，对该铁尾矿进行的放射性指标检测结果列于表 6。

表 6　铁尾矿放射性检测结果

检测项目		单位	标准要求	实测值	单项结论
放射性比活度	C_{Ra}	Bq/kg^{-1}	—	26	—
	C_{Th}		—	13.2	—
	C_{K}		—	407.1	—
建筑主体材料	I_{Ra}	—	1.0	0.1	合格
	Ir	—	1.0	0.2	合格

符合 GB 6566—2001 标准要求

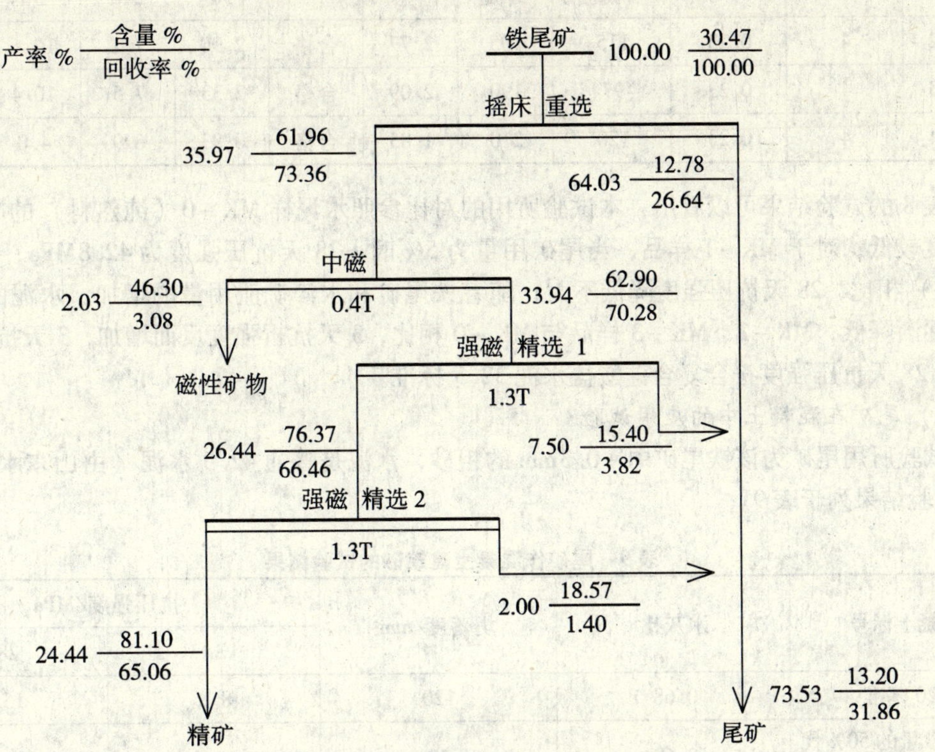

图 3　重选 - 磁选全流程工艺及数质量流程图

由表 6 测试结果可以看出，该尾矿的各项放射性指标符合建筑材料放射性核素限量（GB 6566—2001）标准要求，该铁尾矿可以作为原材料应用于建材领域。

（二）铁尾矿作水泥混合材料试验研究

试验原料：水泥熟料、水淬矿渣、石膏，以上试验原料均取自山东水泥集团。水泥配料比例如表 7 所示，试验结果如表 8 所示。

表 7　水泥中成分配料表

编号	水泥熟料	尾矿	水淬矿渣	石膏
MK-0	95	0	0	5
MK-1	90	5	0	5
MK-2	80	5	10	5
MK-3	70	15	10	5
MK-4	50	15	30	5

表 8　铁尾矿作水泥混合材试验结果

编号	细度/%	水灰比	凝结时间/min		SO_3	安定性	抗折强度/MPa		抗压强度/MPa	
			初凝	终凝			3d	28d	3d	28d
MK-0	4	0.23	100	175	2.17	合格	1.62	7.52	11.0	45.5
MK-1	4	0.23	92	150	2.85	合格	2.43	8.23	11.7	42.8

编号	细度/%	水灰比	凝结时间/min		SO_3	安定性	抗折强度/MPa		抗压强度/MPa	
			初凝	终凝			3d	28d	3d	28d
MK－2	4	0.23	115	195	2.77	合格	2.90	7.1	10.6	34.3
MK－3	4	0.23	97	190	2.09	合格	2.33	7.5	10.4	37.0
MK－4	4	0.23	120	210	1.85	合格	0.83	6.9	4.0	33.3

由表8的试验结果可以看出：本试验所用的对比参照水泥样MK－0（纯熟料）的3天抗折、抗压强度较低；对于MK－1样品，当尾矿用量为5%时，28天抗压强度为42.8MPa，与MK－0（纯熟料）相比，28天抗压强度降低不大；随着铁尾矿和水淬矿渣用量的增加，水泥的28天抗压强度逐渐降低；MK－2、MK－3样品与MK－0相比，3天抗折强度反而增加，3天抗压强度降低不多，28天抗压强度符合复合硅酸盐水泥32.5标准。

（三）尾矿在混凝土中的应用试验

本试验所用尾矿为该铁尾矿中+0.3mm的粗砂，水泥是普通42.5水泥（由山东水泥集团提供），试验结果列于表9。

表9 尾矿作混凝土建筑砂的试验结果

混凝土标号	水灰比	坍落度/mm	抗压强度/MPa	
			3d	28d
C20基准	0.68	120	8.8	15.7
尾矿粗砂量的50%代替C20中的建筑砂	0.68	30	10.4	19.1
C30基准	0.56	120	10.6	24.5
尾矿粗砂量的30%代替C20中的建筑砂	0.56	0	16.3	25.9

由表9试验结果可以看出，掺加尾矿砂的C20和C30混凝土，其抗折抗压强度均有不同程度的提高，特别是C20混凝土抗压强度提高了21.7%，抗折强度提高了18.2%，C30混凝土抗折强度提高了56.7%，提高幅度较大。虽然坍落度有所降低，但可以通过添加外加剂，如减水剂、流变剂等加以调整。

四、结　论

通过对马坑铁矿尾矿的石榴子石回收技术及建材化利用的研究，可以得到如下结论：

1. 采用摇床重选－磁选工艺可以综合回收该铁尾矿中的石榴子石，石榴子石精矿的产率为24.44%，石榴子石的矿物含量约为81.10%，回收率为65.06%。

2. 该铁尾矿可以作为水泥混合材，其掺加量以15%内合适。

3. 该铁尾矿中+0.3mm的粗砂可以代替天然建筑砂应用在混凝土中，并可以大大提高混凝土的强度，特别是抗折强度。

参考文献

[1] 矿产资源综合利用手册［M］．北京：科学出版社，2000：229－256.

[2] 王金忠，赵颖华．铁尾矿做原料在普通水泥中的应用研究及机理分析［J］．硅酸盐通报，1999（6）：32－35.

[3] 王金忠．铁尾矿部分代替黏土在烧结砖中的应用研究［J］．建材与应用，2000（3）：27－30.

锌冶炼铁钒渣的回收利用

王海北　蒋开喜　刘三平　冯亚平　黄　胜

（北京矿冶研究总院　北京　100044）

摘　要　2008 年中国的锌产量达到 318 万 t，其中约 45% 的锌浸出渣采用热酸浸出 - 铁钒除铁工艺处理，使得每年铁钒渣的产出量超过 100 万 t[1]。由此总的堆存铁钒渣数量超过 2000 万 t，并导致对环境潜在的污染。铁钒渣中平均含锌量约为 6%，总的锌含量达到 120 万 t。另外部分铁钒渣富含稀有金属如 Ga、Ge、In 和贵金属如 Ag 等，利用价值非常高。本文提出两种铁钒渣的处理工艺流程。对于含稀散金属的铁钒渣，首先在回转窑中还原挥发得到含锌烟尘，该烟尘经过浸出—置换—萃取回收锌、银和稀散金属，最后窑渣磁选得到铁精矿。低浓度 SO_2 烟气经过除尘、吸附和解吸生产液体 SO_2。对于不含稀散金属的铁矾渣，开发了转化浸出技术，将铁矾渣、热酸浸出液和锌精矿合并浸出，将铁矾转化为赤铁矿，实现铁钒渣的无害化。这两种技术能回收铁钒渣中伴生有价金属并减少对环境造成的污染。

关键词　铁钒渣　还原挥发　转化浸出　稀散金属

一、简　介

近年来国内锌产量迅速增长，2008 年达到 318 万 t，尽管如此一些新的锌冶炼厂仍然在建设之中。据估计到 2010 年锌产能将超过 400 万 t，其中 85% 的锌将采用“焙烧—浸出—净化—电积”工艺生产[2]，9% 采用 ISP 生产，其余 6% 将在葫芦岛锌冶炼厂采用竖炉生产。在湿法炼锌厂中，45% 采用热酸浸出 - 铁钒除铁处理中性浸出渣，其他 55% 采用回转窑还原挥发。在热酸浸出 - 铁钒除铁工艺中产出大量铁钒渣含 Fe 25%，Zn 6% ~8% 以及其他有价金属如 Ga、Ge、In、Ag 等。在所有的铁氧化物中，铁矾是最不稳定的结构。它能被缓慢溶解并污染地下水和附近的河流。我国每年从锌冶炼厂新增铁钒量约为 100 万 t，现有所堆存的铁钒渣总量超过 2000 万 t。在这些铁钒渣中含有 120 万 t 的锌和其他有价金属如 Ga、Ge、In、Ag 和 Fe。这些铁钒渣有很高的回收利用价值。

二、试　验

试验铁钒渣样品来自四川省某锌冶炼厂，其化学成分见表 1。

表 1　铁钒渣化学成分

元素	Zn	Pb	Fe	In	Ga	Ge	S	As
含量/%	6.83	4.93	23.74	0.0059	0.026	0.0036	12.85	0.037
元素	Cd	Cu	Mn	Co	Ni	Mg	Sb	Bi
含量/%	0.017	0.012	0.035	<0.005	<0.005	0.1	<0.005	<0.005

铁钒渣首先在回转窑中还原挥发。在挥发阶段，铁钒渣和碳或无烟煤混合并在 1100 ~ 1150℃ 下焙烧，在此条件下，锌、铅和其他一些金属被还原成金属单质挥发进入烟气中并被空气氧化成金属氧化物。所得烟尘大致成分如下：Zn 55%，Pb 42%，Fe 0.5%，In 0.024%，Ga 0.027%，Ge 0.011%，S 8.59%，当在 85℃ 下硫酸浸出时，超过 90% 的 Zn，In，Ge 和 80% 的 Ga 进入溶液中，Pb 以 $PbSO_4$ 形式进入渣中。稀有金属在溶液中通过锌粉置换沉淀回收。稀有金属沉淀渣再用硫酸浸出，浸出后液进入溶剂萃取分离 Ga、Ge 和 In，硫酸锌溶液中和除铁。经过

中和净化后的硫酸锌溶液再蒸发结晶生成 $ZnSO_4 \cdot 7H_2O$。

还原挥发条件试验在直径 150mm 的回转窑中进行。挥发烟尘，锌粉置换沉淀和中和除铁在 5L 不锈钢槽中进行，稀有金属沉淀渣浸出试验在 1L 玻璃烧杯中进行。

转化浸出在 2L 衬钛加压釜中进行，首先将热酸浸出液和铁矾渣按照一定配比在常压下搅拌浸出以缩短在加压釜中的停留时间，然后加入锌精矿后送入加压釜内通氧浸出一定时间，液固分离后送分析检测。

三、结果和讨论

（一）还原挥发—浸出—置换—萃取工艺

1. 回转窑还原挥发

还原挥发条件研究了主要影响因素如还原剂种类、用量及焙烧时间等的影响。试验结果如表 2 ~ 表 4 所示。

（1）还原剂种类影响试验

由表 2 可以看出，无烟煤代替碳作还原剂可以达到同样的还原效果，锌的挥发回收率甚至略有提高。

表 2 还原剂种类对焙烧的影响

还原剂种类	焙烧后渣中 Zn 含量/%	Zn 回收率/%
碳	1.07	89.03
无烟煤	1.00	89.75

（2）还原剂用量影响试验

由表 3 可以看出，随着还原剂用量的增加，锌的回收率有所增加，当无烟煤用量大于 30% 时，锌挥发回收率 >88%。

表 3 还原剂用量对焙烧的影响

还原剂用量/%	焙烧后渣中 Zn 含量/%	Zn 回收率/%
50	0.82	91.60
40	1.00	89.75
30	1.14	88.32

（3）焙烧时间条件试验

由表 4 可以看出，随着焙烧时间的延长，锌的挥发回收率有所增加，当焙烧时间在 1h 以上时，锌挥发回收率 >88%。

表 4 焙烧时间对焙烧的影响

时间/h	焙烧后渣中 Zn 含量/%	Zn 回收率/%
3	0.95	90.26
2	1.00	89.75
1	1.15	88.21

2. 浸出

从还原挥发得到的烟尘多元素分析结果见表 5。

为了提高有价金属的回收率，挥发烟尘的浸出分步进行，第二段浸出溶液返回第一段浸出，第一段浸出液的终点酸度保持在5g/L以下以减少锌粉消耗。在浸出阶段超过90%的Zn、Ge、In和80%的Ga被浸出进入溶液。在第一段浸出过程中，主要研究了硫酸浓度、浸出时间、温度和液固比等主要影响因素。试验结果见表6～表10。

表5　焙烧烟尘化学分析结果

元素	Zn	Pb	Fe	In	Ga	Ge	S	As
含量/%	34.82	25.15	0.57	0.024	0.027	0.011	8.59	0.19
元素	Cd	Cu	Mn	Co	Ni	Mg	Sb	Bi
含量/%	0.07	0.013	0.039	<0.005	<0.005	0.16	<0.005	<0.005

（1）浸出终点酸度条件试验

由表6可以看出，随着浸出终点酸度的增加，有价金属的浸出率明显增加，当终点酸度达到5g/L时，各有价金属浸出率如下：Zn>75%，Ga>83%，Ge>93%，In>89%，同时有价金属浸出率增加变得平缓。

表6　终点酸度的影响

序号	终点酸度/(g/L)	浸出率/%			
		Zn	Ga	Ge	In
1	0.1	56.86	5.89	86.25	16.81
2	0.49	67.05	49.42	91.90	57.94
3	4.9	75.74	83.54	93.54	89.63
4	16.82	78.24	85.39	92.51	92.39
5	28.01	78.55	87.19	92.54	92.92

（2）浸出温度条件试验

由表7可以看出，当浸出温度在55℃时，浸出温度的增加对Zn和Ga浸出率影响很小，但能使Ge和In浸出率少量增加。

表7　温度的影响

序号	浸出温度/°C	浸出率/%			
		Zn	Ga	Ge	In
1	55	78.19	82.91	91.45	81.03
2	65	78.36	83.40	93.07	84.07
3	75	78.40	83.72	90.88	87.44
4	85	78.51	83.54	93.54	89.63
5	95	78.64	83.79	91.97	92.65

（3）浸出时间条件试验

由表8可以看出，在浸出时间达到1h以上时，时间的增加对Zn和Ge的浸出率影响很小，但Ga和In的浸出率有一定的提高。

表 8　浸出时间的影响

序号	浸出时间/h	浸出率/%			
		Zn	Ga	Ge	In
1	1	78.12	81.46	90.21	86.35
2	2	78.51	83.54	93.54	89.63
3	3	80.18	88.09	90.93	94.92
4	4	80.35	88.71	90.42	94.75
5	5	79.99	87.68	89.92	95.01
6	6	80.66	87.68	89.92	94.62
7	7	80.74	87.48	89.42	94.99

（4）浸出液固比条件试验

由表 9 可以看出，当浸出液固比达到 4∶1 时，液固比的提高对有价金属的浸出率影响不明显。

表 9　浸出液固比的影响

序号	液固比	浸出率/%			
		Zn	Ga	Ge	In
1	3	74.22	84.12	83.06	90.16
2	4	78.51	83.54	93.54	89.63
3	5	79.36	82.75	91.33	88.31
4	7	80.11	83.76	91.38	91.11
5	8	80.32	83.54	93.54	89.63

（5）热酸浸出试验

表 10　热酸浸出试验结果

序号	浸出率/%			
	Zn	Ga	Ge	In
1	96.27	88.89	91.82	95.63
2	96.74	89.25	91.50	96.35
3	96.58	89.62	91.81	96.37

由表 10 可以看出，二段热酸浸出可以较大提高焙烧烟尘中有价金属的浸出率，一段浸出渣经过第二段热酸浸出，各有价金属浸出率如下：Zn > 96%，Ga > 88%，Ge > 91%，In > 95%。

3. 锌粉置换沉淀试验

锌粉置换沉淀主要是在浸出后液中加入锌粉来置换出浸出液中的稀有金属，然后置换渣再进行酸溶，从而达到稀有金属富集的目的。在锌粉置换条件试验中，主要考察了终点 pH 值、温度和锌粉用量等因素的影响。

试验结果表明，随着温度的增加，稀有金属的置换沉淀率增加明显，当温度达到 80℃时，各稀有金属的置换沉淀率可达到 Ga >98%，Ge >96%，In >99%。随着锌粉用量的增加，稀有金属的置换沉淀率增加明显，当锌粉用量增加到 10g/L 时，各稀有金属的置换沉淀率可达到 Ga >98%，Ge >93%，In >99%。随着置换时间的增加，有价金属置换沉淀率增加比较明显。当置换时间达到 3h 以上时，各稀有金属的置换沉淀率可达到 Ga >98%，Ge >93%，In >99%。

4. 稀有金属沉淀的浸出和溶剂萃取

从锌粉置换沉淀得到的沉淀渣采用硫酸浸出，由此稀有金属在置换沉淀和溶解过程中被富集，富集后溶液中的浓度是最开始浸出液中的 10 倍以上。

置换沉淀渣重新浸出后稀有金属富集液中主要化学成分见表 11。

表 11　富集液的主要化学成分

成分	Zn	Ga	Ge	In	Fe	H_2SO_4
浓度/（g/L）	98.36	0.72	0.29	0.64	0.93	40.08

富集液中的稀有金属可以通过溶剂萃取分离。在萃取分离工序，溶液中的铁，尤其是 Fe^{3+} 应尽可能低。

浸出液首先萃铟，用 10% 的 P_2O_4 作为萃取有机相时，In 的萃取率可以达到 99% 以上，而 Ge 和 Ga 几乎不被萃取。采用 4MHCl 作为反萃液时，In 的反萃率可以达到 90% 以上。

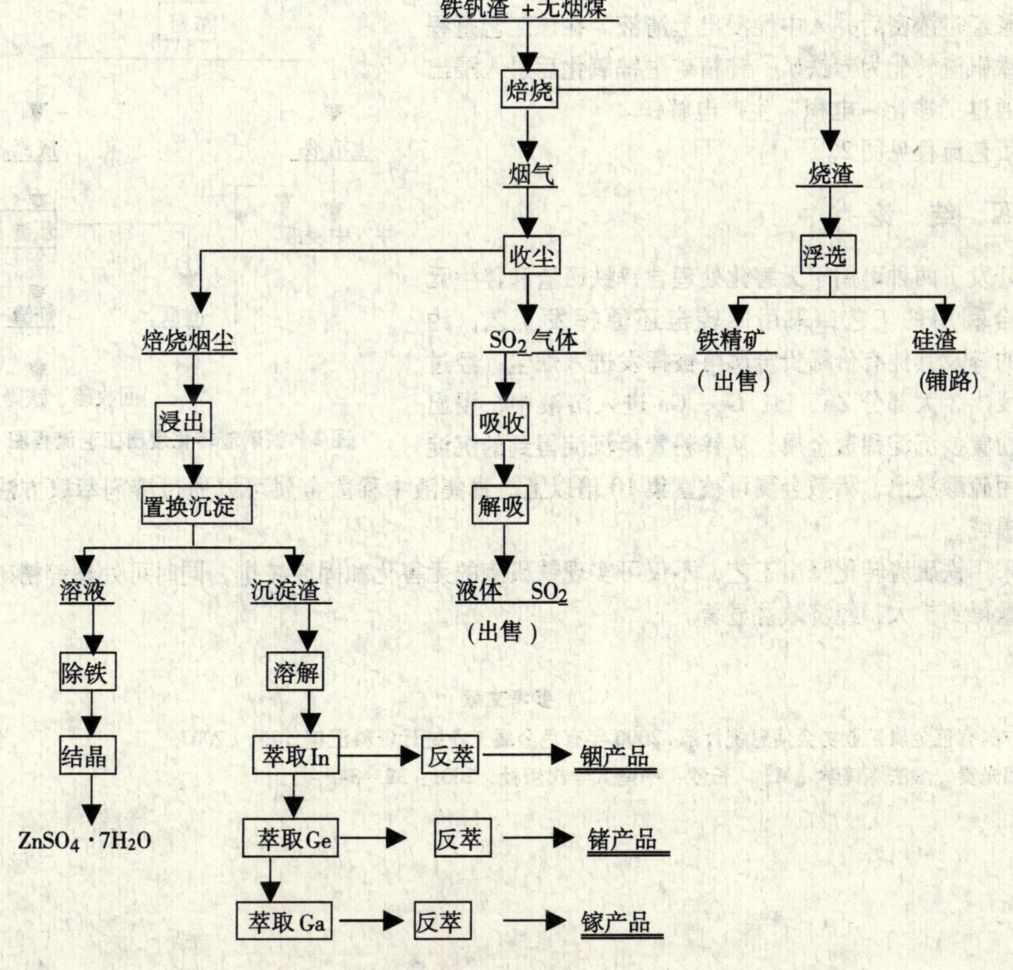

图 1　铁钒渣回转窑还原挥发工艺流程图

萃铟余液萃锗，采用10% G315 －5%异辛醇作为Ge的萃取有机相时，Ge的萃取率可以达到96%以上，而Ga几乎不被萃取。当采用300g/L NaOH作为反萃液时，Ge的反萃可以达到95%以上。

最后萃取镓，当采用5% G315 －2% P_2O_4 作为Ga萃取有机相时，Ga的萃取率可以达到95%以上。当采用6MHCl作为反萃液时，Ga的反萃率可以达到93%，满足工艺要求。

5. 工艺流程图

回转窑还原挥发工艺流程图见图1。

（二）转化浸出工艺

铁矾属于不稳定结构，锌、铁可以溶解进入溶液。根据这一特点，首先将铁矾分解，然后在高温下水解形成结构稳定的赤铁矿，不仅回收了其中的锌等有价金属，而且实现了固废减排，降低了对环境的污染。

北京矿冶研究总院开展了详细的试验研究，预计2010年底将建设年处理10 000t铁矾渣和锌精矿的试验线，具体工艺流程如下：

对于采用“热酸浸出－铁矾除铁”流程的锌冶炼厂，低酸浸出液含酸20～40g/L，与铁矾渣和锌精矿按照一定液固比浆化后进入加压釜，利用残酸浸出锌精矿，锌浸出率大于97%，浸出液含铁低于2g/L。浸出后矿浆经过浓密后并入中性浸出上清液。在该工艺过程中，铁矾渣转化为赤铁矿，锌精矿中锌氧化后进入浸出液，通过“净化－电积”生产电解锌。

工艺流程见图2。

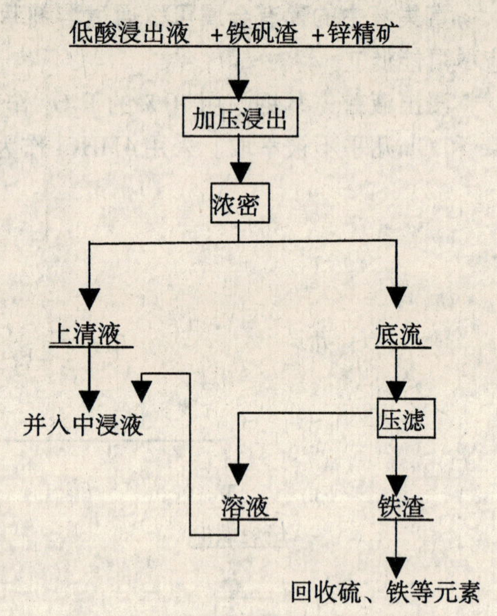

图2 铁矾渣转化浸出工艺流程图

四、结 论

开发了两种可用于无害化处理含锌铁矾渣和伴生元素综合利用的工艺，采用回转窑还原挥发工艺，约90%的锌及其他有价稀贵金属可被挥发进入烟尘，经过两段浸出，大部分Zn、In、Ge、Ga进入溶液中，浸出液锌粉置换沉淀稀散金属。从锌粉置换沉淀得到的沉淀渣采用硫酸浸出，稀散金属可被富集10倍以上。富集液中稀散金属可以通过溶剂萃取方法有效分离提纯。

采用铁矾渣转化浸出工艺，不仅可实现铁矾渣的无害化和固废减排，同时可处理锌精矿，工厂产量得到扩大，经济效益显著。

参考文献

［1］中国有色金属工业协会信息统计部. 2006年有色金属工业统计资料汇编［R］. 2007.
［2］梅光贵. 湿法炼锌学［M］. 长沙：中南大学出版社，2001：32－34.

旋风炉高温熔融垃圾焚烧飞灰中试研究

别如山

（哈尔滨工业大学能源学院　哈工大454信箱　150001）

摘　要　本文在一台75t/h旋风炉上进行垃圾焚烧飞灰高温熔融处理试验，采用煤粉作为辅助燃料，飞灰与煤粉质量比为2:8，试验结果表明，在旋风炉内温度达到1450℃，飞灰中的二恶英能够被彻底分解，急冷熔渣、尾气及静电除尘器捕集灰中二恶英浓度很低，分别为2～3ngTEQ/kg、0.033ngTEQ/m^3以及23～26ngTEQ/kg，远低于现行国际、国内二恶英排放标准，可以安全排放。对急冷熔渣、尾部飞灰进行重金属浸出实验研究，发现重金属浸出量远低于国家危险废物浸出标准，说明急冷熔渣及尾部飞灰可作为建筑材料循环利用。由于目前试验的旋风炉没有尾部脱硫、脱硝装置，所以试验过程中SO_2、NO_x排放浓度高，说明在未来的高温熔融炉尾气处理中需加入脱硫、脱硝装置，以控制NO_x及SO_2排放。

关键词　焚烧飞灰　高温熔融　旋风炉　二恶英　重金属　静电除尘器

前　言

垃圾焚烧炉尾部布袋除尘器捕集灰（简称飞灰）中的重金属、二恶英严重超标，例如，日本的垃圾焚烧飞灰中重金属铅（Pb）的含量为738～79 500mg/kg，镉（Cd）的含量为4～573mg/kg（炉排炉）[1]，二恶英含量在1 000～50 000ngTEQ/kg[2]。2000年以后，我国垃圾焚烧炉开始运营的较多，主要炉型为进口炉排炉和循环流化床垃圾焚烧炉，其中，上海御桥垃圾焚烧厂（进口炉排炉）飞灰中铅（Pb）：972～2 480mg/kg，Cd：50～66mg/kg；二恶英含量在980～1 520ngTEQ/kg[3]；哈尔滨垃圾焚烧厂进口内循环流化床垃圾焚烧炉布袋除尘器捕集灰中Pb含量870mg/kg，Cd为16mg/kg，二恶英含量达到800 ngTEQ/kg[4]；国内报道的炉排炉布袋捕集灰中二恶英含量有的高达7 530ngTEQ/kg[5]。所以我国生活垃圾焚烧污染控制标准（GB 18485—2001）明确指出，垃圾焚烧飞灰属危险废物，不能随意填埋堆放。

发达国家为了保护生态环境，对焚烧飞灰的处理十分严格。目前国际上比较安全的垃圾焚烧飞灰处理方法主要有4种[6]：①熔融处理→再生利用；②水泥混凝固化处理→填埋；③药剂稳定处理→填埋；④酸溶液浸出处理→填埋。也有采用超临界技术对灰渣中有机物进行安全处理[7]。由于第②、第③、第④种方法处理后仍需要大量的填埋场地，所以，发达国家如美国、德国、日本等最推崇的飞灰处理技术为熔融处理后再生利用。因为该技术能够分解飞灰中的二恶英、回收飞灰中的有价重金属，并使熔渣达到安全可再生利用，从而进一步实现飞灰资源化[8]。但是发达国家通常采用燃油、焦炭或采用电热熔融的方法熔融处理飞灰，处理成本昂贵，在我国难以普遍推广应用。为此，作者提出以煤为辅助燃料，采用旋风炉技术对飞灰进行高温熔融处理[9]，并将余热回收发电，具有较高经济性和应用价值。

一、试验装置

试验是在石家庄第四热电厂一台75t/h旋风炉上进行，该炉额定出力为75t/h，压力为5.3MPa，过热蒸汽温度450℃。旋风炉简图如图1所示。飞灰来源于某垃圾焚烧发电厂，通过长途运输到试验现场，飞灰从下层二次风口（沿高度有上、中、下3个二次风口）由螺旋送料器送入下层二次风道，再由下层二次风道吹入旋风炉内。

本文获哈尔滨市优秀学科带头人专项基金资助（2006RFXXS009）。

（一）测试方法

垃圾焚烧飞灰高温熔融处理后尾部烟道系统二恶英类化合物委托中国科学院水生生物研究所二恶英检测实验室测量，取样口在引风机之后。垃圾焚烧飞灰、熔渣中重金属及其浸出毒性检测委托黑龙江地质矿产测试应用研究所测量，飞灰通过取样器取至空气预热器出口，熔渣取至液态排渣出口。现场的 O_2、NO_x、SO_2 由英国进口烟气分析仪：凯恩 KM9106 测量，尾气中 HCl 由现场采用 1N 的 NaOH 去离子水溶液吸收，通过 Cl^- 离子测定仪滴定测量，采样点在空气预热器出口。旋风炉内温度、蒸汽参数等由锅炉控制仪表显示。

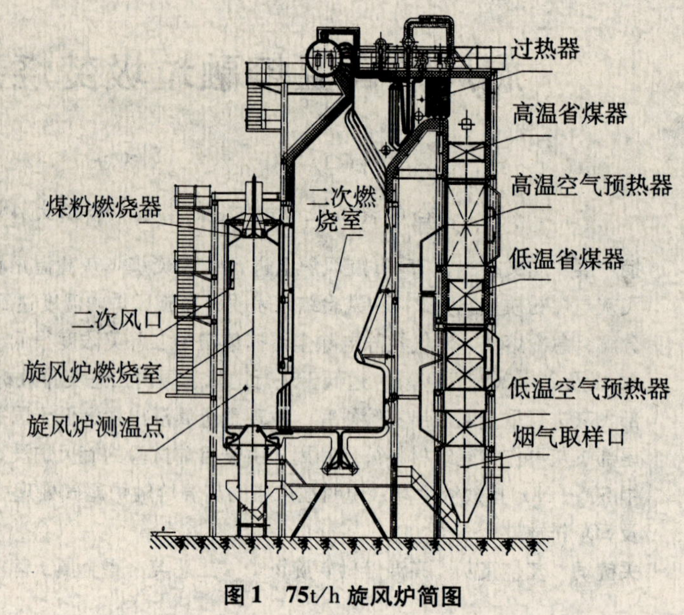

图 1　75t/h 旋风炉简图

（二）试验条件

试验时采用烟煤作为辅助燃料，煤的元素分析如表 1 所示。

表 1　煤的元素分析

Car	Har	Oar	Nar	Sar	Mar	Aar	Qnet. ar
52. 60	2. 95	4. 55	0. 86	0. 87	5. 87	32. 30	19840

垃圾焚烧飞灰通过 XRF 分析，结果如表 2 所示。

表 2　垃圾焚烧飞灰的成分分析

Na_2O	MgO	Al_2O_3	SiO_2	K_2O	CaO	TiO_2	Fe_2O_3	ZnO	MnO_2	CuO	Cr_2O_3	BaO	P_2O_5	SO_3	PbO	Cl
2. 97	2. 28	18. 86	43. 93	2. 61	14. 97	1. 18	4. 27	0. 31	0. 13	0. 10	0. 07	0. 13	3. 37	3. 24	0. 07	1. 51

煤粉与飞灰的比例通过锅炉出力以及飞灰的送入量经计算而得。试验是在煤粉:飞灰 8:2 条件下进行，旋风炉内温度为 1450℃，锅炉出力为 70t/h，蒸汽压力 5. 2MPa，蒸汽温度 445℃。试验持续进行 10 个小时。

二、试验结果

（一）二恶英检测结果

首先对原始飞灰中二恶英含量进行检测，测得原始飞灰中二恶英含量：201 ~ 375ngTEQ/kg，飞灰经高温熔融后，急冷熔渣中二恶英的含量为 2 ~ 3ngTEQ/kg；尾气中烟尘二恶英含量为 0. 018ngTEQ/m^3，尾气中烟气二恶英含量为 0. 015ngTEQ/m^3，尾气二恶英总含量为 0. 033ngTEQ/m^3；静电除尘器捕集飞灰二恶英含量：23 ~ 26ngTEQ/kg[10]。从试验结果看，尾气中二噁英含量远低于国际发达国家的环保标准：0. 1ngTEQ/m^3，更低于我国现行环保标准[11]：1ngTEQ/m^3。急冷熔渣及静电除尘器捕集飞灰中二恶英含量非常低，完全无害，可以循环利用。

（二）重金属检测结果

原始飞灰、静电除尘器飞灰以及熔渣中的重金属检测结果如表 3 所示，可见原始飞灰中重金属含量远高于焚烧后静电除尘飞灰以及急冷熔渣。重金属浸出试验结果如表4所示，尽管原始飞灰、静电除尘器飞灰以及熔渣中重金属浸出量都低于国家危险废物鉴别标准[12]允许的最高允许浓度，但是急冷熔渣及静电除尘器捕集灰中重金属的浸出量低于原始飞灰1~2个数量级。所以，可以得出结论，飞灰经过高温熔融处理后，尾气、急冷熔渣、除尘器捕集灰是无害的，急冷熔渣、除尘器捕集灰可以直接资源化利用。

表3　原始飞灰、静电除尘器飞灰以及熔渣中的重金属检测结果　单位：mg/kg

重金属元素	Cu	Pb	Zn	Cd	Hg	As	Cr	Ni
原始飞灰	451	424	2005	8.06	2.670	15.7	368	39.5
静电除尘飞灰	47.2	88.4	182	0.854	0.133	23.9	83.6	30
急冷溶渣	78.2	25.0	158	0.24	0.018	3.6	67.7	27.6

表4　原始飞灰、静电除尘器飞灰以及熔渣中的重金属浸出量检测结果　单位：mg/L

重金属元素	Cu	Pb	Zn	Cd	Hg	As	Cr	Ni
原始飞灰	0.002	0.0122	0.223	0.002	0.0029	0.002	0.0274	0.0012
静电除尘飞灰	0.0009	0.0036	0.0259	0.0002	0.000 45	0.0002	0.2553	0.0002
急冷溶渣	0.0001	0.42×10^{-3}	1.0×10^{-3}	0.016×10^{-3}	0.000 07	0.0001	0.0058	0.0003
最高允许浓度	50	3	50	0.3	0.05	1.5	1.5	10

（三）NO_x 及 SO_2 排放浓度

从空气预热器出口采样点11抽取烟气检测尾气中的 NO_x 及 SO_2 排放浓度，如表5所示。可见，NO_x 排放浓度高于国家排放标准，这也是旋风炉自身的弱点，未来新设计的旋风炉飞灰熔融炉需要考虑在二燃室采用喷 NH_3 或尿素进行SNCR脱硝，在尾部280~320℃范围内增设喷 NH_3 进行SCR脱硝工艺，确保尾气 NO_x 浓度达到国家现行环保排放标准。

由于尾部没有脱硫装置，所以，SO_2 浓度也超标，因此，需要增加脱硫装置。

表5　尾气中 NO_x 及 SO_2 排放浓度

O_2/%	NO_x/（mg/m^3）	SO_2/（mg/m^3）
7.9	925	1870
8.1	1042	1648
8.7	1066	1559
9.0	1084	1548
9.7	1140	1489

（四）HCl排放浓度

由表2可知，焚烧飞灰中含有较高浓度Cl，它们主要以氯的金属化合物以及飞灰中含有机氯化合物（二恶英类），在高温下分解生成HCl存在于烟气中，测试结果表明，在尾气中氧浓度为8%~9%时，烟气中HCl浓度为43~65mg/m^3，低于目前环保标准100 mg/m^3。

三、结　论

以煤为辅助燃料，采用旋风炉高温熔融焚烧飞灰试验结果表明，在旋风炉内温度达到1450℃，飞灰中的二恶英能够被彻底分解，急冷熔渣、尾气及静电除尘器捕集灰中二恶英浓度远低于现行国际、国内二恶英排放标准。急冷熔渣、尾部飞灰的重金属浸出实验结果表明，重金属浸出量远低于国家危险废物浸出标准，说明急冷熔渣及尾部飞灰完全无害，可作为建筑材料循环利用。由于没有脱硫、脱硝措施，所以，尾气中 NO_x 及 SO_2 排放浓度超标，说明未来设计高温熔融炉时需要配置适当的脱硫、脱硝措施。在高温熔融过程中，由飞灰中 Cl 转化而来的 HCl 浓度低于国家排放标准。

参考文献

[1] Jung C. H. , Matsuto, T. , Tanaka N. , Okada T. Metal distribution in incineration residues of municipal solid waste (MSW) in Japan [J] . Waste Management , 2004, 24: 381 - 391.

[2] 小林 康男. 垃圾焚烧与二恶英 [C] . 第二届中日固体废物处理处置与资源化技术研讨会论文集, 1999, 11.

[3] Pin - Jing He, Hua Zhang, Can - Gang Zhang, Duu - Jong Lee. Characteristics of air pollution control residues of MSW incineration plant in Shanghai. Journal of Hazardous Materials. 2004, B116: 229 - 237.

[4] Bie Rushan, Li Shiyuan. Characterization of PCDD/Fs and heavy metals from MSW incineration plant in Harbin [J] . Waste Management, 2007, 27 (12): 1860 - 1869.

[5] 金宜英, 田洪海, 聂永丰, 等. 3 个城市生活垃圾焚烧炉飞灰中二恶英类分析 [J] . 环境科学, 2003, 24 (3): 21 - 25.

[6] 王华, 何方, 马文会, 等. 二恶英低减化生活垃圾焚烧灰渣熔融处理技术 [J] . 昆明理工大学学报, 2003, 27 (1): 17 - 21.

[7] Noriyuki Anjou. Control of waste treatment by supercritical water [J] . Chemical Engineering, 2000, 63 (2): 76 - 78.

[8] Masao. Countermeasures by combustion technology [J] . Chemical Engineering, 2000, 63 (2): 90 - 91.

[9] 别如山, 李诗媛, 刘欢鹏, 等. 垃圾焚烧飞灰的旋风炉高温熔融处理方法 [P] . 发明专利: ZL 200410044191. 8.

[10] 中国科学院水生生物研究所二恶英检测实验室. 二恶英检测报告. 2007, 5.

[11] GB 18485—2001 生活垃圾焚烧污染控制标准.

[12] GB 5085. 3—1996 危险废物鉴别标准——浸出毒性鉴别.

一项新型垃圾衍生燃料（RDF）制备工艺系统

周　斌[2]　雷建国[1]

（1. 四川理工学院材料与化学工程学院　四川　自贡　643000；
2. 四川雷鸣生物环保工程有限公司　四川　自贡　643000）

摘　要　介绍了一项新型垃圾衍生燃料 RDF 制备工艺技术。该技术通过改变现有焚烧炉工作状况入手，利用专有技术对南方高湿混合生活垃圾进行预处理制成衍生燃料后再进行焚烧，降低了垃圾焚烧处理对原料、热值及水分的要求，提高了焚烧法处理垃圾的适用范围，减少了能耗及成本，提高了处理能力和热能输出，极大降低尾气所造成的二次污染，实现了重要技术突破。

关键词　城市生活垃圾　垃圾衍生燃料　制备工艺系统

当前，我国城市垃圾年产量已达 1.4 亿 t 以上，占全世界年产垃圾的四分之一以上，且仍以每年 8% ~10% 的速度增长[1]，而实施简易处理的城市垃圾仅占总量的 2.3%，我国历年垃圾堆存量现已高达 60 亿 t，占用耕地 5 亿 m^2，直接经济损失达 80 亿元人民币。全国城市现已发展到 660 个，其中已有 200 个城市陷入垃圾包围之中。以城镇人口 2.6 亿，每人每年产生 440kg 垃圾计算，产生垃圾量为 1.14 亿 t，可以使 100 万人口的城市覆盖 1m。中国已成为世界上垃圾包袱最重的国家，城市垃圾的无害化、减量化和资源化处理已迫在眉睫。目前，垃圾处理的主要方式有填埋法、堆肥法、焚烧法。填埋或露天堆积都不能实现垃圾处理的减量化，仍需占用大量土地。由于焚烧处理可以实现城市垃圾热能回收、减容、减重、高温灭菌等目的，在环境保护和资源利用方面具有明显的优势，因而得到较快的发展[2]。然而，垃圾焚烧会对大气造成二次污染，不能完全燃烧部分仍然需要填埋，垃圾衍生燃料（RDF）为垃圾能源化带来了生机，成为垃圾利用领域新的技术热点。RDF 的制备中，城市生活垃圾预处理和其 RDF 制备工艺尤为重要。本文介绍了四川雷鸣生物环保工程有限公司的一项垃圾衍生燃料 RDF 制备工艺系统。

一、原生生活垃圾焚烧处理存在的问题

据统计，2003 年我国城市垃圾的焚烧处理能力是 2000 年的 6 倍，达到 15000t/d；2004 年我国新投入运行的大型集中生活垃圾焚烧厂在 5 座以上，总规模约为 3900t/d，2005 年投入运行的焚烧厂达 9 座以上，总规模在 5400t/d 以上[3]。2006 年新投入运行的生活垃圾焚烧厂数量达 9 座以上，总规模约为 4 000t/d，有十余座生活垃圾焚烧厂尚在建设中[4]。预计未来 10 年，我国城市垃圾焚烧处理将得到更大发展。据预测，到 2010 年，我国城市垃圾的产生量将达到 2.9 亿 t，按处理比率划分，卫生填埋占 70%，焚烧占 20%，堆肥占 10%，年焚烧处理的垃圾量将为 5600 万 t 以上。根据我国城市化发展势头和城市用地相对紧张的局面预测，城市垃圾焚烧的比率可能会更高。

垃圾焚烧技术在我国处于起步阶段，目前已建或在建的垃圾焚烧厂，基本上是引进国外技术，部分采用国产设备，原生垃圾一般未经处理或仅是简单分拣即入炉焚烧，无论从资源再利用角度还是从设备运行的安全经济角度来讲，都存在不足之处。对待垃圾焚烧问题，我们必须注意吸取工业发达国家垃圾焚烧造成环境污染的教训，不能走他们先发展、后污染、再治理的老路，应当根据我国的实际情况，吸收国外成功的经验，研究开发适合我国国情的高效、低污染的垃圾焚烧处理技术。

城市生活垃圾不经处理直接作为固体燃料进行焚烧，存在以下主要问题。

（1）垃圾中有机物极易腐烂，导致运输难和贮藏难；

（2）垃圾的成分和热值波动大，水分和灰分含量高等特点容易造成燃烧不稳定；

（3）垃圾中常含有塑料、食盐以及其他含氯化合物，高温受热时产生具有腐蚀性的氯化氢气体，氯化氢排放可形成酸雨，且可在炉内腐蚀金属设备；由于含氯化合物的存在，还可能产生剧毒有害物质——二恶英，对人类健康形成更严重的危害；

（4）垃圾焚烧后排出的灰渣通常含有有害金属，如汞、铅等，若处理不善，也会造成环境的二次污染。

二、垃圾衍生燃料 RDF

要提高焚烧炉的运行质量，加大热能利用率，减少尾气治理成本，首先应在垃圾进炉前进行更有效的预处理，为焚烧创造有利条件是至关重要的。一种先将生活垃圾进炉前进行有效的预处理和成型加工，然后作为固体燃料被焚烧利用的垃圾衍生燃料 RDF（Refuse Derived Fuel，RDF）的出现，为解决上述问题提供了新的思路，目前已应用于城市生活垃圾焚烧处理资源化利用的工程实践中。

垃圾衍生燃料（RDF5）制作系统是由破碎分选子系统和加工成型子系统组成的。垃圾衍生燃料 RDF 加工生产技术是将生活垃圾首先进行破碎、分拣出可燃物、再加入添加剂干燥，最后将其挤压成型等处理过程，制成颗粒状物质 RDF 燃料。RDF 燃料的特点是大小均匀，所含热值均匀，成型工艺可使垃圾热值提高 4 倍左右，且易运输及储备，在常温下可储存 6～10 个月不会腐坏[5]。因此可以临时将一部分垃圾存贮起来，以解决锅炉技术停运，或者因旺季而导致垃圾产出高峰时期的处置能力问题；通过在成型过程中加入添加剂[6,7]可以达到炉内脱除 SO_2、HCl 和减少二恶英类物质排放的目的。这种燃料可以作为主要原料单独燃烧，亦可根据锅炉工艺要求，与煤、燃油混烧。

垃圾衍生燃料（RDF5）具有热值高、燃烧稳定、易于运输、易于储存、二次污染低和二恶英类物质排放量低等特点，广泛应用于干燥工程、水泥制造、供热工程和发电工程等领域。

三、垃圾衍生燃料（RDF）的制备及应用

（一）RDF 分类组成及特性

1. RDF 分类

美国试验材料协会（ASTM）按城市生活垃圾衍生燃料的加工程度、形状、用途等将 RDF 分成 7 类（见表 1）。在美国 RDF 一般指 RDF2 和 RDF3，瑞士、日本等国家 RDF 一般是 RDF5，其形状为 Φ（10～20）×（20～80）mm 圆柱状，其热值为 14600～21000kJ/kg。

表 1　美国 ASTM 的 RDF 分类

分类	内容	备注
RDF1	仅仅是将普通城市生活垃圾中的大件垃圾除去而得到的可燃固体废弃物	
RDF2	将城市生活垃圾中去除金属和玻璃，粗碎通过 152mm 的筛后得到的可燃固体废弃物	Coarse（粗）RDF　C－RDF
RDF3	将城市生活垃圾中去除金属和玻璃，粗碎通过 50mm 的筛后得到的可燃固体废弃物	Fluff（绒状）RDF　F－RDF
RDF4	将城市生活垃圾中去除金属和玻璃，粗碎通过 1.83mm 的筛后得到的可燃固体废弃物	Powder（粉）RDF　P－RDF

分　类	内　容	备　注
RDF5	将城市生活垃圾分拣出金属和玻璃等不燃物、粉碎、干燥、加工成型后得到的可燃固体废弃物	Density（细密）RDF D－RDF
RDF6	将城市生活垃圾加工成液体燃料	Liquid Fuel（液体燃料）
RDF7	将城市生活垃圾加工成气体燃料	Gaseous Fuel（气体燃料）

2. RDF 的组成

RDF 的性质随着地区、生活习惯、经济发展水平的不同而不同。RDF 的物质组成一般为：纸 68.0%、塑料胶片 15.0%、硬塑料 2.0%、非铁类金属 0.8%、玻璃 0.1%、木材、橡胶 4.0%、布类 5.0%、其他物质 5.0%。

3. RDF 的特性

（1）防腐性。RDF5 的含水分低于 15%，制造过程加入一些钙化合物添加剂，具有较好的防腐性，在室内保管 1 年无问题，而且不会吸湿而粉碎。

（2）燃烧性。热值高，RDF5 的发热量在 14600～25000kJ/kg，且形状一致而均匀，有利于稳定燃烧和提高效率。可单独燃烧，也可和煤、木屑等混合燃烧。其燃烧和发电效率均高于原生垃圾发电。

（3）环保特性。由于含氯塑料只占其中一部分，加上石灰，可在炉内进行脱氯，抑制氯化物气体的产生，烟气和二恶英等污染物的排放量少，而且在炉内脱氯后形成氯化钙，有益于排灰固化处理。

（4）运营性。RDF 可不受场地和规模的限制而生产，生产方便。一般用袋装，卡车运输即可，管理方便可长期储存。适于小城市分散制造后集中于一定规模的发电站使用，有利于提高发电效率和进行二恶英等治理。

（5）利用性。作为燃料使用时虽不如油，但使用方便和低质煤类似，由于 RDF5 燃点低与含硫高发热值低的煤混烧可以大大提高煤的燃烧效能。另据报道，在日本川野田水泥厂用 RDF 作为水泥回转窑燃料时，其较多的灰分也变成有用原料，并开始在其他水泥厂推广。

（6）残渣特性。RDF5 燃烧后残渣占 10%～20%（与成分有关），比未经制造的垃圾焚烧灰少，且干净，含钙量高，有微孔，吸附率强易利用，是用于污水过滤的好材料，对减少填埋有利。

（二）RDF 的制备工艺

城市生活垃圾固型燃料的制备工艺一般有散装 RDF 制备工艺、干燥挤压成型 RDF 制备工艺和化学处理的 RDF 制备工艺。

在 RDF 的生产中，最重要的是城市生活垃圾和制备工艺，什么成分的垃圾，决定采用什么样的制备工艺[1]。四川雷鸣生物环保工程有限公司近 10 年致力于城市生活垃圾资源化新型工艺技术及装备的研发，取得了较好成绩；根据中国生活垃圾的现状，从改变焚烧炉的工作条件入手，研究设计了符合中国国情的混合垃圾焚烧炉颗粒燃料生产线。整套垃圾燃料处理制备工艺由垃圾接收破碎单元、垃圾含水率降低及热值提高单元、造粒烘干单元、配套工程单元组成。系统采用 13 项公司具有自主知识产权的专利机械装备技术，使工艺简化，性能提高，节约了大量的运行费用和维护费用，整个生产线设备技术水平处于领先地位。垃圾分选成套装备出口阿根廷，公司投资的日处理 100t 高湿混合生活垃圾生态循环利用技术及示范装置已在四川省自贡市莲花垃圾处理厂建成，即将投入运行。

1. 该项工艺系统设计的内容

（1）对垃圾进行有效的机械化分拣和破碎，保证破袋率≥99%，出料块度小于 100

~200mm；

（2）对分拣破碎后的高含水混合垃圾进行有效分离，分为低含水的可燃物部分和高含水的发酵料部分；

（3）对高含水垃圾进行有效的生物预处理进行水分蒸发，在好氧条件下进行；

（4）对可燃物部分垃圾含水30%～40%时，进行二次半湿粉碎至块度≤50mm；

（5）对块度小于50mm的垃圾进行均质混合和添加CaO等助剂后进行干燥、挤压造粒成Φ20mm、粒径长度40～100mm，水分降至15%～25%；

（6）必要时对含水率10%～20%的颗粒燃料在150℃进气温度下进行二次烘干，至含水率低于10%～15%，送往焚烧炉；

（7）中间过程配有污水处理，除臭、充氧等操作，优化操作环境。

2. 该项工艺系统流程图

整套工艺由垃圾接收破碎单元、垃圾含水率降低及热值提高单元、造粒烘干单元、配套工程单元组成（见下图）。

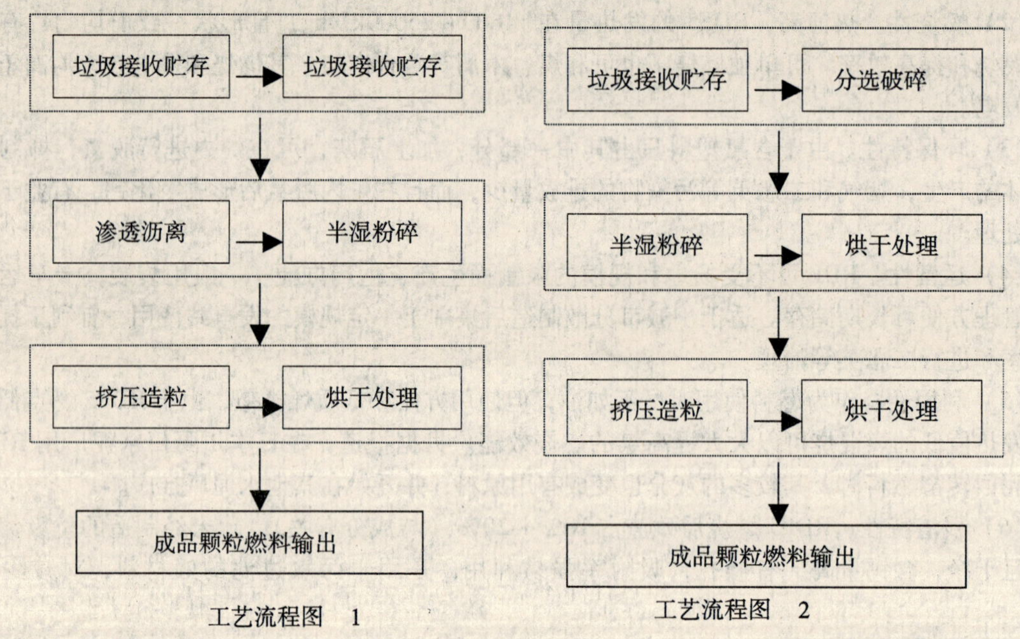

工艺系统流程图

（1）垃圾接收预处理、破碎单元：单元功能以分别设计大件分选和一体化破袋、分选、破碎机械加工及辅助人工分选过程相结合的方法实现；

（2）垃圾含水率降低及热值提高单元：中国垃圾含水率平均在35%～55%之间，为确保焚烧的低燃点和发热值的有效利用，采用一次烘干加一次冷却的方法实现，确保焚烧炉进料水分低于15%，燃料热值高于2300～3000kcal/kg；

（3）造粒、烘干单元：原料的粉碎粒度，直接影响颗粒燃料的造粒加工。因此，采用半湿粉碎的方法，将造粒进料块度控制在5cm以内，同时设计造粒机防堵孔机构，及时清理挤压孔板，确保造粒机正常高效运行。

因垃圾处理的特殊性，在工艺设计时，尽量实现设备的“口对口”连接模式，通过过程设备的选用，尽最大限度减少用工。

3. 设备装置的选择及改进

该工艺首次对含水35%～55%的混合垃圾颗粒燃料生产线进行研发，为资源的再利用创造良好条件。同时，其工艺路线比美国现在完整的 RDF 生产线减少设备近一半，各种运行费用极低，平均按垃圾计 40 元/t，RDF5 每吨成本低于 150 元，属国内首创。

为了达到最佳的垃圾处理效果，最优化选择了处理设备装置并对部分设备进行了合理的改进。

（1）管束式干燥机的选用：该机由机壳、搅拌传动装置、换热列管、风机、尾气吸收系统，空气补充系统及蒸汽排放处理系统构成，主要用于将含水 50% 以上的破碎垃圾进行烘干处理，将其含水率降至 35% 以下，同时由于搅拌过程的物料均匀混合，保证出机垃圾的综合成分及含水率与发热值均衡，以保证焚烧炉经济有效运行。该机水分蒸发量为 2000 ~ 3000kg/h，该系统共需热 190 ~ 280 × 10^4kcal/h（2.3 ~ 2.9MW/h），进料垃圾水分 40% ~50%，处理能力 12t/h，出料水分 32% ~35%，锅炉厂确认锅炉尾气排放情况为：180℃、91000m^4/h。经衡算为 220 × 10^4kcal/h（2.6MW/h），刚好符合干燥机使用要求。该干燥机使用工况为：进气 180℃，出气 65 ~75℃，尾气排放 85 × 10^4kcal/h（1.05MW/h），出气相对湿度 0.09kg/kg，相对饱和度 50%，具备较强的传质能力。

（2）沸腾床干燥机的选用：管束式干燥机排气、温度接近造粒机出料温度，可以将燃料颗粒直接进入恒速干燥段，为强化传质推动力故增加沸腾床干燥机一台，用于利用此部分余热蒸发水分。该机由带通透性进风机壳、传动机构、热风渗透系统、机架等构成。采用沸腾流化操作。该机主要用于将造粒机输出的含水 30% 的颗粒燃料烘干至含水率低于 26% ~27%，出料温度 60 ~65℃，利于冷却床的高效运行。该机供热采用管式干燥机尾气，同时对造粒颗粒在水分蒸发过程中实现强度的提高、充分的燃烧和挥发分的有效利用。

（3）沸腾床冷却机的选用：经沸腾床干燥机出料温度 40 ~45℃，再次通过自然风冷却至室温，利用一台沸腾床冷却机实现冷却，此间脱水 2% ~3%，消除燃料颗粒结块可能。该机由带通透性进风机壳、传动机构、冷风渗透系统、机架等构成，采用沸腾流化操作。该机主要用于将沸腾床干燥机出来的含水 27% 左右的颗粒燃料烘干至含水率低于 24% ~25%，出料温度接近室温，利于焚烧炉高效运行和燃料的可靠储存。该机供冷采用自然洁净空气，同时对造粒颗粒在水分冷却过程中实现强度再次提高。

（4）垃圾破袋分拣破碎机：该机由组合式垃圾综合处理系统、驱动装置、机架操作检修平台构成。对城市生活垃圾同时进行破袋、分拣和破碎三种加工。破袋率≥95%，硬性物有效分拣率大于 80%，设备出口物料块度低于 100mm。

（5）半湿粉碎机：该机由粉碎执行机构、机壳、机架和驱动装置构成。该机主要用于对从沥离仓排出的含水 40% 左右垃圾进行二次粉碎，以保证造粒机运行良好的制粒性能，粉碎出料块度≤50mm，产量≥14000kg/h。

（6）挤压成形机：该机为组合式挤压造粒机。由均质搅拌、挤压成形、孔板清理 3 部分机构组成。均质搅拌过程由双轴桨叶轴和机壳构成，挤压成形由变径变距螺杆、出料孔板、壳体构成。孔板清理机构由滑动孔板、滑槽、液压系统、滑动孔板表面清理系统构成。该机将由半湿粉碎机出来的 50mm 以下块度的物料进行挤压成柱状条形颗粒。颗粒粒径低于 20 ~30mm，长度低于 100mm。由于垃圾中含有大量废塑料、破布等，在挤压过程中极易出现出料孔间搭桥结块现象，堵塞出料孔，故本机设有滑动孔板作为物料导向孔，当导向孔受堵，受液压系统控制，滑动孔板自动脱离挤压孔板，并剪断堵孔长纤维移向挤压筒外侧。经自动清理表面附着物后，自动归位，确保造粒机有效运行，减小停机损失。

本工艺采用了先进的热量内循环系统，使系统热效率提高了 40%，且系统采用大量具有自主知识产权的高新技术产品，使工艺简化，性能提高；整个生产线设备技术水平先进，设备运行率大于 80%，保证正常运行，节约大量的运行费用和维护费用。

（三）工艺系统输出产品的性质与燃烧性能及排放指标

1. 产品性质

（1）有效提高发热值：试验证明，低位发热值800kcal/kg的垃圾，经上述过程加工后，热值可达到2300～3000kcal/kg；

（2）水分含量降低，着火点减小，可以不加任何热能补充物质（生炉发火除外），实现垃圾的焚烧作业；

（3）热值稳定：经垃圾加工后的颗粒燃料，热值基本一致，改善焚烧炉运行稳定性；

（4）孔隙率与空气混合均匀度高，燃烧充分，通过造粒对细粉状物料的固定，尾气粉尘排放减少近80%；

（5）减量明显：试验证明，垃圾经加工成颗粒燃料后，垃圾减量60%，焚烧炉有效处理能力提高近1倍；

（6）由于燃烧条件改善，焚烧炉输出有效利用热能提高130%左右，发电系统能量利用率提高近35%，飞灰大量减少，排放质量有效提高，有害气体排放可达到欧盟标准。

2. 本系统所生产焚烧炉颗粒燃料性能及排放指标见表2，表3。

表2　系统焚烧炉颗粒燃料性能表

项目	发热值	成品水分	颗粒形状	颗粒强度	颗粒堆比重
性能参数	Q^y_{dw}2300～4000kcal/kg	≤20%	（柱状）Φ20×（40～100）mm	6～8N	r=700～800kg/m^3

表3　生活垃圾直接燃烧与颗粒焚烧性能对照表

序号	项　目	直接焚烧	颗粒焚烧
1	对原生垃圾要求	Q^y_{dw}≥1000kcal/kg	Q^y_{dw}≥600kcal/kg
2	堆比重	r=250～350kg/m^3	r≥600kg/m^3
3	燃烧温度	724～1050℃	1050℃～1300℃
4	垃圾在焚烧炉停留时间	1.5～2.5h	1～1.5h
5	垃圾料层厚度	500～1000mm	500～1500mm
6	燃烧尾热负荷	8×10^4～15×10^4kcal/m^3h	1.5×10^4～25×10^4kcal/m^3h
7	焚烧炉负荷范围	90%～100%	100%～140%
8	高热值物料添加	15%～30%	—
9	焚烧炉渣热灼减率	5%～10%	1%以下
10	焚烧炉渣有机质含量	0.1%～3%	—
11	出口烟气粉尘浓度	80～120mg/m^3	30～40mg/m^3
12	林格曼黑度	Ⅰ级	—
13	炉膛空气过剩系数	1.5～2	2～4

四、结　论

垃圾焚烧技术在我国处于起步阶段，在发展垃圾焚烧及综合利用发电过程中，由于受原生垃圾燃料性质的影响，焚烧炉工作效率低下，运行费用、尾气治理成本较高，电能输出和经济效益难以发挥，制约了整项技术的推广应用。应当根据我国的实际情况，吸收国外成功的经验，研究开发适合我国国情的高效、低污染的垃圾焚烧处理技术。

RDF 作为垃圾处理新技术已逐渐得到世界各国的重视及应用。我国城市垃圾成分的特点是：有机可燃成分含量低、无机不可燃成分含量高、垃圾成分波动大；水分含量高、热值较低，使 RDF 技术在我国广泛的应用产生一定难度。

四川雷鸣生物环保工程有限公司已研究设计了符合中国国情的混合垃圾焚烧炉垃圾衍生燃料 RDF 生产线，并已建成示范装置，为 RDF 焚烧处理技术装备国产化做出了示范，创出了特色。

该项垃圾衍生燃料 RDF 制备工艺系统技术利用专有技术将南方高湿混合生活垃圾加工成垃圾衍生燃料后再进行焚烧处理，垃圾减容率 95% 以上，热能回收率 70% 以上，电能回收率提高 35%，尾气排放质量各项指标均优于散装垃圾焚烧处理 10～100 倍，燃烧剩余物可直接用于水泥厂、砖厂原料，完全实现零填埋。该系统技术通过改变现有焚烧炉工作状况入手，对生活垃圾进行预处理后再进行焚烧，降低了垃圾焚烧处理对原料、热值及水分的要求，提高了焚烧法处理垃圾的适用范围，减少了能耗及成本，提高了处理能力和热能输出，极大降低尾气所造成的二次污染，实现了重要技术突破。

参考文献

[1] 王冰. 垃圾衍生燃料的应用 [J]. 上海建材，2008 (1)：10.

[2] 史震天，李润东，刘耀鑫. 生活垃圾源头分类制取 RDF 技术分析 [J]. 环境保护与循环经济，2008 (3)：27－32.

[3] 中国环境保护产业协会城市生活垃圾处理委员会. 我国城市生活垃圾处理行业 2004 年发展报告 [R]. 北京：40－42.

[4] 中国环境保护产业协会城市生活垃圾处理委员会. 我国城市生活垃圾处理行业 2006 年发展报告 [R]. 北京：22.

[5] 苏铭华，陈小华. 衍生材料 RDF5 技术应用前景展望 [J]. 广西节能，2004 (4)：33－34.

[6] 崔文静，周恭明，陈德珍，等. 矿化垃圾制备 RDF 的工艺研究及应用前景分析 [J]. 能源研究与信息，2006，22 (3)：132－133.

[7] 官贞珍，周恭明，陈德珍. 垃圾衍生燃料作为生活垃圾焚烧炉辅助燃料的费用—效益分析 [J]. 环境污染与防治，2008，30 (12)：92.

医疗垃圾的热解特性实验研究

焦永刚　马长捷　郝长生

（石家庄铁道学院能源与环境工程系　050043）

摘　要　在垃圾热解设备研发时，热解温度的控制、物料干燥的时间和温度以及焦油的生成和收集都是较为关键的问题。本文通过外热式垃圾热解实验台，研究了烟气温度和干燥时间对失水率的影响，以及热解温度对焦油产量、产气量和瞬时产气量的影响，目的是为垃圾热解设备的开发提供一些理论基础。

关键词　垃圾　热解　外热式　焦油

热解汽化技术是当今正在发展中的一种垃圾处理新技术。这种技术不是直接对医疗垃圾进行焚烧，而是先利用一部分热能使医疗垃圾在一个密闭容器中进行分解，产生出可燃气体，然后在高温下将分解产生的裂解焦以及可燃气体进行焚烧，这样，既可以利用这部分热能，又在高温下除掉了有害的二次污染物，而且由于设备的密封性能良好，所以对周围环境比较安全。热解汽化技术以其较高的能源利用率和较低的二次污染排放，而被认为是下一代的垃圾热化学处理技术。

国内很多科研单位都对医疗垃圾和城市垃圾的热解技术进行了研究，其中浙江大学的严建华等通过自行设计的大物量热重分析装置就垃圾典型组分的混合热解特性进行了实验研究；并采用最小二乘法建立了热解反应动力学模型[1]。天津大学的张于峰等对城市生活垃圾筛上物进行热解实验，研究特定垃圾的热解过程及其规律。并用 TGA—DTA 差热失重联用分析仪研究升温速率对典型医疗垃圾热解过程的影响规律，同时开发了垃圾热解设备[2]。华中科技大学的肖波等在外热式固定床试验台上，针对城市生活垃圾中的典型组分，进行了不同条件下的热解试验研究[3]。东南大学的朱颖等采用热重分析仪，对我国城市生活垃圾典型有机混合物的热解和气化特性进行了研究，并用分布活化能模型对 TG－DTG 曲线进行了动力学分析[4]。

本文通过自行研制的外热式垃圾热解实验台，对垃圾热解设备开发中的几个关键问题进行了研究。包括利用烟气余热对垃圾物料的干燥，研究烟气温度和干燥时间对失水率的影响；利用冷却法除焦油，研究对焦油产量的影响因素；热解温度对产气量的影响。

一、外热式垃圾热解装置

本研究所采用的垃圾热解装置如图 1 所示。

垃圾热解装置的特点：外热源为液化石油气，由自行设计的低热值旋流燃烧器燃烧，目的是方便热解气体引回到热解装置内，实现自身热解气体的燃烧，减少热解过程对外热源的依赖。热解气体通过装置 3（冷却水套）的冷却产生焦油，由焦油收集瓶收集。

热解气体的管路上安装带压力和温度补偿的涡街流量计，气体成分分析采用大连科锐 GS—2010 型气相色谱仪。

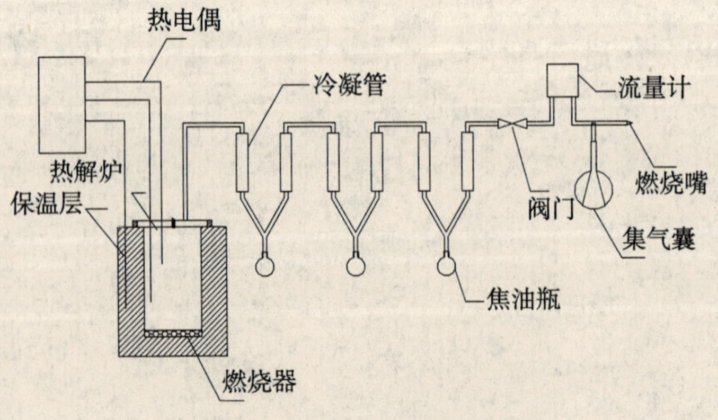

图 1　垃圾热解实验装置示意图

二、实验结果

（一）干燥温度和干燥时间对垃圾失水率的影响

热解技术是在贫氧的状态下，通过高温把大分子的有机物转化为小分子的可燃气体、液体燃料和焦炭的过程。垃圾热解设备是在接近真空的状态下进行的，这就要求热解设备在进料时保证很好的密闭性。在进料过程中可以利用热解炉内的余热对待热解料进行干燥，其中干燥温度和干燥时间是影响热解物料失水率的主要因素。实验结果如图 2 和图 3 所示。其中，图 2 为干燥温度小于 100℃时干燥时间与失水率的关系；图 3 为干燥温度大于 100℃时干燥时间与失水率的关系。

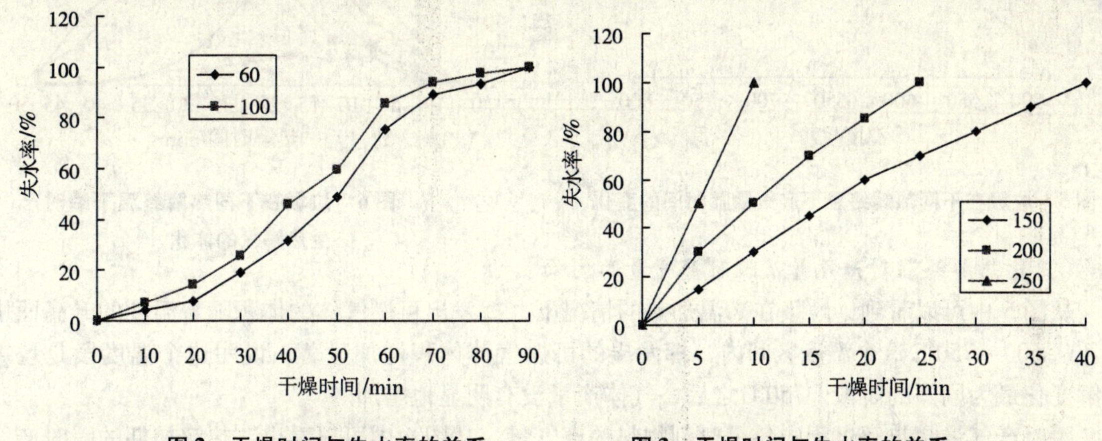

图 2　干燥时间与失水率的关系　　图 3　干燥时间与失水率的关系

由图可以看出，当干燥温度低于 100℃时，干燥过程所需时间较长，失水率曲线在 30min 以前较平缓，析出水分较少。30 ~ 70min 接近于直线，水分析出量增加。60min 以后又比较平缓，可认为干燥过程已结束。

由图 3 可以看出，当干燥温度高于 100℃，物料失水率曲线和干燥温度低于 100℃时有明显区别。随着温度升高，干燥特性曲线越来越陡；加热物料的时间都很短；随着温度的升高，干燥速度加快，干燥时间越来越短。在 150℃ 干燥 40min 时几乎绝干；200℃时，25min 达到绝干，250℃为 10min 几乎绝干。

对于垃圾热解设备中的烟气余热，温度都很高，基本都高于 200℃，从实验结果看，当干燥温度高于 200℃时，在 10min 以内就可以使物料绝干，这对研究垃圾热解设备开发中待热解物料在设备中的停留时间很有指导意义。

（二）热解温度对焦油产量的影响

焦油是一种可冷凝烃类物质的复杂混合物。通常认为其主要成分是较大的芳香类物质。焦油作为气化过程的副产物。对气化系统和用气设备等都产生十分不利的影响[5]。焦油产量从图 4 可以看出，焦油的产率随着温度的升高而增加，当热解温度在 650℃左右时，焦油产率达到最大值，然后随着热解温度的升高，焦油产量逐渐降低。

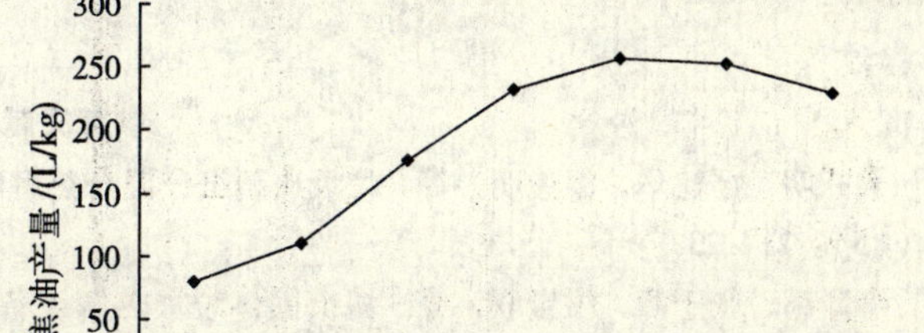

图 4　热解温度与焦油产量的影响

这是因为垃圾热解过程中产生的焦油是由 2 次裂解（初始裂解段和二次裂解段）产生的，分为一次焦油和二次焦油。焦油主要来源于生物质的初始裂解段，所以当初始裂解段占主导地位时，焦油的产率随温度升高而增加，当初始裂解段和二次反应段达到平衡时，焦油产率达到最大值；当二次反应段占主导地位时，焦油产率随温度的升高而降低。

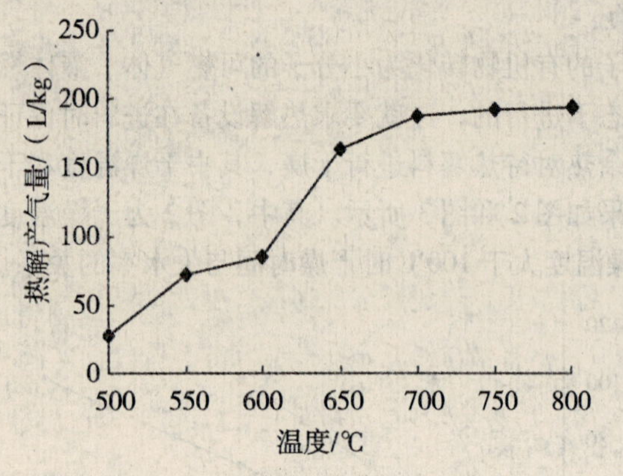

图 5　垃圾在不同热解终温下产气量随时间的变化

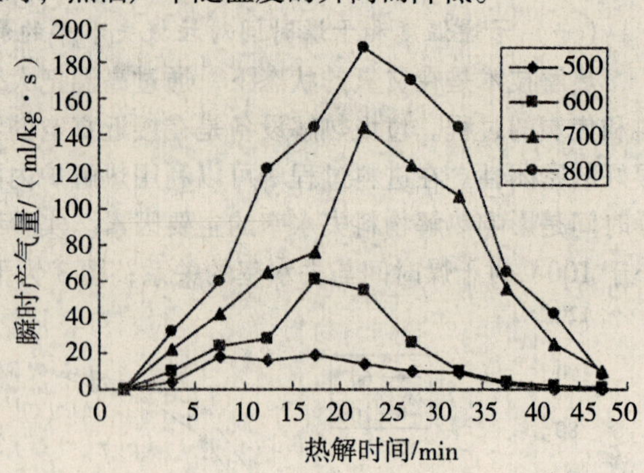

图 6　垃圾在不同热解终温下瞬时产生热解气的体积

（三）热解终温对产气量及瞬时产气量的影响

从图 5 中可以看到，垃圾在高温加热的情况下，挥发出可燃气体的体积随着温度的升高而增加。从 600～750℃这个温度区间内，挥发出的可燃气体体积增加显著，说明这个温度段是垃圾热解变化最为剧烈的阶段。750℃之后，气体产量没有明显地增加。

瞬时产气量是热解过程中各个时刻物料的产气量，从图 6 中可以看出，热解初期的瞬时产气量都比较小，到某一时刻后突然变大。热解终温在 500℃和 600℃时，瞬时产气量逐渐增大，但增长缓慢；而热解终温在 700℃以上时，瞬时产气量增大明显。说明温度较高时，未断裂的大分子物质在高温的作用下分解挥发；同时挥发分中大分子会发生二次反应，裂解为小分子气体。从图上也可以看出，最大瞬时产气量都产生在热解开始的 15～30min，这个时间段内是热解反应最激烈的时间。

三、结　论

通过实验数据的分析可以得到如下结论：

（1）当干燥温度高于 200℃时，在 10min 以内就可以使物料绝干。

（2）焦油的产率随着温度的升高先增加后降低，当热解温度在 650℃左右时，焦油产率达到最大值。

（3）热解产气量随热解温度的提高而增加，热解气的瞬时产量的最大值主要集中在热解反应的 15～30min 内。

参考文献

[1] 吴旺明，严建华，温俊明，等. 垃圾典型组分混合热解特性的实验研究［J］. 环境科学与技术，2005，28（5）：21－23.

[2] 李新禹，张于峰，牛宝联，等. 城市固体垃圾热解设备与特性研究［J］. 华中科技大学学报（自然科学版），2007，35（12）：99－102.

[3] 江建方，肖波，杨家宽，等. 城市生活垃圾热解产气特性的试验研究［J］. 环境科学与技术，2006，29（7）：79－81.

[4] 朱颖，金保升，王泽明，等. 分布活化能模型在垃圾热解/气化动力学研究中的应用［J］. 动力工程，2007，27（3）：441－445.

[5] 郭新生，梁益武，方梦祥，等. 焦油的催化裂解对燃气组成的影响［J］. 煤气与热力，2005，25（8）：5－10.

基于市场供给 A 模型的手机废弃量预测研究

高颖楠[1]　徐　鹤[1]　卢现军[2]

（1. 南开大学循环经济研究中心；2. 北九州市立大学环境工学部）

摘　要　本文在分析废旧手机可能造成的环境问题和利用价值的基础上，根据近年来手机销售量以及手机使用寿命等变量，运用市场供给 A 模型对我国 2010—2020 年间的手机废弃量进行了估算，并估算了 2010—2020 年手机中各类物质的可回收量。结果显示未来 10 年间，我国手机废弃量总体呈上升趋势，如果合理回收将产生巨大的环境和经济效益，并有效节约资源。但如何将数量巨大的废旧手机回收并资源再生化是我们今后的研究重点。

关键词　废旧手机　废弃量预测　市场供给 A 模型　时间序列指数平滑预测

一、引　言

据工业和信息化部最新统计，截至 2009 年我国手机产量为 61925.0 万部，销售量为 15700 万部，用户数量为 74738.4 万户，我国已成为全球最大的手机生产国和销售国。随着新科技的发展和人民生活水平的提高，手机用户对手机外观、性能要求的不断提高，导致了手机寿命的缩短。权威资料显示，全球移动用户更换新手机的周期平均在 2 年左右，而一些经济较发达的地区，用户更换手机的周期更短，如北京市手机更换周期大约为 1 年[1,2]。生产量的不断增加和生命周期的缩短将带来大量的废弃手机，造成资源和环境压力。

手机由塑料和各类金属材料构成，一方面，手机中含有极难自然降解的塑料以及铅、锌、锡、金、汞、砷等有害金属元素，如果手机未经无害化处理而直接填埋，会污染土壤和地下水资源，并进入食物链，危及人类健康和生存；如果对其进行焚烧处理，不仅造成空气污染，还会产生有毒、致癌气体，严重威胁人类健康。另一方面，手机含有金、银、钯等贵金属，以及可回收利用的镍、铜、锂、铝、铁、钴等有价金属。由此可见，废旧手机的回收可实现环境保护、资源充分利用，并带来可观的经济效益。

2008 年诺基亚公司公布的包括中国在内的 14 个国家的消费者废旧手机回收认知的调查报告显示，仅有 1% 的中国消费者会选择将废旧手机回收，大部分废旧手机得不到回收处置，不仅会造成严重的环境污染，危害人类健康，还会导致资源的极大浪费。本文预测了 2010—2020 年间废旧手机的废弃量，以及废旧手机中各类物质的可回收量，以此说明废旧手机的回收价值，以期对我国废弃手机回收管理提供可靠的数据支持。

二、手机废弃量预测模型

废旧手机废弃量预测有多种方法，Simon 等人（2001）[3] 总结出如下七种主要的估算模型，用于目前世界上电子废物产生量的估算。

（一）市场供给模型

根据产品的销量数据和产品的平均寿命期来估算电子废物量。假设出售的电子产品到达平均寿命期时全部废弃，在寿命期之前仍被消费者继续使用，且该电子产品的平均寿命稳定，则某种废弃电子电器每年产生量的估算方法可以表示为：

$$Q_w = S_n$$

式中：Q_w 为电子废弃物产生量；S_n 为 n 年前电子产品的销售量；n 为该电子产品的平均寿命期。

（二）市场供给 A 模型

该模型是对市场供给模型的改进，对产品的平均寿命采用了分布值，假定每年的产品都服从几种不同的寿命期，并赋予每种寿命期一定的比例。根据相关研究，产品的寿命期围绕平均寿命呈正态分布，市场供给 A 模型的电子废弃物估算公式为：

$$Q_w = \sum_i S_i P_i$$

式中：S_i 为从该年算起 i 年前电子产品的销售量；P_i 为寿命为 i 年的电子产品的百分比；i 为电子产品实际寿命。

（三）斯坦福模型

该模型采用某时间段内进入社会的销售量和该时间段内社会保有量的变化来计算电子废物的产生量。其计算方法与市场供给 A 模型类似，但市场供给 A 模型中的 P_i 是定值，而斯坦福模型中的 P_i 是变化的。该模型假设每年销售的产品按照使用方式的不同，服从几种不同的寿命期。斯坦福模型适合于淘汰速度变化很快的 IT 产业产品。

（四）卡内基·梅隆模型

该模型通过考虑废弃后的处置方式，对市场供给方法进行了修正。预测时将消费者如何对待处理不使用的电子产品纳入了考虑范围。在分析消费者对于电子废物处理行为的基础上，设定了电子产品在被淘汰时有翻新再售、闲置、拆解还原、废弃处理四种不同处理情景，并且赋予每种处理方式一定的比例。卡内基·梅隆模型比较适合较大型和使用寿命较长的废旧电器。

（五）时间梯度模型

该模型从保有量出发，将进入和退出保有量的家电数量纳入考虑范围，根据销量数据以及私有保有量和工业保有量水平来估算废弃产生量。公式为：

$$P_t = \sum_{n=t_1}^{t} S_n - \sum_{n=t_1}^{t-1} P_n - (H_t - H_{t_1})，其中（t_1 < t）$$

式中：P_t 为第 t 年电子废物产量；P_n 为第 n 年电子废物产量；S_n 为第 n 年电子产品的销售量；H_t 为第 t 年电子产量的社会存量；H_{t_1} 为第 t_1 年电子产量的社会存量。

（六）“估计”模型

主要结合社会保有量与平均寿命期进行计算。其估算表达式下：

$$Q_w = 保有量_{(私有+工业)}/n$$

（七）ICER 模型

该模型通过估计产品替换率来估算废弃量。我国学者在市场供给模型和斯坦福模型的基础上建立了基于固定和动态周期的废旧电子信息产品产生量的推算预测模型。

废弃量是一个受多种因素影响的随机变量，其变化一般是非平稳随机时间序列，而且废弃量的预测与其销售量存在高度的相关性。目前对销售量的预测技术总体上可分为定性和定量方法。定性有：销售人员判断法、经理意见法、德尔斐法、交叉影响法和用户调查法等；定量预测模型通常有相关回归预测模型和时间序列预测模型两大类。相关回归预测模型是根据预测的相关性原则找出影响预测目标的各因素；时间序列预测模型是根据预测的惯性原则利用事物发展的历史数据的变化趋势的延续来估计预测目标的未来发展趋势[4]。

三、基于市场供给 A 模型的手机废气量、回收量估算

（一）市场供给 A 模型

鉴于目前所掌握的数据和信息，运用市场供给 A 模型对 2010—2020 年手机废弃量进行估算。通过分析销售量数据采用非线性回归分析，利用已知的实际数据拟合函数，对销售量进行预测。

市场供给 A 模型的电子废弃物估算公式为：

$$Q_w = \sum_i S_i P_i \tag{1}$$

式中：Q_w 为手机废弃量；S_i 为从该年算起 i 年前手机的销售量；P_i 为寿命为 i 年的手机的百分比；i 为手机实际寿命。

（二）手机废弃量预测

本文采用 1998—2009 年实际销售量统计数据（见表 1），分析数据特征，可以发现 2005 年我国手机销售量达到一个峰值，2006 年销售量则迅速滑落，这种现象可能是特定时期市场趋于饱和以及山寨机充斥市场所致，我们假设近 10 年内这种情况不会出现。选择距离较近的2006—2009 年的数据进行拟合，拟合方程为：

$$y = 2579.7\ln(x) + 12284,\ R^2 = 0.86$$

根据此函数可估算出 2010—2020 年的手机销售量（见表 2）。

表 1　1998—2009 年我国手机销售量情况

年份	销售量 S_i（万部）	年份	销售量 S_i（万部）
1998	331.07	2004	22879.42
1999	1915.09	2005	30434.97
2000	3664.15	2006	11900.00
2001	8069.45	2007	15000.00
2002	11894.00	2008	14736.00
2003	18300.00	2009	15700.00

资料来源：《中国信息年鉴》。

表 2　2010—2020 年我国手机销售量情况

年份	销售量 S_i（万部）	年份	销售量 S_i（万部）
2010	16435.87	2016	18469.85
2011	16906.2	1017	18694.31
2012	17303.86	2018	18900.8
2013	17648.34	2019	19091.98
2014	17952.18	2020	19269.96
2015	18223.98		

资料来源：《中国信息年鉴》。

假设我国手机平均使用寿命为 2 年。且服从正态分布，大部分在这一平均年限上下 1 年的区间内波动，即在使用 1 ~3 年后被淘汰[5]。选取手机寿命的平均值 $\overline{X} = 2$ 为 μ 值，运用公式 $\sigma = \sqrt{\frac{(X_i - \overline{X})^2}{n}}$（$n$ 为寿命期的种类数），解得 $\sigma = \frac{\sqrt{6}}{3}$，$\sigma^2 = \frac{2}{3}$ 则手机寿命服从正态分布 $N(2, \frac{2}{3})$，标准化后，通过查正态分布表可得手机的寿命分布比例：寿命为一年的手机占 11.12%，寿命为两年的手机占 38.88%，寿命为三年的手机寿命占 38.88%，寿命大于四年的手机占 11.12%。即 $P_1 = 11.12\%$，$P_2 = 38.88\%$，$P_3 = 38.88\%$，$P_4 = 11.12\%$。

将 S_i、P_i 值代入公式（1）进行计算，可得手机废弃量预测结果见表 3。

表 3　2010—2020 年我国手机废弃量预测

年份	废弃量 Q_w（万部）	年份	废弃量 Q_w（万部）
2010	14630.48	2016	17792.18
2011	15329.19	2017	18081.63
2012	16013.04	2018	18341.65
2013	16633.43	2019	18577.7
2014	17091.04	2020	18793.85
2015	17465.67	总计	198897.33

（三）手机回收量估算

2003 年 7 月，欧盟正式颁布了修改后的废弃电器及电子产品处理指导法令（WEEE），WEEE 法令中规定了每部手机的最低回收率标准，各种零部件和材质可再生使用比率至少要达到 65%，否则将限制在欧盟各成员国销售。如果按照这一要求，假设 M_j 为废弃手机中第 j 种物质的可回收的质量，P_j' 为第 j 种物质的含量，W_j 为第 j 年废弃手机的总重量，则：

$$M_j = 65\% \times W_j \times P_j' \tag{2}$$

假定手机平均重量为 104.15g[6]，则可估算出我国 2010—2020 年废弃手机产生量（以重量计），如表 4 所示。假定废弃手机中各类物质的含量如表 5 所示[6]：则可估算出 2020 年废弃手机中可以回收的各类物质的量（不考虑物质重复回收的情况）（见表 6）。

表 4　2010—2020 年废弃手机产生量（以重量计）

年份	废弃量 $W_j(t)$	年份	废弃量 $W_j(t)$
2010	15237.64	2016	18530.55
2011	15965.35	2017	18832.02
2012	16677.58	2018	19102.83
2013	17323.71	2019	19348.68
2014	17800.31	2020	19573.8
2015	18190.49	总计	196583

表 5　手机中各类物质含量

材料	Zn	Cu	Cr	Ni	Ga	Pb	Mn	Ag	Au
含量 P_i'	0.038%	11.311%	0.595%	0.711%	0.038%	0.010%	0.038%	0.010%	0.007%
材料	Pd	Pt	Plastics	Glass	Mg	Al	Fe	W	Others
含量 P_i'	0.004%	0.002%	68.977%	7.52%	3.24%	0.33%	6.39%	0.53%	0.27%

数据来源：依据日本学者中岛 谦一在 Recycle - Flow Analysis on Used Cellular Phone Based on Total Materials Requirement 中对手机各类物质质量的测定计算而来。

表 6　2010—2020 年间手机中各类材料可回收量　　单位：t

材料	Zn	Cu	Cr	Ni	Ga	Pb
可回收量	48.556	14453.080	760.285	908.508	48.556	12.778
材料	Mn	Ag	Au	Pd	Pt	Plastics
可回收量	48.556	12.778	8.945	5.111	2.556	91796.400

材料	Glass	Mg	Al	Fe	W	Others
可回收量	10005.090	4306.151	434.448	8510.078	677.228	345.003

四、预测结果分析与讨论

以上对手机废弃量的预测仍然存在一些不确定性，主要原因是：①2010—2020 年手机销售量是根据近年来的销售量变化趋势推算出来的，结果可能存在误差；②市场供给 A 模型中的 P_i 是定值，即寿命为 i 年的手机的百分比是固定不变的，但实际生活中，由于使用方式的不同，手机会服从几种不同寿命期；③文中估算废弃手机量（以重量计）时，由于手机的类型、生产厂家的不同，手机重量以及各组分的含量也不尽相同，本文参考了已研究的成果，估算了废弃手机的重量。

但是，预测结果可以描述未来 10 年内手机废弃量的趋势。从预测结果分析可知，我国手机废弃量将一直呈增长趋势，2010 年我国将产生 14630.48 万部废旧手机，到 2020 年废弃手机量将增长到 18793.85 万部，如果不能及时回收处理，不仅会对我国的经济和环境带来很大的压力和负担，还会造成资源的严重浪费。通过估算，2010—2020 年间将总共产生 196583t 的废弃手机，可提供数量巨大的可回收利用资源（见表 6），其中包括贵金属金（Au）8.945t、银（Ag）12.778t、钯（Pd）5.111t。因此如果这些电子废弃物能够及时得到回收处理，会给我国带来经济收益，并且达到节约资源的目的。虽然废弃手机中可回收资源量很大，但目前我国的回收量很低，导致这些资源不能及时回收，有些有害物质滞留到环境中还会对环境和人类健康造成危害，因此今后的研究将着眼于研究回收效益的同时探讨回收量低的主要原因，为管理者提供基础数据和决策依据。

参考文献

[1] 杨菠．关注废旧手机回收［J］．通信世界，2004（11）：30－32.

[2] Jirang Cui，Eric Forssberg. Mechanical recycling of waste electric and electronic equipment：a review［J］．Journal of Hazardous Materials，No. B99，2003：243－263.

[3] Simon Wilkinson，Noel Duffy，Matt Crowe. Environmental Protection Agency of Ireland，Waste from electric and electronic equipment in Ireland［Z］．A status report，Ireland，2001：68－81.

[4] 唐燕．基物质流分析的天津子牙循环经济产业区产业规划与设计［D］．

[5] 杨铧铧．废旧手机回收的潜力分析［J］．商业流通，2009，2（4）：341－346.

[6] 中岛 谦一．Recycle－Flow Analysis on Used Cellular Phone Based on Total Materials Requirement［J］．Journal of Life Cycle Assessment，Japan，2006.

新型电解装置回收电子废弃物中铜的研究

王 哲[2] 高郁杰[1] 丁 辉[1] 李鑫钢[1] 汤桂兰[3] 顾春瑞[3] 巩晓明[3]

（1. 天津大学精馏技术国家工程研究中心 天津 300072； 2. 北洋国家精馏技术工程发展有限公司 天津 300072； 3. 天津子牙环保产业园 天津 301605）

摘 要 以电子废弃物中的金属铜为处理对象，用悬浮电解法回收铜并制备纯铜片。根据悬浮电解技术的原理，自主开发研制了新型电解装置，采用单因素实验法分别考察了电流密度、鼓气量和进料时间对电解结果的影响。通过对所得数据的分析得出最优的电解条件，在此电解条件下可得到纯度为99.8%铜，电解装置的电流效率为99.6%。

关键词 悬浮电解 电子废弃物 电解装置 铜

随着电子类产品种类、数量的快速增加和更新速率的不断加快，我国电子废弃物的产生量也随之急剧增加。电子废弃物中含有大量重金属和其它有毒有害成分，若随意丢弃或不进行合理的回收利用，其中的有害成分将对人类的生存环境和身体健康构成严重危害[1]。笔者前期对电子印刷线路板中的金属成分进行了溶出试验研究，表明线路板中含有锡、铅、铁、锌、铜、金、银等多种金属，其中铜的含量很高。铜的回收不但具有经济性，而且对其他稀贵金属的富集回收也起到重要影响。电子废弃物中铜的常用回收技术主要有电解法[2]、电选法[3]和萃取法[4]等，其中电解法因回收率高、后处理简单等优点得到广泛的应用。相对于传统的平板二维电极的电解法，美国、澳大利亚[5,6]及中国[7]等国家的学者对悬浮电解技术已经做了大量的研究，此技术具有流程短、试剂耗量小和电流效率高等明显的优越性，并在矿产资源冶金技术方面得到了一定的应用，但是用悬浮电解的技术回收电子废弃物中金属的研究还鲜有报道。

一、原理与方法

（一）悬浮电解原理

悬浮电解法回收铜采用钛金属网作阳极，抛光的铜板作阴极，电解液为硫酸－硫酸铜体系溶液。在直流电和搅拌的作用下，悬浮于阳极区的铜粉末发生氧化反应并溶解到电解液中：

$$Cu - 2e^- \rightarrow Cu^{2+}$$

阴极区的铜离子发生还原反应析出并沉积在阴极上：

$$Cu - e^- \rightarrow Cu^+$$

同时阳极附近的铜离子不断地迁移到阴极附近，从而保证电解的顺利进行。通过粗铜在阳极区的溶解和单质铜在阴极区的沉积实现了电子废弃物中铜的精炼。

（二）电解体系与装置

根据悬浮电解技术的原理，自主开发研制了新型电解装置，电解体系示意图如图1所示，其中图1（a）为电解体系的所有装置连接图，图1（b）为电解装置中电极排布的俯视图。

电解体系包括直流稳压电源、旋涡气泵、进料器和电解装置，其中进料器由进料漏斗、反馈控制阀、进料分布器和进料管组成，电解装置由外壳、阳极、阳极套、阴极和气体分布器组成。直流稳压电源的电源可调节范围是0～100A，电压可显示范围是0～20V。旋涡气泵的转速为2800r/min，最大流量为70m^3/h。进料器的进料漏斗中加入金属粉末，反馈控制阀根据电压的变化反馈控制金属粉末的加入时间，金属粉末通过进料分布器进入进料管，从而实现金属粉末进入阳极篮的过程。电解装置的外壳是由PVC材质制成的圆柱体；阳极是以钛金属为材料制成的同心圆筒形阳极篮，可以增加反应粒子与阳极碰撞的频率，加快反应的进行，降低能耗；阳极套是200目的防酸涤纶滤布，可防止阳极区的金属粉及阳极泥沉淀到阴极区而污染阴极；阴极是抛光后的纯铜片。

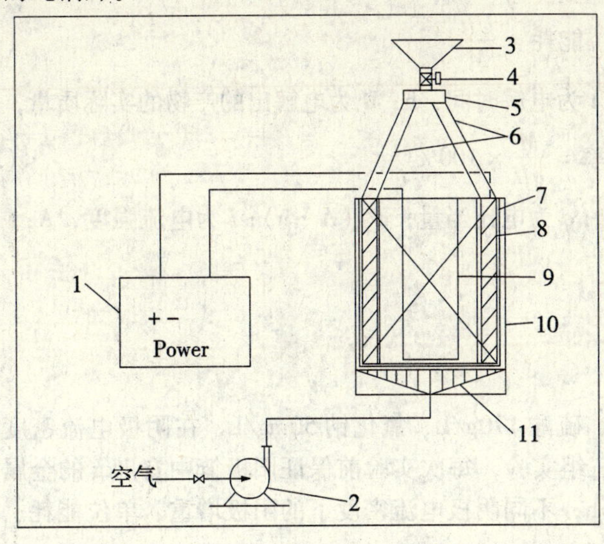

a

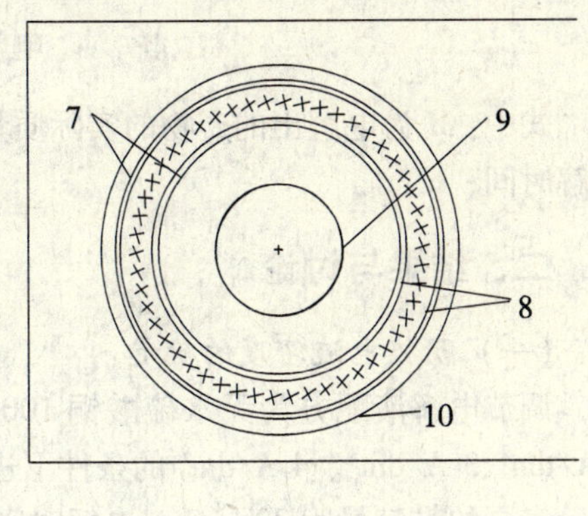

b

图1　电解体系示意图

1. 直流稳压电源；2. 旋涡气泵；3. 进料漏斗；4. 反馈控制阀；5. 进料分布器；6. 进料管；7. 阳极套；8. 阳极；9. 阴极；10. 外壳；11. 气体分布器

（三）电解过程

悬浮电解实验采用硫酸－硫酸铜体系。文献［8］中深入讨论了4个因素 $CuSO_4$ 的浓度、H_2SO_4 的浓度、Cl^- 的浓度和电流密度在悬浮电解过程中的影响，本文通过实验研究确定阴极电流密度、鼓气量和进料间隔时间。铜电解过程中包含了阳极、溶液、阴极三者间固液相的传质行为。在阳极区域，铜离子从阳极表面溶解，并向溶液传递，这一区域形成了铜离子的富集区。为避免此区域铜离子过饱和而结晶析出，引起阳极的钝化，要求铜离子尽快扩散离开阳极表面，或者要求溶液中的铜离子浓度尽可能的低。铜离子从溶液向阴极表面传递，并在阴极表面放电析出，因而引起阴极区域铜离子浓度的下降，使阴极附近出现铜离子贫化。为保证阴极铜的质量，需提高电解液中的铜离子的浓度[9]。阴极电流密度影响沉积速度和阴极铜沉积的整平性，鼓气能降低电解液的浓差极化，提高电流密度，加速沉积速度，在合适的时间加入金属粉末可保证电解过程的连续进行。

首先对电子废弃物进行处理，将金属与非金属分离，分离过程参照刘宏亮等[10]的化学溶胀技术进行。用粉碎机将分离后所得到的金属材料破碎成20～30目的粉末。用无水硫酸铜100g/L、硫酸170g/L、氯化钠50mg/L配制35L电解液置入电解装置中，将1kg的金属粉末放入阳极篮中，打开气泵的开关，待金属的悬浮和电解液的流动达到稳定后打开直流稳压电源的开关，调节至合适的电流后开始电解。电解过程中观察实际分解电压的变化，每小时取1ml的电解液进行铜离子浓度分析，电解结束后将阴极取出低温烘干、称重并进行采样分析。

（四）主要检测指标和分析方法

检测指标包括阴极铜的纯度、电解液中铜离子的浓度变化、阴极增重、单位能耗和电流效率。阴极铜的纯度和铜离子的浓度用原子吸收分光光度计进行测定；阴极增重是指某个时刻下的阴极相对于初始状态下增加的质量；单位能耗是指电解过程中每小时每生产1g铜所消耗的电量，计算公式如式（1）所示；电流效率是衡量电解过程中电量利用情况的一个重要指标。其定义为一定电量电解出的产物的实际质量与通过同样电量理论上应电解出的产物质量之比[11]，计算公式如式（2）所示。

$$\text{单位能耗} = \frac{UIt}{M} \tag{1}$$

式中：U 为电压，V；I 为电流强度，A；t 为电解时间，h；M 为电解出的产物的实际质量，g。

$$\text{电流效率} = \frac{M}{qIt} \times 100\% \tag{2}$$

式中：M 为电解出的产物的实际质量，g；q 为电比当量，g/（A·h）；I 为电流强度，A；t 为电解时间，h。

二、结果与讨论

（一）阴极电流密度的确定

调节电解液配方为无水硫酸铜 100g/L、硫酸 170g/L、氯化钠 50mg/L，在阴极电流密度为 2 A/dm²、3 A/dm²、4 A/dm² 的条件下进行三组实验，每次实验前保证阳极篮中有 1kg 的金属粉末，气泵的鼓气量为 30m³/h，电解时间为 5h，不同阴极电流密度下的阴极增重、单位能耗、阴极铜纯度和电流效率的变化结果如表 1 所示。

表 1 阴极电流密度对阴极增重、单位能耗、阴极铜纯度、电流效率的影响

阴极电流密度/（A/dm²）	阴极增重/g	单位能耗/[（W·h）/g]	阴极铜纯度/%	电流效率/%
2	135	0.852	99.65	99.01
3	206	1.274	99.80	99.40
4	276	1.703	99.14	99.25

从表 1 中可以看出，随着阴极电流密度的增加，阴极产生铜的质量和单位能耗均在增加；当电流密度为 3A/dm² 时，阴极铜的纯度和电流效率均为最高，说明电流密度过低或过高不利于获得高纯度的电解铜，并且会造成电流效率的损失。因此最佳电流密度选取为 3A/dm²。

（二）鼓气量的确定

调节电解液配方为无水硫酸铜 100g/L、硫酸 170g/L、氯化钠 50mg/L，在鼓气量为 20m³/h、30m³/h、40m³/h 的条件下进行三组实验，每次实验前保证阳极篮中有 1kg 的金属粉末，电流密度为3A/dm²，电解时间为 5h，不同鼓气量下的阴极增重、单位能耗、阴极铜纯度和电流效率的变化结果如表 2 所示。不同鼓气量下电解液中阳极区和阴极区的离子浓度变化，结果如图 2 和图 3 所示。

表 2 鼓气量对阴极增重、单位能耗、阴极铜纯度、电流效率的影响

鼓气量/（m³/h）	阴极增重/g	单位能耗/[（W·h）/g]	阴极铜纯度/%	电流效率/%
20	204	1.716	99.80	98.60
30	206	1.274	99.80	99.40
40	207	0.845	99.80	99.60

从表 2 中可以看出，增加鼓气量可增加沉积速度和电流效率，降低单位能耗。从图 2 和图 3 中可以看出，增加鼓气量可使阳极区的金属粉末更好地失电子溶解，提高电解液中铜离子的浓度，也可使铜离子更均匀地分布在电解液中。由于鼓气量在超过 40m³/h 后继续增加会使电解液剧烈翻动而导致电解液污染阳极和阴极，造成漏电等危险情况，因此鼓气量选择为 40m³/h。

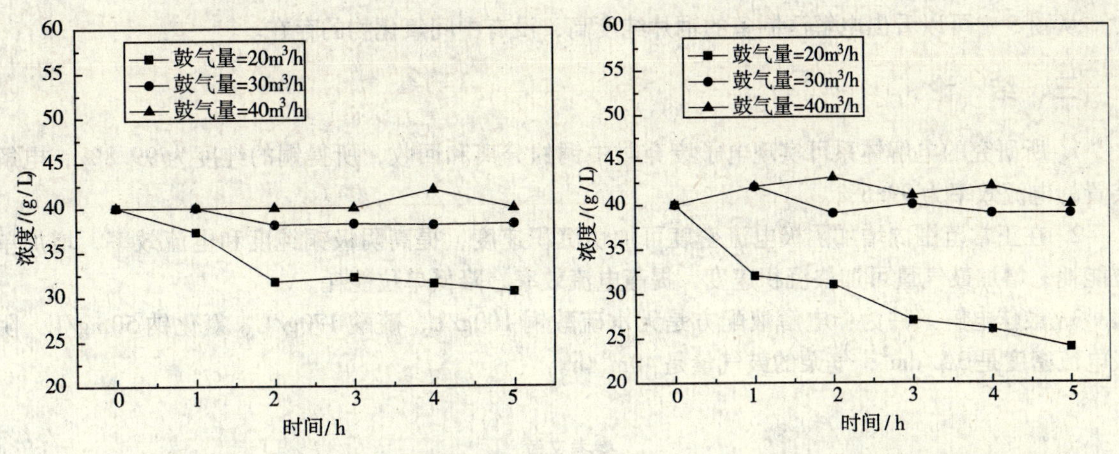

图2　不同鼓气量下阳极区铜离子浓度随时间的变化关系曲线

图3　不同鼓气量下阴极区铜离子浓度随时间的变化关系曲线

（三）进料间隔时间的确定

调节电解液配方为无水硫酸铜 100g/L、硫酸 170g/L、氯化钠 50mg/L，阴极电流密度为 $3A/dm^2$，气泵的鼓气量为 $40m^3/h$，阳极篮中有 1kg 的金属粉末，进行电解实验，主要考察电解过程中实际分解电压随时间的变化关系，变化曲线如图 4 所示。

从图 4 中可以看出，在电解过程中实际分解电压在一定时间范围内是基本稳定的。随着电解反应的进行，阳极区中铜的量不断减少，铜与阳极篮碰撞几率也在逐步减小，当减小到极少有铜的氧化反应发生时，阳极篮表面就会发生析氧反应：$2H_2O-4e^-=O_2+4H^+$，析氧反应的标准电极电位是 1.229V，而金属铜的氧化反应的标准电极电位是 0.337V，因此发生析氧反应后实际电解电压会突然增大，表现为电压的突越现象。当突越现象发生后，向阳极区补加金属粉末后电压又恢复突越前的稳定状态，因此设计采用进料器加料。将实际电解电压达到 5V 时设定反馈控制阀的开关自动打开，此时漏斗内的金属粉末就会进入阳极篮中，调节进料速度为 100g/min，设定加料时间为 10min，此后反馈控制阀的开关自动关闭。通过反馈控制实现了加料的自动化，保证了电解过程的连续性。

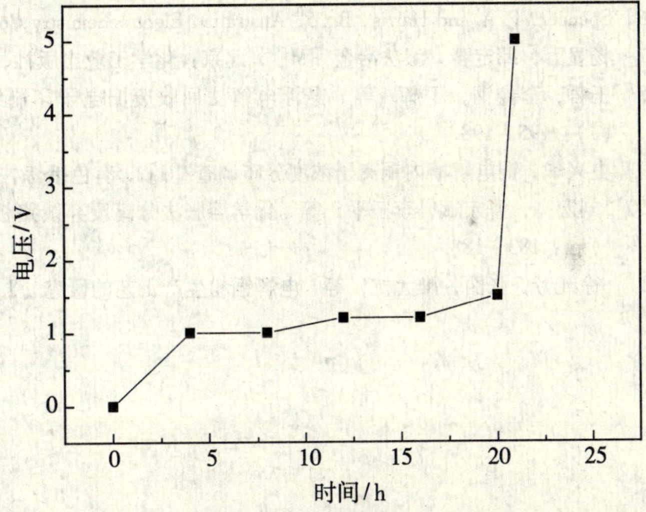

图4　实际分解电压随时间的变化关系曲线

在此条件下得到的铜片采用扫描电镜－能谱法进行检测，检测谱图如图 5 所示。

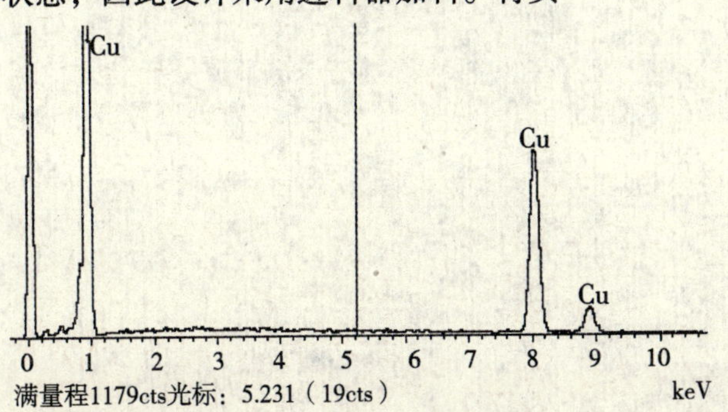

图5　铜片的扫描电镜－能谱图

从图5中可以看出电解法制备的铜片纯度高，没有中间氧化物的存在。

三、结　论

1. 所研究的电解体系可实现电子废弃物中铜的分离和回收，所得铜的纯度为99.8%，电解装置的电流效率为99.6%。

2. 在正常范围内增加阴极电流密度可加快沉积速度，提高阴极铜纯度和电流效率，增加单位能耗；增加鼓气量可加快沉积速度，提高电流效率，降低单位能耗。

3. 最佳电解条件为：电解液配方是无水硫酸铜100g/L、硫酸170g/L、氯化钠50mg/L，阴极电流密度是$3A/dm^2$，气泵的鼓气量是$40m^3/h$。

参考文献

[1] 朱经发，林辉东，王德汉，等．电子废物现状评述与资源化初探［J］．土壤与环境，2002，11（3）：307－310.

[2] 张帆．ISA铜电解技术的进展［J］．有色金属（冶炼部分），2005，1：2－10.

[3] 马俊伟，王真真，李金惠．电选法回收废印刷线路板中金属Cu的研究［J］．环境科学，2006，27（9）：1895－1900.

[4] 贾宝琼，古国榜，朱萍．Lix542100从印刷电路板蚀刻废液中回收铜［J］．环境污染治理技术与设备，2002，3（11）：70－72.

[5] Evenrett，P. K.．Extractive Metallurgy Symposium［J］．University of New South Wales，November，1977.

[6] Spencer，P. A. and Harris，B.．5th Australian Electrochemistry Conference，University of New South Wales，1980.

[7] 杨显万，邱定蕃．湿法冶金［M］．北京：化学工业出版社，2007：460－461.

[8] 王哲，李鑫钢，丁辉，等．悬浮电解法回收废旧电子印刷线路板中的铜［J］．环境工程学报，2010，4（1）：195－198.

[9] 史兴华．铜电解槽内铜离子浓度分布调查［J］．有色冶炼，2003，10（5）：32－34.

[10] 刘宏亮，曹宏斌，李玉平，等．化学溶胀法分离废弃线路板中金属与基板［J］．环境工程学报，2009，3（1）：183－188.

[11] 徐纯芳，张丽，廖元杭，等．电解铜粉生产工艺的研究［J］．粉末冶金工业，2006，16（5）：17－18.

中铝河南分公司赤泥中金属成分分析

董学芝[1] 李德亮[1] 李 东[2] 张 凌[1] 常志显[1]

（1. 河南大学化学化工学院环境与分析科学研究所 河南 开封 475004；
2. 中铝河南分公司 河南 上街 450142）

摘 要 利用ICP - AES法测定中铝河南分公司拜耳法和烧结法产生的两种不同赤泥中Ca、Fe、Mg、Al、Ga、Na、Sc、K、V等所有金属元素，该方法简便、快速、准确。测定的结果表明，中铝河南分公司赤泥中元素种类丰富，并给出样品中金属元素在赤泥中的百分含量，从而为是否具有回收其中金属的价值提供了参考。通过对比发现，由不同方法产生的赤泥中金属的种类和含量都有所不同。

关键词 ICP - AES法 氧化铝 赤泥 金属

一、前 言

赤泥是铝工业制取氧化铝后产生的固体废物，属于有害工业废料。我国目前赤泥的排放量约为600万t/a，且随着新厂投产和老厂增产改造，赤泥排放量将不断增加[1]。目前，我国赤泥累积存量已达4100万t[2]。赤泥（含附液）属于有害废渣，碱度很高，其浸出液的pH值可高达13[3]。而且，大量赤泥的外排，不仅需投资兴建庞大的赤泥堆场，同时对周围的环境造成严重污染[4]。因此，加快赤泥的综合利用、减少赤泥堆存已成为氧化铝工业持续发展迫切需要解决的问题。ICP - AES法由于其具有检出限低、准确度高、线性范围宽且多种元素同时测定等优点。与其他分析技术如原子吸收光谱、X - 射线荧光光谱等方法相比，显示了较强的竞争力。因此，ICP - AES法已迅速发展为一种极为普遍、适用范围广的常规分析方法，目前也已在我国高端分析测试领域广泛应用[5]。通过测定郑州氧化铝厂生产过程中产生的赤泥里主要金属的含量，为其是否具有回收金属的价值，以便利用得到的金属来制备相应产品提供了参考。

二、实验部分

（一）仪器及工作条件

美国PE公司OPTIMA2100DV电感耦合等离子体发射光谱仪（ICP - AES）。

工作参数：射频功率1.3kW；进样量1.50ml/min；等离子体气体流量1.5L/min；辅助气流量0.2 L/min；雾化器气体流量0.80 L/min；读数延迟60s。

（二）主要试剂

氢氟酸（分析纯）、高氯酸（分析纯）、盐酸（1∶1），Ca、Fe、Mg、Al、Ga、Na、Sc、K、V等元素的标准溶液。

（三）实验方法

称取0.5g拜耳法赤泥置于铂坩埚中，加2ml蒸馏水润湿坩埚底部，再加入5～7ml氢氟酸和0.5ml高氯酸，放在电炉上加热；近干时取下加入5～7ml氢氟酸和0.5ml高氯酸，如此反复共加酸4次，最后一次蒸干，待白烟散尽取下冷却；冷却后用盐酸（1∶1）溶解坩埚内固体，然后转移到250ml容量瓶内；用同样方法再消解3次倒入同一个容量瓶内，定容配成8g/L拜耳法赤泥消解液。用同样方法消解烧结法赤泥，配成8g/L烧结法赤泥消解液。

三、结果与讨论

（一）ICP－AES 法测得的两种赤泥中金属元素种类

烧结法赤泥中含有：Ca、Ti、Fe、Nb、Sr、Mg、Al、Cr、Mn、Ga、Y、Zr、Na、Sc、Ni、Cu、Ba、La、Dy、Yb、Pr、Ce、U、Cs、Ru、Rh、Li、K、Co、Gd、Hf、Rb、Pt、Hg、Lu、Th、Au、Er、Cd、Os、Be、Pd、V 等金属元素。

首先根据金属元素在元素周期表中的位置分析烧结法赤泥中金属元素的分布。其中 s 区金属（碱金属和碱土金属）Ca、Sr、Mg、Na、Ba、Cs、Li、K、Rb、Be；p 区金属（其他主族金属）Al、Ga；ds 区金属（过渡金属中的铜锌两族）Cu、Hg、Au、Cd；d 区金属（其他过渡金属）Ti、Fe、Nb、Cr、Mn、Y、Zr、Sc、Ni、Ru、Rh、Co、Pt、Os、Pd、Hf、V；f 区金属（镧系锕系金属）La、Dy、Yb、Pr、Ce、U、Gd、Lu、Th、Er。可见烧结法赤泥中含有丰富的金属元素，是一个潜在的金属能源宝库。其中含有丰富的稀土元素：Sc、Y、La、Dy、Yb、Pr、Ce、Gd、Lu、Er 等。

拜耳法赤泥中含有：Ca、Ti、Fe、Nb、Sr、Mg、Al、Cr、Mn、Ga、Y、Zr、Na、Sc、Ni、Cu、Ba、La、Dy、Yb、Pr、Ce、U、Cs、Ru、Rh、Li、K、Co、Gd、Tm、Hf、Rb、Pt、Hg、Lu、Th、Au、Er、Cd、Os、Be、Ta、Pd、In、V 等金属元素。

表 1　赤泥中金属元素的百分含量

元素符号	赤泥中百分含量/%		元素符号	赤泥中百分含量/%	
	拜耳法	烧结法		拜耳法	烧结法
Ca	7.550	33.55	Li	0.02594	0.03424
Fe	9.062	8.212	Co	0.003862	0.003650
Mg	0.3250	2.438	Gd	0.0002749	0.000475
K	1.506	0.5938	Tm	未检出	0.001062
Na	3.000	0.9000	Pt	0.03160	0.01828
Al	10.16	2.640	Lu	0.0006500	0.0006500
Ni	0.04500	0.1125	Er	0.00005000	0.0001750
Cu	0.2125	0.2125	Cd	0.05662	0.05662
Ti	1.975	1.489	Y	0.04900	0.04950
Nb	0.09250	0.090000	Sc	0.5610	0.5420
Cr	0.08238	0.09875	Ga	0.2104	0.1845
Mn	0.03488	0.04350	V	0.02395	0.02416
Ba	0.01500	0.04138	Au	0.006875	0.005050
La	0.001875	0.006125	Pd	0.006062	0.004850
Dy	0.2390	0.2420	Pr	0.001200	0.001725
Yb	0.0050000	0.0050000	Ce	0.003212	0.007738

同样，首先根据金属元素在元素周期表中的位置分析拜耳法赤泥中金属元素的分布。其中 s 区金属（碱金属和碱土金属）Ca、Sr、Mg、Na、Ba、Cs、Li、K、Rb、Be；p 区金属（其他主族金属）Al、Ga、In；ds 区金属（过渡金属中的铜锌两族）Cu、Hg、Au、Cd；d 区金属（其他

过渡金属）Ti、Fe、Nb、Cr、Mn、Y、Zr、Sc、Ni、Ru、Rh、Co、Pt、Os、Ta、Pd、Hf、V；f区金属（镧系锕系金属）La、Dy、Yb、Pr、Ce、U、Gd、Lu、Th、Er、Tm；拜耳法赤泥中也含有丰富的稀土元素：Sc、Y、La、Dy、Yb、Pr、Ce、Gd、Lu、Er、Tm等。

赤泥中含量丰富的金属元素，国内外许多研究机构在赤泥中金属（如铁、钪、钛等）的提取方面做了大量的研究；河南科学院硅肥工程技术中心蔡德龙[6]等人还以中铝河南分公司的赤泥为主要原料研制成硅肥；王林江等[7]还对赤泥用于修复重金属污染土地做了阐述等。但因为赤泥产量很大，这些研究不能从根本上解决赤泥的污染问题。从消耗的角度来看赤泥最适合用于水泥、墙体砖等建筑领域。这就要要注意到K、Na等碱金属的影响和可能具有放射性的K、Rb、U、Th等元素，如何消除赤泥放射性也是赤泥利用中的一大难题。

（二）ICP－AES法测得的两种赤泥中金属元素含量

表1是采用ICP－AES法测得的两种赤泥中金属元素的百分含量。由表1可以看到两种方法生产的赤泥中Ca、Mg、Al、K、Na等元素的含量较大，差别也较大，其他含量较少的元素含量差别也较小。科研工作者对赤泥做了大量的试验，也取得了很多成果。但赤泥的综合治理一直以来没有得彻底的解决，一个重要原因是因为生产氧化铝的矿石原料和生产工艺不同，导致赤泥中元素的种类、含量以及存在状态不同，因此难以形成一种普遍应用的工艺。通过研究发现同一地区的赤泥虽然由于生产工艺的不同导致部分含量较大的元素含量不同，但微量元素含量相近。这也为研究赤泥的综合利用提供了一些帮助。

四、结　论

由检测结果可知，两种赤泥常量元素含量差别较大，在处理时要差别对待，但微量元素可以共同讨论。总之，各种各样的关于赤泥组分的研究，都是为了弄清楚其中的各种元素的含量，以判断是否具有回收的价值，使其得到合理的利用，从而为我们的环境减轻压力。所以，从检测结果看氧化铝生产过程中产生的赤泥能够得到综合的利用，减少了土地占据的数量，减轻了对环境的污染。从这个意义上说，赤泥中各种元素的测定为我们利用其中的金属元素提供了参考。

参考文献

［1］张鹏科，杨印东，李光强．用赤泥进行铁水预处理［J］．矿业快报，2005，21（3）：26－30.

［2］张彦娜，潘志华．不同温度下赤泥的物理化学特征分析［J］．济南大学学报，2005，19（4）：293－297.

［3］姜跃华，刘勇，林初夏，等．郑州氧化铝厂赤泥化学和矿物学特征及资源化利用探讨［J］．轻金属，2007，10：18－21.

［4］于健，贾元平，朱守河．利用铝工业废渣（赤泥）生产水泥［J］．水泥工程，1999，6：34－36.

［5］刘嫦娥，李楠，姜怡娇，等．铝工业废渣赤泥的综合利用［J］．云南环境科学，2006，25（3）：39－41.

［6］蔡德龙，钱发军，邓挺，等．硅肥对花生增产作用试验研究［J］．非金属矿，1995，14（4）：48－51.

［7］王林江，谢襄漓，文小年．赤泥在环境污染修复中的应用［J］．桂林工学院学报，2004，24（3）：381－383.

剩余活性污泥完全资源化利用微生物技术的研究

孙村民[1,2] 李 强[1,2] 王 聪[1] 邓 飞[1] 张 伟[1] 高世哲[1] 王淑芳[2] 宋存江[1,2]

（1. 南开大学分子微生物与技术教育部重点实验室 天津 300071；
2. 南开大学生物活性材料教育部重点实验室 天津 300071）

摘 要 微生物集成技术研究剩余活性污泥的完全资源化利用，主要包括：使用土著PHA合成菌回注法驯化并发酵活性污泥生产生物降解性高分子材料PHA；采用嗜酸性氧化亚铁硫杆菌和氧化硫硫杆菌生物淋滤，以去除污泥中重金属；进一步利用解磷解钾工程菌固态发酵生产生物菌肥。结果表明，PHA占挥发性悬浮固体的29％以上；活性污泥中的重金属含量达到国家排放要求。

关键词 剩余活性污泥 PHA合成菌 生物淋滤 重金属去除

活性污泥是生物法废水处理系统中自然形成的微生物与有机物的聚集体。目前，我国大多数污水处理厂都采用生物法处理污水。活性污泥中微生物在净化污水的同时自身也在繁殖增长，必须定期少量排出，以维持污水处理系统中氧的供给。排出的这些剩余活性污泥必须加以治理。目前的处理方法无法满足环保和连续处理的需要，剩余活性污泥的资源化利用势在必行[1-4]。

1974年Wallen首先从活性污泥中获得了聚羟基脂肪酸酯（Polyhydroxyalkanoate，PHA），为利用活性污泥生产PHA奠定了基础[5]。PHA是许多微生物在不平衡生长环境条件下（如氮、磷等缺乏时）合成的胞内碳源或能源储存物质，具有良好的生物降解性、生物相容性等，可广泛应用于包装、药物缓释、组织工程材料等领域。

活性污泥生产PHA包括三个步骤，即驯化、发酵和产物抽提。驯化是对活性污泥中PHA合成菌选择性的富集阶段，使用营养过剩与饥饿（feast/famine）交替进行的驯化方式，其选择压力来自于微生物对饥饿的耐受程度。经过一定时间的驯化之后，便以活性污泥作为混合发酵菌种进行PHA的发酵。发酵结束，进行产物抽提以获得PHA。PHA的抽提方法主要包括两类：有机溶剂直接溶出PHA，化学药剂溶解菌体非PHA部分以得到PHA[6]。

另外，生产PHA后的污泥必须妥善处理。目前，多采用土地利用的处置方法。污泥中高含量的有机物能够为农作物提供营养[7]。然而，污泥中高含量的有毒重金属大大限制了剩余污泥的土地应用[8-10]。去除剩余活性污泥中的重金属已成为污泥处置技术中的瓶颈问题[10]。

目前，通常使用化学法去除污泥中的重金属，如氯化、离子交换、络合和酸化等。但是化学法具有成本高、操作困难、耗能量高等缺点[11]。相比之下，生物淋滤法具有低成本、操作简单、耗能低、金属去除率高且副产物无毒等优点[12]。

生物淋滤法（Bioleaching）是指利用自然界中一些微生物的直接作用或其代谢产物的间接作用，氧化、还原、络合、吸附或溶解，将固相中某些不溶性成分（如重金属、硫及其他金属）分离浸提出来的技术[13]。

在生物淋滤中，嗜酸性氧化亚铁硫杆菌（*Acidithiobacillus ferrooxidans*，*A. f*）和嗜酸性氧化硫硫杆菌（*Acidithiobacillus thiooxidans*，*A. t*）被用作有效的淋滤载体[14]。这两种嗜酸性的化能自养型细菌以大气中的CO_2为碳源，以无机物铁或硫为能源来维持生长。另外，由于pH值很低，抑制了其他细菌的生长，所以在实际的操作过程中不需要严格的无菌条件，适宜于污水处理厂的开放处理系统。

基金项目：国家“863计划”目标探索类课题（2007AA06Z323）；天津重点自然基金（09JCZDJC18400）。

综合以上理论，笔者设计了一套剩余活性污泥完全资源化利用的方案，首先针对取自天津泰达污水处理厂、天津东丽区污水处理厂和天津大港污水处理厂的污泥，使用厌氧－好氧和好氧－沉淀驯化方式生产PHA，研究了土著PHA合成菌回注法对PHA产量的影响。然后使用生产PHA所剩余的污泥进行生物淋滤以去除污泥中重金属，并对淋滤后污泥的致病性进行了检测。最后利用解磷解钾工程菌对污泥进行固态发酵生产生物菌肥。

一、实验材料与装置

（一）实验材料

采用了三种剩余活性污泥样品：样品A取自天津泰达污水处理厂好氧池污泥、样品B取自天津东丽区污水处理厂二沉池污泥、样品C取自天津大港污水处理厂厌氧消解后剩余污泥。

（二）实验菌株

土著PHA合成菌为本实验室采用尼尔红荧光染色法从污泥样品中分离得到的NK－T1、NK－J1和NK－D1。

生物淋滤用菌株为本实验室从污泥样品中富集并分离得到的嗜酸性氧化亚铁硫杆菌（*Acidithiobacillus ferrooxidans*, *A. f*）NK－16和嗜酸性氧化硫杆菌（*Acidithiobacillus thiooxidans*, *A. t*）NK－06。

（三）实验装置

活性污泥驯化装置采用有效体积为3L的SBR反应装置[15]。

二、实验方法

（一）土著PHA合成菌回注法生产PHA

1. 厌氧－好氧驯化及发酵试验

配制驯化液[16]：葡萄糖0.263 g/L，$MgSO_4$ 0.089 g/L，$(NH_4)_2SO_4$ 0.072 g/L，$CaCl_2$ 0.017 g/L，KCl 0.070 g/L，K_2HPO_4 0.060 g/L，蛋白胨0.100 g/L，酵母0.033，pH 7.0，不灭菌直接使用。在3L驯化液中加入离心湿泥75.0g，进行厌氧－好氧驯化。控制方式为：厌氧2h，好氧4h，沉淀1.5h，排出1L上清液和加入1L驯化液0.5h。每个循环8h，驯化10 d，驯化温度25℃，好氧阶段通气量1.5 L/min。驯化结束后，加入发酵培养液进行好氧发酵，30℃，48 h。8000g离心收集固形物，进行PHA的提取。发酵培养液成分：葡萄糖8.33 g/L，$MgSO_4$ 0.20 g/L，$CaCl_2$ 0.04 g/L，K_2HPO_4 0.06 g/L，微量元素1.0 ml/L，不灭菌直接使用。

2. 好氧－沉淀驯化及发酵试验

配制驯化液[17]：CH_3COONa 4.00 g/L，$MgSO_4$ 0.600 g/L，NH_4Cl 0.160 g/L，EDTA 0.100g/L，$CaCl_2$ 0.053 g/L，K_2HPO_4 0.121 g/L，KH_2PO_4 0.045 g/L，不灭菌直接使用。在3L驯化液中加入离心湿泥75.0g，进行好氧－沉淀驯化。控制方式为：好氧10.5h，沉淀1h，排出1.5L上清液和加入1.5L驯化液0.5h，每个循环12h，驯化10d，温度25℃，好氧阶段通气量1.5L/min。驯化结束后，加入发酵培养基进行好氧发酵，30℃，16h。8000g离心收集固形物，进行PHA的提取。发酵培养基成分：CH_3COONa 8.00 g/L，$MgSO_4$ 0.600 g/L，NH_4Cl 0.113 g/L，EDTA 0.100 g/L，$CaCl_2$ 0.053 g/L，K_2HPO_4 0.121 g/L，KH_2PO_4 0.045 g/L，微量元素1.0 ml/L，不灭菌直接使用。

3. 土著PHA合成菌回注进行驯化及发酵试验

将－70℃保藏的土著PHA合成菌在LB固体平板上活化培养，单菌落接种于含LB液体培养基的锥形瓶中，150rpm振荡培养12h，离心收集菌体。按0.10～0.25g/L湿菌体于驯化开始前加入至相应的污泥驯化装置中，进行上述的驯化、发酵和PHA抽提。

4. PHA 的提取

发酵液 8000g 离心 15min，收集沉淀，干燥，加至 350 ml 氯仿中，室温搅拌 48h，过滤，浓缩，加入 40 倍体积的甲醇中，所得白色沉淀即为 PHA。收集 PHA，以甲醇冲洗，重溶于氯仿中，重复上述操作。最后真空干燥至恒重，所得 PHA 重量与挥发性悬浮固体量（VSS）之比即为 PHA 的产率。

5. 分析方法

对驯化液进行梯度稀释，采用培养皿菌落计数法进行总菌数计数[18]；采用 Nile - Red 荧光染色法计数 PHA 合成菌[19]；按照标准检测方法（APHA，2001）检测驯化液总悬浮固体量（TSS）和挥发性悬浮固体量（VSS）[20]；采用核磁共振（1H NMR 和 13C NMR）及傅里叶红外光谱（FT - IR）对 PHA 成分与结构进行检测分析。

（二）生物淋滤

1. 淋滤过程

500 ml 三角瓶中含有 200 ml 淋滤初始液，其成分主要为：$(NH_4)_2SO_4$ 0.6 g；K_2HPO_4 0.1 g；$MgSO_4 \cdot 7H_2O$ 0.51g；KCl 0.02g；$Ca(NO_3)_2 \cdot 4H_2O$；0.0012g；S 2.0g；$FeSO_4 \cdot 7H_2O$ 8.8g；蒸馏水 200 ml。另外，A. f 和 A. t 混合菌液按 5% + 5%（v/v）接种于含有 5%（w/v）脱水污泥的 200 ml 淋滤液中。对照组中不加菌液，只含有 5%（w/v）脱水污泥和 200ml 蒸馏水。3 个试验组和一个对照组各重复 3 次。30°C，150 r/min 进行 6 d。

2. 分析方法

重金属含量测定采用电感耦合等离子体法（ICP）。重金属去除率计算公式：重金属去除率 =（淋滤前重金属含量 - 淋滤后重金属含量）/淋滤前重金属含量

资源化处理后污泥的安全性分析，参照国标（GB 18918—2002）“城镇污水处理厂污染物排放标准”中稳定化处理后的指标，对蠕虫卵死亡率和粪大肠菌群菌值进行了检测。

（三）解磷解钾工程菌的构建及其固态发酵

作者将另文专门进行介绍。

三、结果与讨论

（一）PHA 的合成

1. 土著 PHA 合成菌回注法与非回注法的发酵结果的比较

经过 10d 的驯化，活性污泥已适合 PHA 的发酵生产。发酵结束后经过产物抽提，四种污泥样品的回注组与非回注组的 PHA 产量如表 1 所示。回注组的 PHA 产量比对照组有显著提高，最多提高近 45%。这表明回注少量土著 PHA 合成菌，能加强污泥中的 PHA 合成菌群，使它们争夺到更多底物；在提高底物利用率的同时，也使其他非 PHA 合成菌更快地被选择压力所淘汰。同时发现，好氧 - 沉淀工艺明显优于厌氧 - 好氧工艺，是更适合剩余活性污泥生产 PHA 的工艺。

表 1　三种剩余活性污泥的各组发酵试验结果

	污泥 A 厌氧 - 好氧回注试验（3L）		污泥 C 厌氧 - 好氧回注试验（3L）		污泥 B 好氧 - 沉淀回注试验（3L）	
	回注组	对照组	回注组	对照组	回注组	对照组
接种污泥湿重/g	75	75	75	75	75	75
接种污泥含水率/%	82.00	82.00	81.30	81.30	86.32	86.32
接种污泥干重/g	13.50	13.50	14.03	14.03	10.26	10.26

	污泥 A 厌氧 - 好氧回注试验（3L）		污泥 C 厌氧 - 好氧回注试验（3L）		污泥 B 好氧 - 沉淀回注试验（3L）	
	回注组	对照组	回注组	对照组	回注组	对照组
发酵后污泥干重/g	25.68	24.63	22.78	21.79	16.38	14.22
发酵后污泥 VSS 量/g	12.96	12.01	11.85	10.63	11.71	9.57
PHA 重量/g	3.03	2.17	1.42	0.89	3.42	2.30
PHA/VSS/%	23.35	18.07	11.97	8.36	29.23	24.07
PHA 产率提高率/%	29.22	43.18	21.44			

2. 活性污泥合成的 PHA 的结构分析

综合分析 FT - IR、^{1}H - NMR 和^{13}C - NMR 的结果，推断此 PHA 的主要成分为 PHBV，其结构见图4。但还有少量的其他类型 PHA 存在，因为活性污泥为一个混合的 PHA 合成菌群，其中还有一些合成其他类型 PHA 的合成菌，但由于数量较少，合成产物含量较低，因此未形成明显的特征峰，图谱中几个较小的杂峰可能是由此产生的。

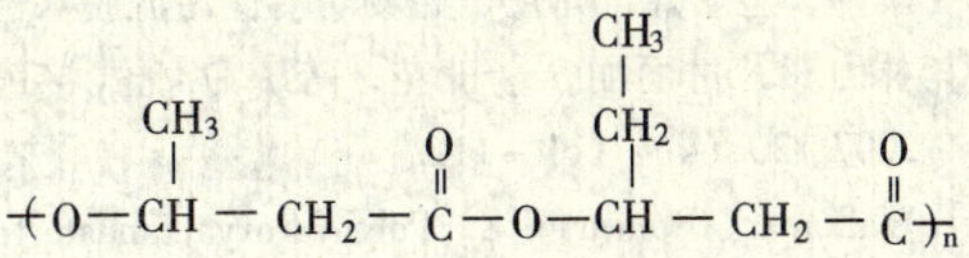

$$\left[O-\underset{}{CH}(CH_3)-CH_2-\overset{O}{\overset{\|}{C}}-O-CH(CH_2CH_3)-CH_2-\overset{O}{\overset{\|}{C}} \right]_n$$

图1　PHBV 结构图

（二）生物淋滤

1. 生物淋滤过程中各种重金属去除率变化

三种剩余活性污泥经过 6d 的生物淋滤，各种重金属的去除效果见表 2。污泥中 Cu、Zn、Pb、Cd、Cr、Ni 和 As 都有较高的去除率，且淋滤后污泥中重金属含量均符合国家《食用农产品土壤环境质量评价标准（2006）》，适合土地施放。

2. PHA 发酵和生物淋滤前后污泥致病性检测

资源化处理后污泥的安全性分析，参照国标（GB 18918—2002）城镇污水处理厂污染物排放标准中稳定化处理后的指标，对蠕虫卵死亡率和粪大肠菌群菌值进行了检测。其蠕虫卵死亡率和粪大肠菌群菌值达到国家城镇污水处理厂污染物排放标准。

表 2　三种剩余活性污泥的生物淋滤结果

	污泥 A			污泥 B			污泥 C			国标
	淋滤前	淋滤后	去除率	淋滤前	淋滤后	去除率	淋滤前	淋滤后	去除率	
Cu	172	2.4	98.6%	342	7.5	97.8%	111.7	12.5	88.8%	50
Zn	669	7.3	98.9%	750	10.8	98.6%	546	37.8	93.1%	200
Pb	40.3	2.7	93.2%	76.8	5.9	92.3%	68.7	41.3	39.9%	80
Cd	10.8	1.6	85.1%	7.8	1.0	87.2%	1.5	0	100%	5
Cr	413	8.5	97.9%	164	9.9	94.0%	ND	ND	ND	150
Ni	198	5.4	97.3%	223	8.1	96.5%	29.2	8.5	70.9%	40
As	33.1	0.5	98.5%	13.6	1.2	91.3%	13.6	0.3	98.0%	40

四、结　论

利用活性污泥进行 PHA 的生产，经短期驯化，三种剩余活性污泥样品回注组 PHA 的产率远高于对照组，且好氧 - 沉淀的驯化方式明显优于厌氧 - 好氧方式。

经过 A. f 和 A. t 混合菌群的生物淋滤，三种污泥样品中 Cu、Zn、Pb、Cd、Cr、Ni 和 As 等重金属都得到了很好的去除。另外，经过 PHA 发酵和生物淋滤处理后的污泥，其蠕虫卵死亡率和粪大肠菌群菌值达到国家城镇污水处理厂污染物排放标准。

综上所述，利用剩余活性污泥，使用土著 PHA 合成菌回注法生产 PHA，再使用生物淋滤法去除污泥中重金属和降低污泥致病性，使污泥适合土地施放，从而实现了剩余活性污泥的完全资源化利用，避免了二次污染，具有广阔的发展前景。

参考文献

[1] 张光明，张信芳，张盼月．城市污泥资源化技术进展，第四版［M］．北京：化学工业出版社，2006.

[2] 蒋小龙，叶芬霞．化学解偶联剂对污泥产率的比较研究［J］．环境科学研究，2006，19（4）：115 – 118.

[3] 李帅，边炳鑫，周正．磁场对活性污泥脱水性能的影响［J］．环境科学研究，2007，20（3）：119 – 123.

[4] 林山杉，付丽丽，金玉花，等．序批式接触氧化反应器中细菌多样性及其功能［J］．环境科学研究，2007，20（4）：111 – 119.

[5] Wallen I.，Rohwo W K. Polyhydroxyalkanoate from activated sludge［J］. Environ. Sci Tech，1974，20（8）：576 – 579.

[6] Jian Yu，Lilian X. L. Chen. Cost – Effective Recovery and Purification of Polyhydroxyalkanoates by Selective Dissolution of Cell Mass［J］. Biotechnol. Prog.，2006，22（2）：236 – 239.

[7] 周立祥，胡霭堂，戈乃玢，等．城市污泥土地利用研究［J］．生态学报，1999，19（2）：185 – 193.

[8] Tyagi R D，Couillard D. Bacterial leaching of metal from sewage sludge［J］. Process Biochemistry，1987（22）：114 – 117.

[9] Bruce A M，Davis R D. Sewage sludge disposal：current and future options［J］. Water Science and Technology，1989（21）：1113 – 1122.

[10] Burton F L. Wastewater Engineering：Treatment，Disposal and Reuse［J］. Singapore：McGraw – Hill，1991，3rd edn.

[11] McGhee T J. Water Supply and Sewage［J］. Singapore：McGraw – Hill，1991，6th edn.

[12] Mercier G，Chartier M，Couillard D. Strategies to maximize the microbial leaching of lead from metal – contaminated aquatic sediments［J］. Water Research，1996（30）：2452 – 2464.

[13] 周顺桂，周立祥，黄焕忠．生物淋滤技术在去除污泥中重金属的应用［J］．生态学报，2002，22（1）：125 – 133.

[14] Solisio C，Lodi A，Veglio F. Bioleaching of zinc and aluminum from industrial waste sludges by means of Thiobacillus ferrooxidans［J］. Waste Management，2002（22）：667 – 675.

[15] 宋存江，等．采用土著 PHA 合成菌回注法提高剩余活性污泥合成 PHA 产率．中国发明专利．公开号：CN1786147A［P］.

[16] Satoh H.，Iwamoto Y.，Mino T.，Matsuo T. Activated sludge as a possible source of biodegradable plastic［J］. Water Sci Technol，1998，38：103 – 109.

[17] Luísa S. Serafim，Paulo C. Lemos，Rui Oliveira，Maria A. M. Reis. Optimization of Polyhydroxybutyrate Production by Mixed Cultures Submitted to Aerobic Synamic Feeding Conditions［J］. Biotechnology and Bioengineering，2004，87（2）：456 – 462.

[18] Patricia Spiekermann. A sensitive，viable – colon staining method. Using Nile red for direct screening of bacteria that accumulate polyhydroxyalkanoic acid and ether lipid storage compounds，Arch Microbial，1999，171：73 – 80.

[19] 范秀荣，李广武，沈萍．微生物学实验（第五版）［M］．北京：高等教育出版社，1989.

[20] American Public Health Association，American Water Works Association，Water Environment Federation，2001. Standard Methods for the Examination of Water and Wastewater，twentieth ed，APHA，Washington DC，USA.

生活污泥经蚯蚓生物处理床消解后的性质变化特征研究

赵海涛　庄明明　徐轶群　王小治　单玉华　柏彦超　封　克

（江苏省扬州农业环境安全技术服务中心/扬州大学环境科学与工程学院　江苏　扬州　225127）

摘　要　通过生物（蚯蚓）工程技术处理生活污泥是有机固废处理与资源化利用新的发展方向。通过工程模拟和化学测定的方法，研究了生活污泥经蚯蚓处理后的性质变化。结果表明，生活污泥经蚯蚓生物床处理后，其含水率和EC值明显下降，而CEC明显上升。蚯蚓处理过程导致生活污泥中的有机质、NPK元素全量和速效态含量都有不同程度的下降，但促进了有机氮大量向 NO_3^- -N的转化。蚯蚓对生活污泥中的重金属相对富集效果依次为Cd > Pb > Hg > Cr，对Zn的相对富集作用明显高于Mn、Fe和Cu，处理过程降低了有效态Fe、Cu、Mn、Zn含量。处理过程导致DOM中蛋白质类物质、多糖类物质、芳香族物质、酸性磷酸酶活性、碱性磷酸酶活性明显增加，但降低了脲酶活性。处理导致放线菌和真菌数量明显增加，但对细菌的数量没有明显影响。总的来看，生活污泥经蚯蚓处理后，理化性质得到明显改善，增加生物活性有机物的同时降低了污泥中重金属含量，使酶活性和微生物区系得到明显改善，这些特征更符合植物生长的需求。

关键词　生物工程　蚯蚓　生活污泥　蚯蚓粪

污水的生化处理是利用微生物来吸附、分解、氧化污水中的有机物，把不稳定的有机物降解为稳定无害的物质，在使污水得到净化的同时产生大量生活污泥[1]。我国城市化进程的快速发展导致污水处理规模不断扩大，产生的生活污泥量也越来越多[2,3]。生活污泥的处理处置方式很多，包括填埋、堆肥、焚烧、农用、生物制氢、污泥制建筑材料、制陶瓷、污泥制动物饲料、污泥制活性炭或炭化污泥、污泥制黏结剂等[4-6]。污泥含有大量的有机物和丰富的氮磷等营养物[9]，虽然污泥也含有有毒有害成分，但污泥中的氮磷以有机态为主；同时还含有许多植物所必需的微量元素，可以缓慢释放，具有长效性，因此污泥是很好的土壤改良剂和肥料[10]。利用生物对生活污泥进行资源化处理已经成为资源循环利用和可持续发展的一个重要思路。

蚯蚓日吞食量可达其身体质量的1倍以上，且其消化道分泌的酶类物质、碳酸盐类物质和胶黏物质可对绝大多数有机废弃物、pH和重金属产生作用[11-13]。Atiyeh等认为蚯蚓不仅能处理大量的有机废弃物，减少对周围环境的影响，而且可获得高效、稳定的有机肥料，促进农作物生长，提高作物产量[14,15]。本研究通过蚯蚓生物处理床直接处理生活污泥，分析生活污泥和污泥蚯蚓粪间物理、化学和生物学性质的差异，探讨蚯蚓生物处理生活污泥的特征机理，为其工程化及处理产物的资源化利用提供理论依据。

一、材料与方法

（一）蚯蚓生物处理床构建

在地势较高、不易积水区域选取宽3.5 m、长30 m的长方形地块，在四周开挖深50 cm深的排水沟，土地平整压实。在地块上堆放高20 cm、宽35 cm、长3 m的长条垛状牛粪，每条垛相隔15 cm左右，然后将工作蚓（大平2号）和蚯蚓生活基质的混合物覆盖在长条垛上，蚯蚓的投入量为0.5 kg/m^2，基质的覆盖厚度为3~5 cm，在表层覆盖遮阳网，冬季还需在遮阳网上覆盖塑料布，15天后直接将生活污泥均匀铺设在生物床上，厚5~8 cm，然后控制好温度和湿度，大部分蚯蚓取食生活污泥时，蚯蚓消解生活污泥的生物处理床即构建完成。

（二）试验设计

实验在江苏省扬州农业安全技术服务中心有机固废物消解基地进行，生活污泥取自江苏省扬州市汤汪污水处理厂，含水率为85%左右。将取回的生活污泥直接满层覆盖到1月龄工作蚓的蚯蚓生物处理床上，堆放厚度为8 cm，控制处理床温度在15~18℃，10天后取蚯蚓处理后形成的污泥蚓粪（*Y*），同时以新鲜污泥为对照（*W*），研究蚯蚓处理前后生活污泥的含水率，pH、EC和CEC值，NPK全量和速效态NPK含量，硝态N、有机P、无机P和有机质含量，Fe、Mn、Cu、Zn全量和生物有效态含量，Pb、Cr、Cd、Hg全量，有机物功能基团、酶活性和微生物区系等变化特征。

（三）测定方法

含水率测定采用烘干法，有机质采用重铬酸钾－外加热法，全氮测定采用半微量凯氏法，速效氮采用碱解扩散法，硝态氮采用饱和 $CaSO_4$ 浸提－紫外分光光度法，全磷采用 $HClO_4-H_2SO_4$ 消煮－钒钼黄比色法，速效磷采用0.5 mol/L $NaHCO_3$ 提取、钼蓝比色法，全钾采用NaOH熔融、火焰光度法，速效钾采用1 mol/L NH_4OAc 提取、火焰光度法，pH值测定采用土水比为1∶2.5搅拌、pH计直接测定，阳离子交换量（CEC）采用乙酸铵法，交换性盐基总量（EC）采用乙酸铵交换－中和滴定法，有效态Fe、Mn、Cu、Zn采用DTPA浸提－原子吸收分光光度法，重金属含量采用 $HF—HNO_3—HCl_4$ 消煮－原子吸收分光光度法[16]。碱性磷酸酶活性和酸性磷酸酶活性测定采用鲁如坤提出的方法[16]。细菌、放线菌和真菌数量测定采用梯度稀释平板涂布法[17]，脲酶活性采用尿素水解法测定[18]，DOM采用傅里叶变换远红外光谱分析（FTIR）：将1mg冻干的DOM样品与400mg干燥的KBr（光谱纯）磨细混匀，在10t/cm^2 下压成薄片并维持1min，用FT-IR光谱仪（Brucker vector 22）测定并记录其光谱[19]。

二、结果与分析

（一）蚯蚓处理对生活污泥基本理化性质的影响

生活污泥经蚯蚓生物床消解后的物理性状得到明显改善，由流体状转换成固体状，颜色也由深黑色变成灰黑色，体积明显减少，臭气基本消除，容重变小，质地疏松。从表1可以看出，生活污泥经过蚯蚓生物处理后形成污泥蚓粪的含水率和交换性盐基总量（EC）明显下降，而阳离子交换量（CEC）却明显上升，表明蚯蚓生物处理过程有利于污泥脱水，在减少交换性盐基的同时增加了阳离子交换量，污泥蚓粪的缓冲性能更强。

表1　蚯蚓处理后生活污泥基本理化性质变化特征

处理	含水量/%	EC/（cmol/kg）	CEC/（cmol/kg）
生活污泥（*W*）	84.242±1.425	57.62±3.81	27.48±3.20
污泥蚓粪（*Y*）	69.347±0.276	46.39±5.04	32.06±3.85

（二）蚯蚓处理对生活污泥有机质和NPK的影响

蚯蚓处理后生活污泥中C、N、P、K元素含量都有不同程度的下降，表2表明，生活污泥经过蚯蚓处理后，有机质含量下降了28.7%，TN、TP和TK分别降低了63.1%、27.9%和7.0%，速效态NPK含量分别降低了54.6%、63.1%和35.6%，可见蚯蚓生物处理过程分解了有机质，并明显降低了全量和速效态NPK的含量。在氮素营养各指标中，硝态N含量增加了10倍，表明处理过程极大地促进了生物污泥中铵态N向硝态N转化。蚓粪的气味温和，无氨挥发的气味也说明了这一点。在磷素营养各指标中，有机磷含量稍有增加，其他各指标都明显下降。

表 2　生活污泥经蚯蚓处理后有机质和 NPK 变化特征

处理	全 N	速效 N	硝态 N
	/ (g/kg)		/ (mg/kg)
生活污泥（W）	39.01 ±0.82	3.66 ±0.15	103.09 ±4.25
污泥蚓粪（Y）	14.42 ±1.16	1.60 ±0.16	1038.46 ±57.68
	全 P	有机 P	速效 P
	/ (g/kg)		/ (mg/kg)
生活污泥（W）	15.48 ±2.65	0.37 ±0.04	1914.12 ±31.29
污泥蚓粪（Y）	11.16 ±0.75	0.38 ±0.02	706.67 ±5.50
	全 K	速效 K	有机质
	/ (g/kg)		
生活污泥（W）	5.25 ±0.04	1.01 ±0.16	466.78 ±7.80
污泥蚓粪（Y）	4.88 ±0.15	0.65 ±0.03	240.07 ±10.02

（三）蚯蚓处理对生活污泥金属元素全量及其生物有效性的影响

表 3 显示，生活污泥中 Pb 的含量明显高于 Cr、Cd 和 Hg，但经蚯蚓生物床处理后，Pb 的含量下降了 91.3%，Hg 的含量下降了 18.8%，Cd 的含量未检出，而 Cr 增加了 69.8%，表明蚯蚓生物处理过程对生活污泥中重金属含量的影响各不相同：对 Pb 和 Cd 的处理效果较好，但对 Cr 的去除效果不理想。污泥蚓粪中部分重金属含量较高的特征在资源化利用时要充分考虑。

生活污泥经过蚯蚓处理后，Fe 和 Mn 的含量分别增加 32.1% 和 16.5%，而 Zn 的含量降低了 15.7%，Cu 的含量基本不变，仅下降了 2.8%，可见蚯蚓对 Zn 的相对富集作用明显高于在 Mn、Fe 和 Cu。生活污泥和污泥蚓粪的 Cu、Mn、Zn、Fe 的含量都依次增大，Fe 的含量非常高，这与污水处理工艺中添加的絮凝剂中含有 Fe 等金属元素有关。污泥蚓粪中有效 Fe、Mn、Cu、Zn 含量比生活污泥中分别下降了 24.5%、31.1%、11.1% 和 28.4%，可见蚯蚓处理过程降低了 Cu、Mn、Zn、Fe 的有效态含量。

表 3　生活污泥经蚯蚓处理后金属元素全量及生物有效态含量的变化特征

处理	Pb	Cr	Cd	Hg
	/ (mg/kg)			
生活污泥（W）	538.94 ±18.96	68.92 ±5.91	3.327 ±0.165	2.98 ±0.31
污泥蚓粪（Y）	46.88 ±2.79	117.05 ±6.24	—	2.42 ±0.32
	Fe	Mn	Cu	Zn
	/ (mg/kg)			
生活污泥（W）	14561.16 ±88.06	436.03 ±8.79	137.90 ±10.54	720.42 ±17.27
污泥蚓粪（Y）	19233.39 ±134.39	507.90 ±13.66	134.02 ±7.59	607.61 ±6.69
	有效 Fe	有效 Mn	有效 Cu	有效 Zn
	/ (mg/kg)			
生活污泥（W）	325.38 ±11.53	141.23 ±8.13	35.52 ±2.62	477.49 ±38.37
污泥蚓粪（Y）	245.53 ±16.56	97.34 ±7.04	31.58 ±4.86	342.03 ±7.42

（四）蚯蚓处理对生活污泥 DOM 的影响

从图 1 可以看出，尽管生活污泥经蚯蚓处理后其水溶性有机物（DOM）仍存在与处理前相同的功能基团，但吸收峰的强度已发生了较大变化，说明某些基团的含量在发生变化。污泥经蚯蚓处理后其 DOM 在 2400 ~ 2200/cm 出现了弱的吸收峰，表明蚯蚓可能利用污泥中的有机物合成了蛋白质类物质，也可能是蚯蚓死亡后蚯蚓体自溶形成蛋白质类物质。生活污泥中的 1142/1384/cm 吸收峰强度比为 0.49，而在污泥蚓粪中为 0.79，表明蚯蚓处理过程增加了水溶性有机物中多糖类物质。671/603/cm 吸收峰强度比在蚯蚓处理污泥前为 0.58，处理后为 0.99，可见污泥在蚯蚓处理过程中产生了大量芳香族物质。污泥蚓粪的 DOM 在 830/cm 处出现了一个中等强度的新的吸收峰，表明蚯蚓处理过程中形成了结构稳定的芳香族物质。

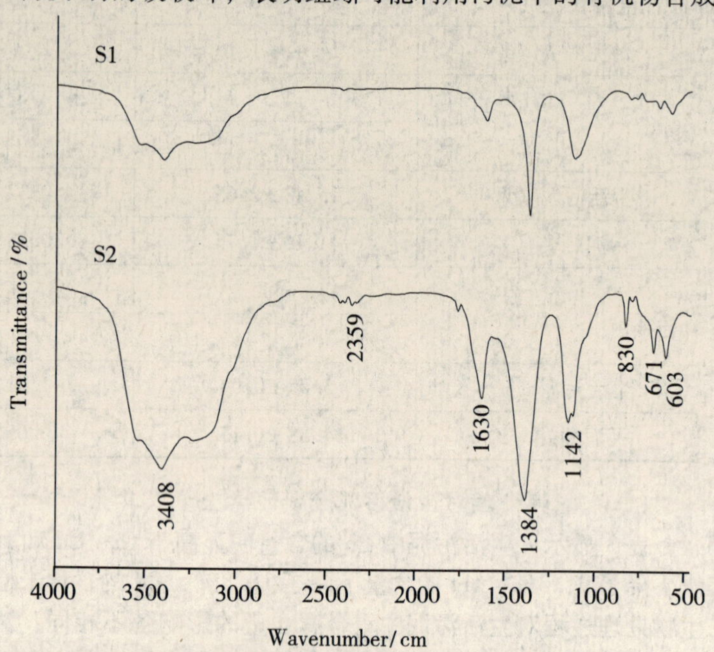

注：S1 表示未处理污泥；S2 表示经蚯蚓处理污泥。

图 1　蚯蚓处理过程对生活污泥中 DOM 组成的影响

（五）蚯蚓处理对生活污泥酶活性和微生物区系的影响

表 4 显示，生活污泥经过蚯蚓处理后，污泥蚓粪中的酸性磷酸酶活性和碱性磷酸酶活性分别增加了 93.8% 和 32.7%，但脲酶活性下降了 91.2%。酸性磷酸酶活性和碱性磷酸酶活性的增加有利于磷元素的释放，而脲酶活性的下降在一定程度上有利于氮素的缓释，这对污泥蚓粪用作有机肥料或植物生长基质等具有积极的意义。蚯蚓处理前后，细菌的数量没有明显变化，但放线菌和真菌数量明显增加，污泥蚓粪中放线菌和真菌的数量分别是生活污泥的 18 倍和 20 倍，可见生活污泥经过蚯蚓生物床处理后，酶活性和微生物区系都发生明显变化。

表 4　蚯蚓处理后生活污泥中微生物变化特征

处理	细菌	放线菌	真菌
	/（$\times 10^6$ 个/g）		
生活污泥（*W*）	5.00 ± 1.41	0.50 ± 0.00	0.50 ± 0.00
污泥蚓粪（*Y*）	5.00 ± 0.71	9.00 ± 1.41	10.00 ± 0.71
	酸性磷酸酶活性	碱性磷酸酶活性	脲酶活性
	（对硝基苯酚产生量/g/（kg · h））		（NH_4^+ – N 释放量/g/（kg · h））
生活污泥（*W*）	1.94 ± 0.07	61.50 ± 2.76	1.71 ± 0.06
污泥蚓粪（*Y*）	3.76 ± 0.08	81.60 ± 2.87	0.15 ± 0.03

三、讨　论

蚯蚓参与环境中有机物质的降解过程，大量吞食有机残落物质，并将其与土壤混合，通过砂囊的机械研磨作用和肠道内的生物化学作用进行分解和转化。有机物质在蚯蚓消化道分泌的各种生物酶（包括蛋白酶、脂肪酶、纤维素酶、淀粉酶及甲壳素酶等）和微生物的联合作用下，能水解为易于同化的碳水化合物、脂肪、蛋白以及较稳定的纤维素和几丁质[20,21]。城市生活污泥中含有大量的N、P、K及有机质，还有大量的Fe、Al、Ca、Mg、S、Na等元素，同时还含有许多动植物所必需的微量元素，可以缓慢释放，具有长效性[22,23]。Dominguez等[24,25]研究认为，脱水污泥可直接喂蚯蚓，不需堆肥发酵或老化。吴敏等[26,27]认为，蚯蚓生态系统集浓缩、调理、脱水、稳定、处置和综合利用等多种功能于一身，可将污泥全部进行分解和吸收。本研究结果表明，生活污泥经蚯蚓生物床处理后的物理性状得到明显改善，无臭气，含水率和EC值明显下降，而CEC明显上升。蚯蚓处理过程导致有机质，NPK元素全量和速效态含量都有不同程度的下降，但促进了有机态氮的降解并向NO_3^--N转化。

蚯蚓对农药和重金属的积聚能力强[28]，对BHC、DDT、PCB等农药的积聚能力比外界大10倍，对重金属Cd、Pb、Hg等的积聚能力比土壤大2.5~7.2倍。Spearman研究表明，蚯蚓对各元素的富集系数大小排序为：Cd > Hg > As > Zn > Cu > Pb。牛明芬等[29]通过研究蚯蚓处理垃圾及纳污河流底泥发现，蚯蚓可选择吸收并富集垃圾及底泥中的Cd，但对其他重金属元素Pb、Cu、Zn等并无此种富集吸收现象。本研究发现，蚯蚓处理过程改变了生活污泥中有机物质组成和微生物区系，导致蛋白质类物质、多糖类物质、芳香族物质、酸性磷酸酶活性、碱性磷酸酶活性增加，但降低了脲酶活性。处理后放线菌和真菌数量等明显增加，但对细菌的数量没有明显影响。蚯蚓对生活污泥中重金属富集效果各不相同，对Pb和Zn的富集量大，而对Cr的富集效果最差。蚯蚓处理过程对生活污泥中Cd、Pb、Hg等重金属具有明显的去除效果。

利用蚯蚓处理生活污泥，其工程固定资产投资少，运行成本低，回报率高，工艺流程简单，无特殊要求，操作人员易于掌握。该技术可以将N、P等营养物质重新转化并富集形成蚯蚓体内的高蛋白从而被再次加以高效利用，有效地降低了区域内向环境中输入的N、P。处理过程无臭气、无氮、磷等污染物以及废水、废渣等排放，变末端治理为资源化利用，无二次污染和潜在环境威胁。蚯蚓本身可用于制药、生产蛋白饲料等，蚓粪能改良土壤结构，有利于构建良好的土壤生态系统，抑制土传病害的发生，减少连作障碍。工程规模可随污水处理场规模而定，机动灵活，便于推广，尤其适合广大中小型生活污水处理厂处理生活污泥，因此在具有生态环境效益的同时具有很好的经济效益，故产业前景广阔。

参考文献

[1] 姚力平．污水处理中污泥状况的分析［J］．科技情报开发与经济，2005，15（24）：133-134.

[2] 赵庆祥．污泥资源化技术［M］．北京：化学工业出版社，2002：2-3.

[3] 李亚东，李海波，梁洁．城市生活污水处理中剩余污泥处理技术探讨［J］．环境科学与技术，2005，28（4）：95-96.

[4] 昝元峰，王树众，沈林华，等．污泥处理技术的新进展［J］．中国给水排水，2004，20（6）：25-28.

[5] 张钦明，王树众，沈林华，等．污泥制氢技术研究进展［J］．现代化工，2005，25（11）：29-32.

[6] Malmstead M, Bonistall D, Maltby C. Closure of a nine-acre industrial using pulp and paper mill residuals［J］. Tappi Journal, 1999, 82（2）：153-160.

[7] 史昕龙，陈绍伟．城市污水污泥的处置与利用［J］．环境保护，2001，3：45-46.

[8] 杨小文，杜英豪．污泥处理与资源化利用方案选择［J］．中国给水排水，2002，18（4）：31-33.

[9] 陆欣．土壤肥料学［M］．北京：中国农业大学出版社，2001：71-80.

[10] 薛澄泽，杜新科，张增强．复合污泥堆肥施用于高速公路绿化带效果的研究［J］．农业环境保护，2000，19（4）：204-208.

[11] 王丹丹，李辉信，胡锋．蚯蚓处理城市生活垃圾的现状与趋势［J］．江苏农业科学，2005（4）：4-8.

[12] Brown G G. How do earthworm affect microfloral and faunal community diversity? [J]. Plant and Soil, 1995, 170 (1): 209-231.

[13] Watanabe M E. Phytoremediation on the brink of commercialization [J]. Environ Sci Techno, 1997, 31 (1): 182-186.

[14] Atiyeh R M, Lee S, Edwards C A, et al. The influence of humic acids derived from earthworm-processed organic wastes on plant growth [J]. Bioresource Technology, 2002, 84: 7-14.

[15] Arancon N Q, Edwards C A, Bierman P, et al. Influences of vermicomposts on field strawberries: Effects on growth and yields [J]. Bioresource Technology, 2004, 93: 145-153.

[16] 鲁如坤. 土壤农业化学分析方法 [M]. 北京：中国农业出版社，2000.

[17] 中国科学院南京土壤研究室微生物室. 土壤微生物研究法 [M]. 北京：科学出版社，1985.

[18] 郑洪元，张德生. 土壤动态生物化学研究法 [M]. 北京：科学出版社，1982.

[19] Provenzano M R, Senesi N, Piccone G. Thermal and spectroscopic characterization of composts from municipal solid wasters [J]. Compost Science and Utilization, 1998, 6 (3): 67-73.

[20] 黄福珍，张与真，杨夫瑞. 蚯蚓改土及综合利用. 蚯蚓的养殖与利用（裘明华主编）[M]. 重庆：重庆出版社，1984: 28-36.

[21] 邱江平. 蚯蚓与环境保护 [J]. 贵州科学，2000，18 (1-2): 117，133.

[22] 李艳霞，陈同斌，罗维，等. 中国城市污泥有机质及养分含量与土地利用 [J]. 生态学报，2003，23 (11): 2464-2474.

[23] 胡忻，王超，陈茂林，等. 中国部分城市污泥中矿质元素形态与生物可利用性研究 [J]. 环境污染与防治，2004，26 (6): 455-457.

[24] Dominguez J, Parmelee R W, Edwards C A. Interactions between Eisenia and rei (Oligochaeta) and nematode populations during vermicomposting [J]. Pedobiologia, 2003, 47: 53-60.

[25] Kaushik P, Garg V K. Dynamics of biological and chemical parameters during vermicomposting of solid textile mill sludge mixed with cow dung and agricultural residues [J]. Bioresource Technology, 2004, 94 (2): 203-209.

[26] 吴敏，杨健. 蚯蚓生态床处理剩余污泥 [J]. 中国给水排水，2003，19 (5): 59-60.

[27] 杨健，吴敏. 城市污水厂混合污泥的生态稳定处理 [J]. 环境污染与防治，2003，25 (6): 345-347.

[28] 陈玉成，皮广洁，黄伦先，等. 城市生活垃圾蚯蚓处理的因素优化及其重金属富集研究 [J]. 应用生态学报，2003，14 (11): 2006-2010.

[29] 牛明芬，崔玉珍. 蚯蚓对垃圾与底泥中镉的富集现象 [J]. 农村生态环境，1997，13 (3): 53-54.

利用爆炸冲击波作用提高污泥脱水率试验探索

杨　军　陈大勇

（北京理工大学　北京市中关村南大街5号　100081）

摘　要　概述了污泥中炸药爆炸所引起的冲击波效应及其提高污泥脱水率的机理，通过小型实验发现，污泥颗粒粒径在爆炸冲击波的作用下变小，污泥的絮状胶体结构破坏，在25g炸药的作用下，污泥的脱水效率最好，离心脱水后的含水率达到了55.60%。根据实验结果得出了爆炸冲击波作为污泥脱水的预处理方法是可行的。

关键词　污泥脱水　预处理　爆炸冲击波

引　言

随着我国城市污水处理厂的普及和运行，城市污水处理厂的污泥产量也快速增加，2008年我国产生污泥约为7500万t[1]（以含水率为80%计），而且年增长率大于10%。污泥中含有大量水分（75%~99%）、有机质、病原菌、寄生虫（卵）、重金属等有害成分，且伴有恶臭，如果处理不当，排放后会对环境造成严重的污染。污泥一般按照减量化、无害化、资源化和能源化的处理程序，在目前的技术经济条件下减量化是污泥处理最关键的一个环节，减量化最主要的途径是降低污泥的含水率，从而降低污泥的体积。以2008年我国产生的9500万t含水率80%污泥计算，如果能把其含水率降到60%，那么就可以使污泥的体积降低为原来的一半，对污泥最终处置将产生不可估量的影响。

污泥中水分分为自由水、毛细水和结合水三种类型，用机械的方法可以容易地去除自由水，而对毛细水和结合水的去除较为困难，通过强化的预处理手段改善污泥的脱水性能和生物降解性能，从而提高污泥处理的整体脱水效率，一直是污泥处理领域的研究热点。目前，污泥预处理的方法主要有超声波[2-4]、热水解[5-7]、化学预处理[8]等。以上所列举的污泥脱水预处理技术中，机械方法破解效果最好，但能耗较大；热水解法易造成反应器的腐蚀，污泥量较大时，操作管理复杂；化学方法需要投加大量药剂，投加量控制复杂。寻找一种高效、能耗低的预处理方法成为迫切需要。

一、爆炸冲击作用提高污泥脱水率的理论依据

爆炸冲击作用在一些领域已经有了类似的应用，如采用炸药爆炸方法处理淤泥软土地基[9]从20世纪30年代就已开始，其理论与技术已经比较成熟，该方面的研究成果在国内外已有大量的文献报道。其方法主要是利用炸药爆炸产生的冲击波压缩软土，在软土中产生大小不一的超静空隙水压力，促使软土中的空隙水快速排出，使软土结构变得更加密实。南京农业大学的张晓东教授发明了“爆炸灭菌法”[10]，证明了炸药爆炸冲击波的灭菌作用。水压爆破技术和水中兵器技术的理论研究成果均为爆炸冲击波预处理污泥提供了科学依据，但是真正用炸药爆炸产生的冲击波作为污泥脱水的预处理方法，还未见有相关报道。为此，我们提出此项研究课题，

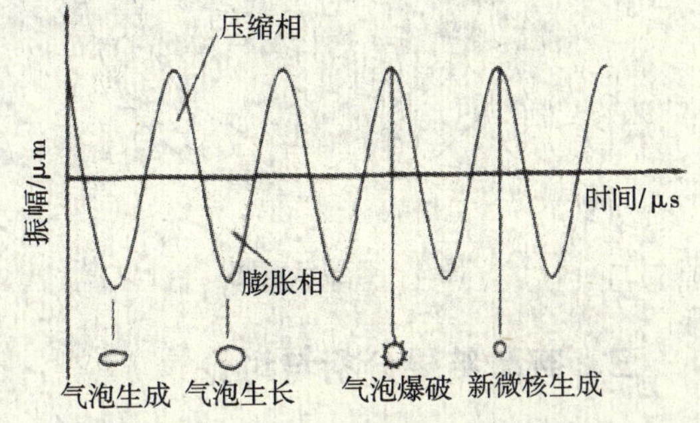

图1　空化泡生长标识图

探索爆炸冲击波作为污泥脱水预处理方法的可行性。炸药爆炸时产生5000K左右高温、几十万个大气压的爆轰产物，此爆轰产物在污泥中主要有以下两个作用：①冲击波的超压作用。此超压将达到几百兆帕，足以将污泥的絮状胶体结构破坏；②气泡脉动产生的后续作用。炸药爆炸产生的冲击波在密闭容器内将发生复杂的反射透射等现象，液体中将会出现压缩相和膨胀相，此时存在于液体中的微小泡核在压缩相和膨胀相共同作用下，体积生长、收缩，再生长、再收缩，多次周期性震荡，最终高速度崩裂的动力学过程。图1为空化泡生长标识图，描述了空化的产生过程。此过程发生时间极短（在数ns至μs之间），气泡内的气体受压后急剧升温，在其周期性震荡特别是崩溃过程中，会产生瞬态的极大的高温、高压，并使气泡内气体和液体界面的介质裂解。在水溶液中，发生空化时产生的主要影响有：①很高的流体剪切力；②自由基反应及化学转化作用。根据实验测定[11]，泡核内温度高达5200K，压力高达500MPa，泡核周围极小的空间内（泡核液相层厚度为200～300nm）的温度也可高达1900K。况且，空化泡崩溃时伴有强烈的冲击波和时速高达400km/h微射流，这就为在一般条件下难以实现或不可能实现的化学反应提供了一种极端物理化学条件。

二、实验部分

（一）实验装置

使用自制的爆炸容器，容器示意图如图2所示，该爆炸容器内直径为60cm，厚度为8cm，材料采用16MnR钢。炸药为黑索金，起爆器材为普通八号雷管。实验污泥取自北京市某污水厂，污泥沉淀后，倒去部分上清液，使污泥的含水率在97%左右。

（二）实验结果及实验步骤

将污泥倒入爆炸容器内，然后放入炸药，并使炸药位于爆炸容器中心，密封后引爆雷管，取污泥样品及原样放入离心机中离心，离心机转速都为3500r/min，离心时间为10min，离心结果如图3所示。倒去上清液，样品及原样都取底部进行含水率测试，测试仪器使用美国奥豪斯公司的MB45快速水分测定仪，测定结果如表1所示。

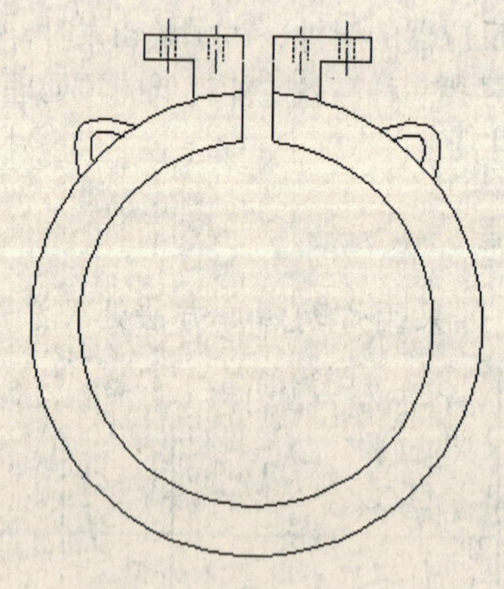

图2　容器示意图

图3　离心过后原样和样品对比图

三、实验结果分析与讨论

1. 从图3可以看出，经炸药爆炸过后的样品经离心后上部清液较浑浊，这是污泥颗粒在爆炸冲击波作用下破坏为较小粒径的结果，致使在一定离心力作用下不能很好沉淀。污泥颗粒粒径降到一定程度时将使污泥的污泥比阻达到最小，从而大大提高污泥的脱水效率。

表1　脱水率测试结果表

原样含水率/%	炸药量/g	离心过后含水率/%
96.78	0	72.34
	15	74.61
	25	55.14
97.02	0	67.43
	20	59.32
	25	55.50

2. 从表1可以看出，不同污泥原样含水率在炸药爆炸作用后，离心过后的含水率是不同的，同一污泥含水率情况下，不同的炸药量作用下，离心过后的含水率有差异，效果最好的是污泥原样含水率为96.78%，炸药25g时，其离心过后的含水率达到了55.14%。原因是在爆炸冲击波作用下，污泥的菌胶团被破坏，其内的结合水释放出来。针对不同的含水率及不同的炸药量情况下，污泥的脱水效率还需要进行试验。

四、结论与展望

由实验结果可知，炸药爆炸产生的冲击波可以破坏污泥的絮状胶体结构，可以减小污泥颗粒的粒径，大大地提高了污泥的脱水效率，利用炸药爆炸产生的冲击波作为污泥的预处理方法是可行的，为高效、低廉的污泥处理技术提供了新的思路。

参考文献

[1] State Environmental Protection Administration（国家环保总局）. China's Environmental Yearbook（中国环境年鉴）[M]. Beijing: China Environmental Science Press, 2008: 665.

[2] T. I. Onyeche, Ultrasonic cell disruption of stabilized sludge with subsequent anaerobic digestion [J]. Ultrasonics 2002 (40): 31-35.

[3] Wang Q H. Upgrading of anaerobic digestion of waste activated sludge by ultrasonic pretreatment [J]. Bioresource Technol, 1999, 68 (3): 309-313.

[4] Tiehm A, NickeL K, Neis U. Ultrasonic waste activated disintegration for improving anaerobic stabilization [J]. Wat Res., 2001, 35 (8): 2003-2009.

[5] Neyens E, Baeyens J. A review of thermal sludge pre-treatment processes to improve dewaterability [J]. J Hazard Mater, 2003, B98: 51-67.

[6] Brooks R B. Heat treatment of activated sludge [J]. Wat Pollut Control, 1970, 69: 92-99.

[7] Qaio Wei, Wang Wei, Li Pan, et al. Sewage sludge microwave thermal hydrolysis process [J]. Environmental Science, 2008, 29 (1): 152-156.

[8] Rajan R V, Lin J G, Ray BT. Low-lever chemical pretreatment for enhanced sludge solubilization [J]. Water Pollut Control Fed, 1989, 61 (11-12): 1678-1683.

[9] Zhang Liujun. The method of explosive stone-fill in treating with soft clay ground [J]. Journal of Fuzhou University: Natural Science Edition, 2000, 11 (28): 44-51.

[10] Zhang Xiaodong. Explosive sterilization method [N]. Science Report, On February 5, 2007.

[11] Suslick K S, Neis U. The Chemical Effects of Ultrasound [J]. Scientific American, 1989, 43 (2): 80-86.

污泥资源化利用技术研究进展

李　冰[1]　郑　涛[2]　王　梅[1]

（1. 东北大学材料与冶金学院　110004；2. 沈阳市北部污水处理厂
沈阳市和平区文化路3巷11号　110004）

摘　要　随着国内污水处理事业的发展，污水厂总处理水量和处理程度将不断扩大和提高，产生的污泥量日益增加，污泥的处理处置问题日益突出。本文分析了我国污泥处理处置及资源化利用的现状，介绍了一些先进的污泥资源化利用技术的研究进展，对未来发展趋势进行了展望。

关键词　污泥　资源化利用　现状　研究进展

一、前　言

污泥是污水处理过程中产生的固体废弃物，随着国内污水处理事业的发展，污水厂总处理水量和处理程度将不断扩大和提高，产生的污泥量也日益增加，目前在国内一般污水厂中其基建和运行费用占总基建和运行费用的20%～50%。污水污泥含水量高，易腐烂，有强烈的臭味，除了丰富的氮、磷等营养物质，还存在铜、砷、铅、锌、铝、汞等重金属、致病菌和寄生虫等有毒有害成分和难降解的有机污染物等有害成分[1]。为防止污泥造成的二次污染及保证污水处理厂的正常运行和处理效果，探讨并寻求经济有效的适合我国国情的污泥处置技术，具有重要的现实意义。

二、污泥处理处置及资源化利用的现状

污泥处理应以减量化、稳定化、无害化为处理目的。一般而言处理可供选择的方法大致有浓缩、消化脱水、焚烧、堆肥等，然后是最终处置。传统的污泥处置方式有填埋、焚烧、排海等。污泥资源化利用，是指将污泥进行适当的处理后，从废弃物变为可以利用的资源。污泥资源化利用方式有农用、直接制砖、热能利用、制取活性炭等。相关的预处理技术，包括厌氧消化法、湿式氧化法、堆肥稳定法、利用蚯蚓生态床处理污泥、利用超声波处理污泥、利用表面活性剂改进污泥脱水性能、污泥熔化技术、膜生物反应器、破坏生物细胞、利用微型动物削减污泥产量、臭氧处理工艺等。污泥处理方案应根据当地污泥的性质与数量、投资情况与运行管理费用、环境保护要求及有关法律与法规、城市发展动态及污泥资源化利用，综合考虑后选定[2]。

在我国污泥处理处置的主要方法中，主要可分为农林利用、建材化利用（制砖、陶粒等轻质材料、水泥）、能源化利用、制取吸附剂、污泥中蛋白质的利用、用于聚合物复合材料等[3]。其中，污泥农用约占44.8%、陆地填埋约占31.0%、其他处置约占10.5%、未经处置约占13.7%。由此可见我国城市污泥的处置方法一直以农用为主。

三、污泥资源化利用的技术及研究进展

基于变废为宝的理念，污泥资源化利用是污泥处理可持续发展的重要途径，同时有利于使社会效益、经济效益和环境效益相统一。根据污泥的特性及当地的实际情况，污泥综合利用可采用以下几种方法：

（一）污泥农用

污泥直接施用于农田和牧场。南京农业大学和湖南农学院对田间施用污泥做了大量试验，发现施用污泥能显著增产，稻麦籽粒和秸秆平均增产分别为38%和41%，蔬菜可食用部分则平均

增产11.7%。研究表明，施用污泥后土壤中植物所需的许多营养元素的含量都显著增加，牧草产量明显提高[4]。

（二）污泥堆肥处理

污泥堆肥土地利用与传统的污泥直接土地利用明显不同。在我国，污泥堆肥主要有两种方式，一是污泥消化或污泥和垃圾等其他物质混合堆肥后农用；二是污泥经过堆肥发酵制成复合肥农用。前者采用中温厌氧消化处理，有产气率高、含水率低等优点，但该种方法由于病菌几乎没有减少，因此，推广中受到限制。而采用污泥经过堆肥发酵制成复合肥农用法，堆肥时一次发酵周期约为7～10d，二次发酵周期约为一个月，堆肥的最佳温度50～65℃。通过堆肥过程的生化反应，使污泥达到稳定化和无害化的要求，堆肥后无蚊蝇滋生，基本无臭味，外观呈较松散，已达到腐熟程度，既杀死了污泥中的有害细菌，又能提高其肥效。污泥堆肥可明显促进植物生长，使土壤的理化及生物学性质改善，在非食物链植物上施用污泥堆肥对环境的不良影响很小，只要控制好污泥中的不稳定成分，该方法具有很好的发展潜力[5]。

（三）污泥厌氧发酵工业化制气

用污泥生产沼气已经有100多年的历史，但作为规模化、工业化的生产却是近20年的事。现代工艺是在电脑化控制的反应容器内，根据处理物的各种不同条件随时对容器里的厌氧环境进行调节，达到充分利用自然界普遍存在的微生物，参与有机物逐级发酵降解、水解、酸化、气化，最终实现甲烷化。发酵产物沼气中主要是气态的甲烷和二氧化碳，将其收集后用作清洁燃料。另一方面，对温室效应而言，甲烷气体是一氧化碳的22倍。所以，在处理污泥等废弃物的同时，采集、利用含甲烷达50%左右的沼气，并加以利用，除具有一定的经济效益外，对减轻温室效应具有重大意义。排出的残渣（仅剩原总量的40%左右）中因存在环状化合物的聚合物腐植酸，可做城市绿化的基肥、土料。厌氧发酵/工业化制气的主要优点是资源化程度高，产生高热值沼气的同时生产了有机肥料；大气污染小，无二恶英、酸性物及粉尘产生；生产环境好，臭气产生量极小。针对城市生活污泥的特点，厌氧发酵/工业化制气处理技术具有十分广泛的应用前景。

（四）建材利用

污泥中含有大量的灰分、铝、铁等成分，是建筑材料中不可缺少的添加剂。将污泥（85%含水率）与粉煤灰以1:3比例混合，烧制建材制品，制成品性能优良，无臭味，基本符合卫生标准，且重金属含量大为降低，接近土壤[4]。

近年来，日本研究利用城市污水处理厂产生的脱水污泥为原料制造水泥技术。这种类型的水泥的原材料约60%为废料，水泥烧成温度为1000～1200℃，因而燃料用量和二氧化碳的排放量也较低，该水泥被称为“环保水泥”。由此可知，污泥生产水泥既是污泥资源化的重要途径，也是行之有效的方法[5]。

污泥中含一定数量的细菌蛋白，利用活性污泥中所含粗蛋白（有机物）与球蛋白（酶）能溶解于水及稀酸、稀碱、中性盐的水溶液这一性质，可使污泥制成生化纤维板，将污泥在碱性条件下加热、干燥和加压，使其发生蛋白质的变性作用，制成活性污泥树脂（又称蛋白胶），然后与漂白、脱脂处理的废纤维压制成板材，其品质优于国家三级硬质纤维板的标准。

据报道，沥青混合物中必须加入细骨粒才能增强沥青的黏度、稳定性和耐久性等。日本1997年开始探讨用污泥灰的可行性，经实验分析，加入了污泥灰的沥青混合物，其各方面性能与传统的材料制成的混合物相同。平均每年节约成本1000万日元，减少9t二氧化碳的排放。

（五）受损土壤的修复与改良

根据城市污泥的特点：含有大量氮、磷、钾和有机质，具有较强的黏性和吸水性，可以用作土壤改良剂。较常见的受损土壤有采矿残留矿场、取土后的凹坑、垃圾填埋场、地表严重破坏地区等。这类土壤一般已失去土壤的正常特性，无法直接种植。施入污泥可以增加土壤养分，改良土壤特性，促进土壤熟化。这样既促进地表植物的生长，又避开了食物链，恢复了生态环境，有良好的社会效益和经济效益。莫侧辉等对矿山废弃地的复垦进行了研究，结果表明，随着污泥施用量的增加，废弃地有机质含量提高，土壤理化性质改善，水土流失减少。

（六）污泥制动物饲料

污泥中含有大量有价值的有机质（蛋白质和脂肪酸等）。其中 70% 的粗蛋白以氨基酸形式存在，各种氨基酸之间相对平衡是一种非常好的饲料蛋白。但如何将污泥中的营养成分转化成饲料蛋白，目前研究得还不够深入，长期利用污泥蛋白产生的有毒物质在动物体内累积，造成的潜在危害和长远影响还有待于进一步研究。

（七）污泥改性制吸附剂

污泥中含有大量有机物，它具有被加工成吸附剂的客观条件。在一定高温下，以生化污泥为原料，通过化学改性活化处理可制得含碳吸附剂。含碳吸附剂对 COD 及某些重金属离子有很高的去除率，是一种优良的有机废水处理吸附絮凝剂。污泥制活性炭絮凝剂的研究在我国刚刚开始，许多方面的工作还有待深入。

四、结　语

污泥的最佳处置途径是资源化利用，它不仅可以处置污泥，而且还可以充分利用资源，节约资源，为污水处理厂的污泥处置与处理找到一条化害为利、变废为宝的合理出路，实现经济利益与社会效益同步增长。污泥堆肥土地利用、建材利用、厌氧发酵工业化制气技术等都能够充分利用污泥中有机物含量高的特点，不仅可以解决污泥出路问题，也产生大量的有用物质，节省了大量的土地面积，是适合我国国情的有前途的污泥处置方法。鉴于污泥土地利用所涉及的研究与利用等方面的种种问题，要想达到安全有效的目标，需要政府有计划地组织环境保护部门同农业部门开展污泥土地利用方面的科学研究，以经济、安全、合理、有效、有益的原则利用污泥，以发挥其巨大的经济效益、社会效益和生态效益[5]。

参考文献

[1] 段晓锋，杜培松．应用先进的废水处理技术实现水资源的合理利用［J］．川化，2007（2）：1－5.
[2] 张自杰．排水工程［M］．北京：中国建筑工业出版社，2000：328－329.
[3] 管丽攀，于衍真，冯岩．城市污泥资源化利用研究现状［J］．江苏化工，2007（2）：1.
[4] 张迎春，吕万崇．浅谈市政污泥的资源化利用和无害化处理［J］．山西建筑，2007（7）：19.
[5] 刘红梅，熊文美．城市污水处理厂污泥资源化利用途径探讨［J］．环境保护科学，2007，33（4）：81－83.

活性污泥利用甘蔗渣进行发酵产氢的特性

焦安英[1]　李永峰[1,2]　刘　琨[1]
（1. 东北林业大学林学院　哈尔滨市香坊区和兴路26号　150040；
2. 上海工程技术大学化学化工学院）

摘　要　制糖废料甘蔗渣富含纤维素类物质，采用厌氧活性污泥为接种物，以甘蔗渣为发酵底物，进行间歇实验，研究其发酵产氢的特性，并利用色谱分析仪分析了气相和液相产物的组成。结果表明，当温度为35℃时，获得不同实验温度条件下最高比产氢率为30.5mlH_2/g甘蔗渣。初始pH在6.8～7.4时，氢气产量随着初始pH的增加而增加，pH范围在7.7～8.5之间时，氢气产量先下降后升高，pH为8.5时获得最大产氢量，最大比产氢率为32mlH_2/g甘蔗渣。

关键词　生物制氢　活性污泥　甘蔗渣

甘蔗渣是制糖工业的主要副产物，主要含纤维素、半纤维素和木质素，其中，纤维素含量约为35.4%，半纤维素含量约为20.6%，木质素含量约为18.6%。[1]我国海南、广西、广东、云南、福建等省都是主要以甘蔗为原料的产糖基地，我国每年甘蔗种植面积约120hm^2，每年产生的甘蔗渣约800万t[2]，甘蔗渣产量大，易于收集。随着工业化的进展，化石燃料消耗巨大，但因其储量有限，趋于枯竭。氢能是最清洁的能源，氢气燃烧值达122kJ/m^3，在工业中具有广泛的应用。目前，全世界几乎90%的氢气是通过天然气重整或轻油组分重整制取的，而天然气不仅是不可再生能源，重整天然气制氢还会释放温室气体和部分污染物[3]。生物制氢主要分为光合制氢和暗发酵制氢两种。与常规制氢方法相比，生物制氢可利用有机废弃物生产氢气[4]。将制糖产生的副产物甘蔗渣转化为可利用的清洁新型能源不仅有利于缓解化石能源开采和利用所带来的环境问题，还可以实现废弃资源的再生利用。本文以甘蔗渣为厌氧发酵生物制氢底物，进行间歇实验，探讨了不同温度和起始pH条件对液相末端产物和产氢能力的影响。

一、材料与方法

（一）实验材料

实验所用甘蔗渣通过微型甘蔗压榨机将去皮甘蔗压榨三次后剩余的蔗渣，经清水冲洗并烘干至恒重，经微型植物粉碎机粉碎，样品取样量为5g。

接种污泥取自哈尔滨市城市污水处理厂活性污泥，经驯化培养两周后取80ml接种至培养瓶内。

（二）实验装置

间歇实验的装置如图1所示。反应器为100ml的封口瓶，通过恒温空气浴控制培养瓶的温度。为保证反应系统的厌氧环境，在接种之前，用高纯氮（99.99%）吹脱20min驱除培养瓶中气相和液相中的氧，进一步用煮沸吹脱液相中的溶解氧。空气浴振荡培养，转速为120r/min。收集反应系统所产生的气体，并测试氢气含量。

（三）发酵产物分析方法

发酵气体的测定：发酵气体组分采用GC－7890型气相色谱仪，进行分析测定，柱长2m，担体Porapak Q，50/80目，热导池检测器（TCD），氮气（99.99%）作为载气，流速为20ml/min。

液相末端挥发性发酵产物测定：采用GC－7890型气相色谱仪，对液相末端产物进行测定。气相色谱仪的不锈钢色谱填充柱长3m，担体GDX103，60～80目，氢火焰检测器（FID），氮气作为载气，流速为30ml/min，氢气流速为30ml/min，空气流速为490ml/min，进样温度200℃，柱温和检测器温度分别为180℃、220℃。

二、结果与讨论

（一）温度对甘蔗渣生物制氢的影响

温度对发酵产氢的影响主要是通过对系统中微生物的生长速率及产氢酶活性的影响来实现的，不同发酵产氢菌的产氢温度存在较大差异[5,6]。初始pH通过加入NaOH或HCl进行调节。此系列反应的初始pH为8.0。实验设计温度变化范围为25～40℃，温度增加梯度为5℃。由图2可以看出，随着发酵环境温度的升高，反应系统产气量先经过缓慢的增加，而后快速增长直至停滞。经色谱分析仪分析得知气相产物主要为H_2和CO_2。当温度为35℃时，反应系统的产气量较高，在反应开始的10～14h，系统进入快速发酵产气阶段，到达第16h时，获得最高比产氢率为30.5mlH_2/g甘蔗渣。根据图2及实验数据分析可知，在一定范围内，温度升高可加快甘蔗渣的发酵产氢速率，获得较高的产氢量，但当发酵环境温度升高至40℃时，系统的产气产氢量均降低。

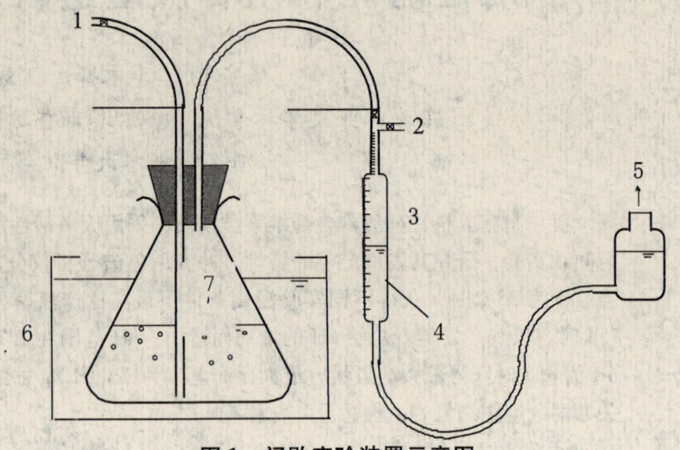

图1　间歇实验装置示意图

1. 取样　2. 气体取样　3. 气体计量　4. $NaHCO_3$溶液　5. 气体释放　6. 空气浴　7. 反应瓶

（二）温度对液相末端产物的影响

对不同环境温度发酵产氢系统的液相末端产物进行色谱分析，结果如图3所示。检测到的主要液相末端产物有乙醇、乙酸、丙酸和丁酸。由图3可知，当温度为35℃时，液相末端产物的组成主要为乙醇和乙酸，乙醇浓度此时最高，达531.362 4mg/L；当发酵温度为40℃时，乙酸的浓度达到最高，为891.078 1mg/L；丁酸含量最高时的发酵温度为30℃；当系统温度为25℃时，液相末端产物的各组分浓度均较低，由此可知系统发酵产酸状况不佳。由于温度能够影响发酵系统中产氢菌的活性，从而影响到微生物对甘蔗渣的降解和利用，最终导致所形成的液相末端产物的组成异同。

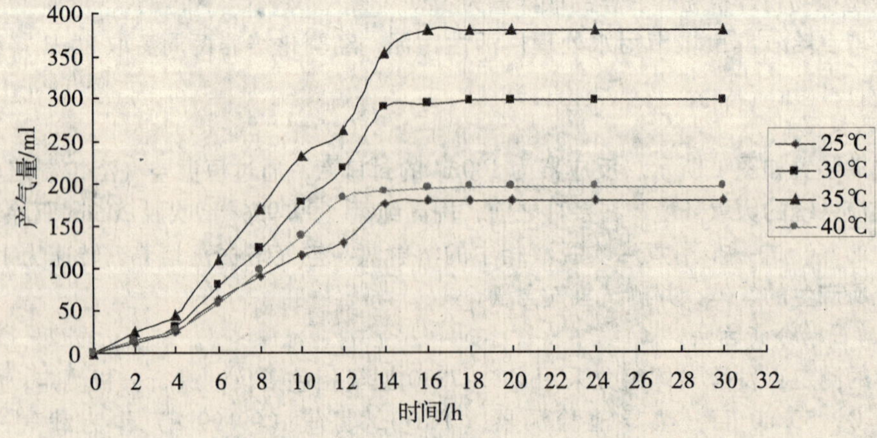

图2　温度对反应系统产气的影响

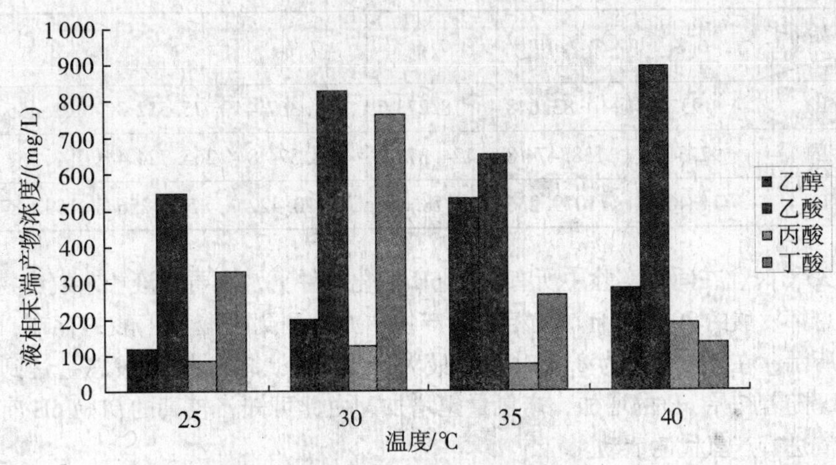

图3　温度对液相末端产物浓度的影响

（三）初始 pH 对产氢的影响

pH 不但影响产酸发酵细菌的生理活性，而且对产酸发酵细菌的发酵末端产物组成影响很大，是发酵过程中最重要的非生物因子之一[7,8]。pH 对产酸发酵细菌生命活动的影响主要包括：引起细胞膜电荷的变化，进而影响产酸发酵细菌对营养物质的吸收；影响代谢过程中酶的活性；改变生长环境中营养物质的吸收以及有害物质的毒性[9]。厌氧发酵温度设定为35℃，初始 pH 通过加入 NaOH 或 HCl 进行调节。初始 pH 的变化对氢气产率的影响如图 4 所示，初始 pH 在 6.8～8.5 之间变化。由图 4 可知，初始 pH 在 6.8～7.4 时，氢气产量随着初始 pH 的增加而增加，pH 范围在 7.7～8.5 之间时，氢气产量先下降后升高，pH 为 8.5 时获得最大产氢量，最大比产氢率为 32mlH_2/g 甘蔗渣。由于在厌氧发酵过程中会产生大量的挥发酸，使得混合液的 pH 迅速下降，实验结果表明，过低的 pH 会导致甘蔗渣降解效率下降。

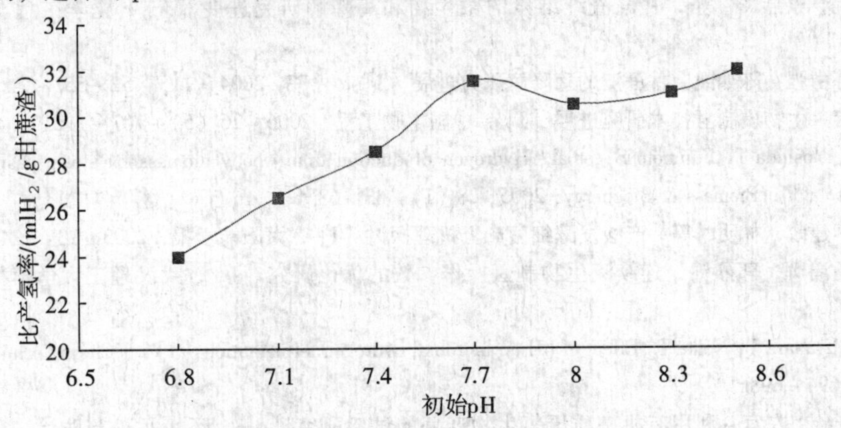

图4　初始 pH 对甘蔗渣发酵氢气产率的影响

（四）初始 pH 对甘蔗渣发酵液相末端产物的影响

表 1 为间歇实验中，初始 pH 在 6.8～8.5 之间变化时，甘蔗渣发酵效率的变化情况。

表1　初始 pH 变化对液相末端产物的影响

初始 pH / 挥发酸	6.8	7.1	7.4	7.7	8	8.3	8.5
乙醇/（mg/L）	136.364 7	263.648 8	327.438 9	463.947 3	531.362 4	592.374 8	653.837 4
乙酸/（mg/L）	384.268 9	593.464 8	648.578 3	576.732 9	653.636 7	704.465 8	779.253 7

挥发酸 \ 初始 pH	6.8	7.1	7.4	7.7	8	8.3	8.5
丙酸/（mg/L）	93.468	83.648	78.273 7	101.367 4	75.532 3	102.465 8	91.464 7
丁酸/（mg/L）	97.364 7	138.474 8	124.374 8	178.374 8	265.724 4	193.567 3	182.654 7
总量/（mg/L）	711.466 3	1079.236	1178.666	1320.422	1526.256	1592.874	1707.211

在温度为35℃时，在间歇实验中所有初始 pH 变化条件下，主要的液相末端产物为乙醇和乙酸，含量超过总挥发酸的70%以上。液相末端产物中亦检测到丙酸和丁酸的存在，但相对浓度较小。如图4所示，在初始 pH 为8.5时获得最大产氢量，此时，挥发酸总量达到最大值，为1 707.211mg/L。随着初始 pH 的增加，产氢量也增加，由此可知，较高的初始 pH 有利于微生物利用降解甘蔗渣进行产氢代谢活动。

三、结　论

甘蔗渣可用于作为生物制氢的发酵底物。实验证明，由于甘蔗渣属于具有复杂结构的木质纤维类物质，较高的 pH 有利于微生物的产氢代谢活动，当初始 pH 在6.8～7.4之间变化时，产氢量随着 pH 的升高而增加，在7.7～8.5之间变化时，产氢量先下降而后升高，在初始 pH 为8.5时，间歇实验系统获得最大产氢量，最高比产氢率为32mlH_2/g 甘蔗渣。不同发酵温度条件下，微生物利用甘蔗渣的产氢活性也有变化，当温度在一定范围内升高时，产氢效能也相应地提高，但是过高的发酵温度不利于嗜温菌群的生化代谢进而影响到副产物 H_2 的生产，当发酵温度为35℃时，呈现最佳发酵产氢效果。

参考文献

[1] 邓强，张焜，蔡燕飞，等．甘蔗渣纤维素的微生物和酶降解研究进展［J］．化学工程与装备，2008：79－83.

[2] 黄祖新，陈由强，陈如凯．甘蔗渣的酶降解研究进展［J］．甘蔗，2004（11）：52－55.

[3] 于洁，肖宏．生物质制氢技术研究进展［J］．中国生物工程，2006，26（5）：107－112.

[4] Hanaoka T, Yoshida T, Fujimoto S, et al. Hydrogen production from woody biomass by steam gasification using a CO_2 sorbent［J］. Biomass & Bioenergy, 2005, 28（1）: 63－68.

[5] 任南琪，李建政，林明，等．产酸发酵细菌产氢机理探讨［J］．太阳能学报，2003，23：124－127.

[6] 吴小敏，杨鸿辉，郭烈锦．连续流生物制氢操作参数的优化研究［J］．武汉理工大学学报，2006，28：174－180.

[7] Lee Y J , Miyahara T, Noike T. Effect of pH on bicrobial hydrogen fermentation［J］. J Chem Technol and Biotech, 2002, 77: 694－698.

[8] 左剑恶，张薇，左宜．利用有机基质厌氧生物产氢的试验研究［J］．环境污染与防治．2003，25（4）：200－204.

[9] 任南琪，王宝贞．有机废水发酵法生物制氢技术原理与方法［M］．哈尔滨：黑龙江科技出版社，1994：10－30.

污水处理厂污泥对 Cu^{2+}、Zn^{2+} 吸附性能的研究

加紫薇　廖　力　朱维琴　金　俊

（杭州师范大学生命与环境科学学院　杭州　310036）

摘　要　本文以污水处理厂污泥作为吸附剂，研究其对 Cu^{2+}、Zn^{2+} 吸附性能的差异，结果表明，污泥对 Cu^{2+}、Zn^{2+} 的吸附量均随着平衡浓度的增大而增大，且均符合 Henry 型和 Freundlich 型等温吸附过程，其中，污泥对 Zn^{2+} 的吸附固定能力高于对 Cu^{2+} 的吸附固定能力。在解吸率方面，随处理浓度的增大，污泥对 Cu^{2+}、Zn^{2+} 的解吸率均减小，相同条件下，以 Zn^{2+} 的解吸率相对较低。吸附动力学表明，一级动力学方程是描述污水厂污泥对 Cu^{2+}、Zn^{2+} 吸附动力学过程的最优方程，且污泥对 Zn^{2+} 的吸附速率相对较高。红外光谱特征分析表明，硅酸盐中的 Si－O 基团和脂肪醇中的 H－O 基团是污水厂污泥吸附 Cu^{2+} 的主要活性位点，而脂肪酸或芳香酸中的 COO^- 基团和硅酸盐中的 Si－O 基团是其吸附 Zn^{2+} 的主要活性位点。

关键词　污泥　吸附　Cu^{2+}　Zn^{2+}

随着工业的发展，含重金属的废水对人体和环境的危害越来越严重，已引起人们的广泛关注，如何有效地去除废水中的重金属已经成为当前十分迫切的任务[1,2]。在重金属离子污染的废水中，Cu^{2+}、Pb^{2+}、Cd^{2+}、Zn^{2+}、Hg^{2+} 等是废水排放中需要严格控制的环境污染物，其主要来源于电镀、矿石处理、冶炼、皮革、电子等工业领域。传统治理重金属污染废水的方法主要包括：化学沉淀法、电解法、离子交换法、膜分离法、活性炭吸附法等[3,4]，然而，这些治理方法存在操作费用高、高能耗及污泥产生量大等缺点，因此，急需寻找经济、高效去除废水中重金属离子的方法。相对而言，吸附法去除重金属离子的应用相对较为广泛，然而，吸附法中常用的吸附剂如氧化铁和活性炭等的生产成本相对较高[5-6]。近年来，有关开发利用低廉的工农业固体废弃物如活性污泥[7]、飞灰[8]、稻壳[9]等作为吸附材料的研究成为研究热点。污泥是污水处理厂需要处理和处置的主要废物之一，其产生量大，成分复杂，主要由好氧颗粒物，污水和废水中的泥沙、纤维和动植物残体及其吸附的细菌、重金属等物质组成[10]，若将污泥随意处置，其中所含的有毒物质对生态环境会造成很大的危害[11,12]。常用的污泥处置方法有农用、焚烧、低温热解、高温堆肥、制作建材、环保材料、填埋、投海等[13]，亦有研究利用污泥制备吸附剂去除废水中的苯酚[14]与结晶紫[15]等。本研究选用污水处理厂的脱水污泥作为吸附剂，就脱水污泥对 Cu^{2+}、Zn^{2+} 的吸附解吸特性及污泥吸附前后红外光谱特征的变化规律进行研究，从而为污水处理厂脱水污泥的减量化和资源化利用及废水中重金属离子的经济、有效去除提供理论依据。

一、材料与方法

（一）供试材料

本试验供试污泥取自于上海市某污水处理厂产生的脱水污泥，取得的污泥样品在阴凉处风干、碾碎、过筛（2mm）后用于试验。污泥的基本理化性状如下：pH 为 6.65，EC 为 1 491 μs/cm，有机质为 31.2%，全 N 为 2.91%，全 P 为 1.83%，全 K 为 1.72%，阳离子交换量为3.95 cmol/kg，全 Cu 含量为 1 934.3 μg/g，全 Zn 含量为 2 430.3μg/g，全 Pb 含量为 73.3μg/g，全 Cd 含量为 1.98μg/g。

（二）研究方法

1. 不同污泥基本性质测定

采用常规方法进行[16]。

2. 吸附试验

称取过2mm筛的风干污泥于50ml聚丙烯离心管（含盖离心管先称重并作记录）中，按照固液比（1∶25）分别加入不同量100mg/L Cu^{2+}溶液（Zn^{2+}溶液）（介质为0.01mol/L $NaNO_3$溶液）和0.01mol/L $NaNO_3$溶液，使固相中Cu^{2+}（Zn^{2+}）加入量分别为0、100、200、400、800、1 600、2 400、3 200mg/kg。悬液在恒温（25℃）振荡器中以200 r/min间歇振荡24h，在2500r/min下离心15min，中速定量滤纸过滤，用原子吸收分光光度计测定滤液中Cu^{2+}、Zn^{2+}浓度。同时称取残余固相和含盖离心管的总重并作记录，Cu^{2+}源为Cu（NO_3）$_2$，Zn^{2+}源为Zn（NO_3）$_2$。以上试验均重复3次。

3. 解吸试验

在以上含残余固相的离心管中分别按固液比1∶25加入pH为5.0的0.01mol/L $NaNO_3$溶液，加盖后用力摇荡，以使离心管内残余固相分散，然后置恒温振荡器中以200r/min（25℃）间歇振荡24h，在2 500r/min下离心15min，上清液用中速定量滤纸过滤。用原子吸收分光光度计测定滤液中Cu^{2+}、Zn^{2+}浓度。以上试验均重复3次。

4. 吸附动力学

称取一定质量过2mm筛的风干污泥于50ml聚丙烯离心管（含盖离心管先称重并作记录）中，按固液比1∶25分别加入初始浓度为10、200 mg/kg、800 mg/kg的Cd^{2+}，Zn^{2+}溶液，置恒温振荡器中以200r/min（25℃）分别振荡5、10、20和40 min，及1、2、4、8、16和24 h，在2 500r/min下离心15min，中速定量滤纸过滤，用原子吸收分光光度法测定上清液中Cu^{2+}、Zn^{2+}浓度，并计算它们在污泥的吸附量。以上处理均重复3次。

5. 红外光谱分析

取Cu^{2+}、Zn^{2+}吸附前后的污泥（吸附时间为24h，前述800mg/kg处理）样品约2mg，按1∶100的比例与KBr混合研磨后压片，使用Nicolet Magna 750型FTIR光谱仪进行分析。测定波长范围从400/cm到4 000/cm，扫描32次，分辨率为4/cm，每一个光谱都进行了空气背景校正。采用KBr压片法进行红外光谱特征分析。

6. 计算方法

（1）吸附量$Y=V(C_0-C_e)/m$，单位mg/kg。式中：V为离心管中液体体积；C_0为Cu^{2+}、Zn^{2+}初始浓度（mg/L）；C_e为离心管上清液中Cu^{2+}、Zn^{2+}浓度，mg/L；m为土重，g。

（2）解吸量$X=VC_e/m$，单位mg/kg。式中：V为离心管中液体体积（35ml）；C_e为离心管上清液中Cu^{2+}、Zn^{2+}浓度，mg/L；m为土重；g。

（三）数据处理方法

用DPS（V 8.01）进行数据处理及拟合[17]。

二、结果与讨论

（一）污泥对Cu^{2+}、Zn^{2+}的等温吸附特性

污泥对Cu^{2+}、Zn^{2+}的吸附量随着平衡液浓度的增大而增大，且在低Cu^{2+}、Zn^{2+}初始浓度下，污泥对Cu^{2+}、Zn^{2+}的吸附量差别不是很大。但随着起始Cu^{2+}、Zn^{2+}浓度增高，污泥对Zn^{2+}的吸附量明显高于对Cu^{2+}

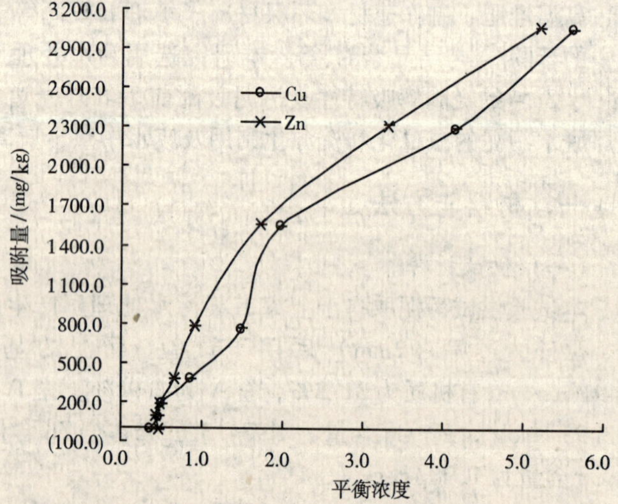

图1　污泥对Cu^{2+}、Zn^{2+}的吸附等温线

的吸附量（见图1），但两者均一直未达平衡状态。

采用 Langmuir 方程、Freundlich 方程和 Henry 方程就污泥对 Cu^{2+}、Zn^{2+} 的吸附量数据进行拟合，有关等温式及其拟合参数如表1所示，从表1可以看出，污泥对 Cu^{2+}、Zn^{2+} 的吸附等温线与 Henry 方程（相关系数 R 分别为 0.984 0、0.974 2）和 Freundlich 方程（相关系数 R_2 分别为 0.9676、0.960 1）均有很好的拟合性，相关程度均达到极显著水平，在一定程度上两种方程可较好描述该污泥对 Cu^{2+}、Zn^{2+} 的吸附。而 Langmuir 方程对污泥吸附 Cu^{2+}、Zn^{2+} 拟合结果较差，未达显著相关水平，这可能与 Cu^{2+}、Zn^{2+} 加入量还没有达到很高水平有关。可见，污泥对 Cu^{2+}、Zn^{2+} 吸附行为同时符合 Henry 型和 Freundlich 型等温吸附过程。另有研究表明，平衡常数 K_h 值的大小，代表吸附剂与金属离子的结合强度，K_h 值越大，则结合强度越强[18]。由表1可见，污泥对 Cu^{2+}、Zn^{2+} 吸附的 Henry 等温方程中，其 K_h 分别为 574.97、623.16，污泥对 Cu^{2+}、Zn^{2+} 吸附的 Freundlich 等温方程中，其 K_f 分别为 580.50、774.92，即在两种等温吸附方程中，污泥对 Zn^{2+} 吸附的平衡常数 K 较大，对 Cu^{2+} 吸附的平衡常数较小，说明污泥对 Zn^{2+} 的吸附固定能力高于对 Cu^{2+} 的吸附固定能力。

表1　污泥对 Cu^{2+}、Zn^{2+} 等温方程拟合参数

吸附质	Henry 型 $G=A+K_hC_e$			Frendlich 型 $G=K_fC_eb$			Langmiur 型 $G=G_0C_e/(A+C_e)$		
	A	K_h	R	K_f	B	R_2	G_0	A	R
Cu^{2+}	-51.27	574.97	0.984 0	580.50	0.98	0.967 6	57.14	-1.35	0.571 9
Zn^{2+}	66.86	623.16	0.974 2	774.92	0.86	0.960 1	128.21	-1.60	0.332 7

（二）污泥对 Cu^{2+} 及 Zn^{2+} 的解吸特性及其与吸附作用的关系

吸附和解吸是一个可逆的过程，被吸附的金属离子能在一定条件下被解吸下来。解吸量或解吸率（解吸量占吸附量的百分数）可作为吸附强度指标，往往用来说明胶体表面活性吸附位点与金属离子结合的牢固程度[19]。从表2可以看出，在解吸率方面，随处理浓度的增大，污泥对 Cu^{2+} 的解吸率（1.4% ~6.6%）和对 Zn^{2+} 的解吸率（1.1% ~5.9%）均减小；且在相同处理梯度下，污泥对 Zn^{2+} 的解吸率低于污泥对 Cu^{2+} 的解吸率，但两者相差不大。而另由表2可见，污泥对 Cu^{2+} 的吸附率为 88.2% ~95.6%，对 Zn^{2+} 的吸附率为 89.0% ~95.9%，即污泥对 Cu^{2+} 的吸附率低于对 Zn^{2+} 的吸附率。这一方面说明污泥中有相当一部分吸附态 Cu^{2+} 不能解吸；另一方面污泥中吸附态 Cu^{2+} 的相对较低解吸率亦与污泥对 Cu^{2+} 有更强的吸附固定能力的结论相一致。一般来说，静电吸附态重金属可被碱金属或碱土金属盐溶液解吸且解吸速率较快，而专性吸附态或络合态重金属不易被解吸，所以污泥中丰富的腐殖质组分除对 Cu^{2+} 具有吸附作用外，可能尚具有较强的络合作用。

表2　污泥对 Cu^{2+}、Zn^{2+} 的吸附率与解吸率

深度梯度	Cu^{2+}		Zn^{2+}	
	吸附率/%	解吸率/%	吸附率/%	解吸率/%
1	ND	ND	ND	ND
2	88.2	6.6	89.0	5.9
3	93.7	3.7	94.0	3.4
4	94.6	2.6	95.9	2.0
5	95.4	1.5	97.2	1.3
6	96.9	1.4	97.3	0.9
7	95.7	1.4	96.6	1.1
8	95.6	1.4	95.9	1.2

注：浓度梯度从1~8行分别为0、100、200、400、800、1600、2400、3200 mg/kg（由于在处理浓度梯度1时，并没有向样本中添加金属离子，不存在吸附率，故没有取这部分数据进行分析）。

（三）污泥对 Cu^{2+}、Zn^{2+} 吸附动力学行为

污泥对 Cu^{2+}、Zn^{2+} 的吸附动力学曲线如图 2 所示。在吸附初期，污泥对 Cu^{2+}、Zn^{2+} 的吸附均可以在 0.5h 内快速完成反应过程，当溶液中 Cu^{2+}、Zn^{2+} 初始浓度为 0.4mg/L 时，在整个吸附过程中污泥对 Cu^{2+}、Zn^{2+} 吸附量多为负值，即整个吸附过程表现为净解吸趋势，究其原因可能是背景 Cu^{2+}、Zn^{2+} 出现一定程度的离子“释放”现象，从而导致上清液中 Cu^{2+}、Zn^{2+} 浓度上升；而当溶液中 Cu^{2+}、Zn^{2+} 初始浓度为 8mg/L 和 32mg/L 时，整个吸附过程中污泥对 Cu^{2+}、Zn^{2+} 表现为净吸附现象，说明污泥对 Cu^{2+}、Zn^{2+} 的吸附动力学过程和吸附量受外源 Cu^{2+}、Zn^{2+} 浓度的影响较大。

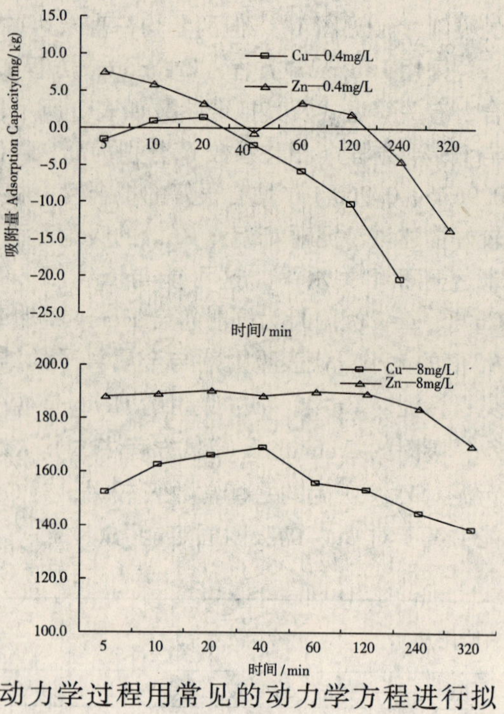

图 2　污泥对 Cu^{2+}、Zn^{2+} 的吸附动力学

对动力学方程模型的评价指标一般采用决定系数（r^2），拟合程度好的方程应具有较高的相关系数（r）[20]。就污水厂污泥对 Cu^{2+}、Zn^{2+} 的吸附动力学过程用常见的动力学方程进行拟合，结果如表 3 所示，从各方程的相关系数来看，污水厂污泥 Cu^{2+}、Zn^{2+} 的吸附均以一级动力学方程拟合相关系数最大，所以一级动力学方程是描述污水厂污泥吸附 Cu^{2+}、Zn^{2+} 的最优模型。由表 3 中最优一级动力学方程求导得出某时间点瞬时吸附量的变化得：$dy/dt = V = -b/(t+c)$（式中 b、c 为一级动力学方程的常数，V 为吸附速率）。由此式和图 2 的吸附动力学曲线可见，相同吸附时间下，污水厂污泥对 Zn^{2+} 的吸附速率均明显快于其对 Zn^{2+} 的吸附速率。

表 3　污泥对 Cu^{2+} 和 Zn^{2+} 吸附（25℃）的四种动力学方程相关系数

吸附质	浓度/(mg/L)	Elovich 方程 $Y=a+b\ln t$	Langmuir 动力学方程 $Y=t/Y_{max}+1/k$	一级动力学方程 $Y=a-b\ln(t+c)$	双常数方程 $Y=a+b\ln t$
Cu^{2+}	0.4	−0.908 8	−0.235 0	0.986 5	ND
	8	−0.647 4	−0.209 6	0.835 7	−0.658 6
	32	−0.448 8	−0.352 4	0.456 5	−0.451 6
Zn^{2+}	0.4	−0.868 8	0.125 1	0.991 9	ND
	8	−0.670 6	−0.307 0	0.949 6	−0.669 0
	32	0.733 3	0.918 3	0.854 3	0.734 4

注：Y 表示吸附量，Y_{max} 表示最大饱和吸附量，t 表示振荡时间（min），a，b，k 表示模型参数，R 值越大，该模型越优，$n=8$，$R_{0.05}=0.707$，$R_{0.01}=0.834$。下同。

（四）红外谱图分析

为了探明污泥的结构组成及其吸附 Cu^{2+} 或 Zn^{2+} 方面的官能团差异，就污泥吸附 Cu^{2+} 或 Zn^{2+} 前后的红外光谱特征进行了研究，污泥在吸附前、吸附 Cu^{2+} 后、吸附 Zn^{2+} 后的红外谱图及图中的各峰归属和波数分布分别如图 3 和表 4 所示。在吸附前，污水污泥的红外光图谱分别在波数为

3 399 cm^{-1}（宽、强峰）、3 000 ~ 2 800 cm^{-1}、1 659cm^{-1}、1 544 cm^{-1}、1 037 cm^{-1}范围内有明显的吸收峰，根据 Kaisert[21] 等和顾志忙[22] 等的图谱解析，3 399 cm^{-1}（宽、强峰）为 -OH 的 O-H 振动和 -NH 的 N-H 振动；3 000 ~ 2 800cm^{-1}为脂肪族 $-CH_3$ 和 $-CH_2$ 中的 C-H 振动或不饱烃中的 C ═ C 振动；谱图中1 659 cm^{-1}和1 544 cm^{-1}处的两个吸收峰分别对应于酰胺Ⅰ的 C ═ O 伸缩振动和酰胺Ⅱ的 N-H 弯曲振动；1 037 cm^{-1}处的吸收峰为 Al-O-Si 伸缩振动。另外从图 3 可见，污泥在吸附 Cu^{2+}、Zn^{2+} 后峰位置和峰强均发生了一定的变化，这说明 Cu^{2+} 或 Zn^{2+} 与污泥表面分布的官能团存在相互作用，使官能团上功能原子的化学键力发生了变化并致使振动吸收峰发生位置和波数上的移动。

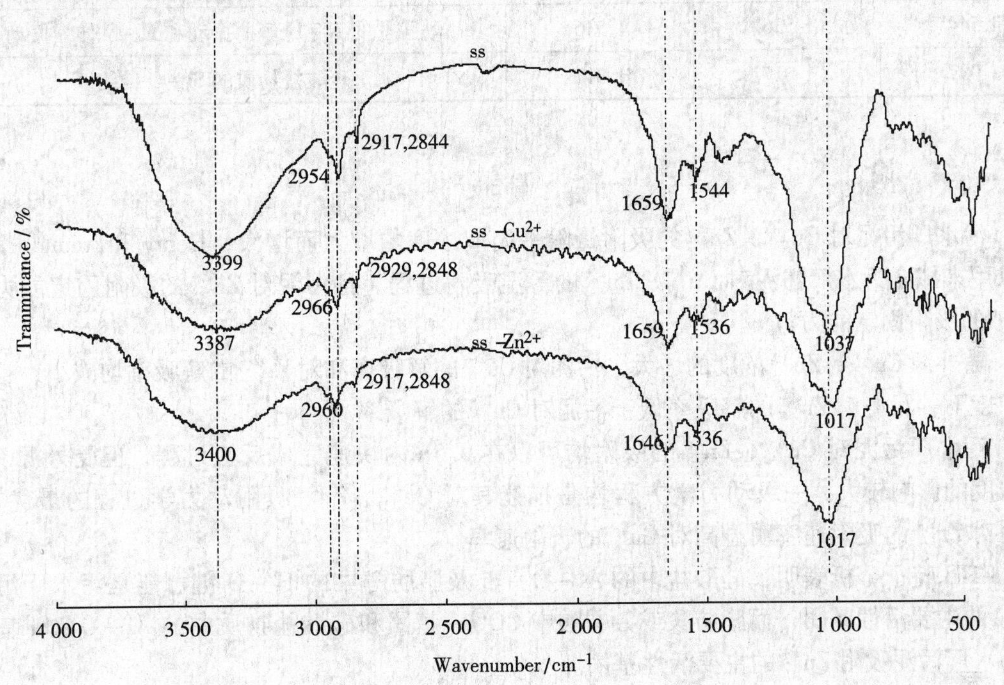

图 3　污泥吸附 Cu^{2+}、Zn^{2+} 前后红外光谱图

由图 3 和表 4 可见，污泥吸附 Cu^{2+} 后，其在1 659 cm^{-1}吸收峰的位置并未发生明显位移，说明酰胺 I 中的 C ═O 伸缩振动或羧酸盐中 COO - 反对称伸缩振动对 Cu^{2+} 吸附作用的影响不大。而其在3 399cm^{-1}、1 544cm^{-1}、1 037cm^{-1}吸收峰处却发生波数的明显位移，分别各低波数区移动了 12cm^{-1}、8cm^{-1}和 20cm^{-1}，说明污泥中的 N-H 键或 H-O 键和 Al-O-Si 键可能参与了对 Cu^{2+} 的吸附；同时，其在2 954 cm^{-1}、2 917 cm^{-1}、2 844 cm^{-1}处的吸收峰则向高波数区移动了 12cm^{-1}、12cm^{-1}和 8cm^{-1}，这可能是受脂肪醇中的 H-O 键结合 Cu^{2+} 后，受 C 原子的中介效应和空间位阻增加的影响，而导致 CH_3 和 $-CH_2$ 中的 C-H 或 C = C 振动能增强所致。由此可见，硅酸盐中的 Al-O-Si 及脂肪醇中的 H-O 键可能是污水厂污泥吸附 Cu^{2+} 的主要活性基团。

污泥吸附 Zn^{2+} 后，其在3 399cm^{-1}、2 954cm^{-1}、2 917cm^{-1}、2 844cm^{-1}处的吸收峰位置及峰强变化不明显，说明 -OH 的 O-H 和 -NH 的 N-H 可能未参与污泥对 Zn^{2+} 的吸附；但是，其在1 659cm^{-1}、1 544cm^{-1}和1 037 cm^{-1}处的吸收峰却发生了明显的波数变化，分别向低波数区移动了 13cm^{-1}、8cm^{-1}和 20cm^{-1}，说明污泥吸附 Zn^{2+} 的活性官能团亦主要是脂肪酸或芳香酸电离后的 COO - 基团和硅酸盐物质中的 Al-O-Si 官能团，究其原因，可能是在有极性基团如 Cu^{2+}、Zn^{2+} 存在时，会发生分子间的缔合或形成氢键[23]，从而导致 COO - 基团及 Al-O-Si 官能团周围电子云密度降低，伸缩振动所需能量减少所致。

表4　红外谱图中的各峰归属及波数分布

波数/cm^{-1}			归属
吸附前	吸附 Cu^{2+} 后	吸附 Zn^{2+} 后	
3 399	3 387	3 400	N－H 键或 H－O 键形成的振动
2 954，2 917，2 844	2 966，2 929，2 848	2 960，2 917，2 848	甲基、亚甲基的 C－H 伸缩振动
1 659	1 659	1 646	酰胺Ⅰ的 C＝O 伸缩振动、羧酸盐中 COO－反对称伸缩振动；芳香族化合物的 C＝C 振动
1 544	1 536	1 536	酰胺Ⅱ的 N－H 弯曲振动和 C－N 伸缩振动
1 037	1 017	1 017	硅酸盐物质的 Si－O 伸缩

三、结　论

1. 污水厂污泥对 Cu^{2+}、Zn^{2+} 的吸附量随平衡液浓度的增大而增大，Henry 和Freundlich方程均可以用来拟合污水厂污泥对 Cu^{2+}、Zn^{2+} 的等温吸附过程。且污泥对 Zn^{2+} 的吸附固定能力低于对 Cu^{2+} 的吸附固定能力。

2. 随外源 Cu^{2+}、Zn^{2+} 浓度的增大，污泥对 Cu^{2+} 的解吸率和对 Zn^{2+} 的解吸率均减小；且相同处理梯度下，污泥对 Zn^{2+} 的解吸率低于污泥对 Cu^{2+} 的解吸率。

3. 污水厂污泥对 Cu^{2+}、Zn^{2+} 的吸附均可以在 0.5h 内快速完成反应过程，但受外源 Cu^{2+}、Zn^{2+} 浓度的影响较大，一级动力学方程均是描述其对 Cu^{2+}、Zn^{2+} 吸附动力学过程的最优方程，且污泥对 Zn^{2+} 的吸附速率明显高对 Cu^{2+} 的吸附速率。

4. FTIR 特征分析表明，硅酸盐中的 Al－O－Si 及脂肪醇中的 H－O 键可能是污水厂污泥吸附 Cu^{2+} 的主要活性基团，而脂肪酸或芳香酸中 COO－基团和硅酸盐物质中的 Al－O－Si 基团可能是污水厂污泥吸附 Zn^{2+} 的主要活性基团。

参考文献

[1] 裴继春．水污染的危害及防治［J］．工业安全与环保，2006，32（3）：18－19.

[2] Martin C W. Heavy metal concentrations in floodplain surfacesoils Lahn River, Germany［J］. Environmental Geology, 1997, 30：119－126.

[3] 张剑波，冯金敏．离子吸附技术在废水处理中的应用和发展［J］．环境污染治理技术与设备，2000，1（1）：46－50.

[4] 孟祥和，胡国飞．重金属废水处理［M］．北京：化学工业出版社，2001.

[5] Benjamin M M, Slatten R S, Bailey R P, et al. Sorption and filtration of metals using iron oxide coated sand［J］. Water Research, 1996, 30：2609－2620.

[6] Vaglisindi F G A, Benjamin M M, Redox reactions of arsenic in As－spiked lakewater and their effects on As adsorption［J］. Journal of Water Supply and Research and Technoloygy, 2001（50）：173－186.

[7] Stasinakis A S, Thomaidis N S, Mamais D. Chromium species behaviour in the activated sludge process［J］. Chemosphere, 2003, 52：1059－1067.

[8] Bayat B. Comparative study of adsorption properties of Turkish fly ashes. I. The case of nickel（Ⅱ）, copper（Ⅱ）and zinc（Ⅱ）［J］. Journal of Hazardous Materials, 2002, 95：251－273.

[9] Teker M, Imamoglu M, Saltaba O. Adsorption of copper and cadmium ions by activated carbon from rice hulls［J］. Turk Journal of Chemistry, 1999, 23：185－191.

[10] 郭广慧．我国城市污泥中养分和重金属含量及农用潜力分析［D］．重庆：西南大学，2007.

[11] 姜华，季玉敏．乌鲁木齐市污水处理现状及污泥的潜在危害［J］．预防医学情报，2009，25（6）：458－459.

[12] 何品晶，等．污水厂污泥综合利用与消纳的可行性途径分析［J］．环境卫生工程，1997（14）：221－261.

[13] 赵丽君，张大群，陈宝柱．污泥处理与处置技术的进展［J］．中国给水排水，2001，17（6）：23－25.

[14] 林永波，张丹，施云芬，等．苯酚在干污泥上的吸附性能研究，农业环境科学学报，2007，26（增刊）：620－623.

[15] 王宏杰，董文艺，李伟光，等．活性污泥吸附结晶紫的研究［J］．环境科学，2008，29（10）：2856－2861.

[16] 鲍士旦．土壤农化分析［M］．北京：中国农业出版社，2005：242－400.

[17] 唐启义，冯明光．DPS 数据处理系统——实验设计、统计分析及数据挖掘［M］．北京：科学出版社，2007：859－876.

[18] 孙铁珩，周启星，李培军．污染生态学［M］．北京：科学出版社，2001：325－345.

[19] 陈盈，颜丽，关连珠，等．不同来源腐殖酸对铜吸附量和吸附机制的研究［J］．土壤通报，2006，37（3）：479－481.

[20] 董元彦，罗厚庭，李学垣．红壤、黄棕壤吸附磷酸根后对 Cu^{2+} 次级吸附的影响［J］．华中农业大学学报，1994，13（5）：466－472.

[21] Kaiser K，Zech W. Natural organic matter sorption on different mineral surfaces studies by FIRT spectroscopy［J］. Science of Soils，1997，2：71－74.

[22] 顾志忙，王晓蓉．傅里叶变换红外光谱和核磁共振法对土壤中腐殖酸的表征［J］．分析化学，2000，28（3）：314－317.

[23] 吴汉靓，刘荣厚，邓春健．木屑快速热裂解生物油特性及其红外光谱分析［J］．农业工程学报，2009，25（6）：219－223.

底物浓度对连续流发酵制氢系统的影响

韩　伟[1]　李永峰[1,2]　刘晓烨[1]　邓杰娥[1]　刘海波[1]　朱雷雷[1]　杨传平

（1. 东北林业大学　哈尔滨　150040；2. 上海工程技术大学　上海　201620）

摘　要　采用连续流搅拌槽式反应器（CSTR）为试验装置，用糖蜜废水作为有机底物，考察了进水COD浓度对产氢效能的影响。研究表明，在水力停留时间（HRT）为6h，温度（35±1）°C，CSTR反应器在进水COD浓度2000～6000mg/L变化时，即OLR＝8～24kg/（m^3·d），系统产氢效率随着进水浓度的提高而增加，并在进水COD为6000mg/L时，得到最大产气量和产氢量分别为23.49L/d和8.19L/d。然而，当进水COD浓度升高到8000mg/L后系统产氢效率呈下降趋势，系统中的产酸发酵类型由乙醇型发酵变为混合酸发酵。

关键词　生物制氢　活性污泥　进水COD浓度　乙醇型发酵

氢被认为是清洁、可回收能源，并是未来的主要能源[1,2]。因此，能源从化石燃料到符合环保氢能的转变是不可避免的[3]。鉴于这种发展，开发充分和有效的氢气是迫切需要的[4,5]。与传统的制氢方法，从有机废物以及其他可回收资源中生物转化可替代能源H_2被认为具有发展前景的[6]，这是由于氢的低成本，无污染等优点[7]。在已知的生物制氢工艺中，由专性厌氧或兼性厌氧（暗发酵）或者由依靠光能的光和细菌（光发酵）被认为更具可行性[8,9]。产氢发酵通过氢化酶调节反应[10]，使有机底物能够转变成H_2。暗发酵一直备受关注[11]，因为同其他生物制氢过程相比通常可达到更高的产氢率[12]，而且同时减少废物对环境的污染[13]。

CSTR生物制氢反应器具有较高的产氢效率，已有大量研究[14,15]。然而，要进一步提高CSTR系统的效率，影响产氢能力的一些关键因素需要进一步研究。在这项研究中，把进水COD浓度选定为工艺参数目标，因为它通常显著影响活性污泥混合菌群微生物的增长速度和代谢。因此，本研究利用CSTR反应器，研究进水COD浓度对系统高效稳定产氢的影响。

一、材料与方法

（一）试验污泥及驯化

污泥来自哈尔滨文昌污水处理厂，采用好氧曝气预处理30d左右，以抑制产甲烷污泥的活性，从而使产氢菌群具有较高的生长速率。经驯化后的污泥作为CSTR反应器的接种污泥。发酵制氢的有机底物为糖蜜废水。

（二）试验装置

试验采用有机玻璃连续流搅拌槽式反应器（CSTR），为反应区与沉淀区一体化结构，模型反应器总容积12.5L，有效容积为5.4L，反应器内部设有三相分离器，使气、液、固三相很好地分离，更有利于气体的传质与释放。采用计量泵将原水从进水箱泵入反应器内，通过调节计量泵的流量以保证系统进水恒定。试验装置见图1。

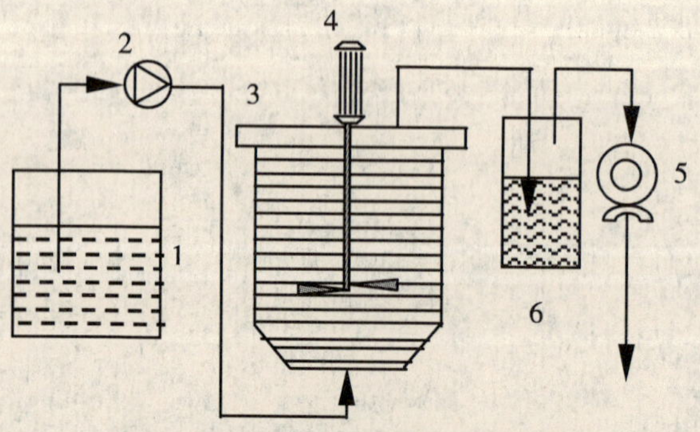

图1　连续流混合培养生物制氢系统

1——废水箱；2——计量泵；3——反应器；4——搅拌器；5——湿式气体流量计；6——水封

（三）反应器的运行控制

温度对产氢产酸发酵有显著影响，当温度

调节在35～38℃范围时，反应器中的厌氧活性污泥和微生物菌群具有最强的发酵与繁殖速度，其有机物酸化率及产气率达到最大。本实验采用将电热丝缠绕在反应器外壁的方式加热保温，通过温控仪将反应器内温度控制在（35±1）℃。

水力停留时间（HRT）表示有机物在反应器中的停留时间，直接制约着产氢代谢过程。停留时间过短，产酸发酵过程进行得不充分；停留时间过长，会影响反应器的发挥效能。根据产氢能力和悬浮物截留能力，生物制氢反应器的水力停留时间维持在4～6h较为宜。本实验通过调节恒流泵进水流量，控制反应器HRT为6h。

（四）分析方法

发酵气体产物及组分采用SC－Ⅱ型气相色谱测定，热导检测器（TCD），不锈钢色谱填充柱长2.0m，担体Porapak Q，50～80目。采用氮气为载气，流速为30ml/min。

液相末端发酵产物（VFAs）组分及含量采用GC－122型气相色谱测定。氢火焰检测器，不锈钢色谱填充柱长2.0m，担体为GDX－103型，60～80目。柱温、气化室和检测室温度分别为190℃、220℃、220℃。氮气作为载气，流速为30ml/min。

采用国家标准方法测定COD。采用PHS－25型酸度计测量pH和ORP。采用LML－1型湿式气体流量计计量产气量。

二、结果与讨论

研究进水COD浓度2000～8000mg/L［OLR＝8～32kg/（m^3·d）］范围内变化，对CSTR系统产氢效能的影响。研究发现，进水COD浓度在任何阶段的变化都会导致产氢量和液相发酵产物的巨大变化。

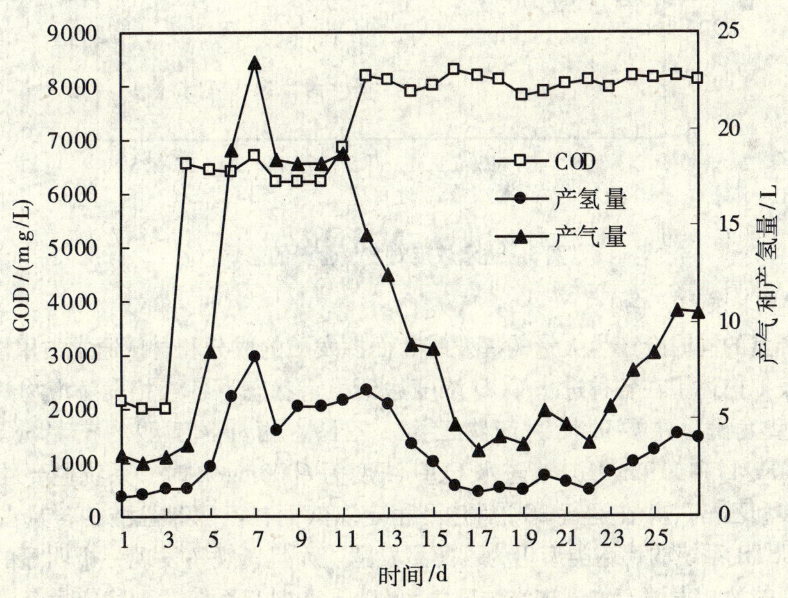

图2　进水浓度对产气量和产氢量的影响

（一）进水浓度对产氢的影响

产气和产氢量通常被认为是评价发酵制氢过程效率的重要因子。利用先前得到的稳定乙醇型发酵系统作为研究基础，通过逐步提高进水COD浓度（2000～8000mg/L）的方式，考察进水浓度对产氢的影响。在整个发酵过程中，气相产物中只有H_2和CO_2，并没有检测到甲烷的产生，这表明，好氧曝气预处理能有效地杀死（或抑制）混合菌群中产甲烷菌的活性。如图2所示，当进水浓度在2000～6000mg/L范围内，产氢量随着进水COD浓度的提高而增加，然而，当进水浓度进一步提高到 8000mg/L 时，发现产氢量明显下降。CSTR 系统最大产氢量为 8.19L/d（进水 COD = 6000mg/L），而明显高于进水浓度 8000mg/L 时得到的最大产氢量 4.2L/d，这表明，CSTR 系统在进水浓度为 6000mg/L 时产氢效率更高。图 3 为在整个进水浓度变化过程中氢气含量的变化情况。在运行情况相同的情况下，CSTR 系统在低进水浓度（2000～6000mg/L）同高浓度（8000mg/L）条件下相比，氢气含量并没有明显差异，然而，产气量在高浓度条件下比低浓度要少 37%～57%。同时发现，CSTR 系统在高浓度下运行时，生物量大量流失，而在低浓度条件下系统更加稳定。而且，在进水浓度从 2000mg/L 提高到 6000mg/L，同进水浓度从 6000mg/L 提高到 8000mg/L 相比，CSTR 系统所需要的适应时间更短。这一较短的时间表明，在 CSTR 系统中的产氢发酵污泥对于运行条件适当的变化具有较好的适应能力。虽然较高的进水 COD 浓度可能有利于提高系统的产氢能力，但是，过高的进水浓度会导致系统内生物量的流失，从而导致产气和产氢量的下降。

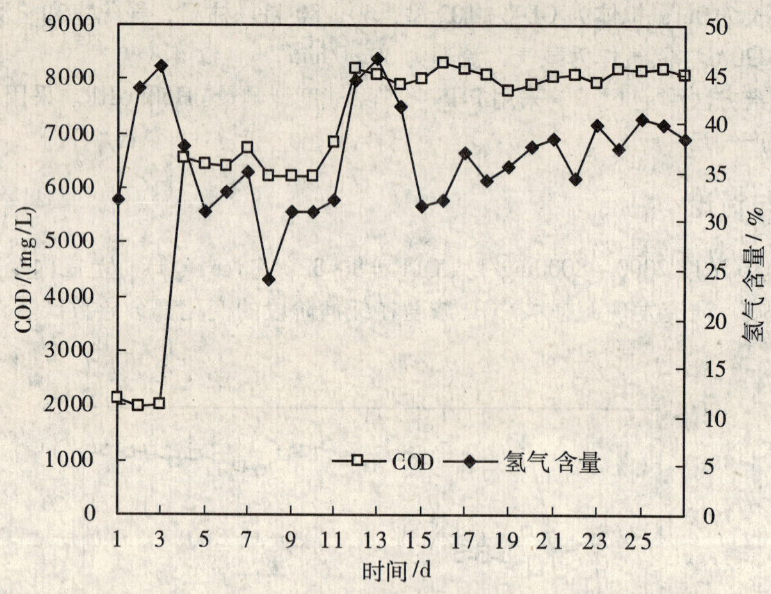

图 3　进水浓度对氢气含量的影响

（二）*液相末端发酵产物*

厌氧发酵产氢的同时会产生大量的挥发酸，而挥发酸的成分和含量通常被用作监控产气效率的重要指标。表 1 描述了在各种进水 COD 浓度达到稳定状态下各液相发酵产物的含量。反应器启动时为乙醇型发酵，主要的代谢产物乙醇、乙酸、丙酸、丁酸的产量分别是 476mg/L、353mg/L、73.8mg/L 和 119mg/L。当进水 COD 浓度为 6000mg/L 时，系统主要的液相产物为乙酸、丙酸、丁酸和乙醇，并在运行 20d 后达到稳定。然而，乙醇和乙酸的含量占总液相产物的 82%，这表明 CSTR 系统的代谢类型仍为乙醇型发酵。而且，观察发现一个明显的趋势，产氢量越高伴随着较高的液相发酵产物。进水浓度为 8000mg/L 时，系统达到稳定后各液相产物的含量如表 1 所示。液相产物的变化表明系统经历了发酵类型的转变。在进水浓度提高到 8000mg/L 运行 15d 后，混合型发酵类型逐渐形成，产氢效率受到抑制。这时，乙醇含量下降（648mg/L），而乙酸、丙酸和丁酸的含量大幅上升，分别达到 516mg/L、376mg/L 和 117mg/L。由于丙酸型代谢途径不产生氢气，因此丙酸的大量产生也导致了产氢量的下降。

表 1　不同进水浓度达到稳定条件下液相末端发酵产物含量对比

进水 COD 浓度/（mg/L）	2000	6000	8000
液相末端发酵产物/（mg/L）	1069	3042	2089
乙醇/（mg/L）/含量百分比/（%）	476/44	1817/59	648/31
乙酸/（mg/L）/含量百分比/（%）	353/33	707/23	516/24
丙酸/（mg/L）/含量百分比/（%）	73/6.8	25/0.8	376/18
丁酸/（mg/L）/含量百分比/（%）	119/11	452/14.8	432/20
戊酸/（mg/L）/含量百分比/（%）	46/4.3	38/1.2	117/5.6

（三）pH

pH 对发酵产氢系统产氢效率起到关键性作用。pH 不但影响代谢酶活性和发酵途径，而且能进一步改变营养供给和有害底物的毒性作用，尤其是对废水而言。发酵制氢适宜的 pH 是不同的，这主要是由于在不同进水 COD 浓度下形成不同的微生物代谢菌群。CSTR 系统在整个运行过程中没有检测到甲烷气体的产生，说明低 pH（本研究 pH3.6~4.6）能够有效地抑制甲烷菌的产生。

图 4 为 CSTR 系统内进水 COD 浓度与系统 pH 的变化关系。当进水浓度为 2000mg/L 时，系统 pH 稳定在 4.2~4.6 之间。随着进水 COD 浓度由 2000mg/L 提高到 6000mg/L，运行 4d 后，系统内挥发酸大量产生导致 pH 迅速由 4.39 下降到 3.73。然而，向进水投加定量 NaOH，4d 后出水 pH 上升并稳定在 4.18。进一步提高进水 COD 浓度到 8000mg/L，系统运行 3d 后出水 pH 下降到 4.0 以下。系统在后续运行过程中，尽管每天向进水中投加 NaOH，系统 pH 仍然稳定在 3.7，此时抑制了产氢菌群活性，改变了发酵代谢类型，从而导致产气和产氢量的下降。因此，有效控制系统内 pH 是高效产氢的保障。

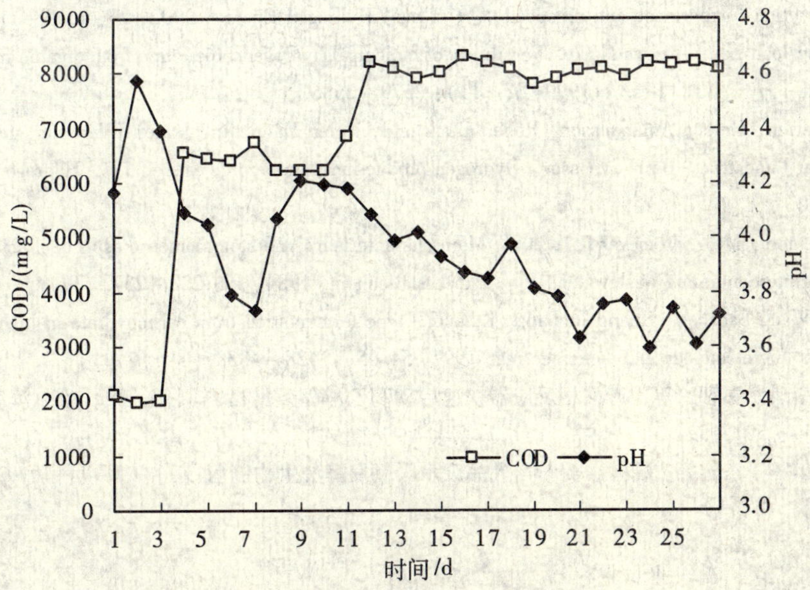

图 4　进水浓度对系统 pH 的影响

三、结　论

1. 底物浓度对连续流厌氧发酵制氢系统具有显著的影响。在水力停留时间（HRT）为 6h，温度（35 ±1）°C，CSTR 反应器在进水 COD 浓度 2000 ~6000mg/L 变化时，系统产氢效率随着进水浓度的提高而增加，并在进水 COD 为 6000mg/L 时，得到最大产气量和产氢量分别为 23.49L/d 和 8.19L/d。

2. 厌氧活性污泥发酵产氢系统对底物浓度提高造成的冲击具有一定的适应能力，但这种适应性是有限度的。在本实验条件下，进水 COD 浓度达到 8000mg/L 时，厌氧活性污泥发酵产氢系统的 pH 迅速下降到 3.7，厌氧活性污泥微生物活性受到严重抑制，反应器产氢能力急剧下降，有机废水产酸发酵的类型也发生了改变。

参考文献

[1] Patrick C H, Benemann J R. Biological hydrogen production: fundamentals and limiting process [J]. International J of Hydrogen Energy, 2000, 27: 1185 -1193.

[2] Rocha JS, Barbosa MJ, Wijffels RH. Hydrogen production by photosynthetic bacteria. In: Zaborsky OR, Benemann JR, Miyake J, Pietro AS, editors. Biohydrogen. New York: Plenum Publishing; 2001, 3 -30.

[3] Benemann J. Hydrogen biotechnology: progress and prospects [J]. Nat Biotechnol, 1996, 14: 1101 -1103.

[4] Patrick C H, Benemann J R. Biological hydrogen production: fundamentals and limiting process [J]. International J of Hydrogen Energy, 2000, 27: 1185 -1193.

[5] Gavala HN, Skiadas IV, Ahring BK. Biological hydrogen production in suspended and attached growth anaerobic reactor systems [J]. Int J Hydrogen Energy, 2006, 31: 1164 -1175.

[6] Akutsu Y, Li Y -Y, Noike T. The effects of pH and nitrogen concentration on hydrogen fermentation from starch. Environ Eng Res., 2005, 42: 423 - 33.

[7] Das D, Verziroglu TN. Hydrogen production by biological processes: a survey of literature [J]. Int J Hydrogen Energy, 2001, 26: 13 -28.

[8] Teplyakow VV, Gassanova LG, Sostina EG, et al. Lab -scale bioreactor integration with active membrane system for hydrogen production: experience and prospects [J]. Int J Hydrogen Energy, 2002, 27: 1149 -1155.

[9] Lay J J, Young Joon Lee, Tatsuya Noike. Feasibility of biological hydrogen production from organic fraction of municipal solid waste [J]. Wat. Res., 1999, 33 (11): 2579 -2586.

[10] Annika T Nielsen, Helena Amandusson, Robert Bjorklund, Helen Dannetun, Jêrgen Ejlertsson, Lars Gunnar Ekedahl, Ingemar Lundstrêm, Bo H Svensson. Hydrogen production from organic waste [J]. Hydrogen Energy, 2001, 26: 547 -550.

[11] Cohen A, Gemert J M, Zoeremeyer R J, et al. Main characteristics and stoichiometric aspects of acidogenesis of soluble carbohydrate containing wastewater [J]. Process Biochem, 1984, 19: 228 -237.

[12] Ren Nanqi, Wang Baozhen, Huang Juchang. Ethanol -type fermentation from carbohydrate in high rate acidogenic reactor [J]. Biotechnology & Bioengineering, 1997, 54 (5): 428 -433.

[13] 李建政，任南琪，秦智，等，产酸相反应器快速启动和乙醇型发酵菌群驯化 [J]. 哈尔滨工业大学学报，2002，34（5）：591 -594.

[14] 刘敏，任南琪，丁杰，等. 糖蜜、淀粉与乳品废水厌氧发酵法生物制氢 [J]. 环境科学，2004，25（5）：65 -69.

白腐菌对城市污泥堆肥效率及木质纤维素降解的影响

隆梦佳　鲁　娟　胡承孝　孙学成　谭启玲

（华中农业大学微量元素中心　湖北　武汉　430070）

摘　要　以城市污泥为主要原料，接种0%、1%、2%、5%（质量比）白腐菌孢子悬液，进行堆肥试验。结果表明，接种白腐菌能够延长污泥堆肥高温期，加速堆体有机质降解，提高种子发芽率，堆肥周期缩短4～8d，效率提高；尽管接种白腐菌没有影响物料半纤维素、纤维素降解，但是显著促进木质素降解，其中5%接种剂量物料木质素降解率增加最多。

关键词　白腐菌　污泥　堆肥　木质纤维素　堆肥效率

城市污泥中富含有机质和氮、磷、钾等养分，是良好的植物养分来源和土壤物理性状改良剂，将其用于农业和园林，可促进植物生长，改良土壤，也为污泥处理与处置找到了一条化害为利、变废为宝的出路，因而具有很好的经济效益、环境效益和社会效益。堆肥技术是一种既古老又不断发展的垃圾处理技术，堆肥过程就是微生物作用的过程，由于其生物化学反应的复杂性，堆肥过程中的理化指标如有机质、酸碱度、温度、水分、C/N比等因素的变化很难控制，其影响并控制着微生物生长繁殖，从而最终影响堆肥反应的速度和过程以及堆肥肥效，是实现优质、高产、低消耗堆肥目标的重要限制因素[9]。不仅如此，温度、有机质、水分、腐殖质、种子发芽指数这些理化指标的变化也反映了堆肥腐熟程度及堆肥的品质。木质素的降解一直是堆肥中的难点之一[1]，白腐菌是自然界中木质素最有效的降解者[2]，并对重金属有强烈的吸附作用[3]，对降解污染物具有广谱性。本研究通过检测接种白腐菌堆肥发酵过程中各指标的动态变化，揭示接种白腐菌在城市污泥堆肥中的作用。

一、材料与方法

试验材料：供试污泥来源于武汉沙湖污水处理厂脱水污泥；实验选用的菌种为白腐菌的典型种黄孢原毛平革菌（BKMF－1767），购自武汉大学中国典型培养物中心。

堆肥方法：选取城市污泥、稻草、麸皮作为堆肥原料，稻草经风干后切断成10～20mm，堆肥物料采用污泥、稻草、麸皮按12∶3∶1.5（湿重比）比例混合，调节水分为65%，堆肥第8天按接种量为0%、1%、2%、5%（质量比）白腐菌孢子悬液4个处理，混合物料有机质含量达83%，C/N比约为22∶1。将混合物料装入13L的塑料桶，桶底部钻孔并与通风装置相连通风，放入光照培养箱进行为期48d的堆肥试验，光照培养室温度为30℃，每4d采样，一部分样品放于4℃的冰箱中保存，另一部分风干后保存。

分析方法：每天上午9点，下午4点各测温度一次，取平均值，有机质含量采用灼烧法，取新鲜堆样4.00g于100ml锥形瓶中，加入40ml的蒸馏水，放入200r/min的摇床中振荡1h，取部分上清液测定pH，在洁净无菌的9cm培养皿中铺上摆有20颗黑麦草种子的滤纸。准确吸取5ml浸提过的滤液于培养皿中，25℃下于暗处培养24h，发芽指数＝样品发芽率（根长）/空白发芽率（根长），半纤维素、纤维素、木质素用范式洗涤法。

二、结果与讨论

（一）接种白腐菌对污泥堆肥基质温度变化的影响

温度是影响微生物活动和堆肥工艺过程的重要因素，堆肥温度的变化也常用来作为堆肥过程的评价指标之一。研究表明，堆肥的最适温度为50～60℃，温度过高或过低都不利于堆肥过程的进行，堆肥温度过低会导致有机物分解缓慢，而过高则会抑制并杀死部分有益微生物。堆体温度在55℃保持3d以上，或者50℃以上保持5～7d，是杀灭堆体中致病微生物，保证堆肥的卫生学指标合格和堆肥腐熟的重要条件[4]。

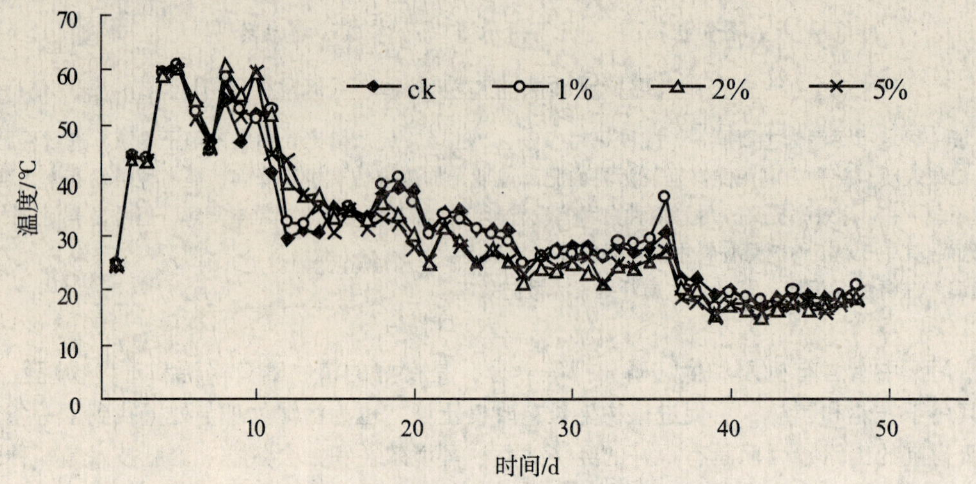

图1　接种白腐菌对发酵基质中温度变化的影响

图1说明，各处理堆肥都经历了升温、高温持续和降温过程，符合污泥堆肥温度动态变化特征。在前8d，4个处理的温度变化是一致的，都是随着天数的增加温度逐步上升，第5天温度达到峰值，4个处理日平均温度分别为60.5℃、60.5℃、60.3℃、60℃，几乎没什么差别；第6天温度有所下降，可能是堆体内氧气不够，抑制了好氧菌的活动；第8天，各处理曲线变化差异明显，4个处理的日平均温度为54.3℃、58.25℃、60.6℃、57.4℃，接种白腐菌堆体分别比未接种白腐菌的堆体高3.95℃、6.3℃、3.1℃；第9天，4个处理日平均温度为46.8℃、52.5℃、55.45℃、51.5℃，分别比未接种白腐菌的堆体高5.7℃、8.65℃、4.7℃。接种白腐菌菌剂的堆体温度从第8天接种白腐菌后温度飙升，进入第二个高温发酵阶段，明显高于未接种堆体，一直持续到第15天，此后一直到堆肥完毕，接种白腐菌的堆体温度开始呈持续下降趋势，直到室温；而未接种的堆体温度一直持续在30℃左右，直到第30天后才开始降温。1%接种剂量堆体在堆肥中后期降温速度略低于2%和5%接种剂量的堆体，2%和5%接种剂量的堆体下降温度大致一致。4个处理堆体高于50℃天数分别为5d、7d、7d、6d；第24天后，接种白腐菌的堆体微生物几乎停止活动，堆体达到腐熟，说明接种白腐菌可以延长堆肥高温期，加快堆肥腐熟，提高堆肥效率。

（二）接种白腐菌对污泥堆肥基质种子发芽指数变化的影响

未成熟堆肥中含有挥发性脂肪酸及酚酸等会对植物生长产生抑制作用，用种子发芽和根长度计算发芽指数 *GI*，作为评价堆肥腐熟度的指标[5]。

$$GI\ (\%) = \frac{\text{堆肥浸提液的种子发芽率} \times \text{种子根长}}{\text{蒸馏水的种子发芽率} \times \text{种子根长}} \times 100\%$$

研究表明，如果 $GI > 50\%$，当 *GI* 达到80%～85%时，这种堆肥就可以认为是对植物没有毒性的。本试验采用小白菜种子的发芽指数来评价堆肥的腐熟度，图2表明，4个处理的发芽指数曲线变化规律大致相同，堆肥开始时，混合物料的 *GI* 值非常低，随后逐渐升高，到堆肥12d时，*GI* 值显著下降。Zycconic 和 deBetoldi 曾报道认为，主要是堆肥高温期对种子发芽具有较大的毒性。此后，随着有机酸、多酚等对植物生长有抑制作用物质的转化和消失，*GI* 值又开始逐渐升高[6]。从第12天开始，4个处理 *GI* 值均呈持续上升趋势；到48d时，4个处理的 *GI* 值分别为79.2%、96%、96%、88%。4个处理种子发芽率达到50%所需时间分别为36d、32d、28d、

28d，1%、2%和5%接种剂量堆体 *GI* 值都在第40天达到80%，而未接种的堆体在试验结束时 *GI* 值也只有79.2%，说明接种白腐菌能够加快堆肥腐熟，且以白腐菌2%接种剂量最好。

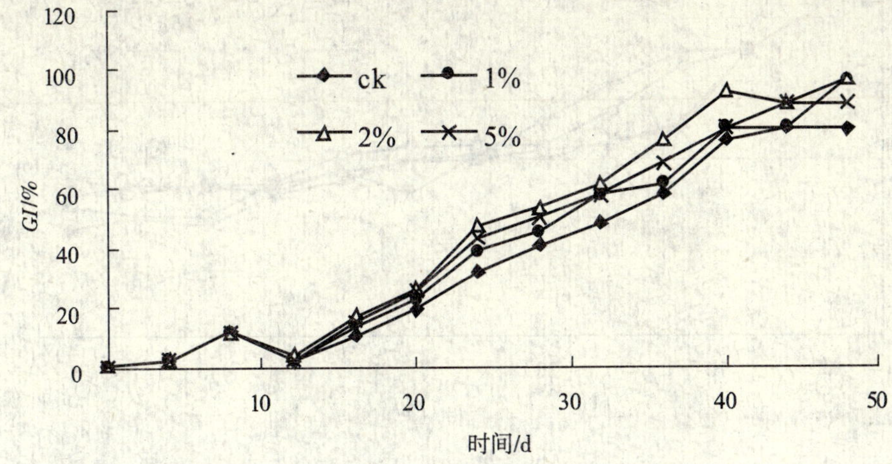

图2　接种白腐菌对堆肥发酵基质中种子发芽指数变化的影响

（三）接种白腐菌对污泥堆肥基质有机质含量变化的影响

堆肥就是利用微生物降解有机物的过程，同时有机物也是微生物赖以生存和繁殖的物质基础。在高温好氧堆肥中有机物含量变化的最适合范围为20%～80%[7]。通常，发酵基质有机质含量随着堆肥化的进行而逐渐降低，至腐熟期便趋于稳定，变化不大。图3显示，4个处理的有机质降解变化曲线是一致的，都是随着发酵天数增加而逐步下降。堆肥初期，即升温期和高温期，4个处理有机质都快速下降，易降解的有机物迅速分解，生成二氧化碳和水，挥发至空气中[8]。随着堆体温度的升高，到降温期，微生物开始利用半纤维素、纤维素和木质素等难分解物质，有机质含量缓慢下降，直至恒温期达到稳定。不同接种量对堆肥发酵基质有机质降解的影响不同，接种2%和5%菌剂的堆体在接种第8天后，降解量明显高于未接种和接种1%菌剂的堆体；第12天，4个处理有机质含量分别为76.96%、76.13%、72.74%、72.23%，降解率分别为0.36%、1.46%、5.83%、6.49%；第16天，有机质含量分别为75.05%、73.13%、71.43%、71.81%，降解率分别为2.48%、3.49%、1.80%、0.58%，说明白腐菌对有机质降解的促进作用主要发生在第8天到第12天之间，即接种白腐菌的第二个高温期。从第24天到第48天，2%和5%接种菌剂的堆体有机质变化曲线平缓，而未接种和接种1%菌剂的堆体仍有缓慢的变化。

（四）接种白腐菌对污泥堆肥基质pH变化的影响

在基质的生物降解和发酵过程中，pH值随着时间和温度的变化而变化，因此，pH值可以作为揭示固态基质分解过程指标之一。图4说明，4个处理pH值都是先急剧上升后下降，都在第12天达到最大，最高值分别为9.11、9.15、8.93、9.07；从第12天开始，4个处理的pH值开始下降，未接种白腐菌的堆体和1%接种剂量的堆体从第12天开始持续下降直到试验结束，堆肥pH值分别为7.91和7.32；接种2%和5%菌剂的堆体pH值从第12天开始急剧下降，在第16天到第24天期间出现上下波动，随后都急剧下降至结束，其pH值分别为7.12和7.17。2%和5%接种剂量的堆体下降幅度更剧烈，可能是接种白腐菌的堆体微生物活动更为旺盛，导致氨挥发加剧而使pH值下降更为明显。

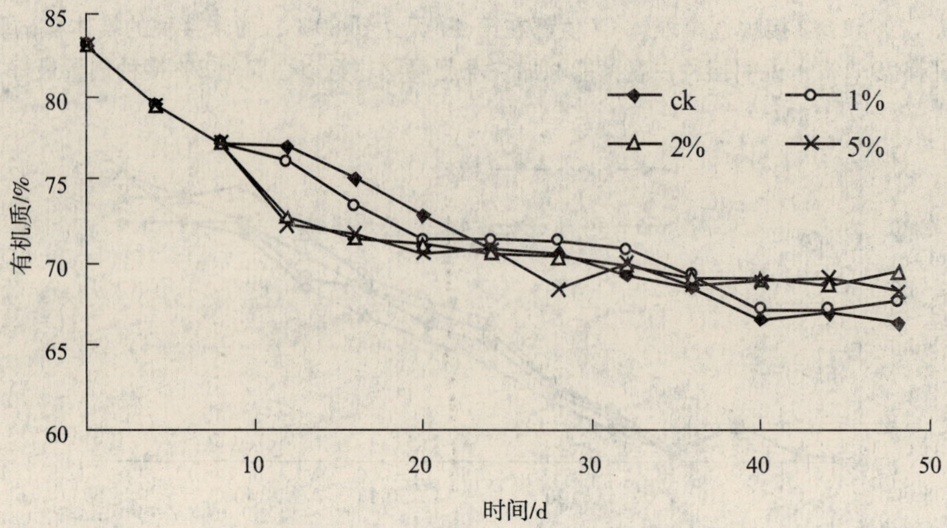

图3　接种白腐菌对堆肥发酵基质中有机质变化的影响

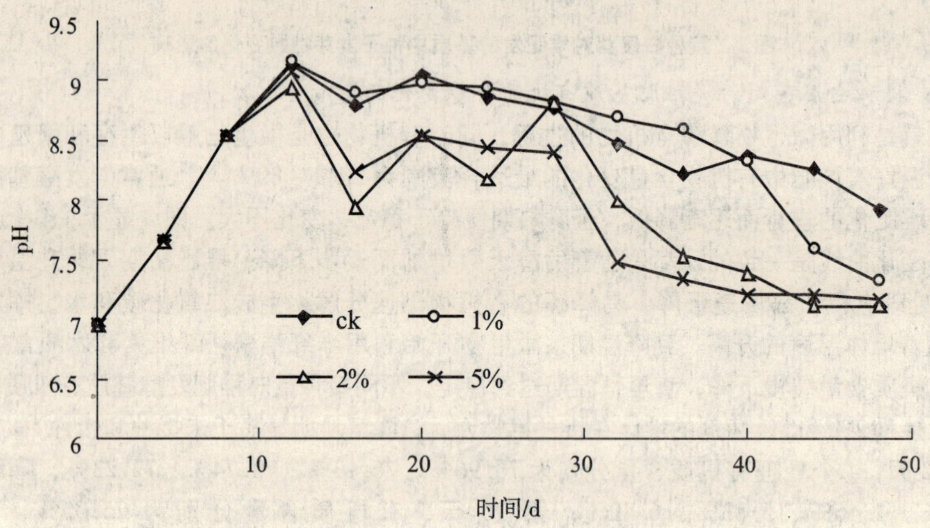

图4　接种白腐菌对堆肥发酵基质中 pH 变化的影响

（五）接种白腐菌对污泥堆肥基质半纤维素、纤维素和木质素含量变化的影响

图5表明，经过48d的堆制，4个处理堆肥半纤维素总重（干重）都有明显减少，其中未接种白腐菌堆体的半纤维素的总重从初始值的0.781 5kg降到第48天的0.080 7kg，降解率为89.68%；接种1%菌剂堆体半纤维素总重从初始值的0.783 1kg降到第48天的0.088 5kg，降解率为88.7%；接种2%菌剂堆体的半纤维素总重从初始值的0.782 3kg降到第48天的0.103 1kg，降解率为86.81%，接种5%菌剂堆体的半纤维素总重从初始值的0.781 5kg降到第48天的0.087 8kg，降解率为88.76%。由此说明，接种白腐菌对堆肥中半纤维素的分解能力没有影响。

图6说明，未接种白腐菌的堆体纤维素总重（干重）从0.612 2kg降到第48天的0.218 8kg，降解率为64.25%；接种1%菌剂的堆体总重从0.613 5kg降到第48天的0.211kg，降解率为65.6%；接种2%菌剂的堆体总重从0.612 8kg降到第48天的0.197 7kg，降解率为67.74%；接种5%菌剂的堆体总重从0.612 2kg降到第48天的0.217 6kg，降解率为64.45%。4个处理间没有显著性差异，因此接种白腐菌对污泥堆肥中纤维素的降解没有影响。

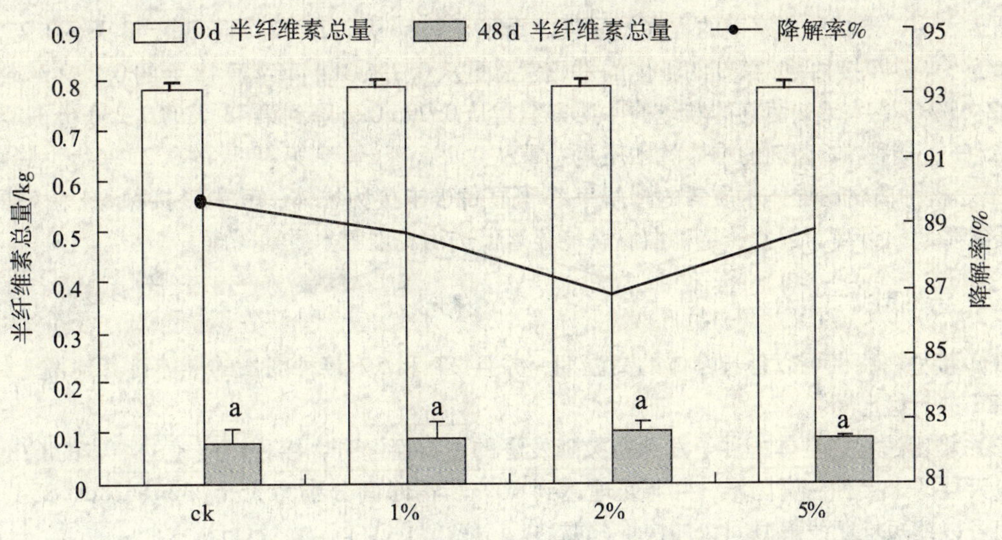

图 5　接种白腐菌对发酵基质中半纤维素总重变化的影响

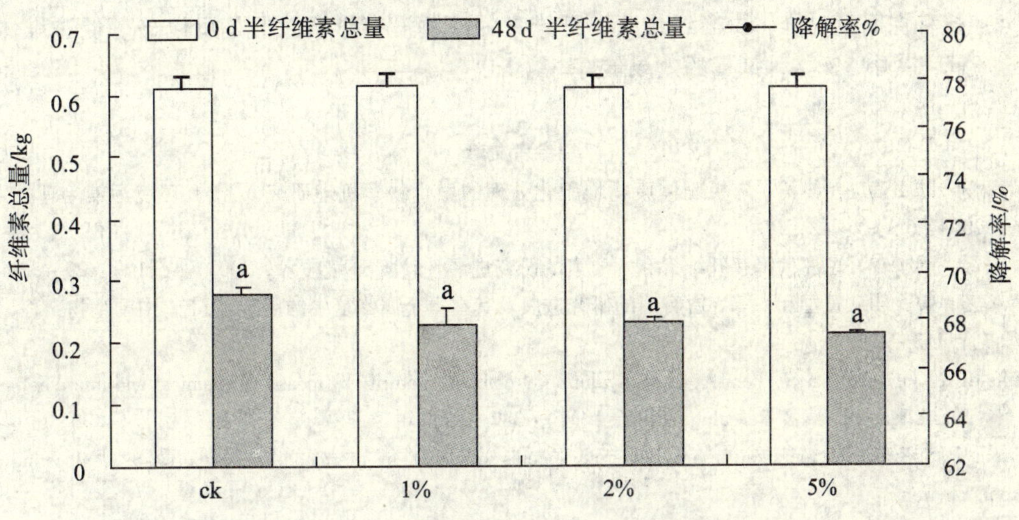

图 6　接种白腐菌对发酵基质中纤维素总重变化的影响

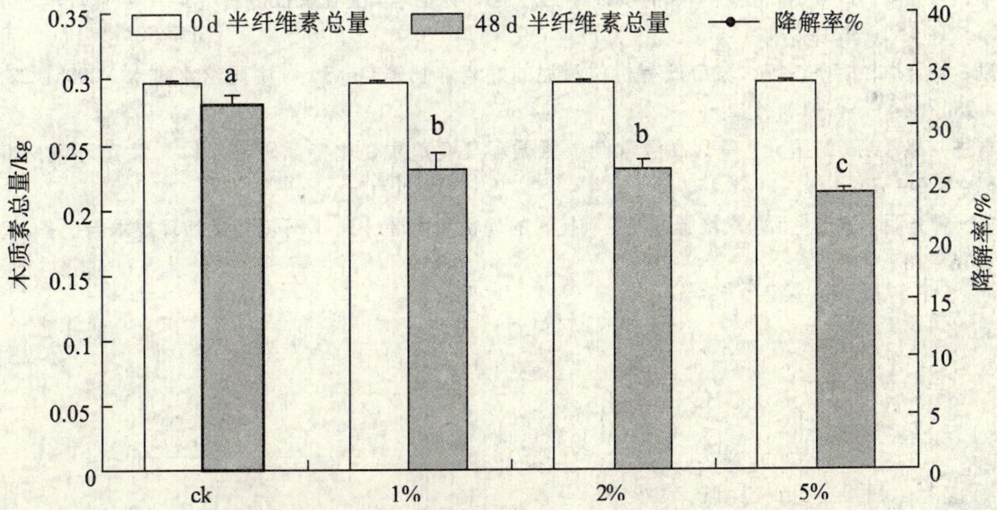

图 7　接种白腐菌对发酵基质中木质素总重变化的影响

图7表明，未接种白腐菌的堆体木质素总重（干重）从0.295 7kg降到第48天的0.279 2kg，降解率为5.6%；接种1%菌剂的堆体的木质素总重从0.296 3kg降到第48天的0.229 3kg，降解率为22.61%；接种2%菌剂的堆体的木质素总重从0.296 0kg降到第48天的0.230 6kg，降解率为22.11%；接种5%菌剂的堆体的木质素总重从0.295 7kg降到第48天的0.211 5kg，降解率为28.49%。接种白腐菌堆体木质素的降解率都明显高于未接种堆体，其中以接种5%菌剂的堆体的木质素降解率最高，因此，接种白腐菌能显著促进污泥堆肥木质素降解。

三、结　论

（1）接种白腐菌可以延长堆体的高温期，并且2%和5%接种剂量的堆体比其他两个处理提早4～8d进入稳定期。

（2）堆肥过程中堆体的种子发芽指数随发酵的进行而上升，接种白腐菌的堆体的*GI*值要高于相应天数的未接种白腐菌堆，4个处理达到50%所需时间分别为36d、32d、28d、28d，说明白腐菌可以缩短堆肥发酵时间，加快堆肥腐熟。

（3）接种白腐菌高温阶段可以加快堆体有机质的降解，并使堆体提早进入腐熟期。

（4）接种白腐菌对堆体中半纤维素、纤维素的降解没有影响，但是可以显著促进堆体中木质素的降解，其中5%接种剂量的效果最好。

参考文献

[1] 黄得杨，陆文静，王洪涛．有机固体废物堆肥化处理的微生物学机理研究［J］．环境污染治理技术与设备，2004，5（1）：12－18.

[2] 林云琴，周少奇．白腐菌降解纤维素和木质素的研究进展［J］．环境技术，2003，4（10）：29－33.

[3] 蒋小云，曾光明，黄国和，等．白腐菌的研究进展及其在重金属修复中的展望［J］．中国生物工程，2005，5（3）：118－121.

[4] Riffaldi R, Levi－Minzi R, Pera A, et al. Evalution of compost maturity by means of chemical and microbial analyses［J］. Waste Mangement & Research, 1986, 4（1）: 387－396.

[5] Strom P S. Effect of temperature on bacterial species diversity in thermoohilis solids waste composting［J］. Appl. Environ.
Microbiol, 1985, 50（4）: 899－905.

[6] 胡菊，肖湘政，吕振宇，等．VT菌剂接种堆肥过程中物理化学变化特征分析［J］．农业环境科学学报，2005，24（5）：970－974.

[7] 张勤，姚天举，胡坚，等．城市低有机质污泥的好氧堆肥研究［J］．中国给水排水，2006，22（13）：94－98.

[8] 李吉进，郝晋珉，邹国元，等．高温堆肥碳氮循环及腐殖质变化特征研究［J］．生态环境，2004，13（13）：332－334.

[9] 罗玮，曾光明．城市生活垃圾堆肥过程控制技术的现状和发展［J］．环境污染治理技术与设备，2004，5（2）：6－10.

医疗污水处理系统中污泥处理工程实践

韩婷婷

（长春市南关区解放大路46号财富广场C座24层　130022）

摘　要　分析了国内医疗污水处理系统中污泥消毒处理的现状和必要性，并对常用的几种污泥消毒处理的方法进行了比较，提出在不同的环境条件下，使用ClO_2和石灰作消毒剂对医疗污水处理系统中污泥进行消毒的工艺路线。工程实践表明，此工艺稳定可靠，运行成本低廉，较好地做到经济效益和环境效益的统一。

关键词　医疗污水污泥消毒　ClO_2 和石灰　环境条件

医疗污水的水质除大肠杆菌指标外，其他指标和生活污水的水质基本一致，在对该种污水处理的工艺设计时，一般都采用生化＋消毒的处理工艺：COD 物质的大幅度削减是保证消毒效果的前提，而后续的消毒工艺（包括污水和污泥两方面）的合理实施是出水达标排放的关键。目前对医疗污水的消毒都给予了重视，而对医疗污水处理系统中的污泥的处理常常被人们忽视。

一、污泥处理的现状和必要性

国内只有一些大型医院的医疗污水处理系统对污泥进行消毒处理，其方法有：加热低温消毒、化学消毒和辐射消毒等。一般中、小型医院都不对污泥进行消毒处理，而是把这些污泥和生活污水处理系统中的污泥一起外运作堆肥处理，这种对污泥的处置方法其实是很危险的：首先，医疗污水中所含的80%以上的致病菌和90%以上的寄生虫卵都富集在污泥里，国家明确规定医院的污水处理中的污泥属于危险废物，对它的处置和排放都有严格的限制和管理措施；其次，由于堆肥处理是一种很不彻底的消毒措施，同时在操作的过程中存在着很大的随意性，这就很容易使一些残存的致病微生物轻易地进入环境，引起一系列的健康和社会问题。

表1　常用的污泥处理方法的分析比较

处理方法	优　点	缺　点
加热低温消毒	消毒彻底，可全部杀死致病微生物和寄生虫卵	能耗高，初期投资大
好氧堆肥	能耗低，能做到废物利用	消毒不彻底，工艺操作繁琐，卫生条件差
氯化消毒	消毒彻底，可全部杀死致病微生物和寄生虫卵	初期投资大，消毒剂投加量较大，导致运行成本较高
石灰消毒	消毒彻底，运行成本低	处理工艺时间长，劳动强度大，卫生条件差
辐射消毒	消毒彻底，不产生辐射消毒二次污染，还能改善污泥的一些理化指标	初期投资大，安全保证要求高

二、污泥消毒的工艺分析

通过上述的分析比较可知，对一些中、小型医院污水处理过程中产生的污泥还没有一种很理想的方法。设计经验认为：利用 ClO_2 对污泥进行消毒，只要操作方法得当，可收到较满意的效果：首先，ClO_2中的 Cl_2 是以正四价的形式存在的，其有效氯的含量是 Cl_2的 2.5 倍，同时 ClO_2 不和污水中的氨氮、醇、醛等有机物反应从而避免了 ClO_2 的无效消耗，所以说 ClO_2 的消毒效率高。其次 ClO_2 是一种广谱杀生剂，其对大肠杆菌、细菌、病毒、芽孢和寄生虫卵都有很好的灭活效果。再次，ClO_2 对污水处理系统中的水池、水下设备和管道中的藻类、铁细菌、硫酸盐还原菌也有灭活效果，这对水处理设备的长期稳定运行都很有好处。

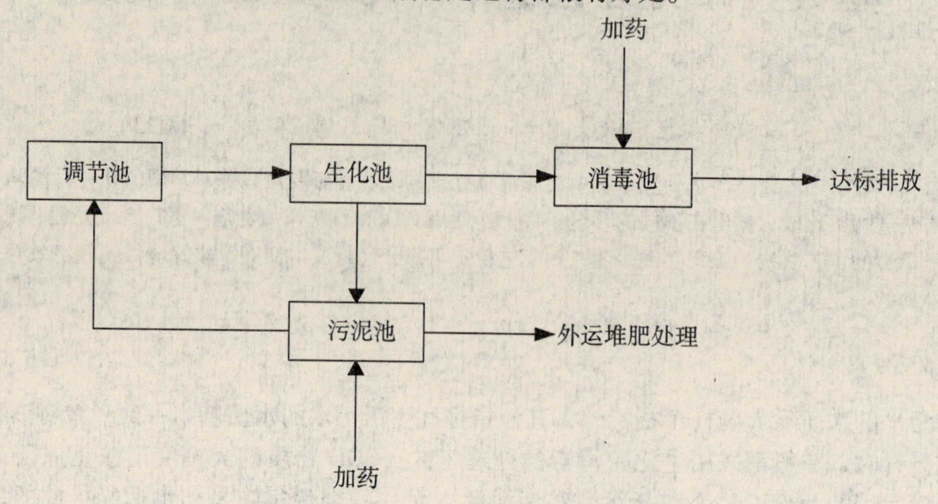

图 1　医疗污水处理系统的工艺流程

利用污水处理系统自身的 ClO_2 发生器产生的 ClO_2 定期对生化污泥进行消毒处理，污泥的消毒是间歇式的，生化污泥首先在污泥池中浓缩沉淀后，污泥上清液回流至调节池，然后以自来水作动力，利用水射器把 ClO_2 带入污泥池，ClO_2 的浓度控制在 1% 左右，由于水射器出水还有一定的动压，在消毒液的输送过程中对污泥混合液有一定的搅拌作用，所以系统可省去搅拌设备。在污泥混合液静止 24h 后，可确保污泥中的致病微生物和寄生虫卵全部被灭活，同时消毒液的毒性也衰减丧失了，再次把上清液回流至调节池，消毒后的污泥由于其有机物的成分未发生重大变化，还可人工外运作堆肥处理。在冬季，由于气温低，ClO_2 的消毒效果较差，若继续使用 ClO_2 来消毒污泥，将大幅度提高污泥的处理成本。建议可使用石灰来消毒污泥，其方法是：生化污泥首先在污泥池中浓缩沉淀后，污泥上清液回流至调节池，再向浓缩后的污泥中投加石灰，控制 $pH \geqslant 12$，在污泥池中连续静置 7d，可确保污泥中的致病微生物和寄生虫卵全部被灭活。由于医院在冬季都有采暖锅炉，可把消毒后的污泥和煤混合送锅炉焚烧。污泥中含有大量的石灰，在锅炉内焚烧时能固化燃煤中的硫分，降低锅炉燃烧中 SO_2 的排放量。这样既解决了污泥的出路问题，也实现了"以废制废"的目的，有较高的环境和社会效益。

三、结　论

由于目前对一些中、小型医院污水处理过程中产生的污泥还没有一种很理想的方法，所以在不同条件下，应用哪一种消毒方法，一定要根据当地的具体情况慎重选用，力争做到经济、环境和社会效益的统一。在气温较高的夏、秋季，可使用 ClO_2 对污泥进行消毒，该法的优点操作条件好消毒效率高，易实现自动化。缺点是 ClO_2 投加量相对较大，处理成本相对较高；在气温较低的冬、春季，建议使用石灰来消毒污泥，该法的优点简单易行成本低，能做到"以废制废"，缺点是劳动强度大，卫生条件差。

参考文献

[1] 王福祥. 化学法二氧化氯发生器在医院污水处理中的应用 [J]. 环境与健康，1998 (11).
[2] 单德贵. 医院废水消毒处理技术综述 [J]. 环境工程，1997，6.
[3] 肖正辉，马世豪. 医院污水处理技术 [M]. 北京：中国建筑工业出版社，1993.
[4] 张自忠，钱易，张非娟，等. 环境工程手册——水污染治理卷 [M]. 北京：高等教育出版社，1996.

电镀污泥与酸洗废液协同铁氧体化研究

陈　丹[1,2]　侯　钧[2]

（1. 上海大学环境与化学工程学院　上海市宝山区南陈路333号　200444
2. 上海大学循环经济研究院　上海市延长路149号　200072）

摘　要　根据复合铁氧体种类可变、组分比例可调特性，巧妙利用电镀污泥所含多种金属和酸洗废液丰富的亚铁源作为复合铁氧体的合成基础，诱导电镀污泥中Ni、Cr、Zn、Cu等重金属在复合铁氧体晶格中得到束缚稳定，从而实现电镀污泥和酸洗废液水热协同处理。本文着重介绍了水热条件下晶种诱导合成复合铁氧体试验研究方案的制订，并初步探讨了晶种投加量对产物性质的影响。

关键词　电镀污泥　酸洗废液　水热合成　复合铁氧体

引　言

电镀污泥成分复杂[1]，属危险废弃物。但其含大量的重金属，如铜、铬、镍、锌、铁等，具有一定的经济价值，是一种廉价可再生资源[2-4]。对电镀污泥进行综合利用，最大限度地回收有用资源并严格控制资源化过程的二次污染，符合循环经济理念和科学发展观要求[5]。

矿物化及铁氧体化技术可使电镀污泥中的铁离子及其他多种金属离子被束缚在反尖晶石面型立方结构的四氧化三铁晶格格点上，其晶体结构稳定，在较宽的pH范围内很难复溶，达到了消除二次污染的目的。目前的污泥矿化手段以高温为主[6,7]，矿化反应所需能量成本相当高昂，而污泥矿化及铁氧体化技术目前正处于启蒙阶段，未来会有较大的发展空间。

在电镀污泥水热铁氧体化的研究中，补充铁源的成本一直居高不下。在申请人先期的研究中[8]利用氯化高铁（$FeCl_3 \cdot 6H_2O$）作为补充铁源；其工业级（98%）价格约为3000元/吨。因此，寻找新的更为廉价的铁源是技术能否实用的关键。鉴于酸洗废液中丰富的亚铁含量，可考虑将其作为合成铁氧体的替代铁源，实现以废治废，综合利用。我国钢铁工业每生产1t钢材约产生60kg酸洗废液，年酸洗废液排放量近百万立方米[9]。为探讨晶种投加对控制铁氧体合成过程的成本和提高产物性质的影响。本文提出了晶种诱导下电镀污泥与酸洗废液协同铁氧体化的研究方案，并初步探讨了晶种投加量对产物性质的影响，以期为电镀污泥和酸洗废液的综合处理和改善电镀工艺提供具有参考价值的思路。

一、晶种诱导下电镀污泥与酸洗废液协同铁氧体化研究方案

由于水热合成法的基本原理是高温高压下一些氢氧化物在水中的溶解度大于对应的氧化物的溶解度，所以氢氧化物溶入水同时析出氧化物，这样避免了一般湿化学法需要经过煅烧使氢氧化物转化成氧化物这一容易形成硬团聚的步骤，所合成的粉料中晶粒发育完整，团聚程度很轻。但水热法的高温、高压是有限度的，且高温下操作一方面成本增大，另一方面具有一定的危险性。有研究指出[10,11]，在前驱物的凝胶中加入等结构的晶种材料，可以降低相变的活化能，促进晶型的动力转换，使成核速率大大提高，因而在较低的温度下就可获得较好的结晶产品。

基金项目：国家自然科学基金资助项目（50704023，50974086）；上海大学优秀青年教师基金资助项目；上海市重点学科第三期（S30109）建设。

为了验证利用晶种诱导降低体系自由能，进而降低反应温度与时间，从而降低成本的设想，本研究设计了单因素实验考察其可行性。所选取的因素为：晶种投加量，反应温度，反应时间，前驱物 pH 值，晶种回用次数。晶种诱导下电镀污泥与酸洗废液协同铁氧体化研究技术路线图如图 1 所示。

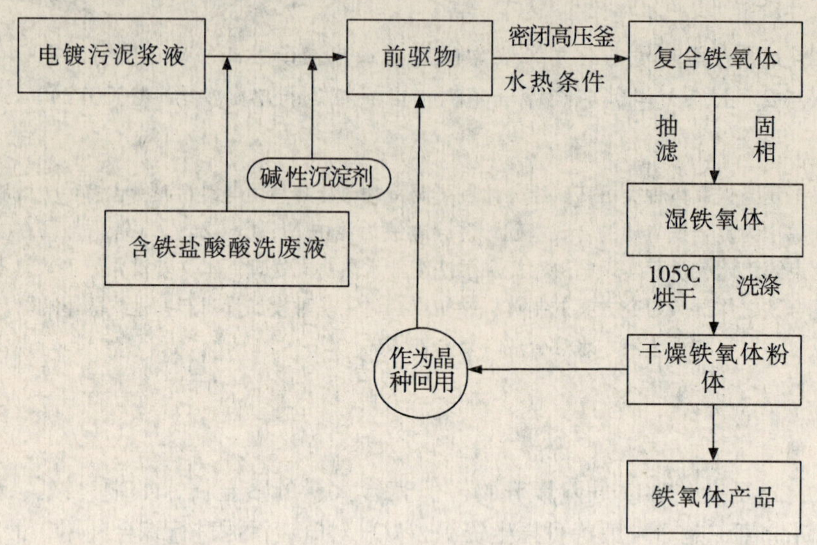

图 1　晶种诱导下电镀污泥与酸洗废液协同铁氧体化效应研究技术路线图

二、晶种诱导合成复合铁氧体的国内外研究现状

目前国内对于铁氧体合成过程中加入晶种的研究尚未见诸报道。而国外在该领域的研究也比较罕见，且主要集中在对于铁氧体材料改性的试验室研究[12-14]，应用在重金属废弃物的铁氧体化处理上目前仅见到对矿山废水（AcidMine Drainage，AMD）的研究[15,16]，未发现有以电镀污泥作为处理对象的应用。

McKinnon 等[15]在研究 AMD 的铁氧体化过程中引入磁性晶种，成功降低了其在环境温度下的处理时间，并在模拟 AMD 试验中获得了产率较高的铁氧体产物，而处理后的上清液的重金属浓度甚至符合饮用水标准，证实了用投加晶种的手段控制铁氧体合成过程的成本和提高产物性质的可行性。Morgan 等[16]着重研究了 AMD 的铁氧体化过程加入晶种的各种控制因素，并认为投加晶种、提高亚铁介质含量，以及足够的龄化时间可克服钙离子对铁氧体合成过程的抑制作用。这对于同样为富钙体系的电镀污泥水热铁氧体化过程具有积极意义。

三、水热条件下晶种诱导合成复合铁氧体试验研究

（一）试验材料与主要仪器设备

本试验的电镀污泥和酸洗废液来自上海危险废物处理中心。试验仪器设备主要包括：FYXD-2 型高压釜（大连通产高压釜容器制造公司）、2XZ-1 直联旋片式真空抽滤机（上海康嘉真空泵有限公司）、101-3-5 型电热恒温鼓风干燥箱（上海跃进医疗机械厂）、PHS-3C 型精密 pH 计（上海雷磁仪器厂）、Prodigy 型电感耦合等离子体原子发射光谱仪（美国利曼公司）、D/max-rA 型 X 射线衍射仪（日本理学公司）、JDM-13 型振动样品磁强计（吉林大学）。

（二）试验方法

本试验以电镀污泥和蒸馏水为原料浆，根据复合铁氧体的晶体结构平衡和离子电荷的平衡原则计算所需投加的酸洗废液量以补充电镀污泥水热铁氧体化所缺铁源，调节 pH 为 9～11，置于高压釜中，在反应时间 1～6h，反应温度 100～300℃下进行复合铁氧体水热合成反应。釜体自然

冷却至室温后开釜，静置分层后分离上清液，沉积相用去离子水洗涤 6～8 次后在 105℃烘 15h。

（三）分析测试方法

合成材料物相组成以 X 射线衍射仪测定；样品的比饱和磁化强度采用振动样品磁强计测定分析。

四、试验结果与讨论

（一）晶种投加量对水热铁氧体化产物性质的影响

在验证晶种投加量对反应的影响试验中，选定的温度为 100℃，选定的晶种为前期试验确定的最优条件下合成的铁氧体产物。如图 2（a）所示，不投加晶种合成的产物结晶较差，仅观察到方解石相碳酸钙晶体，主要金属离子以非晶态的形式存在。投加了占电镀污泥干基质量 1% 的铁氧体晶种后，通过 XRD 衍射分析可见镍锌复合铁氧体的特征峰，如图 2（b）所示。当提高铁氧体晶种投加量到 5%（10%）时，镍锌复合铁氧体的特征峰更为明显和尖锐图［2（c），（d）］，证明在该温度条件下，投加晶种有助于前驱物中重金属氢氧化物脱水结晶，形成复合铁氧体。

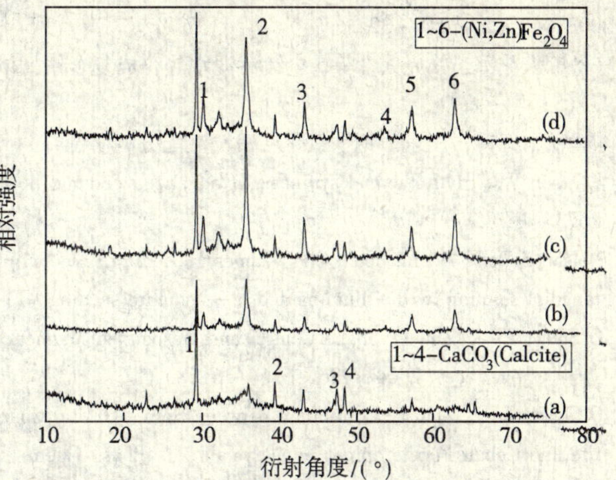

图 2　样品 XRD 图谱（T＝100℃，t＝6h，pH＝10，酸洗废液投加量为 3.36ml/g 干污泥）（a）无晶种投加的合成样品；（b）晶种投加量为 1% 时合成样品；（c）晶种投加量为 5% 时合成样品；（d）晶种投加量为 10% 时合成样品。

为研究合成产品饱和磁化强度与晶种投加量关系，分别测定上述产物的饱和磁化强度。由图 3 可见，随着晶种投加量的提高，产物的饱和磁化强度先显著升高再缓慢上升。这说明当晶种投加量达到一定程度时，其对结晶过程的促进能力达到饱和。这意味着当晶种投加量达 1% 时，合成体系表面活化能的降低已接近理论上晶种所能降低的最大值。这可能与晶种表面的活性位已接近体系降低表面活化能所需要的活性位有关，其更深层次的原因有待深入考察。

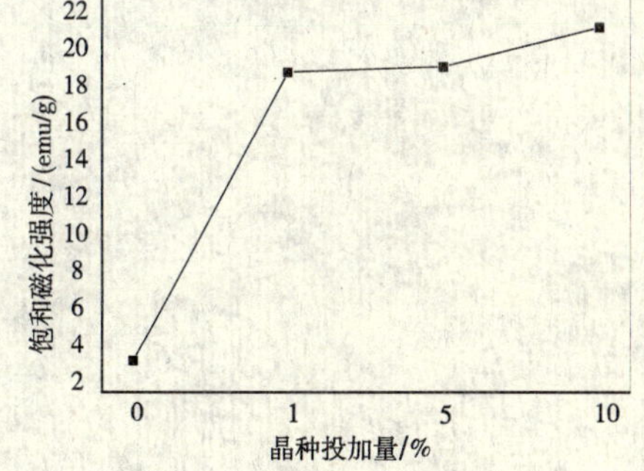

图 3　合成产物饱和磁化强度与晶种投加量关系

（二）讨论

研究表明，利用晶种诱导的手段能够降低体系自由能，进而显著降低反应温度。但产品的磁学性能尚不理想，下一阶段通过试验参数的调控，将检验加入晶种后对于合成产物的重金属稳定效果，对降低温度的效果，以及能否降低反应 pH 值；此外，需要着重验证将合成的复合铁氧体产物作为晶种部分回用到水热合成过程以实现电镀污泥体系下自合成晶种诱导过程的技术可行性和产品稳定性，如能成功合成性能优异的复合铁氧体材料，则该技术在应用上将更具竞争力。

参考文献

［1］何进锋，陈国安，陆欢．电镀污泥的资源化利用［J］．环境，2006（2）：69－70.

［2］陈凡植，陈庆邦，吴对林．铜镍电镀污泥的资源化与无害化处理试验［J］．环境工程，2001，19

(3)：44.

[3] J. M. Magalhaes, J. E. Silva, F. P. Castro et al., Role of the mixing conditions and composition of galvanic sludges on the inertization process in clay - based ceramics [J]. Journal of Hazardous Materials, 2004, 106B: 169 - 170.

[4] A. Carmalin Sophia, Kanchana Swaminathan, Assessment of the mechanical stability and chemical leachability of immobilized electroplating waste [J]. Chemosphere, 2005, 58: 75 - 82.

[5] 陈永松，周少奇．电镀污泥的基本理化特性研究［J］．中国资源综合利用，2007，25（5）：2 - 6.

[6] Jitka J., Tatana S. and Romana N., Recovery of Cu - Concentrates from Waste Galvanic Copper Sludges [J]. Hydrometallurgy, 2000, 57: 77 - 84.

[7] Bela K., Laszlo K., Istvan G., Istvan E., B. Sreedhar and Karoly L., Study of Preparation of Zinc (Ⅱ) Ferrite and ZnO from Zinc - and Iron - Containing Industrial Wastes [J]. Industrial & Engineering Chemistry Research, 2003, 42 (2): 318 - 322.

[8] 陈丹，朱化军，钱光人，等．电镀污泥水热合成复合铁氧体与回收铜实验研究［J］．环境科学学报，2007，27（5）：1 - 6.

[9] 陈建秋，王铎，汪东．钢铁氧化层酸洗液配方的研制［J］．表面技术，2005，34（2）：69 - 70.

[10] Dawson WJ. Hydrothermal synthesis of advanced ceramic powders [J]. Am Ceram Soc Bull, 1988, 67 (10): 1673 - 1678.

[11] Nelson S Bell, Seung Beom Cho, James H Adair. Size control of α - alumina particles synthesized in 1, 4 - butanediol solution by α - alumina and α - hematite seeding [J]. J Am Ceram Soc, 1998, 81 (6): 1411 - 1420.

[12] Q Song; Z. J. Zhang. Shape Control and Associated Magnetic Properties of Spinel Cobalt Ferrite Nanocrystals, J. Am. Chem. Soc, 2004, 126, 6164 - 6168.

[13] Q Song; Z. J. Zhang. Correlation between Spin - Orbital Coupling and the Superparamagnetic Properties in Magnetite and Cobalt Ferrite Spinel Nanocrystals, J. Phys. Chem. B, 2006, 110: 11205 - 11209.

[14] T. Tanaka, R. Shimazu, H. Nagai, M. Tada, T. Nakagawa, A. Sandhu, H. Handa, M. Abe. Preparation of spherical and uniform - sized ferrite nanoparticles with diameters between 50 and 150 nm for biomedical applications, J. Magn. Magn. Mater, 2009, 321: 1417 - 1420.

[15] W. McKinnon, J. W. Choung, Z. Xu, J. A. Finch. Magnetic Seed in Ambient Temperature Ferrite Process Applied to Acid Mine Drainage Treatment, Environ. Sci. Technol., 2000, 34 (12): 2576 - 2581.

[16] B. E. Morgan, O. Lahav, R. E. Loewenthal. Advances in Seeded Ambient Temperature Ferrite Formation for Treatment of Acid Mine Drainage, Environ. Sci. Technol., 2005, 39 (19): 7678 - 7683.

两种活性污泥工艺在污泥减量中的应用研究

高春娣　袁金萍　王　丽　武联菊

（北京工业大学环境与能源工程学院　北京　100022）

摘　要　采用生物膜活性污泥工艺与传统推流式活性污泥工艺进行污泥减量的试验，考察它们对污泥的减量效果。试验发现，在生物膜系统与传统推流式活性污泥系统中，污泥表观产率系数与进水 COD 负荷均呈正相关；生物膜系统对污泥的相对减量比例为 35% ~41%。生物膜系统对 COD 和 NH_4^+-N 等污染物的去除效果略优于推流式活性污泥系统。

关键词　污泥减量　推流式活性污泥工艺　生物膜反应器

活性污泥是目前国内外应用最广泛的生物处理技术，有超过 90% 的城市污水处理厂的核心工艺是采用活性污泥法。而活性污泥法最大缺点在于剩余污泥的产量大。对剩余污泥的处理和处置存在着经济性、有效性和安全性的问题。目前对剩余污泥的研究，主要是解决如何在污水过程中降低其产量，而不是在其生成后再进行处理和处置。污泥减量技术正是在这一背景下提出来的。

污泥减量化是 20 世纪 90 年代提出的对剩余污泥处置的新概念，是在剩余污泥资源化基础上进一步提出的要求。目前对污泥减量化技术的研究主要集中在三个方面：降低细菌合成量的代谢解偶联技术、增强微生物隐性生长的各种溶胞技术以及强化微型动物捕食细菌的技术[1]。目前研究的各种污泥减量化技术都是通过促进有机碳的进一步代谢，使其尽可能地转化为呼吸产物而不同化为污泥。因此，对好氧污水处理进行污泥减量化，必然会导致总需氧量增加，曝气费用升高；进入污泥中的氮、磷减少，出水氮、磷含量高；对现有的微生物生态系统产生胁迫作用，使污泥中的微生物种群结构发生改变或通过种间竞争使微生物种类驯化等问题。目前，国内外以污泥减量化为目的的对整个活性污泥工艺的研究并不多，各类污泥减量化技术各有其优缺点，还没有一种可以被广泛推广而又对环境安全的污泥减量化技术。

生物膜工艺充分利用了生态学中的食物链原理，模拟自然生态系统中的食物链原理对剩余污泥进行减量，能真正实现污泥的减量化和无害化。该工艺以其低能耗、低成本、无二次污染的特点而成为一种理想的生态减量技术[2]。本文采用生物膜活性污泥工艺与传统推流式活性污泥工艺进行污泥减量的对比试验，考察它们对污泥的减量效果。

一、试验方法

（一）试验装置

试验所用生物膜反应器有效容积为 36 L，采用溢流出水方式控制反应器液位，连续进水连续出水的运行；微孔砂头曝气，维持曝气池内溶解氧在 2mg/L 以上；填料采用多孔球形填料，以悬浮态浸没于反应器中，利用螺旋桨搅拌器作为混合和提升水流的装置；反应器温度通过恒温装置在试验期间维持在 20 ~25℃。采用传统推流式活性污泥法进行对比试验，推流式反应器有效体积为 38L。

（二）原水水质

试验用水为北京工业大学家属区排放的实际生活污水，污水水质情况见表 1。

表 1　试验原水水质情况　单位：mg/L

主要水质指标	COD	氨氮（NH_4^+-N）	磷（溶解性 PO_4^{3-}）
P	140 ~200	50 ~80	4 ~7

（三）运行方式及试验参数

试验时间为 2007 年 12 月 4 日至 2008 年 5 月 20 日。接种污泥为北京市高碑店污水处理厂二沉池回流污泥，推流式反应起器接种污泥浓度为 2425mg/L，生物膜反应器接种污泥浓度为 2567mg/L。实验分为两个阶段：第一阶段在 HRT = 18h 下考察进水 COD 对两种工艺污泥减量的影响；第二阶段 HRT = 14h 下考察进水 COD 对两种工艺污泥减量的影响。具体见表 2。两组生物膜反应器除每天由于测量 VSS 需要取样 100 ml 外，不主动排泥。

表 2　试验设计与操作条件

试验阶段	运行时间/d	HRT/h	进水 COD/（mg/L）
一	30	18	122 ~ 199
	30	18	316 ~ 370
二	36	14	135 ~ 221
	24	14	343 ~ 424

（四）分析项目与方法

分析水质指标包括：COD、NH_4^+ – N、NO_2^- – N、NO_3^- – N、SS 以及 MLSS、MLVSS，均按照国家标准方法检测[3]。

试验采用 2，3，5 氯化三苯基四氮（TTC）法测定反应器中污泥的脱氢酶活性[4]。该法选用无色的 TTC 作人为受体，受氢后生成红的三苯基甲（TF），通过检测单位污泥量在单位培养时间内生成的 TF［μgTF/（mgMLSS · h）］来表征脱氢酶活性。考虑到单一基质（一般为葡萄糖、乳酸盐等）测出的脱氢酶活性只能表示活性污泥降解该种底物时的活性，本试验以反应器进水作为测定脱氢酶活性的基质。

活性污泥脱氢酶的测定　取 10ml 活性污泥于具塞离心管中，4000 r/min 离心 5min 后弃去上清液，再加入蒸馏水至 10ml 并搅拌均匀，离心 5min 后弃去上清液。这样反复用蒸馏水洗涤离心处理 3 次，最后向离心管中加入蒸馏水至 10ml 并搅拌均匀。准备若干支试管，分 2 组做平行样。逐支向试管中加入 2ml Tris – HCl 缓冲溶液，0.5ml TTC 溶液（4mg/ml），2ml 上述待测污泥混合液和 0.5ml 反应器进水。将各试管摇匀后立即放入（37 ± 1）℃恒温箱中培养 2h。取出后迅速滴入 2 滴甲醛，摇匀以中止反应。然后向各试管中加入 5ml 丙酮，常温下振荡萃取。放置片刻，待溶液分层后，在 4000r/min 下离心 5min，取上层有机溶剂于 486nm 处测定吸光度值。在上述条件下，吸光度值的大小表示了活性污泥脱氢酶活性的高低，1h 产生 1μg TF 的量为一个酶活力单位。即把测量得到的吸光度值通过标准曲线换算成 TTC 浓度，再除以反应时间（2h）和污泥浓度（MLSS）就得到污泥的脱氢酶活性。

二、实验结果与分析

（一）生物膜系统载体挂膜

本实验挂膜方法采用排泥挂膜法，整个挂膜共分两个阶段进行：①静态挂膜：静态挂膜期间，不连续进出水，连续曝气。期间每运行到 24h 重新添加生活污水，静态挂膜一般持续 2 ~ 3d；②动态挂膜：静态挂膜 2 ~ 3d 后，开始对反应器进行动态挂膜。动态挂膜期间，连续进水和出水。调节 pH 至 7.5 ~ 8.0，维持反应器温度在 25℃左右。挂膜 20d 左右，生物膜发育成熟，此时，生物膜均匀分布于载体表面，同时载体表面生物膜颜色变深，同时系统对 COD 的去除率达到 70% 以上，系统对污染物的去除效果趋于稳定。

通过测量挂膜前后载体填料的重量（105℃烘干后），可以计算出填料上所附着活性污泥的质量，进而求出挂膜阶段初期平均每个球形填料上负载0.08g活性污泥；生物膜发育成熟后，平均每个球形填料上负载活性污泥达到0.14g。

（二）生物膜污泥表观性状

生物膜微生物是以菌胶团为主要组分，辅以球衣菌、藻类等。生物膜生物是固着型的纤毛虫（例如独缩虫、钟虫、累枝虫等）和微型后生动物（例如轮虫、线虫、浮游甲壳虫等），它们促进反应器净化速度，提高反应器整体的处理效率；除此之外，生物膜还含有丰富的藻类，主要为绿藻和硅藻。正常运行中观察到的生物膜外观呈黄色。沿水流方向，进水处填料上生物膜较出水处填料上生物膜厚。

（a）钟虫（40×）

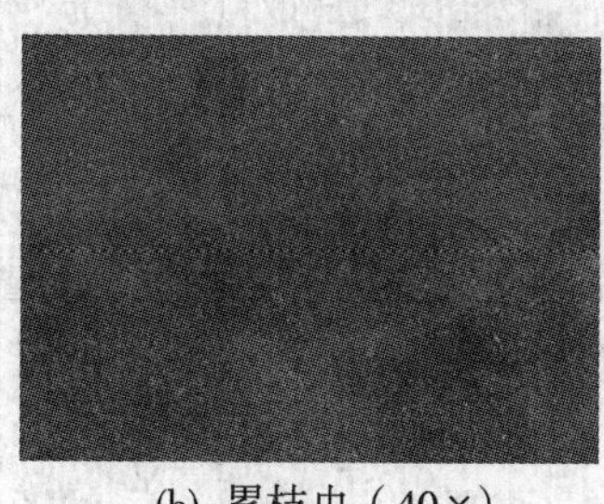

(b) 累枝虫（40×）

(c) 轮虫（40×）

图1　生物膜主要微型动物种群

实验对生物膜进行镜检，通过生物膜的形状、微生物物种及其生长情况来判断微生物与运行条件的适应关系。图1为生物膜主要微型动物种群。通过镜检发现，生物膜系统中不仅有丝状菌、钟虫［图1（a）］、累枝虫［图1（b）］等原生动物，还有线虫、轮虫［图1（c）］等后生动物，各种微生物聚集在一起形成微生物群体。在微生物群体中，各种微生物存在着共生、互生、寄生和拮抗等关系，形成了稳定的生态体系。

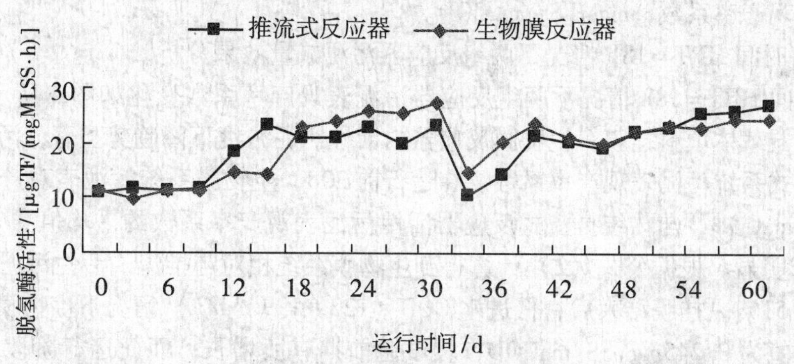

图2　两组反应器中污泥脱氢酶活性的变化（HRT=18h）

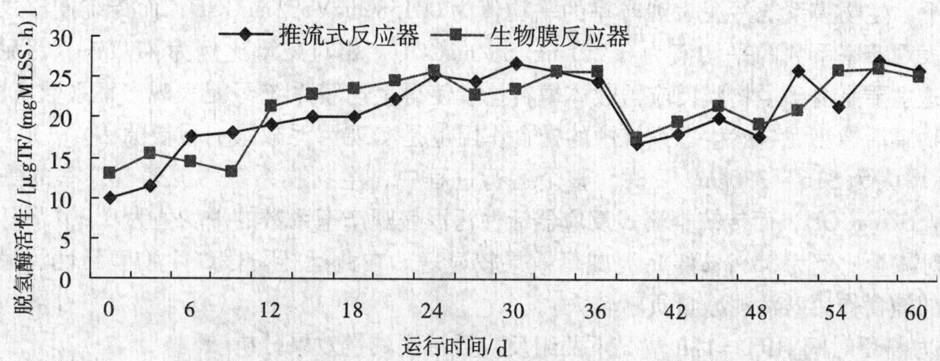

图3　两组反应器中污泥脱氢酶活性的变化（HRT=14h）

（三）两组反应器内的污泥活性

污泥活性是指污泥中微生物对有机质氧化分解的能力，是关系污水生物处理效果的一个重要指标。本次试验通过测定脱氢酶活性考察两组反应器内的污泥活性。

图2和图3分别为HRT = 18h和HRT = 14h运行情况下两组反应器中脱氢酶活性随运行时间的变化情况。从图可以看出，试验初期，生物膜系统污泥脱氢酶活性低于推流式污泥系统，这可能是由于生物膜反应器中活性污泥浓度的降低，以及两相微生物间的物质交换过程、悬浮态污泥向载体表面的附着等，使得生物膜系统污泥的整体衰减程度大于单纯的悬浮生长系统（活性污泥工艺）。两组反应器中污泥脱氢酶活性随时间的变化趋势与试验测得的COD去除效率基本是一致的。

（四）污泥表观产率系数及减量比例

污泥表观产率系数Y按照公式（1）进行计算，生物膜反应器中污泥表观产率包括系统中活性污泥和生物膜中生物量。衡量生物膜系统对污泥的相对减量比例Er按照公式（2）进行计算。生物膜系统对污泥的相对减量比例反映了生物膜系统对污泥进行减量的能力。

$$Y = \frac{V\frac{dX}{dt} + Q_w X_w + Q_e X_e}{Q\ (C_i - C_e)} \tag{1}$$

式中：Y为污泥表观产率系数，mgVSS/mgCOD；V为反应器曝气区体积，L；X为反应器曝气区活性污泥（VSS）浓度，mgVSS/L；Q_w为排泥量，L/d；X_w为排泥浓度（直接从曝气池中排泥时，等于X），mgVSS/L；Q_e为出水流量，L/d；X_e为出水中VSS浓度，mgVSS/L；C_i为进水COD浓度，mg/L；C_e为出水COD浓度，mg/L。

$$E_r = (Y_P - Y_o)\ /Y_o \tag{2}$$

式中：E_r为相对减量比例；Y_P为生物膜系统表观产率系数，mgMLSS/rngCOD；Y_o为推流式活性污泥系统表观产率系数，mgMLSS/mgCOD。

1. 水力停留时间HRT = 18h情况下两组反应器污泥减量效果分析

水力停留时间HRT = 18h情况下两组反应器污泥表观产率系数变化如图4所示。试验初期，由于生物膜反应器载体填料挂膜，生物膜反应器内活性污泥浓度下降趋势显著，污泥表观产率系数明显低于推流式系统污泥表观产率系数。在运行前20d，生物膜系统污泥表观产率系数平均值为0.121mgVSS/mgCOD，与传统推流式反应器活性污泥表观产率系数的平均值0.249mgVSS/mg-COD相比，下降明显。根据公式（2）计算得到生物膜系统相对与推流式活性污泥系统对污泥的相对减量比例为51%。挂膜结束后，低进水COD（122 ~ 199 mg/L）情况下生物膜系统污泥表观产率系数的平均值为0.245mgVSS/mgCOD，较试验前期有所增长，而此运行阶段推流式反应器活性污泥表观产率系数的平均值为0.249mgVSS/mgCOD，二者相差不大。在整个低进水COD运行的情况下，生物膜系统污泥表观产率的平均值为0.158 mgVSS/mgCOD，而传统推流式反应器活性污泥表观产率系数的平均值为0.271mgVSS/mgCOD，相对减量比例为41.7%，污泥减量效果显著。这主要是由于生物膜反应器载体填料挂膜使得生物膜系统污泥表观产率系数急剧下降，此外，生物膜活性污泥自然生态系统中的捕食作用也是实现污泥减量的重要原因。（30d后）当进水COD增大为316 ~ 370 mg/L时，整个运行过程中，生物膜系统污泥表观产率的平均值为0.195 mgVSS/mgCOD，而传统推流式反应器活性污泥表观产率系数的平均值为0.301 mgVSS/mg-COD，相对减量比例为35.2%，污泥减量效果较显著。在此运行阶段，生物膜活性污泥自然生态系统中的捕食作用对污泥减量贡献较大。

2. 水力停留时间HRT = 14h情况下两组反应器污泥减量效果分析

水力停留时间HRT = 14h情况下两组反应器污泥表观产率系数变化如图5所示。

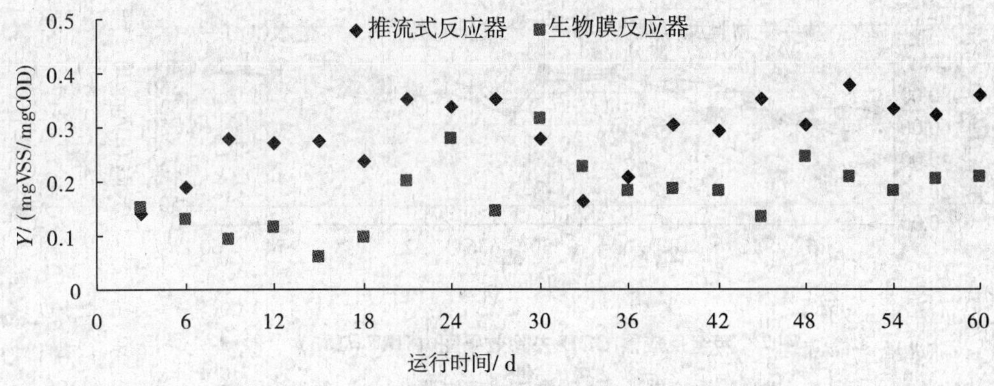

图 4 两组反应器污泥表观产率系数（HRT = 18h）

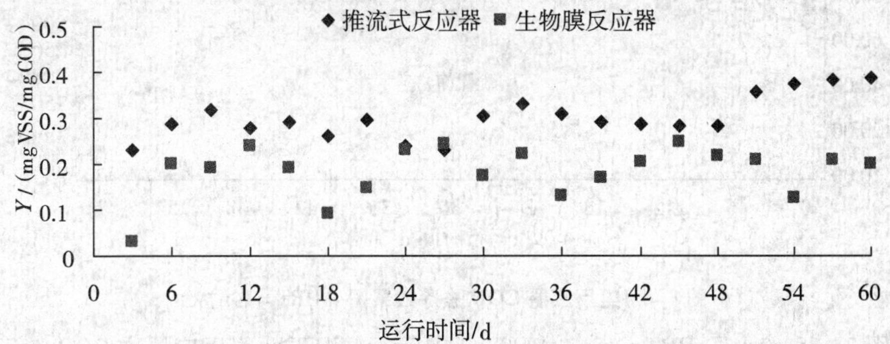

图 5 两组反应器污泥表观产率系数（HRT = 14h）

在低进水 COD（135 ~ 221 mg/L）情况下，试验整个运行过程中生物膜系统污泥表观产率系数的平均值为 0. 174 mgVSS/mgCOD，而传统推流式反应器活性污泥表观产率系数的平均值为 0. 281 mgVSS/mgCOD，相对减量比例为 38%，污泥减量效果较显著。（36d 后）当进水 COD 增大为 343 ~ 424 mg/L 时，整个运行过程中，生物膜系统污泥表观产率系数的平均值为 0. 197mgVSS/mgCOD，而传统推流式反应器活性污泥表观产率系数的平均值为 0. 331mgVSS/mgCOD，相对减量比例为 40%，污泥减量效果非常显著。在此运行阶段，生物膜活性污泥系统中的捕食作用仍然是污泥量减少的主要原因。

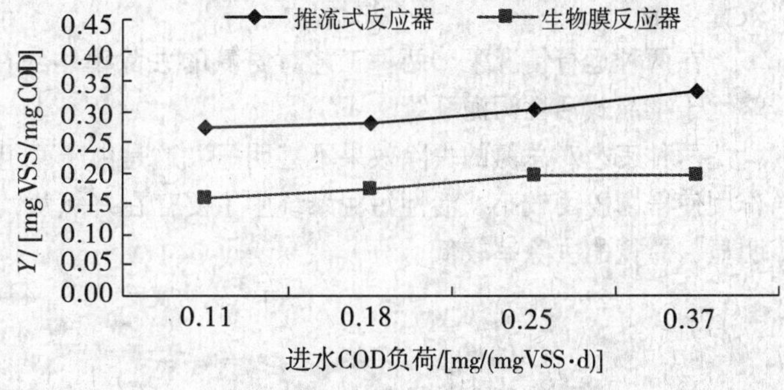

图 6 两组反应器污泥表观产率系数随进水 COD 负荷的变化趋势（HRT = 18h）

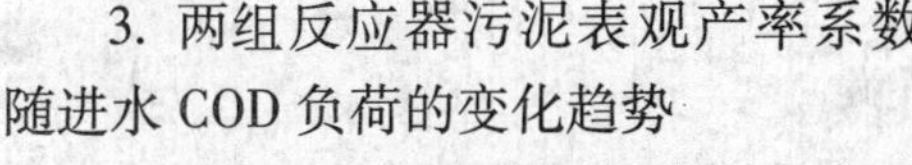
3. 两组反应器污泥表观产率系数随进水 COD 负荷的变化趋势

图 6 为两组反应器污泥表观产率系数随进水 COD 负荷的变化趋势。

从图 6 可以看出，两种活性污泥工艺系统污泥表观产率系数均随进水 COD 负荷的增加而增大，污泥表观产率系数与进水 COD 负荷呈正相关。当进水 COD 负荷大于 0. 25mg/（mgVSS · d）时，生物膜系统污泥表观产率系数增加的幅度明显小于传统推流式系统，在此运行条件下，生物膜系统污泥减量效果明显优于传统推流式活性污泥系统。

（五）两种活性污泥工艺对污染物的去除特性

1. 两种活性污泥工艺对有机物的去除特性

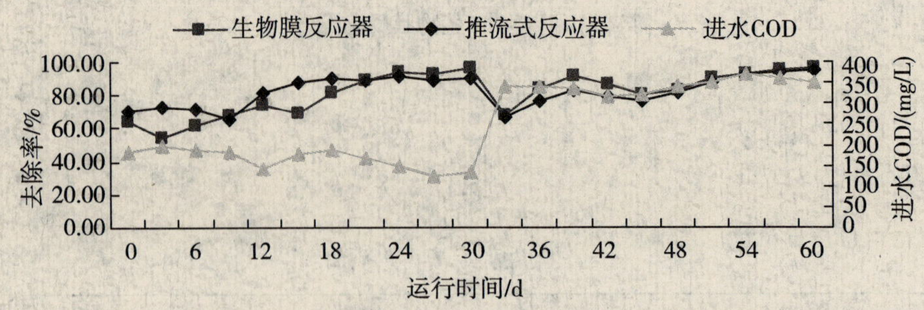

图 7 两组反应器 COD 去除效果图（HRT = 18h）

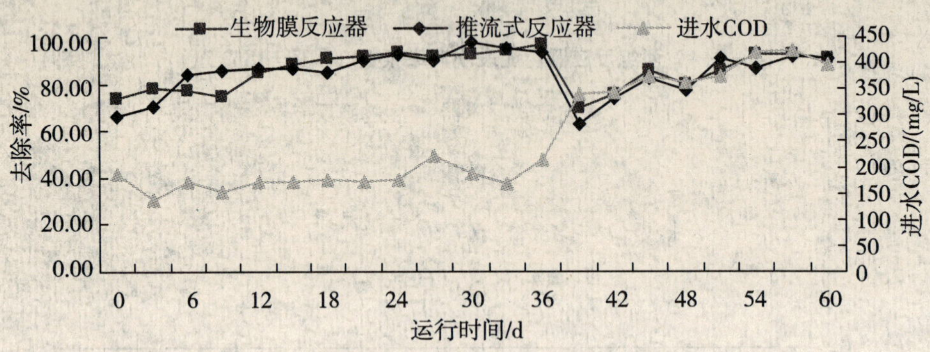

图 8 两组反应器 COD 去除效果图（HRT = 14h）

图 7 和图 8 分别给出了 HRT = 18h、HRT = 14h 运行情况下两组反应器中 COD 随运行时间的变化及对 COD 的去除情况。从图中可以看出，在两种运行情况下生物膜活性污泥系统均略优于推流式活性污泥系统。两种工艺 COD 去除率平均值均在 80% 以上。

2. 两种活性污泥工艺对氨氮的去除特性

图 9 和图 10 分别给出了 HRT = 18h、HRT = 14h 运行情况下两种活性污泥工艺对氨氮的去除效果。

在两种运行情况下，两种工艺对氨氮的去除率均约在 90% 以上，且生物膜活性污泥系统均略优于推流式活性污泥系统。

两种工艺对总氮的去除效果不甚明显，这是由于两组反应器供氧均充分，且大曝气量的冲刷作用使得菌胶团较小，活性污泥系统中主要存在好氧菌，硝化反应占绝对优势，故反硝化作用不明显，总氮的去除率较低。

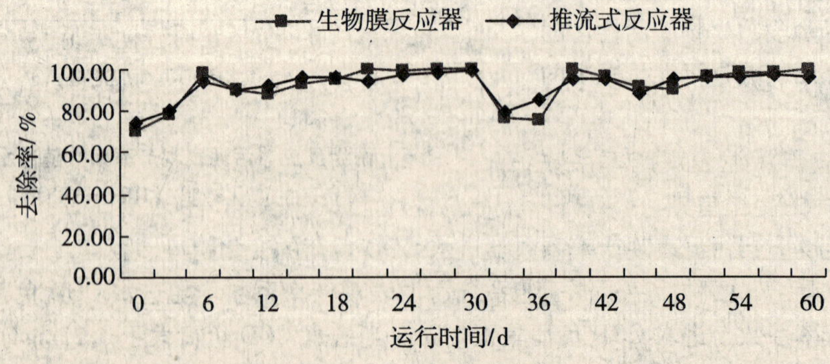

图 9 两组反应器对 NH_4^+ – N 去除效果图（HRT = 18h）

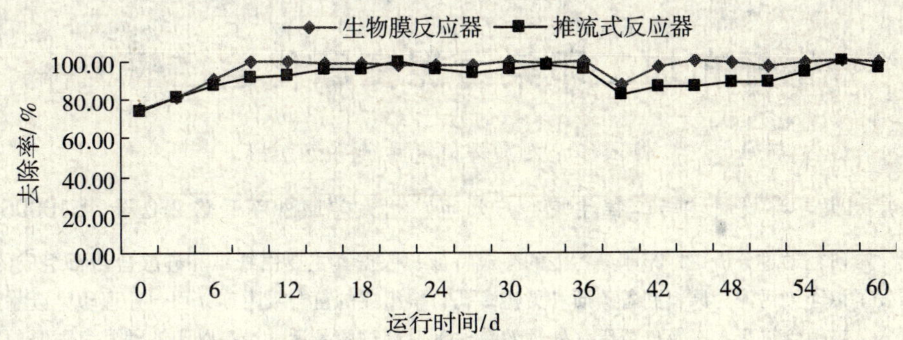

图10　两组反应器对 NH_4^+ -N 去除效果图（HRT=14h）

三、结　论

本试验采用生物膜反应器和传统推流式活性污泥反应器两套实验装置，考察了它们各自的污泥减量效果以及对污染物的去除特性，主要得出以下结论：

1. 两组反应器中污泥脱氢酶活性随时间的变化趋势与试验测得的 COD 去除效率是一致的。

2. 在 HRT=14h 的运行情况下，当进水 COD 增大为 343～424 mg/L 时，也即当进水平均有机负荷为0.29 mgCOD/（mgVSS·d）时，两系统运行稳定，生物膜系统污泥表观产率系数的平均值为 0.197mgVSS/mgCOD，而传统推流式反应器活性污泥表观产率系数的平均值为 0.331mgVSS/mgCOD，相对减量比例为40%，污泥减量效果非常显著。

3. 污泥表观产率系数与进水 COD 负荷呈正相关。当进水 COD 负荷大于 0.25mg/（mgVSS·d）时，生物膜系统污泥表观产率系数增加的幅度明显小于传统推流式系统，在此运行条件下，生物膜系统污泥减量效果明显优于传统推流式活性污泥系统。

4. 系统运行稳定后，两组试验装置对污染物的处理效果稳定，生物膜系统对 COD、氨氮的处理效果略优于推流式活性污泥系统。

参考文献

[1] Mayhew M, Stephenson T. Low biomass yield activated sludge: a review [J]. Environmental Technology, 1997, 18: 883－892.

[2] 魏源送，樊耀波．污泥减量技术的研究及其应用［J］．中国给水排水，2001，17（7）：23－26.

[3] 国家环保局《水和废水监测分析方法》编委会．水和废水监测分析方法（第4版）［M］．北京：中国环境科学出版社，2002.

[4] 李今，吴振斌，贺锋．生物膜活性测定中 TTC－脱氢酶活性测定法的改进［J］．吉首大学学报（自然科学版），2005，26（1）：37－39.

牛仔布加工印染污泥资源化途径研究

何国伟　刘灵辉　朱孟德　范　彬

（广州大学环境科学与工程学院　广州市广州大学城外环西路230号　510006）

摘　要　本研究通过分析牛仔布印染污泥的组成特征，依据其主要由纤维和硅酸盐浮石组成的特点，研究开发了以印染污泥为原料制备碳质和无机多孔材料组成的复合吸附剂，用于处理印染废水、炼焦含酚废水、电镀含镉废水以及皮革废水处理效果达到或超过商品活性炭；以印染污泥为主要原料制备生物滤膜用轻质陶粒，挂膜效果好，氨氮去除率优于商品陶粒；研究结果表明印染污泥可以作为吸附剂材料和轻质陶粒的原料，将印染污泥转化为可用资源，解决印染污泥堆存对环境的影响。

关键词　印染污泥　资源化　吸附剂　陶粒

引　言

牛仔布已成为现代的时尚服饰，牛仔布的特殊加工方法导致生产废水中污泥产出量大，是一般生活污水的污泥量的3~5倍。与城市生活污泥不同，该类污泥难以生物降解，并含有与染料相关的化学物，不妥善处理与处置，随意堆存，占用大量的土地资源，化学物的溶出危害生态环境，污染水体。调查发现，广东某牛仔布加工专业镇每年产出的印染污泥达10万t，广东省有许多这类企业，开发研究合理的处理与处置方法对于解决印染行业的环境污染、发展该行业具有重要的意义。

本文介绍了在研究分析牛仔布印染污泥的组成特征的基础上，开发了以印染污泥为原料制备吸附剂材料的工艺技术方法，并应用于工业废水处理的工作；研究了以印染污泥为原料制备轻质陶粒的可行性。研究结果表明，有可能通过资源化途径来大规模消纳印染污泥，将废弃的印染污泥转化为可用资源，达到污泥的减量化和无害化，从根本上改善和保护当地环境。

一、印染污泥的组成与物理化学特征

（一）物质组成分析

从牛仔布加工工艺及废水处理工艺分析判断，该类污泥可能存在可溶的化学物、可燃的纤维等有机物以及不溶不燃的无机物，因此，采用浸出、焙烧流程处理印染污泥，浸出溶液进行化学分析，焙烧余留物采用矿物学显微镜检查和化学分析的方法确定其物质组成。结果列入表1。

表1　牛仔布印染污泥物质组成分析结果

产品名称	可溶性物	可燃性物	不燃物	合计
产率/%	0.65	20.33	79.02	100.00

表2　印染污泥浸出液的化学特性

元素	Pb	Zn	Cr^{6+}	总 Cr	As	P	NH_3-N	pH
浸出液	<0.0008	0.096	0.026	0.050	0.131	0.620	2.51	7.13
地表水Ⅳ类标准	0.05	2.0	0.05	—	0.05	0.3	1.5	6~9

依据印染污泥的产生特征判断，可溶性盐类为印染过程产生的剩余染料或洗涤化学品，可燃部分主要为石磨等过程磨削下来的纤维屑，不可燃部分则主要为磨料的碎屑。

图1和图2分别为牛仔布污泥和污泥灼烧剩余物在显微镜下的照片。从图2可见牛仔布印染

污泥主要以短纤维和颗粒状物组成，灼烧剩余物则主要为颗粒状物。

化学分析表明焙烧剩余物含 $Al_2O_3$14.51%、$SiO_2$42.43%。经矿物鉴定，这种颗粒状物呈浮石矿物的特征。浮石矿物的化学式 $Al_2O_3 \cdot mSiO_2 \cdot nH_2O$，化学成分为 $SiO_2$45% ~70%、$Al_2O_3$10% ~16%。灼烧剩余物 Al_2O_3 和 SiO_2 分别为 14.51% 和 42.43%，基本符合浮石的化学组成特征，因此判断焙烧剩余物主要为浮石矿物。

图1　显微镜下的印染污泥

图2　显微镜下的烧余物

（二）物理化学特征

采用不同浓度的硫酸和氢氧化钠溶液，在干污泥与溶液的固液比为 1∶10、温度 80℃的条件下，搅拌反应 2h，过滤，滤渣在 106℃条件下烘干、称重，计算可溶性组分含量。

结果表明污泥中酸溶性物比碱溶性物多，5% 的硫酸溶出物 14%，随着硫酸浓度的增加，溶出率增加，当硫酸浓度增加到 15% 时，溶出率达到 18%；而碱溶物最大量为 10%，说明牛仔布印染污泥以碱性盐类物为主。

二、印染污泥制备吸附剂工艺研究

对牛仔布印染污泥性质和成分分析研究发现可燃物含量达 37.2%，主要以纤维为主，浮石含量为 55%。纤维为含碳有机物，经炭化、活化后其内部可能形成多孔隙结构，具有良好的吸附性能，浮石为硅、铝酸盐多孔状的矿石，高温受热后，孔隙中的水分和有机物挥发出来，可以赋予其吸附性。依据印染污泥的组成特征，考虑将印染污泥制备为炭质和无机多孔矿物组成的复合吸附剂材料。

炭质吸附剂多采用氯化锌化学活化法，这种技术在实践中得到广泛应用。无机矿物多孔材料的活化通常采用金属离子交换取代水等湿气和加温释放等方法，Zn^{2+} 有可能竞争吸附在浮石矿物孔隙，形成较好的吸附活性点，加大浮石的吸附能力，因此选用 $ZnCl_2$ 活化工艺制备。

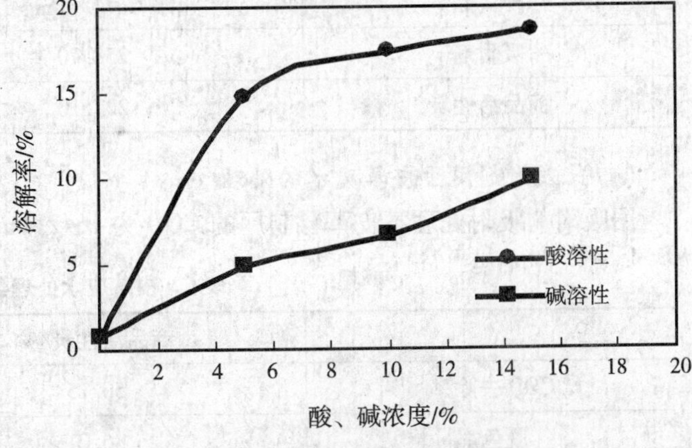

图3　牛仔布印染污泥的溶解特性

制备的吸附剂采用碘值和处理印染废水的 COD 去除率为评价指标，与天津大茂化工厂生产的商品粉状活性炭及磷酸活化法制备的吸附剂比较，结果如表3所示。

表3　性能对比结果

样　品	碘值/（mg/g）	COD去除率/%
商品活性炭	615.17	74.7
磷酸活化法	546.76	73.6
试验最优产品	630.46	76.3

结果表明氯化锌活化法优于用磷酸活化法，稍好于商品活性炭。

三、吸附剂的应用研究

（一）用于印染废水处理

采用印染污泥制备的吸附剂处理牛仔布印染废水，其 COD_{Cr} 去除率为76.30%，脱色率达到97.93%，达到商品活性炭处理水平。

（二）用于含酚废水的处理

用吸附剂吸附处理广州某钢铁厂的焦化废水，结果如表4所示。

表4　吸附剂与商品活性炭处理废水的结果

	活性炭			商品活性炭		
	处理前	处理后	去除率/%	处理前	处理后	去除率/%
COD/（mg/L）	2497.8	226.79	90.92	2497.8	311.27	87.54
酚/（mg/L）	394.372	17.04	95.68	394.372	9.56	97.57

试验研究结果表明，经过二次处理，脱酚效率高达95.68%；COD的浓度去除率达到90.92%；脱色率也达到90%左右，后两者的效果均优于商品活性炭。

（三）用于含镉废水的处理

用吸附剂吸附处理珠海某电镀车间的镉浓度为1018mg/L高浓度含镉废水，结果表明镉去除率为74.59%，与商品活性炭相近。

表5　电镀废水处理结果

样　品	出水 Cd^{2+}/（mg/L）	去除率/%
吸附剂	258.70	74.59
商品活性炭	227.10	77.69

（四）吸附剂用于皮革废水的处理

用吸附剂吸附处理某皮革鞣制厂的COD为1642.1mg/L的高浓度废水，结果如表6所示。

表6　皮革废水处理结果

	商品活性炭/%	污泥吸附剂/%
COD去除率	50.75	60.06
脱色率	86.01	84.22

结果表明，在COD和色度的去除能力方面较商品活性炭强。研究还发现，经印染污泥制备的吸附剂吸附预处理后，可以提高皮革废水的生化处理效率。图4为分别吸附剂和聚铝混凝剂预

处理后，在相同条件下进行活性污泥法接触氧化处理的结果，结果表明吸附剂比混凝剂去除COD要快。

四、用作轻质陶粒原料

轻质陶粒的主要原料为硅酸盐、氧化铝等矿物，加上矿化剂、汽化剂组成陶粒配方。汽化剂是在烧制过程燃烧气化挥发，而留下空隙，使陶粒变轻并形成多孔，作为良好的生物基。牛仔布加工印染污泥主要组分为纤维和浮石硅酸盐矿物，纤维在一定温度下可以燃烧汽化，在陶粒配方中起着汽化剂的作用；浮石等硅酸盐则可以成为陶粒的主要组分原料。

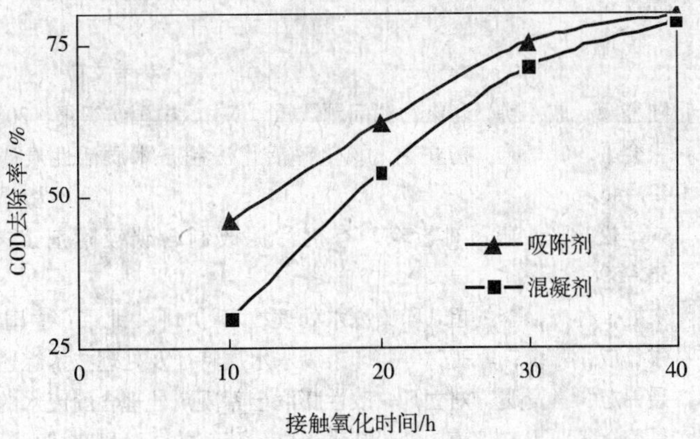

图4 接触氧化实验结果

研究印染污泥制备生物滤膜用陶粒的原料配比，即印染污泥、黏土及添加剂等的配比关系，以及制备陶粒工艺中的最佳烧结温度、烧结时间及升温方法。

在印染污泥占70%～80%，黏土15%～25%，其他添加剂在5%左右的条件下，焙烧温度为1000℃，焙烧时间为30min烧制的陶粒具有比筒压强度高、吸水率低等优良性能，性能指标符合要求的陶粒。

将所制备的陶粒用于处理印染废水，效果如表7所示。

表7 处理印染废水的效果对比

印染污泥陶粒滤料			商品陶粒滤料		
运行时间/d	氨氮去除率/%	COD去除率/%	运行时间/d	COD去除率/%	氨氮去除率/%
1	15.16	11.49	1	12.54	18.14
2	18.87	17.07	3	23.13	25.76
3	22.06	24.49	5	19.33	19.44
6	34.67	35.06	7	29.18	30.74
9	41.27	43.21	9	37.37	33.26
10	45.02	46.41	12	41.35	37.83
13	53.36	56.40	15	45.83	42.11

当陶粒滤料在装置中运行13d左右的时间里，印染污泥陶粒滤料的氨氮去除率达到53.36%，而市面陶粒滤料的COD去除率为42.11%，印染污泥陶粒滤料的处理效果明显要优于商品陶粒滤料。

五、结 论

1. 牛仔布印染污泥主要由纤维和浮石组成，存在一些可溶性物，主要为碱性物为主，浸出液AS、P等有害元素高，自然堆存会对环境造成危害。

2. 以印染污泥为原料制备的碳质和无机多孔材料组成的复合吸附剂，用于处理印染废水、炼焦含酚废水、电镀含镉废水以及皮革废水处理效果达到或超过商品活性炭；说明以印染污泥制备吸附剂可行。

3. 以印染污泥为主要原料制备生物滤膜用轻质陶粒，挂膜效果好，氨氮去除率优于商品陶粒；印染污泥作为陶粒的原料是资源化的途径之一。

参考文献

[1] 陆慕寒，戚才耕．印染污泥问题严重［N］．中国纺织报，2005.

[2] 张会平，叶李艺，杨立春．氯化锌活化法制备木质活性炭研究［J］．材料科学与工艺，2006，14（1）：42－45.

[3] 卞华松，张仲燕，刘芝玲．有机污泥改制含碳吸附剂工艺及应用［J］．环境科学，1999，20（6）：56－59.

[4] 朱虹，孙杰，李剑超．印染废水处理技术［M］．北京：中国纺织出版社，2004，9：1－10

[5] 戴日成，张统，郭茜，等．印染废水水质特征及处理技术综述［J］．工业给排水，2003，26（10）：5－7.

[6] 聂锦旭，肖贤明，刘立凡．改性膨润土絮凝剂处理含酚废水的试验研究［J］．工业水处理，2006（1）．

[7] 夏璐，王双飞，龚铸．含酚废水光催化降解的试验研究［J］．环境科学与技术，2005（6）．

[8] 沈齐英，刘录，申林波．三相生物流化床处理炼油厂含酚废水的实验研究［J］．环境污染治理技术与设备，2002（7）．

[9] 范轶，王麒，陈军，等．微孔塔式曝气用于石化废水处理的研究［J］．环境工程，2000（6）．

[10] 周全法，尚通明．电镀废弃物与材料的回收利用［M］．北京：化学工业出版社，2004，2.

[11] 姜述芹，周保学，于秀娟，等．氢氧化镁处理含镉废水的研究［J］．环境化学，2003，22（6）：601－604.

[12] T. J. BuRer. The removal and recovery cafcadmium from dilute aqueous solutions by biosorption and electrolysis at laboratory scale［J］. Water Res.，1998，32（2）：400.

[13] 贾随堂，王军．清洁生产技术在制革工业生产中的应用［J］．环境科学与技术，2001（6）．

[14] 张光明，张锡辉，方建德，等．皮革含铬废水加碱处理研究［J］．环境污染治理技术与设备，2003（5）．

[15] 冯景伟，孙亚兵，郑正，等．制革废水处理技术研究进展［J］．环境科学与技术，2008（6）．

[16] 诸秀英．皮革废水物化处理工艺整改的试验研究［J］．上海环境科学，2004（6）．

[17] 诸秀英．皮革废水治理工程整改实例［J］．江苏环境科技，2004（4）．

[18] 张光明，卢欢亮，郭振仁，等．混凝处理皮革废水研究［J］．新疆环境保护，2003（4）．

[19] 黄瑞敏，卢开聪，林德贤，等．曝气生物滤池对皮革废水中氨氮去除的研究［J］．皮革化工，2005（3）．

[20] 李嘉，苏海佳，谭天伟．微滤法脱除皮革废水中有机物性能的研究［J］．工业水处理，2007（9）．

[21] 王振川，郭玉凤，赵仁兴，等．皮革和毛皮加工废水处理技术［J］．环境科学与技术，2006（9）．

[22] 郑永东，白端超．物化—生化工艺处理皮革废水［J］．工业用水与废水，2001（5）．

[23] 王兴润，金宜英，杜欣，等．城市污水厂污泥烧结制陶粒的可行性研究［J］．中国给水排水，2007（7）．

[24] 王立久，张苗苗．陶在水处理中的应用研究简介［J］．给水排水技术动态，2004：32－33.

完全混合反应器条件下亚硝化到 CANON 过程的启动

钟玉鸣　王丽娇　贾晓珊

（中山大学环境科学与工程学院　510006）

摘　要　以完全混合连续流反应器，在常温、好氧条件下直接从硝化污泥启动 CANON 工艺。结果显示，在常温条件下，pH 7.8～8.2，亚硝化阶段在 60d 完成启动，亚硝酸盐积累率达到 70% 以上并保持稳定；连续运行至 90d 时，出水亚硝酸盐和氨氮逐步下降，总氮亏损明显；到 120d 时，TN 去除率维持在近 80%，成功地启动了 CANON 工艺。CANON 反应器启动成功的标志为：污泥产生气泡并上浮；总氮损失明显。

关键词　亚硝化　厌氧氨氧化　CANON

一、前　言

厌氧氨氧化微生物是环境科学和微生物学上的重要发现，在废水生物脱氮中具有重要的应用价值，因此近年来成为研究的热点之一。厌氧氨氧化反应需要提供亚硝酸盐作为电子受体，这在实际工程中主要采用亚硝化－厌氧氨氧化联合两段工艺与 CANON 工艺（Completely autotrophic nitrogen removal over nitrite）解决这个问题。CANON 工艺在一个反应器里实现亚硝化与厌氧氨氧化过程因而在运行经济性，实用性上更加具有优势。CANON 工艺的原理是：在氧气浓度较低条件下，亚硝化菌将部分氨氮氧化成亚硝酸盐同时消耗氧气，为厌氧氨氧化过程创造厌氧环境；产生的亚硝酸与部分剩余的氨氮发生厌氧氨氧化反应完成氮的转化。CANON 过程的化学计量方程式[1]如下：

$$NH_4^+ + 1.5\ O_2 \rightarrow NO_2^- + 2\ H^+ + H_2O$$

$$NH_3^+ + 1.32NO_2^- \rightarrow 1.02N_2 + 0.26NO_3^- + 2\ H_2O$$

$$NH_4^+ + 0.85O_2 \rightarrow 0.435N_2 + 0.13NO_3^- + 0.14H^+ + 1.3H_2O$$

目前，CANON 工艺在构建时，大多以人工首先启动厌氧的 ANAMMOX 反应器，其后再接种 ANAMMOX 污泥到采用 SBR 或填料型亚硝化反应器中逐渐启动 CANON 反应[2-4]，故操作繁杂且费时间。本研究采用完全混合式连续流反应器，在室温与好氧条件下以普通的污水厂硝化污泥为种泥，在完成污泥的部分亚硝化阶段培养的基础之上最终转变为 CANON 工艺。本研究将为 CANON 工艺的快速启动及厌氧氨氧化微生物的工程应用提供技术支撑。

二、材料与试验方法

（一）实验装置

反应器由有机玻璃制成，总体积为 5 L。进水由反应器顶部进入后，由引导管一直延伸到反应器底部；上部安装出水口。反应器采用磁力搅拌器固定速度进行搅拌，曝气量通过阀门控制曝气量；反应器内的温度控制在室温条件下，pH 控制在 7.8～8.2。

（二）接种污泥与供试配水

本实验采用污水厂硝化污泥为种泥进行启动。试验用供试配水采用人工配水，进水量控制在 0.4L/d。供试配水以自来水中添加适量的 NH_4Cl、$NaHCO_3$ 与磷酸盐配制而成。

（三）分析项目与方法

NH_4^+－N 采用水杨酸试剂比色法；NO_2^-－N 采用乙二胺光度法；NO_3^-－N 采用盐酸紫外分光光度法；pH 值采用梅特勒台式 pH 计；溶解氧采用溶解氧解氧仪测定。

三、结　果

（一）部分亚硝化阶段的培养

亚硝化阶段主要以富集好氧亚硝化微生物且抑制硝化微生物为目的。亚硝化工艺启动的关键有：①提高 pH 值，增加游离氨的浓度可以抑制硝化微生物的生长[5]。②减低水中的溶解氧，有利于亚硝化微生物的富集[6]。③控制水温在 25℃以上，延长水力停留时间[7]。另外，氨氮与亚硝酸盐的比例 1∶1.32 是厌氧氨氧化微生物的理论营养需求，因此，在启动亚硝化的过程中只需要部分氨氮变成亚硝酸盐，即部分亚硝化即可。

启动初期，先对接种污泥曝气，使反应器中种泥由来的有机物消耗殆尽后再进行连续培养。在进水氨氮浓度为 100～150 mg/L、温度为室温，pH 值为 7.9～8.2、溶解氧小于 0.5mg/L 的初始条件下逐步提高进水氨氮浓度连续运行 2 个月左右，直到亚硝酸盐积累率达到 70% 以上的时候，可以认为基本完成了部分亚硝化阶段的培养。

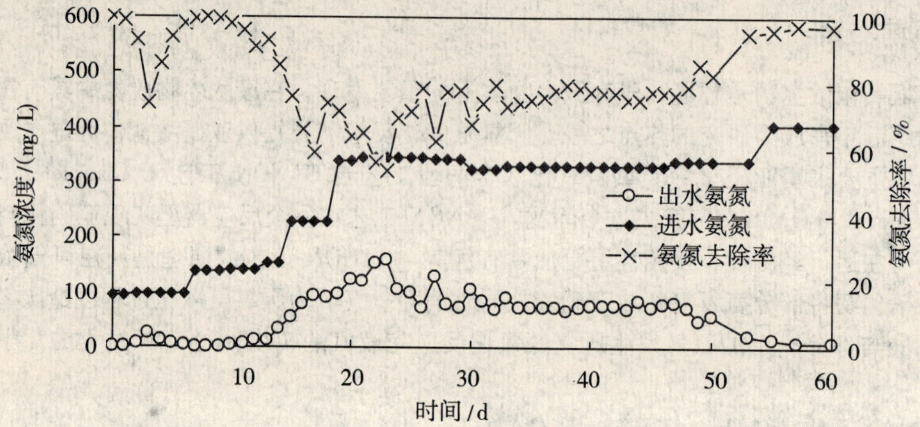

图 1　部分亚硝化启动时进出水氨氮浓度和其去除率氨氮的变化

图 1 为部分亚硝化阶段的培养过程中进出水氨氮浓度和其去除率的变化。反应器启动初期，由于种泥的硝化活性比较高，因此氨氮去除率一直维持在较高的水平。为了抑制硝化微生物（NOB）的生长水中溶解氧一直控制在 0.5mg/L 以下，从第 6 天、15 天、21 天、51 天 4 次提高进水氨氮浓度，最终达到 400mg/L。随着进水氨氮浓度从 100mg/L 增加到 250mg/L，出水氨氮去除率逐渐降低至 60% 左右。当进水氨氮浓度进一步增加至约 350 mg/L 时，氨氮去除率迅速降低至 50% 后又开始缓慢上升，直到最终 60 天时尽管进水氨氮浓度增加至 400 mg/L 时氨氮去除率增加到 97%。

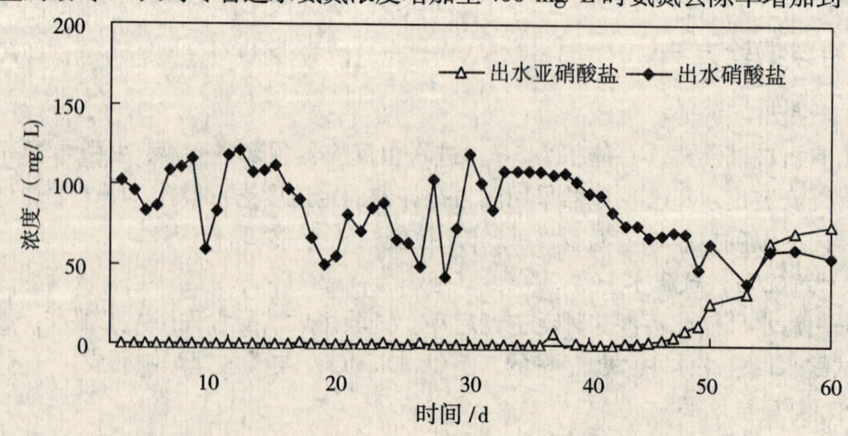

图 2　亚硝化启动时出水亚硝酸盐和硝酸盐浓度的消长变化

图 2 为在部分亚硝化阶段的培养过程中出水亚硝酸盐和硝酸盐浓度的消长变化。如图 2 所示，在 40 天以前，出水中亚硝酸盐几乎检测不到而硝酸盐一直处于相当高的水平。从 40 天开始亚硝酸盐开始逐渐累积，50 天逐步上升到 40mg/L 左右，最终在 60 天，出水亚硝酸盐达到 80mg/L。同时，从 40 天开始硝酸盐开始逐渐减少，50 天从 110mg/L 逐步减少到 62mg/L 左右，最终在 60 天，出水硝酸盐减少到 60mg/L 以下。出水中亚硝酸盐和硝酸盐浓度的消长直接揭示着亚硝化微生物（AOB）和硝化微生物（NOB）的消长对比。从 40 天开始 AOB 的硝化能力受到抑制 NOB 的增长才真正开始。

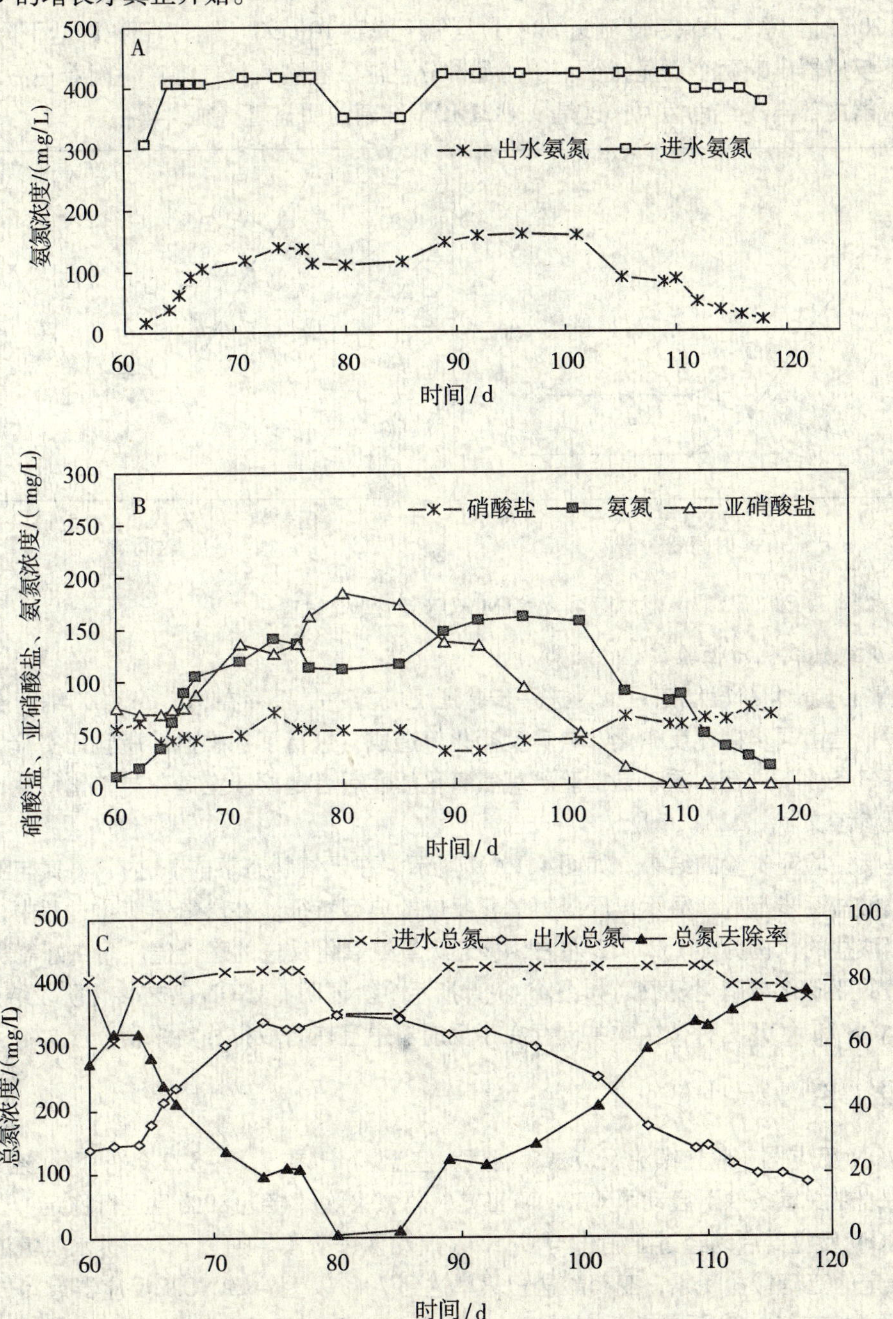

图 3　ANAMMOX 的启动阶段氨氮、亚硝酸盐、硝酸盐与 TN 的变化

（二）CANON 工艺转化阶段

从第 60 天开始反应器进入以培养厌氧氨氧化微生物为目的的 CANON 工艺转化阶段。在此阶段进一步通过控制曝气量使溶解氧在 0. 1mg/L 以下，其他维持与部分亚硝化阶段相同的进水条件。CANON 工艺转化阶段的实验结果如图 3 所示。过往 Strous 等[8]的研究表明过高的 DO 与亚硝酸盐浓度将对厌氧氨氧化微生物产生抑制作用；在溶解氧浓度为 0. 15% ~2. 0% 的空气饱和度下及当亚硝酸盐浓度超过 100mg/L 时 ANAMMOX 的活性完全被抑制[9]。实验结果显示，尽管溶解氧浓度维持在低水平但当亚硝酸盐浓度持续累积而且总氮去除率一路下降的过程中，厌氧氨氧化微生物一直处于忍耐调整中。但当亚硝酸盐浓度开始显著下降的近 90d 过后，出水氨氮与硝酸盐分别同步下降和上升、总氮去除率逐步上升表明厌氧氨氧化微生物真正正式开始增长繁殖。最终，在 120d 时，总氮去除率达到近 80%；氨氮下降到 10mg/L 以下；亚硝酸盐下降到 20mg/L 以下。最终反应器出现两个明显特征：①污泥部分上浮，看到大量气泡产生附着在污泥上；②进水管及反应器内部出现红色污泥，这是 ANAMMOX 细菌的明显著特征[10]。

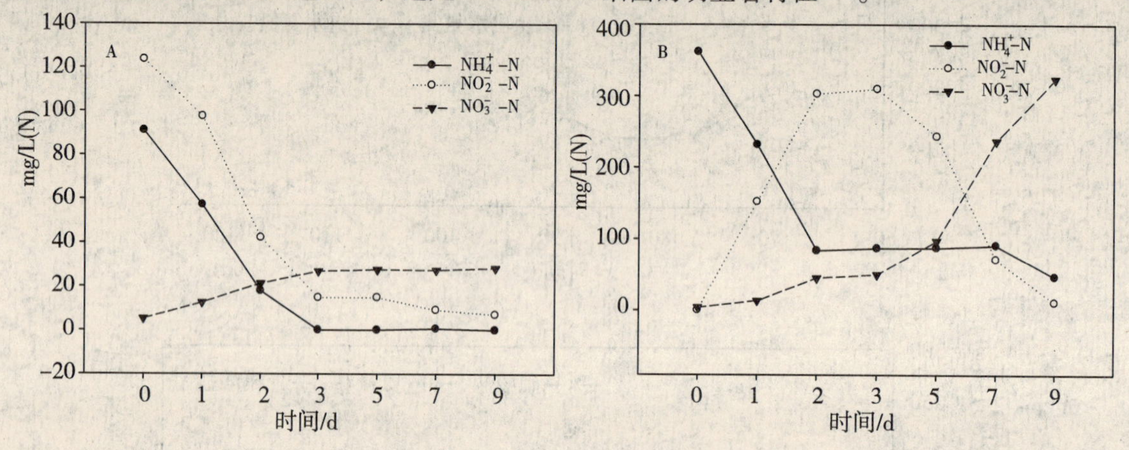

图 4　ANAMMOX 活性验证试验

（三）厌氧氨氧化活性验证

CANON 工艺转化阶段结束后，为进一步验证反应器中是否存在 ANAMMOX 细菌，排除反应器总氮的亏损是由同步硝化反硝化、自养反硝化等造成，进行了标准血清瓶验证实验。实验分别在厌氧和好氧条件下进行，前者是检验厌氧氨氧化活性后者是检验亚硝化与硝化特性，其详细的操作方法见参考文献［11］。

图 4 是活性验证实验的结果。如图 4（A）所示，在厌氧状态下前 3d 内，氨氮与亚硝酸盐同步下降，硝酸盐逐步上升，显示出厌氧氨氧化反应的典型特征。在厌氧氨氧化过程中，氨氮与亚硝酸盐和硝酸盐的比例为 1∶1. 2∶0. 2 左右，接近厌氧氨氧化反应的理论值。而在好氧实验过程中出现了典型的亚硝化与硝化现象（如图 4（B）所示）。证明 CANON 工艺转化阶段结束后，ANAMMOX、AOB 和 NOB 三种微生物共同存在于反应器中且三者取得相对平衡。

四、结　论

1. CANON 反应器在以连续流反应器，温度为室温，pH 在 7. 8 ~8. 2 条件下，经过 120d 的运行，成功地在好氧条件下启动了 CANON 工艺，总氮去除率接近 80% 且运行稳定。

2. CANON 反应器启动经过亚硝化与 CANON 启动两个阶段。通过 pH 与进水氨氮浓度联合控制获得了稳定的亚硝酸盐积累，亚硝酸盐积累率达到 70% 以上。CANON 反应器启动成功的现象为：① 污泥开始产气；② 反应前后有明显的总氮损失，且总氮损失逐步升高。

3. 通过 pH 与进水氨氮浓度等条件控制下，可以达到三种微生物的平衡与共存，常规有氧气条件下在以亚硝化微生物为过渡，启动厌氧氨氧化混合工艺是可行的。

参考文献

[1] The CANON System (Completely Autotrophic Nitrogen – removal Over Nitrite) under Ammonium Limitation: Interaction and Competition between Three Groups of Bacteria K. A. THIRD1, A. OLAV SLIEKERS2, J. G. KUENEN2, and M. S. M. JETTEN2, 3 System. Appl. Microbiol, 2001, 24, 588 - 596.

[2] Sliekers A O, Third K A, Abma W, et al. CANON and ANAMMOX in a gas – lift reactor [J]. Fems Microbiol Lett, 2003, 218 (2): 339 – 344.

[3] Sliekers A O, Derwort N, Gomez J L, et al. Completely autotrophic nitrogen removal over nitrite in one single reactor [J]. Water Res., 2002, 36 (10): 2475 – 2482.

[4] Furukawa K, Lieu P K, Tokitoh H, et al. Development of single stage nitrogen removal using anammox and partial nitritation (SNAP) and its treatment per formances [J]. Water Sci Technol, 2006, 53 (6): 83 – 91.

[5] Anthonisen, A. C., Loehr, R. C., Prakasam, T. B. S., Srinath, E. G., Inhibition of nitrification by ammonia and nitrous acid [J]. J. Water Pollut. Control Fed. 1976, 48: 835 – 852.

[6] Wiesmann, U., Biological nitrogen removal from wastewater [J]. Adv. Biochem Eng. Biotechnol. 1994, 51: 113 – 154.

[7] Hellinga, C., Schellen, A. A. J. C., Mulder, J. W., van Loosdrecht, M. C. M., Heijnen, J. J., The SHARON process: an innovate method for nitrogen removal fromammonium – rich waste water. Water Sci [J]. Technol. 1998, 37 (9): 135 - 142.

[8] Strous M, van Gerven E, Kuenen J G, et al. Effects of aerobic andmicroaerobic conditions on anaerobic ammonium oxidizing (ANAMMOX) sludge [J]. Appl Environ Microb, 1997, 63 (6): 2446 – 2448.

[9] Magri A, Corominas L, Lopez H, et al. A model for the simulation of the SHARON process: pH as a key factor. [J]. Environ Technol, 2007, 28 (3): 255 – 265.

[10] van Graaf A A, De Bruijn P, Roberts on L A, et al. Autotrophic growth of anaerobic ammonium oxidizing micro organisms in afluidized bed reactor [J]. Microbiology, 1996, 146 (8): 2187 – 2196.

[11] 徐昕荣，贾晓珊，陈杰娥．一种未见报道的厌氧氨氧化微生物的鉴定及其活性分析［J］．环境科学学报，2006，26（6）：912 – 918.

胞外聚合物（EPS）构成的影响因素分析

曹秀芹　赵自玲

（北京建筑工程学院环境与能源工程学院　北京　100044）

摘　要　污水生物处理系统中污泥胞外聚合物EPS对系统性能变化起到重要的作用，其含量反映污泥中微生物特性及构成的变化，并进而影响到污泥特性和系统的处理效果。但由于EPS影响因素众多，因而目前尚缺乏标准的分析方法。文中对EPS的影响因素进行综合分析，其中影响因素主要包括废水基质以及工艺运行条件如污泥负荷、溶解氧、停留时间等，并对不同的EPS提取方式及其组分测定方法进行了比较分析。随着人们对EPS及其作用认识的不断深入，必将对污水生物处理系统处理效果的有效控制起到重要的推动作用。

关键词　胞外聚合物（EPS）　废水基质　工艺条件　提取方法

胞外聚合物EPS（Extracellular Polymeric Substances）是活性污泥絮体中继水分和细胞后的第三大组成部分[1]，其来源[2-4]①由细菌细胞新陈代谢分泌的高分子聚合物，聚集在细胞外部形成凝胶状物质；②来自于污废水中的化合物，即污泥所处的基质环境。因此，EPS在活性污泥絮体中普遍存在，且其成分非常复杂，由大量聚合物构成。这种聚合物聚集在细胞外部形成保护层以抵制外界环境的压力，同时也起到储备碳源和能源的作用。多数研究表明[2,5-7]，EPS的70%~80%是由蛋白质和多糖构成，余下的20%~30%来自于腐殖酸、核酸和脂类等。

EPS是微生物在特定环境下产生的分子量大于10000的高分子物质，其成分和含量与微生物的活性和功能特性有着密切联系，分析其化学组成是理解整个生物絮凝、污泥稳定性以及生物代谢机制的重要基础。EPS的测定通过其主要构成成分蛋白质、多糖等组分的测定来体现，其中蛋白质的定量测定方法很多，目前在胞外聚合物测定中应用较广的有Folin酚法、考马斯亮蓝法和凯氏定氮法以及分子生物学的探针法等。本文对废水基质和各种污水处理工艺运行条件对EPS的影响以及不同的EPS提取方式及其组分测定方法进行了比较分析。

一、废水基质对EPS组成的影响

Sponza[8,9]发现酿酒工业废水的活性污泥和城市污水的活性污泥EPS以蛋白质为主，其含量为70~71mg/gMLVSS，核酸含量仅为6.2~6.5mg/gMLVSS；而化学、皮革、染料3种工业废水的活性污泥中蛋白质和核酸含量相差不大，分别为24~48mg/gMLVSS和11~12mg/gMLVSS。葛利云[10]等实验发现用淀粉基质培养的污泥EPS总量比用葡萄糖基质培养的污泥略高一些，它们都比实际污水处理厂污泥的EPS含量高。另外不同的培养基质还会影响污泥EPS的蛋白质与多糖的比值。淀粉基质培养的污泥比葡萄糖基质培养的污泥的EPS中蛋白质与多糖的比值要高。吴志高[11]通过试验得出随着进水碳源含量的升高（氮、磷相对缺乏），污泥EPS及其中的多糖、蛋白质等的含量分别有着不同程度的增加。分析表明可能是由于细菌与丝状菌在低营养比条件下进行竞争，丝状菌成为优势菌种导致了一些形成絮体的细菌死亡解体；另外氮、磷营养成分的不足降低了微生物的同化作用，使得絮体中微生物大量死亡以及细胞自溶导致了EPS中蛋白质、多糖等含量的增加。

二、污水处理工艺运行条件对EPS组成的影响

（一）污泥负荷对EPS组成的影响

关于有机负荷对EPS组成的影响早期的研究认为两者具有负相关性，即低负荷处于内源生

长期的污泥比高负荷污泥 EPS 产量高[12]。并从细胞自溶的角度分析，表明污泥负荷对 EPS 有显著影响，且随着污泥负荷的降低 EPS 含量增加。因为随着负荷降低，细菌可利用的基质减少，增殖速率降低，此时细菌的分泌和自溶使低负荷污泥中 EPS 含量较高。周健等[13]研究也发现 EPS 及多糖含量与污泥负荷呈负相关性，当污泥负荷由 0.3kgBOD_5/（kgMLSS·d）增加到 3kgBOD_5/（kgMLSS·d）时，EPS 由 23.4mg/gVSS 减少至 14.5mg/gVSS；多糖由 11.6mg/gVSS 减少至 6.92mg/gVSS。但也有研究者[14,15]认为两者具有正相关性，并从碳源积累的角度分析其原因是在较高的污泥负荷条件下，微生物细胞无法将所有碳源用于细胞合成，多余碳源被转化成胞内聚合物和在 EPS 中积累的胞外高分子物质，使得 EPS 含量增加。

（二）溶解氧对 EPS 组成的影响

系统 DO（溶解氧）含量不同使得微生物构成及其代谢活动发生变化，微生物分泌的 EPS 产量和成分也显著不同。Sponza[9]发现污泥在 DO 为 0.5 ~ 2mg/L 时，蛋白质、糖类和核酸含量都随着 DO 增加而升高；当 DO 降到 0.1mg/L 以下时蛋白质和核酸含量开始下降，进入厌氧状态后进一步减少。周健等也发现当 DO 从 0 增加到 4.2mg/L 时，污泥的胞外聚合物 EPS 及其中蛋白质、多糖含量逐渐增加。分析表明随着 DO 增加，微生物具有较强的新陈代谢能力，通过分泌及自溶产生了较多的 EPS。当 DO 降低到 0 时，EPS 含量明显降低，这是因为厌氧微生物菌种不同，分泌的 EPS 较少的缘故。但 Shin 等[16]却得出不同的结论，他们发现 DO 高时多糖产量会增加，但蛋白质保持不变；且随着 DO 的降低、EPS 各组分都无明显变化。另外，DO 对污泥及上清液中 EPS 影响也有不一致。李延军等[17]通过对好氧颗粒污泥中 EPS 在污泥和上清液中的分布，发现随 DO 的升高，污泥中多糖、蛋白质及 EPS 总量缓慢增加，蛋白质含量为多糖的 2 ~ 3 倍，DO 达到 4.5mg/L 后总量趋于稳定；而上清液中当 DO 低于 4.5mg/L 时，蛋白质和多糖浓度及其 EPS 总量随 DO 的升高而降低。分析原因：一方面是较高的 DO 使得微生物能够进行正常的代谢活动，污泥颗粒解体释放的 EPS 逐渐降低；另一方面随 DO 的升高，微生物的代谢活动加剧，底物消耗加快，污泥产生的部分 EPS 被微生物作为底物利用，因此释放到上清液中的 EPS 总量随 DO 升高而不断降低，但当 DO 达到 4.5mg/L 时，足够的 DO 到达颗粒污泥中心区域，较快的底物消耗造成营养缺乏而使微生物进入内源呼吸，分泌的 EPS 又开始增加，并与其消耗达到平衡。

（三）温度对 EPS 组成的影响

Wilèn[18]等在研究实际活性污泥工艺的活性污泥絮体构成及絮凝性和沉降性时发现，在冬季时，活性污泥 EPS 中蛋白质成分明显增多。张宝良[19]等通过对哈尔滨市文昌污水厂的市政污泥、哈尔滨市可口可乐公司废水处理厌氧污泥、可乐废水好氧处理污泥 3 种不同类型的污泥试验分析温度对污泥 EPS 含量及成分的影响，－20℃下储存 EPS 组分保持最稳定，室温下储存效果最差，4℃储存情况介于前二者之间。对于市政污水污泥和可乐废水好氧处理污泥 EPS，适于在－20℃下储存，此时两类污泥 EPS 中蛋白质分别下降 9%、20%，糖下降均为 20%；而可乐废水厌氧处理污泥 EPS 在 3 种温度下组分浓度下降幅度均较大（室温：蛋白质 85%，糖 80%；4℃：蛋白质 80%，糖 70%；－20℃：蛋白质 30%，糖 60%）。周健[13]等通过试验得出温度对 EPS 也有明显的影响，在 10℃的反应器中，污泥 EPS 较高，同时其中 DNA 及蛋白质含量较高，可能是细胞死亡而释放出的胞内聚合物，导致 EPS 增加；当温度从 10℃升至 15℃时污泥的 EPS 降低，其中 DNA 及蛋白质含量降低；当温度从 15℃升至 30℃时，EPS 反而增加了 14%，其中 DNA 及蛋白质含量增加不明显，但多糖含量明显增加。这是由于温度对细胞的生理活动影响较大，随着温度提高，酶促反应速度将提高，同时微生物的代谢速率和生长速率较高，此时主要是由于细菌的分泌导致 EPS 升高。

（四）pH 对 EPS 组成的影响

郑蕾[20]等通过对市政污水污泥和可乐废水污泥试验发现提取的 EPS 浓度与 pH 有着密切关

系。在强酸条件下（pH = 3），可提取 EPS 比 pH = 7 时下降约 50%，其中多糖下降约 30%，蛋白质下降 65% ~ 70%；在强碱条件下（pH = 11），可提取 EPS 比 pH = 7 时升高 20% ~ 30%，其中多糖升高约 15%，蛋白质升高 20% ~ 50%。周健[13]等试验也发现 pH 对 EPS 的成分比例有明显的影响，在 pH = 5 ~ 6 的酸性条件下产生的 EPS 较少，当在 pH = 7 的中性和 pH = 8 的偏碱性条件下，微生物产生的 EPS 增加，pH = 9 的碱性条件下，微生物产生的 EPS 明显增加。可能是在碱性条件下，随着 pH 增加微生物死亡数量增多，从而释放出大量的胞内聚合物而导致 EPS 增加。李延军等[17]得出 pH 值为 7 时好氧颗粒污泥 EPS 含量最大，蛋白质是其主要成分；当 pH 值为 5.5 和 8.5 时，EPS 含量均下降，但变化幅度不大，多糖含量略高于蛋白质；而上清液中 EPS 酸性条件下含量最大，成分以多糖为主。分析认为是酸性条件不利于颗粒污泥形态保持和微生物生长，部分微生物自溶分解，大量 EPS 被释放到上清液中，微生物为抵抗环境 pH 值压力而分泌吸附的多糖量超过蛋白质含量。

（五）固体停留时间（SRT）对 EPS 组成的影响

Liao 等[21]通过中试 SBR 反应器研究了 SRT 为 4 ~ 20d 的 EPS 含量及组分的变化，发现总的 EPS 含量并不随着 SRT 的变化而有明显改变，而且这已被 Gulas[22]于 1979 年发现。Liao 发现，在 SRT 为 4 ~ 9d 时，其中的糖类明显减少，蛋白质明显增加，16 ~ 20d 后，糖类与蛋白质的比例趋于稳定。在 SRT 较短时，糖类显著减少可能是由于污泥中的微生物来不及将所有碳源用于生长，多余的碳源被转化为胞内聚合物以及形成胞外聚合物 EPS。

（六）金属离子对 EPS 组成的影响

由于 EPS 含较多的硫酸根、磷酸根和羧基等负电官能团，而氨基等正电官能团较少，因而几乎所有活性污泥表面电荷都为负值[23]，而废水中的金属离子呈正电性，因此胞外聚合物可以和金属离子之间相互作用。例如，铬可以与胞外聚台物相互作用，导致胞外聚合物结构变化。曹相生等[24]试验确定 Mn^{2+}、Mo^{6+} 和 Zn^{2+} 的最佳促进浓度均为 lmg/L；在各自促进浓度范围内，Mn^{2+}、Mo^{6+} 和 Zn^{2+} 对 EPS 各组分的影响程度不同：低浓度（0.05g/L）Mn^{2+} 导致 EPS 中蛋白质、多糖和核酸含量下降，蛋白质与多糖的比值不变；Zn^{2+} 使 EPS 中多糖含量改变，进而导致蛋白质与多糖的比值减小；Mo^{6+} 则对 EPS 各组分基本没有影响。周健[13]试验发现当进水中的 Ca^{2+} 由 0 增加到 1mmol/L 时，EPS 中各成分的比例和含量变化较为明显。EPS 总量增加了 60%，其中 DNA 所占的份额减少了 10%，蛋白质所占的份额增加了 7%，多糖所占的份额增加了 6%。董德明等[25]发现在胞外聚合物中 Mn 的存在会影响其对 Pb 和 Cd 的吸附。这说明不同金属与胞外聚合物的作用机制存在一定差别，因此当一种金属吸附达饱和后，其他种类的金属可以继续在胞外聚合物上进行不同程度的吸附。

三、提取方法和测量方法对 EPS 组成的影响

（一）提取方法对 EPS 组成的影响

除上述因素影外，EPS 提取的方法不同也是造成 EPS 的含量及其组成不同的主要原因。目前常用的 EPS 提取的方法可分为两大类：物理方法和化学试剂法。物理提取法包括高速离心法（Murthy et al.，1999[26]）、超声波法（Jorand et al.，1995[27]）和热提取法（Morgan，et al.，1990[28]）；化学提取法包括投加酸、碱、乙醇，醛类、EDTA 和阳离子交换树脂（CER）等，这些化学药剂使 EPS 的大分子在试剂离子或分子的作用下成为水溶性成分，从而被提取出来。Liu 和 Fang[29]在 20000r/30min 的高速离心下分离提取 EPS，结果表明每克活性污泥可提取出 7.3mgEPS，其中蛋白质 6.5mg，多糖 0.8mg。同样的污泥在 80℃ 下用加热法提取，则可提取出的 EPS 的量是前者的 8 倍（57.9mg）、多糖的量是前者的 18 倍、蛋白质的量是前者的 7 倍，蛋白质与多糖的比值可以从 8.6 降到 3.5。罗曦等[30]采用 5 种方法对同一污泥在好氧和厌氧条件下

的胞外聚合物进行了提取试验，结果表明：甲醛－NaOH和硫酸法对EPS的提取产量最高，分别为232.0mg/g和159.7mg/g且无大量细胞自溶的现象发生，是比较有效的提取方法；阳离子交换树脂对厌氧和好氧状态下污泥中胞外多糖的提取量仅7.6～9.4mg/g；而戊二醛提取方法多糖的测定有严重的干扰，同时发现两种污泥EPS中蛋白质的含量均最高，占EPS总量的50%～80%；其次为胞外多糖和DNA。王暄等[31]采用4种方法（热、超声、高压、碱处理）分别研究在不同的作用时间和方式下对好氧颗粒污泥EPS的提取效果，综合比较各提取方法的提取效果表明热处理（80℃、30min）和超声波提取（320W、40s）法均是可行的，其中热处理提取产物中多糖、蛋白质分别为30.3mg/gVSS和8.1mg/gVSS，而超声波则分别为24.3mg/gVSS和10.8mg/gVSS。好氧颗粒污泥EPS中多糖含量高于蛋白质，在热处理及超声波提取的产物中，多糖与蛋白质之比分别为3.7和2.3。

好的EPS提取方法是在不破坏细菌细胞的前提下，有最大的EPS提取量。也有研究者尝试将多种方法进行有效的结合。李绍峰[32]等通过试验验证与单纯的树脂法相比，超声树脂联用提取效果更好，EPS的提取量比树脂法高约35%，而测得的DNA含量相对低，即对细胞的破坏程度较小。Liu等[29]对甲醛－氢氧化钠、甲醛－超声波、EDTA、阳离子交换树脂（CER）和甲醛5种方法提取活性污泥的效果进行了比较，发现甲醛－氢氧化钠法的EPS产量最高，且前期加入少量甲醛能明显增强细胞壁强度和防止微生物死亡。提取效率其次为甲醛－超声波法，而单一方法EDTA、CER和甲醛提取效果都不理想。

（二）测量方法对EPS组成的影响

通过测量EPS中的糖类、蛋白质、腐殖质和DNA等确定EPS含量，然而这些组分的测量方法不是唯一的，测量方法本身将影响提取的EPS含量。EPS组分的测量常采用分光光度法，该法通常将EPS中的待测成分消解，生成水解产物，然后投加显色剂与水解产物发生显色反应，根据显色反应的颜色深浅程度来测定样品中化学成分的含量。下面以多糖、蛋白质为例比较不同的测量方法所测结果。

1. 多糖的测定

蒽酮法[33]和硫酸－苯酚法是最常用的多糖测定方法。Frolund等[1]用蒽酮法和硫酸－苯酚法测量EPS中的多糖含量，两种方法得到了相近的测量结果。Benetti[34]采用葡萄糖作为标准物质，用蒽酮法和硫酸－苯酚法分别测量含有50g的葡聚糖、黄原胶、褐藻酸的样品。结果发现采用蒽酮法比硫酸－苯酚法有更高的回收率；并且，蒽酮法测葡聚糖和黄原胶的多糖含量分别为实际值的108%和82%，而采用硫酸－苯酚法测同样的样品，测得的多糖含量只为实际值的69%和61%。蒽酮法测量褐藻酸中的多糖含量比硫酸－苯酚法更接近实际值，且标准偏差要小得多。

2. 蛋白质和腐殖质的测定

Folin－Lowry法是对双缩脲法的修正，前者使蛋白质的测定有更高的灵敏度。Frolund[1]等用考马斯亮蓝染色法、Folin－Lowry法、修正的Folin－Lowry法测量污泥和EPS中蛋白质的含量，并与含N量进行比较（N与蛋白质的换算系数为6.25），结果表明修正的Folin－Lowry法与含N量计算的蛋白质含量最为接近，说明采用修正的Folin－Lowry法测量EPS中蛋白质的含量最为可靠。因为修正的Folin－Lowry法与Folin－Lowry法的区别在于Folin－Lowry法的测定值包括了蛋白质和腐植酸的含量，导致对蛋白质含量的过高估计；而修正的Folin－Lowry法不仅对Folin－Lowry法中蛋白质的含量进行了修正，而且可以同时测量出腐殖质的含量。

此外，近年中国科技大学化学系俞汉青等研究人员采用不同的光谱技术以及分子生物学的手段对EPS进行深入的研究。其中沈荣[35]等应用微相吸附－光谱修正技术，利用刚果红探针测定了活性污泥胞外聚合物中蛋白质的含量，研究表明与常用的Folin酚法比较，结果一致。Ni等采用凝胶渗透色谱法和三维激发发射矩阵荧光光谱法研究活性污泥中混合菌种产生的EPS特征。

研究表明 EPS 在底物利用期间显著增加，在内源呼吸期减少。并对 EPS 及其组成变化进行了动力学分析，模拟结果表明来自外源底物的电子分别以 61%、21% 和 18% 的比例用于合成新细胞、氧的消耗和 EPS 的合成。

四、结 论

胞外聚合物 EPS 普遍存在于生物污泥絮体内部及表面，细胞借助 EPS 进行物质和能量的传递，它的含量及组成对污泥的理化性能以及生物处理系统内部电子流的分配转移起着重要的作用。随着研究的不断深入，人们对 EPS 及其作用有着更为清晰的认识，并更好地控制污水生物处理系统的处理效果，但还有待进一步深入探讨，尤其是 EPS 提取及分析方法仍需进一步标准化，同时已有的研究中，往往为避免进水基质对微生物分泌 EPS 分析的干扰，在研究中多采用配水，以乙酸或乙酸钠作为碳源。对实际污水的情况应采取措施有效区分 EPS 的来源，对进水中 EPS 成分可采用同位素示踪标记，以更准确地描述 EPS 特征、变化规律以及与污泥理化性能变化的关联性。

参考文献

[1] Frolund B, Palmgren R, Keiding K, Nielsen P H. Extraction of extracellular polymers from activated sludge using a cation exchang resin [J]. Water Science and Technology, 1996, 30 (8): 1749 - 1758.

[2] Urbain V, Block J C, Manem J. Bioflocculation in activated sludge: an analytic approach [J]. Water Research, 1993, 27 (5): 829 - 838.

[3] Dignac M F, Urbain V, Rybacki D, Bruchet A, Snidaro D, Scribe P. Chemical description of extracellular polymers implication on activated sludge floc structure [J]. Water Science and Technology, 1998, 38 (8): 45 - 53.

[4] Nwyenys E, Baeyens J, Dewil R , Heyder B D. Advanced Sludge Treatment affects Extracellular Polymeric Substances to Improve Activated Sludge Dewatering [J]. Hazard Mat, 2004, 106 (B): 83 - 92.

[5] Keiding K, Nielsen P H. Desorption of organic macromolecules from activated sludge effect of ionic composition [J]. Water Research, 1997, 31 (7): 1665 - 1672.

[6] Forster C F, Clarke A R. The production of polymer from activated sludge by ethanolic extraction and its relation to treatment plant operation [J]. Water Pollut. Control, 1983, 82: 430 - 433.

[7] Liu H, Fang H H P. Extraction of extra cellular polymeric substances (EPS) of sludge [J]. Journal of Biotechnology, 2002, 95: 249 - 256.

[8] Sponza D. T. Extracellular polymer substances and physicochemical properties of flocs in steady - and unsteady - state activated sludge systems [J]. Process Biochemistry, 2002, 37: 983 - 998.

[9] Sponza D. T. Investigation of extracellular polymer substances (EPS) and physicochemical properties of different activated sludge flocs under steady - state conditions [J]. Enzyme and Microbial Technology, 2003, 32: 375 - 385.

[10] 葛利云，王红武，马鲁铭，等. 好氧活性污泥胞外聚合物的影响因素研究 [J]. 环境科学与技术，2007, 30 (2): 8 - 12.

[11] 吴志高. 胞外聚合物（EPS）对污泥沉降性能的影响及其在生物除磷中的作用研究 [D]. 重庆：重庆大学，2006.

[12] Sheintuch M. Steady - state modelling of reactor - settler interaction [J]. Water Research, 1987, 21: 1463 - 1472.

[13] 周健，龙腾锐，苗利利. 胞外聚合物 EPS 对活性污泥沉降性能的影响研究 [J]. 环境科学学报，2004, 24 (4): 614 - 620.

[14] Batstone D. J., Keller J. Variation of bulk properties of anaerobic granules with wastewater type [J]. Water Research, 2001, 35: 1723 - 1729.

[15] 李久义，左华，栾兆坤，等. 不同基质条件对生物膜细胞外聚合物组成和含量的影响 [J]. 环境化学，2002, 21 (6): 546 - 551.

[16] Shin H. S., Kang S. T., Nam S. Y. Effect of carbohydrate and protein in the EPS on sludge settling characteristics [J]. Water Science and Technology, 2001, 43 (6): 193 – 196.

[17] 李延军，李秀芬，华兆哲，等．好氧颗粒污泥胞外聚合物的产生及其分布［J］．环境化学，2006，25（4）：439 – 443.

[18] Wilèn B. M., Lumley D., Mattsson A., Mino T.. Relationship between floc composition and flocculation and settling properties studied at a full scale activated sludge plant [J]. Water Research, 2008, 42: 4404 – 4418.

[19] 张宝良，王宝辉，田禹，等．温度对活性污泥胞外聚合物组分的影响研究［J］．哈尔滨工业大学学报，2007，39（8）：1332 – 1334.

[20] 郑蕾，田禹，孙德智．pH 值对活性污泥胞外聚合物分子结构和表面特征影响研究［J］．环境科学，2007，28（7）：1508 – 1511.

[21] Liao B Q, Allen D G, Droppo I G, Leppard G G, Liss S N. Surface properties of sludge and their role in bioflocculation and settleability [J]. Water Research, 2001, 35: 339 – 350.

[22] Gulas V., Bond M., Benefield L. Use of extracellular polymers for thickening and dewatering activated sludge [J]. Journal Waste Pollution Control Federation, 1979, 51 (4): 798 – 807.

[23] Liu Y, Fang H H P. Influences of extracellular polymeric substances (EPS) on flocculation, settling and dewatering of activated sludge [J]. Water Science and Technology, 2003, 33 (3): 237 – 273.

[24] 曹相生，龙腾锐，孟雪征，等．Mn^{2+}、Mo^{6+} 和 Zn^{2+} 对活性污泥内胞外聚合物组分的影响［J］．环境科学，2004，25（4）：71 – 73.

[25] 董德明，康春莉，李忠华，等．天然水中细菌胞外聚合物对重金属的吸附规律［J］．吉林大学学报，2003，41（1）：94 – 96.

[26] Murthy S N, Novak J T. Factors affecting floc properties during aerobic digestion: implications for dewatering [J]. Water Environment Research, 1999, 71 (2): 197 – 202.

[27] Jorand F, Zartarian F, Thomas F, Block J C, Bottero J Y, Villemin G, Urbain V, Manem J. Chemical and structural (2D) linkage between bacteria within activated sludge flocs [J]. Water Research, 1995, 29 (7): 1639 – 1647.

[28] Morgan J W, Forster C F, Evison L. A comparative study of the nature of biopolymers extracted from anaerobic and activated sludges [J]. Water Research, 1990, 24 (6): 743 – 750.

[29] Liu Y, Lam M C, Fang H H P. Adsorption of heavy metals by EPS of activated sludge [J]. Water Science and Technology, 2001, 43 (6): 59 – 66.

[30] 罗曦，雷中方，张振亚，等．好氧/厌氧污泥胞外聚合物的提取方法［J］．环境科学学报，2005，25（12）：1624 – 1629.

[31] 王暄，季民，王景峰，等．好氧颗粒污泥胞外聚合物提取方法研究［J］．中国给水排水，2005，（8）：91 – 93.

[32] 李绍峰，王宏杰，王雪芹，等．超声波树脂联用法提取活性污泥中的胞外聚合物［J］．安全与环境学报，2006，6（5）：11 – 13.

[33] Filisetti – Cozzi T M C C, Carprita N C. Measurement of ironic acids without Interference form neutral sugars [J]. Analytical Biochemistry, 1991, 197: 157 – 162.

[34] Benetti A D. Composition fate and transformation of extracellular polymers in wastewater and sludge treatment processes [D]. UAS, 2002.

[35] 沈荣，盛国平，俞汉青．活性污泥胞外聚合物中蛋白质的探针分析方法［J］．环境科学学报，2008，28（1）：192 – 196.

畜禽废弃物治理技术及其评价

王济民　刘春芳　胡向东

（中国农业科学院农业经济与发展研究所）

摘　要　随着中国畜牧业生产规模化、集约化的发展，其产生的大量废弃物不仅影响和恶化畜禽自身生存的环境，而且危害人体健康。为了最大限度地降低畜禽生产所产生的废弃物对环境的污染，探寻动物废弃物的有效管理政策和技术，促进畜牧业可持续发展，成为畜牧业生产亟待解决的问题。本文主要探究畜禽养殖及屠宰废弃物治理技术及其经济可行性。

目前，中国畜禽养殖业废弃物处理遵循减量化、无害化、资源化的原则进行，主要从以下几个方面加以控制：一是从养殖源头考虑，一方面合理规划养殖结构，采取农牧结合的集约化养殖，以便于养殖业污染物的收集、处理、消纳和控制；另一方面研究、推广优良品种，科学饲养，科学配方，应用高效促生长剂，应用高新技术改变饲料品质及物理形态（生物制剂、饲料颗粒化、膨胀化）等手段提高饲料消化率。二是从养殖过程考虑，一方面按照绿色食品的规范，饲喂环保型饲料及其添加剂；另一方面采用人工干扫猪粪减少用水量1/3～1/2，以节省后续处理设施的工程费用。三是从养殖末端考虑，在养殖污染物的处理过程中，一方面利用畜粪发酵技术制成优质有机肥用于种植业生产，变废为宝；另一方面采用高效固液分离技术，使污染物处理减量化。

一、饲料管理（配方、限量等）技术

1. 生态环保饲料：是利用生态营养学的理论与方法，围绕解决畜产品公害和减轻畜禽粪便对环境的污染等问题，从饲料原料的选购、配方设计、加工、饲喂等过程进行严格质量控制和动物营养系统调控，从而改变或控制可能发生的畜产品公害和环境污染，达到饲料低成本、高效益、低污染的目的。

技术评价：由于营养学家在设计饲料配方时充分考虑了控制臭味的环境污染；改善和控制氮（N）、磷（P）的环境污染；改善和提高饲料消化率，减少养分损失；改善饲料卫生等关键问题。因此具有无臭味、消化吸收好、增重快、疾病少、磷及其他重金属排放少，使用后能给人类提供安全、优质的畜禽产品等优点。但存在用量掌控的问题。是一种全新的实用技术，未来仍具有较大的推广潜力。

适用范围：目前已在全国大、中、小型养殖场（户）的各种畜种中得到应用。

2. 环保饲料添加剂：随着畜牧业的发展，饲料添加剂的应用越来越广泛。但是由于饲料中常以抗生素、化学合成抗菌剂等为添加剂，造成药物在动物体内残留，对人体健康造成了威胁。因此人们更加关注研制既无药物残留，又无污染环境，且能提高饲养效益的环保饲料添加剂。其主要品种有：

（1）微生态制剂：根据微生态学原理，选用动物体内的正常微生物，经特殊加工工艺制成的活菌制剂。它能够在数量或种类上补充肠道内减少或缺乏的正常微生物，调整并维持肠道内正常的微生态平衡，增强肌体免疫力、促进营养物质的消化和吸收，提高饲料转化率和畜禽生产性能。目前主要应用的有：乳酸杆菌、芽孢杆菌、粪链球菌、双歧杆菌、仙人崛菌、优杆菌、酵母菌等。按照应用对象的不同可分为：动物微生态制剂（调痢生、宫康素等兽药）；饲用微生物添加剂（益生素、生态宝等）；用于粪尿污染和水质净化剂微生态制剂（生物净化剂）；用于饲料发酵的微生态制剂（生物发酵剂）。

（2）饲用酶制剂：属于一项高科技产品，国内外许多学者致力于此项研究工作。其作用机制是分解谷物胚乳中非淀粉多糖和谷物的糊粉层，从而释放出被包埋的养分；降低肠道中食糜的黏度使养分易于被机体吸收。产品应用较多的是β－葡萄糖酶和戊聚糖酶。

（3）中草药制剂：目前国内外对天然植物中提取有效成分的研究非常重视，开发出的中草药添加剂具有抗病助长、无残留、无污染等特点。通过增强消化吸收和机体内的合成代谢，增进食欲，促进健康，提高生长速度和饲料利用率，改进产品质量的目的。

技术评价：在国内，微生物添加剂的研制始于20世纪80年代初。微生态平衡学说是近年来颇受营养学界关注的热点之一，经过10多年微生态理论和实践的研究证明，微生态制剂在畜禽生产上应用确有许多优势，具有无毒副作用、无耐药性、无残留、促进营养物质的消化吸收；提高饲料转化率，提高生长速度，改进产品质量；成本低、效果好等特点。它作为一种高效、无毒副作用和环保的“绿色”饲料添加剂与抗生素配合使用，部分替代常用药物类添加剂具有一定的应用前景，但完全代替抗生素尚待时日。

适用范围：适宜在全国大、中、小型养殖场（户）的各种畜种中推广应用。

3. 秸秆发酵饲料：就是在农作物秸秆中加入微生物活性菌种，放入一定的容器中或地面发酵，经一定的发酵过程，使农作物秸秆变成带有酸味、香味、酒味，家畜喜食的饲料。发酵是利于微生物将秸秆中的纤维素、半纤维素降解并转化为菌体蛋白的方法，从而加大对粗纤维的利用。试验证明，微贮添加剂可提高青贮秸秆乳酸含量10%，降低pH值0.25，提高了青贮料的质量和稳定性。微贮添加剂已选育出了青贮饲料发酵用的发酵菌种，确定了青贮剂加工工艺、配方和产品检测方法。

技术评价：饲用微生物发酵工程技术和产品具有污染少、效率高、利于工业化生产等特点，解决了饲料工业的难题。具有巨大的发展潜力，推广应用前景极为广阔，是当前国内外的研究重点和发展方向。但技术要求较高，需要经过严格的技术培训才能掌握，小规模养殖户需要的过程可能更长或产品不够稳定。1985年以来，农业部重点推广青贮饲料技术取得巨大成绩。中国每年生产5.7亿t秸秆，随着青贮和氨化秸秆技术的推广，已有25%的秸秆被作为饲料使用。1995年制作秸秆青贮7513万t，氨化秸秆2150万t，这2项共节约饲料用粮1890万t。在青贮饲料8000万t中，需微生物青贮剂（添加量0.5%计）40万t。秸秆养畜在中国已被作为基本国策颁布实施。近25年来，青贮技术中关于微生物青贮接种剂的研究与应用一直处于重要地位，有着更加广阔的推广前景。

适用范围：发酵饲料的主要产品是青贮饲料，它是反刍动物的主要粗饲料，适宜全国大、中、小型养殖场（户）牛、羊畜种。

二、废弃物处理（收集、存放）技术

目前，规模化、集约化的养殖场大多是水冲式清除畜禽粪便，产生大量的固体废弃物和有机废水，需要先进行固液分离，然后再固体废弃物和有机废水进行分别处理。针对集约化养殖场畜禽粪便含水量高、污染物质多样、恶臭，处理过程中NH_3易挥发等特点，畜禽粪的处理主要包括干燥处理、除臭处理及综合处理等。

1. 干燥处理：利用燃料、太阳能、风能等去除家畜粪中的水分，使之降到可进行堆积发酵的含水率（55%）。分为物理方法、化学方法和生物方法。物理方法主要为沉淀、离心、过滤冷冻、烘干等；化学方法主要是絮凝法；生物方法则是利用堆翻过程中微生物分解有机物所产生的能量来增加粪便中水分的散发，起到干燥粪便的目的。

技术评价：是一种较传统的干燥方法，操作简便，节约能源，费用低，但干燥过程中的气味对周围环境影响较大。这种传统技术在未来也有一定的推广潜力。

适用范围：全国中、小型养殖场（户），适宜西北气候干燥区。

2. 除臭处理：畜禽养殖场臭气的主要成分是 NH_3 和 H_2S。主要从两个方面入手，一是在饲料中添加除臭的添加剂，增加饲料中蛋白质的消化吸收以减少臭气排放。二是控制动物排泄后粪便臭味。分为物理法（掩蔽和稀释扩散）、化学法（氧化、吸收、中和、吸附）和生物法（堆腐发酵、土壤吸附、活性污泥）。目前最为经济有效和最常用的方法是生物除臭法，是利用微生物分解、转化臭气成分来达到除臭的目的。

技术评价：上述除臭处理方法中，添加剂除臭已在饲料管理（配方、限量等）技术中阐述。而控制动物排泄后粪便臭味的方法中，前二者（物理法、化学法）存在投资大、操作复杂、运行成本高等问题。后者（生物法）是 20 世纪 50 年代后期发展起来的生物除臭技术，具有处理效率高、无二次污染、所需设备简单、便于操作、费用低、管理维护方便等优点。是一种现代技术，将是治理恶臭的一个发展方向，未来有较好应用前景。

适用范围：目前已在全国大、中、小型养殖场（户）的各种畜种中得到应用。

3. 综合处理：是要尽可能地利用养分和能源，减少或消除污染物的排放为目标。主要有生物技术、热喷技术等。

另外，对有机废水处理的核心技术是利用环境微生物生化处理技术，它是利用微生物生命过程中的代谢活动，将有机物分解为简单的无机物的过程。

技术评价：是去除废水中有机物最为经济有效的方法，是一种现代技术，未来仍有潜在的应用价值。

适用范围：目前已在全国大、中、小型养殖场（户）得到应用。

三、养殖废弃物利用技术

1. 堆肥技术：是在微生物的作用下，通过高温发酵使有机物质分解腐熟，达到矿质化、腐殖化、无害化，变为植物易吸收利用的肥料的过程。技术评价：由于操作简便，成本低，不受场地限制，堆腐效果较好，但北方地区由于第 1、第 4 季度气温较低，升温慢，发酵时间长。是一种传统的实用技术，20 世纪 60 年代开始示范推广，未来在生产中仍将占有一定的比例。适用范围：目前多在全国中、小型养殖场（户）的各种畜种中采用。不适宜北方地区的冬季。

2. 厌氧发酵技术：主要是利用厌氧或兼性微生物以粪便中的原糖和氨基酸为养老生长繁殖，进行乳酸发酵和乙醇发酵或沼气发酵。粪料含水量在 60% ~ 70% 时以乳酸发酵为主，粪料含水量 > 80% 时则以沼气发酵为主。目前开发应用较为广泛的有沼气工程和沼气发电。

（1）沼气工程：污水无害化处理技术。项目通过推广沼气工程，建设发酵池，利用厌氧发酵的原理产生沼气。对干湿分离、雨污分流后的湿粪及冲洗污水排入化粪池，再到沉淀池处理，沉淀处理后的污染物到沼气池发酵处理。污水经处理后，其 COD 含量可降到 400mg/L 以下，达到《畜禽养殖业污染物排放标准》，可用作青饲料及其他农作物的灌溉，控制了养殖场这一污染源，保持了生态环境与畜牧业的持续协调发展。

（2）沼气发电：畜禽场产生的沼气除了用作燃料外，还开发沼气发电，与纯柴油发电相比可节约 75% 的柴油用量，发电成本由 1.10 元/kWh 下降到 0.275 元/kWh，日节约成本 412 元。沼气发电工程本身是利用清洁能源，解决环境问题的工程，它的运行不仅解决沼气工程中的一些主要环境问题，而且由于其产生大量的电能和热能，又为沼气的综合利用找到了新的应用途径，也为农村能源再生利用开辟了新途径。

3. 养殖废弃物利用的成本效益分析

（1）沼气利用：以万头规模猪场计算，投资 120 万 ~ 150 万元，年产沼气 30×10^4 m^3，价值人民币 30 万元；沼渣 1200t × 300 元 = 36 万元；沼液 15000t × 4 元 = 6 万元。年经济效益总计益

72 万元（表 1）。

表 1　厌氧－常规好氧达标模式工程规模和投资分析（以 UASB、SBR 反应器为例）

养猪场规模/（头/年出栏）	日处理水/t	UASB 反应器/m^3	SBR 反应器/m^3	日产沼气量/m^3	工程投资/万元
10000	80～100	240～300	250～300	360	120～150
20000	160～200	500～600	550～600	720	250～300
40000	300～400	900～1200	1000～1200	1500	300～350
80000	600～800	1800～2400	2200～2400	3000	600～700

另外，从 1999 年 6 月上海同济规划建筑设计研究总院招投标总投资估算来看（表 2）：猪场按 1 万头规模设计，日均个体产粪量 2.17kg，产尿量 3.5kg，用水量 12kg；奶牛场按 200 头规模设计，日均个体产粪量 30kg，产尿量 18kg，用水量 170kg；蛋鸡场按 3 万羽规模设计，日均个体产粪量 0.17kg，用水量 0.5kg。

表 2　养殖场各运行费用一览表　单位：元/m^3

	电耗	药耗	人工	折旧	沼干效益	综合费用
养猪场	1.8	2.3	1.5	3.3	9.3	−0.4
养牛场	2.6	2.3	2.5	4.3	6.6	5.1
养鸡场	3.7	2.3	4.1	5.1	4	11.2

由于规模效应，养猪场尚能盈余 0.4 元/m^3。鸡场规模较小时，则相应单位粪便量处理成本上升，综合效益一般。

（2）沼气发电：海南罗牛山 3 万头养猪场 2004 年 10 月 30 日建成沼气发电项目。采用了济南柴油机股份有限公司 1 台 80kW 沼气发电机组，运行情况良好。1m^3 沼气可发电 15kWh 以上，如每天全负荷运转每天的总发电量为 1920kWh；每千瓦时按 0.55 元计，折合效益 1056 元/d，全年效益为 31.68 万元（按 300 天计）。

技术评价：发酵过程中无需通气，也不需要翻堆，能耗低，费用少。可大量去除可溶性有机物（去除率 75%～85%），并可杀死传染性病菌，有利于防疫。但发酵周期长，占地面积大，脱水干燥效果差，且发酵过程和产气量受气温的影响较大。是一种 21 世纪初示范推广的技术，应用效果较好，经济效益较高，到目前为止，我国农村已建成了 5000 万个 6～10m^3 容积的农民家用小沼气池，每年生产沼气约 3000 亿 m^3，约有 100 万农业人口用上了沼气。此外在西安、成都、南阳、广州、上海、重庆等许多城市和工厂还建设了大中型沼气池 2000 万多个，对处理污水废物、保护环境、回收能源起了一定的作用。随着技术、工艺水平的不断提高，这种技术必将发挥更大的潜力。

适用范围：全国大、中型养殖场（户），规模较大的养牛、养猪场。黄河以南大部分地区全年均可，北方地区由于第 1、第 4 季度气温低，产气量受到一定影响。

（3）生物有机肥技术：是指采用畜禽粪便和作物秸秆为主要原料，经接种好气性微生物复合菌剂，在有氧条件下，微生物迅速繁殖，能强烈分解有机物质，同时产生的生物热能彻底杀灭病原菌、寄生虫卵，消除恶臭，达到除臭、腐熟、脱水、干燥，具有物理性状优良、碳、氮比适中、肥效优异的高效生物有机肥。

成本效益：从河南省恒隆态生物工程股份有限公司年产 5000t 粉状纯有机肥（养分含量 9%

以上有机物 75% 左右）成本效益分析来看（表 3）：

表 3　养殖场各运行费用一览表　　单位：元/t

	原料	运费	电耗	菌剂	人工	折旧	综合费用	效益
畜禽粪	44.0	20	1.0	18	6.9	8.0	98～120	50

处理畜禽粪便采用发酵模式生产的粉剂纯有机肥，生产设备和设施投入 38.8 万元，生产成本 98～120 元/t。参照现行市场烘干鸡粪销售价计算，每吨 260 元。每吨毛利润 140 元，除去销售费用，净利润按 50 元计算，全年销售 5000t 可获利 25 万元。经济效益，生态效益良好。

技术评价：是 20 世纪末由传统技术改造升级后的实用型技术，经济有效，是改良土壤、保护环境、实现高效农业、无公害绿色农业的理想有机肥，是未来现代农业发展的方向，有着广泛的应用前景。该技术具有以下优点：

①含有微生物菌群，对环境的适应性强，易发挥菌群优势，优异功能强，根际促生效果好，肥效高。

②富含有机养分、无机养分和生理活性物质，体积小，便于施用，能满足规模化生产要求。

③充分利用资源，变废为宝，安全无害。

④有机肥生产周期短，不受季节限制。

⑤占地面积小，操作简单，维护方便，运行费用低。

适用范围：目前已在全国大、中、小型养殖场（户）的各种畜种中得到应用。

四、屠宰场废弃物的收集和处理技术

屠宰场对环境污染主要有：生猪的粪便、内容物、血水、废物，冲洗地面、用具后的污水、残剩饲料、有害气体、汽车垫料等，其中最主要的是粪便、内容物、血水、冲洗污水。普遍县级生猪屠宰场多处于传统手工屠宰和半机械化屠宰，日宰量在 50～150 头。资料报道，育肥猪日产粪尿总量为 6.7～10kg/头，加上废物、日冲洗污水等，一个屠宰场的废物、污水排放量相当于一个小、中型工业废水排放量。常见的屠宰场污水处理方法有以下几种：

1. 好氧活性污泥法：由大量繁殖的好氧微生物群落，包括细菌、原生动物、藻类等，并吸附有机物和无机物的絮状微粒组成。经预处理的污水与来自二沉池中返回的沉淀污泥一同进入曝气池，使用机械搅拌器或加压鼓风机对污水进行搅拌混合，使活性污泥中的微生物得到充足氧气，并在混合液中保持悬浮状态，与污水充分接触。使污水中有机物发生吸附、凝聚、氧化分解和沉淀，经过 4～8h 曝气处理后，混合液进入二沉池沉淀。上层液经氯制剂消毒后作为净化水排出；沉积污泥按 0.25～0.5 的比例返回曝气池，剩余污泥可作肥料。

技术评价：据报道，在运行正常的活性污泥系统中，BOD_5 的去除率通常超过 90%。未来仍然有较好应用价值。

适用范围：在工程实践中应用比较广泛，适于中、小规模的屠宰污水处理。

2. 好氧生物转盘技术：由许多表面固着活性的生物膜等间距组装的旋转圆盘组成，盘片上半部暴露在空气中，吸收和利用氧气；下半部浸没在水槽中，与污水接触时盘片上的生物膜不断地吸附、氧化污水中有机物。通过转盘转动，生物膜交替地与污水和空气相接触，使污水净化。

技术评价：该工艺运行简便、节能，有害菌的去除率可达 93% 以上，BOD_5 去除率可达 83% 以上。但不可调节污水与转盘接触。

适用范围：适于小规模的屠宰污水处理。

3. 土地灌溉法：本法是将经过隔油、隔渣、筛滤等机械处理后的污水排入一定面积的滤田中，当污水渗入土层时，污水中的某些需氧菌即附着在土壤微粒的表面，逐渐形成一层薄膜，它能吸附污水中的悬浮物，形成活性污泥，使有机悬浮物在需氧菌的作用下被氧化分解而成为无机物；同时也有机械滤除污物的作用。

技术评价：此法要求团粒结构好，两次灌水要有间隔时间，场地分两部分轮换用，占地面积较大。

适用范围：适于周围有荒滩、荒地的屠宰场。

4. 沉淀发酵池连续处理法：在场外一定距离并排修建2～4个沉淀发酵池，定期交替使用。甲池污水、污物流满后，再用乙池和丙池及丁池。待甲池达到消毒时间（冬季30d，夏季约10d），清池除肥后备用，达到无害化。

技术评价：技术实用，未来有一定的应用价值。

适用范围：目前已在全国大、中、小型养殖场（户）的各种畜种中得到应用。

5. 串联式生物滤池处理技术：该法整个污水处理装置由污水沉淀池、一级过滤池、二级过滤池、滤液积贮池几部分组成。在污水出口处安装滤网装置，阻留污水中的固体物逐级逐层进行过滤。

技术评价：技术实用，未来有一定的应用价值。

适用范围：目前已在全国大、中、小型养殖场（户）的各种畜种中得到应用。

6. 厌氧消化法：其组成有隔栅、沉沙池、除脂槽、双层生物发酵池及药物消毒等5部分。经预处理后的污水引入土层的沉淀池内停留时，直径在0.0001cm悬浮物沉淀。沉淀物漏过池底的漏缝，进入下层的消化池。此时污水中的厌氧菌，将沉淀物进行充分的腐败分解，分解为液体和气体，最后余下25%～30%的胶状污泥。

技术评价：技术实用，未来有一定的应用价值。

适用范围：目前已在全国大、中型养殖场（户）的各种畜种中得到应用。

7. 其他相关技术及应用

新型发酵床养猪技术：也称生物环保养猪技术，就是利用新型生物发酵猪舍，在底层垫上80cm左右的垫料（锯末、稻壳、秸秆、米糠），加入一定比例的酵母素，与猪的排泄物混合并持续发酵，达到免冲猪圈和节能环保、提高效益的一种养猪方法。其技术关键是如何对发酵床内的微生物菌群进行良好的调控。

技术评价：是近年来发展势头迅猛的一项全新的环保养猪技术。它利用全新的自然农业理念和微生物处理技术，实现了养猪无污染、无臭气、零排放，彻底解决了规模养猪场以及农村养殖户的环境污染问题，具有成本低、耗料少、效益高、操作简单、无污染等优点。实践证明，该项技术环保节能，是微生物工程技术在生态农业领域特别是养猪业中的典型应用。目前，该项技术还处在发展初期，但它的经济效益和社会效益、生态效益非常明显，随着社会的发展和人们环保意识的增强，必将成为今后养殖业采用的重要饲养方法之一，未来具有良好发展空间和应用前景。但由于夏季猪舍内发酵床温度偏高，长江以南地区需要解决好通风不良和猪舍温度偏高的问题，不太适宜大面积推广。

适用范围：目前已在全国中、小型养殖场（户）的各种畜种中得到应用。并逐步在养鸡、养鹅、养鸭以及其他需要保温除臭的多种动物饲养业加以试验推广。

典型二次电池生命周期评价模型与应用

陈　妍　郁亚娟

（北京理工大学化工与环境学院　北京市海淀区中关村南大街5号　100081）

摘　要　制造二次电池需要消耗一定的资源和能源，随着近年来资源短缺问题日益严峻，二次电池的环境可持续性引起了人们广泛关注。为了寻找环境影响程度最小的二次电池，本研究对铅酸电池、镍镉电池以及锂离子电池等常见的二次电池进行了生命周期评价。收集这些二次电池的资源消耗等各种基础资料，采用Simapro软件计算这些二次电池的资源消耗和污染排放情况，得到以下结果：在同样产生1000kWh的电能的情况下，锂离子电池的环境影响指标分数最小（3.93Pt）；铅酸电池其次（28.121Pt）；镍镉电池最高（29.72Pt）。

关键词　生命周期评价　锂离子电池　镍镉电池　铅酸电池

一、前　言

二次电池的发展从1860年到现在已经经历了150年的历史，从最早的铅蓄电池到现在的锂离子电池，其能量密度已得到了大幅度的提高。20世纪70年代以后，世界经济飞速发展，随之而来的“三废”排放、酸雨、气候变暖和资源短缺问题已经引起了广泛关注。因此，与传统一次电池相比较，可循环使用的二次电池将面临很好的发展空间。然而，任何一种产品的生产、使用和废弃都会对环境造成一定影响。本研究将对铅酸、镍镉、锂离子电池这3种典型的二次电池进行评价，定量描述出它们对环境的影响程度，以求找到更具环境持续性的二次电池。

二、研究方法

（一）评价方法

生命周期评价（Life Cycle Assessment）是一种评价产品、工艺过程或活动从原材料的采集和加工到生产、运输、销售、使用、回收、养护、循环利用和最终处理整个生命周期系统有关的环境负荷的过程[1]。本研究引入生命周期评价的方法，全面综合几种二次电池环境特性。根据1997年国际标准化组织（ISO）颁布ISO 14040的定义[2]，LCA包含：目的与范围定义、清单分析、影响评价和结果解释4方面的内容。

（二）评价体系

生命周期评价体系众多，本研究选取源于荷兰的Eco－indicator 99体系。该Eco－indicator 99体系定义了环境指标分数（Eco－indicator Point），它可被认为是一个无因次数字，其衡量方式为每一分代表平均一个欧洲居民在一年中环境负荷的千分之一，记作1Pt[3]。同时该体系的数据库[4]中提供了各种原材料以及生产加工和废气处理过程的环境指标分数，评价人员可以通过数据库对产品的生产、使用以及废弃过程进行打分，并得到此种产品对各个环境因素的影响，全面评价其环境负担，再经过标准化和加权后，得到此种产品对环境3大方面的影响。此外，各个环境因素的权重因子也可通过数据库得出。

（三）评价过程与步骤

本研究利用荷兰的Simapro[5]生命周期评价软件对不同种类的二次电池进行生命周期评价，定量给出其环境指标分数，并对其进行分析比较。具体实施步骤如图1所示。

（四）数据来源

本研究基于铅酸电池、镍镉电池以及锂离子电池进行生命周期评价，目的在于辨析各个电池的环境指标分数，分析这3种电池对环境各方面的影响程度，并进行对比，找到环境影响状况的

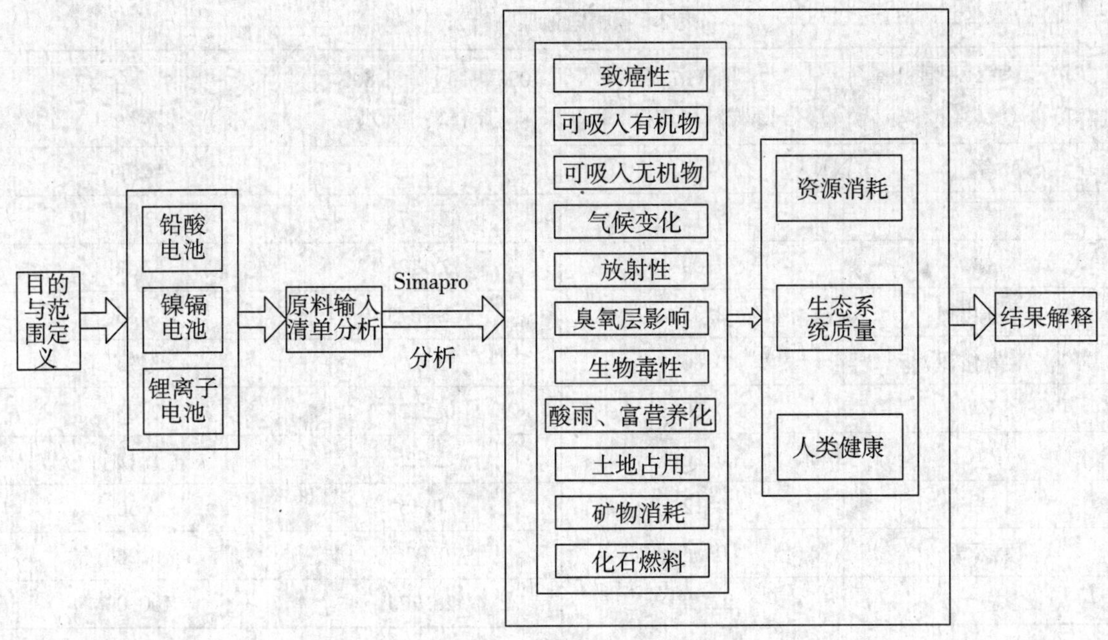

图1　典型二次生命周期评价实施步骤

主要因素，为二次电池材料的选择提供依据。

本研究针对3种电池进行评价，以1000kWh电能为功能单位，具体是指各种电池放出1000kWh电能所产生的环境负担。其中，铅酸电池以及镍镉电池所需的数据来源瑞典的Carl Johan Rydh的两项研究成果，锂离子电池的相关数据来源于北京理工大学环境与能源系实验室，具体情况将在以下叙述。一般而言，电池的生命周期包括原材料开采加工、电池生产运输、电池使用以及最后废弃几个部分。与其他部分相比较，电池的使用过程中造成的环境影响非常小，因此本研究主要对原材料的开采、电池的生产、运输以及废弃进行评价。

（五）典型二次电池的清单分析

本研究应用Simapro生命周期评价软件对3种电池进行评价，软件系统依据Eco－indicator 99体系进行计算和分析，这里需要输入可提供1000kWh电能的各种电池组分及材料用量。

1. 铅酸电池

表1　铅酸电池原料输入量

产生电能用量 / 原料	1095000kWh 原材料用量/kg	1000kWh 原材料用量/kg	各组分含量/w%
铅	29400	26. 84932	73. 25
纯硫酸	4600	4. 200913	11. 46
聚丙烯	3888	3. 550685	9. 69
锑、砷、锡	1012	0. 924201	2. 52
聚乙烯	960	0. 876712	2. 39
聚酯纤维	144	0. 131507	0. 36
铜	130	0. 118721	0. 32
总计	40134	36. 65205	100. 00

表 2　镍镉电池原料输入量

产生电能用量 / 原料	1Wh 原材料用量/g	1000kWh（循环 800 次）原材料用量/kg	各组分含量/ w%
钢	9.8	12.25	42.65
镍	5.11	6.3875	22.24
镉	4.09	5.1125	17.80
羟基化物	2.03	2.5375	8.83
氢氧化钾	0.86	1.075	3.74
PA	0.65	0.8125	2.83
PVC	0.26	0.325	1.13
钴	0.12	0.15	0.52
聚丙烯	0.06	0.075	0.26
总计	22.98	28.725	100.00

表 3　锂离子电池原料输入量

产生电能用量 / 原料	0.05Wh 原材料用量/g	1000kWh（循环 800 次）原材料用量/kg	各组分含量/ w%
铝	0.0045	0.1125	0.29
$LiCoO_2$	0.00864	0.216	0.55
铜	0.01	0.25	0.64
碳	0.0036	0.09	0.23
钢	1.5208	38.02	96.75
聚丙烯	0.0041	0.1025	0.26
乙炔黑	0.00153	0.03825	0.10
碳酸乙烯酯、二甲基碳酸酯、六氟磷酸锂	0.01717	0.42925	1.09
聚偏氟乙烯	0.00153	0.03825	0.10
总计	1.57187	39.29675	100.00

根据 Carl Johan Rydh 的研究成果[6]，可以得到单次提供 150kWh，一共循环 7300 次总计 1095000kWh 的电量，所需要的铅酸电池的原材料总量。而本研究的功能单位是 1000kWh，因此，经过换算得到所需原材料的用量列于表 1。

通过表 1 可知铅和硫酸占原料总量的 80% 以上，而其余组分质量分数相对较低。由于软件数据库里缺乏锑、砷以及聚乙烯的数据，因此只能将其忽略。这里将聚乙烯以聚丙烯进行替代，另外将锑、砷两种元素的组成用锡进行替代。

2. 镍镉电池

根据 Carl Johan Rydh 的研究成果[7]，可得到提供 1Wh 的镍镉电池所需的原材料用量。符合标准的镍镉电池的循环次数须大于 800 次[8]，因此在将原料用量换算成功能单位的 1000kWh 以后，需要除以循环次数 800。具体原材料用量列于表 2。

通过表 2 可知电池的主要组成部分是钢、镍、镉三种金属，其余组分占到约 15% 的质量分数。由于 Simapro 软件中缺少羟基化合物以及氢氧化钾的数据，这里将其忽略。

3. 锂离子电池

根据北京理工大学化工与环境学院实验室的研究成果，可以得到 0.05Wh 的锂离子电池的原料用量。一般离子电池循环寿命一般在 500～1000 次[8]，这里依旧取 800 次。因此在将原料用量换算成功能单位的 1000kWh 以后，需要除以循环次数 800。具体原材料用量列于表 3。

通过表 3 可知，锂离子电池的主要原料集中在钢材上，而活性物质的用量相对较少。另外由于评价软甲缺乏电解液的成分数据，且电解液成分很少，所以评价中忽略电解液的环境影响。另外，锂离子电池的活性物质是 $LiCoO_2$，由于金属钴的毒性相对较大，这里主要考虑的是 Co 的影响；乙炔黑的主要成分是 C，这里主要考虑 C 的影响。

三、结果与讨论

（一）评价结果

Simapro 软件的评价从 11 个环境因素对 3 种电池进行了评价，进行加权后的环境指标分数列于表 4 中。

表 4　三种电池的环境指标分数

环境影响因素	环境指标分数/Pt		
	铅酸电池	镍镉电池	锂离子电池
致癌性	0.00188	0.0629	0.0587
可吸入有机物	0.00133	0.00248	0.0016
可吸入无机物	2.35	16.5	1.22
气候变化	0.42	1.18	0.241
放射性	0.000441	0	3.13×10^{-5}
臭氧层影响	7.72×10^{-6}	3.53×10^{-5}	2.34×10^{-5}
生物毒性	0.0305	0.0631	0.123
酸雨/富营养化作用	0.184	1.11	0.139
土地占用	0.266	2.29	1.02
矿物消耗	21.8	3.67	0.266
化石燃料	3.09	4.8	0.862
总　量	28.14416	29.67852	3.9313547

根据 Eco－indicator 99 体系的实施步骤，将上面 11 个方面环境指标整合成对人类健康、生态系统质量以及资源消耗 3 大方面影响，整合后的结果见图 2。

分析图 2 可知铅酸电池的环境影响主要体现在资源的消耗方面；镍镉电池的影响主要体现在危害人类健康方面，同时资源消耗量也相对较高；前两种电池的总体影响水平接近，镍镉电池程度略微高出；锂离子电池的三项指标分数相对比较平均，而且总体影响水平显著低于前两种二次电池。

（二）讨论

通过 Eco－indicator 99 设计手册[2]可得这 3 种电池的主要原料中单位质量（1kg）镍的环境

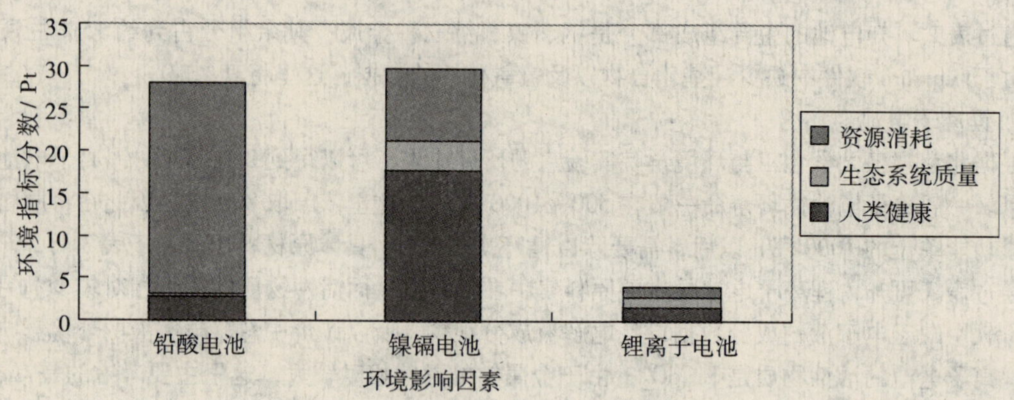

图2　3种电池的三大环境指标分数

影响指数最高（5200mPt），其次是铜（1400mPt），铅（640mPt），钢（86mPt），指数最低的是铝（60mPt），另外聚丙烯的环境指数也较高（330mPt）。

镍镉电池的主要成分是金属镍和镉，其中镍具有很高的影响指数，致使其总影响指数最高。由于镍镉两种元素具有较高毒性，所以其影响主要体现在对人体健康方面。

铅酸电池的最主要成分是占到其总质量73.25%的铅，因此，其影响主要体现在对资源的消耗方面。另外由于铅也有较高的影响指数，所以铅酸电池的总影响指数很高。

锂离子电池的最主要成分是钢，占到其总质量的97.5%，但其影响指数较低，但活性物质钴用量虽小，但具有较强的毒性，因此由表4可知，锂离子电池中影响最大的因素是对人体健康的影响。综合考虑锂离子电池主要成分钢，以及极少用量的毒性物质，其总的影响指数还是远低于铅酸和镍镉电池。

（三）不确定性分析

在以上清单分析中已经详细说明了评价过程中忽略或者替换的原料，通过3种电池的原材料分析，忽略了有机物材料仅占总原料的极少比例，镍镉电池忽略的氢氧化物比较略高，但与重金属物质相比，忽略这些物质在很大一定程度上是合理的。

另外，镍镉电池以及锂离子电池的循环次数不是实验实际测得的结果，而是文献中的估计值。这里假设两种电池都可以在保证电池放电量的基础上循环800次，这会对评价结果造成一定的影响。

以上两点因素只是评价结果，具有一定的不确定性。为了进一步探讨本研究结果的合理性，这里给出Peter Van den Bossche等人的研究成果[9]。该研究的结果也是基于Eco－indicator 99体系下应用Simapro软件得到的。与本研究相比该研究主要针对几种典型的应用于机动车的二次电池进行评价，其功能单位可提供机动车一次充电行驶60km的能量的电池。这里选取该研究的铅酸电池、镍镉电池和锂离子电池的评价结果进行分析。该结果显示：铅酸电池、镍镉电池以及锂离子电池的环境指标分数分别为503Pt、544Pt以及278Pt。虽然两项研究的功能单位有所不同，但从结果上看是基本一致的，因此可以认为本研究结果的不确定性是可接受的，结果在很大程度上是可信的。

四、结　论

根据对若干典型二次电池生命周期评价，得到以下结论：在产生相同能量的条件下，镍镉电池由于其主要原料的毒性，对环境造成的负担最大；铅酸电池对自然资源的消耗量最大，其影响程度略低于镍镉电池；锂离子电池由于其优良的电池性能，用极少的活性物质用量非常少，因此对环境的影响非常小，只占到其他两种电池的1/7左右。因此，锂离子电池以其优异的性能和良好的环境友好型，可以成为今后大力发展的对象。

参考文献

[1] Rebecca L. Lankey, Francis C. McMichael. Life – cycle methods for comparing primary and rechargeable batteries [J]. Environmental Science and Technology, 2000, 34 (11): 2299 – 2340.

[2] ISO 14040 Environmental Assessment, Life Cycle Assessment – Principles and framework, International Organization for Standardisation, Brussels, 1997.

[3] 栾忠权．基于 Eco – indicator99 的产品环境特性评估及设计应用 [J]．轻工机械，2004，2：8 – 12.

[4] 陈俊宇，樊超然，段志善．生态指标 99 在工业设计中的应用．[J]．机电产品开发与创新，2005，18 (1)：16 – 18.

[5] Simapro. Online 12th January 2005: http: //www. pre. nl/simapro/default. htm.

[6] Carl Johan Rydh. Environmental assessment of vanadium redox and lead – acid batteries for stationary energy storage [J]. Journal of Power Sources, 1999, 80: 21 – 29.

[7] Carl Johan Rydh, Magnus Karlström. Life cycle inventory of recycling portable nickel – cadmium batteries [J]. Resources, Conservation and Recycling, 2002, 34: 289 – 309.

[8] 郭炳焜，李新海．化学电源——电池原理及制造 [M]．长沙：中南工业大学出版社，2000：241，351.

[9] Peter Van den Bossche, Frédéric Vergels, Joeri Van Mierlo, Julien Matheys, Wout Van Autenboer. SUBAT: An assessment of sustainable battery technology [J]. Journal of Power Sources, 2006, 162: 913 – 919.

四、噪声污染防治

湖南省城市声环境质量状况与变化分析

许　晶　肖　金　廖岳华

（湖南省环境监测中心站　湖南　长沙　410014）

摘　要　本文以2000—2009年湖南省主要城市声环境质量监测数据为基础，统计分析了10年来湖南省城市声环境质量状况与变化趋势。结果表明，2000—2009年湖南省城市声环境质量虽然得到逐年改善，但是2009年监测的城市主次干道中，有25.96%的路段等效声级超过70dB（A）；所监测的约2 880个城市区域噪声测点中，有36.42%的测点等效声级超过55dB（A）的标准限值；长沙、株洲、湘潭和岳阳等城市4类功能区夜间噪声超标现象较为普遍，环境噪声污染治理值得重视。

关键词　声环境　质量　状况　分析

一、湖南省城市声环境质量监测概况

2000—2009年，湖南省14个地级城市均开展了道路交通噪声和区域环境噪声监测工作。按照原国家环保总局有关技术规定要求[4]，湖南省道路交通噪声和区域环境噪声监测在每年秋季各开展1次，城市功能区噪声监测在每年2月、5月、8月和11月各开展1次。长沙市于2006年开展了城市功能区噪声监测，2007年长沙、株洲、湘潭、岳阳、常德和张家界市等6个国家重点环保城市开展了功能区噪声监测，2008年除吉首市外的13个地级城市开展了功能区噪声监测，2009年全省14个地级城市均开展了功能区噪声监测。2000—2009年湖南省主要城市声环境质量监测概况详见表1。

表1　2000—2009年湖南省城市声环境质量监测概况

年份	城市道路交通噪声监测			区域环境噪声监测	功能区噪声监测
	路段数/个	测点数/个	路段长/km	测点数/个	测点数/个
2000	340	760	707.283	2 136	0
2001	351	795	740.493	2 193	0
2002	352	805	773.766	2 364	0
2003	345	811	766.626	2 517	0
2004	355	843	790.912	2 707	0
2005	364	868	822.743	2 771	0
2006	365	893	851.855	2 879	7
2007	361	894	852.960	2 880	28
2008	361	894	835.145	2 880	54
2009	359	892	832.383	2 879	57

二、湖南省主要城市声环境质量状况

（一）城市道路交通声环境质量状况

城市道路交通干线两侧区域声环境质量分为好、较好、轻度污染、中度污染和重度污染五个等级，各级别等效声级范围见表2。

表 2　道路交通声环境质量分级与标准限值[5]

质量等级	重度污染	中度污染	轻度污染	较好	好
等效声级 dB（A）	>74.0	>72.0～74.0	>70.0～72.0	>68.0～70.0	≤68.0

2000—2009 年湖南省主要城市道路交通噪声平均等效声级和超过 70dB（A）的路长占监测总路长的比例如图 1 所示。

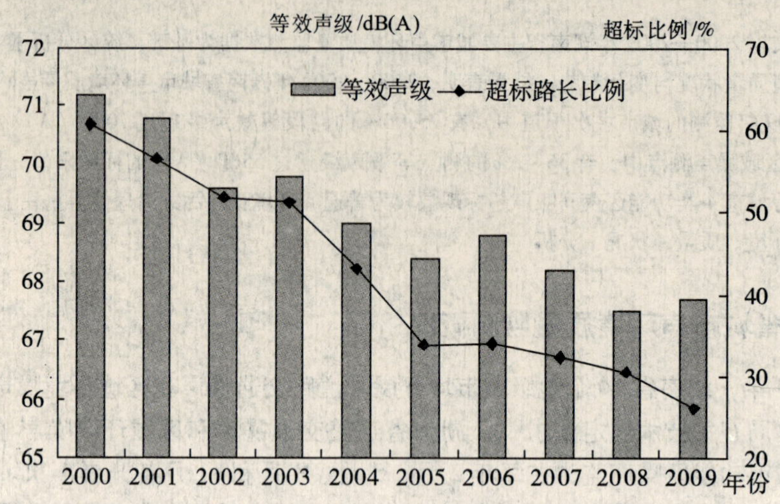

图 1　2000—2009 年湖南省城市道路交通噪声平均等效声级和超标路长比例

从图 1 可知，2000—2009 年湖南省主要城市道路交通噪声平均等效声级逐年降低。2000 年和 2001 年，湖南省主要城市道路交通噪声平均等效声级都超过 70dB（A），但从 2002 年开始均低于 70dB（A），表明湖南省道路交通声环境质量得到逐年改善，近年均达到较好等级。图 1 还显示，2000—2009 年尽管监测总路长在逐年增加，但是，等效声级超过 70dB（A）的路长所占比例在逐年降低。例如，2000 年所监测的 707.283km 城市主次干道中，等效声级超过 70dB（A）的路长达 429.433km，超标比例为 60.72%；2009 年监测总路长为 823.383km，超标路长所占比例降至 25.96%。

监测还表明，吉首、张家界、岳阳和长沙等城市道路交通噪声超标比例较大。

（二）城市区域声环境质量状况

城市区域声环境质量分为优、良、轻度污染、中度污染和重度污染五个等级，各等级对应的等效声级范围见表 3。

表 3　城市区域声环境质量分级与标准限值[5]

质量等级	重度污染	中度污染	轻度污染	良	优
等效声级 dB（A）	>65.0	>60.0～65.0	>55.0～60.0	>50.0～55.0	≤50.0

2000—2009 年湖南省城市区域环境噪声平均等效声级和超过 55dB（A）的测点所占比例见图 2。

图 2 显示，2000—2003 年湖南省城市区域环境噪声均超过了 55dB（A），区域城市声环境属轻度污染；2004 年起至今，平均等效等级都低于 55dB（A），声环境质量改善明显，达到良好等级。从图 2 还可看出，2000—2009 年等效声级超过 55dB（A）的区域环境噪声测点所占比例呈现出明显的下降趋势，2000 年有 64.3% 的测点超过 55dB（A），2009 年噪声超过 55dB（A）的测点所占比例降至了 36.4%。监测表明，区域环境噪声超过 55dB（A）的测点主要分布在张家界、衡阳、岳阳、吉首和益阳等城市。

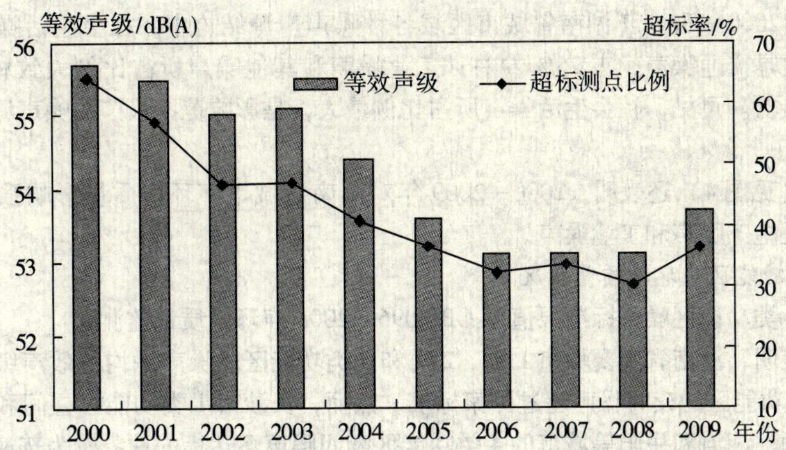

图2　2000—2009 年湖南省城市区域环境噪声平均等效声级与超标测点比例

2000—2009 年湖南省城市区域环境噪声声源构成及变化见图3。

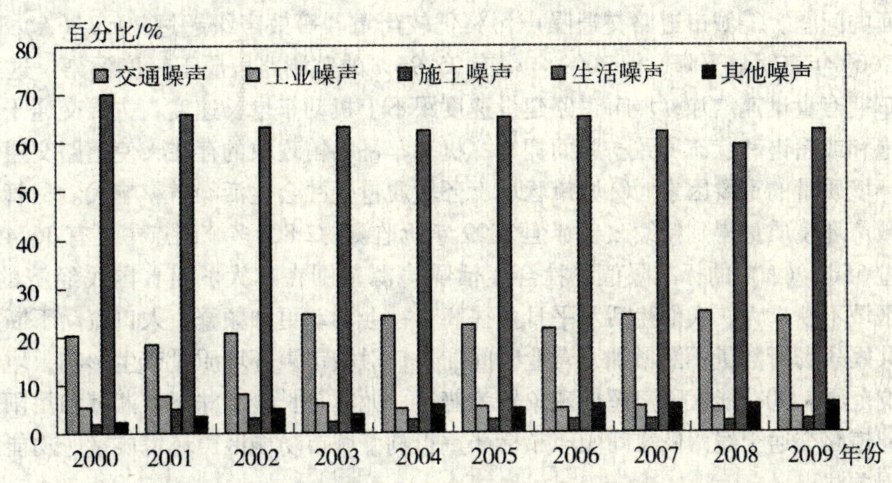

图3　2000—2009 年湖南省城市区域噪声声源构成比例

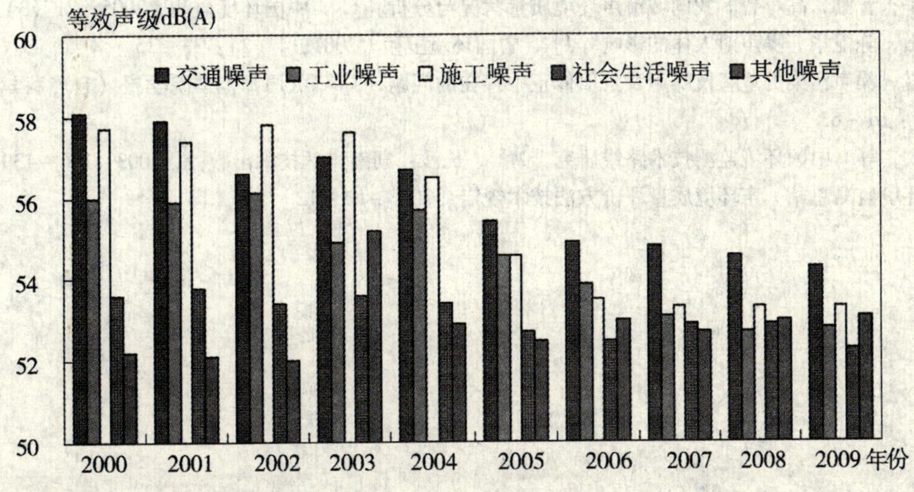

图4　2000—2009 年湖南省城市区域各噪声源平均等效声级

图3表明，2000—2009年湖南省城市区域各种噪声声源结构中，社会生活噪声所占比例在60%以上；其次是交通噪声，占25%左右；工业噪声和其他噪声所占比例大致相当，在5%左右；施工噪声最低。可见，社会生活噪声所占比例最大，是影响范围最广的噪声源，其次是交通噪声。

监测结果（见图4）还表明，2000—2009年对湖南省城市声环境质量影响强度最大的是交通噪声，其次是施工噪声和工业噪声。

（三）城市功能区声环境质量状况

我国城市各类功能区噪声标准限值见GB 3096—2008声环境质量监测。

监测结果表明，湖南省主要城市1类、2类和3类功能区的噪声平均等效声级总体上都符合国家标准，4类功能区的夜间噪声超过国家标准。然而，长沙市1类功能区昼间和夜间噪声均超标；长沙、株洲、湘潭和岳阳等城市的4类功能区夜间噪声不达标的现象较为普遍。

三、声环境主要问题

监测表明，2000—2009年湖南省城市声环境质量逐年得到一定程度的改善，但是目前仍存在3个方面的问题。①城市道路交通噪声污染仍较严重。等效声级超过70dB（A）的路长所占比例虽较2000年有明显下降，但2009年仍有25.96%的监测路段属于轻度污染。这主要是由于城市机动车拥有量迅速增加，城市道路建设速度跟不上机动车增长速度，主要交通干线的机动车流量已近饱和或超饱和状态所致。路面拥堵、机动车乱鸣笛现象的存在，使道路交通噪声仍是困扰城市声环境质量的重要因素。②城市区域声环境质量受社会生活噪声影响大。尽管近年来湖南省城市区域声环境质量得到持续改善，但2009年所监测的2 800多个测点中还有36.4%的测点等效声级超过55dB（A）的标准限值，社会生活噪声源范围在扩大。随着国民经济的快速发展，城市生活区域不断扩大，人们生活水平日益提高，社会活动更加频繁，人口流动不断加快，各类商业、公共娱乐场所数量不断增加，营业时间加长，对城市声环境质量产生影响，增加了生活噪声源的影响范围。③功能区噪声超标现象较为普遍，尤其是长沙、株洲、湘潭和岳阳等国家环保重点城市，道路交通干线两侧夜间噪声超标严重影响了城市功能区声环境质量，功能区噪声污染的治理值得关注。

参考文献

[1] 刘砚华，曹勤，高小晋．我国城市声环境质量状况与分析［J］．中国环境监测，2005，21（3）：71－72.
[2] 唐青山，陈卫华．噪声对人体的影响［J］．中国环境卫生，2001，4（2）：33－35.
[3] 张晓霞．噪声污染的危害及噪声背景值修正中存在的问题［J］．太原师范学院学报（自然科学版），2007，6（1）：61－63.
[4] 万本太，等．中国环境监测技术路线研究［M］．长沙：湖南科学技术出版社，2003：136－139.
[5] 中国环境监测总站．声环境质量评价方法技术规定［2003－06－12］.

声环境质量评价的探讨

——两个典型室内声环境质量问题个案分析

卢庆普

（广州市环境监测中心站　广州　510030）

摘　要　在实际工作中，人们往往习惯于仅用是否“超标”来判断噪声的排放是否构成“环境噪声污染”的。导致大量“达标”而扰民的噪声投诉个案得不到及时妥善的处理；即便排污单位愿意对噪声源进行处理，也往往由于治理目标仅限于“达标”而使得噪声扰民的情况长期存在。本文通过两个典型室内声环境质量问题的个案的处理过程，说明正确的室内声环境质量问题的评价对问题解决的重要意义。

关键词　声环境　质量　评价　探讨

一、引　言

长期以来，在工作实践中我们发现用A声级作为评价量，并不能客观地反映许多噪声污染的特征，具体表现为，在评价地点的人们反映明显地受到噪声的干扰，主观感觉非常难受，而声级计测量的A声级却是达标的。即对噪声污染的反映主客观并不一致。

噪声污染防治法指出“本法所称环境噪声污染，是指所产生的环境噪声超过国家规定的环境噪声排放标准，并干扰他人正常生活、工作和学习的现象。”

然而在现实生活中，受到噪声干扰的人们对噪声或噪声污染的判断并不取决于标准，而是取决于主观的感受。

在实际工作中，人们往往却是习惯于仅用是否“超标”来判断噪声的排放是否构成“环境噪声污染”的。这就使大量“达标”而扰民的噪声投诉个案得不到及时妥善的处理；即便排污单位愿意对噪声源进行处理，也往往由于治理目标仅限于“达标”而使得噪声扰民的情况长期存在。

目前，我国环境保护工作采用的环境噪声排放标准基本是基于户外声环境评价的，即便《社会生活环境噪声排放标准》（GB 22337—2008）给出了结构传播固定设备室内噪声排放限值——等效A声级以及与其对应的倍频带声压级——也是与户外声功能区相联系的。一般来说，敏感建筑室内在关窗状态下的A声级是与敏感建筑所处的声功能区无关的，主要取决于窗户的隔声性能和户外声环境。上述标准提出的室内噪声排放限值与实际室内声环境有较大的差距，仍导致无法有效地实现噪声污染评价的主客观一致。

“噪声达标不等于不扰民”似乎已经是一种共识。那么如何破解噪声扰民的难题？

下面通过两个都是由固定设备通过结构传声方式引起的敏感建筑室内声环境质量问题的处理过程，说明正确的室内声环境质量问题的评价对问题解决的重要意义。

二、个案的基本情况

个案1：广州某医药连锁有限公司，其首层空调机房内安置了一台康明冷却塔和两台4kW的水泵。由于上述空调系统安装时没有设置有效的减振措施，故运行时的振动传递到基础和管道，再通过墙体产生二次结构传声，对位于空调机房二楼的德政中会同里16号203单元室内声环境质量造成了明显的影响。但按现行的有关噪声标准却是达标的。

个案2：广州某快餐有限公司某分店，其在2楼平台安置的厨房抽油烟系统安装时没有设置有效的减振措施，故其运行时的振动通过结构传声的方式，对共和路 42 号 305 单元的室内声环境质量造成了明显的影响。按监测部门监测的结果显示，A 声级达标，250Hz 对应的声压级超标 2dB。

三、个案的处理效果

个案 1：对住户的投诉，广州某医药连锁有限公司也采取过治理措施，虽然按现行的有关噪声标准是达标的，但空调设备通过结构产生的低频噪声扰民情况依然存在，住户反映依然强烈（见《羊城晚报》2009 年 8 月 6 日《中央空调冷却塔和空调机房邻近民居，扰民问题十年难解》的报道）。上述噪声扰民问题得不到完满解决的重要原因，在于该医药连锁有限公司有关负责人对低频噪声扰民的治理目标不明确，只是一味强调噪声已达标，没有把住户实际受到的低频干扰与治理效果挂钩，导致未能使治理效果达成主客观一致的目标。

个案 2：由环保局委托广州市环境技术中心组织专家论证其噪声的治理方案，明确治理的目标应达成主客观一致：即居民主观上不再明显感觉到厨房抽油烟设备的运行；客观上，倍频带噪声频谱中每一个中心频率对应的声压级与背景噪声的比较不大于 5dB。最后治理效果完全达到上述目标。噪声扰民事件得到圆满解决。

四、个案的污染特征分析

个案 1：从图 1 和图 2 可以直观地了解到广州某医药连锁有限公司首层空调系统降噪治理前后正常运行时，评价地点：德政中会同里 16 号 203 单元起居室内南侧床头位置，其声环境质量受首层空调系统结构传声影响的频谱分析。

图 1 和图 2 中黑色粗实线为设备运行时评价地点噪声频谱倍频带声压级的实际测量结果；点虚线为背景值；两点一长虚线为《社会生活环境噪声排放标准》（GB 22337—2008）中有关声功能区 2 类区 B 类房间昼间结构传播固定设备室内噪声排放限值（倍频带声压级）；长虚线为设备运行时评价地点实际测量 A 声级对应的 NR 噪声评价曲线。

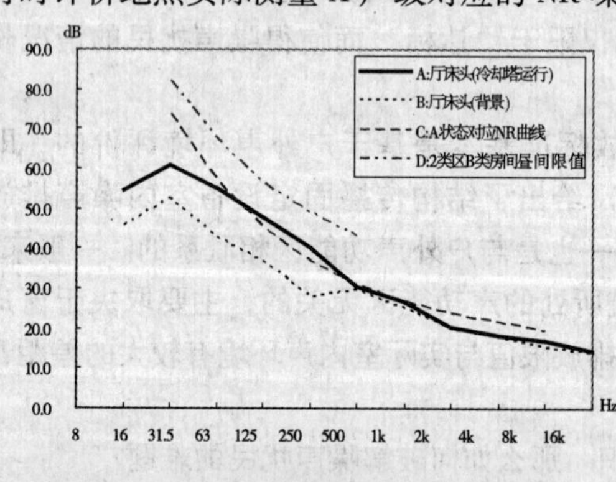

图 1　个案 1 降噪治理前噪声频谱分析

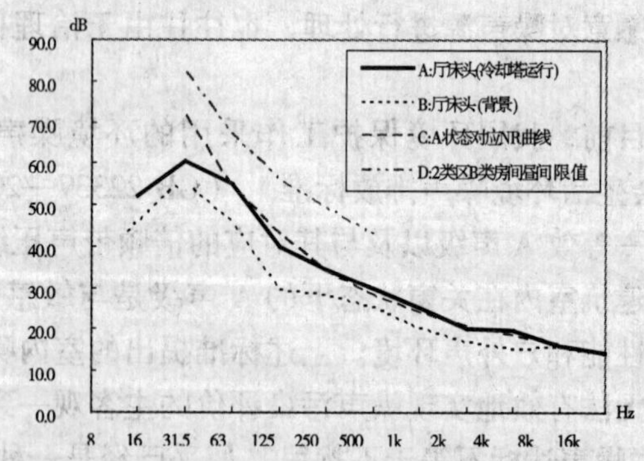

图 2　个案 1 降噪治理后噪声频谱分析

（1）治理前后 A 声级的比较

治理前后评价地点 A 声级（扣除背景噪声后）分别为 35.8dB（A）和 32.9dB（A），均符合《社会生活环境噪声排放标准》（GB 22337—2008）中有关声功能区 2 类区 B 类房间昼间 50dB（A）的结构传播固定设备室内噪声排放限值。

（2）治理前后倍频带声压级的比较

从图 1 和图 2 可以直观地了解到，治理前后：评价地点噪声倍频带 500Hz 以下中心频率对应的声压级均未超出《社会生活环境噪声排放标准》（GB 22337—2008）中有关声功能区 2 类区 B 类房间昼间结构传播固定设备室内噪声排放限值（倍频带声压级）。

（3）治理前后频谱特性及主要噪声源的分析

降噪治理前，从图 1 可以直观地了解到，中心频率 125～250Hz 对应的声压级超出实测 A 声级对应的 NR 噪声评价曲线，使评价地点声环境质量呈低频的频谱特性，同时中心频率31.5～250Hz 对应声压级与背景值的差值均大于 5dB 的判据，从而判断影响评价地点声环境质量上述频率声压级的主要噪声源是来自广州市某医药连锁有限公司首层空调系统[1]；

降噪治理后，从图 2 可以直观地了解到，中心频率 63Hz、250～1kHz 对应的声压级超出实测 A 声级对应的 NR 噪声评价曲线，使评价地点声环境质量呈宽频带的频谱特性，同时中心频率31.5～500Hz 对应声压级与背景值的差值均大于 5dB 的判据，从而判断影响评价地点声环境质量的主要噪声源仍然是来自广州市某医药连锁有限公司首层空调系统。

个案 2：从图 3 和图 4 可以直观地了解到广州市某快餐有限公司某分店 2 楼平台厨房抽油烟系统减振降噪治理前和治理后正常运行时，评价地点：共和路 42 号 305 单元小卧房室内房中间位置，其声环境质量受 2 楼平台厨房抽油烟系统结构传声影响的频谱分析。图中各曲线的表示如个案 1。

（1）治理前后 A 声级的比较

治理前后评价地点 A 声级（扣除背景噪声后）分别为 38.3dB（A）和 <36.3dB（A），均符合《社会生活环境噪声排放标准》（GB 22337—2008）中有关声功能区 2 类区 A 类房间昼间 45dB（A）的结构传播固定设备室内噪声排放限值。

（2）治理前后倍频带声压级的比较

从图 3 和图 4 可以直观地了解到，治理前：评价地点噪声倍频带 250Hz 中心频率对应的声压级超出《社会生活环境噪声排放标准》（GB 22337—2008）中有关声功能区 2 类区 A 类房间昼间结构传播固定设备室内噪声排放限值（倍频带声压级）；治理后：评价地点噪声倍频带 500Hz 以下中心频率对应的声压级均符合上述标准限值。

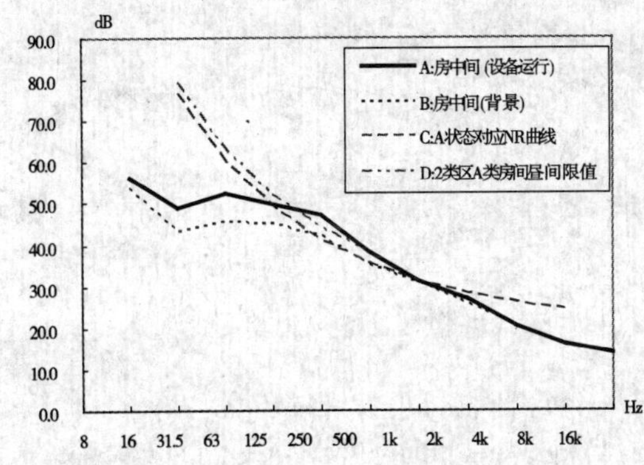

图 3　个案 2 降噪治理前噪声频谱分析

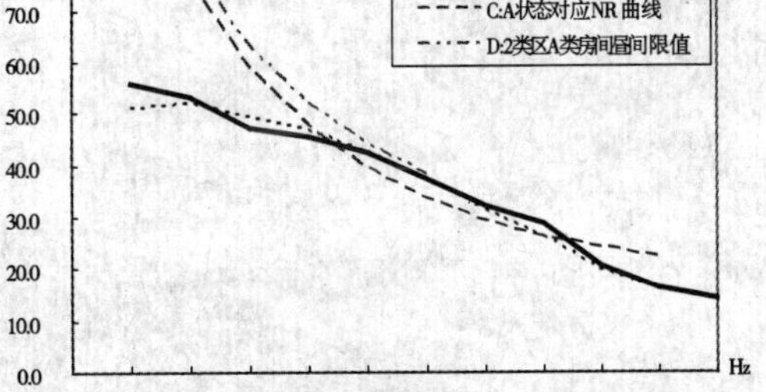

图 4　个案 2 降噪治理后噪声频谱分析

（3）治理前后频谱特性及主要噪声源的分析

治理前，从图 1 可以直观地了解到，中心频率 125～500Hz 对应的声压级超出实测 A 声级对应的 NR 噪声评价曲线，使评价地点声环境质量呈中低频的频谱特性，同时中心频率 31.5～63Hz 对应声压级与背景值的差值均大于 5dB 的判据，从而判断影响评价地点声环境质量上述频率声压级的主要噪声源是来自广州市某快餐有限公司某分店 2 楼平台厨房抽油烟系统[1]。

降噪治理后，从图 2 可以直观地了解到，中心频率 250Hz～2kHz 对应的声压级超出实测 A 声级对应的 NR 噪声评价曲线，使评价地点声环境质量呈宽频带的频谱特性，同时中心频率31.5～8kHz 对应声压级与背景值的差值均小于 5dB 的判据，从而判断影响评价地点声环境质量的主要噪声源是来自背景噪声。

五、结束语

最后用《羊城晚报》2009 年 8 月 6 日《中央空调冷却塔和空调机房邻近民居，扰民问题十年难解》的报道中的记者手记作为结束语。

谁来给僵局找出路

关伯（个案 1 中德政中会同里 16 号 203 单元的住户）和广州某医药连锁有限公司的“邻里关系”似乎走入了一个僵局。双方都不知道，这样紧张的关系最后要怎样才能松绑。

其实，像广州某医药连锁有限公司这样，在居民楼、住宅区内合法经营的商户，广州还有很多。他们的各样环保、排放标准是达标的，但对附近居民的各样“伤害”却也是真实存在的。加害的和受害的，都感无奈，也都感无力。

面对这样的困局，我们的政府、立法机构、社会组织和相关部门，是否能出台具体的规范，分割利益来对被损害人进行合理的赔偿；是否能设立一套规范的机制，来协调、处理这样的矛盾纠纷；是否能在他们之间建立一座联系的桥梁，将这样特殊的“邻里关系”所带来的问题和隐患，合情、合理、合法地解决好。

参考文献

[1] 卢庆普，罗钦平．室内声环境质量测量评价方法探讨与实践［M］．北京：中国科学技术出版社，2007：16－19.

北京市黄标车停驶措施对市区道路交通噪声的影响分析

徐　辉[1]　徐　谦　刘嘉林

（北京市环境保护监测中心　北京　100048）

摘　要　利用噪声自动监测系统33个道路交通站点数据，分析了北京市实行黄标车禁行措施后道路交通噪声昼、夜间的总体变化趋势；在计算夜间噪声下降量的基础上归纳了噪声降幅大的道路等级，进一步分析了噪声改善最大的时间段，并在结论的基础上为决策者提出了相应的建议。

关键词　噪声自动监测　黄标车停驶　道路交通噪声

2008年北京奥运会、残奥会举办前及举办期间为保障空气质量达标并同时解决道路交通拥堵的问题，北京市政府分阶段采取了交通管制措施，其中要求从7月1日至9月20日期间全天禁止黄标车上路，全市约停驶黄标车40余万辆。北京市环境保护监测中心通过利用2008年4—6月和7月1—19日噪声自动监测系统数据对比的方式，分析黄标车禁行措施对北京市市区道路交通噪声的影响。

一、基本参数选取

（一）站点选取

选取北京市噪声自动监测系统中符合条件的道路交通站点33个，其中环路（二环至五环）12个，快速联络线2个，城市高速路2个，城市主干线10个，城市次干线6个，城市支路1个，覆盖了全市城区范围内的6种等级道路。

（二）数据分析方法

1. 月均值噪声Ld、Ln对比：以4月、5月、6月的月均值噪声Ld、Ln及7月1—19日的日均值噪声Ld、Ln分别代表黄标车停驶前、后的道路交通噪声昼间、夜间值，分别进行趋势比较；

2. 夜间噪声均值Ln的变化量分析：以第二季度（4月、5月、6月）的Ln代表黄标车停驶前的道路交通噪声夜间均值，7月1—19日的夜间均值Ln代表停驶黄标车后道路交通噪声夜间均值，比较各路段夜间均值的变化量；

3. 典型站点同时段夜间噪声小时均值变化分析：以夜间交通噪声值长期较高（背景噪声值高）的路段和黄标车禁行前后夜间噪声值变幅较大的路段为典型路段，进行同时段夜间噪声小时均值变化分析。

二、道路交通噪声值变化分析

（一）市区昼间、夜间道路交通噪声变化趋势

通过分别比较4月、5月、6月和7月1—19日道路交通噪声昼间、夜间均值变化（图1和图2）可见：

1. 部分站点昼间数值有所下降，但下降范围基本在0.5dB（A）之内，没有非常明显的规律性，因此实施黄标车禁行的交通管制措施前后，市区昼间道路交通噪声值总体无明显变化；

2. 大部分站点夜间数值呈明显的下降趋势，而且这种下降趋势覆盖了全市城区范围内的各种等级道路，只是下降程度有所不同，因此实施黄标车禁行的交通管制措施前后，市区夜间道路交通噪声值普遍发生了明显变化。

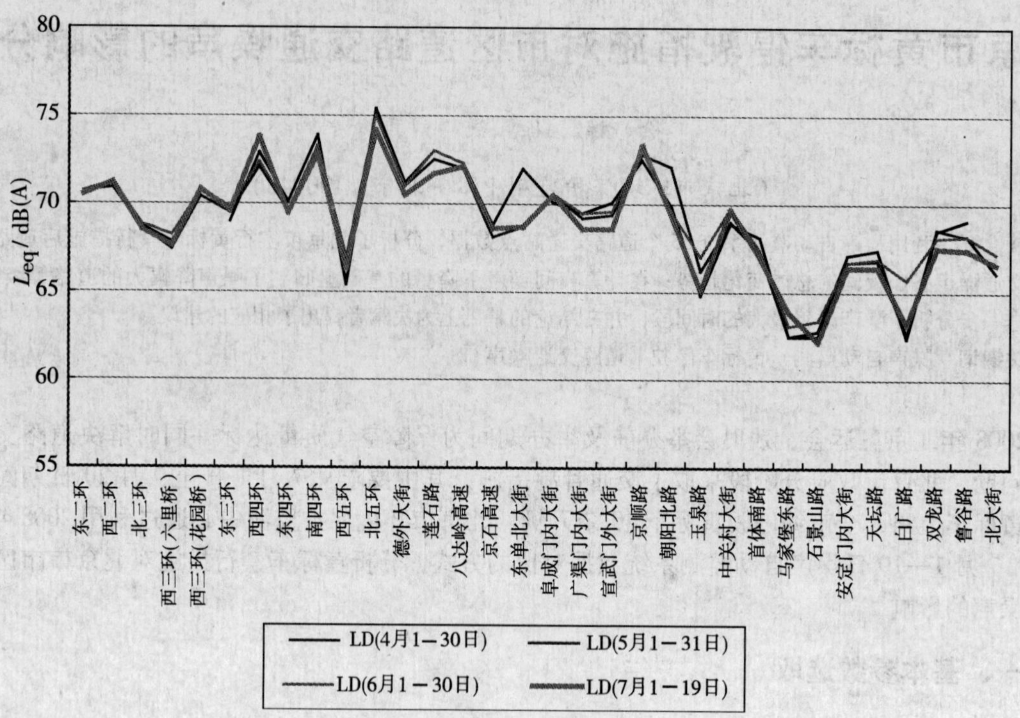

图 1　黄标车停驶前后道路交通噪声昼间月均值对比曲线图

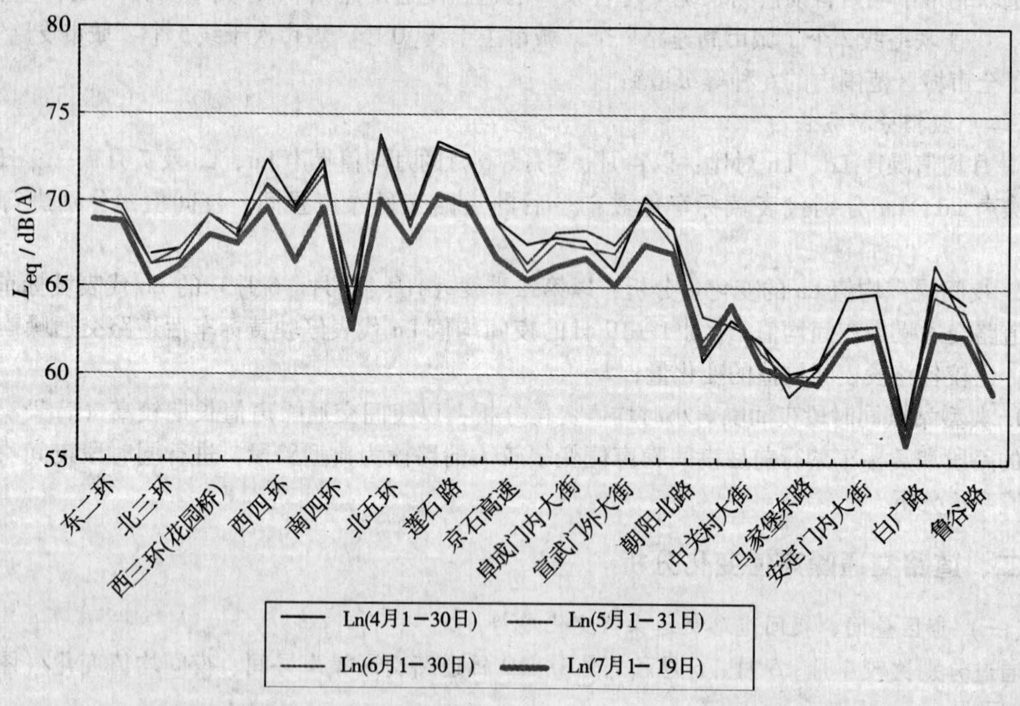

图 2　黄标车停驶前后道路交通噪声夜间月均值对比曲线图

究其原因，主要是夜间大/小车比例远高于昼间，特别是在环路、高速路、快速联络线尤其如此，因此平时这些道路的昼夜均值相差很小，甚至对于某些道路，如高速路，夜间均值大于昼间均值，这些都是大型车夜间行驶的影响。北京市黄标车目前约有 40 余万辆，大部分为使用柴油的中大型货、客车，在交通管制前多数只允许夜间在主路及城内行驶。因此黄标车停驶后，大型车在夜间行驶的比例大幅下降，使夜间均值明显降低。

（二）市区夜间道路交通噪声变化幅度分析

表1　黄标车停驶前后道路交通噪声夜间均值变化量统计　　单位：dB（A）

序　号	道路等级	监测路段	7月1—19日与第二季度夜间均值差值（dB（A））δ_{Ln}	黄标车禁行前后 Ln 均值
1	城市环路	南二环	-4.2	禁行前：68.8 禁行后：67.02
2		东二环	-1	
3		西二环	-0.54	
4		北三环	-1.35	
5		西三环（六里桥）	-0.86	
6		西三环（花园桥）	-1.27	
7		东三环	-0.68	
8		西四环	-1.89	
9		东四环	-310	
10		南四环	-2.3	
11		西五环	-1.6	
12		北五环	-3.5	
		δ_{Ln}平均值	-1.8	
13	快速联络线	德外大街	-1.2	禁行前：71.0 禁行后：69.0
14		莲石路	-2.8	
		δ_{Ln}平均值	-2.0	
15	城市高速路	八达岭高速	-2.8	禁行前：70.7 禁行后：68.2
16		京石高速	-2.1	
		δ_{Ln}平均值	-2.5	
17	城市主干线	东单北大街	-1.3	禁行前：65.0 禁行后：63.8
18		阜成门内大街	-1.7	
19		广渠门内大街	-1.1	
20		宣武门外大街	-1.8	
21		京顺路	-2.4	
22		朝阳北路	-1.2	
23		玉泉路	-0.9	
24		中关村大街	0.7	
25		马家堡东路	-1.2	
26		石景山路	-1.8	
27		首体南路西	-0.7	
		δ_{Ln}平均值	-1.2	

序　号	道路等级	监测路段	7 月 1—19 日与第二季度夜间均值差值（dB（A））δ_{Ln}	黄标车禁行前后 Ln 均值
28	城市次干线	安定门内大街	-1.3	禁行前：62.6 禁行后：61.1
29		天坛路	-1.2	
30		白广路	-0.6	
31		双龙路	-3	
32		鲁谷路	-1.3	
		δ_{Ln}平均值	-1.5	
33	城市支路	北大街	-0.2	禁行前：59.2 禁行后：59.0

实施交通管制措施后，33 条监测路段中有 32 条路段的夜间道路交通噪声值呈不同程度的降低态势（表 1）。其中，高速路、快速联络线、环路下降幅度大，分别为 2.5dB（A）、2.0dB（A）、1.8dB（A），而城市支路噪声值变化不明显。初步分析，在城市环路、快速联络线和城市高速路等夜间道路行驶的机动车中，大型、柴油运输车辆较多，特别是外地入京、过境大型黄标车较多，采取黄标车禁行后，这部分车辆大幅减少，带来夜间噪声值随之降低；而在市区内线道路上，无论昼夜大型、黄标车数量都较少，禁行措施对道路车辆构成比例与流量均没有太多影响，故夜间噪声值没有发生明显改变（图 3）。

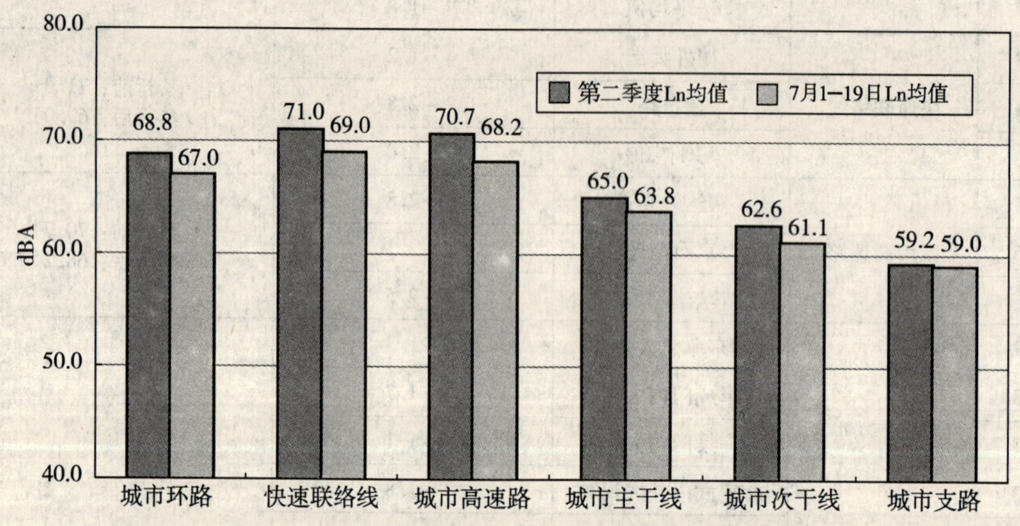

图 3　黄标车停驶前后不同道路等级交通噪声对比图

（三）典型路段夜间小时均值变化分析

为进一步分析交通管制措施前后夜间道路交通噪声值变化，分别选取噪声值长期较高（背景噪声值高）、其他干扰因素相对较小的监测路段——北五环和八达岭高速路段及黄标车停驶后夜间均值下降幅度最大的监测路段——南二环路（下降 4.2dBA）作为典型路段，针对黄标车禁行第一天的 7 月 1 日（周二）夜间与黄标车准行的 6 月份所有周二（6 月 3 日、6 月 10 日、6 月 17 日、6 月 24 日）夜间监测结果，进行同期夜间小时均值变化分析。从表 2 ~ 表 4 可以看出：

1. 北五环、八达岭高速路、南二环三条路段，7 月 1 日的夜间各时段等效声级与 6 月份同时段相比，均呈下降趋势，其中北五环下降幅度达到 1.0 ~ 5.4dB（A），说明黄标车停驶后五环路监测点夜间噪声影响得到了明显缓解；

2. 三条路段均在夜间 3:00、4:00 时段噪声值下降最为明显，其中五环路分别下降了 4.9dB

（A）和5.4dB（A），八达岭高速路分别下降了4.4dB（A），南二环分别下降了2.2dB（A），分析原因是3:00、4:00时段平时也是一天中噪声值最低的时段，主要是大型车辆在行驶，黄标车停驶后很多大型车不能上路，使这些时段噪声值明显下降。

表2　黄标车停驶前后南二环站点夜间小时等效声级对比统计表

序号	时间	夜间小时等效声级/dB（A）							
		080603	080610	080617	080624	均值	080701	下降量	080630
1	0:00	65.1	62.7	65.6	64.1	64.4	63.6	-0.8	64.6
2	1:00	64.7	62.9	64.5	62.3	63.7	62.8	-0.9	64.2
3	2:00	64.2	62.6	65.1	62.3	63.6	62.3	-1.2	63.6
4	3:00	64.0	62.5	64.0	61.8	63.0	60.7	-2.2	62.6
5	4:00	63.9	63.0	63.0	62.2	63.0	60.8	-2.2	62.9
6	5:00	64.6	64.5	65.5	63.8	64.6	63.3	-1.3	64.8
7	22:00	66.5	64.7	64.6	65.5	65.4	65.1	-0.3	65.7
8	23:00	66.1	64.8	64.5	65.0	65.0	63.7	-1.2	64.4

表3　黄标车停驶前后北五环站点夜间小时等效声级对比统计表

序号	时间	夜间小时等效声级/dB（A）							
		080603	080610	080617	080624	均值	080701	下降量	080630
1	0:00	73.3	72	74.7	73.3	73.3	72.3	-1.0	73.6
2	1:00	72.7	72	73.7	72.3	72.7	70.1	-2.6	73.1
3	2:00	71.8	71.2	74.4	72.3	72.4	68.8	-3.6	72.2
4	3:00	71.9	71.5	73.9	71.5	72.2	67.3	-4.9	71.3
5	4:00	72.5	73.2	73.8	72.3	73.0	67.6	-5.4	72.4
6	5:00	74.3	74.2	74.8	73.7	74.3	70.6	-3.7	73.7
7	22:00	75.4	74.5	74.1	74.6	74.7	70.3	-4.4	74.0
8	23:00	74.7	73.1	73.4	74.4	73.9	69.4	-4.5	73.1

表4　黄标车停驶前后八达岭高速站点夜间小时等效声级对比统计表

序号	时间	夜间小时等效声级/dB（A）							
		080603	080610	080617	080624	均值	080701	下降量	080630
1	0:00	72	71.5	75.8	72.9	73.1	71.5	-1.6	72.7
2	1:00	72.4	70.7	73.6	72.2	72.2	69.8	-2.4	73.2
3	2:00	71.9	70.4	73.2	71.8	71.8	68.9	-2.9	71.9
4	3:00	72	70.8	75.1	71.4	72.3	67.9	-4.4	71.8
5	4:00	72.4	71.2	73.5	72	72.3	67.9	-4.4	72.3
6	5:00	72.7	72.3	72.8	72.1	72.5	71.9	-0.6	71.2
7	22:00	72.9	73.1	72.8	72.6	72.9	70.2	-2.6	71.4

序　号	时　间	夜间小时等效声级/dB（A）							
		080603	080610	080617	080624	均值	080701	下降量	080630
8	23:00	72	71.5	75.8	72.9	73.1	71.5	-1.6	72.7

三、结论与建议

（一）结论

1. 本次选取全市城区范围6种道路等级33个监测点进行黄标车停驶前后数据对比分析，结果表明黄标车停驶后对昼间噪声影响不大，夜间噪声值得到明显缓解；

2. 33条监测路段中32条监测路段夜间均值的下降范围为0.2~4.2dB（A）之间。从道路等级看，高速路、快速联络线、环路夜间均值下降幅度大，分别下降了2.5dB（A）、2.0dB（A）、1.8dB（A）；

3. 从选取的八达岭高速、北五环、南二环三条路段的夜间小时等效声级分析，黄标车停驶后夜间3:00、4:00两个时段噪声值下降幅度最大。

（二）建议

由于停驶黄标车对夜间3:00~5:00时段的噪声降幅最显著，因此建议相关政策决策者对大、中型车夜间的行驶时间有针对性地做限制，可以最小的成本较大幅度地缓解道路交通两侧居民在夜间的噪声影响水平。

我国环境噪声标准体系建设现状与发展规划探讨*

秦　勤　段传波　朱妍妍

（北京市劳动保护科学研究所　北京　100054）

摘　要　环境噪声污染已经成为突出的城市环境问题，虽然我国现行的环境噪声标准基本覆盖了社会经济生活的所有领域，但是随着城市建设的飞速发展，居民对居住环境质量要求的不断提高，许多现行旧标准无法从根本上解决新污染问题。本文通过分析我国环境噪声标准体系的构成，主要介绍了现行标准体系中存在的问题，形成的原因，探讨了我国环境噪声标准体系建设与发展的思路。

关键词　环境噪声　标准体系

一、国内外环境噪声标准体系特点

世界大多数国家颁发了噪声相关标准和法规，其中欧美国家主要以法规为主，例如欧盟定期发布的噪声控制指南，对欧盟各国的环境噪声控制和产品噪声控制起到指导作用。

美国的噪声污染控制是从控制飞机噪声污染开始的。1968 年美国发布了《飞机噪声削减法》(The Aircraft Noise Abatement Act)，由联邦航空局（PAA）实施。1972 年《噪声控制法》将"改善环境使所有美国人从危害他们健康和福利的噪声中解脱出来"作为一项国家政策。这项法律在联邦和州、地方政府之间分配权利，联邦的首要职责是噪声源排放控制，州和其他行政部门保留对噪声源使用及环境允许噪声水平进行控制的权利[1]。根据上述法律授权，联邦政府负责主要噪声源排放标准的制定，区域环境噪声标准则由州或地方政府自行负责。这一点与我国的噪声标准体系有所不同。

1982 年，我国发布了《城市区域环境噪声标准》（GB 3096—1982），这是我国在环境噪声污染防治方面颁布的第一个综合性环境噪声标准。1989 年、1993 年和 2008 年又对此标准进行三次修订工作。经过 20 多年的发展，环境噪声标准已经基本覆盖了社会经济生活的大部分领域。同时也制定了《工业企业厂界噪声排放标准》、《社会生活环境噪声排放标准》、《建筑施工厂界噪声限值》、《铁路边界噪声限值及其测量方法》等与居民生活息息相关的各项噪声标准。这些标准以《中华人民共和国环境噪声污染防治法》为依据，并参考相关国际标准，在控制各类噪声污染问题中起了非常重要的作用。

二、我国环境噪声标准体系简介

（一）基础标准

环境噪声基础标准规定了声学基本原理，声学名词术语的解释、计算方法，测量方法等基础性内容，是其他环境噪声标准制定的基本依据。最早编著出版的《声学术语》（马大猷、应崇福主编，科学出版社，1958 年），一书列有 800 条专业名词和释文定义。它为 1983 年修订的国家标准《声学名词术语》（GB 3947—1983）定下良好的基础[2]。基础标准包括以下几项标准：

《声学名词术语》（GB/T 3947—1996）；《声学的量和单位》（GB 3112.7—1993）；《声学测量中的常用频率》（GB/T 3240—1982）；《声学量的级及其基准值》（GB/T 3238—1982）；《声学环境噪声的描述、测量与评价 第 1 部分：基本参量与评价方法》（GB/T 3222.1—2006）；《城市区域环境噪声适用区域划分技术规范》（GB/T 15190—1994）等。

* 北京市科学技术研究院萌芽计划对本研究给予支持。

《城市区域环境噪声适用区域划分技术规范》（GB/T 15190—1994），标准中规定了城市区域环境噪声适用区划分的基本原则、划分方法及各类标准适用区域的解释等内容，为执行《声环境质量标准》（GB 3096—2008）奠定了基础。

（二）声环境质量标准

声环境质量标准是指为防治环境噪声污染、保护和改善生活环境、保障人体健康、促进经济和社会发展而规定的环境中声的最高允许数值[3]。目前我国的现行适用的声环境质量标准是2008年颁布的《声环境质量标准》（GB 3096—2008）强制性标准，也是环境噪声标准体系中最重要的标准，并以此为依据，制定了其他各类环境噪声限值标准。标准中规定了0～4类功能区昼间、夜间的环境噪声最高允许值，以及环境噪声测量的基本方法等内容。表1为标准中各功能区环境噪声标准值。

表1　环境噪声标准值

	0类功能区	1类功能区	2类功能区	3类功能区	4类功能区	
					4a	4b
昼间等效声级 dB（A）	50	55	60	65	70	70
夜间等效声级 dB（A）	40	45	50	55	55	60

另外，《机场周围飞机噪声环境标准》（GB 9660—1988）采用一昼夜的计权连续感觉噪声级作为评价量，规定了机场周围地区不同适用区域及其标准值[4]，见表2。

表2　机场周围飞机噪声环境标准值适用区域

适用区域	标准值 dB
一类区域	≤70
二类区域	≤75

（三）噪声限值及测量方法标准

根据污染源各类繁多的特点，有针对性地制定了相当数量的各类噪声排放限值标准以及相对应的测量方法标准，一些较早的标准，将限值和测量方法分成两个不同的标准分开制定，但近些年来，新制定或修订的标准一般都将限值和测量标准统一在一个标准中，这样使得标准使用起来更方便、快捷。

环境噪声标准按噪声源特性可以分为交通噪声、社会生活噪声、工业噪声、建筑施工噪声4大类。

1. 交通噪声

交通噪声是被投诉率最高的污染源，根据不同的交通类型，又可分为：公路交通噪声标准、轨道交通标准、航运噪声标准。

（1）公路噪声标准

目前的标准体系中还没有针对城市不同道路等级制定道路交通噪声排限值标准，只是对各类交通工具自身排放噪声做出了限值规定，其中主要包括以下几种标准：

《汽车加速行驶车外噪声限值及测量方法》（GB 1495—2002）；《汽车定置噪声限值》（GB 16170—1996）；《摩托车和轻便摩托车定置噪声限值及测量方法》（GB 4569—2005）；《摩托车和轻便摩托车加速行驶噪声限值及测量方法》（GB 16169—2005）；《三轮汽车和低速货车加速行驶车外噪声限值及测量方法（中国Ⅰ、Ⅱ阶段）》（GB 19757—2005）；《流动式起重机 作业噪声限值及测量方法》（GB 20062—2006）；《农用运输车噪声限值》（GB/T 18321—2001）；《拖拉机噪声限值》（GB 6376—1995）等标准。这些标准中规定了不同生产年份，不同类型的机动车辆在定置、加速等不同状态下产生的噪声限值。例如：《汽车加速行驶车外噪声限值及测量方法》（GB 1495—2002）中规定了汽车加速行驶时，其车外最大噪声级不应超过表3规定的限值。

表3　汽车加速行驶车外噪声限值[5]

汽车分类	噪声限值　dB（A）	
	第一阶段	第二阶段
	2002.10.1—2004.12.30 期间生产的汽车	2005.1.1 以后生产的汽车
M1	77	74
M2（GVM≤3.5t），或 N1（GVM≤3.5t）：		
GVM≤2t	78	76
2t<GVM≤3.5t	79	77
M2（3.5t<GVM≤5t），或 M3（GVM>5t）：		
P<150kW	82	85
P≥150kW	80	83
N2（3.5t<GM≤12t），或 N3（GVM）>12t）：		
P<75kW	83	81
75kW≤P≤150kW	86	83
P≥150kW	88	84

说明：GVM－最大总质量（t）；P－发动机额定功率（kW）。

a）M1、M2（GVM≤3.5t）和 N1 类汽车装用直喷式柴油机，其限值增加 1dB（A）。

b）对于越野汽车，其 GVM）>2t 时：

如果 P<150kW，其限值增加 1 dB（A）；

如果 P≥150kW，其限值增加 2 dB（A）。

c）M1 类汽车，若其变速器前进挡多于四个，P>140kW，P/GVM 之比大于 75kW/t，并且用第三挡测试时其尾端出线的速度大于 61km/h，则其限值增加 1dB（A）。

与这些限值标准相关的测量方法标准其中包括：《声学 市区行驶条件下轿车噪声的测量》(GB/T 17250—1998)；《声学 机动车辆定置噪声测量方法》(GB/T 14365—1993)；《农用运输车噪声测量方法》（GB/T 19118—2003）；《声学 道路表面对交通噪声影响的测量》(GB/T 20243.1—2006)等。

（2）轨道交通噪声

轨道交通噪声标准规定了城市各类轨道交通噪声的限值及其测量方法，由城市轻轨或地铁噪声标准、客运铁路噪声标准两部分组成，其中客运铁路噪声标准部分主要包括以下几标准：《铁路边界噪声限值及其测量方法》（GB 12525—1990）；《铁道机车辐射噪声限值》（GB 13669—1992）；《铁道机车和直通车级司机室噪声限值及测量方法》（GB/T 3450—2006）；城市轻轨噪声部分主要包括：《城市轨道交通列车噪声限值和测量方法》（GB 14892—2006）；《城市轨道交通车站站台声学要求和测量方法》（GB 14227—2006）等。

（3）航运噪声

包括《内河船舶噪声级规定》（GB 5980—2000）；《海洋船舶噪声级规定》（GB 5979—1986）；这两项标准分别规定了内河船舶及海洋船舶舱室内噪声级的最大限值。以及《内河航道及港口内船舶辐射噪声的测量》（GB 4964—1985），该标准规定了内河航道和港口船舶辐射噪声级的测量方法。

2. 社会生活噪声

2008 年我国发布了第一项有关社会生活噪声的排放标准：《社会生活环境噪声排放标准》（GB 22337—2008），该标准对营业性文化娱乐场所和商业经营活动中可能产生的环境噪声污染的设备、设施规定了排放限值和测量方法[6]。

此外，公共场所卫生标准也对其场所内噪声限值做出了相应的规定，其中包括：《旅店业卫生标准》（GB 9663—1996）；《图书馆、博物馆、美术馆、展览馆卫生标准》（GB 9669—1996）；《商场（店）、书店卫生标准》（GB 9670—1996）；《医院候诊室卫生标准》·（GB 9671—1996）《公共交通等候室卫生标准》（GB 9672—1996）；《公共交通工具卫生标准》（GB 9673—1996）。另外，《公共场所噪声测定方法》（GB/T 18204. 22—2000）标准中规定了公共场所噪声测定的具体方法。

3. 工业噪声

《工业企业厂界噪声排放标》（GB 12348—2008），适用于工业企业噪声排放的管理、评价及控制。另外，机关、事业单位、团体等对外环境排放噪声的单位也需按此标准执行。标准规定了工业企业和固定设备厂界环境噪声排放限值及其测量方法[7]。

4. 建筑施工噪声

包括：《建筑施工场界噪声限值》（GB 12523—90）；《建筑施工场界噪声测量方法》（GB 12524—1990）两项标准。标准规定了城市建筑施工期间施工场地在土石方、打桩、结构、装修不同施工阶段作业噪声昼间、夜间的限值及其相应的测量方法[8]。

（四）评价及设计标准

《环境影响评价技术导则 声环境》（HJ/T 2. 1—1995）适用于厂矿企业、事业单位建设项目环境影响评价，基本任务是评价建设项目引起的声环境的变化，并提出各种噪声防治对策，把噪声污染降低到现行标准允许的水平，为建设项目优化选址和合理布局以及城市规划提供科学依据[9]。

噪声控制设计标准通过论述噪声控制的基本概念，从而给出处理新建或已有工作场所噪声问题的规划[10]。以达到噪声控制的最终目的——取得各种工作场所噪声的降低。噪声控制设计标准包括：《工业企业噪声控制设计规范》（GB/J 87—1985）；《声学 低噪声工作场所设计指南 噪声控制规划》（GB/T 17249. 1—1998）；《声学 低噪声工作场所设计指南 第 2 部分：噪声措施》（GB/T 17249. 2—2005）；《开放式工厂的噪声控制设计规程》（GB/T 20430—2006）。通过此类标准，可以给有噪声污染工作场所的规划和设计提供必要的程序和方法。

（五）降噪产品标准

消声器、隔声罩（间）、声屏障等降噪产品，是用来控制噪声污染的重要手段。针对此类产品，我国也制定了相应的设计、测量、使用标准。例如：《消声器》（HJ/T 16—1996）；《声学 隔声间的性能测定 实验室和现场测量》（GB/T 19885—2005）；《声屏障声学设计和测量规范》（HJ/T 90 - 2004）等。这些标准科学、合理有效地控制和降低噪声污染起到了重要的作用。

三、标准体系存在的问题

作为标准的系统集成，环境噪声应具有结构清晰、功能协调、分布合理等特征，目前我国现行环境噪声标准体系主要问题有以下几点：

（一）标准体系建设滞后于社会发展

现行标准中多项是在十几年前制定的，随着社会发展，环境噪声出现新的问题，与现行标准的矛盾日益突出。例如：《城市区域环境噪声标准适用区域划分技术规范》（GB/T 15190—1994）规定了城市中 5 类区域划分的原则和方法，但随着城市规模、道路的飞速发展，按照旧标准划分的城市声环境功能区，在声环境质量标准执行上已经暴露出诸多问题。

（二）标准体系不够完善，一些领域标准重叠，一些领域很少涉及

现行标准中，与城市道路交通相关的标准大多以车辆个体相关标准为主，这些标准已经基本涵盖了各类车辆在不同状态下的噪声限值和测量标准。然而道路交通噪声是各类车辆综合影响下的结果，这种只针对个体噪声排放的标准显然不能适用整条道路噪声污染问题。而目前国内尚无根据城市不同道路等级制定道路交通噪声排限值标准，随着城市的发展与改造，高架道路或立交桥形式的道路交通日益增多，交通噪声源位置升高，从原来的地面一层变为地面和高架二层或三层，交通噪声源强呈垂直立体分布。现行标准中的测量方法和测量值已不能全面真实反映道路交通噪声的排放情况，车流量也无法全面统计。目前缺少相应的适用标准与规范，给道路交通噪声监测与管理工作带来了困难。

（三）标准体系内各标准间的适应性、协调性差

毋庸置疑，制定并实施环境噪声质量标准是限制一切噪声排放的有效方法，各类区域噪声排放的总量控制则应以确保该区域环境噪声质量达标为准绳。由于环境噪声质量标准与噪声排放标准协调性差，不仅给环境管理造成困难，也给环境执法带来了种种问题。在噪声扰民纠纷案件中，常常存在这样的情况，各噪声污染源的单独排放值均达到现行的有关噪声排放标准，但各噪声源综合作用下仍存在较为严重的扰民问题。

四、关于环境噪声标准体系建设的几点设想

（一）完善技术规范和环境标准

完善技术规范和环境标准，根据改善声环境质量需要，不断提高排放限值要求，尤其注重噪声源综合影响及新出现的噪声问题相关标准的完善。

（二）落实责任，明确分工

根据噪声污染特点，应从声环境质量总体角度出发，由环境保护部门总体制定标准规划，确定标准体系内容，由各类污染源分管部门提供专业技术配合，标准制定过程中注意协调，避免各标准间出现相互冲突。

（三）制定环境噪声标准规划的短、长期工作计划

尽快对标龄较长的、实用性较差的国家和行业标准进行修订，同时应根据经济地区发展情况与噪声污染状况制定“十二五”时期内及以后的修订工作计划，尽最大可能保证标准的适用性。

参考文献

[1] 张国宁，等. 美国的噪声污染控制法规与标准［J］. 世界环境，2002，4：14－16.
[2] 王季卿. 我国声学标准化工作的进展［C］. 上海市声学学会年会报告，2001－11－15.
[3] GB 3096—2008. 声环境质量标准［S］. 北京：中国标准出版社，2008.
[4] GB 9660—1988. 机场周围飞机噪声环境标准［S］. 北京：中国标准出版社，1988.
[5] GB 1495—2002. 汽车加速行驶车外噪声限值及测量方法［S］. 北京：中国标准出版社，2002.
[6] GB 22337—2008. 社会生活环境噪声排放标准［S］. 北京：中国标准出版社，2008.
[7] GB 12348—2008. 工业企业厂界噪声排放标［S］. 北京：中国标准出版社，2008.
[8] GB 12523—1990. 建筑施工场界噪声限值［S］. 北京：中国标准出版社，1990.
[9] HJ/T 2. 1—1995. 环境影响议价技术导则 声环境［S］. 北京：中国标准出版社，1995.
[10] GB/T 17249. 1—1998. 声学 低噪声工作场所设计指南 噪声控制规划［S］. 北京：中国标准出版社，1998.

创造和谐环境　控制噪声污染

张　颂

（沈阳市环境监测中心站　沈阳　110015）

摘　要　本文通过对沈阳市噪声环境污染存在问题的评价分析，探讨构建以噪声功能区划、污染监控体系，污染防治体系，公众参与体系和法律、法规和标准体系等为主要内容的噪声污染防治技术支撑体系的框架和机制，进而达到改善声环境质量的目的。

关键词　噪声环境　支撑体系　改善

随着经济和城市建设的快速发展，城市空间和产业布局不断拓展优化，城市品位不断提升，人们生活水平的提高，对声环境质量的需求也越来越高，改善城市声环境质量，创造安静和谐的生活环境已成为重要课题。

通过对沈阳市城区噪声源普查和噪声环境质量的调查研究分析，结果表明沈阳市噪声环境污染依然面临严峻挑战，加大对噪声环境的监管力度，建立一套科学合理的噪声污染防治技术支撑体系的框架和机制已成必然趋势。

一、现状及存在问题

（一）现状

1. 区域环境噪声

区域环境噪声按等面积网格法选取 240 个点位进行监测，平均值 54.0 分贝，低于城考指标要求（56 分贝），按照《声环境质量评价方法技术规定》中规定进行评价属于较好水平。“九五”期间沈阳市区域环境噪声呈逐年下降趋势，见图 1。

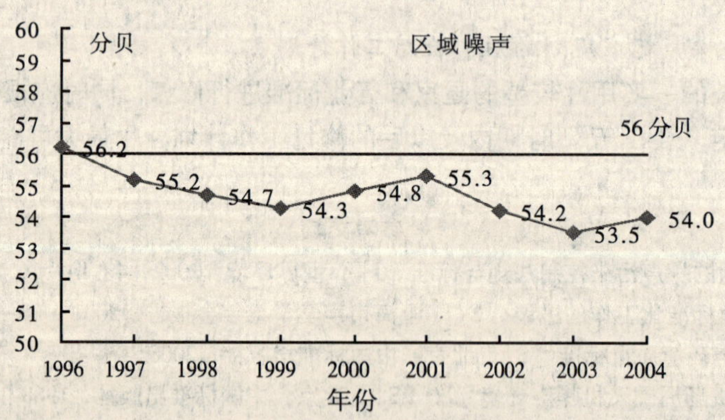

图 1　“九五”期间区域环境噪声变化趋势

社会生活噪声是沈阳市城区内影响区域环境噪声主要噪声源，其网格数占调查网格总数的 65.4%。其次是交通噪声源占 18.8%。

2. 道路交通噪声

选取全市范围内 48 条交通干线，共设置 132 个点位进行监测，平均等效声级 68.2 分贝，低于国家标准（70 分贝）1.8 分贝。根据国家声环境质量评价方法技术规定，道路交通噪声质量处于较好水平。“九五”期间沈阳市道路交通噪声呈下降趋势，见图 2。

（二）存在问题及原因分析

随着沈阳城市经济的快速发展，城市整体布局、产业结构调整和城市功能的拓展，噪声污染的重点已由工业固定噪声污染为主向三产社会噪声、交通噪声及建筑施工噪声污染转变；同时噪声扰民仍然是市民投诉的热点和解决的难点问题。

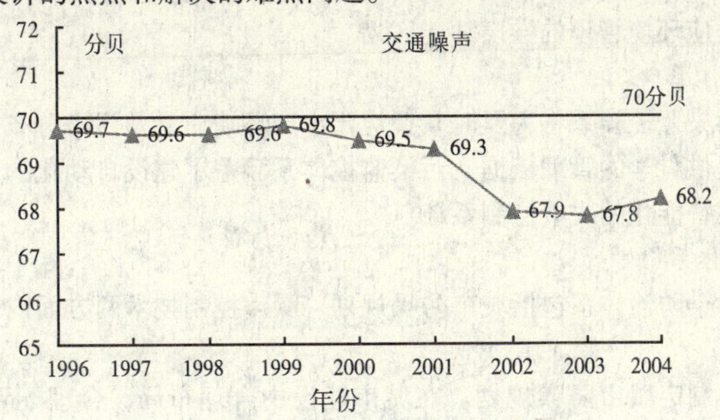

图2　“九五”期间交通干线噪声变化趋势

1. 噪声功能区划不适应环境管理的需要

近年来沈阳市整体布局优化和产业结构调整导致城市噪声功能区划不适应环境管理的需要。社会生活噪声是影响沈阳市声环境的主要因素之一，其分布广泛且对居民的生活环境影响较大，由于其处于不同的功能区执行标准也不同，造成了噪声扰民数量居高不下，近年来由社会生活噪声引发的扰民投诉案件数量占环保信访总数的70%。

2. 结构性污染依然影响沈阳市噪声环境

由于历史沿革原因，沈阳城市规划布局、产业结构不尽合理，铁西工业区虽实施企业搬迁改造政策，但仍没有从根本上解决结构性污染问题，高架路桥在居民区中穿过、铁轨附近新建居住小区、居民区与工业区、商业区混杂等现象仍然存在，声环境负荷仍很重。另外沈阳市机动车数量逐年递增，交通负荷量亦随之逐年增加，沈阳的交通路网将面临饱和，道路广场用地偏低，绿化用地过少，交通噪声污染面临隐患加重，交通噪声对环境的影响日益突出。

3. 建筑施工噪声污染源分散，影响较大

近年来，随着房地产业的不断发展，危房改造和城区商业设施的兴建，以及城市基础设施的大规模建设，使沈城成为一个大工地。尤其当工期紧迫、抢进度时，往往加紧夜间施工，打桩机、搅拌机、振捣器、电锯，以及运送建材或土方的大型卡车等建筑施工噪声往往高达90分贝左右，使人有震耳欲聋的感觉，周围居民难以休息。

4. 噪声环境管理的法律法规已跟不上城市发展的步伐

目前评价声环境质量执行的环境法律法规不够完善，还存在滞后现象。虽然环境法律体系具备了整体框架，但具体、细化、精密、符合国情的法律法规还不够。如在室内环境噪声标准方面没有作出规定，急需制定一部地方性法律法规来弥补。

5. 噪声治理技术发展速度较慢，对噪声污染设备的治理处于落后状态。

二、噪声污染防治技术支撑体系的构建

依据沈阳市噪声环境监测技术现状和噪声环境污染问题，结合“十一五”环境规划并考虑“十二五”规划以及城市发展的需要，以减轻环境噪声污染水平，改善居民生活环境为目标，构建沈阳市噪声污染防治技术支撑体系框架和机制，其主要内容包括城市噪声功能区划，污染监控体系，污染防治体系，公众参与体系和法律、法规和标准体系5个方面内容。

（一）城市噪声功能区划

“噪声区划”是执行环境噪声防治法规和加强环境噪声管理的先决条件和必备依据。为有效控制噪声污染的程度和范围，提高声环境质量，在 1995 年确定的沈阳市环境噪声适用区域划分的基础上进行调整，结合城市发展规划重新对城区环境噪声适用区域进行划分，增加从严管理的二类区面积，确定适应环境管理的噪声功能区划。

（二）污染监控体系

科学、先进的污染监控体系将为及时掌握沈阳市声环境质量及污染分布规律提供基础，为沈阳市噪声污染防治提供科学的管理依据。污染监控体系涵盖了建设自动化的环境监测系统、网络化的信息传输系统、智能化的决策控制系统。

（三）污染防治体系

沈阳市的噪声污染防治体系包括城市防噪规划、噪声控制技术两方面内容，主要考虑源头控制和末端治理。

合理布局、科学制定城市防噪规划。在城市建设中合理布局，合理配置各类建筑物和道路网，合理划定建筑物与公路、铁路、机场、地铁（地上部分）、城市高架桥和轻轨道路等的防噪声距离，增加绿化用地面积。

防治噪声污染的工程技术措施，一般是从控制噪声源、传播途径等方面入手，筛选先进适用治理技术，达到减振降噪的目的。

（四）公众参与体系

通过深化环境保护公开制度，建立有效的公众监督机制，建立公众参与环境保护的有效途径和方式。

2006 年沈阳市已颁布并实施《沈阳市公众参与环境保护办法》，规定公众参与的具体方式、参与机制和参与效力等方面内容，从法律制度上保障了公众参与环保的权利。

（五）法律、法规和标准体系

重新细化《沈阳市环境噪声管理条例》，重点针对执法不到位、各部门分工不明确、各类噪声污染问题没有明确，突出预防为主，源头控制；对建筑施工噪声和社会生活噪声的污染防治做出更加严格的规定；增强可操作性，细化的内容主要从环境噪声污染防治的监管体制和原则，举报问题的处理程序和责任等 8 个方面作出具体规定，以弥补具体执法中的法律依据不足。

增加居民室内环境噪声标准限值，改变目前噪声扰民监测参照区域环境噪声标准，无标准控制的局面，以减少噪声污染。

三、结　论

随着沈阳城市化进程的加快带来的声环境负荷加大。结合“十一五”环境规划及沈阳城市发展的实际需要，参考国内外先进的模式和经验，建立一套科学合理的噪声污染防治技术支撑体系，对减轻噪声污染，改善声环境质量状况，创建和谐生活环境具有现实意义。

参考文献

[1]［美］T. J. 舒尔茨．城市噪声评价［M］．北京：中国环境科学出版社，1987.
[2] 王文奇．噪声控制技术及其应用［M］．沈阳：辽宁科学技术出版社，1985.
[3] 沈阳市环保局．沈阳市环境质量报告书．2001—2005.

谈对新环境噪声标准的认识

王　毅[1,2]　徐　辉[1]

（1. 北京市环境保护监测中心　北京　100044；
2. 环境保护部环境工程评估中心　北京　100012）

摘　要　《声环境质量标准》、《工业企业厂界环境噪声排放标准》、《社会生活环境噪声排放标准》颁布执行是我国声环境保护工作的一件大事。三项新环境噪声标准与测量方法规定更加以人为本，更加实事求是。

关键词　环境噪声限值　环境噪声排放限值　测量方法　学习体会

从2008年10月1日开始实施的《声环境质量标准》（GB 3096—2008）（修订）、《工业企业厂界环境噪声排放标准》（GB 12348—2008）（修订）、《社会生活环境噪声排放标准》（GB 22337—2008）（新颁）是我国声环境保护工作的一件大事。它完善了我国环境噪声标准体系，扩大了标准的适用范围，明确了标准的适用对象，理顺了相关标准之间的关系，同时三项环境噪声标准与测量方法规定更加以人为本，更加实事求是。这三个标准的实施，必将推进我国声环境保护工作的开展，提高我国环境噪声监测水平。通过学习与应用，探讨对这三项标准的体会。

一、环境噪声标准与测量方法规定更加“以人为本”

声环境质量标准针对城乡不同的声环境功能区提出了不同的声环境质量标准，为立足于声环境质量达标，对坐落于不同声环境功能区的工业企业厂界环境噪声和社会生活噪声有不同的限制要求。控制工业企业厂界环境噪声和社会生活环境噪声的最终目的是改善声环境质量保护敏感人群。为此，三项环境噪声标准与测量方法的具体条款中，更加体现“以人为本”的理念。

（一）评价量

原标准体系仅以A声级为唯一评价量，新环境噪声标准增加室内低频段五个倍频带声压级评价量，使评价量更加符合人在不同环境中的感受。

新增加的评价量在《工业企业厂界环境噪声排放标准》、《社会生活环境噪声排放标准》两个标准中的表3中具体列出。采用国际标准化组织（ISO）提出的NR曲线（室内噪声评价曲线），规定了从31.5～500Hz 5个倍频带声压级值。较之原A计权等效声级评价量更加适应人在不同环境场所的感受（人在室内睡眠时对低频噪声烦恼度增大），同时为下一步噪声控制和治理提供了重要的基础数据。为适应噪声倍频程测量需要，测量仪器需配备频谱测量仪。

（二）标准值

原标准体系在“不得不在室内测量时”规定室内标准值采用室外环境标准减10dBA后值，新标准中“结构传播固定设备室内噪声排放限值”采用了较室外环境标准值更严格的限值。由于噪声排放源位于噪声敏感建筑物内，与该噪声敏感建筑物所处外部声环境功能区类别关系不大，因此《工业企业厂界环境噪声排放标准》、《社会生活环境噪声排放标准》两个标准中的表2将噪声敏感建筑物声环境功能区类别进行了归纳，0类和1类仍单独分类，而将2类、3类和4类归为一类，并根据建筑物使用功能的不同分为A类和B类房间。其中A类房间（以睡觉为主要房间）排放限值较原室外环境标准值减10dBA后更严格。如原1类房间减10dB（A）后为35dB（A），而表2中为30dB（A），严了5dB（A）；而原2类、3类、4类减10dB（A）后分别为40dB（A），45dB（A），45dB（A），而表2中均为35dB（A），严了5dB（A）和10dB（A）。

（三）评价时段

《声环境质量标准》在附录 C（规范性附录）“监测结果评价”中规定：以昼间、夜间环境噪声正常工作时段的 L_{eq} 和夜间突发噪声 L_{max} 作为评价噪声敏感建筑物户外（或室内）环境噪声水平，是否符合所处声环境功能区的环境质量要求的依据。根据该规定，在进行环境噪声监测时，对于城市大环境的区域环境噪声监测时应按照 16h、夜间 8h 全时段监测；而在了解某噪声源对敏感建筑物的噪声影响监测时，应“以昼间、夜间环境噪声源正常工作时段”作为监测结果评价时段，合理的评价时段等效声级更加符合人对该噪声源的感受，更加体现人性化。

（四）评价地点

新环境噪声标准在评价地点（具体体现在监测点上）强调了噪声敏感建筑物达标及敏感监测点。《工业企业厂界环境噪声排放标准》、《社会生活环境噪声排放标准》中均规定：当厂界或边界无法测量到声源的实际排放情况时（如声源位于高层、厂界设有声屏障等），应按一般情况下设一点，同时在受影响的噪声敏感建筑物户外 1m 处设一点；需要进行室内噪声测量时，室内测量点位设在距任一反射面至少 0. 5m 以上，距地面 1. 2m 高度处，噪声来自室外则应在受噪声方向的窗户开启状态下测量，而属于固定设备结构传声至室内时，则全部窗户关闭状态下测量。以上规定明确具体，既考虑了测量中的声学传播特征，又考虑了居民室内布局的特殊要求（如室内床靠墙时，枕头距墙约 0. 5m），使测量结果能反映客观实际。

（五）测量气象条件

新环境噪声标准正常测量气象条件同原要求，即测量应在无雨雪、无雷电天气，风速为 5 m/s以下时进行；同时规定在特殊条件下需要测量时（不得不在特殊气象条件下测量），应采取必要措施保证测量的准确性，同时注明当时所采取的措施及气象情况。对于不得不在特殊气象条件下测量的规定，是实际环境噪声监测需求下扩展的。如风力发电塔对周边噪声敏感建筑物的噪声影响，高压交流输电线路雾天及下雨时线路电晕噪声对线下附近的噪声影响，过去按气象条件要求是不测量，而新的规定解决了特殊气象条件下噪声对敏感点的测量问题，解决了过去群众投诉，而由于特殊气象条件无法进行监测的问题。

二、环境噪声标准与测量方法规定更加实事求是

环境噪声标准值是我们从事建设项目审批、验收、噪声治理及处理群众投诉的一把标准尺子，是否科学合理、实事求是既关系到声环境的保护，又关系到建设项目的投资成本。新环境噪声标准在许多具体规定中，更加明确具体、实事求是。

（一）《声环境质量标准》增加了4b 标准值

原环境噪声标准中，铁路边界噪声限值（昼 70 dB（A）/夜 70 dB（A））与区域环境噪声标准中 4 类（昼 70 dB（A）/夜 55 dB（A））不易衔接，在铁路项目评审中为如何执行标准争议较大。新颁布的《声环境质量标准》将铁路边界噪声限值与区域环境噪声标准中 4 类统一为昼间 70 dB（A），夜间 60 dB（A），既符合铁路噪声烦恼度的研究成果，又具有可操作性。2011 年 1 月 1 日执行 4b 标准后，铁路占地边界外一定区域昼夜环境标准值将与铁路边界（外轨中心线 30m 处）排放限值一致，审批与环境管理较之原来方便易行了。

（二）弱化未划分声环境功能区区域厂界噪声达标要求

从环境噪声法规和环境噪声标准重点是保护人这一根本目的出发，新环境噪声标准在具体条文中体现了弱化未划分声环境功能区区域且又无环境敏感建筑物时厂界噪声要求。

《工业企业厂界环境噪声排放标准》第 4. 1. 4 节规定：工业企业若位于未划分声环境功能区的区域，当厂界外有噪声敏感建筑物时，由当地县级以上人民政府参照 GB 3196 和 GB/T 15190 的规定，确定厂界外区域的声环境质量要求，并执行相应的厂界环境噪声排放限值（当厂界外

没有噪声敏感建筑物时，标准未提出相应要求，隐含体现未划分声环境功能区区域且又没有敏感点时弱化厂界噪声要求）。我国声环境按环境功能区分类管理。声环境功能区不同声环境质量标准不同，为保证相应功能区的声环境质量，对坐落于不同声环境功能区的工业企业厂界环境噪声有不同的限值要求。控制工业企业厂界环境噪声排放的目的是保护环境功能区质量，当没有人居住生活，没有划定声环境功能区的区域（如戈壁滩、荒野等），为使环境效益和经济效益兼顾，降低企业的降噪成本，厂界环境噪声要求可弱化。

（三）根据环境噪声源特性优化测量时段

《声环境质量标准》规定对敏感建筑物的环境噪声监测应在周围环境噪声源正常工作下测量，视噪声源的运行工况，分昼间、夜间2个时段连续进行。根据这一原则，监测可视环境噪声源特征，分别采用1min（稳态噪声）、10min（一般环境噪声）、20min（一般交通噪声）、1h（铁路、城市轨道交通（地面段）、内河航道噪声）、整个正常工作时间（非稳态噪声）等不同的测量时段，从而在保证监测质量的前提下，优化测量时间，减少了监测工作量。

在工业企业厂界环境噪声和社会生活环境噪声测量中当被测噪声是非稳态噪声时也规定了视噪声源工况和特征，测量声源有代表性时段的等效声级。新标准根据多年来噪声监测的实际，提出了根据经验测量声源有代表性时段的规定，提高了对非稳态噪声测量的可操作性。

三、三项新环境噪声标准变化要点

新环境噪声标准变化要点

序号	名称	原环境噪声标准	新环境噪声标准
1	标准及适用范围	《城市区域环境噪声》标准，适用于城市区域，乡村区域参照	《声环境质量标准》适用于城市区域和乡村区域。乡村声环境按“乡村声环境功能区的确定”规定执行
		《工业企业厂界噪声》4标准类功能区厂界噪声标准	《工业企业厂界环境噪声排放标准》明确厂界环境噪声为排放标准，并修改了标准值的适用范围（增加0类和室内），修改背景值修正表
		“社会生活噪声”原无此标准限值	《社会生活环境噪声排放标准》为首次发布，对娱乐文化场所和商业经营活动中可能产生环境噪声污染的设备、设施规定了边界排放限值和测量方法
2	评价量	A声级：dB（A）	既有A声级：dB（A），又增加结构传播固定设备室内噪声五个倍频带声压级（扩展环境噪声评价量）
3	评价值	规定环境噪声限值，对于不得不在室内测量时规定室内限值为环境噪声限值减10dBA	规定环境噪声限值，同时规定“当固定设备排放的噪声通过建筑结构传播至噪声敏感建筑物时，噪声敏感建筑物室内不得超过表2（等效声级）和表3（倍频带声压级）”，对排放限值要求更严格
4	评价时段（监测结果评价）	昼间等效声级（6：00～22：00之间时段等效声级）；夜间等效声级（22：00至次日6：00之间时段的等效声级）	区域环境噪声评价时段同原标准规定；噪声敏感建筑物“监测结果评价”为：以昼间、夜间环境噪声源正常工作时段的L_{eq}和夜间突发噪声L_{max}作为评价噪声敏感建筑物户外（或室内）环境噪声水平是否符合所处声环境功能区的环境质量要求的依据（评价时段更加客观合理）

序号	名称	原环境噪声标准	新环境噪声标准
5	评价地点（测点位置）	规定噪声敏感建筑物户外和“不得不在室内测量时”户内要求（距任一反射面至少1m）	增加“噪声敏感建筑物室内”测点要求，并规定“固定设备结构传声至噪声敏感建筑物室内，在噪声敏感建筑物室内测量时，测点应距任一反射面0.5m以上”（0.5m距离更接近于人的实际感受）
6	气象	条件测量应在无雨雪、无雷电天气，风速为5m/s以下时进行	除正常气象条件外，同时规定：不得不在特殊气象条件下测量时，应采取必要措施保证测量的准确性，同时注明当时所采取的措施及气象情况（扩展气象测量条件）
7	厂界噪声要求	《工业企业厂界噪声标准》强调厂界噪声达标	《工业企业厂界环境噪声排放标准》第4.1.4节规定：工业企业若位于未划分声环境功能区的区域，当厂界外有噪声敏感建筑物时，由当地县级以上人民政府参照GB 3196和GB/T 15190的规定，确定厂界外区域的声环境质量要求，并执行相应的厂界环境噪声排放限值（对于当厂界外没有噪声敏感建筑物时，标准未提出相应要求，隐含此种情况弱化厂界噪声要求）
8	测量时段	《工业企业厂界噪声测量方法》规定三种情况：稳态噪声测量1min；周期性噪声测量1个周期；非稳态、非周期性噪声测量整个正常工作时段的等效声级	《工业企业厂界环境噪声排放标准》取消了周期性噪声测量规定，并提出：被测噪声是非稳态噪声，测量被测声源有代表性时段的等效声级，必要时测量被测声源整个正常工作时段的等效声级（视情况可优化测量时段——有代表性时段理念）
9	4类声环境功能区分4a和4b	《城市区域环境噪声标准》仅有4类标准（昼间70dB（A），夜间55dB（A））	《声环境质量标准》将4类标准分为4a和4b。（1）4b比4a夜间要求宽松5dB（A）（参照国内外烦恼度调查，铁路噪声低于道路交通噪声）；（2）铁路边界声环境质量4b同铁路边界噪声限值（昼间70dB（A），夜间60dB（A）），协调一致，便于操作
10	测量仪器	声级计性能应低于Ⅱ型仪器要求	（1）测量仪器为平均积分声级计或环境噪声自动监测仪，其性能应不低于Ⅱ型仪器要求，测量35dB（A）以下的噪声应使用Ⅰ型声级计；（2）当需要进行噪声的频谱分析时，仪器性能应符合GB/T 3241中对滤波器的要求

参考文献

[1]《声环境质量标准》GB 3096—2008.
[2]《工业企业厂界环境噪声排放标准》GB 12348—2008.
[3]《社会生活环境噪声排放标准》GB 22337—2008.
[4]《城市区域环境噪声区划技术规范》GB/T 15190—1994.

铁道列车通行数量与铁路边界噪声控制关系的研究

韩明爽[1,3]　李　钢[2]　张佐男[1,3]

（1. 中冶建筑研究总院有限公司环保分公司　北京　100088；
2. 河南工程学院资源与环境工程系　郑州　451191；
3. 中国环境科学学会环境工程分会　北京　100088）

摘　要　合理的列车编组数量一直都是确保铁路边界噪声达标的重要条件。本文主要从噪声控制理论出发，对铁路边界噪声达标前提下，线路上所能允许通过的最大列车编组数量（主要是车厢编组数量）及鸣笛时间进行了有益的探讨，并最终提出了可用于直接判定铁路边界噪声达标状况的方法，以及计算铁路边界噪声值的简易公式。

关键词　铁路　噪声　列车编组　预测

引　言

铁路作为方便快捷的运输方式，在方便人们出行和物资运输的同时，也对其沿线的环境产生了一定的噪声污染。随着人们对居住环境适宜性要求的不断提高，这一问题日益受到广大民众的关注。本文主要从理论上，对保证铁路边界噪声达标情况下，单位时间线路最大可通行列车数量（主要是车厢数量）及鸣笛时间问题进行了一些有益的探讨，分析了在保证铁路边界噪声达标的前提下，铁道线路单位时间最大所能允许通行的列车车厢数量及鸣笛时间。分析拟采用预测公式对不同车型的列车，在不同限速、车厢编组数量及鸣笛条件下，对铁路边界噪声的影响情况进行预测，通过计算得出所需的车厢编组限值。

一、预测公式的选取[1-2]

目前可用于铁路噪声预测的方法主要有：模式预测法、比例预测法、类比预测法和模式试验预测法四种，其中以模式预测法和比例预测法的应用最广。考虑到本文主要分析的是一般铁道线路最大通行列车车厢编组的问题，而非改扩建的铁路项目的噪声预测，因此最终选定模式预测的方法。

二、预测点及预测参数的确定[2-9]

计算中，预测点按照《铁路边界噪声限值及其测量方法》（GB 12525—1990）要求，选在距铁路外侧轨道中心线 30m（铁路边界）、高于地面 1.2m 处；预测参数根据《铁路建设项目环境影响评价噪声振动源强取值和治理原则指导意见》相关规定确定，并不计列车运行噪声的速度修正、大气吸收影响和列车运行的频率计权修正，假定预测点与线路间无声屏障和建筑群。

三、预测结果与分析[3]

在对单位时间铁路最大可通行列车车厢编组数量问题的讨论中，以《铁路边界噪声限值及其测量方法》（GB 12525—1990）中规定的铁路边界噪声 70dB 限值为限制条件[2]、最大可允许累计通过的列车车厢编组数量及最大允许的鸣笛累计时间为目标值。

为便于讨论，先只考虑单一因素（单独列车噪声或单独鸣笛噪声）的影响，并以单节车厢或单位时间鸣笛造成的声压级为基数，进行相关的计算。计算假定运行条件相同的情况下，各单节车厢或单位时间鸣笛在铁路边界处所产生的声压级均为恒定值，从而有：

基金项目：河南工程学院工程技术研究中心建设项目资助（编号 2009ETRCHNIE02）。

（1）仅考虑列车噪声时：

$$L_{Aeq,p} = 10 \cdot \lg\left[\frac{1}{T}\left(\sum_i n_i t_{eq,i} 10^{0.1(L_{p0,t,i}+C_{t,i})} + \sum_i t_{f,i} 10^{0.1(L_{p0,f,i}+C_{f,i})}\right)\right]$$

$$\Rightarrow L_{Aeq,p} = 10 \cdot \lg\left(\frac{1}{T}\sum_i n_i t_{eq,i} 10^{0.1(L_{p0,t,i}+C_{t,i})}\right) = 10 \cdot \lg\left(\sum \frac{n_t t_{eq}}{T} \cdot 10^{0.1L_{p0,t}} \cdot 10^{0.1C_t}\right)$$

$$\Rightarrow L_{Aeq,p} = 10 \cdot \lg \frac{\sum n_t t_{eq}}{T} + L_{p0,t} + C_t \quad (1)$$

（2）仅考虑鸣笛噪声时：

$$L_{Aeq,p} = 10 \cdot \lg\left[\frac{1}{T}\left(\sum_i n_i t_{eq,i} 10^{0.1(L_{p0,t,i}+C_{t,i})} + \sum_i t_{f,i} 10^{0.1(L_{p0,f,i}+C_{f,i})}\right)\right]$$

$$\Rightarrow L_{Aeq,p} = 10 \cdot \lg\left(\frac{1}{T}\sum_i t_{f,i} 10^{0.1(L_{p0,f,i}+C_{f,i})}\right) = 10 \cdot \lg\left(\sum \frac{n_f t_f}{T} \cdot 10^{0.1L_{p0,f}} \cdot 10^{0.1C_f}\right)$$

$$\Rightarrow L_{Aeq,p} = 10 \cdot \lg \frac{\sum n_f t_f}{T} + L_{p0,f} + C_f \quad (2)$$

此时，铁路边界噪声值与单位时间内累计通过的列车车厢编组数量或累计的鸣笛时间之间，是一种明显的指数函数关系。

根据式（1）与式（2），预测并绘制的累计通行列车车厢数量与铁路边界噪声贡献值及累计鸣笛时间与铁路边界噪声贡献值关系的曲线图，详见图1和图2。

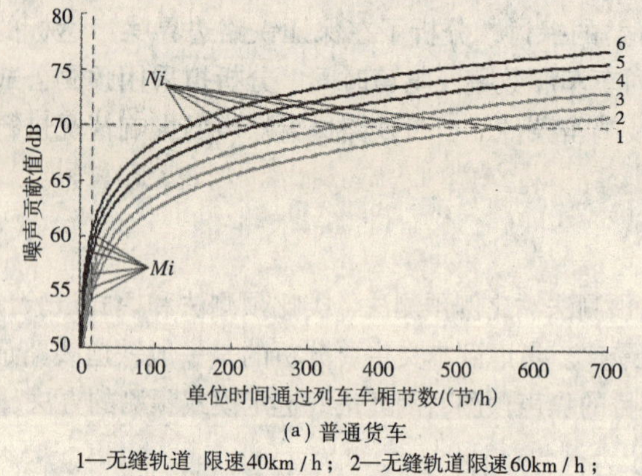

(a) 普通货车

1—无缝轨道 限速40km / h；2—无缝轨道限速60km / h；
3—无缝轨道 限速80km / h；4—有缝轨道限速40km / h；
5—有缝轨道 限速60km / h；6—有缝轨道限速80km / h

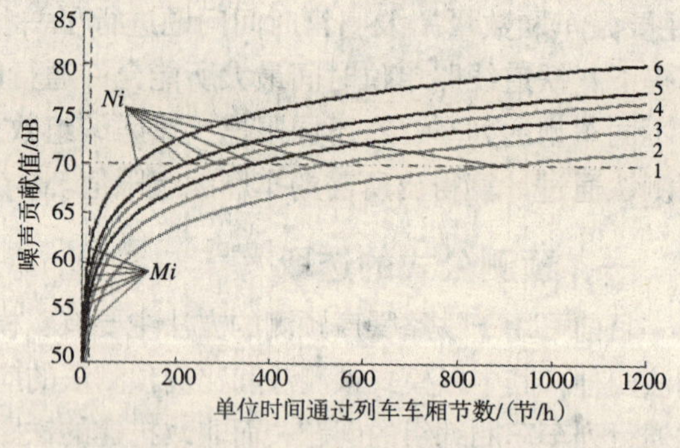

(b) 新型货车

1—无缝轨道 限速60km / h；2—无缝轨道限速80km / h；
3—有缝轨道 限速60km / h；4—无缝轨道限速120km / h；
5—有缝轨道 限速80km / h；6—有缝轨道限速120km / h

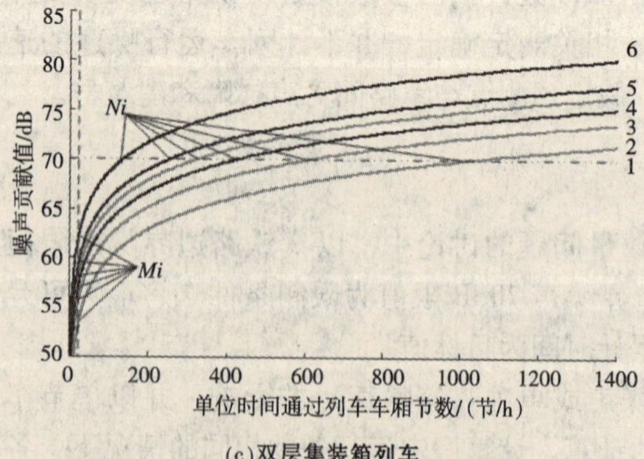

(c) 双层集装箱列车

1—无缝轨道 限速60km / h；2—无缝轨道限速80km / h；
3—有缝轨道 限速60km / h；4—无缝轨道限速120km / h；
5—有缝轨道 限速80km / h；6—有缝轨道限速120km / h

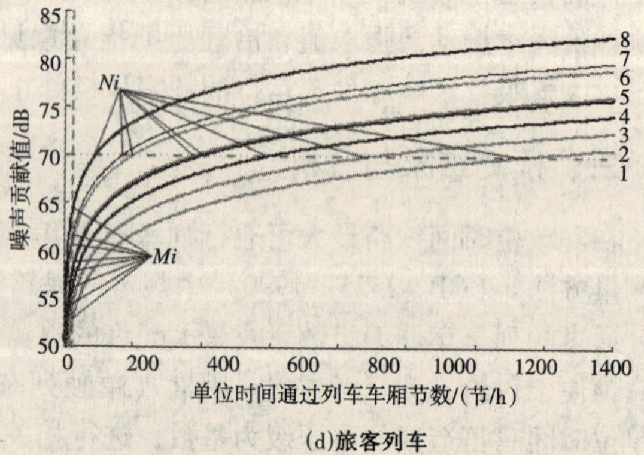

(d) 旅客列车

1—无缝轨道 限速60km / h；2—无缝轨道限速80km / h；
3—有缝轨道 限速60km h；4—有缝轨道限速80km / h；
5—无缝轨道 限速120km / h；6—无缝轨道限速160km / h；
7—有缝轨道 限速120km / h；8—有缝轨道限速160km / h

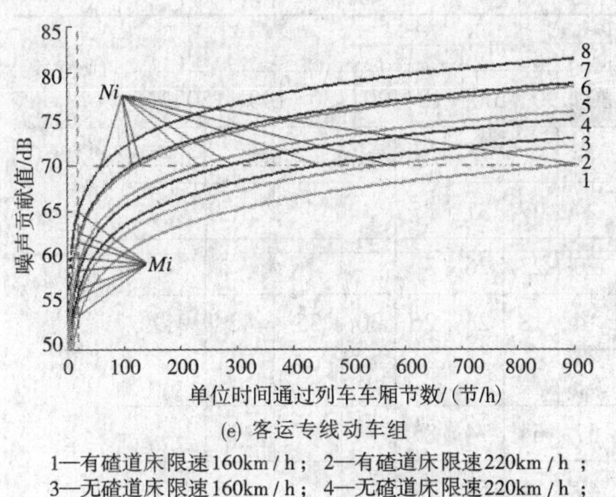

(e) 客运专线动车组

1—有碴道床限速160km / h； 2—有碴道床限速220km / h；
3—无碴道床限速160km / h； 4—无碴道床限速220km / h；
5—有碴道床限速260km / h； 6—有碴道床限速320km / h；
7—无碴道床限速260km / h； 8—无碴道床限速320km / h

图1　单位时间累计通行列车车厢数量与铁路边界噪声贡献值的相关关系

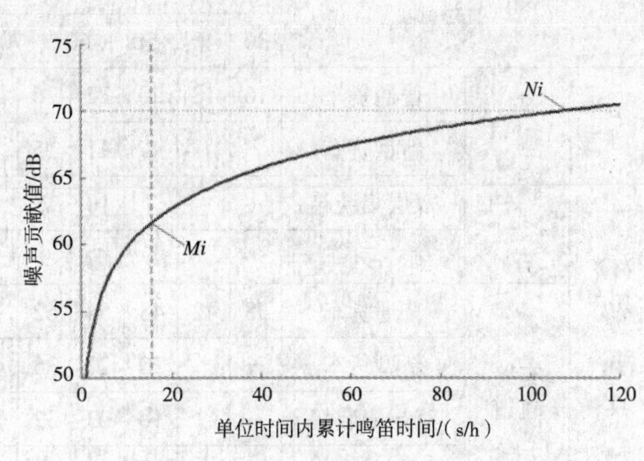

图2　单位时间累计鸣笛时间与铁路边界噪声贡献值的相关关系

注：受篇幅所限本图仅列出了预测和绘制的部分曲线图。

通过对图1、图2中的变化曲线进行分析可知，每条变化曲线均存在着两个关键的临界值点，即 M_i 点和 N_i 点，其中①M_i 点 是铁路边界噪声随累计通行列车车厢节数（或累计鸣笛时间）增幅变化的一个关键值：在曲线不大于点 M_i 时，铁路边界噪声值随累计通过列车车厢节数（或累计鸣笛时间）的递增变化明显，单位车厢（或鸣笛时间）引起的边界噪声增幅均在0.3dB以上；而超过 M_i 点后，铁路边界噪声值随累计通过列车车厢节数（或累计鸣笛时间）的递增变化逐渐趋缓，单位车厢（或鸣笛时间）引起的边界噪声增幅在0.3dB以下。②N_i 点 是确保铁路边界噪声值达标的临界点：只有曲线不超过 N_i 点铁路的边界噪声值才能满足《铁路边界噪声限值及其测量方法》（GB 12525—1990）规定的70 dB限值要求。N_i 值是保证铁路边界噪声值达标，所能允许累计通行的列车车厢数量（或累计鸣笛时间）的上限值。

具体每条曲线对应的 M_i、N_i 取值见表1及表2。

表1　普通货车、新型货车、双层集装箱列车、旅客列车单位时间最大可通过的列车车厢数量与鸣笛时间

项目			车速/（km/h）														鸣笛/s
			30	40	50	60	70	80	90	100	110	120	130	140	150	160	
M_i			17	17	17	17	17	17	17	17	17	17	17	17	17	17	17
N_i	无缝轨道	普通货车	631	569	504	448	387	344									107
		新型货车			1 181	894	658	532	424	374	327	283					
		双层集装箱			1 367	1 035	762	616	491	433	378	328					
		旅客列车			1 602	1 360	1 124	909	724	569	443	384	330	283	240	204	
	有缝轨道	普通货车	263	237	210	186	161	143									
		新型货车			492	372	274	222	176	156	136	118					
		双层集装箱			570	431	317	257	204	180	157	136					
		旅客列车			715	607	502	406	323	254	198	171	147	126	107	91	

项目			车速/（km/h）														鸣笛/s
			30	40	50	60	70	80	90	100	110	120	130	140	150	160	
$k_i \times 10^{-4}$	无缝轨道	普通货车	16	18	20	22	26	29									93
		新型货车			8	11	15	19	24	27	31	35					
		双层集装箱			7	10	13	16	20	23	26	30					
		旅客列车			6	7	9	11	14	18	23	26	30	35	42	49	
	有缝轨道	普通货车	38	42	48	54	62	70									
		新型货车			20	27	36	45	57	64	74	85					
		双层集装箱			18	23	32	39	49	56	64	74					
		旅客列车			14	16	20	25	31	39	51	58	68	79	93	110	

注：①表中 k_i 值为 N_i 的倒数，对于非表中列出速度的列车，k_i 值可按线性内插或外延法求得；②表中数值单位：鸣笛项为 s，其他项为节车厢；k_i 值无单位；③单节车厢长度：旅客列车按 25m/节，货车按 15m/节，双层集装箱列车按 18m/节计算；④有碴道床。

表 2　客运专线动车组列车单位时间最大可通过的列车车厢数量与鸣笛时间

项目		速度/（km/h）																	鸣笛/s
		160	170	180	190	200	210	220	230	240	250	260	270	280	290	300	310	320	
M_i		17	17	17	17	17	17	17	17	17	17	17	17	17	17	17	17	17	17
N_i	有碴道床	911	863	726	683	571	476	396	329	306	284	234	217	200	185	170	140	129	107
	无碴道床	456	432	363	342	286	238	198	164	153	142	117	108	100	92	85	70	64	
$k_i \times 10^{-4}$	有碴道床	11	12	14	15	18	21	25	30	33	35	43	46	50	54	59	71	78	93
	无碴道床	22	23	28	29	35	42	51	61	65	70	85	93	100	109	118	143	156	

考虑到铁路实际运营中，客车与货车通常是共同行驶，且速度也非恒定不变。为了使表 1、表 2 所得到的数据，具有更强的适用性，本文结合噪声的能量属性，假定标准允许的铁路边界噪声 70dB 限值对应的能量值为 E_{70}；各行驶速度条件下每节列车车厢对铁路边界处噪声的能量贡献值为 E_{70} 的 $k_i = 1/N_i$ 倍。由此对单位时间内累计通行的列车编组数（或预测时间段累计鸣笛时间）有如下公式：

$$L_{Aeq,p} = 10 \cdot \lg\left[\frac{1}{T}\left(\sum_i n_i t_{eq,i} 10^{0.1(L_{p0,t,i}+C_{t,i})} + \sum_i t_{f,i} 10^{0.1(L_{p0,f,i}+C_{f,i})}\right)\right] \leqslant L_{E_{70}}$$

$$\Rightarrow \sum_i n_i t_{eq,i} 10^{0.1(L_{p0,t,i}+C_{t,i})} + \sum_i t_{f,i} 10^{0.1(L_{p0,f,i}+C_{f,i})} \leqslant T \cdot 10^{0.1 \cdot L_{E_{70}}}$$

$$\Rightarrow \sum_i \frac{n_i t_{eq,i} 10^{0.1(L_{p0,t,i}+C_{t,i})}}{T \cdot 10^{0.1 \cdot L_{E_{70}}}} + \sum_i \frac{t_{f,i} 10^{0.1(L_{p0,f,i}+C_{f,i})}}{T \cdot 10^{0.1 \cdot L_{E_{70}}}} \leqslant 1$$

$$\Rightarrow \sum_i k_{t,i} + \sum_i k_{f,i} \leqslant 1 \Rightarrow K \leqslant 1 \tag{3}$$

$$L_p = 10\lg\left(\frac{K \cdot E_{70}}{T}\right) \tag{4}$$

式中：K 为铁路边界噪声达标系数，当 $K \leqslant 1$ 时，证明铁路边界噪声值达标；$K > 1$ 时，则证明铁路边界噪声超标；k_i 为单节车厢对铁路边界处的噪声贡献系数，为 N_i 的倒数，取值可见表 1 与表 2；对于表中未直接列出的 k_i 可按照线性内插或外延的方法计算得到；N_i 为保证铁路边界噪声值达标所能允许累计通过的最大列车车厢节数或允许的累计鸣笛时间，取值见表 1 与表

2；L_p 为实际列车通过所造成的铁路边界噪声贡献值，dB；E_{L_p} 为实际列车通过时，对铁路边界处的噪声能量值；E_{70} 为标准允许的铁路边界噪声 70dB 限值对应的能量值，$E_{70} = T \cdot 10^{0.1L_{E_{70}}} = 3.6 \times 10^{10}$；$L_{E_{70}}$ 为标准允许的铁路边界噪声限值，$L_{E_{70}} = 70$dB；T 为单位时间段对应的时间值，s，取 $T = 3600$。

由式（3）与式（4），可方便计算出列车通过时，对铁路边界实际的噪声贡献值；同时也可简便地判断铁路边界噪声的达标情况。

此外，在本文上述的讨论中，均视预测点（铁路边界）与线路间为开阔空地，无建筑遮挡；对于存在的绿化带、建筑及其他障碍物，将对噪声的传播产生衰减影响。根据相关资料，线路与铁路边界间（30m 宽的带状范围内）存在的绿化带，密集林带对宽带噪声曲线的附加衰减量，一般为 1～2dB/10m，最大不超过 10 dB[3]（对应式（3）中 $k_i = 0.0143 \sim 0.0286$/10m，最大不超过 0.1429）；建筑（一般仅为独立或成排的建筑，而构不成建筑群）及其他障碍物对铁路边界噪声的衰减量，一般在 4～12 dB（对应式（3）中 $k_i = 0.0571 \sim 0.1714$）[4]。

四、结果验证

为验证上述分析结果的准确性，本文还对京秦沈铁路线路大虎山地区某段列车通过时的噪声进行了验证性的现场监测。监测地段线路与铁路边界间地形相对开阔，无建筑物或较高植被，路段轨道类型为无缝轨道；监测时间白天，持续时间 1h，共计通过列车 9 列，其中货车 7 列，客车 2 列。具体通行列车数据参数及列车通过时的噪声预测值、监测值对照见表 3。

表 3　京秦沈铁路大虎山地区噪声监测与预测结果

序号	列车通行参数						噪声预测值（30m 处）			监测值（30m处）/dB
	客/货	编组/节车厢	通行时间/s	通行速度/（km/h）	鸣笛次数	持续时间/s	k_i 值	K 值	L_p 值	
1	货车	44	75	31.7			0.0016	0.0704		
2	货车	59	145	22.0			0.0012	0.0708		
	鸣笛				1	1	0.0093	0.0093		
3	客车	20	18	100			0.0018	0.0360		
4	货车	51	115	23.9			0.0013	0.0663		
	鸣笛				1	1	0.0093	0.0093		
5	货车	49	80	33.1			0.0017	0.0833		
	鸣笛				2	2	0.0093	0.0186	68.5	68.3
6	货车	53	128	22.4			0.0013	0.0689		
	鸣笛				2	6	0.0093	0.0558		
7	货车	18	16	60.8			0.0022	0.0396		
	鸣笛				2	2	0.0093	0.0186		
8	货车	54	79	36.9			0.0017	0.0918		
	鸣笛				2	6	0.0093	0.0558		
9	客车	7	21	30			0.0004	0.0028		
	鸣笛				2	2	0.0093	0.0186		
Σ						18		0.7159		

由表3可知，30m处的预测值为68.5dB，较现场实测值68.3dB，仅相差0.2dB，符合性较好。

五、结　论

根据本文对铁道线路单位时间累计最大可通行列车车厢编组数量问题的研究，得出以下结论：

1. 单位时间内铁路边界的噪声值与累计通行列车的车厢节数及累计鸣笛时间呈正相关性。在单位时间内累计通行列车车厢节数（或累计鸣笛时间）小于或等于17节车厢（或17s）时，铁路每累计增加一节车厢（或1s鸣笛时间），铁路边界噪声值增大明显，增幅在0.3dB以上；而在单位时间内累计通行列车车厢节数（或累计鸣笛时间）大于17节车厢（或17s）时，铁路每累计增加一节车厢（或1s鸣笛时间），铁路边界噪声值增幅均小于0.3dB，噪声增大不明显。

2. 根据《铁路边界噪声限值及其测量方法》（GB 12525—1990）规定：铁路边界噪声限值为70dB。为使铁路边界噪声值满足此限值，需严格控制单位时间内累计通过线路的列车车厢节数及累计鸣笛时间。其中对于速度为160km/h的客车，单位时间内累计通行的列车车厢节数应控制在无缝轨道204节、有缝轨道91节以下；速度为220km/h的客运专线动车组列车，单位时间内累计通行的列车车厢节数应控制在有碴道床396节、无碴道床198节以下。

3. 通过与京秦铁路大虎山地区铁路的噪声监测数据对照，本文所得结论与现场实测数据具有良好的符合性，可在一定程度上反映铁路噪声对周边环境的影响程度。

参考文献

[1] 铁计函［2006］44号 关于印发《铁路建设项目环境影响评价噪声振动源强取值和治理原则指导意见》的通知

[2] HJ/T 2.4—1995 环境影响评价技术导则——声环境［S］.

[3] GB 12525—1990 铁路边界噪声限值及其测量方法［S］.

[4] 焦大化．列车运行噪声的等效通过时间［J］．铁道劳动安全卫生与环保，2003，30（1）：12-16.

[5] 焦大化．列车运行噪声的水平指向性［J］．铁道劳动安全卫生与环保，2002，29（3）：99-103.

[6] 焦大化．列车运行噪声的几何发散损失［J］．中国铁道科学，2004，25（5）：43-47.

[7] 焦大化．列车运行噪声的速度特性［J］．铁道劳动安全卫生与环保，2005，32（5）：197-202.

[8] 焦大化．铁路噪声预测计算方法［J］．铁道劳动安全卫生与环保，2005，32（3）：101-107.

[9] 焦大化．铁路车辆运行噪声的源强参数［J］．铁道劳动安全卫生与环保，2003，30（5）：203-205.

[10] GB/T 17247.2—1998 声学——户外声传播的衰减 第2部分：一般计算方法［S］.

低噪声设备的辐射声压级测试

牛　锋[1]　许　欢[1]　何龙标[1]　李　群[2]　白　滢[1]　钟　波[1]

（1. 中国计量科学研究院力学与声学计量科学研究所　北京　100013；
2. 福建省计量科学研究院力学室　福州　350003）

摘　要　本文介绍了对低噪声设备辐射声压级测试的一般方法和要求，指出消声室的背景噪声和测试系统的系统噪声是影响测量结果的主要因数，并且结合具体的实例指出消声室的背景噪声和测试系统噪声对低噪声设备的辐射声压级测试的重要性。

关键词　消声室　背景噪声

随着社会的发展，科技的进步，人们对自身的生存环境的关注正日益增强。噪声强度超过人们生活和生产活动所能允许的程度时就成为噪声污染。随着人们生活的声学环境的改善，以前一些噪声强度较小的噪声源对人们的生活影响越来越受关注。一些对噪声比较关心的生产制造企业，如空调、电视、计算机和洗衣机等设备供应商，已经开始对其产品的辐射噪声进行测试，以便尽可能地降低其向外辐射的噪声。

一、测试标准和要求

根据 GB 6882—2008《声学　声压法测定噪声源声功率级　消声室和半消声室精密法》中的要求，在传声器的测试位置上，实验室环境的背景噪声级应比被测噪声源的声压级至少低 10 dB；如果背景噪声与声源辐射的声压级之差小于 10 dB，在报告中若给出这样的数据，则应在文本中清楚地说明这是被测声源声级的上限[1]。

对于声压级较大的噪声，由于其声压级比环境的背景噪声高很多，可以很容易地在一般的实验室中根据相应的标准（如 GB/T 6882—2008）得到结果；但对于辐射声压级较小的噪声源的测试，为了降低环境噪声对测试产生影响，就需要特殊的环境和测试设备才能得到满意的结果。目前能够提供低背景噪声的实验室并不多，大部分声学实验室的环境噪声均在 10 dB（A）以上，这样对于大部分辐射声压级小于 20 dB（A）的设备的噪声测试将很不准确，为了更好地进行低噪声设备的声学性能测试，中国计量科学研究院在昌平试验基地修建了背景噪声可以达到 -2.4 dB（A）的全消声室和背景噪声可以达到 -1.3 dB（A）的半消声室[2]，这也是目前国内背景噪声最低的消声室。

除了消声室的环境噪声要低以外，测试系统的系统噪声也要尽可能地小，而声学测试系统的系统噪声主要为传声器的热噪声，为此中国计量科学研究院特别采用 B&K 4179 型低噪声传声器和 B&K 2660 型前置放大器作为低噪声声学测试系统的传声器。其中 B&K 4179 传声器和 B&K 2660 型前置放大器组合的热噪声最低可以达到 -2.5 dB（A）。

二、具体实例

最近，某厂商为了确认改进对电机的辐射噪声降低的效果，选送了一台样机，分别测试改进前后向外辐射噪声的声压级，用于评价改进的效果。测试在中国计量科学研究院的全消声室中进行，测试设备分别为 B&K 3560D 多通道声学分析仪、B&K 4179 传声器和 B&K 2660 型前置放大器。测试时，样机放置于全消声室中心的平台上，测试传声器 4179 位于样品正前方 1.0 m 处，与样品高度相同，测量时间选择 60 s。传声器采集得到的信号经过延长线送入位于控制室中的 B&K 3560D 多通道声学分析仪中进行分析和记录，测试系统参见图 1。

图 1　低噪声声压级测试系统图

经过测试改进前后电机的辐射噪声的 A 计权声压级分别为 32 dB 和 2 dB，降噪效果显著，降噪量达到 30 dB，图 2 为改进前的声压级频谱图，图 3 为改进后的声压级频谱图。从中可以发现，改进效果明显，如果消声室的背景噪声高于电机的辐射噪声，则改进后的辐射噪声就有可能淹没在消声室的背景噪声之中，只能测量得到消声室的背景噪声作为改进后的声压级，这对评价改进工作的效果是不合适的。因此在测试低噪声设备的辐射声压级时一定要尽可能地降低环境和测试系统所引入的噪声对测试结果的影响。

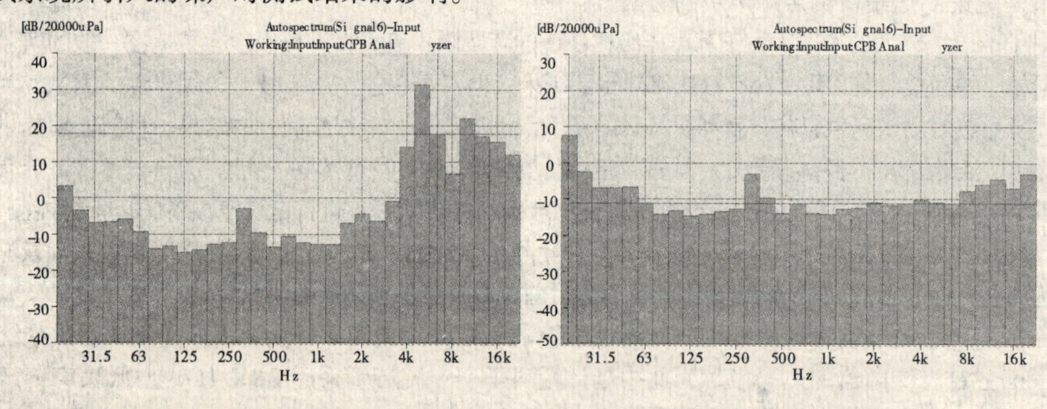

图 2　改进前声压级频谱图　　**图 3　改进后声压级频谱图**

三、结　论

本文主要介绍了低噪声设备辐射声压级测试的一般方法和基本要求，指出为了更好地对低噪声设备的辐射声压级进行测试，低背景噪声的消声室和低系统噪声的分析系统是必需的。同时结合具体实例指出消声室的背景噪声和测试系统的噪声对测试低噪声设备的辐射声压级的重要性。

参考文献

[1] GB/T 6882—2008《声学 声压法测定噪声源声功率级 消声室和半消声室精密法》.

[2] 何龙标，牛锋，陈剑林. 中国计量科学研究院消声室和半消声室介绍［J］. 噪声与振动控制，2009（S1）.

给居民一个宁静的生活环境

梅　谦　杨兴博　杨振坤

（鹤壁市东方环保设备生产有限公司　鹤壁市长风中路东一巷　458000）

摘　要　煤矿矿井主扇大型轴流风机功率大、声级高、而且是以广谱宽频带噪声为主，传播范围广，形成大面积污染源。本文通过一个成功的治理实例，给出了一些值得借鉴的经验。

关键词　大型轴流风机噪声　治理经验

一、背　景

焦作矿务局宝雨山矿在2009年8月为了提高矿井质量，淘汰了两台老式风机，更换了新型ZK58 – No. 24轴流式风机。投入使用后噪声非常大，严重影响了居民区的生活，居民多次到宝雨山公司、伊川县相关部门反映噪声污染问题，且多次围堵到风井上班的工作人员。情况反映到公司领导后，他们立即找厂家并制订了招标限期达标的方案。在招投标过程中有的厂家因治理难度大如果不达标就分文不付的投标要求而放弃。鹤壁市东方环保设备生产有限公司凭借他们多年的经验中标承接了这项工程。

二、现场情况

根据用户要求和提供的监测数据表明，风机房、电机、风机、风机安装处、风塔等处噪声值均在80分贝以上（见提供的监测数据表），数据表中表明厂界噪声在69～78dB之间，居民区户外噪声为68.2～68.8dB，而治理要求达到GB 22337—2008，“社会生活环境噪声排放标准”一类区白天55dB，夜间45dB。说明居民区噪声白天超标13.2～13.8dB，夜间超标东侧测量出仅比白天低2dB，说明夜间超标21.2～21.8dB。

可见治理要求高难度很大，工程技术人员多次到现场反复测量和设计计算，对所有产生噪声的源点，做了详尽分析提出了采取全面综合治理措施。

三、治理范围

电机房：封闭房间，并更换隔声门窗，房间内做吸声处理。

风机房：封闭房间并吸声处理。

风道：吸声处理。

风塔：安装阻抗式复合消声器。

风机安装段：安装隔声罩。

四、噪声源分析

（一）引言

矿井轴流风机是矿井用来通风换气的主要设备，是煤矿的呼吸系统，离开它就无法生产。故此要求其风量大，因而噪声值高，污染面广，是煤矿的主要噪声污染源。而真正的主要污染源还是污染面积大、传播范围广的排风口处的中低频噪声，应作为重点进行设计。

（二）基本参数

轴流风机的型号：ZK58 – No. 24

风量：$120m^3/s=432000m^3/h$

正常工作风量：$120m^3/s$

电机型号：JSQ1512 - 8　　功率 570kW

噪声值如下所列：

风门处：治理前 96.5dB（A）

风机电机处：治理前 86.7dB（A）

排风口处：治理前 89.5dB（A）

大门口处：治理前 78dB（A）

居民区：治理前 68.2 ~ 68.8dB（A）

（三）轴流风机的噪声特性

主要声源：空气动力性噪声和电机与机械噪声。

1. 空气动力性噪声：轴流风机是根据空气动力学原理和机翼性能的理论设计的，它的噪声主要是由空气动力性和非空气动力性两部分组成，前者是由旋转噪声和涡流噪声组成的气流噪声，后者是由电机、机械、振动组成的机械噪声。

2. 风机旋转噪声（叶片噪声）：由旋转的叶片周期地打击空气质点引起空气的压力脉动而产生的噪声，旋转噪声的频率就是叶片每秒钟打击叶片的次数，因此它的叶片数和速度有关，其数值为：

$$f=nZ/60i\ (\mathrm{Hz})$$

式中：f 为风机旋转噪声的频率；n 为每分钟转速（600r/min）；Z 为叶片数（12）；i 为谐波序号 =1，2，3…。

旋转噪声的强度与圆周速度的六次方成正比，当圆周速度增长一倍时，声压增加 15dB。

涡流噪声是风机旋转时，高速气流和静止空气相互作用，在叶片界面上和叶顶间隙中分裂时产生涡流，所产生的压缩和稀疏，以声波形式传播，形成涡流噪声，涡流噪声频率为：

$$f=shV/D$$

式中：f 为涡流噪声频率；sh 为斯脱路哈系数，在 0.14 ~ 0.2 之间；V 为气体与物体的相对速度，m/s；D 为物体的下面宽度在垂直速度平面的投影，m；i 为谐波序号。

涡流噪声的频率取决于叶片与气体的相对速度，而叶片各截面上的圆周随半径大小而变化，从圆心到最大圆周速度连续性，涡流噪声的强度与气流的 8 次方成比例。

从上述分析说明，作为主要声源的旋转和涡流噪声频谱是一个宽频带的连续谱，在几个频带上有几个突出峰值。

3. 风机的进排风口噪声：轴流风机运转时所产生的噪声以空气动力性噪声为最高，影响最大，它从排气口直接向外辐射，它的大小由风量、风压参数决定，风量越大，风压越高，则产生的噪声就越大，其声功率级值由下式可得出：

$$L_A=L_w+10\lg Q+25\lg H+N\ (\mathrm{dB})$$

式中：L_A 为风机的声功率级，dB；L_w 为比声功率级，dB；Q 为风量，m^3/h；H 为风压，mm/H_2O；N 为工况修正值，dB。

实测频谱分析：扩散口处测得结果见下表。由表可以看出该噪声主要以中低频为主。

频率	31.5	63	125	250	500	1k	2k	4k	8k	14k
声压级	94	98	105	104	103	85	77	67	55	45

4. 电机噪声和机械噪声：电机噪声主要包括电磁噪声和机械噪声以及冷却风扇噪声；机械

噪声主要是机组的振动和轴承产生的机械噪声。

（四）风机安装处是采用钢制连接，气流所形成的共振，往往不但不隔声，反而会形成噪声扩大器的作用。

五、治理方法及论证

（一）风机房噪声的治理

1. 对于电机处的噪声治理应安装隔声门和通风用散热消声器，要求进风消声器正对电机设计安装。同时堵塞一切漏声场所孔洞。

2. 要求房间封闭后室内不能有温升。

3. 组合隔声量大于30dB。

房间封闭后会产生温升，其产热量计算：由 $Q=860N\times A/0.24\ (t_2\times t_1)\ r$（$m^3/h$）式可计算得到 $Q=26875m^3/h$，可以用一台换气扇进行通风散热。

4. 风机房内墙壁为石灰抹面，其吸声系数为0.02，故房内应加总面积30%的吸声体，则其吸声系数可提高到0.56，计算吸声量为9dB（计算式略）。

5. 两个大门应换成隔声门。

6. 对于风机房的散热，可将两个原有小门，改换成通风散热消声器。以上4点措施可保证风机房噪声不再污染环境。

（二）风塔噪声的治理

噪声消声塔的结构示意图见图1。

从频谱分析可知，在风塔口的噪声主要以低频为主，所以要治理完好必须安装阻抗复合性的消声组合结构，其设计方法是：

1. 将风机扩散口排风道中间进行声学处理，形成一个扩张室，作为抗性段，使低频噪声得到有效控制。

2. 在塔底用六根立柱和四道横梁做支架，在其上面安装消声片，作为阻性段，使其具有宽频带的吸声效果。为此应做成三种厚度不同的吸声片，其厚度为0.2m和0.3m。

3. 以上两点组合后形成了一个阻抗式复合消声器，其特点是利用了原通道作为抗性段，减少了费用，又可达到宽频带吸声效果。

4. 在阻性段高度上为取得35dB的消声效果。

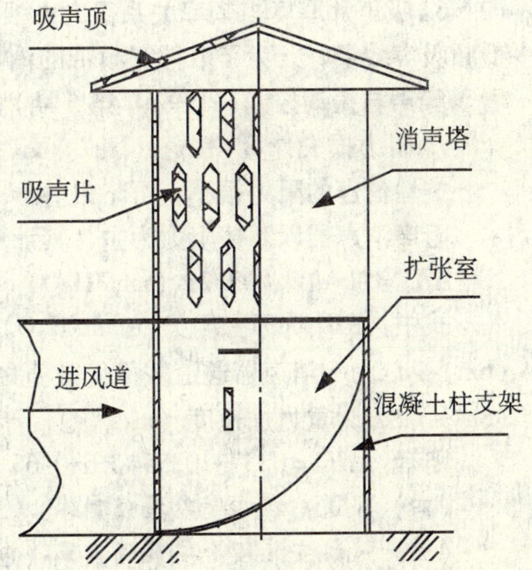

图1　消声塔结构示意图

（三）论证

1. 参数：长5m，宽3m，消声量>35dB（A）。

2. 按上述参数计算通风截面。

$$S=Q/V\times 2$$

式中：S 为通风面积，m^3；Q 为通风量，$170m^3/h$；V 为流速，8m/s；2为吸声片占有面积，则 $S=120/8/2=7.5m^2$。

3. 根据消声量要求设计消声器

形式：阻抗复合式

材料：根据排风中含有大量潮湿腐蚀性气体的特点，其吸声材料应选用防水超细玻璃棉；其吸声孔板采用镀锌板制作；其框架采用防腐胶喷涂。

根据科学院声学研究所的研究报告表明，容重 $20kg/m^3$、厚度在 150mm 以上的超细玻璃棉有宽频带的吸声效果，其测试报告见下表。

频率	125	250	500	1000	2000
吸声系数	0.5	0.8	0.85	0.96	0.99

4. 根据消声量要求，计算消声器高度

$$H = \Delta L\lambda / 2\lambda \ (\mathrm{m})$$

式中：λ 为消声系数（查资料表为 1.2）；ΔL 为要求达到的消声量（36dB）；λ 为气流通道宽度（设计平均 0.25m）。

代入上式得到：$H = 3.75\mathrm{m}$

由上面可知，当场地不允许 $15m^2$ 的回风口面积时，可采取减少吸声片的设计面积、增其高度解决。

在场地小、通风截面不够的情况下，如何设计该消声塔，经集思广益，下部不加吸声片，使其自然形成了一个扩张室。

5. 对于片式消声器，存在高频截止频率 f，故应设计成三种厚度。高频截止频率 $f = 1.85C/\lambda$

λ 为片间距（m）C 为声速 344m/s。

根据上述设计若 $\lambda = 0.2\mathrm{m}$ 时，则 $f = 1.85 \times 344/0.2 = 3182\mathrm{Hz}$。

当片间距改为 0.1m 和 0.3m 时，则 $f = 1.85 \times 344/0.1 = 6364\mathrm{Hz}$。

$f = 1.85 \times 344/0.3 = 2121\mathrm{Hz}$。

6. 吸声片厚度与频率关系很大，根据研究报告表明，吸声片薄对高频带吸声效果好，厚对低频吸声效果好，为了取得宽频带的消声量，设计中采用三种不同厚度的吸声片进行布置（参看《噪声与振动控制》1992 年第 5 期）。

7. 阻力损失计算

抗性消声的阻力很小，可略去。

阻声消声器以摩擦阻力为主，其计算公式为：

$\Delta H_\lambda = \xi L/d_e \times PV2/2g \ (\mathrm{mm/H_2O})$

式中：ΔH_λ 为摩擦阻力（$\mathrm{mm/H_2O}$）；ξ 为摩擦阻力系数（0.37 ~ 0.554）；L 为消声器长度（6m）；d_e 为一消声器通道截面等效直径（0.65m）；P 为空气密度（$1.2kg/m^3$）；V 为平均流速（8m/s）；g 为重力加速度（m/s^2）。

则有：$\Delta H_\lambda = 0.37 \sim 0.554 \times 6/0.65 \times \mathrm{I}.2 \times (8)\ 2/2g \times 9.81 = 136 \sim 200\mathrm{Pa}$

（四）风道：在四壁贴挂吸声体

（五）风机安装段：安装隔声罩（包括隔声门）的隔声原理（略）

六、吸声塔材料的选择

（1）选取镀锌板钢作为护面吸声板；不锈钢螺丝固定组装。

（2）选取防水超细玻璃棉做吸声材料；平纹无碱玻璃布做护层。

（3）采用 FJ—2 型防腐胶喷涂骨架、各钢结构表面层。

（4）吸声体的材料见结构剖面图（略）。

（5）隔声罩和隔声门的材料见结构剖面图（略）。

七、治理后的具体指标计算及数值

对于环境噪声来说是比较复杂的，其组合分类，可以分成两类：本底噪声和主扇治理后的辐射噪声。

本底噪声：主扇停止运行时，由于人类的活动，机器的运行都在白天，晚上就要减少，所以白天值就要高于晚上值。

主扇治理后的辐射噪声和各测点的环境值：

（1）电机处的噪声：87dB（A）安装隔声罩的隔声量经计算为32.4dB（A），治理后噪声应有87－32.4＝54.6dB（A）。

（2）主扇扩散风口的噪声为89dB（A），扩张室的消声量：$\Delta L=10\lg$（1＋1/4）（m—1/m）2＝7.95dB（A），阻性段的消声量为36dB（A），则治理后该处噪声计算为89－36－7.95＝45.05dB（A）。

各测点有一个距离衰减值，计算为$20\lg V_1/V_2=20$dB（A），测点的噪声值应该是54.15－20＝34.85～35.55dB（A），可以满足要求。

（3）风道增加吸声体后可降低9dB。

（4）风机安装处安装隔声罩后可降低32.4dB，该处噪声为81dB－32.4dB＝48.6dB。

八、治理后监测数据

风井房东43dB；东南厂界63dB；工人房南48.5dB；居民（1）43dB；居民（2）43dB；风塔48.5dB；风机处65dB；（2）号风门44dB。

测试时间2009年10月14日

检测仪器HS6288B型噪声频谱分析仪　　（1）、（2）号风机运行正常

九、治理后可供借鉴的经验

（1）从抓住主要矛盾入手，该噪声的主要矛盾点是阻力损失。在原通道上安装吸声片，必然减少了通风面积增加阻力，影响了通风量，那是绝对不允许的。先如果按常规的治理方法在排风口上安装消声器，不仅庞大，费用相当高，而且一台扩大截面积一倍的消声器重达十几吨，排风口和基础都不可能承载。在这里他们巧妙地设计了把两台风机风道打通，因为风机是一开一备的，这样就可以在风道内增加一半的吸声片而不会增加阻力损失。

（2）该噪声的主要矛盾点还有涡流涡阻噪声，在这里除了把吸声片做成流线形，以减少涡流涡阻外，还对通风道转弯处形成涡流涡阻的死角部位安装了弧形吸声体，这样既解决了该处的涡流涡阻，又增加了吸声效果，一举两得。

（3）强调隔音罩部位的漏声问题，可采取多种措施密闭。孔洞超过1%，隔音量不会超过20dB。

（4）在噪声值最高点风门处要求降低40dB以上，采用多层结构的隔声门隔声量也达不到要求的情况下，采取了内外开的双层隔声门使该处的难点得到了解决。

基于小波变换的煤矿井下噪声源判定

程根银[1]　余生晨[1]　陈绍杰[1]　魏志勇[2]

（1. 华北科技学院　北京　101601；2. 北京市劳动保护科学研究所　北京　100054）

摘　要　为了准确地判定煤矿井下噪声源特点，为井下噪声治理打下良好基础，考虑到空气动力噪声、机械噪声、电机噪声在频率和强度方面的差异，本文提出基于小波变换对煤矿井下实际测量的噪声信号进行分解，得出噪声在不同频率上的分布。根据分解的结果，可以比较准确地确定产生噪声源的特点，为后续重点且有针对性地治理噪声打下了良好的基础，为煤矿井下受限空间噪声治理提供了一种新的测试分析方法，具有广阔的工程应用前景。

关键词　小波变换　噪声源　噪声治理

引　言

随着我国经济的飞速发展，能源的需求量越来越大，煤炭的开采量也随之增加，矿井中发生的安全事故呈上升趋势，安全生产和改善生产环境等问题备受广大人民群众的关注和相关部门的高度重视[1,2]。煤矿井下环境恶劣，作业空间受限，煤矿工人除了受到瓦斯、水害等五大灾害威胁之外，井下噪声危害也不容忽视。井下噪声不仅影响煤矿工人的身体健康，同时影响安全生产，尤其是在综采、掘进工作面，由于机器设备功率大，设备多，作业空间狭小，反射面大，易形成混合噪声，严重影响工人的健康和安全生产[3]。

随着环境保护意识的提高和改善井下作业环境的需要，加强煤矿井下噪声治理，显得越来越紧迫。煤矿井下声源多、噪声频率范围宽、频谱复杂，如何准确地判定噪声源是有效治理噪声的基础。利用小波变换对信号的正交分解功能，对噪声信号作正交分解，明确在哪些频段噪声最强或较强或噪声虽然有但其强度不足以构成危害，然后可以重点治理在那些噪声强度较强频段上的噪声。

一、小波变换定义及其特点

小波变换（Wavelet Transform，WT）是1981年Morlet在分析地震数据时首次提出的概念，被誉为数学上的显微镜。真正的小波开始于1986年，Meyer创造性地构造出了具有一定衰减性的光滑函数。1987年法国信号处理专家Mallet巧妙地将计算机视觉领域内的多尺度分析的思想引入到小波分析中，并给出了相应的算法——现今称为Mallat算法[4]。近年来，小波变换已成为数学分析的一个重要工具，其应用的领域也越来越广，如微分方程、数值分析和信号处理，小波分析已成为最新、最有力的工具。

（一）小波变换的定义

小波分析方法是一种窗口大小固定，但其形状可以改变，即时间窗和频率窗都可以改变的时频局部化分析方法。它在低频部分具有较高的频率分辨率和较低的时间的频率分辨率，在高频部分具有较低的频率分辨率和较高的时间的频率分辨率，这种特性使小波变换具有对信号的自适应性。

设信号 $x(t)$ 是平方可积函数，$\psi(t)$ 是被称为基本小波或母小波（mother wavelet）的函数，则信号 $x(t)$ 的小波变换可定义为[5]：

$$WT_x(a,b) = \frac{1}{\sqrt{a}}\int_{-\infty}^{+\infty} x(t)\psi^*\left(\frac{t-b}{a}\right)\mathrm{d}t = < x(t),\psi_{a,b}(t) > \quad (a>0) \tag{1}$$

式中：a 、b 分别为尺度参数和位移参数；$*$ 表示取复共轭；符号 $< x(t), y(t) >$ 代表内积；$\psi_{a,b}(t) = \frac{1}{\sqrt{a}}\psi(\frac{t-b}{a})$ 是基本小波的位移和尺寸伸缩。

（二）小波变换的特点

小波变换在频域上的特点，由式（1）的等效频域表示如下：

$$WT_x(a,b) = \frac{\sqrt{a}}{2\pi}\int F(\omega)\Psi^*(a\omega)e^{j\omega b}d\omega \ (a > 0) \tag{2}$$

式中：$x(\omega)$ 、$\Psi(\omega)$ 分别是 $x(t)$ ，$\psi(t)$ 的 Fourier 变换。

由此可见：

1. 如果 $\Psi(\omega)$ 是复频特性比较集中的带通函数，则小波变换便具有表征待分析信号 $x(\omega)$ 频域上局部性质的能力。

2. 当采用不同的 a 值作处理时，各 $\Psi(a\omega)$ 的中心频率和带宽都不一样，但品质因数（基中心频率/带宽）却不变。

所以从频域上看，用不同尺度作小波变换大致相当于用一组带通滤波器对信号进行处理。小波变换在实际信号分析中，一般都限制 a 、b 只能取离散值，即：

$$a = a_0^{\ m} \qquad b = nb_0a_0 \tag{3}$$

式中：$a_0 > 1$ ；$b_0 \in R$ ，$b_0 \neq 0$ ；m ，$n \in Z$ 。

在实际应用中最常见的情况是取 $a_0 = 1$ ，$b_0 = 0$ ，这样 $\psi_{a,b}(t)$ 变成 $2^{-j/t}\psi(2^{-j} - k)$ 记作：$\psi_{j,k}(t)$ ，$j = 0,1,2,\cdots$ ，$k \in Z$ ，二进小波变换可定义为：

$$WT_x(j,\ k) = \int x(t)\ \psi_{j,k}^{\ *}(t)\ dt \tag{4}$$

对于小波函数的构造和选取应根据应用不同的目的而采用不同的原则[6]。

（三）小波变换类型

1. 连续小波变换

Sullivan J W[9]，D. Y. Maa[7,8] 设计一组连续变化的伸缩平移基 $\psi_{\alpha,\tau}(t)$ ，称它为连续小波基函数，它的时、频域的窗口均随频率的变化而变化，以实现对低频分量采用大时窗，对高频分量采用小时窗的符合自然规律的分析方法，$\psi_{\alpha,\tau}(t)$ 经适当离散化后可形成一组标准正交基，因此它不仅在时频分析方面，而且在数字信号处理及数值计算等方面都获得了广泛的应用。

设 $\psi(t)$ 为一平方可积函数，也即 $\psi(t) \in L^2(R)$ ，若其 Fourier 变换 $\Psi(\omega)$ 满足条件：

$$\int_R \frac{|\Psi(\omega)|^2}{\omega}d\omega < \infty \tag{5}$$

则称 $\psi(t)$ 为一个基本小波或小波母函数，并称上式为小波函数的可允许性条件。将小波母函数 $\psi(t)$ 进行伸缩和平移，其伸缩因子（又称尺度因子）为 α ，平移因子为 τ ，令其平移伸缩后的函数为 $\psi_{\alpha,\tau}(t)$ ，则有：

$$\psi_{\alpha,\tau}(t) = \alpha^{\frac{1}{2}}\psi(\frac{t-\tau}{\alpha})\ \alpha > 0, \tau \in \mathrm{R} \tag{6}$$

由于尺度因子 α 、平移因子 τ 是取连续变化的值，其值可正可负，因此称 $\psi_{\alpha,\tau}(t)$ 为连续小波基函数，也称小波母函数。

设 $f(t)$ 是平方可积函数［记作 $f(t) \in L^2(R)$ ］，将 $f(t)$ 在 $L^2(R)$ 空间中，在小波基下进行展开，称这种展开为函数 $f(t)$ 的连续小波变换（Continue Wavelet Transform，CWT）。则：

$$WT_f(\alpha,\tau) = \frac{1}{\sqrt{\alpha}}\int f(t)\psi^*(\frac{t-\tau}{\alpha})dt = < f(t), \psi_{\alpha\tau}(t) > \tag{7}$$

称为 $f(t)$ 的小波变换。符号 $<x,y>$ 代表内积，上标 $*$ 代表共轭。即：

$$<f(t),y(t)> = \int f(t)y^*(t)\mathrm{d}t \tag{8}$$

$\psi_{\alpha\tau}(t) = \frac{1}{\sqrt{\alpha}}\psi(\frac{t-\tau}{\alpha})$ 是由同一母函数 $\psi(t)$ 经伸缩和平移后得到的一组函数系列。由于小波基函数在时间、频率域都具有有限或近似有限的定义域，显然，经过伸缩平稳后的函数在时、频域仍是局部性的。当 α 逐渐增大，基函数 $\psi_{\alpha,\tau}(t)$ 的时间窗口 Δt 逐渐变大，而其对应的频域窗口 $\Delta\omega$ 相应减小，中心频率逐渐变低。相反，当 α 逐渐减小时，基函数 $\psi_{\alpha,\tau}(t)$ 的时间窗口 Δt 逐渐减小，而其频域窗口 $\Delta\omega$ 相应增大，中心频率逐渐升高。下面是对窗口的变化情况的定量分析。

定义小波母函数 $\psi(t)$ 窗口宽度为 Δt，窗口中心为 t_0，则尺度因子为 α、平移因子为 τ 的连续小波基函数：

$$\psi_{\alpha,\tau}(t) = \frac{1}{\sqrt{\alpha}}\psi(\frac{t-\tau}{\alpha}) \tag{9}$$

窗口中心为：$t_{\alpha,\tau} = \alpha t_0 + \tau$

窗口宽度为：$\Delta t_{\alpha,\tau} = \alpha\Delta t$

同样，设 $\psi_{\alpha,\tau}(t)$ 的 Fourier 变换为 $\Psi_{\alpha,\tau}(\omega)$ 则有：

$$\Psi_{\alpha,\tau}(\omega) = \alpha^{\frac{1}{2}}\mathrm{e}^{-i\omega t}\Psi(\alpha\omega) \tag{10}$$

其频域窗口中心为：$\omega_{\alpha,\tau} = \frac{1}{\alpha}\omega_0$

其窗口宽度为：$\Delta\omega_{\alpha,\tau} = \frac{1}{\alpha}\Delta\omega$

可见，连续小波 $\psi_{\alpha,\tau}(t)$ 的时、频域窗口中心及宽度均随尺度 α 的变化而伸缩。若称 $\Delta t\cdot\Delta\omega$ 为窗口函数的窗口面积：

$$\Delta t_{\alpha,\tau}\Delta\omega_{\alpha,\tau} = \frac{1}{\alpha}\Delta\omega\times\alpha\Delta t = \Delta t\Delta\omega \tag{11}$$

所以连续小波基函数的窗口面积不随参数 α、τ 而改变。由此可得如下结论，尺度的倒数 $\frac{1}{\alpha}$ 在一定意义上对应于频率 ω，即尺度越小，对应频率越高，尺度越大，对应频率越低。从时域上讲，小尺度信号为短时间信号，大尺度信号为长时间信号。实际中高频信号必然持续时间很短，低频信号必然持续时间较长。

在任何 τ 值上，小波的时、频窗口的大小 Δt、Δω 都随频率 ω（或者 $\frac{1}{\alpha}$）的变化而变化。在任何尺度 α、时间点 τ 上，窗口面积 $\Delta t\cdot\omega$ 保持不变。由于小波母函数在频域具有带通特性，其伸缩和平移系列就可以看做是一组带通滤波器，而且带通宽度与中心频率的比值也是保持不变的。几种常用的连续小波基函数如下：

（1）Morlet 小波。Morlet 小波是一种单频复下弦调制高斯波，也是最常用的复值小波[10]。

时域关系：$\psi(t) = \mathrm{e}^{-\frac{t^2}{2}}\mathrm{e}^{j\omega_0 t}, \omega_0 \geqslant 5$

频域关系：$\Psi(\omega) = \sqrt{2\pi}\mathrm{e}^{-\frac{(\omega-\omega_0)^2}{2}}$

Morlet 小波形式不满足可允许性条件，因为 $\Psi(\omega=0)\neq 0$，不过当 $\omega_0 \geqslant 5$ 时，我们认为 $\Psi(\omega=0)\approx 0$，近似满足允许条件。Morlet 小波是一种复数小波，其时、频两域都具有很好的局部性，常用于复数信号的分解及时频分析中。

（2）Marr 小波。Marr 小波为高斯函数的二阶导数，在 $\omega=0$ 处，$\Psi(\omega)$ 有二阶零点。

时域关系：$\psi(t) = (1-t^2)e^{-\frac{t^2}{2}} = -\frac{d}{dt^2}(e^{-\frac{t^2}{2}})$

频域关系：$\Psi(\omega) = \sqrt{2\pi}\omega^2 e^{-\frac{\omega^2}{2}}, \Psi(\omega=0)=0$

(3) DOG (Difference of Gaussian) 小波。DOG 小波是两个尺度差一倍的高斯函数之差，在 $\omega=0$ 处，它的 Fourier 变换具有二阶零点。

时域关系：$\psi(t) = e^{-\frac{t^2}{2}} - \frac{1}{2}e^{-\frac{t^2}{8}}$

它在 $\omega=0$ 处的傅立叶变换具有二阶零点：$\Psi(\omega=0)=0, \frac{\partial \Psi}{\partial \omega}(\omega=0)=0$

(4) 紧支集样条小波[11] (spline wavelet)。紧支集样条小波是由 B 样条构造的小波形式。由 B 样条构造的小波有两种形式，一种是紧支集样条小波，这是 Mallet 在边沿检测时构造的一组小波形式，它是以牺牲小波基函数的正交性来换取紧支集的。另一种形式是正交的样条小波，也称为 Battle－bemarie 小波，这种小波的子集不是有限的。

样条函数在曲线拟合中是用来使拟合的曲线不但本身平滑，而且导数也平滑的函数。它是低通函数。不是带通函数，不能用作小波。但是由样条函数却可以导出一组具有带通性质的小波函数。二次样条函数 $\theta(t)$ 的函数表达式如式（12）所示，图形如图 1 所示。

$$\theta(t) = \begin{cases} \frac{1}{2}t^2 & 0 \leqslant t < 1 \\ \frac{3}{4} - (t-\frac{3}{2})^2 & 1 \leqslant t < 1 \\ \frac{1}{2}(t-3)^2 & 2 \leqslant t < 3 \\ 0 & \text{其他} \end{cases} \tag{12}$$

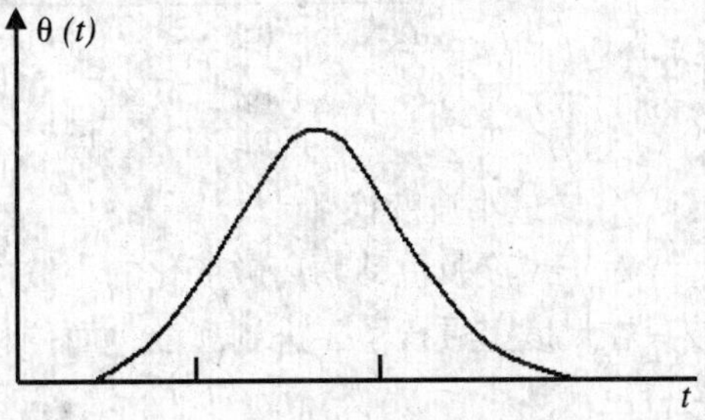

图 1　二次样条函数

$\theta(t)$ 的频域表示为：$\varphi(\omega) = \left(\frac{\sin\frac{\omega}{2}}{\frac{\omega}{2}}\right)^3 e^{-j(\frac{3\omega}{2})}$

由此得到对应的 $H_0(\omega)$：$H_0(\omega) = \frac{\varphi(2\omega)}{\varphi(\omega)} = \cos^3\left(\frac{\omega}{2}e^{-j(\frac{3\omega}{2})}\right)$

$H_0(\omega)$ 为周期函数，反 Fourier 变换可解得：$h_0(0) = \frac{1}{8}, h_0(1) = \frac{3}{8}, h_0(2) = \frac{3}{8}, h_0(3) = \frac{1}{8}$

$H_0(z) = \frac{1}{8} + \frac{3}{8}z^{-1} + \frac{3}{8}z^{-2} + \frac{1}{8}z^{-3} = \frac{1}{8}(1+z^{-1})^3$

2. 离散小波变换

在有些情况下，提高小波母函数的光滑性和对称性、减小小波基函数子集等方面的要求，与小波基函数正交性的要求相矛盾，而小波基函数子集的减小与光滑性的提高等要求在小波应用中起着重要的作用。因此适当放宽正交的要求换来较小的子集与较高的光滑性与对称性，非正交的离散小波变换（Discret Wavelet Transform，DWT)，仍有其重要的实用意义。离散小波变换就是在尺度与位移均做离散化。

减小小波变换系数冗余度的做法是将小波基函数 $\psi_{\alpha,\tau}(t) = \frac{1}{\sqrt{\alpha}}\psi(\frac{t-\tau}{\alpha})$ 的 α、τ 限定在一些离散点上取值，一种最通常的离散方法就是将尺度按幂级数进行离散化（一般取 2）。关于位移的离散化，当 $\alpha = 2^0 = 1$ 时，$\psi_{\alpha,\tau}(t) = \psi(t-\tau)$ 。通常对 τ 进行均匀离散取值，以覆盖整个时间轴，为了不丢失信息，要求采样间隔 τ 满足 Nyquist 采样定理，即采样频率大于等于该尺度下频率通带的两倍。每当 m 增加 1，尺度 α 增加一倍，对应的频带减小一半，采样率可以降低一半，也就是采样间隔可以增大一倍[11]。

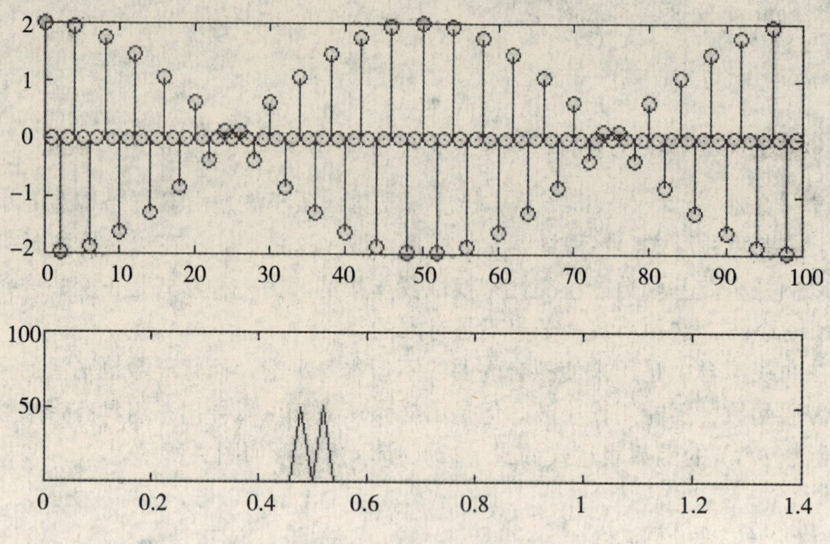

图 2　正弦函数波的叠加分解图

3. 二进小波变换

对于尺度及位移均离散变化的小波序列，若取离散栅格的 $\alpha_0 = 2, \Delta\tau = 0$ ，即相当于连续小波只在尺度上进行了二进制离散，而位移仍取连续变化，这类小波称为二进小波表示为：

$$\psi_{2^k,\tau}(t) = 2^{\frac{1}{2}}\psi\left(\frac{t-\tau}{2^k}\right) \tag{13}$$

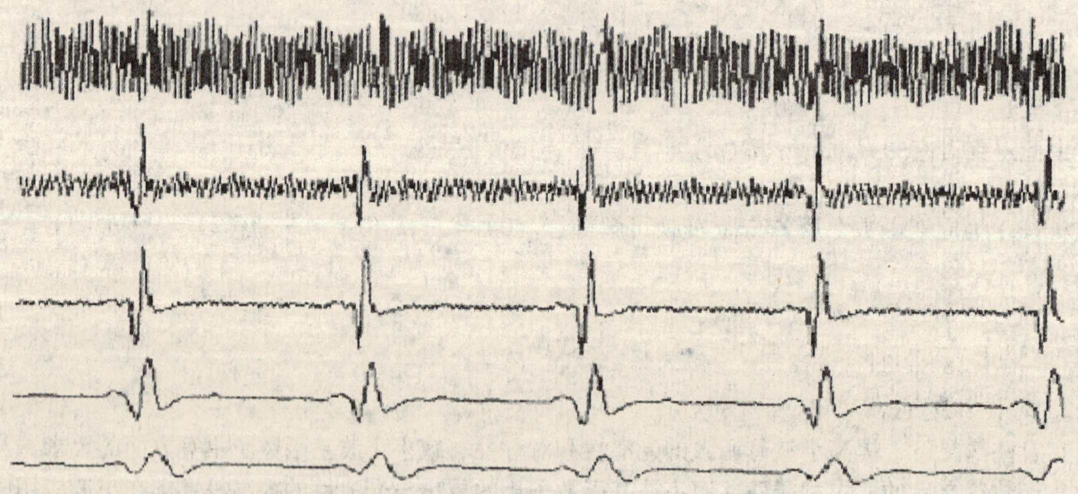

图 3　噪声信号的分解图一

二进小波介于连续小波和离散小波之间，它只是对尺度参量进行了离散化，而在时间域上的平移量仍保持连续变化，因此二进小波变换仍具有连续小波变换的时移共变性，这是它较之离散小波变换所具有连续的独特优点。

二、小波变换在噪声分解中的应用

应用小波变换可分解噪声，可以计算出噪声强度在不同频率上的分布，为治理噪声打下良好基础。下面是一些噪声信号分析实例（图3、图4）。

（1）两个具有不同频率的理论正弦函数波的叠加分解

由图3和图4可知：利用小波变换可把这两个具有不同频率的理论正弦函数波从它们的叠加曲线上准确分解出来。

（2）利用小波变换分解不同频率的叠加信号

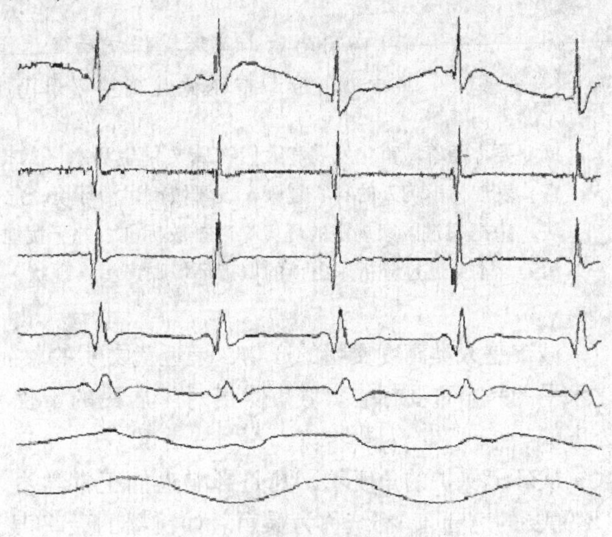

图4　噪声信号的分解图二

三、结　论

提出应用小波变换理论判定煤矿井下噪声源特性，为煤矿井下噪声治理提供了一种新的分析手段。运用小波变换理论分析煤矿井下噪声，可以定量地掌握井下噪声强度在频率上的分布情况；可以更为准确地判定噪声源特性，为选取合理的降噪方法及技术打下良好的基础。

参考文献

［1］程根银，朱锴，汪永高，等．矿井主要通风机节能与降噪［M］．北京：煤炭工业出版社，1998，4.

［2］张明．煤矿安全新技术应用务实全书［M］．合肥：安徽音像出版社，2005.

［3］吴红林．煤矿井下噪声危害及其防治［J］．河北煤炭，2007，4：6，44.

［4］Mallat S A，Setphanc G. Theory for multiresolution signal decompositions. The Wavelet representation［J］．IEEE Transon PAM I，1989，11（7）：674－693.

［5］Albert Boggess，F rancisJ N arcowich. 小波与傅立叶分析基础［M］．茵国盛，康健，等译．北京：电子工业出版社，2004.

［6］姚志远，曾发林，宫镇．小波变换在车辆噪声源识别中的应用［J］．汽车工程，2002，24（4）：302－305.

［7］D. Y. Maa. Micro－perforated wideband absorbers［J］. Noise Control Engineering Journal，1987，29：77－84.

［8］D. Y. Maa. Potential of microperforated panel absorber［J］. Journal of the Acoustical Society of America，1998，104：2861－2866.

［9］Sullivan J W，Crocker M J. Analysis of concentric tube resonators having unpartitioned cavities［J］. Journal of the Acoustical Society of America，2004，64：207－215.

［10］E. Pietka，Feature extraction in computerized approach to the ECG analysis［J］． Pattern Recognition，2003.

［11］Michael Unser，Akram Aldroubi. A Review of Wavelets in Biomedical Applications［J］. Proceedings of the IEEE，2004.

从乐山市噪声污染现状，谈噪声污染控制

汤一凡　姜茂林　张喜长

（四川省乐山市环境保护局　乐山市嘉州大道号　614000；
四川省乐山市环境监测站　乐山市海棠路230号　614000）

摘　要　随着城市化发展和人们物质文化生活水平的提高，城市环境噪声已成为城市污染的一大公害，表现为影响人的身心健康，破坏城市生活环境，危害社会稳定。《中华人民共和国噪声污染防治法》中把超过国家规定的环境噪声排放标准，并干扰他人正常生活、工作和学习的现象称为环境噪声污染。本文通过分析乐山市的城市环境噪声污染现状，提出噪声污染的防治对策和控制建议。

城市是人类高度文明的产物，是近代文明的象征，一个国家城市化水平的高低已成为其现代化水平的一个重要标志。城市噪声对于居民的干扰和危害日益严重，已经成为城市环境的一大公害。

从环境保护的角度看，凡是影响人们正常学习、工作和休息的声音，凡是人们在某些场合“不需要的声音”，都统称为噪声。如机器的轰鸣声，各种交通工具的马达声、鸣笛声，人的嘈杂声及各种突发的声响等，均称为噪声。从物理角度看，噪声是发生体做无规则振动时发出的声音。《中华人民共和国环境噪声污染防治法》中把超过国家规定的环境噪声排放标准，并干扰他人正常生活、工作和学习的现象称为环境噪声污染。噪声污染属于感觉公害，它与人们的主观意愿有关，与人们的生活状态有关，因而它具有与其他公害不同的特点。

一、城市环境噪声污染的来源

现代城市中环境噪声有四种主要来源：①交通噪声：主要指的是机动车辆、飞机、火车和轮船等交通工具在运行时发出的噪声。这些噪声的噪声源是流动的，干扰范围大；②工业噪声：主要指工业生产劳动中产生的噪声。主要来自机器和高速运转设备。③建筑施工噪声：主要指建筑施工现场产生的噪声。④社会生活噪声：主要指人们在商业交易、体育比赛、游行集会、娱乐场所等各种社会活动中产生的喧闹声等。

二、城市环境噪声的主要危害

随着工业生产、交通运输、城市建筑的发展，以及人口密度的增加和家庭设施的增多，环境噪声日益严重，它已成为污染人类社会环境的一大公害。噪声具有局部性、暂时性和多发性的特点。噪声给人带来生理上和心理上的危害主要有以下几方面：

（一）干扰休息和睡眠、影响工作效率

1. 干扰休息和睡眠。休息和睡眠是人们消除疲劳、恢复体力和维持健康的必要条件。但噪声使人不得安宁，难以休息和入睡。

2. 使工作效率降低。研究发现，噪声超过85dB，会使人感到心烦意乱，人们会感觉到吵闹，因而无法专心地工作，结果会导致工作效率降低。

（二）损伤听觉、视觉器官

1. 强的噪声可以引起耳部的不适，如耳鸣、耳痛、听力损伤。

2. 噪声对视力的损害。人们只知道噪声影响听力，其实噪声还影响视力。试验表明：长时间处于噪声环境中的人很容易发生视疲劳、眼痛、眼花和视物流泪等眼损伤现象。同时，噪声还

会使色觉、视野发生异常。

（三）对人体的生理影响

噪声是一种恶性刺激物，长期作用于人的中枢神经系统，可使大脑皮质的兴奋和抑制失调，条件反射异常，出现头晕、头痛、耳鸣、多梦、失眠、心慌、记忆力减退、注意力不集中等症状，严重者可产生精神错乱。

三、环境噪声标准

单位：dB

类别	适用区域	白天	夜间
0	康复疗养区等特别需要安静的区域	50	40
1	以商业金融、集市贸易为主要功能，或者居住、商业、工业混杂，需要维护住宅安静的区域	55	45
2	以商业金融、集市贸易为主要功能，或者居住、商业、工业混杂，需要维护住宅安静的区域	60	50
3	以工业生产、仓储物流为主要功能，需要防止工业噪声对周围环境产生严重影响的区域	65	55
4	交通干线两侧一定距离之内，需要防止交通噪声对周围环境产生严重影响的区域	70	55

四、乐山市噪声状况

乐山市是四川省省辖市，地处四川西南部，距省会成都市130km。是世界自然与文化遗产峨眉山——乐山大佛所在地，国家历史文化名城，全国优秀旅游城市，全国卫生城市，联合国城市管理项目中国第一个合作城市和四川省独具特色的园林城市。乐山市中心城区地处岷江、大渡河、青衣江交汇处，建成区相对较集中，总面积约36.5km^2，人口24.40万人，绿化覆盖率达26.41%，城市中心8.7km^2的城市绿心，浅丘森林郁郁葱葱，隐天蔽日，是城市的绿心，犹如巨大的“城市绿色之肺”，为城市调节气候，净化环境。中心城区组成了“绿心一城市环一江河环一山林环”多重生态圈，层层相叠，环环相扣，城市自然环境十分优越，是一个绿心环形生态城市。2007年各类交通车辆拥有量519005辆。

从多年来的监测分析，乐山市噪声污染类型主要有社会噪声、交通噪声、施工噪声。

（一）区域环境噪声状况

区域环境噪声以350m×350m划分200个网格，覆盖了乐山市中心城区。通过2005—2009年对200个网格的监测，2005—2009年区域环境噪声等效声级在52.4~54.7dB，暴露在不同等效声级下的人口和面积分布见表1。2009年小于50dB的声级覆盖面积占总网格面积的18.25%，50.1~55.0dB声级覆盖面积占总网格面积的50%，55.1~60.0dB声级覆盖面积占总网格面积的18.25%，60.1~65.0dB声级覆盖面积占总网格面积的9.75%，大于65.0dB声级覆盖面积占总网格面积的3.75%。表明暴露在不同等效声级下的人口和面积分布是不同的。总体看在一类区昼间等效声级控制范围内（55dB以下），人口覆盖的比例平均为68.5%，所占的覆盖面积的比例为55.2%，即尚有占人口覆盖31.5%、面积44.8%的部分生活在非一类区环境中。但一类区昼间等效声级控制范围内的声级覆盖面积的比例、人口覆盖的比例有逐年上升的趋势。

表 1　暴露在不同等效声级下的人口和面积分布统计表

声级范围（dB）		≤50	50.1 ~ 55.0	55.1 ~ 60.0	60.1 ~ 65.0	≥65.0
声级覆盖面积占总网格面积的/%	2005	31.52	20.00	23.64	16.36	8.48
	2009	18.25	50	18.25	9.75	3.75
声级覆盖人口占总网格人口的/%	2005	31.28	27.54	12.06	20.47	8.65
	2009	29.88	34.14	11.76	18.77	5.45

（二）交通噪声状况

2005—2009 年交通噪声监测路段 26 条，旧城区路段有 14 条，累计长度为 17.55km，新城区路段有 12 条，累计长度为 30.035km。通过道路交通噪声监测分析，五年来交通噪声年平均值在 62.7 ~ 68.6dB，在平均车流量逐年增加的基础上，交通噪声平均值有逐年下降的趋势。详见表 2。

表 2　交通噪声统计表

年份	监测总长度/km	有效路段数/个	平均等效声级/dB	超过 70dB 路长/km	平均车流量/（辆/h）
2005	47.585	28	68.6	13.86	1876
2006	47.585	26	66.7	6.8	1506
2007	47.585	26	65.2	4.5	1591
2008	47.585	26	62.7	3.05	1978
2009	47.585	26	64.3	0	2365

不同交通噪声等效声级的路段长度占监测路段总长度的百分比见表 3。

表 3　不同等效声级的路段长度占监测路段总长度的百分比

年份	55 ~ 60dB	60 ~ 65dB	65 ~ 70dB	>70dB
2005	0	18.15	74.32	7.53
2006	0	22.86	70.42	6.72
2007	5.99	42.64	48.32	3.05
2008	18.65	59.25	22.1	3.05
2009	4.31	61.87	33.82	0

从表 3 中可以看出：从 2007 年起，暴露在 60dB 以下的路段明显增加，大于 70dB 的路段明显减少，交通噪声主要集中在 60 ~ 70dB，其中 2009 年所有路段交通噪声等效声级值均在 70dB 以下。

（三）施工及其他社会噪声状况

由于近年来，城市建设步伐的加快，市政设施建设、道路建设、旧城改造、新区开发等拆迁、施工工程较多，由此引起的噪声扰民现象随着工程的增加在不断地增多。此外随着人们物质文化生活的提高，营业性娱乐场所和商业经营活动的社会噪声、其他固定声源机械噪声（风机噪声、水泵等噪声）已成为环境污染投诉的热点之一。且由于部分社会噪声是低频率噪声，有时候监测值并不高但低频率噪声使人们不舒服的感觉更强烈，因此，对低频率的噪声的反应更强烈。

五、城市噪声污染防治对策和控制措施

世界卫生组织建议各国将治理噪声污染纳入国家的环保计划，将卫生组织的指导性标准视为噪声治理的长期目标，制定和实施有关噪声管理的法律法规，支持有关减少噪声的科学研究。由此可见，城市环境噪声的控制已成为一个国际性的问题，正受到越来越广泛的关注。结合乐山市的实际情况，如何确定城市噪声治理重点。创造城市发展的良好环境，是一个迫切而现实的问题。

首先，城市总体规划要更先进、更科学，能可持续发展。城市规划是城市发展的前提，城市美好未来的宏伟蓝图首先从规划中体现出来。按照乐山市“增长极、次枢纽、南中心、目的地”的城市定位，规划出先进、科学、可持续发展的现代化百万人口城市，做到规划的各功能区占位井然有序、功能优势互补，各功能区生态环境良好。城市总体规划、旧城改造与新区建设规划、城市道路系统的规划建设与改造都为改善城市环境噪声污染带来了难得的发展机遇，合理的功能分区，完善的、分工合理的道路系统是整个城市拥有良好声环境的前提。

其次，在交通噪声的控制上，一是在区域布局的合理上，在未来的居住区设计时要与交通要道之间保证足够的距离，使居民远离噪声源，合理安排功能区和建设布局。对一些临近交通地带，可设计为商业等非噪声敏感建筑物。二是加强噪声管理，严格控制鸣笛，在居民敏感区，对车辆实行限速行驶，达到降低交通噪声的目的。三是绿化城市环境，大力开展城市绿化种植。国际卫生组织专家认为，绿化对防治环境噪声污染的效果最明显。国外先进国家都采取道路两旁的林带来控制交通噪声对周边环境污染，同时高标准的居住区都离不开茂密的绿化环境。四是路面降噪，采用减震和吸声材料用于道路建设与车辆结构上，以最大限度地控制车辆行驶与道路摩擦产生的噪声，2007 年以来在城区部分路段进行了由硬性改为柔性的路面改造，经实测，交通噪声有明显降低。

第三，在社会噪声的控制上，国家制定并发布了一系列强制性执行的噪声控制和管理法规是保证城市有一个宁静环境的重要措施。对噪声污染全面管理同综合治理相结合，强化城市环境保护法规的具体实施，推行政策管理，从时间、区域实行噪声源排放的严格限制措施，对噪声源采取积极的综合治理措施，创建噪声达标小区，通过监控管理求得城市发展。此外，社会噪声的管理上还要加强人的管理，通过宣传教育，提高环保意识，让每一个市民能时刻注意自己学习、生活、工作周围的环境变化。

城市环境噪声的控制关键是防止新的噪声污染源的产生和降低已有的噪声污染源的强度。防止新的噪声污染源的产生，区域合理规划是主要措施之一，从乐山市环境噪声污染控制管理的现状和实际需求，社会噪声和交通噪声是防治重点。对每一个居住在城市的人而言，环境是涉及生活中切身利益的事情，也是城市发展中无法回避的问题。

参考文献

[1] 中华人民共和国噪声污染防治法.
[2] 声环境质量标准（GB 3096—2008）.
[3] 任文堂，等. 工业噪声和振动控制技术［M］. 北京：冶金工业出版社，1989.
[4] 2006—2009 年乐山市环境质量状况公报.

城市轨道交通噪声试验研究

朱妍妍　段传波　柳至和　秦　勤

（北京市劳动保护科学研究所　北京　100054）

摘　要　城市轨道列车分别在不同速度下行驶，进行噪声采样，分析城市轨道交通噪声频谱特性及在水平衰减规律和垂直方向上的分布规律。试验结果表明，城市轨道交通噪声能量主要分布在中低频部分，水平方向上噪声随距离增加而衰减，垂直方向上噪声分布 5m 以下及 5 ~ 9m 内有不同的分布规律。

关键词　城市轨道交通噪声　频谱特性　衰减规律

随着我国城市交通拥堵问题日益突出，城市轨道交通是缓解道路交通压力的重要途径。北京城市轨道交通远景规划线网由 28 条线路组成，线路总长度约 1147km[1]，迎来建设高峰时期，同时其他许多城市也提出了各自的城市轨道交通建设规划，一些城市的轨道交通线路已经建成或正在建设中。城市轨道交通与其他交通工具相比较，具有快捷、安全系数高、运输量大等优势，在给居民出行带来极大便利的同时，也产生了一些环境问题，其中噪声问题就比较明显。城市轨道交通多建设在居民建筑密集的区域，因此其产生的噪声影响人群较大，影响范围较广。

针对轨道交通噪声的研究中，主要以实际运行状态中产生的噪声为研究对象[2-4]，研究内容受实际运行速度的限制。本文在地铁车辆厂内，使用与实际运行中相同的车辆进行不同速度不同运行状态的试验，对噪声进行采集分析，研究结果可为噪声措施的制定提供数据基础与科学依据。

一、研究方法

试验地点位于北京市地铁车辆厂内试车线，试验内容为对不同车速下车辆加速、减速、匀速时辐射的噪声进行监测，对噪声的频谱特性和衰减规律进行分析和比较。

（一）试验条件

试验线路：直线线路、线路长度为 1.3km、木轨枕碎石道床。

试验车辆：S423 型 6 节编组列车、总车长约 120m。

（二）测点位置

针对本次试验研究轨道交通噪声频谱特性和衰减规律的目的，参考《声学　铁路机车车辆辐射噪声测量》和《铁路边界噪声限制及其测量方法》，在距离轨道中心线 5m、7.5m、10m、20m、30m 处距地面 1.2m 处分别设置测点，形成一个垂直于轨道方向的水平监测线。在距离轨道中心线 20m 处设置距地面分别为 5m、7m、9m 高度的监测点，形成垂直于地面的垂向监测线，具体测点布置见图 1。

（三）测量方法

从车头到达 0 点至车尾离开 0 点这段时间内，车辆按照试验设计的速度和运行状态行驶，同时监测人员采用 LMS 八通道噪声分析仪对噪声进行采样，信号由 BSWA201 型 I 级传声和 BSWA211 型前置放大器采集，并用 WAV 格式保存噪声样本，回实验室后根据试验需要对样本进行分析。列车运行状态如表 1 所示。

感谢北京市科学技术研究院萌芽计划对本文研究工作的资助。

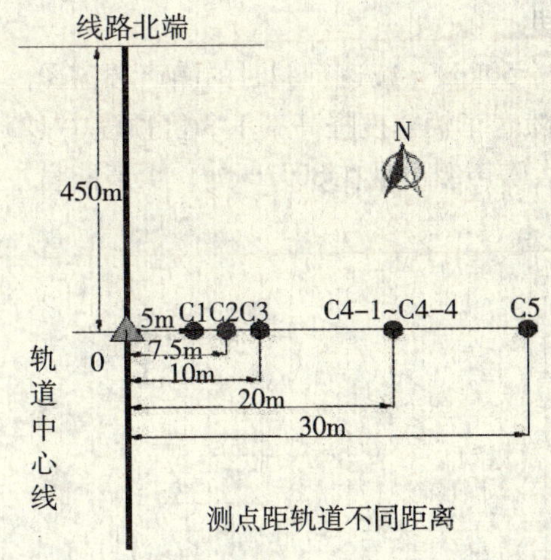

（a）水平监测线

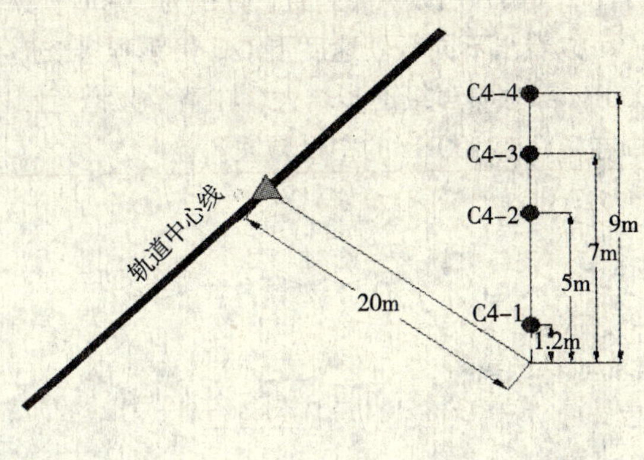

（b）垂向监测线

图1　监测点位布设示意图

表1　列车运行状态表

速度/状态	减速	匀速	加速
20km/h	○	●	●
30km/h	●	●	●
40km/h	●	●	●
50km/h	●	●	○

注：●为采用运行状态；○为未采用运行状态。

二、分析结果

（一）频谱分析结果

对采集得到的噪声样本进行频谱分析，得到各样本的1/3倍频程结果如图2所示。

图2（a）中图例自上而下分别为20km/h、30km/h、40km/h、50km/h匀速行驶时的噪声频谱分析结果。从图中可以看出不同行驶速度下1/3倍频程谱分布规律相似，随着车辆速度升高噪声级增大，在整个频谱范围内，最大噪声级出现在500Hz、800Hz处，噪声能量主要集中在200～2000Hz的中低频段。

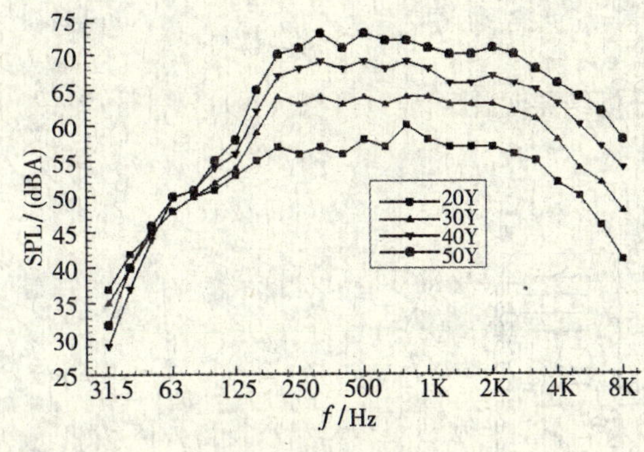

（a）匀速行驶时

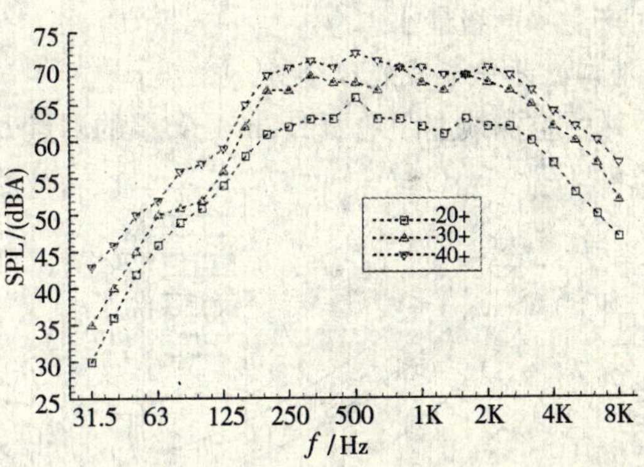

（b）加速行驶时

图2（b）中图例自上而下分别为20km/h、30km/h、40km/h加速行驶时的噪声频谱分析结果。从图中可以看出不同行驶速度下1/3倍频程谱分布规律相似，随着车辆速度提高噪声级增大，在整个频谱范围内，最大噪声级出现在500Hz、

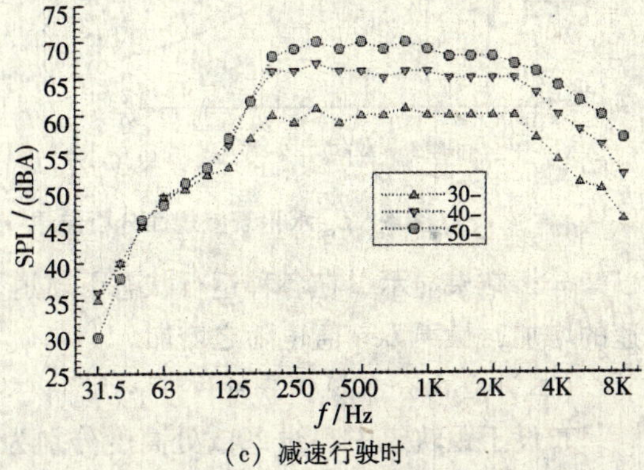

（c）减速行驶时

图2　相同状态下1/3倍频程分析结果汇总图

800Hz 处，噪声能量主要集中在 315～1000Hz 的中低频段。

图 2（c）中图例自上而下分别为 30km/h、40km/h、50km/h 减速行驶时的噪声频谱图。从图中可以看出不同行驶速度下 1/3 倍频程谱波形相似，随着车辆速度提高其 1/3 倍频程中 125～20000Hz 部分噪声级逐步增大，在整个频谱范围内，最大噪声级出现在 800Hz 处，噪声能量主要集中在 200～2500Hz 的中低频段。

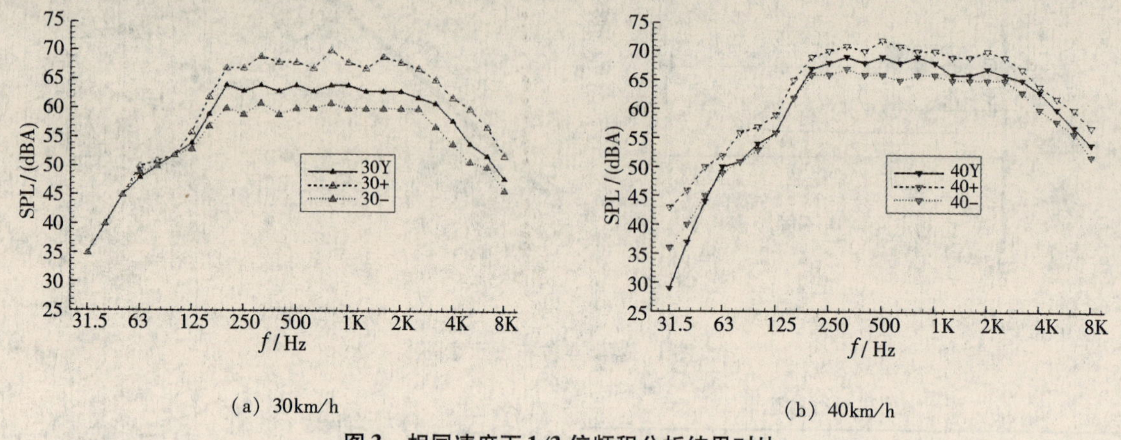

图 3　相同速度下 1/3 倍频程分析结果对比

图 3 给出了相同速度下列车分别以匀速、加速、减速 3 种不同运行状态通过测试断面时的噪声频谱分析结果，图 3（a）中图例自上而下分别为 30km/h 速度下匀速、加速、减速行驶时的噪声频谱图，图 3（b）中图例自上而下分别为 40km/h 速度下匀速、加速、减速行驶时的噪声频谱图。从图中可以看出，在相同速度下 3 种运行状态中，加速行驶时产生的噪声级最大，减速行驶时产生噪声级最小。

（二）水平衰减规律分析

水平监测线上距地面 1.2m 处布设的测点 L_{eq} 分析结果见图 4。

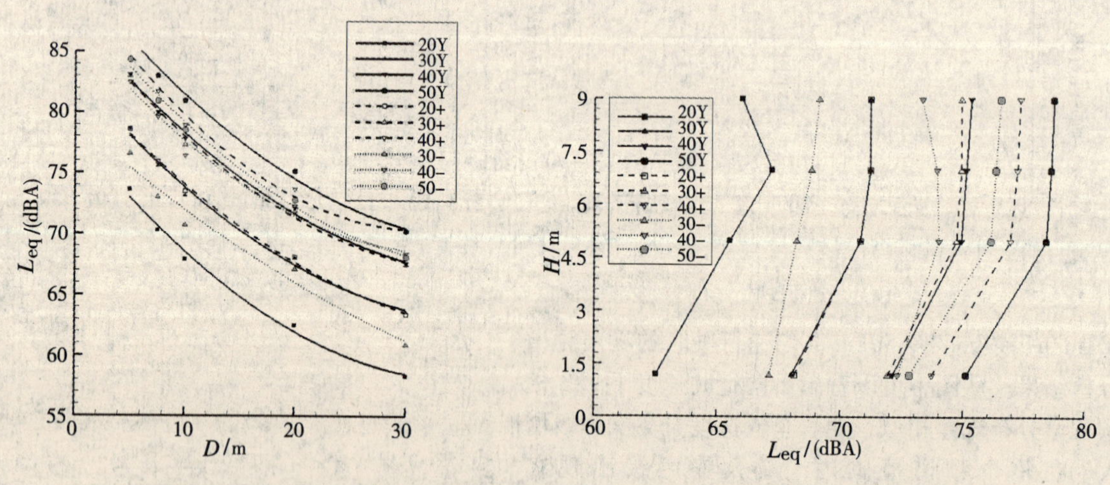

图 4　L_{eq} 水平衰减规律分析结果　　**图 5　L_{eq} 垂向分布规律分析结果**

分析结果显示，在各种运行状态下轨道交通噪声均随测点距轨道距离的增加而降低，随着车速的增加，噪声 Leq 值也随之增加。

（三）垂向分布规律分析

布设于距轨道中心线 20m 处高度分别为 1.2m、5m、7m、9m 的测点 Leq 分析结果如图 5 所示，图中图例自上而下分别为 20km/h 匀速、30km/h 匀速、40km/h 匀速、50km/h 匀速、

20km/h加速、30km/h 加速、40km/h 加速、30km/h 减速、40km/h 减速、50km/h 减速运行时的噪声沿垂向分布结果。

从上图可以看出，车辆在以上各速度下匀速行驶时，L_{eq}在 1.2 ~5m 高度内噪声呈增加趋势，5 ~9m 高度内噪声变化不大。

三、结　论

1. 通过试验获得了城市轨道交通列车在 20km/h、30km/h、40km/h、50km/h 速度下分别以匀速、加速、减速行驶时产生的噪声频谱特性、水平衰减规律和垂向分布规律；

2. 匀速行驶时噪声能量主要集中在 200 ~2000Hz 的中低频段内，加速行驶时噪声能量主要集中在 315 ~1000Hz 的中低频段内，减速行驶时噪声能量主要集中在 200 ~2500Hz 的中低频段内；

3. 相同速度相同运行状态下，各测点噪声值均随遇轨道间距离的增加而降低，相同运行状态下，各测点噪声值均随速度增加而增加；

4. 轨道交通噪声沿垂向分布的特征为在地面至约 5m 高处随高度增加而增加，5 ~9m 高度范围内噪声值则不随高度变化而产生明显变化。

参考文献

[1] 谢正光．新形势下北京地铁的运营管理实践与思考［J］．现代城市轨道交通，2008（6）：5 -9.

[2] 王巧燕，翟国庆，朱艺婷，等．不同行驶条件下轨道交通噪声频率特性比较研究［J］．噪声与振动控制，2008，4（2）：85 -86.

[3] 曹勤，刘砚华．磁悬浮快速列车环境噪声影响规律初探［J］．噪声与振动控制，2007，11（S1）：96 -98.

[4] 贺建良，万泉，蒋伟康．高架城市轨道交通的噪声特性分析［J］．城市轨道交通，2007（8）：56 -60.

五、重金属污染防治

作物初级废弃物不同处置的重金属生态风险预警评价

宋成军　张玉华　刘东生　张艳丽　徐　哲　李　想　王延昌

（农业部规划设计研究院农村能源与环保研究所　北京　100125）

摘　要　为了评估污灌区作物初级废弃物不同处置方式的土壤重金属生态风险，以天津污灌区为例，估算了该污灌区主要农作物初级废弃物中的 Cd、As、Pb、Cu、Zn 总量及其分布特征，采用生态风险预警评价对直接还田、燃用、直接还田 + 燃用处置可能引起的土壤重金属生态风险进行评价。结果表明：天津市污灌区农作物初级废弃物中重金属总量年均产量高；三种处置方式下，同种重金属的年输入速率相同，其速率排序为：Zn ＞ Pb ＞ Cu ＞ As ＞ Cd。生态风险预警评估得出：三种处置情景下，重金属（Cd、As、Pb、Cu、Zn）的生态风险指数相同，均属于无警，综合评价 $I_{ER} = -4.991$。

关键词　污水灌溉　重金属　生态风险　预警评估

我国是秸秆生产大国。秸秆综合利用对减轻大气污染、提高土壤肥力和节约能源起到了重要作用。但是由于作物初级废弃物（根和秸秆）对重金属的富集远远高于籽实部分[1-3]，大量土壤重金属被固定在作物的根和秸秆部分，如果处置不当，可能导致土壤和大气污染，给农产品产地造成潜在生态风险。污水灌溉是我国农业灌溉的重要途径，1999 年我国污水灌溉面积约为 140 万 hm^2，普遍存在重金属潜在污染问题[4]。污水灌区占耕地面积的比例虽然不大，但往往是粮食、蔬菜、水果等农产品的主产区，也是人口密积地区。根茎叶中重金属含量随着土壤中重金属的增加而增多，因此，在污灌区秸秆管理中，重金属带来的生态风险也相对增大。目前，对污灌区土壤和农产品重金属污染健康评价报道较多[4-7]，关于污灌区作物初级废弃物处置的生态风险至今未见定量评价。天津污灌区是我国典型的大型污灌区之一，污灌历史长，面积较广，人口密集。鉴于此，本文采用生态风险预警评估方法[8]，以天津市污灌区为例，对农作物初级废弃物还田，燃用处理，部分还田 + 部分燃用处理的潜在生态风险进行了分析，旨在探索生态风险预警评估方法在我国农业废弃物利用和管理中的应用，同时促进农业废弃物的合理利用和科学管理。

一、研究区概况

天津市是我国全国大城市中缺水最严重的城市之一，农业用水极度缺乏。海河流域上游各地为经济发展修建水坝水库，使得进入天津的客水量明显减少，工农业用水短缺，从 1958 年开始使用过境污水灌溉农田，污水类型为城市工业和生活混合污水，50 年来，已形成南排河、北排河、武宝宁三大污灌区，近郊农田还有污泥施用历史，重金属出现不同程度的积累，污灌农田以种植小麦、玉米和水稻为主。天津市污灌面积 23.40 万 hm^2，占灌溉总面积的 66%[9]。污灌区主要分布在武清区、宝坻区、东丽区、津南区、西青区、北辰区、静海县和宁河县[9]。污灌区土壤类型为偏碱性的盐化湿潮土，耕作层土壤容重为 1.46×10^{12} kg/km^3[10]。本文以 2005 年天津污灌区的作物初级废弃物为基础，对较大影响农业生态环境及人群健康的 Cd、As、Pb、Cu、Zn5 元素进行分析研究，评价该市污灌区作物初级废弃物（包括根和秸秆 2 部分）还田和燃用处置方式所带来的生态风险。

二、材料和方法

（一）初级废弃物中重金属总量的估算

由于我国 70% 以上的农作物秸秆为粮食作物秸秆，并且重金属在水稻、玉米和小麦三大作物的根与茎秆中的分布报道很多，三种作物根茎比参数容易获得。基于此，本文仅考虑 3 大粮食作物的根和茎秆的处理。污灌区粮食作物秸秆总产量估算公式：

$$PCS_i = \frac{A_{si} \times PCS_t}{A_t} \times R_i$$

式中：PCS_i 为污灌区某一类粮食作物秸秆总产量，kg，$i = 1$，2，3，分别代表水稻、玉米、小麦；A_{si} 为污灌区耕地总面积，km^2；PCS_t 为全市粮食作物秸秆总产量，kg；A_t 为全市耕地总面积，km^2，R_i 为相应作物秸秆产量在全市秸秆总产量中的比率，%。水稻、玉米、小麦作物根系产量的估算公式为：

$$PCR_i = PCS_i \times \frac{R}{S_i}$$

式中：PCR_i 为污灌区某一类粮食作物根生物量，kg；PCS_i 为污灌区相应粮食作物秸秆总产量，kg；$\frac{R}{S_i}$ 为相应粮食作物根和秸秆生物量比率，无量纲。秸秆产量乘以秸秆中某重金属浓度得到秸秆中该重金属的量，根产量乘以根中该重金属浓度得到根中该重金属的量，秸秆和根中重金属的量之和为该农作物某一重金属总量，水稻、玉米、小麦中该重金属总量相加得到该重金属总量。某重金属总量的估算公式为：

$$MHM_i = PCS_i \times CS_i + PCR_i \times CR_i$$

式中：MHM_i 为某重金属总量，kg，$i = 1$，2，3，分别代表水稻、玉米、小麦；PCS_i 为某一粮食作物的秸秆产量，kg；CS_i 为秸秆中某重金属的质量分数，mg/kg；PCR_i 为作物的根产量，kg；CR_i 为根中某重金属的质量分数，mg/kg。以上各参数具体数值见表 1。

表 1　水稻、玉米、小麦根和秸秆产量及重金属总量的估算参数

	秸秆产量 PCS/万 t	秸秆产量质量分数 R / %	耕地总面积 A/km^2	根草比 R/S	秸秆中重金属浓度 CS/(mg/kg)					根中重金属浓度 CR/(mg/kg)				
					Cd	As	Pb	Cu	Zn	Cd	As	Pb	Cu	Zn
水稻	—	8.27	—	0.615	4.96	3.63	65.71	28.63	787.00	15.52	4.21	15.80	32.15	30.10
玉米	—	61.51	—	0.107	0.61	0.91	4.53	4.55	34.30	0.80	4.21	15.80	32.15	30.10
小麦	—	30.22	—	0.596	0.28	1.50	4.04	5.51	27.83	0.71	6.58	13.71	16.12	70.01
总计	179.56	100.00	4436.90	—	—	—	—	—	—	—	—	—	—	—
数据来源	[9, 11]													

（二）耕作层土壤重金属的年输入速率

耕作层土壤某重金属年输入速率的估算公式为：

$$AIR = \frac{\sum_{i=1}^{n} MHM_i}{BD \times A_s \times h} \times 10^5$$

式中：AIR 为污灌区耕作层土壤某重金属年输入速率，kg，$i = 1$，2，3，分别代表水稻、玉米、小麦；BD 为污灌区土壤容重，kg/km^3；A_s 为污灌区耕地总面积，km^2；h 为污灌区耕作层土壤厚度，cm。

（三）情景假设

情景Ⅰ：作物根和秸秆直接还田。模型假设描述为①假设所有作物根和秸秆都直接进入还田过程；②所有重金属进入表层土壤（0 ~ 20 cm）。

情景Ⅱ：作物根和秸秆燃用（烧）。模型假设描述为：①假设所有根和秸秆都进入焚烧过程，焚烧灰分中，30%为飞灰，70%为低灰；②假设污染控制措施设施的效率为99%，即只有1%的飞灰进入大气，所有捕获的低灰和飞灰进入还田过程。

情景Ⅲ：作物根和秸秆部分还田和部分燃用（烧）。模型假设描述为：①假设还田和燃用处置的根和秸秆的比例各占50%，焚烧灰分中，30%为飞灰，污染控制设施效率为99%，70%为低灰；②低灰和除尘设施捕集的飞灰全部进入还田过程。

（四）生态风险预警评估方法

生态风险预警源于生态风险评价，不仅能定量分析和评价污染程度，还能通过定量评价值与警度内涵的关联，实现定性分析。本文研究土壤重金属生态风险预警评估采用生态风险指数（I_{ER}）进行表征，狭义预警，即仅指对自然资源或生态风险可能出现的衰竭或危机而建立的报警。公式为：

$$I_{ER_i} = \frac{AC_i}{RC_i} - 1$$

$$I_{ER} = \sum_{i=1}^{n} I_{ER_i}$$

式中：I_{ER_i} 为超过临界含量的第 i 种重金属生态风险指数，无量纲；AC_i 表示第 i 种重金属的实测含量（mg/kg）；RC_i 表示第 i 种重金属的临界浓度（mg/kg）；I_{ER} 表示生态风险指数。由于污灌区是农田，对土壤环境质量要求较高，故采用我国绿色食品产地环境标准（NY/T 391—2000）给出的限定值进行评估，见表2。生态风险判别标准为：

$I_{ER} \leq 0$ 无警，$0 < I_{ER} \leq 1$ 预警，$1 < I_{ER} \leq 3$ 轻警，$3 < I_{ER} \leq 5$ 中警，$I_{ER} > 5$ 重警[8,12]。

表2　绿色食品产地土壤重金属污染的限量标准

耕作条件	pH	Cd/(mg/kg)	As/(mg/kg)	Pb/(mg/kg)	Cu/(mg/kg)	Zn/(mg/kg)
旱田	7.5～8.3	≤0.4	≤20	≤50	≤60	≤300

三、结果与讨论

（一）作物根系、秸秆中重金属的年产量

天津污灌区主要农作物（水稻、玉米和小麦）秸秆和根中的重金属总量见表3。表3表明污灌区作物初级废弃物中重金属总量非常大，以Cd和As为例，3种作物根和秸秆中Cd和As总量分别为175万t/a和879万t/a。从表3可知，Cd、As、Pb和Cu在农作物根中的含量分别是秸秆中含量的1.1倍、6.1倍、3.3倍、2.0倍；而Zn在作物根中的含量为秸秆中含量的30%，相差不大。“根多茎少”的总量分布特征表明农作物初级废弃物的生态风险主要来自地下部分。作物初级废弃物中，Cd、As、Pb、Cu和Zn在秸秆或者根中的总量表现一致，即Zn > Pb > Cu > As > Cd，而Cu和Pb，Cd和As总量相差较小。

表3　天津污灌区作物秸秆和根系中重金属年产量

重金属	作物初级废弃物类别	
	秸秆（水稻＋玉米＋小麦）	根系（水稻＋玉米＋小麦）
Cd /（mg/a）	8.27×10^{14}	9.18×10^{14}
As /（mg/a）	1.24×10^{15}	7.54×10^{15}
Pb /（mg/a）	8.95×10^{15}	2.34×10^{16}

重金属	作物初级废弃物类别	
	秸秆（水稻＋玉米＋小麦）	根系（水稻＋玉米＋小麦）
Cu／（mg/a）	6.47×10^{15}	1.32×10^{16}
Zn／（mg/a）	8.96×10^{16}	2.69×10^{16}

（二）污灌区土壤重金属的输入速率

由表4可知，3种情景下，农作物初级废弃物处理对土壤Cd、As、Pb、Cu、Zn的输入速率几乎相同。但无论哪种情景，5种元素对土壤重金属的输入速率排序为：Zn ＞ Pb ＞ Cu ＞ As ＞ Cd。

表4　天津污灌区耕作层土壤的重金属年输入速率

情景	Cd/（mg/kga）	As/（mg/kga）	Pb/（mg/kga）	Cu/（mg/kga）	Zn/（mg/kga）
情景Ⅰ	2.55×10^{-3}	1.28×10^{-2}	5.61×10^{-2}	2.87×10^{-2}	1.70×10^{-1}
情景Ⅱ	2.54×10^{-3}	1.28×10^{-2}	5.59×10^{-2}	2.86×10^{-2}	1.70×10^{-1}
情景Ⅲ	2.55×10^{-3}	1.28×10^{-2}	5.60×10^{-2}	2.86×10^{-2}	1.70×10^{-1}

（三）重金属污染生态风险预警评价

为了确定污灌区作物初级废弃物处理造成的土壤重金属污染生态风险，需要运用生态风险预警评价方法[8,12]对3种处置情景下的生态风险进行评价。Cd、As、Pb、Cu、Zn的生态风险指数及其总的生态风险指数见表5。采用生态风险指数（I_{ER}）进行表征土壤重金属污染现状，评价结果表明：I_{ER}由表5可知，3种情景下，农作物初级废弃物处理对土壤造成的Cd、As、Pb、Cu、Zn的生态风险指数（I_{ER_i}）相同，约为－1，评价结果为无警，总的生态风险指数（I_{ER}）也相同，约为－5，评价结果为无警。运用生态风险预警评价方法首次对农作物根和秸秆不同处置方式造成的潜在健康风险进行定量评价。

表5　3种情景下天津污灌区农田重金属引入生态风险预警

情景	I_{ER_i}					I_{ER}
	Cd	As	Pb	Cu	Zn	
情景Ⅰ	－0.994	－0.999	－0.999	－1.000	－0.999	－4.991
情景Ⅱ	－0.994	－0.999	－0.999	－1.000	－0.999	－4.991
情景Ⅲ	－0.994	－0.999	－0.999	－1.000	－0.999	－4.991

本研究主要采用了生态风险评价方法，在3种情景中仅考虑了作物初级废弃物处理重金属输入造成的土壤重金属生态风险。而实际上，秸秆还田后，重金属通过径流作用可以进入水体，燃用后可以进入大气，废弃物处理后重金属造成的污染为多介质，生态风险评价也应该包含的大气和水体重金属污染带来的生态风险。因此，有必要加强对污灌区废弃物处理过程中土、水和气的综合监测，从而为污灌区废弃物管理和研究提供重要参数。另外，生态风险评价预警结果为无警，不表示不产生人类健康风险危害。如燃用处置（包括炊用、焚烧和能源化利用）会给成人和儿童造成不可接受的非致癌性健康风险（未发表数据）。

四、结　论

1. 天津市污灌区农作物（水稻、玉米和小麦）初级废弃物（根和秸秆）中重金属总量年均产量高，废弃物中其分配格局为“根多茎少”，重金属总量排序为：Zn > Pb > Cu > As > Cd。

2. 污灌区作物初级废弃物处理会给农田土壤输入重金属，3 种处置方式下，同种重金属的年输入速率相同，其速率排序为：Zn > Pb > Cu > As > Cd。

3. 生态风险预警评估得出：3 种处置情景下，重金属（Cd、As、Pb、Cu、Zn）造成的生态风险相同，均属于无警，综合评价 $I_{ER} = -4.991$。

参考文献

[1] 李海华，刘建武，李树人，等．土壤—植物系统中重金属污染及作物富集研究进展［J］．河南农业大学学报，2000，34（1）：30－34.

[2] 李铭红，李侠，宋瑞生．受污农田中农作物对重金属镉的富集特征研究［J］．中国生态农业学报，2008，16（3）：675－697.

[3] Matthieu F，Cynthia G，Raphal L，et al. Prediction of cadmium and zinc concentration in wheat grain from soils affected by the application of phosphate fertilizers varying in Cd concentration［J］. Nutrient Cycling in Agroecosystems，2009，83（2）：125－133.

[4] 车飞，于云江，胡成，等．沈抚灌区土壤重金属污染健康风险初步评价［J］．农业环境科学学报，2009，28（7）：1439－1443.

[5] 谢华，廖晓勇，陈同斌，等．污染农田中植物的砷含量及其健康风险评估——以湖南郴州邓家塘为例[J]．地理研究，2005，24（1）：151－159.

[6] 孙卉，韩晋仙，马建华．开封市化肥河污灌区小麦重金属含量及其健康风险评价［J］．农业环境科学学报，2008，27（6）：2332－2337.

[7] 赵勇，李红娟，孙治强．土壤、蔬菜 Cd 污染相关性分析与土壤污染阈限值研究［J］．农业工程学报，2006，22（7）：149－153.

[8] Rapant S，Kordik J. An environmental risk assessment map of the Slovak Republic：application of data from geochemical atlases［J］. Environmental Geology，2003，44（4）：400－407.

[9] 王祖伟，李宗梅，王景刚，等．天津污灌区土壤重金属含量与理化性质对小麦吸收重金属的影响［J］．农业环境科学学报，2007，26（4）：1406－1410.

[10] 马俊永，李科江，曹彩云，等．有机－无机肥长期配施对潮土土壤肥力和作物产量的影响［J］．植物营养与肥料学报，2007，13（2）：236－241.

[11] 毕于运，王道龙，高春雨，等．中国秸秆资源评价与利用［M］．北京：中国农业科学技术出版社，2008.

[12] Rapant S，Dietzová Z，Cicmanová S. Environmental and health risk assessment in abandoned mining area，Zlata Idka，Slovakia［J］. Environmental Geology，2006，51：387－397.

江河湖库底泥重金属污染治理新技术

邢海涛　项铁丽

（天津市环保技术开发中心　天津市南开区复康路17号　300191）

摘　要　江河湖库污染治理工程是一项复杂的环境整治工程，其中底泥疏浚及干化处理是工程重点。受重金属污染的流域治理存在技术难点，采用环保疏浚、土工管袋脱水、重金属固化稳定化新技术对受重金属污染底泥进行治理后，最终根据污染程度进行分质处置，回用于路基填土或填埋处理；对堤岸改造为生态型护岸。采用上述技术对受重金属污染的江河湖库底泥进行治理将成为发展趋势。

关键词　污染底泥　重金属污染　环保疏浚　土工管袋　固化/稳定化　生态堤坝

一、环保疏浚

（一）底泥疏浚方式比选

疏浚污染底泥意味着将污染物从水域系统中清除出去，可以较大程度地削减底泥对上覆水体的污染贡献率，从而起到改善水环境质量的作用。底泥疏浚是水域污染治理过程中普遍采用的措施之一，也是污染底泥治理的关键一环。尤其对于底泥以重金属污染为主的江河湖库，选择合适的底泥疏浚方式，既可控制底泥中的污染物通过泥——水界面向上覆水体扩散，以降低污水处理的难度；又可控制底泥中有毒有害物质向库区周边环境空气中挥发和扩散，避免给人体带来潜在的风险和危害。

底泥疏浚技术主要包括三种形式，即工程疏浚、环保疏浚和生态疏浚。各形式技术对比[2]详见表1。

表1　底泥疏浚技术对比表

项目	工程疏浚		环保疏浚	生态疏浚
	干法作业	湿法作业		
出泥含水率	较低	较高	较高	较高
疏浚底泥体积	较小	较大	较大	较大
施工进度	较慢	较快	较快	较快
工程施工条件	较差	较好	较好	较好
环境污染控制	较差	较好	较好	较好
对水体扰动程度	无	较大	较小	较小
疏浚精度控制	较低	较低	较高	较高
生态修复条件	差	较差	较好	好
工程技术成熟性	高	高	较高	较低

工程疏浚中的干法作业具有出泥含水率低、体积小的特点，但其操作过程中会使治理流域含有重金属的底泥长时间暴露于空气中，极易对周边环境和操作人员产生危害，因此不能满足工程需要；而湿法作业虽然很好地控制了对环境的二次污染问题，但其挖泥船绞刀的设计形式，决定了其在操作过程中会对水体产生较大的扰动，从而使底泥中的污染物质向上覆水体中迁移，对今后的污水处理带来不利影响，因此也不宜采用。生态疏浚是一种新兴的疏浚模式，主要强调控制底泥的清淤厚度，为今后介入生态修复创造条件。其不适用于疏浚底泥受到重金属的严重污染，本底调查底部未见大范围生物群落的流域，同时生态疏浚技术还不够成熟，具有一定环境风险。环保疏浚是一种成熟的疏浚技术，其操作过程处于一种完全封闭的状态，不会对操作工人和环境产生二次污染；而且其独特的绞刀设计可以最大限度地避免对水体的扰动，有较高的施工精度，能相对合理地控制疏浚深度，控制污染的扩散。近年来我国以控制湖泊富营养化为目的，先后在昆明滇池、安徽巢湖、大理洱海、北京颐和园昆明湖等湖泊进行了疏浚[3]。

（二）环保疏浚技术特点

1. 采用新型的螺旋式绞刀挖泥船，绞刀在吸口两侧采用不同的螺旋方式，使泥土经螺旋槽输移至吸泥口，由泥泵吸入、排出。采用螺旋式绞刀，使新挖泥土接近原状，挖泥浓度较高达

70%左右。为防止泥在水中扩散，绞刀上加装有防护罩，减小了挖掘引起水的浑浊，为防止挖掘有机质底泥时产生的气体引起气蚀现象，在泥泵的吸入管路中装有除气装置。同时装设了污染监测系统以测量悬浮泥沙造成的浑浊度并控制污染。尽量减少泥沙搅动，以避免处于悬浮状态的污染物对周围水体造成污染。

2. 全球定位系统 GPS 在绞吸式挖泥船上得到应用。该系统使用精度高，开挖精度可达 5 ~ 10cm，平面和垂直定位都能有效控制。GPS 与相应的传感器和计算机连接，通过显示器可以控制挖掘底泥的精确位置，确定绞刀的位置[4]。

将环境本底调查的待治理流域水下地形数据和开挖土层分布的数字化模型在绞吸式挖泥船上进行应用，通过计算机屏幕可控制开挖厚度及高程。高定位精度和高开挖精度，彻底清除污染物，并尽量减少超挖量，即在保证环保疏浚效果的前提下降低工程成本。

3. 采用钢制输泥管密闭输送至底泥脱水减容场，与土工管袋通过 UPVC 进水干管、塑料进水软管密闭对接，防止泄漏。避免输送过程中的泄漏对水体造成二次污染。

4. 对疏浚的污染底泥进行安全处理，避免污染物对其他水系及环境的再污染。

5. 出泥含水率较高，疏浚底泥量较大。

图1 绞吸式挖泥船三维图

图2 绞吸式挖泥船工程实例图

二、土工管袋脱水减容

（一）脱水减容方式比选

水体疏浚淤泥的脱水预处理技术一般可分为三类：自然干化脱水、机械脱水、干燥脱水[5]。

鉴于对污泥处理、最终处置要求人工费用、土地使用要求的不断提高，目前采用大面积土地自然干化（脱水）的方式在国内外越来越少。底泥砂石杂质含量高的特性对脱水机都不利，容易损害机器；如果污泥量非常大，设备需要量很大，耗能大，因此污泥机械脱水并不适合工程底泥脱水[6]。吹填脱水结合了自然沉降和强化沥水，耗能低、费用低，但周期较长，占地大，对环境影响较大。

为了避免底泥长时间地暴露于大气中，底泥中的重金属尤其是汞对人体及周围环境的影响，需要土工管袋类封闭式的处理技术。

（二）土工管袋技术特点

土工管袋（Geotextile Tube 或 Geotube）是一种由高强土工织物制成的大型管袋及包裹体。其直径可根据需要变化，最大可达数十米。土工管袋最初用于围堤工程中，目前已被应用到环境保护、农业等领域。美国、澳大利亚、日本等国都有将土工管袋应用在环境保护方面的实例，如美国处理皮革厂废水、澳大利亚处理城市污水、日本围护受到二氧芭污染的土壤系统等[7-9]，我国也正逐步应用该项技术如昆明滇池淤泥疏挖工程。

土工管袋技术分为 3 步实施：

第一步是充填，采用高强度且可渗透的土工织物制造成实际需要的袋体，然后充填污泥进入袋体；

第二步是排水，由于构成袋体的土工织物有细小孔洞，它可截留污泥中的固体物（99% 的固体被截留），又可排出污泥中的水分，这样可有效地减少袋体中包容物的体积。袋体可重复进行充填，直至达到袋体材料容许高度，同时排出的水可回用；

第三步是固结，在多次充填和排水后，袋体中留下来的细颗粒物体将由于干燥作用会逐渐固结。固体体积能够减少 80%。袋体填充满后，内部的固体进行最终处置。

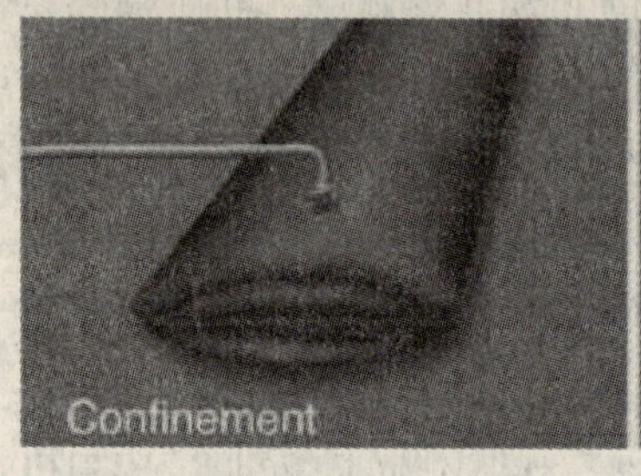

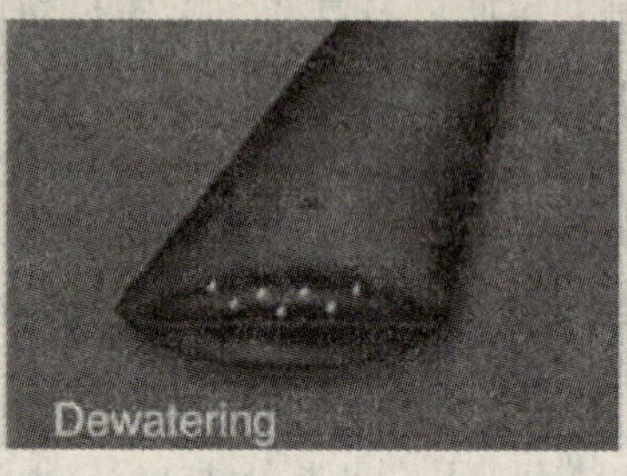

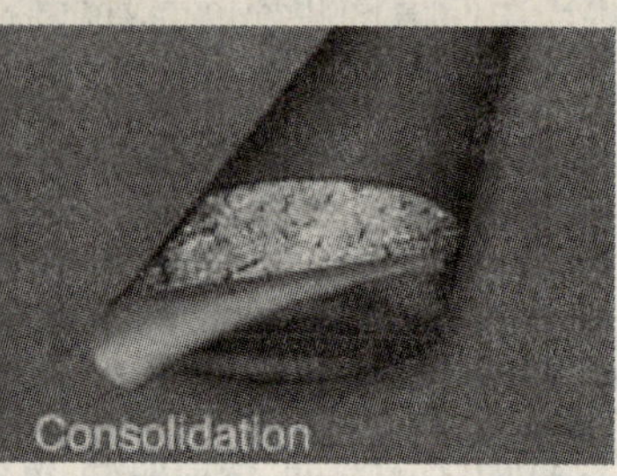

图 3　土工管袋脱水工程示例

土工管袋技术为解决疏浚底泥提供了一条新途径。土工管袋脱水耗能小，无需设备维护，可与填埋场地联合使用，省略了二次倒运，可达到全程封闭作业进行脱水，尤其适用于含汞的污染底泥的脱水减容。把高含水量的淤泥充填到土工织物袋里，加上荷载进行预压，能加快淤泥的排水固结。

实践证明采用土工管袋的方法既经济又快速。将含有污染物的泥浆充入土工管袋中通过袋体材料本身的滤水作用去除泥浆中的水。研究表明，充入袋体中 99% 的泥浆固体物会留下来体积减少 80% 以上，这样袋体可以反复充填，直到达到袋体允许高度大大缩小了废弃物的占有空间。同时从土工管袋中滤出的水比清理进去的淤泥混液中有害元素指标减少 92% ~96%[10]。

三、重金属固化稳定化

（一）底泥重金属活性控制技术

受污染流域底泥若如含有大量的重金属，清淤后若任其随意堆放，会对环境造成严重危害，主要表现在：侵占土地、污染土壤、污染水体等。

到目前为止，已发展了许多控制重金属活性的污染治理技术，其大部分是应用固化稳定化原理，来抑制污泥中重金属的活性，从而影响重金属生物有效性来降低重金属元素毒性。

这些重金属稳定化技术概括起来包括：pH 控制技术；氧化/还原电势控制技术；沉淀技术；固化/稳定化技术。对污染底泥进行治理后，最终根据污染程度进行分质处置，回用于路基填土或填埋处理[11]。

（二）固化稳定化技术特点

固化技术首先是从处理放射性废物发展起来的，欧洲、日本已应用多年，近年来，美国也很重视此项技术。今天，固化技术已应用于处理电镀污泥、砷渣、汞渣、铬渣等。我国已将该技术应用于处理电镀污泥的方面。

所谓固化处理是将一定比例的固体废弃物、固化稳定剂均匀混合，并发生反应，在一定湿度下养护、逐渐硬化，其方法包括固化和稳定化两个过程，可能发生如下一个或多个反应：化学吸附、沉淀、离子交换、钝化、表面络合、微观封装及化学结合。

固化是指固化稳定剂与废弃物混合后使废弃物变为不可流动性和紧密性固体的过程；稳定化是指固化稳定剂与废弃物产生化学反应，使废弃物中的重金属转变为低溶解性、低移动性和低毒性的物质。前者是物理过程，后者是化学过程[12]。

（三）固化稳定化技术效用

1. 固化稳定化技术对重金属的物理封闭效应

固化处理对重金属的封闭效应表现为两种形式：宏观表现为固化污泥整体性的提高引起透水性的降低，微观上表现为重金属离子被生成的水化产物所包裹或吸附于水化产物表面。这种宏观和微观上的封闭作用都可以减缓污染物溶出速率，起到物理封闭效应。

2. 固化稳定化技术对重金属的化学稳定作用

从化学条件来讲，固化材料和污泥中的水分发生水化反应能够提高污泥的 pH，并降低其 Eh，使重金属的形态由可溶态转化为不溶态。这种作用可以减少重金属随降水、地下水等载体再次进入周围环境的风险，起到化学稳定作用。

3. 固化稳定化技术对重金属的生物稳定作用

污泥中普遍存在着硫杆菌，硫杆菌的活动能够引起污泥化学环境的变化，进而影响重金属的稳定性。

固化稳定化后能够减少由于微生物活动造成重金属浸出的污染风险，经过固化后一方面 pH 和 Eh 的改变抑制了硫杆菌的活性；另一方面固化稳定化增强了对酸的缓冲能力，并能够保持较低的电位；同时固化处理能够对外界环境中微生物的侵入形成一定的缓冲作用，当微生物量不超出某一阈值，增加的生物量不会造成重金属的大量浸出，起到生物稳定作用[13,14]。

四、生态型护岸

堤坝的形式有：①浆砌块石堤坝；②混凝土堤坝；③生态堤坝，其对比详见表2。

表2 堤坝形式对比

项 目	浆砌块石堤坝	混凝土堤坝	生态堤坝
材 料	浆砌块石	现浇钢筋混凝土	土石 + 生态袋
占地面积	较小	最小	较小
材料来源	充足	充足	充足
造 价	较低	最高	较低
建设工期	较短	最长	较短
抗温度变形能力	较差，须采用伸缩缝等措施	差，须采用伸缩缝等措施	好
与防渗层结合性能	结合较差，易产生滑移	结合较差，易产生滑移	结合好，不易滑移
对环境的影响	较大	较大	无，且具有实现生态景观效果
对土地复用的影响	大	大	很小
可否植被覆盖	否	否	可
结构可靠性	易产生裂缝，发生渗漏	易产生裂缝，发生渗漏	不易破坏，且自修复能力较强

生态堤坝堤芯采用土石料，外贴软体环保材料，在土石坝施工过程中，通过标准连接扣把加筋格栅及生态袋紧密相连，形成三角形复合内锁结构（见图5），从而降低堤坝的坡比，减少土地占用。同时生态袋具有透水不透土的过滤功能，既能防止填充物（土壤和营养成分混合物）流失，又能实现水分在土壤中的正常交流，植物生长所需的水分得到了有效的保持和及时的

补充[15]。

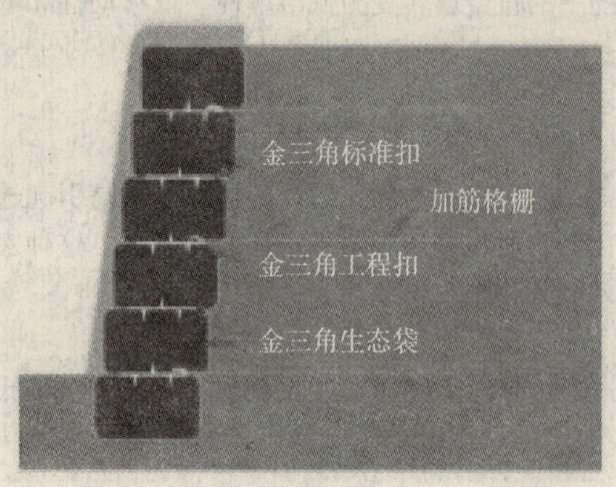

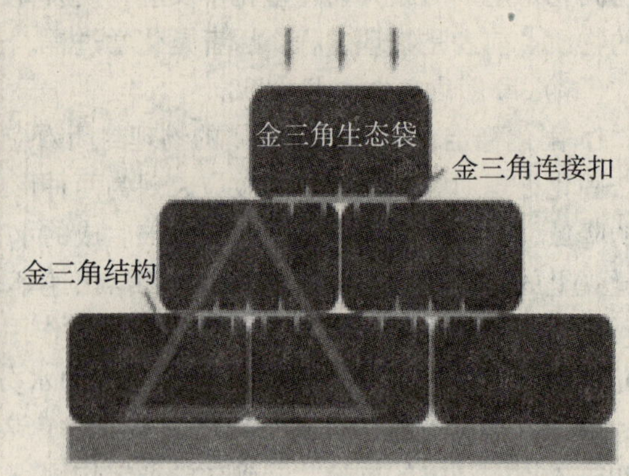

图4　生态堤坝三角形复合内锁结构图

生态型护岸技术的应用在发达国家已经有半个多世纪的历史了，它是伴随着人类渴望“亲近自然、回归自然”的理念而发展起来的。生态型护岸在水陆生态系统之间架起一道桥梁，对两者间的生物流、能流、物流等发挥着廊道、过滤器和天然屏障的功能。在治理水土污染、控制水土流失、加固堤岸、增加动植物种类、提供生态系统生产力、调节微气候和美化环境等方面都发挥着巨大的作用。

生态堤坝的材料以土石为主，其优点是就地取材，结构简单，抗震性能好，对地形和地质条件适应性强，且无需设置伸缩缝，降低了施工难度。生态填充袋对植物非常友善，使植物穿过袋体自由生长。根系进入工程基础土壤中，如无数根锚杆完成袋体与主体间的稳固作用，时间越长，越加牢固，实现稳定性永久边坡，大大降低维护费用[16]。

硬体材料的堤坝和护坡长期在工程中广泛使用，但近期随着景观生态功能的要求，硬体材料的不适应性显得尤为突出，硬体材料隔断了水生态系统和陆地生态系统的联系，改变了自然河岸的生态功能和结构，破坏了江河的生态过程，从而导致江河自身净化能力和恢复能力的降低。硬质护坡和生态护坡工程实例见图5、图6。

图5　硬质护坡工程实例

图6　生态护坡工程实例

五、结　语

江河湖库整体治理是生态修复的前提，治理过程中应注重不对周围环境造成二次污染。环保疏浚、土工管袋脱水、重金属稳定化治理技术路线的操作过程始终处于完全封闭的状态，不会对操作工人和环境产生二次污染。采用固化稳定化技术对清淤底泥进行处理，可避免重金属等有害物质释放至周围环境中，避免了处理处置过程中非稳定态重金属再次迁移释放的风险。生态型护岸技术不会阻断河岸土体与水体的物质交流，既保持生态系统完整性，又为水下部分生物提供栖息场所，并可分区域重构生态系统。重金属污染江河湖库治理新技术体现环境友好型，可确保治理工程的环境效益，属于治理过程中污染可控的治理技术路线。

参考文献

[1] 陈萍，张振营，李小山．废弃淤泥作为再生资源的固化技术与工程应用研究［J］．浙江水利科技，2006，6：1－3.

[2] 刘鸿亮，金相灿，荆一凤．湖泊底泥环境疏浚工程技术［J］．中国工程科学，1999，1（1）：81－84.

[3] 颜昌宙，范成新，杨建华．湖泊底泥环保疏浚技术研究展望［J］．环境污染与防治，2004，26（3）：189－193.

[4] 王经顺．污染底泥环保疏浚中挖泥精度的判定［J］．江苏环境科技，2006，19（6）：54－55.

[5] 胡保安．环保疏浚泥浆脱水干化技术研究进展［J］．水资源与水工程学报，2009，20（4）：132－136.

[6] 赵维强．城市污泥机械浓缩与离心脱水工艺研究［D］．济南：山东大学，2006.

[7] Ing E A, Ramiro R, Herbert R. Beach Restoration with Geotextile Tubes as Submerged Breakwaters in Yucatan, Mexico［J］. Geotextiles and Geomembranes, 2007, 25: 233－241.

[8] Horace K M, Douglas A G, Xinghua Mo. Testing Procedures to Assess the Viability of Dewatering with Geotextile Tubes［J］. Geotextiles and Geomembranes, 2002, 20: 289－303.

[9] Worley J W, Bass T M, Vendrell P F. Use of Geotex－tile Tubes with Chemical Amendments to Dewater Dairy Lagoon Solids［J］. Bioresource Technology, 2008, 99: 4451－4459.

[10] 朱远胜．土工管袋及其应用前景［J］．非织造技术与产业用纺织品，2005，12：75－77.

[11] Ferdinandy－van V lerken M M A. Changes for biological techniques in sediment remediation［J］. Water Sciences and Technology, 1998, 37: 345－353.

[12] 赵由才．危险废物处理技术［M］．北京：化学工业出版社，2003.

[13] 朱伟，吉顺健，李磊．污泥固化/稳定化技术现场试验研究［J］．环境科学与技术，2009，32（5）：131－134.

[14] 张长波，罗启仕，付融冰．固化剂对土壤中重金属的稳定作用及其在河岸固化护坡中的应用研究［J］．农业环境科学学报，2009，28（10）：2050－2056.

[15] 周利恩，尚彦，余建新．工程边坡生态防护技术［J］．云南农业大学学报，2006，21（4）：517－522.

[16] 刘娜娜，杨德全，张书宽．生态河道中护岸形式的探索及应用［J］．中国农村水利水电，2006，10：97－99.

浅谈垃圾焚烧飞灰熔融过程中重金属的迁移特性

钟秀萍　王俊坚
（北京大学深圳研究生院城市规划与设计学院
深圳循环经济重点实验室　深圳　518055）

摘　要　生活垃圾焚烧飞灰熔融处理技术是目前公认的最稳定、最安全的处理方法。重金属的迁移特性是熔融过程的研究关键。本文探讨了飞灰熔融固化机理，并对影响重金属迁移特性的各类因素（气氛、熔融温度等）进行了研究分析，指出熔融温度及添加剂对熔融过程中重金属迁移特性的影响是目前的研究热点与难点，对此方面进一步的研究探讨将有利于改善垃圾焚烧飞灰的处理效果及利用效率。

关键词　垃圾焚烧飞灰　熔融　重金属　迁移特性

一、引　言

生活垃圾焚烧飞灰是一种公认的危险废物，其中富集了大量的重金属以及一些二恶英类有机化合物等[1]，必须得到妥善的处理处置。目前，处理垃圾焚烧飞灰的方法主要有水泥固化、熔融固化、化学稳定化、酸或其他溶剂洗提等[2-5]。熔融技术无害化程度高、减量显著、产品稳定性高、运行费用适中，并可实现资源化利用等，成为目前公认的最稳定、最安全的处理方法[6-8]。

然而飞灰在熔融过程中，部分重金属会以气态形式挥发[9-14]，从而产生新的环境污染。因此重金属的固化控制是焚烧飞灰熔融固化技术的研究关键[15]。本文通过综述近年来相关研究者对此课题的研究成果，探讨了垃圾焚烧飞灰中重金属的熔融固化机理及迁移特性，并提出今后的研究方向，为飞灰熔融处理及资源化利用提供一定的参考价值。

二、垃圾焚烧飞灰重金属熔融固化机理

熔融是利用燃料的燃烧热及电热两种方式，在高温状况下，飞灰中的有机物发生热分解、燃烧及气化，而无机物则熔融成玻璃质炉渣[16,17]。飞灰中所含的沸点较低的重金属盐类，部分发生气化现象，部分则转移到熔渣中。灰渣中 SiO_2 在熔融处理中形成 Si－O 网状构造，把移入的熔渣金属包封固化在网目中，形成极稳定的玻璃质熔渣，重金属熔出的可能性大大降低[18,19]。或者在飞灰熔融过程通过添加一定量的重金属固化剂，使重金属与固化剂反应，生成难挥发的熔体，从而使重金属固定在熔渣中[20]。从炉内取出的熔渣，可将它水冷成细微固化物，或将它空冷成较大块状固化物后排出。熔融可达到飞灰减容 2/3 以上，并且排除了从垃圾焚烧飞灰中释放二恶英的可能。熔渣可作为路基材料，达到有效利用的目的[21,22]。

三、不同重金属熔融过程的迁移特性

飞灰熔融过程中重金属的迁移特性因元素不同呈现出较大差异[23,24]。Hg、Pb、As 和 Cd 属易挥发重金属[23]，挥发性依次为 $Pb > Cd > As > Hg$[25]，而在1 150℃时几乎全部挥发[23]。Zn 易形成 Zn_2SiO_4、$ZnSiO_3$ 和 $ZnAl_2O_4$ 等不易挥发的化合物，1 200℃时挥发率为 66.7%[25]，而在1 150℃时挥发率降至 40% ~50%[23]。Cr、Ni 和 Cu 属难挥发重金属，在1 150℃的挥发率不超过 10%[23]。其挥发率与它们的沸点负相关，由低至高排列为：$Cr < Ni < Cu$[25]。

四、熔融固化操作条件的影响

飞灰熔融过程中重金属的迁移或固化特性受操作条件的影响，主要包括熔融气氛、熔融温

度、制样压力、熔融时间、碱度、添加剂、冷却方式和熔融系统。

（一）气氛

垃圾焚烧熔融气氛主要有惰性、氧化性及还原性。在惰性气氛（如 N_2 气氛）下熔融时，Ni 和 Cu 的迁移率比在氧化性气氛下低，而 Cr 则相反[26]。在氧化性气氛下熔融时，重金属 Cr、Ni、Cu、As 在飞灰熔融体中的固化率与其熔沸点呈正相关。低沸点金属 Pb、Cd、Hg、Zn 等具有较高的蒸汽压，在熔融过程中极易变为气态，故它们的挥发性均较高[27]。在还原性气氛下熔融时，有利于 Ni、Cr、Cu、Pb 和 As 的固熔，而 Hg、Cd、Zn 更容易挥发。还原性气氛下的熔融效果明显优于氧化气氛，低沸点重金属的挥发率也高于氧化条件[27]。

（二）熔融温度

温度对不同种类重金属固化特性的影响差别较大[27]。在 400～1 150℃，温度的升高有利于 Hg、Cd、Cu、Zn、As、Ni 和 Pb 由可溶态向残渣态、铁锰氧化态转化，有利于它们的稳定；熔融温度为1 200℃时，Cu、As 和 Ni 固溶率达到最高[24]；在400～900℃，温度的升高有利于 Cr 的稳定，在 900～1 150℃，温度的升高却增加了 Cr 可熔态比例，不利于 Cr 的稳定[23]。飞灰在高温处理过程中 Hg、Pb、As 和 Cd 等重金属挥发严重，因此产生的烟气应进一步处理，以防重金属挥发到大气中造成二次污染[23]。

（三）制样压力

李润东等[9]研究了制样压力对重金属残留率的影响，表明制样的压力越高，飞灰的内部结构就越致密，重金属就越不容易逸出，残留率越高。某些重金属只是在某个区域有固化最大值，如 Cr 和 Ni。

（四）熔融时间

不同飞灰中重金属挥发特性受时间影响产生不同结果[26]。对于大多数重金属而言，随着时间的增加，重金属残留率逐渐降低[9]，而对 Cu、As 的残留率却有相反影响。挥发性重金属 Pb、Cd 和 Hg 的挥发率在 30min 内达 95% 以上[29]，受熔融时间影响较小。

（五）碱度

李润东等[11]研究了成分对垃圾飞灰熔融过程重金属迁移的影响，发现飞灰的碱度也会影响重金属的固化率，碱度增大不利于多种重金属的固化，并且对于多种重金属综合固化率存在一个最佳固化效果的碱度临界值，实验确定其值在 1.0 附近。王学涛等[28]也研究了碱度的影响，表明碱度变化对 Cr、Ni、Cu、Zn 和 As 的固化率影响显著，而 Pb、Cd、Hg 的挥发率几乎不受碱基度影响。

（六）添加剂

目前飞灰熔融过程中常用的添加剂有：CaO、SiO_2、MgO、液体陶瓷（LC）添加剂、复合型添加剂 XD－4、玻璃粉和氯制剂等。

CaO 的添加对飞灰熔融过程中 Cr、Cu、Mn 的固化有抑制作用，挥发性重金属 As、Zn、Pb 的固化率亦随 CaO 添加量的升高而减小[29]，但重金属 Cd 除外[11]。当 CaO 添加量在 5% 时可有效地控制飞灰熔点，熔渣中晶体相的比例较少，稳定性较好[30]。在飞灰中添加 SiO_2，不仅降低飞灰碱度[11]，还可以降低飞灰的熔融温度[13,30]，从而使熔渣中玻璃态无定形物质增多，熔渣稳定性更好[30]，因此大多数重金属的固化率都有所增加[11]。其中对重金属 As、Cd、Zn、Pb 固化率的影响较大；对 Cu、Ni、Cr、Hg 的影响较小[29]，反而能加快重金属 Zn 的挥发。但大量添加 SiO_2 既不能达到减少飞灰挥发率的目的，也不能增加重金属的固化效果[12]。MgO 的添加对飞灰中硅酸盐或硅铝酸盐的网状结构有破坏作用，可降低熔融体黏度，可使熔渣中的玻璃态物质增多，晶体相转变为无定形熔渣[30]。对于重金属的固化率也有一定的影响。随着飞灰中 MgO 添加量的增加，除 Hg 外，其余重金属的固化率均有所提高，其中挥发性重金属 Zn、As、Cd、Pb 的固化率提高较为显著[29]。比较 CaO、SiO_2、MgO 三种添加剂对重金属的固化效果可知，固化率由高到低依次为 MgO、SiO_2、CaO[29]。

LC 对各种重金属固化的影响也因元素种类而异。加入 LC 有助于提高 Cr、Pb 和 Zn 的固化率，但使 Cd、Cu 固化率降低。不同的 LC 添加比例对各种重金属固化率存在不同程度影响[31]。姜永海等[13]研究开发了一种复合型添加剂 XD－4，该添加剂能够明显降低飞灰的流动温度及飞灰在高温处理时的挥发率，并可以很好地抑制重金属（如 Cu、Pb、Zn）的挥发。研究显示[15]，加入玻璃粉可使大部分重金属的固化率有所提高。氯剂的加入也有利于促进重金属的挥发[32]，当加入少量氯剂时，飞灰中重金属（Pb、Cd、Cu、Zn）的挥发率均可达 90% 以上，Pb、Cd 几乎可以做到完全去除，大大减小了飞灰的毒性。经此处理后的飞灰由于毒性减小可进一步作为资源再利用，挥发出的重金属也可以作为冶金原材料进行资源回收。

（七）冷却方式

高温熔融后的熔渣一般有水冷和空气冷却两种退温方式。对不易挥发的重金属 Cr、Zn、Ni 和 Cu，空气冷却方式的重金属固化率要比水冷方式的高。对易挥发的 Pb 和 Cd，两种冷却方式下的重金属固化率的影响与熔融温度有一定关系[26]。某些重金属水冷过程中会有一部分扩散到水中，其中以 Pb 最为突出，表明熔融工艺采用水冷却熔渣会产生含重金属废水，应该慎重选择[15]。

（八）熔融系统

飞灰熔融处理技术体系大致可分为燃料式熔融系统和电气式熔融系统两大类[33,34]。燃料式熔融系统包括表面熔融炉、内部熔融炉、焦炭熔融炉和回转式熔融炉；电气式熔融系统包括电弧电气式熔融炉、等离子体熔融炉和电热式熔融炉。

Nishigaki 等[35]在处理量为 5t/d 的表面熔融炉和等离子熔融炉上，对煤与垃圾混合焚烧炉的灰渣进行了熔融试验。Jimbo 等[36]研究表明，飞灰经过直流等离子体熔融炉处理后，其中的有害元素得到有效控制，熔渣中 Cd、Pb、Cr^{6+}、CN、As、甲基汞等的浸出浓度值远远小于国家规定的鉴别标准。王学涛等[37]构建了旋风熔融处理系统，确保了焚烧飞灰的高效熔融，并且熔融产物中 Zn、Cr、Pb、Cu、Cd、Hg 等重金属浸出率均非常低。其后又构建了煤气化——旋风熔融集成处理系统，对垃圾焚烧飞灰进行了流化床煤气化——旋风熔融集成处理试验研究，着重分析了空气—煤质量比（空煤比）和蒸汽—煤质量比（汽煤比）等因素对该系统处理过程中重金属行为的影响[38]。

五、结　语

熔融固化技术是目前最为先进的垃圾焚烧飞灰处理方法，相关的研究工作越来越多。分析飞灰熔融过程中影响重金属迁移特性的各种研究可以发现，熔融温度及添加剂的影响是目前的研究热点与难点。对此方面进一步的研究探讨将有利于改善垃圾焚烧飞灰的处理效果及利用效率。

参考文献

[1] 万晓，王伟．垃圾焚烧飞灰中重金属的分布与性质［J］．环境科学，2005，26（3）：172－175.

[2] Sakai S，Hiraoka M，et al. Municipal solid waste incinerator residue recycling by thermal processes［J］. Waste Management，2000，20：249－258.

[3] Sorensen M A，Mogensen E P B，undtorp K L，et al. High temperature of bottom ash and stabilized fly ashes from waste incineration［J］. Waste Management，2001，21（6）：555－562.

[4] 姜永海，席北斗，李秀金，等．垃圾焚烧飞灰熔融固化处理过程特性分析［J］．环境科学，2005，26

(3)：176－179.

[5] 赵光杰，李海滨，赵增立．燃料式熔融固化垃圾焚烧飞灰的实验研究［J］．环境工程，2005（5）：56－59.

[6] Panne U，Clara M，Haisch C，et al. Analysis of glass and glass melts during the vitrification of fly and bottom ashes by laser－induced plasma spectroscopy. Part Ⅱ. Process analysis Spectrochimica Acta Part B，1998，53：1969－1981.

[7] Cheng T W，Ueng T H，Chen Y S，et al. Production of glass－ceramic from incinerator fly ash. Ceramics International，2002，28：779－783.

[8] Karamanov A，Pelino M，Salvo M，et al. Sintered glass－ceramics from incinerator fly ashes. Part Ⅱ. The influence of the particle size and heat treatment on the properties. Journal of the European Ceramic Society，2003，23：1609－1615.

[9] 李润东，王建平，王雷，等．垃圾焚烧飞灰烧结过程重金属迁移特性研究［J］．环境科学，2005，26(6)：186－189.

[10] 张晓萱，席北斗，王琪，等．垃圾焚烧飞灰熔融过程中重金属的固化机理以及熔渣浸出特性的研究［J］．环境污染与防治，2005，27（5）：330－334.

[11] 李润东，聂永丰，王雷，等．成分对垃圾飞灰熔融过程重金属迁移的影响［J］．清华大学学报（自然科学版），2004，44（9）：1180－1183.

[12] 姜永海，席北斗，李秀金，等．SiO_2 对垃圾焚烧飞灰熔融固化特性的影响［J］．环境科学研究，2005，18：71－73.

[13] 姜永海，席北斗，李秀金，等．添加剂对垃圾焚烧飞灰熔融特性的影响［J］．环境科学，2006，27(11)：2288－2292.

[14] Jung C H，Matsuto T. Behavior of metals in ash melting and gasification－melting of municipal solid waste（MSW）［J］. Waste Management，2005，25：301－310.

[15] 李润东，李彦龙，王雷，等．焚烧飞灰熔融过程重金属迁移特性中试研究［J］．环境科学，2007，28(12)：2873－2876.

[16] 国家环境保护总局污染控制司．城市固体废物管理与处理处置技术［M］．北京：中国石化出版社，1999.

[17] ［日］作华济夫，等．玻璃手册［M］．北京：中国建筑工业出版社，1985.

[18] 周敏，杨家宽，肖明丹，等．垃圾焚烧飞灰熔融固化技术［J］．环境卫生工程，2006，14（5）：1－3.

[19] 杜英智，张蕾，高轩．垃圾焚烧炉灰渣熔融处理技术的研究进展［J］．能源工程，2006，1：36－40.

[20] 陈德珍，张鹤声，龚佰勋．垃圾焚烧炉飞灰的低温玻璃固化初步研究［J］．上海环境科学，2002，21(6)：344－350.

[21] Sakai S，Hiraoka M. Municipal Solid Waste Incinerator Residue Recycling by Thermal Processes［J］. Ash Management，2000，20：249－258.

[22] Chang N B，Wang H P，Huang W L. The Assessment of Reuse Potential for Municipal Solid Waste and Refuse－derived Fuel Incineration Ashes［J］. Resources，Conservation and Recycling，1999，25：255－270.

[23] 张海英，赵由才，祁景玉．生活垃圾焚烧飞灰重金属的受热特性［J］．环境污染与防治，2007，29（1）：9－13.

[24] Wang K S，Lin K L，Lee C H. Melting of municipal solidwaste incinerator ? Ash by waste－derived thermite reaction［J］. Journal of Hazardous Materials，2009，162：338－343.

[25] 王学涛，金保升，仲兆平．垃圾焚烧炉飞灰熔融特性及重金属的分布［J］．燃料化学学报，2005，33(2)：194－199.

[26] 李润东，聂永丰，王雷，等．垃圾焚烧飞灰熔融过程重金属的迁移特性实验［J］．中国环境科学，2004，24（4）：480－483.

[27] 王学涛，金保升，仲兆平，等．气氛对焚烧飞灰熔融过程中重金属行为的影响［J］．中国电机工程学报，2006，26（7）：47－52.

[28] 王学涛，金保升，仲兆平．垃圾焚烧炉飞灰熔融处理前后的重金属分布特性［J］．燃烧科学与技术，

2006，12（1）：81－85.

［29］王学涛，金保升，仲兆平，等．添加剂对焚烧飞灰旋风熔融过程中重金属固溶率的影响［J］．中国电机工程学报，2006，26（24）：111－115.

［30］王学涛，金保升，仲兆平，等．添加剂对焚烧飞灰旋风熔融特性的影响［J］．燃料化学学报，2006，34（5）：553－556.

［31］李润东，聂永丰，李爱民，等．LC 添加剂对垃圾焚烧飞灰熔融过程重金属迁移特性的影响［J］．环境科学，2004，25（5）：1168－1171.

［32］严建华，李建新，池涌，等．垃圾焚烧飞灰重金属蒸发特性试验分析［J］．环境科学，2004，25（2）：171－174.

［33］张乃斌．垃圾焚烧厂系统工程规划与设计［M］．中华图书出版社，1996.

［34］Ishida M. The Demonstration Test of Burner Type Ash Melting System［J］. The Hitachi Zosen Technical Review，1995，56（2）：57－62.

［35］Nishigaki M. Reflecting surface－melt furnace and utilization of the slag［J］. Waste Management，1996，16（5/6）：431－443.

［36］Jimbo H. Plasma melting and useful application of molten slag［J］. Waste Management，1996，16（5/6）：417－422.

［37］王学涛，金保升，赵丹娜，等．焚烧飞灰旋风熔融炉的热态熔融试验［J］．动力工程，2007，27（5）：777－780.

［38］王学涛，曾宪阳，金保升，等．燃煤气化——旋风熔融集成处理焚烧飞灰的试验研究［J］．动力工程，2009，29（8）：777－782.

酸雨对污泥土地利用中重金属铜的环境效应影响研究

付新梅[1] 俞 珊[1] 李云飞[2] 唐 兵[2]

(1. 西南科技大学固体废物处理与资源化省部共建教育部重点实验室 四川 绵阳 621010;
2. 西南科技大学环境与资源学院 四川 绵阳 621010)

摘 要 本研究通过模拟土柱淋溶实验来研究污泥土地利用中重金属铜在土壤中的迁移行为以及对地下水的影响。结果表明污泥土地利用会明显增加土壤中铜的总量，但大部分集中在40cm以上的土壤中。与去离子水相比，模拟酸雨（pH=4.5）会使土壤中Cu的淋溶强度增加，并更能促使其向下迁移。经长期淋溶后发现，淋出液中铜的浓度呈现有起伏的递减趋势，最高峰浓度达到0.0702mg/L，低于地下水Ⅲ类标准（1.0mg/L）。

关键词 堆肥污泥 土柱 铜 淋滤 土壤 地下水

近年来，不少国家将城市污水厂污泥这类城市固体废弃物作为有机肥料用于农田种植，既解决了环境污染的问题，又开辟了新的肥源。但是污水厂污泥中含有较高的重金属，作为肥料施用可能会造成土壤重金属积累而导致土壤性质的破坏，故污泥农用中重金属的环境效益已经成为相关研究关注的焦点之一[1-4]。

铜作为污泥中的重金属元素之一，其含量较高，且毒性较大，污泥农用后是否对周围的环境产生较大影响值得进一步研究。关于污泥土地投放后重金属对土壤及地下水的环境效应已进行了多年的研究[2,5-7]，但目前对重金属的研究多属于短期的“静态瞬间状态研究”，即没有考虑污泥长期土地利用后固相介质中重金属的含量和形态分布可能会随环境条件和时间的变化而不断发生再分布现象。尤其在酸雨条件下，会导致土壤和水体酸化[8]，可能会加速污泥中的重金属离子溶出，进而加重土壤重金属的污染。

本文选择污泥土地利用中含量较多且毒性较大的重金属铜（Cu）作为研究对象，利用动态土柱淋滤试验这种“动态过程”对在酸雨作用下长期或大量污泥土地利用中Cu在土壤中的动态变化规律及其对地下水的潜在风险影响进行了系统的研究，更准确地模拟固相介质中重金属的潜在环境行为，这为污泥的土地利用研究提供了更便捷而可靠的方法，为污泥的资源化利用提供科学依据。

一、材料与方法

（一）实验土壤和污泥的采集

实验土壤采用绵阳市西南科技大学农科所旁的农田土，呈黄褐色，自地表向下取80cm的土样，每10cm一层，共8层分装带回，在自然状态下风干，过10目筛后备用；实验污泥采用绵阳市塔子坝污水处理厂经堆肥后的污泥，呈深黑色。污泥自然风干后，过10目筛后备用。

（二）土柱淋溶实验

1. 土柱的制备 实验装置采用75mm内径的PVC管，柱长1.3m，底部用相应的PVC堵头封口，并在内填充细密的纱布，防止土壤颗粒随淋出液流出，堵塞出水孔。堵头中间钻孔固定塑料管用于淋出液的流出。在PVC管中按顺序均匀装入备好的各层土壤，土壤装柱高度为80cm，然后在其上加入堆肥污泥，污泥装柱高度约20cm。

2. 淋溶方式 本研究将淋溶分为三个阶段，即短期（27d）、中期（54d）及长期（81d）连

本研究得到绵阳市科技计划项目（08S004-3），西南科技大学科研基金资助项目（03ZX7116）的资助。

续淋溶各为一次完整的淋溶过程，每天的淋溶量为150ml。淋溶过程分别选择模拟酸雨AR（simulated acidrain）及去离子水DIW（deionized water）为淋滤液。其中模拟酸雨的pH为4.5，其具体成分参考文献［9］，去离子水的pH为7.0。以上每种淋溶设两个重复样，首先用去离子水饱和土柱24小时后开始淋溶。用塑料瓶盛接淋出液，每隔一天收集一次淋出液，淋出液经0.45μm滤膜过滤后，加2滴浓硝酸待测。待测液用原子吸收光谱仪测定其中Cu的含量，判断其对地下水的影响。

（三）土柱中铜含量的测定

淋滤完成后，将土柱按照每10cm一层截开，分别取出各柱中每层的土壤风干后过100目筛备用。经淋滤后的土样中Cu总量采用盐酸—硝酸—高氯酸—氢氟酸全分解的方法消解，消解后的样品用原子吸光分光光度计测定其中Cu的含量。

二、结果与讨论

（一）施用堆肥污泥淋溶后对土壤中Cu总量的影响

本研究采用Cu含量的变化率来描述淋溶后各土层中的Cu含量较原土中的变化情况（见图1）。计算方法如下：

$$P = (P_2 - P_1)/P_1 \times 100\%$$

式中：P——Cu含量的变化率，%；

P_1——原土（淋溶前）各土层中的Cu含量，mg/kg；

P_2——淋溶后各土层中的Cu含量，mg/kg。

从图1可以看出，经过短期及中期淋溶，酸雨和去离子水作淋溶液分别在0~50cm和0~40cm的土壤中Cu含量有所增加；而对应的分别在50cm和40cm以下土壤中的Cu含量变化率反而为负值，说明通过短期及中期淋溶后污泥中的Cu大部分都只迁移至土壤上层，污泥中的Cu被上层土壤截留而未发生明显的向下层土壤迁移的现象，这可能与土壤对重金属的吸附机制有关。研究表明[10-11]，不同的金属离子之间存在着竞争吸附，在土壤中进行再分配。而土壤对Cu离子的吸附为专性吸附，竞争性较强，能将竞争性弱的金属离子从已经占据的吸附位上交换下来，因此大部分的Cu能被上层土壤滞留。另外，土壤中重金属的迁移与土壤有机质含量有关，Cu对有机质有很强的亲和性，在较为广泛的pH范围内，土壤溶液中的Cu可以和有机质结合形成稳定性较强的有机络合态Cu[12]。一般来说，上层土壤中的有机质含量较高，从污泥中淋溶出的Cu离子与这些有机质结合成稳定的络合物而滞留在上层中；下层土壤中的Cu却因土壤有机质含量很少而无法形成稳定的络合物，其中的小部分便随着淋溶液而淋出土柱，这从图1短期和中期淋溶后下层土壤中Cu含量较原土有所减少即可看出。另外，通过中期与短期淋溶后的土柱比较可以看出，随着淋溶时间的增加，上层土壤中的Cu有向40cm以下土壤迁移的趋势。然而，长期淋溶实验则不仅使土柱中上层土壤的Cu含量有明显的增加，甚至迁移到了下层。这说明随着淋溶时间的延长，污泥中的Cu被更多地释放出来，并随淋溶液向下迁移。

由图1可知，0~10cm土层经酸雨短期淋溶后Cu含量增加了13%，而经去离子水中期淋溶后才增加了13%，说明经去离子水淋溶后污泥中Cu的释放滞后于经酸雨淋溶的情况；且经酸雨短期和中期淋溶后土柱中的Cu从表层逐渐迁移至50cm的土壤中，而经去离子水短期和中期淋溶后土柱中的Cu仅迁移至40cm处；另外，经酸雨长期淋溶后，各层土壤中的Cu含量有了更为明显的增加，其中0~10cm土壤中Cu含量的增幅最大，达到73.0%，而去离子水长期淋溶后也有此现象，但该现象却不如酸雨淋溶后的明显，其0~10cm土壤中的Cu含量仅增加了29.4%，这说明酸雨更能促使污泥中Cu的溶出及向下迁移。

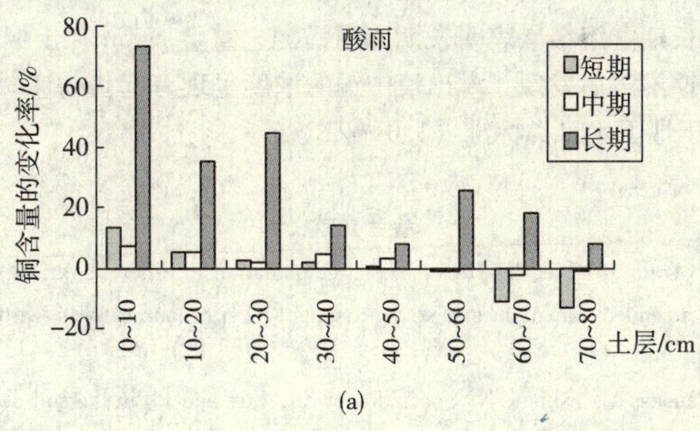

(a)

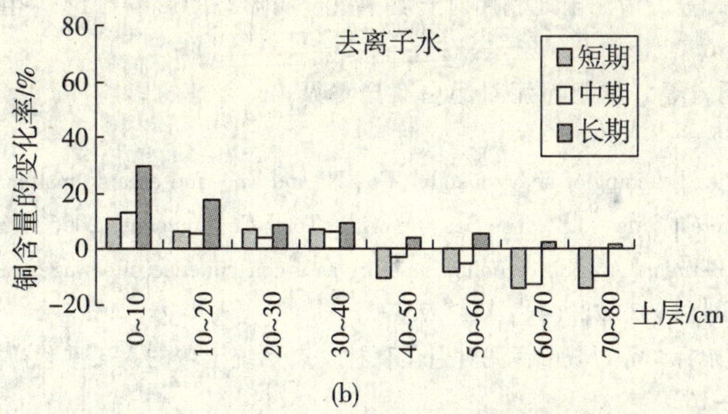

(b)

图 1　不同淋溶液淋溶后土柱中 Cu 含量的变化率

（二）堆肥污泥土地利用后对地下水的铜含量影响

图 2 给出了长期连续淋滤实验的两种淋出液中 Cu 含量的变化曲线。由图中可见两条曲线有相似的变化趋势，即随着淋溶时间的增加，淋出液中 Cu 的浓度由高到低有起伏的递减，并逐渐趋于平缓的变化规律。酸雨和去离子水这两种淋出液中的 Cu 含量都在前 11 天不断上升，并在第 11 天出现了第一个峰值，分别为 0.070 2mg/L 和 0.063 1mg/L，之后呈现下降的趋势。第 25 天淋出液中的 Cu 含量再次回升，到第 33 天出现第二个较大的峰值，之后便逐渐趋于平缓。

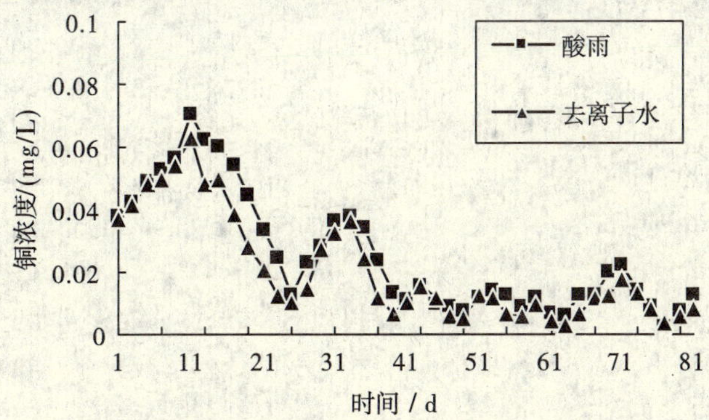

图 2　长期淋溶后淋出液中 Cu 含量的变化趋势

与去离子水相比，虽然模拟酸雨会促使土壤中 Cu 离子淋溶强度增加，增加了 Cu 污染地下水的风险，但是由图 2 可看出这一趋势并不是很明显。

三、结论

通过短期、中期及长期土柱淋溶实验表明，污泥土地利用会增加土壤中的 Cu 含量，但主要集中在上层土壤中；而长期淋溶结果表明长期施用污泥，重金属 Cu 在土壤中的积累是一个需要考虑的重要问题。经长期淋溶后发现，淋出液中铜的浓度呈现有起伏的递减趋势，最高峰浓度达到0.070 2mg/L，远低于地下水Ⅲ类标准（1.0mg/L）。

参考文献

[1] Jamali M K, Kazi T G, Arain M B, et al. Heavy metal accumulation in different varieties of wheat (Triticum aestivum L.) grown in soil amended with domestic sewage sludge [J]. Journal of Hazardous Materials, 2009, 164 (2-3): 1386-1391.

[2] Brazauskiene D M, Paulauskas V, Sabiene N. Speciation of Zn, Cu, and Pb in the soil depending on soil texture and fertilization with sewage sludge compost [J]. Journal of soils and sediments, 2008, 8 (3): 184-192.

[3] 马利民，陈玲，吕彦，等．污泥土地利用对土壤中重金属形态的影响［J］．生态环境，2004，13（2）：151-153.

[4] 俞珊，付新梅，罗勇，等．堆肥污泥对小白菜产量及 Cu 含量的影响［J］．世界农业，2008（11）：29-30.

[5] Toribio M., Romanya J. Leaching of heavy metals (Cu, Ni and Zn) and organic matter after sewage sludge application to Mediterranean forest soils [J]. The Science of the Total Environment, 2006, 363 (1-3): 11-21.

[6] Lamy I, Bourgeois S, Bermond A. Soil cadmium mobility as a consequence of sewage sludge disposal [J]. Journal of Environmental Quality, 1993, 22 (4): 731-737.

[7] 李贵宝，尹澄清，林永标，等．城市污泥对退化森林生态系统土壤的人工熟化研究［J］．应用生态学报，2002，13（2）：159-162.

[8] 张宇峰，姚敏，邵春燕，等．酸雨和有机配体（EDAT）对已污染红壤中稀土元素释放的研究［J］．农业环境科学学报，2005，24（1）：64-68.

[9] 朱静平．绵阳市酸雨污染特征分析［J］．西南科技大学学报，2003，18（2）：59-62.

[10] 何江，李朝生，王新伟，等．多离子体系中黄河沉积物对重金属的竞争吸附研究［J］．沉积学报，2003，21（3）：500-505.

[11] Atanassova I. Competitive effect of copper, zinc, cadmium and nickel on ion adsorption and desorption by clay soils [J]. Water Air Soil Pollut, 1999, 113: 115-125.

[12] 黄游，陈玲，李宇庆，等．模拟酸雨对污泥堆肥中重金属形态转化及其环境行为的影响．生态学杂志，2006，25（11）：1352-1357.

土壤重金属污染生物修复技术研究

吕晓龙

（石家庄市环境科学研究院　石家庄市体育南大街槐岭路32号　050022）

摘　要　土壤重金属污染已成为世界普遍关注的环境问题之一，我国重金属污染也十分严重。目前重金属污染土壤的修复方法有物理、化学和生物修复方法。本文着重介绍生物修复方法的类型、特点和存在不足及研究趋势。

关键词　土壤　重金属　生物修复

一、引　言

重金属污染已成为备受关注的全球性环境污染问题之一，我国重金属污染也十分严重。有资料表明[1]：我国重金属污染的农业土地面积约2 500万 m^2，每年被重金属污染的粮食多达1 200万t；农业部环保监测系统曾对全国24省、市320个严重污染区8 223万亩土壤调查发现大田类农产品超标面积占污染区农田面积的20%，其中重金属超标占污染土壤和农作物的80%。农业部调查表明：我国污灌区面积约 $140\times10^4 hm^2$，遭受重金属污染的土地面积占污染总面积的64.8%，其中轻度污染占46.7%，中度污染占9.7%，严重污染面积占8.4%，其中以Hg和Cd的污染面积最大。全国目前约有 $1.3\times10^4 hm^2$ 耕地受到Cd的污染，涉及11个省市的25个地区；约有 $3.2\times10^4 hm^2$ 的耕地受到Hg的污染，涉及15个省市的21个地区[2]。

目前，土壤重金属污染治理和修复主要从两方面着手：①活化作用增加重金属的溶解性和迁移性，去除重金属；②钝化作用改变重金属在土壤中的存在形态，降低重金属的迁移性和生物有效性[3,4]。基于这两种原理，人们提出物理、化学、生物等修复方法。物理修复包括客土、换土和深耕翻土等措施，该法效果显著、稳定，但工程投资大、易破坏土壤结构，并且高浓度污染水平的土壤，易增加对操作者的潜在危害；化学修复就是向土壤投入改良剂，通过对重金属的吸附、氧化还原、拮抗或沉淀作用，以降低重金属的生物有效性，该方法简单易行、效果显著而得到广泛应用，但是化学法也存在二次污染、土壤质量下降等问题；生物修复法是利用植物、微生物或动物自身特性来去除土壤中的重金属。

近年来，生物修复技术的出现和快速发展为土壤重金属污染修复提供了一条新途径[5]。生物修复技术是用于清除土壤重金属污染的绿色生态技术，是当前国内外环境污染修复的研究热点。

二、生物修复

生物修复是利用生物技术治理污染土壤的一种新方法。利用生物削减、净化土壤中的重金属或降低重金属毒性。由于该方法效果好，易于操作，日益受到人们的重视，成为污染土壤修复研究的热点。

（一）植物修复技术

植物修复技术是以植物忍耐和超量积累某种或某些重金属元素的理论为基础，利用植物及其共存微生物体系清除环境中的重金属。广义的植物修复技术包括利用植物修复重金属污染的土壤、利用植物净化空气、利用植物清除放射性核素和利用植物及其根际微生物共存体系净化土壤中有机污染物四个方面。狭义的植物修复技术主要是指利用植物清洁污染土壤中的重金属[6]，本文研究的是狭义的植物修复技术。

根据其作用过程和机理，重金属污染土壤的植物修复技术可分为植物稳定或植物固化、植物挥发和植物提取三种类型。

1. 植物稳定或植物固化

植物稳定或植物固化是利用特定植物的根或植物的分泌物固定重金属，降低土壤中有毒金属的移动性，从而减少重金属被淋滤到地下水或通过空气扩散进一步污染环境的可能性[7]。其机理主要是通过金属在根部的积累、沉淀或根表吸收来加强土壤中重金属的固化。如植物根系分泌物能改变土壤根际环境，可使多价态的 Cr、Hg、As 的价态和形态发生改变，影响其毒性效应。植物的根毛可直接从土壤交换吸附重金属增加根表固定[8]。

2. 植物挥发

植物挥发是利用植物的吸收、积累和挥发而减少土壤中一些挥发性污染物，即植物将污染物吸收到体内后将其转化为气态物质，释放到空气中。主要针对类金属元素汞和非金属元素硒。该方法利用植物及其根际微生物的作用，将土壤环境中的挥发性污染物挥发到空气中去，可谓一种有潜力的植物修复技术，但对人类和环境生态具有一定的风险。湿地上的某些植物可清除土壤中的 Se，其中单质占 75%，挥发态占 20% ~25%。挥发态的 Se 主要是通过植物体内的 ATP 硫化酶的作用，还原为可挥发的 CH_3SeCH_3 和 $CH_3SeSeCH_3$；Meagher 等把细菌体中的 Hg 还原酶基因导入芥子科植物，获得耐 Hg 转基因植物，该植物能从土壤中吸收 Hg 并将其还原为挥发性单质 Hg[9]。

3. 植物提取

植物提取这一概念是由 Chaney[10] 最早提出来的，即利用特定的植物，特别是重金属超积累植物从土壤中吸取一种或几种重金属，并将其转移、贮存到地上部，然后收获地上部植物并集中处理，连续种植这种植物，即可使土壤中重金属含量降低到可接受水平。该方法适合于从污染的土壤中去除重金属如 Pb、Cd、Ni、Cu、Cr 或土壤中过量的营养物质如 NH_4NO_3 等。植物提取是最彻底的、最有发展潜力的解决重金属污染的技术[11]。目前已发现有 700 多种超积累重金属植物，积累 Cr、Co、Ni、Cu、Pb 的量一般在 0.1% 以上，Mn、Zn 可达到 1% 以上。芥子草等对 Se、Pb、Cr、Cd、Ni、Zn、Cu 具有较强的累积能力；张健[12] 等发现杨树（Populusspp）对镉和汞有很好的削减和净化功能，可以用于镉和汞污染的土壤修复，当年生加拿大杨树对 Hg 的富集量可高达 6.8mg/株，为对照样本的 130 倍；薛生国[13] 等发现商陆科植物商陆对锰具有明显的富集特性，叶片内锰的含量可高达 19 299mg/kg；刘秀梅等[14] 发现羽叶鬼针草和酸模能够富集重金属铅，对铅有很好的耐性，能把绝大部分的铅迁移到茎叶，可以作为先锋植物去修复被铅污染的土壤。

（二）微生物修复技术

微生物在修复被重金属污染的土壤方面具有独特的作用。其主要作用原理是：微生物可以降低土壤中重金属的毒性；微生物可以吸附积累重金属；微生物可以改变根际微环境，从而提高植物对重金属的吸收、挥发或固定效率[15]。如动胶菌、蓝细菌、硫酸还原菌及某些藻类，能够产生胞外聚合物与重金属离子形成络合物；Macaskie 等分离的柠檬酸菌，分解有机质产生的 HPO^{2-4} 与 Cd 形成 $CdHPO_4$ 沉淀；李志超发现有些微生物能把剧毒的甲基汞降解为毒性小、可挥发的单质 Hg；Frankenber 等以 Se 的微生物甲基化作为基础进行原位生物修复[16]。耿春女[17] 等利用菌根吸收和固定重金属 Fe、Mn、Zn、Cu 取得了良好的效果。

三、土壤重金属污染生物修复技术存在不足及研究趋势

（一）土壤重金属污染生物修复技术存在不足

生物修复是一项新兴的高效修复技术，具有良好的社会、生态综合效益，并且易被大众接受。但是此项技术也存在很多的不足，例如，现在发现的许多超积累植物生长缓慢、植株矮小、地上部生物量小，生物量不足，成为实际应用中最大的限制；受到根系伸展深度的限制，植物修

复只适用于植物根系所能延伸的表土范围；一种植物往往只作用于1种或2种特定的重金属元素，而土壤的污染往往是多种重金属的复合污染，从而限制了在多种重金属污染土壤治理方面的应用前景；受到污染物生物有效性和污染物向地上部转运效率的限制，耗时一般较长，因而植物修复更适合于受轻度污染的土壤。

（二）土壤重金属污染生物修复技术研究趋势

以下几个方面将成为该领域研究的重点。

（1）超累积植物筛选与培育。超累积植物是在重金属胁迫条件下的一种适应性突变体，往往生长缓慢，生物量低，气候环境适应性差，具有很强的富集专一性。因此，筛选、培育吸收能力强，同时能吸收多种重金属元素，且生物量大的植物是生物修复的一项重要任务。

（2）分子生物学和基因工程技术的应用。随着分子生物技术迅猛发展，将筛选、培育出的超累积植物和微生物基因导入生物量大、生长速度快、适应性强的植物中去已成为现实，因此，利用分子生物技术提高植物修复的实用性方面将取得突破性进展。

（3）生物修复综合技术的研究。重金属污染土壤的修复是一个系统工程，单一的修复技术很难达到预期效果，必须以植物修复为主，辅以化学、微生物及农业生态措施，增加重金属的生物有效性，促进植物的生长和吸收，从而提高植物修复的综合效率。因此，生物修复综合技术将是今后重金属污染土壤修复技术的主要研究方向。

参考文献

[1] 周启星，宋玉芳．污染土壤修复原理与方法［M］．北京：科学出版社，2004.

[2] 陈怀满．土壤—植物系统中的重金属污染［M］．北京：科学出版社，1996：27－28.

[3] 陈玉娟，符海文，温琰茂．淋洗法去除土壤重金属研究［J］．中山大学学报（自然科学版），2001，40（2）：111－113.

[4] 夏星辉，陈静生．土壤重金属污染治理方法研究进展［J］．环境科学，1997，18（3）：72－76.

[5] 王华，曹启民，桑爱云．超积累植物修复重金属污染土壤的机理［J］．安徽农业科学，2006，34（22）：5948－5950.

[6] 余国营，吴燕玉．土壤环境中金属元素的相互作用及其对吸持特性的影响［J］．环境化学，1997，15（1）：30－36.

[7] Salt D E，Baker A J M. Phytoremediation of Metals［J］. Biotechnology，2001，11：386－397.

[8] 张从，等．污染土壤生物修复技术［M］．北京：中国环境科学出版社，2000.

[9] Meagher R B，et al. Engineering phytoremediation of mercury pollution in soil and water using bacterial genes［A］. Phycoremediation of contaminated soil and water 2000：201－219.

[10] Chaney R L. Plant uptake of inorganic waste constituents. In：Parr J F，eds. Land treatment of hazardouswastes［M］. Park Ridge，New York，Noyes Data Corportion，1983：50－76.

[11] 樊有赋，陈晔，詹寿发，等．植物与重金属污染的植物修复技术［J］．河北农学，2007，11（5）：73－75.

[12] 张健，孙根年．土壤重金属污染与植物修复研究进展［J］．云南师范大学学报，2004，24（2）：52－57.

[13] 薛生国．中国首次发现的锰超积累植物——商陆［J］．生态学报，2003，23（5）：935－937.

[14] 刘秀梅，聂俊华，王庆仁．6种植物对铅的吸收与耐性研究［J］．植物生态学报，2002，26（5）：533－537.

[15] 王建林，等．水稻根际中铁的形态转化［J］．土壤学报，1992，29（4）：358－363.

[16] 腾云，等．重金属污染土壤的微生物生态效应及其修复研究进展［J］．土壤与环境，2002，3（7）：51－55.

[17] 耿春女，等．菌根生物修复技术在沈抚污水管区的应用前景［J］．环境污染治理技术与设备，2002，3（7）：51－55.

加压氨浸法回收废线路板中的铜、锌和镍

王　猛[1,2]　曹宏斌[1]　张　懿[1]

（1. 中国科学院过程工程研究所　北京市海淀区中关村北二条1号　100190；
2. 天津大学化工学院　天津　300072）

摘　要　以氨水－铵盐缓冲溶液为浸出试剂，通过加压氨浸法回收废线路板中的铜、锌和镍，分别考察了氨水浓度、铵盐浓度、搅拌速率、氧气压力、温度、浸出时间和不同种类铵盐对浸出效果的影响，并得到浸出的最佳工艺条件：氨水浓度为4mol/L，碳酸铵浓度为1.00mol/L，搅拌速率为700rpm，氧气压力为0.2MPa，温度为55℃，浸出时间为150min。在优化条件下，锌完全浸出，铜的浸出率达到99.29%，镍的浸出率为65.74%，锡、铅和铁基本不浸出。对铜的加压浸出进行了动力学研究，表明铜的浸出过程遵循不生成固体产物层的“收缩核动力学模型”，其表观活化能为14.68kJ/mol，浸出过程为扩散控制。

关键词　加压氨浸　废线路板　动力学　活化能

随着电子设备更新换代速度的加快，电子废弃物产生量大大增加，其中废印刷电路板（PCBs）是电子废弃物的重要组成部分[1]。印刷电路板是几乎所有电子电气产品的基础元件，主要由塑料、玻璃纤维和金属等组成[2]，处理不当将对环境造成很大的危害[3]。废弃线路板中金属含量很高，金属品位相当于普通矿物的几十倍至上百倍，金属的总含量高达40%，最多的是铜，此外还有金、镍、锌和铅等，其中不乏稀有金属[4]。

废弃线路板处理技术很多，主要有机械处理法、火法冶金、生物提取和湿法冶金以及上述几种方法的联合[5,6]。机械处理技术以其环境污染小、操作简单、具有较高的处理效率和较好的经济效益而备受关注，但无法将各种金属单质彻底分离，因此只能作为金属单质回收的辅助手段；火法冶金由于污染严重已经逐渐被淘汰；生物技术具有投资少、回收效率高和环保等优点，但已知菌种少且难以培养，生产周期过长，距离工业化仍然具有一定距离；湿法冶金方法工艺流程较为复杂，化学试剂耗量大且易腐蚀设备，但成本相对低廉、金属回收率较高，且可以回收纯度较高的金属单质，工业应用前景广阔[7]。

传统湿法浸铜研究中常采用的浸出试剂为矿物酸，如硫酸、硝酸、盐酸等，但是其余大部分金属（如锡、铅等）也一并溶解，使后续金属的分离复杂化，同时矿物酸具有较强的腐蚀性，易腐蚀设备从而增加成本。本文采用加压氧气氨浸法选择性浸出PCBs中的铜、锌和镍，实现与锡、铅和铁的有效分离，对浸出的工艺参数进行研究和优化，并对铜的加压浸出过程进行了动力学研究。

一、实　验

（一）实验原料

用破碎机将废线路板粉碎成粒度小于200目的粉末，其主要金属含量列于表1，剩余成分为非金属粉末。

表1　主要金属含量　　单位：%

Cu	Ni	Zn	Sn	Pb	Fe
25	2	2	2	2	1

资助项目：中国科学院知识创新重要方向性项目（KZCX2－YW－412）。

实验所用药品有氨水、固态碳酸铵、氯化铵和硫酸铵，均为分析纯。

实验所用氧气为高纯氧气瓶提供，实验用水为去离子水。

（二）实验方法

取20g粒度小于200目的废线路板粉末加入高压釜内胆中，加入200ml用氨水和铵盐配置好的浸出试剂，然后将釜胆置入高压釜内加盖均匀用力密封，通过温控仪设定并调节到一定温度，通入一定压力的氧气同时开启搅拌开始浸出反应。实验过程中可以通过高压釜上的液相取样阀门进行定时取样。

废线路板的破碎实验采用温岭市林大机械有限公司制造的DFT2200型手提式高速粉碎机（粉碎室内径<125mm，高度85mm，电源电压（220±22）V，额定功率：（50±1）Hz，电机功率900W，转速25000r/min，粉碎细度50~200目，单次最大产量200g）。

浸出液中铜、镍、锌、锡、铅和铁的含量均采用ICP-OES（美国Perkin Elmer公司，Optimal 5300DV）测定。

二、结果与讨论

（一）氨水浓度对浸出率的影响

氨水-铵盐缓冲溶液是应用于湿法冶金中非常有效的浸出试剂，故本文采用氨水-碳酸铵缓冲溶液作为浸出试剂。为了得到适宜的浸出试剂组成，首先考察了氨水浓度对浸出率的影响，结果如图1所示。实验条件：碳酸铵浓度0.25mol/L，氧气压力0.2MPa，搅拌速率700rpm，温度55℃，浸出时间150min。

从图1中可以看出，当浸出试剂中氨水浓度为零，即未添加氨水只用碳酸铵浸出时，铜的浸出率只有29.01%，锌和镍的浸出率也很低。但一旦加入氨水后，金属的浸出率直线上升。当浸出试剂中氨水的浓度为2mol/L时，锌铜镍的浸出率分别为100%、90.94%和5.24%。

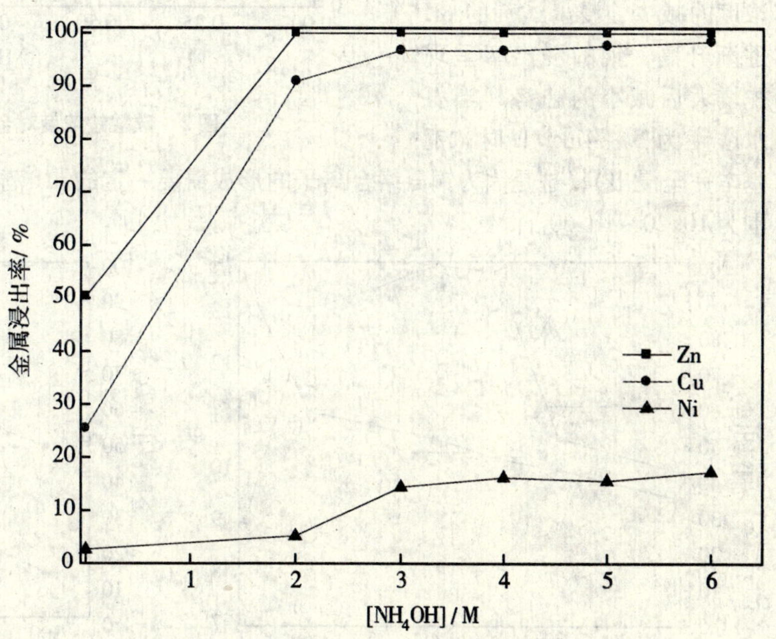

图1　氨水浓度对金属浸出率的影响

当氨水浓度达到4mol/L时，铜的浸出率达到96.66%，镍的浸出率达到16.20%，再增加氨水浓度，金属的浸出率变化已不大。因此本文选取适宜氨水浓度为4mol/L，试验中锡、铅和铁的浸出率均小于2%。

（二）碳酸铵浓度对浸出率的影响

在氨水浓度固定的条件下，考察了碳酸铵浓度对浸出率的影响，结果如图2所示。实验条件：氨水浓度为4mol/L，氧气压力0.2MPa，搅拌速率为700rpm，温度55℃，浸出时间为150min。

从图2可以看出，当未添加碳酸铵只用氨水浸出时，铜的浸出率仅为22.15%，镍基本不浸出。当浸出试剂中加入碳酸铵后，金属的浸出率大为提升。当碳酸铵浓度为0.125mol/L时，锌即可完全浸出，铜的浸出率增至63.66%，镍的浸出率为6.70%；当碳酸铵浓度增至0.25mol/L时，铜的浸出率即可达到96.66%，镍的浸出率增幅不大，仅为16.20%；继续增大碳酸铵的浓度，铜几乎完全浸出，镍的浸出率也逐渐增大，增大至65.74%时趋于稳定，可能是有部分镍形成了氧化镍沉淀。因此综合考虑浸出试剂、成本和浸出效率，本文选取适宜碳酸铵浓度为1.00mol/L。

（三）pH对浸出率的影响

在总铵浓度固定的条件下考察了pH对铜浸出率的影响，结果如图3所示。实验条件：总铵浓度为7.0mol/L，氧气压力0.2MPa，搅拌速率为700rpm，温度55℃，浸出时间为150min。

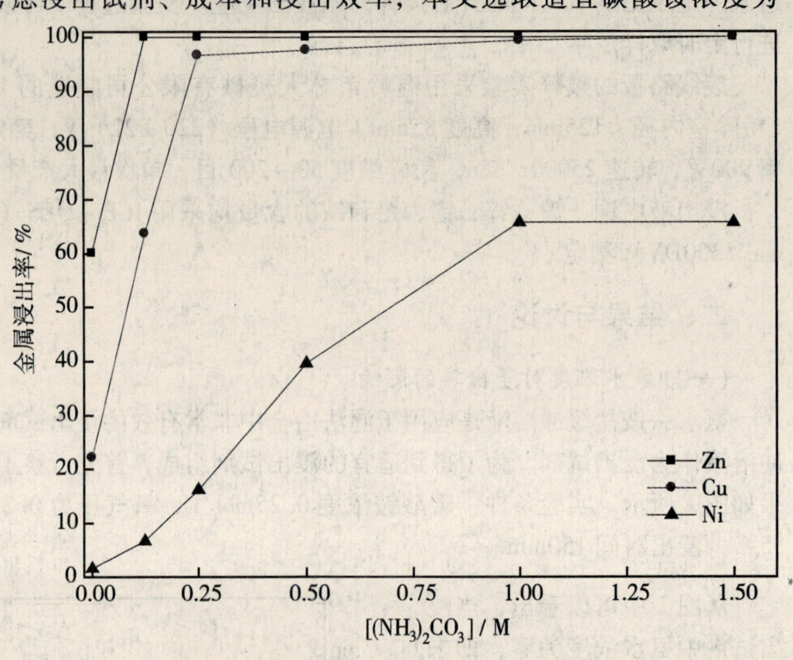

图2　碳酸铵浓度对金属浸出率的影响

由图3可看出，铜的浸出有一个适宜的pH范围。在总铵浓度固定的条件下，随着氨水浓度的增大和碳酸铵浓度的减少，浸出试剂的pH逐渐升高，铜的浸出率呈现先增大后减小的趋势（当氨水浓度为3～4mol/L时，铜基本完全浸出），这是因为铜氨络合离子的形成需要一定的pH范围，本实验条件下适宜的pH范围为10.20～10.60。

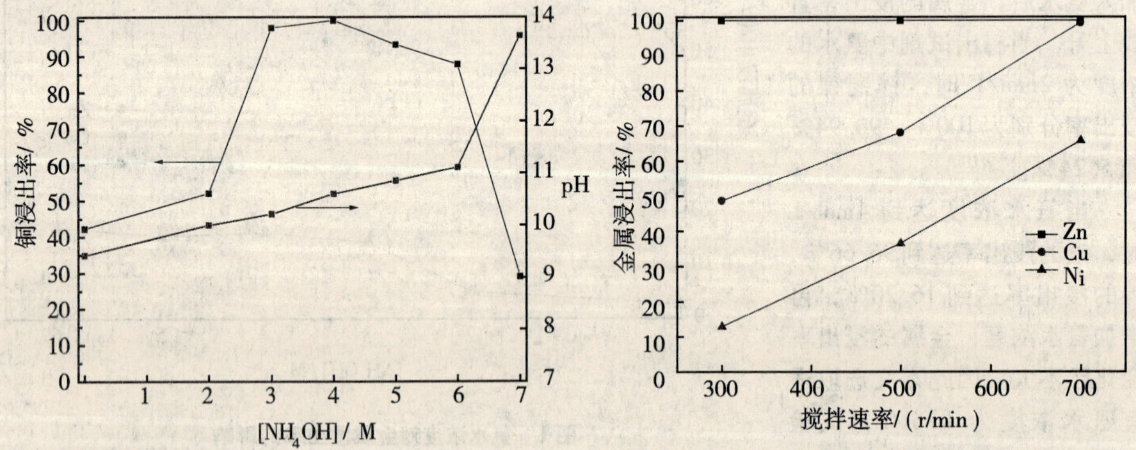

图3　pH对铜浸出率的影响　　**图4　搅拌速率对浸出率的影响**

（四）搅拌速率对浸出率的影响

为了研究搅拌的作用，考察了搅拌速率对浸出率的影响，结果如图4所示。实验条件：氨水浓度4mol/L，碳酸铵浓度1.00mol/L，氧气压力0.2MPa，温度55℃，浸出时间为150min。浸出过程中搅拌起到的主要作用有三个：其一，使固体反应物颗粒均匀悬浮于溶液中，能及时充分地与液相反应物和溶解氧发生作用；其二，使固体反应物的边界层厚度变薄，降低边界层扩散阻力；其三，使溶液中液相反应物、液相产物的浓度迅速扩散达到均匀。所以可以通过增大搅拌速率来加快浸出速率，这从图4中浸出率的变化趋势可得到验证。从图中可以看出，搅拌速率对铜和镍浸出的影响较大，而锌的浸出受搅拌影响不大。由于锌最活泼，所以搅拌速率为300rpm时即可完全浸出，而此时铜和镍的浸出率仅为68.07%和36.50%。随着搅拌速率的增大，铜和镍的浸出率显著增大，当搅拌速率增至700rpm时，铜差不多完全浸出，镍的浸出率也达到65.74%。因此，本文选择的适宜浸出速率为700rpm。

（五）氧压对浸出率的影响

在氨水浓度4mol/L，碳酸铵浓度1.00mol/L，搅拌速率700rpm，温度55℃，浸出时间为150min的实验条件下考察了氧气压力对浸出率的影响，结果如图5所示。

一般而言，由于铜是惰性金属，在没有氧化剂存在的条件下氨是无法直接蚀刻金属铜的，因此需要添加氧化剂，本文采用最方便易得的氧气作为浸出的氧化剂。从图5可以看出，锌最活泼，因此浸出不受氧压的影响；而随着氧压的升高，铜和镍的浸出率得到显著提升，当氧压（表压）从0升到0.2MPa时，铜的浸出率从6.61%上升到接近100%，镍的浸出率也从2.77%提高到65.74%，Halpern[8]研究表明，低氧压下铜的浸出速率与氧气压力成正比，与本文实验现象一致。故本文选取氧压为0.2MPa。

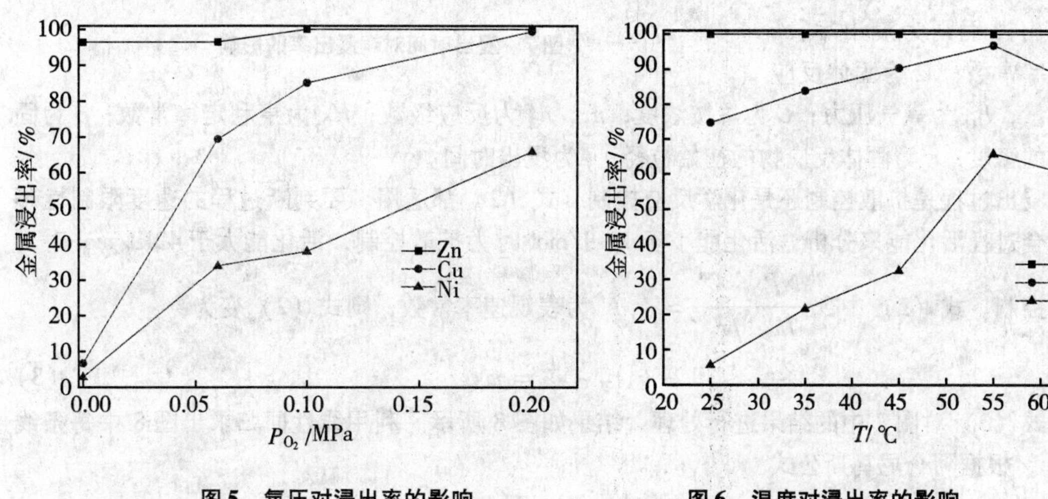

图5　氧压对浸出率的影响　　**图6　温度对浸出率的影响**

（六）温度对浸出率的影响

考察了温度对金属浸出率的影响，结果如图6所示。实验条件：氨水浓度4mol/L，碳酸铵浓度1.00mol/L，氧气压力0.2MPa，搅拌速率为700rpm，浸出时间为150min。

从图6中可以看出，温度为25℃时，锌即可完全浸出，铜的浸出率为74.75%，而镍的浸出率只有5.68%。随着温度的升高，铜和镍的浸出率都增大，这是因为浸出反应速率常数随温度的升高而增大，当温度升至55℃时，铜基本完全浸出，镍的浸出率也升至65.74%，温度再升高，铜和镍的浸出率反而有所下降，分析原因可能是碳酸铵受热分解所致。

（七）浸出时间对浸出率的影响

铜在废PCBs中的含量远远高于其他金属，因此为了对铜的加压浸出过程进行动力学研究，考察了不同温度下铜的浸出率随时间的变化，如图7所示。实验条件：氨水浓度3mol/L，碳酸铵浓度0.50mol/L，氧气压力0.2MPa，搅拌速率为700rpm。

由图7中可以看出，不同温度下铜的浸出速率都随着浸出时间的推移而不断增加。在55℃下，150min时铜基本完全浸出，所以选择适宜的浸出时间为150min。

加压氨浸法浸出 PCBs 中铜的反应式表示如下：

$$Cu + 0.5O_2 + 4NH_3 + H_2O = Cu(NH_3)_4^{2+} + 2OH^- \quad (1)$$

此反应有氧气参加，但不能把这一反应视为气－液－固三相反应，实际上是氧气首先溶解于溶液中以溶解氧的形态发生反应，因此加压氨浸法浸出实质上属于液－固相反应，所以可用生成物溶于水、固相的外形尺寸随反应的进行而减小直到消失的“收缩核动力学模型”来描述，其反应动力学方程为[9]

$$1-(1-\alpha)^{\frac{1}{3}} = \frac{kMP_{O_2}{}^{n_1}C^{n_2}}{H_{O_2}{}^{n_1}\rho r_0}t \quad (2)$$

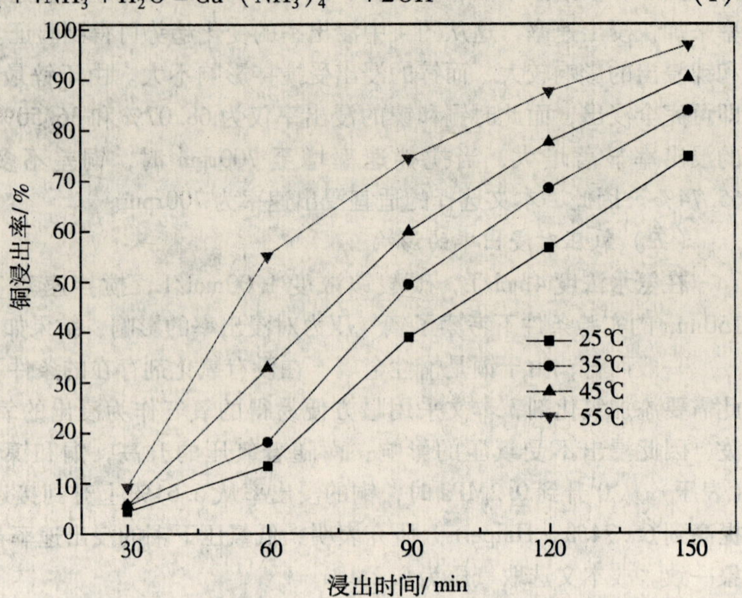

图 7　浸出时间对铜浸出率的影响

式中：α 为固体反应物的反应率，浸出过程则为浸出率；k 为反应速率常数；M 为固体反应物的分子量；P_{O_2}为氧气压力；C 为总铵浓度；n_1，n_2 为反应级数；H_{O_2}为亨利定律常数；ρ 为固体反应物的密度；r_0为固体反应物的初始粒径；t 为浸出时间。

无论浸出过程是扩散控制还是化学反应控制，式（2）都适用。要判断过程的速度限制性环节，应结合过程活化能来分析，活化能小于 13kJ/mol 时为扩散控制，活化能大于 42kJ/mol 时为化学反应控制。式（2）中令$\frac{kMP_{O_2}{}^{n_1}C^{n_2}}{H_{O_2}{}^{n_1}\rho r_0} = k'$, k' 为表观速率常数，则式（2）变为：

$$1-(1-\alpha)^{\frac{1}{3}} = k't \quad (3)$$

利用式（3）对图 7 中的结果进行处理，结果如图 8 所示。利用线性回归求出图 8 中每条线的斜率 k'，根据阿仑尼乌斯公式

$$\lg k' = \lg A - \frac{E}{2.303R}\frac{1}{T} \quad (4)$$

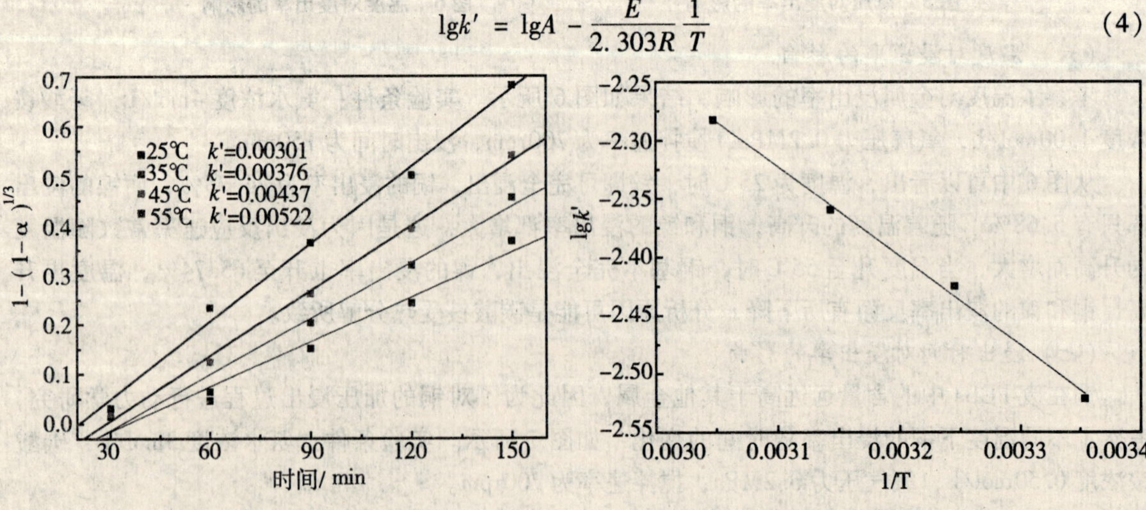

图 8　不同温度下铜浸出的拟合曲线　　　　**图 9　加压氨浸铜的 lgk' ~1/T 图**

以 lgk' 对 1/T 作图，如图 9 所示。用线性回归求出求得直线的斜率为 -766.5，表观活化能为 14.68kJ/mol，从氨浸的表观活化能来看，浸出过程主要为扩散控制。

（八）不同铵盐对浸出率的影响

为了研究不同铵盐对浸出的影响，在同样的实验条件下考察了碳酸铵、氯化铵和硫酸铵三种体系下的浸出情况，结果列入表 2 中。实验条件：氨水浓度 4mol/L，铵盐浓度 1.00mol/L，氧气压力 0.2MPa，搅拌速率 700rpm，温度 55℃，浸出时间 150min。

表 2　不同铵盐体系下金属的浸出率　单位：%

	Cu	Zn	Ni	Sn	Pb	Fe
碳酸铵	99.29	100	65.74	1.2	1.9	0
氯化铵	76.94	100	22.64	0.8	0.5	0
硫酸铵	68.21	100	60.48	2.0	8.0	2.2

从表 2 可以看出，锌在三种铵盐体系下都能完全浸出，而在碳酸铵体系下铜和镍的浸出率最高，锡、铅和铁基本不浸出，能达到选择性浸出的要求，所以综合考虑各种金属的浸出率和后续废水的处理问题，氨水－碳酸铵缓冲溶液是最适宜的浸出试剂。

三、结　论

1. 加压氨浸法回收废线路板中的铜、锌和镍的最优工艺条件：氨水浓度为 4mol/L，碳酸铵浓度为 1.00mol/L，氧气压力为 0.2MPa，搅拌速率为 700rpm，温度为 55℃，浸出时间 150min。最优条件下锌完全浸出，铜的浸出率可达到 99.29%，镍的浸出率为 65.74%，锡和铅的浸出率均小于 2%，铁完全不浸出。

2. 动力学研究表明，铜的加压浸出过程遵循不生成固体产物层的“收缩核动力学模型”，其表观活化能为 14.68kJ/mol，浸出过程为扩散控制。

3. 比较了在氨水和不同铵盐组成的浸出体系下的浸出情况，发现碳酸铵浸出体系下的浸出效果最好，因此氨水－碳酸铵缓冲溶液为最适宜的浸出试剂。

参考文献

[1] 洪大剑，张德华，邓杰，等．废印刷电路板的回收处理技术［J］．云南化工，2006，33（1）：31－34.

[2] 辜信实．印制电路用覆铜箔层压板［M］．北京：化学工业出版社，2002.

[3] Menad N. Catode ray tube recycling［J］. Resources, Conservation and Recycling, 1999, 26（3－4）：143－154.

[4] Das A. K. , Chakraborty R. Metal speciation in solid matrices［J］. Talanta, 1995, 42：1007－1030.

[5] 李金惠，温雪峰，刘彤宙，等．我国电子电器废物处理处置政策、技术及设施［J］．家电科技，2005（1）：31－34.

[6] Cui Jirang, Forssberg Eric. Mechanical recycling of waste electric and electronic equipment：A review［J］. Journal of HazardousMaterials, 2003, 5：243－263.

[7] 盛广能．废弃电脑印刷线路板中铜回收的实验研究［D］．青岛：青岛科技大学，2008.

[8] J. Halpern. Kinetics of the Dissolution of Copper in Aqueous Ammonia［J］. J. Electrochem Soc., 1953, 10：421－428.

[9] 谢克强．高铁硫化锌精矿和多金属复杂硫化矿加压浸出工艺及理论研究［D］．昆明：昆明理工大学，2006.

南方强降雨带矿区流域水体重金属污染特征
——以德兴铜矿铜污染为例

胡春华[1,2]　周文斌[1,2]　王毛兰[1,2]　陈文芳[1,2]　孙佳峰[1,2]　胡波平[1,2]　谢　丽[1,2]　蔡　连[1,2]

（1. 南昌大学鄱阳湖环境与资源利用教育部重点实验室　南昌　330029；
2. 南昌大学环境与化学工程学院　南昌　330031）

摘　要　对乐安江流域7个河水样、5个自来水样和12个井水样中Cu的含量进行研究分析，结果表明，在南方强降雨矿区源头流域，矿山对该区域地下水及地表水中重金属含量的影响相当显著。城镇自来水整体上受重金属的污染程度较低，不存在饮水安全问题；而河水和井水仅源头矿区受重金属的污染程度较高，其他地方污染程度均较低。上游地下水中重金属的含量未明显受地表水影响，而中、下游地下水则明显受其影响。虽然矿区流域政府已采取了一定的措施来保证当地居民的饮水安全，但矿区流域水体中高浓度的重金属仍会对当地的生态系统和居民的健康安全构成极大的威胁。

关键词　南方强降雨区　重金属　水体　污染特征　德兴铜矿

矿山在开采过程中会释放大量的酸性矿山水（AMD），其中富含重金属，而这些重金属在水体中可通过悬浮物的沉淀、吸附或离子交换作用污染地表水、地下水和地表土壤，进而危害周边生态环境[1-5]。而其产生的尾矿、矿渣在雨水长期冲刷下，大量的重金属进入河流[6-9]，再经扩散交换作用，将污染地下水。近年来众多学者对南方金属矿区重金属污染进行了大量的研究，发现南方金属矿区重金属污染十分严重[10-14]。本文以德兴铜矿为例，对矿区流域3种水体中重金属铜的污染程度进行分析，从而更系统地研究南方强降雨区矿山开采对流域水体中重金属分布特征的影响，以期为矿区重金属污染的治理和矿区饮用水质量的改善提供科学依据。

一、研究方法

（一）研究区域概况与样品的采集

德兴铜矿地处江西乐安江——南方强降雨区，是世界五大斑岩铜矿之一，年采剥总量达 6.4×10^{7}t。自1958年露天开采以来，已造成207 km^{2} 尾矿堆积区[15]。该地区年降雨量达2000mm左右[16]，每年有近3000万 m^{3} 受污染的地表水被排入乐安江中，这将对当地及下游生态安全和居民健康安全造成极其严重的威胁。

在全面调查的基础上，结合矿区流域的地理特征以及实验科学正确的原则，根据污染源的分布以及居民点分布区域进行布点，于平水期采集河水水样，同时采集自来水和井水水样，采集的所有样品均存放在聚乙烯塑料瓶内加硝酸稳定。采样点的分布见图1、图2和图3。

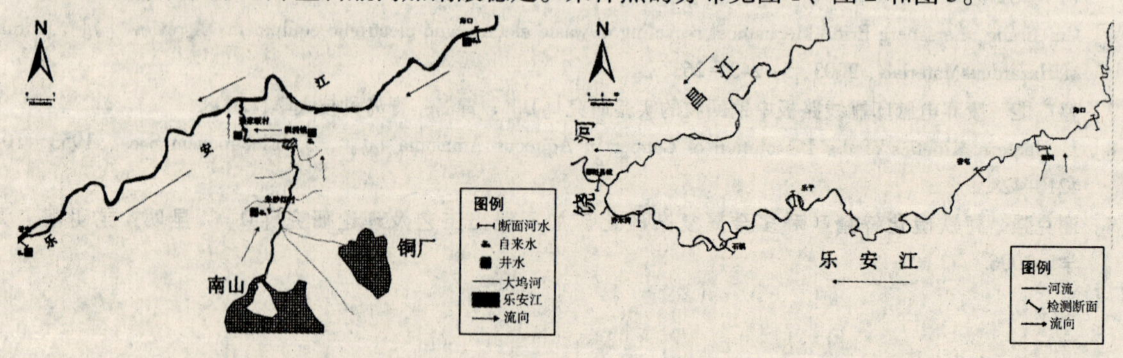

图1　源头矿区布点　　图2　矿区流域布点

（二）样品的测定

采集的水样抽滤后，用 HNO_3 标定到 pH 为 1～2，采用 PEAA800 原子吸收（火焰－石墨炉）分光光度计测定 Cu 的含量，所有试剂均为优级纯或基准试剂。

1. 源头矿区：A1（德兴市朱砂红村）；A2（德兴市张家畈村）；A3（德兴市泗洲镇）。

2. 河流断面：①上游（矿区上游）：A4（德兴市海口镇）。②中游（矿区支流汇江后）：A5（德兴市香屯村）；A6（乐平市）；A7（余干县石镇镇）。③下游（河流三角洲）：A8（鄱阳县乔木湾）；A9（鄱阳县城）。

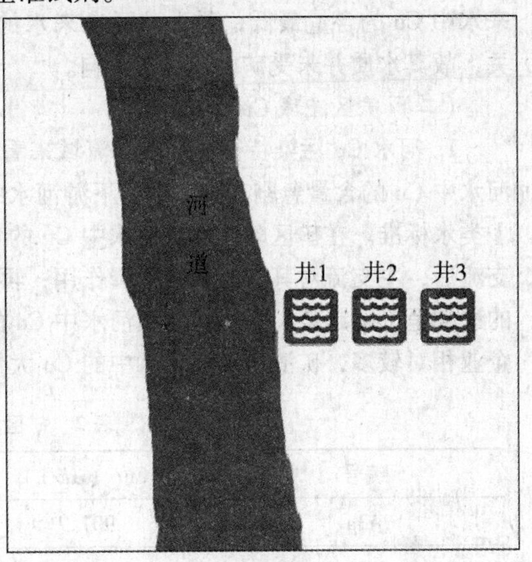

图 3　矿区流域下游井水布点

二、结果与分析

（一）源头矿区 Cu 污染特征

在矿区源头流域，铜矿对该区域地下水及地表水中 Cu 含量的影响相当显著（见表 1）。从井水来看，受矿山影响，距矿山越远，其 Cu 的含量越低。其中朱砂红村和张家畈村 Cu 的含量远高于源头矿区其他地方，而位于矿区上游的海口镇最低。

表 1　源头矿区 3 种水中 Cu 的含量

编号	Cu/（μg/L）	备注	位置
A1c	830.6	源头矿区井水	朱砂红
A2c	819.9	源头矿区井水	张家畈
A3a	907.7	源头矿区支流水	泗洲
A3b	4.131	源头矿区自来水	泗洲
A3b	39.42	源头矿区井水	泗洲
A4a	8.326	矿区上游主支水	海口
A4b	3.468	矿区上游自来水	海口
A4c	2.317	矿区上游井水	海口
A5a	30.16	矿区下游主支水	香屯
A5b	8.405	矿区下游自来水	香屯
A5c	8.541	矿区下游井水	香屯

矿山对地下水及地表水中 Cu 含量的影响显著与该地区的地形和流域形状有关。该区域河流属水浅流急的山溪性河流，河流总体的平均坡降较大[17]。从地理位置来看，朱砂红村位于矿山脚下，矿山在开采和冶炼过程中产生的尾矿、矿渣在雨水长期的冲刷下，Cu 大量进入地下水而使该地井水中 Cu 的含量极高。张家畈位于矿区支流的冲积区，地理位置较低，含高浓度 Cu 的河水不断污染其地下水，而导致其 Cu 含量极高。泗洲镇距矿山和矿山支流都较远，地理位置较高，受矿山及矿山支流的影响较小，故其 Cu 含量相对较低；而海口镇距矿区最远，该地区丰富的地下水对矿区附近地下水进行不断稀释，使源头矿区下游地下水中 Cu 的含量降低。

从河水中 Cu 的含量来看，矿区上游主支流水最低，源头矿区支流水远高于矿区上、下游支流水。由此可见，矿山在开采过程中有大量的Cu进入河水中，由于矿区支流水汇入源头主支流中，经上游河水大量地稀释及其自然沉降，矿区下游支流水Cu的含量又急剧下降。

从自来水中Cu的含量来看，整个矿区都较低，水质均达国家Ⅰ类水标准。其中矿区上游自来水中Cu的含量最低，源头矿区自来水的最高。这与矿区自来水为从其他地方引入的现状有关，故其水质并未受矿山开采的影响。

（二）矿区流域Cu污染特征

1. 河水Cu污染特征　从整个流域来看，上游河水中Cu的含量最低，但矿区支流水注入后，河水中Cu的含量急剧升高，中、下游河水中Cu的含量呈下降趋势（见表2），其水质均达国家Ⅰ类水标准。在矿区附近的支流水中Cu的含量受矿山的影响非常显著，但由于矿区支流汇接主支流后，主支流对其有较大的稀释作用，再加上自然沉降作用，使矿山对主支流河水中Cu含量的影响呈下降趋势。其中石镇镇河水中Cu的含量有所上升。其原因为乐平市的铜矿开采及化工企业相对较多，矿渣和工业废水中的Cu大量进入河中。

表2　矿区流域河水中Cu的含量

编号	Cu/（μg/L）	备注	位置
A3a	907.7	源头矿区支流水	泗洲
A4a	8.326	矿区上游主支水	海口
A5a	30.16	矿区下游主支水	香屯
A6a	9.554	乐安江中游主支水	乐平
A7a	11.47	乐安江下游支流水	石镇
A8a	4.453	乐安江下游主支水	乔木湾
A9a	4.403	饶河主支水	鄱阳县城

2. 自来水Cu污染特征　从整个流域来看，上游自来水中Cu的含量最低，在矿山影响下，中、下游自来水中Cu的含量有所上升，但含量变化不大（见表3）。各地自来水中Cu的含量均较低，水质均达国家Ⅰ类水标准。由于南方强降雨区降雨量大，地表水和地下水丰富，小城镇在小支流就近取水即可满足当地需求，如香屯镇；无小支流流经的地方则就近从水库中取水，如石镇镇；对于比较大的城市，如乐平市，其直接从乐安江较大的支流中取水，故仍未受影响。但随着人口数量增加，支流的水量无法满足其饮水需求时，其自来水亦会受重金属的影响，故当地政府对此也应保持高度的警惕，要采取必要的措施来保证当地居民的饮水安全。

表3　矿区流域自来水中Cu的含量

编号	Cu/（μg/L）	备注	位置
A3b	4.131	源头矿区支流自来水	泗洲
A4b	3.468	矿区上游主支自来水	海口
A5b	8.405	矿区下游主支自来水	香屯
A6b	8.533	乐安江中游主支自来水	乐平
A7b	8.323	乐安江下游支流自来水	石镇

3. 井水Cu污染特征　从整个流域来看，上、中、下游井水中Cu的含量呈下降趋势（见表4）。上游井水中Cu的含量最低，在矿山的影响下，中、下游井水中Cu的含量有小幅上升。除

源头矿区井水中Cu的含量极高，水质未达国家Ⅰ类水标准外，其他各地井水受Cu污染的程度均处于较低水平，水质均达国家Ⅰ类水标准。这与南方强降雨区地下水极其丰富有关，矿区受Cu污染的地下水经中、下游大量地下水的不断稀释，使中、下游地下水中Cu的含量逐渐降低。

表4　矿区流域井水中Cu的含量

编号	Cu/（μg/L）	备注	位置
A1c	830.6	源头矿区井水	朱砂红
A2c	819.9	源头矿区井水	张家畈
A4c	2.317	矿区上游主支井水	海口
A5c	8.541	矿区下游主支井水	香屯
A6c	8.391	乐安江中游主支井水	乐平
A7c	5.464	乐安江下游支流井水	石镇
A8c1	3.581	乐安江下游主支井水	乔木湾1
A9c1	3.519	饶河主支井水	鄱阳县城1

（三）矿区流域地表水与地下水中Cu含量的联系

处于源头上游的地表水与地下水中Cu的含量相差较大，而中、下游的地表水与地下水则相差不大。由此可见，上游井水中Cu的含量未明显受河水的影响。这是因为南方强降雨区地表水及地下水极其丰富，地下水大量补给地表水；同时上游平均坡降较大，河水流速较快，受污染的河水对周围地下水的扩散作用较弱，受污染的河水未能大范围地影响地下水。

中、下游地下水中Cu的含量则明显受到了地表水的影响，而使其Cu的含量与河水的相当。这主要是因为中、下游流域的地势变平缓，河水流速下降，其扩散作用明显加强，地表水中的Cu通过扩散作用进入河道附近的地下水，导致地下水中Cu的含量与地表水接近。

矿区流域下游井水中Cu的含量随离河道的距离越远而逐渐下降，且离河道越近，下降的幅度越大（见表5）。这与扩散作用大小受土壤渗透力和距离等因素影响有关，距离越远，污染物的扩散能力越小。其地表水与地下水的扩散与交换情况见图4。

表5　矿区流域地下水中Cu的含量比较

编号	Cu（μg/L）	备注	位置
A8c1	3.581	乐安江下游主支井水	乔木湾1
A8c2	2.746	乐安江下游主支井水	乔木湾2
A8c3	2.505	乐安江下游主支井水	乔木湾3
A9c1	3.519	饶河主支井水	鄱阳县城1
A9c2	2.548	饶河主支井水	鄱阳县城2
A9c3	2.416	饶河主支井水	鄱阳县城3

三、结　论

1. 在矿区源头流域，南方强降雨矿区对该区域地下水及地表水中重金属含量的影响相当显著。毗邻矿山的地下水和地表水中Cu的含量均远高于源头矿区上游和源头矿区下游。

2. 从整个南方强降雨矿区流域来看，河水中仅源头矿区支流水受重金属的污染程度较高，而其他各地河水的均较低；自来水整体上受重金属的污染程度都较低，其水质均达到国家Ⅰ类水标准，不存在饮水安全问题；而流域的上、中、下游井水中重金属的含量空间上呈下降趋势。

3. 上游地下水中重金属的含量未明显受地表水的影响，而中、下游则明显受其影响。矿区流域下游井水受重金属污染的程度随离河道的距离越远而逐渐降低，且离河道越近，下降的幅度越大。

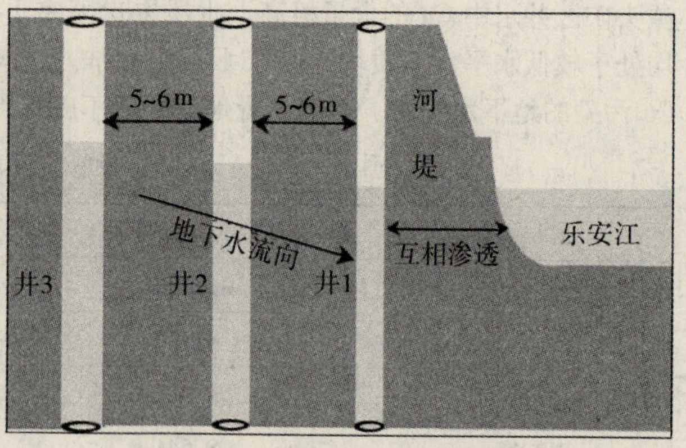

图4　地表水与地下水的扩散和交换

参考文献

[1] 吴攀，刘丛强，张国平，等．黔西北炼锌地区河流重金属污染特征［J］．农业环境保护，2002，21（5）：443－446.

[2] Dang Zhi，Liu CongOqiang，Martin J Haigh. Mobility of heavy metals associated with the natural weathering of coal［J］. Environmental Pollution，2002，118（3）：419－426.

[3] Aydinalp C，Fizpat rick E A，Cresser M S. Heavy metal pollution in some soil and water resources of Bursa Province，Tukey［J］. Communication in soil Science and Plant Analysis，2005，36（13－14）：1691－1716.

[4] Sheoran A S，Sheoran V. Heavy metal removal mechainism of acid mine drainage in Wetlands：A Critical review［J］. Minerals Engineering，2006，19（2）：105－116.

[5] 周建民，党志，蔡美芳，等．大宝山矿区污染水体中重金属的形态分布及迁移转化［J］．环境科学研究，2005，18（5）：5－10.

[6] 弓晓峰，等．鄱阳湖湿地重金属形态分布及植物富集研究［J］．环境科学研究，2006，19（3）：34－40.

[7] 张业成，等．加强矿山环境管理促进矿业可持续发展［J］．国土资源科技管理，2002，19（1）：67－69.

[8] 简敏菲，等．鄱阳湖水土环境及其水生维管束植物重金属污染［J］．长江流域资源与环境，2004，13（6）：589－593.

[9] 吕兰军．鄱阳湖水及其沉积物中的重金属调查［J］．上海环境科学，1994，13：17－21.

[10] 王庆仁，刘秀梅，崔岩山，等．我国几个工矿与污灌区土壤重金属污染状况及原因探讨［J］．环境科学学报，2002，22（3）：354－358.

[11] 宋书巧，梁利芳，周永章，等．广西刁江沿岸农田受矿山重金属污染现状与治理对策［J］．矿物岩石地球化学通报，2003，22（3）：152－155.

[12] 宋书巧，吴欢，黄钊，等．刁江沿岸土壤重金属污染特征研究［J］．生态环境，2005，14（1）：34－37.

[13] 蔡美芳，党志，丈震，等．矿区周围土壤中重金属危害性评估研究［J］．生态环境，2004，13（1）：6－8.

[14] 常青山．重金属超富集植物的筛选与螯合吸附研究［D］．福州：福建农林大学，2005.

[15] 黄长干．德兴铜矿铜污染状况调查及植物修复研究［J］．江西农业大学学报，2004，26（4）：629－632.

[16] 胡必彬．我国十大流域水污染现状及主要特征［J］．重庆环境科学，2003，25（6）：15－17.

[17] 熊小群，杨荣清．江西水系［M］．湖北：长江出版社，2007：136－146.

铬渣治理新法综述

李先荣　张国庆　陈　宁　董明甫　秦　龙

（四川省安县银河建化集团有限公司　615000）

摘　要　本文介绍了铬渣治理的几种新方法：在硫酸生产中治理铬渣，利用还原性气体治理铬渣，铬渣煤粉成型高温治理铬渣等，这些方法均能较彻底地将铬渣中的六价铬还原为三价铬，为铬渣治理开辟了新的途径。

关键词　铬渣　硫酸　气体　煤

一、前　言

铬化合物是无机化工的主要系列产品之一，广泛应用于化工、轻工、冶金、纺织、机械等行业。铬的常见化合物有三价形态和六价形态，金属铬及其合金以及三价铬化合物对人体无害，三价铬是生物体内必需的微量元素之一，适量的三价铬对人体和植物有益。铬中毒主要是指六价铬。六价铬对人体的危害与该化合物的水溶性有关，可溶性的六价铬引起黏膜发炎、溃疡，甚至鼻穿孔；引起皮肤湿疹，形成难以愈合的“铬疮”；引起喘息性支气管炎；误服将引起胃黏膜充血，甚至内脏出血，其成人致死量为3～5g[1]。

铬渣中含有大量的铬酸钙、铬酸铬等化合物，特别是采用有钙焙烧工艺时。铬酸钙、铬酸铬等微溶于水，微溶于水的铬酸盐有致癌作用，美国职业安全与健康学会于1975年，原西德研究委员会（DFG）于1984年先后宣布铬酸钙、铬酸铬（铬矿工焙烧副产物）、铬酸锌及铬酸锶（铬黄颜料）为致癌物，铬致癌的部位主要是肺。当铬渣在露天堆存时，经长期雨水冲淋后大量的六价铬离子随雨水溶渗、流失、渗入地表，从而污染地下水，也污染了江河、湖泊，进而危害农田、水产和人体健康。

为了解决铬渣的污染问题，我国的铬盐科技工作者对铬渣的治理做了大量的研究工作，治理方法多达20余种，主要有铬渣高炉炼铁、湿法硫酸亚铁还原铬渣、铬渣制钙镁磷肥、煤炭干法还原铬渣、在高温旋风炉中还原处理铬渣等，其中一些已经在生产中得到应用，还有一些技术上可行，治理效果较好，但治理费用高。本文对近年来出现的新的部分铬渣治理方法进行介绍，以利于铬渣污染综合治理工作的进一步推进。

二、在硫酸生产过程中解毒铬渣

（一）解毒原理

二氧化硫是生产硫酸过程中的中间产物，它具有较强的还原性，可将铬渣中有毒的六价铬还原成为三价铬，解毒反应后的二氧化硫气体再用于生产硫酸[2]。相当于在生产硫酸过程中，增加一个将铬渣还原解毒的工艺。

硫黄燃烧提供热量及还原气体二氧化硫：

$S + O_2 \rightarrow SO_2$ 热效应 9259kJ/kg

重污染物铬酸钠的解毒还原：

$$2Na_2CrO_4 + 3SO_2 + 2NaOH \rightarrow Cr_2O_3 + 3Na_2SO_4 + H_2O$$

致癌物铬酸钙的解毒还原：

$$2CaCrO_4 + 3SO_2 + 2NaOH \rightarrow Cr_2O_3 + 2CaSO_4 + Na_2SO_4 + H_2O$$

硫黄焚烧的目的就是尽可能地提供二氧化硫及热量，来还原铬渣中的六价铬，同时也尽可能使硫燃烧生成二氧化硫而不至于形成升华硫。

（二）工艺流程简述

首先将烘干后铬渣破碎过筛达到60～100目，配少量硫磺和专用催化剂进行混合，再进入回转窑煅烧。硫黄燃烧产生的SO_2在900±50℃将铬渣中Cr（Ⅵ）还原为Cr（Ⅲ），由于铬渣中的六价铬含量仅2%左右，还原解毒铬渣吨消耗的SO_2不足230kg/t，大量SO_2尾气被加工为硫酸产品。在回转窑内掺了专用催化剂的铬渣与硫黄还原焚烧是顺流进行的，其目的就是减少二氧化硫的损失、粉尘飞扬及热量损失等。尾气二氧化硫在窑尾重力降尘室降尘后，进废热锅炉，再进旋风除尘器，然后进电除尘器，合格的二氧化硫气体可回收利用去制硫酸。

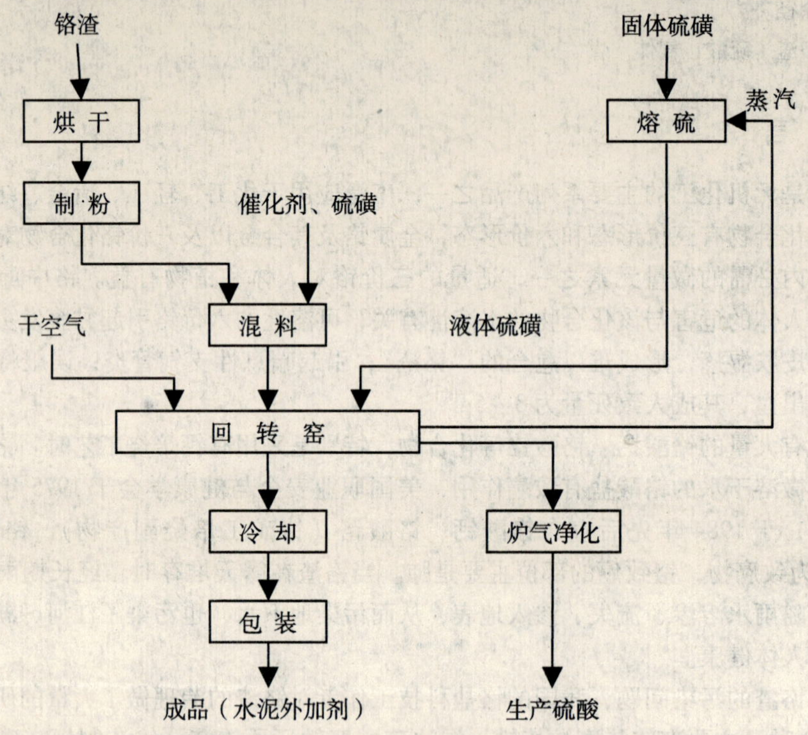

（三）解毒效果

解毒后的铬渣进行化验，检测渣中的六价铬，解毒后渣中六价铬均小于1ppm，甚至检测不出六价铬的存在。

（四）解毒渣的综合利用

水泥生产必须在熟料粉磨前，加入3%左右的天然石膏（$CaSO_4 \cdot 2H_2O$）作水泥缓凝剂，调节水泥的凝结时间，并激发水泥矿物形成。解毒后的铬渣中含有40%左右的硫酸钙，加入一定的催化剂，制备为水泥外加剂，完全可以替代天然石膏。解毒铬渣中的Cr_2O_3对C_2S吸收游离CaO起到催化作用，使得C_3S生成量提高，水泥中游离CaO减少，所以能代替天然石膏作为缓凝剂提高水泥强度（特别是早期强度），使水泥制品在空气中的干缩率下降30%～50%，提高水泥的抗冻性、抗化学性和安定性，并且效果优于使用天然石膏的效果，可激发水泥活性。铬渣属于低碱类材料，制成的水泥中碱含量低，可广泛生产低碱水泥，例如硅酸盐水泥、复合硅酸盐水泥等。提高水泥产品机械强度，终凝时间缩短，从而成为一种高效、多功能的水泥复合外加剂产品。

三、利用还原性气体解毒铬渣

（一）原理

利用一氧化碳气体在高温下的还原性较强，而六价铬有氧化性这一特性，在高温下使六价铬与一氧化碳气体发生氧化还原反应，使六价铬还原成为三价铬[3]。其中还原性气体除用一氧化碳外，还可以由水煤气等其他还原性气体承担。

使用气体作为还原剂解毒铬渣有以下一些优势：

1. 可以采用工业废气进行解毒，达到以废治废的目的。

2. 气体的流动性、渗透性比液体和固体都强，在解毒过程中，固体可能存在混合不均匀的情况，而气体不存在这一情况，气体可以做到无孔不入，只要反应条件合适，六价铬均能与气体反应，不存在死角。

3. 在使用固体和液体进行解毒时，有可能细颗粒铬渣中六价铬被解毒完全，而粗颗粒铬渣中六价铬未被完全解毒，但由于固体或液体自身特性的限制，不可能做到随时补充，从而造成反应不完全。而气体可以做到随时补充，保证解毒效果完全。

4. 未反应气体可作燃烧处理，燃烧后的产物主要为二氧化碳和水蒸气，没有二次污染，热量也可充分利用。

（二）工艺流程设计

解毒设备包括螺旋和燃烧器，解毒反应在螺旋中完成，燃烧器负责给螺旋中的物料升到需要的温度。

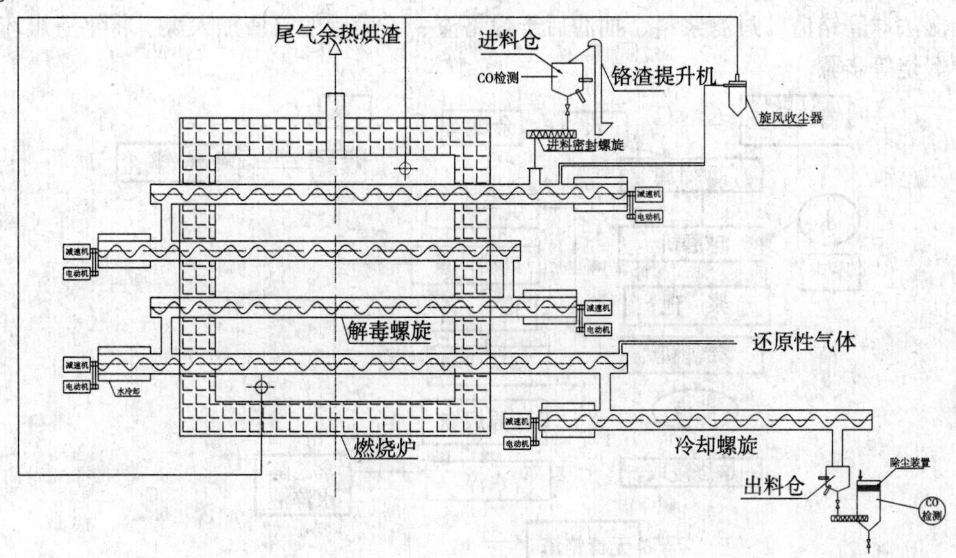

安装方式为将四个螺旋竖排、以串联的方式安装在一个燃烧器中，其目的是增加加热段的长度，且螺旋不至于太长，便于加工，增加螺旋的密封性能，螺旋加热变形的可能性减小。增加加热段长度后，处理速度可以加快。在两个螺旋连接处有一个扬料的过程，更便于铬渣解毒。

燃烧器选择立式燃烧炉。燃烧后气体粉尘由烘渣系统除尘设备处理。

关于气体的密封问题。旋窑两头的接头处密封困难，气体容易从接头处泄漏，而气体是易燃、易爆、有毒的气体，气体泄漏会造较大的危害。螺旋密封相对容易，主要采用迷宫密封或石墨浮环密封方式。在接头处设置一氧化碳检测设备。

（三）解毒效果

从实验的情况来看，样品经过煅烧前略带黄色，煅烧后，颜色略带黑色。

用黄磷生产过程中的废气（主要成分是一氧化碳）进行解毒时，在450℃时解毒效果明显，但解毒不完全，500℃以上时效果较好，解毒彻底，解毒后铬渣中检测不出六价铬的存在。

当温度达到需要的温度后在5min之内，就可完全解毒，解毒后的样品经过测试，未检测出六价铬。

（四）解毒渣的综合利用

将解毒铬渣到按总重量的3%、6%、9%加入到水泥中，测试加入铬渣后水泥的性能。从掺渣后水泥性能测试结果来看，3天后抗折、抗压性能最差的为6%加入量的水泥，但满足通用硅酸盐水泥标准中的大部分标号的标准。28天后掺渣水泥抗折性能满足62.5以上标号水泥要求，掺3%渣的水泥抗压性能满足52.5以上标号水泥要求，掺6%和9%渣的水泥抗压性能满足42.5以上标号水泥要求。故解毒渣可适量添加到水泥中去，作为水泥的外加剂。

（五）该工艺的注意事项

1. 要保证解毒完全，必须保证气体和铬渣的温度，若温度达不到500℃以上，则解毒效果不好。

2. 由于使用的气体为还原性气体，还原性气体多具有燃烧爆炸危险性，因此要注意安全。

四、铬渣煤粉成型高温治理铬渣

（一）原理

用铬渣和煤混合物成型后，在高温中产生更多的CO，CO和碳把铬渣中的六价铬还原成三价铬，高温处理后的铬渣用水或溶液进行水淬[4]。

（二）技术路线

包括湿法球磨铬渣、过滤浆料、抽滤后干燥铬渣、干燥后的铬渣加入煤、将铬渣煤坯块放入高温窑中煅烧等步骤。

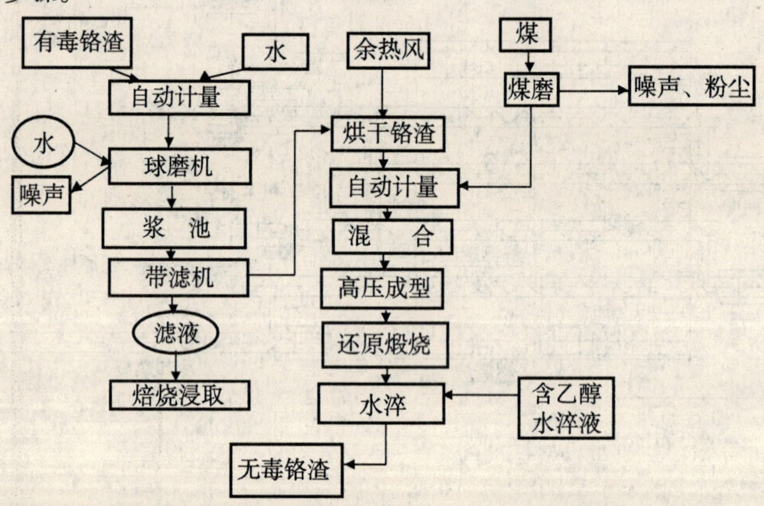

把铬渣和煤挤压成铬渣煤坯块，铬渣煤坯块中，抽滤后干燥铬渣粉占总重的95%，煤粉占总重的5%。铬渣煤坯的密度为$1.5\times10^3\sim5.5\times10^3kg/m^3$，铬渣煤坯块的厚度为5~50mm。在窑中600~1200℃环境中形成良好的暗烧条件，产生CO的效果最高，还原效果好。还原后的高温铬渣采用水淬的方法进行处理。

（三）解毒效果

解毒后的铬渣进行化验，检测渣中的六价铬，解毒后渣中六价铬均小于1ppm。

（四）解毒渣的综合利用

将适量解毒铬渣加入到水泥中，测试加入铬渣后水泥的性能。从掺渣后水泥性能测试结果来看，抗折、抗压性能满足通用硅酸盐水泥标准中的大部分标号的标准。解毒渣可适量添加到水泥中去，作为水泥的外加剂。

五、含铬废渣废水解毒资源化制氧化铬绿及轻质墙砖

该方法主要采用以下技术：现将铬渣加入解毒处理剂A并湿法球磨，再过滤淋洗，回收的

含铬废水加解毒处理剂B进行处理，得到的氢氧化铬经烘干煅烧得到氧化铬绿，可作颜料使用。过滤滤出的铬渣加入解毒处理剂C后制轻质墙砖，用于建筑行业[5]。主要流程如下：

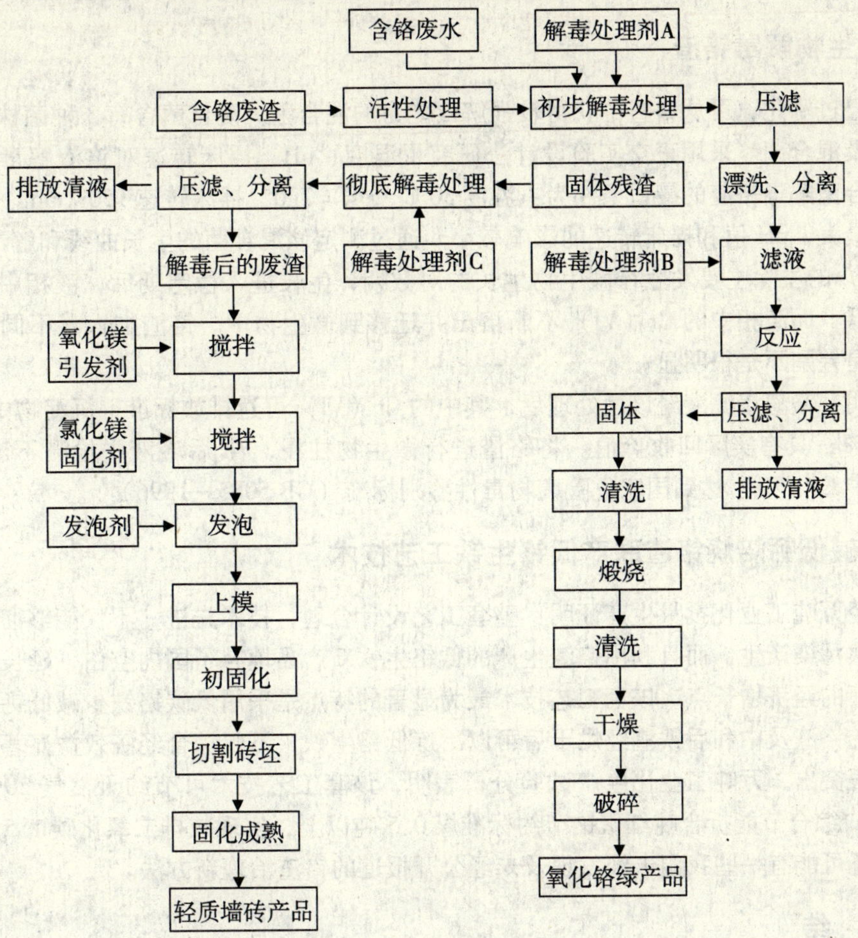

轻质墙砖为长方体、泡沫体，规格为650mm×250mm×210mm，也可以根据用户要求定型设计生产，含铬废渣废水解毒资源化制轻质墙砖配方如下：

原料名称	重量/g	原料名称	重量/g
解毒后含铬废渣	40～80	发泡剂	1～2
氯化镁固化剂	20～50	助剂	0～10
氧化镁引发剂	20～30		

六、应用微硅胶囊包裹技术（SME）产品KB－Sea™对含六价铬工业废渣的处理

从长期稳定性来看，微硅胶囊包裹技术（SME）产品KB－Sea™的处理铬渣工艺比传统工艺具有不可比拟的优势。铬渣中六价铬主要是以铬酸盐（CrO_4^{2-}）的形式存在，其溶解性由其结合的阳离子控制，主要有：Na^+，K^+，Mg^{2+}，Ca^{2+}和Ba^{2+}等。甚至是在阳离子浓度已饱和的情况下，大多数铬盐是很容易溶解的，这样的铬渣不能直接堆放。对于国内有些铬盐厂采用干法解毒工艺经处理的铬渣为什么会返黄，是因为三价铬（Cr^{3+}），在一定的环境下容易被氧化为六价铬。根据已有数据，在处理铬渣时，先将六价铬转化为三价铬的形式以创造最理想的包裹条件，

不存在返黄现象。这样采用微硅胶囊包裹技术处理铬渣时，必须先将铬渣湿法磨细，然后加一定量的酸和硫酸亚铁还原处理，再加入微硅胶囊对铬进行包裹，达到要求后填埋[6]。

七、微生物解毒铬渣

该方法经过驯化，可从铬渣中获得较强解毒能力的混合菌。混合菌含有 3 种菌株，单菌的解毒效果远不及混合菌。采用正交实验设计法研究了温度、pH、摇床转速对铬渣解毒的影响，确定了用该混合菌解毒铬渣的最适条件为：温度 30℃，pH = 7. 0，摇床转速 150r/min。温度对解毒效果的影响最大，pH 值和摇床转速的影响较小。通过测定该混合菌的生长曲线和解毒时间曲线，证明 Cr（VI）的去除主要发生在微生物生长的对数期，生长进入稳定期后，液相中的 Cr（VI）浓度保持很低，而渣相中的 Cr（VI）不断溶出并迁移到微生物中。铬渣加入量不同，解毒效果也不同，但是差别不是很明显。

结果表明：铬渣渗滤液经该菌处理后，其中的 Cr（VI）可达排放标准，沉淀物中 $Cr(OH)_3$ 含量达 32. 8%，具有实际回收价值。将铬渣进行微生物柱浸，7d 后溶液中检测不出 Cr（VI）；解毒后铬渣中 Cr（VI）达到国家危险废物毒性鉴别标准（GB 5085—1996）[7]。

八、少碱低钙焙烧铬渣联产低铬生铁工艺技术

该技术经万吨工业化批量生产证明：整套工艺设计合理，技术先进，不仅能够彻底殆尽消纳铬渣，无二次污染产生，而且利用铬渣生产的低铬生铁新产品填补了国内空白，延长了企业产业链，创造了新的经济增长点。该套工艺技术最为显著的特点是采用低碳铬铁少碱低钙焙烧生产红矾钠，排出的铬渣及中和后铁渣经烘干后可以冶炼低铬生铁，不仅综合经济效益显著，而且节能减排效果也很突出，万吨工业化生产试验分析表明，该套工艺技术可节约天然气 20% 以上，碱耗降低 15%，综合节能折合吨红矾钠节约标准煤 0. 5 吨以上，实现减排二氧化碳 1. 5 吨以上。

当然，还可能有一些我们未经发现及未经公开报道的铬渣治理新方法。

九、总　结

目前，铬渣治理已经工业化的方法较多，本文所述几种方法解毒效果均比较好，但仍要进一步研究更为经济、解毒更为彻底、综合利用效果更好的方法，以确保在经济增长的同时，做好环保治理工作。希望广大科技工作者在以后的研究工作中，会有更好的方法来完成铬渣解毒任务。

参考文献

[1] 丁翼，纪柱，等. 铬化合物生产与应用［M］. 北京：化学工业出版社，2003，2.

[2] 中国专利 200510020130. 2 在硫酸生产中对铬渣解毒的方法 . 2005.

[3] 中国专利 200710049253. 8 利用还原性气体对铬渣进行解毒的方法 . 2007.

[4] 中国专利 200810045337. 9 用一氧化碳解毒铬渣的方法 . 2008.

[5] 中国专利 03103045. 9 含铬废渣废水解毒资源化制氧化铬绿及轻质墙砖 .

[6] 李先荣，马顺友，张国庆. 中国铬盐行业发展趋势及“三废”治理技术探讨［J］. 铬盐工业，2004（2）.

[7] 谭怀琴，王贵学，赵由，等. 铬渣生物解毒实验［J］. 重庆大学学报（自然科学版），2006，29（9）.

[8] 呼万新. 铬渣资源综合利用新技术研发成功［N］. 科技日报，2010 - 01 - 10.

汞污染的危害及其环境标准

解　军　程　磊

（山东省环境监测中心站　济南市历山路50号　250013）

摘　要　简述了汞对人体的危害、汞的污染来源及汞的迁移转化，阐述了我国现有环境标准中汞控制限值的现状，说明我国作为煤炭消费大国，在燃煤废气汞的排放控制上任重道远。

一、前　言

汞是在正常大气压力的常温下唯一以液态存在的金属。通称“水银”[1]。

汞很易蒸发到空气中引起危害，因为：①在0℃时已蒸发，气温愈高，蒸发愈快愈多；每增加10℃蒸发速度约增加1.2～1.5倍，空气流动时蒸发更多。②汞不溶于水，可通过表面的水封层蒸发到空气中。③黏度小而流动性大，很易碎成小汞珠，无孔不入地留存于工作台、地面等处的缝隙中，既难清除，又使表面面积增加而大量蒸发，形成二次污染源。④地面、工作台、墙壁和天花板等的表面都吸附汞蒸汽，有时，汞作业车间移作他用，仍残留有汞危害的问题。工人衣着及皮肤上的污染可带到家庭中引起危害[1]。

二、汞对人体的危害——汞中毒

汞及汞化合物对人体的损害与进入体内的汞量有关。汞对人体的危害主要累及中枢神经系统、消化系统及肾脏，此外对呼吸系统、皮肤、血液及眼睛也有一定的影响。在日常生活中，水银体温计破碎，过量服用含汞药物如朱砂、甘汞等或吸入燃烧含汞中药的烟气，都能导致汞中毒，对人体造成危害[2]。

汞虽然是一种累积性毒物，但人体对汞具有一定的排泄能力。试验表明，成年人每天摄入0.025毫克的甲基汞，由于人体排泄能力使之不会在身体内累积，若摄入量超过人体的排泄能力，会在体内累积。日本的水俣病，就是在大脑中累积了甲基汞，损害脑组织所致。在人体其他组织中的金属汞，可能氧化成离子状态，并转移到肾中蓄积起来。人体受汞慢性中毒的临床表现，主要是神经性症状，有头痛、头晕、肢体麻木和疼痛、肌肉震颤、运动失调等。大量吸入汞蒸汽会出现急性汞中毒，其征候为肝炎、肾炎、蛋白尿和尿毒症等。这类病有严重的后遗症和较高的死亡率，还可以通过母体遗传给婴儿。在我国松花江和蓟河流域的一些渔民体内有明显的汞积累，而且已经出现了“疑似水俣病”的病人[3]。

（一）汞进入人体的途径

在生产条件下，金属汞主要以蒸汽形式经呼吸道进入人体。其进入人体的量占吸入量的80%左右。金属汞经消化道吸收的量极少，可以忽略不计。因意外事故（如体温计破损）金属汞也可以经皮肤进入人体。汞化合物可以通过呼吸道、消化道及皮肤侵入人体[3]。

（二）汞中毒

各种汞化合物的毒性差别很大。元素汞基本无毒；无机汞中的昇汞是剧毒物质；有机汞中的苯基汞分解较快，毒性不大；甲基汞进入人体很容易被吸收，不易降解，排泄很慢，特别是容易在脑中积累，毒性最大。如水俣病就是由甲基汞中毒造成的[4]。汞及汞化合物对人体的损害与进入体内的汞量有关。汞对人体的危害主要累及中枢神经系统、消化系统及肾脏，此外对呼吸系统、皮肤、血液及眼睛也有一定的影响。

有关调查表明，当尿汞值超过0.05mg/L时即可引起汞中毒。汞中毒分急性中毒和慢性中毒。

1. 急性汞中毒。由呼吸道或消化道进入体内大量的金属汞或汞化物后，数小时至数日内可出现头晕、全身乏力、发热、口腔炎以及恶心、腹痛、腹泻等症状。严重时可导致急性肺水肿和急性肾衰（近曲小管坏死）。

2. 慢性汞中毒。长期接触低浓度汞及汞化物引起的职业性中毒为慢性汞中毒。它可以分为轻度中毒、中度中毒和重度中毒[3]。

（1）轻度汞中毒：①神经衰弱症候群，如全身乏力、头昏、头痛、睡眠障碍等。②轻度情绪改变，如急躁、易怒、好哭等。③手指、舌、眼睑轻度震颤。④消化道功能紊乱，患者有口腔炎，口中有金属味。

（2）中度汞中毒：①精神性格有明显改变。②记忆力显著降低，影响到工作和生活。③手、舌、眼睑震颤明显，情绪紧张时震颤加剧。

（3）重度汞中毒：①明显的神经精神症状。②汞中毒性脑病，表现为四肢及全身粗大震颤、共济失调、痴呆。

汞中毒的机理目前尚未完全清楚。目前已知道的是，Hg－S反应是汞产生毒性的基础。金属汞进入人体后，很快被氧化成汞离子，汞离子可与体内酶或蛋白质中许多带负电的基团如巯基等结合，使细胞内许多代谢途径，如能量的生成、蛋白质和核酸的合成受到影响，从而影响了细胞的功能和生长[3]。

汞通过核酸、核苷酸和核苷的作用，阻碍了细胞的分裂过程。无机汞和有机汞都可引起染色体异常并具有致畸作用。此外汞能与细胞膜上的巯基结合，引起细胞膜通透性的改变，导致细胞膜功能的严重障碍。位于细胞膜上的腺苷环化酶Mg、Ca－ATP酶及Na、K－ATP酶的活性都受到强烈抑制，进而影响一系列生物化学反应和细胞的功能，甚至导致细胞坏死[3]。

因种类不同汞及汞化物进入人体后，会蓄积在不同的部位，从而造成这些部位受损。如金属汞主要蓄积在肾和脑；无机汞主要蓄积在肾脏，而有机汞主要蓄积在血液及中枢神经系统。汞也可通过胎盘屏障进入胎儿体内，使胎儿的神经元从中心脑部到外周皮层部分的移动受到抑制，导致大脑麻痹[3]。

三、汞污染

汞是在常温下唯一呈液态的金属元素。在自然界里大部分汞与硫结合成硫化汞（辰砂），广泛分布在地壳表层[4]。

（一）自然界中汞的本底

在自然界里大部分汞与硫结合成硫化汞（HgS），亦称“辰砂”或“朱砂”，广泛地分布在地壳表层。辰砂及其多晶体偏辰砂是主要的含汞矿源。随着自然的演化，环境的各个因素中都可能含有汞，形成汞的天然本底。进入土壤中的汞可以被植物吸收。进入水中的汞可变成溶解状态或与水中的悬浮固体结合而沉降于水底，也可被水生生物吸收。汞还可挥发进入大气。因此，环境的各个介质和地面各种物体中都可能含有汞，形成汞的天然本底[4]。

汞的本底对判断环境的汞污染程度很有意义。地壳中汞平均丰度为0.08mg/kg，土壤为0.03～0.3 mg/kg。大气中汞的本底浓度为0.1～1.0 μg/m^3。汞在大气中呈蒸汽态，因而雨水中也有汞，平均浓度为0.2μg/L。水中汞的本底浓度：内陆地下水为0.1μg/L，海水为0.03～2μg/L，泉水可达80μg/L以上，湖水、河水一般不超过0.1μg/L[4]。

（二）汞的迁移转化

由于天然本底情况下汞在大气、土壤和水体中均有分布，所以汞的迁移转化也在陆、水、空气之间发生。大气中气态和颗粒态的汞随风飘散，一部分通过湿沉降或干沉降落到地面或水体中。土壤中的汞可挥发进入大气，也可被降水冲洗进入地面水和地下水中。地面水中的汞一部分由于挥发而进入大气，大部分则沉降进入底泥。底泥中的汞，不论呈何种形态，都会直接或间接地在微生物的作用下转化为甲基汞或二甲基汞（见汞的生物甲基化）。二甲基汞在酸性条件下可分解为甲基汞。甲基汞可溶于水，因此又从底泥回到水中。水生生物摄入的甲基汞，可在体内积累，并通过食物链不断富集。受汞污染水体中的鱼，体内甲基汞浓度可比水中高上万倍。通过挥发、溶解、甲基化、沉降、降水冲洗等作用，汞在大气、土壤、水之间不断进行着交换和转移[4]。

（三）汞的污染来源

人类使用汞的历史可追溯到公元前一千多年，如中国早在殷商时代就使用辰砂作颜料。随着工业的发展，汞的用途越来越广，产量也越来越大。据统计1970—1979年世界汞产量为8.76万吨。煤和石油的燃烧、含汞金属矿物的冶炼和以汞为原料的工业生产所排放的废气，是大气中汞的主要来源；施用含汞农药和含汞污泥肥料，是土壤中汞的主要来源；氯碱工业、塑料工业、电池工业和电子工业等排放的废水，是水体中汞的主要来源。1970—1979年全世界由于人类活动向大气排放的总汞量达10万吨左右；排入水体的总汞量约1.6万吨；排入土壤的总汞量约为10万吨，总计超过20万吨[4]。

1. 生活中的汞污染

在日常生活中，造成汞污染的原因非常多。如化妆品、牙科材料、体温计、照明用灯、鱼体内都含有一定量的汞。汞对皮肤有一定的漂白作用，因此，具有漂白、祛斑作用的化妆品多含有汞。充填龋齿的主要材料是银汞合金。补牙时，银汞充填物产生的汞蒸气，对患者同样有害。一支普通的玻璃体温计含汞约1克，一台台式血压计含汞约50克。由于所用容器的材质多为玻璃，在使用中倘若发生破碎就容易导致汞泄漏[5]。

2. 人为大气汞排放

据估算，目前每年全球人为因素向大气共排放汞近2000吨，其中燃料燃烧占40%以上，其他排放源按排放量排序为黄金冶炼、有色金属冶炼、水泥生产、垃圾处理等。从全球人为源汞排放的历史趋势来看，欧美发达国家在工业化初期向大气环境排放大量的汞，但近年来由于各类污染物控制设备（例如电除尘器和烟气脱硫设备）大规模地安装运行，而且民用和工业能源从煤炭转向油/气等更清洁的燃料，欧洲和北美洲的汞排放呈现出逐年递减的趋势。与之相反，发展中国家工业化起步较晚，近年来由于煤炭消费总量逐年增加，同时金属冶炼等汞排放量较高行业强劲发展，因此亚洲和非洲等地发展中国家的汞排放量呈现出增长的态势[6]。

我国是煤炭消费大国，水泥、钢铁和金属冶炼等重工业在国民经济中占较大比重，因此我国的燃煤和工业过程汞排放已经引起国际社会的广泛关注。据初步估算，我国人为源大气汞排放约一半来自于煤炭燃烧，此外，金属冶炼、水泥生产、汞矿开采、电池/荧光灯生产、生物质燃烧、废弃物和垃圾焚烧也是重要的汞排放源[6]。

四、汞的环境标准

从下表可以看出，我国《生活饮用水卫生标准》（GB 5749—2006）、《农田灌溉水质标准》（GB 5084—1992），都要求汞的含量不得超过0.001mg/L，《渔业水质标准》（GB 11607—1989）要求汞不得超过0.0005 mg/L。我国的《污水综合排放标准》（GB 8978—1996）、《城镇污水处理厂污染物排放标准》（GB 18918—2002）中，汞作为第一类污染物，其排放限值分别为0.05 mg/L、0.001 mg/L。另外，对于汞是特征污染物的电镀、烧碱和聚氯乙烯、煤炭工业等行业，其行业排放标准均对汞的排放限值进行了规定。从这些水的环境质量标准及排放标准可以看出，我国对水中汞的污染控制在标准建立与实施上已经相当完善。

我国环境标准中的汞的标准限值及标准优选的分析方法　　单位：水 mg/L，土壤 mg/kg

标准名称及编号	类别					优选的分析方法
	I 类	II 类	III 类	IV 类	V 类	
地表水环境质量标准（GB 3838—2002）	0.00005	0.00005	0.0001	0.001	0.001	水质　总汞的测定　冷原子吸收分光光度法（GB/T 7468—1987） 水质　汞的测定　原子荧光光度法（SL327.2—2005） 水质　汞的测定　冷原子荧光法（试行）（HJ/T 341—2007）
地下水环境质量标准（GB/T 14848—1993）	0.00005	0.00005	0.001	0.001	0.001	
土壤环境质量标准（GB 15616—1995）	一级	二级			三级	土壤质量　总汞的测定　冷原子吸收分光光度法（GB/T 17136—1997）
	0.15	0.30	0.50	1.0	1.5	
海水水质标准（GB3097—1997）	第一类	第二类	第三类	第四类	—	冷原子吸收分光光度法（HY 003.3—1991） 金捕集冷原子吸收光度法（HY 003.3—1991）
	0.00005	0.0002	0.0005	—		
渔业水质标准（GB 11607—1989）	0.0005					水质　总汞的测定　冷原子吸收分光光度法（GB/T 7468—1987） 水质　总汞的测定　双硫腙分光光度法（GB/T 7469—1987）
农田灌溉水质标准（GB 5084—1992）	0.001					水质　总汞的测定　冷原子吸收分光光度法（GB/T 7468—1987） 水质　总汞的测定　双硫腙分光光度法（GB/T 7469—1987）

然而，从环境空气质量及废气排放标准中也可以看到，目前我国大气污染防治的重点仍然偏重于二氧化硫和烟尘的排放控制，而对汞排放的控制重视不够。我国《环境空气质量标准》（GB 3095—1996）、《室内空气质量标准》（GB/T 18883—2002）中均没有汞的限值，排放标准中除《大气污染物综合排放标准》（GB 16297—1996）、《工业炉窑大气污染物排放标准》（GB 9078—1996）外，其他涉及燃煤废气排放的排放标准，如《火电厂大气排放标准》（GB 13223—2003）、《锅炉大气排放标准》（GB 13271—2001）、《炼焦炉大气污染物排放标准》（GB 16171—1996）、《水泥厂大气污染物排放标准》（GB 4915—2004）等均未对汞进行限值。在我国现有的国家大气污染物排放标准体系中，按照综合性排放标准与行业排放标准不交叉执行的原则，这些行业的汞排放基本处于无控状态。目前美国 EPA 将于 2011 年 3 月 10 日提出含汞排放标准的燃煤/燃油电厂的有毒物质排放标准，并将于 2011 年 11 月 16 日完成[7]。我国作为煤炭消费大国，在燃煤废气汞的排放控制上任重道远。

参考文献

[1] http://baike.baidu.com/view/1949768.htm.

[2] 广东省公共卫生网，http://www.medste.gd.cn/Html/pubmed/Class1345/Class1351/Class1381/Class1407/14699320070424101700.html.

[3] http://baike.baidu.com/view/862254.htm.

[4] http://www.hudong.com/wiki/%E6%B1%9E%E6%B1%A1%E6%9F%93.

[5] http://env.people.com.cn/GB/10186350.html.

[6] 冯新斌，王书肖．中国环境报第 4 版，2008－11－07.

[7] Clean Air Mercury Rule US EPA.htm.

碱浸电解法制备金属锌粉新技术的工业化应用

刘　清[1,3]　招国栋[2]　赵由才[3]

(1. 南华大学城市建设学院　衡阳　421001；
2. 南华大学核资源与核燃料工程学院　衡阳　421001；
3. 同济大学污染控制与资源化研究国家重点实验室　上海　200092)

摘　要　利用炼铜锌烟尘制备金属锌粉的碱浸电解法新技术在浙江富阳建成了年产 2000t 的锌粉生产厂。本文对该厂进行了设计，增加了废电解液的深度处理工段，并对锌粉清洗、烘干设备进行了改进。企业营运情况表明：锌烟尘的浸取率可达 90% 以上，金属锌粉可达到国家一级标准，实现了良好的经济和社会效益。

关键词　金属锌粉　碱浸　电解　工业化应用　设计

前　言

锌是国计民生必不可少的重要金属材料。我国作为世界第二大产锌国，按 GDP 增长速度 7% ~8% 预测，到 2015 年，我国锌原料缺口将要达到 60 万 t 金属量。对含锌废料和贫杂氧化锌矿的综合处理，不仅能提高对锌资源的利用程度，减少资源的浪费，解决目前锌行业原料短缺的危机，还将对改善冶炼行业的环境污染起到积极的作用。

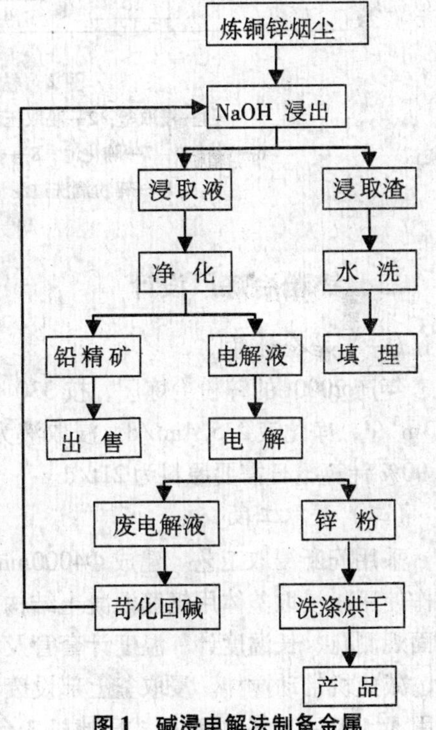

图 1　碱浸电解法制备金属锌粉的工艺流程

浙江省富阳市是我国最大的废铜集散地和再生铜冶炼基地之一。铜冶炼再生的同时也产生出了大量的含铜、锌、铅等有价金属的烟尘。数量如此巨大的烟尘只有含氧化锌高于 60% 的高品位含锌烟尘可直接生产硫酸锌、氯化锌和立德粉等锌盐。剩下的锌含量低于 60% 的锌粉尘有价金属含量波动大、成分复杂，尤其是含氯和氟，因此不能作为传统湿法炼锌的原料，从而一直未得到良好的开发和利用，造成了金属资源的大量流失及环境污染。

同济大学赵由才对含锌废渣和贫杂氧化锌矿等原料碱浸电解生产高纯度锌粉的技术进行了系列研究，取得了极大成功，先后在贵州、云南建成锌粉冶炼厂。2007 年，在浙江富阳建成了以炼铜锌烟尘为原料的 2000t/a 锌粉生产厂。该厂总结了前者的经验，增加了废电解液深度处理工艺，在设备选型、构筑物材料等方面进行了改进，并进一步完善了企业产品质量控制。该厂从 2007 年 5 月试生产以来，取得了较好的指标：锌浸出率大于 90%，锌粉质量达到国家二级标准。

一、工艺原理与流程

(一) 基本原理

炼铜锌烟尘中锌存在形态主要是 ZnO。氧化锌可溶于氢氧化钠溶液，而原料中的铜、铁等金属元素均难溶于浸取液而留在浸取渣中。浸取工艺段主要的反应如下：

$$ZnO\ (s)\ +2NaOH\ (aq)\ +H_2O\ (l)\ \rightarrow Na_2Zn\ (OH)_4\ (aq) \tag{1}$$

在强碱性介质中，锌电解的反应如下：

阳极反应：$2OH^- - 2e \rightarrow 1/2O_2\uparrow + H_2O$ (2)

阴极反应：$Zn\ (OH)_4{}^{2-} + 2e \rightarrow Zn\downarrow + 4OH^-$ (3)

（二）工艺流程

利用炼铜锌烟尘碱浸电解生产金属锌粉的工艺流程见图 1，设备连接图见图 2。炼铜锌烟尘为粉末状，可直接浸取。浙江富阳锌粉冶炼厂的生产流程分为浸取、净化、电解、锌粉清洗烘干及废电解液深度处理这 5 个工段。

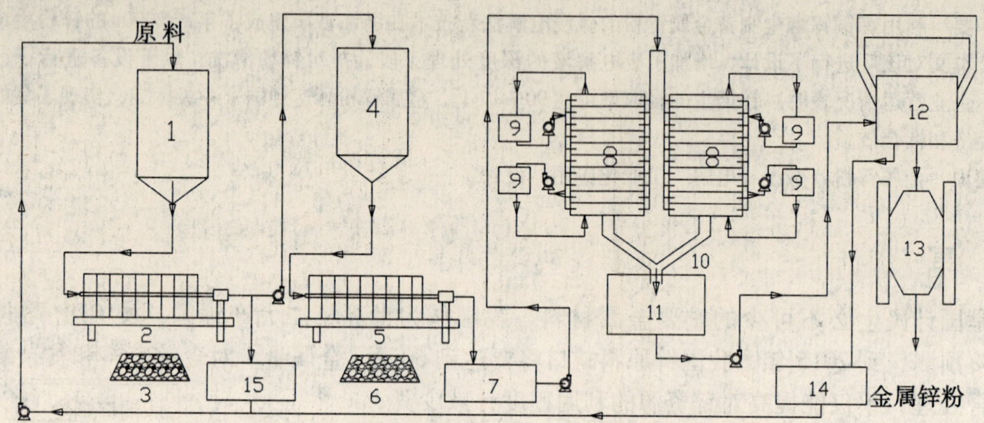

图 2　杭州富阳锌粉冶炼厂设备连接图

1—浸取釜；2—浸取压滤机；3—浸取渣；4—净化釜；5—净化压滤机；
6—铅精矿；7—陈化池；8—电解槽；9—电解液循环池；10—锌粉及废电解液溜槽；
11—锌粉清洗过滤池；12—锌粉清洗离心机；13—锌粉干燥机；
14—废电解液池；15—洗渣水池

二、锌粉冶炼厂设计

（一）冶金计算

年产 2000t 的锌粉冶炼厂，按 330 个工作日计算，日生产金属锌粉 6.2t/d，日需制备电解液 $233m^3/d$，净化液 $235.4m^3/d$，浸取液为 $238m^3/d$。按原料锌品位 40%，锌浸取率 85%，总回收率 90% 计算，日需要原料为 21t/d。

（二）浸取工段

采用间断浸取工艺。建成 Φ4000mm ×4000mm 容积 $50m^3$ 的机械搅拌釜 3 个，2 台工作，1 台协作使用。浸取釜体用钢筋混凝土结构，锥形底，内衬碳钢防腐，配置碳钢螺旋蒸汽加热管。设液面观测孔、长温度计、温度计套管及液位刻度线。采用推进式搅拌器，配以防腐搅拌机和电动机、减速机带动搅拌。浸取釜上部设废电解液进料管、洗水进料管及进料口，顶部加可移动盖。选用 $X_M^A100-1000U_K^B$ 型厢式压滤机 3 台做浸取压滤，其中 2 台工作，1 台备用。

（三）净化工段

研发出 1JHJ、2JHJ、3JHJ 分离剂去除浸取液中的铅、铝、砷等杂质离子。净化釜与浸取釜结构相同，数量也相互配套。由于净化渣量远小于浸取渣量，选用耐腐蚀、耐酸碱的 $X_M^A50-800U_K^B$ 型厢式压滤机 1 台。

（四）电解工段

阳极板为不锈钢板，阴极板为钛合金板。极板尺寸为 800mm ×500mm，阴阳极板上部分别镶 840mm、1000mm 长，40mm 宽，12mm 厚的导电铜排。电解车间设置 4 组系列电解，每组电解槽数设为10个，总设计电解槽数为40个。电解槽的尺寸为1860mm×700mm×1260mm。电解槽底部为锥形体，并设锌粉出料口。电解槽槽体用钢筋混凝土，内衬10mm的硬质PVC板材。原来采用的内衬是抗碱环氧树脂，树脂在使用一段时间后会脱落进入电解液，影响锌粉的质量。而PVC板材化学性能稳定，耐火阻燃，绝缘性能可靠，表面光洁，平整，不吸水，不变形，易于加工。因此本设计电解槽内衬材料改进为PVC板。每组电解系列设4个电解液循环池，并分别配置循环泵。电解槽电解液循环池的尺寸设计为4000mm×2000mm×2200mm。整个电解车间的电流强度为12000A，总电压为120V，选用ZHS12000A/（100~200）V的整流器。

（五）锌粉清洗烘干工段

最开始采用的金属锌粉洗涤设备是板框压滤机，其缺点是：压滤机两头的锌粉和压在滤饼中间的锌粉清洗不干净，且耗水量大。后选用了SD型三足式吊袋卸料离心机，离心机底座轻，容易因进料不均匀而振动剧烈。总结前两种设备的不足，本设计中采用XR1200－N型上悬式人工卸料离心机。清洗结束后，停机抖动滤袋，使锌粉松散后，从机壳底部排出。机壳底部正下方安装干燥机，锌粉直接掉入干燥器，快速烘干，有效地减少了锌粉的氧化。

锌粉烘干设备最开始选用的是大型真空干燥厢，其缺点在于锌粉在烘干时不能翻动，受热不均匀，下层的锌粉难以烘干，致使烘干速度跟不上锌粉清洗的速度，使后续锌粉无法及时进行烘干。现选用SZG－1000型SZG双锥回转真空干燥机。由于罐体内处于真空状态，且罐体的回转使锌粉不断地上下、内外翻动，加快了物料的干燥速度，提高了干燥效率，达到了均匀干燥的目的。

（六）废电解液深度处理工段

废电解液在循环10~20次需要进行一次深度处理，达到回碱和强化净化的目的。废电解液深度处理工艺为：用泵将废电解液打入备用的浸取釜或净化釜，加入碱，搅拌至碱溶解，静置到溶液分层。再从釜底抽出下层的絮状物到另一个备用的釜，然后从洗水池中抽洗水加入釜体，得到深度处理液。加热搅拌，升温到70℃，加入石灰苛化，反应半小时后，压滤过滤，苛化渣排放，处理好溶液回到废电解池进行后续浸取。

三、锌粉冶炼厂质量控制

锌粉冶炼厂生产质量的控制对保证锌粉质量有着至关重要的作用，每个生产工段的技术参数见表1。冶炼厂生产过程控制及监测主要依靠化验室来完成。化验室需要对生产流程进行跟踪分析以确定下一步工序投加的物料，同时还需要对锌粉产品进行抽样调查，保证产品质量。表2为化验室生产过程需要分析的项目及取样点。

表1　各工段技术参数

工　段	项　目	技术条件
浸　取	初始碱浓度	220~250g/L
	浸出液锌浓度	30~40g/L
	温度	80~90℃
	浸出时间	2h
净　化	净化温度	70~90℃
	1#分离剂加入量	铅含量的0.8倍
	2#分离剂加入量	1.5g/L
	3#分离剂加入量	1g/L
	氧化钙加入量	1#分离剂的0.8倍

工　段	项　目	技术条件
电　解	电解液锌浓度	35～40g/L
	电解液碱含量	180～210g/L
	废电解液锌浓度	8～10g/L
	废电解液碱含量	240～260g/L
	温度	控制在50℃以下
	电流密度	$1000A/m^2$
	槽电压	2.7～3.2V
	电流效率	85%～90%
	直流电耗	2700～3200kWh
废电解液深度处理	加碱后碱浓度	350g/L
	温度	70～90℃
	石灰加入量	理论值的1.5～1.8倍
	反应时间	30min

四、锌粉冶炼厂生产运营情况

浙江富阳锌粉冶炼厂从2006年6月开始创建，历时1年完成了厂房土建、设备购买、安装、调试等工作，于2007年5月开始试生产，7月正式生产。正式生产的第一批原料含锌、铅、铁、氯的含量分别为59.47%、12.4%、0.56%和8.8%，其生产运行情况及产品质量见表3。由表3可见，富阳锌粉冶炼厂炼铜锌粉尘的锌浸取率很高，达到92%以上；生产的金属锌粉全锌含量在98%以上，金属锌含量在94%以上，达到了锌粉的国家二级标准，生产运营状况良好。

表2　分析项目及取样点

需分析的物料		分析项目	取样点
入库原料		Zn、Pb、As	含量跟车取样
浸取	浸取液	Zn、NaOH浓度	浸取釜
	浸取后液	Zn、Pb、NaOH浓度	浸取压滤机出液口
	浸取渣	Zn、Pb、Cu含量	浸取压滤机出料口
	洗渣水	Zn、Na_2CO_3、Na_2CO_3浓度	洗渣水池
净化	净化前液	NaOH、Na_2CO_3、Zn、Pb、As、Al浓度	净化釜
	净化渣	Zn、Pb、S、水分	净化压滤机出料口
	净化后液	NaOH、Na_2CO_3、Zn、Pb、As、Al浓度	净化压滤机出液口
电解	电解前液	NaOH、Na_2CO_3、Zn	电解槽
	电解中控	Zn	电解槽
清洗	电解废液	NaOH、Na_2CO_3、Zn	电解废液槽
	锌粉洗水	NaOH、Na_2CO_3、Zn	洗水池
产品	锌粉	全锌、金属锌	烘干机出料口

表3 富阳锌粉冶炼厂生产运行情况

日期	生产液	NaOH/(g/L)	Na_2CO_3/(g/L)	Zn/(g/L)	Pb/(g/L)	浸取率/%	全锌/%	金属锌/%
2007.7.8	浸取液	187.9	0.05	38.28	4.05	99.5		
	净化液	189.9	0.64	35.33				
	电解液	173.03	4.88	31			99.3	97.3
2007.7.9	浸取液	192.6	3.3	33.84	5.7	92.3		
	净化液	192.8	5.86	31.33				
	电解液	195.5	8.43	30.9			98.98	95.9
2007.7.10	浸取液	180.3	1.64	37.2	10.94	99.37		
	净化液	185	8.29	32.5				
	电解液	168.3	4.55	31.73			99.0	95.3
2007.7.11	浸取液	187.9	0.05	37.9	4.7	94.64		
	净化液	192.6	1.45	33.4				
	电解液	183	2.13	35			98.7	94.5
国家锌粉质量标准 GB/T 6890—2000				一级			98	96
				二级			98	94

五、结　语

在国内外率先将碱浸电解生产金属锌粉技术应用于处理炼铜锌粉尘等含锌废料和贫杂氧化锌矿，并将该技术推向产业化，提升了我国湿法冶金的技术水平。该工艺具有流程简单、金属回收率高、原料适应性强、产品质量好、有利于环境保护和资源综合利用等优越性。项目的成功实施可推动碱浸电解生产金属锌粉技术在我国的应用，将对处理我国贫杂氧化锌矿及含锌二次资源的综合利用起到示范作用，促进实现锌冶炼和再生技术的可持续发展。

参考文献

[1] Zhao Youcai, R Stanforth. Production of Zn powder by alkaline treatment of smithsonite Zn - Pb ores [J]. Hydromtallurgy, 2000, 56: 237 - 249.

[2] Zhao Youcai, R Stanforth. Extraction of zinc from zinc ferrites by fusion with Caustic Soda [J]. Mineral Engineering, 2000, 13: 1417 - 1421.

[3] Zhao Youcai, Stanforth Robert. Selective separation of lead from alkaline zinc solution by sulfide precipitation [J]. Separation Science and Technology, 2001, 36 (11): 2561 - 2570.

[4] 刘三军，欧乐明，冯其明，等．低品位氧化锌矿石的碱法浸出［J］．湿法冶金，2005（24）：23 - 25.

[5] 赵由才，刘清，易天晟．一种用锌粉尘和锌浮渣生产金属锌粉的方法．专利号 ZL200610024601.1［P］．2008 - 09 - 10

[6] 张承龙，刘清，赵由才．碱浸电解生产金属锌粉技术［J］．有色金属，2008，60（3）：77 - 80.

[7] 梅光贵，王德润，等．湿法炼锌学［M］．长沙：中南大学出版社，2001.

[8] 铜铅锌冶炼设计参考资料编写组．铜铅锌冶炼设计参考资料［M］．北京：冶金工业出版社，1978.

[9] 湿法冶金工艺管道设计手册编写组．湿法冶金工艺管道设计手册［M］．北京：原子能出版社，1981.

[10] 中国有色金属工业标准计量质量研究所．铅锌质量技术监督手册［M］．北京：冶金工业出版社，2002.

燃煤电厂汞排放治理技术

李艳松[1] 孙明超[2] 郭家秀[1,2] 尹华强[1,2]

（1. 四川大学建筑与环境学院 成都 610065；
2. 四川大学国家烟气脱硫技术控制中心 成都 610065）

摘 要 近年来，燃煤汞污染被世界公认为继燃煤硫污染之后的又一大污染问题，燃煤汞排放的治理技术的研究开发将是21世纪最重要的环保课题之一，是国际上研究的热点，开发出有效、低成本的脱汞技术迫在眉睫。文章综述了国内外有关此方面的研究，并进行了简要的分析总结，对未来燃煤电厂烟气汞污染治理技术的发展方向进行了展望。

关键词 燃煤烟气 汞排放 治理技术

一、前 言

汞是煤中的一种有毒的痕量重金属元素，汞污染对人类及生物环境造成的危害极大。全球每年排放到大气中汞总量约为5 000 t，其中4 000 t是人为的结果[1]。时至今日，按照燃煤电站汞排放量的预测模型[2]，如今人为原因排汞应已超过7 000 t。造成汞环境污染的人为来源主要是矿石燃料的燃烧、汞矿和其他金属的冶炼、氯碱工业和电器工业中的使用汞等，其中份额最大的来源于燃烧。以美国为例[3]，各类燃烧排汞量占87%，其中电站燃煤汞排放所占比例最大，达到33%；生活垃圾焚烧汞排放量占19%，工业锅炉汞排放占18%，医疗垃圾焚烧汞排放占10%。可见燃煤导致的汞污染是最为严重的。

世界范围内煤中汞含量一般在0.012～33mg/kg，平均汞含量约为0.13mg/kg，我国煤中汞的平均含量为0.22mg/kg[4]。可见我国燃煤汞含量普遍偏高，燃煤汞的排放控制不容忽视，燃煤所造成的环境汞污染形势不容乐观。燃煤过程汞的排放，特别是大型燃煤电站锅炉的汞排放，在局部汞循环中具有相当的危害性，其危害不仅具有隐蔽性而且具有潜在性，即汞的生物累积作用难以消除，应当引起重视，并且把治理汞污染提到议事日程上来，如不采取一定措施加以控制，将会对人类赖以生存的环境造成难以弥补的危害。

二、燃煤电厂脱汞技术研究现状

煤汞污染的控制方式主要分为燃烧前脱汞、燃烧中脱汞、燃烧后尾部烟气脱汞。目前，国内外对于燃烧中脱汞的研究较少，主要是利用改进燃烧方式，在降低NO_x排放的同时，抑制一部分汞的排放。这里主要介绍燃烧前脱汞与燃烧后尾部烟气脱汞。

（一）燃烧前脱汞

洗煤和煤的热处理是减少汞排放简单而有效的方法。传统的洗煤方法可洗去不燃性矿物原料中的一部分汞，但是不能洗去与煤中有机碳结合的汞。这样只能是将煤中的汞转移到了洗煤废物中，但这对减少烟气中的汞还是有积极意义的。在洗煤过程中，平均51%的汞可以被脱除[5]。目前，发达国家原煤入洗率为40% ～100%，而我国只有22%。从保护环境和经济可持续性的角度出发，应尽快提高我国原煤入洗率。由于汞具有高挥发性，在煤热处理的过程中，汞会受热挥发出来。对热处理脱汞技术研究表明[9]，在400℃下可以达到最高80%的脱汞率。然而，在400℃下也发生了煤的热分解，导致挥发性物质的减少，煤的发热量也有很大的降低。热处理脱汞技术还处于实验室阶段，有待进一步研究。

（二）燃烧中脱汞

通过对燃烧的工况条件进行调节，使得汞的赋存形式向不易挥发、易于去除的方向变化，进而达到减少汞向大气排放的目的。研究证明，温度、气氛、煤粉细度等都是影响亚微米级颗粒形成的因素，降低温度，适当提高煤粉细度，延长炉内停留时间及增加氧化性气氛等都有利于控制重金属的排放。目前，有关燃烧过程中脱除汞的研究很少，但是，针对其他污染物而采用的一些燃烧控制技术对汞的脱除有积极的作用。其中流化床燃烧方式能降低烟气中汞及其他微量重金属的排放，这主要是因为较长的炉内停留时间致使微颗粒吸附汞的机会增加，对于气态汞的沉降更有效率。低氮燃烧技术同样有利于汞的污染控制，这可能是因为其操作温度较低，导致烟气中氧化态汞的含量增加的缘故。

（三）燃烧后尾部烟气脱汞

对于燃煤烟气汞的排放控制，研究者们提出了各种各样的控制方法。目前，尾部烟气脱汞技术的研究主要包括以下几种方法：一种是以活性炭吸附为代表的吸附法，另一种是利用现有脱硫除尘装置的脱汞法，再者就是电晕放电等离子体脱汞法[6,7]、电催化氧化联合处理脱汞法等[8]。

选择性催化还原（SCR）技术不但是一种可以有效控制 NO_x 排放的方法，而且对脱除氧化汞也是十分有效的。对德国电厂选择性催化还原设备的入口（温度接近380℃）和出口烟气的检测显示：汞的相对含量从40%～60%降到了2%～12%。荷兰电厂的选择性催化还原设备也发现了类似的现象[9]。研究表明，在电厂中烟气脱硫装置和选择性催化还原设备能够很好地捕集汞。目前在我国燃煤电厂中，基本上都装有湿法脱硫装置，利用湿法脱硫装置可以将烟气中80%～95%的氧化态汞除去，但对于不溶于水的气态汞捕捉效果不显著。

利用除尘装置也可以除去大部分颗粒态汞。湿法脱硫装置进口烟气中的汞主要以单质汞和氧化态汞形式存在。通常认为氧化态汞主要以 $HgCl_2$ 形式存在，由于煤中氯元素含量、烟气温度及烟气停留时间等因素的影响，在不同条件下，烟气中各种形态的汞含量也不相同。烟气中的 NO_x、HCl、飞灰也能够影响单质汞转化为氧化态汞的转化率，并影响着湿法脱硫装置的脱汞能力[10]。在高温条件下，氧化态汞能重新还原成单质汞，这进一步影响利用湿法脱硫装置的脱汞效率。根据国外研究报告，在湿法脱硫装置加入各种氯氧化剂，将单质汞氧化成 $HgCl_2$。$HgCl_2$ 的水溶性好，当 $HgCl_2$ 在溶液中发生溶解和电离时，汞离子（Hg^{2+}）就可与洗涤器中的液相组分发生反应，由此可以极大地提高对汞的吸收效率[11]。

有人在密歇根中南部的 Endicott 电厂进行了连续4个月的湿式脱硫装置脱汞工业性试验，结果表明，由于在系统中加入了氯氧化剂，阻止了氧化态汞重新还原成单质汞，脱汞效率平均保持在77%。但在 Cinergy 公司 Zimmer 电厂进行的相同试验中，没有加入氯氧化剂，结果显示了在洗涤器中发生了化学还原反应，平均脱汞效率约50%。

魏国强等提出一种低成本活性炭除汞技术[12]。借鉴国外研究经验，本文提出“分流活性炭”的概念。分流活性炭喷射吸附系统是从锅炉中抽取部分未燃烬的煤（称为分流活性炭）作为吸附剂，经过换热器（空预器）降温后，再将其喷入烟道中与烟气均匀混合进行除汞。如果选择合适的物性参数、恰当的抽取位置，分流活性炭可以具有跟商业活性炭接近的吸附容量和汞脱除率，而且它的生产和应用成本比商业活性炭低得多。

三、脱汞技术的发展趋势

有研究者提出在烟气中先充入臭氧，再利用湿式脱硫装置脱除烟气中的汞。臭氧将单质汞氧化成 Hg^{2+} 后可用湿式脱硫装置除去，而且充入的臭氧还能同时用于烟气脱硫，从而实现脱汞脱硫一体化。从理论上烟气中脱汞率能达到很高，但燃煤电厂烟气汞质量浓度很低，在10～30 $\mu g/m^3$，并且烟气量很大，气流速度快，因而需要消耗大量的臭氧，实际应用成本很高。而且直接排放臭氧易污染空气，造成二次污染。在使用活性炭吸附法脱除单质汞的过程中，吸附剂的吸附能力起决定作用。由于活性炭具有良好的吸附能力，因此在研究燃煤电厂烟气的汞污染控制时，活性炭也成为研究的热点。活性炭对汞的吸附是一个多元化的过程，它包括吸附、凝结、扩散以及化学反应等，与吸附剂本身的物理性质、温度、烟气成分、停留时间、烟气中汞浓度、碳汞比例等因素有关[13]。现在应用较多的是向烟气中喷入粉末状活性炭（PAC），粉末活性炭吸附汞后由其下游的除尘器（如静电除尘器、布袋除尘器）除去，但是活性炭与飞灰混合在一起，不能够再生。由于存在低容量、混合性差、低热力学稳定性的问题，而且活性炭的利用率低、耗量大，使直接采用活性炭吸附法成本过高美国能源部估计，要达到脱汞率为90%，脱除0.45kg汞的成本为（2.5~7.0）$\times 10^4$ 美元，燃煤电厂很难承受，因此很多研究人员开始开发新型、经济的吸附剂。各种实验结果表明，向活性炭中加入添加剂后，这种经过改性的活性炭对单质汞的吸附能力大幅增强。对活性炭吸附能力起支配作用的是微孔的比例，经过热沉淀单质硫活化改性后的活性炭比表面积增加，在表面以及内部沉积硫颗粒，对汞的吸附能力大为增强，而且硫与汞化学结合后能防止汞的再逸出。

治理汞排放所面临的技术挑战是前所未有的，由于汞的低浓度和形态多样，同时汞的总量、气态汞的量（ 元素汞/氧化态 ）、颗粒汞的量随着煤种的不同而有较大的改变，加剧了汞控制的难度。另外，技术成熟后，其经济性也是应该考虑的重点问题。就我国而言，单独开发新的汞控制工艺在经济上是不可行的，目前的工作应从复合污染控制入手，开发联合脱除污染物技术，在脱硫脱硝的同时脱除一部分汞（ 主要是氧化态的汞 ），这符合我国目前的国情。

参考文献

[1] Thomas D B, Dennis N S, Richard A H, et al. Mercury measurement and its control: what we know, have learned, and need to furthur investigate [J]. Journal of the Air & Waste Management Association, 1999, 6.

[2] 任建莉，周劲松，骆仲泱，等，燃煤电站汞排放量的预测模型［J］．动力工程，2005，25（6）：587-592.

[3] Thomas D B, Dennis N S, William J O' Dowd, et al. Control of mercury emissions from coal - fired powerplants: a preliminary cost assessment and the next steps foraccurately assessing control costs [J]. Fuel Processing Tech - nology, 2000: 65-66, 311-341.

[4] 郭欣，郑楚光，贾小红，等．300MW 煤粉锅炉烟气中汞形态分析的实验研究［J］．中国电机工程学报，2004，24（6）：185-188.

[5] 冯新斌，洪业汤，洪冰，等．煤中汞的赋存状态研究［J］．矿物岩石地球化学通报，2001，(2)：77-78.

[6] Ramsay C G. Mercury emission control tech - nologies: an EPRI synopsis [J]. Power Engineering, 1995 (11): 51 - 57.

[7] 吴彦，占部武生．脉冲放电法消除汞蒸气的实验研究［J］．环境科学学报，1996（2）：221-225.

[8] Mclaronom C R, Jonesm D. Electrocatalytic oxi - dation process formulti - pollutantcontrolon firstenergys' R. E. Burger generating station [A]. Electric Power 2000 Cincinnati Convention Center [C]. Portsmouth: Powerspan Corp., 2000: 3-9.

[9] Meijr V, Reden J, Winkelh T. The fate andbehavior of mercury in coal - fired power plants [J]. Air Waste Manage. Assoc, 2002 (8): 912-917.

[10] Ghorishi S B, Lee C W, Kilgroe J D. Mercuryspeciation in combustion systems: studieswith simulatedflue gases and model fly ashes [A]. Presented at the 92nd Annual Meeting of Air and Waste Management Association [C]. St. Louis: [s. n.], 1999: 599 - 651.

[11] Roy S. Absorption of chlorine and mercury in sulfitesolutions (Ph. D. Dissertation) [D]. Austin: The University of Texas at Austin, 2002.

[12] 魏国强，等．燃煤电厂低成本活性炭除汞技术［J］．电力环境保护，2008，24（2）：50-53.

[13] Liy H, Lee C W, Gullett B K. Importance of activated carbon' s oxygen surface functional groups on elementalmercury adsorption [J]. Fuel, 2003 (4): 451-457.

不同重金属复合污染效应与土壤酶活性关系研究

张笑归　刘树庆　杨志新　刘　霞　宁国辉

（河北农业大学资环学院　071001）

摘　要　针对当今污灌区土壤重金属污染日趋严重的实际问题，采用野外调研与盆栽模拟试验相结合，运用现代分析技术及数理统计手段，深入研究了污灌区土壤重金属污染与土壤酶活性关系，不同重金属形态及复合污染效应对土壤酶活性的影响。结果表明：①重金属 Cd、Zn、Pb 复合污染对土壤活性的抑制效应随 Cd－Zn 质量分数增加而明显降低，其抑制作用为 Cd＞Zn＞Pb。②Cd－Zn－Pb 复合污染对脲酶活性影响随 Cd－Zn 的增加而显著降低，并表现为非加和性的协同抑制负效应特征。③对H_2O_2 酶活性随 Cd－Zn 的增加而降低，但表现为一定的拮抗或屏蔽作用，尤以 Pb 较高时其屏蔽作用更明显。④对碱性磷酸酶和转化酶的影响主要因 Cd 的增加而显著降低，其 Cd 的抑制效应显著，Pb、Zn 的作用影响较小。所有这些为进一步阐明重金属复合污染效应机理及探讨污灌区土壤重金属污染程度的主要生化指标提供了重要科学依据。

关键词　土壤酶活性　重金属　复合污染　生化指标

众所周知，当今土壤环境污染问题并非单一污染物所致，而是有机污染和无机污染物综合污染效应的结果。而灌溉区土壤重金属污染更是复合污染效应结果。因此，加强污灌区土壤重金属复合污染效应与土壤酶活性关系研究，对于阐明和揭示土壤环境污染效应机理具有重要指导意义。

目前尽管国内外对此已有过一些研究，但只局限于单一元素对土壤酶活性影响的研究，而实际上，土壤中往往是多种元素的复合污染。特别是随着工农业的迅速发展，污水灌溉以及农药、化肥的大量使用加剧了复合污染的发生，特别是重金属复合污染日趋严重。因此，研究重金属复合污染对土壤酶活性的影响十分必要。本文针对 Cd、Zn、Pb 单因素及其复合污染对土壤酶活性的影响进行了初步研究，这对于环境质量评价和土壤重金属复合污染防治均具有重要的理论意义和实际应用价值。

一、材料与方法

（一）试验设计

本试验为网室盆栽试验，供试土样取自河北农业大学标本园，属中壤质潮褐土；采样深度 0～40cm。土样的基本性质见表 1。

本试验的 Cd、Zn、Pb 复合污染采用三因子五水平回归正交设计方案，Cd、Zn、Pb 单因素及复合污染处理见表 2。用 20cm×20cm 塑料桶盛已过 3mm 筛的风干土，每桶装土 5kg。Cd、Zn、Pb 以 $Cd(Ac)_2 \cdot 2H_2O$、$Zn(Ac)_2 \cdot 2H_2O$、$Pb(Ac)_2 \cdot 3H_2O$ 固体形式施入土壤，同时每桶施鸡粪 75g，尿素 1g 和二铵 2g，均与土壤混合均匀。在重金属和肥料加入土壤两周后，直播油菜籽，出苗后每桶定苗为 8 株，两个月后收获；收获后取土样测定土壤中 4 种酶（过氧化氢酶、脲酶、碱性磷酸酶和转化酶）的活性。该试验共设处理 30 个，每处理 3 次重复，共 90 盆。

表 1　供试土壤的基本理化性质

土类	有机质/(g/kg)	全 N/(g/kg)	速 N	速 P	速 K	pH	$CaCO_3$/%	＜0.01mm 物质含量/(g/kg)	Cd	Zn	Pb
			/（mg/kg）						/（mg/kg）		
潮褐土	10.9	0.60	22.7	14.0	98.0	7.43	16.5	388.4	0.83	75.9	30.5

（二）测定方法

土壤酶活性测定参照关松荫、周礼凯、赵兰波等介绍的方法。其他测试项目均按土壤农化常规分析法（李酉开，1984）。

（三）数理统计方法

采用多元线性回归分析方法（采用SAS软件统计）。方程模型：$y = b_0 + b_1x_1 + b_2x_2 + b_3x_3$ 其中，x 为土壤重金属含量，y 为土壤酶活性。

表2　Cd、Zn、Pb单因素及复合污染盆栽试验设计

处理编号	单因素质量分数/（mg/kg）			复合因素质量分数/（mg/kg）		
	Cd	Zn	Pd	Cd	Zn	Pb
1	0	0	0	4.42	70.78	88.48
2	1	100	100	4.42	70.78	911.52
3	5	200	300	4.42	729.22	88.48
4	10	400	500	4.42	729.22	911.52
5	50	800	1000	45.58	70.78	88.48
6				45.58	70.78	911.52
7				45.58	729.22	88.48
8				45.58	729.22	911.52
9				0	400	500
10				50	400	500
11				25	0	500
12				25	800	500
13				25	400	0
14				25	400	1000
15				25	400	500

二、结果分析与讨论

（一）Cd、Zn、Pb单因素对土壤酶活性的影响

在本试验条件下，Cd、Zn、Pb单因素对4种土壤酶活性均有不同程度的影响。Cd对土壤酶活性的抑制作用较大（见表3），在5mg/kg时对脲酶、碱性磷酸酶、转化酶活性均产生抑制作用，并随Cd质量分数的增加，转化酶活性明显下降；当Cd达到50mg/kg时，这3种酶的活性均受到不同程度的抑制，其抑制率分别为12.24%、28.67%、15.24%。但Cd对过氧化氢酶活性影响相对较小，当Cd达到50mg/kg时才表现出一定的抑制作用，抑制率仅为1.7%；过氧化氢酶、脲酶活性随着Zn质量分数的增加而明显降低，即Zn对这两种酶表现出明显的抑制作用；当Zn达到800mg/kg时，对它们的抑制率分别为13.34%、16.63%。Zn在≤400mg/kg时对转化酶表现为激活作用，而在800mg/kg时对转化酶有明显的抑制作用，其抑制率为22.95%。Zn在本试验条件下，对碱性磷酸酶活性表现为激活作用（见表3）。

由表3表明，Pb对过氧化氢酶、脲酶、碱性磷酸酶、转化酶活性多表现为激活作用。只有当Pb达到1000mg/kg时，转化酶才略有降低，其抑制率仅为2.9%。关于Pb的激活作用也可能

与土壤理化性质、Pb的存在形态、Pb的污染程度以及Pb与酶的作用机制等有关，这有待于进一步探讨。

综上所述，重金属Cd、Zn对土壤酶活性的影响多表现为抑制作用，其机理可能是重金属与酶分子的活性部位相结合，形成较稳定的络合物，产生了与底物的竞争性抑制作用；或者可能由于重金属通过抑制土壤微生物的生长和繁殖，减少体内酶的合成和分泌，导致土壤酶活性下降（周礼恺，1985；史长青，1995）。对Cd、Zn的抑制作用均较敏感的酶为脲酶。

表3　Cd、Zn、Pb单因素对土壤酶活性的影响

重金属	处理号	H_2O_2 酶	脲酶	磷酸酶	转化酶
Cd	1	3.570	0.7236	0.544	5.110
	2	3.566	0.7864	0.462	4.770
	3	3.600	0.6976	0.470	4.599
	4	3.697	0.6831	0.485	4.579
	5	3.508	0.6350	0.388	4.331
Zn	1	3.762	0.6412	0.570	4.162
	2	3.627	0.6363	0.735	4.373
	3	3.584	0.6271	0.821	4.614
	4	3.517	0.6066	0.985	4.416
	5	3.260	0.5346	0.787	3.207
Pb	1	3.803	0.6566	0.560	4.782
	2	3.880	0.7872	0.590	4.805
	3	3.975	0.7930	0.609	4.858
	4	4.063	0.7431	0.640	5.187
	5	4.127	0.7273	0.605	4.642

单位：①过氧化氢酶，0.1mol$KMnO_4$ ml/g（室温，20℃）；②脲酶，NH_3-N mg/kg（37℃，24h）；③碱性磷酸酶，酚mg/g（37℃，24h）；④转化酶（蔗糖酶），0.1 mol $Na_2S_2O_3$ ml/g（37℃，24h）。

（二）Cd、Zn、Pb复合污染对土壤酶活性的影响

Cd－Zn－Pb复合污染对上述4种土壤酶活性的影响与各单因素不同，并且对这4种土壤酶活性的影响差异也较大（见表4）。在Cd、Zn、Pb复合污染下，在4种土壤酶中，Cd－Zn－Pb复合污染对脲酶的毒性及影响最大，使脲酶活性比各单因素下的脲酶活性明显降低，并且比各单因素的脲酶活性降低了20%～40%。尤其在Cd－Zn－Pb共存条件下，土壤脲酶活性均随Cd、Zn含量的增加而有明显的降低；但Pb对脲酶的影响不显著（见表5）。可见，Pb在单因素中为激活作用却在Cd、Zn、Pb复合污染中受到抑制或拮抗，并且随着Cd－Zn复合质量分类的增加，脲酶活性降低幅度比单因素更大，即Cd－Zn协同作用使脲酶活性下降。因此Cd－Zn－Pb复合污染对脲酶的影响并非是各单因素重金属影响效应的简单相加，而表现出协同抑制的负效应特征。此结果与Greszta（1979）得出的结论相符；他发现在Cd－Zn、Pb－Cu和Cd－Zn－Pb处理中，Cd－Zn－Pb复合污染对土壤酶的毒性最大。

Cd－Zn－Pb复合污染对过氧化氢酶活性的影响与各单因素相比，其酶活性变化不同（见表4）。如与Cd、Zn、Pb单因素作用下的过氧化氢酶活性相比，复合污染使其酶活性明显降低。这

主要是 Cd、Zn、Pb 共同对酶作用结果的体现。因为在 Cd、Zn、Pb 复合污染条件下，随着 Cd、Zn 质量分数增大，其酶活性显著下降；而随 Pb 质量分数增加，其酶活性却显著增加（见表5）。并从 Zn、Pb 对过氧化氢酶的影响系数可以看出（见表5），一正一负，相互拮抗，且系数相同，故在相同质量分数情况下，它们对过氧化氢酶影响较小。因此，在本试验条件下，Cd、Zn、Pb 的交互作用对过氧化氢酶表现出一定的拮抗或屏蔽效应，尤其是当 Pb 质量分数较高时，拮抗作用更明显。单因素 Cd 在 50mg/kg 时仅使过氧化氢酶活性降低 1.7%。但在 Cd、Zn、Pb 复合污染条件下，Cd 对过氧化氢酶却表现出明显的抑制作用。这可能与 Cd、Zn、Pb 交互作用的结果有关。宋非等人（1996）认为，在 Cd、Zn、Pb 复合污染条件下，土壤对 Pb 的吸附不仅表现为最大吸附量增大，而且与吸附位结合的牢固程度增加；而对 Cd 的吸附作用因伴随 Zn、Pb 的存在而明显减弱。因此，Cd - Zn - Pb 的共存，使 Cd 的有效性增强，其对酶活性的抑制作用也有可能随之增强。Burn（1978）等曾研究重金属间的相互作用对土壤微生物的影响，他们认为，在 Pb 存在的情况下，Cd 的毒性增大；这可能是间接影响酶活性的一个原因。

表4　Cd、Zn、Pb 复合因素对土壤酶活性的影响

处理号	H_2O_2 酶	脲酶	磷酸酶	转化酶
1	3.753	0.4994	0.7155	4.553
2	3.976	0.5560	0.6435	4.151
3	3.412	0.4750	0.9620	4.986
4	3.746	0.4223	0.6970	4.043
5	3.615	0.4476	0.4505	3.814
6	3.879	0.4919	0.4480	3.643
7	3.257	0.4059	0.5590	3.495
8	3.639	0.3926	0.4535	2.995
9	3.772	0.4868	0.8225	4.195
10	3.729	0.4291	0.5975	3.172
11	3.911	0.4338	0.3930	4.172
12	3.677	0.3351	0.5990	3.289
13	3.474	0.4522	0.7965	4.550
14	3.956	0.4596	0.6770	4.516
15	3.688	0.4394	0.6860	3.909

注：土壤酶活性表示单位见表3注。

Cd - Zn - Pb 复合污染对碱性磷酸酶的影响，与各单因素相比也有不同的变化。复合污染与 Cd 单因素比较，碱性磷酸酶活性有所增加；与 Zn 单因素相比，该酶的活性却有所下降；而与 Pb 单因素相比，该酶的活性有增有减。并且随 Cd 质量分数的增加，该酶的活性显著降低；而随 Zn 质量分数的增加，该酶的活性有明显增加，表现一定的激活作用；随 Pb 质量分数的增加，该酶的活性略有下降。但从多元回归方程系数（见表5）可知，Zn、Pb 的影响均不显著。故 Cd - Zn - Pb 复合污染对碱性磷酸酶活性的影响主要随 Cd 质量分数的增加而显著降低，Pb、Zn 的作用较小。

表5　Cd、Zn、Pb复合污染与土壤酶活性的多元回归分析结果

因变量	多元回归方程	复相关系数	F值及显著性	偏相关F值及显著性		
过氧化氢酶活性	$Y=3.7226-0.0024\ (Cd)-0.0004\ (Zn)+0.0004\ (Pb)$	$r=0.9324^{**}$	$F=32.06^{**}$	$F_{Cd}=5.17^{**}$	$F_{Zn}=36.19^{**}$	$F_{Pb}=54.82^{**}$
脲酶活性	$Y=0.5218-0.0013\ (Cd)-0.00012\ (Zn)+0.000009\ (Pb)$	$r=0.7257^{*}$	$F=6.19^{*}$	$F_{Cd}=5.87^{*}$	$F_{Zn}=12.57^{**}$	$F_{Pb}=0.13$
碱性磷酸酶活性	$Y=0.7782-0.0061\ (Cd)+0.00018\ (Zn)-0.00013\ (Pb)$	$r=0.7857^{**}$	$F=8.53^{**}$	$F_{Cd}=18.09^{**}$	$F_{Zn}=4.19$	$F_{Pb}=3.30$
转化酶活性	$Y=4.9359-0.02231\ (Cd)-0.0004\ (Zn)-0.00046\ (Pb)$	$r=0.7470^{**}$	$F=6.84^{**}$	$F_{Cd}=16.04^{**}$	$F_{Zn}=1.79$	$F_{Pb}=2.68$

在Cd－Zn－Pb复合污染条件下，随着Cd、Zn、Pb质量分数的增加，转化酶活性均降低，即Cd、Zn、Pb协同使转化酶活性降低，且与各单因素对其酶活性的影响相比，其降低的幅度更大；但其中Cd抑制作用最大，Pb、Zn的作用不显著。而单因素Pb在＜1000mg/kg时对转化酶表现出激活作用，但在Cd－Zn－Pb复合污染条件下却表现出抑制作用，其原因可能与Cd－Zn共存影响有关，其影响效应机理尚不甚清楚。对Cd、Zn、Pb复合污染与土壤酶活性的多元线性回归分析（见表5）表明，4种土壤酶（过氧化氢酶、脲酶、碱性磷酸酶和转化酶）活性与Cd、Zn、Pb复合污染之间均呈极显著的相关关系，且Cd、Zn、Pb各元素对4种土壤酶活性的影响既有抑制作用，又有激活作用。但F值方差分析表明，Cd对4种酶的影响均为显著或极显著的抑制作用；Zn对过氧化氢酶及脲酶表现出极显著的抑制作用，对转化酶的抑制作用不显著，而对磷酸酶却表现激活作用，但并不显著；Pb只对过氧化氢酶有极显著的激活作用，但并不显著；Pb只对过氧化氢酶有极显著的激活作用，对转化酶有显著抑制作用，对其他酶的影响均不显著。故重金属复合污染对土壤酶活性的抑制效应顺次为Cd＞Zn＞Pb。

综上所述，Cd、Zn、Pb复合污染不仅与单因素的作用有所不同，而且对4种土壤酶活性的影响也较为复杂，其复合效应有的表现为协同抑制，有的却产生一定的拮抗作用。其作用机制尚不甚清楚，有待进一步深入研究。故目前关于土壤酶活性的研究不能只局限于单因素，而应转向多因素的复合污染研究；这对于污灌区土壤环境质量评价以及重金属复合污染的防治都有着非常重要的意义。

三、结 论

（1）Cd、Zn对4种土壤酶活性的影响多表现为抑制作用，而Pb对其多表现为激活作用。

（2）无论是单因素或复因素，Cd、Zn、Pb对酶活性的抑制效应顺序均为Cd＞Zn＞Pb。

（3）在4种土壤酶中，脲酶对单因素Cd、Zn较为敏感，且Cd－Zn－Pb复合污染对脲酶影响及毒性最大。

（4）Cd－Zn－Pb复合污染与各单因素相比，对4种土壤酶活性的影响效应不同。Cd－Zn－Pb复合污染对脲酶活性影响随着Cd－Zn质量分数的增加而有明显降低，并表现出非加和性协同抑制负效应特征。Cd－Zn－Pb复合污染对过氧化氢酶活性影响随Cd、Zn质量分数的增加而显著降低，而随Pb质量分数增加而提高，并表现出一定的拮抗或屏蔽作用，尤其是随Pb质量分数较高时，其屏蔽作用更明显。Cd－Zn－Pb复合污染对碱性磷酸酶活性影响随Cd的增加其活性显著降低，而随Zn的增加则略有升高，随Pb质量分数增加其酶活性略有下降，但Zn、Pb影响

都不显著，Cd影响最显著，故对碱性磷酸酶的影响主要是随Cd质量分数增加而降低，Pb、Zn的作用影响较小。在Cd－Zn－Pb复合污染中，对转化酶影响随着Cd、Zn、Pb质量分数增加而明显降低，且以Cd的抑制作用较大而显著，Pb、Zn影响不显著其作用较小。

可见，Cd、Zn、Pb复合污染效应不同，既有协同抑制作用又有一定的拮抗作用，其作用机制复杂，有待进一步深入研究。

参考文献

[1] 关松荫．土壤酶及其研究方法［M］．北京：中国农业出版社，1986.
[2] 周礼恺．土壤的重金属污染与土壤酶活性［J］．环境科学学报，1985，5（2）：76－84.
[3] 赵兰波，姜岩．土壤磷酸酶活性测定方法的探讨［J］．土壤通报，1986，17（3）：138－140.
[4] 李酉开．土壤农化常规分析法［M］．北京：科学出版社，1984：67－99.
[5] 周礼恺，张志明．土壤酶的测定方法［J］．土壤通报，1980，11（5）：37－38.
[6] 史长青．重金属污染对水稻土壤酶活性的影响［J］．上海通报，1995，26（1）：34－35.
[7] 刘树庆．保定市污灌区土壤的Pb、Cd污染与土壤酶活性关系研究［J］．土壤学报，1996.
[8] 宋菲，郭玉文．土壤重金属Cd、Zn、Pb复合污染的研究［J］．环境科学学报，1996.
[9] Woods，A. F.，Soil Enzymes，Burns R. G. Ed，Acad. Press. London，1978.

山西省小店污灌区重金属垂直分布特征及形态分析

郑伟林[1,2] 罗泽娇[1] 张沙莎[2] 卢星辰[2] 孙 强[2]

（1. 中国地质大学（武汉）生物地质与环境地质教育部重点实验室 武汉 430074；
2. 中国地质大学（武汉）研究生院 武汉 430074）

摘 要 通过调查山西省小店污灌区内土壤中重金属元素的垂直分布特征，并分析重金属元素的可交换形态。结果表明：研究的8种元素中在表层土壤中有部分元素超过了背景值，说明了重金属元素发生了累积现象。从与背景值比较情况来看，Cr、Cu、Ni、Zn、Hg和Pb超过背景值现象严重；通过剖面的重金属元素进行相关性分析发现，Cu和Ni元素的来源较为复杂，该地区发生累积现象的重金属的来源存在复合关系或同源关系；通过对8种元素的形态分析，可交换态占总量比例总体的分布规律是随着深度的增加，所占的比例逐渐下降，Cd和Cu元素最易被植物吸收，其次是Zn元素。综合上述结论，该地区需要重点关注的重金属元素有Cr、Cd、Cu、Zn和Pb5种元素。

关键词 污灌区 重金属 相关性 可交换态

本文通过调查山西太原市小店污灌区内土壤中重金属元素的垂直分布特征，分析重金属元素的可交换形态，了解重金属元素的可交换态占总量比例，以获得重金属元素的可迁移性信息，为土壤、地下水环境的重金属污染控制提供依据。

一、研究地区概况与研究方法

（一）研究地区概况

小店污灌区位于太原市东南部，晋中盆地的北端，小店区属暖温带大陆性气候，年均气温9.6℃，年降水量495mm左右。小店区地势北高南低，平均海拔763～780m，以南部平川为主，东部地区为山区、丘陵地区。目前小店区有耕地1.3万hm^2，是太原市重要的副食品生产基地，种植的主要作物是小麦、玉米、高粱、水稻和蔬菜，本次采样地点位于污灌区内玉米地旁。该区污水灌溉始于20世纪60年代，至今已有近50年的灌溉历史，用于灌溉的污水主要来源于太原市的生活污水和高新区的工业废水。

（二）材料与方法

1. 样品采集

采用XY－100型钻机进行土壤原状样取样，共采集25个土壤样品，土壤采集信息见表1，在同一地点，布置了两口监测井，上层滞水监测井井深5.5m（地下水水位1.7m）和第一层潜水监测井井深14m（地下水水位2.0m）；各监测井取一个水样，编号依次为W1和W2；在河渠里采集了灌溉水样，编号为W3。

表1 土样采集信息

编号	深度/cm	介质类型	编号	深度/cm	介质类型
S1	0～20	中粉质壤土	S14	530～550	轻壤土
S2	20～40	轻粉质壤土	S15	680～700	粉质黏土
S3	40～60	粉质黏土	S16	800～820	中粉质壤土

基金项目：国家高技术研究发展计划“863”项目（编号2007AA06Z337）资助。

编号	深度/cm	介质类型	编号	深度/cm	介质类型
S4	60～80	中粉质壤土	S17	890～910	中粉质壤土
S5	80～100	中粉质壤土	S18	950～970	重粉质壤土
S6	100～120	粉质黏土	S19	1100～1120	中粉质壤土
S7	140～160	重粉质壤土	S20	1190～1210	重粉质壤土
S8	180～200	粉质黏土	S21	1330～1350	轻粉质壤土
S9	205～225	粉质黏土	S22	1470～1490	粉质黏土
S10	275～295	粉质黏土	S23	1720～1740	中粉质壤土
S11	355～375	重粉质壤土	S24	1830～1850	中粉质壤土
S12	410～430	粉质黏土	S25	1890～1910	粉质黏土
S13	460～480	粉质黏土			

2. 测试项目及分析方法

将湿土样放置于风干盘中，摊成2～3cm的薄层，适时地压碎、翻动，拣出碎石、砂砾、植物残体。样品风干后，采用四分法取部分样品细磨，研磨到全部过孔径100目尼龙筛，保存待测试。一般来说，环境科学研究普遍选取了8种重金属指标，分别是镉、汞、铜、铅、铬、锌、镍和类金属元素砷，故本次研究也选取了上述8种元素。

土壤pH值参考《森林土壤pH值的测定》（LY/T 1239—1999），土壤的有机质的方法参考《土壤有机质测定法》（GB 8834—1988），土壤重金属元素全量分析前处理方法和可交换态提取的方法参考《土壤环境监测技术规范》（HJ/T 166—2004）。

本文实验在中国地质大学（武汉）教育部生物地质与环境地质重点实验室完成，重金属含量由该室电感耦合等离子体原子发射光谱仪（ICP－AES型号：IRIS Intrepid II XSP）测定，粒度分析由该室全自动激光粒度仪（粒度仪型号：贝克曼LS230）分析。

二、结果与讨论

表2为采集水样的重金属测试结果。

表2　水样中重金属浓度　　单位：mg/L

	As	Cd	Cr	Cu	Hg	Ni	Pb	Zn
W1	0.01	N.D	N.D	N.D	N.D	0.01	0.03	0.01
W2	0.01	0.001	N.D	N.D	N.D	0.01	0.02	0.02
W3	0.02	N.D	N.D	N.D	N.D	N.D	0.02	0.01
标准1	0.05	0.01	0.05（六价铬）	1.0	0.001	0.05	0.05	1.0
标准2	0.1	0.01	0.1（六价铬）	1.0	0.001	0.1	0.2	2.0

注：N.D表示未检出。

标准1——《地下水质量标准》（GB 14848—1993）Ⅲ类标准；标准2——《城市污水再生利用农田灌溉用水水质》（GB 20922—2007）。

表3为各个点位的重金属含量数据。其中土壤背景值参考王雄军和鲁艳红监测的小店地区土壤背景值，并列出本小组测试的背景值数据。

表3 土壤样品重金属含量 单位：mg/kg，pH 无量纲

	pH	As	Cd	Cr	Cu	Hg	Ni	Pb	Zn	有机质含量/%
S1	8.2	3.4	0.071	67.9	42.6	0.111	37.8	37.4	115.6	1
S2	8.4	6.4	0.063	45.9	36.6	0.128	38.4	24.9	89.2	0.74
S3	8.4	6.7	0.063	68.5	37.9	0.380	38.9	37.6	90.1	0.86
S4	8.4	8.3	0.060	110.6	43.1	0.045	55.9	34.8	90.2	0.78
S5	8.0	7.3	0.063	73.7	35.4	0.076	41.2	29.5	102.7	1
S6	7.9	8.0	0.060	73.7	35.4	0.032	41.0	29.0	104.2	0.87
S7	8.0	7.0	0.056	41.5	32.4	0.061	38.5	28.5	85.3	0.78
S8	7.8	8.7	0.060	68.0	33.5	0.023	39.7	32.1	88.9	0.63
S9	7.8	9.9	0.060	99.0	39.1	0.054	56.0	34.4	97.0	0.77
S10	8.0	12.9	0.056	70.7	35.4	0.052	40.2	28.5	104.4	0.91
S11	8.1	9.3	0.060	49.6	31.8	0.038	38.3	26.0	87.2	0.51
S12	8.2	5.9	0.063	70.9	35.7	0.202	39.2	26.7	90.8	0.65
S13	8.4	7.3	0.056	43.5	15.6	0.008	20.7	25.4	51.6	0.38
S14	8.3	6.0	0.048	25.4	15.5	0.016	18.5	19.7	42.6	0.04
S15	8.3	5.7	0.056	31.9	24.6	0.105	27.9	20.4	63.3	0.99
S16	8.5	6.5	0.048	48.5	20.5	0.107	23.1	18.3	53.5	0.30
S17	8.6	6.0	0.060	58.5	23.4	0.353	29.6	21.1	67.3	0.71
S18	8.6	7.0	0.060	48.5	15.6	0.483	22.4	20.5	69.2	0.38
S19	8.4	5.5	0.056	48.2	16.3	0.085	20.6	20.6	72.5	0.23
S20	8.3	5.7	0.067	62.9	31.6	0.038	38.3	27.8	94.5	0.49
S21	8.6	5.9	0.056	47.5	24.2	0.152	23.4	31.5	56.1	0.18
S22	8.2	9.9	0.079	54.4	38.0	0.072	40.1	33.1	100.3	0.47
S23	7.6	8.7	0.075	40.3	27.1	0.33	34.7	25.7	89.2	0.51
S24	8.0	4.0	0.063	57.3	23.0	0.197	28.7	23.1	72.1	0.35
S25	8.2	9.6	0.071	56.8	29.8	0.032	33.8	27.8	82.8	0.62
王雄军[6]和鲁艳红[7]	—	10.2	0.106	65.1	21.5	0.026	28.2	19.9	61.6	—
《污水灌溉区包气带中重金属空间分布特征——以太原市某污水灌区为例》（待发表）	—	—	—	28.10	11.52	—	14.12	13.42	47.19	—

注：—表示无此项数据。

（一）重金属含量与背景值比较

W1 和 W2 分别为 5.5m 和 14m 处的水样，与《地下水质量标准》（GB 14848—1993）相比，重金属指标均未超过 III 类标准，灌溉水 W3 也未超过《城市污水再生利用农田灌溉用水水质》（GB 20922—2007）。

小店地区采用污水灌溉至今已经有近 50 年的历史，小店污灌区的污水来源于生活污水和工

业污水，污水的水质较差，灌区内水体外观相当差，已发黑、有臭味，问题十分严重。污水中含有大量的重金属元素，当这些污水用于灌溉时，重金属元素进入土壤后一部分因土壤的吸附等作用而留存在土层中；一部分被作物吸收；还有一部分随水的下渗而进入含水层。随着污灌时间的延长，污水中所含的重金属元素在田间迁移过程中因土壤的吸附等作用而留存于土壤中发生富集，局部含量增高，从而使得土壤环境恶化，表层土壤，特别是 0～20cm 土壤层是重金属的主要富集区，与王雄军和鲁艳红等背景值比较，除 As 和 Cd 以外，其他的元素都有不同程度地超过背景值。表层土壤 S1（0～20cm）的重金属 Cr、Ni、Pb、Cu、Zn 和 Hg 的含量是 67.9mg/kg、37.8mg/kg、37.4mg/kg、42.6mg/kg、115.6mg/kg、0.111mg/kg，Cr、Ni、Pb、Cu、Zn 和 Hg 是背景值的 1.1～4.3 倍，与本小组数据相比较，除 Zn 元素以外，其他的元素也有不同程度地超过背景值。这说明了在长期的污水灌溉过程中，至少在表层土壤中重金属已经发生了累积现象。预计随着污水的灌溉，重金属的累积现象将会更加严重。

从各个元素的剖面分布图（图 1～图 8）来看，元素的分布特征不规则，但可以看出 8 种元素的含量在表层土壤处的含量较高，在土壤表层下面一定范围内的重金属含量与表层相比有降低的现象，这种分布模式可能有两个可能的解释，一是并非迁移的结果，而是表层土壤的污染随着时间的推移逐渐加重，所以表层含量最高；二是说明在溶质运移的作用下土壤中重金属向下迁移。这两种

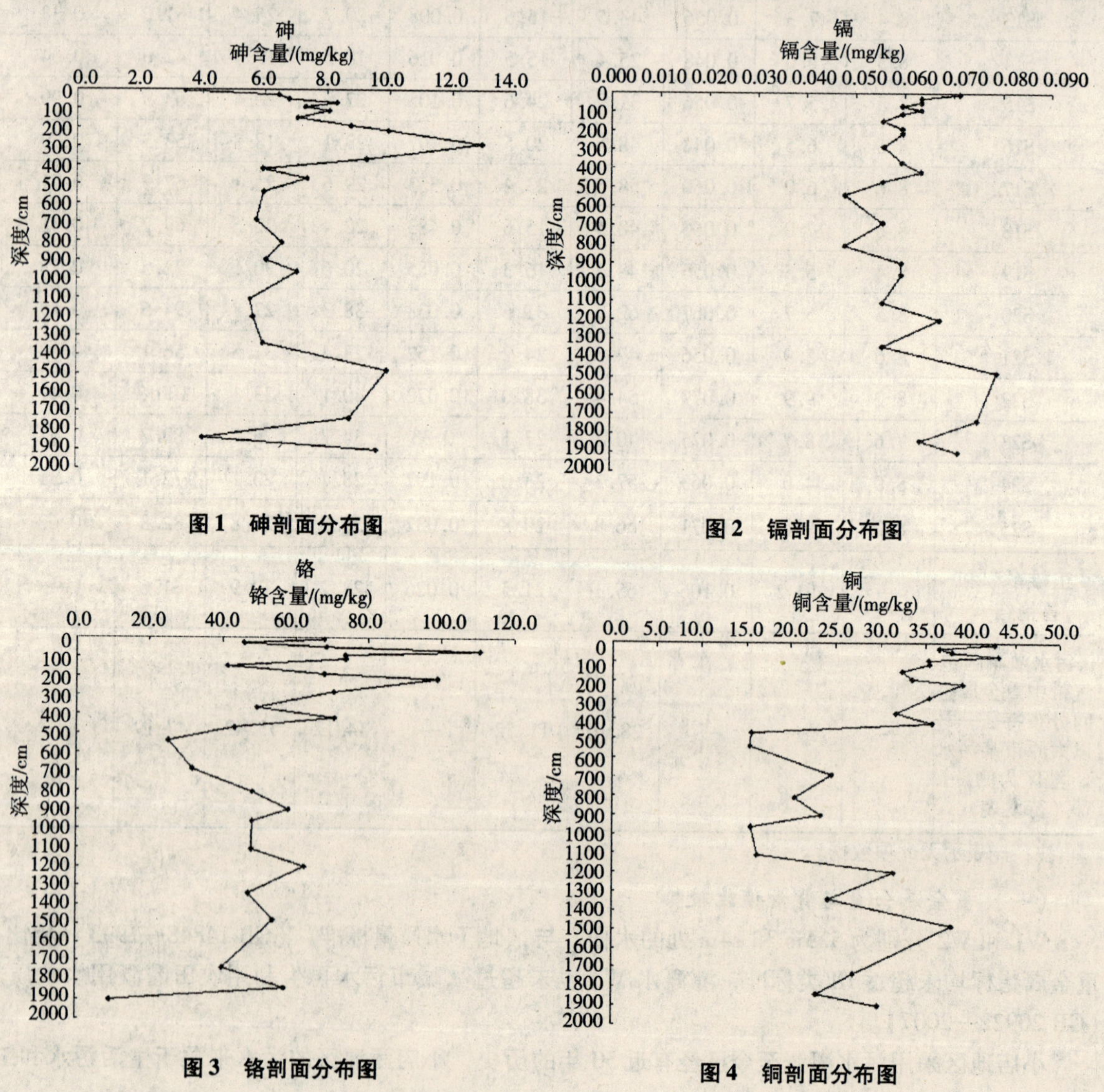

图 1　砷剖面分布图

图 2　镉剖面分布图

图 3　铬剖面分布图

图 4　铜剖面分布图

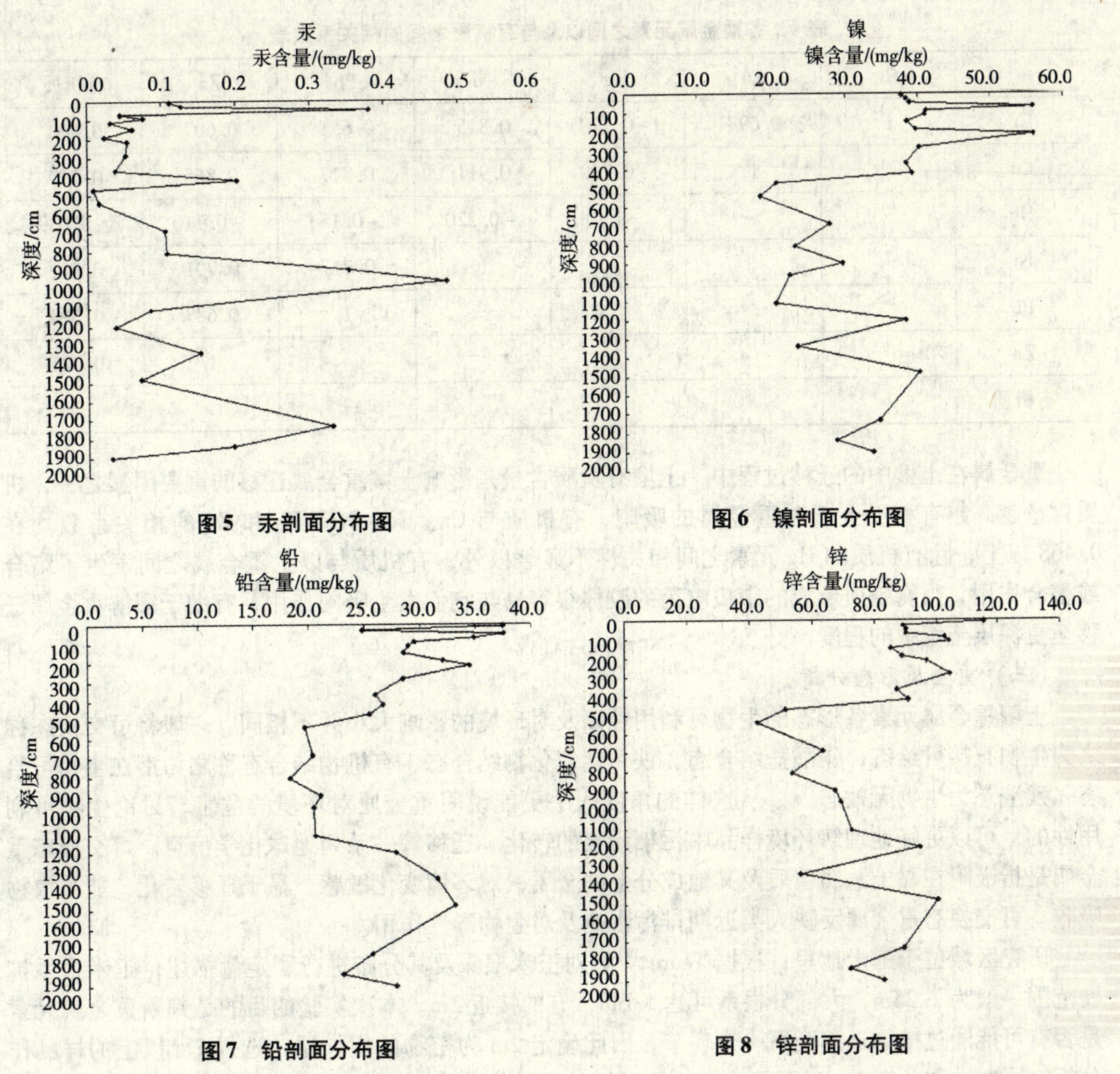

图5　汞剖面分布图　　**图6　镍剖面分布图**

图7　铅剖面分布图　　**图8　锌剖面分布图**

原因造成了这种在局部范围内上高下低，重金属向下迁移深度将随着时间逐渐增加，而目前土壤中重金属元素正处于一种与周围环境相适应的自我调节过程中，故其剖面分布不规则。而在更深的地方，土壤中元素含量的纵向不均匀性可能是受地下水位变化的影响。

（二）重金属含量以及与有机质之间的相关性分析

通过对重金属含量做相关性分析可以了解重金属的来源，从与背景值的比较情况来看，需要研究的重金属元素包括 Cr、Cu、Ni、Zn、Hg 和 Pb，故取 S1～S25 点位共 25 个数据运用 SPSS13.0 做相关性分析，并经 0.01 显著性水平检验。该采样点的重金属元素之间以及与有机质之间的相关性见表 4。

由表 4 数据分析可以得知，部分元素之间存在着显著的正相关，Cr 与 Ni、Cu、Pb 和 Zn 之间的相关系数达到了 0.815、0.697、0.651、0.607，其他的元素之间亦然，除 Hg 元素以外，而且 Hg 元素与其他 5 种元素和有机质均呈现负相关。具有很强的线性关系的元素分别是 Cr 与 Ni、Cu 与 Ni、Pb 和 Zn、Ni 与 Zn，其中 Cu 与 Ni 元素的相关系数最大，达到 0.911。由此可见，该地区的 Cr、Ni、Cu、Pb 和 Zn 这 5 种元素的来源较为复杂，存在复合关系或者同源关系，尤其要关注的元素为 Cu 与 Ni 元素的来源和污染。

表 4　各重金属元素之间以及与有机质之间的相关系数表

	Cr	Cu	Hg	Ni	Pb	Zn	有机质
Cr	1	0. 697	-0. 120	0. 815	0. 651	0. 607	0. 468
Cu		1	-0. 209	0. 911	0. 817	0. 865	0. 719
Hg			1	-0. 220	-0. 153	-0. 110	-0. 039
Ni				1	0. 717	0. 791	0. 611
Pb					1	0. 683	0. 519
Zn						1	0. 721
有机质							1

重金属在土壤中的迁移过程中，土壤有机质含量是影响土壤重金属迁移的重要因素之一，机质含量越高越有利于土壤对重金属的吸附，有机质与 Cr、Cu、Ni、Pb 和 Zn 的相关系数均在 0. 468 以上，除有机质和 Hg 元素之间相关性不显著以外，有机质与以上重金属之间发生了络合或螯合作用，由腐殖质形成的带负电荷的胶体很容易与它们发生吸附作用，有助于缓解重金属迁移至更深层土壤中的程度。

（三）重金属形态分析

土壤重金属元素各形态的生物可利用性以及对环境的影响大小并不相同，一般将可交换态称之为生物直接可给态，碳酸盐结合态、铁 - 锰氧化物结合态、有机物结合态称之为潜在生物可给态，残渣态为生物无效态[9]，从这样的角度入手更能说明重金属对环境的危害，讨论生物可利用性的，可以更好地理解环境样品中污染元素的转化、迁移等一系列地球化学信息。可交换态重金属是指吸附在黏土、腐殖质及其他成分上的金属，对环境变化敏感，易于迁移转化，能被植物吸收。可交换态重金属反映人类近期排污影响及对生物毒性作用。

研究区域位于玉米地里，根据 Teare[10] 等对玉米根深及其分布进行了定量描述，玉米根系扩展范围一般为 1. 25m，大部分根系可达 1. 6m，有的接近 2m。本次实验的目的是判断重金属元素是否有可能通过植物迁移至下一个环节，因此确定 2m 为植物的生长层，选择 2m 以上的样品作分析，同时选取几个 2m 以下即非植物生长层的样品作为对比。

可交换态提取的方法参考《土壤环境监测技术规范》（HJ/T 166—2004）：在 2g 试样中加入 8ml 乙酸钠溶液（1mol/LNaAc，pH8. 2），室温下振荡 1h，离心 30min，用注射器吸出清液，分析痕量元素。表 5 显示的是可交换态含量占重金属总量的百分比。

表 5　可交换态含量占重金属总量的百分比

	As/%	Cd/%	Cr/%	Cu/%	Hg/%	Ni/%	Pb/%	Zn/%
S1	0. 12	10	0. 04	0. 28	N. D	0. 10	0. 01	0. 61
S2	N. D	8	N. D	0. 21	N. D	N. D	N. D	0. 17
S3	N. D	N. D	N. D	0. 09	N. D	N. D	N. D	N. D
S4	N. D	N. D	N. D	N. D	N. D	N. D	N. D	N. D
S5	N. D	N. D	N. D	N. D	N. D	N. D	N. D	N. D
S6	N. D	N. D	N. D	N. D	N. D	N. D	N. D	N. D
S7	N. D	N. D	N. D	N. D	N. D	N. D	N. D	N. D
S8	N. D	N. D	N. D	N. D	N. D	N. D	N. D	N. D

	As/%	Cd/%	Cr/%	Cu/%	Hg/%	Ni/%	Pb/%	Zn/%
S10	N.D	N.D	N.D	N.D	N.D	N.D	N.D	N.D
S18	N.D	N.D	N.D	N.D	N.D	N.D	N.D	N.D
S25	N.D	N.D	N.D	N.D	N.D	N.D	N.D	N.D

注：N.D 表示未检出。

从表 5 可以看出，在表层土壤 S1（0～20cm），可交换态占总量比例最高的是 Cd，达 10%，这说明该地区土壤当中的 Cd 相当得活泼，极易释放到环境中来；Pb 的最低，达 0.01%。除 Hg 外，其他的元素在地表 S1 处均检出有效形态存在，Cu 元素从 S1 至 S3 处均有检出，深度达到 60cm，Cd 和 Zn 两种元素检出有效形态的深度达到 40cm 处。

随着深度的增加，其可交换态所占的比例逐渐下降，S4（60～80cm）以下未检出有效形态的重金属。由于可交换态的重金属成分易被植物吸收，从含量和分布深度来看，故 Cd 和 Cu 元素最易被植物吸收，其次是 Zn 元素。

三、结　论

1. 研究的 8 种元素中在表层土壤中有部分元素超过了背景值，说明了重金属元素发生了累积现象。从与背景值比较情况来看，Cr、Cu、Ni、Zn、Hg 和 Pb 超过背景值现象严重。随着更多的污水灌溉，重金属累积现象将会更加严重。

2. 通过对整个剖面的重金属元素进行相关性分析发现，该地区的 Cr、Ni、Cu、Pb 和 Zn 这 5 种元素的来源较为复杂，存在复合关系或者同源关系，尤其要关注的元素为 Cu 与 Ni 元素的来源和污染。有机质与其他 7 种元素之间的相关性较好，而土壤中有机质含量越高越有利于土壤对重金属的吸附，有助于缓解重金属迁移至更深层土壤中的程度。

3. 通过对 8 种元素的形态分析，可交换态占总量比例的总体的分布规律是随着深度的增加，所占的比例逐渐下降，Cd 和 Cu 元素最易被植物吸收，其次是 Zn 元素。

综合上述结论，小店地区的重金属污染程度会随着污水灌溉进一步加深，尤其是 Cu 和 Ni 带来的复合污染，目前需要重点关注的重金属元素有 Cr、Cd、Cu、Zn 和 Pb 5 种元素。

参考文献

[1] 聂继云，董雅凤．果园重金属污染的危害与防治［J］．中国果树，2002（1）：44－47.

[2] 王雄军，赖健清，孔华，等．太原盆地及太原市重金属元素地球化学分布特征分析［J］．地球与环境，2008，36（1）：72－80.

[3] 鲁艳红．太原市土壤重金属污染特征及盆地背景研究［D］．长沙：中南大学，2005：39－40.

[4] 蔺文静．污水灌溉对土壤的污染及其整治［J］．农业环境科学学报，2003，22（2）：163－166.

[5] 陈磊，徐颖，朱明珠，等．秦淮河沉积物中重金属总量与形态分析［J］．农业环境科学学报，2008，27（4）：1385－1390.

[6] Teare I. D., Peet M. M. Crop－Water Relations［M］. New York: Wiley Interscience Publication, 1982: 186－208.

城郊菜地土壤和蔬菜重金属污染状况研究

李录久[1]　吴萍萍[1]　杨自保[2]　王家嘉[1]　张祥明[1]

（1. 安徽省农科院土壤肥料研究所　合肥　230031；2. 安徽省铜陵市农科所　铜陵　244000）

摘　要　采集城市郊区蔬菜地土壤和蔬菜植株样品，分析重金属含量。结果表明：土壤 Cu、Zn、Pb 和 Cd 平均含量分别为 282.1mg/kg、227.2mg/kg、122.5mg/kg 和 1.927mg/kg，是我国 A 层土壤算术平均值的 12.5 倍、3.1 倍、4.7 倍和 19.9 倍。土壤 Cu、Zn、Pb 和 Cd 的污染指数平均为 8.46、0.84、0.33 和 5.01，表明该区域土壤已受到较为严重的铜、镉污染。10 种秋冬季主要蔬菜，Cu、Zn、Cd、Pb 平均含量分别为 12.37mg/kg、9.29mg/kg、1.84mg/kg 和 0.282mg/kg，Cu、Pb 和 Cd 含量大部分超过我国食品卫生标准，该菜地生产的蔬菜已经受到较为严重的铜、铅和镉的污染，不宜食用。主要蔬菜中，生菜、乌菜、白菜和莴苣、萝卜等品种重金属含量较高，花菜最低。

关键词　重金属　土壤和蔬菜　Cu、Zn、Cd、Pb 含量　污染指数

近年来，环境污染和生态破坏日益严峻，特别是 Pb、Cd、Zn、Cu 及其复合污染最为突出，尤其在一些经济发达地区。高强度的人类活动如工业“三废”排放、污水灌溉、污泥农用加剧了有毒土壤重金属尤其是 Cd 的污染[1,2]。重金属是一类毒性很大的无机污染物，它的特殊性在于不能被土壤微生物降解而从环境中彻底消除，当它在土壤中积累到一定程度时，就会对土壤——植物系统产生毒害和破坏作用，对作物生长、产量和品质均有较大的危害，特别是它们还能被作物富集吸收，进入食物链，具有损害动物和人类健康的潜在危险[3]。有关研究表明，土壤重金属污染物主要来源于采矿、冶炼等工矿企业排放的废气、废水和废渣，同时煤和石油等矿物燃料燃烧也能释放出相当数量的重金属[4]。安徽是我国重要的煤炭和钢铁工业基地，也是有色金属生产大省。20 世纪前由于人们环境保护意识薄弱，一些地区工矿设备落后，生产技术水平低下，工业“三废”尤其是重金属对农田环境的污染较为严重。

蔬菜是人们日常食物的重要组成部分，对人类摄入重金属有重要影响[5]。城市郊区或者近郊往往分布大量的蔬菜生产基地，生产的蔬菜主要供应城市居民。由于城郊或者近郊邻近城市，容易受到工业“三废”和污水、污泥等的污染，土壤重金属含量较高，蔬菜重金属富集，影响市民健康。因此，开展城市郊区土壤和蔬菜重金属污染状况调查，指导菜农种植重金属低吸收和低积累的蔬菜品种，对保护城镇居民身体健康有重要作用。在国际植物营养研究所 IPNI 等支持下，选择有代表性的城市郊区蔬菜地作为研究对象，采集该区域土壤及蔬菜样品，测定重金属含量，以评价城市郊区农田重金属及蔬菜的污染程度和污染元素的分布状况。现将结果整理如下。

一、材料与方法

（一）样品采集

根据城市污染源的分布，结合调查现场的具体情况，选择郊区某蔬菜地作为研究对象，采集当地主要类型蔬菜样品及 0～20cm 耕层土壤样品。共采集土壤样品 30 个，植株样品 30 个，植株样品分根、茎、叶三部分。

（二）分析方法

采集的土壤样品自然风干后，用玛瑙研钵研磨，过直径 100 目的塑料土筛，供土壤重金属元素全量分析用。植株样品杀青后在 60～80℃下烘干、磨碎后备用。称取的土壤样品经 HNO_3 - $HClO_4$ - HCl 三酸加热消化，冷却后用硝酸溶解定容进行前处理；植株样品用 HNO_3 - $HClO_4$ 消煮，用硝酸溶解定容制成待测液。所消解的土壤与蔬菜植株样品待测液最后用原子吸收光谱法测

定其中的Cu、Zn、Pb、Cd含量[6]。

（三）土壤重金属污染现状评价

对土壤和植株进行单一元素污染评价，采用目前国内普遍采用的土壤污染指数法进行，具体按下式计算：$P_i = C_i/S_i$，其中P_i表示土壤某污染物i的污染指数，C_i为该土壤污染物i的实测值，S_i表示土壤污染物i的评价标准。

本研究区域土壤偏酸性，S_i采用我国土壤环境质量二级标准，即Cu≤50mg/kg，Zn≤200mg/kg，Pb≤250mg/kg，Cd≤0.30mg/kg。蔬菜植株污染评价标准采用GB 2762—2005，即最高允许残留量Cu≤5mg/kg，Zn≤20mg/kg，Pb≤25mg/kg，Cd≤0.05mg/kg。

二、结果与讨论

（一）城市郊区蔬菜地土壤重金属污染状况

1. 土壤重金属含量从表1可看出，该郊区蔬菜地土壤总Cu含量为105.4~726.5mg/kg，平均值为423.8mg/kg，中值为466.4mg/kg。其中Cu平均值是我国自然保护区土壤自然背景值35mg/kg的12.1倍，是我国A层土壤算术平均值22.6mg/kg的18.8倍；中值是我国A层土壤中值20.7mg/kg的22倍多，世界土壤中值30mg/kg的15.5倍。土壤总Zn含量为127.2~211.7mg/kg，平均值为167.1mg/kg，中值为170.9mg/kg。其中Zn平均值是我国自然保护区土壤自然背景值100mg/kg的1.7倍，是我国A层土壤算术平均值74.2mg/kg的2.3倍；中值是我国A层土壤中值68.0mg/kg的2.5倍，世界土壤中值9mg/kg的19.0倍。土壤总Pb含量为39.8~291.2mg/kg，平均值为75.1mg/kg，中值为61.0mg/kg。其中Pb平均值是我国自然保护区土壤自然背景值35mg/kg的2.1倍，是我国A层土壤算术平均值26.0mg/kg的2.9倍；中值是我国A层土壤中值23.5mg/kg的2.6倍，世界土壤中值35mg/kg的1.7倍。土壤总Cd含量为0.513~2.499mg/kg，平均值为1.504mg/kg，中值为1.501mg/kg。其中Cd平均值是我国自然保护区土壤自然背景值0.20mg/kg的7.5倍，是我国A层土壤算术平均值0.097mg/kg的15.5倍；中值是我国A层土壤中值0.079mg/kg的19.0倍，是世界土壤中值0.35mg/kg的4.3倍。

表1 土壤重金属含量的统计特征值

测定项目	最小值/(mg/kg)	最大值/(mg/kg)	中 值/(mg/kg)	平均值/(mg/kg)	极 差/(mg/kg)	标准差/(mg/kg)	变异系数/%	环境标准/(mg/kg)
Cu	105.4	726.5	466.4	423.8	621.1	163.8	38.7	50
Zn	127.2	211.7	170.9	167.1	84.4	20.3	12.2	200
Pb	39.8	291.2	61.0	75.1	251.4	53.0	70.5	250
Cd	0.513	2.499	1.501	1.504	1.990	0.451	30.0	0.3

注：样本数为30。

2. 土壤重金属污染指数表2的结果说明，土壤Cu的含量全部超过我国土壤环境质量二级标准GB 15618—1995中规定的蔬菜地土壤最高允许含Cu量（50mg/kg）的标准，污染指数全部大于1，最高为14.5，平均值达8.50，说明该区域土壤已受到极为严重的铜污染。土壤Zn和Pb的污染指数分别为0.636~1.058和0.159~1.165，只有1个样品污染指数高于1，表明该区域土壤没有受到Zn和Pb的污染，尤其是铅，大部分样品的污染指数都很小。土壤Cd的污染指数也全部大于1，平均污染指数为5.0，说明该菜地土壤也受到极为严重的镉污染，即由Cu和Cd构成的较为严重的复合污染。因此该地区菜地不宜再作为蔬菜生产基地，尤其不能种植对Cu、Cd高吸收和高积累的蔬菜及粮食作物品种，应改种其他非食用的作物如棉花和花卉等，以免危害市民健康。

表 2　土壤重金属的污染指数

测定项目	污染指数 P_i	平均	$P_i<1$		$P_i>1$	
			样本数/个	分布频率/%	样本数/个	分布频率/%
Cu	2.109 ~ 14.530	8.464	0	0	30	100
Zn	0.636 ~ 1.058	0.836	29	96.7	1	3.3
Pb	0.159 ~ 1.165	0.333	29	96.7	1	3.3
Cd	1.710 ~ 8.330	5.013	0	0	30	100

（二）蔬菜重金属含量与污染超标状况

随机采集的该蔬菜基地生产的小白菜、花菜、莴苣、菠菜、萝卜、生菜、大葱、芫荽、乌菜和大蒜10种秋冬季主要蔬菜重金属含量（鲜重）分析结果列于表3，各重金属的检出率为100%。由表3可见，Cu含量为2.01 ~ 41.76mg/kg，平均值为12.37mg/kg。Zn含量为4.40 ~ 15.27mg/kg，平均值为9.29mg/kg。Pb含量为0.17 ~ 5.61mg/kg，平均值为1.84mg/kg。Cd含量为0.006 ~ 0.864mg/kg，平均值为0.282mg/kg。可见，蔬菜植株内Cu、Pb与Cd含量变异较大，Zn的变异较小。同时，根据我国食品卫生标准GB 2762—2005规定的一般蔬菜最高重金属含量Cu为5.0mg/kg、Zn≤20.0mg/kg、Cd≤0.05mg/kg、Pb≤0.1mg/kg的标准，部分蔬菜Cu、Zn、Cd和Pb含量或超过该食品卫生标准。其中Cu含量最大值为标准的8.35倍，平均值为标准的2.47倍；Zn含量最大值为标准的0.76倍，平均值仅为标准的0.46倍；Cd含量最大值为标准的17.28倍，平均值为标准的5.64倍；Pb含量最大值为标准的56.11倍，平均值为标准的18.44倍；即使Cd和Pb分别按根菜类或球茎类蔬菜标准0.2mg/kg和0.3mg/kg计算，除花菜等个别球茎类蔬菜Cd含量低于0.2mg/kg的标准外，多数样品含Cd量超过此标准，同时部分蔬菜样品含Pb量均远远高于0.3mg/kg的球茎类蔬菜最高限量标准。说明该地区菜地生产的蔬菜已经受到较为严重的铜、镉、铅的污染。

表 3　蔬菜重金属含量（鲜重）的统计特征值

测定项目	最小值/（mg/kg）	最大值/（mg/kg）	中　值/（mg/kg）	平均值/（mg/kg）	极　差/（mg/kg）	标准差/（mg/kg）	变异系数/%	食品标准/（mg/kg）
Cu	2.010	41.759	3.746	12.374	39.75	1.310	22.2	5.0
Zn	4.404	15.274	7.178	9.287	10.87	6.947	75.9	20.0
Pb	0.172	5.611	1.075	1.844	5.44	0.215	16.5	0.1 ~ 0.3
Cd	0.006	0.864	0.149	0.282	0.858	0.251	112.5	0.05 ~ 0.2

注：样本数为38。

根据我国食品卫生标准GB 2762—2005规定的一般蔬菜最高重金属含量标准，进一步分析该地蔬菜重金属含量超标率，结果表明，Cu含量高于5.0mg/kg的蔬菜所占比例为73.7%，说明Cu超标率较高。没有一个样本含Zn量超过20.0mg/kg，表明该地蔬菜重金属锌的含量不超标。所有蔬菜样品Pb含量均超过0.1mg/kg的标准，超标率为100%；Pb含量超过0.3mg/kg的样品占总样本的比例为85.7%，表明该菜地生产的蔬菜Pb污染较为严重。Cd含量高于0.05mg/kg的蔬菜所占比例为88.5%，超标率最高，表明Cd污染也很严重。为保证市民的健康，该蔬菜地已不适合于种植蔬菜，可改种非食用作物如棉花和花卉等。

进一步分析表明，不同品种蔬菜重金属量浓度也不同。Cu含量最高的蔬菜品种为萝卜，平均含量高达166.6mg/kg，其次为莴苣、大葱、生菜、乌菜、白菜，含量均超过100mg/kg，花菜含Cu量最低，菠菜、芫荽介于之间，表明根菜及白菜等叶菜类蔬菜对铜的富集能力均较强。白菜与乌菜含 Zn 量最高，分别为 152.7mg/kg 和 112.0mg/kg；花菜最低，仅 16.0mg/kg，表明白菜有较强的吸收与富集锌的能力。铅的平均含量差异较小，萝卜和生菜的含 Pb 量最高，分别为 20.3mg/kg 和 17.3mg/kg，花菜的最低，不足 2.0mg/kg。镉的含量，也是花菜的最低，鲜重含量仅 0.0060mg/kg，没有超过食品卫生标准；最高的是乌菜，高达 5.93mg/kg；其次是生菜和莴苣、白菜等叶菜类蔬菜，含量严重超标，表明生菜、白菜等叶菜类蔬菜和莴苣对镉的富集能力也很强，这些蔬菜品种不易种植于 Cd、Cu 等污染的土壤上。

表 4　10 种蔬菜重金属平均含量（干重，mg/kg）

测定项目	白菜	生菜	花菜	大葱	莴苣	菠菜	萝卜	芫荽	乌菜	大蒜
Cu	114.8	117.7	44.5	119.2	137.6	59.2	166.6	62.2	116.0	29.5
Zn	152.7	107.3	16.0	18.5	99.6	87.3	54.8	65.4	112.0	44.0
Pb	10.7	17.3	1.7	15.9	15.9	11.6	20.3	3.6	28.1	2.0
Cd	2.90	3.84	0.06	2.13	3.26	1.45	1.22	2.13	5.93	0.46

三、小　结

1. 安徽省某城市郊区蔬菜地土壤总 Cu、Zn、Pb 和 Cd 含量分别为 79.3 ~ 2415.3mg/kg、75.6 ~ 778.6mg/kg、46.3 ~ 252.1mg/kg 和 0.29 ~ 13.546mg/kg，平均值为 282.1mg/kg、227.2mg/kg、122.5mg/kg 和 1.927mg/kg，分别是我国 A 层土壤算术平均值的 12.5 倍、3.1 倍、4.7 倍和 19.9 倍。土壤 Cu、Zn、Pb 和 Cd 的污染指数相应为 2.11 ~ 14.53、0.64 ~ 1.06、0.16 ~ 1.17 和 1.71 ~ 8.33，平均为 8.46、0.84、0.33 和 5.01，表明该区域土壤已受到较为严重的铜、镉污染。

2. 该地区菜地生产的蔬菜已经受到极为严重的铜、镉和铅的污染，不宜食用。

3. 不同品种蔬菜重金属浓度不同，吸收积累重金属的量存在较大的差异。生菜、乌菜、白菜等叶菜类蔬菜及莴苣、萝卜等根菜类蔬菜品种吸收和富集镉、铜、锌的能力较强，Cd、Cu、Zn 的含量较高；花菜富集重金属能力弱，Cd、Cu、Zn、Pb 含量最低。

参考文献

[1] 胡宁静，骆永明，宋静．长江三角洲地区典型土壤对镉的吸附及其与有机质、pH 和温度的关系［J］．土壤学报，2007，44（3）：437 - 443.

[2] 孙波，周生路，赵其国．基于空间变异分析的土壤重金属复合污染研究［J］．农业环境科学学报，2003，22（2）：248 - 251.

[3] 周国华，黄怀曾．北京市东南郊自然土壤和模拟污染影响下 Cd 赋存形态及其变化［J］．农业环境科学学报，2003，22（1）：25 - 27.

[4] 李博文，谢建治，郝晋珉．不同蔬菜对潮褐土镉铅复合污染的吸收效应研究［J］．农业环境科学学报，2003，22（3）：286 - 288.

[5] 孙华，孙波，张桃林，等．江西省贵溪冶炼厂周围蔬菜地重金属污染状况评价研究［J］．农业环境科学学报，2003，22（1）：70 - 72.

[6] 鲁如坤．土壤农业化学分析方法［M］．北京：中国农业出版社，1998.

[7] 赵彦锋，史学正，于东升，等．工业型城乡交错区农业土壤 Cu、Zn、Pb 和 Cd 的分布及影响因素研究[J]．土壤学报，2007，44（2）：227 - 234.

[8] 汪洪，李录久，王凤忠，等．人工湿地技术在农业面源水体污染控制中的应用［J］．农业环境科学学报，2007（S2）：441 - 446.

污泥焚烧过程重金属迁移行为的研究进展

陈宗良　李润东　李彦龙　张海军　王　雷

（沈阳航空工业学院辽宁省清洁能源重点实验室及清洁能源与环境工程研究所　辽宁　沈阳　110136）

摘　要　随着城市污水处理量的上升，污泥产量与日俱增，其处理处置也越来越受重视。目前，焚烧技术是污泥处理研究的热点之一，污泥焚烧技术污染控制的重点是所含重金属高温挥发迁移的控制。本文分析总结国内外对污泥焚烧过程重金属迁移转化行为的研究成果，主要包括焚烧工况（时间、温度）、污泥特性及内在元素（水分、Cl、S、P及碱金属）和添加剂对重金属迁移转化行为的影响，为污泥焚烧过程重金属挥发迁移的控制技术开发和科学研究提供参考。

关键词　污泥　焚烧　重金属　迁移　综述

随着城市进程的加快和城市生活质量的提高，城市污泥的产量越来越大。目前处理污泥的方法主要有堆肥处理、卫生填埋、污泥农用、海洋倾倒和污泥焚烧。其中焚烧是世界上一些经济发达国家广泛采用的一种城市污泥处理技术。焚烧是高温分解和深度氧化的综合过程，使污泥中的可燃成分在高温下充分燃烧，最终成为稳定的灰渣。采用焚烧法处理污泥具有诸多优点[1]：①大大地减少了污泥的体积和重量，因而最终需要处理的物质很小；②污泥处理速度快，不需长期储存；③污泥可就地焚烧，不需要长距离运输；④可以回收能量用于发电和供热。

当然焚烧过程也会产生二次污染物，包括有害气体、有害残渣等，特别是污泥中的重金属离子，如Cd、Cu、Zn、Pb、Hg，对人类身体伤害极大。因此如何控制污泥中重金属的挥发成为现代污泥处理技术的关键问题。本文简单对污泥焚烧过程中重金属在各种因素下的迁移行为进行了分析，为污泥的资源化和无害化提供一定的理论依据。

一、污泥的组成成分

污泥是污水处理厂在污水净化过程中产生的一种含水率很高的絮状泥粒，是一种介于液体和固体之间、呈现浆态特征的浓稠物，可以用泵输送，但它很难通过沉降进行固液分离。它实际是由多种微生物形成的菌胶团及其吸附的有机物和无机物组成的集合体[2]。

污泥含有大量病原菌、寄生虫（卵），铜、锌、铬、汞等重金属、盐类以及多氯联苯、二恶英、放射性核素等难降解的有毒有害物。这些物质对环境和人类以及动物健康有可能造成较大的危害[3]。其中，重金属污染物质所具有的生物累计和不可降解特性决定了其长期存在并对环境构成极大的潜在威胁，并以各种各样的方式危害人体和其他生物体。见表1。

二、不同因素对重金属高温挥发的影响

（一）温度的影响

焚烧底灰中重金属的含量主要受两方面影响，一方面随着水分的析出和挥发分的燃烬使得底灰中重金属的含量升高；另一方面重金属在高温下的挥发和随飞灰飞出床外又会使底灰中重金属的含量降低。最终底灰中重金属的含量取决于这两方面的竞争。随着温度的增高，烟气中挥发性金属（Cd）的含量明显增多，而半挥发性（Cu、Zn、Pb）和难挥发性金属元素（Ni、Cr）的含量变化不大。

李爱民等[4]通过实验发现温度对各种重金属的固化影响也是呈现出很大的差别。随着焚烧

温度的升高（从500℃升高到800℃），底灰中的Zn、Cu和Ni的含量增加，而底灰中的Cr、Pb和Cd的含量随温度的升高而降低。

表1　中国城市污泥中重金属含量

重金属	样本数	变化范围/（mg/kg）	平均值/（mg/kg）
Hg	33	0～0.93	2.84
Cd	54	0.05～16.80	2.97
As	26	0.27～47.00	16.1
Ni	35	10.4～374.0	77.5
Pb	55	0.6～669.0	131
Cu	59	28.4～3068.0	486
Zn	57	16.8～7384.0	1450
Cr	37	0.4～728.0	185

王俊辉等[5]通过研究Cd、Cr、Pb三种重金属在800～1500℃之间不同温度下的挥发率发现，在1300℃，重金属的挥发比较明显，但是1300℃之后，重金属几乎不挥发。而且各种重金属的挥发率也不同，Pb和Cd分别达到了84%和81%，而Cr仅有14%。

刘淑静等[6]通过研究发现污泥残渣中重金属的残留率因元素和焚烧温度而异。Cu的残留率最高在80%以上，Cd的最低，900℃时仅为3.4%；Ni的残留率受温度影响较小，Cd受温度影响最大，随温度升高其降幅可达66.7%。同时还发现，残渣中各种金属由原来的不稳定态转化为相对稳定态。

Gerstle和Albrinck[7]指出，As、Ca、Hg、Zn和Pb在烟气中的含量随着燃烧温度的升高而升高，而且金属挥发后，在凝结时易形成亚微米颗粒，通常的烟气净化设备难以捕获。

（二）垃圾组分中Cl、S、P的影响

在污泥的组分中，氯、硫和磷对重金属在高温时的行为有重要影响。污泥焚烧过程中氯的存在使重金属更易向烟气中迁移，尤其对挥发性重金属影响更为明显，其原因可认为是氯的参与延迟了金属化合物的凝结过程，并且降低了露点温度，同时氯的存在使重金属与其反应生成金属氯化物，而金属态氯化物的蒸发压力通常都高于氧化态，因而更进一步增强了重金属元素的挥发。有研究表明，与国外污泥比较，国内污泥中Cl含量较高。污泥中氯的存在对重金属分布和迁移有显著影响。Cl与重金属反应生成粒径小、沸点低的氯化物而加剧重金属向烟气和飞灰中散布[8]。污泥中氯元素对重金属的挥发有明显的促进作用，污泥中Cl/M比例的增加，能使污泥中的Zn、Cu、Cr从底渣向飞灰中迁移，并且氯元素对三种重金属的影响次序为Zn > Cu > Cr[9]。这主要是因为在重金属的化合物中金属氯化物的熔点相对偏低，易挥发，而氯元素含量的增加会促使重金属氯化物的转化，以氯（PVC）和重金属摩尔比（Cl/M）为指标，可发现易挥发和中等易挥发的重金属在较低的Cl/M下，挥发率就得到了较快的加强，而较难挥发的重金属随Cl/M的增加，挥发率的变化影响则较小[10]。碱金属是竞争氯的主要金属，增加垃圾中含Na成分，将减少飞灰中含铅量，同时使铅由氯化态转为氧化态，对于Cr，由于Cr与Na有很高的亲和力，还可形成Na_2CrO_4，所以含钠量的变化对其影响很大[11]。

硫化物的存在能有效地固定重金属元素，一直以来被广泛地应用于飞灰中重金属的固定和焚烧过程中重金属挥发的抑制中。此外，通过污泥焚烧过程中的重金属热力学平衡计算可得到，硫含量对于Pb、As、Zn和Cu的挥发有一定的影响[12]。当污泥焚烧中添加硫化钠和石灰（Na_2S/

CaO =1∶1）混合物，污泥中重金属元素 Cu、Zn 和 Ni 从交换态和碳酸盐态转变成 Fe – Mn 氧化态，从而减小重金属活性[13]。并通过比较发现，硫化物对重金属挥发抑制效果的顺序为：$Na_2S > S > Na_2SO_3 > Na_2SO_4$[14]。

（三）焚烧水分的影响

污泥的水分含量也对重金属的排放有一定的影响，由于水分的增加导致了氯化态的 Zn 和 Pb 的减少，烟气中的 Zn、Pb 随着污泥水分增加都相应地有所减少，污泥水分对烟气中其他重金属元素的含量变化影响较小。张岩等[16]研究认为烟气中的 Cd 的含量随含水率的增加大致呈增加的趋势；烟气中 Pb 的含量随水分增加有所减少，究其原因可能由于水分的增加导致了气相中 $PbCl_2$ 的减少；重金属 Zn 的挥发量随着污泥含水率的增加呈现减小的趋势，这可能是由于与氯反应，使游离态的 Cl 减少，使 Zn 由沸点低的氯化态转化为沸点较高的氧化态，挥发量减少。而水分的增加对 Cu、Cr、Ni 的影响较小，重金属挥发量没有太大变化。刘渊源[17]研究发现底灰中 Pb、Cu、Zn、Ni、Cr 的含量均随着含水率的增加而降低，只有 Cd 的含量随含水率的增加而增加。

（四）焚烧时间的影响

熔融时间对重金属的挥发效果也有一定的影响[18]。Pb 和 Cr 的挥发率随时间的增加而增加，但 Ni、Cd、Cu 和 Zn 的挥发率随时间的变化不大。崔素萍等[19]研究发现在 900℃的温度下，随着焚烧时间的增加，城市污泥的减重率随时间先减小后增大，当焚烧时间超过 60min 之后，减重率有明显的提高，这可能是因为污泥中一些温度较低时稳定的矿物分解造成的，同时也与一些温度较低时基本不析出的高沸点重金属元素如 Zn、Pb 等逐渐析出也有一定关系。李爱民等[4]研究发现焚烧温度为 700℃时，停留时间从 1min 增加到 4min 时，6 种重金属在污泥焚烧底灰中的残留率均随停留时间的增加而下降。其中 Pb、Zn 和 Cd 的残留率下降不明显，分别从 80. 7% 下降到 77. 3% 、从 89% 下降到 85. 9% 、从 23. 7% 下降到 18. 8% ；相比之下，Ni、Cr 和 Cu 的残留率下降较多，分别从 80. 9% 下降到 52. 47% 、从 65. 6% 下降到 47. 8% 、从 89. 1% 下降到 69. 0% 。

（五）不同添加剂的影响

通过向污泥中添加小同比例的物质（石灰、石灰石、高岭土、铁盐等），对含有各种添加剂的污泥进行焚烧，能在不同程度上抑制重金属的排放。在石煤中加入石灰石进行炉内燃烧脱硫时，能够有效地抑制 Hg 的排放。李润东等[20]在研究 Pb、Cd、Cu、Cr 的迁移情况时，随着焚烧温度的升高，6 种重金属元素的固化率顺序为 Pb > Cu > Cr > Ni > Cd > Zn，而它们的挥发性依次为 Zn > Cd > Ni > Cr > Cu，可见，大部分重金属元素在底灰中的固化程度与它们的挥发性呈明显的负相关关系。添加剂的类型是至关重要的，$MgCl_2$ 有利于 Zn 和 Cu 迁移，而 KCl 的行为则相反[21]。严建华等[22]用 $CaCl_2$ 作为添加剂时发现，在没有加入添加剂时，Pb 和 Cd 的蒸发率就能达到 90% 以上，但 Zn 最少；当加入添加剂时，重金属的蒸发率都有所增加，但程度不同，Zn > Cu > Cd > Pb。王琪等[23]也利用 $CaCl_2$ 为添加剂，发现 Pb 和 Cd 的蒸发率都随添加剂的增加而增加，但 Cu 却在减少。实验还发现，当添加剂为 10% 时，重金属 Zn、Cu、Cd 和 Pb 的蒸发率都是随着温度的升高而增加的。

三、结　论

本文综述了城市污泥中组成成分及焚烧过程中不同因素对重金属高温迁移的影响。

1. 温度对各种重金属的行为特性随各种元素呈现出很大差别。Zn、Pb 几乎都对熔融温度不太敏感，Cd、Cu、Ni、Cr 受温度的影响较明显。

2. 污泥中的硫和氯对污泥中重金属的迁移产生不同影响。污泥中氯元素对重金属的挥发有明显的促进作用，而硫化物的存在能有效地固定重金属元素。

3. 污泥的含水率和焚烧时间对污泥中重金属的迁移也有影响。

4. 不同的添加剂对重金属的迁移有不同的影响，通过添加剂可以有效地控制某些重金属。

参考文献

[1] 徐强．污泥处理处置技术及装置［M］．北京：化学工业出版社，2003.

[2] 尹军，谭学军．污水污泥处理处置与资源化利用［M］．北京：化学工业出版社，2005：1-2.

[3] 周立祥，沈其荣，等．重金属及养分元素在城市污泥主要组分中的分配及其化学形态［J］．环境科学学报，2000，20（3）：269-274.

[4] 李爱民，曲艳丽，姚伟，等．污泥焚烧底灰中重金属残留特性的实验研究［J］．环境污染治理技术与设备，2002，3（11）：20-24.

[5] 王俊辉，宋玉．城市垃圾焚烧飞灰熔融过程中物质挥发情况研究［J］．中国资源综合利用，2007，25（8）：2-6.

[6] 刘淑静，李爱明．温度对污泥焚烧残渣中重金属形态分布及残渣综合毒性的影响［J］．安全与环境学报，2008，8（1）：43-47.

[7] Gerstle R．Albrinek D N．Air pollution Control Assoc．1982，32（11）：11-19.

[8] 李润东，刘连芳，李爱民．添加剂对污泥流化床焚烧过程重金属迁移特性影响［J］．热力发电，2004（10）：11-14.

[9] Wang K S，Chiang K Y，Tsai，C C，et al．The effects of $FeCl_3$ on the distribution of the heavy metals Cd，Cu，Cr，and Zn in a simulated multimetal incineration system［J］．Environment International，2001，26（4）：257-263.

[10] Chiang K Y，Wang K S，Tsai C C，et al．Formation of heavy metal species during PVC-containing simulated MSW incineration［J］．Journal of Environment Science and Health-Part A，2001，36（5）：833-844.

[11] Kuen-Sheng Wang，Kung-Yuh Chiang，Shin-Ming Lin. Effects of Chlorides on Emissions of Toxic Compounds in Waste Incineration：Study on Partitioning Characteristics of Heavy Metal. Chemosphere，1999，38：1833-1849.

[12] 韩军．下水道污泥焚烧过程中重金属元素的挥发与回收［D］．武汉：华中科技大学，2005.

[13] Wang X J，Chen L，Xia S Q，et al. Changes of Cu，Zn，and Ni chemical speciation in sewage sludge co-composted with sodium sulfide and lime［J］．Journal of Environmental Sciences，2008，20（2）：156-160．

[14] Zhang Y G，Li Q H，Meng A H，et al．Effects of Sulfur Compounds on Cd Partitioning in a Simulated Municipal Solid Waste Incinerator［J］．Chinese Journal of Chemical Engineering，2007，12（6）：889-894.

[15] Tang Ping，Zhao Youcai．Thermal behaviors and heavy metal vaporization of phosphatized tannery sludge in incineration process［J］．Journal of Environmental Sciences，2008，20：1146-1152．

[16] 张岩，池勇．污泥焚烧过程中重金属排放特性试验研究［J］．电站系统工程，2005，21（3）：27-28.

[17] 刘渊源．城市污水污泥在流化床中的焚烧特性及重金属排放特性研究［D］．杭州：浙江大学，2004.

[18] 吴桢芬，王华，等．生活垃圾焚烧中重金属行为研究进展［J］．资源开发与市场，2006，22（1）：47-49.

[19] 崔素萍，刘红，王亚丽．城市污泥焚烧特性研究［C］．第十届全国水泥和混凝土化学及应用技术会议，2007.

[20] 李润东，刘连芳，李爱民．添加剂对污泥流化床焚烧过程重金属迁移特性影响［J］．热力发电，2004（10）：11-14.

[21] H．Mattenberger，G．Fraissler．Sewage sludge ash to phosphorus fertiliser：Variables influencing heavy metal removal during thermochemical treatment［J］．Waste Manangement，2008，28：2709-2722.

[22] 严建华，李建新，等．垃圾焚烧飞灰重金属蒸发特性试验分析［J］．环境科学，2004，25（2）：170-173.

[23] 王棋，田书磊，等．$CaCl_2$ 对垃圾焚烧飞灰热处理特性的影响［J］．环境科学研究，2006，19（5）：180-183.

油页岩废渣场适生植物筛选及对重金属的净化研究

孔国辉[1]　黄　娟[1]　刘世忠[1]　陈志东[2]　夏汉平[1]　柯宏华[2]

（1. 中国科学院华南植物园；2. 茂名石油化工公司　广州市天河区兴科路723号　510650）

摘　要　在广东茂名市茂名石化公司的油页岩废渣堆放地之一的北排土场进行了植物修复试验，对1999—2001年种植的树种进行了评价，从中筛选出适应性较强的速生树种：红胶木（*Tristania conferta* R. Br.）、铁刀木（*Cassia siamea Lam.*）、木棉（*Bombax malabaricum* DC.）、红荷木（*Schima wallichiii*（*DC*）. *Choisy*）、云南石梓（*Gmelina arborea Roxb.*）、油榄仁（*Terminalia bellirica*（*Gaertn.*）*Roxb.*）、荷木（*Schima superba Gardn. & Champ.*）等20种。这些树种在植后7～9年中长势良好，其中6种植物还对岩渣中的Cd、Pb、Mn和Zn有较强的去除能力，红胶木和铁刀木还被视为Mn富集植物。

关键词　油页岩废渣　适生植物筛选　植物净化

一、前　言

在矿区废弃地进行植被修复是对其生态治理的一种较理想途径（Bradshaw，1997；杨修和高林，2001）。随着植被的形成和发展，矿区废弃地的土壤逐渐形成，废弃地本身的理化性质逐渐得到改善，其生物和生物化学性质也获得良性发展（Bradshaw，1997）。植物修复还可以固定废弃物，减少对周边环境的污染，美化环境并产生较高的经济效益，因此植物修复被认为是修复矿山废弃地的最好方法（Tordoff et al.，2000；Wong，2003）。20世纪80年代以来，我国矿区废弃地的生态修复取得了显著的成绩，矿区废弃地的复垦利用已受到广泛的关注，有关中国南方有色金属矿区废弃地的植被修复的研究报道不断涌现（王英辉等，2006；Tian et al.，2007）。

中国石化集团茂名石化公司自1955年在茂名生产页岩油，生产过程中产生的干馏和燃烧后的半焦灰渣先后堆放于市区北郊的两处废渣场（简称南排和北排），对城市景观和周围环境造成很大危害。油页岩废渣场生态环境恶劣（许嘉琳等，2000）。我们也采取了植物修复技术来治理北排废渣场。从1999年开始试验，到2008年仍对引种于该废渣场的植物进行跟踪调查。本文报道我们利用植物修复该废渣场取得的部分成果，包括筛选能适应油页岩废渣（简称岩渣）恶劣环境的速生植物，以及这些植物对该岩渣中重金属元素的净化能力。

二、材料与方法

（一）试验地环境

茂名市（21°25′～22°42′N，110°21′～111°46′E）位于广东省西南部，这里属南亚热带向热带过渡的季风海洋气候。年均气温23.2℃，1月平均气温15℃，最低气温1.7℃，7月平均气温28.4℃。年均降雨量1567mm，集中在4～9月，降雨量约占全年的84%。

试验地在茂名市北郊，距市区10km。废渣场堆置物由黑灰色的焦灰渣（500℃干馏后排出）、赤色的灰渣（800℃燃烧充分的灰渣）、褐色的碎小岩渣和剥离土（为油页岩矿表层土壤）所组成。由于岩渣色深容易吸热，夏季在无植被的裸露地面，中午地表温度可达40℃。

（二）参试植物和试验方法

1999—2003年先后引种了热带、亚热带植物和乡土植物178种，其中草本植物5种，灌木10种，乔木163种，试验区共植树4500株。试验苗木为1年生苗，高20～80cm，穴大小为50cm×50cm×60cm，株行距2m×2m。每穴施熟塘泥5kg，土杂肥2kg，复合肥0.25kg。因试验地缺水源，利用4～5月多雨季节，选择降雨或雨后1～2d定植，植后无任何浇灌措施。植后每年或2年对引种植物的生长进行跟踪观测，包括株高、基径、冠幅，并记录生长状况。待株高增至1.3m后，增测胸径（DBH）。每种植物观测10～20株，然后计算其均值。

（三）土壤与植物化学分析

pH：用电位法测定。土壤化学的分析用常规方法（孔国辉等，2006a）。植物金属（Cd、Cr、Pb、Zn、Cu、Mn和Al）含量测定：NH_4OAc－AAS（Atomic Absorption Spectrometry）法（刘光崧，1996）。

三、结果与分析

（一）油页岩废渣场基质特性

如表1所示，岩渣基质非常恶劣，呈强酸性，交换性Al含量很高，范围为1634～3850 mg/kg；岩渣中还含有多种重金属，如Cu，Zn，Mn，Zi，Pb，Cd和Cr，其含量均超过广东省茂名市当地土壤环境背景值的中位值，但未超过国家二级标准（孔国辉等，2006a）。强酸、高铝毒及重金属等因素给岩渣的植物修复带来了很大的困难。

表1　油页岩废渣的化学性质和金属含量

	Mean	Range	N
pH	4.01±0.24	3.72～4.52	8
Organic matter/（g/kg）	41.9±47.1	0.40～11.8	6
Total N/%	0.08±0.08	0.007～1.85	6
Available N/（mg/kg）	62.2±35.2	28.2～120	6
Total P/%	0.07±0.05	0.01～0.14	7
Available P/（mg/kg）	2.03±2.18	0.10～5.40	6
Total P/%	1.00±0.49	0.32～1.77	7
Available K/（mg/kg）	107±115	10～332.8	6
Cu/（mg/kg）	25.3±11.5	12.5～34.9	6
Zn/（mg/kg）	75.7±44.6	24.4～105	6
Mn/（mg/kg）	126±72.1	43.9～178	6
Ni/（mg/kg）	20.4±8.35	11.3～27.7	6
Pb/（mg/kg）	41.9±11.0	30.3～52.3	6
Cd/（mg/kg）	0.10±0.04	0.06～0.12	6
Cr/（mg/kg）	24.11±10.6	16.2～36.2	6
Exchangeable Al/（mg/kg）	2224±917	1634～3850	21

（二）引种植物的生长情况

经过几年的观测，筛选出适应性较强、生长较快的木本种类有：红胶木（*Tristania conferta R. Br.*）、铁刀木（*Cassia siamea Lam.*）、木棉（*Bombax malabaricum DC.*）、红荷木（*Schima wallichiii*（*DC*）. *Choisy*）、云南石梓（*Gmelina arborea Roxb.*）、盾柱木（*Peltophorum ptetocarpum*（*DC.*）*Baker ex K. Heyne*）、油榄仁（*Terminalia bellirica*（*Gaertn.*）*Roxb.*）、荷木（*Schima superba Gardn. & Champ.*）、海南红豆（*Ormosia pinnata*（*Lour.*）*Merr.*）、樟树（*Cinnamomum campho-*

ra（*L.*）*Presl*）、山楝（*Aphanamixis polystachya*（*Wall.*）*R. N. Parker*）、雨树（*Samanea saman*（*Jacq.*）*Merr.*）、柚木（*Tectona grandis*）、铁冬青（*Ilex rotunda Thumb.*）等20种。现据2008年6月对这些植物的生长情况进行调查（表2）。

表2　油页岩废渣场部分引种植物生长状况（调查日期：2008年6月）

引种年份	种名	株高/m	胸径/cm	基径/cm	树干分叉高度/m	树干分叉数	分叉程度a/%
1999	红胶木	10.77±0.62	17.27±3.79	27.73±4.89	0.1~0.45	2~4	40
1999	铁刀木	9.75±1.19	11.90±4.47	18.10±2.12	0.1~0.8	2~3	90
1999	云南石梓	9.70±1.64	13.58±2.99	30.32±7.73	0.1~0.3	2~5	100
1999	油榄仁	8.67±1.62	14.12±2.98	20.86±4.16	0.5~4.5b	0	
1999	荷木	8.57±0.40	10.40±3.10	18.03±6.88	0.1~0.5	2~3	100
1999	海南红豆	7.94±0.77	15.23±2.18	23.13±3.15	0.1~0.9	2~3	80
1999	樟树	7.13±0.84	14.60±2.95	28.43±6.38	0.1~0.4	2~6	100
1999	火力楠	5.27±1.25	6.87±2.69	12.23±3.48	0.2~0.4	2~3	60
2000	山楝	6.81±1.91	9.76±1.89	19.74±2.89	0.1~0.4	2~5	100
2000	降香黄檀	6.05±1.60	9.27±1.21	15.67±3.95	0.1~0.4	2	100
2000	铁冬青	5.90±0.42	12.26±2.41	22.92±1.67	0.1~0.3	3~5	80
2000	红荷木	5.55±0.55	9.55±1.61	17.01±3.02	0.1~0.8	2~3	30
2001	艳榄仁	8.40±0.65	10.32±1.19	13.64±1.18	1.4~2.8b	0	
2001	木棉	8.20±0.91	17.38±4.34	21.82±6.15	2~2.4b	0	
2001	盾柱木	8.30±0.86	12.08±2.74	17.78±4.32	0.2~3.8	2~3	100
2001	柚木	7.86±1.41	11.44±2.35	21.56±4.90	0.1~0.2	2~3	100
2001	雨树	7.60±1.64	13.04±4.12	18.02±6.43	0.3~2.3b	0	
2001	阴香	6.96±0.83	9.43±2.52	14.77±5.85	0.1~0.6	2	100
2001	大叶樟	6.59±0.85	12.74±2.72	15.63±3.08	0.85~1.75b	0	
2001	乌墨	6.10±1.32	11.77±1.41	16.90±2.52	0.2~0.9	2	40

注：a：分叉程度（%）由分叉的株数/调查株数×100。b：枝下高。

从表2可见，栽种7~9年后的植株高5~10m，胸径6~17cm。油榄仁、艳榄仁、木棉、雨树少数种外，多数种的树干在低位出现分叉，树干分叉数多为2~3叉，树干出现分叉的植株百分比普遍较高，不少种的分叉百分比达100%。树干出现分叉，不利于株高和径粗的增长。在正常生境下，高大的乔木种类不会在树干基部分叉。因为岩渣保水能力差，岩渣色深有吸热，导致夏季的极端高温，树木分叉可能是其对岩渣这种干热环境的适应结果。

为了了解引种树木的年增长状况，我们选取了种植于1999年、2000年和2001年的部分树木的逐年生长数据作图（图1~图3）。由图1可知，植后第1年株高增长缓慢，高度在2m以下，第2~4年再缓慢的增高（图1~图3），快速的增高是在种植后第4年，各年引种植物的株高增长特别快的种类有红胶木、云南石梓、油榄仁和木棉。基径的增长也显示出同样规律，种植4年后才出现快速的增粗趋势。

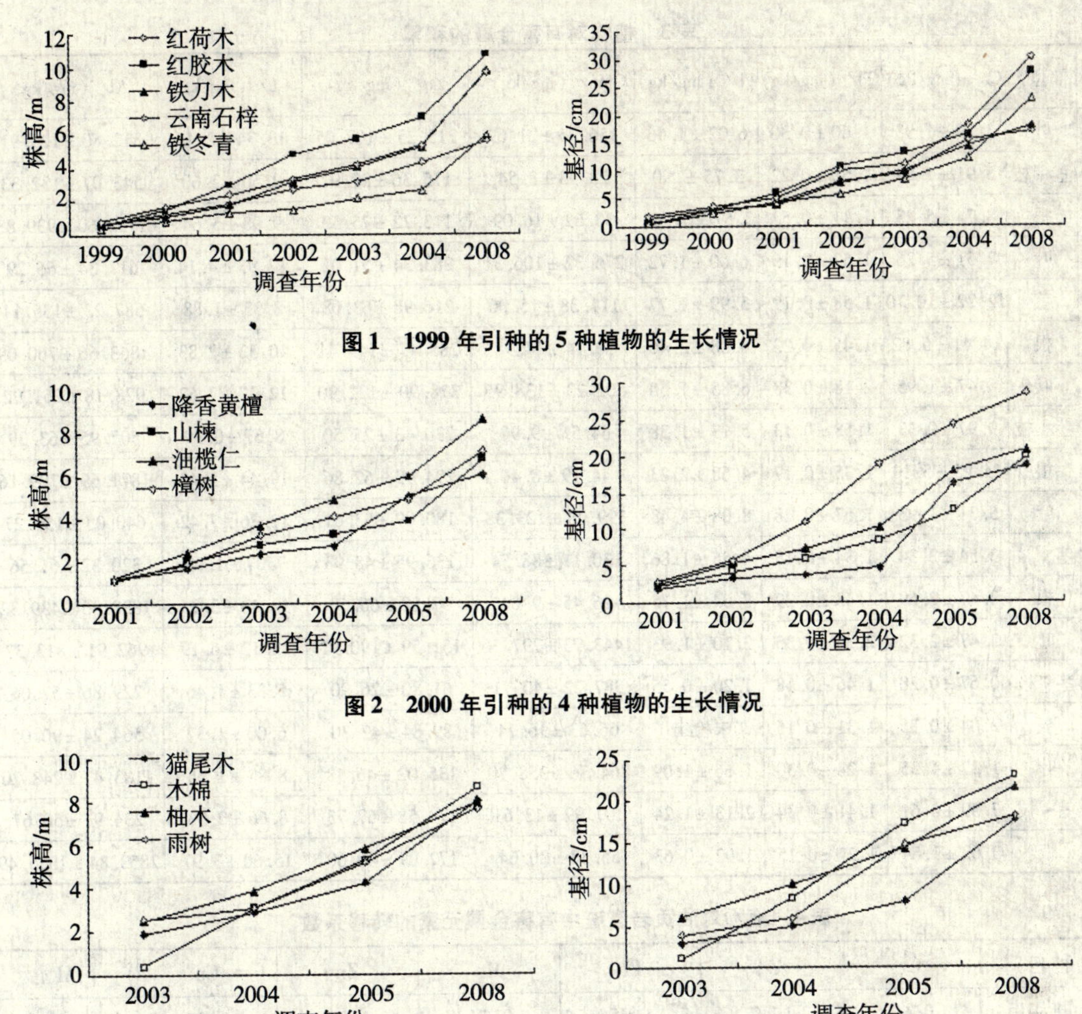

图1　1999年引种的5种植物的生长情况

图2　2000年引种的4种植物的生长情况

图3　2001年引种的4种植物的生长情况

注：图1～图3中每个树种的株高与基径均是其平均值。

（三）植物对重金属的净化

通过对引种植物的生长及光合参数的测定，筛选出大叶相思（Acacia auriculiformis）、云南石梓、铁刀木、樟树、红胶木和红荷木对岩渣有较强的适应能力，并具有高光合能力（黄娟等，2006；孔国辉等，2006b），其中，大叶相思为当地常见绿化树种。故我们选取这6种植物来研究它们对有害金属元素的净化能力。

Cd是危害植物生长的有毒元素，土壤中Cd含量过高，会破坏植物叶片的叶绿素结构，减少根系对水分和养分的吸收，抑制根系生长，造成植物生理障碍而降低生产力（徐慧和张银龙，2009）。6种木本植物对Cd的积累均是地上部分如叶片高或茎（红荷木和云南石梓）高于根部，表明植物对Cd的净化可以通过植物根系输送到地上部分，然后通过收割的方式去除（表3）。植物叶片Cd含量高，也暗示叶片是植物对Cd最敏感的部位。Cr在云南石梓和樟树中含量较高，尤其是它们的根部，分别为14.41mg/kg和14.25mg/kg；表明云南石梓和樟树对Cr的积累能力较其他种类强。Mn在植物中的分布均是叶片最高，Zn和Cu也是植物叶片含量最多，稍有例外，如云南石梓和红荷木根对Zn的积累要高于叶片，樟树和红荷木对Cu的积累也是根部高于叶片。植物对Al的积累则是根部最高（除红胶木外），表明植物去除土壤中的Al主要是通过根系（表3）。

表3　植物对有害金属的积累

种名	部位*	Cr/（mg/kg）	Cd/（mg/kg）	Pb/（mg/kg）	Mn/（mg/kg）	Zn/（mg/kg）	Cu/（mg/kg）	Al/（mg/kg）
大叶相思	叶	3.29 ±1.93	1.60 ±0.30	6.02 ±1.66	156.96 ±21.69	217.25 ±107.05	13.34 ±2.48	512.80 ±123.91
	茎+枝	5.91 ±1.89	1.58 ±0.22	3.75 ±.90	23.93 ±8.54	115.36 ±27.97	9.50 ±2.60	543.07 ±132.33
	根	8.74 ±5.23	1.11 ±0.57	3.57 ±01.65	33.62 ±16.09	113.72 ±75.53	9.98 ±5.64	1732.60 ±939.83
云南石梓	叶	7.51 ±5.26	1.52 ±0.19	6.00 ±1.72	276.32 ±106.31	283.34 ±51.02	12.93 ±4.14	617.34 ±66.29
	茎	12.22 ±10.70	1.58 ±0.19	5.99 ±1.77	111.38 ±15.06	216.98 ±63.08	8.33 ±1.88	587.23 ±135.11
	根	14.41 ±5.82	1.45 ±0.23	6.88 ±2.46	50.14 ±14.98	285.47 ±144.41	10.52 ±2.83	1863.66 ±760.09
樟	叶	5.47 ±1.95	2.18 ±0.38	6.85 ±1.50	505.23 ±138.95	378.90 ±122.90	12.27 ±7.62	928.18 ±261.92
	茎+枝	9.97 ±9.33	1.58 ±0.13	5.13 ±1.38	64.55 ±9.90	230.43 ±75.50	8.67 ±0.99	507.95 ±63.39
	根	14.25 ±5.10	1.35 ±0.17	4.68 ±2.23	44.19 ±8.40	294.99 ±62.86	19.44 ±5.42	1871.69 ±709.16
铁刀木	叶	5.31 ±1.93	1.67 ±0.28	8.08 ±4.48	199.23 ±123.38	180.09 ±53.61	17.26 ±7.42	640.03 ±159.27
	茎+枝	3.54 ±3.34	1.34 ±0.15	4.55 ±1.86	130.11 ±88.54	136.95 ±48.93	7.37 ±1.69	320.32 ±61.56
	根	8.47 ±2.69	1.43 ±0.29	3.64 ±1.75	26.45 ±9.64	97.88 ±66.58	10.46 ±3.25	1838.45 ±439.32
红胶木	叶	3.47 ±2.32	2.36 ±1.35	3.10 ±1.93	1443.73 ±797.56	151.59 ±190.91	12.12 ±6.19	962.91 ±813.37
	茎+枝	0.67 ±0.28	1.46 ±0.18	1.20 ±0.55	387.22 ±40.71	61.80 ±26.90	5.33 ±1.46	229.86 ±57.06
	根	2.04 ±0.75	1.31 ±0.15	未检出	66.63 ±16.74	89.84 ±42.30	6.00 ±1.37	564.24 ±90.05
红荷木	叶	1.27 ±1.35	1.28 ±0.30	1.66 ±1.09	864.36 ±358.70	135.02 ±46.58	8.88 ±1.65	1183.47 ±248.20
	茎+枝	2.59 ±0.61	1.41 ±0.34	2.13 ±1.24	107.99 ±13.61	179.58 ±67.73	8.66 ±2.53	234.97 ±50.67
	根	3.62 ±1.84	1.27 ±0.15	1.02 ±0.63	55.38 ±30.64	172.99 ±40.60	15.60 ±3.97	2853.84 ±1325.49

表4　植物对油页岩废渣中有害金属元素的转移系数*

种名	Cr	Cd	Pb	Mn	Zn	Cu	Al
大叶相思	0.67	1.42	1.05	0.71	1.01	0.95	0.31
云南石梓	0.85	1.09	0.87	2.22	0.76	0.79	0.31
樟	0.70	1.18	1.10	1.46	0.78	0.45	0.27
铁刀木	0.42	0.94	1.25	4.92	1.40	0.70	0.17
红胶木	0.33	1.11	—	5.81	0.69	0.89	0.41
红荷木	0.71	1.11	2.09	1.95	1.04	0.55	0.08

注：*转移系数（Transfer factor，TF）=植物茎中金属的含量/植物根中金属的含量（Rizzi et al.，2004；Tian et al.，2007；Wang et al.，2008）。

转移因子是用来评价植物将有害金属从根部向地上部分的运输和富集能力。转移因子大于1意味着被植物地上部吸收的有害金属含量大于根部，可以通过收获的方式将有害金属移走。这是富集植物区别于普通植物对有害金属富集的重要特征。从表4可知，植物对Cr、Cu和Al的转移系数均小于1，尤其是对Al的转移系数均小于0.5；而对Cd、Pb、Mn、Zn的转移系数较高。这表明，这6种植物通过根系对Al的去除能力最弱，对Cr、Cu的去除也较差，而对Cd、Pb、Mn和Zn的去除能力强。红胶木和铁刀木对Mn的转移系数分别为5.81和4.92。红胶木和铁刀木可视为Mn的富集植物。

四、结　论

选择乡土植物来修复废弃污染地恢复，已成为众多植物修复研究者的共识。本试验所选出的20种适生植物多数种也为乡土植物，这些种在植后7~9年能一直保持旺盛的生长趋势，表明其对岩渣有一定的适应能力，至于将来能否发展成自我维持的森林生态系统，有待后续观察。

植物修复能直接改善废渣地大环境的景观，与此同时逐渐改良恶劣的基质环境，通过植物根系对土壤有害金属吸收和转运到地上部分，达到净化土壤环境目的。试验结果表明，6种植物对Cd、Pb、Mn、Zn有较强的去除能力，而且，红胶木和铁刀木还被视为Mn的富集植物。

参考文献

[1] 董鸣．陆地生物群落调查观测与分析［M］．北京：中国标准出版社，1997.

[2] 黄娟，吴彤，孔国辉，等．油页岩废渣地12种木本植物光合作用的季节变化［J］．植物生态学报，2006，30（4）：666－674.

[3] 刘光崧．土壤理化分析与剖面描述［M］．北京：中国标准出版社，1996.

[4] 孔国辉，刘世忠，陈志东，等．油页岩废渣场植物修复的生态效应［J］．热带亚热带植物学报，2006，14（1）：61－68.

[5] 孔国辉，刘世忠，吴彤，等．油页岩废渣场26种木本植物光合作用和生长的差异［J］．热带亚热带植物学报，2006，14（6）：467－476.

[6] 王英辉，祁士华，陈学军，等．金属矿山废弃地重金属污染的植物修复治理技术［J］．中国矿业，2006，15（10）：67－71.

[7] 许嘉琳，刘虹，荆红卫，等．页岩油工业固体废物堆置场环境的植林修复［J］．环境科学学报，2000，20（S）：133－138.

[8] 徐慧，张银龙．重金属污染废弃物修复植物种类的筛选与评价［J］．污染防治技术，2009，22（1）：44－48，55.

[9] 杨修，高林．德兴铜矿矿山废弃地植被恢复与重建研究［J］．生态学报，2001，21（11）：1932－1940.

重金属 Pb、Cd 污染对土壤酶活性的影响

黄占斌[1,2] 张 彤[2] 彭丽成[1] 石 宇[1] 章智明[1] 王文萍[1]

（1. 中国矿业大学（北京）化学与环境工程学院 北京 100083；
2. 河南大学生命学院 河南 开封 475001）

摘 要 土壤酶活性是评价土壤污染影响的重要指标，本研究用盆栽试验，比较不同浓度重金属铅（Pb）、镉（Cd）单一和复合污染处理对种植大豆的土壤酶活性影响。结果表明，Cd 与土壤碱性磷酸酶和过氧化氢酶活性呈负相关；Pb 与过氧化氢酶呈显著正相关，Pb 对碱性磷酸酶和脲酶活性影响不显著；Cd、Pb 共存对碱性磷酸酶活性表现协同抑制，对过氧化氢酶活性有拮抗作用。大豆不同生育期，Pb、Cd 单一和复合处理对土壤脲酶活性的影响逐渐增强，过氧化氢酶活性逐渐降低，碱性磷酸酶活性表现先升高后降低，花荚期最高。

关键词 重金属 铅(Pb) 镉(Cd) 土壤酶活性 大豆（Phaseolus vulgaris L.）

土壤中广泛地存在各种酶类，它们能够催化土壤中复杂有机物转化为简单无机物供植物生长，是土壤新陈代谢的催化剂。土壤酶的研究开始于 20 世纪 40 年代[1]，将土壤酶学研究应用于环境科学是 20 世纪 70 年代[2,3]，土壤酶活性与土壤总体生物学活性和土壤肥力有着密切关系。由于环境污染条件下使土壤酶活性变化很大，而活性的改变将影响土壤养分的释放，从而影响作物的生长。因此，土壤酶是土壤自净容量的一个标志。以转化酶、脲酶、磷酸酶、蛋白酶、纤维素酶、过氧化氢酶、脱氢酶、多酚氧化酶等水解酶和氧化还原酶的研究为主。由于土壤酶活性对生态环境变化具有敏感性，所以土壤酶活性被作为土壤污染的重要生物活性指标，并且是土壤酶学目前的研究重点之一[4-9]。土壤污染不只是某一元素的污染，实际上往往是多种元素的复合污染。目前国内外科学工作者研究了大量复合污染对土壤酶活性的影响。农田重金属污染与治理也是农业环境治理的重点。本研究采用盆栽模拟试验，种植大豆，将土壤酶活性（过氧化氢酶、脲酶和碱性磷酸酶活性）与不同浓度的重金属铅（Pb）、镉（Cd）单一和复合污染作为复杂的统一体，采用典型相关分析方法进行深入研究，探讨土壤酶活性作为评价再生水灌溉和重金属污染指标的可行性，为土壤环境治理和安全评价提供参考。

一、材料与方法

（一）供试材料

供试作物大豆品种为“鑫豆 1 号”；土壤取自北京市水科所通州永乐店节水试验站田间表土，土壤质地为壤土，pH 7.51，EC 为 280μS/cm，容重 1.39 g/cm，田间持水量 19.3% 重金属铅（Pb）、镉（Cd）分别采用 $Pb(NO_3)_2$ 和 $CdCl_2 \cdot 2.5H_2O$ 分析纯化学试剂。

（二）试验设计

试验采用盆栽方法，用 25mm×20mm 的塑料盆，每盆装土 7kg，播种 3 穴。Pb、Cd 分别以 $Pb(NO_3)_2$ 和 $CdCl_2 \cdot 2.5H_2O$ 与土壤混匀，装盆，用自来水浇灌，老化 15d 后种植。Pb、Cd 单一及其复合处理各 3 个浓度，加清水对照（CK）共 10 个处理，每处理 3 重复。重金属添加量见表 1。土壤取样选在大豆苗期、花荚期和成熟期，土样经风干过 2 mm 筛后测定土壤酶活性。

（三）测定方法

脲酶、碱性磷酸酶和过氧化氢酶活性测定采用土壤酶研究法[14]。酶活性单位表示：脲酶活

性用 NH_3-N mg/g（37℃，24h）；碱性磷酸酶活性用酚 mg/g（37℃，12h）；过氧化氢酶活性用 0.1mol/L、$KMnO_4$ ml/g（室温 20℃，30min）。

表 1　重金属浓度　　单位：mg/kg

处理	CK	Cd1	Cd2	Cd3	Pb1	Pb2	Pb3	F1	F2	F3
Cd	0	1	10	50	0	0	0	1	10	50
Pb	0	0	0	0	100	300	800	100	300	800

（四）数据处理

实验数据分析采用 SPSS 13.0，考虑 95% 置信水平，应用最小显著差异法（LSD）对不同处理进行多重比较。实验结果均为平均数，t 检验或 f 检验分析处理与对照差异显著性。

二、结果与分析

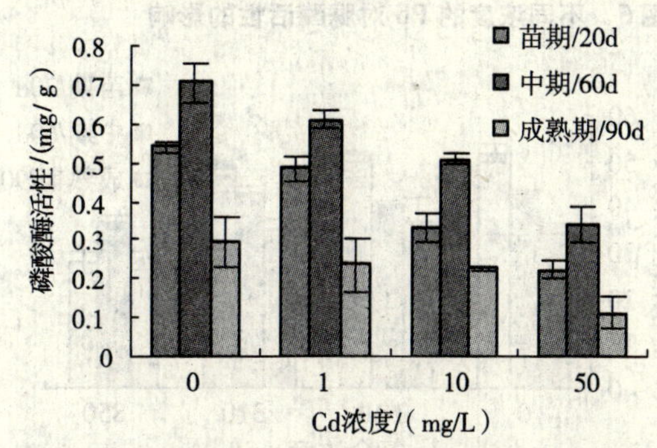

图 1　不同浓度的 Cd 对碱性磷酸酶活性的影响

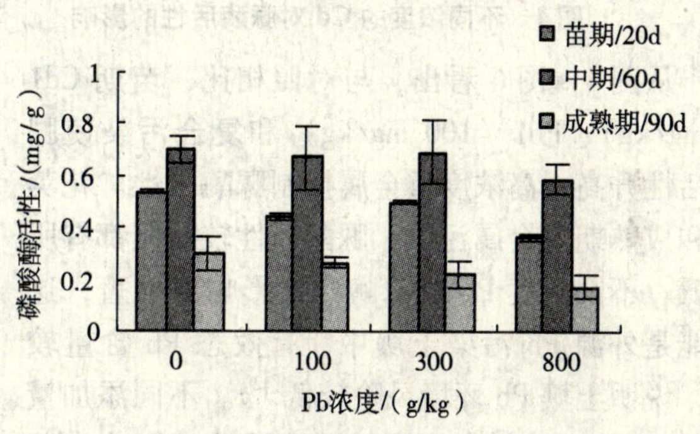

图 2　不同浓度的 Pb 对碱性磷酸酶活性的影响

（一）不同添加量的镉和铅对碱性磷酸酶的影响

磷酸酶是一种水解性酶，能加速有机磷的脱磷速度，提高土壤磷素有效性，在土壤磷素循环中起重要作用，其活性是评价土壤磷素生物转化方向与强度的指标[9,10]。

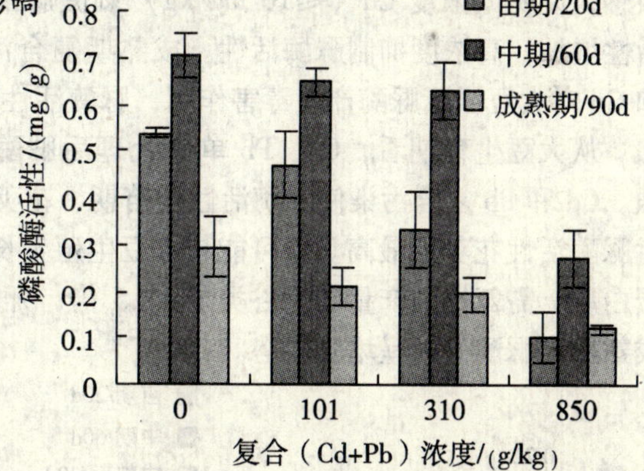

图 3　不同浓度的复合污染对碱性磷酸酶活性的影响

图 1 ~ 图 3 表明，与对照相比，低浓度 Cd（1 mg/kg）、Pb（100 mg/kg）单一处理和复合处理使碱性磷酸酶活性降低，随重金属浓度增加降低更加明显。碱性磷酸酶活性与土壤 Cd 浓度呈负相关，这与李博文等[11,12]]研究结果一致。因为外源 Cd 污染土壤中，交换态 Cd 含量较高，土壤 Cd 环境风险较高[13]。Pb 添加量对碱性磷酸酶活性无显著影响，表现先升高后降低趋势。Cd 和 Pb 复合污染对碱性磷酸酶活性影响是随浓度增加而活性降低，且酶活性低于 Cd、Pb 单因素处理，说明 Cd、Pb 共存对碱性磷酸酶活性表现出协同抑制特征。

从大豆不同生育期看，无论 Cd、Pb 单一处理和复合污染，大豆花荚期（中期）土壤磷酸酶活性最高，该时期为大豆生殖生长盛期，需要吸收较多营养物质；磷酸酶活性显著增强，相应有效养分释放促进大豆生长发育；而后磷酸酶活性迅速降低[14]。

（二）不同添加量镉和铅对脲酶的影响

脲酶在土壤中是一种对尿素专性较强的酶，它能酶促尿素水解生成氨、二氧化碳和水，其活性高低与土壤营养物质转化能力、肥力水平、重金属污染等方面密切相关[15,16]。其活性反映土壤无机氮的供应能力。

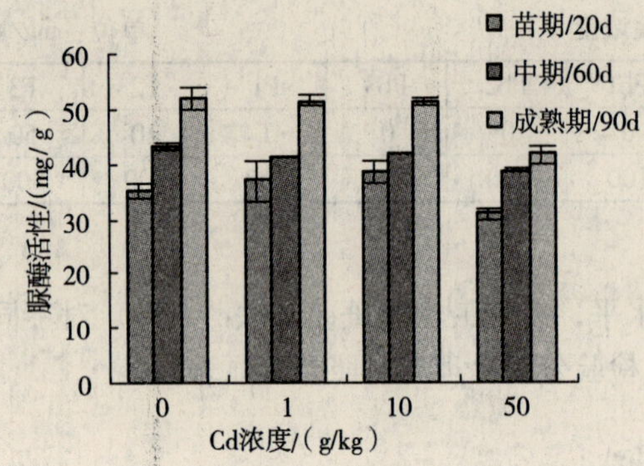

图4　不同浓度的Cd对脲酶活性的影响

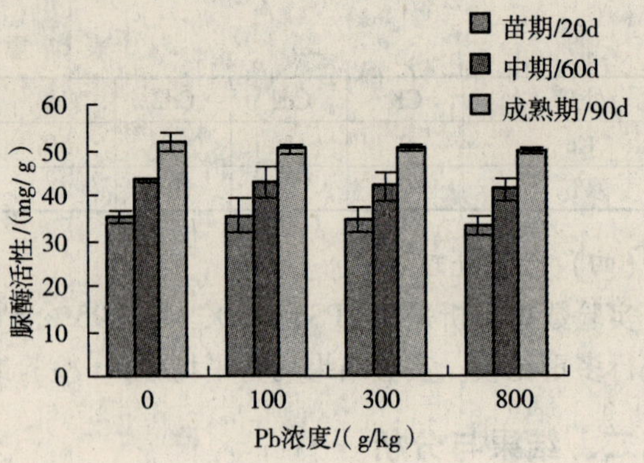

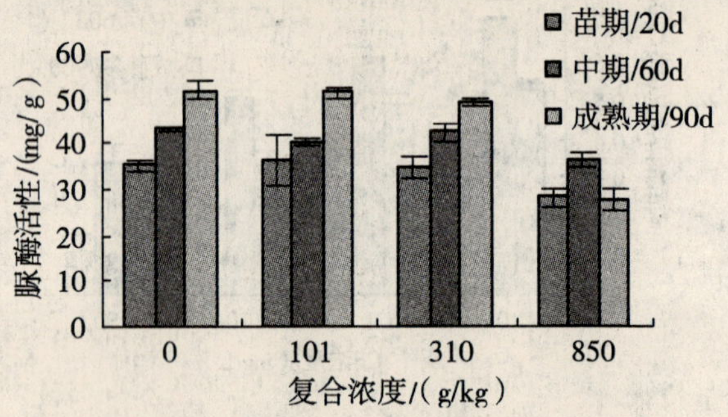

图5　不同浓度的Pb对脲酶活性的影响

从图4～图6看出，与对照相比，苗期Cd1（1mg/kg）、Pb1（100 mg/kg）和复合污染使脲酶活性升高，高浓度重金属抑制脲酶活性。花荚期和成熟期重金属污染，脲酶活性较对照都有所降低。不同浓度Pb对脲酶活性影响不显著，这可能是外源Pb污染土壤中，有效态Pb含量较低，说明土壤Pb环境风险较低[13]。不同添加量Cd及其Pb/Cd复合污染对脲酶活性的影响表现出先升高后降低，其Cd单因素对脲酶的影响较敏感，说明低浓度Cd（≤10 mg/kg）刺激脲酶活性增加，高浓度抑制脲酶活性。成熟期复合污染脲酶活性显著降低，说明高剂量的重金属Pb和Cd对大豆根际脲酶产生毒害作用，脲酶活性受到严重抑制。

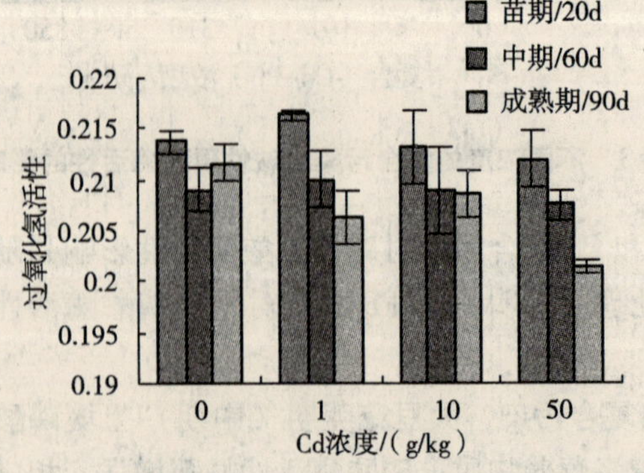

图6　不同浓度的复合污染对脲酶活性的影响

从大豆生育期看，Cd、Pb单一处理后脲酶活性随苗期、花荚期（中期）和收获期逐渐增强。Cd和Pb复合污染使脲酶活性随苗期、花荚期和收获期逐渐增强，高浓度污染（850 mg/kg）时脲酶活性花荚期最高。这可能与大豆生殖生长吸收较多营养物质——氮有关。大豆含有丰富的蛋白质，需氮比同产量的禾谷类多4～5倍，开花后需要更多。所以，随着大豆苗期、花荚期和成熟期，脲酶活性呈增强趋势。

图7　不同浓度的Cd对过氧化氢酶活性的影响

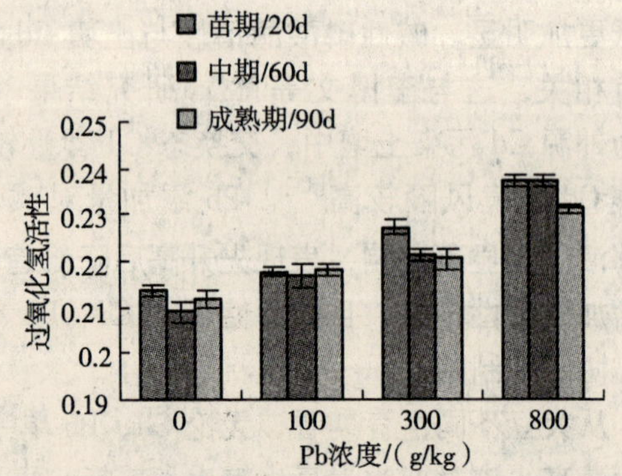

图8　不同浓度的Pb对过氧化氢酶活性的影响

（三）不同添加量镉和铅对过氧化氢酶的影响

过氧化氢酶是氧化还原酶，能酶促过氧化氢的分解，有效防止土壤及生物体在新陈代谢过程中产生的过氧化氢对生物体的毒害，具有保护酶的作用[17]。

图7～图9表明，与对照相比，大豆苗期和花荚期Cd1（1 mg/kg）过氧化氢酶活性增强，但随Cd量增加其活性明显降低，过氧化氢酶活性与Cd添加量呈负相关。Pb刺激过氧化氢酶活性增加，随Pb浓度增加其活性升高，这与李博文等[11,12]研究结果一致。Cd、Pb复合污染对过氧化氢酶活性影响是随浓度增加活性升高，与Pb对过氧化氢酶活性影响一致。

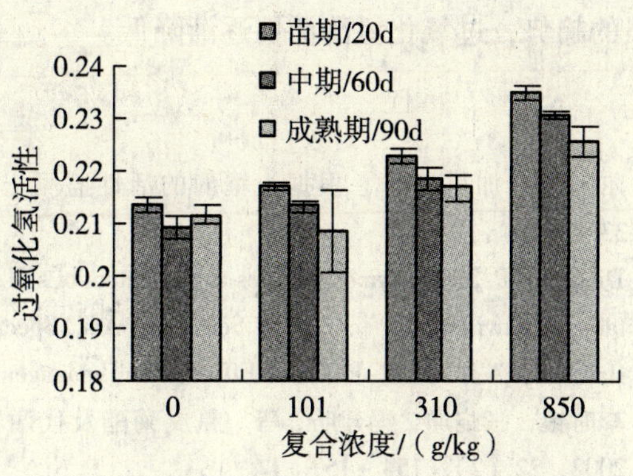

图9　不同浓度的复合污染对过氧化氢酶活性的影响

从大豆不同生育期看，无论Cd、Pb单一和复合污染，随大豆苗期、花荚期和收获期，过氧化氢酶活性逐渐降低，这可能与重金属长期毒害效应有关。重金属Cd和Pb在大豆苗期刺激了过氧化氢酶活性。但在重金属长期污染下，大豆成熟期过氧化氢酶活性降低。

（四）Cd、Pb单一胁迫和复合胁迫对土壤酶活性影响的比较

为定量描述定重金属浓度下酶活性变化，采用酶活性抑制率（定浓抑制率）予以表征[18]。定浓抑制率＝［1－处理样品土壤酶活性/对照样品土壤酶活性］×100%

根据土壤环境质量标准[20]，与对照相比，碱性磷酸酶活性抑制率大于25%时，Cd、Pb单因素和复合污染临界浓度分别为10 mg/kg、800 mg/kg和310 mg/kg。Cd3（50 mg/kg）、Pb3（800 mg/kg）和复合3（850 mg/kg）处理脲酶活性的抑制率分别是12.57%、4.97%和20.13%，说明Cd、Pb对脲酶活性影响表现不显著。

根据分析，无论是单一或复合因素，在同等浓度下Cd、Pb对酶活性抑制效应顺序均为Cd＞Pb。同时，随重金属浓度的增加，定浓抑制率增大，可能原因有：一是Cd趋向于形成活性较高的交换态和碳酸盐结合态，即Cd环境风险较高；Pb趋向于形成活性较低的铁锰氧化物结合态和残余态，即有效态Pb含量较低，土壤Pb环境风险较低[15]。二是Cd、Pb与酶分子的活性部位——巯基和含咪唑的配体等结合，产生与底物竞争性抑制作用，Cd与活性部位结合能够形成稳定的键，而Pb属于中间型受体，它与巯基等键合时的稳定程度显然低于Cd[20]。

三、结论与讨论

重金属对土壤酶活性的影响因土壤类型、重金属种类、浓度以及土壤酶种类而异，国内外研究发现，重金属污染土壤酶活性均有不同程度降低。

1. 重金属Cd对三种土壤酶活性多表现为抑制作用。土壤Cd添加量与碱性磷酸酶和过氧化氢酶活性呈负相关。低浓度Cd（≤10 mg/kg）刺激脲酶活性增加，高浓度抑制脲酶活性。土壤Pb添加量与过氧化氢酶活性呈正相关，对脲酶和碱性磷酸酶活性影响不显著，多表现为低浓度的激活作用和高浓度的抑制作用。无论是单因素或复合因素，在同等浓度下，Cd、Pb对酶活性的抑制效应顺序均为Cd＞Pb，说明土壤中Cd环境风险较高，Pb环境风险较低。

2. 重金属Cd、Pb复合污染对三种土壤酶活性的影响有异。Cd、Pb复合污染使碱性磷酸酶活性低于各单因素作用下的活性；过氧化氢酶活性比Cd单因素作用下有明显提高，比Pb单因素作用下有降低。说明Cd、Pb共存时对碱性磷酸酶活性表现出协同抑制特征，对过氧化氢酶活性却表现出一定的拮抗作用，对脲酶活性影响表现不显著。

3. 大豆整个生育期的土壤酶活性变化。无论Cd、Pb单一处理和复合污染，大豆花荚期的磷酸酶活性最高，苗期和收获期磷酸酶活性较低。随大豆苗期、花荚期和收获期，脲酶活性呈逐渐

增强的趋势，过氧化氢酶活性逐渐降低。

参考文献

[1] 尔·维·加里乌林．根据土壤酶的活性监测土壤的重金属污染［J］．国外农业环境保护，1992，3：33－36.

[2] Dick，R. P. Soil enzyme activities as indicators of soil quality. In Doran et al.（eds.）Defining Soil Quality for a Sustainable Environment［J］. Soil Sci. Soc. Am. Special Publication，Madison，WI. 1994，107－124.

[3] Bandick，A.，and R. P. Dick. Effect of soil management on soil Biol［J］. Bioclem. 1997，1：1471－1479.

[4] 李时银，张晓坤，冯建昉，等．氰戊菊酯及代谢物对土壤过氧化氢酶活性的影响［J］．中国环境科学，2002，22（2）：154－157.

[5] 宫璇，李培军，张海荣，等．土壤的芘污染与土壤酶活性［J］．农村生态环境，2004，20（3）：53－55，59.

[6] 张丽莉，陈利军，刘桂芬，等．污染土壤的酶学修复研究进展［J］．应用生态学报，2003，14（12）：2342－2346.

[7] 王书锦，胡江春．新世纪中国土壤微生物学的展望［J］．微生物学，2002，22（1）：36－39.

[8] 曹慧，孙辉，杨浩，等．土壤酶活性及其对土壤质量的指示研究进展［J］．应用与环境生态学报，2003，9（1）：105－109.

[9] 张咏梅，周国逸，吴宁．土壤酶学的研究进展［J］．热带亚热带植物学报，2004，12（1）：83－90.

[10] Boere G，Thiens S. Phosphatease activitiy and phosphorus availability in the rhizosphere of corn roots［A］. In：Harley J L，Russel R S，eds. The soil－root interface［C］. New York：Academic Press，1979，231－242.

[11] 李博文，刘树庆．镉锌铅复合污染与土壤酶活性关系模拟试验［J］．江苏农业科学，1999（4）：51－53.

[12] 李博文，刘树庆．潮褐土镉、锌、铅复合污染与土壤酶活性的关系［J］．吉林农业科学，2000，25（1）：38－41.

[13] 唐文浩，岳平，陈恒宇．海南岛砖红壤中铅、镉的化学形态和转化［J］．中国生态农业学报，2009，17（1）：145－149.

[14] 关松荫．土壤酶及其研究法［M］．北京：中国农业出版社，1986.

[15] 周礼恺，等．土壤酶学［M］．北京：科学出版社，1987.

[16] 和文祥，朱铭莪．陕西主要土壤脲酶活性与土壤肥力关系研究［J］．土壤学报，1997，34（4）：392－398.

[17] Banerjee B D，Seth V，Bhattacharya A Biochemical effects of some Pesticides on lipid per oxidation and free－radical scavengers［J］. Toxicology Letters，1999，107：33－47.

[18] 和文祥，朱铭莪，张一平．土壤脲酶与汞关系中的作物效应［J］．西北农林科技大学学报（自然科学版），2002，30（2）：68－72.

[19] 夏家淇．土壤环境质量标准详解［M］．北京：科学出版社，1996.

[20] 周礼恺，张志明，曹承锦，等．土壤的重金属污染与土壤酶活性［J］．环境科学学报，1985，5（2）：176－183.

石家庄市大气颗粒物中重金属铅污染的研究

康富华

（石家庄环境监测中心　河北　石家庄　050021）

摘　要　大气颗粒物中的重金属对人体和环境的危害是不容忽视的。采用 GH－150C 型中流量 TSP 采样器进行实地采样，并用 BT－9300H 激光粒度分布仪进行粒度分布测试，用石墨炉原子分光光度计对大气颗粒物中重金属铅进行测试分析，研究探讨了石家庄市大气颗粒物中重金属铅的污染。研究结果表明：铅浓度含量在 0.120～0.365mg/L 之间，质量含量在 0.0155～0.109μg/g 之间；且颗粒物的比表面积越大，对重金属铅的吸附能力也就越强。

关键词　大气颗粒物　铅　粒度分布　原子吸收法

一、前　言

大气颗粒物中含有重金属本身对于大气环境和人类的健康均具有很大的危害。对于大气颗粒物中的重金属，国外在 20 世纪 80 年代初期就有研究，尤其是颗粒物中的重金属在东南亚各国的浓度偏高，致使这些国家加大了对它的研究。马来西亚的 CHEANG、BOON KHEAN 等研究者，对 1990 年 8 月本国大气颗粒物中的重金属进行了研究，SHAM 等研究者对 1982 年的大气颗粒物中的重金属进行了研究。还有一些研究者对东南亚大气颗粒物中的重金属进行了研究。研究者把大气颗粒物中含有重金属的因素分成了两部分，一部分是气候的因素，另一部分是人为的因素，例如汽车尾气排放的增加、绿化面积的减少、生态破坏等；研究表明，大气颗粒物中的重金属大部分为可吸入颗粒物，尺寸大约在 2μm；研究者还根据本国的具体情况提出了一些适合本地区的防治措施。Chun Youngsin 和 Ju－Yeon Lim 对韩国近 20 年大气颗粒物中的重金属进行了统计，发现大气颗粒物中的重金属在冬季和春季浓度较高，较高时间一般是在下午。

最近几年随着大气颗粒物中重金属含量的逐年增高，各国（尤其是含量最多的东南亚地区）都加大了对它的研究和治理力度。目前，我国对大气颗粒物中重金属的研究还不够深入，对它的污染特性及防治对策的研究还非常少。石家庄市是我国重要的北方城市，人口众多，同时也是颗粒物污染很严重的城市。本课题对石家庄大气颗粒物进行采样并对其中的重金属铅进行分析研究，旨在找出石家庄市大气颗粒物中重金属元素铅的污染特性，具有重要的理论和环境意义。

二、实验部分

（一）实验材料、药品及仪器

1. 实验材料

微孔滤膜（北京北化黎明膜分离技术有限责任公司，孔径：0.45μm）；

2. 实验药品

盐酸；高氯酸；硝酸；氢氟酸均为优级纯。

3. 实验仪器

GH－150C 型 TSP 中流量采样器；BT－9300H 激光粒度分布仪；石墨炉原子分光光度计；BS124 型电子天平；101－0S 电热鼓风干燥箱等。

（二）采样地点、时间与频率

石家庄市河北大剧院门前，采用中流量大气采样器对大气中的颗粒物进行采集，采集流量控制在 100L/min，从 8：00～18：00，每天连续采样至少 12h。

（三）实验方法

1. 粒度分布的测定

采用 BT－9300H 型激光粒度分布仪进行粒度测试。

2. 重金属含量的测定

采用火焰原子吸收分光光度法和石墨炉原子吸收分光光度法对采集的颗粒物中重金属微量元素进行测定。

三、结果与讨论

（一）大气颗粒物的粒度分布特征

采用激光粒度分布仪以水为溶剂对采集的大气颗粒物的粒度分布进行测定，测定结果见表 1 及图 1～图 5。

表 1　不同粒径颗粒物累积百分含量

日期	粒径累积百分含量/%					$PM_{2.5}$/TSP/%	PM_{10}/TSP/%
	$PM_{1.0}$	$PM_{2.5}$	$PM_{5.0}$	PM_{10}	TSP		
2007.4.25	19.65	40.44	59.89	86.13	100	40.44	86.13
2007.4.28	26.29	44.52	61.21	85.5	100	44.52	85.5
2007.4.29	23.12	41.05	57.67	83.58	100	41.05	83.58
2007.4.30	20.30	39.99	58.00	85.43	100	39.99	85.43
2007.5.1	32.80	54.08	70.45	91.22	100	54.08	91.22

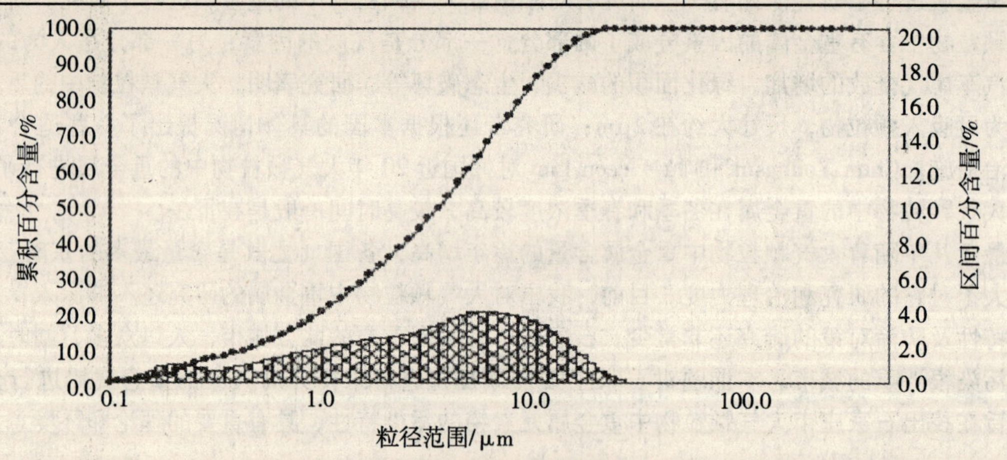

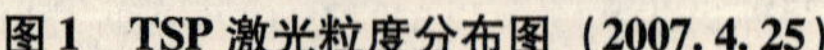
图 1　TSP 激光粒度分布图（2007.4.25）

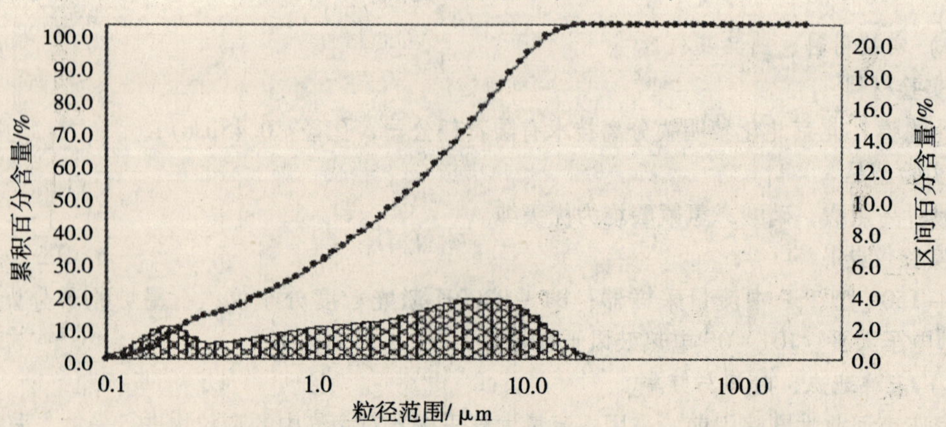

图 2　TSP 激光粒度分布图（2007.4.28）

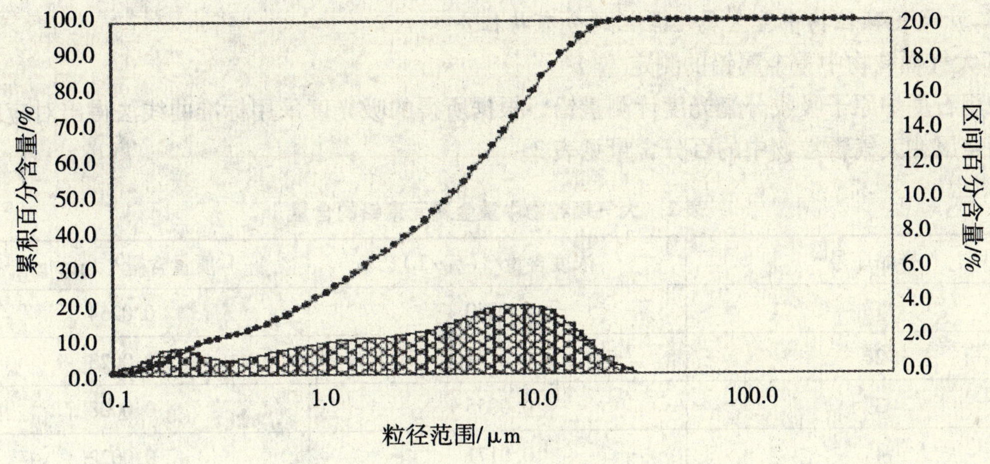

图 3　TSP 激光粒度分布图（2007.4.29）

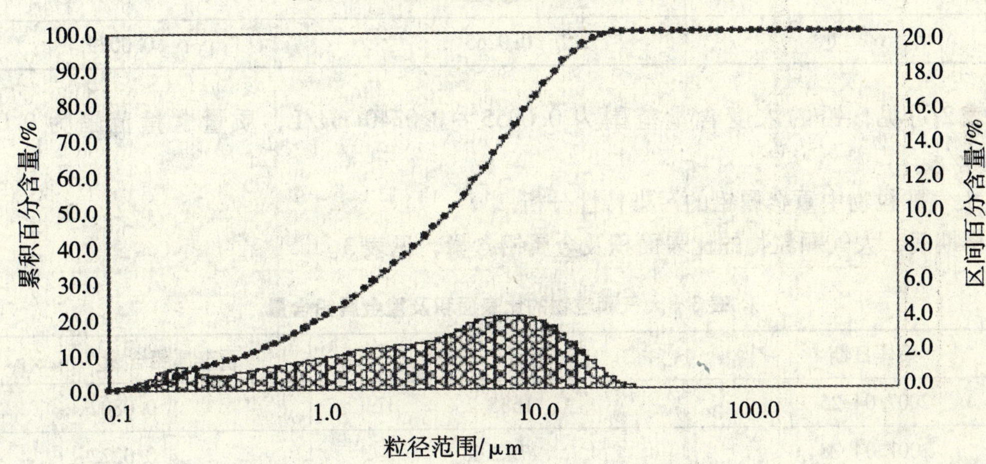

图 4　TSP 激光粒度分布图（2007.5.1）

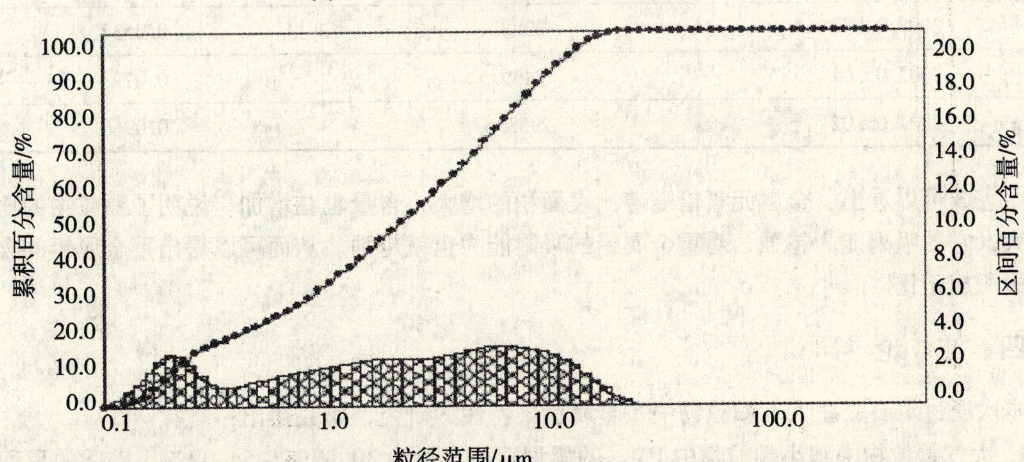

图 5　TSP 激光粒度分布图（2007.5.2）

由表 1 和图 5 可见，大气颗粒物中细小颗粒物 $PM_{2.5}$ 的累积百分含量为 39.99% ~54.08%，PM_{10} 的累积百分含量为 83.58% ~91.22%；$PM_{2.5}$ 的累积百分含量占 TSP 的累积百分含量为 39.99% ~54.08%，而 PM_{10} 的累积百分含量占 TSP 的累积百分含量为 83.58% ~91.22%，由此可见，大气颗粒物中以细小颗粒物为主，说明石家庄市首要污染物是可吸入颗粒物。

（二）大气颗粒物中重金属元素铅的分布特征

1. 大气颗粒物中重金属铅的测定

采用石墨炉原子吸收分光光度计测量铅，根据所得的吸光度采用标准曲线法得出对应的浓度值及各金属在大气颗粒物中的百分含量见表2。

表2　大气颗粒物中重金属元素铅的含量

样品序号	浓度含量/（mg/L）	质量含量/（μg/g）
1#	0.0340	0.0254
2#	0.0199	0.0023
3#	0.0055	0.0008
4#	0.0171	0.0022
5#	0.0085	0.0097
6#	0.0265	0.0079

由表2可见，铅的浓度含量范围为0.0055～0.0340 mg/L，质量含量范围为0.0008～0.0254μg/g。

2. 大气颗粒物中重金属铅的污染特性分析

采样期间，大气颗粒物的比表面积及金属铅含量，见表3。

表3　大气颗粒物的比表面积及重金属铅含量

采样日期	比表面积/（m^2/kg）	重金属铅含量/（μg/g）
2007.04.25	1685.2	0.0802
2007.04.28	1722.68	0.0222
2007.04.29	2080.81	0.0226
2007.04.30	2388.4	0.2537
2007.05.01	2489.5	0.0793
2007.05.02	2958.67	0.0966

由表3可以看出，金属元素铅随着比表面积的增大，含量也在增加。说明了颗粒物的比表面积越大，它的吸附能力越强，对重金属铅的吸附能力也就越强。从而可以得出重金属铅的含量与比表面积成正比。

四、结　论

本次通过对石家庄大气颗粒物中重金属污染特性的研究，研究得出：

1. 大气颗粒物中细小颗粒物中$PM_{2.5}$的累积百分含量为39.99%～54.08%，PM_{10}的累积百分含量为83.58%～91.22%；$PM_{2.5}$的累积百分含量占TSP的累积百分含量是39.99%～54.08%，而PM_{10}的累积百分含量占TSP的累积百分含量是83.58%～91.22%，由此可见，大气颗粒物中以细小颗粒物为主。

2. 大气颗粒物中重金属元素铅的浓度范围为0.0055～0.034mg/L，百分含量为0.0008～0.0254μg/g；且随着比表面积的增大，含量也在增加。这说明了颗粒物的比表面积越大，它的吸附能力越强，对重金属的吸附能力也就越强。从而可以得出重金属含量铅与比表面积成正比的关系。

由此可见，大气颗粒物中的重金属铅对人体和环境的危害是不容忽视的，只有对大气颗粒物中的重金属颗粒物的物理特征、化学成分进行很好的研究，才能从根本上预防和治理大气颗粒物中的重金属污染，从而为石家庄改变大气环境质量提供依据。

参考文献

[1] 黄永键，周蓉生，张成江，等．大气环境中汞污染的研究进展［J］．物探与化探，2002，26（4）：297.

[2] 任阵海．当前我国大气环境质量的几个特征［J］．环境科学研究，2004（2）：1－6.

[3] 赵德山，王明星．煤烟型城市污染大气气溶胶［M］．北京：中国环境科学出版社，1991：198－209.

[4] 王平利．城市大气中颗粒物的研究现状及健康效应［J］．中国环境监测，2005，21（1）：83－86.

[5] Brown J R，Field R A，Goldstone M E，et al. Polycyclic aromatic hydrocarbons in central London air during 1991 and 1992［J］. Sci. total Environ，1996（177）：73－84.

[6] 石家庄市环境保护研究所．石家庄大气颗粒物来源解析及污染防治对策．1998.

[7] Jong Seong Khim，Kurunthachalam Kannan，Daniel Villeneuve et al. Characterization and distribution of trace orgaic contaminants in sediment from Masan Bay，Korea［J］. Environ Sci Technol，1999（33）：4199－4205.

六、土壤污染防治

浙江省土壤污染状况调查样品库的建设与规范研究

周　斌　于海燕

（浙江省环境监测中心　杭州　310012）

摘　要　近年来，在《全国土壤现状调查及污染防治专项工作》建议指导下，各省市相继展开了土壤污染状况调查工作。土壤样品库的建立是调查工作的一项重要成果，样品库的建立不仅仅是样品本身的完整保存，其对应相关信息的完整、质量的保证也都有着十分重要的意义。根据浙江省土壤样品库建立过程中的实际经验，探讨了样品的流转和保存，以及样品库所对应信息数据库的建设规范。

关键词　土壤　样品库　数据库　规范

一、引　言

土地既是人类生存的载体，也是重要的生产资料，土地资源安全直接或间接地影响到了国家安全。土壤中所含元素的状况决定了其地球化学特征，直接影响到生态系统的营养利用、有害元素的富集、植被分布和生态平衡。因而土壤环境监测具有重要的意义。近年来各国逐渐加大了关于土壤环境的调查研究力度。

2007 年在国家环保总局和国土资源部提出的开展《全国土壤现状调查及污染防治专项工作》建议指导下，全国各省市相继展开了土壤污染状况调查工作。在调查过程中，各地认真参考总结“六五”、“七五”土壤环境背景值研究、“菜篮子”环境质量调查以及前几次土壤污染状况监测调查所取得的成果经验并结合“3S”、数据库等一些现代技术逐步提高、完善土壤环境监测技术。

根据浙江省土壤污染状况调查课题的进度安排，2009 年度全省土壤样品已经采集完成，土壤样品库也按要求随之建立。本次调查范围广、密度大，全省共采集样品近四千个，全省土壤样品库的高效规范建立有力地为本此调查的完整性和后续研究的开展提供了保障。

二、样品库的建立

我中心对全省土壤调查的所有样品（包括重点区域、普查区域和背景点区域）统一建档、集中保存，建立了全省的土壤调查样品库。样品保存标签根据土地利用类型采用不同颜色，耕地为褐色，林地、草地为绿色，未利用地为黄色。样品容器统一采用 500ml 棕色玻璃磨口广口瓶，石蜡封口，样品保存标签一式两份，一张贴在瓶上，瓶内放置一张塑料标签。样品量为 500g（过 2mm 筛的风干土）。

（一）样品流转

1. 装运前核对

采样结束应在现场逐项检查，如采样记录表、样品标签、采样点位图标记等，如有缺项、漏项和错误处，应及时补齐和修正后方可装运。

2. 样品运输

样品运输过程中严防损失、混淆或玷污，及时送至实验室。

测定农药、挥发性、半挥发性、持久性有机污染物类项目的土样应低温（4℃）暗处冷藏，并尽快送到实验室进行分析测试。

3. 样品交接

土壤样品送到实验室后，采样人员和实验室样品管理员双方同时清点核实样品，并在样品流转单上签字确认，样品流转单一式四份（自复写），由采样人员填写并保存一份，样品管理员保存一份，交分析人员两份，其中一份存留，另一份随数据存档。

样品管理员接样后及时与分析人员进行交接，双方核实清点样品，核对无误后分析人员在样品流转单上签字，然后进行样品制备。

（二）样品保存

1. 样品库要求

干燥、通风、避免阳光直射、无污染。

2. 样品保存要求

（1）样品保存标签应包含样品编码、采样深度、土壤类型、粒径、地理位置、土地利用类型、采样日期、制样人等信息。

（2）样品保存标签根据土地利用类型采用不同颜色，耕地为褐色，林地、草地为绿色，未利用地为黄色。

（3）样品保存标签一式两份，一张贴在瓶上，瓶内放置一张塑料标签。

（4）样品保存瓶用石蜡封口。

（5）保存的样品要定期清洁，防止霉变、鼠害及标签脱落。

3. 样品管理

样品入库、领用和清理均需记录，并建立严格的管理制度。

（三）建库的关键环节

1. 样品分装及包装容器

根据相关技术规范要求，需要进行磨样处理的有机湿样用锡箔纸包裹，需要进行磨样处理的无机湿样装于订制塑料袋内并套上布袋，直接测定的湿样采用棕色磨口玻璃瓶装样；磨样处理后的样品使用订制的信封带进行分装；入库样品均用棕色磨口玻璃瓶分装。

2. 标签

根据《全国土壤污染状况调查土壤样品采集（保存）技术规定》的要求，专门设计制作了浙江省土壤样品采集、保存标签。标签主要包括样品编号、采样地点、经纬度、土壤类型、土地利用类型、采样深度、采样日期、制样人（采样人）、调查类型等信息。

3. 样品保存与入库

按照样品库建设要求，设置专人进行管理与维护，样品取用需审核并记录在册。所有样品均按规则有序摆放，每个样品均有唯一标识（样品编号、箱号）便于查找，并建立电子档案。样品标签及封口处使用石蜡进行封存，保证字迹清晰、完整，增长保存年限。

4. 样品运输与交接

在样品流转过程中，所有样品均有样品流转单，包括市（县）级监测站送样，单位内部检测，外部委托检测等。其中，外部委托样品采用暗码编号送样。样品流转单均包含样品数量、样品编号、测试项目、送（收）样人、送（收）样时间等信息。所有样品运输均在技术规范要求的时间内送达，运输过程中各样品根据不同要求分别采取避光、冷冻、冷藏等方法进行保存。

三、样品对应信息数据库的建立

（一）样品编码

所有点位必须统一编码。编码规则要求简洁，不易出错。样本编号采用 12 位码。具体编码方法和各位编码的含义如下：

1. 第一至第六位码：为我国县及县以上行政区划代码。其中第一、第二两位码表示省（自治区、直辖市）；第三、第四位码表示市（地区、自治州、盟）或直辖市所属市辖区（县、县级市）汇总码、省（自治区）直辖县级行政单位汇总码；第五、第六位表示县（自治县、县级市、自治旗、市辖区、林区）。编码方案参照中华人民共和国行政代码（GB/T 2260—2002）和国家统计局于2006年1月发布的最新的县及县以上行政区划代码。

2. 第七至第九位码：为以县（自治县、县级市、自治旗、市辖区、林区）为空间计算单元的采样点总数。例如，第50号采样点的编码号为050。

3. 第十至第十一位码：土壤采样剖面的深度下限值（单位为厘米），例如，取样深度下限为20厘米时，编码为020；取样深度下限为185厘米时，编码为185。

（二）样品标签

塑料与布袋之间装上标签，布袋外系上土壤样品标签。若使用纸质样品标签，建议将标签装入小自封袋中再装入袋中，以避免因湿气导致字迹模糊。亦可考虑采用塑料标签，用黑色记号笔书写。可以统一印制带有条形码的不干胶标签。标签上应注明：样品编号、采集地点、土壤名称、采样人和采样时间；记录人员必须逐项填写，并与记录表上土壤样品编号进行核对。标签记录格式见表1。

表1　土壤样品标签

样品编号	□□□ □□□ □□□ □□□		
采样地点	省　　县（区）	乡（镇）	村
东　经		北　纬	
采样深度	厘米		
采样日期	年　月　日		
采样人员			

（三）采样点记录

现场填写采样记录表，进行GPS卫星定位，用数码相机记录采样点周围情况，在采样点位分布图上作出标记。

1. 土壤采集点的文字记录

填写土壤污染状况调查采样记录表，除统一编码外，其他填写内容及要求如下：

①调查人：填写记录员、采样员、摄影者姓名。②观察地点：必须填写细化到距采样点最近的一个村庄。③地理坐标：从1/5万地形图上查标。经度用X表示，纬度用Y表示，精确到秒。④海拔高度：从1/5万地形图上判读出。⑤坡度：除坡的倾斜度外，还可加上坡的大致走向。⑥土壤名称：指观察点所在地的土壤名称，填到土类、亚类（或土属、土种）。⑦地形：指土壤剖面观察点处的小区地形及土壤剖面在该地形所处的部位。如山麓、阶地、冲积扇等。⑧母质及母岩：成土母质，主要描述其形成方式、类型和简单的理化性质。母质在野外不能确定其名称时，应采岩石标本（标本制作：打去风华壳后制成长方体形状，规格为：9cm×6cm×3cm），在标本上贴注明采样点编号的胶布，登记在记录本上，通过室内鉴定，确定名称后，将母岩名称填在记录表上。采样点附近无基岩出露时，在记录表上亦注明无基岩出露。⑨排水及灌溉情况：指地表水或地下水注入、排出的通畅情况。⑩植物：观察点附近能见到的最能反映本地区土壤上生长的典型植物以及新观察到的其他植物或农作物。⑪土壤利用情况：填写农、林、牧业对土壤的利用情况，或荒地、草原、山林等的状况。⑫侵蚀情况：侵蚀类型可分为片状、块状（鳞片状）、崩塌、沟状侵蚀等。⑬侵蚀强度：对片状、块状侵蚀可分为强度侵蚀、中度侵蚀、轻度侵蚀。对于沟状侵蚀则是按侵蚀沟所占面积与总面积之比分为轻度（<10%），中度（10%~20%），强度（20%~50%），剧烈（>50%）。⑭盐渍情况：主要指干旱、半干旱、滨海等地区而言。填写有无盐渍及盐渍性质等。⑮土壤特征及其自然情况综合叙述：此栏是在对土壤剖面及其周围环境

诸因素进行详细观察后，由参加调研的成员进行简短讨论后作出总结性的小结。

2. 土壤剖面形态

①剖面图：目前尚无统一的土壤剖面花纹图例；暂时以 A、AB、B、BC 等自然土壤剖面发育层次代号及界面线绘制剖面图。②发生层次深度：用发生层次代号下加深度表示。如：A0－25 B25－50 等。③分析土样位置：填上采样区间及样品编号，如：L220－A0－20，L220－B25－35，L220－C80－100 等。④颜色：在描述土壤颜色时应注意土壤湿度、质地、光照条件等使土壤颜色产生深浅程度的变化。在颜色定名时，要区分主色和次色，次色在前，主色在后。在土壤环境背景点调查中，采用统一制作的土色卡在野外进行比色，比色时，不要在阳光直接照射下进行；在林中不要在条状光下进行。可用身体或伞等挡住直射阳光或条状光进行比色。⑤质地：在野外用手测法进行定性测定。⑥结构：从某土层取土，使之散开在地面或手中，观察其自然结合的现状和大小，定出结构名称。⑦松紧度：在野外借小刀插入土壤中用力大小来鉴定。一般可分为疏松、稍紧、较紧、紧密、极紧，如因石块过多或根系盘结而引起的松紧状况，另加说明。⑧孔隙：土壤孔隙根据目测情况填写，一般分为多孔隙、中等孔隙和少孔隙。⑨植物根系：填写植物根的种类、粗细和数量多少。⑩腐殖质：野外估测。⑪有机质：指有机质含量丰富、贫乏，野外估测。⑫新生体：是指土壤中新产生的物质，如绣纹、绣斑、铁锰结核等形状、大小、多少和颜色等。⑬侵入体：一般未经人为活动破坏的土壤剖面中，不应有侵入体。⑭湿润情况：以手摸，来判定干燥、湿润和潮湿。

3. 采样剖面所在地断面图或平面图

制作采样点附近大概地形及其与附近明显地物间相对位置和采样点所在地段平面图时采用毫米网格。相对位置要有一定的比例，可把比例尺记在图的下方；图的左侧应加标方向箭头。一般图的上方为北。土壤剖面彩色照片也贴于此页，照片背面应注明土壤剖面代号、摄影时间和摄影者姓名。

四、小结与讨论

综上所述，按照统一技术要求，将全省土壤环境现状调查所有样品建立档案、集中保存，建立全省土壤调查样品库。样品保存标签包含样品编码，由类别代号、顺序号（样品编号按照国家标准进行编制，一个样品保证定义一个唯一的编号）组成、采样深度、土壤类型、粒径、地理位置、土地利用类型、采样日期、制样人等。并且每个样品均能通过编号找到对应的数据信息，这为将来管理与研究工作提供了便捷的支撑。

参考文献

[1] HJ/T 166—2004. 土壤环境监测规范．中华人民共和国环境保护行业标准［S］.

[2] GB 15618—1995，土壤环境质量标准［S］.

[3] 鲁如坤．土壤农业化学分析方法［M］．北京：中国农业科技出版社，2000.

[4] 中国土壤环境背景值研究．国家环保总局，1990.

[5] 吴忠标．环境监测［M］．北京：化学工业出版社，2003，286.

土壤次生盐渍化及其对设施农业可持续发展的影响

姜忠廷

（鲁东大学　山东省烟台市芝罘区新海阳西街81－14　264000）

摘　要　设施农业作为当今世界主要新兴科技农业模式之一，以集约程度大、产能效率高、农业环境条件适应能力强等特点在我国得以迅速发展，但由于灌溉及栽培的不合理，以及设施农业的特殊环境等因素，产生了设施土壤次生盐渍化等环境问题，并严重影响了我国设施农业可持续发展。本文综述了设施土壤次生盐渍化的基本特征、形成原理，并阐述了该现象对设施农业可持续发展的影响。

关键词　次生盐渍化　设施农业　可持续发展

近年来，随着农业环境工程技术的逐渐成熟，设施农业得以迅速发展，但由于不合理的施肥和灌溉，以及设施农业特殊环境等因素，致使设施土壤盐分表积现象明显、理化性质改变，导致产生土壤次生盐渍化、土壤养分失衡、土壤酸化等各种设施环境问题[1]，其中土壤次生盐渍化最为突出，该现象不仅直接影响设施作物的正常生长，降低产量，并引起其他相关问题，更与设施农业能否持续发展紧密联系。因此本文在综述设施土壤次生盐渍化的基本特征及形成原因的基础上，阐述该现象对设施农业可持续发展的制约，对认识我国设施农业环境保护的重要性，指导设施农业合理、高效生产，实现设施农业可持续发展具有十分重要的现实意义。

一、设施土壤次生盐渍化的基本特征

（一）设施土壤次生盐渍化的定义

设施农业是综合利用先进设施设备和生产技术，人为创造动植物生长发育所需要的最佳环境条件，并通过科学的技术管理，最大限度地提高土地产出率、资源利用率、劳动生产率和产品商品率，从而获得最佳经济效益、生态效益和社会效益的一种生产方式[2]。

由于受到设施中的特殊环境条件、施肥和灌溉系统等因素的综合影响，设施环境中的土壤次生盐渍化与干旱地区和其他条件影响下产生的土壤盐渍化有着本质区别。设施土壤次生盐渍化是在设施农业生产过程中由于施肥、灌溉等人为调控措施不当，使原来正常的土壤发生了盐渍化或增强了原土壤盐化程度，使土壤表层或亚表层中水溶性盐类累计量超过0.1%或0.2%，或土壤中碱化层的碱化度超过5%所引起的土壤盐渍化现象[3]。

（二）土壤次生盐渍化的表观现象

设施土壤次生盐渍化是国内外设施蔬菜生产区普遍发生和存在的问题，在连续栽培蔬菜3年以上的日光温室和塑料大棚中，土壤可溶性盐大量积累，表积现象比较明显，并成为蔬菜等设施作物的主要营养障碍因子[4]。次生盐渍化土壤干燥时其表面会出现白色盐霜，土壤发生板结，破碎后呈灰白色粉末状；土壤湿润时，颜色发暗。当盐渍化土壤含盐量超过10g/kg时，土面会有块状紫红色胶状物（紫球藻）出现[5]。如在沈阳市郊各蔬菜设施中，凡具有3年以上栽培年限的日光温室，其20cm左右土层的盐分平均含量可超过2.0g/kg，其中14年龄和36年龄的日光温室，0～5cm土层的全盐含量可高达3.143g/kg和7.118g/kg，分别是露地菜田土壤的4.6倍和10.4倍[6]。

二、设施土壤次生盐渍化的形成原因

（一）地下水水位及矿化度

地下水水位的高低与矿化度状况是影响土壤产生盐渍化的主要因素，并且与土壤的积盐程度密切相关[7]。对于设施农业环境，一方面，不合理的耕作和栽培措施所造成的土壤水文条件恶化，使地下水位上升或土壤水分蒸发剧烈等是设施土壤形成次生盐渍化的一个重要原因。无论是滨海地区的盐碱土还是内陆地区的盐碱土，如果其地下水位高，矿化度大，虽然可以通过多年的改良和培肥使其成为盐分含量较低的肥沃土壤，但是作为设施农业用地使用后，有可能会很快地出现盐渍化现象[8]。

另一方面，不合理的灌溉也可导致盐分的积累。首先，灌溉用水的水质对土壤盐分积累影响较大。例如我国西北、华北地区设施农业中，利用矿化度高（3～8g/L）的咸水灌溉和长期利用皮革废水污灌都不同程度的引起了次生盐渍化现象[9]。其次，灌溉水量过多也是形成次生盐渍化的一个因素。大水漫灌使地下水位升高，一次漫灌可使地下水位上升 0.5～1.0m[10]。孙保平[9]指出地下水位埋藏深度浅于3m 土壤易发生盐渍化，而地下水位在 10m 以下一般不会发生盐渍化。第三，灌水措施的不合理也可能会抬高地下水水位，影响设施土壤中盐分的运移和累积。这是因为，地下水位过高不利于土壤排水，这样既妨碍了盐分的淋洗，也阻滞了淋洗水的下降，从而延长了盐分在土体中的滞留时间。并且，上升的地下水溶解了下层土体中的盐分并将其运移至较浅的上层土体，加速了盐分的表聚，引起设施土壤的次生盐渍化现象的形成[11]。

（二）不合理的施肥

盲目大量投肥是造成土壤次生盐渍化的重要原因之一。由于设施农业生产可以带来较高的经济效益，一些生产者为了追求高产、高利润，往往实行多肥栽培[12]。而肥料的大量残余造成了土壤溶液浓度过高，导致土壤次生盐渍化的发生。此外，一些肥料如硝酸钙、硝酸钾、氯化钾等溶解在土壤溶液中，不仅提高了土壤溶液的浓度，还能引起土壤 pH 降低，使铁、锰、铝等元素的可溶性提高，从而使土壤盐溶液的浓度进一步升高，加剧了土壤次生盐渍化的发展[13]。

（三）设施农业的特殊环境条件

由于设施环境密闭，不受降雨等自然条件影响，土壤中的盐分不能随雨水冲刷流失或淋溶渗透到深层土壤中，残留在表土中的多余盐分也就难以流失或淋失；另外人工灌水深度也仅限于耕层，棚内气温高，土面蒸发强烈，土壤水分在蒸发力的作用下，沿土壤毛细管由下向上移动，还会使土壤中的盐分随水上升，导致盐分表聚或土壤盐渍化[14]。

设施土壤盐分含量还会因设施类型的不同而有所差异。玻璃温室和连栋大棚是全年性覆盖设施，由于缺乏雨水淋洗作用，加之土壤水分经常性的向上运动并不断地从地表蒸发，使得土壤终年处于积盐过程中，因而盐害发生早且重，通常种植 2～3 年即出现盐害[15]。

三、土壤次生盐渍化与设施农业的可持续发展

（一）设施农业对于我国农业可持续发展的意义

农业可持续发展是指根据我国农业生态经济系统的特征，在吸取国外农业可持续发展技术精华的同时，摒弃不符合我国国情的做法，继承我国传统农业的技术精华，充分发挥现代科技的作用，创造出的具有中国特色的农业可持续发展的模式和技术。

我国是一个农业大国，近年来一方面耕地数量在不断减少，人均耕地和水资源相对不足，另一方面，由于人口急剧增长、工农业迅猛发展，固体废物不断向土壤表面堆放和倾倒，有害废水不断向土壤中渗透，大气中的有害气体及飘尘也不断随雨水降落在土壤中，导致了越来越多的土壤受到污染，严重影响我国农业的可持续发展。并且农业发展还面临着人口增长、社会需求增加、资源短缺和生产环境恶化的挑战，这就要求我们寻找一种既可以适应我国当前国情，能满足当代人的需要，又不对后代人满足其需要的能力构成危害的新型农业发展模式。而设施农业具有高度集约、产能高效、农业环境条件适应能力强等特点，通过生物、工程与环境技术的综合运用，摆脱了气候、季节等因素的限制，有效地提高了农业资源综合利用水平，提高耕地产出率，

减少水资源、肥料、化学药剂的使用量和能源消耗量，抑制了病虫害的发生，有效地保障了设施产品，尤其是蔬菜、瓜果的全年均衡供应和质量安全，实现了名贵花卉及各种食用菌的人工种植与培养，促进了农业生态文明建设——该农业生产模式的各种特点完全适应我国现阶段可持续农业的发展要求。

设施农业的又好又快发展既是当前农业农村经济发展新阶段的客观要求，也是克服资源和市场制约、应对农业国际竞争的现实选择，对于发展现代农业、保障农产品有效供给、促进农民增收、农村繁荣都具有十分重要而深远的意义。而我国近年来设施农业发展迅速，根据农业部相关统计，截至2008年末，我国设施蔬菜面积已达5 020万亩，比2000年增长78%；产量1.68亿吨，占全国蔬菜总产量的25%；总产值4 100多亿元，占蔬菜总产值的51%，对农民人均纯收入的贡献额达到370元左右，设施农业对于我国农业可持续发展的重要意义已经初见成效。因此设施农业能否可持续发展对于确保我国农业整体平稳、高效的持续发展有重要意义。

（二）土壤次生盐渍化对设施农业生产的影响

1. 对设施土壤环境的影响

物理性质方面，设施土壤随着种植年限的增加，其结构性发生明显改变，水稳性团粒结构的数量明显增加，土壤毛管孔隙增多，土壤持水性增强，但土壤非活性孔隙比例相对降低，耕作层变浅，土壤板结严重，通气透水性变差[16]。

盐渍化对于设施土壤化学性质方面的影响主要是降低土壤酸度并引起土壤养分失衡。设施土壤随着种植年限的延长由于常用肥料中往往带有 Cl^- 和 SO_4^{2-} 等强酸性离子，这些离子会随着 KCl、NH_4Cl、K_2SO_4、$(NH_4)_2SO_4$、$Ca(H_2PO_4)_2$ 等肥料的大量施用而进入土壤，但是作物仅能吸收部分离子，其余大部分残留于土壤中，成为土壤次生盐渍化和土壤pH下降的主要原因[17]，并最终使土壤中的离子不能均匀分布，引起土壤养分失衡。

2. 对设施作物的影响

在土壤次生盐渍化条件下，设施作物会出现明显的生理性干旱和生长不良等反应。如一般植物在土壤盐分含量达到1g/kg时，其正常生长就会受到影响；达到2~5g/kg时，根系吸水困难；高于4g/kg时，植物体内水分外渗，生长速率显著下降，甚至导致植物死亡[18]。

设施土壤次生盐渍化后，由于土壤中可溶性盐类过多，渗透势增高，从而使土壤水势降低，引起植物根细胞吸收土壤水分困难甚至产生脱水，根系生长不良，甚至烂根，抗逆性减弱，从而影响作物产量和产品质量。盐渍化对作物的危害通常表现是由于土壤干旱导致的植株失水，尤其是在高温强光照、大气相对湿度低的情况下，表现严重[19]。黄瓜和番茄等果菜类蔬菜对盐渍化敏感，具体表现为：黄瓜和番茄定植后还苗慢，叶色变深，叶片变小，还苗后生长速度也较正常土壤慢。积盐严重时，黄瓜叶片边缘干枯呈“镶金边”状，龙头有“花打顶”症状，黄瓜有明显苦味。番茄则叶片变小，呈灰绿色，落花及“僵果”率明显增加。据杨劲松等的研究结果表明，连作3年以上的大棚栽培作物，其产量每年降低10%~20%[20]。

（三）土壤次生盐渍化对设施农业可持续发展的影响

1. 降低设施农业资源利用率

农业资源是人们从事农业生产或农业经济活动所利用或可利用的各种农业自然资源和农业经济资源的总称。对于设施农业这种特殊的农业模式而言，其受到的环境气候影响较小，因此可以排除其对气候自然资源的利用，相应地，由于设施农业本身就是一种由人工建设，各种新型生产设备、科学生产技术高度集中的新型农业生产模式，其对设施内部的其他自然资源如土地资源和水资源等有很高的利用率。

设施土壤次生盐渍化现象出现后，首先，由于盐渍化引起设施土壤表层盐分的大量积累，使植物无法正常吸收和利用水资源，从而使设施对水资源的利用率大幅下降。其次，设施土壤次生盐渍化广义上讲是一种设施内部的土壤环境恶化现象，而目前无土栽培的设施农业尚未广泛普及，大多数设施农业仍然是依靠设施中的土壤直接进行农业生产，土壤的问题直接引起设施作物产量和质量的下降，因此次生盐渍化还能降低设施对于土地资源的利用效率。最终导致设施整体农业资源利用率的下降。

设施农业之所以符合我国农业可持续发展的要求，很大程度上是因为其在农业资源利用率上的可持续性。设施农业以其高资源利用率和低资源损耗率，带来较高的经济生产效率的同时可以完全满足人们的基本需求，其体现出了人类发展的综合和总体的高效——同样符合国家可持续发展战略基础原则中的“高效性”原则。但次生盐渍化现象造成的农业资源利用率的降低，对设施农业的“高效”造成了影响，从根本上制约了设施农业可持续发展。

2. 影响循环农业的整体运作

随着科学发展观这一重要战略指导思想的提出，循环农业有了新的理论依据。循环农业，是以科学发展观为指导，把循环经济理念与可持续发展思想应用于农业生产中，以资源的高效利用和循环利用为核心，以“减量化、再利用、资源化”为原则，依靠科学技术、政策手段和市场机制，调控农业生产和消费活动，最大限度地提高资源利用效率，尽可能地降低资源损耗与污染排放，实现经济、生态和社会效益的统一[21]。

不难看出，如果将设施农业融入循环农业的整体运作中，本身就具有可持续发展特性的设施农业不但其自身在农业可持续发展方面的重要作用得以更好地体现，而且作为循环农业的一个重要组成部分，更是保证综合了多种农业模式的循环农业整体正常运作的关键。首先，“减量化”原则要求尽量减少进入生产和消费过程的物质量，节约资源使用，减少污染物的排放。设施农业由于具有良好的保水保肥特性，很大程度上减少了资源的浪费，设施环境的相对封闭同时限制了污染物的流出。其次，“再利用”原则要求提高产品和服务的利用效率，减少一次用品污染。设施农业受气候因素影响小，在我国蔬菜和其他重要经济作物的反季节和跨地区种植中起到了重要作用，提高了农业设施利用效率。第三，“资源化”原则要求物品完成使用功能后能够重新变成再生资源。尤其在多种农业模式综合运作时，由于设施农业对环境适应性较强，对设施作物种类的选择范围广，所以更容易将其他农业模式中完成使用功能的农业资源变成可用于自身运作的再生资源。因此，次生盐渍化现象的发生不仅直接影响设施农业可持续发展能力，更对循环农业的整体正常运作造成不良后果，甚至会危害我国农业整体的持续发展。

（四）结合“十二五”相关工作思路，综合防治土壤盐渍化，保障设施农业发展的可持续

中国国家发改委副秘书长杨伟民认为，“十二五”规划应明确提出“富民”的目标和任务。农业是国民经济的基础，因此，加强农业的基础建设，大力促进农业生产向现代化、科学化的方向发展，是保证我国国民经济持续、稳定、健康发展的战略问题。要使农业资源、农业生产与农业持续发展，就必须注意农业环境保护与生态平衡[22]。设施农业以其独特生产模式，不仅可以减少环境污染，提高资源利用率，更重要的在于改善环境与建设环境，维持国家农业整体持续、高效发展，以便促进经济发展和提高人们的生活质量。因此，要正确实施农业可持续发展必须具有一个良好的生态环境和生产环境，有一个适合我国国情的农业模式，而科学合理的设施农业完全可以满足这一要求。

全国设施农业发展“十二五”规划是促进设施农业科学发展的重要依据。但随着设施农业在我国的全面推广，该农业模式对设施环境造成的次生盐渍化现象为主的各种不良后果也正逐渐显现。因此要通过制定“十二五”规划，明确发展设施农业的指导思想、目标任务、发展区域重点、主推技术和保障措施等，提出相关的经济与技术政策，完善相应法律法规。对于各级农机化主管部门要因地制宜，结合本地实际，以市场为导向，以农民、农业专业合作社和设施农业生产企业为主体，明确区位优势和发展方向，科学制定设施农业发展规划，指导设施农业的建设和

发展。并且应该清醒地认识到设施农业对环境造成的不良后果在相应的规范操作和科学指导下是可以避免的。组织动员各领域技术专家，充分发挥各方面的积极作用，使设施农业建设更加符合实际生产要求。注重设施农业规划的科学性和可行性，把制订规划与争取各方支持有机结合起来，不断探索发展设施农业的新思路、新方法，保障设施农业发展的可持续。

参考文献

[1] 刘淑英，李小刚，王平，等．兰州市安宁区保护地蔬菜施肥状况的调查［J］．甘肃农业大学学报，1998（2）：94－95，97，112.

[2] 赵彩芹．保护地土壤次生盐渍化的危害及防治［J］．陕西农业科学，2005（2）：82－85.

[3] 马爱军，何任红，王开冻．设施草莓地土壤盐渍化的形成及防治对策探讨［J］．中国南方果树，2002（4）：71－72.

[4] 陈怀满．土壤环境学［M］．北京：科学出版社，2005.

[5] 李海云，王秀峰，禹贤．设施土壤盐分积累及防治措施的研究进展［J］．山东农业大学学报，2001（4）：535－538.

[6] 梁成华，唐咏，须湘成．沈阳市郊区蔬菜保护地土壤盐分动态研究［A］．“菜园土壤肥力与蔬菜合理施肥”论文集［C］．南京：河海大学出版社，1997.

[7] 刘广明，杨劲松．地下水蒸发规律及其与土壤盐分的关系［J］．土壤学报，2002（3）：384－389.

[8] 刘广明，杨劲松．地下水作用条件下土壤积盐规律研究［J］．土壤学报，2003（1）：65－69.

[9] 孙保平．荒漠化防治工程学［M］．北京：中国林业出版社，2000.

[10] 严健汉．环境土壤学［M］．武汉：华中师范大学出版社，1985.

[11] 杨建军，吕卫光．灌水洗盐对设施农业中土壤养分的影响［J］．上海农业学报，2004（2）：63－66.

[12] 李文庆，贾继文，李贻学．大棚蔬菜种植对土壤理化及生理性状影响规律研究［J］．“菜园土壤肥力与蔬菜合理施肥”论文集［C］．南京：河海大学出版社，1997.

[13] 李明霞．保护地土壤营养障碍与治理途径［J］．蔬菜，1999（4、5）.

[14] 周晓芬，杨军芳．设施蔬菜土壤连作障碍及防治措施探讨［J］．河北农业科学，2004（1）：92－94.

[15] 童有为，陈淡飞．温室土壤次生盐渍化的形成和治理途径研究［J］．园艺学报，1991（2）：159－162.

[16] 吴凤芝，赵风艳．设施蔬菜连作障碍原因综合分析与防治措施［J］．北京农业大学学报，2000（2）：241－247.

[17] Wang H Y, Zhou J M, Chen X Q, Li S T, Du C W, Dong C X.. Interaction of NPK fertilizers during their transformation in soils: I. Dynamic changes of soil pH［J］. Pedosphere, 2003, 13: 257－262.

[18] 杨月红，孙庆艳，沈浩．植物的盐害和抗盐性［J］．生物学教学，2002（11）：1－2.

[19] 葛晓光．菜田土壤与施肥［M］．北京：中国农业出版社，2002：101－105.

[20] 王学军．日光温室土壤次生盐渍化分析［J］．北方园艺，1998（S1）：12－13.

[21] 范子文．循环农业发展的关键领域及对策建议［J］．中国金融，2007（24）：24－25.

[22] 刘志文，王锡桐．农业可持续发展与环境保护［J］．生态经济，1999（2）：13－17.

土壤污染及防治措施探讨

陈　超

（天津市环境影响评价中心　天津　300191）

摘　要　本文从土壤污染源、污染物质、污染危害及防治措施等方面，介绍了目前中国土壤污染状况及治理措施的进展情况。

关键词　土壤　污染　防治

一、土壤污染概述

（一）土壤背景值

土壤背景值是指未受人类污染影响的情况下，土壤在自然界存在和发展过程中其本身原有的化学组成、化学元素和化合物的含量，也称本底值。目前在全球环境受到污染的条件下，要寻找绝对不受污染的背景值是很困难的。因此，土壤背景值实际上是在时空上的相对概念，是表示相对不受污染的情况下土壤的基本化学组成和数量。

土壤背景值的表示方法，国内外没有统一规定。目前我国通常采用测定值的算术平均值加减一个标准差来表示。它不仅表示土壤中某一污染物的平均含量，同时还说明了该污染物的含量范围。异常值的判断方法，我国都以 $X_0 = X + 2S$（式中 X_0 为污染起始值，X 为测定平均值，S 为标准差）来判断[1]。

土壤背景值的数量是评价环境质量、计算污染物质的土壤环境容量和进行土壤污染预测预报的基础资料，是研究制定土壤污染指标和拟定土壤污染防治措施的基本依据。因此，开展土壤背景值的研究是环境科学的一项重要基础工作。我国已经开展了区域土壤背景值的研究，并提出了一些地区的土壤背景值。

（二）土壤的自净作用和环境容量

土壤是一个半稳定状态的复杂物质体系，对外界环境条件的变化和外来的物质有很大的缓冲能力。从广义上说，土壤的自净作用是指污染物进入土壤后经生物和化学降解变为无毒害物质，或通过化学沉淀、络合和螯合作用、氧化还原作用变为不溶性化合物，或为土壤胶体牢固地吸附，植物难以利用而暂时退出生物小循环，脱离食物链或排出土壤。狭义的土壤自净能力则主要是指微生物对有机污染物的降解作用，以及使污染化合物转变为难溶性化合物的作用。但是，土壤在自然净化过程中，随着时间的推移，土壤本身也会遭到严重污染。因为土壤污染及其去污，决定于污染物进入量与土壤天然净化能力之间的消长关系，当污染物的数量和污染速度超过了土壤的净化能力时，破坏了土壤本身的自然动态平衡，使污染物的积累过程逐渐占优势，从而导致土壤正常功能失调，土壤质量下降。在通常情况下，土壤的净化能力决定于土壤物质组成及其特性，也和污染物的种类和性质有关。不同土壤对污染物质的负荷量（或容量）不同，同一土壤对不同污染物的净化能力也是不同的。应当指出，土壤的净化速度是比较缓慢的，净化能力也是有限的，特别是对于某些人工合成的有机农药、化学合成的某些产品以及一些重金属，土壤是难以使之净化的。因此，必须充分合理地利用和保护土壤的自净作用。

土壤环境容量是指土壤生态系统中某一特定的环境单元内，土壤所允许容纳污染物质的最大数量。亦即在此土壤时空内，土壤中容纳的某污染物质不致阻滞植物的正常生长发育，不引起植物可食部分中某污染物积累到危害人体健康的程度，同时又能最大限度地发挥土壤的净化功能。

土壤环境容量的计算公式如下：

$$Q=(C_k-B)\times 10^5$$

式中：Q 为土壤环境容量（kg/hm^2）；C_k 为土壤环境标准值（mg/kg）；B 为区域土壤背景值（mg/kg）；10^5 为将 mg/kg 换算成 kg/hm^2 的系数。

上式可见，在一定区域的土壤特性和环境条件下，B 值是一定的，Q 的大小决定于 C_k。土壤环境标准值大，土壤环境容量也大；反之容量则小。土壤环境标准的制定，一般根据田间采样测定统计和盆栽试验，求出土壤中不同污染物使某一作物体内残毒达到食品卫生标准或使作物生育受阻时的浓度，以此作为土壤环境标准。根据土壤环境容量与实际含量相比较，可以深刻反映区域内的污染状况和环境质量水平，从总量控制上提出环境治理和管理的具体措施。

（三）土壤污染源

土壤污染主要来自工业“三废”和肥料、农药等，归纳起来主要有以下几方面。

1. 污水灌溉污染

污水灌溉是指利用城市污水或工业废水灌溉农田或是水质污染随着灌溉而进入土壤。目前，我国的污水灌溉区已发展到 30 多个，污灌面积约 73 万 hm^2，污水年排放量为 300 多亿 m^3，多数污水未经处理，含有多种重金属离子，超出土壤灌溉水质标准。

2. 施肥污染

主要指施用化学肥料、污泥、矿渣、粉煤灰等引起的污染。施肥对于改土培肥和提高农产品产量、改进品质方面具有重大作用。但是，不合理的施肥也会造成污染。大量施用化学氮肥会在土壤中累积硝态氮，经水的淋洗进入水体，引起水体富营养化和硝酸盐积累，污染环境。同时，农产品中累积过多的硝酸盐，对人体健康有害。在工业磷肥生产中，由于矿源不纯，带来的镉、砷、硼、氟等物质往往存在于磷肥产品中，长期大量施用磷肥，则可造成上述有害元素的积累。利用废酸生产的磷肥中带有三氯乙醛还会直接毒害植物。污泥、矿渣、粉煤灰等中虽含有大量营养物质，同时含有多种有害物质，也是土壤污染源之一。

3. 使用农药污染

我国过去长期大量使用有机氯和有机磷农药，在土壤中残留时间长、危害大，污染比较严重。1983 年国务院下令停止生产六六六和 DDT，持续了 30 余年的主要农药污染源将被消除。但目前有机磷农药和替代有机氯的农药仍在使用，既污染土壤又污染农产品。据统计，目前全国受农药污染的土壤面积仍然较大。

4. 工业废气污染

工业废气和粉尘、烟尘、金属飘尘等首先污染大气，然后降落到地面而污染土壤。最常见的是含二氧化硫或氟化氢的废气，它们分别以硫酸和氢氟酸形式随降水进入土壤。据检测，以 SO_2 污染所形成的酸雨在我国检出率达 50% 以上，个别地区近 100%。这对农作物、土壤微生物种群和土壤理化性质都将产生危害和影响。土壤中易溶性氟的含量增高，还有害于人畜健康。粉尘和烟尘的成分比较复杂，它们可直接危害植物的生长。金属飘尘中含有重金属元素，也是土壤重金属污染的一条重要途径。据估计，我国工业和家庭烧煤所产生的烟尘年排放量约为 1 400 万 t，国家卫生质量标准规定每月的降尘量为 6～8t/km^2，工业排放标准每月为 18t/km^2，但几乎所有城市都超过了以上标准，一般都在 30～40t/km^2，有的高达数百吨至上千吨。

5. 工业废渣和城市垃圾污染

据不完全统计，全国 75 个城市历年积累的工业废渣和尾矿达 715.7 亿 t。这些废渣不仅占用了大片土地，而且造成更多的土壤污染。城市垃圾的主要成分为有机垃圾、砖瓦、碎玻璃、废纸、布块、塑料、纤维、金属、橡胶、煤灰渣以及工厂的各种废渣等，长期施用导致土壤耕性困难，保水保肥能力下降。这些废渣和垃圾常含有一些重金属元素或有毒的有机化合物、酸、碱、盐类和有害微生物、病菌等，进入土壤后也会造成不同程度的污染。近几年，我国塑料地膜地面覆盖栽培技术发展迅速，部分地膜弃于田间，造成土壤的白色污染。

（四）土壤污染物质

土壤污染物质大致可分为无机污染物和有机污染物两大类，具体包括以下几种。

1. 无机污染物

主要包括：①重金属：主要指镉、铅、铬、汞、铜、锌、砷、镍等，我国对土壤中重金属污染调查较多的是镉、汞污染。其他元素污染在局部地区有所发现，但面积较小。②酸、碱、盐、硒、氟、氰化物等。③化学肥料、污泥、矿渣、粉煤灰等。④工业“三废”：包括废气、废渣、污水。⑤放射性污染物：存在于土壤本底的放射性元素有^{40}钾、^{228}镭、^{14}碳等。原子能工业的废弃物及核爆炸的尘埃可增加土壤中的放射性物质，其中有^{90}锶和^{137}铯两种放射性元素的半衰期分别为28年和30年，因而可在土壤中久存和积累。磷肥中含铀系放射性衰变物质对农田也会产生一定程度的污染。

2. 有机污染物

主要包括：①有机农药：如杀虫剂、杀菌剂、除草剂等。②有机废弃物：矿物油类、表面活性剂、废塑料制品、酚、三氯乙酸（是许多化工产品的原料）、有机垃圾等。③有害微生物：寄生虫、病原菌、病毒等。

（五）土壤污染的危害

随着现代工业化和城市化的不断发展，环境中有毒有害物质日趋增多，环境污染日益严重。当外界环境进入土壤中的各种污染物质，其含量超过土壤本身的净化能力，使土壤微生物和植物生长受到危害时，称其为土壤遭受污染。土壤是人类和动植物赖以生存的自然环境，污染物质通过土壤—植物—动物—人体系统的食物链，使人类和动植物遭受危害。土壤污染危害主要表现在：

1. 土壤（土地）生产力下降

土壤被污染后有毒有害物质增多，引起土壤酸碱度显著变化，造成土壤结构破坏，土壤养分失去平衡，阻碍或抑制土壤微生物和植物的生命活动，影响土壤营养物质和能量的转化，从而使生物生产量受到影响，严重者会使土壤丧失生产力[2]。

2. 环境污染加剧

土壤污染会对其它环境因素产生影响。例如土壤表层的污染物随风飘起被搬到周围地区，扩大污染面。土壤中一些水溶性污染物受到土壤水淋洗作用而进入地下水，造成地下水污染；另一些悬浮物及其所吸附的污染物，也可随地表径流迁移，造成地表水污染。

3. 食品质量受到威胁

污染物通过以土壤为起点的土壤—植物—动物—人类的食物链，使有害物质逐渐富集，从而降低食物链中农副产品的生物学质量，造成残毒，直接或间接地危害人类的生命和健康。如镉污染全国涉及11个省市，北起黑龙江、辽宁，南至广东、广西，面积约1万hm^2，并以产生“镉米”（镉含量最高的稻米）。汞污染有21个地区，面积约3.2万hm^2，最严重的有贵州省清镇地区、铜仁汞矿区以及第二松花江流域，所产稻米中汞含量高达0.382mg/kg，大大超过食品标准（0.02mg/kg）。

二、土壤污染的防治

对已经污染的土壤，必须采取一切有效的措施加以改良，从而提高土壤的环境质量，促进人类与动植物的健康成长。

（一）土壤污染的预防措施

1. 依法预防

制定和贯彻防止土壤污染的有关法律法规，是防止土壤污染的根本措施。严格执行国家有关污染物排放标准，如农药安全使用标准、工业“三废”排放标准、农用灌溉水质标准、生活饮用水质标准等。

2. 建立土壤污染监测、预报与评价系统

在研究土壤背景值的基础上，应加强土壤环境质量的调查、监测与预控。在有代表性的地区定期采样或定点安置自动监测仪器，进行土壤环境质量的测定，以观察污染状况的动态变化规律。以区域土壤背景值为评价标准，分析判断土壤污染程度，及时制定出预防土壤污染的有效措施。当前的主要工作是继续进行区域土壤背景值的研究，调查区域土壤污染状况和污染程度，对土壤环境质量进行评价和分级，确定区域污染物质的排放量、允许的种类、数量和浓度。

3. 发展清洁生产，彻底消除污染源

（1）控制“三废”的排放　在工业方面，应认真研究和大力推广闭路循环，无毒工艺。生产中必须排放的“三废”应在工厂内进行回收处理，开展综合利用，变废为宝。对于目前还不能综合利用的“三废”，务必进行净化处理，使之达到国家规定的排放标准。对于重金属污染物，原则上不准排放。对于城市垃圾，一定要经过严格机械分选和高温堆腐后方可施用。

（2）加强污灌管理　建立污水处理设施，污水必须经过处理后才能进行灌溉，要严格按照国家规定的“农田灌溉水质标准”执行。污水处理的方法包括：通过筛选、沉淀、污泥消化等，除去废水中的全部悬浮沉淀固体的机械处理；将初级处理过的水用活性污泥法或生物曝气滤池等方法降低废水中可溶性有机物质，并进一步减少悬浮固体物质的二级处理（又称生化曝气处理）以及化学处理。通过这些过程处理后的水还可通过生物吸收（如水花生、水葫芦等）进一步净化水质。灌溉前进一步检测水质，加强监测，防止超标，以免污染土壤。

（3）控制化肥农药的使用　为防止化学氮肥和磷肥的污染，应因土因植物施肥，研究确定出适宜用量和最佳施用方法，以减少在土壤中的累积量，防止流入地下水体和江河、湖泊进一步污染环境。为防止化学农药污染，应尽快研究筛选高效、低毒、安全、无公害的农药，以取代剧毒有害化学农药。积极推广应用生物防治措施，大力发展生物高效农药。同时，应研究残留农药的微生物降解菌剂，使农药残留降至国标以下。

（4）植树造林，保护生态环境　土壤污染是以大气污染和水质污染为媒介的二次污染为主。森林是个天然的吸尘器，对于污染大气的各种粉尘和飘尘都能被森林阻挡、过滤和吸附，从而净化空气，避免了由大气污染而引起的土壤污染。此外，森林在涵养水源，调节气候，防止水土流失以及保护土壤自净能力等方面也发挥着重要作用。所以，提高森林覆盖率，维护森林生态系统的平衡是关系到保护土壤质量的大问题，应当给予足够的重视。

（二）污染土壤的综合治理措施

对于被污染的土壤或进入土壤的污染物，可采用以下措施进行综合治理：

1. 生物修复

土壤污染物质可以通过生物降解或植物吸收而被净化。蚯蚓是一种能提高土壤自净能力的环境动物，利用它还能处理城市垃圾和工业废弃物以及农药、重金属等有害物质。因此，蚯蚓被人们誉为“生态学的大力士”和“环境净化器”等。积极推广使用农药污染的微生物降解菌剂，以减少农药残留量。利用植物吸收去除污染：严重污染的土壤可改种某些非食用的植物如花卉、林木、纤维作物等，也可种植一些非食用的吸收重金属能力强的植物，如羊齿类铁角蕨属植物对土壤重金属有较强的吸收聚集能力，对镉的吸收率可达到10%，连续种植多年则能有效降低土壤含镉量。

2. 施用化学物质

对于重金属轻度污染的土壤，使用化学改良剂可使重金属转为难溶性物质，减少植物对它们的吸收。酸性土壤施用石灰，可提高土壤 pH，使镉、锌，铜、汞等形成氢氧化物沉淀，从而降低它们在土壤中的浓度，减少对植物的危害。对于硝态氮积累过多并已流入地下水体的土壤，一则大幅度减少氮肥施用量，二则施用配施脲酶抑制剂、硝化抑制剂等化学抑制剂，以控制硝酸盐和亚硝酸盐的大量累积。

3. 增施有机肥料

增施有机肥料可增加土壤有机质和养分含量，既能改善土壤理化性质特别是土壤胶体性质，又能增大土壤环境容量，提高土壤净化能力。受到重金属和农药污染的土壤，增施有机肥料可增加土壤胶体对其的吸附能力，同时土壤腐殖质可络合污染物质，显著提高土壤钝化污染物的能力，从而减弱其对植物的毒害[3]。

4. 调控土壤氧化还原条件

调节土壤氧化还原状况在很大程度上影响重金属变价元素在土壤中的行为，能使某些重金属污染物转化为难溶态沉淀物，控制其迁移和转化，从而降低污染物危害程度。调节土壤氧化还原电位（Eh）值，主要通过调节土壤水、气比例来实现。在生产实践中往往通过土壤水分管理和耕作措施来实施，如水田淹灌，Eh 可降至 160mV，许多重金属都可生成难溶性的硫化物而降低其毒性[4]。

5. 改变轮作制度

改变耕作制度会引起土壤环境条件的变化，可消除某些污染物的毒害。据研究，实行水旱轮作是减轻和消除农药污染的有效措施。如 DDT、六六六农药在棉田中的降解速度很慢，残留量大，而棉田改水后，可大大加速 DDT 和六六六的降解。

6. 换土和翻土

对于轻度污染的土壤，采取深翻土或换无污染的客土的方法。对于污染严重的土壤，可采取铲除表土或换客土的方法。这些方法的优点是改良较彻底，适用于小面积改良。但对于大面积污染土壤的改良，非常费事，难以推行。

7. 实施针对性措施

对于重金属污染土壤的治理，主要通过生物修复、使用石灰、增施有机肥、灌水调节土壤 Eh、换客土等措施，降低或消除污染。对于有机污染物的防治，通过增施有机肥料、使用微生物降解菌剂、调控土壤 pH 和 Eh 等措施，加速污染物的降解，从而消除污染。

三、结　论

土壤污染的防治应贯彻“预防为主”的原则，通过制定相关法律法规从源头控制污染源。通过发展清洁生产技术、实施污灌管理、控制化肥农药的使用等措施控制污染源，从而使土壤的环境质量得以改善。

参考文献

[1] 中国环境监测总站．中国土壤元素背景值［M］．北京：中国环境科学出版社，1990：329 – 492.

[2] 张薇，魏海雷，高洪文，等．土壤微生物多样性及其环境影响因子研究进展［J］．生态学，2005，24（1）．

[3] 王起超，麻壮伟．某些市售化肥的重金属含量水平及环境风险［J］．农村生态环境，2004，20（20）：62 – 64.

[4] 张磊，宋凤斌，王晓波．中国城市土壤重金属污染研究现状及对策［J］．生态环境，2004，13（2）：258 – 260.

UV－B 辐射增强下施氮对大麦土壤微生物量碳、氮的影响

娄运生　程焕友　王恩春　武　君

（南京信息工程大学应用气象学院　南京　210044）

摘　要　通过田间试验，研究了 UV－B 辐射增强下不同施氮量对大麦土壤微生物量碳、氮的影响。UV－B 辐射设对照（CK）和增强（E）2 水平，施氮量设高、中、低 3 水平，分别为 30kg/hm^2、150kg/hm^2 和 300kg/hm^2。结果表明：与对照相比，无论施氮量高低，UV－B 辐射增强对非根际土壤微生物量碳、氮含量有促进作用；除低氮外，UV－B 辐射增强对根际土壤微生物量碳、氮含量有抑制作用。在一定 UV－B 辐射强度下，高施氮量会降低根际土壤微生物量氮和非根际土微生物量碳、氮含量。

关键词　UV－B 辐射　施氮量　大麦　根际土　土壤微生物量

20 世纪以来，氯氟烃的大量使用和航空、航天飞行器数量的急剧增加，使排放到大气中的氯氟烃及其他化学物质（如 N_2O 等）增加，导致了臭氧层的破坏。由于平流层中的臭氧是太阳紫外辐射的主要过滤器，臭氧层变薄及臭氧空洞的出现，使到达地面的太阳紫外辐射增强。研究表明，大气平流层 O_3 每减少 1%，到达地面的太阳紫外辐射增加 2%[1]。从生物学角度分析，对地球生物造成直接影响的紫外辐射主要是 UV－B 辐射[2]。因此，平流层臭氧耗损所导致的地表紫外辐射（UV－B）增强，已成为全球变化研究的重要问题之一。近年来，有关 UV－B 辐射增强与其他因子的复合作用对植物生理、生化及生态系统影响的研究越来越多。研究表明，UV－B 辐射增强对植物的效应受其他因子的影响，如干旱[3]、矿质元素缺乏、高光强[4]、高温[5]能降低甚至掩盖 UV－B 辐射增强对植物的效应，盐胁迫[6]、重金属污染[7]、臭氧浓度增加[8]及酸雨[9]以协同或叠加方式与 UV－B 辐射共同抑制植物生长。氮素是作物必需营养元素，也是作物生长重要限制因子，通过调控施氮量是否可缓解 UV－B 辐射增强所引起的生长受阻及光合效率下降，尚缺少相关报道。迄今为止，人们在评估 UV－B 辐射增强对作物地上部的影响方面（如生长发育、生理生化等）研究较多，但在 UV－B 辐射增强对地下部土壤生态过程（如土壤碳氮转化）的影响方面则研究工作相对较少。本研究以大麦为试验材料，重点探讨 UV－B 辐射增强及施氮量对土壤微生物量碳氮的影响。开展本研究对于进一步完善 UV－B 辐射增强对生态系统影响方面的评价指标、体系等方面具有重要意义。

一、材料和方法

（一）供试材料

供试大麦为啤酒大麦品种单 2，供试土壤为水稻土，肥力水平中等。

（二）试验设计

采用田间试验，2008 年 11 月－2009 年 5 月在本校农业气象试验站内进行（北纬 32°，东经 119°）。采用可升降式的 UV－B 灯架，将 UV－B 灯管（280～320nm）置于作物上方，用于模拟 UV－B 辐射增强。用紫外辐照计测 297nm 处辐射强度（以植株上部计），设 2 个辐射水平，即 CK（自然光），E（1.8kJ/m^2），相当于南京地区 4－5 月份 UV－B 辐射量的 20%。施氮量设低、中、高 3 水平，即 L（low）、M（moderate）和 H（high），分别为 30kg/hm^2、150kg/hm^2 和 300kg/hm^2，其中 70% 作基肥，30% 作追肥。采用完全区组设计，处理设置为：①低氮自然光（L－CK）；

国家自然科学基金项目（40871151）和江苏省“青蓝工程”项目联合资助。

②低氮 UV－B 辐射增强（L－E）；③中氮自然光（M－CK）；④中氮 UV－B 辐射增强（M－E）；⑤高氮自然光（H－CK）；⑥高氮 UV－B 辐射增强（H－E）。随机排列，重复 3 次。小区面积 $=3\times3=9m^2$。磷、钾等用量按常规施肥水平，全部作基肥施用。

将试验地耕作、施肥，大麦种子经消毒处理后进行播种，大田常规管理。三叶期间苗，以保持适宜的种植密度，同时开始 UV－B 辐射处理。处理期间，光源与植株顶部始终保持 0.8m 左右，每天辐照时间为 8：00－16：00，共 8h，阴雨天停止照射，直到成熟。在大麦分蘖期、拔节期、抽穗期、孕穗期、成熟期，采用抖落法分别采集根际与非根际土壤样品。简单来讲，采样时将植株连同根系从土壤中挖出，然后轻轻抖动，抖落下来的土壤视为非根际土样，黏附在根系上的土壤作为根际土样。

（三）测定方法

土壤微生物量碳、氮含量采用氯仿熏蒸－提取法测定[10]。

（四）统计分析

数据处理采用 SPSS 分析软件进行统计分析。同一生育期不同处理平均值间的差异采用独立样本 T 检验法分析（Independent Samples T Test）。* 表示差异性达 0.05% 显著水平。

二、结　果

（一）UV－B 辐射增强下施氮对土壤微生物量碳的影响

1. 非根际土壤微生物量碳

图 1 表明，在大麦生育期内，在低氮水平下，UV－B 辐射增强和对照的非根际土壤微生物量碳的变化趋势一致，分蘖期（4/1）至拔节期（4/17）下降，拔节期（4/17）至孕穗期（5/5）升高，到成熟期（5/10）又呈下降趋势。除分蘖期和成熟期，对照高于 UV－B 辐射增强外，其他生育期 UV－B 辐射增强均高于对照，除孕穗期外，处理间差异达显著水平（$P<0.05$）。

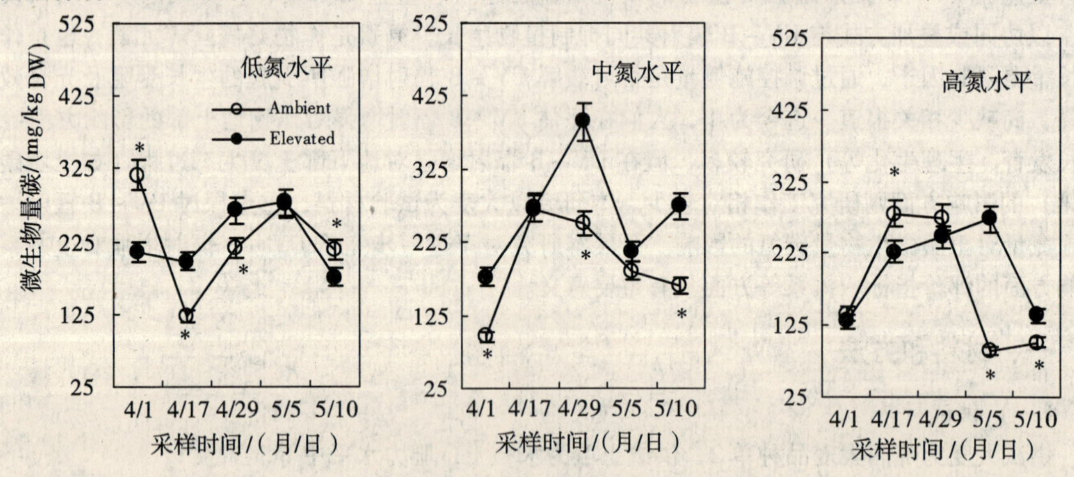

图 1　大麦非根际土壤微生物量碳的动态变化

在中氮水平下，UV－B 辐射增强处理的非根际土壤微生物量碳，从分蘖期开始增加，到抽穗期达到最大值，孕穗期显著下降，成熟期又有所增加。对照处理的非根际土壤微生物量碳从分蘖期至拔节期显著增加，之后又逐渐下降。在大麦生育期内，UV－B 辐射增强均高于对照，尤以分蘖期、抽穗期和成熟期二者差异达显著水平（$P<0.05$）。从整个生育期平均值来看，UV－B 辐射增强较对照高 37.13%。

在高氮水平下，UV－B 辐射增强处理的非根际土壤微生物量碳，从分蘖期至孕穗期增加，成熟期显著下降。对照处理从分蘖期至拔节期显著增加，抽穗期至孕穗期呈下降趋势，成熟期又稍有增加。分蘖、拔节和抽穗期 UV－B 辐射增强低于对照，而孕穗期和成熟期则高于对照，其中拔节、孕穗和成熟期二者差异达显著水平（$P<0.05$）。

2. 根际土壤微生物量碳

由图 2 可看出，在低氮水平下，UV－B 辐射增强和对照处理的根际土壤微生物量碳的变化趋势一致，从分蘖至拔节期增加到最大值，而后下降，至孕穗期达最低值，成熟期又有所增加。整个生育期内，UV－B 辐射增强均高于对照，其中拔节和成熟期二者差异达显著水平（$P<0.05$）。从整个生育期平均值来看，UV－B 辐射增强高于对照 30.48%。

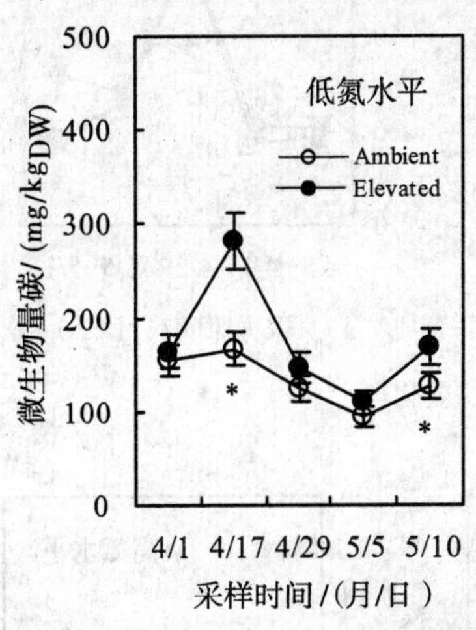

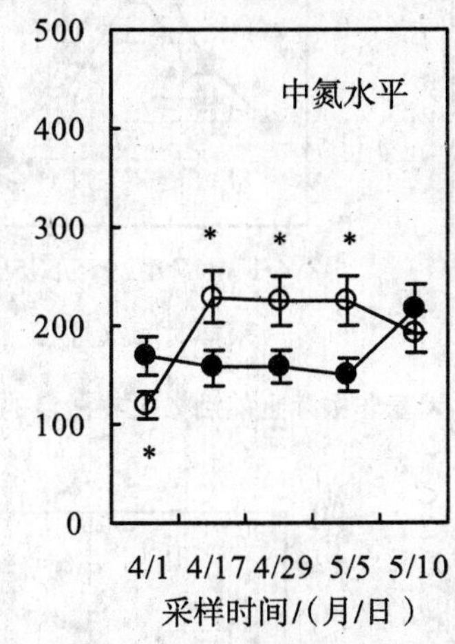

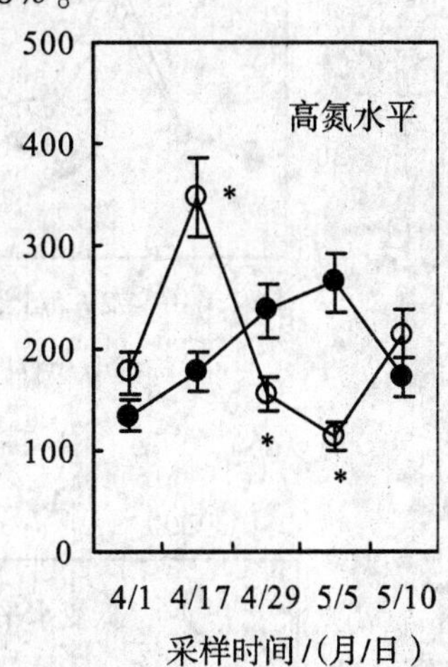

图 2　大麦根际土微生物量碳的动态变化

在中氮水平下，UV－B 辐射增强处理的根际土壤微生物量碳，从分蘖至孕穗期变化不明显，成熟期有所增加。对照处理从分蘖至拔节期显著增加，抽穗期和孕穗期变化不明显，成熟期有所下降。分蘖期和成熟期 UV－B 辐射增强高于对照，而拔节、抽穗和孕穗则低于对照。

在高氮水平下，UV－B 辐射增强处理的根际土壤微生物量碳，从分蘖至孕穗期呈增加趋势，成熟期下降。对照处理从分蘖期至拔节期增加，而后至孕穗期一直下降，随后成熟期又增加。分蘖期、拔节期和成熟期，UV－B 辐射增强低于对照，而抽穗和孕穗期则高于对照，其中拔节、抽穗和孕穗期二者差异达显著水平（$P<0.05$）。

（二）UV－B 辐射增强下施氮对土壤微生物量氮的影响

1. 非根际土壤微生物量氮

图 3 表明，在低氮水平下，对照和 UV－B 辐射增强处理的非根际土壤微生物量氮变化趋势一致，从分蘖至抽穗增加，抽穗至孕穗降低。分蘖、拔节和成熟期 UV－B 辐射增强低于对照，而抽穗和孕穗期则高于对照，其中抽穗期二者差异达显著水平（$P<0.05$）。

在中氮水平下，UV－B 辐射增强和对照处理的非根际土壤微生物量氮变化趋势基本相同，从分蘖至抽穗增加，抽穗至成熟下降。在拔节、抽穗和孕穗期，UV－B 辐射增强高于对照，差异达显著水平（$P<0.05$）。从整个生育期平均值来看，UV－B 辐射增强比对照高 15.41%。

在高氮水平下，UV－B 辐射增强处理的非根际土壤微生物量氮，从分蘖至拔节变化不明显，拔节至抽穗显著增加，抽穗至孕穗下降，孕穗至成熟稍有增加。对照处理的非根际土壤微生物量氮，从分蘖至拔节稍有下降，拔节至抽穗显著增加，抽穗至成熟下降。整个生育期内，UV－B 辐射增强处理均高于对照，但只有成熟期的二者差异达显著水平。

2. 根际土壤微生物量氮

由图 4 可见，在低氮水平下，对照处理的根际土壤微生物量氮，从分蘖期至孕穗期逐渐下降，孕穗期至成熟期增加。UV－B 辐射增强处理从分蘖期至拔节期增加，而后持续下降。分蘖、抽穗和成熟期，UV－B 辐射增强低于对照，而在拔节和孕穗期则高于对照。

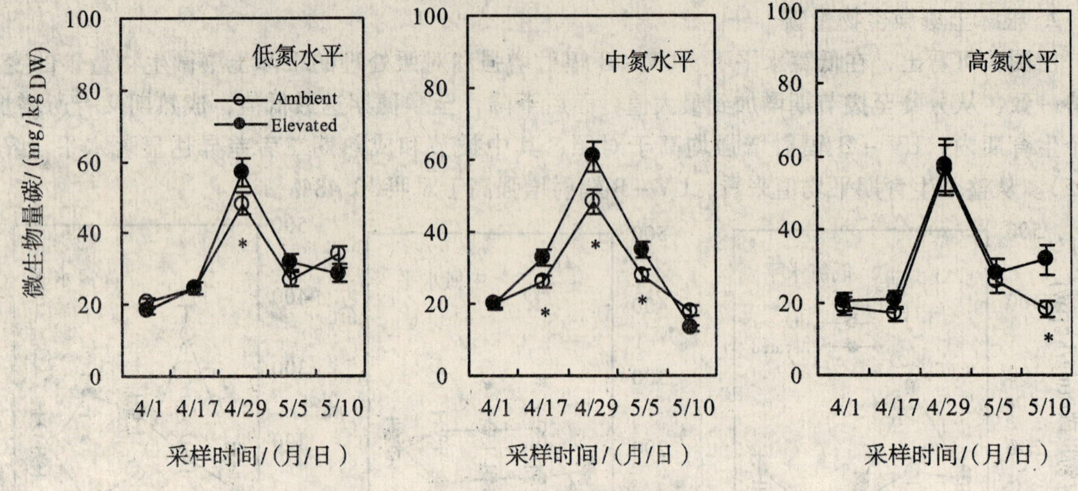

图 3　大麦非根际土然后微生物量氮的动态变化

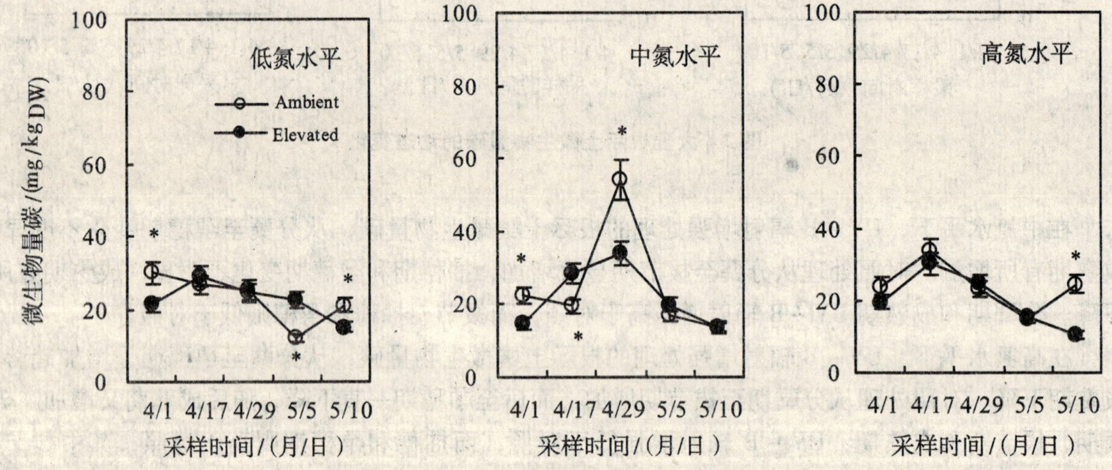

图 4　大麦根际土壤微生物量氮的动态变化

在中氮水平下，UV－B 辐射增强处理的根际土壤微生物量氮，从分蘖期至抽穗期逐渐增加，抽穗期至成熟期又逐渐下降。对照处理的土壤微生物量氮，从分蘖期至拔节期稍有下降，拔节期至抽穗期显著增加，抽穗期至孕穗期又显著下降，孕穗期至成熟期稍有下降。分蘖、抽穗和成熟期，UV－B 辐射增强低于对照，而拔节和孕穗期则高于对照。在分蘖、拔节和抽穗期，二者差异达显著水平（$P<0.05$）。从整个生育期平均值来看，UV－B 辐射增强比对照高 14.63%。

在高氮水平下，UV－B 辐射增强处理的根际土壤微生物量氮，从分蘖期至拔节期增加，拔节期至成熟期一直下降。对照处理从分蘖期至拔节期增加，拔节期至孕穗期下降，孕穗期至成熟期又增加。分蘖、拔节和成熟期，UV－B 辐射增强低于对照，而在抽穗和孕穗期，则高于对照，其中成熟期差异达显著水平（$P<0.05$）。

三、讨　论

土壤微生物量碳的消长反映微生物利用土壤碳源进行自身细胞建成和细胞解体，使有机碳矿化的过程[11]。非根际土壤微生物量碳，在抽穗期较高，拔节期和孕穗期次之，分蘖期和成熟期较低。非根际土壤微生物量碳的变化因 UV－B 辐射强度及施氮量而异（图1）。在自然 UV－B 辐射条件下，微生物量碳的变化呈现为，低氮 > 中氮 > 高氮。其原因可能在于，前茬地上部脱落物及根系残体为非根际土壤微生物活动提供了充足的氮源，而大量的无机氮肥施入土壤，使土壤的 C/N 比下降，加速了土壤中原有机碳分解，导致土壤中积累的有机碳总量较少[12]。在 UV－B 辐射增强条件下，非根际土壤微生物量碳因施氮量而异，表现为：中氮 > 低氮 > 高氮。与对照相比，UV－B 辐射增强对非根际土壤微生物量碳有促进作用，即微生物量碳表现为，UV－B 辐射增强 > 对照，尤以中氮和高氮处理下较为明显。其原因可能在于，UV－B 辐射对土壤穿透能力很弱，很难对土壤微生物产生直接的影响，而 UV－B 辐射增强降低大麦根系生物量、根长和根体积[13]，同时也使根系活力降低[14]，引起根系吸收养分的能力下降，导致非根际土壤含有较多的养分，有利于微生物活动。

根际土壤微生物量碳在分蘖期最低，拔节期较高，从拔节期至孕穗期逐渐降低，成熟期又有所上升（图2）。拔节期较高，主要原因在于随气温升高，作物根系活动趋于活跃，冬季低温导致部分死亡的微生物碳开始释放以供微生物利用[15]。随着大麦开始进入生长旺盛期，对碳源需求较多，使构成微生物体的碳源减少，所以抽穗期和孕穗期微生物量碳下降。成熟期大麦生长过了旺盛期，土壤中多余的碳源又重新被固定在微生物体内，使微生物量碳增加。在一定 UV－B 辐射强度下，根际土壤微生物量碳含量随施氮量变化。在自然 UV－B 辐射下（对照），根际土壤微生物量碳含量表现为，高氮 > 中氮 > 低氮；而在 UV－B 辐射增强下，根际土壤微生物量碳含量呈现为，高氮 > 低氮 > 中氮（图2）。其原因可能在于，氮肥施入土壤，一方面为作物生长提供了充足的氮素；另一方面也为根际土壤微生物活动提供了充足的氮源。在一定供氮水平下，根际土微生物量碳含量因 UV－B 辐射强度而异。低氮条件下，UV－B 辐射增强 > 对照，中氮和高氮条件下，对照 > UV－B 辐射增强（图2）。低氮处理下，微生物和作物对养分吸收利用表现为竞争关系，由于 UV－B 辐射增强使根系活力降低，引起根系对养分吸收的竞争力下降，所以，微生物得到较多的养分，最终导致 UV－B 辐射增强条件下的微生物量碳高于对照。而在中氮和高氮条件下，氮源相对充足，根际土壤微生物主要受根系分泌物的影响，UV－B 辐射增强一方面通过抑制作物光合作用，导致地上部生长受抑，使运输给根系的有机营养相应减少，最终导致根系分泌物中可被微生物利用的能源和碳源减少；另一方面，UV－B 辐射增强会促进根系分泌 momilactone B，而 momilactone B 会抑制土壤微生物的生长[16]，这些可能是 UV－B 辐射增强导致根际土壤微生物量碳降低的原因。

土壤微生物量氮是土壤微生物对氮素矿化与固持作用的综合反映。非根际土壤微生物量氮在抽穗期较高，其原因可能与该时期追施氮肥有关，促进了土壤微生物量对氮的固持。在一定 UV－B 辐射强度下，非根际土壤微生物量氮含量变化因施氮量而异（图3）。在自然 UV－B 条件下，表现为低氮 > 中氮 > 高氮；在 UV－B 辐射增强下，呈现为中氮 > 低氮 > 高氮。表明过量施氮（高氮）降低非根际土壤微生物量氮含量。无论供氮水平如何，UV－B 辐射强度变化导致微生物量氮变化，基本呈现为 UV－B 辐射增强 > 对照，其原因在非根际土微生物量碳中已有解释。

根际土壤微生物量氮含量，从分蘖至抽穗持续增加，抽穗至成熟期又逐渐降低，这与非根际土壤微生物量氮的变化趋势一致。在一定 UV－B 辐射强度下，根际土壤微生物量氮的变化因施氮量而异。在自然 UV－B 辐射下，根际土壤微生物量氮表现为，中氮 > 高氮 > 低氮；在 UV－B 辐射增强下，低氮 > 中氮 > 高氮。这可能在于 UV－B 辐射增强降低了根系吸收养分的能力，即使中氮施用水平也使根际氮素过量，最终由于氮素过剩导致根际土壤微生物量氮下降。无论施氮量高低，UV－B 辐射强度不同导致根际土微生物量氮的变化，表现为：自然光 > UV－B 辐射增强。其原因在于，在 UV－B 辐射增强条件下，微生物与作物竞争养分及根系分泌物组分变化所引起的，这与前述根际土壤微生物量碳的变化原因相似。

参考文献

[1] Kerril B, Evidence for large upward trends of ultraviolet—B radiation lined to ozone depletion [J]. Science, 1994, 262: 1032-1034.

[2] 王少彬，苏维瀚，魏鼎文．太阳紫外辐射的生物有效性与大气臭氧含量减少的关系［J］．环境科学学报，1993，13（1）：114-119.

[3] 聂磊，刘鸿先，彭少麟．水分胁迫对长期 UV-B 辐射下柚树苗生理特性的影响［J］．植物资源与环境学报，2001，10（3）：19-24.

[4] Berkeleari E J, Ormrod D P, Hale B A. The influence of PAR on the effects of UV-B radiation on Arabidopsis thaliana [J]. Photo-chem. Photo-biol, 1996, 64: 110-116.

[5] Mark U, Tevini M. Combination effects of UV-B radiation and temperature on sunflower (Helianthus amuus L. cv. Polstar) and maize (Zea mays l. cv. Zenit 200) seedlings [J]. Plant Physiology, 1996, 148: 49-56.

[6] 贺军民，佘小平，刘成，等．增强 UV-B 辐射和 NaCl 复合胁迫下绿豆光合作用的气孔和非气孔限［J］．植物生理与分子生物学学报，2004，30（1）：53-58.

[7] 唐学玺，黄键，王艳玲．Interaction of UV-B radiation and anthracene on DNA changes of phaeodactylum Tricornutum［J］．生态学报，2002，22（3）：375-378.

[8] Miller H E, Booker F L, Fiscus E L. UV-B radiation and ozone effectson growth, yield and photosynthesis of soybean [J]. J. Environ. Qual, 1994, 23: 83-91.

[9] 梁婵娟，周青，沈东兴，等．UV-B 辐射与酸雨复合胁迫对油菜幼苗生长的影响［J］．农业环境科学学报，2004，23（2）：231-234.

[10] Vance E D, Brookes P C, Jenkinson D S. An extractionmethod formeasuring soilmicrobial biomass [J]. Soil Biol Biochem, 1987, 9 (6): 703-707.

[11] 张成娥，梁银丽．不同氮磷施肥量对玉米生育期土壤微生物量的影响［J］．中国生态农业学报，2001，9（2）：72-74.

[12] 徐阳春，沈其荣．水旱轮作下免耕和施用有机肥对土壤某些肥力性状的影响［J］．应用生态学报，2000，11（4）：549-552.

[13] 周青，黄晓华，马育国，等．紫外辐射胁迫对小麦生长的影响［J］．农业环境保护，2001，20（2）：94-96.

[14] 侯扶江，贲桂英．UV-B 辐射对大豆和黄瓜幼苗某些生理特性的影响［J］．应用与环境生物学报，1999，5（5）：455-458.

[15] Liu M-Q（刘满强），Hu F（胡锋），He Y-Q（何园球），et al. Seasonal dynamics of soil microbial biomass and its significance to indicate soil quality under different vegetations restored ondegraded red soils [J]. Acta Pedol Sin（土壤学报），2003，40（6）：937-944（in Chinese）.

[16] KATO-NOGUCHI H, KUJIMEH, TAKESHI INO. UV-induced momilactone B accumulation in rice rhizosphere [J]. Journal of Plant Physiology, 2007, 164 (11): 1548-1551.

土壤重金属污染与植物修复技术

曲向荣

（沈阳工业大学　沈阳经济技术开发区沈辽西路111号　110178）

摘　要　土壤是人类赖以生存的物质基础，是人类不可缺少的自然资源，也是人类环境的重要组成部分。土壤重金属污染是土壤污染最为突出的问题，它们不仅直接危害环境，导致粮食减产，食物品质下降，而且通过食物链危害人体健康，已成为限制中国国际贸易和社会经济可持续发展的重大障碍之一，因此对重金属污染土壤进行修复十分必要。本文探讨了重金属污染土壤植物修复技术的基本类型和典型实例及研究展望。

关键词　重金属　污染土壤　植物修复

土壤是人类赖以生存的物质基础，是人类不可缺少的自然资源，也是人类环境的重要组成部分。随着工业的发展和农业的现代化，土壤的重金属污染状况日益严重。目前，全世界平均每年排放约1.5万tHg，340万tCu，500万tPb，1 500万tMn，100万tNi[1]。

土壤重金属污染物的来源有多种途径，包括：随大气沉降进入土壤的重金属；随污水灌溉、污泥施肥进入土壤的重金属；随化肥、农药的使用进入土壤的重金属及随固体废弃物进入土壤的重金属。

在我国，据农业部环境监测系统近年对全国24个省（市）城郊、污水灌溉区、工矿等经济发展较快的地区的320个重点污染区所做的调查，污染超标的大田农作物种植面积为60.6万hm^2，占监测调查总面积的20%，其中重金属含量超标的农作物种植面积占污染物超标农作物种植总面积的80%以上，尤其以Pb、Cd、Hg、Cu及其复合污染最为突出[2]。

有关资料表明，我国受重金属污染的耕地多达2 000万hm^2以上，每年因重金属污染而减产的粮食达1 000万t，被重金属污染的粮食多达1 200万t，合计经济损失至少200亿元[3]。不仅如此，土壤重金属污染还通过食物链对人体健康造成了严重危害，如中国有些稻米含Cd浓度已超过诱发“骨痛病”的含Cd标准；某些大中城市污灌区的癌症死亡率比对照区高10～20倍。

无论从农业生产所面临的现实问题，还是从中国国际贸易和社会经济可持续发展的角度，研究解决土壤重金属污染的修复技术都势在必行。

重金属污染土壤的植物修复是近些年来发展起来的一项新兴的土壤污染治理技术。它是通过植物系统及其根际微生物移去、挥发或稳定土壤环境中的重金属污染物，或降低重金属毒性，以期达到清除污染、修复或治理土壤为目的的一种技术[4]。

一、重金属污染土壤植物修复的技术类型

一般来说，植物对土壤中的重金属污染物都有不同程度的吸收、挥发和稳定等修复作用，有的植物甚至同时具有上述几种作用。但修复植物不同于普通植物的特殊之处在于其在某一方面表现出超强的修复功能，如超积累植物等。根据修复植物在某一方面的修复功能和特点可将植物修复技术分为以下3种基本类型。

（一）植物提取修复

利用重金属超积累植物从污染土壤中超量吸收、积累一种或几种重金属元素，之后将植物整体（包括部分根）收获并集中处理，然后再继续种植超积累植物以使土壤中重金属含量降低到可接受的水平[5]。植物提取修复是目前重金属污染土壤修复技术研究最多且最有发展前途的一种植物修复技术。

（二）植物挥发修复

利用植物将重金属污染物吸收到植物体内，然后将其转化为气态物质释放到大气中，从而对重金属污染土壤起到治理作用。这方面的研究主要集中在易挥发性的重金属如汞等方面[6]。

（三）植物稳定修复

利用植物吸收和沉淀来固定土壤中重金属，使其失去生物有效性，以减少污染物质的毒害作用。但更重要的是利用耐性植物在重金属污染土壤上的生长来减少污染土壤的风蚀和水蚀，防止污染物质向下淋移而污染地下水或向四周扩散进一步污染周围环境，如废弃矿山的复垦工程，铅、锌尾矿库的植被重建等[7]。

二、重金属污染土壤植物修复技术研究的典型实例

实例1　Baker 等以田间试验研究了在 Zn 污染土壤（440mg/g）栽种不同超富集植物和非超富集植物对土壤 Zn 的吸收清除效果。结果表明，超富集植物 T. caeulescens 富集 Zn 是非超富集植物萝卜的 150 倍，富集 Cd 相应则是 10 倍。其每年从土壤中吸收的 Zn 量为 30kg/hm^2，是欧盟允许年输入量的 2 倍[8]。

实例2　熊建平等将汞污染的土壤水稻田改种苎麻后，总汞残留系数降为 0. 59。在土壤汞含量 82mg/kg 下，受汞污染的土壤恢复到背景值的水平（0. 39mg/kg）所需的时间只需 10 年。苎麻是耐汞作物，土壤汞含量在 70mg/kg 以下时苎麻产量不受影响；苎麻价格在正常的情况下比水稻高 50%，具有较高的经济效益，更重要的是它切断了食物链对人体的危害[9]。Heaton 等利用转基因植物拟南芥（Arabidopsis thaliana）和烟草（Nicotiana tabacum L.）去除土壤中的无机 Hg 和甲基 Hg，这些植物携有经修饰的细菌 Hg 还原酶基因 merA，可将根系吸收的 Hg^{2+} 转化成低毒的 Hg^0，从植物中挥发出来，而转入能表达细菌有机 Hg 裂解酶基因 merB 的植物可以将根系所吸收的甲基 Hg 转化成 Sulthydryl 结合态 Hg^{2+}，拥有这两种基因的植物可有效地将离子态 Hg 和甲基 Hg 转化为 Hg^0 而通过植物挥发释入大气[10]。

实例3　利用植物吸收土壤中的 Pb。铅虽不是植物的必需元素，对植物具有毒性，但目前已经确定有些植物具有吸收 Pb 的能力，这些植物有许多是 Brassicaceae Euphorbiaceae、Asteraceae、Lamiaceae 和 Scrophulariaceae 属植物。其中 Brassica juncea 属通常又称为印度芥子，能把 Pb 从根部转移到嫩枝，因此是吸收 Pb 的最理想植物。目前美国已有几个场地采用它来吸收 Pb。如 Edenspace 系统公司利用印度芥子提取法和 ETDA 活化金属剂等手段在新泽西 Bayonne 修复含 Pb 污染土。该场地的表土（0 ~ 15cm）的含 Pb 量为 1 000 ~ 6 500mg/kg，经过植物修复后，分别降到 420 ~ 2 300mg/kg[11]。

实例4　陈同斌等通过初步筛选后，以室内盆栽试验最终确定砷的超富集植物种，成功找到三种砷的超富集植物。其中蜈蚣草叶片富集砷达 0. 5%，为普通植物的数十万倍；将其用于含砷 0. 15% ~ 3% 的污染土壤和矿渣上，具极强的耐砷毒能力，其地上部与根的含砷比率为 5∶1，显示其具有超常从土壤中吸收富集砷的能力[12]。

实例5　中科院上海生命科学研究院植物生理生态研究所和美国南卡罗来纳州大学的科学家经过3年合作努力，培育出世界上首次具有明显食汞效果的转基因烟草。他们的转基因烟草“吃”汞，不仅效率高，而且本身不留残毒。实验表明，这种转基因烟草食汞效果比常规烟草提高了 5 ~ 8 倍，一块汞污染严重的土壤，在生长了三四茬转基因烟草后，汞含量即可明显降低。除了汞之外，这种转基因烟草还可吸收金和银，因此具有多种推广价值。此外，中科院南京土壤研究所吴龙华博士等研究了印度芥菜对土壤中 Cu 的修复效果，得出施用 EDTA3 mmol/kg 可显著或极显著地增加芥菜各组织铜浓度、芥菜叶和根对铜的吸收量，从而极显著地增加了芥菜的铜总吸收量。低量氮肥配施高量磷肥（N100mg/kg、P200mg/kg）可获得最高的铜吸收总量和最大植物修复效率[13]。

三、重金属污染土壤植物修复技术研究展望

重金属污染土壤植物修复技术是一项处于迅速发展之中，具有广阔应用前景的新技术。它以太阳能为驱动能，适用于中—低强度重金属污染土壤的治理，成本较低，易被公众所接受，具有很好的生态、经济和社会效益，特别适合在发展中国家采用。但是，由于该项技术研究起步时间不长，在理论基础、修复作用机理和技术工艺和政策标准等方面，还有许多研究需要进一步展开。

1. 基础理论研究如植物对重金属的超量吸收和积累及其抗性机理、根际作用以及根际微生物群落的生态学特征和生理学特征、根际土壤环境条件对重金属生物有效性的制约机理等的深入研究；

2. 有利于植物吸收、富集重金属基因的开发研究及转基因植物的环境安全性评价研究；

3. 强化植物修复重金属污染土壤的工艺条件和工程参数的研究，如螯合剂、微生物或土壤改良剂、酸碱调节剂的使用种类和数量、氧化还原条件等土壤化学条件的控制方法和途径、植物耕作技术等的确定等；重金属污染土壤治理工程的植物修复技术指南的编写；

4. 高浓度多种重金属复合污染土壤的物理、化学和植物联合修复综合技术的研究开发与应用；

5. 植物修复的技术政策和法规研究及重金属污染土壤的修复基准和标准的研究；

6. 重金属污染土壤的场地识别和场地监测的程序、方法及标准的研究；

7. 污染土壤植物修复的运行机制、运行费用的标准与实际管理研究；

8. 重金属污染土壤植物修复市场现状及产业化发展方向研究等。

总之，我国重金属污染土壤植物修复技术的研究和应用尚处于初级阶段，还需要进一步加强研究和示范，尽快编写污染土壤植物修复技术设计手册，加以推广应用和产业化，使得该项技术逐步走向成熟。

参考文献

[1] 薛美香．土壤重金属污染现状与修复技术［J］．广东化工，2007（8）：73－75.

[2] 杨苏才．土壤重金属污染现状与治理途径研究进展［J］．安徽农业科学，2006，34（3）：549－552.

[3] 李法云，曲向荣．污染土壤生物修复理论基础与技术［M］．北京：化学工业出版社，2006，1.

[4] 鲍桐，等．重金属污染土壤植物修复研究进展［J］．生态环境，2008，17（2）：858－865.

[5] Kumar P B A N. Dushenkkov V，Moro H，et al. Phytoextraction：the use of plants to remove heavy metals from soils［J］．Environmental Science and Technology［J］．1995，29：1232－1238.

[6] Watanabe M E. Phytoextraction：the on the brink commercialization［J］．Environmental Science and Technology News，1997，31：182A－186A.

[7] Salt D E，Blavlock M，Kumar P B A N，et al. Phytoextraction：a novel strategy for the removeal of toxic metals from the environment using plants［J］．Biological Technology，1995，13：468－474.

[8] Baker A J M，et al.，The possibility of in situ heavy－metal decontamination of polluted soils using metal－accumulating plants［J］．Resources Conservation and Recycling，1994，11（1）：41－49.

[9] 沈德中．污染环境的生物修复［M］．北京：化学工业出版社，2002：311.

[10] Heaton A C P，Rugh C L，et al.，Phytoremediation of mercury and methyl－mercury polluted soils using genetically engineered plants［J］．Journal of Soil Contamination，1998，7：497－509.

[11] 李法云，曲向荣．污染土壤生物修复理论基础与技术［M］．北京：化学工业出版社，2006：197.

[12] 陈同斌．砷超富集植物蜈蚣草及其对砷的富集特征［J］．科学通讯，2002，47（3）：207－210.

[13] 吴龙华，等．铜污染旱地红壤的络合诱导植物修复作用［J］．应用生态学报，2001，12（3）：435－438.

黄土高原北部多沙粗沙区土壤侵蚀敏感性变化评价

刘 琳 刘雪华

（清华大学环境科学与工程系 北京 100084）

摘 要 土壤侵蚀是黄土高原北部地区最为严重的生态环境问题，为了探讨黄土高原北部多沙粗沙区土壤侵蚀敏感性的高低分布规律及其在不同主导因子作用下的土壤侵蚀的空间分异特征，本文以通用水土流失方程为基础，运用GIS技术，选取了2000年和2007年两个时间节点，分别分析了自然因素（包括降水、地形、植被覆盖因子）和人为活动（包括人口密度和GDP因子）对研究区土壤侵蚀敏感性的影响程度。在完成单要素敏感性评价图的基础上，利用ArcGIS的空间叠加分析功能，综合评价了研究区土壤侵蚀敏感性变化。结果表明：2000—2007年的区域土壤侵蚀敏感性显著降低；东南地区土壤侵蚀敏感性高于西北地区；高度敏感和极敏感区主要分布在黄土高原丘陵山地。导致土壤侵蚀极敏感区的主要原因是区域人为活动较密集，经济增长速度较慢，大量人为活动以及农业陡坡旱作。土壤侵蚀分布格局与土壤侵蚀敏感性分布格局总体表现一致，即剧烈和极强度土壤侵蚀基本上分布在土壤侵蚀极敏感和高度敏感地区。

关键词 多沙粗沙区 土壤侵蚀敏感性 空间分异

一、引 言

我国是世界上水土流失最严重的国家之一，尤其是黄河流域黄土高原地区，每年进入黄河的泥沙多达16亿t，其中7.86万km^2的区域多年平均输沙模数5000t/km^2、粗泥沙输沙模数≥1300t/（km^2·a），是黄河粗泥沙的主要来源区，称为黄土高原多沙粗沙区[1]。黄河中游多沙粗沙区在黄河流域有“承东启西”的过渡作用，并且在黄河治理中有着重要的战略地位，因此控制严重的水土流失是该区的治理重点。该区同时也是我国干旱半干旱农牧业发展的典型区域和国家能源与化工基地之一。严重的水土流失直接制约着黄土高原地区、黄河流域乃至全国的生态安全以及经济社会的可持续发展[2]。

近50年黄土高原气候暖干化趋势显著[3-4]。同期大规模实施了水库、淤地坝等水利工程和植树造林、退耕还林还草等生态建设工程，在该环境下黄土高原输沙强度的时空变化特征引人关注[5]。虽然近20年，在黄土高原土壤侵蚀强度和泥沙来源等方面已做了大量工作，取得了许多成果，并且进行了黄土高原土壤侵蚀分区的工作[6-12]，但目前还缺乏对黄土高原土壤侵蚀敏感性的环境变化系统研究[13]。

土壤侵蚀敏感性评价是为了识别容易形成土壤侵蚀的区域，评价土壤侵蚀对人类活动的敏感程度[14]。本文基于土壤流失方程（USLE）的基本原理，并利用降雨侵蚀力、地形起伏度、土壤质地、植被盖度、区域人口密度和区域国民生产总值等数据，分析了黄土高原北部地区侵蚀敏感性空间变化，增强对黄土高原侵蚀环境变化的认识，加深自然环境变化和人类活动对水土流失影响的理解，为目前正在进行的生态建设和环境治理提供科学支持。

二、研究区概况

涉及山西、陕西、内蒙古的71个县（旗、市），区域面积11.85万km^2。其中河套区间多沙粗沙区涉及23条支流。从行政区域看，内蒙古面积比例最大18个县（旗、市），占55.4%；山西省29个县（旗、市）数量最多，面积占15.3%；陕西省25个县（旗、市）占29.3%，内蒙古自治区占7%（图1）。

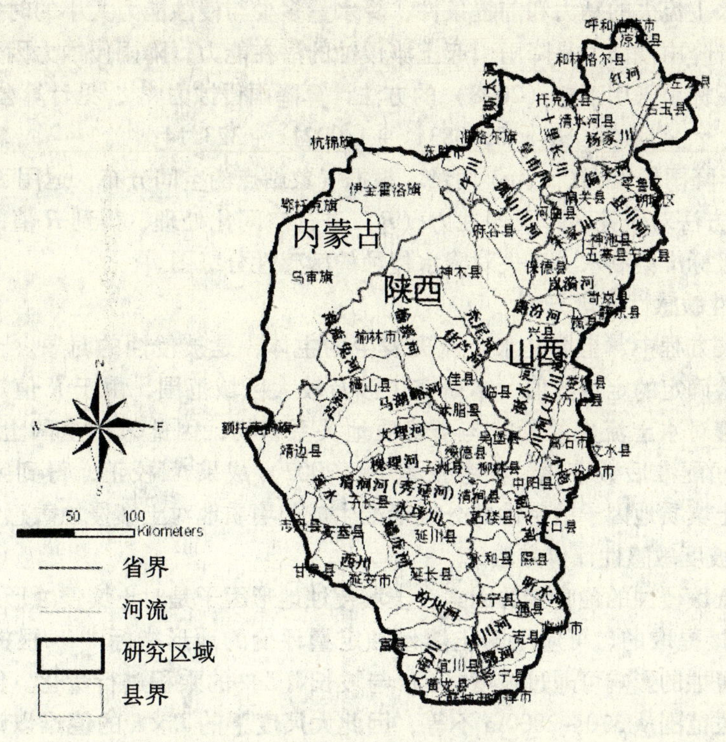

图1 黄土高原北部多沙粗沙区

三、材料和方法

(一) 数据来源

表1给出了文章中分析用的数据来源。

表1 数据来源

	2000年数据来源	2007年数据来源
年均降雨量	中国气象共享网743个气象站点降雨量值	
地形坡度	来源于 srtm. csi. cgiar. org 的 DEM 数据，由 ArcGIS 的 surface analysis 生成	
土壤质地	来源于全国土壤类型图，ArcGIS 中空间配准后数字化生成	
植被状况	来源于地球系统科学数据共享网	
人口密度	2001年中国县市社会经济统计年鉴区域	2008年中国区域经济统计年鉴区域
	175个县市统计数据空间插值	175个县市统计数据空间插值
GDP	2001年中国县市社会经济统计年鉴区域	2008年中国区域经济统计年鉴区域
	175个县市统计数据空间插值	175个县市统计数据空间插值

(二) 研究方法

W. H. Wischmeier 等在20世纪60年代提出通用水土流失方程，建立了水土流失量及与各影响因子的统计关系/模型，其因子解释具有较强的物理意义[15,16]。因此，到目前为止，通用水土流失方程仍然是研究土壤侵蚀最为常用的方法，见计算公式（1）：

$$A = R \times K \times LS \times C \times P \tag{1}$$

式中：A 为土壤侵蚀量；R 为降雨侵蚀力指标；K 为土壤可蚀性因子；LS 为坡长坡度因子；C 为地表植被覆盖因子；P 为土壤保持措施因子。

1. 降雨侵蚀力敏感性评价方法

降雨是引起水土流失的动力和前提条件，降水量多少与侵蚀能力大小的时空格局与水土流失有着直接的关系。降雨侵蚀力是降雨引起土壤侵蚀的潜在能力，降雨侵蚀力因子是评价这种潜在能力的一个动力指标。采用李静（2008）的方法计算降雨侵蚀力[17]，见计算公式（2）：

$$R = 0.0083x^2 + 1.0071x - 323.14 \tag{2}$$

式中：R 为年降雨侵蚀力；x 为年雨量。根据气象站点的空间分布，运用 ArcGIS 空间内插功能，采用 Kriging 方法对研究区降雨侵蚀力（R）进行空间化处理，得到 R 值的空间分布图，并依据表 2 中的分级标准绘制水土流失对降水侵蚀的敏感性分级图。

2. 土壤可蚀性敏感性评价方法

通用水土流失方程中，土壤是水土流失发生的主体，是被侵蚀的对象。土壤可蚀性因子 K 通常是一个由试验确定的定量数值。本研究中涉及较大区域范围，由于 K 值难以用小范围内实验值确定，而土壤对水土流失的影响与土壤质地关系密切，因此采用全国土壤类型图为底图，ArcGIS 中进行空间配准后数字化，参考张孝中（2002）成果[18]校正，得到区域土壤质地分布图，根据表 2 中土壤质地因子敏感性的分级标准生成土壤质地对土壤侵蚀敏感性分布图。

3. 地形因子坡度敏感性评价方法

地形是导致土壤侵蚀的最直接的因素，土壤侵蚀地形因子是对土壤侵蚀形成明显影响并能从 DEM 直接或者间接提取的、可应用于土壤侵蚀定量评价的地形指标[19]。根据通用土壤流失方程，地形对土壤侵蚀的影响可通过坡度（S）与坡长（L）的乘积进行量化。但本研究区域内地形起伏较大，海拔范围从 370 ~ 2800m 不等，因此大尺度下的 $L \times S$ 的值难以计算。坡度作为土壤侵蚀预报的重要参数，可以反映出地形因子在土壤侵蚀中的影响，因此以坡度因子（S）表征地形因子对侵蚀敏感性影响。

首先在 ArcGIS 中以分辨率 90m 的 DEM 数据计算出坡度，然后采用汪邦稳（2007）对黄土高原坡度因子的修正结果[20]，采用 MapAlgebra 工具按照公式（3）对 S 因子进行提取，并根据实际将地形对土壤侵蚀敏感性分为不敏感、轻度敏感、敏感、高度敏感和极敏感 5 个级别（表 2），获得地形因子侵蚀敏感性空间分布图。

$$S = \begin{cases} 10.8\sin\theta + 0.03 & \theta < 5^\circ \\ 16.8\sin\theta - 0.05 & 5^\circ \leqslant 0 < 14^\circ \\ 21.9\sin\theta - 0.96 & 14^\circ \leqslant \theta \end{cases} \tag{3}$$

式中：θ 为特定栅格单元的实际坡度；S 为地形因子计算结果。

4. 植被覆盖因子敏感性评价方法

植被是影响土壤侵蚀最敏感的因素，不同的地表植被类型，防止侵蚀的作用差别较大，由森林到草地到荒漠，其防止侵蚀的作用是依次减小的。NDVI 可以较好地表征地表植被覆盖状况，本文选取 2000 年 8 月和 2007 年 8 月的 NDVI 进行分级赋值（表 2），得到两个年份区域的植被侵蚀敏感性分布图。

5. 人为影响因子敏感性评价方法

本研究采用了反映人为活动强度的指标——区域人口密度和 GDP，用来表征土壤保持措施（P）因子在土壤侵蚀敏感性变化中的影响程度。根据中国县市社会经济统计年鉴和中国区域经济统计年鉴中 175 个县市统计数据导入 ArcGIS 中，运用空间内插功能 Kriging 算法对研究区进行空间化处理，经误差修正后得到 R 值的空间分布图，结合区域的实际状况进行分级（表 2）。

6. 土壤侵蚀敏感性综合评价方法

单因子的土壤侵蚀敏感性仅反映了某一因子对土壤侵蚀的作用程度或敏感性，由于各影响因子对土壤侵蚀的作用不同，利用 ArcGIS 的空间叠加功能，专家打分法赋予的各因子权重与各因子的分级赋值（表 2）乘积加合，计算土壤侵蚀敏感性指数来综合反映土壤侵蚀敏感性的区域差异，按照公式（4）计算：

$$SS_j = \sum_{i=1}^{6} W_i V_i \tag{4}$$

式中：SS_j 为 j 空间单元土壤侵蚀敏感性指数；V_i 为 i 因素敏感性等级值；W_i 为 i 因素的权重。

2007 年结果为标准，Naturalbreak 自然分界法和定性分析相结合将 2000 年和 2007 年评价指数分为 5 个级别。

表 2　土壤侵蚀敏感性影响分级赋值标准

分级	不敏感	轻度敏感	中度敏感	高度敏感	极敏感
降雨侵蚀力 R	≤500	500～800	800～1200	1200～1500	≥1500
土壤质地 K	石砾、沙	—	粗沙土、面沙土、粉沙土	—	沙粉土、粉土、沙壤土、壤土
地形因子（坡度）S	≤2	2～4	4～6	6～14	≥14
植被盖度 C	≥0.6	0.4～0.6	0.2～0.4	0～0.2	≤0
人口密度/（人/km^2）	≤100	100～200	200～300	300～400	≥400
GDP/万元	≤5	5～10	10～20	20～40	≥40
分级赋值 V	1	3	5	7	9

四、结　果

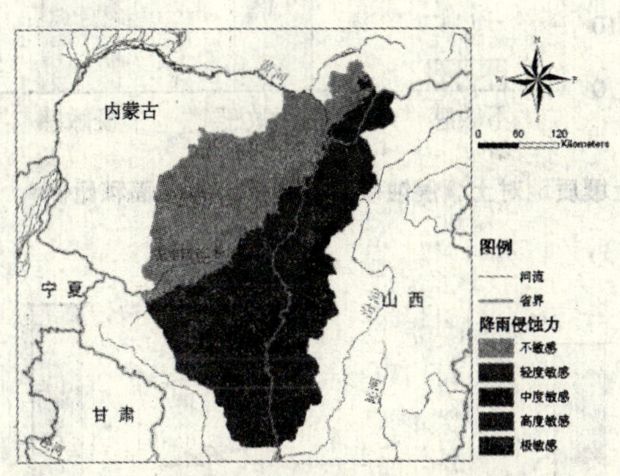

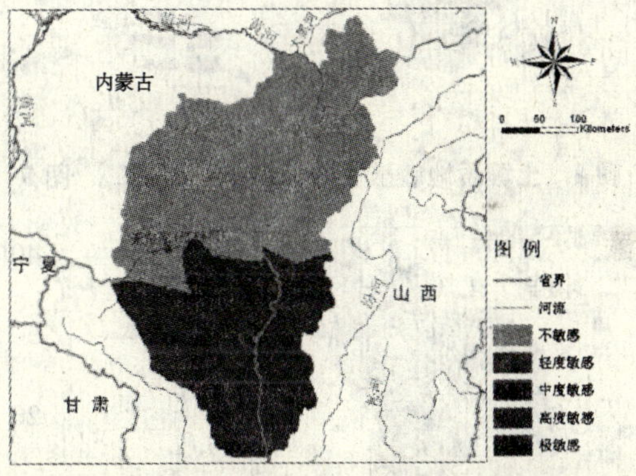

图 2　降雨侵蚀力分级图（左：2000 年，右：2007 年）

（一）降雨侵蚀力（R）敏感性格局

黄土高原北部多沙粗沙区地处我国的半干旱地区，年均降雨量约为 300mm，尤其在区域西北部由降雨造成的侵蚀力较小，研究区的北、西部各区县降雨侵蚀力最低，以轻度和不敏感为主（图 2）。

研究的 2 个年份降雨侵蚀力变化较大。2000 年区域降雨侵蚀力由西北向东南逐渐递增，由极敏感到不敏感的各个等级所占面积也逐渐增大。2000 年降雨侵蚀力最强的区域主要分布在区域南端的宜川县，东南端的临汾地区，约占区域总面积的 3%。2007 年降雨总量明显减少，造成的

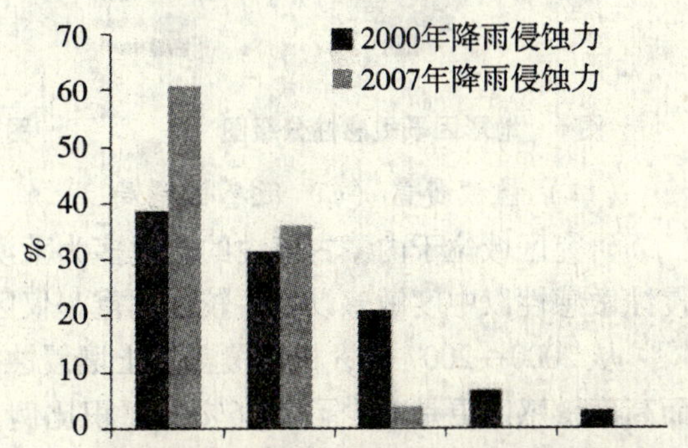

图 3　2000 年和 2007 年降雨对土壤侵蚀敏感性评价结果（面积比例）

侵蚀力影响下降，区域西南端的延安地区侵蚀力较强，约占区域面积的4%（图3）。

（二）土壤可蚀性（*K*）敏感性格局

土壤可蚀性以土壤质地为标准分为不敏感，中度敏感和极敏感三级。研究区域内大部分土壤以沙土和壤土为主，因此土壤可蚀性的敏感性较高。从空间格局上看，区域的中部地区，主要包括陕北北部的榆林和延安地区土壤可蚀性以极敏感为主。区域的西北和东南端，主要包括内蒙古鄂尔多斯和山西吕梁为中度敏感区域。不敏感区仅分布在山西右玉县和内蒙古乌审旗的部分地区（图4）。

对不同级别的面积统计，中度敏感面积最大，约占研究区总面积的57%。其次为极敏感区，约占38.1%。不敏感区域最少，比例不到5%（图5）。

（三）坡度（*S*）敏感性格局

研究区域约34.6%的地区均表现为极敏感，占面积比例最大，主要分布在区域南部和东北部。其次是不敏感区，约占28.7%（图6，图7），主要在区域的西北部。中部和偏北部的地形起伏较小的河谷区为中度敏感。

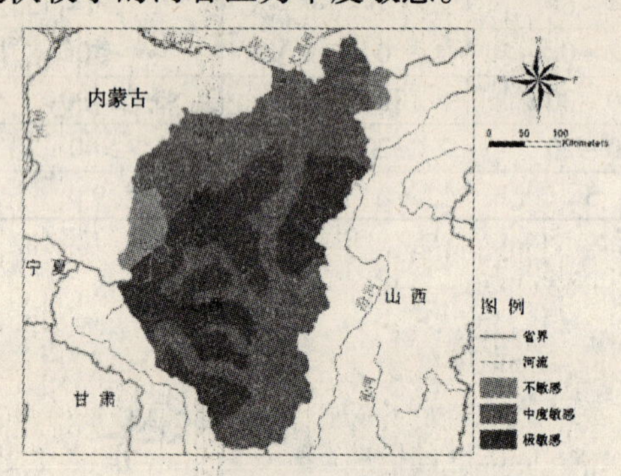

图4　土壤质地敏感性分级图

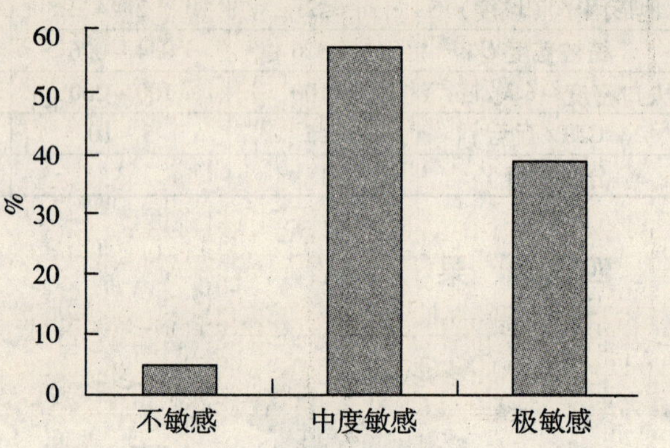

图5　土壤质地对土壤侵蚀敏感性评价结果（面积比例）

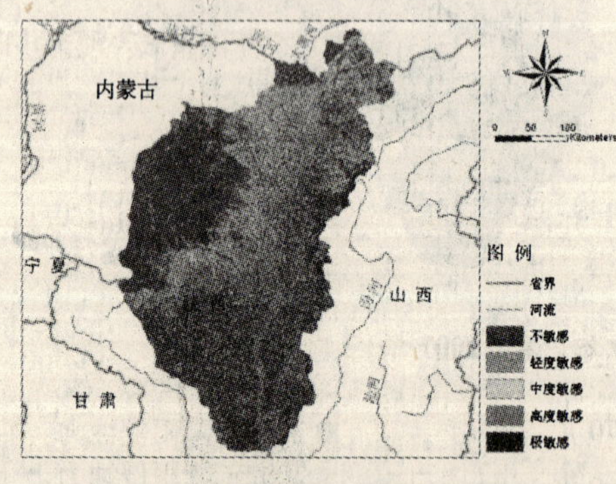

图6　地形因子敏感性分级图

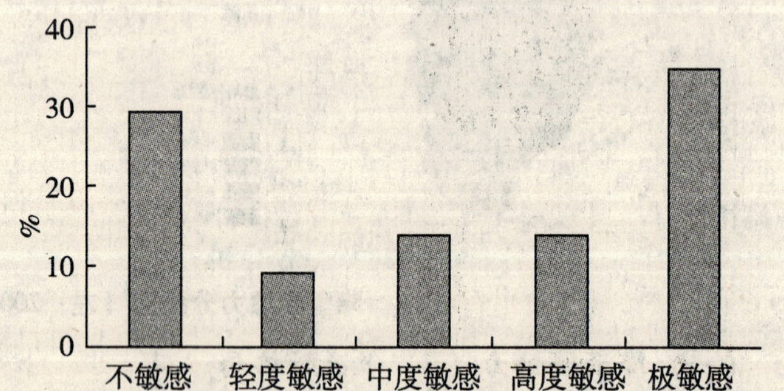

图7　地形因子对土壤侵蚀敏感性评价结果（面积比例）

（四）植被覆盖（*C*）敏感性格局

研究区域位于内蒙古境内的土地多为荒漠和裸岩，植被稀少，导致整个区域植被覆盖的土壤侵蚀敏感性以中度敏感以上占较大比重，仅区域最东部和南部的敏感性较低（图8）。

从2000—2007年，植被覆盖的土壤侵蚀敏感性明显降低，极敏感区面积比例减少了5.5%，而高度敏感区更是减少了22.6%的面积比例。中度敏感以下的地区比例有所增大，依次增大的比例为18.8%、7.2%和2.1%（图9）。

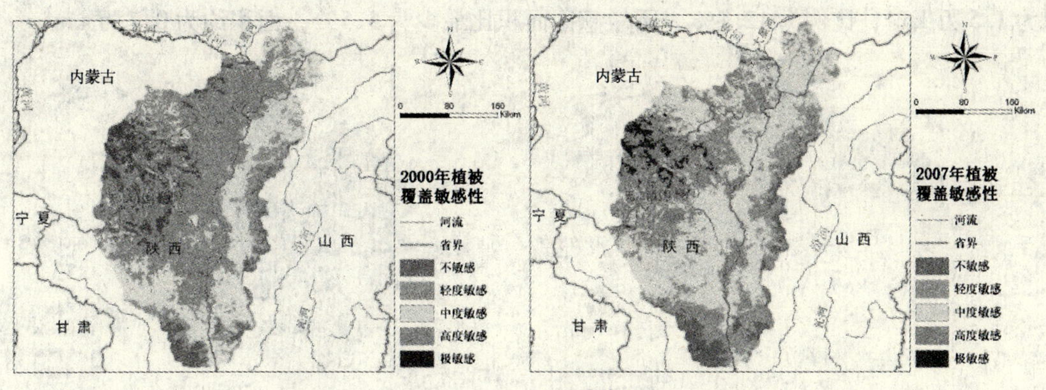

图8　2000 年和 2007 年植被覆盖因子敏感性分级图

（五）人为活动（*P*）敏感性格局

研究区域从 2000—2007 年，人口密度对土壤侵蚀敏感性等级变化较小（图 10），不敏感的区域面积比例略有减少，轻度敏感区域面积比例略有增大。增大的区域主要位于内蒙古的鄂尔多斯、山西朔州和陕西延安（图 12）。

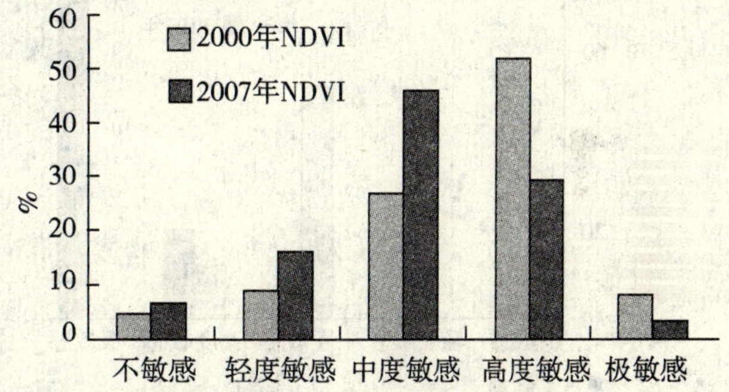

图 9　2000 年和 2007 年植被覆盖因子对土壤侵蚀敏感性评价结果（面积比例）

从 2000—2007 年，国民生产总值对土壤侵蚀敏感性等级变化较大（图 11）。在同样的分类等级标准下，2000 年以中度敏感为主，只有陕西延长县、延川县、清涧县和山西石楼县、永和县为极敏感区；2007 年大部分区域为不敏感，极敏感区域已消失，原极敏感区转变为中高度敏感，高度敏感区域也仅仅占区域总面积的 0.1%，中度敏感区域减少了 47%，而轻度敏感和不敏感区则分别增加了约 8% 和 70%（图 12）。

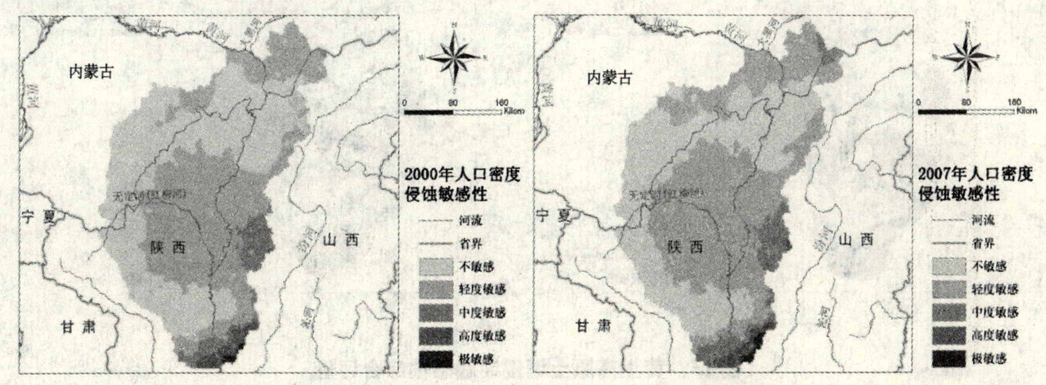

图 10　2000 年和 2007 年人口密度敏感性分级图

（六）土壤侵蚀敏感性综合评价

2000—2007 年，土壤侵蚀敏感性显著降低。2000 年研究区土壤侵蚀极度敏感（3.9 万 km^2）、高度敏感（3.6 万 km^2）和中度敏感（3.0 万 km^2）为主，所占比例分别为 33.2%、30.4% 和 24.9%。轻度敏感区面积为 0.9 万 km^2，比例为 7.9%，不敏感区面积比最少为 3.6%，面积约为 0.4 万 km^2（表 3）；2007 年研究区土壤侵蚀高度敏感（4.4 万 km^2）、中度敏感（3.5 万 km^2）和极敏感（1.8 万 km^2）为主，所占比例分别为 36.9%、29.3% 和 15.5%。轻度敏感区

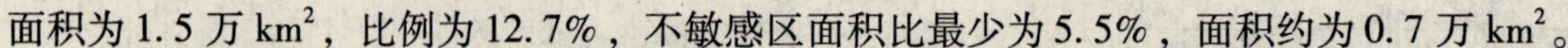
面积为 1.5 万 km^2，比例为 12.7%，不敏感区面积比最少为 5.5%，面积约为 0.7 万 km^2。

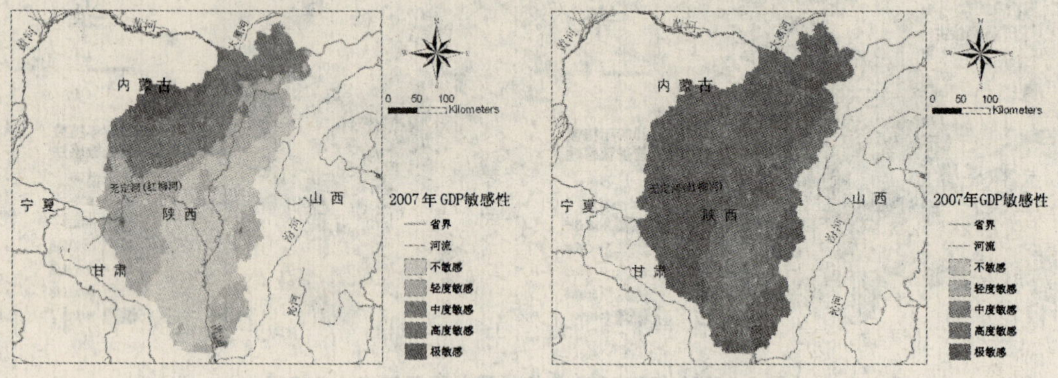

图 11 2000 年和 2007 年 GDP 敏感性分级图

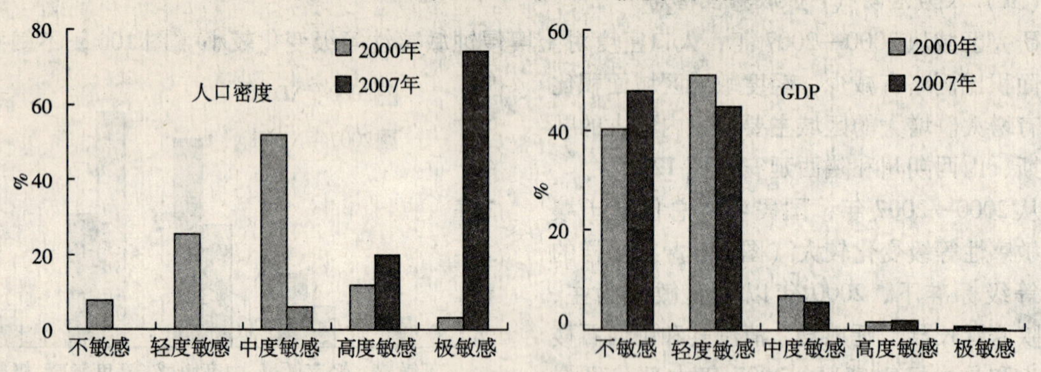

图 12 人为活动因子对土壤侵蚀敏感性影响分级赋值标准

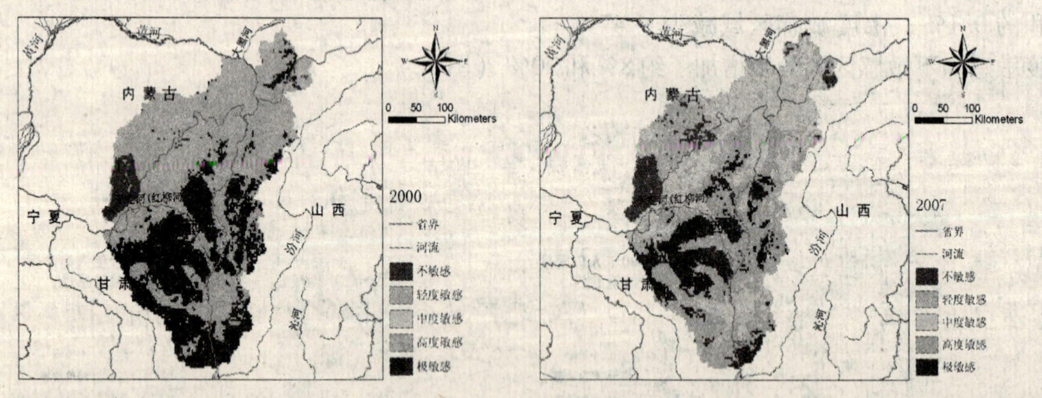

图 13 黄土高原土壤侵蚀敏感性综合评价

空间上，研究区域的土壤侵蚀敏感性具有明显的水平地域特点。东南部和黄河主要支流沿岸属土壤侵蚀高度敏感区域，主要包括极敏感、高度敏感；北部属于土壤侵蚀中等敏感区，主要类型为中度、高度和轻度敏感区；西北部为土壤侵蚀低敏感区，主要是不敏感和轻度敏感类型区。土壤侵蚀极敏感区主要分布在黄河支流从皇甫川到无定河流域，包括山西和陕西的约 20 个县市（图 13）。

土壤侵蚀敏感性空间变化较大的区域主要集中在内蒙古林格尔县、清水河县、准格尔旗、伊金霍洛旗；山西省右玉县、隰县、大宁县、蒲县、吉县、乡宁县；陕西省神木县、榆林市、横山县、靖边县、延长县、延川县、宜川县、韩城市。上述地区从2000—2007年，土壤侵蚀敏感性变化显著。

表3 黄土高原土壤侵蚀敏感性综合评价结果（面积比例%）

分级	不敏感	轻度敏感	中度敏感	高度敏感	极敏感
2000年	3.6	7.9	24.9	30.4	33.2
2007年	5.5	12.7	29.3	36.9	15.5

五、讨论与结论

（一）土壤侵蚀敏感性评价因子选择的探讨

本研究根据通用土壤流失方程（USLE）的基本原理，结合研究区域的自然环境特征，选择降雨侵蚀力、地形起伏度、土壤质地、植被类型、人口密度和GDP共6个评价指标，在GIS软件支持下分别对2000年和2007年黄土高原北部地区土壤侵蚀敏感性变化进行评价，综合分析了区域土壤侵蚀敏感程度的分布规律。

不同敏感性评价因子选择的依据不同。通用水土流失方程是研究土壤侵蚀最为常用的方法，本研究根据该方程的基本原理，结合该区域的自然和社会经济情况，参考国家环保总局发布的《生态功能区划技术暂行规程》（2002），以及在前人对这些单因子计算方法的研究成果[15-20]的基础上，对降雨侵蚀力（R）、土壤可蚀性（K）、坡长坡度因子（LS）以及地表植被覆盖因子（C）进行了空间评价。其中人为活动因子（P）是影响侵蚀敏感性的重要因子之一，以往的研究往往由于大尺度空间数据获取上的困难，而忽略该指标[21,22]。根据调查显示，有研究认为人口密度是区域土壤侵蚀和水土流失的主要驱动力[23]，而国民生产总值GDP和人口数量的变化可以较好地反映出区域人类社会系统所产生的生态安全负荷量[24]。因此，本研究认为运用这两个指标可以较好地反映出区域人为活动的强度。在以上因子的评价基础上，对研究区的土壤侵蚀敏感性进行了综合评价。

（二）黄土高原北部土壤侵蚀敏感性

2000—2007年，土壤侵蚀敏感性显著降低。2000年研究区土壤侵蚀极度敏感、高度敏感和中度敏感为主，2007年研究区土壤侵蚀中度敏感、高度敏感和轻度敏感为主。研究区域土壤侵蚀敏感性空间分布的特点为东南土壤侵蚀敏感性高于西北，高度敏感和极敏感区主要分布在黄土高原丘陵山地区域，轻度敏感和不敏感区集中分布在西北部平原台地。土壤侵蚀敏感性空间变化较大的区域主要集中在研究区域中部和南部的黄河干流沿岸。

极敏感区的单因子结果表现较为相似。皇甫川到无定河流域是土壤侵蚀极敏感区，这些地区降雨侵蚀力强、地形高差大、土壤可蚀性也比较敏感，此外，这些地区人为活动较密集，经济增长速度较慢，大量人为活动以及农业陡坡旱作都是这些地区成为土壤侵蚀最为敏感的重要原因。

（三）土壤侵蚀敏感性评价与土壤侵蚀现状的比较

将黄土高原土壤侵蚀敏感性分布图与黄土高原土壤侵蚀结果[2]进行比较，可以看出土壤侵蚀分布格局与土壤侵蚀敏感性分布格局总体上是一致的，剧烈和极强度土壤侵蚀基本上分布在土壤侵蚀极敏感和高度敏感地区，但在局部地区存在着差异。

一些土壤侵蚀敏感性高的地区，土壤侵蚀并不严重，例如山西省的临县、兴县等县市，大部分土地属于土壤侵蚀高度敏感和极敏感的地区，由于地形起伏大，不易开发利用，人为活动强度不大，植被覆盖率较高，所以没有出现严重的土壤侵蚀。

一些土壤侵蚀敏感性较低的地区却出现较严重的水土流失，例如内蒙古的准格尔旗、伊金霍洛旗和乌审旗等地区，由于人口密度大、土壤可蚀性差、植被覆盖率低、人为开发强度大，采矿业发达带来的城镇建设、交通设施建设等人为活动导致土壤侵蚀。

参考文献

[1] 徐建华，吕光坊，甘枝茂．黄河中游多沙粗沙区区域界定［J］．中国水利，2000，12：37 - 39.
[2] 刘国彬，李敏，上官周平，等．西北黄土区水土流失现状与综合治理对策［J］．中国水土保持科学，2008，6（1）：16 - 21.
[3] 姚玉璧，王毅荣，李耀辉．中国黄土高原气候变暖干化及其对生态环境的影响［J］．资源科学，2005，27（5）：146 - 152.
[4] 刘晓清，赵景波，于学峰，等．黄土高原气候变暖干旱化趋势及适应对策［J］．干旱区研究，2006，23（4）：627 - 631.
[5] 信忠保，许炯心，余新晓．近50年黄土高原水土流失的时空变化［J］．生态学报，2009，29（3）：1129 - 1139.
[6] 陈永宗，景可，蔡强国．黄土高原现代侵蚀与治理［M］．北京：科学出版社，1988.
[7] 叶青超．黄河流域环境演变与水沙运行规律研究［M］．济南：山东科学技术出版社，1994.
[8] 王万忠，焦菊英．黄土高原降雨侵蚀产沙与黄河输沙［M］．北京：科学出版社，1996：268 - 289.
[9] 景可．黄河中游侵蚀环境特征和变化趋势［M］．郑州：黄河水利出版社，1997：138 - 154.
[10] 张胜利．黄河中游多沙粗沙区水沙变化原因及发展趋势［M］．郑州：黄河水利出版社，1998.
[11] 汪岗，范昭．黄河水沙变化研究（第2卷）［M］．郑州：黄河水利出版社，2002.
[12] 许炯心．黄河中游多沙粗沙区水土保持减沙的近期趋势及其成因［J］．泥沙研究，2004（2）：5 - 10.
[13] 王再岚，李政海，马中，等．鄂尔多斯东胜地区不同生态功能区的土壤侵蚀敏感性［J］．生态学报，2009（1）：484 - 491.
[14] 国家环保总局．生态功能区划技术暂行规程．2002，7.
[15] Renard K G，Foster G R，Weesies G A，et al. Predicting Soil Erosion by water：A Guide to Conservation Planning with the Revised Universal Soil Loss Equation（RUSLE）. Agricultural Handbook，No. 537. Washington：United States Department of Agriculture，1997.
[16] Wang X D，Zhong X H，Fan J R. Assessment and spatial distribution of sensitivity of soil erosion in Tibet［J］. Journal of Geographical Sciences，2003，14（1）：41 - 46.
[17] 李静，刘志红，李锐．黄土高原不同地貌类型区降雨侵蚀力时空特征研究［J］．水土保持通报，2008，28（3）：124 - 127.
[18] 张孝中．黄土高原土壤颗粒组成及质地分区研究［J］．中国水土保持，2002，3：11 - 14.
[19] 杨勤科，赵牡丹，刘咏梅，等．DEM与区域土壤侵蚀地形因子研究［J］．地理信息世界，2009，2（1）：25 - 32.
[20] 汪邦稳，杨勤科，刘志红，等．基于DEM和GIS的修正通用土壤流失方程地形因子值的提取［J］．中国水土保持科学，2007，5（2）：18 - 23.
[21] 李月臣，刘春霞，赵纯勇，等．三峡库区（重庆段）土壤侵蚀敏感性评价及其空间分异特征［J］．生态学报，2009，29（2）：788 - 796.
[22] 汤小华，王春菊．福建省土壤侵蚀敏感性评价［J］．福建师范大学学报（自然科学版），2006，22（4）：1 - 4.
[23] 潘竟虎，张伟强，秦晓娟．水土保持陇东黄土高原土壤侵蚀的人文因素及经济损失分析［J］．中国水利，2008，12：37 - 39.
[24] 陈星．区域生态安全空间格局评价模型的研究［J］．北京林业大学学报，2008，30（1）：21 - 28.

土壤柴油污染的检测与修复

刘乃瑞　周　波　沙　宇

（西北工业大学动力与能源学院　西安市友谊西路127号　710072）

摘　要　近年来中国陆上成品油泄漏事故频发，严重污染土壤，对生态环境和经济建设造成很大的负面影响。在《土壤环境质量标准》中没有列出石油类的检测方法，也没有土壤含油污染量的界定标准。本文结合最近的“渭河柴油污染事件”，在分析水中石油类检测方法基础上用超声波－紫外分光光度法检测土壤柴油含量，借鉴《农用污泥中污染物容许最高标准》作了评价，最后探讨了土壤柴油污染治理与修复方法，提出了建议。

关键词　土壤　柴油污染　检测

一、引　言

2004年延安发生特大石油泄漏污染事故，上千吨原油泄漏导致数百亩农田被污染；2005年青岛一大型油罐车在黄张路发生事故，40余吨原油溢出；2009年底渭河柴油泄漏事故，泄漏点周围麦田受到柴油渗漏污染。大量的柴油以残留饱和方式保留在土壤空隙中，如不及时除去，经过雨水的作用，可引起地下水的长期污染。

20世纪80年代颁布的红外光度法（GB/T 16488—1996）是测定水中石油类的检测方法，现行《土壤环境质量标准》（GB 15618—1996）中并没有列出石油类的检测方法[2]。本文结合分析水中石油类的检测方法，经过大量的试验与分析，受柴油污染土壤经预处理后，采用紫外分光光度法可精确测定土壤中石油类物质的含量。

另外，土壤中石油含量的测定是修复技术的关键。只有通过测定土壤中的含油量，针对污染程度选择合理的修复技术，才能制定恢复方案。本文结合最近的渭河柴油泄漏事故，对6个采样点的12个土壤样品进行检测分析，探讨了土壤柴油污染治理与修复方法。

二、渭河柴油土壤污染检测

采用超声波－紫外分光光度法对土壤柴油污染量进行检测，利用超声波的振荡作用加速和提高柴油的萃取。油品组成中所含的共轭体系物质在紫外光区有特征的吸收峰，带有苯环的芳烃化合物主要吸收波长为250～260nm，带有共轭双键的化合物主要吸收波长为215～230nm。一般原油的两个吸收峰为225nm及256nm[2]。而在该吸收峰下不同量的柴油对应不同的吸光度，二者呈线性关系。

（一）仪器和试剂

1. 仪器

（1）紫外分光光度计，型号U－3310，HITACHI，1cm密闭石英比色皿；

（2）超声波振荡仪，型号CQ25－12D；

（3）电子天平，型号HANCPING FA1004。

2. 试剂

（1）石油醚：分析纯，沸程为60～90℃；

（2）柴油标准样品：市售20号柴油，$\rho=0.84g/cm^3$。

（二）标准曲线绘制

1. 柴油标准溶液的制备：用移液管分别加入柴油标准溶液0ml、1ml、3ml、5ml、7ml至5

个 10ml 容量瓶中，并用石油醚定容至 10ml；

2. 取油标准溶液加入 1cm 比色皿中于 220～300nm 范围内扫描，得到柴油的最大吸收峰在波长为 257nm 处；

3. 于波长 257nm 处测定标准系列的吸光度，建立标准曲线，如图 1 所示。

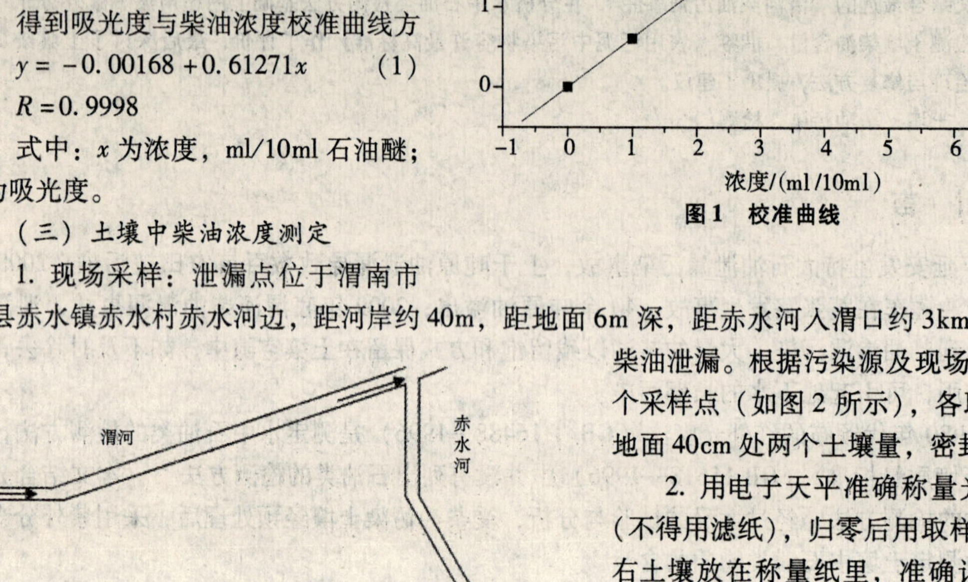

图1　校准曲线

得到吸光度与柴油浓度校准曲线方程：$y = -0.00168 + 0.61271x$　　（1）

$R = 0.9998$

式中：x 为浓度，ml/10ml 石油醚；y 为吸光度。

（三）土壤中柴油浓度测定

1. 现场采样：泄漏点位于渭南市华县赤水镇赤水村赤水河边，距河岸约 40m，距地面 6m 深，距赤水河入渭口约 3km，约 $100m^3$ 柴油泄漏。根据污染源及现场地形选择 6 个采样点（如图 2 所示），各取表层和距地面 40cm 处两个土壤量，密封保存；

图2　现场采样示意图

2. 用电子天平准确称量光面称量纸（不得用滤纸），归零后用取样器取 5g 左右土壤放在称量纸里，准确记录土壤的重量；

3. 依次对 12 个土壤样进行称重，并记录数据；

4. 萃取：用量筒分别量取 10ml 石油醚加入装土壤的 25ml 容量瓶里，密封后在 20℃ 下萃取 24h；

5. 超声波振荡：在 20℃ 水浴中利用超声波振荡仪振荡 10min，超声波振荡后柴油均匀地分布于石油醚中；

6. 用紫外分光光度计，1cm 密闭石英比色皿，于波长 257nm 处，以纯石油醚作参比，测量样品溶液的吸光度。

（四）结果与分析

根据测得石油醚及样品的吸光度，利用公式（1）计算即得到所取土壤含油量，结果见表 1。

表1　样品吸光度和含柴油浓度值

序号	吸光度	浓度	土壤含油量		备注
		ml/10ml 石油醚	ml/g	g/g	
1	0.654	1.070131	0.214026	0.179782	1 号采样点距地面 40cm
2	0.577	0.94446	0.188892	0.158669	1 号采样点表层
3	0.680	1.112565	0.222513	0.186911	2 号采样点距地面 40cm

序号	吸光度	浓度	土壤含油量		备注
		ml/10ml 石油醚	ml/g	g/g	
4	0.786	1.285567	0.257113	0.215975	2号采样点表层
5	0.617	1.009744	0.201949	0.169637	3号采样点距地面40cm
6	0.600	0.981998	0.1964	0.164976	3号采样点表层
7	0.970	1.585873	0.317175	0.266427	4号采样点距地面40cm
8	2.797	4.567707	0.913541	0.767375	4号采样点表层
9	0.528	0.864487	0.172897	0.145234	5号采样点距地面40cm
10	2.552	4.167844	0.833569	0.700198	5号采样点表层
11	0.585	0.957517	0.191503	0.160863	6号采样点距地面40cm
12	0.517	0.846534	0.169307	0.142218	6号采样点表层

注：国标柴油的密度范围为 0.810～0.855g/cm^3，不同型号的密度不同，本市售柴油密度以 0.84g/cm^3 计算。

通过实验可以看出在20℃下，经过24h萃取，超声波振荡10min，能够有效地使柴油融入石油醚中，实现柴油和土壤分离。渭南地区土壤酸碱度在7.2～8.5之间，从检测结果可知4号和5号河堤采样点表层土壤的含油量超过0.5g/g的《农用污泥中污染物容许最高标准》（酸性土壤pH<6.5，最高容许量0.25g/g；中性和碱性土壤pH≥6.5，最高容许量0.5g/g）。

三、土壤柴油污染修复

石油污染土壤的修复技术大致可以分为3类，即物理方法、化学方法和生物法。

（一）物理法

物理处理法包括换土法、隔离法、气相抽提法、热处理法、光催化法、焚烧法、CSP法等。①换土法主要是利用新鲜的未受污染的土壤替换或者部分替换被污染的土壤，达到稀释污染物防止继续污染的目的，其去除污染物的机理主要利用了土壤的环境容量。这种方法主要是用于处理突发的、污染面积较小且污染比较严重的情况[3]。②隔离法就是利用防渗材料，如水泥、黏土、石板、塑料板等，把污染土壤就地与未污染土壤或水体分开，以减少污染物的扩散。该方法主要用于污染物浓度高、易扩散、易分解的情况。由于石油中的某些组分不易分解，因此，此法对于去除土壤中石油污染效果较差[3]。

物理方法只是完成了污染物的转移，并没有从根本上解决污染问题，只能暂时应用于一些突发紧急情况。

（二）化学法

化学处理法包括萃取法、洗涤法和化学氧化法。用萃取法回收石油类物质，存在的问题是流程长，工艺复杂，处理费用高，只适合于面积小且石油污染浓度高的情况。洗涤法可以回收洗脱下来的原油，不仅可以使被石油污染的土壤得到初步净化，而且其经济效益也很可观；但该方法仅适用于沙壤等渗透系数大的土壤，同时，它存在着明显的缺陷，即引入的洗涤剂易造成二次污染[4]。向被石油烃类污染的土壤中喷撒或注入化学氧化剂，使其与污染物质发生化学反应来实现净化，化学氧化法虽然不会对环境造成二次污染，但操作比较复杂[5]。

（三）生物修复处理

生物修复是利用特定的生物（植物、微生物或原生动物）吸收、转化、清除或降解环境污染物，实现环境净化、生态效应恢复的生物措施[6]。目前，生物修复技术主要有3类：微生物修复、植物修复和动物修复。

（四）建议

对于这类污染的处理与修复，除了要考虑污染物的性质特点、量的多少、污染地点，还要考虑处理技术的难易程度、修复所需时间的长短、处理效果的好坏及处理费用的高低等。

此次突发事件，处于寒冬，建议对污染程度重的4号和5号区域可以先采取换土法、隔离法，等天气变暖后再采用生物修复法修复。

四、结果与讨论

结合渭河柴油污染的实例，建立了利用超声波－紫外分光光度法测量被柴油污染土壤中柴油含量的方法。该方法简单易行，精确度高，能有效地检测出土壤中的柴油污染物浓度，为制定修复方案提供依据。

检测结果表明4号和5号采样点所处的河堤土壤中污染物超过最高容许含量，泄漏的柴油通过沙土渗入赤水河，从而导致河水污染，而其他污染点均在最高容许量之内。

据悉，目前现场施工中已很好地采取了换土法，开挖泄漏点周围约1000m^2的河堤，避免柴油渗出，有效地防止了柴油的继续污染，如果继续做好修复工作，有望尽快恢复生态。

参考文献

［1］孙铁珩，周启星，李培军．污染生态学［M］．北京：科学出版社，2001：309－368.

［2］黄红，顾亚中．土壤中石油类检测方法探讨［J］．黑龙江环境通报，2009，33（3）：32－34.

［3］李永涛，吴启堂．土壤污染治理方法研究［J］．农业环境保护，1997，16（3）：18－122.

［4］赵玉霞，杨珂．石油污染土壤修复技术综述［J］．环境科技，2009，22（1）：28－29.

［5］SA V. HO. Integrated in Situ Soil Remediation Technologythe Lasagna Proceed［J］. Environ Sci Technolo. 1995, 29：2528－2534.

［6］王庆仁，刘秀梅，崔岩山，等．土壤与水体有机污染的生物修复及其应用研究进展［J］．生态学报，2001，21（1）：159－163.

保水剂对土壤氮素损失的影响及其环境效应

杜建军[1]　王新爱[2]　苟春林[3]

（1. 仲恺农业工程学院环境科学与工程学院　广东　广州　510225；
2. 仲恺农业工程学院化学化工学院　广东　广州　510225；
3. 农业部枸杞产品质量监督检验测试中心　宁夏　银川　750002）

摘　要　采用"静态吸收法"和"土柱淋溶法"室内模拟试验，研究了保水剂施入土壤后对土壤（尿素）氮素氨挥发、淋溶损失的影响及其环境效应。结果表明，土壤中施入保水剂后，尿素氨挥发量显著降低，并随着保水剂用量的增加效果更加明显。氨挥发量的降低与土壤含水量、土壤脲酶活性和土壤 pH 有关。土壤含水量较高时土壤脲酶活性和土壤 pH 较低，此时的尿素氨挥发量也较少。土壤含水量为田间持水量的 75% 和 100% 时，施用 0.05% ~0.80% 的保水剂，尿素累积氨挥发量分别较不施保水剂处理减少 8.97% ~47.65% 和 16.78% ~72.40%；土壤中施入保水剂同样能减少氮素淋溶损失，随着保水剂用量的增加，淋失量显著减少，施用 0.05% ~0.20% 的保水剂时，氮素累积淋失量较对照处理减少 13.60% ~39.62%。

关键词　保水剂　氮素　环境效应

大量研究表明，现有农业生产水平下，我国农田化肥的当季利用率氮肥仅 30% ~35%，磷肥为 10% ~20%，钾肥为 35% ~50%。因此，提高肥料的利用率、减轻或免除肥料污染，发展持续、高效农业是各国共同关注的问题[2,3]。

高吸水性树脂（Super Absorbent Polymer，SAP）是近 30 年来发展起来的具有超强吸水能力的高分子材料，它能吸收自身重量几百倍甚至上千倍的水分。作为一类新型功能性材料，广泛应用于农业、医疗、卫生、土建和食品行业[4]。农用高吸水性树脂常称为保水剂，它以其高度溶胀能力，对土壤结构的改良和对水肥的保持作用，近年来应用越来越广泛[5-12]。高吸水性树脂在农业上的应用目前还主要集中在对土壤水分[5]、结构[6]和植物抗旱性[7,8]等方面，而对土壤、肥料养分损失及其环境效应[10-13]方面的影响还少见报道。本文采用室内模拟试验，研究了施用保水剂条件下肥料氨挥发和淋溶损失情况，初步探讨了保水剂减少养分损失的机理，为保水剂应用的环境效应评价和进一步改善保水剂性能提供科学依据。

一、材料与方法

（一）试验材料

保水剂：广东省珠海得米化工有限公司生产的聚丙烯酰胺－丙烯酸盐共聚物保水剂，吸水倍率为 230g/g，粒径 0.23 ~0.40 mm。

肥料：尿素（含氮 46.0%）。

土壤：采自仲恺农业工程学院钟村农场旱地赤红壤，pH6.68，有机质 17.64g/kg，全氮、磷、钾分别为 3.39g/kg、0.14g/kg 和 4.41g/kg，有效氮、磷、钾分别为 76.60mg/kg、52.36mg/kg和 83.91mg/kg。

（二）试验方法

1. 保水剂对尿素氨挥发的影响试验

氨挥发量的测定采用"静态吸收法"[14]。称取过 2mm 筛的风干土壤 500g，分别加入 0、0.05%、0.10%、0.20%、0.40%和 0.80% 的保水剂，混匀，置于广口瓶中，加去离子水，分别使土壤含水量为田间持水量的 75% 和 100%，以土壤含水量为田间持水量 75% 和 100%、不施肥、不施用保水剂处理作为对照，氮肥用量为600mg/kg，以尿素为氮源。共14个处理，每处理4次重复。广口瓶里面放内盛2%的硼酸指示剂溶液10ml的称量瓶，用来吸收挥发的氨。连续密闭室温培养，分别于试验的第2、3、4、5、6、7、10、13、16、19、25、31天取出称量瓶用0.1mol/L硫酸滴定氨吸收量，然后更换新的硼酸吸收液。

对不施用保水剂、土壤含水量为田间持水量75%和100%的处理和施用0.20%保水剂、土壤含水量为田间持水量75%和100%的处理等4个处理多设置20个重复，分别于培养的第7、13、19、25、31天从每处理的4个重复广口瓶中分别取出5g土壤，测定其pH值、土壤脲酶活性。

2. 保水剂对氮素淋溶损失的影响试验

参考杜建军等[15]的“间歇土柱淋溶法”。试验分别在施肥和不施肥条件下施用0、0.05%、0.10%和0.20%保水剂，共8个处理，每个处理重复3次。在用200目滤布封底口，并在滤布上垫有少量砂子（25g）的PVC管（直径5cm，高30cm）中模拟耕层，按1.3g/cm^{3}容重先装入250g过2mm筛风干土样，再在其上按同样紧实度分别装入与250g土样混合的保水剂、肥料的混合物。氮、磷、钾肥施用水平均为600mg/kg，分别以尿素、磷酸一铵、氯化钾提供养分。土柱上面再以少量砂子（25g）覆盖以防加水时扰乱土层。第一次先加200ml水使土壤水分饱和，再以200ml水一次加入淋溶土柱，收集淋溶液。以刺有小孔的塑料薄膜封闭塑料管上口，室温下培养4天后，加200ml水进行第2次淋溶。以后各次按同样操作进行，即培养3天，淋溶一次，共淋溶6次。淋溶液收集在250ml容量瓶中，定容后分别测定其氮素含量。

（三）分析方法

土壤常规分析参照《土壤农业化学分析方法》[16]：淋溶液中全氮采用过硫酸钾氧化——紫外分光光度法测定、全磷采用过硫酸钾氧化——钼蓝比色法、全钾采用火焰光度法测定。土壤脲酶活性测定方法采用苯酚——次氯酸钠比色法[17]。

二、结果与分析

（一）保水剂对尿素氨挥发量的影响

旱地土壤中的氮素损失主要来自氮的氨挥发和淋溶损失等作用。尿素施入土壤后，由于很快溶解并在脲酶作用下水解，土体内氨浓度很高，很容易在短时间内造成氨挥发损失。而向土壤中加入保水剂则与单施尿素不同，由于保水剂可以有效地吸持溶解在土壤溶液中的尿素分子和水解产物NH_4^+，前一过程有可能使尿素的水解延缓，后一过程则有可能直接减少氨挥发的损失。图1的结果证明了这一推论。由图1可见，不论土壤含水量是田间持水量的75%还是100%，向土壤中加入保水剂后均能减少尿素氨挥发累积量，并且随着保水剂用量的增加，氨挥发累积量显著减少。在土壤含水量为田间持水量的75%，保水剂用量为0、0.05%、0.10%、0.20%、0.40%和0.80%时，培养31d后，各处理的氨累积挥发量分别为9.36 mg、8.52 mg、7.38 mg、6.67 mg、5.60 mg和4.90 mg，差异达5%显著水平；加入保水剂的5个处理分别比不加保水剂处理氨挥发总量减少8.97%、21.15%、28.74%、40.17%和47.65%。在土壤含水量为田间持水量的100%，保水剂用量为0、0.05%、0.10%、0.20%、0.40%和0.80%时，培养31d后，各处理的氨累积挥发量分别为8.95mg、7.44mg、6.41 mg、5.85 mg、4.49 mg和2.47 mg，差异亦达5%显著水平；加入保水剂的5个处理分别比不加保水剂处理氨挥发总量减少16.87%、28.38%、34.64%、49.83%和72.40%。2种土壤含水量比较，保水剂用量为0、0.05%、0.10%、0.20%、0.40%和0.80%时，土壤含水量为田间持水量的100%处理分别较土壤含水量为田间持水量的75%处理氨挥发总量分别减少4.38%、12.67%、13.14%、12.29%、19.82%、49.59%。可见，保水剂用量越大，土壤含水量越高，保水剂减少氨挥发的效果就越显著。

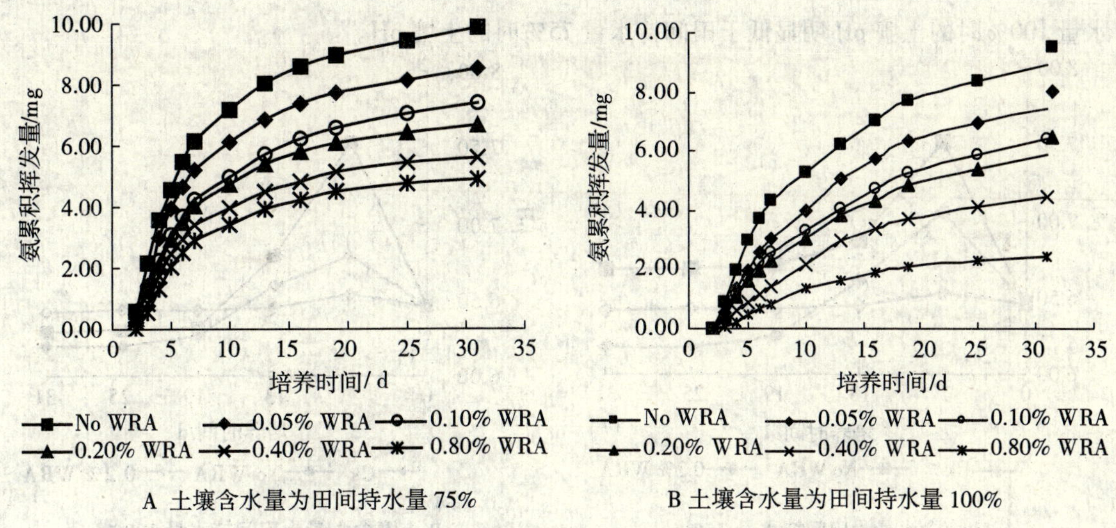

A 土壤含水量为田间持水量 75%　　B 土壤含水量为田间持水量 100%

图 1　不同保水剂用量和土壤含水量时的尿素氨累积挥发曲线

（二）保水剂对土壤脲酶活性和 pH 变化的影响

脲酶活性强弱直接影响土壤氨挥发损失。图 2 是不同处理土壤脲酶活性随时间变化的趋势。由图 2 可见，2 种土壤含水量下，不论是否加入保水剂，脲酶活性都经过先逐渐增大、至峰值后又逐渐减小的变化趋势。但土壤含水量为田间持水量 100% 时的脲酶活性达到峰值的时间明显滞后于土壤含水量为田间持水量 75% 处理，在第 3 次测定时才达到峰值（第 19 天）。2 种土壤含水量下，只有在脲酶活性达到峰值时加入保水剂处理的脲酶活性才略大于不加保水剂处理，其他培养时间加入保水剂处理的脲酶活性基本都低于不加保水剂处理脲酶活性。图 2 的结果还表明，土壤含水量对脲酶活性影响很大，土壤含水量为田间持水量 100% 时的脲酶活性显著低于土壤含水量为田间持水量 75% 的处理，但加入保水剂对这种差异影响不大。

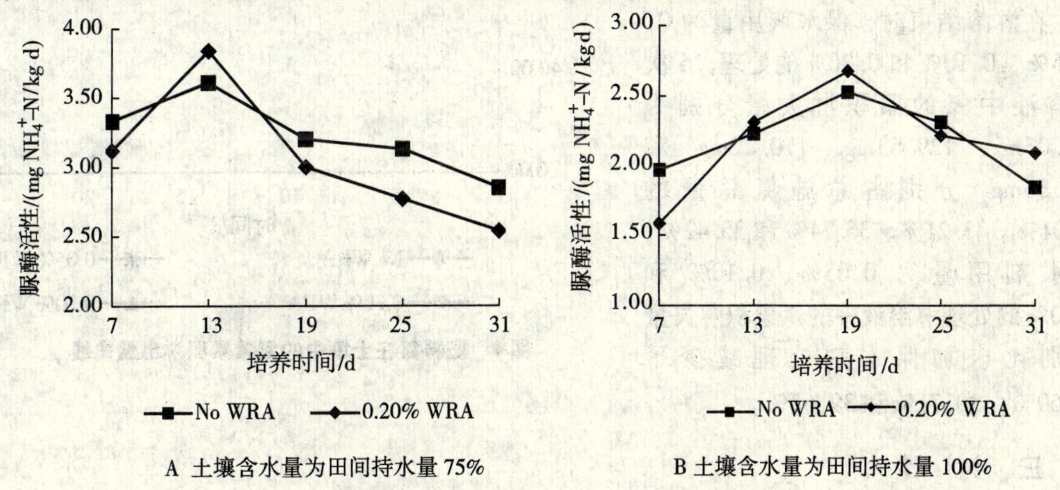

A 土壤含水量为田间持水量 75%　　B 土壤含水量为田间持水量 100%

图 2　不同保水剂用量和土壤含水量时的脲酶活性变化

尿素态氮水解产生的氨引起土壤 pH 值的升高，而土壤 pH 值又是氨挥发速率的主要决定因素之一。随 pH 值的升高，铵态氮的比例升高，氨挥发的潜力增大。从图 3 可以看出，2 种土壤含水量下，所有处理土壤 pH 值都在第 7 天时出现峰值，然后随着培养时间的延续逐渐降低，最后达到一个比较稳定的数值。但加入保水剂处理的土壤 pH 值始终低于不加保水剂处理。从土壤 pH 值和氨挥发量的关系来看，前期由于 pH 逐渐增大，氨挥发量也随着增大，中、后期 pH 逐渐减小，氨挥发量也逐渐减小，二者有明显的正相关关系。2 种土壤含水量比较还可以看出，田间持水量 100% 时的土壤 pH 明显低于田间持水量 75% 时的土壤 pH。

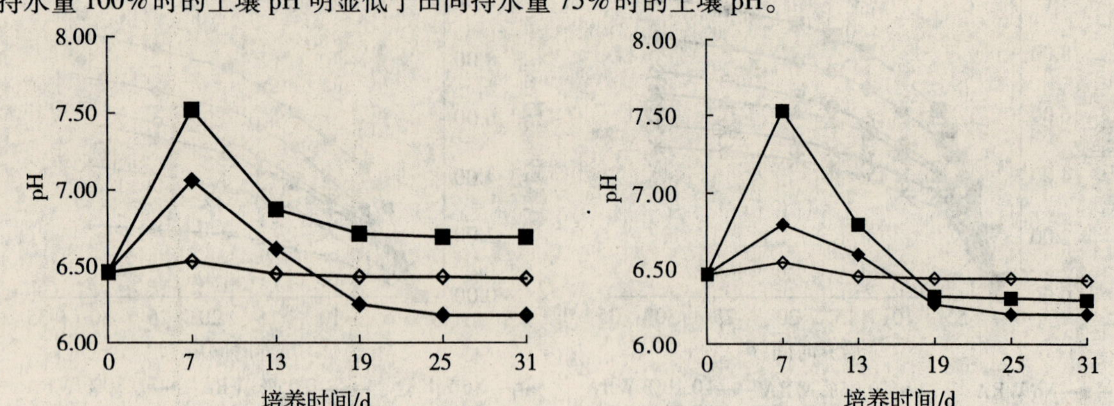

A 土壤含水量为田间持水量 75%　　B 土壤含水量为田间持水量 100%

图 3　不同保水剂用量和土壤含水量时的土壤 pH 变化

（三）保水剂对氮素淋溶损失的影响

氮素淋溶损失是氮素损失的另一主要途径，也很容易引起地下和地表水的污染。图 4 是肥料氮在土壤中的氮素累积淋出量的曲线。可见，不同处理氮素的淋失量随培养时间和淋溶次数的增加，氮素累积淋失量呈明显增加趋势。加入保水剂处理的氮素淋失量均明显低于不加保水剂处理，并随保水剂用量的增加，淋失量显著降低。在淋溶结束时，保水剂用量为 0、0. 05%、0. 10% 和 0. 20% 的处理，6 次淋溶液中氮的累积淋失量分别为 150. 03mg、129. 63mg、110. 22mg 和 106. 36mg，分别占总施氮总量的 50. 01%、43. 21%、36. 74% 和 35. 42%；保水剂用量为 0. 05%、0. 10% 和 0. 20% 的处理淋溶液中的氮累积淋失量分别比未加保水剂处理减少了 13. 60%、30. 71% 和 39. 62%。

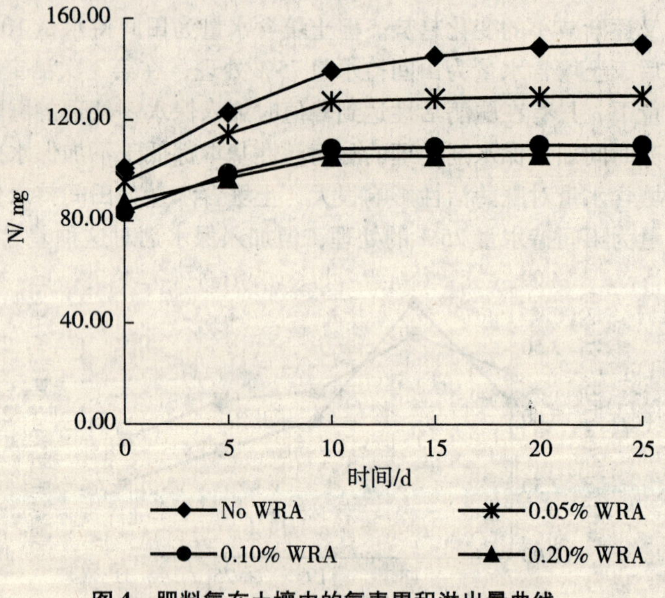

图 4　肥料氮在土壤中的氮素累积淋出量曲线

三、讨　论

保水剂施入土壤后，能显著降低尿素氨挥发和淋溶损失。这与保水剂的结构和性质有密切关系：保水剂是一类遇水膨胀的聚合物，其特征是具有一个大聚合物的“骨架”并带有如 $-COOH$、$-OH$、$-NH_2$ 等极性基团，亲水性很强，可以达到自身质量的数百倍甚至更高。聚合物的骨架又是一个适度交联的网状结构，可让一些小分子或离子如 $CO(NH_2)_2$、NH_4^+ 和 NO_3^- 扩散进入。进入到保水剂分子内部的养分离子或分子，可以暂时被溶胀的保水剂分子包裹起来，也可通过静电引力、范德华力、离子交换、离子吸附、螯合等机制而暂时固定下来延缓了养分的释放[18,19]。有研究表明[20,21]，由于保水剂的活性基团同样可以和土壤颗粒表面的活性基团或离子发生相互作用，通过创建和稳定水稳性团粒结构，增加对养分的吸附作用而抑制其流失。

由于保水剂种类繁多，不同的保水剂的保水、保肥功能差异悬殊，今后应更加重视不同保水剂类型与肥料、土壤的相互影响程度及其机理研究，从而进一步揭示其对养分保持和缓释的作用机制，为更好地利用保水剂从源头控制肥料损失、减少污染提供理论依据。

参考文献

[1] 李庆逵，朱兆良，于天仁．中国农业持续发展中的肥料问题［M］．南昌：江西科学技术出版社，1998.

[2] 林葆．化肥与无公害农业［M］．北京：中国农业出版社，2003.

[3] 崔玉亭．化肥与生态环境保护［M］．北京：化学工业出版社，2000.

[4] 邹新喜．超强吸水剂（第2版）［M］．北京：化学工业出版社，2002.

[5] Silberbush M, Adar E, De Malach Y. Use of an hydrophilic polymer to improve water storage and availability to crops grown in sand dunes［J］. I Com irrigated by trickling. Agricultural Water Management. 1993, 23: 303 - 313.

[6] Terry R E and Nelson S D. Effects of polyacrylamide and irrigation method on soil physical properties［J］. Soil Sci., 1996, 141: 317 - 320.

[7] Wood House J, Johnson MS. Effect of super absorbent polymers on survival and growth of crop seedlings［J］. Agricultural Water Management, 1991, 20: 63 - 70.

[8] 张富仓，康绍忠．BP保水剂及其对土壤与作物的效应［J］．农业工程学报，1999，15（2）：74 - 78.

[9] 杜太生，康绍忠，魏华．保水剂在节水农业中的应用研究现状与展望［J］．农业现代化研究，2000，21（5）：317 - 321.

[10] Mikkelsen L R. Using hydrophilic polymers to control nutrient release［J］. Fert. Res., 1994, 38: 53 - 59.

[11] 杜建军，廖宗文，冯新，等．高吸水性树脂在赤红壤及砖红壤上的保水保肥效果研究［J］．水土保持学报，2003，17（2）：137 - 140.

[12] 杜建军，王新爱，廖宗文，等．不同肥料对高吸水性树脂吸水倍率的影响及养分吸持研究［J］．水土保持学报，2005，19（4）：27 - 31.

[13] 刘晨，穆环珍，张占业，等．高聚物在农业非点源污染控制中的作用［J］．农业环境科学学报，2006，25（增刊）：356 - 359.

[14] 凌莉，李世清，李生秀．石灰性土壤氨挥发损失的研究［J］．土壤侵蚀与水土保持学报，1999，5（6）：119 - 122.

[15] 杜建军，廖宗文，毛小云，等．控/缓释肥在不同介质中的氮素释放特性及其肥效评价［J］．植物营养与肥料学报，2003，9（2）：165 - 169.

[16] 鲁如坤．土壤农业化学分析方法［M］．北京：中国农业出版社，2000.

[17] 关松荫．土壤酶及其研究方法［M］．北京：中国农业出版社，1986.

[18] Kazanskii K S and Dubrovskii S A. Chemistry and physics of water - storing agricultural polyacrylamides［J］. J Sci. Food Agric., 1992, 36: 789 - 793.

[19] Hassan Z A, Yong S D. An evaluation of urea - rubber matrices as slow - release fertilize［J］. Fertilizer Research, 1990, 22: 63 - 70.

[20] 崔英德，郭建维，阎文峰，等．SA - IP - SPS型保水剂及其对土壤物理性能的影响［J］．农业工程学报，2003，19（1）：28 - 31.

[21] 员学峰，吴普特，汪有科，等．添加PAM条件下土壤养分淋溶试验研究［J］．水土保持通报，2003，23（2）：26 - 28.

铅锌冶炼废渣对土壤酶活性影响的试验研究

顾尚义 王 展

（贵州大学资源与环境工程学院 550003）

摘 要 采用贵州西北部地区土法炼锌废渣与黄壤混合后添加不同比例的磷酸二氢钾进行70天的玉米盆栽实验，测定玉米茎叶中的重金属含量与土壤酶活性。结果表明，铅锌冶炼废渣培养的玉米茎叶中重金属含量显著高于其他配比的土壤，试验土壤脲酶与磷酸酶活性与玉米茎叶中的重金属呈显著负相关关系。试验的意义在于，铅锌冶炼废渣进入土壤后具有较大的环境风险，添加磷酸盐固定土壤中的重金属必须有一个适当的比例。

关键词 炼锌 废渣 重金属 酶活性 环境风险

一、引 言

土壤中有机质的矿化速率对土壤的肥力具有显著的影响，而土壤中有机质的矿化速率又取决于土壤微生物的新陈代谢。输入土壤中的污染物将不同程度地影响土壤中微生物的类型及数量。在输入土壤的无机污染物中，重金属（如Pb、Zn、Cd、Cu、Ni等）由于具有极长的滞留时间，因此成为土壤中主要的无机污染物。重金属进入土壤后，会使土壤中微生物产生功能紊乱、蛋白质变性及细胞膜受损，从而影响微生物的生长及正常的新陈代谢（Leita等，1995）。重金属对土壤微生物的影响可以通过以下四种方法进行监测：其一是测量微生物的生物量（Brookes，1995），其二是测量磷脂脂肪酸的组成（Frostegard等，1993），其三是研究土壤动物的群落结构特征（Nordgren等，1985），其四是研究微生物呼吸作用及酶活性。土壤酶作为土壤的有机成分，驱动着土壤的代谢过程，参与土壤发生与发育、土壤肥力的形成和土壤净化等，其活性的大小可较敏感地反映土壤中生化反应的方向和程度，是探讨重金属污染生态效应的有效指标之一（Bechtel等，1994；程根伟等，2003；Ewers，1991）。

此外，许多学者（如张玲等，2006；刘树庆，1996；王广林等，2005；滕应等，2002；Kandeler等，1996；Oliveira等，2006）对铅锌矿区、污灌区、尾矿和工业污水污染土样酶活性进行了广泛研究，但对铅锌冶炼废渣污染土壤的酶活性的研究尚未见报道。

贵州西北部地区是我国著名的土法炼锌发源地，其冶炼历史可追溯到五代时期，到清朝前期锌产量一度居全国首位（余烈海等，2002）。到20世纪90年代断续都有土法炼锌活动，本世纪初基本关闭。土法炼锌基本过程是将磨碎后的铅锌氧化矿石与煤混合后，放入耐火材料制成的蒸馏罐内，罐外用煤加热，氧化锌被还原为金属锌蒸气进入冷凝器内变为锌的熔体，随着温度的下降，锌熔体凝结成固态的粗锌（曾广铣，1958）。由于采用土法冶炼，锌的回收率低，部分锌和大量铅、镉等重金属进入冶炼废渣中，与破损的蒸馏罐、煤渣等一起成为土法炼锌的主要固体废物。由于开采历史久远，产生的铅锌废渣数量极大已无法统计。当地农民将铅锌废渣与土壤一起混合后种植农作物（玉米、豆类、马铃薯）及蔬菜等，导致重金属进入食物链。本文通过采集贵州西北部土法炼锌废渣，与土壤混合后进行玉米盆栽实验，研究铅锌冶炼废渣对土壤酶活性的影响。

二、试验材料与方法

供试废渣取自于贵州省水城县某土法炼锌场，供试土壤取自贵州大学蔡家关校区上寨开垦的农耕地黄壤。黄壤pH值为7.33，有机质含量3.25%，全氮含量为887.35mg/kg，全磷含量为

438.22mg/kg。所有的样品采回后，实验室风干磨碎，过筛，供栽培实验使用。另外，用四分法各取废渣和土壤样品，在105℃条件下烘干磨细，分别过20目、200目筛用于实验分析。供试玉米种子为自交品种，从贵阳市种子市场购买。

取供试废渣和土壤，按照1∶1的比例混合，施加一定量的基肥。试验用小塑料盆（φ20cm×25cm），每盆装混合土渣1.5kg。试验中设计添加不同数量的磷酸盐（以磷酸二氢钾的形式）以测试其对重金属的固定效果，添加数量见表1。另外，用纯土，纯渣+基肥，渣+土+基肥（CK）作对照实验。每个处理重复三次，供玉米栽培实验使用。盆栽实验在户外进行，70天后收割玉米幼苗。

表1　盆培试验中不同配比磷酸二氢钾添加量

编号	K1	K2	K3	K4	K5	K6	K7	K8
添加量/g	28.42	32.09	35.76	39.43	43.10	46.77	50.44	54.11

土壤、渣及玉米植株样品的重金属含量采用混酸分解后，原子吸收分光光度法测试。盆栽土壤脲酶和磷酸酶活性测试见关松荫等（1986）。

三、试验结果与讨论

供试土壤及铅锌冶炼废渣Zn、Cd、Pb和Cu四种重金属元素的含量见表2。

表2　供试材料重金属含量情况

样品名	重金属总量/（mg/kg）			
	Zn	Cd	Pb	Cu
KH_2PO_4	n.d.*	n.d.	n.d.	n.d.
纯土	156.05	0.98	216.43	29.43
纯渣	35399.72	203.87	9346.14	8989.65

注：*表示未检出。

表3　玉米茎叶中重金属含量及土壤酶活性（重金属含量单位：μg/g，酶活性单位：μg/g·h）

处理名称	Zn	Cd	Pb	Cu	脲酶活性	磷酸酶活性
纯土	13.57	n.d.*	n.d.	n.d.	112.82	123.21
纯渣	1922	31.85	324.75	325.10	44.80	11.43
CK	1239	12.56	148.27	75.82	74.34	33.53
K1	1560	25.71	274.82	137.18	73.25	35.28
K2	1426	16.48	196.19	109.18	88.19	39.44
K3	1427	14.56	162.38	99.96	88.88	38.24
K4	1294	14.56	153.50	97.78	78.04	47.04
K5	988	8.21	114.06	61.46	96.37	58.44
K6	1302	17.70	181.67	126.84	94.18	29.81
K7	1478	20.76	237.17	145.30	84.93	35.90
K8	1438	18.35	235.78	144.90	84.24	42.56

注：*表示未检出。

70天后收割玉米茎叶中重金属含量及土壤酶活性见表3，玉米茎叶中重金属含量与酶活性的相关性见图1。

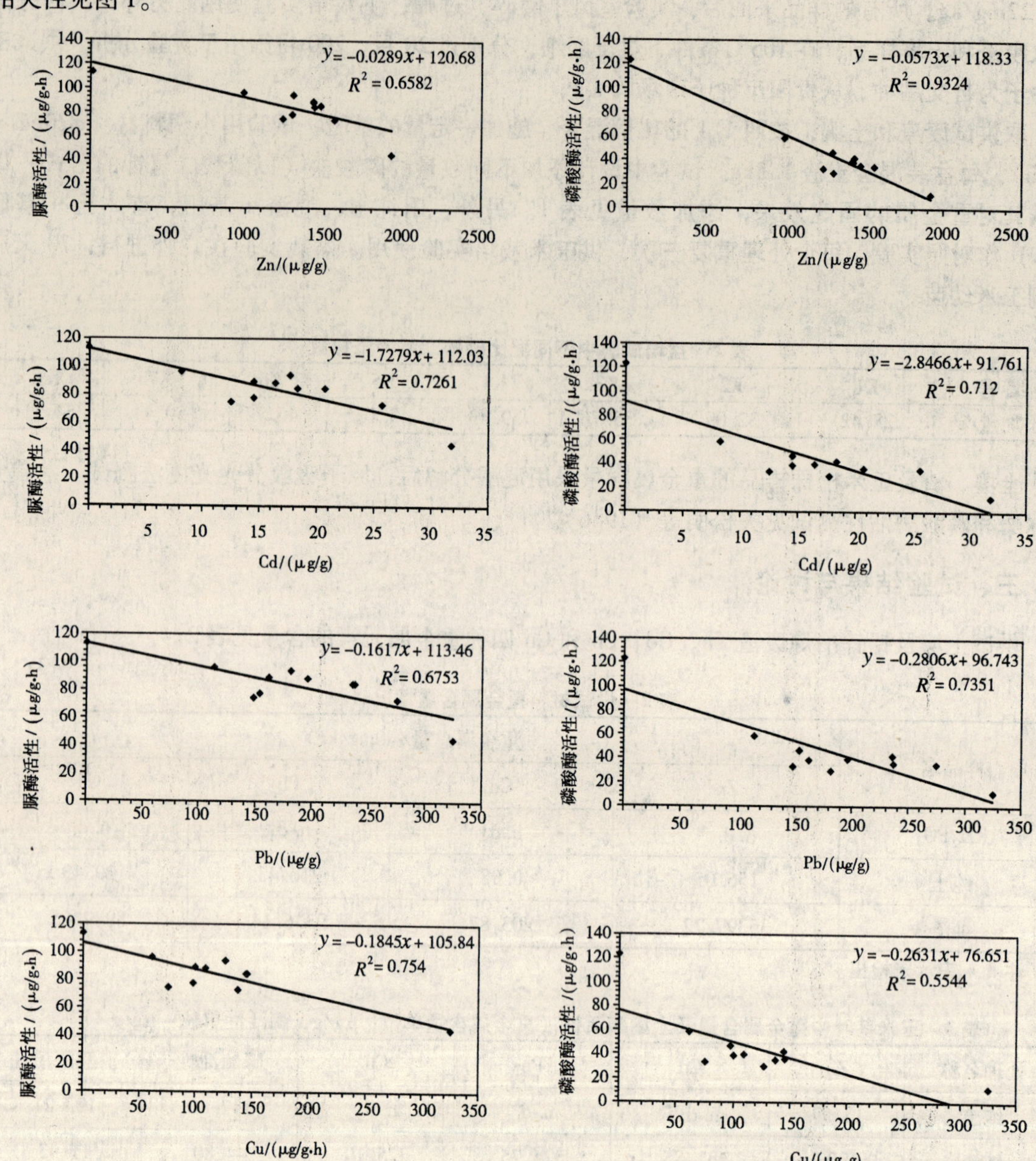

图1　试验土壤玉米茎叶中重金属含量与脲酶和磷酸酶活性的相关关系

从表3和图1可以看出，①纯渣上培养的玉米茎叶中的Zn、Cd、Pb、Cu四种重金属含量显著高于纯土及添加不同磷酸盐的各试验配比，也就是说铅锌废渣中重金属有较高的活性；②玉米吸收Zn、Cd、Pb、Cu四种重金属的量在磷酸盐添加量少时（K1至K5）随磷酸盐添加量的增加而呈递减的趋势，而在磷酸盐添加量多时（K5至K8），则随磷酸盐添加量的增加而呈递增的趋势，在K5配比（1.5kg渣土1∶1比例混合添加43.10g KH_2PO_4）时达到最低；③玉米茎叶中的四种重金属元素与脲酶和磷酸盐酶均呈显著负相关关系，说明铅锌冶炼废渣中的重金属对土壤微生物起到显著的抑制作用。主要原因是铅锌废渣中重金属含量过高，从而没有表现出一些作者观察到的低重金属含量对酶的激活作用（罗运阔等，2009）。

四、结　论

贵州西部北铅锌冶炼废渣中重金属具有较强的活动性，进入土壤后会显著抑制土壤微生物活动，并累积到玉米植株内，因而具有较大的环境风险。此外，用磷酸盐固定土壤中的重金属有一个合理的比例，才能达到较好的效果。

参考文献

[1] 程根伟，余新晓，等. 贡嘎山亚高山森林带蒸散特征模拟研究［J］. 北京林业大学学报，2003，25（1）：23－27.

[2] 关广诜. 土法炼锌 第一辑［M］. 北京：冶金工业出版社，1958.

[3] 关松荫，张志明，张德生. 土壤酶及其研究法［M］. 北京：中国农业出版社，1986.

[4] 刘树庆. 保定市污灌区土壤的 Pb、Cd 污染与土壤酶活性关系研究［J］. 土壤学报，1996，33（2）：175－182.

[5] 罗运阔，朱美英，等. 铅污染下旱地红壤酸性磷酸酶活性的变化［J］. 福建农林大学学报（自然科学版），2009，38（3）：285－288.

[6] 滕应，黄昌勇，龙健，等. 铅锌银尾矿污染区土壤酶活性研究［J］. 中国环境科学，2002，22（6）：551－555.

[7] 王广林，王立龙，王玉鹏，等. 冶炼厂污灌区土壤铜和锌污染与土壤酶活性［J］. 应用生态学报，2005，1（2）：328－332.

[8] 余烈海. 贵州省志·有色金属工业志［M］. 贵阳：贵州人民出版社，2002.

[9] 张玲，叶正钱，李廷强，等. 铅锌矿区污染土壤微生物活性研究［J］. 水土保持学报，2006，20（3）：136－140.

[10] Bääth E. Effects of heavy metals in soil on microbial processes and populations (a review) [J]. Water Air Soil Pollut, 1989, 47: 335－379.

[11] Bechtel H M, Fuhrer H W. Importance of forest hydrological "benchmark—catchments" in connection with the forest decline problem in Europe [J]. Agr For. Meter, 1994, 72: 89.

[12] Brookes P C. The use of microbial parameters in monitoring soil pollution by heavy metals [J]. Biol Fertil Soils, 1995, 19: 269－279.

[13] Ewers F W. The hydraulic architecture of trees and other woody plants [J]. New Phytol, 1991, 119: 345－360.

[14] Frostegard A, Tunlid A et al. Phospholipid fatty acid composition, biomass, and activity of microbial communities from two soil types experimentally exposed to different heavy metals [J]. Appl Environ Microbiol, 1993, 59: 3605－3617.

[15] Leita L, De Nobili M, Muhlbachova G, Mondini C, Marchiol L, Zerbi G. Bioavailability and effects of heavy metals on soil microbial biomass survival during laboratory incubation [J]. Biol Fertil Soils., 1995, 19: 103－108.

[16] Nordgren A et al. Soil microfungi in an area polluted by heavy metals [J]. Can J Bot., 1985, 63: 448－455.

[17] Oliveira A, Pampulha M E. Effects of long－term heavy metal contamination on soil microbial characteristics [J]. Journal of Bioscience and Bioengineering, 2006, 102 (3): 157－161.

土壤化学农药污染与生物修复技术

曲向荣

（沈阳工业大学　沈阳经济技术开发区沈辽西路111号　110178）

摘　要　土壤农药污染问题日趋严重，成为制约食品安全与农业可持续发展的重要瓶颈。因此，开展土壤农药污染修复技术的研究十分必要。本文探讨了土壤农药污染生物修复的机理和生物修复研究的典型实例，并对土壤农药生物修复研究的前景进行了展望。

关键词　化学农药　污染土壤　生物修复

一、农药污染土壤生物修复机理

（一）农药在生物体内富集转化

植物和微生物均可将农药吸收、富集于体内进行转化降解。在辛醇－水分配系数为 lgKow = 0.5～3 的土壤中，植物可吸收农药，在体内进行代谢转化；通过木质化作用成为植物的组成部分；通过矿化作用转变为 CO_2 和 H_2O；经植物蒸腾作用挥发到大气中；产生无毒的中间代谢产物储存在植物的细胞组织中。转化脱毒的一个重要反应就是羟基化作用，在细胞内进行化学转变，如除草剂在植物体内转化过程中形成烷基基团，羟基化生成尿素。除了羟基化外，还有脱硫（氨）反应及水解反应等，水解酶的降解机制不尽一致，以磷酸三酯酶为例，它可切断磷原子与解离基团之间的键，得到的水解产物磷酸化能力降低，毒性下降。农药在植物体内的转化基本上属于酶氧化降解过程，一般需多步完成，其中多功能酶－细胞色素 P_{450} 对每一步都起作用，能催化氧化和过氧化反应。植物体内还有一种微粒体单氧化酶，能使单环和多环芳烃转化为羟基化合物而被植物吸收利用。

（二）农药在生物体外转化降解

植物和微生物都能分泌一些酶及特殊的化学物质，如植物根系能分泌脱卤酶、硝酸还原酶、漆酶、过氧化物酶和腈水解酶等。这些酶可有效降解土壤中的有机农药，如脱卤酶可降解含氯的四氯乙烯（TCE），亚硝基还原酶可降解含硝基的有机农药。漆酶含四个铜原子，可催化酚类物质形成阴离子自由基，继而再与其他酚类化合物进行酶催化或非酶催化的水合、歧化等反应将农药降解。微生物也可以外泌漆酶、过氧化物酶、酪氨酸酶，它们能与含氯有机农药发生耦合反应，使有机农药分解或失去活性。如酪氨酸酶（多酚氧化酶类）催化酚羟基化以及氧联苯酚的脱氢作用，从而消除土壤中的农药污染。一般农药都含苯环，过氧化物酶可将过氧化氢分解为羟基，羟基易与苯环上的原子进行亲电加成反应从而解环，使农药毒性丧失。

（三）根系－微生物系统的农药降解

根系－微生物系统实质上是由植物根系与微生物和周围环境共同组成的微区，该系统降解农药效率明显高于单一的根系或微生物。

原因在于：植物根系能分泌一些营养物质，如糖类、磷酸及蛋白质等供微生物生存，从而影响土壤中微生物种群的数量与活性。而微生物与植物形成菌根，既提高了植物对农药的耐受性，又实现了农药作为菌根中微生物与植物养分的资源化利用。

另外，根系的呼吸作用和一些酸性分泌物质（如有机酸）能改变土壤环境的 pH 值，从而间接影响有机农药的分解。微生物能产生生物表面活性剂，以增加有机农药的水溶性，继而使植物和微生物得以利用农药作为自身能源，也使得植物和微生物对农药的吸收更加容易。植物根系对土壤的机械穿插作用可改善土壤的氧气状况，促进好氧菌群的扩增及酶的释放，从而提高农药的降解效率[2]。

二、农药污染土壤生物修复技术研究的典型实例

（一）土壤农药污染的微生物修复研究

大量研究表明，微生物修复是治理农药污染土壤的最为有效的方法。

微生物修复是指在适当向土壤中添加氮、磷等营养物质的同时，在充足供氧条件下，通过微生物代谢活动降解，去除残存在土壤中的农药的一种方法。微生物可以是土壤中原有的或经过驯化培养的土著微生物，也可以是从外部引进或利用基因工程方法培育的菌种。

实验表明，土壤环境中农药的清除主要靠细菌、放线菌、真菌等微生物的作用。如DDT可被芽孢杆菌属、棒杆菌属、诺卡氏菌属等降解；五氯硝基苯可被链酶菌属等降解。残留在土壤中的农药，经过种种复杂的转化、分解，最终将农药分解为二氧化碳和水。

Ding Keqiang等将分离出的有机氯农药（HCH、DDT）降解菌株制成复合菌剂，应用于盆栽实验和田间小区实验，所得的降解效应类似于纯培养实验，对HCH、DDT的降解率达到了50%～60%[3]。裘娟平等人通过循环富集法筛得多效唑高效降解菌群，并建立了受多效唑污染土壤的再生修复技术，35天土壤中多效唑的降解效果达86.2%[4]。杨丽从蔬菜大棚土壤中分离到一株能以毒死蜱为唯一碳源和能源生长的菌株DSP_3，该菌株在土壤实验中20d对毒死蜱的（100mg/kg）的降解率接近100%[5]。蒋建东等人通过同源重组法构建多功能农药降解基因工程菌，在相同的降解条件下，工程菌CDS－mps和CDS－2mpd在1～2h内便可迅速降解甲级对硫磷（MP），呋喃丹也可在30h内完全降解[6]。南京农业大学已筛选出了30多株高效安全的农药残留降解菌株，克隆出水解酶基因1个，构建工程菌株3株，分为有机磷类、氨基甲酸酯类、菊酯类、有机氯类、有机氮类，入库菌株农药残留降解率达到85%以上。其中有机磷降解菌株DLL－1（pseudomonas putida）在山东省滨州市惠民县拱棚韭菜地进行了实验，施用3d后其对辛硫磷、甲基对硫磷的降解率分别达到了99.52%、98.83%[7]。

（二）土壤农药污染的植物修复研究

植物修复就是利用植物的吸收、降解（包括植物降解或植物－微生物的共代谢作用降解）、过滤和固定等作用来净化土壤中残存农药的一种方法。

Kruger等研究发现，地肤草可明显吸收多年沉积在土壤中的阿特拉津，使土壤中阿特拉津的含量显著减少。

Schnoor等为了防治依阿华州农业径流的污染，沿河栽种杨树建立缓冲带，8m宽，共4排，合每公顷10000株，目的是截留和去除除草剂莠去津和硝酸盐对河流下游和地下水的污染。经过检测，种植杂交杨地表水的硝酸盐含量由50～100mg/L减少到小于5mg/L，并有10%～20%的除草剂莠去津被树木吸收。

Perkovich等研究发现，种植在含莠去津上的地肤草大大加速了莠去津在根际区的矿化，36d后其矿化率达到了62.1%，而未种植土壤与灭菌土壤则分别为48.7%与4.4%。这是由于根际菌群的存在可显著提高植物对莠去津的吸收与代谢，同时有的代谢直接发生在根际菌群。

Caskin等研究发现，在外部根际菌群与宿主植物松树共存时，莠去津的修复效率比单独的松树植物修复效率高3倍。

Sandman研究证明许多植物根际区的农药降解速度快，降解率与根际区微生物数量的增加呈正相关，而且发现多种微生物联合的群落比单一种的种群对化合物的降解有更广泛的适应范围。但并非所有植物对化学物质都有降解能力，它们之间的关系有很强的选择性，主要原因是不同植物种分泌不同的物质，而不同微生物对根系分泌物有所选择。另外，植物对化学物质的适应或敏感程度也不相同。如使用2，4－D除草剂后，降解2，4－D这种除草剂的细菌群落数量在甘蔗

根际有增加，但在非洲三叶草根际不增加。2，4-D对除去双子叶杂草有效而不伤害甘蔗，所以甘蔗可作为2，4-D的修复植物[8]。

张超兰等研究了在有机氯农药六六六（HCH）质量分数为1.09mg/kg的污染土壤中种植多花黑麦草（*Lolium multiforum Lan.*）、紫花苜蓿（*Medicago sativa L.*）和籽粒苋（*Amaranthus hypochonariacus L.*）3个月HCH的消解情况。结果表明，与对照相比，种植植物大大提高了土壤根际区微生物的数量和酶的活性，并且根际区微生物的数量和酶的活性与土壤中HCH的消解情况密切相关，说明土壤中HCH的消解主要在于植物的根际效应，尤其是植物根部释放的酶和根际区微生物的共同作用。3个月后，不同处理中HCH及其4种异构体的总含量降低幅度为43.87%~65.79%，其中种植紫花苜蓿和多花黑麦草的处理中HCH的消解较快，对HCH污染土壤修复的效果较好[9]。

三、农药污染土壤生物修复技术研究展望

在各种消除农药污染的措施中，生物修复虽然受农药的种类、环境条件等因素的限制，但因其高效、安全、成本低、无二次污染等最具有发展前景，这方面的研究将继续快速发展，并推动应用的步伐。

在今后一段时间内，生物修复技术的研究将在以下领域进一步展开：①白腐真菌降解农药的应用研究；②降解农药的微生物种资资源和基因资源的收集与保存；③高分子有机农药降解过程中的共代谢机理研究；④农药微生物降解的代谢途径和降解基因及降解酶的酶学特性研究；⑤通过筛选或基因工程构建高效降解农药的微生物菌株和植物的研究；⑥农药微生物修复的影响因素研究，特别是如何调控根系分泌物与根际微生物对农药的降解转化机理的研究；⑦生物修复与理化方法结合的综合技术的研究；⑧农药污染物的资源化与生物修复的产业化研究；⑨植物和微生物的不当引入可诱发生物入侵，导致生态失衡问题的研究等；⑩生物修复的技术政策和法规研究及农药污染土壤的修复基准和标准的研究；⑪农药污染土壤的场地识别和场地监测的程序、方法及标准的研究；⑫农药污染土壤生物修复的运行机制、运行费用的标准与实际管理研究；⑬农药污染土壤生物修复市场现状及产业化发展方向研究等。

总之，我国农药污染土壤生物修复技术的研究和应用尚处于初级阶段，还需要进一步加强研究和示范，尽快编写农药污染土壤生物修复技术设计手册，加以推广应用和产业化，使得该项技术逐步走向成熟。

参考文献

[1] 陈艳红，等. 受污染土壤的微生物修复 [J]. 环境科学与管理，2008，33（8）：114-117.

[2] 陈菊，等. 土壤农药污染的现状与生物修复 [J]. 生物学教学，2006，31（11）：3-6.

[3] Ding Keqiang et al. Bioremediation of soil contaminated with petroleum using forced-aeration composting [J]. Pedosphere, 2002, 12 (2): 145-150.

[4] 裘娟平. 耕地受多效唑污染土壤的再生修复技术 [J]. 土壤学报，2002，39（1）：45-51.

[5] 杨丽等. 一株毒死蜱降解细菌的分离鉴定及其在土壤降解中的应用 [J]. 微生物学报，2005，45（6）：905-909.

[6] 蒋建东，等. 同源重组法构建多功能农药降解基因工程菌研究 [J]. 生物工程学报，2005，21（6）：884-891.

[7] 李顺鹏. 农药污染土壤微生物修复研究进展 [J]. 土壤，2004，36（6）：577-583.

[8] 沙净，等. 农药污染土壤植物技术研究进展 [J]. 安徽农业科学，2008，36（6）：2509-2523.

[9] 张超兰，等. 有机氯农药六六六污染土壤的植物研究 [J]. 生态环境，2007，16（5）：1436-1440.

土壤中十溴联苯醚的厌氧、好氧降解研究

邹梦遥[1,2]　冉　勇[2]

（1. 中科院广州地球化学研究所有机国家重点实验室　广州　510640；2. 仲恺农业工程学院环境科学与工程学院　广州　广州市海珠区纺织路东沙街24号　510225）

摘　要　本论文初步研究了好氧、厌氧培养条件下十溴联苯醚（BDE－209）在加标土壤中降解转化的规律。在好氧、厌氧条件下培养35周后，BDE－209在土壤中的浓度分别降低了20%（好氧）和30%（厌氧）左右。低溴$\sum_{39}$PBDEs在第8周的积累量达到最大值，但其生成量仅为起始BDE－209摩尔浓度的0.04%（好氧）和0.076 %（厌氧）；且在0～35周内低溴代的BDEs不断累积增多；有机酸的加入能促进厌氧反应中BDE－209的降低及低溴BDEs的生成。

虽然有大量的研究表明，BDE－209溶于有机溶剂中，有催化剂或无催化剂的条件下，在紫外光或日光的照射下会迅速脱溴降解为低溴代的BDEs[2,4]，但到目前为止对微生物降解PBDEs的研究报道并不多，生物降解BDE－209的研究还是以生物体内代谢研究为主。由于PBDEs主要富集于底泥中，研究多溴联苯醚在环境中的微生物降解也多以厌氧条件为主。相关研究表明：BDE－209的降解符合Pseudo一级降解反应速率常数，且降解反应脱溴发生在对位和间位[6]；He[7]等人则利用已知菌种对PBDEs进行纯培养降解研究，发现十溴和八溴同系物可以脱溴降解产生毒性更强的五溴、六溴代同系物。在Tokarz等人仿生实验中，BDE－209的半衰期为18s，而在沉积物厌氧培养中，由于吸附的影响，其半衰期却可以长达十余年[10]。产物鉴定（定性和定量）是脱溴降解研究的一个难点。Robrock等人[9]使用二维气相色谱GC－GC检测了八溴工业品（DE－79）和BDE－47，－99在脱氯或脱卤厌氧菌下的脱溴产物。发现脱溴途径和产物大致相同，主要发生在对位和间位，且高溴代BDEs脱溴比低溴代BDEs更难。

一、材料与方法

（一）材料与标准物

PBDEs标样（Accustandards，USA）包括39种混合标样（包括BDE－1，－2，－3，－7，－8，－10，－11，－12，－13，－15，－17，－25，－28，－30，－32，－33，－35，－37，－47，－49，－66，－71，－75，－77，－85，－99，－100，－115，－118，－119，－126，－138，－153，－154，－155，－165，－181，－183，－190 IUPAC命名）和单标化合物标样BDE－209；内标为13C－PCB208（Cambridge Isotope Laboratories）；回收率标样为13C－PCB141（Cambridge Isotope Laboratories）和PCB209（Accustandards，USA）。

（二）土壤加标

加标土壤采自华南农业大学岑村教学科研基地的玉米地土壤（2006年8月21日）。去除表层枯枝落叶及大颗粒后，采表层0～10cm土壤。采集的土壤自然风干，过20目筛后加标。取部分未加标土壤过80目筛，用于测定其PBDEs的本底含量。

加标理论浓度为20ppm，即20μg/g土壤。称取工业品BDE－209粉末溶解于一定量的二氯甲烷中，少量多次地加入到预先称好的少量土壤中，于具塞锥形瓶中手摇5min以混匀，加标完成后再手摇10min。所有加标的土壤再置于铝盆中进一步混匀，最终得到20ppm加标土壤。

（三）加标土壤的老化

加标土壤老化的目的是让BDE－209在土壤中的吸附分配达到平衡。加标后的土壤在铝盆中

待溶剂挥发一周后，保持80%田间持水量的湿度条件培养老化30d。老化过程中每天加水补充流失水分并避光。

（四）降解实验

老化30d后的土样再一次自然风干，研磨过80目筛，开始降解实验。由于加标过程中溶剂对土壤微生物破坏严重，因此降解实验之前引入微生物菌种以增加土壤微生物活性。将采自大坦沙污水处理厂污泥浓缩池的活性污泥经2400r/min离心后，取上清液加入到已加标的土壤中。

引入微生物菌种之后的加标土壤进行好氧、厌氧实验。分别包括3个反应组，即加入0.2%的$HgCl_2$的抑菌控制组、加入4种低分子有机酸（每种有机酸加入量为2.5 mmol/kg，有机酸总量为10 mmol/kg）的促进组和仅加标的反应组。每种处理均为200 g加标土壤，设两个平行，各自取样测定。

控制反应条件，开始好氧和厌氧的模拟反应。反应条件分别为：①好氧：光照培养箱中进行，培养温度25℃，有空气对流，无光照，每天加水至24%含水量以补充流失水分；②厌氧：棕色血浆瓶中，水封高出5 cm，瓶顶充氮气，瓶塞塞紧密封，培养温度25℃。培养时间为0～35周，分别于0，1，2，4，8，12，16，25，35周取样。

（五）取样分析

取样时，好氧样品按深度多点取样混匀，厌氧样品则在厌氧箱中充氮气的环境条件下从血浆瓶中按深度多点取样混匀。取出的样品冷冻干燥后研磨过80目筛，具体分析方法见相关文章（邹梦遥等，2009）。

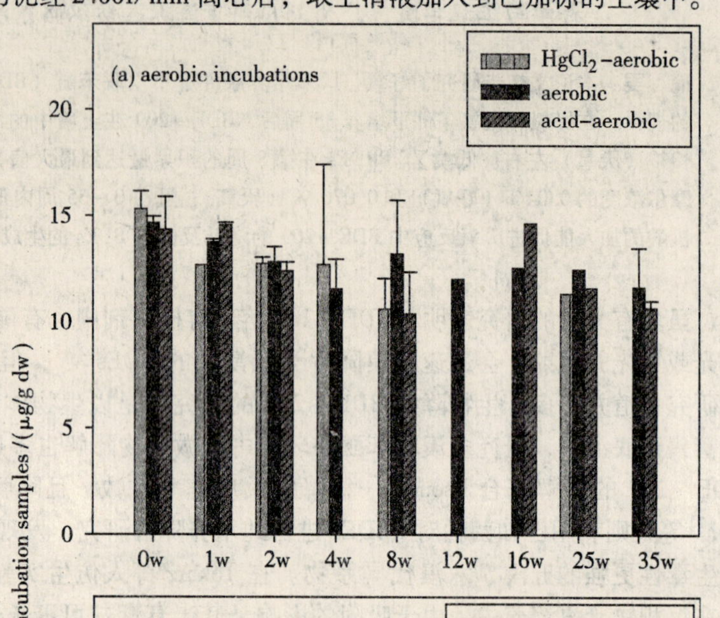

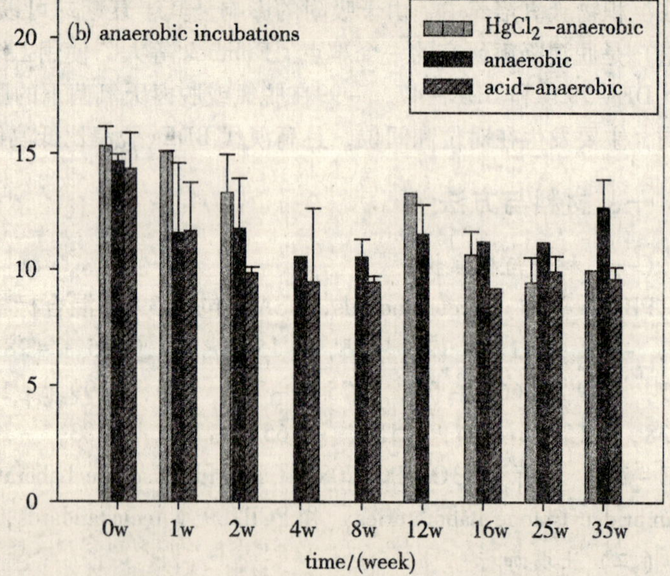

图1　各好氧、厌氧反应组中BDE-209的浓度

QA/QC：方法空白中仅有少量的BDE-47被检出，含量为0.017ng，低于样品含量。PCB-141和PCB-209的平均回收率为97.43%、104.7%；rsd值为12.35%、17.48%。

二、结果与讨论

（一）加标均质性

加标后立即随机分散取5个样品分析以确定其加标是否达到均质化。分析结果表明，5个加标样品中BDE-209的浓度分别为21.18、21.15、24.31、21.54、26.28 μg/g，平均值为22.90

μg/g（rsd = 10.08%）。加标过程基本上达到均质化。

（二）土壤及 BDE－209 工业品的本底值

所加的工业品溶于正己烷后进样分析（20ppm BDE－209），与 39 种标样对比，仅检测到略高于检测限的 BDE－153 和 BDE－183，由工业品 BDE－209 带来的低溴 BDEs 含量可以忽略不计。

在分析的两个未加标土壤样中，主要组成仍然是常见的 10 种 BDEs，$\sum_{39}$ PBDEs 的含量分别为 0.450ng/g 和 0.499 ng/g（平均值为 0.475 ng/g），BDE－209 的含量分别为 9.2ng/g 和 10.2 ng/g（平均值为 9.7 ng/g），与自然土壤中 PBDEs 的含量处于同一数量级（邹梦遥等，2009）。加标后 2 个土样的分析结果表明，$\sum_{39}$ PBDEs 的含量分别为 5.618ng/g 和 7.843 ng/g（平均值为 6.731 ng/g），是加标前浓度的 14 倍左右。由于所加入的 BDE－209 工业品中低溴 BDEs 含量几乎可以忽略不计，因此可能是BDE－209 在加标过程中发生了光解。有大量研究表明 BDE－209 在溶剂中的光解速度很快，比如在水/甲醇（2∶8）中，BDE－209 的半衰期仅为 0.5h（Eriksson，Green et al.，2004），而本实验加标过程历时 1d。因此，下面的讨论以老化 30d 后、加入有机酸或加 $HgCl_2$ 的土壤处理样品第 0 周为基点。

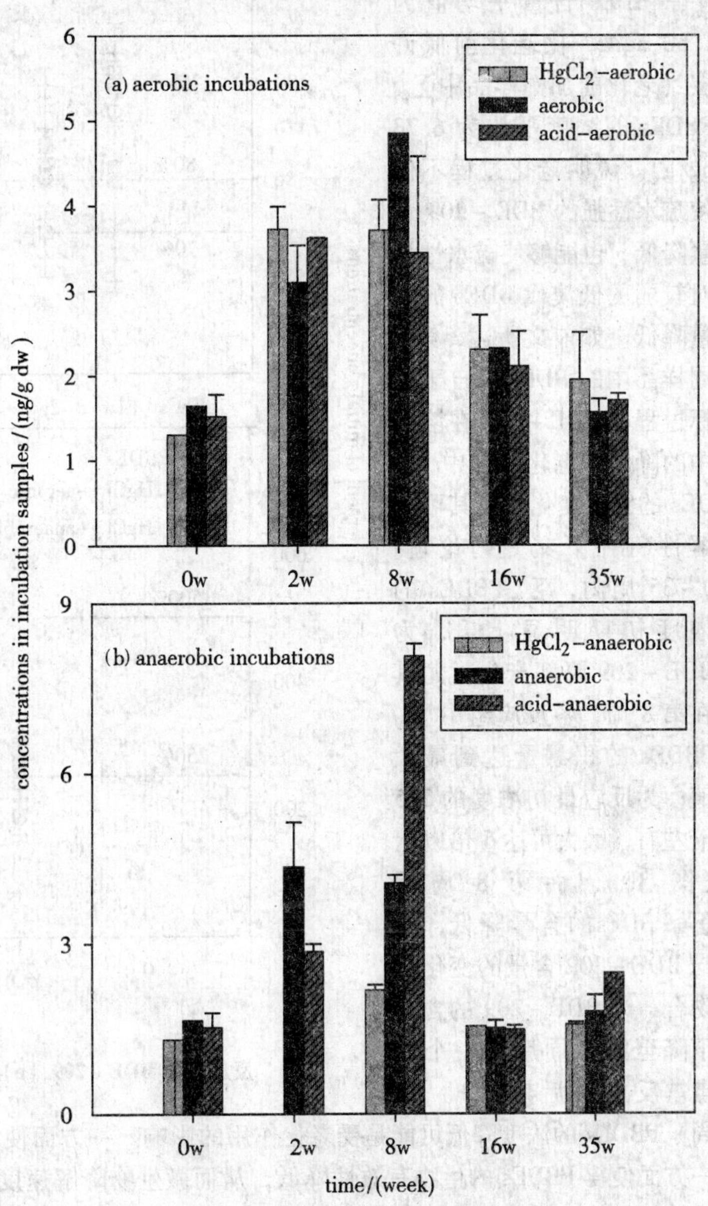

图 2　各好氧、厌氧反应组中 $\sum_{39}$ PBDEs 的浓度

（三）BDE－209 及 $\sum_{39}$ PBDEs 的浓度变化

35 周内，各反应 BDE－209 的浓度见图 1（舍弃点为分析定量明显有误的点）。老化 30d 后，第 0 周土壤中 BDE－209 的浓度有较大程度的下降，从加标后的平均值 22.90 μg/g 下降至第 0 周的平均值 14.78 μg/g（rsd = 6.17%），说明老化过程会引起可抽提 BDE－209 含量的降低（Vonderheide，Mueller－Spitz et al.，2006）。其中，厌氧反应条件下 BDE－209 降解程度大于好氧反应条件。8 周后厌氧反应 BDE－209 的浓度最终稳定在 10～11 μg/g，为初始浓度的 70% 左右（图 3a），好氧反应 BDE－209 的浓度则稳定在 12～14 μg/g，为初始浓度的 80% 左右（图 3a）。有机酸的加入促进了 BDE－209 浓度的降低，厌氧加有机酸的反应条件下，BDE－209 的浓度最终平衡在大约 9 μg/g，为初始浓度的 65% 左右。控制对照组中 BDE－209 的浓度也发生了变化，可能与抑菌剂的抑菌效果不佳或失效或所加浓度不够有关。

低溴代$\sum_{39}$PBDEs 的浓度变化如图 2 所示。从图 2 中可见，第 0 周的样品中$\sum_{39}$PBDEs 含量平均值为 1.50 ng/g，比老化前低许多（老化前加标样品中$\sum_{39}$PBDEs 的浓度平均为 6.73 ng/g）。说明老化过程不仅使疏水性强的 BDE－209 含量降低，也能够使疏水性相对较弱的低溴代 BDEs 的含量降低。如前文所述，第 0 周样品中的 BDEs 来自于加标过程中 BDE－209 在溶剂中的降解。老化过程中 PBDEs 的浓度变化以及其可降解性将在下文专门论述。0～35 周内，$\sum_{39}$PBDEs 的浓度初期明显上升，为 BDE－209 降解产生。尤其在第 8 周，各反应组中$\sum_{39}$PBDEs 的积累量达到最大值，为反应最初浓度的 2.5 倍左右，最大可达 5 倍以上（图 3b）。而第 8 周后$\sum_{39}$PBDEs的含量降低，并与 BDE－209 含量的变化相吻合，即 BDE－209 的含量下降至第 8 周后达一个低点。反应中后期（8～35 周）PBDEs 的浓度降低可能是受老化作用的影响。一方面使得可抽提的 PBDEs 的含量降低，另一方面使得 PBDEs 的生物有效性降低，从而微生物降解速度降低。此外，实验过程中并未补充维持微生物生长的营养元素，且低溴 BDEs 往往比 BDE－209 的毒性更强[3]，也可能使得反应中后期微生物生长受到营养条件和 BDEs 毒性的限制，从而引起 BDE－209 浓度下降趋于平衡（图 3）。

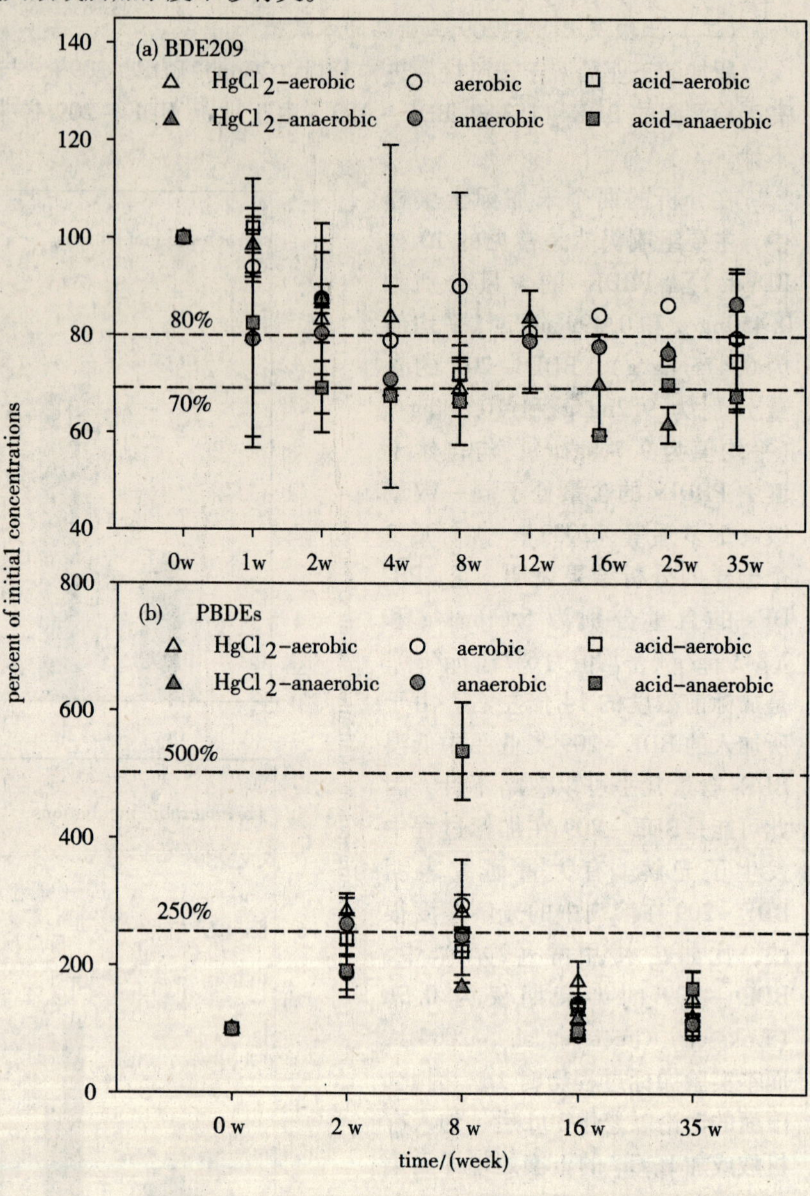

图 3　反应期内 BDE－209（a）及$\sum_{39}$PBDEs（b）的浓度变化率

厌氧体系中 BDE－209 降低及$\sum_{39}$PBDEs 生成的绝对含量要高于好氧反应体系，说明厌氧反应体系比好氧反应体系的降解作用更强。有机酸的加入对厌氧体系有明显的促进作用，尤其是第 8 周，生成较多的低溴 BDEs。

（四）老化过程对 BDE－209 降解的影响

老化作用是由于土壤中有机质对疏水性化合物的吸附引起，由于存在慢吸附过程，疏水性有机化合物在土壤/沉积物中的平衡往往需要很长一段时间。在 39 种检测的 BDEs 中，35 周培养期内各反应组检出率较高的 BDEs 主要有 BDE-28，-37，-47，-49，-66，-99，-100，-153，-154，-183，因此以下讨论主要针对该 10 种 BDEs 的变化展开。Litz（Litz，2002）等人对土壤中五溴联苯醚的降解行为的研究表明，第 0 周开始，沙石和腐殖质上 PeBDE 的浓度逐渐下降，至第 8 周趋于平稳。与本实验中的结果一致，表明土壤/有机质上 PBDEs 浓度的降低与基质本身有较大关系，很可能是受有机质的吸附/老化作用影响。样品老化前后 BDE-209 和 $\sum_{39}$PBDEs 的浓度变化及低溴 BDEs 的摩尔百分比分别见表 1 和图 4。

表 1 老化前后样品中 BDE-209 及 $\sum_{39}$PBDEs 的含量变化

	30d 老化前			30d 老化后	
	BDE-209/（μg/g）	$\sum_{39}$PBDEs/（ng/g）		BDE-209/（μg/g）	$\sum_{39}$PBDEs/（ng/g）
加标土壤 1	21.18	-a	第 0 周土壤 1	14.44	1.645
加标土壤 2	21.15	—	第 0 周土壤 2	14.88	—
加标土壤 3	24.31	—	第 0 周土壤 3	15.44	1.702
加标土壤 4	21.54	5.618	第 0 周土壤 4	13.26	1.338
加标土壤 5	26.28	7.843	第 0 周土壤 5	14.72	—
			第 0 周土壤 6	15.91	1.304
平均	22.9	6.731		14.77	1.497
rsd	10.08%	23.40%		6.17%	13.71%

有研究表明，土壤有机质的吸附作用对于短期内 PBDEs 的削减有着很大的影响（Zegers，Lewis et al.，2003）。受老化作用的影响，BDE-209 和 $\sum_{39}$PBDEs 的质量平衡计算难以实现。BDE-209 的含量处于 μg/g 数量级，而低溴 PBDEs 的含量仅为几个 ng/g。相比 BDE-209 含量的降低，本研究中好氧及厌氧环境中 $\sum_{39}$PBDEs 的最大积累量（可抽提出来的最大值，即第 8 周样品）分别为 4.847ng/g 和 8.066ng/g，总摩尔数分别为 8.464×10^{-12} 和 14.035×10^{-12} mol/g，扣除第 0 周总摩尔数后仅为第 0 周 BDE-209 摩尔数（15×10^{-9} mol/g，表 1）的 0.04% 和 0.076%（虽然此次定量的 BDEs 只有 39 种，但已经包括环境中绝大部分常见的 BDEs）。而 BDE-209 在 8 周内的降低量为 20%~30%，这表明在土壤及沉积环境中 BDE-209 的微生物可降解程度极低，而 BDE-209 浓度的降低主要是由于土壤有机质的吸附，导致可抽提态的降低。

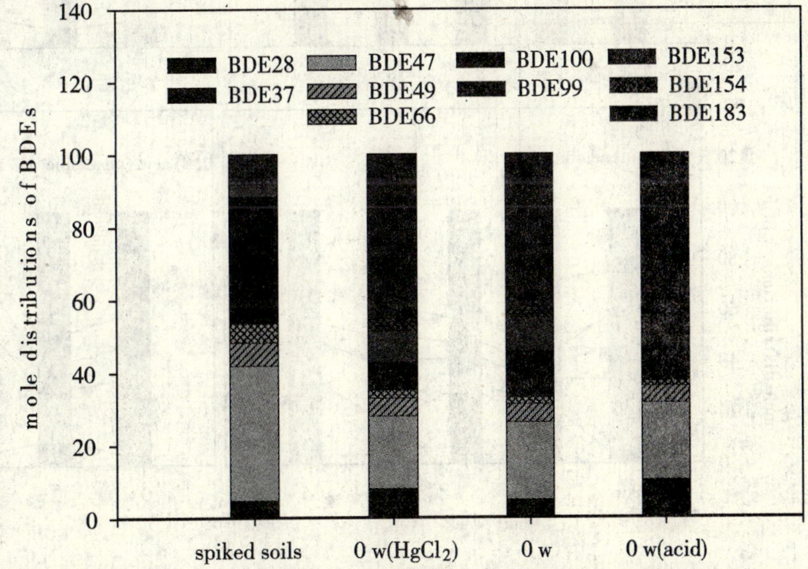

图 4 加标土壤老化前后 BDEs 的摩尔百分比组成

（五）低溴 BDEs 的摩尔组成变化

由于没有对八溴、九溴的 BDEs 进行鉴定分析，以下讨论仅限于 7 溴-1 溴的 BDEs。将主要检出的 10 种 BDEs 依据其溴原子数目分成三溴（包括 BDE-28，-37），四溴（BDE-47，

-49，-66），五溴（BDE-100，-99），六溴（BDE-153，-154）及七溴（BDE-183）5个组分。各反应组中PBDEs的摩尔百分比组成见图5。

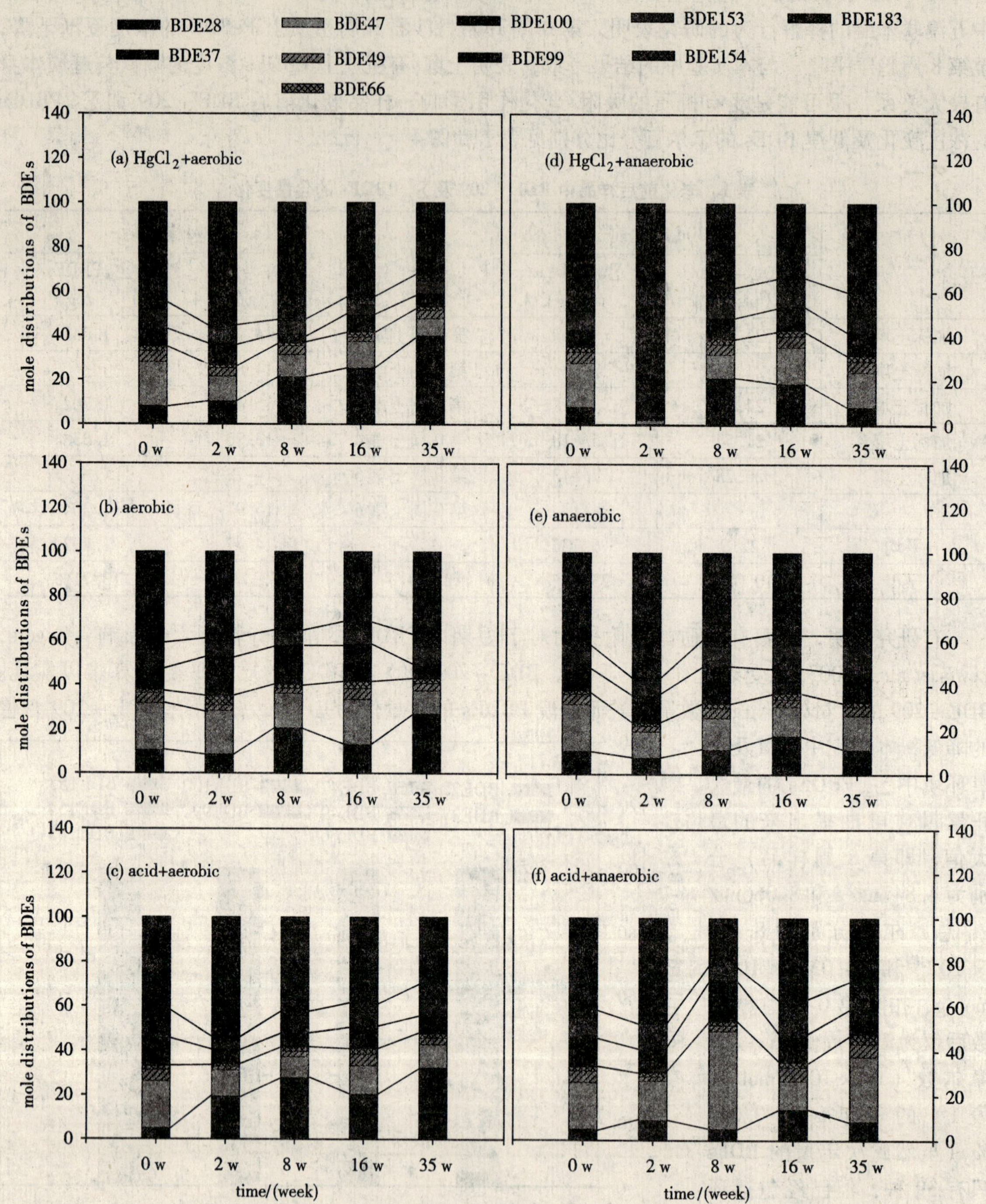

图5　0~35周内各反应组中低溴BDEs的摩尔组成

大量研究表明，PBDEs在初期降解速度很快，中后期速度逐渐缓慢降低。且溴原子越少的低溴BDEs，其降解的速度越慢（Fang，Huang et al.，2008）。老化30d后，加标土壤中BDEs的摩尔组成发生了较大的变化，高溴代化合物BDE-183，-154，-153的摩尔百分率明显大幅度增加，这表明老化过程中，BDE-209有降解现象，生成低溴代的BDEs（图4）。

BDE-183的摩尔百分率增加的趋势从老化开始一直持续到降解反应的第2周，表明BDE-

209 首先降解为高溴代的 BDEs。到第 8 周，BDE－183 的摩尔百分率开始下降，更低溴的 BDEs 开始生成并累积。且一直到 35 周，BDE－183 的摩尔百分率整体上呈现逐渐下降趋势，表明 BDE－183 等高溴的产物也发生了二次脱溴降解。6 溴代的 BDEs，即 BDE－153、－154 摩尔百分比较高的时段出现在第 16～35 周，表明 7 溴的 BDEs（BDE－183）从第 8 周的摩尔百分比开始降低后，6 溴的 BDEs 开始累积。这说明土壤中 PBDEs 可历经逐级脱溴的过程降解。

五溴代的 BDE－100 和－99 在整个时段内，各组中并未呈现一致规律，不同处理组差别较大，在 2～16 周好氧反应组（图 5b ）和厌氧加有机酸处理组（图 5f）中摩尔百分率较高。四溴代的 BDE－47，－49 和－66 除了厌氧加有机酸处理组（图 5f）中摩尔百分率相比第 0 周增加较多以外，其他各处理组中的摩尔百分率基本不变，或者略有降低。三溴代的 BDE－28，－37 在好氧反应组中有明显的增加（图 5a，b，c）。这可能与好氧、厌氧反应条件有关。

三、结　论

好氧、厌氧条件下培养 35 周后，BDE－209 在加标土壤中的浓度分别降低量比低溴 BDEs 的生成量高三个数量级，表明受老化作用的影响土壤中 BDE－209 的降解率极低。PBDEs 在土壤中可历经逐级脱溴的过程降解，且厌氧反应条件下的降解作用大于好氧条件，有机酸的加入能促进厌氧反应中 BDE－209 的降低及低溴 BDEs 的生成。

参考文献

[1] 邹梦遥，龚剑，冉勇．珠江三角洲流域土壤中多溴联苯醚（PBDEs）的分布及其环境行为研究［J］．生态环境学报，2009，18（1）：122－127.

[2] Ahn，M.－Y.，T. R. Filley，et al.．“Photodegradation of decabromodiphenyl ether adsorbed onto clay minerals，metal oxides，and sediment.” Environmental Science and Technology，2006，40（1）：215－220.

[3] Darnerud，P. O. “Toxic effects of brominated flame retardants in man and in wildlife.” Environment International，2003，29（6）：841－853.

[4] Eriksson，J.，N. Green，et al. “Photochemical decomposition of 15 polybrominated diphenyl ether congeners in methanol/water.” Environmental Science and Technology，2004，38（11）：3119－3125.

[5] Fang，L.，J. Huang，et al. “Photochemical degradation of six polybrominated diphenyl ether congeners under ultraviolet irradiation in hexane.” Chemosphere，2008，71（2）：258－267.

[6] Gerecke，A. C.，P. C. Hartmann，et al. “Anaerobic degradation of decabromodiphenyl ether.” Environmental Science and Technology，2005，39（4）：1078－1083.

[7] He，J. Z.，K. R. Robrock，et al. “Microbial reductive debromination of polybrominated diphenyl ethers（PBDEs）.” Environmental Science and Technology，2006，40（14）：4429－4434.

[8] Litz，N. “Some investigations into the behavior of pentabromodiphenyl ether（PeBDE）in soils.” Journal of Plant Nutrition and Soil Science，2002，165：692－696.

[9] Robrock，K. R.，P. Korytár，et al. “Pathways for the anaerobic microbial debromination of polybrominated diphenyl ethers.” Environmental Science and Technology，2008，42（8）：2845－2852.

[10] Söderström，G.，U. Sellström，et al. “Photolytic debromination of decabromodiphenyl ether（BDE 209）.” Environmental Science and Technology，2004，38（1）：127－132.

[11] Tokarz，J. A.，M.－Y. Ahn，et al. “Reductive debromination of polybrominated diphenyl ethers in anaerobic sediment and a biomimetic system.” Environmental Science and Technology，2008，42（4）：1157－1164.

[12] Vonderheide，A. P.，S. R. Mueller－Spitz，et al. “Rapid breakdown of brominated flame retardants by soil microorganisms.” Journal of Analytical Atomic Spectrometry，2006，21（11）：1232－1239.

[13] Zegers，B. N.，W. E. Lewis，et al. “Levels of polybrominated diphenyl ether flame retardants in sediment cores from western Europe.” Environmental Science and Technology，2003，37（17）：3803－3807.

土壤宏基因组中六六六脱卤素酶基因（linA 和 linB）的克隆及表达

张　衡[1,2]　万　华[1,2]　刘思璐[1,2]　宋文丽[1,2]　江　红[1]　乔传令[1]

（1. 中国科学院动物研究所农业虫害鼠害综合治理国家重点实验室　北京　100101；
2. 中国科学院研究生院　北京　100049）

摘　要　生物降解是一种用来去除环境中六六六残留的高效、安全的技术。本研究中我们提取了六六六污染的土壤宏基因组 DNA，并以此为模板成功克隆了负责六六六起始降解的关键脱卤素酶基因 linA 和 linB。随后构建了这两个基因的表达载体，并转化大肠杆菌中实现了脱卤素酶的高水平功能性表达。本研究为六六六降解基因工程菌的构建和生物修复提供了理论基础和可行性，也为建立该土壤的宏基因组文库筛选新的功能基因和筛选六六六高效降解菌奠定了基础。

关键词　六六六　生物降解　脱卤素酶基因

六六六（Hexachlorocyclohexane，HCH）是一种广谱性的有机氯杀虫剂，主要由 α、β、γ 和 δ（甲体、乙体、丙体和丁体）4 种异构体构成，持久性顺序为 β - HCH > δ - HCH > γ - HCH > α - HCH[1]。在这 4 种异构体中，只有丙体六六六（γ - HCH，又称为林丹）具有杀虫活性，主要用来防治农作物害虫[2]。六六六由于其毒性大，在环境中非常稳定，在斯德哥尔摩公约中，六六六已经被列为 12 种持久性有机污染物之一。在大量使用的同时也给环境造成难以修复的危害，加之由于其脂溶性大的特点，通过食物链的富积对人类自身的影响正在逐渐地显现出来并加大[3]。因此，20 世纪 80 年代后，大部分发达国家包括一些发展中国家禁止生产和使用混合六六六，但目前六六六仍是国内外农产品出口监控的主要对象。

生物降解是一种高效、安全、可靠的技术，用来去除环境中残存的六六六。六六六的好氧微生物降解过程主要是由一系列的脱卤素酶及氧化还原酶催化的反应，其中最重要的是负责起始降解的脱氯化氢酶 linA 和卤代烷脱卤素酶 linB[4]。由 linA 基因编码的 linA 催化 α - HCH、γ - HCH 和 δ - HCH 起始的两步脱氯化氢反应，最终生成中间产物四氯环已二烯和致死产物 1，2，4 - 三氯苯。由 linB 基因编码的 linB 催化 β - HCH 的一步或两步水解脱卤反应，最终生成五氯环已醇或四氯环已二醇。此外，linB 的底物范围比较广，对单氯烷烃（$C_3 \sim C_{10}$）、二氯烷烃、溴代烷烃和氯代酯族醇都有活性[5]。

宏基因组（Metagenome）主要指环境样品中的细菌和真菌的基因组总和。宏基因组文库既包括了可培养的，又包括了未培养的微生物遗传信息，因此增加了获得新生物活性物质的机会[6]。目前对宏基因组的研究在国际上是土壤微生物学研究的前沿领域和热点。通过宏基因组文库可以规避微生物培养的限制而寻找新的功能基因、直接筛选活性物质或研究土壤微生物的遗传多样性[7-9]。由于六六六在我国已禁用将近 30 年，从土壤中分离能够降解这种化合物的微生物非常困难，国内仅有南京农业大学报道分离出了一株能够降解六六六四种异构体的菌株 Sphingobium sp. BHC - A [10]。本研究中我们采集了六六六、DDT 污染的土壤并提取了该土样的宏基因组 DNA，尝试采用 PCR 的方法成功克隆了负责六六六起始降解的关键基因 linA 和 linB，随后在大肠杆菌中实现了功能性表达。这项工作为建立该土壤的宏基因组文库筛选新的功能基因和筛选六六六高效降解菌奠定了基础。

一、实验材料与方法

（一）土样来源及培养基

在北京宋家庄附近采集了六六六、DDT的污染土样。该地区20世纪50年代曾建有一家农药厂，20世纪70年代末80年代初，被北京红狮涂料厂合并，该处污染土主要污染成分为六六六、DDT和烯烃类。

LB培养基：1% 蛋白胨、0.5% 酵母提取物、1% NaCl，pH 7.2。

无机盐培养基（g/L）：K_2HPO_4，1.5；KH_2PO_4，0.5；$(NH_4)_2SO_4$，0.5；NaCl，0.5；$MgSO_4$，0.2；$CaCl_2$，0.05；$FeSO_4$，0.02。

（二）试剂和仪器

质粒pMD18－T（TaKaRa）、质粒pET28a（Novagen）、E. coli DH5α（Tiangen）和E. coli BL21（DE3）（Novagen）由本室保存。淤泥基因组DNA快速提取试剂盒（DP4011）购自北京百泰克生物技术有限公司。

（三）linA和linB基因的克隆

采用淤泥基因组DNA快速提取试剂盒提取了所采集的土样宏基因组DNA。根据GenBank中已登录的linA的序列（No. D90355）和linB的序列（No. D14594）分别设计了一对引物。linA上下游引物分别为：5’－CATATGAGTGATCTAGACAGACTTGC－3’和5’－CTCGAGTGCGCCGGACGGTGCGAAATG－3’，linB上下游引物分别为：5’－CATATG AGCCTCGGCGCAAAGCC－3’和5’－CTCGAGTGCTGGGCGCAATCGCCG－3’，Nde I和XhoI I酶切位点分别加入到上游和下游引物（粗体标出）。同时，设计了一对16S rDNA基因的通用引物，上下游序列分别为5’－CACGGATCCAGACTTTGATYMTGGCTCAG－3’和5’－GTGAAGCTTACGGYTAGCTTGT TACGACTT－3’。PCR扩增后对符合目的大小的条带用胶纯化回收试剂盒回收，TA克隆后送到Invitrogen公司测序。

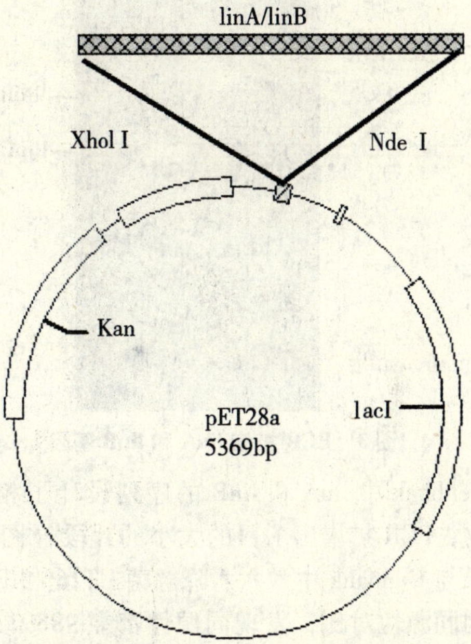

图1 重组质粒plinA和plinB构建图

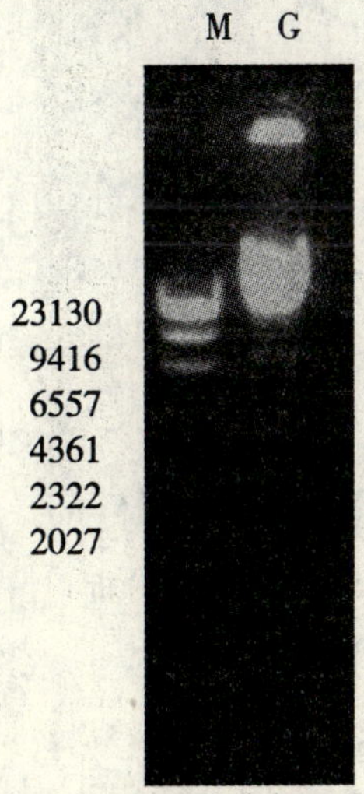

图2 琼脂糖凝胶电泳检测宏基因组DNA的完整性

（四）表达质粒的构建和转化

测序后将linA和linB基因的PCR产物用Nde I和XhoII双酶切，连接到经同样酶切的pET－29a上，构建表达质粒plinA和plinB（图1）并双酶切鉴定，然后将重组质粒转化E. coli BL21（DE3），获得转化子，分别命名为E. coli BL21（plinA）和E. coli BL21（plinB）。从重组菌株平板中挑取单个菌落，加入含50 μg/ml卡那霉素的LB培养基中，置于37°C下剧烈振荡培养至OD_{600}=0.6时，加入终浓度为1 mM的IPTG在30°C下诱导培养。

（五）粗酶的制备及SDS－PAGE分析表达产物

粗酶的制备参照文献［11，6］的方法进行。粗酶加入电泳上样缓冲液煮沸10 min，SDS－PAGE检测。含空pET－28a的E. coli BL21（DE3）亦同样经IPTG诱导处理后SDS－PAGE检测

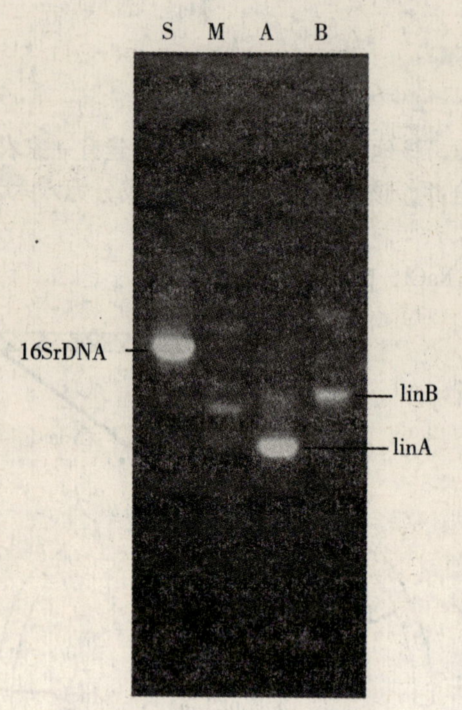

图 3　PCR 扩增 linA 和 linB 基因

根据 Genbank 中 linA 和 linB 的序列设计了相应的特异性引物，PCR 扩增出了目的大小的片段（图 2），将测序结果与 Genbank 中六六六降解菌 UT26 和 B90 中的相应基因同源性对比，发现同源性都在 98% 以上，证明我们已经成功得到了六六六关键降解基因 linA 和 linB，同时也说明采集的样品中很可能含有六六六降解菌，目前这项工作正在进行中。

（二）SDS－PAGE 分析表达产物

在 IPTG 诱导后我们用蛋白电泳分析重组蛋白的表达情况，从图 4 中可以看出，在 17 kDa 和 33 kDa 左右分别有一条特异性条带，这与重组 linA 和 linB 氨基酸序列计算得到的分子量基本一致（linA 和 linB 分别为 16.5 kDa 和 32 kDa），然而在含空载体 pET－28a 的 E. coli BL21（DE3）的总蛋白中没有发现这些条特异性带。这些结果表明，重组 linA 和 linB 在大肠杆菌中实现了高水平表达。

（三）linA 和 linB 酶活随时间变化的趋势

以含空载体 pET－28a 的 E. coli BL21（DE3）作为对照，在 IPTG 诱导后我们测定了 linA 和 linB 的酶活性在重组菌种随时间变化的趋势。从图 5 中可以看出，linA 和 linB 的酶活随时间不断升高，分别在 16 h 和 12 h 时达到了最高值，随后又缓慢下降。而在对照组中都没有检测到这两种酶的活性。这些结果表明，重组 linA 和 linB 在大肠杆菌中得到了功能性表达。

表达情况。参照文献［12］的方法进行蛋白电泳，浓缩胶浓度为 5%，分离胶浓度为 12%。

（六）重组菌中 linA 和 linB 酶活的测定

在 24 h 内，将在 1 mM 的 IPTG30°C 下诱导培养的重组菌每隔 4 h 取样测定 linA 和 linB 酶活随时间变化的趋势。酶活测定方法按照文献［13，14］进行。

二、结　果

（一）土壤宏基因组 DNA 的提取及 linA 和 linB 基因的克隆

本研究中，我们采用淤泥基因组 DNA 快速提取试剂盒提取了土样的宏基因组 DNA，经紫外分光光度计检测得知该基因组 DNA 的 OD_{260}/OD_{280} 的比值为 1.89，纯度较高。通过 1.0% 琼脂糖凝胶电泳检测，结果发现在点样孔附近有单一的高分子量条带（图 2），说明其完整性较好，满足 PCR 及下一步构建宏基因组文库的要求。

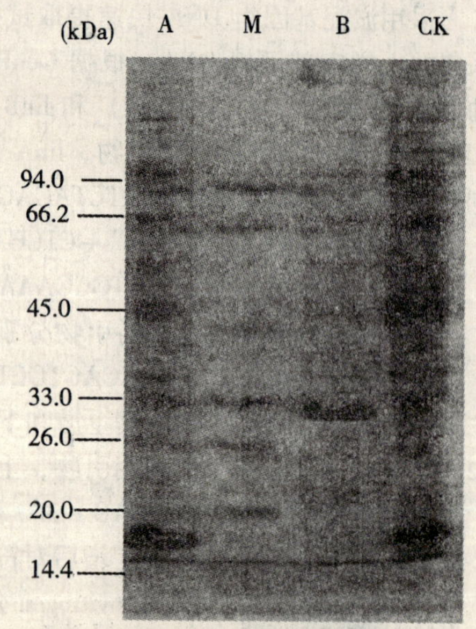

图 4　表达产物的 SDS－PAGE 分析

（A：E. coli BL21（pLINA）；
M：蛋白分子量 marker；
B：E. coli BL21（pLINB）；
CK：E. coli BL21（pET－28a））

三、讨　论

脱卤素酶基因 linA 和 linB 是六六六微生物降解过程中的关键基因，负责六六六起始的脱氯反应。本研究中从六六六污染的土壤宏基因组 DNA 克隆的 linA 和 linB 与 Genbank 中相应基因同源性非常高，说明这两个基因有高度保守性。随后通过蛋白电泳及酶活测定证明了重组酶在大肠杆菌中得到了高水平的功能性表达。

有关微生物对农药等污染物的降解主要集中在纯培养的分离上，但一些能降解持久性污染物的微生物往往很难用传统富集方法分离到，该步骤常成为污染物降解菌分离的瓶颈。宏基因组技术可以规避微生物培养的限制而直接寻找新的功能基因活筛选活性物质。目前 PCR 技术已成功地用于基因工程菌的构建，也为纯培养的分离提供了崭新的思路[15]。利用报道的基因设计引物克隆目的基因，可以构建出具有多种降解功能的基因工程菌。目前在不能获得纯培养物的条件下，采用 PCR 技术将脱卤素酶基因 linA 和 linB 等克隆到其他农药降解菌中以构建多功能工程菌是目前对六六六污染土壤进行修复的一个好方法。本实验中 linA 和 linB 在大肠杆菌中的功能性表达为六六六降解基因工程菌的构建和生物修复提供了理论基础和可行性，同时为建立该土壤的宏基因组文库筛选新的功能基因和筛选六六六高效降解菌奠定了基础。

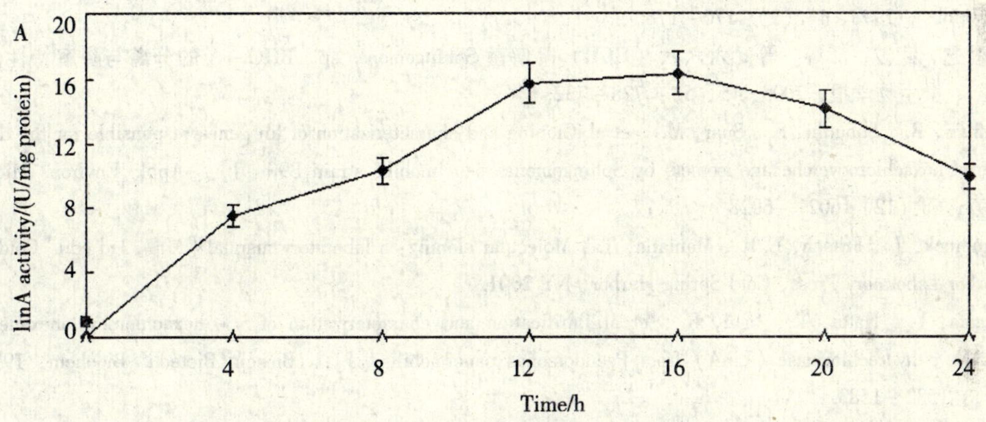

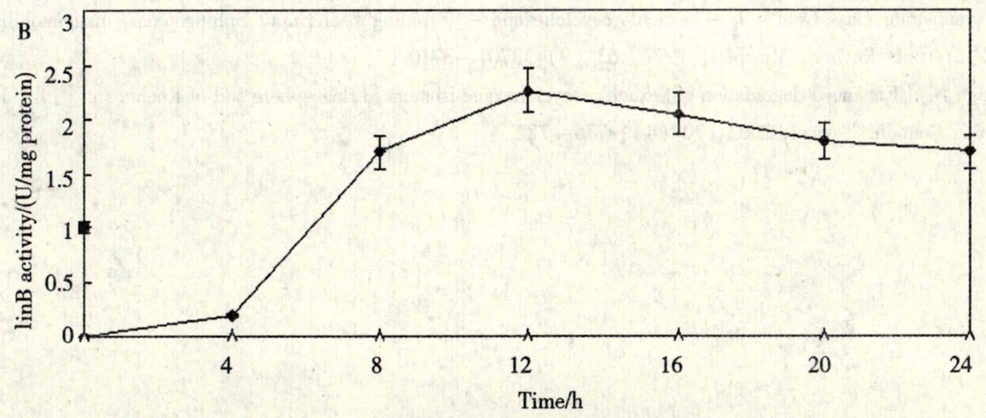

图 5　linA 和 linB 酶活随时间变化的曲线

（A：linA，◆－E. coli BL21（plinA），▲－E. coli BL21（pET－28a）；

B：linB，◆－E. coli BL21（plinB），▲－E. coli BL21（pET－28a）

参考文献

[1] Deo, P. G., Karanth, N. G., Karanth, N. G., Biodegradation of hexachlorocyclohexane isomers in soil and food en-

vironment［J］. Crit. Rev. Microbiol, 1994, 20（1）:' 57－78.

［2］Willett, K. L. , Ulrich, E. M. , Hites, R. A. , Differential toxicity and environmental fates of hexachlorocyclohexane isomers［J］. Environ. Sci. Technol, 1998, 32（15）: 2197－2207.

［3］刘国红，杨克敌，刘西平，等．人体内有机氯农药残留对生殖内分泌的影响研究［J］．卫生研究，2005, 34（5）: 524－528.

［4］Nagata, Y. , Endo, R. , Ito, M. Ohtsubo, Y. , Tsuda, M. , Aerobic degradation of lindane（γ－hexachlorocyclohexane）in bacteria and its biochemical and molecular basis［J］. Appl. Microbiol. Biotechnol, 2007, 76（4）: 741－752.

［5］Janssen, D. B. , Evolving haloalkane dehalogenases［J］. Curr. Opin. Chem. Biol. , 2004, 8: 150－159.

［6］Handelsman, J. , Rondon, M. R. , Brady, S. F. , Molecular biological access to the chemistry of unknown soil microbes: A new frontier for natural products［J］. Chem. Biol. , 1998, 5（10）: 245－249.

［7］Rondon, M. R. , August, P. R. , Bettermann, A. D. , Cloning the metagenome: A strategy for accessing the genetic and functional diversity of uncultured microorganisms［J］. Appl. Environ. Microbiol. , 2000, 66（6）: 541－547.

［8］Henne, A. , Daniel, R. , Schmitz, R. A. , Construction of environmental DNA libraries in Escherichia coli and screening for the presence of genes conferring utilization of hydroxybuty rate［J］. Appl . Environ. Microbiol. , 1999, 65（9）: 3901－3907.

［9］Torsvik, V. , Sorheim, R. , Goksoyr, J. , Total bacterial diversity in soil and sediment communities［J］. J. Ind. Microbiol. , 1998, 17（3）: 170－178.

［10］马爱芝，武俊，汪婷，等．六六六（HCH）降解菌 Sphingomonas sp. BHC－A 的分离与降解特性的研究［J］．微生物学报，2005, 45（5）: 728－732.

［11］Kumari, R. , Subudhi, S. , Suar, M. , et al. Cloning and characterization of lin genes responsible for the degradation of hexachlorocyclohexane isomers by Sphingomonas paucimobilis strain B90［J］. Appl. Environ. Microbiol, 2002, 68（12）: 6021－6028.

［12］Sambrook, J. , Fritsch, E. F. , Maniatis, T. , Molecular cloning: a laboratory manual［M］. 3rd edn. Cold Spring Harbor Laboratory Press, Cold Spring Harbor, NY 2001.

［13］Nagata, Y. , Hatta, T. , Imai, R. , et al. Purification and characterization of γ－hexachlorocyclohexane（γ－HCH）dehydrochlorinase（LinA）from Pseudomonas paucimobilis［J］. Biosci. Biotech. Biochem, 1993, 57（9）: 1582－1583.

［14］Nagata, Y. , Miyauchi, K. , Damborsky, J. , et al. Purification and characterization of haloalkane dehalogenase of a new substrate class from a γ－hexachlorocyclohexane－degrading bacterium, Sphingomonas paucimobilis UT26［J］. Appl. Environ. Micobiol, 1997, 63（9）: 3707－3710.

［15］Singh N. , Enhanced degradation of hexachlorocyclohexane isomers in rhizosphere soil of Kochia sp.［J］. Bull Environ. Contain. Toxicol, 2003, 70（4）: 775－782.

石油烃污染土壤的堆制及其根际修复

王震宇　许　颖

（中国海洋大学环境科学与工程学院　山东　青岛　266100）

摘　要　高油污染土壤堆制5个月后，堆体初始碳氮比为15∶1配比的系统处理效果较好，土壤石油烃的净降解率（扣除空白对照堆体）可达30%。在此基础上，通过田间种植试验比较了芦苇、中亚滨藜和碱蓬3种黄河三角洲土著植物的根际效应，分析了植株生长、根系形态、根际微生物活性和数量对石油烃降解效率的影响。结果表明，植物生长90天后，芦苇、中亚滨藜和碱蓬根际土壤TPH的净降解率分别为22.8%、43.1%、36.6%。研究表明，阶段式修复工艺对黄河三角洲地区土壤石油污染的大规模治理具有良好的应用前景。

关键词　堆制　石油烃污染土壤　降解率　根际

随着社会生产力的不断发展和工业化进程的推进，土壤石油污染已成为全球范围内广泛关注的环境问题。黄河三角洲作为我国暖温带最广大、最年轻的湿地生态系统，拥有丰富的油气资源，是我国第二大石油基地。在该地区油气的大规模开采、运输、使用和处理过程中，时常会发生污染、井喷、输油管道泄漏等事故，造成了严重的区域土壤石油污染，严重威胁当地的生态环境[1]。因此，探究一种经济、有效且对环境扰动小的修复方式和技术迫在眉睫。

目前，利用植物根际修复有机污染物的研究逐渐受到国内外学者的关注[2,3]，然而针对高浓度的石油烃污染土壤的研究相对较少。一方面，这可能是由于土壤受石油污染后孔隙度减少，透气性减弱，尤其是在高浓度石油污染地区，石油在植物根部形成一层黏膜，阻碍根部的呼吸以及养分的吸收，对植物产生毒害作用[2]；另一方面，大量的石油烃进入土壤后，随着其残留时间的增长，使土壤中碳源大量增多，导致土壤碳氮比失调，对土壤微生物也产生了直接破坏[4]。因此，建立高浓度油污染土壤的修复技术显得尤为迫切和重要。

本研究拟采用阶段式工艺修复黄河三角洲高油污染土壤。首先采用堆制生物强化技术处理高油污染土壤；在此基础上，利用堆制后的土壤进行田间植物根际修复试验，分析土著耐性植物的根际效应对土壤中石油烃降解的影响。同时，通过微生物数量及活性的动态监测，进一步分析在植物－微生物协同修复石油污染土壤的系统中各影响因素的相关性，旨在为滨海湿地土壤石油污染的大规模治理提供科学依据和技术支持。

一、材料与方法

（一）堆制材料

1. 供试土壤：采自胜利油田采油井附近，总石油烃含量为7895～18773 mg/kg，土壤pH为8.4，有机质含量为23.0g/kg，有机碳含量为13.3g/kg，总磷含量为0.05%，总氮含量为323.3 mg/kg。

2. 辅料：玉米秸秆（粉碎至1～2 cm）、花生荚、木屑、豆饼、尿素、复合肥等。

（二）处理方法

将高油污染土壤混合均匀，按照表1的配比将土壤和辅料混合均匀，堆体底部铺设保温通气层（5～6 cm），同时调节湿度。对照CK堆体不添加任何辅料及营养物质，其他处理与试验堆体相同（表1）。

（三）田间试验

1. 供试植物：芦苇（Phragmites communis）、中亚滨藜（Atriplex Centralasiatica Iljin）和碱蓬

（Suaeda glauca）。

表1　堆制试验处理

因素	堆料: 土/V: V	堆料: 土/kg: kg	秸秆 + 木屑 + 花生荚/V: V: V	豆饼/kg	复合肥 + 尿素/kg	初始碳氮比
空白（CK）	0: 1	0: 4500	0	0	0	30: 1
处理1（A1）	1: 1	173: 4327	1: 3: 1	5	2	10: 1
处理2（A2）	1: 1	173: 4327	1: 3: 1	10	10	15: 1
处理3（A3）	1: 1	173: 4327	1: 3: 1	20	20	20: 1

2. 试验进行90天后，收获植物。用抖根法采集根际土壤。

（四）分析方法

1. 土壤基本理化指标

TOC含量：采用重铬酸钾氧化稀释热法[5]；全氮量的测定：采用半微量开氏法[5]；土壤pH：采用0.01 mol/L $CaCl_2$ 溶液浸提[6]。

2. 土壤含油量

土壤含油量采用分光光度法测定[7]。取2 g土壤样品加入10 ml正己烷，超声萃取2次，于波长225 nm处，用紫外分光光度计测定萃取液的吸光值。

3. 植物分析方法

将植株分为地上部和地下部分别称取鲜重，105 ℃杀青15 min，65 ℃烘6 ~ 8 h后称取干物重。

利用根系分析软件（WinRHIZO PrO. 2005b）分析根系总长、表面积、体积和根尖数等根系形态参数[6]。

4. 土壤微生物活性和数量

土壤微生物活性参照FDA（荧光素双醋酸酯）染色法测定[8]；石油烃降解菌数量参照MPN96孔板法测定[9]。

5. 数据分析

实验数据统计分析采用软件Excel 2007和SPSS12.0，利用ANOVA（LSD检验法）进行方差分析。

二、结果与讨论

（一）不同堆制处理系统对石油烃降解效率的影响

图1是堆制过程中土壤总石油烃（TPH）含量的变化情况。经过150天的堆制处理，A1、A2、A3堆体土壤中总石油烃的含量分别从最初的7895、11013、10559、18773 mg/kg降低到了2245、1383、1858、8464 mg/kg。从图2中可以看出，在堆制30天后，各处理堆体土壤石油烃降解率之间均存在显著差异（$P<0.05$）；堆制150天后，A1、A2、A3处理与空白（CK）堆体之间有显著差异（$P<0.05$），尤其是A2、A3处理堆体的石油烃降解率可达到约80%。

堆制系统中添加的秸秆、木屑等填料在堆体中形成空隙，提高了堆体的通气性，增加了土壤中的氧浓度，有利于提高土壤中好氧微生物的活性，从而促进土壤中石油烃的降解。

标有相同字母的均值表示它们在$P<0.05$水平上没有显著差别，下图。

（二）堆制过程中微生物活性和数量的变化

堆制过程中微生物的活性变化如图3所示。堆制初期，加有填料的堆体（A1，A2，A3）中微生物的活性显著高于对照堆体CK（$P<0.05$）。适宜的碳氮比能促进微生物活性的提高，在本

研究中，营养物质（豆饼、复合肥等）的加入可以改变堆制系统的碳氮比，与空白对照堆体的碳氮比（30:1）相比，A1、A2、A3 堆体的碳氮比分别为 10、15、20，其中，碳氮比为 15:1 的堆体处理效果相对较好，这与室内堆制试验的结果一致。过高的碳氮比将使维持微生物生长的营养匮乏，成为其限制性因素，导致有机物质降解速度缓慢；适宜的碳氮比能够有效地促进微生物生长繁殖，加快堆制处理系统对石油烃的生物降解[10]。

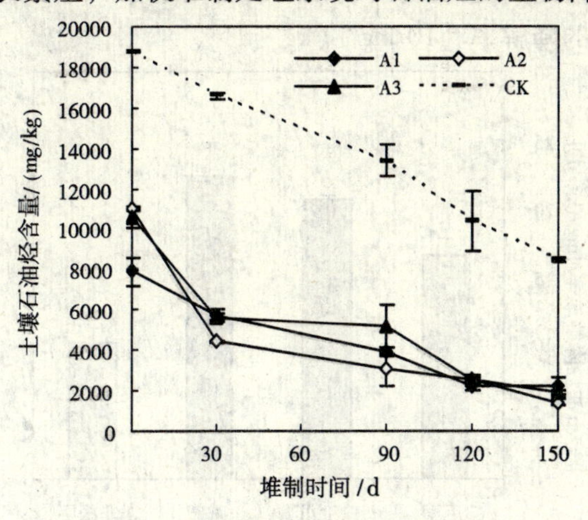

图 1　堆制过程中土壤 TPH 含量的变化

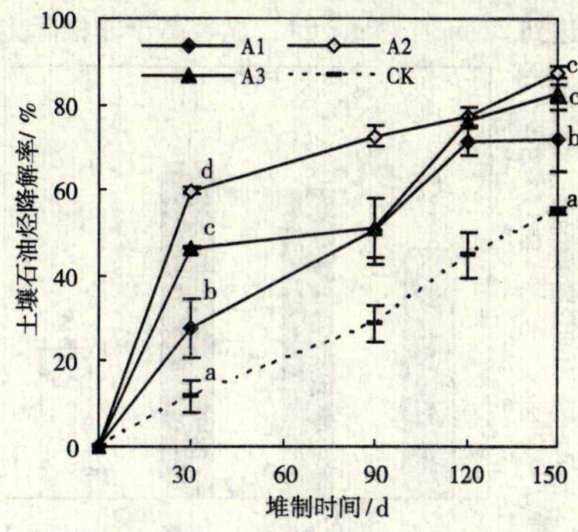

图 2　堆制过程中 TPH 降解率的变化

从堆制过程中石油烃降解菌的数量变化（图 4）可以看出，堆制初期，污染土壤经投加肥料、调节湿度等处理后，土壤石油烃降解菌迅速生长。尤其是在堆制前 30 天，A2、A3 堆体中降解菌数量比空白对照堆体的菌数增加了近 1 个数量级。

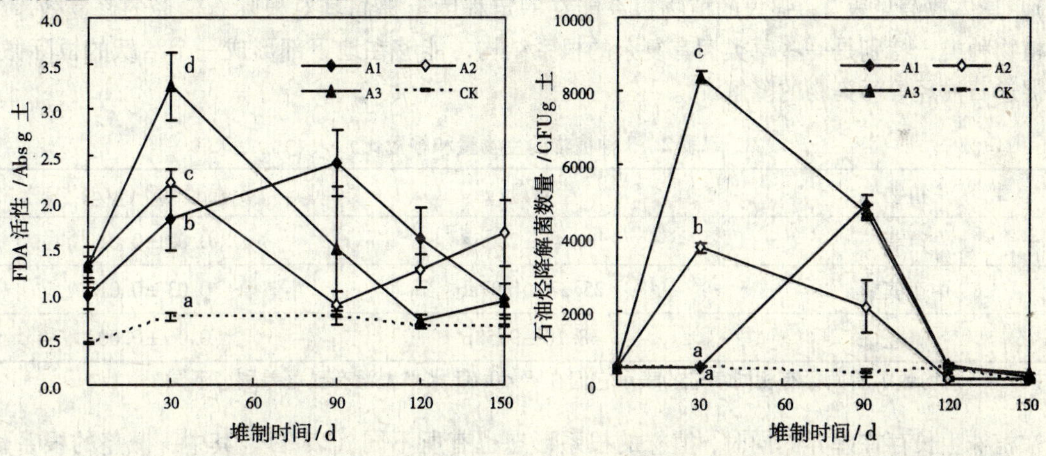

图 3　堆制过程中微生物活性的变化　　图 4　堆制过程中石油烃降解菌数量的变化

堆制系统中微生物活性的提高、石油烃降解菌数量的增大有利于土壤石油烃的降解[11]。在微生物降解石油烃污染物的过程中，石油烃降解菌的数量对降解速度有很大影响，微生物繁殖最快、活性最高的时期最有利于石油烃污染物的快速去除[10,12]。本研究中，在堆制开始的第一个月里，微生物活性明显增强（图 3），说明微生物在适应了新环境之后开始迅速生长繁殖，使得石油烃的降解率较高（图 2）。当土壤中易降解的有机物被逐渐分解后，那些不能以石油污染物为碳源的微生物逐渐死亡，使石油烃降解菌的数量有所下降（图 4），石油烃的降解率变化也逐渐趋于平缓（图 2）。这可能是堆制处理系统处理石油污染土壤的一个重要机制。

（三）植物对石油烃降解效率的差异

植物经过 90 天的生长后，3 种植物的根际土壤石油烃（TPH）的降解率都发生了不同程度的变化（图5）。与非根际土壤的降解率（35.0%）相比，芦苇、中亚滨藜和碱蓬的根际土壤TPH降解率分别为57.7%、71.6%、78.1%。经统计分析得知，3种植物根际土壤TPH降解率与非根际土壤均有显著差别（$P<0.05$）。其中，碱蓬、中亚滨藜的根际降解率最高，芦苇的根际降解率较小（图5）。

从图6中可以看出，3种植物的根际石油烃降解速率也表现出了相同的变化趋势，降解速率最高达到22 mg/（kg · d），显著高于非根际土壤的降解率［10 mg/（kg · d）］。

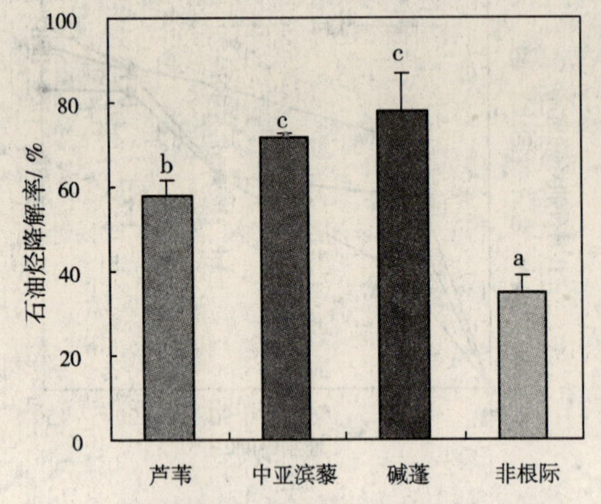

图5　植物根际土壤石油烃降解率的变化

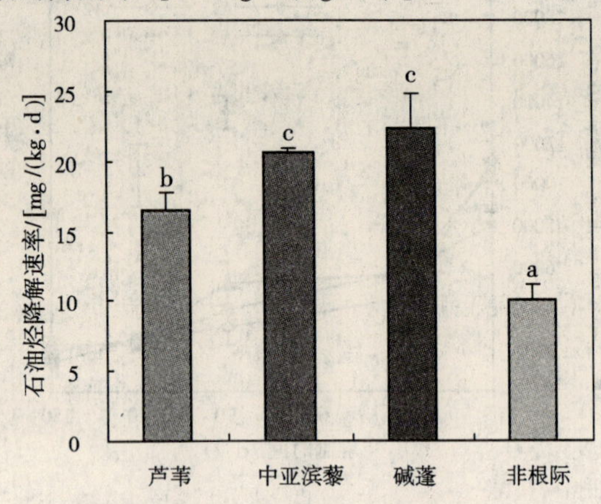

图6　植物根际土壤石油烃降解速率的变化

3种植物的生长速率不同，生长90 d后，碱蓬的生物量显著高于芦苇的生物量，与中亚滨藜的无显著性差异（$P<0.05$）。同时，3种植物的根冠比也有所不同，但没有显著性差异（$P<0.05$），具体数值见表2。强大的植物根系能在一定程度上提高其对根际石油烃的修复效率[13]。很多植物种类，特别是一些草类拥有复杂的根系结构，能够在地下部形成一个活跃的根际微域，从而促进石油烃等污染物的降解[14]。

表2　3种植物的生物量和根冠比

植物	生物量/g	根冠比/（g/g）
芦苇	10.41 ± 2.06a	0.02 ± 0.01
中亚滨藜	25.37 ± 4.97ab	0.03 ± 0.01
碱蓬	48.10 ± 9.58b	0.06 ± 0.00

注：同一列均数中后面标有相同字母的表示它们在 $P<0.05$ 水平上没有显著差别，下同。

在植株生长存在差异的同时，植株的根系形态也有所不同（表3）。其中，碱蓬的根系长度显著高于中亚滨藜和芦苇，3种植物的根系表面积、根体积、根尖数也有差别，但未达到显著性水平（$P<0.05$）。植物根系形态的不同，使得根系与土层的接触也有所不同。较长的植物根系，可以穿透到更深的土层，从而为氧气、水分的运输扩充了渠道，增大了与微生物接触的表面积等，间接地提高了石油烃等污染物的生物可利用性[15]。

表3　3种植物的根系参数

植物	根系长度/m	根系表面积/mm^2	根体积/mm^3	根尖数/个
芦苇	1.23 ± 0.09a	15393 ± 1841	1536 ± 42	6972 ± 803
中亚滨藜	1.27 ± 0.05a	21230 ± 710	2873 ± 78	5664 ± 134
碱蓬	2.09 ± 0.01b	31625 ± 486	3803 ± 136	6085 ± 212

（四）根际微生物活性和数量的差异

在植物种植过程中微生物的活性变化如图7所示。3种植物根际土壤中微生物的活性均显著高于非根际土壤（$P<0.05$），且中亚滨藜、碱蓬根际土壤中微生物的活性也显著高于芦苇根际土壤（$P<0.05$），这很可能是它们对石油烃降解率较高的一个重要机制（图5，图6）。增加石油污染土壤中微生物数量和活性，特别是石油烃降解菌的数量和活性，是生物修复取得成功的关键性因素[15]。

通过对3种植物根际土壤石油烃降解菌数的统计分析，如图8所示，发现只有碱蓬根际土壤中石油烃降解菌数显著高于非根际土壤，其他两种植物与非根际土壤相比差异不显著（$P<0.05$）。

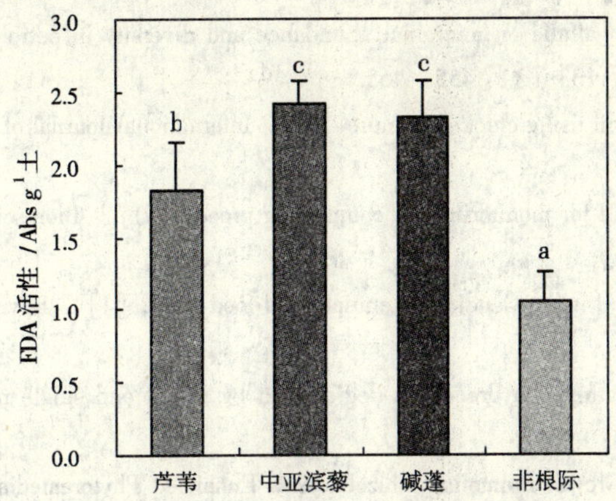

图7　植物根际土壤微生物活性的变化

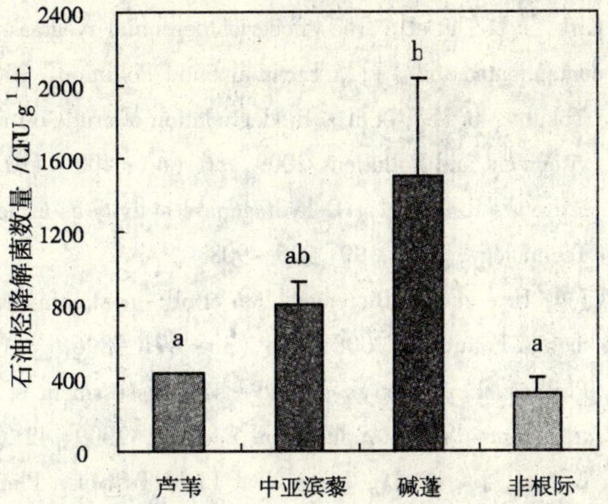

图8　植物根际土壤石油烃降解菌数量的变化

三、结　论

1. 堆制系统经过5个月的运行，堆体初始碳氮比为15∶1配比的系统处理效果较好，土壤石油烃的降解率（扣除空白对照堆体）可达30%；堆料的适量加入和营养物质的适当配比可以为微生物的生长提供较好的营养环境和生存条件，并且有利于微生物活性的提高及石油烃降解菌的生长，进而促进石油烃的降解和转化。

2. 经过90天的现场植物种植试验发现，3种植物的生物量、根系长度和根际微生物活性、数量有显著区别（$P<0.05$）。与非根际土壤相比，3种植物的根际降解率均显著高于非根际土壤（$P<0.05$），其中碱蓬和中亚滨藜的根际降解率最高，芦苇的较小。强大的植物根系增加了植物根系与土壤的接触面积，在一定程度上提高了石油烃的降解效率；根际微生物数量和活性的增加，进一步增强了植物的根际效应，从而提高了植物-微生物耦合系统的修复潜力。

3. 在高油污染区域，采用阶段式的修复工艺，即堆制技术与植物-微生物联合修复相继进行，可以高效地去除土壤中的石油烃，对黄河三角洲地区土壤石油污染的大规模修复具有良好的应用前景。

参考文献

[1] 杨玉楠，等．嗜盐菌强化石油污染土壤生物修复的可行性研究［J］．农业环境科学学报，2007，26（增刊）：121-126.

[2] 徐莉，等．多氯联苯污染土壤的植物-微生物联合田间原位修复［J］．中国环境科学，2008，28（7）：646-650.

[3] Peng, S., et al., Phytoremediation of petroleum contaminated soils by Mirabilis Jalapa L. in a greenhouse plot exper-

iment［J］. Journal of Hazardous Materials, 2009, 168（2-3）: 1490-1496.

［4］Rezek, J., et al., The effect of ryegrass (Lolium perenne) on decrease of PAH content in long term contaminated soil［J］. Chemosphere, 2008, 70（9）: 1603-1608.

［5］于天仁. 土壤分析化学［M］. 北京: 科学出版社, 1988, 62-65.

［6］Ryan, J., et al., Soil and Plant Analysis Laboratory Manual. International Center for Agricultural Research in the Dry Areas and National Agricultural Research Center, 2001.

［7］《海洋监测规范》编委会. GB 17378.5—1998, 海洋监测规范（第5部分: 沉积物分析）［S］. 北京: 海洋出版社, 1998.

［8］Green, V. S. et al., Assay for fluorescein diacetate hydrolytic activity: optimization for soil samples［J］. Soil Biology and Biochemistry, 2006, 38（4）: 693-701.

［9］Kirk, J. L., et al., The effects of perennial ryegrass and alfalfa on microbial abundance and diversity in petroleum contaminated soil［J］. Environmental Pollution, 2005, 133（3）: 455-465.

［10］Yakubu, B. M., et al., Biodegradation of crude oil in soil using chicken manure［J］. International Journal of Environment and Pollution, 2009, 36（4）: 400-410.

［11］Barrena, R., et al., Dehydrogenase activity as a method for monitoring the composting process［J］. Bioresource Technology, 2008, 99: 905-908.

［12］Joo, H., et al., Bioremediation of oil-contaminated soil using Candida catenulata and food waste［J］. Environmental Pollution, 2008, 156（3）: 891-896.

［13］Phillips, L. A., et al., Field-scale assessment of weathered hydrocarbon degradation by mixed and single plant treatments［J］. Applied Soil Ecology, 2009, 42（1）: 9-17.

［14］Gurska, J., et al., Three Year Field Test of a Plant Growth Promoting Rhizobacteria Enhanced Phytoremediation System at a Land Farm for Treatment of Hydrocarbon Waste［J］. Environmental Science & Technology, 2009, 43（12）: 4472-4479.

［15］Weyens, N., et al., Exploiting plant-microbe partnerships to improve biomass production and remediation［J］. Cell., 2009, 27（10）: 591-598.

电子垃圾拆解地区不同深度土壤中邻苯二甲酸酯分布特征研究

刘文莉　张崇邦　张　珍

（台州学院生命科学学院　浙江临海东方大道605号　317000）

摘　要　本研究对台州市不同电子垃圾拆解地区距拆解中心不同距离、不同深度土壤中5种邻苯二甲酸酯（PAEs）类污染物进行了分析测定。结果表明：土壤（干重）中PAEs类污染物的总量范围为12.57～46.67mg/kg，其中邻苯二甲酸二异辛酯（DEHP）、邻苯二甲酸二丁酯（DBP）和邻苯二甲酸二乙酯（DEP）相对含量较高，占PAEs总量的94%以上。邻苯二甲酸二甲酯（DMP）和DEP在距表面5～15cm处浓度相对较高，其他则随着深度增加浓度逐渐减少。DEHP在距拆解中心100m处具有较高的浓度水平。与美国制定的土壤PAEs标准比较，拆解地区土壤PAEs污染较为严重。

关键词　邻苯二甲酸酯（PAEs）土壤　电子垃圾

浙江台州地区是中国最大的电子垃圾拆解处理中心之一。当地居民采用电线电缆露天焚烧，电路板烤制熔化、酸洗等[1]原始粗放的方式进行电子垃圾的拆解，严重污染了当地生态环境。目前关注比较多的多环芳烃（PAHs）、多氯联苯（PCBs）、二恶英及其呋喃（PCDD/Fs）等都在电子垃圾拆解地的土壤、大气、河流中检出，且浓度明显高于其他地区[2]。

邻苯二甲酸酯（Phthalic Acid Easters，PAEs，又称酞酸酯）是一种近年来确认的危害严重的环境激素类物质，在全球范围内广泛存在[3-5]。其用途极为广泛，80%以上的PAEs用于塑料的改性添加剂，少量用于农药、涂料、印染、化妆品等的生产。在这些商品中，PAEs的含量一般为20%～50%，有的高达90%以上[3]。世界上每年生产邻苯二甲酸酯接近2.7亿t[6]。PAEs能通过灌溉、杀虫剂、电线电缆堆积过程中的渗滤液、电线电缆的露天焚烧、塑料大棚的使用等进入农田土壤[7]。尽管PAEs的急性毒性较低，但多种PAEs具有致畸、致癌和致突变的“三致”作用，易通过食物链蓄积，影响人体和生物安全[8]。作为商品使用的PAEs类物质约有14种，其中常见的几种被美国环保局（EPA）和我国列为优先污染物和环境内分泌干扰物。尽管PAEs可以通过各种生物或非生物途径降解，但由于其生产量巨大和持续不断地释放到环境中，在世界上很多地区都能检测到[9]。尹睿等[10]采用田间试验的方法发现土壤中DBP和DEHP污染对辣椒品质有较大影响。当PAEs存在于土壤中时，不仅影响农作物的生长和产品质量，还能通过淋溶进入水体，污染水环境。

一、材料与方法

（一）样品采集

土壤样品于2006年3月在台州峰江（FJ）、南山（NS）和美术（MS）三个电子垃圾拆解地区采集。在每个采样点的拆解中心和距拆解中心100m和200m处分别采集3个平行样。梅花状采样，距拆解中心不同距离处表层往下0～5cm，5～15cm，15～20cm各层分别采集3个土壤混合样，每个混合样由6～8个采样点组成，每个混合样用四分法取1.0kg左右。装入500ml依次用自来水、超纯水和丙酮洗涤过的棕色具塞广口瓶内。采得的土壤样品在－20℃下冷冻保存。

土壤样品经冷冻干燥研磨后过60目筛。另外采集未被PAEs污染的农田土壤作为对照。所有实验结果均用干重表示。

（二）试剂和材料

试验中所有玻璃仪器均用洗涤液（重铬酸钾: 浓硫酸: 水＝20g: 360ml: 20ml）浸泡，先后用自来水和蒸馏水洗净，于250℃烘2h后备用。有机溶剂均为分析纯，并经全玻璃系统重蒸。滤纸、层析硅胶和脱脂棉等均用二氯甲烷进行索氏抽提12h后烘干备用。为了防止污染，实验中禁止使用一切塑料制品。无水硫酸钠（分析纯），硅胶（100～130目）颗粒，三氧化铝（分析纯）的预处理均按文献［9］进行。

（三）样品预处理

称取土壤样品10g左右于索氏抽滤筒中，在250ml平底烧瓶中加入200ml1∶1的二氯甲烷－丙酮混合提取液，2g活化过的铜片，加入回收率指示物，在水浴埚上连续索氏提取48h，提取温度保持在46℃，控制回流速度在5～6次/h。提取液在旋转蒸发仪上浓缩到1ml后，加入10ml正己烷转换溶剂，继续浓缩至1ml。过硅胶/氧化铝（2∶1）层析柱，用40ml丙酮/正己烷（2∶8V/V）淋洗出邻苯二甲酸酯。淋洗液经正己烷溶剂转换后，用高纯氮气吹至0.2ml，加入内标物进行定量分析。同时做空白试验。

（四）标准样品

邻苯二甲酸酯标准溶液：DMP、DEP、DBP、DEHP、DnOP，浓度分别为1000μg/ml。内标物（纯品）为苯甲酸苯甲酯，回收率指示物（纯品）为间苯二甲酸二苯酯（DPIP）。以上标准物质均购自美国ULTRA Scientific公司（North Kingstown，RI）。

（五）GC/FID测定条件

Aglient7890气相色谱仪，火焰光度检测器（FID），HP－5弹性石英毛细管柱（30m×0.32mm（id）×0.25μm）。进样口温度为280℃，检测器温度300℃；采取程序升温，初始温度50℃，以4℃/min的升温速度升至280℃，保持10min。采用不分流进样，进样体积1.0μl。以内标法峰面积定量分析样品中各目标化合物含量。色谱条件：高纯氮气为载气，压力为0.5MPa；氢气作燃气，流速为30ml/min，压力0.1MPa；空气助燃，流速500ml/min，压力0.05MPa。

（六）质量保证和质量控制

土壤样品分析过程中，开展了以下QA/QC质量保证质量控制实验：方法空白，试剂空白，基质加标平行样。样品提取前，向每个分析样品中加入回收率指示物DPIP标样，以控制整个分析流程的回收率。PAEs的回收率范围为78.4%～115%，标准偏差均小于20%。检测限（LOD）范围为0.02mg/kg（DMP）～0.236mg/kg（DEHP）。

（七）数据分析

应用SPSS13.0软件对实验数据进行单因素方差分析（one—way analysisof variance，ANOVA），即在平均值比较基础上，采用LSD（lowest significance determination）方法，在P＝0.05或0.01水平进行数据差异显著性检验，以比较不同采样点土壤理化性质的差异显著性。

二、结果与分析

（一）电子垃圾拆解点土壤性质

土壤中PAEs的浓度水平和分配规律与土壤特性有一定关系[3]。本文对台州电子垃圾拆解点FJ、NS和MS土壤的pH，总有机碳TOC（%），总氮（%）及总磷（%）含量做了测试分析，结果如表1所示。

表1　不同采样点土壤主要理化性质

Soil properties	FJ soils n＝9	NS soils n＝9	MS soils n＝9
pH（H_2O）	5.90±0.461	6.57±0.820	6.08±0.532
TOC /%	3.40±0.548	3.28±0.521	2.71±0.817
总氮/%	0.910±0.939	1.12±1.047	0.841±1.051
总磷/%	0.271±0.0432	0.135±0.0205	0.265±0.0632

注：数据表示为$\bar{x}$±SD（平均值±标准偏差），下同。

方差分析显示 FJ、NS 和 MS 土壤在 pH，TOC，总氮及总磷间无显著性差异（$P>0.05$）。表明三个采样点土壤基本物理化学性质无显著性差异。

（二）电子垃圾拆解地土壤中 PAEs 的浓度水平和组分特征

本次调查测定了 MS、FJ、NS 三个采样点表层土（0～20cm）样品中 DMP、DEP、DBP、DEHP 和 DnOP 的浓度水平。除 MS 点土壤中 DnOP 未检出外，其余样品中 5 种 PAEs 均有检出，总含量（ΣPAEs）在 12.57～46.67mg/kg，远高于对照组。其中 FJ 点土壤中 PAEs 总含量最高，因其附近的电子垃圾拆解点规模较大，历史较长，堆积的大量的塑料垃圾废品长期受雨水浸淋，对土壤造成污染。电线电缆露天焚烧、大气污染物沉降也有可能污染土壤。这三个拆解点 PAEs 组分含量顺序均为 DEHP > DBP > DEP > DnOP > DMP。其中 DEHP、DBP 和 DEP 相对含量最高，占 PAEs 总量的 94% 以上。这与大气[11]、水体[12,13]、土壤[14,15]中 DEHP 和 DBP 为主要存在形式的报道一致。由于 DEHP 是应用最广泛的塑料添加剂，在商业产品中，DEHP 含量占50%～60%[16]，因此 DEHP 成为检出率最高的物质。在这三个采样点中，DnOP 和 DMP 仅在几个土壤样品中检出，最高浓度分别为 6.080mg/kg 和 2.278mg/kg。DnOP and DMP 仅仅在几个土壤样品中检出，浓度变化范围分别从小于 LOD 到 1.659 mg/kg 和小于 LOD 到 0.884 mg/kg。

（三）不同拆解点距拆解中心不同距离处 PAEs 分布

PAEs 在距离拆解中心不同距离处的分布情况如图 1 所示。一般情况下，随着距拆解点中心距离的增加，PAEs 浓度逐渐降低。但 DEHP 与 DBP 变化趋势与其他几种 PAEs 略有不同，DEHP 在距拆解中心 100m 处浓度较高。DBP 在不同采样点变化趋势不同，但在距拆解中心 200m 处均有浓度增大的趋势。PAEs 在土壤中的移动、滞留、消失等行为可能与其本身的理化性质、来源以及土壤的理化性质和环境条件等因素有关[17]。土壤环境中，邻苯二甲酸酯的迁移可由这类化合物的固－液吸附系数（K_{oc}）和疏水性决定。随着碳链的增长，PAEs 疏水性逐渐增强。Russell 和 McDuffie 测定了多种邻苯二甲酸酯的固－液吸附系数，测得的 K_{oc} 值从 69 倍（DMP）至 87000 倍（DEHP）不等。DMP、DEP 等短链 PAEs 化合物的水溶性较高，K_{oc} 较小，易被生物降解或通过其他途径消失[17,18]，因而 DMP、DEP 在土壤中的含量较低。Gómez－Hens 和 Aguilar－Caballos[19]则认为土壤中可溶性腐殖质易与分子量较大的 PAEs（如 DEHP、DBP）结合，增加了它们的表观水溶性，降低了土壤的吸附作用，易迁移移动。DEHP 在 100m 处、DBP 在 200m 处有较高浓度支持了这一观点。

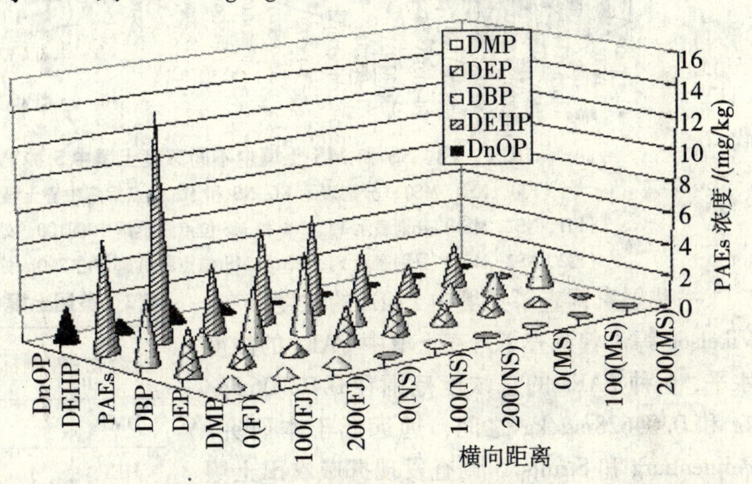

图 1 FJ、NS 和 MS 土壤中距拆解中心不同距离处 5 种 PAEs 的分布情况

（四）不同深度土壤中 PAEs 的分布

在距离拆解中心不同距离、不同深度土壤中 PAEs 的浓度和分布情况如图 2 所示。DEP、DEHP、DBP 和 DnOP 具有相似的变化趋势，即在 0～5cm 表层浓度最大，随着深度的增加浓度逐渐减少。但 DMP 普遍在 5～15cm 深度有较高浓度。这可能与不同深度 K_{oc} 值不同有关。据 Banerjee 等人[20]报道，在不同深度土壤中，DMP 的固－液吸附系数 K_{oc} 为 80～360 倍。Willie[21]研究发现大气传输是造成底泥、水体、土壤中 DEHP、DBP 含量较高的重要因素，因此电子垃圾焚烧引起的扬尘扩散可能也是造成土壤表面 DEHP 和 DBP 浓度较高的原因。

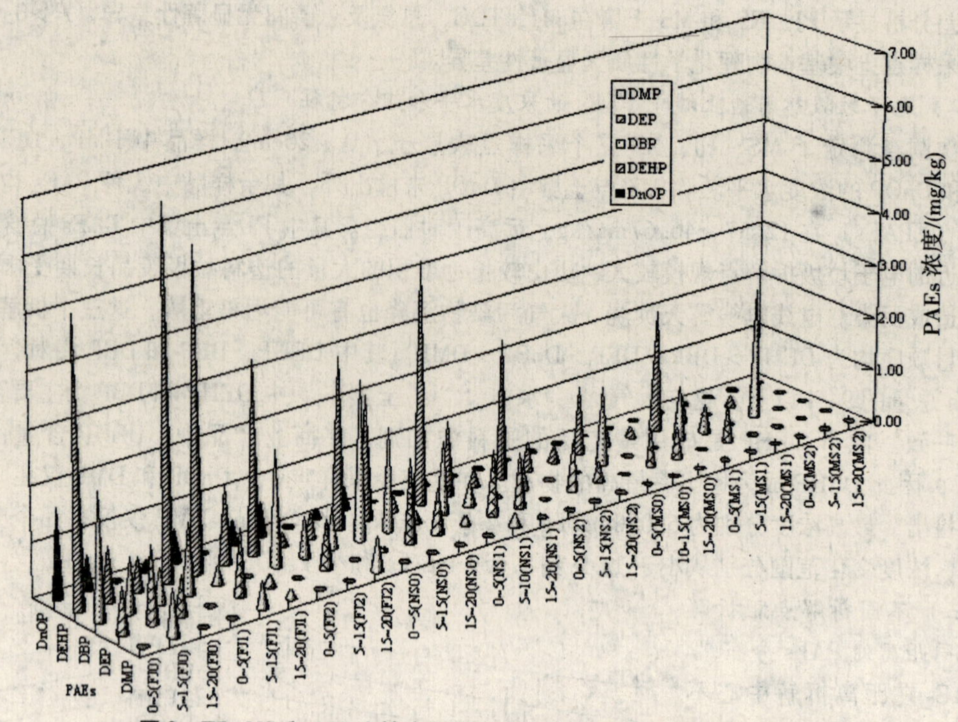

图 2　FJ、NS 和 MS 土壤中不同深度土壤中 5 种 PAE 的分布情况

（FJ0，NS0，MS0）分别表示 FJ、NS 和 MS 位点拆解中心土壤中 PAEs 的分布情况

（FJ1，NS1，MS1）分别表示 FJ、NS 和 MS 位点距拆解中心 100m 处土壤中 PAEs 的分布情况

（FJ2，NS2，MS2）分别表示 FJ、NS 和 MS 位点距拆解中心 200m 处土壤中 PAEs 的分布情况

表 2　美国土壤 PAEs 化合物控制标准和治理标准[15]

化合物	控制标准/（mg/kg）	推荐土壤治理标准/（mg/kg）
DMP	0.020	2.0
DEP	0.071	7.1
DBP	0.081	8.1
DEHP	4.35	50.0
DnOP	1.200	50.0

一些国家调查了土壤中 PAEs 的浓度分布。Vikelsoe 等[5]曾调查了丹麦土壤中 PAEs 的浓度水平，6 种 PAEs 的总浓度范围在 0.02706mg/kg 和 0.04628mg/kg 之间，远远低于本研究。Peijnenburg 和 Struijs[12]调查发现挪威农田土壤中 DBP 和 DEHP 相对含量较高，浓度分别为 0.006mg/kg、0.0318mg/kg。Ma 等[14]调查了北京郊区塑料大棚蔬菜基地土壤中 PAEs 的浓度分布，结果显示 DBP 和 DEHP 的浓度平均分别为 2.96mg/kg、2.70mg/kg，高于其他几种 PAEs 化合物，且明显高于大棚外土壤中 PAEs 的含量，认为大棚内 PAEs 浓度较高与使用塑料农膜有关。蔡全英等[9]调查了广州和深圳 9 个典型蔬菜基地 27 个土壤样品中 6 种 PAE 总含量，发现其浓度范围从 3.00 ~ 45.67mg/kg 不等。

与美国国家环保局（EPA）制定的土壤 PAEs 的控制标准和治理标准（表 2）比较，FJ 点所有的 PAEs 组分均超过了美国的控制标准，其中 DMP 和 DBP 含量超过了治理标准，说明该地区 PAEs 污染土壤较为严重，需要引起重视。其他两个点位土壤中除 DnOP 外，其他 PAEs 均超过了控制标准，但未超过治理标准。

参考文献

[1] Leung A, Luksemburg W J, Wong A S. Spatial distribution of polybrominated diphenyl ethers and polychlorinated dibenzo - p - dioxins and dibenzofurans in soil and combusted residue at Guiyu, an electronic waste recycling site in southeast China [J]. Environmental Science & Technology, 2007, 41: 2730 - 2737.

[2] Shen C F, Huang S B, Wang Z J, et al. Identification of Ah Receptor Agonists in Soil of E - waste Recycling Sites

from Taizhou Area in China. Environ [J]. Sci. Technol, 2008, 42: 49 – 55.

[3] Staples C A, Peterson D R, Urbanerton T F, et al. The environmental fate of phthalate esters: a literature review [J]. Chemosphere, 1997, 35: 667 – 749.

[4] Bauer M J, Herrmann R. Estimation of the environmental contamination by phthalic acid esters leaching from household wastes [J]. Science of the Total Environment, 1997, 208: 49 – 57.

[5] Vikelse J, Thomsen M, Carlsen L. Phthalates and nonylphenols in profi les of differently dressed soils [J]. Science of Total Environment, 2002, 296: 105 – 116.

[6] Silva M J, Reidy J A, Herbert A R, et al. Determination of phthalate metabolites in human amniotic fluid [J]. Bulletin of Environmental Contamination and Toxicology, 2004, 72: 1226 – 1231.

[7] Xu G, Li F S, Wang Q H. Occurrence and degradation characteristics of dibutyl phthalate (DBP) and di (2 – ethylhexyl) phthalate (DEHP) in typical agricultural soils of China [J]. Science of the total environment, 2008, 393: 333 – 340.

[8] Kembra L H, Cynthia V R, Vickie S W, et al. Mechanisms of action of phthalate esters, individually and in combination to induce abnormal reproductive development in male laboratory rats [J]. Environmental Research, 2008, 108: 168 – 176.

[9] 蔡全英，莫测辉，李云辉，等．广州、深圳地区蔬菜生产基地土壤中邻苯二甲酸酯（PAEs）研究［J］．生态学报，2005，25（2）：283 – 288.

[10] Yin R, Lin X G, Wang S G. Effect of DBP/DEHP in vegetable planted soil on the quality of capsicum fruit [J]. Chemosphere, 2003, 50: 801 – 805.

[11] Teil M J, Blanchard M, Chevreuil M. Atmospheric fate of phthalate esters in an urban area (Paris – France) [J]. Science of the Total Environment, 2006, 354: 212 – 213.

[12] Peijnenburg WJGM, Struijs J. Occurrence of phthalate esters in the environment of the Netherlands [J]. Ecotoxicology and Environmental Safety, 2006, 63: 204 – 215.

[13] Fernandez M P, Ikonomou M G, Buchanan I. An assessment of estrogenic organic contaminants in Canadian wastewaters [J]. Science of the Total Environment, 2007, 373: 250 – 269.

[14] Ma L L, Chu S G, Xu. X B, Phthalate Residues in Greenhouse Soil from Beijing Suburbs, People's Republic of China [J]. Bulletin of Environmental Contamination and Toxicology, 2003, 71: 394 – 399.

[15] Zeng F, Cui K Y, Xie Z Y. Phthalate esters (PAEs): Emerging organic contaminants in agricultural soils in peri – urban areas around Guangzhou, China [J]. Environmental Pollution, 2008, 156: 425 – 443.

[16] Gómez – Hens A, Aguilar – Caballos M P. Social and economic interest in the control of phthalic acid esters [J]. Trends of analytical chemistry, 2003, 22: 847 – 857.

[17] Russell D J, McDuffie B. Chemodynamic properties of phthalate esters: partitioning and soil migration [J]. Chemosphere, 1986, 15: 1003 – 1021.

[18] Cartwright C D, Thompson I P, Burns R G. Degradation and impact of phthalate plasticizers on soil microbial communities [J]. Environmental Toxicology and Chemistry, 2000, 19: 1253 – 1261.

[19] Gómez – Hens A, Aguilar – Caballos MP. Social and economic interest in the control of phthalic acid esters [J]. Trends of analytical chemistry, 2003, 22: 847 – 857.

[20] Banerjee P, Piowoni M D, Ebeid K. Sorption of organic contaminants to a low carbon subsurface core [J]. Chemosphere, 1985, 14: 1057 – 1067.

[21] Willie JGM Peijnenburg, Struijs J. Occurrence of phthalate esters in the environment of the Netherlands [J]. Ecotoxicology and Environmental Safety, 2006, 63: 204 – 215.

有机物料与尿素混施土壤后 NH_3 和 CO_2 的释放规律研究

吴景贵　南　阳　孙晓楠　杨冉冉　吴　江

（吉林农业大学资源与环境学院　吉林　长春　130118）

摘　要　农业上尿素大量施用，但是利用率却很低，不仅给农民带来了经济浪费，同时也污染环境。在此就不同的有机物料以及深度对尿素的影响进行研究。本实验选取草本、木本、动物粪便三个类型六个品种的天然有机肥料分别与尿素混配的培养方法，试验表明动物粪便对氨气的释放有明显的抑制作用，也对二氧化碳的控释作用显著。不同的施肥深度也影响尿素的氨挥发损失，尿素施用深度越浅，氨挥发损失越多。

关键词　有机物料　尿素　氨气　二氧化碳　深度

一、前　言

近几十年来，我国农业生产迅速发展，粮食产量大幅度提高，增施化肥尤其是氮肥对此起到了十分重要的作用。当前世界各国肥料的用量相当巨大，每年总需求量都在 7000 万 t 以上，尤其在发展中国家，粮食的增产中 55% 来自于化肥的作用。1998 年我国农业化肥氮施用量达 2470 万 t，为同期世界农业中氮肥施用量的 29.7%[1-4]，是世界上最大的氮肥生产和消费国。然而目前，我国农业的氮肥利用率仅为 30% 左右[5,6]，在我国北方地区肥料利用率仅为 10%[7]。近年来随着化肥用量的增加，粮食增产幅度却在减小[8]，氮肥利用率低不仅给农民带来经济浪费同时造成了对水域和大气环境的污染[9]。对此，国内已开展了初步研究[10]，并获得了一定的进展，值得进一步深入下去。

温室效应导致气候变暖是当前世界备受人们关注的又一重要问题，CO_2 是主要的大气温室气体[11]。众所周知，有机碳也是土壤有机质的重要组成，土壤有机碳含量是土壤肥力衡量的指标之一[12]，土壤碳库动态平衡是土壤肥力保持和提高的重要内容，直接影响作物产量和土壤肥力高低[13,14]。如上所述，土壤在氮素的调节下，具有了适宜微生物生长和繁殖的 C/N 比，因此，其向大气中排放的 CO_2 的增加与否，也是一个必须关注的问题。

氨挥发是氮肥损失的主要途径，但相关的防止机理研究甚少。这说明在我国的农业生产中提高氮肥利用率、减少氮肥损失进而实现农业增产的潜力仍然很大。如何使氮素及有机碳更多的保持在土壤中，如何用综合的措施减少氮素的挥发损失，如何在提高土壤氮素利用率的同时控制温室气体的释放，将是未来一个时期内土壤学的重要研究趋向。

二、材料与方法

（一）供试材料

1. 供试土壤

供试土壤为黑土，采自吉林农业大学校区北部，采样深度为 30 ~ 80cm（B 层）。风干过 30 目筛，供试土壤的主要理化性质见表 1。

2. 供试有机物料

有机物料为成熟的玉米秸秆（其包括叶片、茎秆两部分，取自吉林农业大学教学试验场）、枯草、杨树叶、松树叶（取自吉林农业大学校园）、鹿粪、牛粪（取自吉林农业大学动物养殖场）。将秸秆、枯草风干，用铡草机铡成 1 ~ 5cm 碎段，于 25℃ 温度在鼓风干燥箱中干至恒重，然后用粉碎机粉碎并过0.25mm孔径筛备用；杨树叶、松树叶粉碎并过0.25mm孔径筛；牛粪、鹿粪于鼓风干燥箱中烘干研磨成粉状。经分析供试有机物料的C/N如下：

表1　供试土壤的理化性质

	pH	有机质/（g/kg）	全磷/（g/kg）	全氮/（g/kg）	碱解氮/（mg/kg）	速效钾（K_2O）/（mg/kg）	
B层	6.61	6.5	0.111	0.81	45.22	90	30.15

表2　供试有机物料的C/N

	秸秆（J）	枯草（C）	杨树叶（Y）	松树叶（S）	鹿粪（L）	牛粪（N）
C/N	80	55	80	83	32	42

3. 供试无机肥料

尿素：分析纯，天津金汇太亚化学试剂有限公司，含量99.10%。

（二）试验设计

分别称取上述6个类型有机物料各5g，按照C/N比为20∶1分别加入尿素混合均匀，再与50g土壤充分混合后置于100ml烧杯中，调整土壤含水量为田间持水量的70%，置于密闭保鲜盒．同时将1mol/L的氢氧化钠和2%的硼酸各10ml分别置于25ml烧杯中入保鲜盒封闭，于30℃培养箱中培养（如右图所示）。并在培养后12h、1d、2d、3d、4d、5d、10d、20d、30d、40d、50d、80d、100d分次取样，用滴定法测定氨气及二氧化碳的挥发量。每个处理设4次重复。

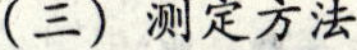

（三）测定方法

1. 氨气挥发量测定　采用硫酸滴定法

从密闭培养瓶中取出吸收了氨气的硼酸烧杯，加入2~3滴甲基红-溴甲酚绿指示剂，用0.05mol/L的硫酸标准溶液滴定直至溶液出现粉色为止，计算氨气挥发量，计算公式如下：

$$NH_3\ (mg/kg) = \frac{C\ (v - v_0)\ \times 14.0 \times 10^3}{m}$$

2. 二氧化碳挥发量的测定　采用硫酸滴定法

有机碳分解速率的测定采用硫酸滴定法测定，取吸收了CO_2的盛有氢氧化钠的小烧杯加少量饱和$BaCl_2$后，加入2滴酚酞指示剂显色，用0.5mol/L的硫酸标准溶液滴定残留的NaOH溶液，观察溶液由粉变白，计算土壤CO_2排放量。计算公式如下：

$$CO_2\ (mg/kg \cdot h) = \frac{(v_1 - v_2)\ N \times 22}{W \cdot h}$$

3. 数据计算处理　采用Excel 2003和DPS数理统计软件LSD多重比较法进行数据分析。

三、结果与分析

（一）不同来源有机物料与尿素混配施入土壤后氨气释放规律研究

1. 草本有机肥料与尿素混配施入土壤后氨气释放规律

如图1所示，秸秆、枯草与尿素混配施入土壤后，氨气释放量与对照相比，在0~3天内二者的氨气释放量均高于对照，秸秆高于枯草，在第 10 天以后二者的氨气释放量逐渐下降并低于对照，枯草仍低于秸秆。在 80～100d 时，二者与对照值的差别不明显。这一实验说明，当秸秆、枯草分别与尿素混配施入土壤后，在施入初期二者对氨气的释放均起到促进作用，秸秆的促进作用大于枯草。在第 50 天补充水分后，秸秆氨气释放量的反应也相对较大，在试验末期，两者的氨气释放量趋于同一水平。

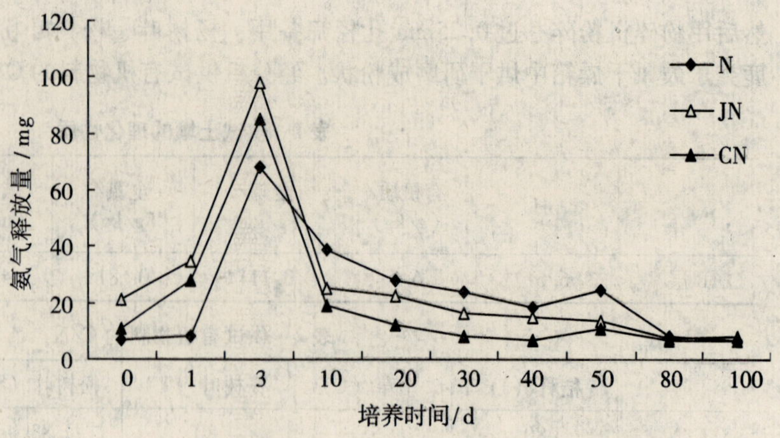

图 1　秸秆、枯草施入土壤中对氨气释放量的影响

（N：纯尿素　JN：秸秆加尿素　CN：枯草加尿素）

2. 木本有机肥料与尿素混配施入土壤后氨气释放规律

如图 2 所示，杨树叶和松树叶与尿素混配施入土壤后，氨气释放量只有在试验最初期杨树叶的氨气释放量高于松树叶外，其他时间的氨气释放量均不同程度的小于松树叶的氨气释放量，在第 3 天氨气释放量达到最大时，松树叶的氨气释放量明显大于对照和杨树叶的氨气释放量，第 10 天以后，杨树叶和松树叶的氨气释放量均小于对照值。相比之下，杨树叶的氨气释放量比较平稳，这说明在木本有机肥料中，杨树叶与尿素混配施入土壤后对氨气的释放量有较好的抑制作用。

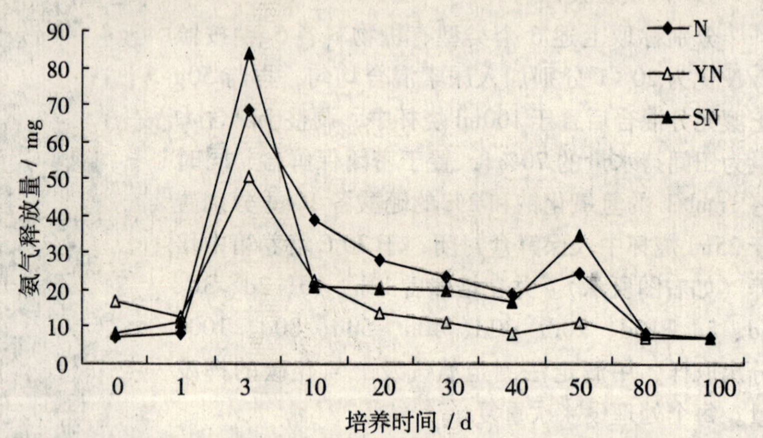

图 2　杨树叶、松树叶施入土壤中对氨气释放量的影响

（N：纯尿素 YN：杨树叶加尿素 SN：松树叶加尿素）

3. 动物粪便与尿素混配施入土壤后氨气释放规律

图 3 表明了牛粪、鹿粪分别与尿素混配施入土壤后氨气的释放情况，在培养试验的前期和中期，鹿粪的氨气释放量均高于牛粪，但是相差数量并不大，在 0～1d 内二者的氨气释放量均高于对照值，第 1 天以后均小于对照值，在试验末期即第 80～100 天里，二者的氨气释放量接近一致。这说明在鹿粪和牛粪中分别掺混尿素并施入土壤后，二者对尿素氨气释放量有一定的控制作用，二者的氨气控释能力相差

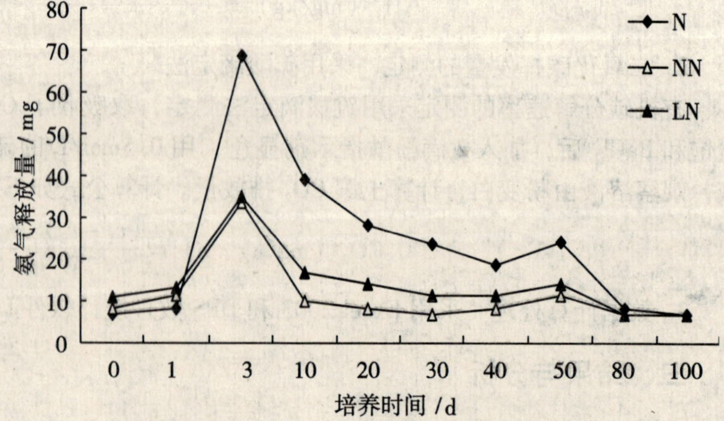

图 3　牛粪、鹿粪施入土壤中对氨气挥发量的影响

（N：纯尿素；NN：牛粪加尿素；LN：鹿粪加尿素）

不大。

4. 不同来源有机物料与尿素混配施入土壤后氨气释放的差异

如图4所示，将不同种类的有机物料掺混尿素施入土壤后，各种有机物料氨气释放的趋势与单纯培养有机物料时结果存在一定的共性，也是在培养后的第3天左右达到第一次释放高峰，以秸秆的释放量最大，此时鹿粪的氨气挥发量为最少；在试验中期动物粪便有机肥料的氨气释放量相对较低，当在培养的第50天补充水分后，各有机物料的氨气挥发量同样迎来第二次峰值，动物粪便有机物料的氨气释放量仍然最少。同时，与单纯培养有机物料结果不同的是秸秆、松树叶等草本，木本有机物料在试验初期（0～10d）氨气释放量均高于对照，在第10天以后缓慢降低，释放量也随即低于对照值。

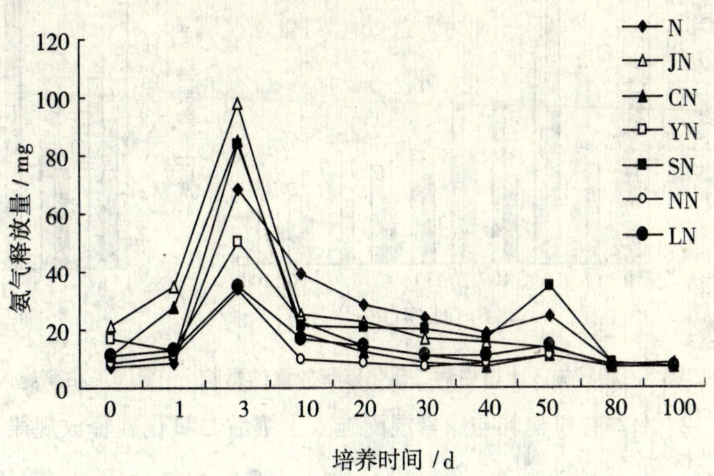

图4　不同有机物料施入土壤中对氨气释放量的影响

这说明在培养的最初期（0～1d）草本、木本有机肥对尿素中氨气挥发有明显的促进作用，氨气释放的抑制效果表现最好的是动物粪便有机肥；在培养试验中期（10～40d），草本、木本有机物料对氨气释放的抑制作用增强，动物粪便对氨气释放的抑制作用明显；在培养实验的末期（50～100d），木本以及动物粪便有机肥的氨气释放水平降到很低，并呈平稳递减趋势，这表明木本及动物粪便有机肥抑制氨气挥发的长效作用显著。另外，在50d天补充水分后，各有机物料的氨气释放量有所增加也说明水分充足会促进有机物料氨气的释放。

表3　不同有机物料与尿素混配施入土壤后氨气释放比率　　单位:%

有机物料种类	草本有机物料		木本有机物料		动物粪便有机物料		CK
供试有机物料	秸秆	枯草	杨树叶	松树叶	牛粪	鹿粪	
氨释放率	2.75	2.7	1.81	3.4	0.92	0.88	2.58
差异显著性	b	b	c	a	d	d	d

注：小写字母表示5%显著水平。

从表3中不同有机物料与尿素混配施入土壤后氨挥发损失的比率来看，在6种供试有机物料中，秸秆、枯草一类的草本有机物料及松树叶与尿素混配后氨挥发的损失比率略高于对照，其余有机物料的氨挥发损失率均低于对照依次为：杨树叶，牛粪，鹿粪。通过该实验我们可以看出，秸秆、枯草一类的草本有机物料及松树叶与尿素混配后会促进氨的释放；杨树叶及动物粪便则普遍能够对尿素中氨的释放起到较好的抑制作用。

（二）不同来源有机物料与尿素混配施入土壤后二氧化碳释放规律研究

1. 草本有机物料与尿素混配施入土壤后二氧化碳释放规律

图5和图6分别显示秸秆和枯草分别与尿素混配后施入土壤，其二氧化碳的释放量差异不大，枯草的最初释放量较大，但在1d后很快被秸秆反超，在随后的观察中发现，秸秆的二氧化碳挥发量一直略高于枯草。这一试验证明草本有机物料中秸秆和枯草对二氧化碳的控释作用没有明显差异，枯草的控释作用略好。

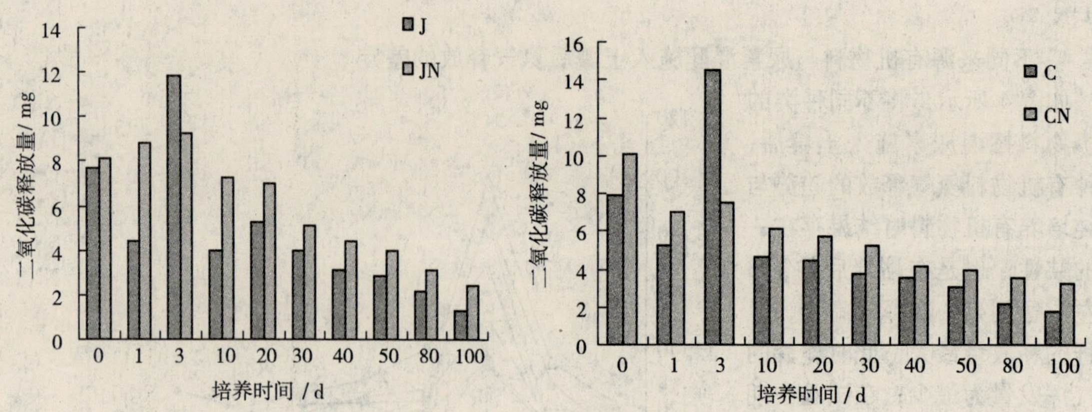

图 5　秸秆施入土壤中对二氧化碳释放量的影响　　**图 6　枯草施入土壤中对二氧化碳释放量的影响**

2. 木本有机物料与尿素混配施入土壤后二氧化碳释放规律

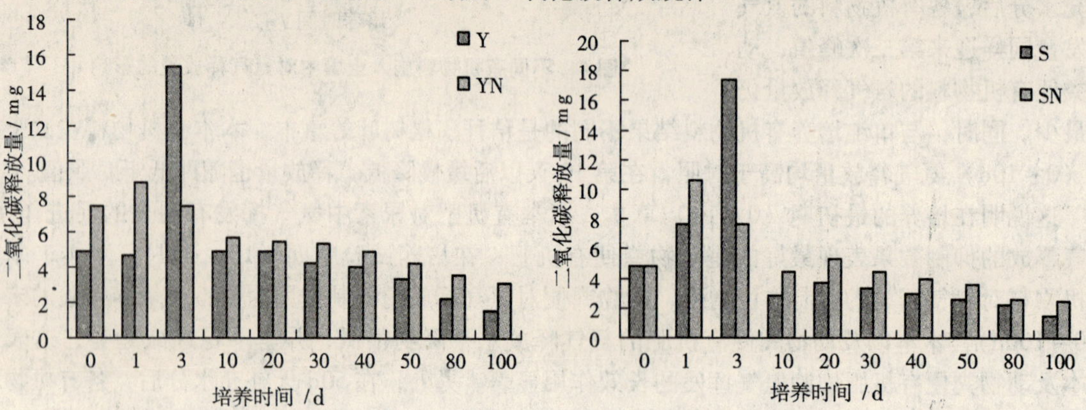

图 7　杨树叶施入土壤中对二氧化碳释放量的影响　**图 8　松树叶施入土壤中对二氧化碳释放量的影响**

图 7 和图 8 分别显示杨树叶和松树叶分别与尿素混配后施入土壤，二者二氧化碳的释放量差异不大，二氧化碳释放量区别不明显。二者与对照相比都只在第 3 天时二氧化碳释放量小于对照，其他时间里均高于对照值，这一试验证明尿素对木本有机物料杨树叶和松树叶二氧化碳的控释作用不明显。

3. 动物粪便与尿素混配施入土壤后二氧化碳释放规律

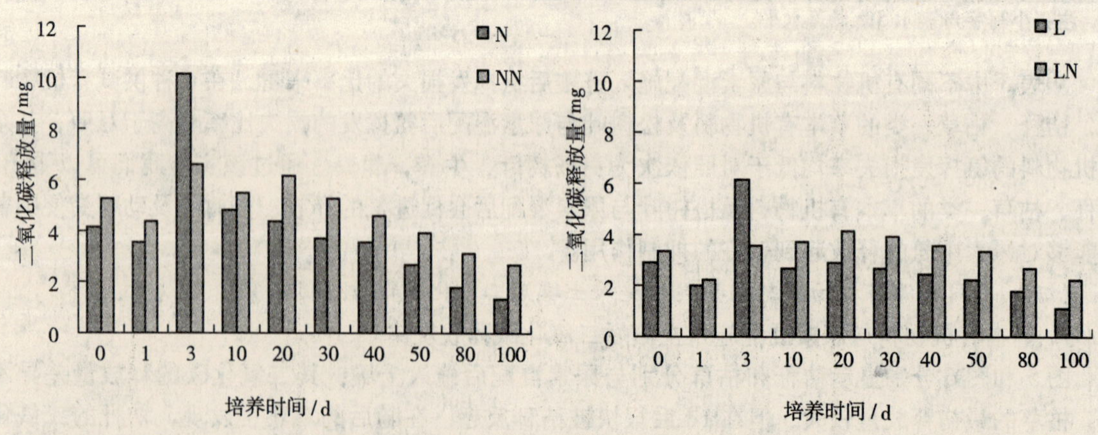

图 9　牛粪施入土壤中对二氧化碳释放量的影响　　**图 10　鹿粪施入土壤中对二氧化碳释放量的影响**

图 9 和图 10 分别显示牛粪、鹿粪分别与尿素混配后施入土壤二者二氧化碳的释放量，二者

的二氧化碳释放趋势基本一致，都是在第3天时二氧化碳的释放量低于对照值，鹿粪的二氧化碳释放量总体上略大于牛粪，这一实验说明，尿素对于动物粪便有机肥中牛粪二氧化碳释放有相对较好的抑制作用。

4. 不同来源有机物料与尿素混配施入土壤后二氧化碳释放的差异

图11表明的是将不同种类的有机物料与无机物料尿素混配，施入土壤后，定期观察二氧化碳气体挥发量的结果。各种有机物料二氧化碳释放量比较明显的趋势是在培养后的第1～3天达到释放高峰，以鹿粪的释放量最大，秸秆其次，枯草、杨树叶较少。10d以后各有机物料的二氧化碳挥发量均逐渐减少。在第50天补充水分后，各有机物料的二氧化碳释放量也有不同程度的增加，但是幅度均不大。

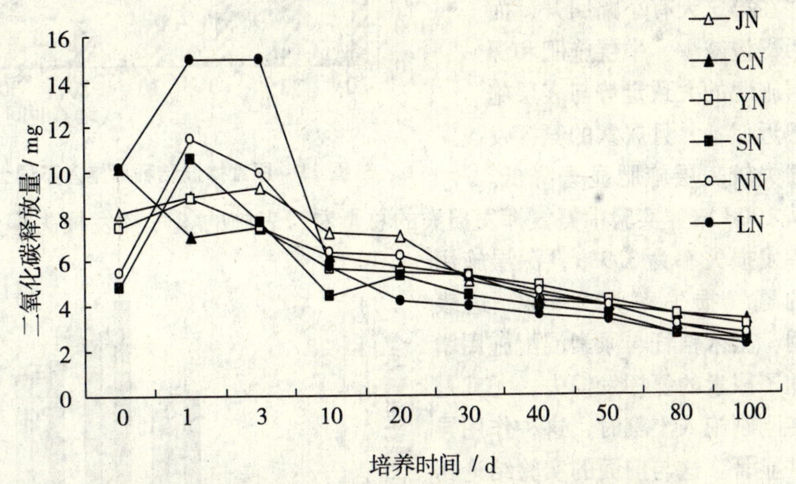

图11　不同有机物料施入土壤中对二氧化碳释放量的影响

这说明在培养的最初期（0～1d）尿素对木本有机物料中二氧化碳的挥发作用和抑制作用比较明显；在培养试验中期（10～50d），动物粪便二氧化碳释放的抑制作用明显；在培养实验的末期（50～100d），动物粪便有机肥的二氧化碳释放水平降到很低，并成平稳递减趋势，草本、木本有机肥料的二氧化碳释放量较高但也呈现出递减趋势。另外，在50d补充水分后，各有机物料的氨气释放量有所增加也说明水分充足同时会促进有机物料二氧化碳的释放。

（三）有机物料与尿素混配后不同施用深度对氨气、二氧化碳释放的影响

本实验设计3个不同的施肥深度，即表层（T1）、中层（距表面约5cm处，T2）和深层（距表面约10cm处，T3）。由于当今的农业生产实践中，秸秆还田已经作为一种重要的土壤培肥措施普遍推广[15-17]，所以，有机物料我们仅采用未腐解的玉米秸秆，同时设置了单纯施入尿素和秸秆掺混尿素两种处理。

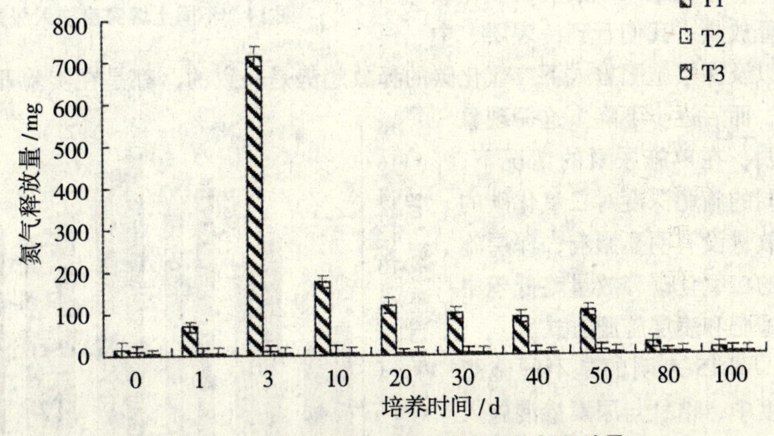

图12　不同土壤深度施入尿素后氨气释放量

1. 有机物料与尿素混配后不同施用深度对氨气释放的影响

图12表明的是不同施肥深度中，单纯施入尿素后不同的氨气释放量，不难看出表层施尿素后氨气的释放量远高于中层和深层施肥，并在第3天左右达到最大的氨气释放量，这表明，尿素表施的氨挥发是非常巨大的。从100d培养实验中氨气挥发损失的总量看，表施的氨气挥发损失率为70.1%，中层施用的氨气挥发损失率为3.6%，深层施用的氨气损失率为2.8%，可见，不

同的施肥深度会显著影响尿素的氨挥发损失，尿素施用深度越浅，氨挥发损失越多。但中层和深层施肥的氨气释放量差异不显著，二者与表层施肥比较均有较低的氨气损失量。

图 13 反映的是不同施肥深度中，秸秆掺混尿素后施入不同土壤深度的氨气释放量，与单纯施入尿素不同的是在培养实验开始的最初表层施肥方式的氨气释放量就达到最大值，随后下降，并在第 3 天有小幅回升，而后慢慢减少。中层施肥和深层施肥的大致走势与表层施肥近似，并且尿素的氨挥发损失较表层施肥显著降低。从 100d 培养实验中氨气挥发损失的总量看，表施的氨气挥发损失率为 83.9%，中层施用的氨气挥发损失率为 3.9%，深层施用的氨气损失率为 2.9%，这表明，玉米秸秆与尿素混配施用增加了尿素的氨挥发损失，尤其是在刚刚施入土壤时，这种作用异常显著。这与前面的实验结论相吻合。这一结论证明，玉米秸秆与尿素是不能混合施用的。

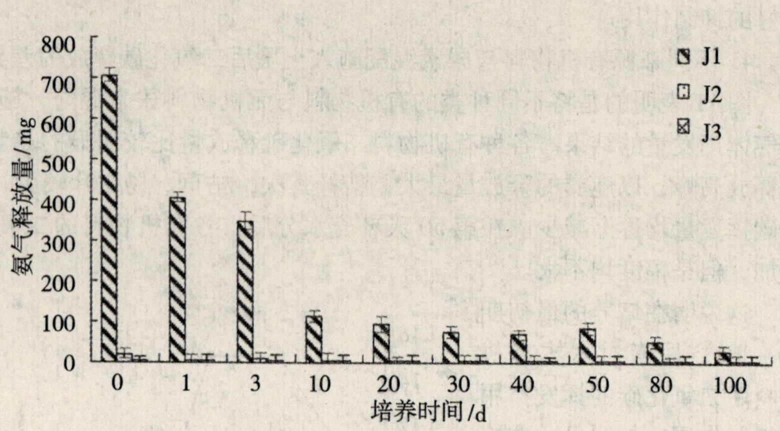

图 13　尿素掺混秸秆后施入不同土壤深度氨气释放量

2. 不同施肥深度对二氧化碳的影响

图 14 反映的是不同施肥深度中，单纯施入尿素后二氧化碳的释放量。我们看到，表层、中层以及深层施肥方式下二氧化碳的释放趋势是一致的，都是在实验开始至第 5 ~ 10 天缓慢达到峰值，而后逐步下降。这一现象说明，在单施尿素的情况下，不同的施肥深度对二氧化碳的释放量没有明显影响，深层施肥的二氧化碳释放量略低于中层施肥和表层施肥方式。

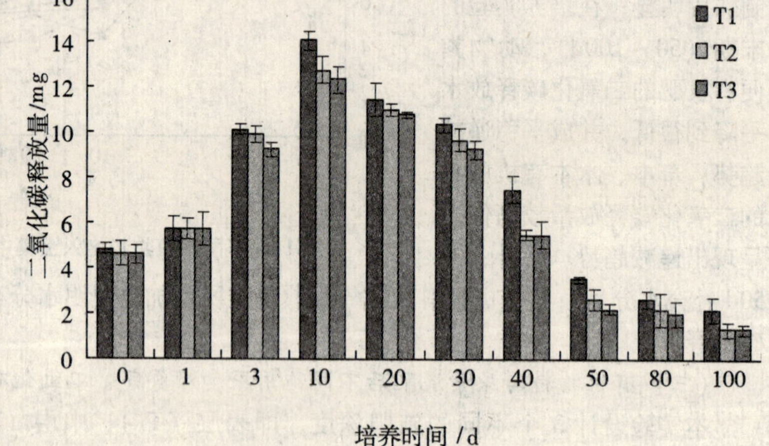

图 14　不同土壤深度施入尿素后二氧化碳释放量

图 15 表明的是不同施肥深度中，秸秆与尿素掺混施入后二氧化碳的释放量。我们看到，表层、中层以及深层施肥方式下二氧化碳的释放趋势是一致的，都是在 0 ~ 10 缓慢增长，达到峰值，而后逐步下降。这一现象说明，在秸秆与尿素混配的情况下，不同的施肥深度对

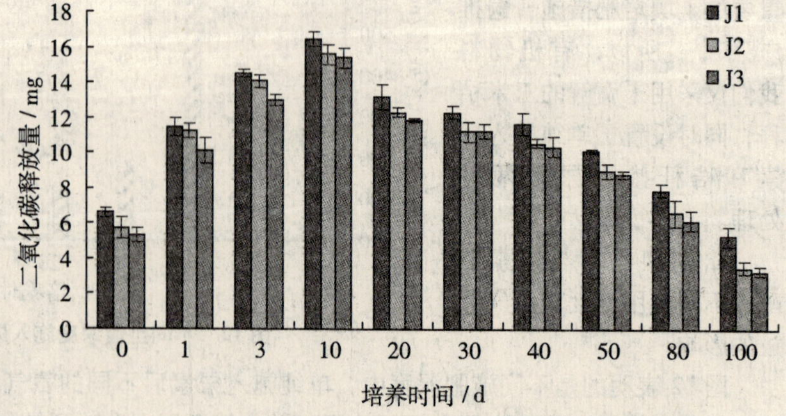

图 15　尿素掺混秸秆后施入不同土壤深度二氧化碳释放量

二氧化碳的释放量没有明显影响，深层施肥的二氧化碳释放量略低于中层施肥和表层施肥方式。

四、结　论

通过各种有机物料与无机氮肥混配的培养试验，对施入有机物料后土壤中氨气及二氧化碳损失的影响因素进行了研究。明确了不同种类有机物料在培养过程中对氨释放的影响作用及无机氮肥对不同种类有机物料的二氧化碳释放的影响因素，初步揭示了有机物料在不同状态及不同施肥方式下对氨气及二氧化碳释放影响规律。得出主要结论如下：

1. 不同种类的有机物料分别与无机氮肥混配后施入土壤，测得氨气及二氧化碳的释放规律

（1）在整个实验过程中，动物粪便有机物料对氨气的抑制作用都比较明显，试验中期牛粪的抑制作用较好，而试验末期鹿粪亦表现出较好的抑制作用；其次杨树叶、枯草对氨气的释放也起到一定的抑制作用；秸秆在实验初期仍然表现出对氨气释放的促进作用。

（2）有机物料与无机物料混合施入土壤后，尿素对动物粪便有机肥料二氧化碳的释放控制作用较好，其中，对鹿粪的长效及远效抑制作用较牛粪更为明显；对其他种类有机物料二氧化碳释放的影响作用表现均不明显。

2. 不同的施肥深度对氨气及二氧化碳释放的影响规律

（1）单纯施入尿素后观察氨气的释放情况得到的结论是：不同的施肥深度会显著影响尿素的氨挥发损失，尿素施用深度越浅，氨挥发损失越多。但中层和深层施肥的氨气释放量差异不显著，二者与表层施肥比较均有较低的氨气损失量。因此，生产实践中，对于尿素的施用一定不能暴露于地表，而尿素施入土壤后，其施入的深度，对尿素的氨挥发损失，影响并不显著。

（2）玉米秸秆与尿素混配施用增加了尿素的氨挥发损失，尤其是在刚刚施入土壤时，这种作用异常显著。这与前面的实验结论相吻合。这一结论证明，玉米秸秆与尿素是不能混合施用的。当前，在东北的广大农村地区，玉米的根茬还田已经成为农业生产活动的一个重要环节。在许多地方，农民一般都在灭茬后施用底肥，然后破原垄成新垄，而这种操作的结果是使玉米根茬与施用的肥料更充分地结合在了一起。从我们的实验结果可以看出，这种操作大大增加了施入尿素的氨挥发损失，因此在农业生产中，这种现行的施肥模式是错误的，需加以改进和克服。

（3）无论是在单施尿素还是在秸秆与尿素混配的情况下，施肥深度对气态碳的释放量都没有明显影响，深层施肥的二氧化碳释放量略低于中层施肥和表层施肥方式。

参考文献

[1] 沈善敏．氮肥在中国农业发展中的贡献和农业中氮的损失［J］．土壤学报，2002，39（增刊）：12－25.

[2] 李菊梅，徐明岗，秦道珠，等．有机肥无机肥配施对稻田氨挥发和水稻产量的影响［J］．植物营养与肥料学报，2005，11（1）：51－56.

[3] 谢华丽，周春晖，潘炎烽，等．复混肥防结块的研究和开发［J］．化工生产与技术，2006，12（3）：36－39.

[4] 毕先均，江华，殷照江，等．硅藻土作包裹剂的缓释复合肥的研制［J］．云南师范大学学报，2004，24（3）：20－21.

[5] 宋勇生，范晓晖．稻田氨挥发研究进展［J］．生态环境，2003，12（2）：240－244.

[6] 潘炎烽，谢华丽，周春晖，等．吸附性矿物膨润土对肥料的控释作用初探［J］．浙江工业大学学报，2006（34－4）：393－397.

[7] 陈清，贾小红，王秀群，等．可持续蔬菜生产中的有机肥管理［C］．全国有机肥料技术工作研讨会交流材料，2006（12）：16－26.

[8] 孙芙英，张凤英．提高化肥利用率的有效途径［J］．国外农学——杂粮作物，1997（5）：46－48.

[9] 崔桂霞．氮肥增效剂——肥隆对提高氮素利用率及对作物产量影响的研究［A］．迈向21世纪的土壤科学

［C］．中国土壤学会第九次全国代表大会（辽宁省卷）．沈阳：辽宁科技出版社，1999：178－179.

［10］Yin S X, Shen Q R, Tang Y, et al. Reduction of nitrate to ammonium in selected paddy soils of China［J］. Pedosphere, 1998, 8：221－228.

［11］杨靖．洛桑试验站150周年——经典试验的研究进展［J］．土壤学进展，1995，23（1）：9－12.

［12］吴景贵，王明辉，刘洁．非腐解有机物培肥对水田土壤理化性质的影响［J］．吉林农业大学学报，1998，20（1）：49－54.

［13］陈恩凤，等．土壤特征团聚体的组成比例与肥力评价［J］．土壤学报，2001，38（1）：49－53.

［14］许绣云，姚贤良，刘克樱．长期施用有机肥料对红壤性水稻土的物理性质的影响［J］．土壤，1996，28（2）：57－61.

［15］吴景贵，王明辉，万忠梅，等．玉米秸秆腐解过程中形成胡敏酸的组成和结构研究［J］．土壤学报，2006，43（3）：443－451.

［16］吴景贵，王明辉，姜亦梅，等．施用玉米植株残体对土壤富里酸组成、结构及其变化的影响［J］．土壤学报，2006，43（1）：133－141.

［17］吴景贵，王明辉，姜亦梅，等．玉米秸秆还田后土壤胡敏酸变化的谱学研究［J］．中国农业科学，2005，38（7）：1394－1400.

生物刺激法原位修复油污土壤与钻井岩屑的现场试验研究

陈　宇[1]　王　胜[1]　李　辉[1]　吴　亮[2,3]　赵　彬[1]　梁生康[2,3]

(1. 中海石油环保服务有限公司　天津　塘沽　300452；2. 中国海洋大学化学化工学院　山东　青岛　266100；3. 中国海洋大学海洋化学理论与工程技术教育部重点实验室　山东　青岛　266100)

摘　要　本文通过开展原位生物修复油污土壤和钻井岩屑的现场试验，考察了生物刺激法在原位修复油污土壤与钻井岩屑中的效果。试验结果表明，添加亲油缓释肥料的生物刺激方法对原油降解具有良好的强化作用，降解率比未添加亲油缓释肥料的对照组高出一倍以上，为50%～60%，其在土壤与钻井岩屑的混合基质中降解率最高，达到60.54%。另外，本研究还考察了添加亲油缓释肥料且添加调理剂和疏松剂的原位生物修复效果。

关键词　生物刺激　亲油缓释肥料　原位修复　油污土壤　钻井岩屑

现代石油工业发展迅猛，但是同时也带来了很多问题，比如石油输送管道周边的土壤存在被污染的风险，石油在运输过程中出现的溢油事故对事发地的土壤污染以及开采原油所产生的钻井岩屑等，都对生态环境造成很大的危害。高效和环境友好型的去除油污土壤的原油是国际上十分关注的前沿领域（Xia 等，2007）。在微生物降解基础上发展起来原位生物修复技术的具有操作简单，不易产生二次污染（Lin 等，2004）等优点，已成为消除大面积溢油污染的重要选择（宋志文，2003）。被原油污染的土壤环境中，石油烃是微生物可以利用的大量碳底物，而营养盐如氮、磷常常是限制微生物活性的限制因素（Zhou 等，2004；Atlas & Bartha，1972）。为提高污染物的降解效率，常常通过添加营养盐即生物刺激的方式来强化污染物的生物降解。但在油污染环境中，为了促进石油烃类的降解而添加水溶性的氮源和磷源也受到限制（Oudot 等，1998）：一方面，所添加的营养盐往往是亲水疏油的，而降解石油烃的微生物确实亲油疏水的，两者并不能很好的共存；另一方面，大量投放的水溶性肥料并不具备缓释性能，这样导致了肥料的浪费与肥效短，还造成了环境的二次污染（Head 等，1999；Wang，2004）。因此，在石油污染场地的生物修复过程中应提供具有缓释性的肥料，以持续供给石油烃类降解菌生长所需营养盐（Dou 等，1978）并减少潜在的二次污染。本文针对上述问题研制出能够供原位修复油污土壤及钻井岩屑的亲油缓释肥料（Chatre 等，1996），并就该肥料在中试现场进行对比试验，验证其相对空白对照对油污土壤及钻井岩屑的降解性能。

一、试验材料、场地和测定方法

（一）试验材料

亲油缓释肥料：中海油与中国海洋大学合作开发的专利产品

原油：来自中海油海上平台

非固化岩屑：来自中海油钻井平台

固化岩屑：经过无害化处理并固化的非固化岩屑

调理剂：秸秆或稻草，主要作用是形成孔隙，维持修复环境中的好氧状态

疏松剂：锯末、木屑或树皮，主要作用是来实现共代谢，促进难分解物质的降解

（二）试验场地

现场试验在4个4m（长）×2m（宽）×0.3m（深）的试验池内开展。

（三）取样及检测方法

油含量采用重量法测定，在试验池各个位置均匀选取 10 个点，每个点采集直径 5cm、深 5cm 的土柱，把 10 个点的土柱混合均匀，烘干，研磨，用 100 目筛子过筛，取 10g 过筛土样用锡箔纸包好，置于索氏提取器用 1∶1 正己烷与二氯甲烷混合溶剂提取 24h，再把提取液中的溶剂旋蒸干，即可承重得到油含量。

二、试验方法

（一）第一阶段试验

第一阶段试验从 2008 年 7 月 3 日开始，至 9 月 4 日结束，历时 9 周。在此阶段试验过程中，我们将每一块试验场地都设置试验区和对照区两个部分，以比较生物刺激在不同情况下的作用。具体布置方式如图 1 所示，试验区即添加缓释肥料的区域，对照区即未添加缓释肥料的区域，与试验区的降解效果形成对比，从而来观察添加肥料后基质中原油的降解情况。

各基质的布置方式及对照区域的设置方式见图 1。

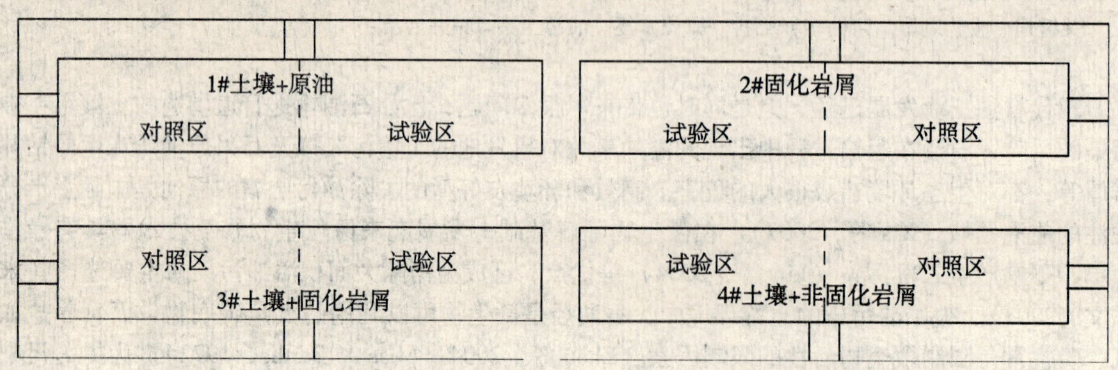

图 1　第一阶段试验各基质的布置方式及对照区域的设置方式

第一阶段试验中每一块场地的基质处理方式见表 1。

表 1　第一阶段缓释肥料的应用试验及基质铺设方案

编号	基质	添加物
1#	土壤 2.4 m^3	3L 原油，亲油缓释肥料 750g
2#	固化岩屑 2.4m^3	
3#	土壤 1.2 m^3 + 固化岩屑 1.2 m^3 混合	亲油缓释肥料 750g
4#	土壤 1.2 m^3 + 非固化岩屑 1.2 m^3 混合	

（二）第二阶段试验

第二阶段试验从 2009 年 4 月 16 日开始，至 5 月 14 日结束，历时 4 周。在此阶段试验过程中，我们对第一阶段的试验方案进行了改进，通过对基质添加调理剂和疏松剂的增氧措施改善基质的好氧环境，以期能得到更好的降解效果。

第二阶段试验将 1#试验场地和 2#试验场地分别作为油污土壤和钻井岩屑的生物刺激原位修复的试验区；3#试验场地和 4#试验场地分别作为对照区。各基质的布置方式及对照区域的设置方式见图 2。

第二阶段试验中每一块场地的具体的基质处理方式见表 2。

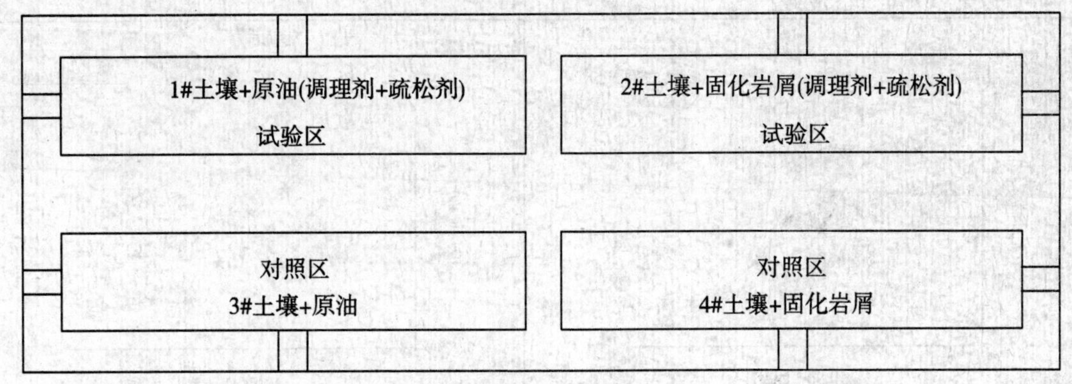

图 2　第二阶段试验各基质的布置方式及对照区域的设置方式

表 2　第二阶段缓释肥料的应用试验及基质铺设方案

编号	基　质	添加物
1#	土壤 2.4 m^3	144L1∶1 原柴混合油
		60～90kg 调理剂
		120～150kg 疏松剂
		亲油缓释肥料 750g
2#	土壤 1.2 m^3 + 固化岩屑 1.2 m^3 混合	60～90kg 调理剂
		120～150kg 疏松剂
		亲油缓释肥料 750g
3#	土壤 2.4 m^3	
4#	土壤 1.2 m^3 + 非固化岩屑 1.2 m^3 混合	

三、试验结果与讨论

(一) 第一阶段试验

图 3 和图 4 分别显示了第一阶段各种基质中油含量和原油降解率随时间的变化趋势。从图 3 中可以看出，经过 9 周时间的原位处理，对于 1#土壤 + 原油的试验场地，试验区和对照区油含量分别为 14.52mg/g 和 22.51mg/g，2#固化岩屑的试验场地，试验区和对照区油含量分别为 116.36mg/g 和 161.56mg/g，3#土壤 + 固化岩屑的试验场地，试验区和对照区油含量分别为 46.82mg/g 和 83.06mg/g，4#土壤 + 非固化岩屑的试验场地，试验区和对照区油含量分别为 85.67mg/g 和 127.31mg/g。从图 4 中可以看出，对于这 4 种不同的基质，试验区中的原油降解率高于对照区，至试验进行的第 9 周时，1#池试验区原油降解率为 52.90%，对照区为 24.16%；2#池试验区为 44.23%，对照区为 22.52%；3#池试验区为 60.54%，对照区为 28.72%；4#池试验区为 55.06%，对照区为 33.08%。

经过对图 3 和图 4 的数据分析，可以看出，对于这 4 种不同类型的基质，添加亲油换缓释肥料试验区的石油烃降解效果明显好于未添加肥料的对照区，经过 9 周时间的原位修复实验，各试验池经过生物强化原位处理的试验区的原油降解率比各自对照区分别提高了 28.74%、21.71%、31.82%、21.98%，这主要是因为添加亲油缓释肥料，能够缓慢释放石油烃降解菌所需营养盐，从而维持石油烃降解菌的持续增长，达到了生物刺激的目的。

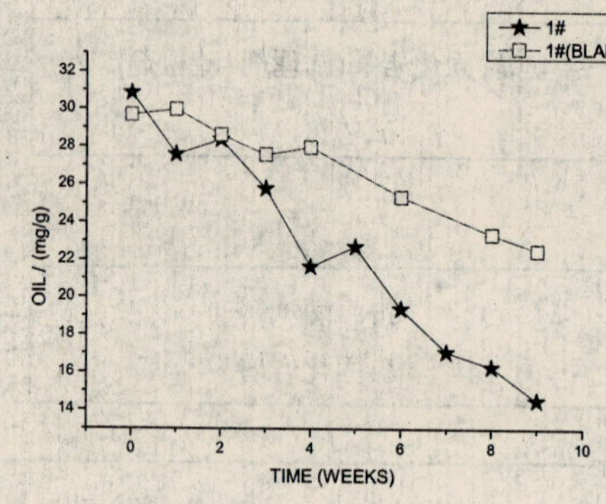

（a）1#池的油含量随时间的变化趋势图

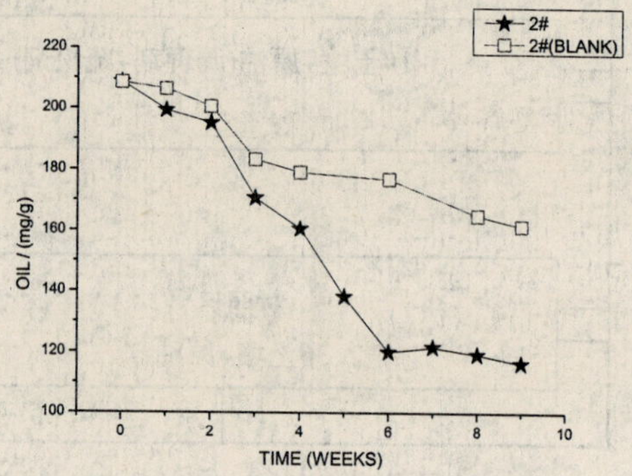

（b）2#池的油含量随时间的变化趋势图

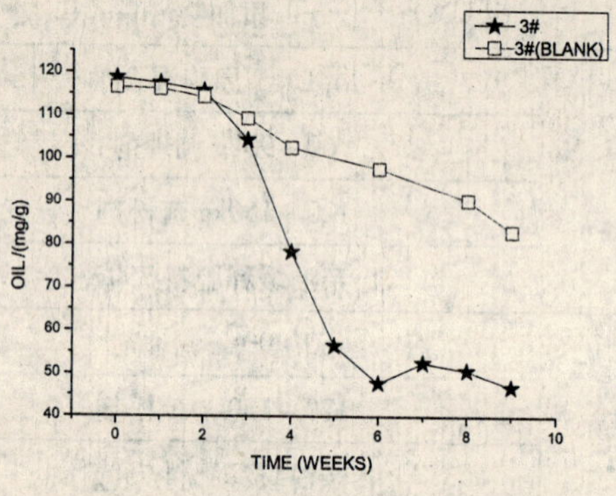

（c）3#池的油含量随时间的变化趋势图

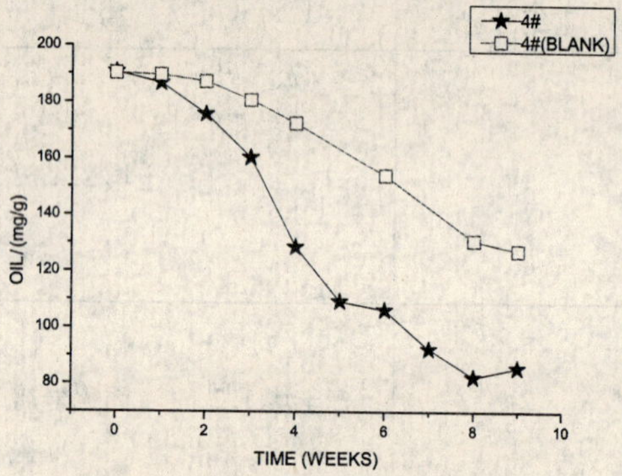

（d）4#池的油含量随时间的变化趋势图

图 3　各试验池中的油含量随时间的变化趋势图

（二）第二阶段试验

图 5 和图 6 分别显示了第二阶段各种基质中油含量和原油降解率随时间的变化趋势。从图 5 可以看出，经过 4 周时间的原位处理，对于土壤＋原油＋调理剂＋疏松剂、土壤＋原油、土壤＋固化岩屑＋调理剂＋疏松剂、土壤＋固化岩屑这 4 种不同类型的基质，添加疏松剂与调理剂且添加亲油缓释肥料的实验场地的油含量均比相应对照组的油含量低很多，1#试验池的含油量为 12.69mg/g，而对照的 3#试验池的含油量为 102.43mg/g；2#试验池的含油量为 23.31mg/g，而对

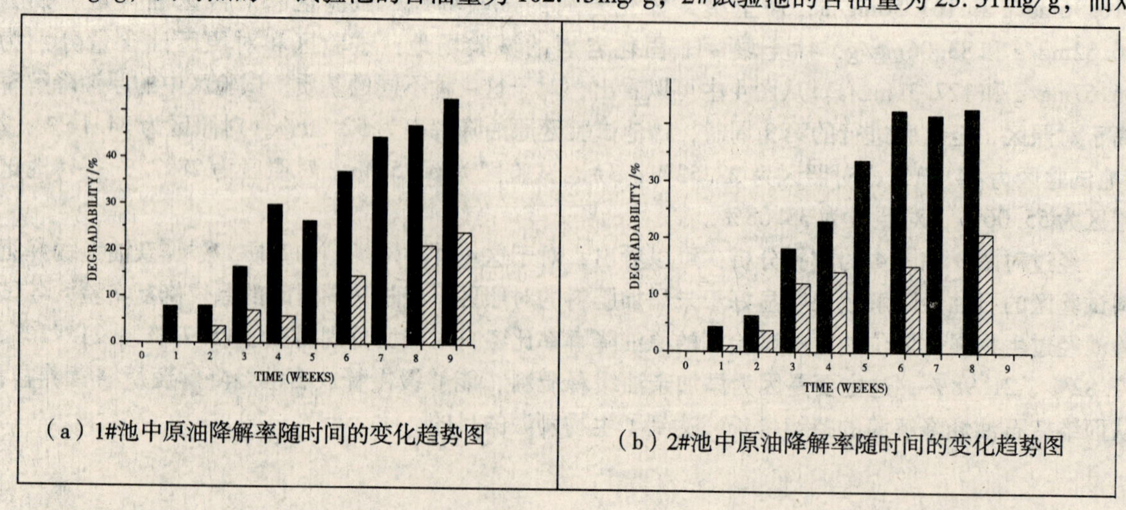

（a）1#池中原油降解率随时间的变化趋势图

（b）2#池中原油降解率随时间的变化趋势图

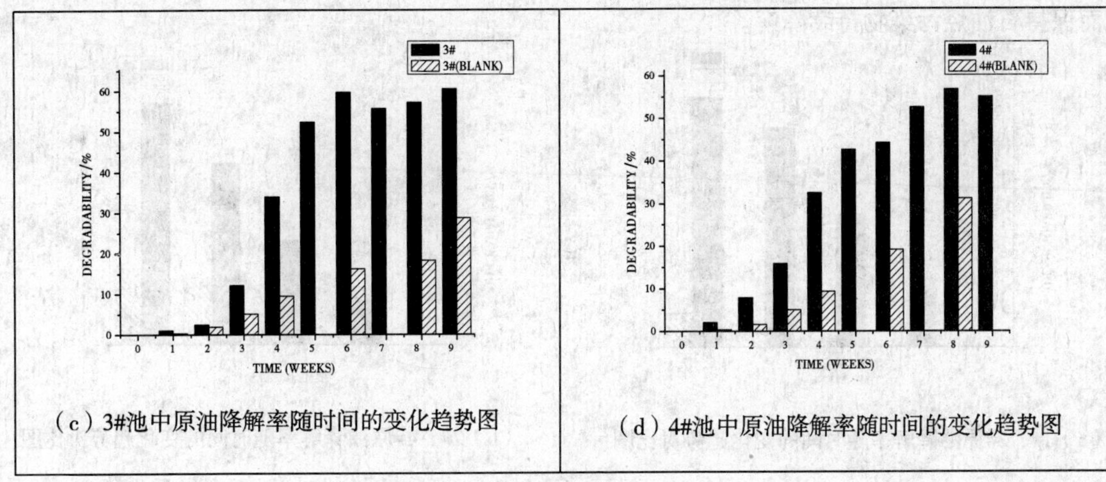

（c）3#池中原油降解率随时间的变化趋势图

（d）4#池中原油降解率随时间的变化趋势图

图4　各修复池中原油降解率随时间的变化趋势图

照的4#试验池的含油量为82.3mg/g。图6表现了各种基质中原油降解率随时间的变化趋势，从图中可以看出，经过4周时间的原位处理，对于这4种不同的基质，添加疏松剂与调理剂且添加亲油缓释肥料的实验场地原油降解率高于相应对照组的原油降解率。1#试验池原油降解率为89.48%，而对照的3#试验池的原油降解率为12.09%；2#试验池原油降解率为80.93%；而对照的4#试验池的原油降解率为24.69%。

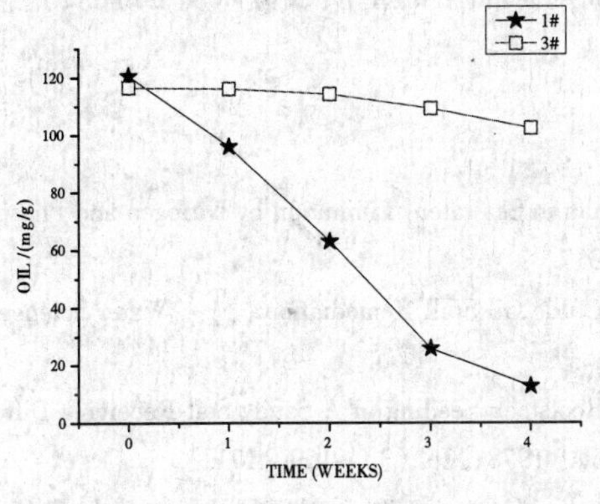

（a）1#、3#油含量随时间的变化趋势对比图

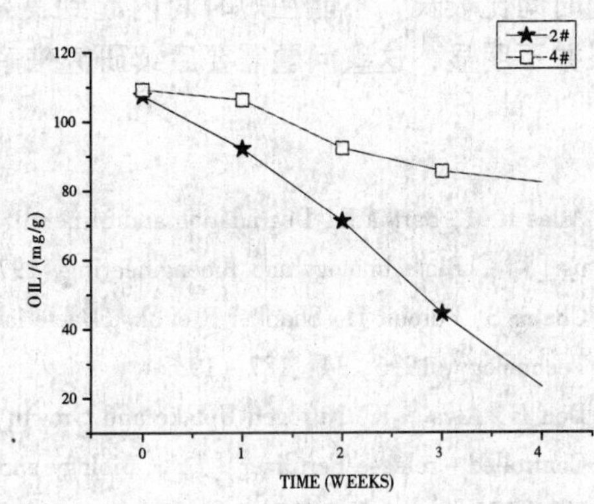

(b) 2#、4#油含量随时间的变化趋势对比图

图5　各修复池油含量随时间的变化趋势对比图

经过对第一阶段和第二阶段的数据对比，排除因试验开展时间而带来的外界环境不同因素，可以看出，添加调理剂和疏松剂可以得到更好生物修复效果。分析原因，可能是因为调理剂和疏松剂能够使基质形成孔隙，维持修复环境中的好氧状态，实现共代谢，促进难分解物质的降解，从而保持石油烃污染物持续降解。

四、结论及展望

通过生物原位处理油污染土壤及含油钻井岩屑的现场试验，可以看出亲油缓释肥料在强化土著微生物修复对油污土壤和钻井岩屑方面具有明显的作用，主要是克服了降解过程中微生物的营养源缺乏的限制，这些缓慢释放且亲油的肥料能为微生物提供长效的营养源，促进微生物对残油的持续降解。另外，添加调理剂和疏松剂可以得到更好生物修复效果，这可能是因为调理剂和疏松剂能够使基质形成孔隙，维持修复环境中的好氧状态，实现共代谢，促进难分解物质的降解，从而保持石油烃污染物持续降解。

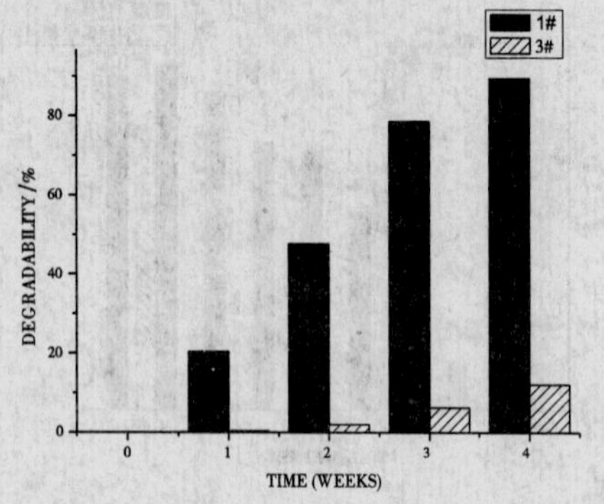

（a）1#、3#原油降解率随时间的变化趋势对比图

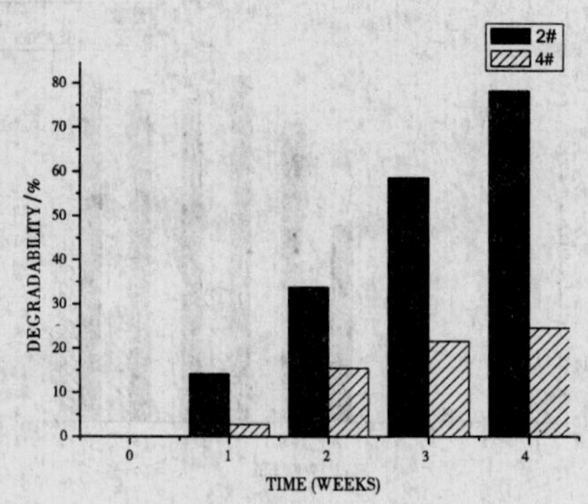

（b）2#、4#原油降解率随时间的变化趋势对比图

图6　各试验池原油降解率随时间的变化趋势对比图

原位生物修复技术不仅能够治理基质内的原油污染，还可以适当地恢复土壤的肥力，满足动植物生存、生长的一般要求，从而可以满足油污染土壤、含油钻井岩屑、污油泥、油污染海岸线等不同类型基质的生物修复要求。另外，原位生物修复技术对油污土壤以及钻井岩屑的处理比较简单，能够大面积使用，且耗费人力物力较小，有利于大规模处理受原油污染的土壤，以及石油开采、运输、炼制过程中产生的毒副污染物，因此有着广阔的应用空间。但是原位生物修复所需要的时间比较长，不能在短时间内起到良好的效果，而对原油中的重质成分（如沥青质）修复效果并不明显，这些问题需要后续研究来解决。

参考文献

[1] Atlas R M, Bartha R, Degradation and Mineralization of Petroleum in Seawater: Limitation by Nitrogen and Phosphorus [J]. Biotechnology and Bioengineering, 1972, 14: 309 - 317.

[2] Chatre S, Purohit H, Shanker R et al., Bacterial Consortia for Crude Oil Spill Remediation [J]. Water Science and Technology, 1996, 34: 187 - 193.

[3] Dou H, Alva A K, Nitrogen Uptake and Growth of Two Citrus Rootstock Seeding in A Sandy Soil Receiving Different Controlled - release Fertilizer [J]. Biology and Fertility of Soils, 1978, 26 (3): 169 - 171.

[4] Head I M, Swannell R P J, Bioremediation of Petroleum Hydrocarbon Contaminants in Marine Habitats [J]. Current Opinion in Biotechnology, 1999, 10: 234 - 239.

[5] Lin X, Li P J, Zhou Q X et al., Microbial Changes in Rhizospheric Soils Contaminated with Petroleum Hydrocarbons after Bioremediation [J]. Journal of Environmental Sciences, 2004, 16 (6): 987 - 990.

[6] Oudot J, Merlin F X, Pinvidic P, Weathering Rates of Oil Components in A Bioremediation Experiment in Estuarine Sediments [J]. Marine Environmental Research, 1998, 45 (2): 113 - 125.

[7] Xia W X, Li J C, Song Z W et al., Effects of Nitrate Concentration in Interstitial Water on the Bioremediation of Simulated Oil - polluted Shoreline [J]. Journal of Environmental Science, 2007, 19 (12): 1490 - 1494.

[8] Wang J L, Mao Z Y, Ham L P et al., Bioremediation of Quinoline - contaminated Soil Using Bioaugmentation in Slurry - phase Reactor [J]. Biomedical and Environmental Science, 2004, 17: 187 - 195.

[9] Zhou Q X, Hua T. Bioremediation: A Review of Applications and Problems to Be Resolved [J]. Progress in Natural Science, 2004, 14 (11): 937 - 944.

[10] 宋志文，夏文香，曹军，等，海洋石油污染物的微生物降解与生物修复［J］. 生态学，2003（3）：99 - 102.

成都平原蔬菜基地耕作层土壤酸化与作物速效养分系统

严小娟[1]　赵　婷[1]　操　飞[1]　童培杰[1]　赵仕林[1,2]

（四川师范大学化学与材料科学学院　四川　成都　610066）

摘　要　成都郊区的蔬菜基地是我国五大蔬菜基地之一，具有悠久的种植历史。经随机采集成都郊区蔬菜基地耕作层的土壤样品，测定其pH，结果表明该地区pH>6.5的土样仅占2.9%，78%的样品土壤pH<6.0，与1984年相比，其土壤的pH值明显降低，pH值下降1个pH单位，土壤酸化严重。同时测定了与土壤酸化有关的因素——铵态氮、速效磷、速效钾等，经数据相关分析，监测区域的土壤pH值与速效磷密切相关，其相关系数达0.29~0.94；酸化严重的土壤还与铵态氮有关，但所采土样却与速效钾的相关性不显著。其研究结果为菜地土壤酸化的理论与控制提供了基础依据。

关键词　土壤酸化　速效磷　铵态氮　速效钾

成都平原是全国五大蔬菜基地之一，彭州市是该基地的主产区，位于成都平原西北部，介于北纬30°54′~31°26′，东经103°40′~104°10′之间，属亚热地带。全市共有农耕地693428亩，而占总耕地面积75%以上的都为水稻土，其蔬菜种植面积已达57余万亩，主要分布在该市平原地区。由于菜地复种指数高和化肥投入量大，导致土壤酸化程度尤为严重。土壤酸化会造成土壤的盐基饱和度降低[1-3]；重金属元素的活性增加[4]；土壤中有益微生物的数量减少[5-7]；活性铝大量溶出[8-10]。近年来，当地菜农为了防止土壤酸化所引起的蔬菜的根肿病等病害以及保证蔬菜的产量，在每季蔬菜种植前不得不施用大量生石灰来中和耕作层土壤的酸性物质，如此反复操作，将导致土壤盐度增大和化肥的超量投入，使土壤环境质量步入恶性循环。土壤系统是一个非常复杂的系统，对于土壤酸化的成因，国内外虽然做了大量的研究，但大多数集中于土壤pH与活性酸、土壤pH与盐基饱和度的研究。对于土壤pH与作物养分磷的关系方面的研究鲜见报道。本文通过对菜地表层土壤中铵态氮、速效磷与速效钾的测定，探讨土壤的pH与铵态氮、速效磷、速效钾的关系。其目的在于认识菜地土壤酸性污染物的来源和土壤的酸化机制，为酸化土治理与控制提供理论依据[11,12]。

一、实　验

（一）样品的采集

经对成都市蔬菜基地土壤环境质量调查，彭州市的九尺镇、天彭镇和三界镇是酸化较严重的区域。又从不同土壤层次考虑，表土（0~20cm）是缓冲酸沉降的主体，由于直接接受酸沉降的淋溶，以及人为因素的影响，这里又是最容易发生酸化的土层。因此研究土壤于2009年4—6月采自于彭州市三个酸化相对较重区域的菜地表层土（样点分布见图1）。

图1　采样点分布图

采集的土样经自然风干后，研磨过筛，用于 pH 以及铵态氮、速效磷与速效钾的测定。

（二）样品测定

1. 土壤中铵态氮测定

用10%的氯化钠溶液提取土壤样品，在加热的条件下，用弱碱 MgO 蒸馏，使有效态氮碱解，转化为氨气状态，并不断地扩散逸出，由硼酸吸收，再用标准酸滴定，最后计算出碱解氮的含量。

2. 土壤速效磷的测定

用0.5mol/L 碳酸氢钠作提取剂，将速效磷提取到溶液中，然后将待测液用钼锑抗混合显色剂在常温下还原成磷钼蓝，用 721 - E 型分光光度计进行比色测定。

3. 土壤速效钾的测定

用1.0mol/L 中性醋酸铵溶液为提取剂，提取后的待测液直接用 HG - 3 型火焰光度计进行测定。

4. 土壤 pH 的测定

用电位法按 2.5∶1 水土比分别用无 CO_2 水和 KCl 溶液测定[13]。

（三）统计分析

采用 Excel 软件对所测数据进行统计分析。

二、结果与讨论

（一）土壤样品的 pH 与铵态氮、速效钾、速效磷的测定结果

3 个主要酸化区域——九尺、天彭、三界的土壤 pH、铵态氮、速效磷、速效钾的测定结果分别列于表1、表2、表3。

表1　九尺土壤测定结果

pH	铵态氮	速效磷/ppm	速效钾
4.78	14	15.75	80.15
5.05	14.65	15.7	58.4
5.22	18	17.4	133.2
5.45	15.65	11.8	90.2
5.59	25.05	8.305	84.45
5.59	17.05	10.27	127.95
5.86	14.55	5.93	111.3
5.95	19.5	6.195	80.2
6.17	24.9	8.73	81.05

表2　天彭土壤测定结果

pH	铵态氮	速效磷/ppm	速效钾
4.34	19.3	11.1	278.8
4.73	26.75	10.45	129.25
5.3	17.85	9.85	114.8
5.5	18.35	7.19	227.4
5.98	20.8	6.61	199.4
6.03	19.78	7.13	235.1
6.13	16.63	6.52	179.8

表3　三界土壤测定结果

pH	铵态氮	速效磷/ppm	速效钾
4.32	19.5	11.3	205.8
4.43	17.5	9.335	232.4
4.52	15.1	5.58	136.6
4.56	20.45	6.555	164.75
4.65	19.6	4.13	204.25
4.94	10.15	3.28	107.05
5.14	11.55	3.61	71.65
5.38	10.16	3.895	82.9
6.21	11.35	1.48	143.65
6.53	7.87	1.56	175.55

（二）土壤 pH 的变化趋势

土壤酸化本身是一个缓慢的自然过程。近年来，伴随着经济的飞速发展，土壤的酸化愈演愈烈。从表4可以看出：1984年，彭州市蔬菜基地土壤的平均 pH 值为6.4。而从全程值来看，所采土壤的 pH 值都在5.5以上，即无属于强酸性的土壤。表明彭州市水稻土土壤大范围地呈弱酸性和中性，土壤缓冲能力好。

由2009年采集的土壤样品的测定结果见图2。从表4和图2可以看出：所采土样中已经出现 pH≤4.50 的强酸性土壤，约占5.88%。最低 pH 值只有4.32。pH 在4.51～5.50的土样几率最大，约占所采土样总数的52.94%，pH＞6.50的土壤样品占所采样品总数的比例最少，只有2.94%。pH 为5.51～6.50的土样约占38.24%。所采土样中97.06%都属于酸性、强酸性和极强酸性土壤，只有约为2.94%的土壤属于中性土壤的事实说明彭州市蔬菜基地土壤已将出现较大范围的酸化，土壤的缓冲能力降低。

表4　土壤 pH 值

	指数年	pH 值
平均值	1984	6.4
	2009	5.4
全程值	1984	5.5～7.5
	2009	4.32～6.53

（三）土壤 pH 值与铵态氮的相关性分析

近年来随着四川蔬菜基地建设的迅速发展，蔬菜种类和种植面积不断增加，由于蔬菜种植的茬次多，土地复种植数高，因而肥料投入量比之与粮食、水果等作物大4～10倍，是蔬菜携走量的2～10倍，而其所施肥中70%以上是化学肥料。由此导致了大量化肥滞留于土壤中。通常情况下，蔬菜能吸收利用施入菜地的一部分氮肥，而另外大部分以铵态氮的形式滞留于土中。一方面是残留于土壤中铵态氮经硝化作用产生硝酸盐的过程将释放大量的 H^+，即 $2NH_4^+ + 3O_2$（空气）→

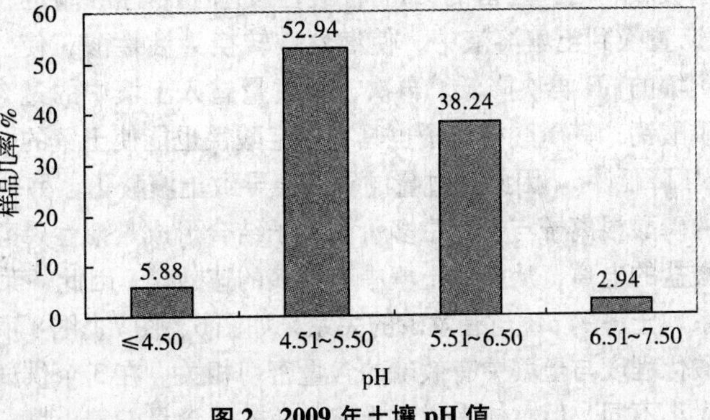

图2　2009年土壤 pH 值

$2NO_2^- + 2H_2O + 4H^+$，$2NO_2^- + O_2 \rightarrow 2NO_3^-$；另一方面是磷酸铵、硫酸铵、氯化铵等在植物吸收了养分后也会产生大量 H^+。

有研究表明：土壤的 pH 与铵态氮的含量呈负相关[14]。依据表中数据，分地区所作土壤 pH 与铵态氮的相关性，见图 3、图 4、图 5。

对 3 个供试地土壤的 pH 与铵态氮进行相关性分析，pH 值与铵态氮的含量的相关性不一致（九尺土样：R = 0.5974；天彭土样：R = －0.4283；三界土样 R = －0.7926）。这可能由于采样土壤中种植的作物种类所造成的。九尺土样的采集于粮菜轮作的水稻土，采集时土壤中的农作物包括了小麦、大蒜、油菜。虽然氮素是这些作物的必须营养，但调查种植这类作物时，农民一般使用的是“10 －20 －10 型”三元复合肥，而三元复合肥中纯氮、五氧化二磷、氧化钾的含量一定，而不同的作物对三种养分的吸收量是不同的，三种植物吸收氮的量远远大于 P 的量。土壤中滞留的 N 的量小于 P 的量，由此导致地中的 NH_4^+ 不是酸化的主要因素。过量的磷被滞留于土中，导致九尺土壤的 pH 与铵态氮相关性不大。采集的天彭土样主要种植的是大豆，豆科植物因为其有根瘤菌，所以种植时不需要施加氮肥。所以土壤酸化程度与铵态氮的含量相关性不强。而采集的三界土壤则是长期种植蔬菜。而主要种植的是萬笋消耗氮素多的作物。据调查：除施加三元复合肥外，菜农还要格外施加大量的碳酸氢铵，由此使土地中滞留大量的 NH，致使这个地方土壤的 pH 值与铵态氮的含量密切相关。

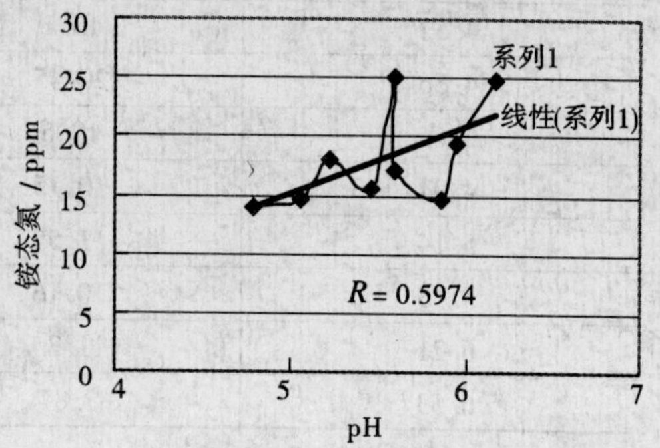

图 3　九尺土壤 pH 与铵态氮的相关性

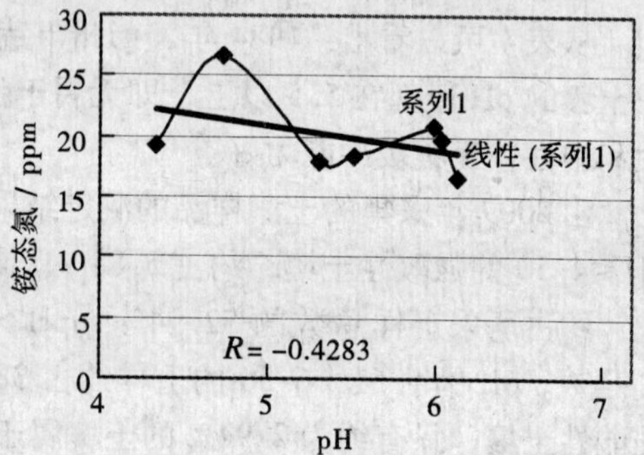

图 4　天彭土壤 pH 与铵态氮的相关性

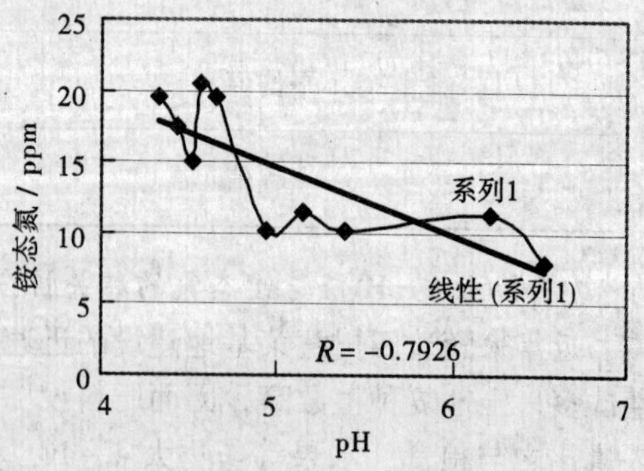

图 5　三界土壤 pH 与铵态氮的相关性

（四）土壤 pH 与速效磷的相关性分析

土壤中的磷来源很广泛，一个重要原因就是菜农种植时长期施用了大量的磷肥。而所施磷肥中又以过磷酸钙为主。过磷酸钙中本身含有大量的游离酸能使土壤的 pH 降低。其次，由于土壤中酸性胶基多，施入菜地的普钙中的磷酸根离子和部分钙离子被作物根系吸收利用，残留的 Ca^{2+} 将酸性胶基上专性吸附的 H^+ 置换到土壤溶液中，使潜性酸转换为活性酸，使土壤的 pH 再次降低。再次，是过量施入土壤中的过磷酸钙，其磷酸根离子也具有一定酸性也能使土壤的 pH 降低[15]。因此，过量的磷肥会导致土壤酸化。另一方面，向土壤中过量施入磷肥时，磷肥中的磷酸根离子与土壤中多价阳离子结合形成难溶性磷酸盐。当土壤的 pH 降低时，会促进难溶磷酸盐的电离，从而使土壤中有较多的速效磷。因此，菜地的有效磷含量与土壤的 pH 有密切的关系。土壤的 pH 与有效磷的关系，如图 6、图 7、图 8 所示。从图中相关性数据可以分析：土壤的酸化程度与土壤中有效磷的含量密切相关。在 3 个供试地土样中，虽然采样地不同，相关系数的大小不同，但总体来说，土壤的速效磷含量随着土壤 pH 的增大而减小。

土壤中的速效磷主要与种植过程中施加的过磷酸钙有很大的联系。从蔬菜基地 3 个主要酸化区域的数据来看，土壤 pH 都与速效磷的含量呈负相关（九尺土样：$R=-0.8594$；天彭土样：$R=-0.9440$；三界土样 $R=-0.7942$）。土壤酸化程度随着速效磷的含量的增多而加深。说明速效磷是彭州市 3 个蔬菜生产基地土壤酸化的主要因素。

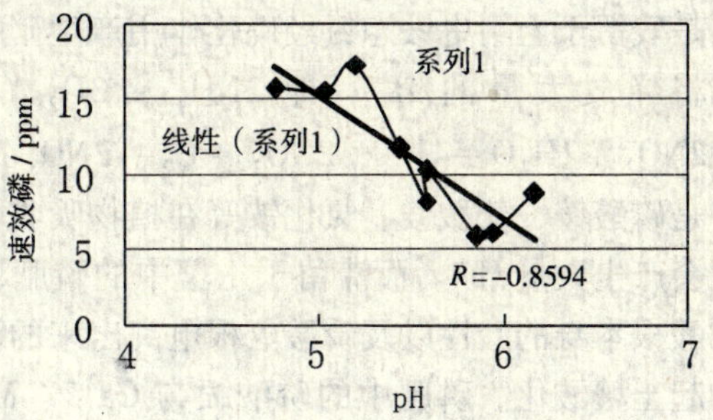

图 6　九尺土壤 pH 与速效磷的相关性

（五）土壤 pH 值与速效钾的相关性分析

土壤胶体中的交换性阳离子包括了酸基离子（H^+、Al^{3+}）和盐基离子（K^+、Na^+、Ca^{2+}、Mg^{2+} 等）。当土壤酸化，pH 值降低时，土壤中酸基离子（H^+、Al^{3+}）的量增多，将会导致土壤中盐基离子减少。俞元春[16]等研究发现：当模拟酸雨对土壤进行淋洗时，会引起土壤 pH 降低，盐基离子淋失，随着酸雨溶液 pH 的降低，土壤酸化趋势加剧，盐基淋失量增加。淋出液中 K^+、Na^+、Ca^{2+}、Mg^{2+}，含量加上淋洗后土壤交换性 K^+、Na^+、Ca^{2+}、Mg^{2+} 含量大于原土壤中交换性 K^+、Na^+、Ca^{2+}、Mg^{2+} 总量，说明在酸雨淋洗下，土壤中某些矿物发生风化溶解，释放盐基进入土壤。这也说明了土壤酸化会导致土壤中 K^+ 含量减少，土壤的营养成分流失，造成土壤贫瘠。

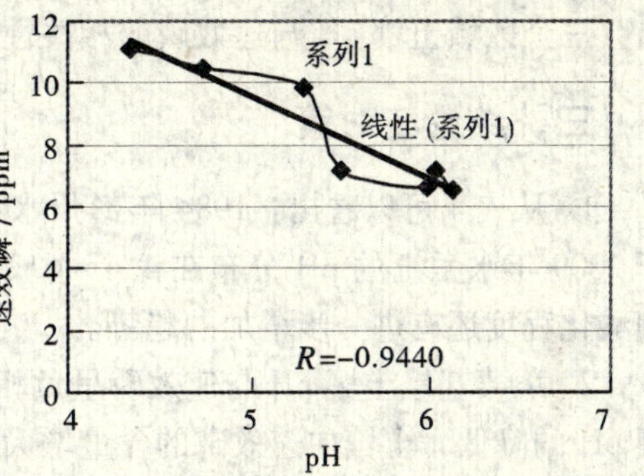

图 7　天彭土壤 pH 与速效磷的相关性

土壤 pH 与速效钾含量的相关性如图 9、图 10、图 11 所示。

有研究表明：土壤的 pH 与土壤的盐基饱和度呈显著的负相关[17]。图中表明土壤的 pH 与速效钾的含量相关性很小（九尺土样：$R=0.0985$；天彭土样：$R=0.3425$；三界土样 $R=-0.2903$）。这可能是由于土壤的 pH 值与土壤中盐基饱和度的相关性密切[17]。但盐基离子不仅仅包含速效钾，还有 Na^+、Ca^{2+}、Mg^{2+} 等，而 K^+ 在不同的土壤溶液中的盐基离子总和中所占的比例不一定相同，所以土壤的 pH 与速效钾的相关性不密切。

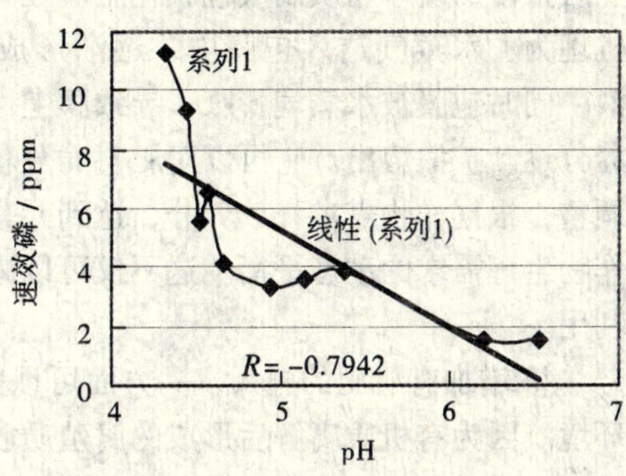

图 8　三界土壤 pH 与速效磷的相关性

（六）土壤酸化的机制

土壤酸化就是土壤中的氢离子量增多，盐基离子减少的一个过程。土壤中氢离子的增加，破坏了土壤中原有盐基离子的化学平衡，氢离子取代土壤胶粒结构中的盐基离子，盐基离子随着淋溶作用向下渗透而流失。土壤也会自然酸化，这是风化成土的必然过程。然而，由于菜地土壤的有限性，其复种指数高；另外农村劳动力的不足，以及对高产量的追求，促使菜农大量地投入氮肥、磷肥以及复合肥等化学品。这就引起了菜地土壤有着与自然酸化不同的酸化过程。

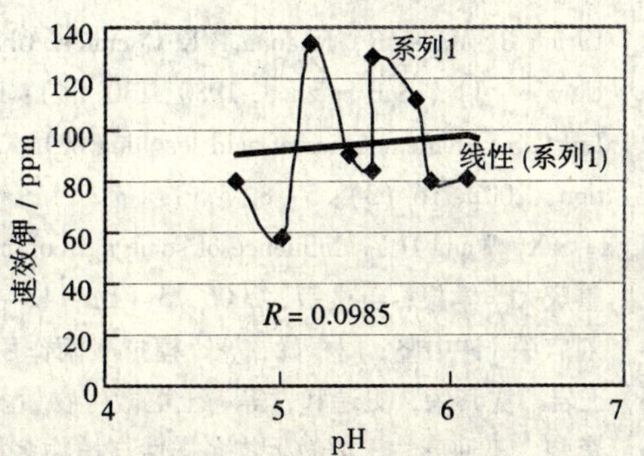

图 9　九尺土壤 pH 与速效钾的相关性

蔬菜种植中化学品的投入量是蔬菜携走量的 2～10 倍，这就导致了大量化肥残留于土壤中。例如：氮肥中的铵态氮的形式滞留于土中。一方面是残留于土壤中铵态氮经硝化作用产生硝酸盐的过程将释放大量的 H^+，即 $2NH_4^+ + 3O_2$（空气）→ $2NO_2^- + 2H_2O + 4H^+$，$2NO_2^- + O_2 \rightarrow 2NO_3^-$；另一方面是磷酸铵、硫酸铵、氯化铵等在植物吸收了养分后也会产生大量 H^+。而滞留于土壤中的磷肥，因为其磷酸根本身的酸性以及磷酸氢根电离出来的游离酸而引起土壤酸化。磷肥中的磷酸根与 Ca^{2+}、Mg^{2+} 等多价阳离子形成难溶性的磷酸盐，而这部分盐的电离度会随着土壤 pH 的降低而增大。而从 3 个不同地区的土壤 pH 和铵态氮、速效磷、速效氮的相关性可以看出：三个区域土壤 pH 与速效磷的相关性都很好。说明导致菜地土壤酸化的主导因素是速效磷。

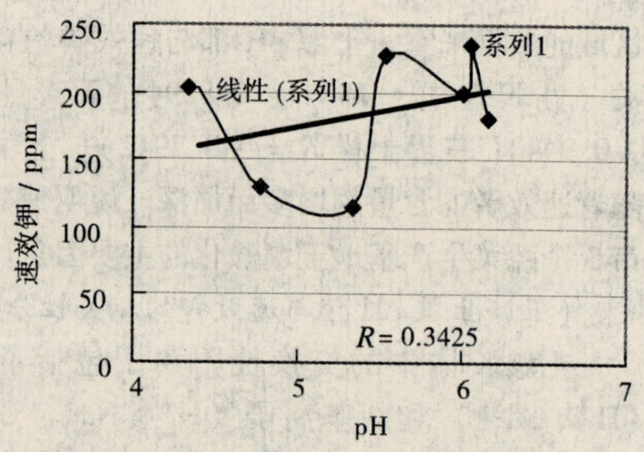

图 10　天彭土壤 pH 与速效钾的相关性

三、结论与对策

1. 从表 4 可以看出：1984 年彭州水稻土的 pH 分布在 5.5～7.5 之间，平均值为 6.4，但到了 2009 年水稻土的 pH 分布在 4.4～6.2 之间，平均值仅为 5.6。这就说明了彭州市蔬菜基地土壤酸化程度还有进一步增加的趋势。

2. 蔬菜基地土壤 pH 与速效磷呈负相关。随着土壤 pH 的降低，土壤中速效磷的含量增大。

3. 在控制菜地土壤酸化的过程中，可以改施缓释肥。缓释肥也称控释肥，就是在化肥颗粒表面包上一层很薄的疏水物质制成包膜化肥。控释肥养分释放机理为：水蒸气透入包膜内，逐渐形成饱和养分溶液，同时包膜被水蒸气膨胀，导致膜上微孔增大，使养分逐渐扩散溶出。它可以对肥料养分释放速度进行调整，根据作物需求释放养分，达到元素供肥强度与作物生理需求的动态平衡。这不仅可以减少肥料施用的次数和数量，还可以使营养成分被充分地利用。

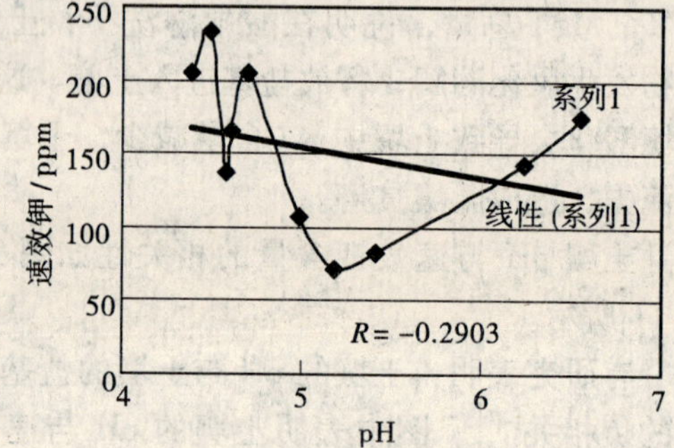

图 11　三界土壤 pH 与速效钾的相关性

4. 增加有机肥的施入，一方面可以防止土壤酸化，另一方面可以改善土壤结构，协调土壤环境。因为有机质腐解后形成的腐殖质胶体能与矿物胶体形成有机无机复合胶体和各种微生物。微生物活动频繁，加剧土壤养分的分解，有利于种植物的生长。

参考文献

[1] Ulrich B, Mayer R, Khanna P K. Chemical Changes due to Acid Precipitation in A Losse - derired Soil in Central Europe [J]. Soil Science, 1980, 130 (4): 193 - 199.

[2] Liu C S. Characteristics of acid leaching of brown soil and cinnamon soil [J]. Journal of Soil and Water Conservation, 2002, 16 (3): 5 - 8.

[3] Li S X, Wang D Y. Influence of some agricultural practices on th soil acidification in acid precipitation areas [J]. 重庆大学学报：英文版, 2006, 5 (1): 42 - 45.

[4] 刘广深，许中坚，周根娣，等. 模拟酸雨作用下红壤镉释放的研究 [J]. 中国环境科学，2004 (4).

[5] 王岩，沈其荣，史瑞和，等. 土壤微生物量及其生态效应 [J]. 南京农业大学学报，1996 (4).

[6] 李骁，王迎春. 土壤微生物多样性与植物多样性 [J]. 内蒙古大学学报（自然科学版），2006 (6).

[7] 姚健，杨永华，沈晓蓉，等. 农用化学品污染对土壤微生物群落 DNA 序列多样性影响研究 [J]. 生态学报，2000 (6).

[8] Kazuo Sato. Acidity neutralization mechanism [J]. Water, air and soil pollution, 1996, 88: 313-329.

[9] 俞元春，丁爱芳. 模拟酸雨对酸性土壤铝溶出及其形态转化的影响 [J]. 土壤与环境，2001 (2).

[10] Nkana JCV, DemeyerA, VerlooMG. Effect of wood ash applicatio on soil solution chemistry of tropical acid soils incubation study [J]. Bioresource Technology, 2002, 85: 323-325.

[11] Cregan P D, Scott B J. Soil acidification - an agricultural and environmental problem. In: Partley J E and Robertsom S. Agriculture and the Environmental Imperative [J]. CSIRO pubishing: Melborne, 1998: 75-77.

[12] Cao Z H, Huang J F, Zhang C S, et al. Soil quality evolution after land use change from paddy soil to vegetable land [J]. Environmental Geochemistry and Health, 2004, 26 (2): 97-103.

[13] 南京农业大学. 土壤农化分析 [M]. 北京：中国农业出版社，1986.

[14] 张新明，张俊平，刘素萍，等. 模拟酸雨对荔枝园土壤氮素迁移和土壤酸化的影响 [J]. 水土保持学报，2006 (6).

[15] 江泽普，韦广泼，蒙炎成，等. 广西红壤果园土壤酸化与调控研究 [J]. 西南农业学报，2003 (4).

[16] 俞元春，丁爱芳，胡笳，等. 模拟酸雨对土壤酸化和盐基迁移的影响 [J]. 南京林业大学学报（自然科学版），2001 (2).

[17] 范庆锋，张玉龙，陈重，等. 保护地土壤酸度特征及酸化机制研究 [J]. 土壤学报，2009 (5).

稀土矿矿山环境治理与土地复垦
——以赣南“龙南模式”为例

陈建国　李志萌

摘　要　赣南是我国重要的稀土矿产地之一，素有“世界钨都，稀土王国”之称。矿资源丰富，主要分布在寻乌、龙南、安远、全南、定南、信丰、宁都、崇义等县，其中寻乌、安远、定南大部分及龙南部分县境属于东江源区。东江源区是我国国家级生态功能保护区，东江发源于寻乌县桠髻钵山，是珠江三角洲和香港地区的主要饮水水源。在矿山开采利用过程中造成植被破坏、泥沙流、滑坡、崩塌及土壤、水体污染等严重环境问题，直接造成源区水涵养功能衰退。但近年来，东江源区各县，特别是龙南县在稀土矿区环境治理和废弃矿山尾砂库复垦等方面做了大量工作，所取得的经验被称为“龙南模式”，对于东江源区矿山生态恢复有重要意义。

关键词　稀土矿　环境治理　土地复垦　生态恢复　东江源区

稀土元素分轻重稀土两族，轻稀土指铈族，包括镧、铈、钕、钷、镨、钐、铕等；重稀土指钇族，包括钆、铽、镝、钬、铒、铥、镱、镥和钇。稀土材料在冶金、石油、原子能等工业和超导材料制造方面应用十分广泛。赣南是我国重要稀土矿产地之一，工业价值很高，而勘探和开采都较容易的离子吸附型稀土矿在赣南各县多有分布，1987 年底，即已经探明稀土氧化物储量 56.7 万 t。其中重稀土占全国总量的 82.28%。稀土资源丰富的有寻乌、龙南、安远、全南、定南、信丰、宁都、于都、崇义、大余、会昌等县，其中寻乌、安远、定南大部分县境属于东江源区。

龙南县稀土矿是 1970 年发现的，该县在开采中注意环境保护，创造了“原地浸取法”，1994 年开始在赣南推广，被称为“龙南模式”。在采空矿山的复垦方面，龙南县做了很大努力，采用多种生物物种，建设种植基地，采取“山顶栽松，坡面布草，台地种桑，沟谷植竹”的整体布局，取得较好的生态经济效益。综合东江上游区各污染源，主要污染物排序是：稀土矿山开采水土流失 > 农业污染源 > 工业污染源 > 城镇生活污染源。可见，矿山开采对环境破坏已成为主要危害，加强稀土矿矿山环境治理与土地复垦任务严峻而且意义重大。本文主要介绍“龙南模式”的技术要领，并说明其推广应用的必要性和可行性。

一、稀土矿区的主要环境问题

生态恢复是当前生态学研究的重点之一。龙南和东江源区三县都在赣南，要研究赣南稀土矿区的生态恢复，先要弄清楚矿区的主要环境问题。

东江源区素有“世界钨都、稀土王国”之称，年采矿能力可达 2574 万 t。20 世纪八九十年代，受“有水快流”思潮影响，东江源区矿业开发处于无序状态，小矿林立，1988 年有各类矿山 403 个，1995 年增加到 585 个，民采人员达 10 万余人。赣南稀土矿的发现（1970 年前后）比钨矿要晚得多，但稀土开采所造成的环境问题比钨矿要严重。例如，定南县稀土矿生产矿山最多时高达 187 个，而且都是采用对环境破坏较大的池浸工艺；寻乌县的稀土开采也造成诸多环境问题；唯安远县为保护三百山东江水源，对稀土矿开采刹车较早，先后关闭 300 余个稀土矿，2005 年底以前即自筹资金，投资 130.8 万元，恢复治理 10 个稀土矿山，环境状况较好。据不完全统计，东江源区里急需复垦的矿区土地面积已达 46.21km^2。“龙南模式”本质上是从对矿区环境问题进行调查研究开始，以龙南为例可以更清楚地说明开采稀土矿造成的主要环境问题。

1. 侵占耕地、破坏植被，造成水土流失。龙南开采稀土矿，共计 31 年，产稀土 2.8 万 t，完成产值13.6亿元。但在1994年以前，同其他县一样采用被称为“搬山运动”的池浸工艺，使3315亩山地寸草不生，矿业废渣达2200万 m^3，万余亩山地荒芜，造成严重水土流失。流失的泥沙又毁坏8000余亩植被，400多亩农田，淹没道路、电杆、房屋，河流淤塞高1m以上，泄洪能力急剧下降，水旱灾害频繁。1994年采用原地浸矿法以后情况有根本好转，但新的环境问题是注液孔密集分布造成“癞痢头”山，如果废液收集有漏洞，也会造成水和土壤污染。

2. 大量弃土尾砂堆集诱发多种地质灾害。①泥沙流，个别矿区堆积高度在10m以上，坡度达35°~60°，1998年洪水造成巨大灾难。②崩塌、滑坡，1998年某矿区滑坡规模达10万 m^3，交通中断7天。矿区已发生崩塌、滑坡96处，规模数十万立方米以上者多次。

3. 水土污染。有害元素主要为Pb、Cd等，尾砂库废水含Pb高达14mg/L，Cd0.024mg/L。矿区及下游水中氨氮和硫酸根含量也常常超标，由此造成3万余人饮用水困难，4000多亩农田减收或绝收。有400多亩良田变成荒滩。

二、原地浸取法

龙南县矿产管理局面对上述问题，经过科学地调查研究和艰苦实践，终于在1994年发明了稀土矿开采的“原地浸取法”。稀土矿原地浸取法不剥离表土，不用“搬山”，大大减少了泥沙流的产生，资源回收率也由50%~60%提高到85%以上，是保护环境和提高资源采取率相结合的好方法，其技术要领如下：

（一）选择有利的地形地质条件

赣南稀土矿属于花岗岩风化壳离子吸附型，一般正地形，对采用此法较为有利。需要事先勘探查明风化壳厚度。一般稀土矿的隆起地形从上到下分层顺序是：风化壳→半风化壳→原岩，稀土矿主要赋存于风化壳层中，在矿区顶部钻注液孔，将草酸液注入，让它在整个风化壳层中浸泡渗流，萃取稀土氧化物，萃取液顺半风化层（较薄）上部向下方渗流。在下方萃取液流出处设集液池承接草酸稀土，加碳酸氢铵使之沉淀，得到氧化稀土成品。

不是任何稀土矿山都能采用原地浸取法，此方法严格受地形地质条件限制：不允许有顺坡面节理或微断层面存在，否则矿液下渗时很容易引发滑坡、崩塌等地质灾害；而花岗岩中的断裂也会漏失矿液，这样不仅损失资源，更污染环境。所以断裂发育矿区不能采用原地浸取法。

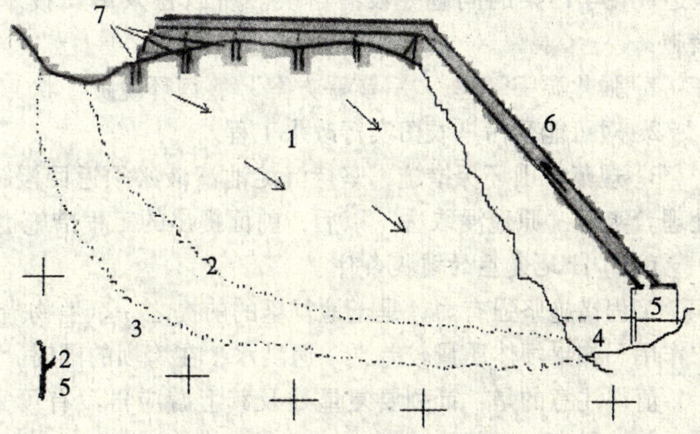

1. 风化壳；2. 半风化壳；3. 原岩（花岗岩）；4. 集液池；5. 液泵；6. 废液上行管道；7. 山顶注液孔
箭头指示萃取液流动方向

废液循环示意剖面图

（二）注液孔的合理密度及分布

要根据勘探结果确定。一般认为，其密度以超过求C级储量钻孔密度为宜。注液孔基本应均匀分布，孔径及孔深则要根据经验而定。

（三）集液池的修建技术

位置高低务必适当，高了矿液下漏，低了返回废液时增加水泵负担。容积大小适当，各壁面防渗措施有效，避免废液外泄造成污染。其外形各异，受矿体形状限制。

（四）废液完全循环使用

这是保证环境不受污染的重要措施。从集液池到液泵，从液泵的出液口再到返回废液的管道全程，直到山顶浸矿液注入孔，要求绝对密封，滴液不漏，即保证实现废液全循环。原地浸取法采矿结束后仍然需要强化环境治理，因为注液孔、浸矿液也会带来一定的环境问题。见示意图。

三、采空矿山的复垦技术

龙南县实施矿山土地复垦总体技术路线是：采取地形测量、专项环境地质测量、山地工程、岩土物理性质及水化学性质测试等手段，进行矿山地质环境综合勘察工作；运用环境地质学、环境工程学、岩土工程学、园林学等有关理论进行分析，对尾砂堆和露采场采取阶梯放坡、拦挡、植被恢复，设立拦挡坝、截水沟等综合处理措施，消除崩塌、滑坡、泥砂流地质灾害的发生机制；对矿区固定后的尾砂地实行修平整理、覆土保护和综合利用。

（一）矿山环境地质综合勘察

测绘比例尺，1:500～1:1000，面积包括采空矿山水土流失区域。专项环境地质调查，矿区周边1km范围，比例尺1:10000；环境破坏区按1:2000进行，调查破坏历史和现状，绘制精确图件，作为工程措施设计施工依据，采取包括布置探槽、浅井，甚至个别浅钻的措施。

（二）岩土工程勘察

在地面和浅部地下调查基础上，进行工程力学试验。了解堆集物、风化壳和岩石的力学稳定性，对水样、土样进行物理化学性质测试，为总体设计提供依据。

（三）新建拦沙坝和加固、加高旧坝

任何拦沙坝都有使用年限问题。一旦库容已满，坝体不是被超越，就是被冲垮，造成新的环境灾难。这时需要按不同情况采取不同应对措施：若剩余矿量不多，尾砂也不会太多者，上游建设新坝，或旧坝加高、加固；若剩余可采矿量较多，可能产生较多尾砂时，应另寻堆放场所，另筑坝拦挡。当然，采用新的“原地浸取法”采矿，是减少水土流失的根本措施。但对旧采矿方法造成的破坏，则应优先解决。

（四）推行“原地浸取法”技术

山头长期被采矿液浸泡，结构变得疏松，暴雨季节极容易产生崩塌、滑坡等地质灾害。浸矿液造成化学污染的问题并没有解决。所以在采用新技术的同时，龙南县又采取了更为严格的措施：

1. 强化源头管理，“一矿一方案”签订环境责任状，规定奖惩措施。
2. 对可能受污染农田实行改水工程。
3. 规范矿山环保措施，坚持沉淀池清液必须返回浸矿，废渣必须深埋，或送专门的处理厂处理。实行“原地浸取法”以后，前面提出的工程措施也丝毫不能松懈。

（五）土地复垦的前提条件

工程措施坚强有力，是土地复垦的前提之一。生物措施如果见了成效，对于拦沙工程也起保护作用。如果坝体质量较差，一遇洪水，在垮坝的同时，矿区覆盖的植被也会同时遭殃。

值得注意的是，计划要复垦处及其上游应再没有可采之矿，要求复垦不压矿。否则一旦开采，前功尽弃。

在完全确定停采的矿山及不再利用的尾砂存放地，即可放心进行土地复垦，而且必须及时进行土地复垦。

（六）土地复垦的准备工作

平复整理需要复垦的尾砂地，依地形采取人造小平原，或人造梯田的方式。对于平整好的土地先施基肥，再上盖10cm左右黄土，在上面种草植树，同时地面布置排水沟。对于被流砂压埋的农田，要先清理淤沙，使农田尽量恢复原貌。这种方法原则上也适用于原地浸取采矿终止以后的矿山。

（七）土地复垦的生物物种选择

龙南稀土矿区复垦土地采用多种生物物种。如足洞矿区，建设了象草、经济林、蚕桑三个种植基地，整体布局是“山顶栽松，坡面布草，台地种桑，沟谷植竹”。龙南县水保局实施，由江西农业大学主持的试验项目，投资150万元，在尾砂地上种植百喜草、狗尾草等草本植物，主要作用是固砂、培育土壤和增加有机质；之后种植经济作物，有桑、松、杉、杨梅、梨、桃、板栗等。复垦区竹林一般长得相当好，因为花岗岩是富硅岩石，利于竹子生长。有的地方还种蔬菜，效果也不错。

多样性的生物群落有利于生态平衡和防治病虫害，其经济收益能调动当地百姓和矿工家属绿化矿区的积极性。

（八）整顿矿山秩序，加强综合管理

矿区土地复垦是综合性工作，比如植物生长需要良好的水环境，龙南在矿区下游设立总污水处理厂，使污水处理达标后排放。计划建立稀土尾砂陶瓷厂，“吃掉”那些尾砂。但是，稀土矿开采毕竟点多线长，投资建矿者的成分较杂，管理有一定难度。针对这种情况，龙南县规定：①严格控制生产规模，每年下达限产计划；②取缔非法灼烧稀土窑，改进工艺，减少灼烧废气污染；③建立填报《环境影响报告书》制度；④矿山法人代表在签订《矿山环境责任状》时，缴交一定量环境治理保证金。

龙南县专门成立“稀土生产经营领导管理小组”，每年组织1～2次矿山秩序、环境大检查，发现问题及时处理。从每吨稀土产品中提取的环境治理费用3000～6000元，专款专用。对于违反有关规定的行为严查严办。

四、环境、社会、经济效益

早年因缺乏有效管理，矿山秩序混乱，各矿竞相压价，氧化稀土最低跌至280元/t度；加强管理以后，上升至520元/t度。管理前后差价240元/t度，接近一倍。31年来，矿山共生产稀土24000t，完成工业产值10.4亿元，实现利税3.12亿元。这样推算，至少有3亿～4亿元产值是因为加强管理而产生的。

近年来“龙南模式”知名度渐高，舆论对于政府的监督作用，上级领导对于龙南关注程度也在提高。这种社会影响力，也促使矿山经营者和管理者，更自觉地保护和治理矿区环境。

虽然受某些条件限制，龙南矿区环境的治理还不尽如人意，但与其他未能及时治理的稀土矿区相比，效果还是明显的。

五、对于东江源区的借鉴意义

对于东江源区三县，龙南模式，包括曾经走过的弯路，都有警示和借鉴作用。龙南的做法，如先敷设基肥、黄土，后种植物；先种草后种树；多种类植物共生；先靠工程措施保证，后用生物措施彻底治理；严格组织管理……这样一些基本经验更具有普遍意义。

根据江西省矿产资源总体规划，东江源区所在的寻乌县、安远县、定南县分别编制了矿产资源总体规划。划定了安远三百山、定南云台山、寻乌青龙山3个矿产资源禁采区，禁采区内禁止一切采矿活动；规划了定南县南丰云台山稀土矿区、安远县牛皮寨涂屋稀土矿区、寻乌县河岭稀土矿区等有资源，但开采技术、综合利用条件不成熟的矿区以及开采过程对环境破坏大、恢复治理困难的矿区为限制开采区，规定在限制开采区内不扩大产能，不设立新的矿山企业；将寻乌南桥稀土矿区、定南沙头稀土矿区划定为保护区，关停区内稀土开采矿点。对东江源区非法采矿活动进行了坚决整治，关闭稀土矿开采点近400个，使源区矿业秩序得到好转。规划要求：推广新工艺，提高矿山环境保护水平。1994年，原地浸取法开采稀土矿取得成功后，在东江源区的定南、安远、寻乌三个县8个稀土矿区推广使用。新工艺的推广运用，使离子型稀土资源开采和生态环境保护有了质的飞跃，资源总回收率由原来的50% ~60%提高到85%以上。尾砂治理工作及治理成本大大降低，水土流失危害大为减轻，生态效益和社会效益明显。

在实践“龙南模式”过程中，江西省、赣州市矿山环境管理部门和源区三县都做了大量工作。2005年，赣州市在全省率先建立了矿山环境治理保证金制度。东江源区的定南、安远等县开始征收矿山生态环境治理恢复保证金，专项用于稀土矿山生态环境恢复治理。

稀土资源应用范围十分广泛，稀土矿的不合理开采造成了一系列环境问题。但开采后，经过科学的治理、复垦，山头上植被逐渐繁茂起来。实践证明，稀土矿环境治理和复垦投入资金和研究力量是必要的、值得的。但治理稀土矿山环境、复垦采空矿山需要相当资金投入，而东江源区三县中有两个（寻乌、安远）是国家级贫困县，存在大量环境欠账，如何处理好当前的环境保护与经济社会发展矛盾，实现体制机制创新、修复技术的创新及建立公平可持续发展的生态补偿机制迫在眉睫。

参考文献

[1] 龙南县国土资源局，江西省地质环境监测总站．江西省龙南县稀土矿矿山地质环境治理可行性研究报告．2007. 4. 7.

[2] 吴益人．积极探索开采新工艺　有效保护矿山生态环境（2000年 江西省（4·22）世界地球日发言稿）载《江西省减灾防灾蓝皮书》龙南县地矿局．

[3] 孙亚平．赣州市龙南地区稀土矿矿山环境遥感研究［J］．中国地质大学（北京）．

[4] 江西赣州矿产资源整合，过半矿山即将关闭．中国铁合金网 经济参考，2007. 8. 21.

[5] 创新稀土开采工艺　循环利用矿产废渣．地方项目动态 人民网，2006. 9. 22.

[6] 在“稀土王国”中打造“生态家园”［N］．香港文汇报，2006-06-28.

[7] 废旧矿山变成“聚宝盆”．中国矿业网 环境，2007. 11. 15.

[8] 江西省人民政府关于加强地质工作发展矿业经济的若干意见．赣府发［2007］20号文 2007. 1. 6 其中（十六）、（十八）、（二十一）、（二十三）及附件．

[9] 赣州市人民政府关于印发赣州市稀土矿山整合工作方案的通知．赣州市府发［2004］39号文，2004. 10. 23.

[10] 定南投资恢复矿山生态．2007. 11. 8 江西日报大江网．

[11] 信丰整治并举　切实加强稀土矿山生态恢复治理．中国稀土学会网 综合新闻，2006. 12. 15.

[12] 我省在东江源区矿产资源保护方面的工作．江西省国土资源厅网，2009. 7. 28.

交替灌溉施肥对夏玉米土壤 N_2O 排放的影响

韩　坤　张继涛　上官宇先　师日鹏　马巧荣　徐　猛　王林权

（西北农林科技大学资源环境学院　陕西　杨凌　712100）

摘　要　本试验采用密闭法，研究水肥异区交替灌溉施肥条件下夏玉米田土壤 N_2O 排放；结果表明：与常规施肥灌水处理相比，水肥异区交替灌溉可以显著降低夏玉米地的土壤 N_2O 排放量和氮肥损失率。2008 年交替施肥灌溉条件下 N_2O 排放量为 14.75～22.07kg/hm²，常规施肥灌水处理达 32.26 kg/hm²，2009 年交替施肥灌溉条件下 N_2O 排放量为 13.42 kg/hm²，常规施肥灌水处理达 21.89 kg/hm²；土壤 N_2O 排放量随灌溉量的增加而增加；土壤 N_2O 的排放和玉米的生长状况密切相关。

关键词　夏玉米　交替灌溉施肥　N_2O 排放

引　言

控制性分根交替灌水技术是一种切实可行的节水新技术，它以根系感知干旱的根源信号调控气孔开度的理论为基础，结合节水灌溉技术，提高植物的水分利用效率[1,2]。同时，交替灌溉还可以促进养分吸收[3]，有效减少 NO_3-N 的淋失[4]。交替灌溉还影响农田 N 素气体的排放，雷杨莉等[5]认为，与常规施肥灌水处理相比，水肥异区交替灌溉施肥可显著降低夏玉米地的氨挥发。

N_2O 是重要的温室气体，其单分子增温潜势是 CO_2 的 120～330 倍[6]，并且以每年 0.2%～0.3% 的速度增长[7]，其主要来源是农业土壤[8]，其中农业活动的贡献占人为总排放量的 70% 左右[9]，由农田系统中无机和有机氮肥的施用及生物固氮作用产生的 N_2O 量约占人为年排放总量的 60%[10]，而土壤中大部分 N_2O 由生物硝化和反硝化作用产生[11]。随着全球农业生产的发展，氮肥施用量越来越大，但施入农田后损失严重，直接影响其增产效果和人类生存的环境质量。因此农田 N_2O 排放的研究对农业的可持续发展是必要的。国内外学者对农田氮肥反硝化损失和 N_2O 排放进行了广泛深入的研究。土壤 N_2O 排放受土壤性质、气候因素和土地利用实践等因素的综合影响[12,13]，土壤 N_2O 排放随着氮肥施用量的增加而增加[14,15]。施肥方式也会影响 N_2O 排放，氮肥表施时，反硝化损失量大于穴施。丁洪等[16]在玉米—潮土系统的试验表明，氮肥反硝化损失量表施时为 3.00 kg 氮/hm²，穴施时为 2.09 kg 氮/hm²，分别占施氮量的 2.0% 和 1.4%。

但对在交替灌溉条件下 N_2O 排放的研究还鲜有报道。本试验采用密闭法，研究水肥异区交替灌溉施肥条件下夏玉米田土壤 N_2O 排放，采用气相色谱分析仪方法，测定了夏玉米整个生育期不同灌水施肥处理下农田土壤 N_2O 自然排放通量，研究了土壤反硝化作用的强弱及其与施肥灌水的关系，了解这一新型灌溉施肥方法下的土壤氮素平衡过程和生态环境效应。

一、材料与方法

（一）试验区概况

试验于 2008 年 6—10 月和 2009 年 6 月—10 月在位于陕西杨凌农业高新技术产业示范区的西北农林科技大学教育部旱区农业水土工程重点实验室，农业部旱区农业节水重点开放实验室的灌溉试验站进行，该地区属于暖温带半湿润气候，年降水量在 550～650mm，且多集中在 7 月、8 月、9 月三个月份。

（二）供试材料

供试作物为夏玉米陕单 902，供试肥料为尿素，含氮量为 46%。

（三）试验设计

本试验采用二元二次正交旋转组合设计（表1），涉及灌水和施肥两因素。2008 年与2009 年灌水量设0（W0）、117.11（W1）、400（W2）、682.89（W3）、800 m^3/hm^2（W4），施肥量分别为0（F0）、58.56（F1）、200（F2）、341.44（F3）、400 kgN/ hm^2（F4）5 个水平；两年均设常规处理，也就是当地的习惯施肥与灌溉（CT：灌水量900 m^3/hm^2，施肥量300 kg/hm^2），共15个处理，重复3 次。采用大田试验，小区面积20 m^2（4 m×5 m），2008 年种植密度47578 株/hm^2，株、行距分别为30 cm 和60 cm ，2009 年种植密度54000 株/hm^2，株、行距分别为25cm 和60cm。两年都是6 月10 日播种，收获时间为2008 年10 月1 日和2009 年10 月4 日。

表1　二元二次正交旋转组合设计方案（2008 年和2009 年）

处理号	N（施肥量）（kg/hm^2）	W（灌水量）（m^3/hm^2/次）
F3W3	1（341.44）	1（682.89）
F3W1	1（341.44）	-1（117.11）
F1W3	-1（58.56）	1（682.89）
F1W1	-1（58.56）	-1（117.11）
F4W2	1.414（400）	0（400）
F0W2	-1.414（0）	0（400）
F2W4	0（200）	1.414（800）
F2W0	0（200）	-1.414（0）
F2W2	0（200）	0（400）
F0W0	-1.414（0）	-1.414（0）
CT	（300）	（900）

施肥采取分次施肥方式，1/2 作基肥施入，剩余1/2 分两次在拔节期和抽雄期进行追肥。追肥采用穴施法，在离根10 cm 处挖深5 cm 的小穴，施肥后盖土。灌溉采用水肥异区隔沟交替灌溉方式，在拔节期和抽雄期各灌溉一次。水肥异区交替灌溉指隔沟交替灌水与施肥，两次灌水与施肥在不同的沟中进行；即拔节期（第一次灌溉施肥）灌水区在抽雄期（第二次灌溉施肥）变成施肥区，而相应的施肥区则变成灌水区。2008 年拔节期8 月5 日，抽雄期8 月25 日，2009 年拔节期8 月7 日，抽雄期8 月27 日每次追肥后，采用密闭法测定田间土壤的氨挥发。F0W0、F0W2 和F2W0 处理不属于交替灌溉施肥处理，CT 是常规处理，同沟施肥灌溉。

（四）捕获装置

N_2O 捕获装置由聚氯乙烯硬质塑料制成一面敞开的正方体捕获箱，规格为20cm×20cm×20cm。从追肥当天开始，将捕获箱扣置于地面，在各小区的施肥和灌水区分别放置1 个捕获装置，次日或隔日早晨9:00 时取样。气体样品用2 ml 注射器抽取，用丁基橡胶堵住针眼及时分析，采好的气体样品带回实验室在6h 内用美国Varian 产GC3800 气相色谱测定气样中N_2O 浓度。

第1 周，每两天取1 次样；以后视测到的挥发氨数量多少，每1 ~4 天取样1 次，以后取样间隔可延长到1 周，直至测定的氨挥发量与对照接近时为止，遇降雨时测定顺延。2008 年对所有小区进行收集测定，2009 年对中心点F2W2、常规处理CT 和空白F0W0 三个处理进行收集测定。

二、结果与分析

（一）苗期田间土壤的N_2O 排放通量

图1 显示，2009 年苗期F0W0、F2W2 和CT 处理的N_2O 排放通量变化相似，播种后在较高的水平波动，在一周后迅速下降，然后达到峰值，在两周后，迅速下降趋于平稳下降。在播种后

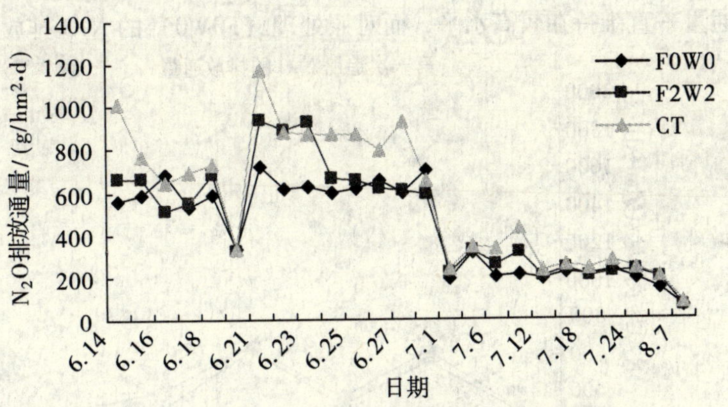

图1　2009年不同处理下的土壤N_2O排放通量

的两周后，玉米生长迅速，根系较为发达，能从土壤中吸收大量N素，减少了反硝化作用的反应底物，降低了反硝化作用，减少了土壤N_2O排放量。

2008年仅在7月20日与8月3日取了两次样，各个处理分别在49.02～160.44g/（hm^2·d），50.09～110.54 g/（hm^2·d），这两次取样在苗期的生长旺盛时期，土壤N_2O排放量处于较低水平，这与2009年和实验结果相似。

（二）拔节期施肥灌水后田间土壤的N_2O排放通量

图2显示，2008年拔节期各个处理的N_2O排放通量挥发变化相似，均在追肥灌水后第3天和第15天出现排放峰值，介于0.28～1.71kg氮/（hm^2·d），在第1天常规处理的N_2O排放通量小于交替施肥灌溉处理和对照，之后明显大于交替施肥灌溉处理和对照。在追肥后的第1天，F0W2与F3W1的N_2O排放通量最大，F2W4与CI最低。追肥灌水后第3天，CI最高，F2W4与F2W2次之，F0W0最低。之后所有处理的N_2O排放通都有所降低，在2周后（8月20日）又上升，CI最高，F2W4次之，F0W0与F0W2最低。

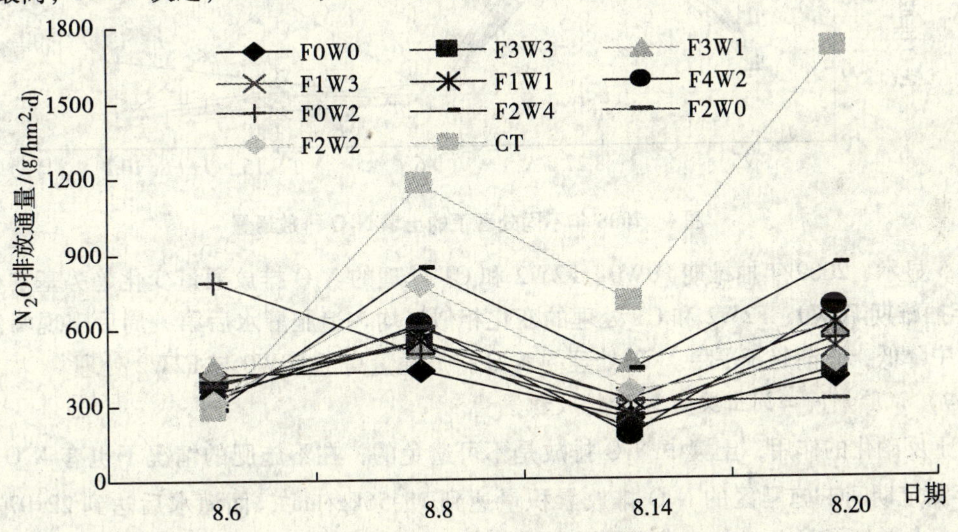

图2　2008年不同处理下的土壤N_2O排放通量

图3显示，2009年拔节期F0W0、F2W2和CT处理的N_2O排放通量变化相似，均在追肥灌水后第1周后出现峰值，而后降低趋于平稳。由于在拔节初期，降水的影响使土壤含水量增大，促进反硝化作用，增加了土壤N_2O排放量。CT处理的N_2O排放通量高于F0W0与F2W2处理。

（三）抽雄期施肥灌水后田间土壤的N_2O排放通量

由图4可见，2008年抽雄期追肥灌水后各个处理的N_2O排放通量呈现上下波动变化。在施肥灌水的第3天，所有处理的N_2O排放通量达到峰值，其中F3W3、F3W1与CI的N_2O排放通量最大，对照处理的最低，之后常规处理（CT）和F3W3在20d后又出现一个峰值外，其余处理N_2O排放通量都迅速下降，并趋于平稳，各处理之间的差异很小。常规处理（CT）的N_2O排放通量一直维持在较高水平，而对照处理（F0W0）的 N_2O 排放通量一直维持在较低水平。

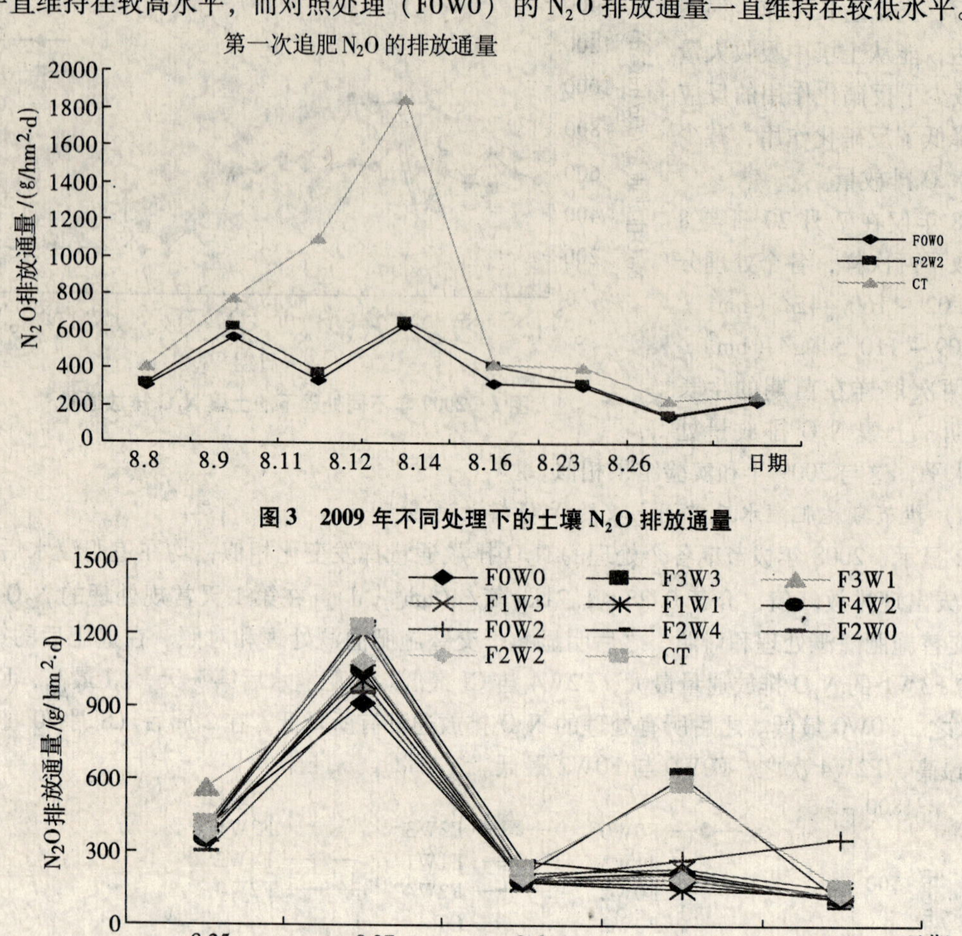

图3　2009 年不同处理下的土壤 N_2O 排放通量

图4　2008 年不同处理下的土壤 N_2O 排放通量

图5显示，2009 年抽雄期 F0W0、F2W2 和 CT 处理的 N_2O 排放通量变化趋势基本相同，和 2008 年抽雄期 F0W0、F2W2 和 CT 处理的变化相似，均在追肥灌水后第一周后出现峰值，而后在波动中降低，逐渐趋于平稳。CT 处理的 N_2O 排放通量高于 F0W0 与 F2W2 处理。

（四）试验期间田间土壤的 N_2O 排放积累量

由于反硝化的作用，土壤中 N_2O 排放是不可避免的，在不施肥的情况下也有 N_2O 的排放。2008 年测定期间未施肥区的 N_2O 排放累积量达到 15.56kg/hm^2，而灌水后达到 22.07 kg/hm^2。施肥后大大增加了 N_2O 排放，水肥异区交替灌水施肥处理的总 N_2O 排放累积量大于对照小于常规处理（表2）。常规施肥灌水时达到了 32.26 kg/hm^2，占氮肥损失率为 11.13%；交替施肥灌水减少了施肥量和灌水量，N_2O 排放累积量大大降低，降幅达 11.34% ~71.93%，可见水肥异区交替灌溉施肥方式能明显减少 N_2O 排放损失，从而减少其对环境的污染。其中 F2W0 和 F0W0 处理的 N_2O 排放累积量只有 14.75 ~ 15.56 kg/hm^2，CI 的 N_2O 排放累积量最大 32.26 kg/hm^2。F2W0 和 F4W2 处理的 N_2O 排放累积量占施肥量的 0 ~ 0.35%，CI 损失率高达占 11.13%。因此交替施肥灌水对氨挥发的影响受施肥量与灌水量的影响。

从两次测定结果看，常规处理拔节期的 N_2O 排放累积量高于抽雄期，其他处理拔节期的 N_2O 排放累积量低于抽雄期。

2009 年常规施肥灌水与 F2W2 处理，在追肥后 N_2O 排放累积量达到了 21.89 kg/hm^2 和

13.42 kg/hm^2，氮肥损失率为2.69%和7.44%（表3）。拔节期与抽雄期CT处理的N_2O排放累积明显高于对照和F2W2处理，对照最低，各处理抽雄期的N_2O排放累积量大于拔节期，与2008年的实验结果相符。2009年在苗期，F0W0、F2W2和CT处理的N_2O排放累积量分别为15.37 kg/hm^2，18.51 kg/hm^2，20.48 kg/hm^2，分别占总排放量的58.89%，57.97%，48.33%。

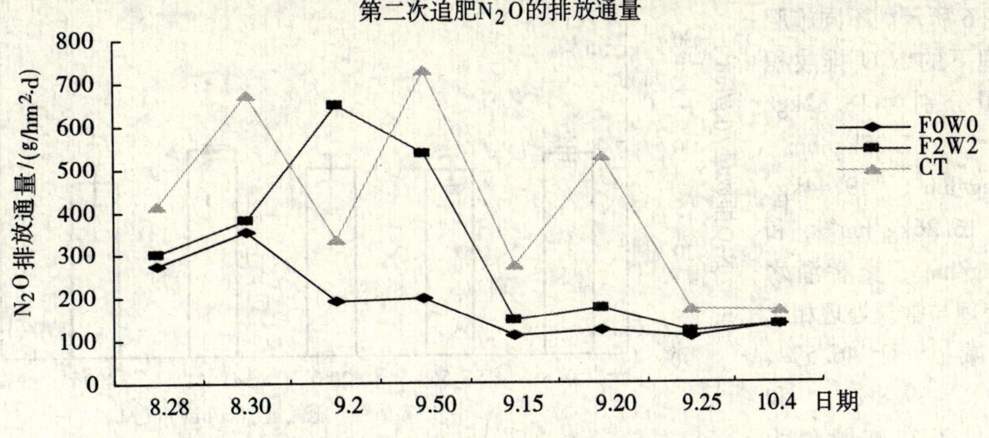

图5　2009年不同处理下的土壤N_2O排放通量

表2　2009年N_2O排放累积量及其占施入N的比例

处理	第一次追肥		第二次追肥		两次追肥总量	
	积累量/(kg/hm^2)	损失率/%	积累量/(kg/hm^2)	损失率/%	积累量/(kg/hm^2)	损失率/%
F0W0	5.92	—	9.65	—	15.56	—
F0W2	8.14	—	13.93	—	22.07	—
F1W1	7.65	11.86	9.04	0.00	16.69	3.86
F1W3	6.86	6.46	10.95	8.90	17.81	7.68
F2W0	5.99	0.15	8.76	0.00	14.75	0.00
F2W2	7.29	2.74	9.80	0.30	17.08	1.52
F2W4	10.17	8.50	10.82	2.34	20.98	5.42
F3W1	8.73	3.30	10.47	0.97	19.20	2.13
F3W3	5.94	0.03	13.73	4.79	19.67	2.41
F4W2	7.26	1.34	9.00	0.00	16.26	0.35
CT	17.63	15.62	14.63	6.65	32.26	11.13

表3　N_2O排放累积量及其占施入N的比例

处理	苗期		第一次追肥		第二次追肥		两次追肥总量	
	积累量/(kg/hm^2)	损失率/%	积累量/(kg/hm^2)	损失率/%	积累量/(kg/hm^2)	损失率/%	积累量/(kg/hm^2)	损失率/%
F0W0	15.37	—	5.41	—	5.32	—	10.73	—
F2W2	18.51	3.14	5.90	0.98	7.52	4.40	13.42	2.69
CT	20.48	3.40	9.69	5.71	12.20	9.18	21.89	7.44

注：损失率 =（不同处理的累积量 - 对照处理的累积量）/当次施入的氮肥量。

（五）不同施肥和灌水量下的 N_2O 排放积累量

N_2O 排放积累量 = 同一灌水或施肥水平下的 N_2O 排放积累量的平均值

不同灌水和施肥水平下的土壤 N_2O 排放积累量如图 6 所示。不同施肥量处理下的 N_2O 排放积累总量分别为 18.82kg/hm²、17.25kg/hm²、17.61kg/hm²、19.44kg/hm²、16.26kg/hm² 和 32.26kg/hm²，交替灌水施肥处理与常规处理相比分别减少了 46.5%、45.4%、39.8% 和 49.6%，且在施肥量为 400kg/hm² 的水平下氨挥发总量最小。不同灌水量处理下的土壤 N_2O 排放积累量分别为 15.16kg/hm²、17.95kg/hm²、18.47kg/hm²、18.74kg/hm²、20.98kg/hm² 和 32.26kg/hm²，交替施肥灌水处理与常规处理相比分别减少了 44.4%、42.7%、41.9% 和 35.0%，且在灌水量为 0m³/hm² 的水平下 N_2O 排放积累量最小，并且 N_2O 排放积累量随着灌水量的而增加。研究发现当 WFPS 为 60% ~70% 时，N_2O 排放量达到最大值[17,18]，本试验灌溉处理条件下的 WFPS 都小于 60%，因此 N_2O 排放积累量随着灌水量的增加而增加。不同灌水量和施肥量处理下的 N_2O 排放积累均小于常规处理，如果肥水配置合理，水肥异区交替施肥灌溉方式能明显减少 N_2O 排放积累损失。

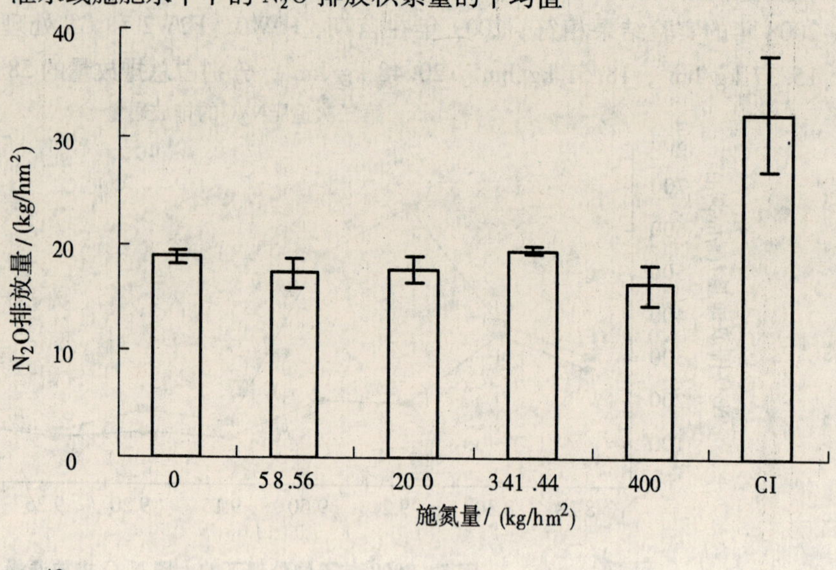

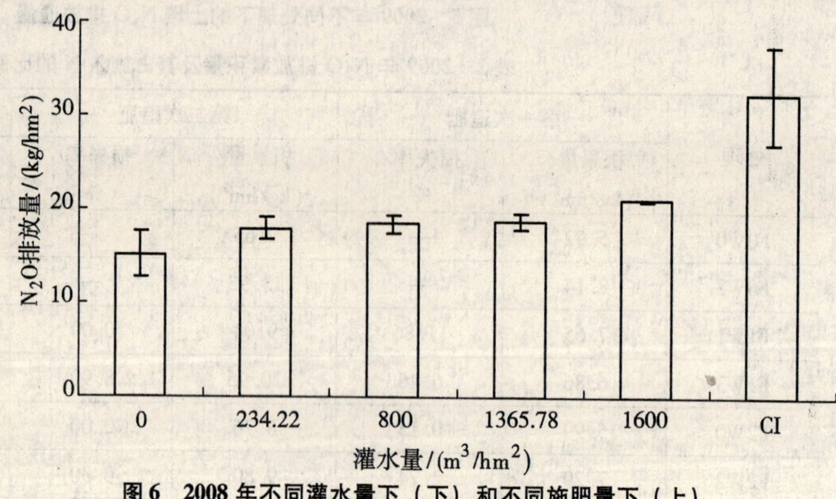

图 6　2008 年不同灌水量下（下）和不同施肥量下（上）的土壤 N_2O 排放积累量

注：灌水量 = 1800m³/hm² 和施肥量 = 300kg/hm² 为常规处理。

三、讨　论

反硝化作用是土壤产生 N_2O 的主要生物过程，土壤 N_2O 排放过程是一个极为复杂的过程，受氧气、NO_3-N、土壤有机氮、土壤水分、温度、土壤类型、土壤 pH 值和植物生长状况等物理化学生物因素的影响，在不同的环境生物因子的作用下，土壤 N_2O 排放量有所不同，研究表明土壤 N_2O 排放造成氮肥损失率在 0.1% ~14.9% 不等[19,21,22]。本研究结果表明交替灌溉施肥处理下的土壤 N_2O 排放总量明显低于常规处理。交替施肥灌溉不但能有效减少 N_2O 排放损失，而且水、肥之间有一定的交互效应。因此合理的水、肥空间配置能明显减少土壤 N_2O 排放量和由

N_2O 排放引起的氮肥损失率。

从2008年与2009年的实验结果看，在拔节期和抽雄期常规处理的土壤 N_2O 排放量和氮肥损失率均显著高于其他各处理。其原因是在常规处理中，水分含量增加，水分含量增加能够促进土壤中有机碳分解代谢，为反硝化细菌提供更多易于利用的底物和能量[21]，有利于反硝化细菌数量的增加，活性的增强，促进了反硝化作用。同时土壤含水量的增加导致土壤氧气含量下降，降低了土壤中 O_2 的传递，低氧环境促进反硝化作用。另一方面，同沟灌水施肥使肥料随水分渗入土壤，增大了肥料与硝化细菌等微生物的接触面积，有利于反硝化作用，使土壤 N_2O 排放量和氮肥损失率增加。

但拔节期和抽雄期各处理的表现不同，拔节期土壤 N_2O 排放总量远远低于抽雄期，但抽雄期由 N_2O 排放引起的氮肥损失率相对较低。原因可能是拔节期作物生长迅速，养分吸收快，硝化作用的底物迅速被植物吸收，使反硝化作用降低，土壤 N_2O 排放量较低；且拔节期施肥灌水前后，降雨较多，土壤含水量较大，氮肥淋失严重，所以由 N_2O 排放引起的氮肥损失率降低。在拔节期和抽雄期常规处理的土壤 N_2O 排放量和氮肥损失率均显著高于其他各处理。Zhang 等研究表明，半干旱的农田生态系统中降雨显著提高了 N_2O 的排放。本试验相符其研究结果[23]。其原因是在常规处理中，水分含量增加，促进了反硝化作用。同时土壤含水量的增加导致土壤氧气含量下降，降低了土壤中 O_2 的传递，低氧环境促进反硝化作用。2009年研究结果显示，苗期土壤 N_2O 排放总量占整个生长期的一半左右，土壤 N_2O 排放总量在玉米不同的生长期差异显著。其原因是苗期玉米生长缓慢，根系不发达，吸收养分较慢，是土壤中有较多的N素，为反硝化作用提供底物，促进反硝化作用，增加土壤 N_2O 排放量。虽然在拔节期和抽雄期进行追肥，增加土壤N素，但拔节期和抽雄期根系发达，生长迅速，吸收养分较快，使反硝化作用底物减少，降低了土壤 N_2O 排放。

四、结　论

1. 与常规施肥灌水处理相比，水肥异区交替灌溉可以显著降低夏玉米地的土壤 N_2O 排放量和氮肥损失率。

2. 拔节期土壤 N_2O 排放总量远远低于抽雄期，在拔节期和抽雄期常规处理的土壤 N_2O 排放量和氮肥损失率均显著高于其他各处理。

3. 在施肥量为400kg/hm^2 时的土壤 N_2O 排放量较低。在灌水量低于或等于1800m^3/（kg·hm^2）时，土壤 N_2O 排放量随灌溉量的增加而增加。

4. 土壤 N_2O 的排放和玉米的生长状况密切相关。2009年苗期土壤 N_2O 排放总量占整个生长期的一半左右，土壤 N_2O 排放总量在玉米不同的生长期差异显著。

参考文献

[1] 江平．西部农业水资源可持续发展与利用［J］．农村经济，2005，9：111－113.

[2] 康绍忠，许迪．我国现代农业节水高新技术发展战略的思考［J］．中国农村水利水电，2001，10：25－29.

[3] 韩艳丽，康绍忠．控制性分根交替灌溉对玉米养分吸收的影响［J］．灌溉排水，2001，20（2）：5－7.

[4] Skinner R H，Hanson J D，Benjamin J G. Nitrogen uptakes and partitioning under alternate and every furrow irrigation［J］. Plant Soil，1999，210：11－20.

[5] 雷杨莉，王林权，薛亮，等．交替灌溉施肥对夏玉米土壤氨挥发的影响［J］．农业工程学报，2009，25（4）:41－46.

[6] 张秀君，徐慧，陈冠雄．长白山阔叶红松林树木 N_2O 排放及总量初步估算［J］．生态学，2004，23（5）：232－235.

[7] Delgado J A, Mosier A R. Mitigation alternatives to decrease nitrous oxides emissions and urea – nitrogen loss and their effect on methane flux [J]. Journal of Environmental Quality, 1996, 25 (5): 1105 – 1111.

[8] N_2O, NO, and NH_3 Emissions from Soil after the Application of organic fertilizers urea and water. HIROKOAKIYA-MA, IAINP. McTAGGART, BRUCEC. BALL and ALBERTSCOTT, Water, Air, and Soil Pollution 156: 113 (R) C129, 2004.

[9] Intergovernmental Panel on Climate Change. Radiative forcing of climate change. B. Bolinet al. (ed). The 1994 Report to the Scientific Assessment Working Group of IPCC. Summary for Policymakers. WMO/UNEP. Genev.

[10] Mosier, A. R., Duxbury, J. M., Freney, J. R., Heinemeyer, O. and Minami, K. Nitrous oxide emissions from agricultural fields: Assessment, measurement and mitigation. Plant and Soil, 1996, 185: 250 – 260.

[11] Delwiche C C. Denitrification, nitrification and atmospheric nitrous oxide [M]. New York, USA: A willey – Interscience Publication, John Wiley and Sons, 1981, 2 – 41.

[12] 蒋静艳，黄耀．农业土壤 N_2O 排放的研究进展［J］．农业环境保护，2001，20（1）：51 – 54.

[13] 谢军飞，李玉娥．农田土壤温室气体排放机理与影响因素研究进展［J］．中国农业气象，2002，23（4）：47 – 52.

[14] Feney J R. Emission of nitrous oxide from soils used for agriculture [J]. Nutr Cyc Agroecosyst, 1997, 49: 1 – 6.

[15] Mac Kenize A F, Fan M X, Cadrin F. Nitrous oxide emission as affected by tillage, corn – soybean – alfalfa rotations and nitrogen fertilization [J]. Can J Soil Sci, 1997, 77: 145 – 152.

[16] 丁洪，蔡贵信，王跃思，等．玉米 – 潮土系统中氮肥硝化反硝化损失与 N_2O 排放［J］．中国农业科学，2001，34（4）：416 – 421.

[17] Galbally, I. E. 1989. Factors controling NO_x emission from soils. In: Exchange of Trace Gases Between Terrestrial Ecosystems and the Atmosphere. Andreae, M. O. and Schimel. D. S., Eds. Dahlem Konferenzen. Wiley, Chichester. pp. 23 – 27.

[18] Ruser, R., Flessa, H., Russow, R., Schmidt, G., Buegger, F., Munch, J. C. Emission of N_2O, N_2 and CO_2 from soil fertilized with nitrate: Effect of compaction, soil moisture and rewetting [J]. Soil Biology&Biochemistry, 2006, 38 (2): 263 – 274.

[19] Sehy, U., Ruser, R., Munch, J. C. Nitrous oxide fluxes from maize fields: relationship to yield, site – specific fertilization, and soil conditions [J]. Agriculture Ecosystems&Environment, 2003, 99 (1 – 3): 97 – 111.

[20] 侯爱新，陈冠雄，吴杰，等．稻田 CH_4 和 N_2O 排放关系及其微生物学机理和一些影响因子［J］．应用生态学报，1997（3）：270 – 274.

[21] 李鑫，巨晓棠，张丽娟，等．不同施肥方式对土壤氨挥发和氧化亚氮排放的影响［J］．应用生态学报，2008，19（1）：99 – 104.

[22] 侯爱新，陈冠雄．不同种类氮肥对土壤释放 N_2O 的影响［J］．应用生态学报，1998，9（2）：176 – 180.

[23] Zhang J F, Han X G. N_2O emission from the semi – arid ecosystem under mineral fertilizer (urea and superphosphate) and increased precipitation in northern China [J]. Atmospheric Environment, 2008, 42: 291 – 302.

基于GIS的大连市土壤环境中铅元素含量分布研究

刘秀洋　林长清

（大连市环境监测中心　大连　116023）

摘　要　近年来，环保、国土、农业等部门和有关科研单位在土壤污染防治方面做了一些积极的探索。但由于各方面原因的影响，一些地区的土壤受到不同程度的污染，对生态环境、食品安全和农业可持续发展构成威胁，土壤污染的总体形势相当严峻。土壤污染问题已经成为影响群众身体健康、损害群众利益的重要因素。开展全国土壤污染状况调查，摸清土壤环境状况及污染情况，具有十分重要的现实意义，是制定土壤污染防治对策，做好土壤污染防治工作的基本前提。通过大连市土壤普查数据，运用GIS技术，分析土壤环境中铅元素的含量分布状况，以及当前的含量水平与“七五”期间的含量进行比较。综合分析大连市土壤环境中的铅污染状况。

关键词　土壤普查　GIS技术　土壤环境　铅元素

一、引　言

土壤是构成生态系统的基本要素之一，是国家最重要的自然资源之一，也是人类赖以生存的物质基础、生态环境的主要组成部分。土壤环境状况不仅直接影响到国民经济发展和国土资源环境安全，而且直接关系到农产品安全和人体健康。加强土壤环境保护，防治土壤污染，是我国实现可持续发展战略的重要任务，是让人民群众吃上放心食物的根本保障。目前我国土壤污染状况不清、原因不明和环境监管体系不完善等问题十分突出，迫切需要全面开展土壤现状调查及污染防治工作。

土壤普查是以全面清查土壤资源合理利用和改良土壤为目的，由专业队伍指导群众进行的土壤调查。是在全国或地区范围内，有统一组织领导，按统一调查规程，由下而上逐级实施土壤调查、制图，编制汇总土壤资料和成果验收的过程。

2006年，大连市环境监测中心利用地理信息系统开展土壤调查布点工作。用GIS软件介入，按照全国土壤污染状况调查点位布设技术规定，用地理信息系统软件Mapinfo结合GPS定位技术实现布设底图，统一建立的地理空间数据库。为下一步地理信息统计，包括开展全国土壤环境质量状况调查与评价、开展全国土壤背景点环境质量调查与对比分析，开展重点区域土壤污染风险评估与安全等级划分等工作打基础。

二、研究目的与现状

大连市位于北半球的暖温带地区，具有海洋性特点的暖温带大陆性季风气候，冬无严寒，夏无酷暑，四季分明。区内山地丘陵多，平原低地少，整个地形为北高南低，北宽南窄；地势由中央轴部向东南和西北两侧的黄、渤海倾斜，面向黄海一侧长而缓。长白山系千山山脉余脉纵贯本区，绝大部分为山地及久经剥蚀而成的低缓丘陵，平原低地仅零星分布在河流入海处及一些山间谷地；岩溶地形随处可见，喀斯特地貌和海蚀地貌比较发育。

土壤调查的目的是为了保障粮食生产质量安全，服务地方经济和社会发展，解决土壤环境的科学问题，摸清土壤中各元素的含量分布状况。了解大连市土壤环境中各元素的超标情况，测算土壤环境中某元素的超标面积。最后汇总统计大连市土壤环境的污染状况，为政府决策提供依据，为社会经济发展提供参考。

文章选取大连市土壤环境中的铅元素进行典型分析。了解当前土壤环境中铅元素的含量，通过与“七五”期间大连市土壤环境中铅的含量进行对比，进一步分析大连市土壤环境的铅元素分布和污染状况。

三、大连市土壤环境中的铅元素分布状况

本次土壤普查在大连市全市范围内选取 128 个普查点位，采样点分布网格为林地区域 16km×16km，其他区域为 8km×8km 的网格分布，基本涵盖了大连市的全部土壤类型。运用 GIS 技术建立采样数据库，利用 Mapinfo7.0 软件和 Surfer 软件分别作出大连市土壤环境中铅元素的浓度分布图（图 1）和浓度等值线图（图 2）。从浓度分布图上可以看出浓度较高的地区主要分布在瓦房店市和普兰店市交界地带以及旅顺西南地区，市内铅的含量相对较低。大连市土壤环境中铅元素的含量统计见表 1。

表 1　大连市土壤环境中铅元素的含量统计表　　　　单位：mg/kg

平均值	标准误差	中位数	标准差	方差	峰度	偏度	最小值	最大值
24.7	0.52	24.9	6.73	45.3	9.64	1.74	6.45	63.6

1. 通过运用 GIS 技术分析，我们从表 1 可以看出，大连市土壤环境中铅元素的最大值为 63.6mg/kg，采样点位于瓦房店市园区张家村附近。根据土壤环境质量评价标准值（无机类项目）可得（表 2），最高值尚未超过最低评价标准值 80 mg/kg。尚未造成污染。

2. 通过图 2 可以看出，土壤环境中铅元素的含量最高值在工业园区，说明重工业可能产生铅污染，铅元素的含量高值区主要分布在工业园区，另外高速公路沿线也是铅元素的高值分布区，主要与含铅汽油燃料有关。因此在工业园区和高速公路沿线应该注意铅元素的污染防治。

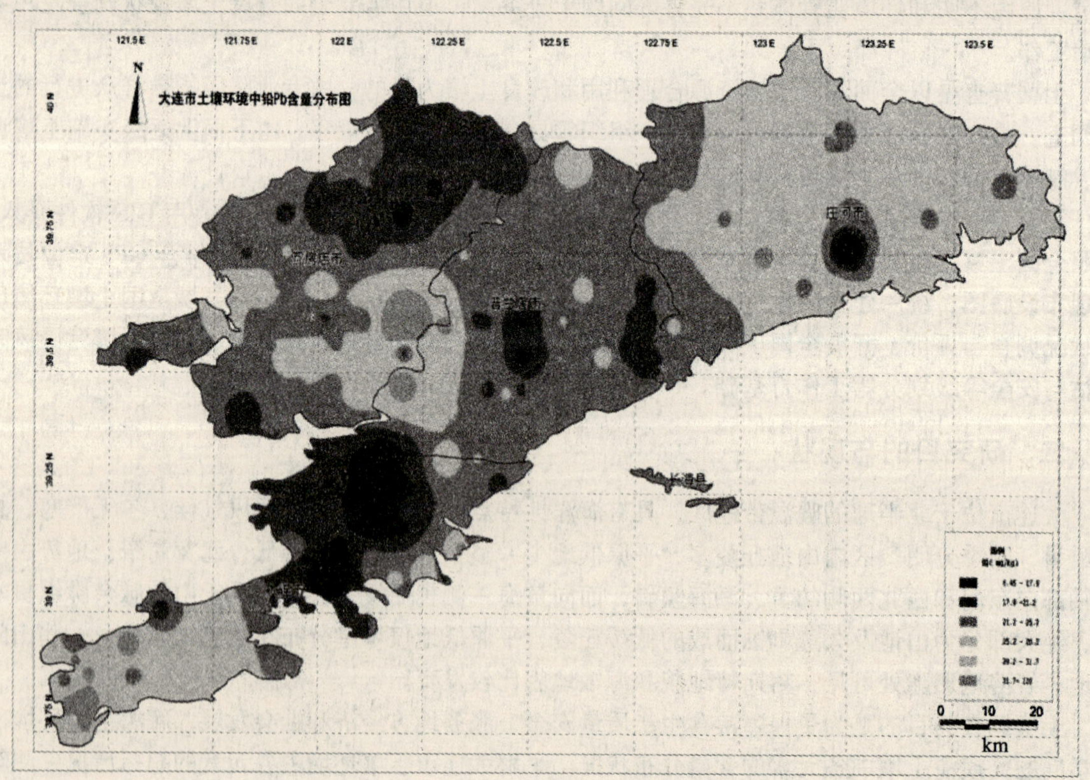

图 1　大连市土壤环境中铅元素含量分布图

表2　土壤环境质量评价标准值（无机类项目）

评价项目	标准值/（mg/kg）			
	耕地、草地、未利用地			林地
	pH＜6.5	6.5＜pH＜7.5	pH＞7.5	
铅	80	80	80	100

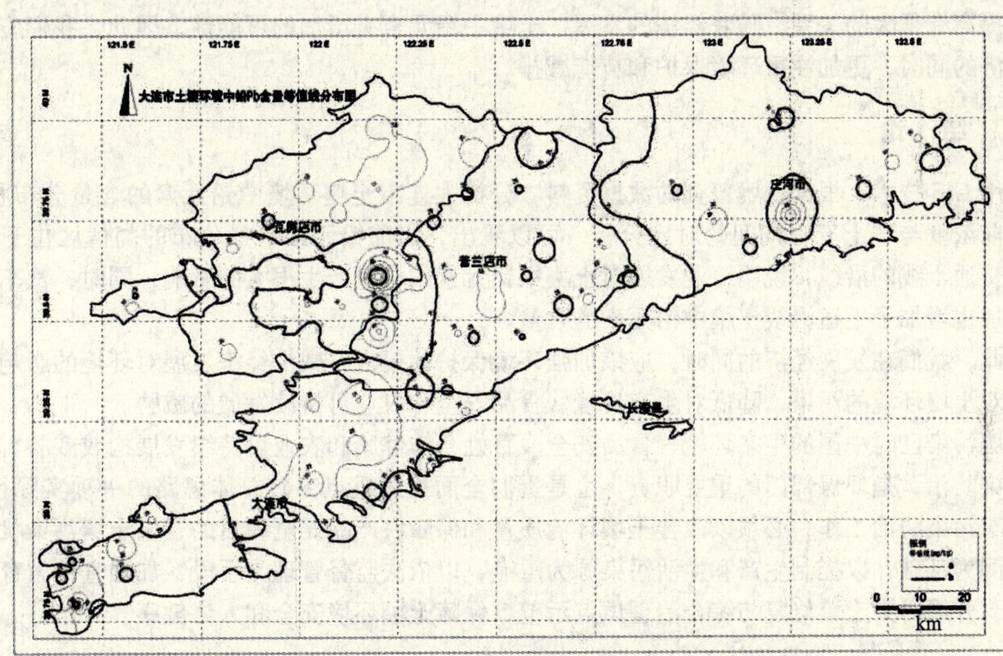

图2　大连市土壤环境中铅元素含量等值线图

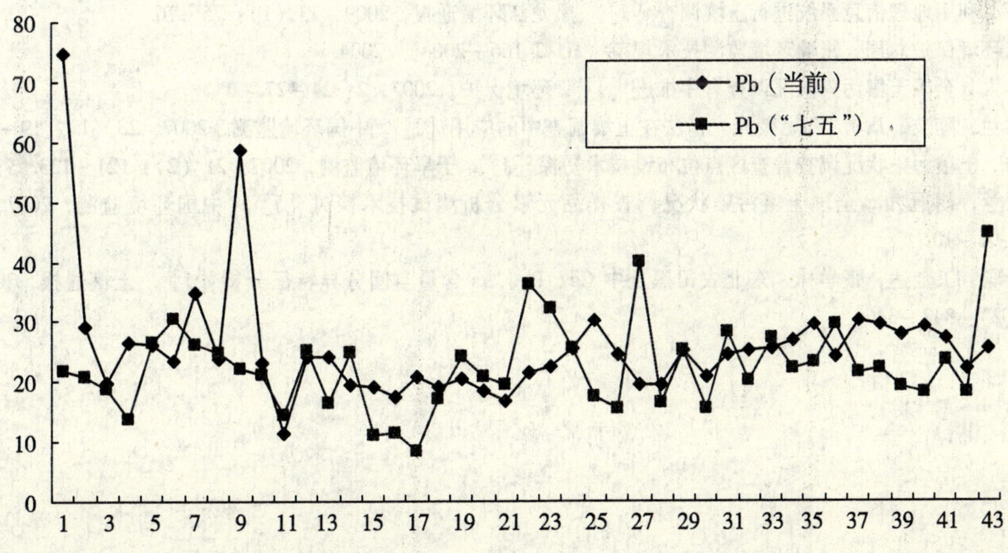

图3　大连市土壤环境中铅元素含量与“七五”期间的对比图

四、当前土壤中铅含量与“七五”期间的对比研究

本次土壤普查中，根据“七五”期间的背景值点位进行采样分析，通过对比当前的铅元素含量与“七五”期间的对比，研究大连市土壤环境中铅元素随时间的变化情况（图3）。

从图3可以看出土壤中铅元素的变化并没有出现明显的下降或者升高，但是总体比较当前铅元素的含量稍有增加，根据前面的分析，可能跟近年来，工业发展，经济水平提高，居民汽车拥有量的提高有很大的关系。随着经济的发展，土壤中铅元素有增加的可能性，因此，我们应该在发展经济的同时，更加注重环境保护和节能减排。

五、结　论

运用GIS技术，根据土壤普查的数据资料，分析大连市土壤环境中铅元素的含量分布状况，以及当前浓度与“七五”期间的对比分析，可以看出，当前铅元素含量分布的高值区位于工业园区和交通干线的沿线，说明工业发展对土壤中铅元素的含量产生很大的影响，同时，汽车保有量的增加也增加了干道沿线土壤中铅元素的含量。

因此，我们在发展经济的同时，应该加强环境保护的投入，减少经济发展对环境的影响，减少工业对土壤环境的污染，降低对生态环境、食品安全和农业可持续发展的威胁。

土壤污染已对中国的生态环境、食品安全、百姓身体健康和农业可持续发展构成威胁。加强土壤污染防治，是环保部门的重要职责，也是贯彻全面推进重点突破总体思路的一项实际行动。做好土壤污染防治工作，必须以改善土壤环境质量和保障农产品安全为目的，以土壤污染状况调查与监测为基础，以控制生产和生活污染源为重点，以依法监督管理为手段，加强宣传教育与国际合作，开展污染土壤修复与综合治理试点示范，保障土壤环境安全和人体健康。

参考文献

[1] 马瑞．首次全国土壤污染状况调查进展［J］．环境保护，2006，9：21-24.
[2] 张辉．利用地理信息系统进行土壤调查［J］．黑龙江环境通报，2009，33（1）：75-76.
[3] 国家环境保护总局．土壤环境监测技术规范（HJ/T 166—2004）．2004.
[4] 万本太．全国土壤污染状况调查有序推进［J］．环境保护，2007，2：24-27.
[5] 陈素兰，陈波，章勇．X-荧光光谱法在土壤调查中的应用［J］．中国环境监测，2007，23（1）：19-22.
[6] 沈浩．土壤污染状况调查普查区点位布设技术初探［J］．干旱环境监测，2007，21（2）：121-123.
[7] 陈素兰，胡冠九．全国土壤污染状况调查样品元素分析测试技术探讨［J］．中国环境监测，2007，23（5）：6-10.
[8] 曹会聪，王金达，张学林．东北农田黑土中Cd、Pb、As含量空间分异特征分析［J］．土壤通报，2007，38（2）：342-346.

第九章

环境保护相关领域研究进展

固体生物质燃料产业发展途径研究

马龙波　张大红　刘祖军

（北京林业大学经济管理学院　北京　100083）

摘　要　为了更快地促进中国固体生物质能产业兴起和发展，本文在对2009年调查资料分析的基础上，使用定性研究的方法对样本地区固体生物质燃料产业发展情况进行研究，总结出存在于固体生物质燃料产业发展中的问题及障碍，研究结果表明该产业目前处于产业发展的兴起阶段，应采取农村包围城市、技术发展及政府扶持三大途径促进其兴起和发展。

关键词　生物质燃料　问题　战略

中国固体生物质燃料发展方兴未艾。但在自然进程中，这是一个客观的发展过程，缓慢而痛苦，在这一过程中，资源、技术、市场等问题和障碍困扰着中国固体生物质产生、发展，但也就是在这些问题和障碍的相互纠结中不断地融合、整合发展。国内部分专家学者对生物质燃料的研究相对较多，目前主要集中对生物质的现状及前景（周中仁等，2005；刘荣志等，2007；张大雷，2008）、秸秆循环利用（张晓文，2006）、生物质成型燃料产业发展的技术影响因素（张百良等，2005）及产业发展障碍（刘俊红，2006；胡启春，2008）做了些有益的探讨，相关的理论也有了很大的进步。但是中国固体生物质燃料产业产生、发展的问题究竟在哪里，将走向何方，这方面的研究相对较少。本文经过研究，找出固体生物质燃料产业存在的问题和障碍，从中寻找促进中国固体生物质燃料产业的进一步发展的措施，希望对该产业的发展提供一些参考。

一、中国固体生物质燃料产生和发展的客观必然性

（一）生物质能源的兴起和发展

能源是人类社会发展的动力和基础。随着时代的进步，能源越来越深刻地决定和影响着人类社会的发展。由于利用技术成熟且价格相对低廉，化石能源以其燃值高、密度大、采集利用成本低等优点，近年来一直处于世界能源利用的首位，根据《BP世界能源》统计数据显示，2007年世界能源消费结构当中，石油占35.6%，煤炭占28.6%，天然气占23.8%，水电和核能分别占6.4%和5.6%。随着能源危机的出现，以及由化石能源使用带来的环境和气候变化问题使得人们对化石燃料的有限性和使用的局限性有了更加清醒和深刻的认识（能源战略小组，2007）。寻找清洁的、可再生的能源成为世界各国能源发展的主题（Runge 2007，Hazell and Pachauri，2006）。

生物质能源是人类最早的能源利用形式之一，其能够提供广泛的能源服务，发展生物质能源产业能够创造就业机会，提供就业岗位（Kammen，Kapadia and Fripp，2004），生物质能源替代化石能源，在增加能源供应总量的同时可以减少温室气体排放。因此，发展生物质能源是解决社会公平、谋求共同发展、保障能源安全、转移农村剩余劳动力和缓解气候变化等全球性问题的途径之一。

（二）中国发展固体生物质燃料产业的资源、技术条件

我国生物质资源十分丰富，据资料显示，我国农村中每年的秸秆量约为6.5亿t，预计到2010年将达7.26亿t，相当于5亿t标准煤；林业废弃物（不包括薪炭林）每年约达3700万m^3，相当于2000万t标准煤，加之畜禽粪便、城市垃圾和工业废水等，我国每年的生物质资源量可达6亿t以上标准煤（赵军，王述洋，2008），已经具备发展固体生物质燃料产业的资源条件。与此同时，我国不断加大对生物质压缩成型技术研发的投入力度，使固体生物质压缩成型技

术更加接近市场化和产业化。应该说我国的生物质压缩成型技术已渐进完善和成熟，在今后的发展中，有条件为推广和发展固体生物质燃料产业提供技术保障。

（三）中国发展固体生物质燃料产业的必然性

我国是世界上最大的煤炭生产和消费国，尽管从20世纪末煤炭的消费量开始逐渐下降，但是在中国一次能源消费中煤炭仍占67%以上（国家统计局资料，2007）。长期以来，由于煤炭开采和使用造成的环境破坏和环境污染问题十分严重。由此，我国现有以煤炭为主的用能结构亟待改善，而固体生物质燃料无疑是更为直接和有效的用能替代方式。

另外，我国总体用能紧张的局面仍在持续，面对经济发展和环境保护的双重压力，不仅要改善用能方式，提高单位能耗效率，提倡节能环保理念，更要开拓可再生能源发展的道路，在我国增加可再生能源在能源消费结构中的比重，尤其是利用资源优势，发展固体生物质燃料产业，提高农作物秸秆等资源的利用率，在总体上增加能源总量，对于改善我国用能紧张尤其是广大农村地区用能短缺的局面具有重要意义。

综上所述，不论是世界能源发展的一般趋势，还是从中国的国情、资源条件、技术条件出发，生物质燃料产业的兴起和发展都具有客观必然性。总体上看我国已经具备发展固体生物质燃料产业的资源条件、技术基础和社会需求，在生物质资源丰富地区，大力推广和发展固体生物质燃料产业，对于调整和改善用能结构，提高用能效率，减少环境污染，促进社会发展都具有很深远的意义。

二、中国固体生物质燃料产业发展现状、问题与障碍

（一）中国固体生物质燃料产业发展现状

中国固体生物燃料产业从产业划分角度，包括生物质燃料原料、固体生物质成型机械、成型固体生物质燃料产品以及固体生物质炉具四部分。总体现状是各部分都处于起步阶段，从产业层面上尚处于零星生产，还未形成具有规模和竞争力的产业链，随时都有断裂的危险，经营主体和企业大多处于挣扎、观望和勉强维护的状态。

1. 生物质燃料原料

中国农村生物质资源极为丰富，但作为能源利用形成生物质能原料的并不多，特别是其中的作物秸秆和林业剩余物，绝大多数处于闲置、弃用或就地焚烧处理。

2. 固体生物质成型机械

研究表明，中国固体生物质成型机械要走的是一条以本土化为主的发展道路。成型机械中，除关键部件外，固体生物质燃料冷压成型设备的技术质量并不高，更多的是从适用原料类型、使用环境和造价及维护性方面考虑，在耐用性上还存在一些技术难题。

3. 成型生物质燃料产品

目前，中国鲜有一家稳定产出量和经营规模的成型生物质燃料生产企业。现有少量的成型固体生物质燃料产品也是在不稳定状态下加工或附属炉具上生产出来的。而且中国的生物质是以冷压为技术，少量生产，产品成型质量不高。

4. 固体生物质炉具

相对而言，中国固体生物质炉具是目前生物质能产业中最活跃和发展程度相对较高的部分。调查中发现，全国共有各种生物质炉具生产企业共计万家，但这些炉具缺乏统一的技术标准、质量参差不齐、生产和销售较为混乱，生产企业大部分为生产条件较为落后的中小型企业，甚至有相当数量的企业不具备相应的生产技术条件，假冒伪劣情形十分普遍。另外，生物质炉具市场的需求有限，为了拓展销量，许多的炉具企业同时还生产部分的固体生物质成型燃料，在目前社会层面缺乏客观产业链的情况下，企业内部自身形成微观产业链是中国生物质能产生发展这一时期

的特定情形。

总之，作为一个方兴未艾的产业，在自然兴起发展的过程中，必然伴随着方向不清、形式混乱、规模不足、产力不足、产业链不完整等情况的发生。

（二）中国固体生物质燃料产业存在问题和障碍

中国固体生物质能产生发展受到资源、技术、经济、社会、文化、政策等诸多因素的影响。这些因素共同变化，共同决定着中国固体生物质能产业发展的方向程度和面貌。这些因素中有些是由于我们的选择不当而给产业发展带来的负面影响，表现为阻碍产业发展的障碍性问题，有些因素也因为我们的有效选择而产生对产业发展的积极影响，表现为对产业发展的推动和加速作用，有些因素不存在选择的问题，它们具有客观性，可能由于时空条件的不同、其本身的状况不同表现为对产业发展摩擦阻力或惯性推力。我们很难从原因上解析中国固体生物质能产业发展的客观过程，但是可以从其发展状况、结果及趋势上归纳出一些重要的障碍及问题（图1）。

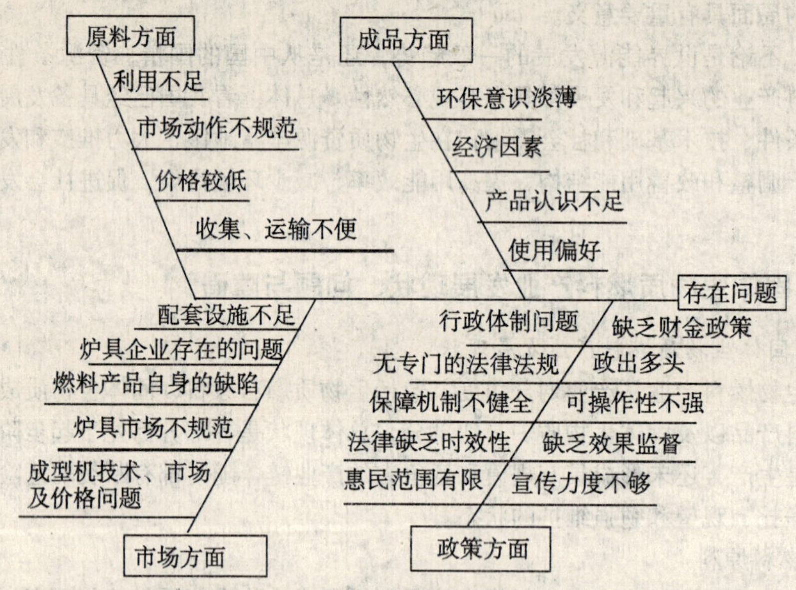

图1　中国固体生物质能产业发展的问题和障碍

三、中国固体生物质燃料产业发展途径

针对中国固体生物质燃料产业发展的现状、存在问题及障碍，经过研究，基于中国国情，生物质燃料及资源的基本情况，考虑到中国社会需求及能源的发展的一般趋势，应该主要在以下三个方面进行发展。

（一）由农村转入城市

中国是一个农村地域广阔、农村人口众多、城乡差别显著的国度。长期以来形成的二元化能源消耗格局，也决定了柴草燃用主要分布在农村。所以无论是从传统的习惯到今后的能源结构上看，中国固体生物质能产业发展的主要阵地都在农村，这既是一个客观要求，也应该是政府发展固体生物质能产业的主动和明智的选择。特别是在固体生物质能产业发展的初期，政府更应该把工作重心放在解决农村居民生活燃用能源上。

而与化石能源相比，生物质能源的燃质低、能源密度较低、体积较大、远距离运输不经济，这些特点都决定了在一定的需求量的情况下，要求有较大的资源收集半径，相对来讲就要求有很多的运力，从而使运输更加的不经济。然而，就地加工是生物质能资源利用的一般要求，特别是农村生物质资源单位密度低、点分布集中、面分布分散的特点，就地加工、重压成型几乎是唯一的技术选择。

基于对运输经济问题的同样考虑，特别是中国农村村落分布和居民生活燃用传统，农村固体生物质成型燃料也适宜就近村舍生活燃用。一方面解决了农村生活用能问题；另一方面，不占用或少占用运输资源。在中国农村现实中，完全可以将农村生物质燃料按照林分分布格局来设置成型加工设备，生产和销售（或加工和发放）固体燃料产品。同时，生物质燃料除了面向农村居民生活燃用外，可根据实际情况，面向城镇居民生活用能、炊事服务、小锅炉，可逐步地规划和培育能源林，发展热电联产或代替或部分代替或与煤混用等方式进入工业能源领域，同时，由于林业生物质燃料具有较高的密度，有些利用环节可不必致密成型。可见，生物质燃料面临多种途径和多种选择，是多重复合技术路线的发展模式。

（二）技术发展实用化

从总体上讲，固体生物质燃料成型技术并不属于高端技术领域，技术研发的方向和重点应该放在其适用性上，炉具技术亦然如此，怎样走一条适用化的技术研发道路，也是中国固体生物质能产业发展的战略选择问题。

就现阶段来看，适用技术研发主要从以下三点考虑。

1. 小型化

中国固体生物质能产业发展“就地加工，就近利用”的原则，要求其加工设备小型化，加工量以能够满足一个村庄500户农村居民适用能量为宜。炉具以户用（平均每户5口人）炊事或取暖（按 $100m^2$）等小型产品为宜。

2. 本土化

中国固体生物质能产业发展对加工设备和炉具拓展了巨大的市场需求，由于中国生活用能传统特色，其相关设备适应本国化、本土化研制。由于需求量大，文化风俗的特定要求，高技术成分不多，适于中小企业自主研发生产。

3. 适用化

考虑到中国农村的实际情况，成型机械选择常温冷压技术为宜，并尽可能减少能耗。单机功效不能太大，村舍电网能够负荷，经久耐用。对技术协作和操作要求不高，维修容易，使设备运转有高的稳定性和安全性，这在现阶段尤为重要。

将生物质燃料产业分为原料、加工、炉具三大部分的话，最为关键的环节是密质成型燃料品加工。在现实情况中最为薄弱的也是这一环节。原料特别是资源量丰富的，炉具产出化，市场化科技也相对较高。而这个产业的良性发展最重要是成型燃料品加工。这部分起着承上启下的作用，其生产能力的高低影响着生物质资源的利用程度，决定着炉具产品的社会需求。可以说，在产业链中，它是最重要的一环，在现实发展中，它是最短缺的板块。所以，增强生物质密度成型加工能力，提高这一环节的经济性和盈利能力，是解决中国固体生物质能产业发展的重中之重。应该制定相关政策措施，提高生物质密度成型生产能力，实施生物质密度成型加工优先发展战略。

（三）政府扶持

各国经验表明（Gardner，2003；Kojima，Mitchell and Ward，2007；Koplow，2006），生物质燃料产业发展需要政府的扶持，特别在中国政府促进对固体生物质能产业的发展具有极端重要性。实行政府扶持战略，较之没有政府促进的纯市场条件或自然状态，可以有效地提高产业发展的能力和速度。中国目前及今后社会发展需要固体生物质能产业的快速发展和大规模发展，政府规划引导，政策促进，宣传动员，国家法律保护不可或缺。

中国政府近年来已在广泛推行新农村建设战略。其中新能源建设应该是其中十分重要的组成部分。例如，北京市新农村建设中的“靓起来，暖起来和循环起来”，均与固体生物质能产业发展密切相关。生物质能建设对于改变农村面貌，改善农村能源结构，增加能源供给，维护生态环境，保护农民健康均有积极作用。应该将发展固体生物质能产业纳入新农村建设的总战略去设计和布局。同时，也将新农村建设战略融入生物质能产业发展战略来思考。

四、小　结

中国固体生物质能产业兴起和发展具有客观必然性，代表了中国社会经济发展和能源产业发展的方向。固体生物质能产业发展能够增加能源供给，改善能源结构，是一种清洁可再生能源，有利于节能减排，有助于低碳经济和循环经济发展。可以改善人们的健康状况。同时，固体生物质能产业发展适合中国国情，符合中国民众生活燃用习惯和文化传统。中国固体生物质能产业发展利国利民，带来巨大的生态效益、经济效益和社会效益。

但是，目前中国固体生物质能产业发展面临许多障碍和问题。主要是丰富的生物质能没有得到充分的利用，固体生物质成型加工成本高，与煤炭比经济性方面没有优势，不稳定，产业链不完整。在产业阶段的划分上，中国固体生物质能产业处于这一发展过程的第一个时期，只有在政府的大力扶持下才会有更好的发展。

参考文献

[1] 张大雷．生物质成型燃料开发现状及应用前景［J］．农村牧区能源，2008：98.

[2] 周中仁，吴文良．生物质能研究现状及展望［J］．农业工程学报，2005（12）：12.

[3] 刘荣志，周宪龙．中国农村生物质能发展现状与对策［J］．农村能源科学，2007（12）：434－436.

[4] 张晓文，赵改宾，杨仁全，等．农作物秸秆在循环经济中的综合利用［J］．农业工程学报，2006（22）：107－109.

[5] 张百良，樊峰鸣，李保谦，等．生物质成型燃料技术及产业化前景分析［J］．河南农业大学学报，2005，39（1）：111－115.

[6] 刘俊红，张百良．影响生物质成型燃料项目经济效益的因素分析［J］．安徽农业科学，34（13）：3230－3231.

[7] 胡启春，影响农村生物质能源发展的主要问题分析［J］．节能环保，2008（8）．

[8] 能源战略小组．能源结构报告，2007

[9] 赵军，王述洋．我国生物质能资源与利用［J］．太阳能学报，2008.

[10] Runge, C., and B. Senauer. How Biofuels Could Starve the Poor［J］. Foreign Affairs, 2007.

[11] Hazell, P., and R. K. Pachauri (eds.). Bioenergy and Agriculture: Promises and ChallengesInternational Food［J］. Policy Research Institute 2020, 2006.

[12] Kammen, D. K. Kapadia, and M. Frip. Putting Renewables to Work: How Many Jobs Can the Clean Energy Industry Generate, report of the Renewable and Appropriate Energy Laboratory, Energy and Resources Group/Goldman School of Public Policy at University of California, Berkeley, April, 2004.

[13] Gardner, B. "Fuel Ethanol Subsidies and Farm Price Support: Boon or Boondoggle?" working paper, Department of Agricultural and Resource Economics, University of Maryland, 2003.

[14] Kojima, M., D. Mitchell, and W. Ward. "Considering Trade Policies for Liquid Biofuels," Energy Sector Management Assistance Program (ESPM), World Bank, 2007.

[15] Koplow, D. "Biofuels - At What Cost? Government Support for Ethanol and Biodiesel in the United States," report prepared for the Global Subsidies Initiative, International Institution for Sustainable Development, 2006.

环境友好的生物质能——生物柴油

王鑫磊

（沧州市环境监测中心站　河北　沧州　061000）

摘　要　综述了生物柴油的特点、生产方法、国内外研究发展现状。论述了发展生物柴油产业对我国能源安全和环境保护的意义，分析和提出了我国生物柴油产业发展存在的问题和建议。

关键词　生物柴油　生物质能　发展现状

一、引　言

生物柴油（Biodiesel），作为一种含氧清洁燃料，其主要成分是脂肪酸甲酯（FAME），主要由动植物油脂等可再生资源作为原料制成，具有与石化柴油相近的燃烧性能。生物柴油作为一种环境友好的生物质能，经过近20年的发展，已成为继燃料乙醇之后的第二大生物质液体燃料。

二、生物柴油的主要特性

与传统石化燃料相比，生物柴油具有更加优良的性能，主要表现在以下几个方面。

（1）优良的环保特性。生物柴油含硫量低，可使二氧化硫和硫化物的排放量减少约30%，颗粒物排放为普通柴油的20%，生物柴油不含对环境造成污染的芳香族烷烃及重金属，与石化柴油相比，可降低90%的空气毒性。其废气对人体的损害远远低于石油柴油。

（2）二氧化碳闭合循环特性。燃烧排放的二氧化碳来源于植物生长过程所吸收的二氧化碳，不会增加二氧化碳排放和温室气体积累，大气二氧化碳密度基本保持不变。

（3）良好的安全性能。生物柴油闪点在100℃以上，不属于危险品。而普通柴油闪点一般不超过70℃，生物柴油在运输、储存和使用过程中具有更高的安全性。

（4）点火性能好。生物柴油的十六烷值一般高于50，因而比石化柴油具有更好的点火性及更短的着火滞后期。

（5）可再生性和可分解性。生物柴油作为一种可再生能源，通过农业科技的发展，其资源不会枯竭；同时，生物柴油具有很好的可分解性，在水体保护区等敏感地带，这个优点值得注意。

（6）低温发动机启动性能好，无添加剂冷滤点达-20℃。

（7）通用性好。生物柴油可单独使用或以任何比例与普通柴油混合使用，同时无需改动柴油机，可直接添加使用，无需另添设加油设备、储运设备及人员的特殊技术训练。

三、生物柴油的研究发展现状

（一）生物柴油的制备方法

生物柴油的生产方法很多，如热解法、微乳法、稀释法和酯交换法（醇解法）。目前应用最多，工艺最成熟的是酯交换法。酯交换法即用甲醇、乙醇等极性短链醇与动植物油脂在催化剂作用下进行酯交换反应，生成脂肪酸酯（分离提纯后即为生物柴油）和副产物甘油，各种动植物油以及废油，都可以作为生产生物柴油的原料；甲醇是最常使用的酯交换醇；催化剂包括酸、碱及生物酶。通过酯交换反应可使天然油脂分子量降至原来的1/3；黏度降至1/8，接近矿物柴油。

1. 碱催化法

碱催化法是以碱为催化剂的酯交换反应工艺。常用的碱催化剂包括氢氧化钠、氢氧化钾、碳酸盐以及甲醇钠、乙醇钠等烷基氧化物。通常在常压、60～70℃下进行间歇或连续反应，醇油比一般为6:1，反应时间为20～60min，转化率多大于90%。反应后将甘油和甲酯的混合物分离，甲酯经过水洗和分离纯化后即为生物柴油成品。碱催化法是目前生物柴油工业化生产的主要方法，其优点是反应时间短，转化效率高；缺点是对原料品质要求严格，当原料中游离脂肪酸和水含量较高时不适合使用碱催化法，另外有废液产生。

2. 酸催化法

酸催化法是以酸作为催化剂的酯交换反应工艺。常用的酸催化剂包括硫酸、磷酸、盐酸等。反应一般在70～95℃下进行，醇油比一般为30:1～40:1，反应时间为9～20h，转化率大于90%。酸催化法优点是对原料品质无严格要求，适用于煎炸废油等游离脂肪酸和水含量较高的原料；缺点是反应时间长、醇用量大、产生“三废”。酸催化法少有独立工业化应用，常用于低品质原料碱催化前的预催化。

3. 酶催化法

酶催化属于生物催化，常用的酶催化剂是脂肪酶。为了保护酶的活性并重复使用酶，通常将脂肪酶固定在载体上使用。反应一般在30～40℃下进行，醇油比一般为3:1，醇分3次添加，反应时间为24～48h，转化率60%～90%。酶催化法优点是反应条件温和、醇用量小、无污染排放；缺点是反应时间长、转化率偏低、酶的价格昂贵且易失活、副产物甘油易附着在酶上，对固定化酶有毒性。上述问题制约着酶催化法的工业化应用，目前酶催化法尚处于实验室阶段。

4. 超临界法

超临界法生产生物柴油无需催化剂，这是由于甲醇在超临界状态下具有疏水性，油脂能很好地溶解在超临界甲醇中。S. Saka 和 Kusdiana 首次提出了利用超临界法生产生物柴油。反应在预热的间歇反应器中进行，反应温度350～400℃，工作压力45～65MPa，甲醇与菜籽油原料比为42:1，反应时间5min即获得较高的转化率。超临界法优点是反应时间短、产率高、分离简单；缺点是反应需要高温高压，对设备要求苛刻，投资和运营成本相对较高，产品经济性差，因此尚不适用于大规模工业生产。

（二）国外生物柴油研究发展现状

1. 欧盟

欧盟为履行《京都议定书》中作出的2008－2012年间二氧化碳减排8%的承诺，致力于发展生物柴油。进入21世纪后，欧洲生物柴油产量以35%～40%的年增长率迅速提高，据欧洲生物柴油管理局发布的消息，2009年欧盟生物柴油产能达到2 120万t，产量超过1 000万t。

德国是目前全球最大生物柴油生产国，至2003年，全国产能已突破100万t。德国是生物柴油使用最广泛的国家，2002年消费生物柴油110万t，占世界总消费量一半以上。现有超过1 000个加油站供给生物柴油。奔驰、宝马、大众、奥迪等汽车生产厂家生产的汽车均允许使用生物柴油而无需对发动机进行改装。德国对生物柴油实行免税政策，并制定了生物柴油标准。在德国，已经出现专门生产大量工业用油菜籽农业社区，为生物柴油厂提供原料。

法国对生物柴油的税率为零，使用标准是在普通柴油中添加5%的生物柴油。按照其农业政策，已将150万hm^2的农场用地改为生产工业用油菜籽的耕地。30多个城市的公交车及卡车使用含5%生物柴油的混合油作为燃料。

2. 美国

美国十多年来一直致力于用大豆油作为原料发展生物柴油产业。1999年克林顿总统签署开发生物质能法令，生物柴油被列为重点开发能源之一；2001年国家生物质能中心成立。2002年参议院提出能源减税计划，生物柴油享受与乙醇燃料同样的减税政策；农业部（USDA）拨款委托美国生物柴油委员会启动“生物柴油教育计划”。美国生物柴油产量计划2011年达到115万t，

2016 年达到 330 万 t。在使用生物柴油作为燃料的同时，还以生物柴油作为原料，再开发高附加值精细化工产品，如润滑剂、洗涤剂、溶剂等，已形成产业。美国多使用含 20% 生物柴油的混合柴油，即 B20，生物柴油多使用在联邦政府等环保敏感部门，政府要求军队机构和政府车队及一些城市公交车使用生物柴油，现有 40 多个州约 350 个部门车辆正式使用生物柴油。

3. 巴西

巴西石油匮乏，是最早掌握生物柴油技术的国家之一。巴西曾在 20 世纪 80 年代提出“生物柴油计划”，但由于国际石油价格回落至低位而始终没有大规模生产。2003 年巴西重启生物柴油计划，2005 年第一家生物柴油工厂投产，计划 2020 年生物柴油在石化柴油中添加比例达到 20%。2008—2009 年度，巴西科技部投入2 000万美元开发生物柴油项目，根据巴西“2007—2010 年科技创新计划”，巴西政府采取一系列措施加强国内生物柴油科研、生产网络。

巴西生物柴油原料充足，大豆产量居世界第二，大豆贸易量更是美国的几倍。由于气候、作物单产和劳动力成本等方面的原因，巴西生物柴油生产成本仅为美国一半，因此巴西在生物柴油方面比欧美更具竞争优势，发展潜力巨大。

4. 日本

日本 1995 年开始研究生物柴油，以煎炸废油作为原料以降低成本。1999 年建立了生物柴油工业化实验基地，2002 年出台的《日本生物能源综合战略》中首次提出将发展包括生物柴油在内的生物质能作为政府计划，大力促进生物燃料的生产和普及。目前日本生物柴油年产量已超过 40 万 t。

（三）我国生物柴油研究发展现状

我国“十五”纲要将生物燃料确定为国家产业发展方向；2004 年科技部启动“生物燃料油技术开发”科技攻关项目课题，包括生物柴油技术开发；2005 年，由石元春院士主持国家专项农林生物质工程开始启动，规划到 2010 年生物柴油产量为 200 万 t。

在研发方面，我国重点是生产工艺开发，中科院、中国科技大学、北京化工大学、石化院等对多种原料进行了酸碱催化、酶催化和超临界反应等研究工作，部分进行了小型工业化研究。

在产业化方面，我国首先在民企展开。2001 年，海南正和生物能源有限公司在河北邯郸建成 1 万 t/a 生物柴油的试验厂，2002 年其产品经石油化工科学研究院检测，质量优于国家轻柴油质量标准，并达到美国 ASTM 生物柴油标准。在海南正和之后，四川古杉油化、福建卓越新能源、湖南天源生物清洁能源公司相继建成 1 万 ~2 万 t/a 生产装置。上海日器与外资投资 5.2 亿元在大庆建设 10 万 t/a 的生物柴油厂，计划于 2010 年投产。随着生物柴油产业日益扩大，中石油、中石化、中海油等国有特大型石化企业也逐步规划进入生物柴油领域，2006 年中石化在河北石家庄的生物柴油中试基地建成，生产规模为2 000t/a。2009 年国家发改委批准了中石油南充炼油化工总厂 6 万 t/a、中石化贵州分公司 5 万 t/a、中海油海南 6 万 t/a 三个生物柴油产业示范项目。

四、我国生物柴油产业发展与创新相关问题探讨

目前我国生物柴油产业发展面临的主要问题集中在原料供应和国家产业政策这两个方面。

（一）原料供应问题

利用动植物油脂作为原料生产生物柴油，原料成本占总成本的 70% ~80%，所以油脂原料是决定生物柴油价格的最主要因素，油脂资源短缺成为我国未来生物柴油产业发展的“瓶颈”之一，积极开拓油脂资源是生物柴油产业发展的重要任务。

1. 草本油料作物

我国草本油料作物主要包括大豆、油菜、棉花、蓖麻等，它们的单位产油量比木本植物高，

但是我国人多地少，耕地资源稀缺，人均耕地面积不及世界平均水平的一半，我国是食用油进口国，国内油脂产量尚不能满足食用油的市场需求，因此虽然国外多数国家以草本油料作物作为原料生产生物柴油，但依托常规农产品为原料生产生物柴油不符合我国国情。

2. 木本油料植物

我国木本油料植物种类丰富，包括乔木，如黄连木、文冠果；灌木，如麻风树等。木本油料植物可利用占国土面积69%的山地、高原、丘陵地区生长，在为生物柴油产业提供丰富原料的同时，还可以改善生态环境，并有利于农村产业结构调整，增加农民收入。木本油料植物种抗逆性强，管理粗放，不与粮食征地，合乎我国国情，具有巨大的开发潜力和发展前景，应作为我国生物柴油产业原料供给的主体。

3. 废弃油脂

废弃油脂包括泔水油、地沟油、牛羊皮油等。利用废弃油脂作为原料优点是降低了生产成本和环保压力，但由于废油脂的资源量也很有限，加之我国目前尚缺乏科学完整的收集处理体系，因此废弃油脂从数量到品质均难以实现稳定供应。废弃油脂不能成为生物柴油产业发展的原料供应主体，只能作为原料资源的有益补充。

4. 微生物油脂

近年来对于微生物油脂的探索为生物柴油原料拓展开辟了一个新的方向。酵母、霉菌等多种微生物可以在一定条件下将碳水化合物转化为油脂贮存在菌体内。产油微生物菌种资源丰富，能利用转化各种农林废弃木质纤维素原材料，对我国这样的农业大国来说，利用微生物转化法获得油脂发展潜力巨大。

产油微藻也叫“工程微藻”，是指藻类利用光合作用产生并贮存油脂。微藻产油以海水作为天然培养基，不与粮食争地，同样具有发展潜力。美国已成功研制出了高含油量的“工程微藻”，以此作为制备生物柴油的原料。

（二）国家产业政策

作为新兴产业，国家产业政策对生物柴油产业发展十分关键。目前我国生物柴油生产成本还是相对较高，对传统石化柴油没有价格优势，这一方面是由于我国生物柴油产业尚未实现大规模工业生产；另一方面，我国的政策扶植力度还不够。因此，在参照国外生物柴油产业政策并结合我国国情的基础之上，如何利用包括财政扶持、补贴等方式在政策上形成有利于生物柴油发展的环境，需要科技部、财政部、发改委、环保部等多部门认真研究。

参考文献

[1] 齐泮仑，张国静，曹亦农，等．中国生物柴油大规模发展应首先解决的问题［J］．化工中间体，2009（7）：6-11.

[2] 段炼．全球生物柴油产业的发展［J］．日用化学品科学，2009，32（1）：7-11.

[3] 王道杰，杨翠玲，乔明宽．生物柴油的发展概况与应用前景［J］．化学研究，2009，20（3）：108-112.

[4] 赵宗宝，华艳艳，刘波．中国如何突破生物柴油产业的原料瓶颈［J］．中国生物工程杂志，2005，25（11）：1-6.

[5] 杨德亮，倪计民．生物柴油技术发展现状及其产业化方向的探讨［J］．农业装备与车辆工程，2007（4）：6-9.

[6] 张志，史吉平，杜风光，等．生物柴油及其生产技术的进展［J］．能源技术，2007，28（4）：88-91.

低碳新能源微藻生物柴油现状与创新

卢碧林

（长江大学地球化学系　湖北　荆州　434023）

摘　要　由于石油资源日益枯竭和化石燃料使用产生的全球生态环境变化问题，可再生的、清洁无污染的绿色替代能源的开发日益受到人们的重视。生物能源中的一个重要产品是生物柴油，但制约其发展的关键问题是成本过高和原料不足。微藻是第二代生物柴油原料，其生物柴油产业化研究技术开发已成为近年来国内外生物能源领域及控制碳排放领域的研究热点。本文概述了用于提取生物燃料的微藻藻种的筛选分离、育种、大规模培养、采收方法及生物柴油的制备工艺等方面的现状，并对该产业的创新发展思路进行了分析。

关键词　微藻　生物柴油　选育　培养

一、低碳经济环境下生物新能源发展背景

化石燃料使用给人类社会带来了极大便利，但同时也产生了全球生态环境变化的问题，大量的有害气体如 SO_x、NO_x、CO 和 CO_2 等的排放造成了温室效应和酸雨现象，改变了人类生存的气候及环境条件，导致生存环境不断恶化。我国随着改革开放后持续多年的高速发展，能源需求大增，环境污染加剧，加上国际能源供应紧张，价格持续飙升，能源生产和消费面临经济发展需求和环境质量改善的双重压力。特别是我国能源供需矛盾突出，能源供应短缺和浪费并存，能源结构特征导致严重污染，积极开展绿色能源计划已迫在眉睫。

生物质能源作为一种来源广泛的可再生能源，其开发利用不仅有助于缓解化石燃料日益枯竭给全球经济发展带来的危机，还可以减少主要温室气体和污染物的排放，有利于维护生态系统平衡，改善人类生存环境[1,2]。目前几乎所有的可再生能源（如水电、太阳能、风能、潮汐能、地热能）都集中在电力行业，但是现阶段太阳能发电的成本是煤电水电的 5～10 倍，一些地区风能发电价格高于煤电水电。从世界范围看，预计到 2030 年太阳能发电也只达到世界电力供应的 10%，现阶段燃料需求占全球能源需求总量的 66%，而全球已探明的石油、天然气和煤炭储量将分别在今后 40 年、60 年和 100 年左右面临耗尽。因此发展生物柴油等生物能源被认为是 21 世纪世界能源结构战略性转变的一个方向和重要组成部分[3,4]。

生物柴油是用植物油脂、动物油脂、废餐饮油等可再生植物油加工制取的新型燃料，国内外众多学者进行了大量的研究[5-8]，以油料和动物脂肪为原料的生物柴油的生产产量占当前的交通运输燃料需求量的 0.3%。但生物柴油原料供应短缺和成本过高问题成为制约生物柴油产业化发展的瓶颈，同时增加耕地进行生物燃料生产，以大量消耗粮食和油料作物为代价的生物燃料开发，一定程度上引发了粮食等农产品价格的上涨，可能对全球粮食供应带来严重后果。另辟蹊径，培育出高产、适应性强的优良燃料油原料，是生物柴油产业化发展的必然趋势。微藻作为一类光能自养型单细胞生物，与油料植物等其他原料相比具有如下优点：①光合作用效率高、含油量高、生长周期短、单位面积油脂产率高，具有其他油料作物无法比拟的潜在优势[9]。②在光自养培养过程中可固定大量 CO_2，符合全球 CO_2 减排新趋势，而且可使微藻光自养生长所需的生产成本大幅降低。③光自养培养过程可利用废水中的 N、P 等营养，从而可降低水体的富营养化。④不与农作物争地、争水。微藻可利用滩涂、盐碱地、荒漠以及海水、盐碱水和荒漠地区的

基金项目：湖北教育厅重点科研项目（项目编号 D200512010）；国家火炬计划项目（2006GH05242）；湖北省火炬计划项目（2006BBS015）

地下水等进行大规模培养。⑤个体小、木质素含量很低，易粉碎、干燥，用微藻来生产液体燃料所需的后处理条件相对较低。微藻因此成为低碳经济下第二代生物柴油的首选原料[10-12]。

二、微藻生物柴油研究现状

从美国1978—1996年立项微藻生物柴油方面的研究开始，微藻生物柴油在藻种筛选与选育、大规模培养、采收技术、生物柴油制备等方面取得了较大进展。

目前国内外的科学家利用各种方法筛选出了一批生长速度快、脂质含量较高的微藻，分属于绿藻、硅藻、蓝藻、金藻和红藻等[13]，为低成本的生物燃料的生产提供了原料支持。微藻的分离、纯化方法主要有微吸管分离法、水滴分离法、稀释分离法和平板分离法等。

微藻育种方法主要有选择育种、诱变育种、细胞融合、叶绿素荧光技术筛选、基因工程育种等。选择育种是藻类遗传育种基础，诱变育种是微藻育种中使用最多的一种方法[14,15]，基因工程育种是微藻育种最有效的方法。近年来微藻基因工程的研究取得了许多进展。在微藻中表达重要的蛋白、多肽甚至次生产物合成酶体系，通过分子生物学技术阻断或修饰代谢途径，已经创制具有商业价值的工程藻株和开发高价值微藻产品，如美国国家可更新实验室（NREL）通过现代生物技术建成“工程微藻”，该微藻在实验室条件下可使“工程微藻”中脂质含量增加到60%以上，户外生产也可增加到40%以上[16]。利用基因工程技术进行微藻选育采用的方法主要有：①外源DNA导入：目前采用基因枪法、玻璃珠法、金刚砂法和电击法等能将外缘DNA导入微藻中，其中基因枪法是一个常用技术，用于叶绿体和线粒体的基因传导已经成功使用在绿藻和硅藻中[17,18]。②筛选标记及其启动子：筛选标记及其合适的启动子是建立微藻遗传转化系统的两个先决条件。目前已经成功将卡那霉素抗性基因nptⅡ作为筛选标记应用于Cyclotella cryptica，Navicula saprophila，Phaeodatylum tricorntum[19,20]。而抗生素Zeocin的耐药基因shble、N-乙酰化转移酶基因nat1、硫阴离子输运蛋白基因sat-1也成功应用到微藻中，启动子方面乙酸辅酶A羧化酶基因ACC1和叶绿素a/c结合蛋白基因fcp启动子广泛在微藻中成功表达外源基因[21]。③相关基因：ACCase是脂肪酸生物合成途径的关键限速酶，目前“工程微藻”中脂质含量的提高主要是通过乙酰辅酶A羧化酶（ACC）基因在微藻细胞中的高效表达，并于1995年将ACCase基因转化小环藻成功。利用基因工程进行新藻种的选育具有目标明确，针对性强等特点，但对于微藻基因工程的研究还处于初级阶段，当前已转化的微藻种类还较少，主要原因是外源基因或经体外修饰后的内源基因导入微藻后不能进行基因表达，同时其安全性还有待进一步验证。

微藻多为光合自养，自养微藻的大规模培养多采用传统的敞开式跑道式培养、封闭式的光生物反应器培养和封闭式的发酵罐生产。敞开式跑道式培养是传统而又简单的微藻培养模式[22]，其优点是构建简单、投资成本低廉及操作简便，但开放式培养过程受光照、温度等自然环境影响较大，并且水分蒸发严重，二氧化碳供给不足，易被真菌、原生动物和其他藻种污染，这些因素都将导致细胞培养密度偏低。产量低、培养面积大、生长因子难控制、CO_2补加困难、收获成本高、易被其他生物污染和产品质量低等缺点。封闭式光生物反应器有较高的光能利用效率，并且可以进行全天候的连续或半连续培养，实现光合生物的高密度培养并获得较高的单位面积或体积生物量产量，适合微藻的大量和高密度培养，已成为当今的发展方向[23,24]。目前封闭式反应器有多种形式，如发酵罐式、管式和板式等光生物反应器[66,67]。平板式光生物反应器光合作用效率较高，能得到较高密度的藻体（>80g/L）[25]。柱式光生物反应器可分为鼓泡式和气升式两种，由于混合效果好，单位体积气体传递速率高以及培养条件易控等优势，这种反应器被认为最适合藻类大规模培养[26,27]。一般藻类工业生产中采用的密闭式反应器多为管式光生物反应器。为了降低反应器成本，也有采用一次性塑料生产光反应器[28]。与开放式光池相比，封闭式光生物反应器无污染，适用于各种微藻的培养；培养过程中，生长参数容易控制，培养环境非常稳定；不受外界环境因素影响，全年生长期较长；比表面积大，光能利用率高，可以维持较高的培养密度而且容易收获。但密闭式光生物反应器结构复杂，放大较难，成本较高，技术上也存在一些限制因素。比如当微藻达到较高细胞密度时，光的穿透性受到限制，内部细胞难以得到充分的光照；水压增加使细胞受损，温度难控制，反应器表面和传感器上的生物附着等问题。封闭式的发酵罐培养可以大量培养隐甲藻（Crypthecodinium cohnni）等异养藻，但是对于其他的自养藻却很不利。该发酵罐培养需要较高的操作技术，培养基的添加等也限制着该方法的应用。

一些藻类能利用有机物（如葡萄糖、醋酸盐等）作为唯一的碳源和能源进行异养生长。与自养培养方式相比，异养培养过程无需光照，具有较大的培养密度，底物的转化率高，能实现培养条件的自动化控制，可降低采收和产物提纯等下游技术的成本，可以利用传统发酵设备生产高价值产品。藻类的异养生长，不仅可提高细胞内脂类的含量，而且也是提高其生物量的有效途径。这种培养方式避免了光自养培养过程中光抑制或光限制等问题，降低了能耗，节约了成本，为工业化大规模高密度培养微藻奠定了基础。但并不是所有微藻都能以有机碳源为底物进行异养生长，同时异养培养微藻失去了光自养培养微藻生产优点，生产过程中不仅不能固定 CO_2 反而会排放出 CO_2；成本高，需要外加碳源；异养培养系统易被生长速度快的细菌污染。

微藻混合培养能利用有机物、碳源，同时进行光合作用。微藻的混合培养过程中，光合自养和化能异养是同步且相对独立的过程。光照对两条代谢途径都有影响，但影响程度不同。

微藻生物量的采收过程是生产过程的一个限制因素。在正常生产中的藻浓度相对较低，为0.1～1.0g/L，并且藻细胞很小、脆弱，易受到损伤破裂。因此用常规的动力离心、过滤及自然沉淀法不能有效地收集藻体。单独运用化学絮凝法、过滤法、微气泡絮凝悬浮法收集微藻都有一定的优势和局限性。指数生长期末期是微藻的收获期，应根据微藻的特性选择不同的方法和试剂，将其从培养液中分离出来。考虑到经济因素，目前一般采用絮凝法、离心法和气浮法3种方法采收微藻。其中化学絮凝法需要针对不同种类的微藻寻找合适的絮凝剂；离心分离法比较简单，但成本较高；气浮法采收小球藻成本较低，又可连续化操作，适合大生产的需要，但是气浮法需要向藻液中鼓入大量的气体，采收效果受到絮凝剂用量、pH和充入的气泡密度等因素影响。

酯交换法是当前制备生物柴油的常用方法。根据催化剂类型的不同，酯交换法主要分酸催化、碱催化、生物酶催化和超临界催化四种。酸催化的酯化反应需要较高的温度，耗能较高；碱催化的特点是转化率高，但容易产生皂化，且在后处理中容易产生污水；酶催化的缺点是酶的价格较高；超临界法的特点是反应时间短，转化率高，产物易分离但其反应设备条件要求高，醇耗量大，生产成本高。目前酸催化的反应条件为30℃、醇油质量比56:1、反应时间4h；碱催化的反应条件为50℃、醇油比30:1、催化剂KOH用量为1%，反应时间1h；采用超声化学技术与固定化半导型纳米氧化物催化生产微藻生物柴油也取得进展[29-31]。

三、微藻生物柴油研究开发中存在问题

目前微藻生物柴油的研究和开发处于起步阶段，结合已有的研究结果分析，存在的突出问题是成本过高，技术层面上许多关键技术有待突破，开发应用上相关工程技术需要集成，组织管理上支撑资金配套政策亟须完善。

首先，高成本是目前限制该技术产业化的瓶颈。根据NREL的数据，每公顷海藻的生物柴油生产系统的营运成本为12000美元，其中包括了固定资产折旧、人工、电力、化工原料、维护保养及投资回报等所有经营成本[32]。据此可测算出，从工程海藻中提取生物柴油在美国的成本为134.4美元/桶，相当于人民币约6700元/t，明显高于现有石化柴油。

其次，原料问题也限制该技术的发展。微藻细胞小、细胞壁大多坚硬，缺乏经济有效的藻体收获和细胞破壁技术，也是当前面临的问题。目前，生长快的微藻藻种通常含油量只有10%～

20%，而含油量大于60%的藻种生长速度较慢，体积小于10μm的细胞不易于收获。

再次，缺乏成熟的工业化工艺技术。现有微藻的研究工作多停留在实验室和小规模基础上，关键培养装置的规模仅仅只有几百吨，缺少工业化培养的大型光生物反应器装置以及适宜于自然阳光和温度变化条件下的细胞高密度原理与培养技术，如何规模放大是当前的主要瓶颈。微藻细胞工程培养存在多种渠道的敌害生物污染，严重影响培养效率甚至导致彻底失败，需要建立敌害生物污染综合防治技术。另外，生物柴油产业化还存在投入资金不足、政策滞后等问题。

四、微藻生物柴油的发展方向

建立工业化微藻产油技术集成平台，对限制微藻生物能源开发的关键理论和应用技术难点开展多学科攻关，突破关键技术，优化产业化技术工艺和流程，完善政策管理体系。

采用系统生物学方法，提高微藻油脂产量。以抗敌害生物污染能力强、生长快、胞内油含量高（含油量≥60%）为评价指标，结合适应多种极端或胁迫生理条件（耐盐碱、光温胁迫、光氧化胁迫、营养基质胁迫）和具有高值化综合利用的潜力，采用系统生物学和基因工程方法，开展能源微藻藻种的选育（包括诱变育种，特别是分子生物学改造等），确定适合于不同气温条件下培养的能源微藻藻种（尤其是低温藻种）。

多学科交叉，强化微藻培养、采收和分离生产效率。用于微藻培养的光生物反应器是微藻大规模商业化生产的技术平台，在设计高效的光生物反应器时要充分考虑反应器内、外环境因素，藻类的生物学特性以及生产成本。反应器的采光面积、体系的循环方式、光通量密度、温度、pH等因素都会对微藻的培养产生很大的影响。通过光生物反应器的设计使反应器增大比表面积，充分利用光能；增强气液传质效率，保证稳定的最大生物量产率；提供高效光源，尽可能保持最高的光能转化效率，保证反应器整体的高效率运转；选用适宜的材料并根据所培养藻类的特点确定反应器大小、形状及结构；反应器的总体积结构应简洁、实用，并且易于放大。

微藻制备生物柴油的过程中，收获藻体、细胞干燥、裂解和抽提油脂的花费占柴油生产总成本的40%～60%。通过用有机溶剂与培养液共混，使细胞内油脂连续被抽提至有机相，藻细胞仍能保持良好的生长趋势，经蒸馏分离有机溶剂（重复利用）和油脂，是新的研究方向。

优化系统，降低微藻生物柴油生产系统成本。根据中试运行的实际成本，进行微藻生物柴油生产系统中微藻生物柴油、能源微藻胞内生物活性物质等副产品开发利用（如蛋白质、多糖、色素、多不饱和脂肪酸等微藻源系列产品）以及包括CO_2减排、富含N和P的废水处理等产生的收益等的综合评估和预测，确定我国不同区域、不同季节的微藻生物柴油产业化成本及进一步优化的技术关键点。

参考文献

[1] Turner J A. Realizable renewable energy future [J]. Science, 1999, 285: 687-689.

[2] Miyamoto K. FAO Agricultural Services Bulletin-128. Renewable biological systems for ahernative sustainable energy production [R]. 1997: 135.

[3] Mathews J A. Carbon-negative biofuels [J]. Energy Policy, 2008, 36 (3): 940-945.

[4] Steenberghen T, L6pez E. Overcoming barriers to the implementation of ahemative fuels for road transport in Europe [J]. J CleanerProd, 2008, 16 (5): 577-590.

[5] 卢碧林，周玲革，毛治超. 生物柴油的应用研究进展 [J]. 生物技术，2005，15（3）：95-97.

[6] Adams C, Peters J F, Rand M C, et al. Investigation of soybean oil as a diesel fuel extender [J]. Am. Oil Chem. Soc., 1983, 60: 1574-1579.

[7] Billand. Production of hydrocarbons by pyrolysis of mehyl esters from rapeseed oil [J]. JAOCS, 1995, 72:1149-1154.

[8] 卢碧林，邬皓，叶婧. 棉籽油制备生物柴油技术研究 [J]. 粮油加工，2006，12：45-47.

[9] Aslan S, Kapdan I. Batch kinetics of nitrogen and phosphorus removal from synthetic wastewater by algae [J]. Ecol Eng, 2006, 28: 64 - 70.

[10] Chisti Y. Biodiesel from microalgae beats bioethanol [J]. Trends Biotechnol, 2008, 26 (3): 126 - 131.

[11] Huntley ME, Redalje DG. CO_2 mitigation and renewableoil from photosynthetic microbes: a new appraisal [J]. Mitigation and Adaption Strategies for Global Change, 2006, 12: 573 - 608.

[12] Rupprecht J, Hankamer B, Mussgnug J H et al. Perspectives and advances of biological H_2 production in microorganisms [J]. Appl Microbiol Biotech, 2006, 72: 442 - 449.

[13] John S, Terri D. A look back at the U. S. department of energy's aquatic species [M]. Program - biodiesel from algae, 1998.

[14] 庄惠如，王明兹，陈必链，等. 雨生红球藻对紫外光处理的响应及高产藻株的选育 [J]. 福建师范大学学报（自然科学版），2001, 17 (3): 76 - 80.

[15] Lanfaloni L, Trlnei M, Russo M, et al. Mutagenesis of the cyanobacterium Spirulina platensis by UV and nitrosoguanidine treatment [J]. FEMS Microbiol Lett, 1991, 83 (1): 85 - 90.

[16] Jarvis E E. ITIT Symposium on Microalgae Biotechnology - Basics and Applications [R]. Osaka, 1996: 15 - 16.

[17] Kroth P G. Genetictransformation: atool to study protein targeting indiatoms [J]. Methods Mol Biol, 2007, 390: 257 - 268.

[18] Remacle C, Cardol P, Coosemans N, et al. High efficiency biolistic transformation of Chlamy domona smitochondria can be used to insertmutations in complexl genes [J]. Proceedings of the National Academy of Sciences of the United States of America, 2006, 103 (12): 477 - 4776.

[19] Dunahay T G, Jarvis E E, Rosessler P G. Genetic transformation of the diatoms Cyclotella cryptica and Navicula saprophila [J]. Phycol, 1995, 31: 1004 - 1012.

[20] Zaslavskaia L A, Lippmeier J C, Kroth P G, et al. Transformation of the diatom Phaeodactylum tricornutum (Bacillariophyceae) with a variety of selectable marker and reportergenes [J]. Journal of Phycology, 2000, 36 (2): 379 - 386.

[21] Poulsen N, Chesley P M, Krogeer N. Molecular genetic main pulation of the diatom Thalassiosira pseudondna (Bacillarophyceae) [J]. Journal of Phycology, 2006, 42 (5): 1059 - 1065.

[22] Weissman J, Goebel R P, Benemann J R. Photobioreactor design: mixing, carbon utilization, and oxygen accumulation [J]. Biotechnol Bioeng, 1988, 31: 336 - 344.

[23] Carvalho A P, Meireles L A, Malcata F X. Microalgareactors: a review of enenclosed system designs and performances [J]. Biotechnol Prog, 2006, 22: 1490 - 1506.

[24] Pulzo. Photobioreactors: production systems for photo ttrophic micrcoorganisms. Appl Microbiol Biotechnol [J]. 2001, 57: 287 - 293.

[25] Hu Q, Kurano N, Kawachi M, Iwasaki I, Miyachi A. Ultrahigh - cell - density culture of a marine alga Chlorococcum littorale in a flat - plate photobioreactor [J]. Appl Microbiol Biotechnol, 1998, 49: 655 - 662.

[26] Mirón A S, Gómez A C, Camacho F G, Molina G E, Chisti Y. Comparative evaluation of compact photobioreactors for large - scale monoculture of microalgae [J]. Biotechnol, 1999, 70: 249 - 270.

[27] Zitelli G C, Rodolfi L, Biondi N, Tredici M R. Productivity and photosynthetic efficiency of outdoor cultures of Tetraselmis suecica in annular columns [J]. Aquaculture, 2006, 261: 932 - 943.

[28] Richmond A. Principles for attaining maximal microalgal productivity in photobioreactors: an overview [J]. Hydrobiologia, 2004, 512: 33 - 37.

[29] 缪晓玲，吴庆余. 微藻油脂制备生物柴油的研究 [J]. 太阳能学报，2007, 28 (2): 219 - 222.

[30] 齐沛沛. 微藻油脂制备生物柴油研究 [D]. 南京林业大学硕士学位论文，2008.

[31] 杨治中，严卓晟，严锦璇. 海藻生物柴油制备新技术途径——超声化学技术与固定化半导型纳米氧化物催化酯交换反应 [J]. 材料研究与应用，2008, 2 (4): 387 - 389.

[32] BENEMANN J R. Technology roadmap for the international network on biofixation of CO_2 and greenhouse gas abatement with microalgae [R]. Washington D. C. U. S. Department of Energy. National Energy Technology Laboratory, 2003.

反烧式固定床生物质气化试验研究

丁杨惠勤 朱跃钊 廖传华 方 向 张 华 马 雷

（南京工业大学机械与动力工程学院 210009）

摘 要 本文主要研究内容为采用自行设计的新型反烧式固定床气化炉，以粒径较大的硬质秸秆类农林废弃物（松树枝）为原料进行热解气化试验，分析气化过程中的重要操作参数空气量对产气组成、气体热值、气化效率的影响。

关键词 生物质 固定床 气化

随着世界经济突飞猛进地发展，人类开始面临以煤、石油为主的常规能源短缺和环境污染加剧的双重压力，加强新能源与可再生能源的研究工作显得尤为重要。生物质能是传统化石能源的良好替代之一，有利于缓解人类面临的能源危机以及降低化石能源带来的环境污染，是一种理想的可再生能源[1,2]。对生物质能开发利用的研究是我国可持续发展技术的重要内容之一，被列入我国21 世纪发展议程。生物质能具有可再生性、低污染性、广泛分布性的特点，如何用好这些富碳清洁的可再生资源是我国能源可持续发展的一个主要方向。

生物质气化技术就是一种高效的热化学处理技术，它将低品位的生物质转化为高品位的可燃性气体，所得低热值燃气可用于供气、供热、供冷、内燃机发电及作为合成其他化学品的原料。目前，国内外生物质气化主要采用固定床及流化床两种形式。本文研究的一种新型低温反烧式固定床气化炉是对传统固定床气化炉的一种创新。以热解、气化方式实现低质生物质原料的深层次利用，减少矿物燃料的供应量和直接燃用给环境带来的严重污染，对提高农村生活水平、改善生态环境、保障国家能源安全等方面具有重要意义[3,4]。

一、实验部分

（一）实验原料

生物质气化都要通过气化炉完成，其反应过程很复杂，燃料基本上要经过氧化、还原、裂解（热解）和干燥四个阶段，氧化和还原反应统称为气化反应，其中主要包括的气化反应如表1所示[5,6]。

表1 气化过程中的反应类型方程式反应热 ΔH（kJ/mol）序号氧化反应

反应类型	方程式	反应热 ΔH（kJ/mol）	序号
氧化反应	$C+O_2=CO_2$	+408.860	(1)
	$2C+O_2=2CO$	+246.447	(2)
还原反应	$C+CO_2=2CO$	-162.297	(3)
	$C+H_2O=CO+H_2$	-118.742	(4)
	$C+2H_2O=CO_2+2H_2$	-75.186	(5)
	$CO+H_2O=CO_2+H_2$	-43.555	(6)
	$C+2H_2=CH_4$	+87	(7)

本试验使用松树枝为气化原料（取自安徽）。它的元素分析和工业分析结果见表2。试样经筛分，选取粒径3～20mm、长度10～50mm 的物料进行自然风干处理，经检测物料的含水量为

12%左右。

表2　松树枝的元素分析和工业分析元素分析

元素分析/%					工业分析/%			
C	H	O	N	S	Mo	VM	Ash	FC
52.3	5.8	38.8	0.2	0.0	6.25	78.95	0.76	14.04

（二）实验装置与流程

本试验的气化系统包括自制的反烧式固定床气化炉、木炭过滤罐、涡街流量计、离心风机、热电偶、玻璃温度计、U型压力计、智能巡检仪等部分组成，试验流程如图1所示。气化炉炉膛直径500mm，总高度2m，外设水夹套，用于保护炉胆不被损坏，下设有炉排和出炭门。由气化炉出来的燃气通入填充有木炭的炭滤罐进行除尘，除去燃气中的粉尘和部分焦油。汽化热燃气不经过冷水洗涤，直接通入燃烧器，与助燃空气一起在燃烧室中燃烧。气化炉上均匀分布有三根K型热电偶，与智能巡检仪相连，用于炉内温度的测定，巡检仪每分钟巡检一次；空气进口流量及燃气出口流量都由涡街流量计测量，压差由U型压差计读取。各仪表的精度在出厂时均经过校正。

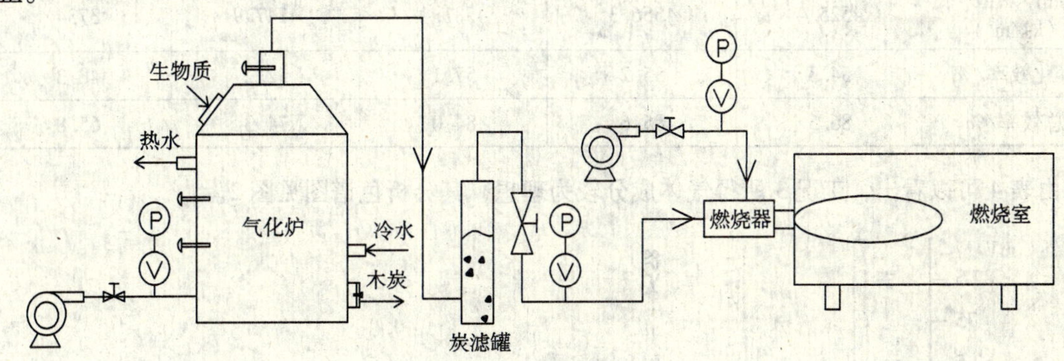

图1　气化试验装置示意图

（三）实验方法

为避免加料操作对气化的影响，采用间歇式气化方法，即每次试验时加料50kg左右，整个气化过程以100min为基准，100min后，认为试验完毕，将气化炉内剩余木炭取出，称其重量。试验开始前，准备好所需的生物质原料，将一次试验所需的生物质全部加入气化炉内，用少量点燃的木炭加入气化炉内点火，通少量的风，防止木炭熄灭，待点燃生物质后，盖上炉盖。加大鼓风量，用阀门控制到试验工况的空气流量值。开始试验后，记录智能巡检仪上每次巡检的气化炉内温度值，同时读取涡街流量计上燃气的瞬时流量和累积流量值，待产气稳定时，由气体采用袋收集样品气体，每30min取1次，试验结果取平均值，对采样气体用气相色谱仪分析气体中H_2、CO、CH_4、CO_2、O_2和N_2六种主要成分。分析仪器采用GC9890A气相色谱仪，分析方法为：外标法，TCD检测器，13X色谱柱，柱温80℃，载气为He气，载气流速30ml/min，进样量3ml。由气体分析结果计算该工况下的气体低位热值、气化效率。试验工况如表3所示。

表3　不同工况下的当量比ER

试验工况	1	2	3	4	5
投料量/kg	52.3	52.5	55.4	55.5	51
V/（m^3/h）	31.4	33.9	39.9	46.5	48.5
ER	0.202	0.218	0.242	0.282	0.320

二、结果与讨论

调节气化炉空气量，在不同工况下进行气化试验，所得结果如表4所示。

表4 不同ER的试验结果

工况	1	2	3	4	5
ER	0.202	0.218	0.242	0.282	0.320
H_2/%	14.8	15.3	15.3	13.3	11.9
CO	12.6	13.0	13.0	12.2	10.4
CH_4	2.99	2.60	2.67	2.53	2.43
CO_2	17.2	15.7	16.7	16.0	13.9
O_2	0.207	0.956	0.085	1.31	3.93
N_2	50.1	50.6	50.6	52.9	56.4
热燃气量/m^3	135.5	137.4	149.3	151.0	142.5
气体热值/（kJ/m^3）	4525.4	4556.3	4581.4	4147.9	3734
气化效率/%	54.3	55.2	57.1	52.2	48.3
总效率/%	86.5	85.6	84.0	74.3	65.8

由表4可以看出，工况3所得气体成分较为理想，其分析色谱图见图2。

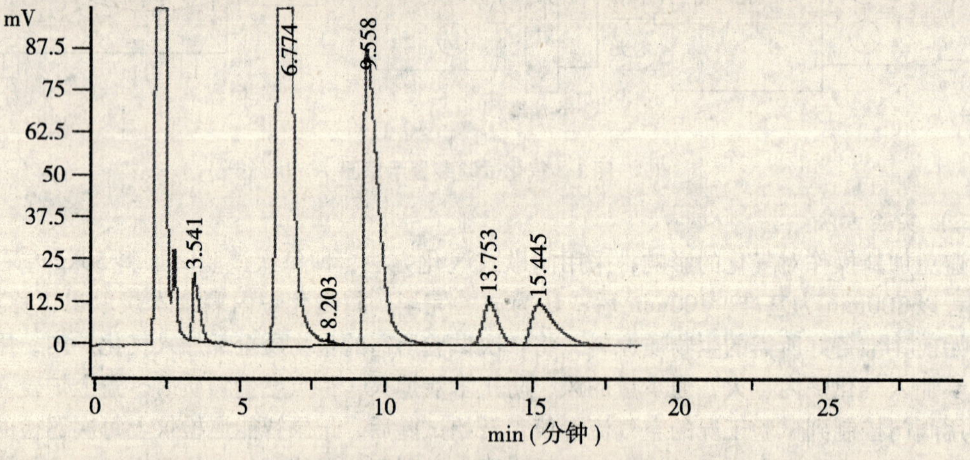

图2 ER=0.242时气体分析色谱图

图3给出了热解气化组成随空气量变化的关系，从图中可以看出，H_2和CO含量的变化规律类似，均为开始小幅的上升，之后有所下降。当空气当量比在0.202~0.320之间时，H_2的含量在11.9%~15.3%之间，CO含量较之H_2要低，在10.4%~13.0%范围内变化。H_2与CO的含量在空气当量比ER=0.218~0.242时都达到最大值，分别为15.3%和13.0%。CO_2在五个组分中的含量相对最高，ER=0.202时，其值为17.2%，总体变化趋势是减小的。CH_4的含量基本不变，维持在2.43%~2.99%的水平。O_2含量的变化趋势是迅速增大的，由起初的0.207%增加到3.93%。另外，由表4可知，随着空气量的增大，产气中N_2的含量急剧增加，由50.1%上升到56.4%。从生物质气化原理的角度能很好地解释这些现象，对于自热式热解气化炉而言，改变空气量会提高气化区的反应温度，提高气化的强度，同时也会带入大量的惰性气体N_2，最

后所得的燃气的组成是这两个因素综合影响的结果，气化区温度的提升，对生成 H_2、CO 的还原反应有促进作用，而对 CH_4 的生成不利，过量空气的加入使气化区发生燃烧的可能性变大，CO_2 有所增加，但图 3 显示 CO_2 含量是减小的，表明 N_2 对 CO_2 的稀释作用更加突出。

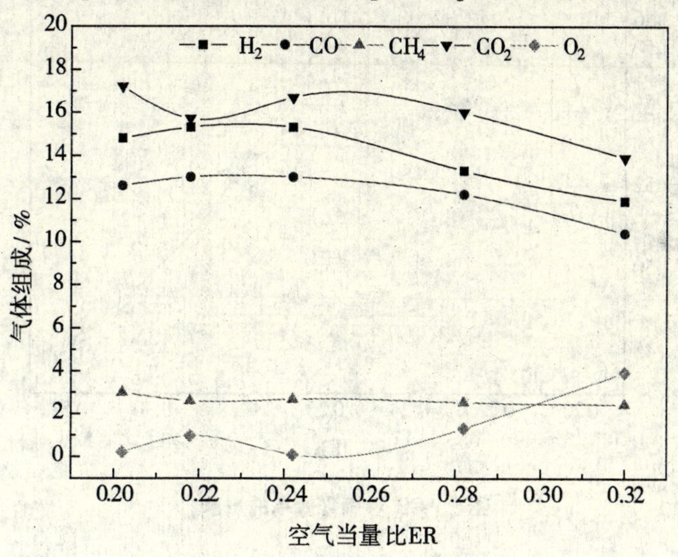

图 3　ER 对产气组成的影响

由图 4 可知，气化燃气的热值随空气当量比 ER 显著变化，热值先缓慢地增大到最大值，而后急剧下降为 3734kJ/m³。ER = 0.242 时热值最大为 4581.4kJ/m³。由此可知，反烧式固定床热解气化炉所产气体热值 4000 ~ 5000kJ/m³，和其他形式固定床所产气体热值相当，均属低热值气体。

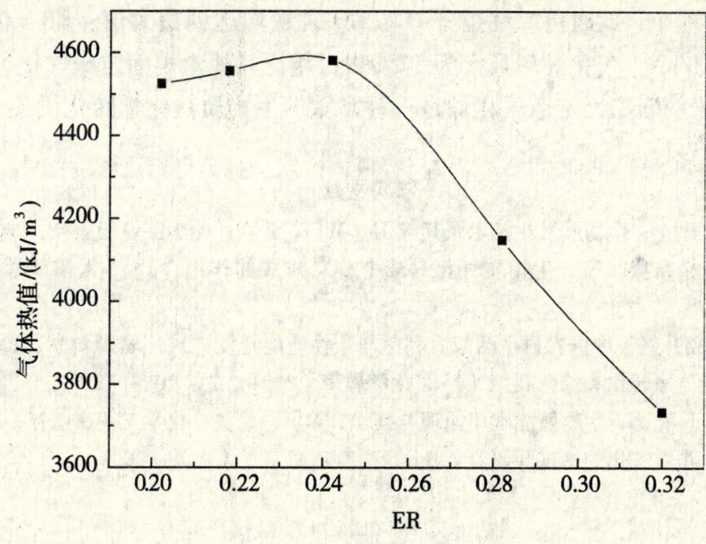

图 4　ER 对产气热值的影响

图 5 表明了反烧式固定床气化效率与 ER 的关系，从图中可知，ER = 0.242 时，气化效率最大，为 57.1%，当 ER = 0.32 时，气化效率仅为 48.3%。空气量的增加在一定程度上提高了系统的产气率，但对热值的下降作用更为显著。因此，气化效率的变化趋势与热值的变化趋势基本一致。常规固定床气化炉的气化效率一般为 70% ~ 75%，相比这些炉型，反烧式固定床气化炉的气化效率低 15% ~ 20%，这是因为反烧式热解气化炉并未将生物质全部转换成气体产品，它在生产燃气的同时，还能副产 10% ~ 20% 的优质木炭。

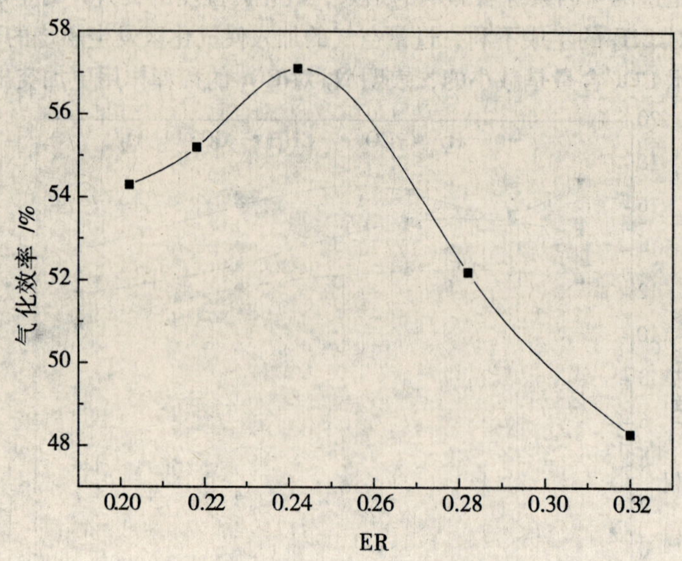

图 5　ER 对气化效率的影响

三、结　论

本文对自行设计开发的新型反烧式固定床气化炉进行了气化试验研究，主要考察了气化过程的关键因素空气当量比对生物质气化的影响，试验结果表明空气当量比对新型固定床气化炉的热解气化有显著影响。空气当量比为 0.202 ~ 0.32 范围内变化时，产气中 H_2 体积百分含量为 11.9% ~15.3%、CO 含量为 10.4% ~13.0%、CH_4 含量为 2.43% ~2.99%，且在 ER = 0.218 ~ 0.242 处产气质量较理想，此时可燃性组分 H_2、CO 含量均达到最大值；ER = 0.242 时产气低位热值最高为 4581.2kJ/m^3，气化效率最大为 57.1%；相比其他常规固定床气化炉而言综合效率提高了 10% ~15%，表明新型固定床气化炉是一种高效的生物质热化学转化设备。

参考文献

[1] 马隆龙，吴创之，孙立．生物质气化技术及其应用［M］．北京：化学工业出版社，2003.

[2] 阴秀丽，吴创之，徐冰燕，等．生物质气化对减少 CO_2 排放的作用［J］．太阳能学报，2000，21（1）：40 -44.

[3] 闫丽珍，闵庆文，成升魁．中国农村生活能源利用与生物质能开发［J］．资源科学，2005，1：8 - 13.

[4] 邓立新．生物质的洁净转化和综合利用［J］．化学教育，2004，2：10 - 12.

[5] 袁振宏，吴创之，马隆龙．生物质能利用原理与技术［M］．北京：化学工业出版社，2005：1 -392.

[6] 于红梅．热管式生物质气化炉的试验研究［D］．南京：南京工业大学，2007.

国内外生物质制甲醇的研究现状及展望

解庆龙

（北京大学深圳研究生院城市规划与设计学院　广东省深圳市南山区西丽
深圳大学城北大校区N栋702　518055）

摘　要　生物质合成甲醇是一种新型的能量转换技术，可以实现 CO_2 的零排放，避免了由于燃烧化石能源带来的温室气体效应问题。文章介绍了国内外生物质合成甲醇系统的研究现状，并对其市场前景进行了展望。

关键词　生物质　甲醇　现状　市场前景

生物质合成甲醇采用的是热化学气化法，主要可以分为两大部分。第一部分是生物质通过热化学气化制得原料气，原料气通过预处理可得到甲醇合成气（主要成分是 H_2、CO、CO_2、CH_4）；第二部分是合成气在一定条件下通过催化剂的催化作用生成甲醇。

一、国外研究现状

（一）法国的生物质合成甲醇项目

法国的 Lemasle 和 Chrysostome[1]，以木头为主料，松树皮、甘蔗渣球、稻草球等为辅料，以氧气或水蒸气为气化剂将原料气化，进行甲醇合成。采用的气化装置为流化床反应器，反应温度为700～800 ℃，接着在1300～1400 ℃下进行二级重整炉操作。得到的甲醇合成气气体组成为：CO、H_2、CO_2、CH_4，对应的体积百分比分别为43.0%、32.4%、23.9%、0.7%。气化操作以13h为一个生产周期，碳转化率可达到99.3%，甲醇产率为每吨干木头生产487kg。

（二）美国NREL生物质合成甲醇项目

从1993年10月开始，美国国家可再生能源实验室（NREL）的 PhilipsV D，K inoshitaC M，Neill D R，Takahashi P K[2]与其他研究单位合作在夏威夷建造了一座生物质气化示范工厂，主要研究通过热化学方法对非粮类生物质的转化技术。该项目分为三个部分：生物质气化、发电和甲醇合成。项目的工艺流程是生物质原料经干燥、预处理后进入气化炉，在炉内经氧气/水蒸气气化，出口的原料气经除灰处理，一部分用来发电，一部分经脱焦和配氢调节后用来合成甲醇。该项目中原料为蔗糖残渣，汽化剂为氧气/水蒸气，反应器使用鼓泡流化床，操作压力为2MPa，操作温度为850 ℃，进料速率为100 t/d（干基），使用一步催化剂。甲醇产率为每吨甘蔗渣生产甲醇570千克，估计甲醇成本价为每升0.22美元。该工厂不仅可气化蔗糖残渣，还可气化其他很多的生物质废弃物，包括树木的切片和废弃木屑等。

（三）瑞典的生物质合成甲醇项目

瑞典的 BlackadderW H 等[3]研制出的流化床中试设备，用于生产甲醇合成的中热值气体。该试验以木头和泥炭为主要原料。整个项目分为两阶段进行，第一阶段是在操作压力为1～3 MPa、操作温度为700～900 ℃下，将原材料与氧和水蒸气在汽化器中气化，离开气化器的气体在通过一个旋风分离器，之后再进入一个高温过滤器，以除去微量的灰尘；第二阶段是在 O_2 存在下，将焦油和 CH_4 催化转化为 CO 和 H_2，从而得到优质的中热值甲醇合成气。该中试设备每天可利用24 t的原料进行甲醇合成气的生产。

（四）日本的生物质合成甲醇项目

日本东京电力公司能源与环境研制中心的 HiranoA 等[4]在实验室中，利用一种叫做 spirulina

的微藻生物质合成甲醇。比较了操作温度为850 ℃、950 ℃、1000 ℃时合成甲醇的效果。结果表明，热解得到的原料气组成取决于温度，在1000 ℃温度下汽化得到的原料气生产的甲醇可获得最高的理论产率。1000 ℃热解原料气的组成（体积百分比）为：$H_2$48.2%、CO 9.8%、CO_2 31.1%、CH_4 9.1%，还有少量的N_2、O_2和C_2H_4等碳氢化合物。甲醇产率为每克微藻类生物质可生成0.64克甲醇，碳的转化率可达到100%。

（五）其他国家的生物质合成甲醇研究

荷兰的Beenackers A A C M等[5,6]、英国的Brandon O H等[7]、新西兰的Palmer EricR等[8]、法国的Lemasle J · M等[9]以木头为原料，土耳其的DemirbasAyhan[10]以木材为原料，美国的Baker E G等[11][12]以甘蔗渣为原料进行了甲醇合成气的研究，制备出优质合成气；瑞典的Larson E D[13]使用循环流化床汽化器，将碎木材在氧气中汽化或间接加热汽化，进行了甲醇合成的研究；日本北海道大学的铃木勉[14]以木材碎片为原料经催化合成获得了燃料级甲醇；日本的小林由则等[15]使用italianry egrass及稻草球为原料，在流化床反应器中生产合成气并催化合成甲醇，在长崎建起了一个生物质处理能力为50 kg/d的中试工厂；美国的MudgeL K [16]在实验室中，研制出一种三金属催化剂，在1 atm、750 ℃下由木头生产甲醇合成气的实验中表现出无限的活性；而Baker E G等[17]研制出生产甲醇合成气和富CH_4气的长寿命催化剂；印度、南非等国在小规模生物质气化利用装置和应用上也取得了很大的进步。

二、国内研究现状

我国的生物质合成甲醇的研究工作起步较晚，但是近年来，国内的一些高等院校和科研院所对生物质甲醇合成项目纷纷开展了相关研究。朱灵峰等[18-21]、杜磊[22]在直流流动等温积分反应器中，孙晓波等[23]在固定床气化炉中，都以玉米秸秆为原料，使用国产C301铜基催化剂，对催化合成甲醇的反应压力、反应温度、秸秆合成气组成、合成气进口流量等因素进行优化实验研究，得到了最大的甲醇时空效率。张喜通等[24]对生物质合成甲醇的催化剂进行了研究，发现添加Al能提高Cu－ZnO催化剂在生物质合成气下合成甲醇活性的稳定性，添加Li制备的Cu－Zn－Al－Li催化剂晶粒比Cu－Zn－Al催化剂具有更高的催化活性；杜磊[25]也对催化剂进行了研究，认为国产C301铜基催化剂是秸秆合成气催化合成燃料甲醇的适宜催化剂，并得到了催化剂颗粒的最佳粒度；孙晓波等[23]则考察了催化剂失活的原因。张喜通等[26]用4种不同组成的合成气分别合成甲醇并进行了比较，发现工业合成气的甲醇时空产率最大，生物质气的产率最小；中科院广州能源所的付严等[27]、河南农业大学的朱灵峰等[28]对生物质合成甲醇的热力学进行了分析研究，计算了反应的状态方程参数；朱灵峰等[29]则进行了秸秆合成气合成甲醇的动力学研究，获得了合成体系的L－H型本征动力学模型方程。

三、展　望

甲醇是一种重要的有机化工原料，同时还是性能优良的能源和车用燃料，而且国内市场甲醇价格和市场需求量也在逐年增加[30]，可见甲醇具有巨大的市场潜力。通过热化学的方法将秸秆、木材等廉价的生物质催化合成甲醇，可实现生物质的高品位转化，不仅可以增加农业收入，还可以大幅度降低二氧化碳造成的温室效应，具有显著的经济、社会和环境效益。可以预见，生物质制甲醇项目必将成为一个重要的产业，市场前景十分广阔。

参考文献

[1] Lemasle, Chrysostome. Syngas production from wood by oxygen gasification under pressure [J]. Ind. Ceram, 1985, 795: 434－437.

[2] Philips VD, Kinoshita CM, Neill DR, et al. Thermochemical production of methanol from biomass in Hawaii [J]. Applied Energy, 1990, 35 (3): 75 - 167.

[3] Blackadder WH, Rensfelt E. Synthesis gas from wood and peat the Mino Process [J]. Thermochem. Press. Biomass, [Evolved Uer. Workshop], 1st, 1983: 137 - 149.

[4] Hirano. A, Hon Nami K, Kunito S, Hada M, et al. Temperature effect on continuous gasification of microalgal biomass [J]. Catal. Today, 1998, 45 (1~4): 399 - 404.

[5] Beenaekers A A C M, Van swaaij W P M. Methanol from wood [J]. Sol Energy, 1984, 2 (5): 349 - 367.

[6] Beenaekers A A C M, Van swaaij W P M. Methanol from wood [J]. Sol Energy, 1984, 2 (6): 487 - 519.

[7] Brandon O H, Knsey D V. Implementation of the technologies for the thermochemical processing of biomass thermoehem [C]. Process. Biomass, Evolved [Eur WorkshoP], 1st, 1983: 307 - 311.

[8] Palmer Erier. Gasification of wood form methanol production [J]. Energy Agric, 1984, 3 (4): 363 - 375.

[9] Lemasle J M. Methanol from wood [J]. Thermochem. Process. Biomass, [Evolved Eur. Workshop], 1st, 1983: 151 - 157.

[10] DemirbasAyhan. Biomass resources for energy and chemical industry [J]. Energy, Edue Sei Technol, 2000, 5 (1): 21 - 45.

[11] Baker E G, Brown M D. Catalytic steam gasification of bagasse for the production of methanol [J]. Energy Biomass Wastes, 1984, 8: 651 - 674.

[12] Baker E G, Elliott D C, Stevens D J. Transportation fuels from wood [J]. Altenr. Energy sources, 1983, 3 (3): 363 - 376.

[13] Larson ED. Advanced Technologies for Biomass Conversion to Energy [J]. In 2nd Olle Lindstrom Symposium on Renewable Energy, Bioenergy. 1999, Stockholm, Sweden: Royal Institute of Technology. Stockholm, Sweden.

[14] 铃木勉. 生物质的能量转化及催化剂技术 [J]. 触媒, 2000, 42 (7): 521 - 525.

[15] 小林由则, 加幅达雄, 前田隆之. 生物质气化制造甲醇体系的开发 [J]. 三菱重工技报, 2001, 38 (2): 108 - 111.

[16] Mudge L K, Baker E G, Mitchell DH, et al. Catalytic steam gasification of biomass for methanol and methane production [J]. Energy Biomass Wastes, 1983 (7): 365 - 411.

[17] Baker E G, Mudge L K, Wilcox W A. Catalysis of gas phase reactions in steam gasification of biomass [J]. Fundam. Thermochem/Biomass Convers, [Pap. Int. Conf.], 1982: 863 - 874.

[18] 朱灵峰, 范彩玲, 张 杰. 秸秆燃气合成甲醇的优化试验研究 [J]. 研究与试验, 2006, 130 (6): 48 - 50.

[19] 朱灵峰, 杜 磊, 张 杰, 等. 生物质合成甲醇的影响因素研究 [J]. 河南农业大学学报, 2006, 40 (6).

[20] 朱灵峰, 范彩玲, 梁庚白, 等. 生物质合成气制甲醇的研究 [J]. 郑州大学学报 (理学版), 2004, 36 (3): 76 - 79.

[21] 朱灵峰, 张百良, 梁庚白, 等. 玉米秸秆热化学法合成甲醇的研究 [J]. 河南农业大学学报, 2003, 37 (4): 40 - 45.

[22] 杜磊. 生物质气催化合成甲醇的实验研究 [J]. 华北水利水电学院学报, 2008, 29 (3): 68 - 70.

[23] 孙晓波, 雒廷亮, 许庆利, 等. 秸秆气合成燃料甲醇 [J]. 化学工业与工程, 2006, 23 (3): 232 - 235.

[24] 张喜通, 常 杰, 王铁军, 等. Cu - Zn - Al - Li 催化生物质合成气合成甲醇 [J]. 过程工程学报, 2006, 6 (1): 104 - 107.

[25] 杜磊. 秸秆合成气合成甲醇的催化剂优化实验研究 [J]. 华北水利水电学院学报, 2008, 29 (5): 83 - 85.

[26] 张喜通, 谭天伟, 常 杰, 等. 生物质合成气调变方式对其合成甲醇的影响 [J]. 过程工程学报, 2005, 5 (5): 535 - 539.

[27] 付 严, 鲁 皓, 常 杰, 等. 生物质气催化合成甲醇的热力学分析 [J]. 化工学报, 2006, 57 (5): 64 - 68.

[28] 朱灵峰, 杜 磊, 王永豪, 等. 秸秆燃气合成甲醇的热力学试验研究 [J]. 河南农业大学学报, 2007, 41 (6): 707 - 710.

[29] 朱灵峰, 杜 磊, 李新宝, 等. 秸秆合成气合成甲醇的动力学研究 [J]. 农业工程学报, 2008, 24 (6): 36 - 40.

[30] 朱灵峰, 明海涛, 吴 波, 等. 生物质制甲醇的研究现状及展望 [J]. 安徽农业科学, 2009, 37 (6): 2653 - 2654.

秸秆汽化技术及其利用

徐庆元[1]　宋宝增[1]　王华锋[2]　李　洪[3]

（1. 中国工程物理研究院；2. 四川通美能源科技公司；3. 国家城市污水处理与资源化工程中心）

摘　要　秸秆汽化作为生物质能转化技术已受到高度关注。本文介绍了生物质汽化的主要方法及除焦、净化提纯技术，分析了各种方法的应用及局限。10000m^3/d 两段式富氧秸秆汽化成套技术近六年的应用不仅解决了秸秆收运、储存，燃气除焦、净化及热值等技术难题，而且为秸秆汽化技术的大规模应用和推广提供了宝贵的经验。

关键词　秸秆汽化　燃气除焦　净化提纯　两段式富氧汽化

一、前　言

利用生物质生产各种清洁燃料，替代煤、石油和天然气，生产电力，减少对矿物能源的依赖，减轻能源消费给环境造成的污染，将成为未来持续能源的重要部分，是21世纪最有希望的主要能源之一。

近年来，生物质能转化技术有了长足的发展，秸秆汽化技术更是引起了高度关注。“八五”期间，科技部安排了“生物质热解汽化及热利用技术”的科技攻关专题，取得了一系列成果：采用氧气汽化工艺，研制成功了生物质高热值汽化装置；用下吸式流化床工艺，研制成功了100户生物质汽化集中供气系统与装置；用下吸式固定床工艺，研制成功了食品与经济作物生物质汽化烘干系统。“九五”期间，科技部重点支持了1MW大型生物质汽化发电技术和农村秸秆汽化集中供气技术的研究开发。此外，在“八五”期间，我国还重点对生物质压缩成型技术进行了科技攻关，引进国外先进机型，经消化、吸收，研制出各种类型的适合我国国情的生物质压缩成型机，用以生产棒状、块状或颗粒生物质成型燃料。目前，全国已建成农村汽化站近200多个，谷壳汽化发电装置100多台套，汽化技术的影响正在逐渐扩大。

我国的生物质能源技术水平与发达国家相比仍存在一定差距，由于资源分散，获取、收集、贮运手段落后，生物质能应用范围、利用规模很小，为降低投资和运行费用，大多数设施工艺简单，设备简陋，转换效率低，难以形成规模效益。另外由于秸秆研发投入少，一些关键技术和相关政策如：汽化利用中焦油的去除、燃气热值的提高、腐蚀与积灰控制，以及建立秸秆资源（分散性，季节性，多样性，杂乱性）的经济有效的获取，收集和贮运体系、建立合理的生物质能源价格与投融资机制，建立适宜的技术规范与标准等问题未能有效解决，给生物质能的推广应用带来了不同程度的影响。

二、生物质汽化的主要方法与汽化设备

作为替代化石能源和以环境、生态保护为目标而引起广泛关注的生物质汽化技术，是近十余年发展起来的新能源技术。生物质在一定温度和压力下，以氧气、水蒸气或氢气等气体作汽化剂，可热解汽化生成CO、H_2、CH_4等可燃气体。因汽化方式和汽化炉结构的不同，可燃气的组分和热值也有较大差异，一般在5MJ/m^3到17MJ/m^3，最高可达26MJ/m^3（氢气汽化）。汽化燃气经除尘、除焦、脱碳处理，可燃气组分可达97%以上，既可用作燃气，也可用于发电。

（一）生物质汽化的主要方法

因汽化剂的不同，生物质汽化分为干馏汽化、空气汽化、氧气汽化、水蒸气汽化和氢气汽化等。干馏汽化是在缺氧或少氧条件下生物质汽化产生干馏气，其主要成分是CO、CH_4、$CH_2=$

CH_2、H_2、CO_2 等，干馏气的热值在 15MJ/m^3 左右。空气汽化是以空气作汽化剂，因不需要外部供热，其设备简单是目前应用较多，较为经济的汽化方式，但汽化效率较低，燃气热值低（一般在 5MJ/m^3）。氧气汽化是以纯氧作汽化剂，汽化速率、热效率更高，但氧气供给量及汽化温度等系统参数需要严格控制以减少 CO_2 的生成，燃气热值可达 15MJ/m^3。水蒸气汽化是以水蒸气作汽化剂，通过严格控制反应温度、供气量等参数，可获得燃气热值 17 ~ 21MJ/m^3，氢气和甲烷是含量较高的生物质燃气。氢气汽化是以氢气作汽化剂，在高温高压下可产生热值达 12.3 ~ 26MJ/m^3 的高热值燃气。

（二）生物质汽化设备

根据汽化炉的结构和气化方式的不同，生物质汽化炉分为固定床汽化炉（下吸式、上吸式、横吸式、开心式）、流化床汽化炉、携带床汽化炉等方式。固定床汽化炉是汽化反应一般发生在相对静止的床层中，生物质依次完成干燥、热解、氧化和还原反应的小型汽化设备。气体和生物质物料混合向下流动，称下吸式固定床，其结构简单，运行比较可靠，适于较干的大块物料或低灰分大块物料同少量粗糙颗粒的混合物料，焦油经高温区裂解，含量降低。生物质向下流动，气体向上流动，称上吸式固定床，其汽化热效率比其他固定床高，对原料要求不很严格，但焦油含量高，主要在欧洲及东南亚一些国家应用；空气由侧方向供给，产出气体由侧向流出，称横吸式固定床，主要用于木炭汽化炉。气流同物料一起向下流动，称开心式固定床，其主要反应在炉栅上部的燃烧区进行，结构简单且运行可靠，主要用于稻壳汽化，已投入商业运行多年。

流化床具有气、固接触，混合均匀和反应速度快、汽化效率高的优点，是唯一在恒温床上进行反应的汽化炉，原料颗粒要求相对较小，焦油含量低，可分鼓泡床汽化炉、循环汽化炉和双床汽化炉。循环流汽化速度最快，大部分情况下可以不必加流化床热载体，比较易于大型化，但它的碳回流难以控制，在碳回流较少的情况下容易变成低速率的载流床；鼓泡床流化速度较慢，比较合适于颗粒较大的生物质原料，一般必须增加热载体；双床系统是鼓泡床和循环流化床的结合，它把燃烧和汽化过程分开，燃烧床采用鼓泡床，汽化床采用循环流化床，两床之间靠热载体进行传热，控制好热载体的循环速度和加热温度是双床系统的关键和难点。携带床汽化炉属于流化床汽化炉的一种特例，不使用惰性材料，提供的汽化剂直接吹动生物质原料，要求原料颗粒细小，焦油及冷凝物含量低。

三、生物质燃气净化与提纯

（一）生物质燃气除焦技术

汽化过程中，焦油是不可避免的副产物，焦油在高温时呈气态，与可燃气体完全混合，而在低温时（<200℃）凝结为液态，其分离和处理是生物质燃气利用，特别燃气低温利用时必须解决的难题。焦油的存在对汽化有多方面的不利影响，首先它降低了汽化效率，汽化中，焦油产物的能量一般占总能量的 5% ~15%，这部分能量是在低温时难以与可燃气体一道被利用，大部分被浪费；其次焦油在低温时凝结为液态，容易和水、焦炭等结合在一起，堵塞送气管道，影响汽化设备的正常运行。此外，凝结为细小液滴的焦油比气体难以燃烬，在燃烧时容易产生炭黑等颗粒物，对燃气利用如内燃机、燃气轮机等损害相当严重，大大降低了汽化燃气的利用价值。所以实现汽化过程中焦油的可燃气转化，既提高汽化效率，又降低燃气中焦油的含量，对发展和推广生物质汽化发电技术具有决定性的意义。目前研究和应用中的除焦技术有：水洗除焦、过滤除焦、静电除焦、微波除焦、焦油热裂解等。

1. 水洗除焦

湍流塔内水与燃气接触而去除焦油，技术关键是气流速度、填充材料、喷水量和喷水方式。水洗除焦同时有除焦、除尘和降温的效果，是中小汽化系统采用较多的一项技术。缺点是有污水产生，必须配套相应的废水处理装置。

2. 过滤除焦

燃气通过装有强吸附性材料（如活性炭、滤纸和陶瓷芯）的过滤器，实现焦油过滤。由于过滤材料阻力大，易堵塞，过滤材料更换频繁，劳动强度大，对几十千瓦以上的汽化发电系统，须采用切换工艺。过滤除焦的优点是具有除尘、除焦双重功能，除焦效率高。为了不产生废物，过滤材料应尽可能采用可以燃用的生物质。

3. 静电除焦

在高压静电下将生物质气电离，焦油液滴带上电荷而聚合，在重力作用下从燃气中分离，除尘、除焦效率高，一般达98%以上。由于焦油与炭混合后容易黏在除尘设备上，对进口燃气焦油和灰的含量要求也很高，一般要求低于$5g/m^3$。此外，电捕焦设备在燃气的净化过程中必须解决防爆和清焦问题，静电除焦在生物质汽化发电系统中的应用仍很少。

4. 催化裂解除焦

利用催化剂，使焦油在800～900℃时热解为可燃小分子气体，效率可达99%以上。对大部分焦油成分来说，水蒸气在裂解过程中有关键的作用，因为它能和某些焦油成分发生反应，生成CO和H_2等气体，既减少炭黑的产生，又提高可燃气的产量，催化裂解法除焦是目前先进的除焦技术。为有效降低焦油催化裂解的成本，除利用石油工业的催化剂外，还研究了大量低成本的天然材料，效果较好，又有应用前景的典型材料主要有三种，即木炭、白云石、镍基催化剂。

5. 微波除焦

焦油的成分非常复杂，可以分析到的成分有100多种，而主要成分不少于20种，大部分是苯的衍生物及多环芳烃，其中含量大于5%的大约有7种，它们是：苯（benzene）、萘（naphthalene）、甲苯（toluene）、二甲苯（xylene）、苯乙烯（styrene）、酚（phernol）和茚（indene），其他成分含量一般都小于5%，而且在高温下很多成分会被分解。焦油的相对介电常数εr比H_2、CO、CH_4（均为εr＝1.00）大1～4倍（εr在2.23～4），利用微波的选择性加热原理，焦油显著吸收微波能加热自身，达到裂解的目的。此外，由于催化剂白云石相对介电常数εr大（εr＝8.00），吸收微波能量，可以达到需要的催化裂解温度，实现低能耗、高效除焦。

（二）燃气净化与提纯

生物质汽化生成的燃气中含有各种各样的杂质，主要杂质的成分见表2。各种杂质的含量与原料特性、气化方式、气化炉的形式关系很大。燃气净化与提纯的目标就是要根据汽化工艺的特点，设计合理有效的杂质去除工艺，以保证汽化发电和其他设备不会因杂质而造成过度磨损、腐蚀和污染。

1. 燃气高温过滤

生物质汽化燃气含有大量的微小颗粒焦炭和灰分，很难降到$5～30g/m^3$以下，常用的高效旋风分离器难以去除需要过滤，由于焦油在300℃以下开始少量地凝结析出，凝结的焦油容易堵塞管道和过滤材料，所以过滤过程必须在较高温度下进行。这就要求采用技术难度较高的高温燃气过滤工艺，目前较多采用烧结金属或陶瓷材料的是高温过滤净化系统，主要由高温陶瓷过滤、高温高压风机、高压脉冲反吹及在线自动控制和检测等组成，其中陶瓷过滤器系统是整个陶瓷过滤系统最主要部分。但应用中，仍存在阻力增加过快、高温灰的软化和焦油的凝结造成过滤材堵塞等问题，所以高温过滤的温度一般都应控制在400～600℃。目前应用的刚玉、堇青石和碳化硅三大系列多种高温陶瓷过滤元件和高温陶瓷纤维复合膜过滤元件产品，其最高使用温度可达到800℃以上，过滤精度可达0.5μm，过滤后高温气体杂质含量可小于$20mg/m^3$。

2. 燃气提纯

提纯是生物质燃气作为高品质燃料的重要环节，生物质燃气中含有30%左右的二氧化碳，

10%左右的氮气（空气汽化法），燃气热值一般在5~11.54MJ/m^3，而天然气热值为36MJ/m^3、沼气21MJ/m^3、焦炉煤气17MJ/m^3、混合煤气14MJ/m^3，均高于生物质燃气。此外，生物质燃气中还含H_2S，HCl和CO_2等有害气体。造成系统腐蚀、爆炸危险，影响燃气的安全使用。因此燃气利用系统必须设置燃气组分监测与应急处理装置，以确保系统安全。

生物质燃气提纯的主要工艺包括：压缩、去除CO_2、去除H_2S等工艺。经压缩机增压为净化提纯提供足够的压力、流量和流速，提纯净化后可燃气的含量可达97%，热值提高到16.60MJ/m^{3}以上，可完全满足燃气轮机对生物燃气热值的要求，有利于后续工艺节能降耗，减少装置容积。

目前普遍采用高压双喷淋塔方式用水吸收CO_2。塔内气体在5.5bar左右，气体从塔底部送入，喷淋水从塔上部呈雾状喷入，吸收了CO_2的水在减压塔内释放CO_2后循环使用。一般释放CO_2后的水中仍含有2%左右的可燃气，可在循环使用中予以回收。变压吸附床也常用于从混合气体中吸附分离二氧化碳，吸附分离出的二氧化碳浓度可达96%以上，再采用吸附精馏、增压、干燥吸附脱除其他杂质，以获取高品质生物燃气。

生物质燃气中H_2S、HCl的含量一般在几百到数千ppm之间（与原料的成分和产气方式有关）。目前脱硫主要采用氧化铁床、活性炭（Actived Carbon）和分子筛（Molecular Screen）或氧化铁-活性炭联合等传统方式去除H_2S等杂质。

四、两段式10000m^3/d富氧汽化技术及其应用

两段式富氧汽化是以固定床为基础，在传统固定床汽化段上方增设干馏段的氧气汽化技术，是四川通美能源科技公司研制开发，适用于农作物秸秆的生物质汽化成套技术，系统配套完整、结构简单、造价和运行费用低，经过近六年的运行，所产燃气热值高、气量稳定、效率高。

（一）燃料及其预处理

两段式富氧汽化炉主要采用水稻秸、小麦秸、玉米秸、油菜秸和果木枝条等作为汽化原料。通常情况下风干农作物秸秆的比重在39~49kg/m^3，果木枝条的比重可达210kg/m^3。其主要成分见表1。

表1　秸秆的主要成分

项目	符号	单位	水稻秸	棕榈	甘蔗渣
碳	Car	%	35.15	34.27	22.05
氢	Har	%	4.73	3.89	3.05
氧	Oar	%	33.2	28.79	23.9
氮	Nar	%	0.81	0.37	0.1
全硫	Sar	%	0.17	0.02	1
全水	Mar	%	15.35	30.00	50
灰分	Aar	%	10.18	2.76	0.9
氯	Clar	%	0.415		
挥发分	Vdar	%	79.9	78	44.44
固定碳	FCar	%	14.97		
发热量	Qnet. ar	kJ/kg	13010	12275	7746

为提高收集，贮运效率，降低收贮费用，原料依次经干燥、破碎、制粒等预处理。原料经造粒（Φ2～20mm 棒状可粒）后，比重可达 1.35～1.40g/cm³，既便于大规模的运输、安全存储和使用，又有效提高了农作物秸秆的体积产气率。造粒过程中加入适量添加剂有利于系统除硫、除氯，减小腐蚀。

（二）汽化炉及其主要运行参数

10000m³/d 两段式富氧汽化炉由贮料、进料系统、汽化炉炉体、供氧系统、喷淋除尘和静电除焦系统、储气罐及控制系统等部分组成，日产生物质可燃气 10000m³。由于增加了干馏段，采用氧气作为汽化剂，可燃气热值提高 2.4～3.3MJ/m³，达到 12MJ/m³ 以上。系统的质量产气率为 1.20～1.36m³/kg 颗粒。燃气成分、焦油含量及热值见表2。

表2　燃气成分，焦油含量及热值

项目	单位	数值
CH_4（甲烷）	%	~15
H_2	%	~20
CO	%	~15
CO_2	%	29～33
$CH_3=CH_3$ 等	%	小于1
N_2	%	8～10（富氧汽化小于2）
焦油	mg/m³	35（农业部标准 50）
燃气热值	MJ/m³	7～12

1. 贮料，进料

农作物秸秆均属季节性生物质燃料，要保证燃气的连续生产，就必须保证原料的持续供应。经干燥、破碎、制粒后的原料除应考虑储存规模外，还应注意将原来储存于清洁、干燥、通风的环境中，以防止霉变、虫蛀和自燃。大规模储存时，还应考虑堆高和强制通风，确保储料的安全。颗粒料经计量后由机械传输装置送入汽化炉，进料口须设隔离挡板，防止回火和空气进入。

2. 汽化炉

两段式富氧汽化炉，为直径 1.5m，床高 6.5m 的下吸式固定床，其中，干馏段高约 3.5m，汽化段高约 2.5m。氧气作汽化剂，由炉底送入汽化床。其床体结构见图 1。炉体内，炉料自上而下依次经过干馏、热分解、还原和燃烬等五个阶段。一次最大投料量 4000kg，汽化周期 2.5～3.5h，灰烬量为投料量的 3% 左右。根据原料和所需燃气热值的不同，该炉还可用作空气—水蒸气汽化炉。

3. 供氧系统

富氧汽化是提高燃气热值的关键。目前两段式富氧汽化炉由于用户需气量小，采用瓶装氧供氧。需氧量为 1.2～3.5m³ O_2/100m³ 燃气。对于大规模汽化系统，则需要建立制氧站供氧，较为常用的是真空变压吸附制氧设备，其氧气纯度在 80%～93%，能耗≤0.39～0.45kWh/m³ O_2。

4. 喷淋除尘除和除焦系统

两段式富氧汽化系统采用喷淋水洗过滤除尘，水从喷淋塔上端的喷嘴向下喷淋，气体从塔下端向上流动，进气口温度 600～630℃，进气口流量 1000～1200m³/h。洗涤水经积液池沉淀过滤滗除油污后循环使用，循环水流量 6000～8000m³/h。两段式富氧汽化系统因使用颗粒态原料和分段式汽化炉结构，燃气焦油含量低，一般在 10～30g/m³。经喷淋水洗和高压静电除焦后燃气焦油含量不超过 35mg/m^3，电压达到 25kV 时燃气焦油含量可低于 20mg/m^3。

五、前景与展望

秸秆燃气作为一种清洁方便的气体燃料，通过管网输送到农户家中，可满足农户对高品位能源的需求，不仅可解决秸秆焚烧带来的污染，改善农村生活、居住环境，而且可以替代化石燃料，解决能源短缺。

应用表明，200 户规模的汽化站每年生产的燃气可代替近 200t 燃煤或 36t 液化气。若全国 10% 的村镇使用秸秆燃气，每年可节约燃煤 1430 万 t 或液化气 270 万 t。两段式富氧汽化炉经过近 5 年的运行，为周边近 150 户居民提供了长期稳定的生活燃气，是农村集中供气的有益尝试。

生物质汽化技术得到了世界各国的广泛关注，在许多国家实现了工业化应用，但规模普遍偏小。我国生物质汽化技术还处于实验室开发和小型工业化示范阶段，工业应用化程度、汽化技术的成熟性和实用性不强，相当一部分秸秆汽化装置处于停产状态，其主要原因：

一是燃气热值低，一般在 5MJ/m^3 左右，而天然气热值高达 36MJ/m^3、沼气 21MJ/m^3、焦炉煤气 17MJ/m^3、混合煤气 14MJ/m^3；

二是焦油含量高，易引发一系列机组、管网、灶具故障，而且净化焦油的污水常常因处理不当造成环境污染；

三是南方地区雨多、潮湿，北方地区雨少、干燥，尤其在南方地区，原料分布零散，村民居住不集中，给原料收集、储运、储气柜及燃气管网的铺设造成较大影响；

四是汽化设备的生产、汽化站的施工验收体系的标准化不够完善，设备的技术不成熟，维修服务跟不上。因此，生物质汽化技术要得到大规模工业化应用，必须解决原材料成本、燃气热值低、焦油含量高、系统效率低等问题，建立配套完善的技术经济政策，从而提高经济效益。

洱海北部畜禽粪便沼气资源化潜力分析

贾丽娟　宁　平　瞿广飞　黄　凯

（昆明理工大学环境科学与工程学院　云南　昆明　650093）

摘　要　洱海北部养殖业以奶牛养殖为主，养殖业发达，每年产生的大量畜禽粪便是洱海污染负荷的最大来源。畜禽粪便的处理及利用是洱海治理的重点。畜禽粪便是一种良好的生物质能源，可通过微生物转化为新的物质或能源而被重新利用。本文在实地收集洱海北部养殖数据基础上，利用 GIS 等软件对数据进行处理，得到了洱海北部畜禽粪便产生及利用现状，并对其资源化利用生产沼气的潜力进行了分析，根据分析结果提出了洱海北部畜禽粪便资源化利用建议。

关键词　洱海　畜禽粪便　沼气　资源化　潜力分析

近年来，洱海水质日益下降[1]，目前正处于中营养向富营养湖泊的过渡阶段，水质已由 20 世纪 90 年代的Ⅱ到Ⅲ类发展到现在的Ⅲ类到Ⅳ类。洱海是我国初期富营养化湖泊的典型代表。农村与农田面源污染是洱海富营养化的重要原因[2]，根据调查数据显示农村固体废物是污染负荷贡献最大的部分。

洱海北部流域内养殖业以奶牛和生猪养殖为主，每年产生大量的养殖粪便，加之粪便堆积与施肥需求的时间错位使得牲畜粪便无法及时还田，大量粪便堆积于房前屋后以及田边。大量堆置的畜禽粪便在雨季（6～10 月）非施肥季节很容易随暴雨径流进入河流造成污染。目前洱海北部流域内共建有 7 座太阳能中型中温沼气站，每座沼气站年处理厩肥量仅 1263 吨，远远不能满足巨大的处理需求。牲畜粪便作为一种有机废物，可以通过自然界微生物降解作用转化为新的物质和能源而重新被利用[3]。厌氧发酵生产沼气、好氧堆肥生产有机肥以及与秸秆混合生产食用菌栽培基质等都是适合农村环境经济条件的利用方式[4]。

一、畜禽粪便产生现状分析

洱海北部流域内共有 7 个乡镇，养殖奶牛、生猪方式以农户家庭圈养为主，人畜混居现象普遍。根据调研结果，养殖场是牲畜粪便的重要来源，掌握养殖场的分布情况对于养殖业粪便的污染源分析具有极其重要的作用。在调研过程中，对流域内现有养殖场进行了 GPS 定位，并由 GIS 软件进行处理后得出养殖场在流域内分布情况如图 1 所示。在此基础上，根据实地调研所收集养殖数据核算出 7 个乡镇牲畜粪便产生量（图 3），再由 GIS 处理得出各乡镇畜禽粪便产生量源强分布（图 2），以镇为单位，各乡镇畜禽粪便产生量的大小用同一种颜色由深至浅表示。

二、畜禽粪便利用现状分析

洱海北部流域农村畜禽粪便主要利用方式为直接还田，有少部分农户建有户用沼气池。在农田利用和粪便产生相互错位的时间段内，牲畜粪便则散堆于各家房前屋后。根据对两个镇的 6 个村委会进行 15% 农户随机抽样调查统计结果表明，建有户用沼气池的农户比例为 3%，而实际使用比例却不到 1%。目前洱海北部流域 7 个乡镇已建 7 座太阳能中型中温沼气站，根据调研过程中对沼气站的 GPS 定位，由 GIS 处理后得出如图 4 所示沼气站具体地理位置，由于沼气站年处理厩肥能力较小，远不能满足实际需求，因此每年将剩余大量的畜禽粪便得不到有效地处理利用。在核算出各乡镇畜禽粪便的年生产量和沼气站消耗量基础上，由 GIS 对数据进行处理，得出各乡镇畜禽粪便产生与利用衡算图（图 5），由图 5 可以更直观地看出各乡镇畜禽粪便年剩余量数额巨大，通过有效途径加以处理利用显得十分紧要。

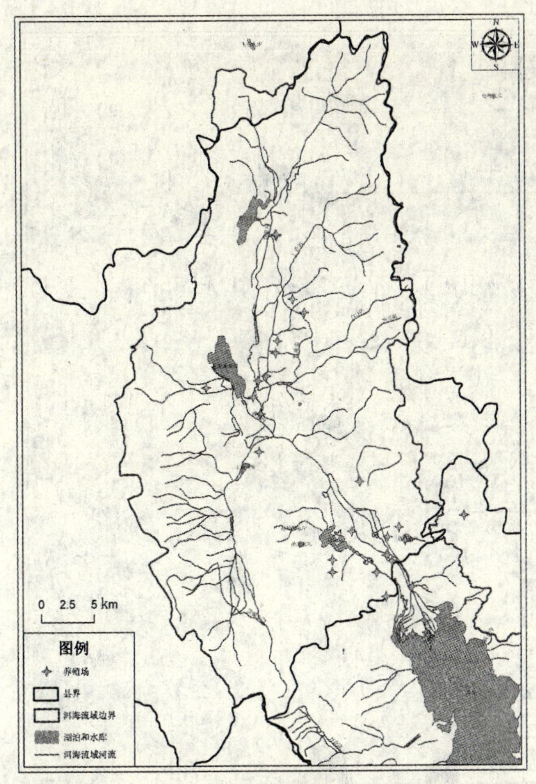

图1 规模化养殖场

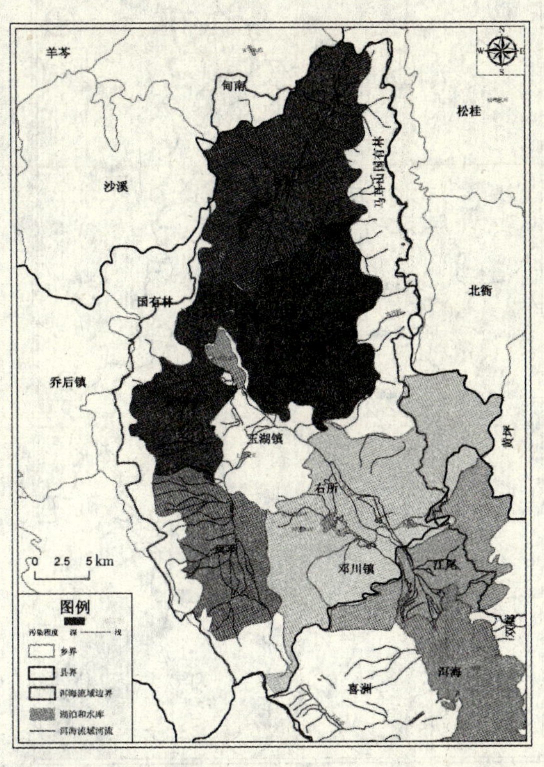

图2 各乡镇畜禽粪便产生源强图

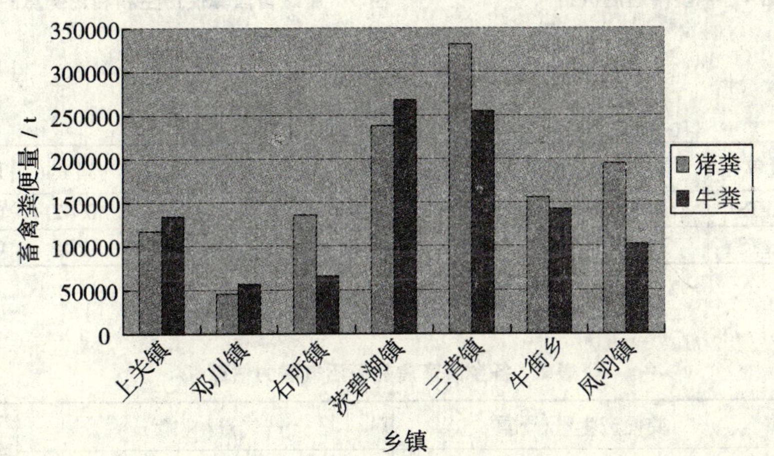

图3 各乡镇畜禽粪便产生量

三、沼气化利用潜力分析

在35℃条件下，粪便经60天发酵，秸秆经90天发酵，各种废弃物产气量见表1[5]，20℃的值是根据35℃原料产气量的60%折算而得[6]。

根据表1以及洱海北部各种粪便的资源量，计算得到各种粪便的产沼气潜力，如表2所示。

利用现有技术，洱海北部区域畜禽粪便年可产沼气0.35亿 m^3，相当于 0.27×10^5 标准煤。一个四口之家每天拥有 $2m^3$ 沼气就能满足其生活用能之需，即每年需 $700m^3$ 沼气[6]。洱海北部流域按照5万户农户计算，则每户拥有沼气资源 $700m^3$，加之人类粪便以及农作物秸秆所生产沼

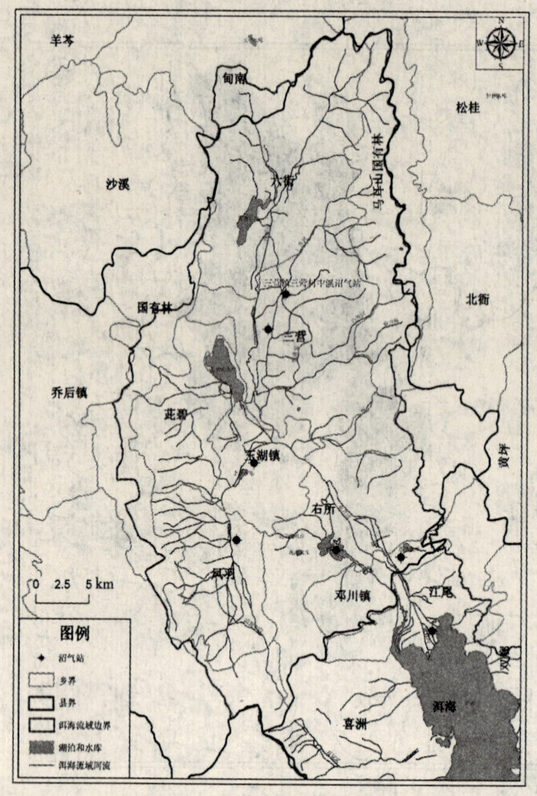

图 4　中型中温沼气站

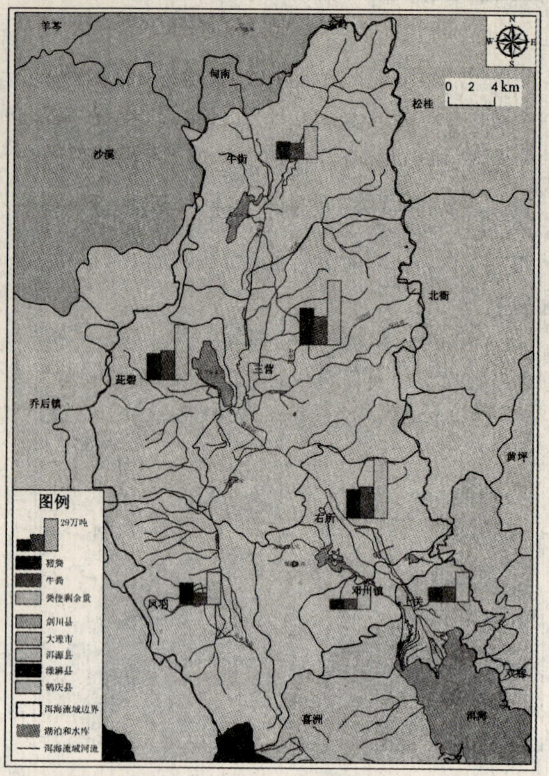

图 5　流域畜禽粪便产生和利用衡算图

表 1　农村有机废弃物沼气产量

温度	产气量单位	麦秸	稻草	玉米秸	青草	牛粪	马粪	猪粪	鸡粪	人粪
35℃	m^3/kgTS	0.45	0.40	0.50	0.44	0.18	0.34	0.42	0.49	0.43
20℃	m^3/kgTS	0.27	0.24	0.30	0.26	0.30	0.20	0.25	0.29	0.26

表 2　各乡镇畜禽粪便沼气潜力估算

乡镇	粪便产生量/干重		产气量/ $\times 10^5 m^3$		总产气量/ $\times 10^5 m^3$
	猪粪/万 t/a	牛粪/万 t/a	猪粪产沼气量	牛粪产沼气量	
上关镇	2.2	7.9	11.1	28.3	39.3
邓川镇	0.9	3.3	4.3	11.9	16.2
右所镇	1.5	9.5	7.4	34.3	41.7
茈碧湖镇	4.5	15.6	22.4	56.1	78.4
三营镇	6.2	14.9	31.2	53.5	84.7
牛街乡	2.9	8.3	14.7	30.1	44.7
凤羽镇	3.7	6.0	18.3	21.5	39.8
总计	21.9	65.5	109.5	235.7	345.2

注：粪便核算系数参考文献［7］。

气量，足以解决农村生活用能问题，同时，生产沼气所产生的大量副产品沼液、沼渣可以用做肥料还田或者进行土壤改良，饲养猪、鱼、浸种和防治农作物病虫害等多种综合利用[6]。

四、结论及建议

（1）洱海北部流域畜禽粪便如全部收集用来生产沼气，可在源头将入湖污染负荷截断，降低农村固废引发的环境风险。在收集畜禽粪便的同时，给予农户必要的经济补偿，所产沼气以商品形式返售给农户，既可产生一定的经济效益，又使当地农民的生产和生活水平有所提高。

（2）洱海北部流域农村户用沼气池起步较早，截至2009年有个别农户的沼气池已使用8年之久，户用沼气总体建设较多而使用较少。根据调查结果，户用沼气停用的主要原因是产气量不够，尤其在冬天气温较低情况下。

（3）在选择沼气发酵规模时，考虑到农村经济环境条件有限，提倡以户用沼气为主，适度建设规模化沼气站。发酵产沼气的原料可以适当配入一定比例的人类粪便以及作物秸秆，不仅可以提高厌氧发酵产沼气的产气率以及产气量，又在最大限度上消耗了固体废物，从源头上削减了洱海入湖污染负荷，对洱海的保护与治理至关重要。

（4）畜禽粪便资源化也可以走堆肥化方向，这种方式较沼气池操作简便，也适合农村居民生产生活需求。还可以添加一定比例的作物秸秆制备食用菌培养基，在给农民带来巨大的经济收益的同时削减了洱海入湖污染负荷。

参考文献

[1] 颜昌宙，金相灿，赵景柱，等．云南洱海的生态保护及可持续利用对策［J］．环境科学，2005，26（5）：38-42.

[2] 李凤香．洱海面源污染治理现状及对策［J］．环境科学导刊，2008，27（增刊）：82-84.

[3] 张无敌，刘士清，周斌，等．我国农村有机废弃物资源及沼气潜力［J］．自然资源，1997，1：67-71L.

[4] 李国建．固体废物处理与资源化工程［M］．北京：高等教育出版社，2001.

[5] 孙振钧，袁振宏，张夫道，等．农业废弃物资源化与农村生物质资源战略研究报告［R］．国家中长期科学和技术发展战略研究，2004.

[6] 张无敌，刘士清，何彩云．生物质潜力及其能源转换［J］．自然资源，1996，4：22-25.

[7] 陈丽君．曲周县农村固体废弃物资源化利用潜力分析与评价［D］．中国农业大学，2007.

[8] 王立方，王新谋，杨自立，等．家禽粪便学［M］．上海：上海交通大学出版社，1997：271-300.

基于生产实践的木质能源综合利用方式探讨

李文龙　栾胜基

（北京大学环境科学与工程学院　北京　100871）

摘　要　本文以河南某贫困山村农民对薪炭林（栓皮栎）的利用方式为研究对象，试图从农民的生产实践中总结出木质能源的综合利用模式，并对农民生产方式的选择进行了深入分析。这对因地制宜地提高农业生产资源综合利用水平，协调贫困地区的农民生计与环境保护，有新的借鉴意义。

关键词　木质能源　薪炭林　综合利用

一、木质能源利用情况概述

木质能源是生物质能的一种形式，包括薪材和林业加工剩余物[1,2]。在我国专门用作燃料的薪炭林占木质能源总量的18.4%[1]。据统计[3]，我国每年合理提供薪柴量约在1.5亿t以上，折合标准煤86Mt。木质能源利用方式包括作为木质燃料燃烧和经过生物化学加工转化为更高能值的能源形式。木质能源作为木质燃料燃烧，可通过直接燃烧和固化成型燃料等方式。木质能源还可通过发酵、热化学利用（裂解、气化、液化）等方式转化[4,5]。

我国约50%的农村人口分布在比较贫困的山区、林区、沙区，其中65%人口的生活燃料依赖传统的可再生能源——薪炭林，对木质能源的利用方式以直接燃烧为主。以木质能源作为燃料来源，产生热能，间接减少了温室气体的排放，并可促使秸秆还田。同时，木质能源又是一种重要的生产资源，木质能源可做原料，发展副业生产，加速农民致富。木质能源的利用对我国农民的生产、生活有重要的意义。

二、木质能源在生产实践中的应用

对木质能源不同类型的利用方式在我国均有不同程度的使用和相关研究[6]。

从国家长期发展战略来看，在中观以上层面上，大力推广木质能源成熟技术的应用，对我国能源发展规划有战略意义。最近颁布的《国民经济和社会发展第十一个五年规划纲要》提出，要“大力发展可再生能源。加快开发生物质能，建设一批秸秆和林木电站，扩大生物质固体成型燃料、燃料乙醇和生物柴油的生产能力。”

而从农户微观层面来看，需要从农民生产实际出发，因地制宜地提高木质能源的综合利用水平，这对协调农民生计和农村环境保护有重要意义。

笔者根据对河南省某贫困山村进行实地调研后，发现该村农民在对薪炭林的使用上积累了一定的生产经验。

（一）考察地概况

考察地位于南水北调中线源头，属于生态修复区。该村少地多林，属于贫困山区。全村143户，人口496人，人均耕地0.3亩，人均有林地10.6亩。耕地粮食生产较少，基本处于自给自足状况。林地生长林木主要为栓皮栎（薪炭林的一种，俗名花莲树），果树较少。该村村民年人均收入1400元，收入来源主要为香菇种植和部分青壮年外出打工。

本研究受到科技部和国家环境保护部“十一五”国家科技支撑计划重点项目“国家环境管理决策支撑关键技术研究”之课题四“新农村建设环境污染控制与管理配套技术研究”的资助，课题编号：2007BAC16B04。

（二）农民对薪炭林的利用状况

栓皮栎是一种主要的薪炭林树种，在当地山区属于材薪两用林。栓皮栎为落叶乔木，是阳坡的优势树种，根系强大，能适应多种土壤。栓皮栎耐砍伐，萌芽力强，经多次砍伐后仍有旺盛的生命力。3 年生幼树平茬截干后，可形成 1～2 个萌条，萌条当年生长高度可达 75～90cm。栓皮栎适于冬季采薪，伐桩高度一般不超过 30cm。栓皮栎的木质坚硬，耐燃烧，适于烧炭[7]。

该村农户对栓皮栎的利用包括两方面，一为树枝（当地称为树毛子）的直接燃烧，二为直径 5cm 以上树干的综合利用。其中直径 5cm 以上树干特指 3 年（及以上）生栓皮栎的树干，即已成材的栓皮栎树干，主要被加工成木屑作为当地农民种植香菇的培养基原料。

全村超过 95% 的户用能源来源为薪柴，人均年薪柴消费量约 873kg。农户燃烧薪柴的用途包括家庭一日三餐、烘干香菇、烧水、煮猪食、取暖等。农民主要通过对栓皮栎树枝的修剪来获取用于直接燃烧的薪柴，此种“剪枝育林”的获取方式不会造成森林资源的过度利用，但是从利用方式来看，树枝（树毛子）的直接燃烧仅是对木质能源的初级利用，能源的利用效率不高，木质能源的全部价值没有得到充分体现。

全村超过 70% 的农户种植香菇，80% 的种菇户用直径 5cm 以上的栓皮栎树干作为种植香菇的培养基原料。农民经过林业部门审批，直接砍伐直径 5cm 以上的栓皮栎树干，加工成木屑，制成菌棒，作为种植香菇的培养基。香菇收获后，废弃的菌棒晒干后作为燃料燃烧。在这种利用方式过程中，树干作为种植香菇的培养基原料，使木质能源的经济价值得以体现，同时废弃的菌棒仍然能够作为燃料燃烧，而且燃烧效率和原本直接燃烧树枝的燃烧效果基本相当，在很大程度上替代了传统的薪柴直接燃烧的方式，既减少了作为燃料的薪柴的需求，也节约了农民用于获取薪柴的时间，实现了对木质能源的综合利用。

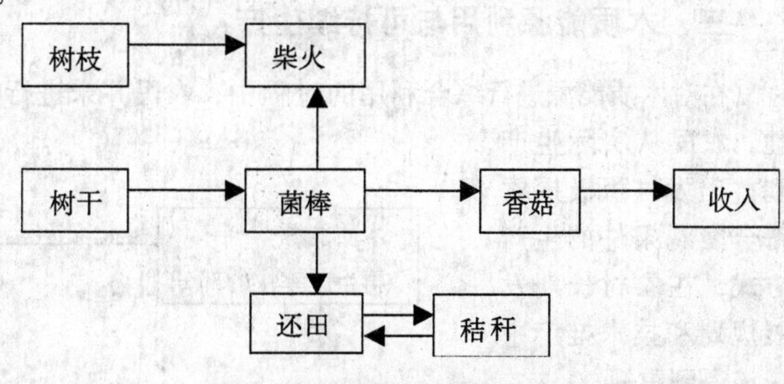

图 1　农民对薪炭林的利用状况

当地农民利用栓皮栎树干作为原料进行香菇种植，发展了副业，生计得到改善，已开始实现木质能源的综合利用。薪炭林不仅是当地农民的生活燃料，而且是当地农民重要的生产资源。

（三）利用方式的改进

经过调查发现，当地村民普遍认为自家林地成材的栓皮栎树干只能再种植 0～2 年香菇，农业生产资料来源面临匮乏。在实际生产过程中，该村有 3～5 户村民发现用树枝打成木屑作为栽培原料，获得香菇的收益并无显著降低。

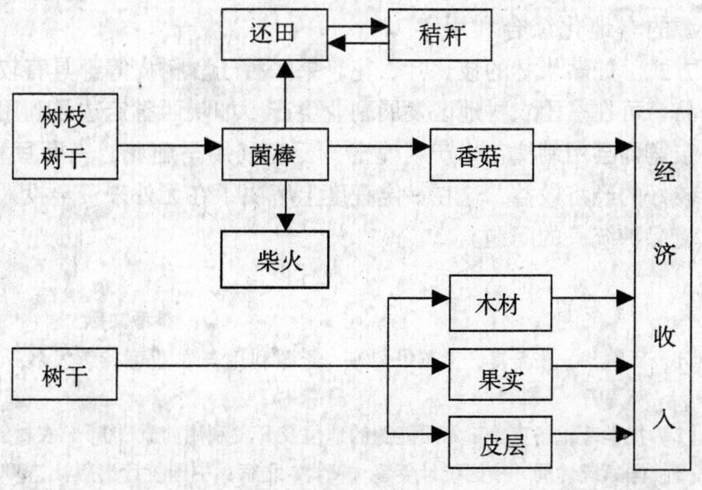

图 2　改进后的栓皮栎利用方式

通过文献研究和实地调研发现，在理论上非油质性林木的树枝和树干都可以用作加工木屑的原料。当地农民使用成材树干为主要原料，其主要原因是直径大于 5cm 的树干被加工成木屑时操作方便，其次，主干以木质部含量为主，单位体积木屑所含碳源相对丰富。农民不喜采用树枝为原料，主要原因在于在加工木屑时，由于树枝细小，操作起来不如树干方便，而且，树枝部分树皮比例大，树皮密度小，占空间大，单位体积木屑所含碳源比树干要低。农民从加工容易程度和产菇率角度考虑，优先选择树干。在树干供应难以为继的情况下，栓皮栎树枝需要综合加以利用。

在调研小组的帮助下，和农民共同提出改进措施，用以实现当地农业的可持续生产。

改进后的栓皮栎利用方式实现了薪炭林一林多用，薪材结合，以短养长。在保证种植香菇的短期固定收益的同时，培养成材林木，以谋求木材、果实、皮层等带来的长期收益。

（四）木质能源的综合利用模式

综上所述，笔者根据当地农民的生产实践，提出了木质能源的综合利用模式：即因地制宜，利用再生速率快的木质能源部分进行副业生产，实现对木质能源的生态利用，以获得短期固定收益，对再生速率慢的木质能源部分进行长期投资及养护，以获得长期收益。

三、木质能源利用与可持续生产

在对木质能源进行综合利用的过程中，农民并未进行额外投资，保证了香菇生产的可持续性。农民从实际生产利益出发，积极探索符合客观条件的生产方式，在农村长期发展规划和技术推广中应该得到重视。

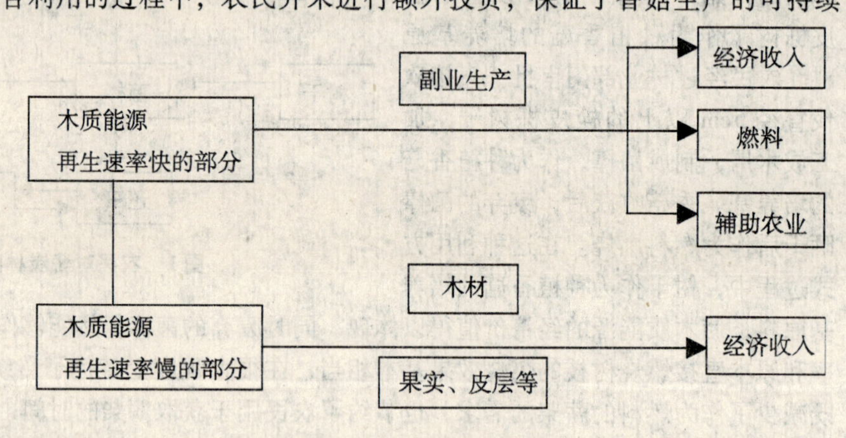

图3　木质能源综合利用模式

当本地条件较差，人均收入水平较低，木质能源为当地主要能源和资源时，可以考虑大力推广木质能源的本地化综合利用方式。如薪炭林的枝、叶、花、果、种子、树皮等都具有较高的经济价值，可加工或提炼多种产品，可在贫困农村地区发展副业生产。如陕西省定边县利用怪柳进行柳编加工，北京密云县和辽宁宽甸县用刺槐花生产刺槐蜜，云南利用马鹿花、三叶豆种子开发高蛋白饲料等[8]，均取得了较好的经济效益，这在一定程度上解决了在无外来资金投入情况下，本地农民如何实现生计与环境保护统一的问题。

参考文献

[1] 顾树华，张希良，王革华，等．能源利用与农业可持续发展［M］．北京：北京出版社，2000：27－32，88－97.

[2] 祝学范，杨克美．木质能源的地位及开发利用前景［J］．农村能源，2001，(6)：30－32.

[3] 国家统计局．中国统计年鉴［M］．北京：中国统计出版社，2001.

[4] 曹金珍，等．木质生物质在能源方面的开发与利用［J］．华北电力大学学报，2003（5）：103.

[5] 刘守新，等．木质生物能源利用技术研究［J］．中国林副特产，2001（3）：38.

[6] 古可隆．我国木质能源的利用和发展［J］．林产化学与工业，1995（3）：77－81.

[7] 山区造林绿化技术［M］．中原农民出版社，1998：110－112.

[8] 薪炭林与可持续发展［N］．中国林业报，1997－12－02.

对秸秆进行物质与能量梯级利用的方法、效益及政策建议

于爱华

（中环（中国）工程有限公司　南京　210008）

摘　要　本文介绍了秸秆处理的现状和存在的问题，指出农作物秸秆焚烧的危害和秸秆发电存在的问题，提出农作物秸秆新的物质与能量梯级利用方式，响应国家行业低碳经济发展的政策，为今后在农业技术推广的秸秆利用工作中提供借鉴。

秸秆是农作物进行光合作用所形成的副产品，农作物光合作用的产物一半在籽实中，一半在秸秆里。秸秆含有多种可被利用的有效成分，与其籽实一样，也是重要的农产品。

秸秆作为重要的生物质资源，总量基本和玉米、淀粉的总能量相当。秸秆燃烧值约为标准煤的50%。秸秆蛋白质含量约5%，纤维素含量在30%左右，还含一定量的钙、磷等矿物质，1t普通秸秆的营养价值平均与0.25t粮食的营养价值相当。专家测算[1]，每生产1t玉米可产2t秸秆，每生产1t稻谷和小麦可产1t秸秆。我国每年可产农作物秸秆6亿多t。如全部用来燃烧，可折合约3亿t标准煤的热值。如全部用作饲料，折算相当于1.5亿t粮食。经科学处理，秸秆的营养价值还可大幅度提高。秸秆蕴藏着丰富的能量，含有大量的营养物质，开发利用潜力巨大，发展前景十分广阔。

一、秸秆利用现状

长期以来，我国一直存在重粮食利用、轻秸秆利用的传统观念，大部分秸秆被在田间、地头或场院烧掉；或者被农户直接用于生活燃料；再者，甚至被弃置不用乱堆乱放[2]。

我国现阶段秸秆的利用途径主要分为4个方面：①作为工业原料，主要用于造纸工业和手工业的原料；②作为草食家畜的粗饲料；③造肥还田；④农村生活能源。

各种用途所占比例分别为：造纸原料占2.9%；牲畜饲料占30.9%，其中：处理后饲喂的14.8%，未经处理的占16.1%；农村生活能源占45%；秸秆还田及其他损失占21.2%。

二、秸秆利用存在的问题

随着畜牧业、工业的发展，秸秆也越来越受到重视，但目前我国秸秆的利用方式还处于较低的水平，与发达国家相比仍有很大的差距，存在较大的问题。

1. 将秸秆直接还田或堆沤还田，虽然其N、P、K的还田率达100%，但秸秆直接还田会对农业生产带来不利影响：

（1）秸秆需要3a时间才能彻底腐烂分解，有机成分才可被充分利用；

（2）由于秸秆不能及时腐烂，影响种子的发芽率，阻碍种芽生长，造成出苗不齐；

（3）秸秆上附着的病菌和虫卵被植入土壤繁殖蔓延，造成病虫害的泛滥成灾；

（4）秸秆直接还田需要铡短切碎，需要大量人工和资金的投入。

2. 受消费观念和生活方式的影响，农村秸秆资源完全处于高消耗、高污染、低产出的状况，相当多的一部分农作物秸秆被弃置或者进行焚烧（目前我国秸秆利用率约为33%，其中大部分未加处理，经过技术处理后利用的仅约占2.6%）。

3. 秸秆焚烧带来的火灾，近几年愈演愈烈，秸秆的焚烧还会严重污染环境。

4. 秸秆直接燃烧发电是现在发展较快的一种处理方式，但这类电站单位容量投资大（常规电站一倍以上），热效率偏低（30%左右），收集困难、消耗大量的其他能源（如柴油）来运输低密度的秸秆，而产生的电量有限，从全生命周期来说是很不划算的。同时发电厂这种典型的工业项目与农业生产的差异性大，存在工农协调的问题。

因此，如何做好农作物秸秆的就地转化工作已成为亟待解决的农业问题，同时也是实践发展循环经济和推进新农村建设的一项重要尝试。

三、秸秆梯级利用及其优点

对于秸秆这种大分子碳水化合物，通过生物质能转换技术可以高效地利用生物物质、能源，将纤维素大分子分解为糖类和蛋白质，并进一步分解为其他小分子物质，而不是单纯地烧掉，仅利用其热值。使秸秆利用的整个生产链延长，向环境、资源、社会和经济等方面外延。

秸秆可以通过下述途径实现综合利用（如图 1）：用秸秆来生产饲料——从而进行养殖——进而生产沼气——得到有机肥料——再进行种植，如此就可以形成一种典型的循环能源生态体系，使秸秆利用符合循环经济 3R 原则，实现低消耗、低排放和高效率的目标，有效利用资源，减少污染。

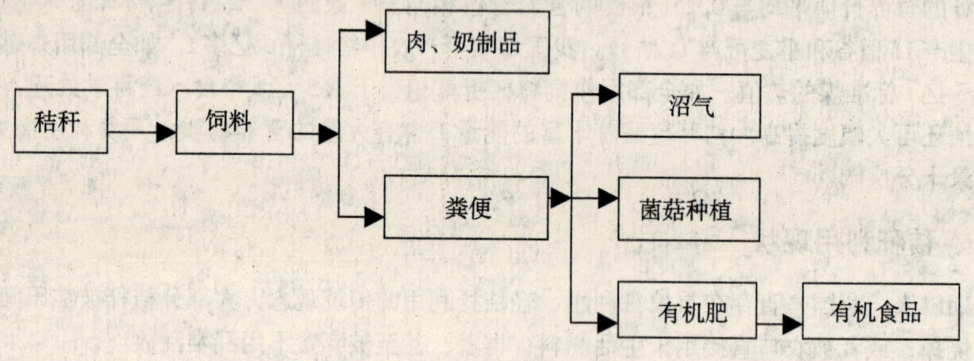

图 1　秸秆综合利用示意图

其中，各利用方式优点及其效益如下[3]：

1. 使用秸秆生产饲料，从根本上解决我国人畜争粮问题和满足日益增长的畜产品需求。大量的秸秆饲料可以保证节粮型畜牧业的持续、稳定发展，缓解我国人口与土地资源日益尖锐的矛盾，同时，全国范围的畜牧养殖业（如奶牛、肉牛场）为秸秆饲料提供了广阔的发展大市场，而且日本、韩国、东南亚一些国家及台湾地区都对秸秆饲料产品存在着巨大的需求，秸秆饲料在国内外市场都有着诱人的商机。

2. 发展秸秆饲料加工及养殖，满足发展反刍动物为主的养殖业发展的需要，提高农民收入。通过饲草的加工，可以提高农民收入和牧区农民生活的稳定性，为国家的农业发展战略特别是为西部发展战略打下基础。而通过饲料养殖，则可实现秸秆“过腹还田”，增加我国肉食产量同时解决农牧区饲草资源的不平衡问题，促进农牧业系统的良性循环和保持生态平衡，减轻环境污染，阻止草原沙化，提高牧区抗灾保畜的能力。

据计算，我国北方地区每年有近 2 亿 t 可利用秸秆，如果将其 50% 加工成饲料块，可产生 500 亿 ~ 600 亿元市场价值的产品，加工利润 200 亿元，市场经营利润 100 亿元，各项纳税额 50 亿元左右。加工的饲料块经销售经营单位供给养殖区和牧区，推动养殖畜牧业的发展（1 亿 t 秸秆加工可喂养羊 3 亿头）。

3. 生产沼气，提供清洁能源，实现多重效益。秸秆饲料被牲畜食用后，其过腹转化的排泄物（粪、尿）和剩余草渣等装入沼气池发酵，可生产出清洁能源——沼气，进一步还可以生产出无公害、高品质有机肥，再加上养殖产出的肉、奶等高级食品，一举数得，大大提高了作物秸秆利用率，产生良好的经济效益、社会效益和生态效益。

4. 使用沼渣做有机肥料，发展营养、健康的绿色农业和无公害农业。沼渣还田，无寄生虫，无病害，是一种优质的肥料。使用沼渣不仅可节约化肥、农药，而且生产的粮、果、菜没有污染、味道鲜美、质地细腻、产量也有所提高，属于无公害的“绿色食品”，有很大的推广前景。

5. 秸秆还可以种菇及作为其他工业原料，加快农民致富。秸秆作为食用菌栽培的基础材料，5～8hm^2 田的秸秆经腐熟后可栽培 0.07hm^2 露地蘑菇，生产蘑菇 2000～3000kg，收入 5000～6000 元，是一项投资小、见效快、技术要求不高、能大量处理剩余秸秆受农民欢迎的致富技术，并可有效地减轻焚烧秸秆对环境的污染。

这样，综合如上所述，养殖、沼气、种植生态体系相互依存，互相利用，可以显著地提高经济效益。综合利用各类秸秆资源可以提高农业资源利用效率，繁荣农村经济和增加农民收入，是我国发展农村循环经济的重要切入点。

四、与其他利用方式的效益比较

秸秆直接燃烧发电是现在比较流行的一种处理方式，与上述的秸秆综合利用方式从经济效益比较来看，2 亿 t 秸秆相当于 1 亿 t 标准煤的量，按照煤炭价格为 300 元/t 计算，折合人民币 300 亿元。2 亿 t 秸秆换算成粗饲料是 0.8 亿 t，秸秆压块饲料现行最低也为出厂价 300 元/t，0.8 亿 t 秸秆粗饲料可以够 10000 万头羊、2000 万头牛一年食用，这些牛、羊在产肉、奶制品的同时，排出的粪便产生的沼气折合成标准煤为 930 万 t，沼渣可以继续用来作为肥料种植有机食品和菌菇养殖。

秸秆发电产业链短、使用人员少、产品增值低，而综合利用的方式产业链长，吸纳人员多，综合利用与秸秆发电相比较，综合增值率可以达到 80%。同时发电厂这种典型的工业项目与农业生产的差异性大；而综合利用的方式和农业的结合更加紧密，容易为农民接受，符合国家对于新农村建设的倡导，推广性很强。

五、技术可行性及政策建议

综上所述，实现秸秆的综合利用，有着巨大的社会、经济效益。现在处理秸秆的方式有很多种，但是始终缺乏一种简单、高效的处理方式。自然界中的牛等牲畜是天然的秸秆处理者，但是牲畜在消化秸秆的过程中产生了大量的甲烷气体。全球甲烷排放约有 14% 来自农场动物体内，牛羊排放出的温室气体因此日益受到关注。为了解决上述问题，可以采用“人造瘤胃”这种处理方式。

牛等牲畜之所以能消化秸秆是因为瘤胃对纤维素类物质的消化能力。牛瘤胃中栖息的微生物有较强的纤维素分解能力，能把饲料中多于 50% 的粗纤维分解掉，但是已知的牛瘤胃微生物还不到总数的 15%，有效地利用牛瘤胃中的微生物资源将对纤维素的降解产生重大的意义。

瘤胃实际就是一个高效的厌氧发酵罐，它之所以高效的原理是拥有大批的有益微生物，它们在瘤胃中降解植物纤维过程中的相对贡献率及其互作关系还知之甚少。因此制造一个和实际牛胃功能完全相同的人造装置，现在在技术上还存在困难。

但是我们可以在模拟牛胃微生物的某一种功能上做研究。就是模拟瘤胃微生物对纤维素的分解。微生物处理秸秆生产单细胞蛋白，主要是接种一些产纤维素酶、半纤维素酶的菌种与酵母，经发酵技术人工培养而成。一般都采用固体发酵技术，分为 1 步发酵法和 2 步发酵法。由于秸秆的营养特性和微生物生长的需要，无论采用哪种方法都需将秸秆粉碎，添加一些辅助原料，如玉米面、麸皮、微量元素、无机氮源。在选择发酵农作物秸秆生产蛋白饲料的微生物菌种方面，人们越来越趋向于采用混菌发酵体系，在双菌或多菌混合发酵中，酶促作用生成的糖立即被发酵糖的微生物所利用，这样就维持了降解物质的浓度，消除了酶合成作用受到的降解物的阻遏作用，同时也解除了反应终产物对酶的反馈抑制。

虽然目前制造“人造瘤胃”装置还存在一定的困难，但是随着分子生物学技术的推广使用、微生物基因组测序工作顺利开展，以及功能基因组学和生物信息学等方面的迅速发展，人们已经可以直接对未培养微生物进行分子水平的研究。通过对未培养微生物的研究，我们不但可以利用蕴藏在自然界中的巨大的微生物基因资源，还可以找到分离、培养未培养微生物的途径。

政府部门应集成科技资源，视各地组织实施和投入情况，择优支持“人造瘤胃”这一类项目的关键共性技术开发，结合新农村建设集成示范项目，项目实施设定年限；项目承担单位原则上以技术依托单位和示范点相关单位联合为主。根据示范区优势主导产业，按照产业化的思路，辨析制约因素，进行重点攻关与突破。特别是进行产业之间与产业内部结构的调整与优化配套，加强清洁高效生产技术的集成示范。

1. 加强组织领导。各地要高度重视新农村建设科技示范。各级科技主管部门要根据上级要求，加强组织协调，争取当地党委政府的支持；要加强部门联动，提供必要的人力、物力和财力保障。

2. 保障引导投入。政府部门将从重大科技专项、星火计划、农业科技成果转化、科技富民强县等科技计划中安排经费支持这项工作的开展，有关部门也要加大投入，保障示范工作顺利实施；要根据实际情况，加强资源的整合和集成，引导金融资金支持，带动企业和社会力量投入，形成多元化投入格局。

3. 重视经验总结。及时总结示范工作的典型经验和成功模式，并通过多种形式加强宣传、推介和推广，充分发挥其引导辐射作用。建立健全激励制度，对在示范工作中作出突出贡献的集体和个人及时表彰，营造科技促进新农村建设的良好氛围。

参考文献

[1] 高利伟，马林，张卫峰，等．中国作物秸秆养分资源数量估算及其利用状况［J］．农业工程学报，2009（7）．

[2] 陈冬冬，高旺盛，陈源泉．中国农作物秸秆资源化利用的生态效应和技术选择分析［J］．中国农学通报，2007（10）．

[3] 李淑秀．几种农业秸秆再利用技术的比较［J］．安徽农学通报，2007（9）．

[4] 吴荷群，刁其玉．不同种类纤维素酶对人工瘤胃发酵的影响［J］．新饲料，2007（6）．

浅谈生物质能——沼气

王　威　罗清威　樊占国

（东北大学材料与冶金学院　沈阳市和平区文化路3巷11号417　110819）

摘　要　本文立足于我国大力支持开发利用新能源的形势下，就农村沼气建设进行分析，简单论述了发展农村沼气的重大意义及发展现状，进一步探讨了制约农村沼气建设的主要制约因素，同时针对这些制约因素提出了相应的对策和建议。

关键词　生物质能　沼气　农村建设

一、发展沼气在新农村建设中的重大意义

在进行沼气建设之前我国农村地区存在着两大浪费现象：一是直接燃烧作物秸秆因其热效低而造成的浪费；二是人畜禽的粪便、生活垃圾、生活废水等所含的生物能源的浪费。在能源浪费的同时，也给农村生态环境带来严重污染，造成了烟尘和温室气体的排放[2]。沼气是可再生的清洁能源，既可替代秸秆、薪柴等传统生物质能源，也可替代煤炭等化石能源，而且能源效率明显高于秸秆、薪柴、煤炭等，具有很高的经济效益、社会效益及生态效益。发展沼气既可以解决农村地区的能源短缺问题，满足广大农民对使用优质、清洁能源的需求，也可以改善农民的生活环境，提高他们的生活水平。

二、当前我国农村沼气发展现状

改革开放30多年来，中国沼气建设稳步发展，得到了中央和地方政府的高度重视，在金融危机的特殊时期，中央拿出50亿元人民币用于扶持中国沼气的发展。自2003年开始国债项目至2008年底，全国农村户用沼气由1110万户增至3049万户，年均增加320多万农村沼气户，年均增长29.1%，各地农村沼气建设呈现出快速发展的势头[3]。预计今年年底，我国农村户用沼气将达到4000万户，年产沼气总量将达到155亿 m^3，适宜农户普及率将达到30%。

户用沼气技术较为成熟，处于世界领先地位，但产业化商品化程度有待提高。中国幅员广阔，造成了农村沼气综合利用模式比较多样化，各地开发了丰富多彩的技术模式。目前，在我国农村地区大面积推广流行的沼气综合利用模式有以户用沼气为主的北方“四位一体”能源生态模式、南方猪沼果能源生态模式，即“三位一体”模式、西北“五配套”能源生态模式等[4]。

三、农村沼气发展的主要制约因素

（一）思想认识不足，难以发挥沼气工程的综合效益

部分农民认为发展沼气只是为了点灯煮饭，现在农村都通了电，用上了煤，甚至用上了液化气，就没有必要再发展沼气，对沼气工程在治理污染，保护生态环境，发展生态农业中的作用缺乏了解，没有认识到沼气、沼渣、沼液的综合利用对减少化肥、农药使用量的间接效益[2]。

而对于部分建池户来说，他们的思想认识也不高，他们认为建沼气池的主要目的就是产沼气解决燃料问题，从而忽视了沼渣和沼液的作用[5]。这样不但不能充分发挥沼气工程的综合效益，而且因为对沼渣沼液利用不彻底造成严重的二次污染。

（二）产业化程度不够，难以提高综合效益

户用沼气技术较为成熟，在国际上处于领先地位，但是还远未形成产业，离产业化还有一定距离。就沼气产业化而言，存在着许多问题，比如说户用沼气局限问题，这些户用沼气规模小，

技术水平低，无法形成规模化商品化的产业；沼气高值利用问题，沼气的利用途径单一，利用价值较低，影响了沼气产业化的形成和发展；沼气工业化生产问题，农业部门的大中型沼气站主要建在规模化的畜禽养殖场，受养殖场数量、规模和地域的限制，数量有限，规模也不大[7]。

（三）科技研发薄弱，科技创新不足

中国沼气建设总体上存在重推广、轻科研的倾向，致使科技创新工作步履维艰，技术创新、技术储备不足，难以满足沼气事业快速发展的需要，比如沼气综合利用技术，沼液低成本浓缩技术、沼气发电机及配套技术等方面，都需要进一步研究和创新。

（四）沼气工程资金匮乏

1. 基础设施成本高　为了更好发挥沼气池的功效，建造沼气池一般要求配套“三改”：改厕所、改厨房和改猪圈。单纯建造一座沼气池成本大概在1300元，如果配套改造，另外还需要3000～5000元[6]。中央和地方的投资力量有限，仍需农户拿出一大笔钱，对于一些贫困乡镇来说比较困难，这就会造成建池资金严重不足，影响建设速度和质量。

2. 资金投入不足　资金投入不足是制约农村沼气建设的大问题。尽管近年来国家逐渐加大财政支持力度，有效地推动了农村沼气建设，但是国家补助资金毕竟有限，这就会造成沼气建设的资金缺口相当大。

（五）管理体系不够健全

1. 发展规划缺乏统筹性　大多数户用沼气池建设缺乏统一规划，建池户各行其是，沼气池建设没有与村庄建设及畜禽养殖小区建设统筹考虑，无序发展，造成不必要的浪费[5]。

2. 分工不明确　多年以来，农村沼气建设在国家发展改革委员会和农业部的共同领导下，在许多重大问题上取得了一致意见，但是，随着项目审批权限的下放，出现了一些管理分工上的矛盾，有些省（自治区、直辖市）在项目申报、论证和审批过程中，互不通气，不相协商，造成了不必要的误解[3]。

3. 相关法规政策不完善　从目前来看沼气建设相关法规政策存在一定不完善性，比如农民的利益诉求在法规政策中未能得到完全的体现，补助的标准不一致并且相关法规政策协调不足，法规政策目标定得过高、脱离实际等。

4. 技术服务和设施管理不健全　农村建造大量的沼气设施必然会带来艰巨的技术服务和设施管理问题，可是不少地区池子和配件出现故障或损坏时，农民却找不到询问服务的部门或不能及时修复，农村沼气培训与服务体系几乎空白[5]。

四、加快我国农村沼气发展的对策及建议

（一）提高政府和农户的认识，加大“三沼”的综合利用力度

通过各种途径使各级政府及农户认识到发展沼气重点在于发展沼气的综合利用，最大限度地发挥其整体效益。实践证明，农村发展沼气，其生命力在于农民对“三沼”的利用，它的利用效果是吸引农户发展和投入的关键，也是沼气发展由自觉到自发转变的重要因素，所以要加大综合利用相关技术的培训力度和宣传力度，充分发挥其社会效益、经济效益及生态效益。

（二）加快产业化进程，提高综合效益

在继续大力推广户用小沼气、满足分散的家庭农户使用的同时，逐步走出农村和农户，向沼气工业化生产和工业化应用方面转变，最终建立农村沼气产业，为农业、农村和农民开辟新的致富之路。首先，结合中国社会主义新农村建设，大力发展沼气的集中生产和供气，并实行专业化管理和市场化运作；其次，结合中国汽车工业的快速发展和国际石油价格的持续走高，大力发展车用沼气，开辟新的应用基础研究，为未来发展提前做好技术准备；同时，积极做好相关的研究开发，为沼气产业化发展提供技术支持[7]。

（三）加大对农村沼气科技研发及创新的力度

组织、支持和鼓励技术人员加强对发展农村沼气的科学研究和开发，不断提高从建池到沼气利用的科技含量，为农村沼气的可持续发展提供强有力的科技支撑；安排专项资金用于农村沼气的新技术、新产品、新工艺、新材料的研发。

（四）拓宽融资渠道，加快沼气工程的实施

1. 改进工艺，降低成本　在科技研发和科技创新的同时，对降低沼气工程设施成本方面应予以较多考虑，以“廉”为特征的沼气工程的开发，是沼气产业的未来。

2. 多方筹集资金　建议中央和各级政府继续加大对沼气建设的投资力度，同时建议遵照市场经济规律，吸纳社会资金成为投入的主体，积极吸引民间资本、外商资本、工商资本参股、入股，形成个体、集体、社会等多元的投资机制。

（五）建立健全沼气工程管理服务体系

1. 强化统筹协调　由政府领导，因地制宜，统筹规划，从宏观的角度研究制定重大发展政策，审议重大行动方案，加强宏观指导，并组织各部门，形成密切配合、整体推进的工作格局，健全各级管理体系。

2. 明确管理分工　建议在国家发展改革委员会和农业部联合下发的有关文件精神的基础上，省级农村能源主管部门负责提出项目建设任务，避免目前这种切块下达经费指标所带来的种种弊端，由省级发展改革部门联合省级农村能源主管部门分解下达项目投资计划和建设任务，并报农业部、国家发展改革委备案[3]。

3. 加强法规政策建设　尽快制定和完善沼气建设的相关法规政策，加强对全国农村能源建设工作的政策指导和行业管理，进一步强化沼气建设在新农村建设中的重要地位，确保农村能源管理部门职能的有效发挥。

4. 健全管理服务体系，加强沼气设施管理　建议建立一条龙式服务，实现建前、建中和建后服务一体化，这就要求搞好技术培训，健全标准化和技术监督体系，规范市场，逐步建立起农村沼气设计、生产、施工、使用、管理和维修服务网络，进一步提高对户用沼气建设和服务网点建设的补贴标准，实现农村沼气的社会化服务。

（六）其他

建议成立沼气建设专家平台，为政府制定以产品为导向的政策法规，解决沼气建设技术疑难问题，制定沼气产业标准、法规政策等。

参考文献

[1] 朱积余，廖培来．广西名优经济树种［M］．北京：中国林业出版社，2006.
[2] 王亚芳．农村沼气产业现状分析［J］．农村能源，2009.
[3] 李景明．关于农村沼气建设的几点思考［J］．中国沼气，2009，27（4）：25－27.
[4] 颜卫卫．户用沼气工程对农村生态系统的影响［D］．武汉：华中农业大学，2008.
[5] 刘明．农村沼气建设的可行性及其存在的问题［J］．现代农业科技，2009（3）：289.
[6] 张敏，赖敏．农村沼气发展建设问题与对策研究［J］．安徽农业科学，2007，35（7）：2108－2110.
[7] 庞云芝，李秀金．中国沼气产业化途径与关键技术［J］．农业工程学报，2006，22：53－57.

有机溶剂气体变温吸附净化回收工艺及工程应用

羌　宁　王红玉

（同济大学环境科学与工程学院　上海　200092）

摘　要　本文回顾分析了有机溶剂气体变温吸附净化回收工艺的发展情况，并介绍了一种新开发的气体循环加热脱附回收工艺的工程案例。示范工程的实际运行情况表明，在有机气体入口浓度2000 mg/m^3时，回收1kg溶剂的费用可低于2.8kWh，净化回收效率在95%以上。与传统的蒸汽脱附回收工艺相比，该干式脱附系统具有能耗低、废水产量小，回收溶剂纯度高等特点。

关键词　变温吸附　溶剂回收　有机气体　热气体脱附

一、前　言

涂装、印刷、漆包线生产、纺织品干洗、石油化工以及有机物料（包括成品油）的储运等过程都会产生挥发性有机溶剂。有机溶剂种类繁多，属挥发性有机物VOC，多数具有毒性，危害人类和动物的健康。VOCS与大气中的氮氧化物结合会形成光化学烟雾，污染环境；卤代烃类有机物可以破坏臭氧层。VOCS污染问题已经引起世界的高度重视，美、日、欧盟等多年前即制定并执行了严格的VOCS排放标准[1,2]。我国的大气污染综合排放标准中也对部分气态有机物规定了排放限值。

有机溶剂在使用过程中所挥发出来的有机物，除对人体健康和环境都产生巨大的危害外，还造成了极大的资源浪费。经济有效地进行溶剂回收和循环利用，一方面有利于降低生产成本、产生经济效益，另一方面又可减少环境污染，是企业清洁生产的重要环节。从生命周期分析的角度，溶剂回收还可大大减少溶剂生产过程的资源、能源消耗和环境污染，减少温室气体排放，对于推动循环经济的发展和建立可持续发展的社会具有重大意义，在当前我国狠抓落实节能减排工作的形势下更具有重要的现实意义。本文从有机气体吸附回收的角度，介绍技术发展动态，并介绍一种新开发的气体循环加热脱附回收新工艺的工程案例。

二、有机气体吸附回收工艺发展趋势

吸附是一项传统的浓集分离技术，在化工、环保等领域得到广泛的应用。吸附分离过程中的脱附回收是整个过程的核心之一。传统的变温脱附方法有水蒸气、热气体脱附，近年又出现了电热法、氧化再生法、超声波再生法等新的脱附方法[3,4]。

水蒸气脱附再生的工艺是目前为止应用最广泛的变温吸附回收工艺。该工艺系采用两个以上的吸附器并联组成，吸附介质为活性炭或纤维活性炭，通过阀门切换交替实现系统的连续运行。吸附饱和后的吸附器用蒸汽再生，再生出来的混合气体通过冷凝器冷凝，然后将有机溶剂和水分离后直接或间接利用，含一定溶剂的水净化后排放。水蒸气再生适用于脱附沸点较低的低分子碳氢化合物和芳香族有机物的饱和碳，水蒸气热焓高且较易得，脱附经济性和安全性较好，但是对于较高沸点的物质脱附能力较弱，需较长的脱附周期，也易造成系统的腐蚀，对系统容器管道等的材料性能要求较高；回收的物质中含水量较高，还存在冷凝水的二次污染问题，解吸易于水解的污染物（如卤代烃）时会影响回收物的品质，水蒸气脱附后的颗粒固定床吸附系统需要较长时间的冷却干燥，才能再次投入使用。水蒸气脱附还需要大容量的冷却冷凝系统。此外，对于那些无现成蒸汽资源的客户，在目前对燃煤锅炉环保要求日益提高的形势下水蒸气系统还需配备一套复杂的蒸汽锅炉系统，而如果采用电、天然气等洁净能源发生蒸汽的话则造成非常高昂的运行费用。

与颗粒活性炭相比，纤维活性炭的吸附脱附速率高，且可采用类似布袋除尘器的结构从而可实现短周期的循环吸附脱附操作相对减少设备尺寸，但由于采用缠绕方式及为保证一定的保护作用时间而需要一定的缠绕层数，总体而言其运行的风阻相对较大（可达3000Pa），在较高气体浓度时（5000mg/m^3 以上）该项费用不突出，而当气体浓度小于2000 mg/m^3 时，风阻对回收运行费用的贡献率则将迅速增加。

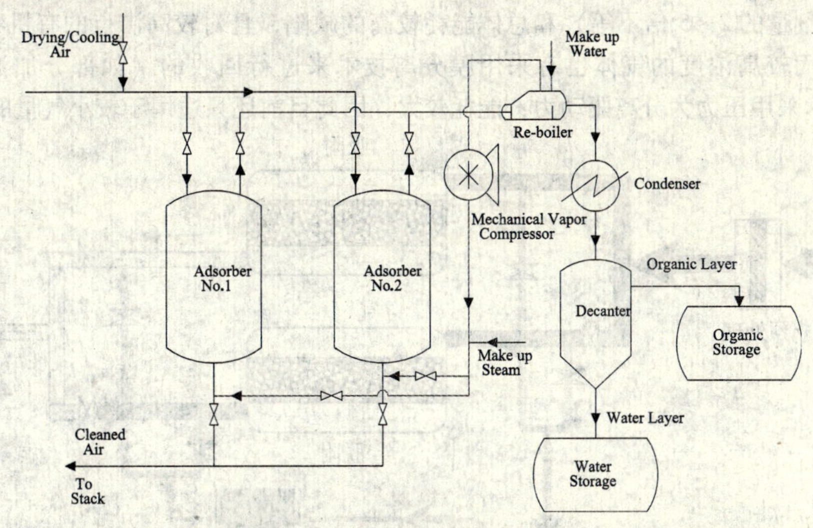

图1　改进型蒸汽脱附回收技术

图1为改进型的蒸汽脱附系统，该系统通过再沸器和机械蒸汽加压的方式，尽可能地充分利用蒸汽的热值，从而达到减少蒸汽耗量的目的，但机械蒸汽加压设备的技术要求和成本较高。

与水蒸气解吸相比，热气体解吸的冷凝水二次污染很少，回收的有机物含水量低（对于水溶性的有机物更显优势），便于进一步精制回收，吸附床再生干燥、冷却的时间较短，对吸附系统材料要求相对较低。传统的固定床热气体脱附工艺的缺点是气体热容量较小，气体热交换所需面积相对较大，且直接的气体循环加热回路需要巨大的能耗来进行加热和冷却[5]。

图2所示为沸石转轮吸附回收净化系统示意图[6]，转轮被分隔成3个区域，一个是处理区、一个是冷却区、一个是脱附区，VOC转轮在工作过程中缓慢的旋转，含有有机溶剂需要处理的气体从处理区流过后变成相对干净的气体，处理后的气体中有机溶剂的含量最低可降至50ppm以下。另一部分含有机溶剂的空气在再生风机的作用下从冷却区流过，然后被加热到一定的温度后，从转轮再生区域流过，由于转轮再生区域被再生空气加热，吸附在再生区域的有机溶剂蒸发出来随再生空气带走。转轮工作时，再生空气与处理空气的比例在1/5（浓缩倍数5倍），再生空气中有机溶剂的浓度可以是处理前浓度的5倍。该工艺设备具有风阻小，吸附床安全性高等优势，但目前的疏水沸石总体吸附容量要小于活性炭，且该工艺中转轮不同区域间的动密封要求很高易串气，加之吸附区空隙相对较大而造成回收净化效率无法达到很高的要求，同时由于加热脱附中脱附的有机物的浓缩比不是很高，造成后续的冷凝回收系统能耗较高。

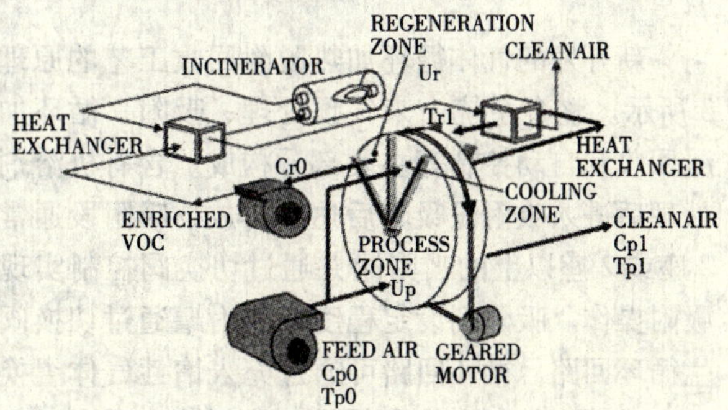

图2　沸石转轮吸附回收净化系统示意图

Fabuss 和 Dubois 在1970年利用吸附材料的导电性，向吸附饱和后的吸附剂施加电流，利用焦耳效应生热，为解吸提供能量。目前，电流有两种产生方式：电极直接产生电流和电磁感应间接产生电流。与传统变温解吸法相比，再生气流量可以减少 10% ~20%。但是直接加热时在颗粒活性炭的接触面会出现过热点，影响吸附床层的温度的控制，难以放大，另外，在电极布置连接和绝缘方面还有待进一步深入研究[7,8]。其他的脱附方法还有微波脱附法、超声波等，从工作原理上而言均具有较好的发展潜力，但要达到工程应用还有很多工作待做。

目前较低浓度的有机气体回收技术主要是活性炭吸附加蒸汽脱附；但存在二次水污染（出水量为回收溶剂量的 2 ~5 倍不等）和总体能耗较高的缺陷，且对较高沸点的有机物存在脱附效率低的问题。而较高浓度的气体也有采用膜分离技术来进行回收的（如部分加油站的油气回收），但该技术采用压力为分离驱动力，能耗较大，因此目前还只适用于较小气量的处理场合。

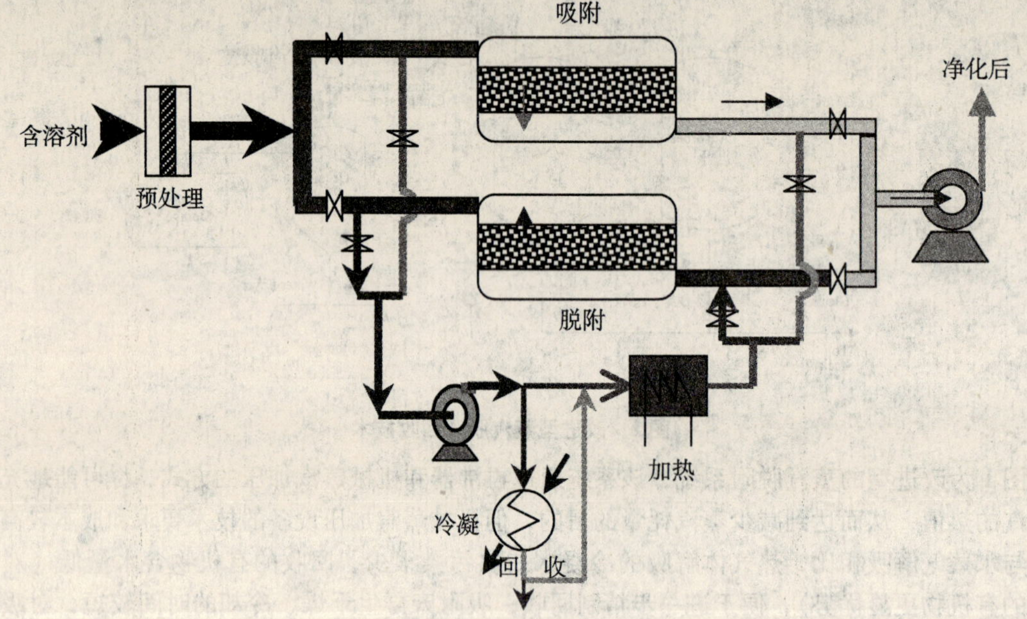

图 3　热气体循环脱附分流回收工艺原理图

三、气体循环加热脱附回收工艺原理

新开发的气体循环加热脱附回收工艺的原理示意图如图 3 所示。整个系统由来气预处理、吸附、循环加热脱附、冷凝回收和自动控制等主要部分构成。含有机溶剂气体通过预处理后进入吸附段吸附后达标排放，吸附段通常并联设置有 2 座或 2 座以上的吸附罐并通过切换阀控制实现气体的连续吸附操作。吸附到设定程度的吸附罐通过切换阀切换形成再生循环回路。循环回路可通过充入惰性气体置换系统内气体的方式减少气相中的含氧量，从而减少再生过程中某些类型溶剂的氧化副产物的生成。通过循环风机和加热器可形成循环气流加热吸附罐进行脱附，同时通过分流冷凝系统冷凝回收溶剂。与传统的蒸汽脱附不同，由于采用气体作为传热和脱附的介质，所以回收的溶剂液体中水的含量很低，同时由于不存在大量水蒸气的发生和冷凝过程，系统的总体能耗相对较低。另外，由于采用热气体脱附回收，对于一些水蒸气脱附较困难的沸点较高的组分也有良

图 4　示范工程现场图片

好的脱附回收效果。与传统的热气体脱附相比，新开发的工艺较好的解决了气体循环加热与冷却回收的矛盾。

四、气体循环加热工艺示范工程性能及能耗分析

（一）示范工程性能

图 4 所示为针对某集装箱生产线的涂装烘房设计建造了一套烘房气体净化回收示范工程。示范工程的废气设计流量 5000m^3/h，气体中主要含有二甲苯（50% ~60%）、100 号溶剂油（20%）及丁酮和乙酸丁酯等。示范工程系统的所有能源均来自电，系统为全自动运行。该生产单位产品为特种集装箱，其涂装生产工艺负荷较低，烘房排放气体中有机物浓度与同行业其他企业的干货箱生产线相比也较低。由于混合气体的现场测定采用的是便携式 FID 检测器，有机气体浓度均为以二甲苯计的总有机物浓度。现场监测的一天工作期间系统吸附罐的有机气体进出口浓度情况见图 5。

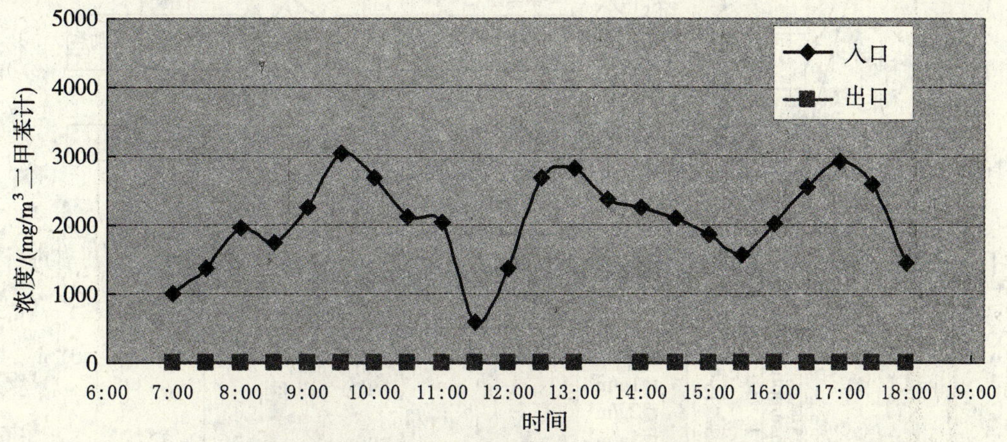

图 5 示范工程吸附系统气体进出口浓度变化情况

从图 5 可见，气体中有机物浓度（以二甲苯计）在 400 ~3000mg/m^3 范围内波动，平均在 2200mg/m^3 左右。在设定工作时段内，吸附罐排气中的有机物浓度很低，正常情况下的吸附效率大于 97%。

将回收的溶剂分别送有关涂料检测中心和油漆供应商实验室检验结果表明，回收的溶剂纯度大于 99%，含水量为 0.07%（W/W）。对再生过程产水量的统计结果表明，产水量为回收溶剂量的 2% ~10% 不等，产水量与环境温度和湿度相关。系统回收溶剂量和电耗的统计数据表明，回收溶剂的比能耗平均为 2.8kWh/kg 左右。

（二）净化回收过程能耗分析

从热力学的角度看，有机气体的回收过程是一个富集、熵减的过程，其工艺的先进性的一个重要参数就是其回收单位质量溶剂的能耗。溶剂回收过程的能耗与气体中溶剂的浓度、与回收单位质量溶剂有关的能耗影响因素分析如图 6 所示。能耗主要包括三大部分，即主系统通风能耗，再生加热能耗和辅助系统能耗三部分。通风能耗主要取决于气体的入口浓度和系统的阻力。再生加热包括加热能源和热量输送所需的动力能耗；辅助系统主要是冷却系统的动力（风机、水泵、冷源）和控制系统等。

其中入口浓度从平衡吸附容量、系统通风时间等方面对回收能耗的影响较大。不同入口浓度下的通风能耗情况如图 7 所示。从图 7 中可知，系统阻力 3000Pa 时，当入口浓度在 5g/m^3 以上时，通风能耗对回收溶剂能耗的贡献率为 0.25kWh/kg，较 1000Pa 的情况下高出 0.166kWh；而当入口浓度在 2g/m^3 时，通风能耗对回收溶剂能耗的贡献率为 0.6kWh/kg，较 1000Pa 的情况下

高出 0.42kWh；而当入口浓度在 1g/m³ 时，通风能耗对回收溶剂能耗的贡献率为 1.25kWh/kg，较 1000Pa 的情况下高出 0.83kWh。由此可见，入口浓度越低，系统的阻力对总能耗的贡献率渐呈快速增长的趋势。

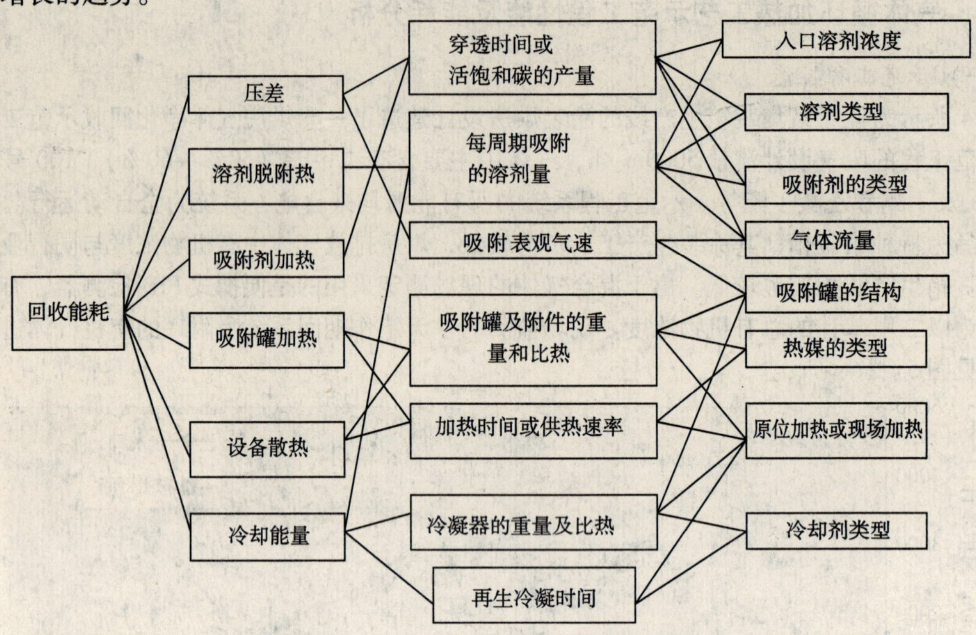

图 6　与溶剂回收能耗相关的影响因素

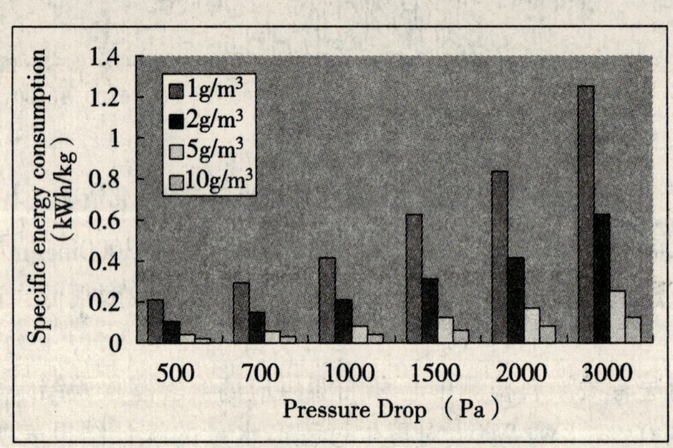

图 7　不同入口浓度下的通风对回收溶剂能耗的贡献情况

基于现有的热气体循环脱附分流回收工艺体系构成，针对涂装溶剂系列的有机气体，不同入口浓度情况下和不同加热能源条件下回收单位质量溶剂的能耗及费用估算情况如表 1 所示。

表 1　不同加热能源条件下回收 1kg 溶剂大致能耗费用情况

	方案 1		方案 2		方案 3	
再生热源	电		燃油		蒸汽	
气体浓度范围/（mg/m³）	800～2000	2000～10000	800～2000	2000～10000	800～2000	2000～10000
电/kWh	3～5	1.5～3	1.5～3	0.6～1.5	1.4～2.9	0.5～1.4
燃料/kg	0	0	0.16～0.24	0.11～0.16	0	0
蒸汽/kg	0	0	0	0	2.3～3.4	1.6～2.3

	方案 1		方案 2		方案 3	
估算费用元/kg	2.4 ~ 4	1.2 ~ 2.4	2.2 ~ 3.8	1.1 ~ 2.2	1.6 ~ 3.2	0.7 ~ 1.6

注：其中电费按平均 0.8 元/kWh 计（如是分时电费区域的话通过运行工艺设定平均电费成本可控制在 0.5 元/kWh 以下）；燃料按 6000 元/t 计；蒸汽按 200 元/t 计。

由表 1 可见，该系统总体能耗较低，2000mg/m^3 的入口气体浓度情况下，完全采用电作为能源时，回收 1kg 溶剂约需 3kWh；而采用蒸汽为加热源时，回收 1kg 溶剂约需电 1.4kWh 及 2.3kg 蒸汽。而如果入口浓度达 10000mg/m^3 时，完全采用电作为能源时，回收 1kg 溶剂约需 1.5kWh；而采用蒸汽为加热源时，回收 1kg 溶剂约需电 0.5kWh 及 1.6kg 蒸汽。小于一般蒸汽直接加热回收系统中的 2 ~ 5kg 的用量。

五、总　结

溶剂的回收和利用对于推动循环经济的发展和建立可持续发展的社会具有重大意义。现有的变温吸附净化回收气体溶剂的技术中，蒸汽直接加热再生工艺应用最多，且该方法也通过机械蒸汽加压等技术的引进而在减少能耗方面进行改良，吸附转轮回收技术对于大流量气体的浓缩具有优势，但存在浓缩比不高，冷凝回收要求较高和净化去除率有限的不足。新开发的气体循环加热再生分离回收工艺具有能耗相对较低，回收的溶剂含水量低、便于进一步处理，且较少二次水污染，对于高沸点的有机物具有良好脱附效果等特点，对于用户无直接可利用蒸汽的场合，系统配置简洁，占地面积小。此外值得注意的一点是，从经济性而言，目前的回收技术主要适合于气体浓度大于 1000mg/m^3 以上的场合（对于高风阻的系统最好浓度大于 2000mg/m^3），对于大风量、低浓度有机气体的回收技术还有待进一步开发。

参考文献

[1] F. Khan, A. K. Ghoshal. Removal of volatile organic compounds from polluted air. Journal of Loss Prevention in the Process Industries. 2000, 13 (6): 527 - 545.

[2] A. K. Ghoshal, S. D. Manjare. Selection of appropriate adsorption technique for recovery of VOCs: an analysis. Journal of Loss Prevention in the Process Industries. 2002, 15 (6): 413 - 421.

[3] Lingai Luo, David Ramirez, Mark J. Rood, etc. Adsorption and electrothermal desorption of organic vapors using activated carbon adsorbents with novel morphologies. Carbon. 2006, 44 (13): 2715 - 2723.

[4] J. F. Nastaj, B. Ambrozek, J. Rudnicka. Simulation studies of a vacuum and temperature swing adsorption process for the removal of VOC from waste air streams. International Communication in Heat and Mass Transfer. 2006, 33 (1): 80 - 86.

[5] E. J. Mezey, S. T. Dinovo. Adsorbent Regeneration and Gas Separation Utilizing Microwave Heating. US Patent 4322394, 1980.

[6] Hisashi Yamauchi, Akio Kodama, Tsutomu Hirose, et al. Performance of VOC Abatement by Thermal Swing Honeycomb Rotor Adsorbers. Ind. Eng. Chem. Res. 2007, 46: 4316 - 4322.

[7] Feng Dong Yu. Lingai Luo, Georges Grevillot. Electrothermal swing adsorption of toluene on an activated carbon monolith Experiments and parametric theoretical study. Chemical Engineering and Processing. 2007, 46 (1): 70 - 81.

[8] Patrick D. Sullivan, Mark J. Rood, M. ASCE, et al. Capture of Organic Vapors Using Adsorption and Electrothermal Regeneration. J Environ Eng. 2004, 130 (3): 258 - 267.

不同环境材料对土壤磷肥的淋溶效应研究

王晓茜[1,2] 黄占斌[1,2,3] 李文颖[1] 郭 圆[1] 陈 威[1] 孙华杰[1]

（1. 中国科学院水利部水土保持研究所黄土高原土壤侵蚀与旱地农业国家重点实验室 陕西 杨凌 712100；
2. 中国矿业大学（北京）化学与环境工程学院 北京 100083；
3. 河南大学生命学院 河南 开封 475001）

摘 要 高分子环境材料具有改良水肥效率和减小污染作用。本研究用盆栽试验研究了不同高分子环境材料（聚丙烯酸盐类 A、有机－无机复合类 B、腐植酸型多功能类 C）在不同氮肥（碳铵、尿素）下对土壤磷肥淋溶影响。结果表明，不同类型高分子材料对土壤磷肥效应不同，氮肥种类影响磷肥淋溶。土壤施碳铵，A、C 都能明显减小磷肥淋溶，对磷肥的保持效果较好；B 对在尿素下或碳铵下对磷素保持效果都很明显。C 在尿素下有明显促进磷肥淋溶。高分子环境材料对土壤磷肥保持与土壤磷酸酶活性降低有关。

关键词 环境材料 土壤 磷 淋溶 腐植酸

土壤中的磷是土壤肥力和植物营养的一个重要组成，是作物生长发育必不可少的养分。一般农田土壤中磷素含量丰富。然而，我国 2/3 的耕地土壤缺磷，原因是这些磷素大多以不易被植物吸收利用的难溶性有机和无机态磷形式存在[1]。土壤大量积累的磷素通过地表径流、地下水或水土流失进入河流和湖泊，导致了地表水体的富营养化。据报道，滇池入湖总磷中农业非点源磷占 20%[2]，而在南四湖则高达 68%[3]。随着磷肥施用量的增加，土壤速效磷的增加趋势越来越小，在磷肥施用量达一定水平后，土壤中速效磷增加趋势小于迟效态磷，即随着施肥量的增加，土壤中磷肥利用率降低[4]。可见，如何安全管理农田磷、合理利用磷肥和有机肥、控制农田面源磷对水体的污染已成为国内外急需解决的问题。

环境材料是一类具体改善环境特殊功能，又有环境友好特征的材料。高分子环境材料在改良水肥效率和减小污染方面具有重要意义。利用高分子材料可以控制、转化和缓慢释放肥料，是提高化肥利用效率。如高分子吸水材料就是一种超高吸水保水能力的高分子聚合物，它能迅速吸收比自身重数百倍甚至上千倍的纯水，可反复吸水并释放水分供作物利用。同时，保水剂能改良土壤结构，减少土壤水肥流失，提高水肥利用率[5]。高分子环境材料对土壤水肥的效应机理十分活跃，目前主要集中对土壤水分、土壤结构和植物生长及其抗旱性[6-9]等方面。对土壤磷素的效应研究还少见报道[10]。近年来，高分子环境材料节水新产品研发和农业应用试验示范较快，种类也较多样，但推广缓慢。除材料价格因素外，重要的问题之一是对不同高分子环境材料应用中的一些基础问题研究不足，包括不同类型高分子环境材料对土壤养分保持效应。对此，本文采用模拟试验方法，通过土壤一次施用高分子环境材料后，研究不同类型高分子环境材料对磷保持效果，为促进高分子环境材料应用，揭示其作用机理提供参考。

一、材料与方法

（一）试验材料

供试高分子材料 3 种：A 为聚丙烯酸盐类高分子材料，唐山博亚科技集团有限公司提供；B 为有机－无机复合类高分子材料，山东胜利油田长安集团聚合物公司提供；C 为多功能类高分子材料，中国矿业大学（北京）研制；试验以不施用高分子材料处理为对照。

肥料选用：磷肥选用磷酸二氢钠（分析纯），氮肥选用尿素和碳铵（分析纯）。土壤为北京通州永乐店水科所节水实验站田间表土，土质为沙壤土，土壤容重 1.39g/cm^3，田间持水量 19.3%，pH 值为 7.50，EC 值为 0.28ms/cm。

（二）试验方法

盆栽模拟试验设计：在土壤中施用不同类型高分子材料和肥料，分 8 次浇水淋溶，收集每次浇水后土壤淋溶液，测定淋溶液中磷量，比较不同类型材料对肥料的效应。

试验装置：选用口径 12cm、深 15cm 的塑料烧杯为土柱，盆地垫 200 目滤布封底，盆下面钻有直径 1cm 小孔，可使土壤淋溶液漏出；在土盆下面安置一个收集淋溶液容器。

高分子材料处理：按照高分子材料类型和肥料设 8 次处理，每次处理 3 个重复。高分子材料用量按照土壤干重的 0.2% 施加。

肥料施用：氮肥分别采用尿素和碳铵品种，代表目前生产中应用的主要氮肥类别，用量按照 1g 氮/kg 土，磷肥为磷酸二氢钾，用量：0.5gP_2O_5/kg 土。

水分处理：每次供水分两步进行：第一步，向土盆中加水，使土壤达到饱和田间持水量，这时土盆的重量相同，静置 1d 使水肥充分融合；第二步，向土盆中加 300ml 水淋溶，收集 48h 内淋溶液，测定淋溶液 pH、EC 和总磷含量等指标；然后，将淋溶后的土盆在室温下培养 5～6d，测定每天水分蒸发变化，直到处理的水分降低到土壤田间持水量 40% 左右再进行下一次浇水处理。

（三）指标与测定方法

土壤淋溶液的体积直接用量筒测量。淋溶液中总磷采用钼锑抗比色法[11]。

二、结果与分析

（一）不同高分子材料对土壤磷素淋溶的影响

土壤中的磷以有机态和无机态存在，其中无机磷酸盐有水溶性、弱酸溶性和难溶性 3 种类型。在一定条件下可互相转化。在石灰性土壤中，施水溶性磷肥（如过磷酸钙）被植物吸收，是土壤中磷肥的有效形态，但也易与土壤中钙离子结合，生成性质稳定的难溶磷酸钙等，降低了磷的有效性。淋溶液总磷累积淋溶量变化（图 1）看出，4 次浇水使土壤中水溶性磷已淋失 90% 以上。

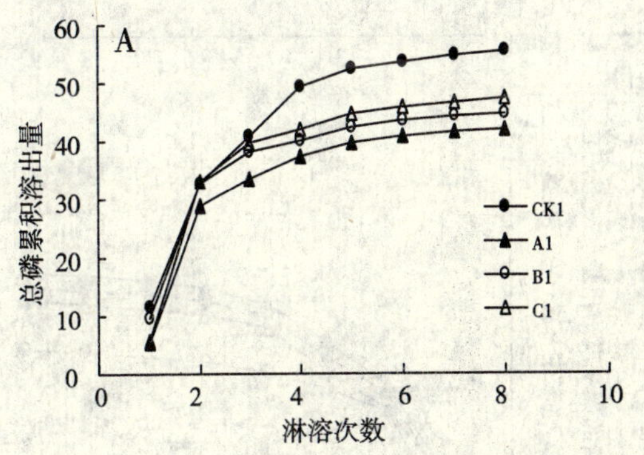

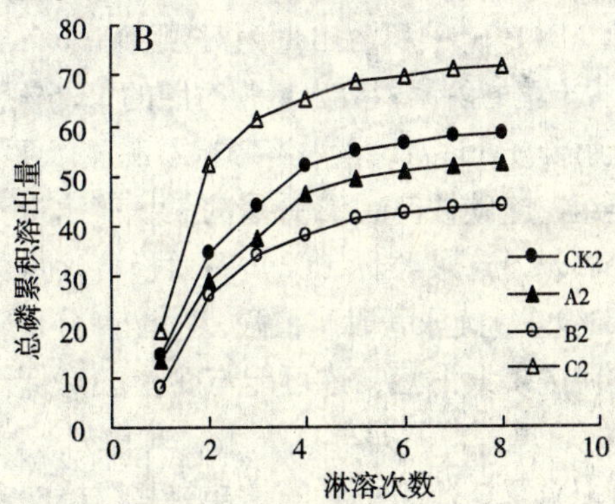

图 1　淋溶液中水溶性磷的累积淋溶量

1. 碳铵组磷淋溶的影响

图 1 - A 表明，高分子材料使土壤磷淋失量均低于对照 CK1，且随淋溶次数增加更显。第 1 次淋溶后，CK1 的磷淋溶量占施肥总量 5.4%，A、B、C 高分子材料处理磷的淋溶量分别占施肥量的 2.42%、4.40%、2.68%；第 2 次浇水，磷淋失量最高，均比第 1 次淋失量高 2.5 倍以上；从第 3 次淋溶开始，磷素淋失量下降；第 8 次淋溶后，A1、B1 和 C1 及 CK1 磷累积淋失量分别占施磷总量的 19.3%、20.5%、21.7% 和 25.4%，施高分子材料处理的 A1、B1 和 C1 分别比

CK1 减少 23.9%、19.1%、14.5%。

在施碳铵组中，三种高分子材料对磷素均有较好保持作用，其中聚丙烯酸钠盐类对磷保持效果较好，有机－无机复合类效果次之，腐植酸多功能类效果较差；前 3 次浇水后，不同处理磷的淋溶量差距较大，从第 4 次后磷的淋溶量差距逐渐减小，累积淋溶量差值趋于平稳。说明高分子材料对磷素具有先保持、后释放的效应。也就是对磷素具有缓释和调节的效能。

2. 尿素组磷淋溶量的影响

图 1－B 表明。第 1 次浇水后各处理淋溶量都比较大，A2、B2、C2、CK2 处理淋溶液磷量分别占施量的 6.1%、3.7%、8.9%、6.5%，施腐植酸多功能类高分子材料的 C2，磷淋失量高出 CK 达到 237%，其他施处理均比 CK2 较低，多次浇水淋溶这一规律不变，说明腐植酸具有明显的促磷作用，这和以往研究结果一致[11]。第 2 次浇水，磷素淋失量同样为历次最高，均比第 1 次淋失量高 2.2 倍以上；从第 3 次浇水开始，磷淋溶量逐渐降低；到第 8 次淋溶时 A2、B2、C2、CK2 处理磷累积淋溶量分别占施肥总量 24.1%、20.2%、32.9% 和 26.7%；A2、B2 分别比对照处理 CK2 少 10.0%、24.3%，C2 处理比 CK2 多 22.8%。因此，施尿素组，有机－无机复合类高分子材料对磷的保持效果较明显，聚丙烯酸盐类效果较差，腐植酸多功能类对磷具有促进作用。

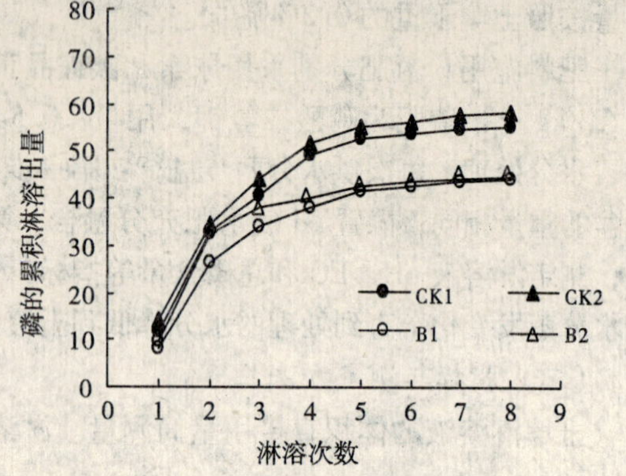

（二）同种高分子材料对磷的保持效果比较

图 2 看出，土壤中施不同种类氮肥影响高分子材料对磷肥效应。其中，聚丙烯酸钠盐 A 组，施碳铵时（A1）磷累积溶出量为对照的 76.1%，施尿素（A2）时磷累积溶出量为对照的 90.0%，施碳铵处理较施用尿素减少 19.8%；有机－无机复合高分子材料组，施碳铵时（B1）磷累积溶出量为对照 80.9%，施尿素（B2）中土壤的磷累积溶出量为对照的 75.6%，施尿素与施用碳铵处理对磷素淋溶影响不明显；腐植酸多功能类组，施碳铵时（C1）磷的累积溶出量为对照的 85.5%，施尿素时（C2）磷累积溶出量为对照的 122.9%，施尿素时腐植酸多功能高分子材料能有效促进磷素淋溶，这可能与腐植酸降低土壤 pH 有关。

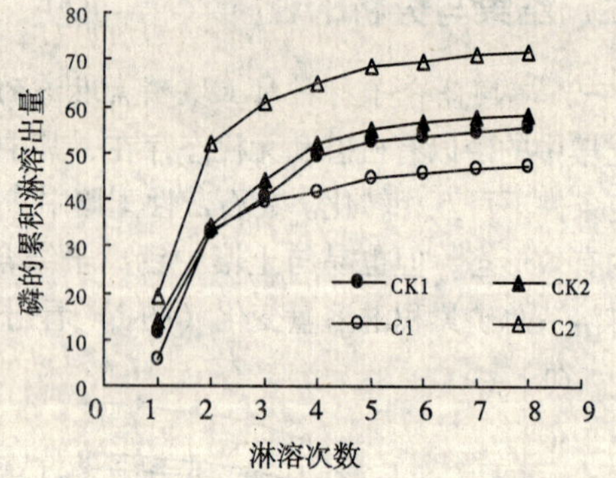

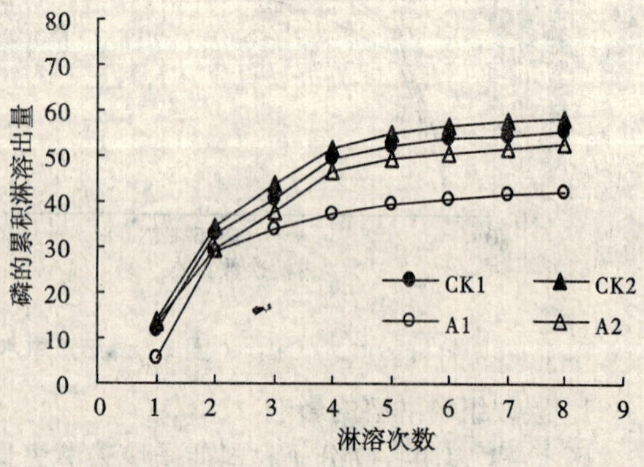

图 2　高分子材料对不同氮肥下土壤磷素的淋溶效果

可以看出，施聚丙烯酸钠盐类和腐植酸多功能类高分子材料的土壤，碳铵同磷肥一起施用有利于磷肥效提高；施有机－无机复合类材料的土壤，尿素或碳铵对磷肥的施用基本没有影响。施腐植酸多功能高分子材料，尿素与磷素配合更能有效促进磷素溶解和淋溶。

（三）土壤磷酸酶活性变化

磷酸酶是一类催化土壤有机磷化合物矿化的酶，其活性高低直接影响土壤中有机磷的分解转化及其生物有效性，还可作为评价土壤肥力水平高低的指标[13-17]。

测定第1、5、6次浇水后土壤碱性磷酸酶活性。图3看出，随浇水淋溶次数增加，土壤磷酸酶活性降低。第1次浇水后，施用尿素的土壤碱性磷酸酶活性与碳铵组相似，第5、6次略高于施用碳铵组；土壤施高分子材料后，土壤碱性磷酸酶活性降低。第5次浇水后，施碳铵组的聚丙烯酸盐类、有机－无机复合类、腐植酸多功能类高分子材料使磷酸酶活性分别降低28.92%、32.99%、27.17%；施尿素组，三种高分子材料分别降低磷酸酶活性26.87%、24.36%、17.20%，第6次浇水后规律类似。因此，可以认为，高分子材料加入使土壤无机磷溶出量大幅度减少，增加土壤磷酸酶产物浓度，抑制土壤磷酸酶活性改变。

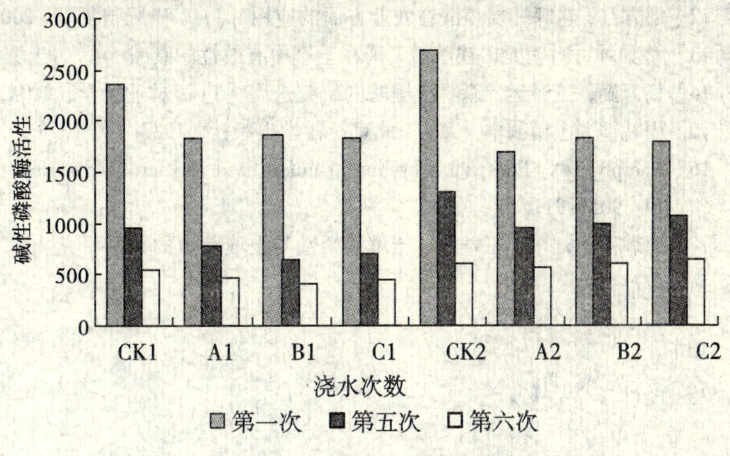

图3 不同浇水淋溶合后土壤磷酸酶活性

三、结论与讨论

1. 不同类型高分子材料对土壤磷肥效应不同，氮肥种类影响磷肥淋溶。土壤施碳铵，聚丙烯酸钠盐类和腐植酸多功能类都能明显减小磷肥淋溶，对磷肥的保持效果较好；有机－无机复合类高分子材料对在尿素下或碳铵下，对磷素保持效果都很明显。腐植酸多功能类高分子材料在尿素下，有明显促进磷肥淋溶，这在实际生产中具有重要应用价值。

2. 土壤施高分子材料后，土壤碱性磷酸酶活性降低。施碳铵组，有机－无机复合类高分子材料的土壤碱性磷酸酶活性抑制效果明显，施尿素组，聚丙烯酸盐类和有机－无机复合类高分子材料对土壤碱性磷酸酶活性的抑制效果也明显。腐植酸多功能类高分子材料使土壤磷酸酶活性降低幅度较其他两种材料低。

参考文献

[1] 王莉晶，高晓蓉，孙嘉怡，等. 土壤解磷微生物作用机理及解磷菌肥对作物生长影响［J］. 安徽农业科学，2008（14）：5948－5950.

[2] 杨文龙，杨常亮. 滇池水环境容量模型研究及容量计算结果［J］. 云南环境科学，2002（9）：20－23.

[3] 全为民，严力蛟. 农业面源污染对水体富营养化的影响及其防治措施［J］. 生态学报，2002（3）：291－299.

[4] 李同杰，刘晶晶，刘春生，等. 磷在棕壤中淋溶迁移特征研究［J］. 水土保持学报，2006（4）：35－39.

[5] 黄占斌，朱书权，张铃春，等. 保水剂在农业改土节水中的效应研究［J］. 水土保持研究，2004，11（3）：57－60.

[6] Silberbush M, Adar E, De Malach Y. Use of an hydrophilic polymer to improve water storaye and availability to crops grown in sand dunes［J］. I Com Irrigated by Trickling. Agricultural Water Management, 1993（23）：303－313.

[7] Terry R E, Nelson S D. Effects of polyacrylamide and irrigation method on soil physical properties［J］. Soil Sci., 1996（141）：317－320.

[8] Wood house J, Johnson M S. Effect of super absorbent polymers on survival and growth of crop seedlings［J］. Agricultural Water Management, 1991（20）：63－70.

[9] 张富仓，康绍忠. BP保水剂及其对土壤与作物的效应［J］. 农业工程学报，1999，15（2）：74－78.

[10] 王曰鑫，侯宪文．腐植酸对土壤中无机磷活化效应的研究［C］．第四届全国绿色环保肥料新技术、新产品交流会论文集，2004.

[11] 张行峰．实用农化分析［M］．北京：化学工业出版社，2005.

[12] 邢方红，赵辉．腐植酸在农业方面的应用［J］．磷肥与复肥，2005，20（5）：77－78.

[13] 鲁如坤，时正元，钱承梁．磷在土壤中有效性的衰减［J］．土壤学报，2000（8）：323－329.

[14] 杨万勤，王开运．森林土壤酶的研究进展［J］．林业科学，2004，40（2）：152－160.

[15] 周礼恺．土壤酶学［M］．北京．科学出版社，1987.

[16] Aharply A N. Phosphorus cycling in unfertilized and fertilized agricultural soils［J］. Soil Sci. Soc. Am，1985，49：905－911.

[17] 邱莉萍，刘军，王益权．土壤酶活性与土壤肥力的关系研究［J］．植物营养与肥料学报，2004，10（3）：277－280.

嗜酸氧化亚铁硫杆菌在环境工程领域的应用现状

朱艳彬　时启立　杨钱华　夏　露　柳建设

（东华大学环境科学与工程学院　上海　201620）

摘　要　嗜酸氧化亚铁硫杆菌（*Acidihiobacillus ferrooxidans*，简称 *A. ferrooxidans* 菌）是化能自养型好氧嗜酸中温菌。*A. ferrooxidans* 菌最初应用于低品位铜矿、铀矿的生产，现已发展应用于生产金、锌、钴等多种金属。随着对该菌研究的深入，*A. ferrooxidans* 菌在环境工程领域的应用也日益广泛，包括：工业废气脱硫、酸性矿坑废水治理、煤炭脱硫、含重金属污泥处理以及生物聚合铁制备等方面。

一、嗜酸氧化亚铁硫杆菌生物特性

嗜酸氧化亚铁硫杆菌（*Acidihiobacillus ferrooxidans*，简称 *A. ferrooxidans* 菌），是由 Temple 和 Colmer 发现并命名的。*A. ferrooxidans* 菌属微生物中原核生物界、化能营养原核生物门、细菌纲、硫化细菌科、硫杆菌属。其形态呈圆头短杆状，长 1.0 ~ 2.0 μm，宽 0.5 ~ 0.8 μm，端生鞭毛，能活泼运动，属革兰氏阴性。*A. ferrooxidans* 菌在 9K 固体培养基上呈红棕色菌落，在硫代硫酸盐培养基上呈中央黄色，外周白色的菌落。菌落直径很小，0.1 ~ 0.3cm，圆形，于显微镜下观察，在 9K 培养基中菌体呈近球杆状，在硫代硫酸盐培养基中呈杆状[1]。*A. ferrooxidans* 菌一般有以下 4 个特点：①化能自养型，通过氧化 Fe^{2+} 或还原态的硫化物获得生长和生命活动的能量。以 CO_2 作为细胞的碳源，N 和 P 也是细胞必要的营养，同时微量元素 Mg^{2+}、Ca^{2+}、Na^{+} 也是必需的。②专性好氧。③嗜酸，在 pH 值为 1.0 ~ 6.0 都可以生长，最佳酸度为 2. 0 ~ 2. 5。④中温菌，生长温度在 20 ~ 40 ℃，最佳的温度在 33℃附近。*A. ferrooxidans* 菌生长过程中活性与生长速率取决于温度、酸度、盐度、营养物（包括碳源、氧源等）及有害物质的质量浓度等条件。

二、嗜酸氧化亚铁硫杆菌在环境工程中应用

目前，*A. ferrooxidans* 菌在化工、石油、钢铁工业中去除 H_2S 的研究正被人们所关注。*A. ferrooxidans* 菌最初应用于低品位铜矿、铀矿的生产，现在已经发展应用于生产金、锌、钴等多种金属。随着它在矿业中应用的日益广泛以及对该菌研究的深入，*A. ferrooxidans* 菌在环境工程中的应用研究也日益广泛，主要集中在以下几个方面。

（一）工业废气脱硫

工业废气中，H_2S 是一种有毒、有害的气体。目前，*A. ferrooxidans* 菌在化工、石油、钢铁工业中去除 H_2S 的研究正被人们所关注。*A. ferrooxidans* 菌除去 H_2S 的原理可分为以下两个步骤：

$$H_2S + Fe_2(SO_4)_3 \rightarrow 2FeSO_4 + H_2SO_4 + S\downarrow \text{（化学吸附）} \tag{1}$$

$$2FeSO_4 + 1/2O_2 + H_2SO_4 \xrightarrow{\text{A. ferrooxidans}} Fe_2(SO_4)_3 + H_2O \text{（生物氧化）} \tag{2}$$

日本钢管公司京滨制造所用氧化亚铁硫杆菌的菌悬液可脱除废气中 99.97% 的 H_2S[2]。Pagella 和 Faveri[3] 设计了两段去除流量 100 L/h 含 H_2S 气体的工艺，出口的 H_2S 浓度低于仪器的检测下限。Maria E. A. G Oprime 等[4] 把 H_2S 的入口浓度降到 5mg/L（一般工业气体 H_2S 的浓度），4min 之内就有明显的除去效果。

生物脱去 SO_2 是近年来利用 *A. ferrooxidans* 菌的另一个热点，SO_2 通过含硫酸铁的溶液，在 *A. ferrooxidans* 菌作用下，生成的 $FeSO_4$ 被氧化成的 $Fe_2(SO_4)_3$ 重新参与反应。张永奎等[5] 利用 *A. ferrooxidans* 菌液在较低的标准状态液气比（12.5 L/m^3）下也能达到较高的脱硫率（>

98 %），在其他条件相近的情况下，细菌菌液与千代田法吸收液相比，其脱硫效率更高。宣群[6]等利用海藻酸钠作为 *A. ferrooxidans* 菌的载体，用上柱通气法测定其净化气相 SO_2 的能力，结果显示 SO_2 的除去效率最高达 97.01%。随着研究的深入，利用 *A. ferrooxidans* 菌脱硫必将为烟气脱硫提供一条新途径。

（二）处理酸性黄铁矿矿坑废水

黄铁矿酸性废水中含有大量的亚铁离子，同时还有铜、锌、锰、镉等多种金属离子，若不经处理直接排放会造成严重污染。常规处理用石灰中和，随着 pH 值升高，使亚铁离子水解沉淀，石灰耗量大，中和渣量多。由于 Fe^{3+} 相对于 Fe^{2+} 在较低 pH 值时就可以水解沉淀，因此可以先利用 *A. ferrooxidans* 菌将废水中的 Fe^{2+} 氧化为 Fe^{3+}，然后用碳酸钙作中和剂除铁。碳酸钙中和沉淀物沉降性好，污泥体积小，同时由于三价铁有良好的混凝效果，对废水中悬浮物有极好的除去效果。Teruyuki Umita[7] 等以阴离子树脂作 *A. ferrooxidans* 菌的载体，利用流化床处理日本一个废弃的矿坑废水，在水力停留时间 1h 的条件下，90% 的氧化率可以维持两个月，经过氧化的废水直接用碳酸钙中和，效果良好。T. A. Wood[8] 利用固定在沙粒上的 *A. ferrooxidans* 菌，通过填充床处理一矿坑废水，在稀释率为 0.64/h 条件下，10d 之后 95% ~99% 的亚铁得到氧化，氧化速率为 0.31 ~0.33g/（L·h），为后续的中和提供了有利条件。

（三）煤炭脱硫

煤炭中的硫主要是以黄铁矿和有机硫的形态存在。对于细粒黄铁矿和有机硫，现有的物理选煤方法无法进行有效的脱除，用化学方法虽然可去除 90% 以上的硫，但是反应需要高温条件，处理成本很高。用 *A. ferrooxidans* 菌可有效地去除黄铁矿中的硫，且反应条件温和、成本低。

煤炭中硫的脱除可以用以下反应来表示：

1. 直接作用

$$2FeS_2 + 7O_2 + 2H_2O \xrightarrow{\text{A. ferrooxidans}} 2FeSO_4 + 2H_2SO_4 \quad (3)$$

$$2S + 3O_2 + 2H_2O \xrightarrow{\text{A. ferrooxidans}} 2H_2SO_4 \quad (4)$$

2. 间接作用

A. ferrooxidans 菌氧化生成物中三价铁具有强氧化作用，可与黄铁矿发生反应：

$$FeS_2 + Fe_2(SO_4)_3 \rightarrow 3FeSO_4 + 2S \quad (5)$$

而 $FeSO_4$ 又可被氧化成 $Fe_2(SO_4)_3$，S 可被氧化成 H_2SO_4，从而形成一个循环，加快了 FeS_2 的溶解。

C. Acharya[9] 等研究了用 *A. ferrooxidans* 菌对印度拉贾斯坦邦的 3 种煤（Rajasthan lignite、Polish bituminous、Assam）的脱硫效果，通过优化实验条件，3 种煤最大脱硫效果分别为 91.81%、63.17% 和 9.41%。Anna Juszczak[10] 等研究了 *A. ferrooxidans* 菌对波兰的 Flame 煤的脱硫效果，通过优化各种因素在较短时间对低含硫煤可以达到 62% 的脱硫率。

（四）处理含重金属的污泥

生活污泥可作为肥料，一般应用于农业。可是，其中 Cu、Zn 等重金属离子对土壤环境存在污染问题。根据有关文献研究[11]，即使生活污泥中 Zn、Cu 等重金属离子不超过标准值，但在土壤中金属离子会产生 5 ~9 倍的累积，很快超标，仅有 1% 的金属离子被植物吸收。

在 *A. ferrooxidans* 菌作用下，污泥中以难溶性金属硫化物被氧化成金属硫酸盐而溶出，通过固液分离即可达到去除重金属的目的。周立祥等[12] 直接从污泥中分离出来一株高效 *A. ferrooxidans* 菌，采用此菌液对厌氧消化污泥中重金属进行生物淋滤，通过 4 ~10 d 时间的生物淋滤，污泥中 Cu、Zn、Cr 的去除率分别达 80 %、100 % 和 100 %。用 *A. ferrooxidans* 菌去除重金属离子效果明显，具有成本低、脱毒后污泥脱水性能好等优点，对城市污水处理厂的污泥的资源化处理有十分重要的意义。

（五）生物聚合铁

聚合铁是广泛应用的一种混凝剂，使用量日益增加。为克服化学法制备聚合铁污染严重、成本高的不足，实现资源的综合利用，刘海宁[13]等利用*A. ferrooxidans*菌和钛白副产物硫酸亚铁生产出聚合生物铁，产品酸度低（2.1~2.3），盐基度高（23%~25%），对低温低浊度水有独特处理效果，在吉林市某热电厂中的实践应用效果良好。

赵以恒[14]等人利用恒化器研究了生物聚合铁（BPFS）的制备，具有连续制备工艺简单，反应容易控制，成本低，对pH适应范围宽，用量少等优点，具有很好的应用前景。为了克服制备生物聚合铁时反应速度偏慢的缺点，唐正霞[15]等利用塑料多面空心球作为*A. ferrooxidans*菌的载体，结果显示生物聚合铁的膜法制备相对于悬浮制备有明显的优势，在不同的料液与原液比R下，速度提高了25.9%~82.2%，显著提高了设备的利用率。但通过生物制备的聚合铁的质量达不到国内现有聚合铁的产品质量指标（$Fe^{3+}\leqslant 125\sim170$ g/L，$Fe^{2+}\leqslant 1$ g/L，密度1.25~1.50 kg/L），这是由于微生物的耐盐性限制了聚合铁的全铁量和密度值。

参考文献

[1] 耿冰，郑宇，邸进申．氧化亚铁硫杆菌的生物学特性研究进展［J］．生物技术，2004，14（2）：71－74.

[2] 王玮，屠传经，胡亚才．微生物烟气脱硫技术的展望［J］．环境污染与控制，1997，19（2）：28－30.

[3] Pagella C, De Faveri D M. H_2S gas treatment by iron bioprocess［J］. Chemical Engineering Science, 2000 (55): 2185－2194.

[4] Maria E. A. G Oprime, Oswaldo Garcia Jr, Arnaldo A Cardoso. Oxidation of H_2S in acid solution by Thiobacillus ferrooxidans and Thiobacillus thiooxidans［J］. Process Biochemistry, 2001, 37 (2): 111－114.

[5] 张永奎，王安．微生物处理含SO_2气体的试验研究［J］．环境工程，2001，19（5）：31－33.

[6] 宣群，肖文彦．降解低浓度二氧化硫废气的菌株分离及其固定化研究［J］．云南大学学报（自然科学版），2003，25（2）：157－160.

[7] Teruyuki Umita. Biological mine drainage treatment［J］. Resources, Conservation and Recycling, 1996 (16): 179－180.

[8] Wood T A, Murry K R. Ferrous sulphate oxidation using Thiobacillus Ferrooxidans cells immobilized on sand for the purpose of treating acid mine drainage［J］. Appl Microbiol Biotechnol, 2001 (56): 560－565.

[9] Acharya C, Kar R N. Bacterial removal of sulphur from three different coals［J］. Fuel, 2001 (80): 2207－2216.

[10] Anna Juszczak, Florian Domka. Microbial desulfurization of coal with Thiobacillus ferro oxidans bacteria［J］. Fuel, 1995, 74 (5): 728－728.

[11] Couillad D. Removal of metals and fate of N and P in the bacteria leaching of aerobically digested sewage［J］. Water Research, 1993, 27 (7): 1227－1235.

[12] 周立祥，王良梅．污水污泥中重金属的细菌淋滤效果研究［J］．环境科学学报，2001，21（4）：504－506.

[13] 刘海宁，关晓辉．钛白生产副产物硫酸亚铁的综合利用［J］．环境工程，2003，21（5）：74－76.

[14] 赵以恒，王淑英．生物聚合铁的制备及其除浊性能研究［J］．东北电力学院学报，2000，20（1）：45－48.

[15] 唐正霞，关晓辉．基于膜法的生物聚合铁的制备［J］．东北电力学院学报，2001，21（4）：46－49.

农药残留生物降解工程菌的构建、表达及其全细胞的应用

宋文丽[1,2]　杨继建[1,2]　张　衡[1,2]　乔传令[1]

（1. 中国科学院动物研究所农业鼠虫害综合治理国家重点实验室　北京　100101；
2. 中国科学院研究生院　北京　100049）

摘　要　许多农田受到农药残留的污染往往是有机磷（Organophosphates，OPs）和有机氯（Organochlorine，OCs）类农药的混合污染。本研究中，将构建的有机磷水解酶基因（mph）的质粒 pINCM 导入降解 OCs 的工程菌中，构建了能够同时降解 OPs 和 OCs 农药残留生物降解的工程菌。通过在大肠杆菌表面表达有机磷水解酶，使酶与底物充分接触提高了全细胞降解活性，并且该菌株能够高效表达 LinA，提高了对 OCs 的降解效率。同时，该工程菌通过融合绿色荧光蛋白发出的荧光以便于该工程菌在线监测中的应用。

关键词　有机磷降解　有机氯降解　甲基对硫磷水解酶　表面表达　生物修复

农药在全世界被广泛的应用。在许多地方存在农药的混合污染，例如有机磷（OPs）和有机氯（OCs）类农药的残留污染。其中，甲基对硫磷是有机磷类农药中使用广泛的一类[1]。在有机氯农药中，γ－hexachlorocyclohexane（γ－HCH；磷丹）曾经是使用极其广泛一类有机氯农药。由于它具有毒性和难降解性，因此在过去使用过的地方仍然存在污染。

由于微生物酶法解毒能够经济、有效的去除农药污染，因此引起了科学家们的广泛兴趣。本实验中应用的甲基对硫磷降解基因（mpd）是从降解有机磷的微生物中分离得到的，它能够水解大部分磷硫键类有机磷农药，因此得到广泛的研究[2,3]。编码 γ－hexachlorocyclohexane 脱氯化氢酶的基因 linA 是从降解 γ－hexachlorocyclohexane 菌 Sphingomonas paucimobilis UT26 中克隆得到的[4,5]，它能够分解 γ－hexachlorocyclohexane（γ－HCH）生成 1，2，4－trichlorobenzene（1，2，4－TCB），因此受到了极大的关注。

冰核活性蛋白（Ice Nucleation active Proteins，INPs）以其中心重复区域在结构上表现出高度保真性，是表现冰核活性最重要的范本[6,7]。用于细胞表面表达的锚定蛋白主要有 2 类：来源于 P. syringae KCTC1832 的 InaK 蛋白[8]和来源于 P. syringae INA5 的 InaV 蛋白[9]。

绿色荧光蛋白（Green Fluorescent Protein，GFP），可在蓝色波长范围的光线激发下，发出绿色荧光。它不需借助特异性辅助因子或外源底物[10]，能够用荧光显微镜和流式细胞仪检测[11]。在环境研究领域，应用 GFP 标记降解菌，评估菌在环境中的命运和活性变化[12,13]。

在前期工作中，我们构建了一株能够过表达 MPH 的工程菌株，成功地应用于气流式生物反应器中[14]。然而，通常农药污染是 OPs 和 OCs 多种农药的混合污染。为了解决这一问题，本研究构建了一株能够同时降解有机磷有机氯农药的工程菌株。该菌株表面表达 MPH 到细菌的表面，并且能够高效表达 LinA，提高了降解效率。而且，通过融合绿色荧光蛋白发出的荧光可以检测它在环境中的命运。

一、材料与方法

（一）大肠杆菌表面表达 MPH 质粒构建

参照参考文献［15］等。首先根据 Sphingomonas paucimobilis UT26 的 LinA 基因序列设计上游引物：5’－GACCATGGTGATGAGTGATCTAG－3’和下游引物：5’－GTAAGCTTTTATGCGC

CGGACG－3’，扩增 LinA 基因。而 GFP 基因用上游引物：5’ －GAGCTAGCATGGTGAGCAAGG GCGAGGAGC－3’以及设计的下游引物：5’ －TTGGATCCCTTGTACAGCTCGTCCATGCCGA G－3’扩增。经 PCR 扩增得到大小为 468bp 和 720bp 的 LinA 和 GFP 基因片段。分别经双酶切，然后连接到质粒 pETduet－1，得到重组质粒 pELG。该质粒分别经双酶切后，可得到预期大小的酶切片段（图1）。将构建的 pELG 和 pINCM 共转化大肠杆菌 BL21（DE3）菌株，筛选得到可表面展示 MPH 且双表达 LinA 和 GFP 的工程菌，即 BL21（DE3）/pINCM/pETLG。将对照质粒 pCPM 转化入大肠杆菌 BL21（DE3）得到的重组菌株命名为 BL21（DE3）/pCPM，该菌株可在细胞内经 IPTG 诱导表达有机磷水解酶蛋白。

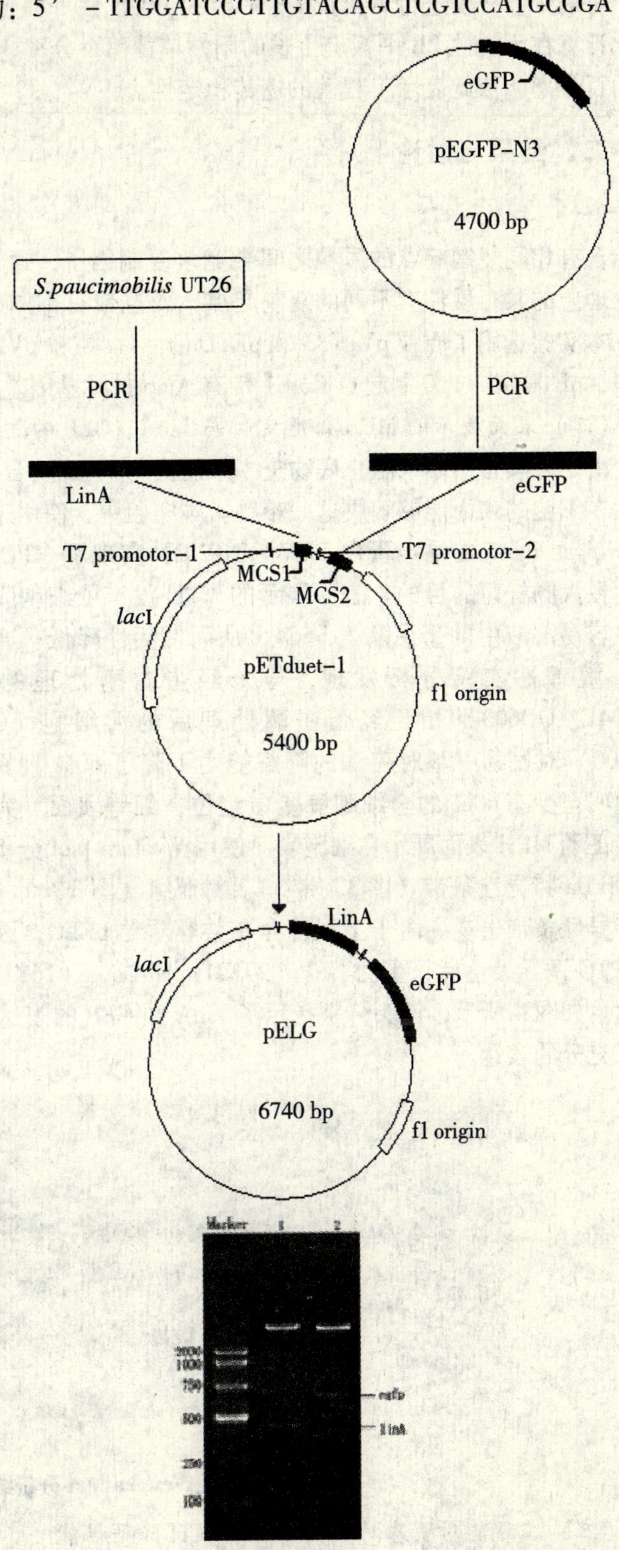

图1　质粒 pELG 的构建流程图和双酶切产物电泳图

（二）蛋白表达测定

Western－blotting 检测及蛋白酶 K 敏感性实验等方法参照文献[16]《分子克隆实验指南》第三版介绍的方法。

（三）全细胞 MPH 和 LinA 活性分析

MPH 水解底物（甲基对硫磷）生成的副产物对硝基酚（PNP）在 410nm 处具有最大光吸收，在紫外可见分光光度计（BeckmanDU－800）上 410nm 处测定 2min 内吸光值的变化（对硝基酚的摩尔消光系数＝17000/M·cm）。1 个 MPH 酶活单位（U）定义为每分钟水解 1μmol 甲基对硫磷所需细胞量。同时，设计条件优化表面展示 OPH 全细胞酶活力。

E. coli BL21（DE3）/pINCM/pETLG 在含双抗的液体 LB 中培养至对数前期用 IPTG 诱导，同时加入 HCH，定期取样，按上述方法处理后检测。

（四）质粒稳定性检验

每隔 24h 分别进行 1 次在 LB 平板和 LB 抗性平板的转接，分别计数各自生长的菌落总数，据此计算在无抗性 LB 平板上生长的阳性单菌落百分率，亦即工程菌在无抗性条件下携载外源质粒的百分率，依此表示工程菌的遗传稳定性。

二、结果与讨论

（一）工程菌的构建

含有相同复制起点的质粒之间会竞争复制因子，通常是不能够共存于同一细胞的[17,18]。因此，理想的共存质粒有不同的复制起点，而且带有不同的抗性基因利于筛选。为了达到上述要求，本实验选用了质粒 pVLT33 和 pETDuet－1。质粒 pVLT33 复制起点 RSF－1010 带有 Kam 抗性基因，pETDuet－1 复制起点 ColE1 带有 Amp 抗性基因。构建流程图见图 1。

（二）表面展示的 MPH 细胞定位与 LinA、GFP 的过表达

由于外膜蛋白结构阻止底物进入细胞内与 MPH 结合，全细胞的活性受到限制。将 MPH 表面表达在细胞的表面能够解决这一难题。本实验中，使用来源于 P. syringae INA5 的锚定蛋白 InaV（INPNC）实现了 MPH 表面表达在大肠杆菌的目的。表面展示的 MPH 没有了细胞膜的保护，容易溶液中的蛋白酶 K 降解，从而使活性降低。通过蛋白酶敏感性实验分析发现，与未经蛋白酶处理的细胞（2.04U/ OD600）相比经蛋白酶处理后的活细胞（0.8U/ OD600）对底物甲基对硫磷的降解能力下降了 60%（图 2），这说明至少有 60% 的全细胞酶蛋白定位在细胞表面。为了进一步证明 MPH 表面展示在细胞表面使用 Western blot 分析，得到 68kDa 特异性条带（图 3，带 3）。对照组（图 3，带 4）未有特异性条带出现。由于工程菌含有共容质粒 pELG，因此在经 IPTG 诱导表达后，蛋白 GFP（27KD）和 LinA（16KD）过表达。如图 4 所示，箭头分别指示了 LinA 和 GFP 的表达条带，说明质粒 pELG 在宿主细胞内得到了充分的表达。

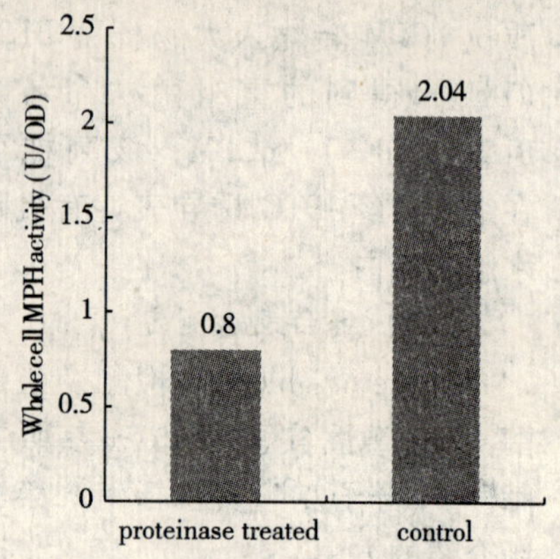

图 2　蛋白酶 K 处理结果对比

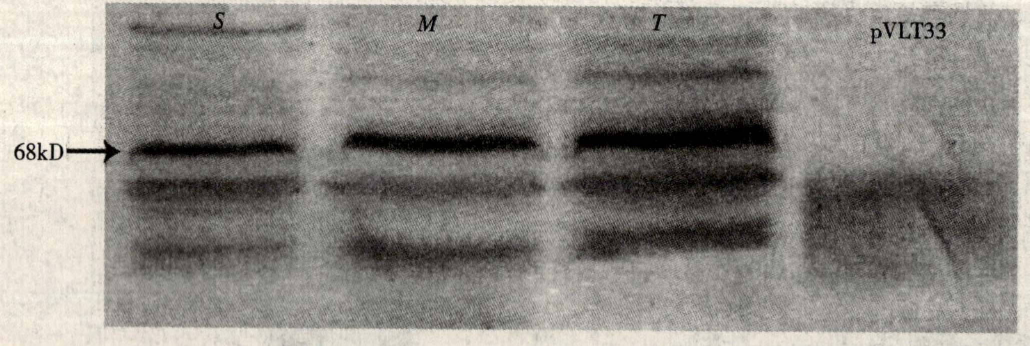

图 3　Western blot 分析结果图

（三）工程菌对甲基对硫磷和 γ－HCH 降解性能

融合蛋白需要通过蛋白质分泌来实现在细胞表面的转运定位，全细胞要获得最大酶活性就必须协调好蛋白质表达和蛋白质分泌的关系。影响蛋白质表达和融合蛋白转运定位的主要因素就是诱导剂量、诱导时间以及诱导温度。对这些因素进行单因素考察，结果发现当诱导浓度在

0.1mM 时，诱导温度在25℃时，诱导时间在8h 时全细胞 MPH 酶活性较高（图5A）。此条件下，表面表达的全细胞活性是胞内表达全细胞活性的8倍（图6A）。

大肠杆菌菌株中获得明显比胞内表达的更高的全细胞 MPH 活性的展示体系。分析其酶活提高的原因，可能在于以下两方面：一方面由于融合蛋白穿越细胞膜而定位于细胞表面，其全细胞催化活性由于锚定在细胞表面的融合蛋白 MPH 能与胞外的有机磷自由的结合，显著提高了全细胞的有机磷水解活性；另一方面，可能是由于宿主菌之间的差异性。INP 是一种分泌性蛋白，其表面锚定性能取决于其分泌活性的大小，但 INP 分子结构中并无明显的分泌信号序列，因此该蛋白是通过何种途径从细胞中进行分泌目前尚缺乏研究。不过，已在多种异源宿主中观察到所表达的 INP 可被分泌出细胞外，但分泌效率有差异，如不同大肠杆菌受体菌展示同一融合基因时出现展示效率差异较大[19]，甚至有些宿主菌（如 Morax el l a sp.）会产生生长抑制现象[20]。对于同一运载蛋白在不同宿主之间出现展示效率的差异性，目前尚难以解释，但一般认为，一个良好的细胞表面展示系统，其锚定单元、目标功能蛋白以及宿主菌之间必须处于一种相互协调的状态，这样细胞表面所展示的目标蛋白才能获得较高的生物学活性。尽管由于其遗传背景相对清楚和易于实现表达调控，各种大肠杆菌常被优先选择作为表达异源蛋白的受体菌，但是很明显在大肠杆菌中所进行的细胞表面展示体系大多只能作为一种模式报告体系。

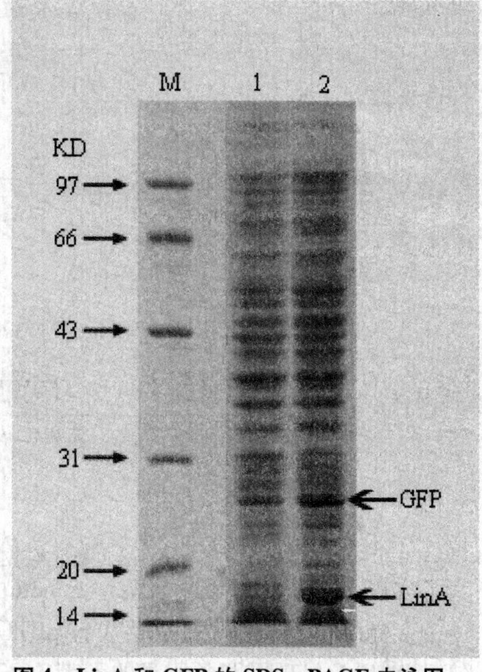

图4 LinA 和 GFP 的 SDS-PAGE 电泳图

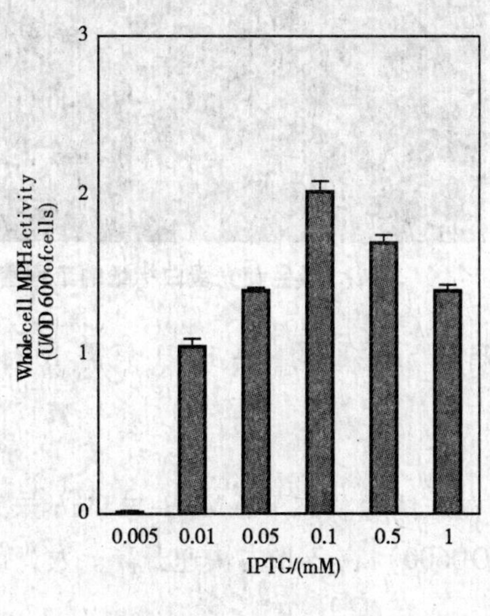

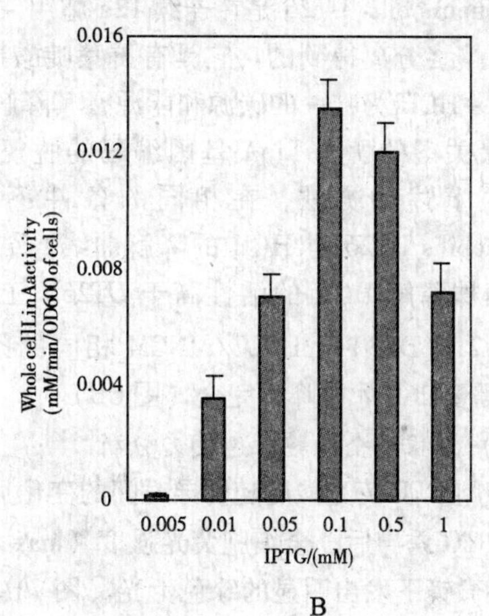

图5

A. 不同浓度 IPTG 诱导全细胞 MPH 活性变化；

B. 不同浓度 IPTG 诱导全细胞 LinA 活性变化

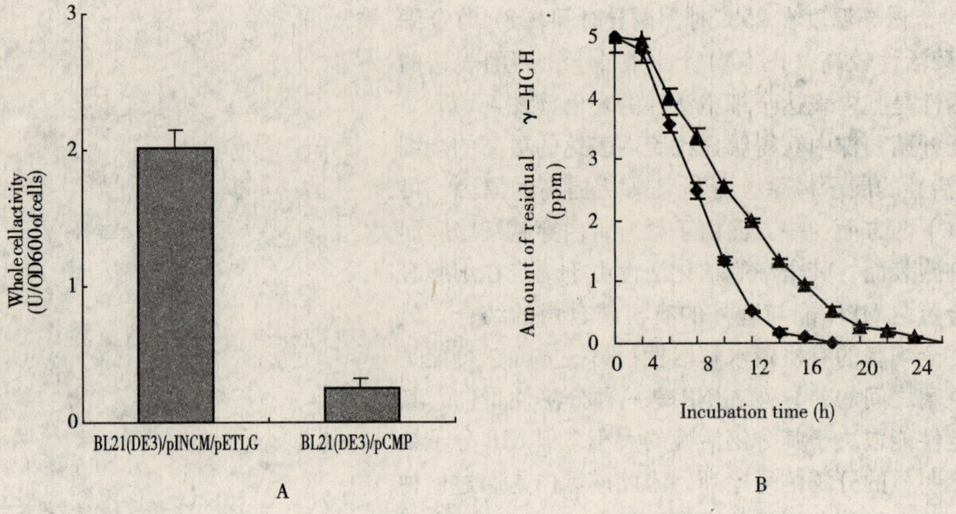

图 6

A. 全细胞 MPH 活性；B. 全细胞 LinA 活性

为了实现 γ－HCH 脱氯化氢酶在 E. coli 的高表达，LinA 基因克隆在高表达载体 pETduet－1 的第一个多克隆位点构建了高表达质粒 pETLG。IPTG 诱导表达含有质粒 pETLG 的工程菌 E. coli BL21（DE3）后，发现了两条明显的条带 16.7kD（LinA）和 27KD（GFP）（Fig. 4）。对工程菌 E. coli BL21（DE3）/pETLG/pINCM 降解 γ－HCH 效果进行了研究。工程菌株在 LB 培养基终培养至对数期，以 2% 的接种量接入到 γ－HCH 为 5mg/L 的 100mL 无机盐培养基中。30℃、180r/min 振荡培养。每隔 2h 取样，用正己烷提取后取 1μl 气谱测定。S. poucirnobilis UT26 是在连续 12a 施用－HCH 的旱地土壤终分离得到的。它具有抗萘啶酸抗性，它能以 γ－HCH 为唯一的碳源和能源，其降解 γ－HCH 的最关键的酶是 LinA 基因编码的脱氯化氢酶。参照上述的方法，在相同的条件下测定 S. poucirnobilis UT26 对 HCH 的降解曲线。结果发现工程菌株降解 HCH 的活性高于 UT26。工程菌 E. coli BL21（DE3）/pETLG/pINCM 相同的条件下降解 5mg/L 的 γ－HCH 只需 18h，野生菌 UT26 则需要 26h 才能降解完全（图 6B）。

图 7　绿色荧光蛋白标记的工程菌

（四）工程菌全细胞绿色荧光分析

全细胞 GFP 荧光强度随诱导时间的变化见表 1。在未诱导状态下，MPH 与 LinA 未表达。经 0.1mM IPTG 诱导后，全细胞荧光强度（max＝3800/OD600）在 24h 内快速升高。发光的工程菌在荧光显微镜下发出明显的绿色荧光（图 7）。

表 1　全细胞活性与 GFP 荧光分析

Post－induction（h）	Fluorescence intensity
0	56 ± 7
4	1979 ± 26
8	3648 ± 31
12	3800 ± 19

（五）质粒稳定性和酶活稳定性分析

将重组菌用连续点种法（每隔 24h 点种一次，每次为 1 代）继代培养，以分别检测所导入的质粒的稳定性。结果显示经连续 50 代培养，质粒的稳定性在 60% 以上（图 8）。此外，将培养后的细胞重悬在 PBS 溶液中，于 4℃ 连续放置 30d，细胞仍保持较高的活性，说明构建的工程菌有较高的稳定性和持效性。

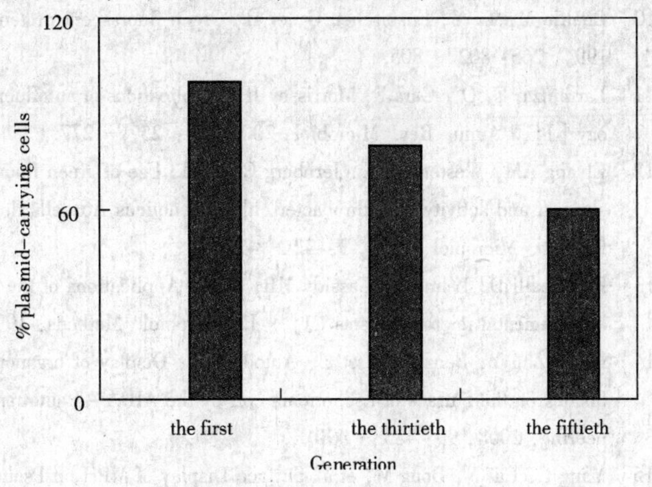

图 8　工程菌的质粒稳定性

本研究中，构建的工程菌就是能够同时降解有机磷（OPs）和有机氯（OCs）农药的工程菌。虽然在优化培养条件下具有相对较高的降解有机磷农药的全细胞酶活性，但鉴于工程菌必须经 IPTG 诱导后，才能完成在细胞内的表达和细胞表面的定位和展示；工程菌所携带的质粒上含有抗生素抗性基因，因而不能在环境中直接释放；大肠杆菌受体菌抗逆性较差等原因，从这一体系发展到具有实用性的全细胞催化剂尚有待于进一步的工作。

三、结　论

利用冰核蛋白 InaV 的 N 端和 C 端结构域作为锚定单元，把 MPH 表面展示在大肠杆菌表面。同时，利用质粒兼容性原理构建了质粒 pELT，构建了同时降解有机磷和有机氯的工程菌。该菌株经 IPTG 诱导后，全细胞 SDS－PAGE 发现工程菌表达了分子量为 68kd 的融合蛋白。对全细胞酶活性分析发现工程菌在 20℃，添加 IPTG 至终浓度为 0.1mmol 诱导 8h，可获得全细胞最高酶活性。与胞内表达大肠杆菌相比，大肠杆菌细胞表面展示的 MPH 的最高酶活性高了 8 倍；与野生菌 Sphingomonas paucimobilis UT26 相比，γ－HCH 的降解活性也得到了提高。

参考文献

[1] Kumar S, Mukerji KG, Lal R. Molecular aspects of pesticide degradation by microorganisms [J]. Crit Rev Microbiol, 1996, 22: 1 - 26.

[2] Mulbry WW, Karns JS. Parathion hydrolase specified by the Flavobacterium opd gene: Relationship between the gene and protein [J]. J Bacteriol, 1988, 171: 6740 - 6746.

[3] Dumas DP, Caldwell SR, Wild JR, et al. Purification and properties of the phosphotriesterase from Pseudomonas diminuta. [J]. J Biol Chem, 1989, 264: 19659 - 19665.

[4] Imai R, Nagata Y, Fukuda M, et al. Molecular cloning of a Pseudomonas paucimobilis gene encoding a 17 - kilodalton polypeptide that eliminates HCl molecules from gamma - hexachlorocyclohexane [J]. J. Bacteriol, 1991, 173: 6811 - 6819.

[5] Thomas JC, Berger F, Jacquier M. Isolation and characterization of a nowel hexachlorocycloh - exa ne degrading bacterium [J]. J bacterial, 1996, 178: 6049 - 6055.

[6] Kozloff, L. M., M. A. Turner, F. Arellano. Formation of bacterial membrane ice - nucleation lipoglycoprotein complexes [J]. J Bacteriol, 1991, 173: 6528 - 6536.

[7] Wolber PK. Bacterial ice nucleation [J]. Adv. Microb. Physiol, 1993, 34: 203 - 237.

[8] Jung G, Denefle P, Becquart J, et a1. High - cell density fermentation studies of recombinant E. coli strains expressing human interleukin - 1 [J]. Ann. inst. Pasteur Microbio. 1998, 139: 129 - 146.

[9] Schmid D, Pridmore D, Capitani G, et al. Molecular organization of the ice nucleation protein InaV from Pseudomonas syringae. [J] . FEBS Lett. 1997, 414: 590 - 594.

[10] Chalfie M, Tu Y, Euskirchen G, et al. Green fluorescent protein as a marker for gene expression [J] . Science, 1994, 263: 802 - 805.

[11] Larrainzar E, O' Gara F, Morrissey JP. Applications of autofluorescent proteins for in situ studies in microbial ecology [J] . Annu. Rev. Microbiol, 2005, 59: 257 - 277.

[12] Elvang AM, Westerberg K, Jernberg C, et al. Use of green fluorescent protein and luciferase biomarkers to monitor survival and activity of Arthrobacter chlorophenolicus A6 cells during degradation of 4 – chlorophenol in soil [J] . Environ. Microbiol, 2001, 3: 32 - 42.

[13] Errampalli D, Leung K, Cassidy MB, et al. Applications of the green fluorescent protein as a molecular marker in environmental microorganisms [J] . J. Microbiol. Methods, 1999, 35: 187 - 199.

[14] Li C, Zhu Y, Benz Inga, et al. Autodisplay: Display of organophosphorus hydrolase and green fluorescent protein fusions on the Surface of Escherichia coli by the AIDA – I autotransporter pathway [J] . Biotechnology and Bioengineering, 2008, 99: 485 - 490 .

[15] Yang C, Cai N, Dong M, et al. Surface Display of MPH on Pseudomonas putida JS444 Using Ice Nucleation Protein and Its Application in Detoxification of Organophosphates [J] . Biotechnology and Bioengineering, 2008, 99: 30 - 37.

[16] J. 萨姆布鲁克，E. F. 弗里奇，T. 曼尼阿蒂斯. 分子克隆实验指南 [M] . 北京：科学出版社，1996: 881.

[17] Novick, R. P. Plasmid incompatibility [J] . Microbiol. Mol. Biol. Rev. 1987, 51: 381 –395.

[18] Austin S and Nordstrom K. Partition – mediated incompatibility of bacterial plasmids [J] . Cell, 1990, 60: 351 - 354.

[19] Kaneva I, Mulchandani A, Chen W. Factors Influencing Parathion Degradation by Recombinant Escherichia coli with Surface Expressed Organophosphorus Hydrolase. Biotechnology Progress [J] . 1998, 14: 275 - 278.

[20] Shimazu M, Mulchandani A, Chen W. Cell Surface Display of Organophosphorus Hydrolase Using Ice Nucleation Protein [J] . Biotechnology Prog ress, 2001, 17: 76 - 80.

膨润土和腐殖质对毒死蜱和三唑磷的吸附及影响因素

朱丽珺[1]　张　维[2]　赵　蓉[2]　杨　聪[2]　毕　峰[2]

（1. 南京林业大学理学院　江苏　南京　210037；
2. 南京林业大学森林资源与环境学院　江苏　南京　210037）

摘　要　膨润土和腐殖质是土壤的重要成分，拥有复杂的结构和多种功能基团，对农药具有强烈的吸附作用。采用平衡法研究膨润土和腐殖质对毒死蜱和三唑磷的吸附规律及影响因素。结果表明，腐殖质对两种农药的吸附能力大于膨润土，毒死蜱和三唑磷在腐殖质上的吸附行为用 Freundlich 模型和 Langmuir 模型描述均适用，膨润土对两种农药的等温吸附线可用 Langmuir 模型拟合。混合吸附剂对两种农药的吸附平衡时间分别为：毒死蜱 12h，三唑磷 6h。腐殖质与膨润土比例分别达 12% 和 14% 时对两农药吸附趋于饱和，吸附为自发的放热过程，且 pH 为 6.0，温度为 15℃时，吸附效果最佳。

关键词　膨润土　腐殖质　毒死蜱　三唑磷　吸附

毒死蜱（chloryrifos）和三唑磷（triazophos）同为有机磷光谱性杀虫剂。2007 年，随着甲胺磷、对硫磷等 5 种高毒有机磷农药的禁用，取而代之的毒死蜱、三唑磷、乙酰甲胺磷等中等毒性的农药，高效、低毒、低残留农药已逐渐成为农户选择的主导产品[1]。前人对毒死蜱和三唑磷的研究主要集中在土壤、果蔬中的残留分析[2-5]，对蜜蜂、鱼类等有益生物的毒性分析[6-9]，在土壤中的迁移降解以及对地下水的污染等方面[10-12]。在土壤有机农药污染修复方面，国内外多是将膨润土或是用表面活性剂改性膨润土作吸附剂[13-16]，将膨润土和腐殖质结合起来用于土壤有机农药污染修复的研究鲜见报道。本文通过气相色谱分析，结合膨润土 2:1 型层状结构和腐殖质多官能团易吸附的特点，探求毒死蜱和三唑磷在两种吸附剂上的吸附规律，并寻求能最大限度吸附两种农药的膨润土和腐殖质的最佳混合比，以期能为土壤有机农药污染修复研究提供一种新的思路。

一、材料与方法

（一）试验材料

供试农药：毒死蜱农药标准品（农业部环境保护科研监测所，100μg/ml）；三唑磷农药标准品（农业部环境保护科研监测所，100μg/ml）；40% 毒死蜱乳油；40% 三唑磷乳油；内标物：正十四烷（色谱纯）。

供试膨润土：上海市四赫维化工有限公司生产，理化参数见表 1。

表 1　供试膨润土的基本理化性质[17]

胶质价/（ml/g）	膨胀容/（ml/g）	膨润值/（ml/g）	pH	CEC/（cmol/kg）	纯度/%
36.9	21.2	14.7	9.77	57.6	99.95

供试腐殖质：由褐煤中提取（山西灵石县两渡灵峰化工厂提供），pH 为 5.25，CEC 为 162.08cmol/kg[18]。

（二）试验方法

1. 分析方法

采用平衡振荡法[19]：称 0.5g 吸附剂于一系列 50ml 离心管，分别加入不同质量浓度（0.1mg/ml、0.5mg/ml、1.0mg/ml、1.5mg/ml、2.0mg/ml、2.5mg/ml）农药甲醇溶液 25ml，用

0.01mol/l 的 NaOH 溶液和 HCl 溶液调 pH 至 6.0，摇匀，在 25℃ ±1℃下恒温震荡 24h 后，在 3000r/min 下离心分离 15min，取 5ml 上清液，用正已烷萃取 2 次，合并萃取液，加入 1ml 正十四烷内标液，测定农药含量。实验过程中均采用 2 个重复样和 1 个空白样。

膨润土和腐殖质的不同混合比（腐殖质: 膨润土 = 2%、4%、6%、8%、10%、12%、14%、16%、18%、20%）和时间（0.5h、1.0h、1.5h、2.0h、2.5h、3.0h、4.0h、5.0h、6.0h、12.0h、18h、24h、36h、48h）、pH（2.0、3.0、4.0、4.5、5.0、5.5、6.0、6.5、7.0、7.5、8.0、9.0）、温度（15℃、25℃、35℃）对农药吸附的影响与步骤与上述实验类似，只是时间因素实验按一定时间间隔取出液相，取出液为 2.0ml。

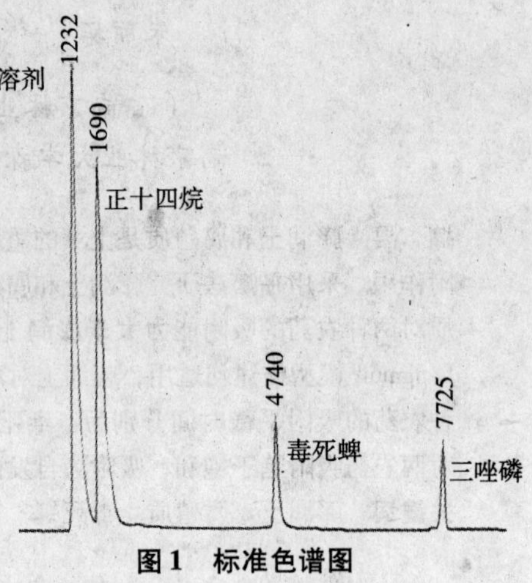

图1　标准色谱图

2. 测定方法

GC－3420 气相色谱仪（北京北分瑞利分析仪器有限责任公司）；色谱柱：AE. SE －54（30m ×0.25mm ×0.33μm）；柱温：初始温度 210℃，保持 1min，以 10℃/min 升温至 250℃，保持 3min；再以 20℃/min 升温至 280℃，并保持 2min；进样器温度：230℃，分流进样，分流比：10∶1，进样量：1.0μl；检测器温度：250℃；载气：氮气（纯度 99.999%），流速：3ml/min；氢气流速：5ml/min；空气流速：200ml/min；尾吹气流速：30ml/min；在上述色谱条件下，正十四烷保留时间为 1.690min，毒死蜱保留时间为 4.748min；三唑磷保留时间为 7.723min。标准色谱图如图 1 所示。

二、结果与讨论

（一）吸附等温线

毒死蜱和三唑磷在供试混合吸附剂上的吸附等温线如图 2 所示。由图可知，毒死蜱和三唑磷在腐殖质上的吸附量随平衡浓度的增大而增加，说明腐殖质对这两种非离子型农药有较强的亲和性；而毒死蜱和三唑磷在膨润土上的吸附量随平衡浓度的增加逐渐达到饱和。两种吸附剂吸附特性的差异主要与腐殖质和膨润土的结构和农药的基团有关，如腐殖质中的羟基与毒死蜱的磷酸酯形成氢键[20]，腐殖质骨架中的苯环可能会与毒死蜱中吡啶基 π 电子重叠而形成共轭[21]，都有利于毒死蜱在腐殖质上的吸附；膨润土具有大量可供交换的亲水性无机阳离子，使黏土矿物表面存在一层薄的水膜[22]，因而不能有效吸附非离子型农药，但是膨润土具有较大的层间距，能增加对有机物的吸附。

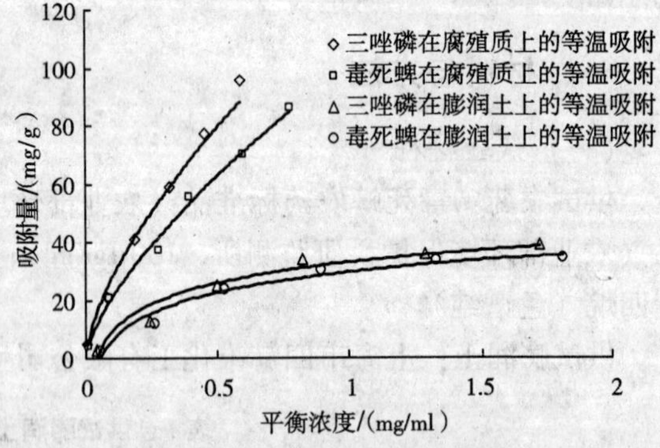

图2　毒死蜱和三唑磷分别在腐殖质和膨润土上的吸附等温线

实验结果分别用 Freundlich 模型和 Langmuir 模型进行回归分析，建立方程见表 2。从表 2 中可以看出，Langmuir 等温吸附式可很好地描述毒死蜱和三唑磷在膨润土上的吸附行为，拟合效果都达到显著水平；而腐殖质对毒死蜱和三唑磷的吸附，两种吸附式拟合度均较好。

表2　毒死蜱和三唑磷分别在膨润土和腐殖质上的等温方程拟合

吸附剂	农药	Freundlich 方程		Langmuir 方程[1]	
		$G = K_d \cdot C_e^{1/n}$	R^2	$1/G = (1/K \cdot G_m) / C_e + 1/G_m$	R^2
膨润土	毒死蜱	$G = 28.995\ C_e^{0.8288}$	0.9431	$y = 2.68 \times 10^{-2}x + 1.3 \times 10^{-3}$	0.9957
	三唑磷	$G = 32.987\ C_e^{0.7506}$	0.9571	$y = 1.93 \times 10^{-2}x + 1.21 \times 10^{-2}$	0.9989
腐殖质	毒死蜱	$G = 100.35\ C_e^{0.6858}$	0.9964	$y = 2.3 \times 10^{-3}x + 1.41 \times 10^{-2}$	0.9963
	三唑磷	$G = 127.11\ C_e^{0.6474}$	0.9989	$y = 1.2 \times 10^{-3}x + 1.54 \times 10^{-2}$	0.9924

注：(1) Langmuir 方程为 $G = G_m C_e / (C_e + 1/K)$，将方程两边求倒数即转化为线性形式。

（二）不同混合比的膨润土和腐殖质对两种农药的吸附

图3表明混合吸附剂对三唑磷的吸附大于毒死蜱，且随着腐殖质在混合吸附剂中比重的增加，对两种农药的吸附逐渐增加。当腐殖质含量达12%时，对三唑磷的吸附趋于饱和；腐殖质含量为14%时，对毒死蜱吸附趋于饱和。虽然腐殖质对两种农药的吸附效果较膨润土好，但随着腐殖质含量增加，单位质量腐殖质的吸附量反而减少，且腐殖质含量高时，体系呈酸性，亦不利于农作物的生长。

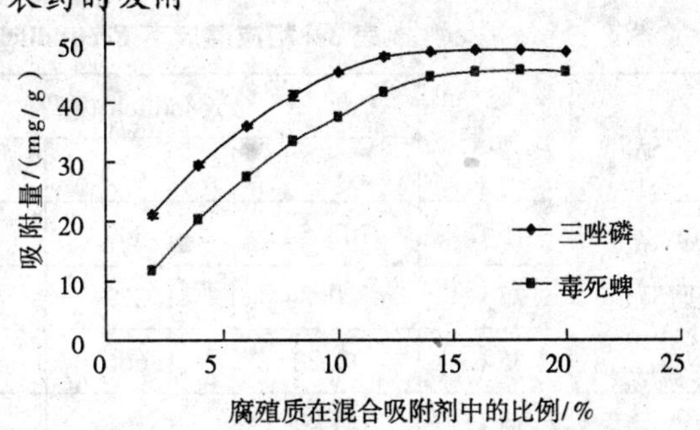

图3　不同混合比的膨润土和腐殖质对两种农药的吸附

（三）混合吸附剂吸附农药的影响因素

1. 时间对混合吸附剂吸附两种农药的影响

由图4可知，两种农药在混合吸附剂上的吸附可分为2个阶段：前期吸附量迅速增加，后期吸附速率减慢，随着吸附时间的延长，毒死蜱在12h时达到平衡，三唑磷在6h时达到平衡。吸附过程是一个由迅速扩散和缓慢扩散构成的双速过程[23,24]，在吸附前期，农药分子首先附着在混合吸附剂表面并向阻力小的大孔隙迅速扩散，因而曲线迅速上升且吸附了大部分农药；当农药分子进一步从大孔隙向微孔扩散时，由于受到狭窄孔径所产生的很大阻力，从而变得较为缓慢，曲线趋于平坦。

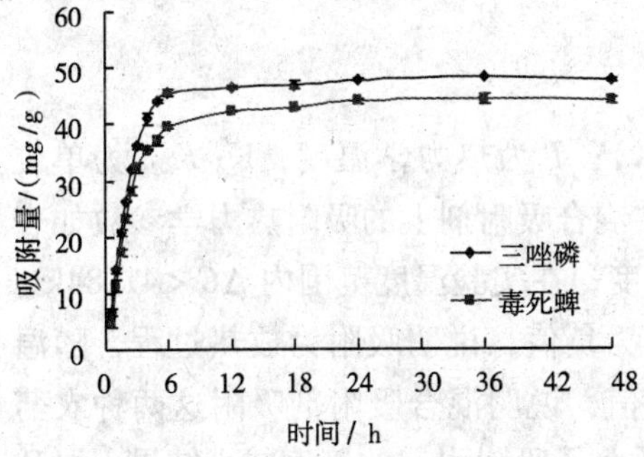

图4　时间对混合吸附剂吸附毒死蜱和三唑磷的影响

2. pH对混合吸附剂吸附两种农药的影响

非离子农药可通过H键吸附在混合吸附剂上而与pH有一定关系，同时，在水存在条件下农药可发生水解反应，因此pH对农药在腐殖质和膨润土上的吸附影响较为复杂。由图5可知，在实验pH（2.0~9.0）范围内随着pH的增加，混合吸附剂对毒死蜱和三唑磷的去除率均呈现先降低后升

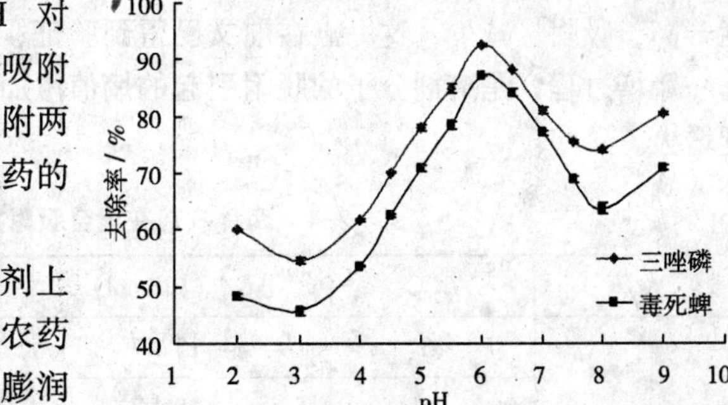

图5　pH值对混合吸附剂吸附毒死蜱和三唑磷的影响

高，再降低再升高的趋势。这是由于在酸性或碱性条件下，毒死蜱和三唑磷会发生水解，从而导致农药的去除率在 pH 在 3.0 和 8.0 时出现拐点；当 pH 为 6.0 时，两种农药较稳定，此时的去除率可视为混合吸附剂对农药的吸附率，且达到最大值（87.1% 和 92.6%）。

3. 温度对混合吸附剂吸附两种农药的影响

表 3 显示出混合吸附剂对两种农药的吸附符合 Freundlich 模型，由不同温度下 K_f 值比较结果发现，两种农药的吸附常数 K_f 值随着温度的升高而下降，这表明混合吸附剂对农药的吸附能力随温度逐渐减小。这可以从两方面来分析：①随着温度升高，农药的水解作用，对吸附量产生负效应；②随着温度升高，腐殖质表面吸附活性增大，对吸附量产生正效应[25]。根据前人的研究[26,27]，毒死蜱和三唑磷的水解符合一级反应动力学的特征，即农药的降解速率与体系中农药含量的一次方成正比，所以吸附能力随温度升高而减小主要是农药水解所致。

表 3　相应温度下 Freundlich 与 Langmuir 方程的拟合

农药	温度	Freundlich 模型			Langmuir 模型		
		K_f	n	R^2	K	G_{max}	R^2
毒死蜱	15℃	102.54	1.349	0.9991	17.09	53.19	0.9835
	25℃	100.84	1.229	0.9990	4.433	75.18	0.9951
	35℃	98.22	1.666	0.9963	2.523	90.09	0.9938
三唑磷	15℃	141.89	1.166	0.9941	21.62	57.80	0.9851
	25℃	127.45	1.616	0.9930	9.624	64.94	0.9884
	35℃	126.28	1.432	0.9979	3.189	123.46	0.9973

混合吸附剂对毒死蜱和三唑磷的吸附热力学参数如焓变（ΔH）、熵变（ΔS）及 Gibbs 自由能函数变（ΔG）可以通过下式计算[28]：

$$\ln K_f = \frac{\Delta S}{R} - \frac{\Delta H}{RT}$$

$$\Delta G = -RT\ln K_{OM}$$

$$K_{OM} = 100K_f/OM\%$$

式中：R 为热力学气体常数，数值为 8.314J/（mol·K）；T 为热力学温度，K；K_{OM} 为单位土壤有机质的吸附常数；K_f 为吸附常数。毒死蜱和三唑磷在混合吸附剂上的吸附热力学参数如表 4 所示。吸附自由能 ΔG 值可以反映吸附反应自发进行的程度，在实验温度范围内 $\Delta G < 41.84$kJ/mol 且均为负，说明反应是自发进行的物理吸附[29,30]；ΔH 为负值，说明吸附为放热过程，随温度升高，吸附量减少，这一点在前文已得到验证；ΔS 为正值，说明混合吸附剂吸附这两种农药是一熵增过程，是溶剂分子的脱附引起的熵值增加大于溶质分子吸附引起的熵值减小结果，混乱度增大。

表 4　两种农药在混合吸附剂上吸附的热力学参数

农药	T/℃	ΔG/（kJ/mol）	ΔH/（kJ/mol）	ΔS/（J/mol·K）
毒死蜱	15	−15.47		
	25	−15.97		
	35	−16.40		
			−1.58	33.02

农药	T/℃	ΔG/（kJ/mol）	ΔH/（kJ/mol）	ΔS/（J/mol·K）
三唑磷	15	-16.94	-4.34	26.01
	25	-17.26		
	35	-17.82		

三、结　论

1. 腐殖质和膨润土对两种农药均有较强的吸附能力，且腐殖质对农药的吸附能力大于膨润土，农药在腐殖质上的吸附行为可用 Freundlich 模型和 Langmuir 模型描述，膨润土对两种农药的等温吸附线可用 Langmuir 模型拟合。

2. 两种农药的吸附量随着腐殖质与膨润土质量比的增加而逐渐增加，且对三唑磷的吸附大于毒死蜱。腐殖质与膨润土质量比分别为12%和14%时，混合吸附剂对三唑磷和毒死蜱的吸附趋于饱和。

3. 混合吸附剂对两种农药吸附的平衡时间分别为：毒死蜱 12h，辛硫磷 6h，吸附过程可用双速率扩散模型来解释。

4. pH 对农药在腐殖质和膨润土上的吸附有影响，pH 在 3.0～8.0 范围内，农药的去除率呈现峰形，且 pH 为 6.0 时混合吸附剂对两种农药去除效果最佳；过酸或过碱溶液体系中，毒死蜱和三唑磷会发生水解反应。

5. 温度为 15℃时毒死蜱和三唑磷在混合吸附剂上的吸附量最大，且随着温度升高，混合吸附剂的吸附能力逐渐降低。通过计算不同温度各热力学参数 ΔG、ΔH 和 ΔS，从理论上证实该吸附为一自发的放热过程。

参考文献

[1] 单正军．农用化学品环境安全评价与监测技术［M］．北京：中国环境科学出版社，2008：19－20.

[2] 汪立刚，蒋新，颜冬云，等．土壤中残留毒死蜱的作物效应［J］．环境科学，2006，27（2）：366－370.

[3] Canty M N, Hagger J A, Moore R T B, et al. Sublethal impact of short term exposure to the organopgosphate pesticide azamethiphos in the marine mollusk mytilus edulis［J］. Marine Pollution Bulletin, 2007, 54：369－402.

[4] 梁俊，赵政阳，李海飞，等．苹果中毒死蜱残留降解动态研究［J］．农业环境科学学报，2008，27（6）：2461－2466.

[5] 陈振德，袁玉伟，陈雪辉，等．毒死蜱在韭菜中的残留动态研究［J］．安全与环境学报，2006，6（6）：41－43.

[6] 龚道新，郑丽英，杨仁斌，等．水土和柑橘中三唑磷残留量的气相色谱分析方法研究［J］．农业环境科学学报，2004，23（5）：1034－1036.

[7] 余向阳，赵于丁，王冬兰，等．毒死蜱和三唑磷对斑马鱼头部 AchE 活性影响及在鱼体内的富集［J］．农业环境科学学报，2008，27（6）：2452－2455.

[8] Shimp J F, Tracy J C, Davis L C, et al. Beneficial effects of plants in the remediation of soil and groundwater contaminated with organic materials［J］. Environ. Sci. Technol., 1993, 23（1）：41－77.

[9] 吴声敢，王强，赵学平，等．毒死蜱和甲氰菊酯对家蚕毒性与安全评价研究［J］．农药科学与管理，2003，24（9）：11－14.

[10] 郭华，朱红梅，杨红．除草剂草萘胺在土壤中的降解与吸附行为［J］．环境科学，2008，29（6）：1729－1736.

[11] 赵华，徐浩，叶兴祥．甲胺磷和三唑磷在稻田中的降解迁移及吸附研究［J］．农业环境科学学报，2005，

24（2）：284－288.

[12] 谢慧，朱鲁生，王军，等．真菌 WZ－Ⅰ对有机磷杀虫剂毒死蜱的酶促降解［J］．环境科学，2005，26（6）：164－168.

[13] 丁运生，王僧山，查敏，等．有机阳离子在蒙脱土层间的物理化学吸附与聚集状态［J］．物理化学学报，2006，22（5）：548－551.

[14] M. J. Sanchez－Martin，M. S. Rodriguez－Cruz，M. S. Andrades，M. Sanchez－Camazano. Efficiency of different clay minerals modified with a cationic surfactant in the adsorption of pesticides：Influence of clay type and pesticide hydrophobicity［J］．Applied Clay Science，2006，（31）：216－228.

[15] Sheng G，X wang，S Wu，S A Boyd. Organic Chemicals in the Environment：Enhanced Sorption of Organic Contaminants by Smectitic Soils Modified with a Cationic Surfactant［J］．Environ. Qual.，1998，27：806－814.

[16] 杨成建，曾清如，廖柏寒，等．非离子表面活性剂对有机磷农药在沉积物上的吸附行为影响［J］．环境化学，2006，25（2）：159－163.

[17] 朱丽珺．不同林分类型土壤及主要组分对重金属的吸附特征研究［D］．南京林业大学，2007，6：30.

[18] 朱丽珺，张金池，宰德欣，等．腐殖质对 Cu^{2+} 和 Pb^{2+} 的吸附特征［J］．南京林业大学学报，2007，4（31）：74.

[19] 国家环境保护局．化学农药环境安全评价试验准则［M］．1989：13－15.

[20] 陈飞霞，魏沙平，魏世强．毒死蜱在不同土壤腐殖酸上的吸附/解吸特征［J］．环境污染与防治，2006，28（11）：818－821.

[21] 许端平，陈洪，曹云者，等．多环芳烃菲在不同土壤及其组分中的吸附特征研究［J］．农业环境科学学报，2005，24（4）：625－629.

[22] 沈培友，徐晓燕．黏土矿物在环境修复中的研究进展［J］．中国矿业，2004，13（1）：47－50.

[23] 傅献彩，沈文霞，姚天扬，等．物理化学（第四版）［M］．北京：高等教育出版社，1997：961－978.

[24] 吴应琴，周敏，马明广，等．不溶性腐殖酸吸附对硝基苯胺的动力学研究［J］．水处理技术，2009，33（2）：15.

[25] 魏沙平，李红陵，陈飞霞，等．酸性紫色土腐殖酸对毒死蜱的水解和吸附作用［J］．生态环境，2007，16（1）：36－40.

[26] Lin K D，Yuan D X，Deng Y Z. Hydrolytic products and kinetics of triazophos in buffered and alkaline solutions with different values of pH［J］．Journal of Agricultural and Food Chemistry，2004，52：5404－5411.

[27] 田芹，周志强，江树人，等．毒死蜱在环境水体中降解的研究［J］．农业环境科学学报，2005，24（2）：289－293.

[28] Freitas A F，Mendes M F，Coel Ho G L V. Thermodynamic study of fatty acids adsorption on different adsorbents［J］．The Journal of Chemical Thermodynamics，2007，39（7）：1027－1037.

[29] 杨克武，安凤春，莫汉宏．单甲脒在土壤中的吸附［J］．环境化学，1995，14（5）：431－435.

[30] 黄贱苟，徐满才，李海涛．非水体系中大孔交联酰胺基树脂的吸附热力学［J］．物理化学学报，2003，19（3）：208－211.

一株高效好氧反硝化菌的选育、鉴定及其脱氮特性

曾庆梅　司文玫　李志强　靳　靖　吴　聪　魏春燕　黄博英

（合肥工业大学农产品生物化工教育部工程研究中心　合肥　230009）

摘　要　分别从污水处理厂活性污泥、化肥厂土壤以及农田土壤中取样，经交替使用两种培养基对污泥进行驯化、驯化过程中驯化液连续梯度稀释、平板画线分离及颜色指示剂快速反硝化效果检测等步骤，筛得一株高效的好氧反硝化菌。经初步鉴定该菌株为鲁氏不动杆菌，命名为DN－S。其对起始硝酸盐氮浓度为166.05 mg/L的废水，72 h后去除率高达99.8%，指数期平均硝酸盐氮去除速率为8.2 mg－N/L/h，反硝化过程中未出现亚硝酸盐氮的积累，硝酸盐氮被转化为以N_2为主的含氮气体。DN－S也可高效利用氨氮和亚硝酸盐氮，是一株同步硝化反硝化菌。反硝化条件实验发现高的溶氧量可以促进其反硝化效果；其最佳C/N比为9～12。

关键词　好氧反硝化　同步硝化反硝化　分离　鉴定

氮素污染是引起水体富营养化的重要原因之一[1]，传统生物脱氮理论认为，氮的去除需要硝化和反硝化两个相互独立的过程来实现。然而近年来人们在多个脱氮反应器中发现同步硝化反硝化现象的存在[2]，一些好氧反硝化菌株也被人们筛选出来[3-8]。部分好氧反硝化菌，如*Pseudomonas sp.*，*Alcaligenes faecalis*，*Thiosphaera pantotropha*等，同时也是异养硝化菌。与传统的生物脱氮相比，好氧反硝化具有能缩短脱氮历程，节省碳源，降低动力消耗，提高处理能力，简化系统的设计和操作等优点，因而越来越受到人们的关注，目前已成为一个研究热点[9]。本文经一系列步骤，筛得一株高效的好氧反硝化菌，鉴定了其种属，并对其脱氮特性进行了考察，以对其走向生产实践提供指导。

一、材料与方法

（一）材料

1. 菌株来源：取自合肥市内多家污水处理厂活性污泥、化肥厂内土壤及市郊农田土壤。

2. 培养基：①FM培养基[10]：牛肉膏1.0 g，蛋白胨5.0 g，KNO_3 1.0 g，蒸馏水1000 ml；②反硝化驯化培养基：柠檬酸三钠5.0 g，KNO_3 1.2 g，$MgSO_4 \cdot 7H_2O$ 0.2 g，KH_2PO_4 1.0 g，K_2HPO_4 3.0 g，NaCl 0.5 g，微量元素溶液[11]（剔除了EDTA，下同）1ml，蒸馏水999 ml。固体培养基按1.6%的浓度另加入纯化琼脂粉；③硝酸盐培养基：柠檬酸三钠9.0 g，KNO_3 1.0 g，$MgSO_4 \cdot 7H_2O$ 0.2 g，KH_2PO_4 1.0 g，K_2HPO_4 3.0 g，NaCl 0.5 g，微量元素溶液1 ml，蒸馏水999 ml；④亚硝酸盐培养基：氮源改为$NaNO_2$ 0.8 g，其余组分同硝酸盐培养基；⑤异养硝化培养基：氮源改为NH_4Cl 0.7 g，其余组分同硝酸盐培养基。

3. 主要试剂和仪器：主要试剂购自上海国药集团化学试剂有限公司。VITEK2系统（生物梅里埃公司U.S.A），紫外可见光分光光度仪（UV—1600型，北京瑞利分析仪器公司），紫外透射分析仪（上海精科实业有限公司），生化培养箱（HSP—2500型，上海精宏实验设备有限公司），冷冻干燥机（北京博医康实验仪器有限公司），扫描电镜系统（JSM－6490LV型，日本电子公司），QIC—20质谱仪（北京英格海德分析技术有限公司）。

（二）高效好氧反硝化菌株的分离纯化

1. 好氧反硝化菌的驯化、富集：将不同来源的土样充分混匀，取1g土盛有200 ml驯化培养基的500 ml锥形瓶中，恒温回旋培养。温度设为30℃，转速200 r/min。驯化以3 d为一周期。每一周期结束将瓶中培养液静置沉淀片刻，然后取出部分菌液置于另一干净锥形瓶中，加新鲜驯

化培养基补足至 200 ml，继续驯化。取出的菌液按驯化周期渐次从 50 ml 递减至 10 ml，补充的培养基也相应由开始的 150 ml 增加至驯化末期的 190 ml。用这种方法以保证开始并不占优势的好氧反硝化菌在稀释过程中得到生长，并逐渐成为优势菌。驯化培养基由 FM 培养基和反硝化驯化培养基复配而成，驯化开始阶段用 100% 的 FM 培养基，随着驯化时间的延长，每一驯化周期渐次减少 10% 的 FM 培养基，而增加 10% 的反硝化驯化培养基，直至全部用反硝化驯化培养基驯化，用这种方法完成好氧反硝化菌的定向富集。驯化期间定期用二苯胺—硫酸试剂[12]检测硝酸盐氮去除情况，用格里斯试剂[12]检测 $NO_2^- - N$ 生成情况，当驯化菌液在滴加二苯胺—硫酸试剂后呈无色时，则表示驯化过程完成。

2. 好氧反硝化菌的纯化、分离：按林燕等人[13]的方法进行。

3. 液体培养基考察各菌株的反硝化能力：经分离纯化，共得到 23 株菌。将它们分别接入硝酸盐培养基，摇床培养。3 d 后取两支清洁试管，两支均加菌液 1 ml。往第一支加入 1 ml 二苯胺—硫酸试剂，若出现蓝色沉淀，则说明硝酸盐氮有残留，另一支试管不用测试，该菌株淘汰；若呈无色，则说明该菌株去硝酸盐氮较彻底，接着往另一支试管加入 2ml 格里斯试剂，若有酒红色沉淀生成，则说明有亚硝酸盐氮产生；若加格里斯试剂呈无色，则说明无亚硝酸盐氮生成。用这种方法选出 4 株脱硝酸盐氮较彻底且产亚硝酸盐氮较少的菌株。再将这 4 株菌的培养液取出适量经离心，用分光光度法定量检测各菌液中硝酸盐氮残留量，选出一株硝酸盐氮残留量最少的菌株。

（三）菌株的形态与生理生化鉴定

1. 形态学鉴定：对筛得菌株进行革兰氏染色，在光学显微镜下观察其形态，并对菌株做扫描电镜观察[14]。

2. 生理生化鉴定：依据《常见细菌系统鉴定手册》[15]进行。

3. VITEK 微生物分析仪鉴定：由安徽出入境检疫检验局鉴定。

（四）反硝化特性研究

除特别说明外，以下实验用容器为 500 ml 锥形瓶，培养基装量为 200 ml。接入菌株后 30℃、转速 200 r/min 摇床培养。

1. 生长曲线测定：硝酸盐培养基中接入菌株后定时检测培养基的 OD_{600}。

2. 脱氮速率特征曲线测定：接入菌株后定时检测硝酸盐培养基中总氮（包括无机态氮和菌株同化的有机态氮）、亚硝酸盐氮、硝酸盐氮浓度，计算其好氧反硝化速率。

3. 菌株在异养硝化培养基中的代谢情况考察：接入菌株后定时检测培养基中氨氮、亚硝态氮、硝态氮浓度，考察菌株能否利用氨氮进行异养硝化作用。

4. 菌株在亚硝酸盐培养基中代谢情况考察：接入菌株后定时检测培养基中亚硝态氮、硝态氮浓度，考察菌株能否利用亚硝态氮进行好氧反硝化作用。

5. 菌株以硝态氮为氮源时产生的气体分析：在一 500 ml 的血清瓶中，加 100 ml 的硝酸盐培养基，灭菌，接入菌株，往瓶中通入纯氧气，置换其中空气，密塞，摇床培养，96 h 后抽取瓶中气体分析，并与空白培养基比较，考察气体成分的变化。

6. 溶氧量对菌株反硝化效果的影响：将菌株接入硝酸盐培养基，通过改变摇床转速来改变培养基中的溶氧量。转速分别设为 0 r/min、50 r/min、100 r/min、150 r/min、200 r/min、250 r/min，分别在 0 h 和培养 48 h 时检测不同转速下培养基中硝酸盐氮的浓度。

7. C/N 比对菌株反硝化效果的影响：改变硝酸盐培养基中碳源柠檬酸钠的量，使 C/N 比分别为 3、6、9、12、15，将菌株分别接入，30℃、转速 200 r/min 摇床培养。定时检测培养基中硝酸盐氮浓度的变化。

（五）分析方法

NH_4^+ - N 采用纳氏试剂光度法；NO_2^-—N 采用 N -（1 - 萘基）- 乙二胺光度法；NO_3^-—N 采用酚二磺酸光度法[16]；气体用 QIC - 20 质谱仪检测。

二、结　果

（一）菌株的分离纯化

将适量污水处理厂活性污泥、化肥厂内土壤和市郊农田土壤充分混合，取 1.0 g 该混合土样驯化。经约 4 个月驯化和 5 ~ 6 轮画线分离，获得能在好氧反硝化固体培养基上生长的菌株 23 株。将这些菌株分别接入硝酸盐培养基，培养后经指示剂和分光光度法检测，获得一株高效的好氧反硝化菌，命名为 DN - S。

（二）菌株 DN - S 的形态与生理生化鉴定

1. 形态学鉴定：DN - S 在固体培养基上培养 2 d 后形成菌落为灰褐色或灰白色、圆形、不透明、中间有凸起。革兰氏染色阴性。细胞呈杆状，无芽孢，不运动，大小为（0.4 ~ 0.5）μm ×（1.0 ~ 2.0）μm，扫描电镜图片如图 1（A）、（B）所示。

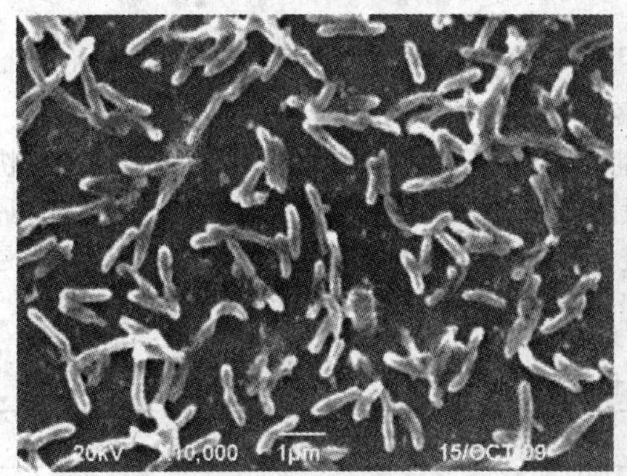

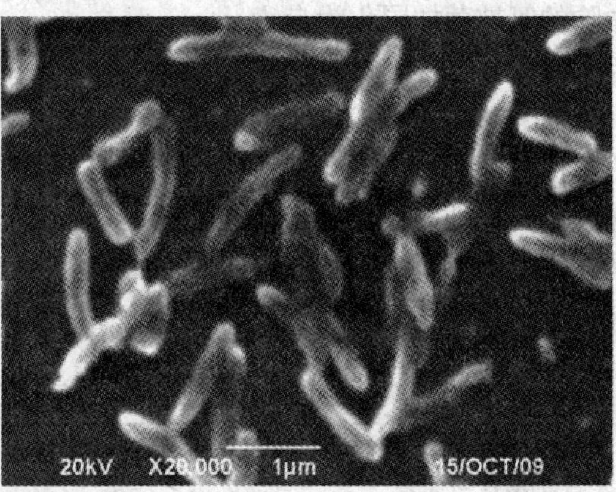

图 1　菌株 DN - S 扫描电镜照片（A）（10000 ×）和扫描电镜照片（B）（20000 ×）

2. 生理生化鉴定：DN - S 不利用葡萄糖发酵，氧化酶阴性、接触酶阳性，能利用硝酸盐为氮源，不需生长因子。依据《常见细菌系统鉴定手册》初步判定为不动杆菌属（*Acinetobacter sp.*）。

3. VITEK 全自动细菌鉴定系统鉴定

DN - S 经 VITEK2 全自动细菌鉴定系统鉴定为鲁氏不动杆菌（*Acinetobacter lwoffii*）（可能性 98%）。

（三）菌株 DN - S 的硝化特性

1. 生长曲线

菌株在硝酸盐培养基中培养时生长曲线如图 2 所示。由图可知，菌株在大约 14 h 后进入指数生长期，50 h 后进入稳定期。

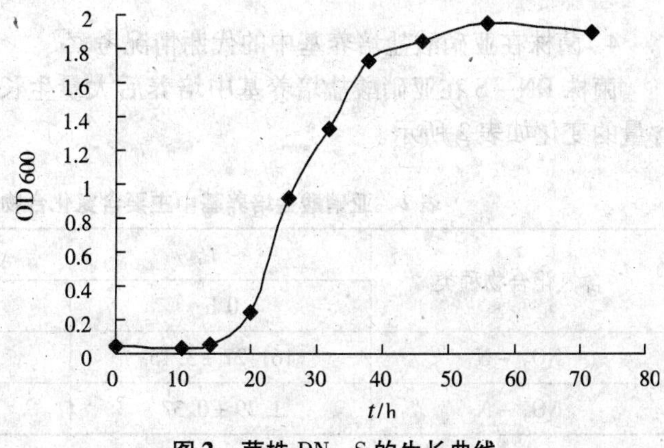

图 2　菌株 DN - S 的生长曲线

2. 脱氮特征曲线

菌株在硝酸盐培养基中培养时脱氮速率特征曲线如图 3 所示。由图可以看出，前 14 h 菌株处于反硝化的延滞期，14 h 后硝酸盐氮浓度迅速下降。14 h 时硝酸盐氮浓度为 148.62 mg/L，32 h 时已降为 1.03 mg/L，18 h 的平均降解速率为 8.2 mg－N/L/h，结合生长曲线，表明硝酸盐氮降解主要发生在其指数期。在 72 h 后硝酸盐氮降解为 0.32 mg/L，降解率为 99.8%。菌株在好氧反硝化过程中亚硝酸盐氮积累量一直较低，在指数前期略有积累，最高为 14 h 的 7.34 mg/L，然后迅速下降，稳定期一直维持在 0.1 mg/L 以下。TN（总氮）浓度的下降稍迟于硝酸盐氮浓度的下降，说明在指数初期硝酸盐氮浓度的下降是被菌株用来合成自身组成物质。在 20 h 后 TN 浓度迅速下降，20 h 时 TN 浓度为 164.29 mg/L，38 h 下降为 88.43 mg/L，整个过程中 TN 去除率为 48.3%，未去除的氮被菌株同化为自身组成物质。

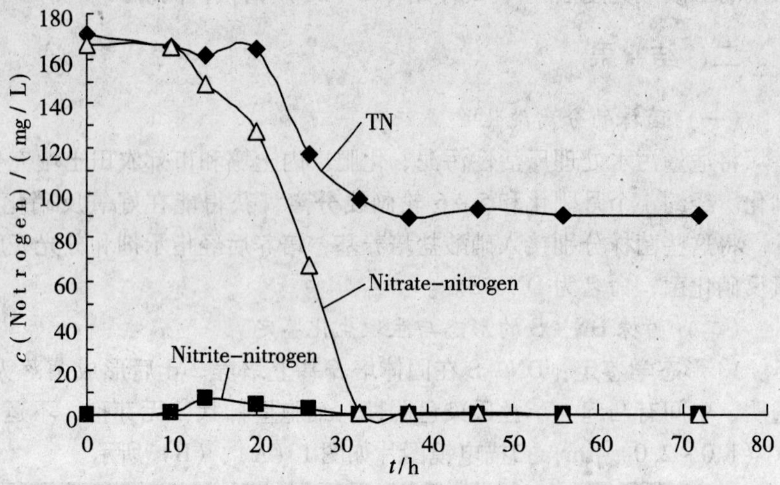

图 3　菌株 DN－S 的脱氮速率特征曲线

3. 菌株在异养硝化培养基中的代谢情况考察

菌株 DN－S 在接入异养硝化培养基培养后前 24 h 培养基一直比较澄清，24 h 后培养基快速变浑浊，菌株开始大量生长，这可能是开始阶段菌株需要一段时间的适应过程。培养基中氨氮、亚硝态氮、硝态氮浓度的变化如表 1 所示。由表 1 可知，菌株可以高效利用氨氮，说明它既是一株好氧反硝化菌，又是一株异养硝化菌，具有同步硝化反硝化能力，这增加了其应用价值。

表 1　异养硝化培养基中主要含氮化合物的量的变化（$\bar{X}\pm s$，$n=3$）

含氮化合物种类	浓度/（mg/L）		
	0 h	24 h	72 h
NH_4^+－N	183.56±2.65	155.15±3.56	4.03±3.29
NO_2^-－N	0.78±0.02	0.93±0.05	0.81±0.03
NO_3^-－N	2.13±0.67	1.88±0.13	0.94±0.38

4. 菌株在亚硝酸盐培养基中的代谢情况考察

菌株 DN－S 在亚硝酸盐培养基中培养后大量生长，培养期间培养液中亚硝态氮、硝态氮的含量的变化如表 2 所示。

表 2　亚硝酸盐培养基中主要含氮化合物的量的变化（$\bar{X}\pm s$，$n=3$）

含氮化合物种类	浓度/（mg/L）		
	0 h	24 h	72 h
NO_2^-－N	161.27±3.15	97.23±2.26	2.05±0.63
NO_3^-－N	1.79±0.37	0.69±0.08	0.61±0.58

由表可知，3 d 后亚硝酸盐氮几乎全部脱除，无硝酸盐氮的积累。由此可见，DN－S 能利用亚硝酸盐氮进行好氧反硝化。

5. 菌株以硝态氮为氮源时产生的气体分析

根据图3实验结果，菌株在硝酸盐培养基中能大量转化硝酸盐氮，且未出现亚硝酸盐氮的积累，因此有必要验证减少的氮是否是被菌株转变为含氮气体从培养基中逸出。根据生物脱氮途径资料[17]，结合血清瓶中的主要气体成分，设定待检气体为二氧化碳、一氧化氮、氧化亚氮、氮气。因仪器是根据待检气体的相对分子量来分析气体成分，所以设定相对分子量为44、30、28。载气为氩气，实验中根据基线情况（是否平整）确定换气时间，换气前通载气，换气后加通血清瓶中气体。通过在密塞的血清瓶塞子上插入两个三通管来控制气体的转换。

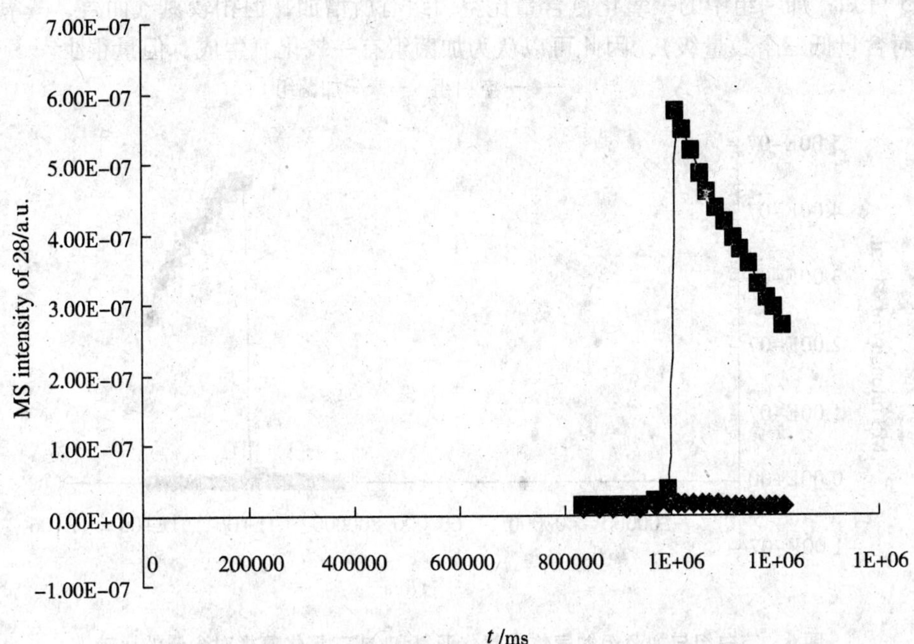

图4　空白组与加菌组的气体中氮气相对含量的比较

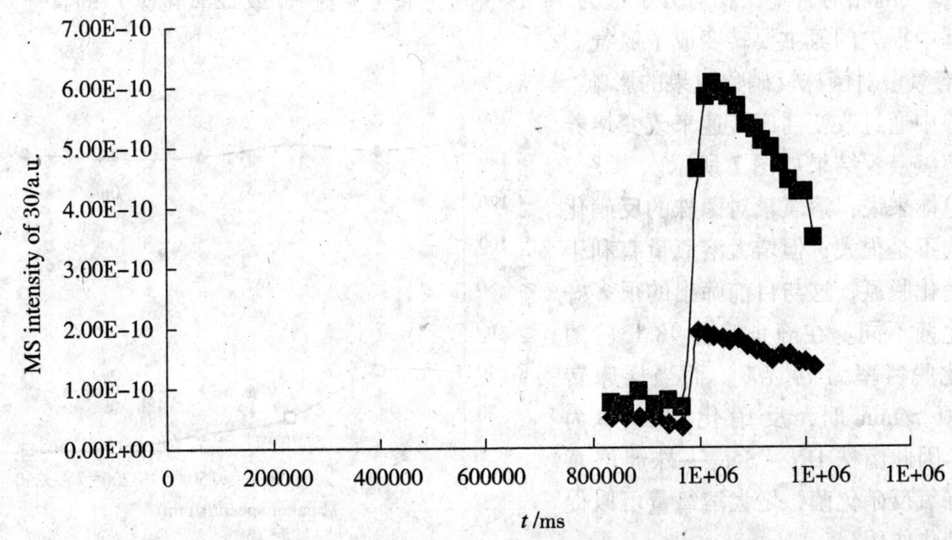

图5　空白组与加菌组的气体中一氧化氮相对含量的比较

将DN－S接入装硝酸盐培养基的血清瓶中，通纯氧气置换瓶中原有的空气，密塞培养4 d，分析瓶中气体，并与未接菌的空白组进行对照，结果分别如图 4、图 5、图 6 所示。本实验方法只能对气体进行定性检测，不能准确定量，因此在纵坐标轴上表示的是各气体的相对含量。横坐标是时间，单位为毫秒。实验开始阶段通载气，当图中曲线出现拐点时，说明此时加通了血清瓶中气体。拐点也说明仪器检测到了设定分子量的气体。此外因氧化亚氮的相对分子量与二氧化碳的相对分子量相同，仪器不能把它们分开检测，图 6 检测的是两气体相对含量之和。

由图 4 可知，相对空白组，加菌组的氮气含量有显著增加，说明加菌组将培养基中硝酸盐氮转化成了氮气。

由图 5 可知，加菌组中的一氧化氮含量比空白组有所增加，但相较氮气而言，一氧化氮含量较少（相对含量低三个数量级），因此可以认为加菌组有一氧化氮生成，但量很少。

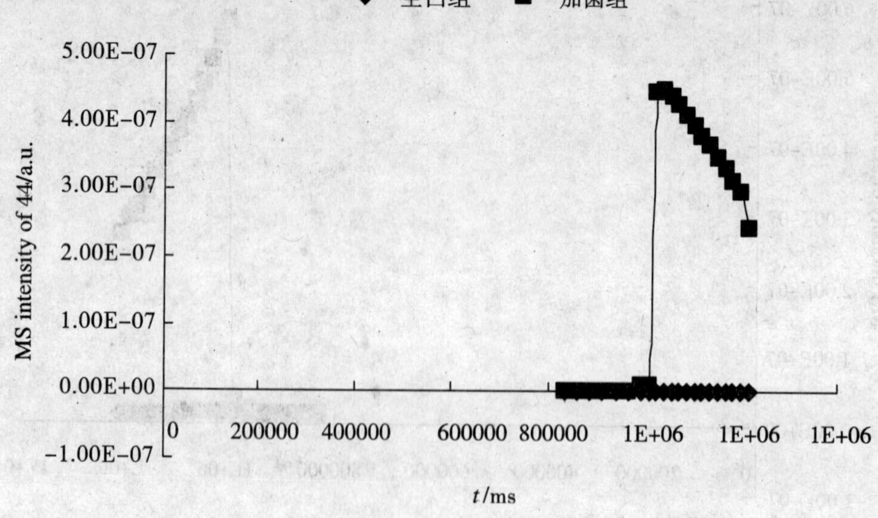

图 6　空白组与加菌组的气体中氧化亚氮和/或二氧化氮相对含量的比较

由图 6 可知，加菌组中有大量的相对分子量为 44 的气体（氧化亚氮和/或二氧化碳）生成。因菌株以柠檬酸钠为碳源，营养型为化能异养，所以必定有二氧化碳大量生成。比较图 4 和图 6，发现氮气的相对含量比相对分子量为 44 的气体（氧化亚氮和/或二氧化碳）的含量略大，说明培养基中损失的氮主要转变成了氮气。

6. 溶氧量对菌株反硝化效果的影响

实验中通过改变摇床转速来改变培养基中的溶氧量，结果如图 7 所示。由图 7 可知，总体来说，溶氧量对菌株的反硝化效果影响不是很大，但增大溶氧量有利于菌株反硝化脱氮，这与目前筛出的很多好氧反硝化菌不同。在静止培养 48 h 后菌株反硝化脱氮率为 74.7%，而当摇床转速为 250 r/min 时，反硝化脱氮率为 99.3%。因此菌株 DN－S 是一株严格意义上的好氧反硝化菌，增大溶氧量可以促进其反硝化作用。

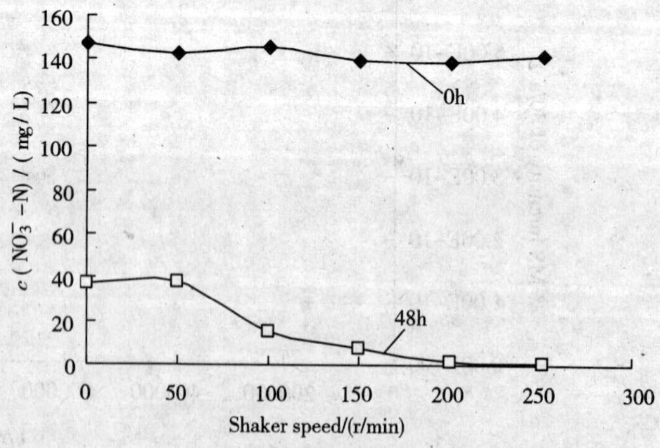

图 7　不同溶氧量对 DN－S 脱氮效果的影响

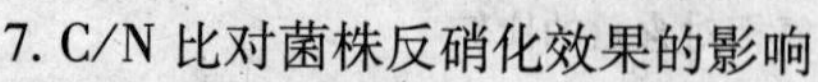

7. C/N 比对菌株反硝化效果的影响

将 DN－S 接入 C/N 比不同的硝酸盐培养基，培养后所得结果如图 8 所示。由图可知，C/N

比对菌株的反硝化效果影响很大，在一定范围内，提高 C/N 比有利于提高菌株的硝化脱氮能力。当 C/N 比为 9 时硝化效果已比较理想，72 h 后硝酸盐氮去除率为 97%。当 C/N 比为 12 或 15 时，72 h 时硝酸盐氮降解率均达 99.5%，两条曲线近乎重合，再提高 C/N 比没有意义。

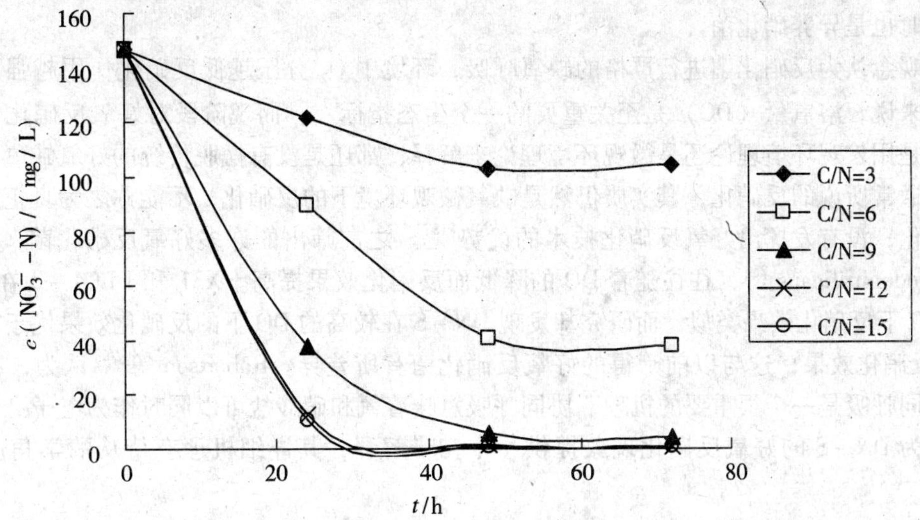

图 8　不同 C/N 对 DN－S 脱氮效果的影响

三、讨　论

菌株的选育往往要根据目的菌株的生理特点及它与其他杂菌在习性上的不同，来设定驯化、培养条件，使目的菌株能够定向富集，非目的菌株大量淘汰。同时为了获得一株性能优良的菌株，常常需要大范围的筛选，所以对单个菌株性能鉴定速度的快慢成为筛菌成功与否的关键。本文根据好氧反硝化菌的特性，设定一系列的强行驯化条件，结合颜色指示剂快速反硝化效果检测的方法，最终选出了一株脱氮效果较理想的好氧反硝化菌株。

目前被分离出好氧反硝化菌主要有泛养硫球菌（*Thiosphaera pantotropha*），假单胞菌属（*Pseudmonas sp.*）和粪产碱菌（*Alcaligenes faecalis*）等。其他常见的好氧反硝化菌还有 *Pseudomonas nautical*, *Thaurea mechernichensis*, *Microvirgula aerodenitrificans* 等[18]。其中 *Thiosphaera Pantotropha* 被用来进行了广泛的研究，并在投入实际应用后取得了良好的效果。本文筛出的好氧反硝化菌经形态学、生理生化鉴定和 VITEK 全自动细菌鉴定系统鉴定，初步认定为鲁氏不动杆菌，命名为 Acinetobacter lwoffii DN－S。

在脱氮效率上，陈赵芳[19]筛得一株名为 DLC4－3 的好氧反硝化菌，其在处理初始硝酸盐氮浓度为 100 mg/L 的废水时，去除率为 95.71%；马放等[7]筛得一株名为 X31 的好氧反硝化菌，能将 151.39 mg/L 的硝酸盐氮降至 14.48 mg/L，降解率为 89.62%。本文筛得的菌株 Acinetobacter lwoffii DN－S 在初始硝酸盐氮浓度为 166.05 mg/L 的情况下，72 h 后硝酸盐氮降至 0.32 mg/L，降解率为 99.8%，比较而言，菌株 DN－S 在脱氮彻底程度上有一定的优势。

被脱除的硝酸盐氮，除一部分被菌株同化外，根据对其产生的气体检测，我们认为主要被转化成了氮气。一般认为反硝化菌在反硝化过程中产生的含氮气体有 NO、N_2O 和 N_2[20]，而报道的菌株又以产 N_2O 和 N_2 为多[21－23]。我们在实验中也检测到菌株 DN－S 产生的 NO 的量也很少。N_2O 是一种温室气体，其产生量也是越少越好。菌株产各种气体的定量分析还需进一步研究。

DN－S 在转化硝酸盐氮过程中没有产生亚硝酸盐氮的积累，且在亚硝酸盐培养基中分析它也能高效转化亚硝酸盐氮，这一点与 DLC4－3 与 X31 这两株菌相同。但在转化亚硝酸盐氮的效率上，DN－S 相对也要高一些。它能将 161.27 mg/L 的亚硝酸盐氮降至 2.05 mg/L，降解率为

98.7%；X31 对 148.40 mg/L 的亚硝酸盐氮降解率为 96.49%；DLC4－3 对 100 mg/L 的亚硝酸盐氮的降解率为 73.48%。同时实验发现 DN－S 可以高效转化氨氮，说明它既是一株好氧反硝化菌，又是一株异养硝化菌，这与 DLC4－3 不能利用氨氮不同。Robertson 等[24]也认为一些好氧反硝化菌同时也是异养硝化菌。

传统观念认为反硝化菌进行严格的缺氧呼吸，环境中 O_2 分压越低反硝化作用越强。对好氧反硝化菌来说，溶氧量（DO）是至关重要的一个生态指标[7]，而现阶段对好氧反硝化机理的解释，无论是用宏观环境理论还是微观环境理论来解释，都还是没有摆脱传统的好氧缺氧生物脱氮模式，其通常所说的反硝化，其实质仍然是缺氧微观环境下的反硝化，不能称之为真正意义上的好氧反硝化，没有发挥出好氧反硝化技术的优势[18]。之前筛出的许多好氧反硝化菌，如 Microvirgula aerodenitrificans[25]，往往随着 DO 的降低而反硝化效果提高。X31 和 DLC4－3 在高的 DO 和低的 DO 下反硝化效果类似，而研究却发现 DN－S 在较高的 DO 下的反硝化效果优于在较低的 DO 下的反硝化效果，这与以前筛得的好氧反硝化菌有所差异。Robertson 等[26]认为，在好氧反硝化中协同呼吸是一个很重要的机理，协同呼吸意味着氧和硝酸盐可以同时作为电子受体。这个理论可以为 DN－S 的好氧反硝化现象提供一个初步解释，其详细机理有待从酶学角度进一步研究。

四、结　论

根据上述实验结果，得出四点结论如下：

1. 通过活性污泥强行驯化、驯化过程中两种驯化液交替使用、平板画线分离、颜色指示剂快速检测等步骤，筛出一株高效的好氧反硝化菌。经鉴定其为鲁氏不动杆菌，命名为 Acinetobacter lwoffii DN－S。

2. Acinetobacter lwoffii DN－S 在初始硝酸盐氮浓度为 166.05 mg/L 的情况下，72 h 的脱氮率为 99.8%，残留硝酸盐氮为 0.32 mg/L，低于国家生活饮用水水质限量标准；在指数期降解硝酸盐氮的平均速率为 8.2 mg－N/L/h，其在反硝化过程中几乎无亚硝酸盐氮的积累。

3. Acinetobacter lwoffii DN－S 能利用亚硝酸盐氮进行好氧反硝化，也能高效利用氨氮。在反硝化反应过程中，它能将硝酸盐氮转变为以氮气为主要组分的含氮气体，因此菌株具有同步硝化反硝化特性。

4. 实验中对其好氧反硝化脱氮效果影响最大的两个因素：溶氧量和 C/N 比进行了考察。发现 DN－S 是一株严格意义上的好氧反硝化菌，高的溶氧量能促进其反硝化作用；其最佳的 C/N 比在 9～12 之间。

参考文献

[1] 叶剑锋．废水生物脱氮处理新技术（第一版）[M]．北京：化学工业出版社，2006：10－12.

[2] 苏俊峰，马放，高珊珊，等．异养型同步硝化反硝化处理工艺群落结构[J]．哈尔滨工业大学学报，2008，40（10）：1571－1575.

[3] Lone Frette, Bo Gejlsbjerg, Peter Westermann. Aeorbic Denitrifiers Isolated form an Alternating Activated Sluge System [J]. FEMS Micorbiology Ecology, 1997, 2 4 (4): 363－370.

[4] H K Huang, S K Tseng. Nitrate Reduction by Citrobacter Diversus under Aeorbic Enviorment [J]. Appl Microbiol Biotechnol, 2001, 55 (1): 90－94.

[5] Naoki Takaya, Maira Antonina B Catalan－Sakaiir, Yasushi Sakaguchi, et al. A－eorbic Denitirfying Bacteira that Produce Low Levels of Nitrous Oxide [J]. Applied and Enviornmental Microbiology, 2003, 69 (6): 3152－3157.

[6] 周丹丹，马放，王弘宇，等．关于好氧反硝化菌筛选方法的研究[J]，微生物学报，2004，44（6）：837－839.

[7] 马放，王弘宇，周丹丹，等．好氧反硝化菌株 X31 的反硝化特性［J］．华南理工大学学报（自然科学版），2005，33（7）：42－46.

[8] 王弘宇，马放，苏俊峰，等．不同碳源和碳氮比对一株好氧反硝化细菌脱氮性能的影响［J］．环境科学学报，2007，27（6）：968－972.

[9] 周丹丹，马放，董双石，等．溶解氧和有机碳源对同步硝化反硝化的影响［J］．环境工程学报，2007，1（4）：25－28.

[10] 马放，王弘宇，周丹丹．活性污泥体系中好氧反硝化菌的选择与富集［J］．湖南科技大学学报（自然科学版），2005，20（2）：80－83.

[11] 苏俊峰，王维华，马放，等．好氧反硝化菌的筛选鉴定及处理硝酸盐废水的研究［J］．环境科学，2007，28（10）：2332－2335.

[12] 合肥工业大学生物与食品工程学院生物工程系．微生物实验指导书［M］．合肥：合肥工业大学出版社，2004.

[13] 林燕，孔海南，何义亮，等．异养硝化菌的分离及其硝化特性实验研究［J］．环境科学，2006，27（2）：324－328.

[14] 郭素枝．扫描电镜技术及其应用（第一版）［M］．厦门：厦门大学出版社，2006：129.

[15] 东秀珠，蔡妙英．常见细菌系统鉴定手册（第一版）［M］．北京：科学技术出版社，2001.

[16] 国家环保局．水与废水监测分析方法（第三版）［M］．北京：中国环境科学出版社，1989.

[17] Wrage N, Velthof GL, Beusichem ML van, et al. Role of denitrification in the production of nitrous oxide［J］. Soil Biology & Biochemistry, 2001, 33: 1723－1732.

[18] 马 放，王弘宇，周丹丹．好氧反硝化生物脱氮机理分析及研究进展［J］．工业用水与废水，36（2）：11－14.

[19] 陈赵芳．高效脱氮菌的选育与评价［D］．东南大学，2007.

[20] Marlies J. Kampschreur, Hardy Temmink, Robbert Kleerebezem, et al. Nitrous oxide emission during wastewater treatment［J］. Water Research, 2009, 1（2）: 1－11.

[21] Otte S, Grobben N G, Robertson L A, et al. Nitrous oxide production by Alcaligenes faecalis under transient and dynamic aerobic and anaerobic condition［J］. Appl Environ Microbiol, 1996, 62（7）: 2421－2426.

[22] Robertson L A, Van Neil E W J, Braber K J, et al. Heterotrophic nitrification and aerobic denitrification in Alcaligenes faecalis TUD［J］. Antonie van Leeuwenhoek, 1992, 62: 231－237.

[23] Mike S M J, Peter de Bruijin, Kuenen J G. Hydroxylamine metablolism in pseudomonas PB16: involvement of a novel hydroxylamine oxidorductase［J］. Antonie van Leeuwenhoek, 1997, 71: 69－74.

[24] D Patureau, N Benret, J P Delgenes, et al. Effect of dissolved Oxygen and carbon－nitrogen loads on denitrification by an aerobic consortium［J］. Appl Microbiol Biotechno1, 2000, 54: 535－542.

[25] D Patureau, N Benret, J P Delgenes, et al. Effect of dissolved Oxygen and carbon－nitrogen loads on denitrification by an aerobic consortium［J］. Appl Microbiol Biotechno1, 2000, 54: 535－542.

[26] Robertson L A, Kuenen J G, Kleijntjens R. Aerobic denitrification and heterotrophic nitrification by Thiosphaera pantotropha［J］. Antonie Van Leeuwenhoek, 1985, 51（4）: 445.

贵金属 Ir 在富氧含硫含水条件下同时催化去除碳颗粒和 NO_x

杨　荣　朱荣淑　郭明新　欧阳峰

（哈尔滨工业大学深圳研究生院环境科学与工程研究中心　深圳　518005）

摘　要　对贵金属 Ir 在富氧含硫含水条件下催化同时去除碳颗粒和 NO_x 的活性进行了研究，并考察了煅烧氛围、负载载体、煅烧温度对其催化活性的影响，结果表明：Ir 在富氧含硫含水条件下具有较好同时催化去除碳颗粒和 NO_x 的活性并且制备条件对催化剂活性有较大影响。当催化剂制备条件为煅烧温度 850℃、煅烧氛围 N_2、负载载体 ZrO_2，并与碳颗粒的混合方式为“紧密接触”时，其催化活性表现为：$T_{10}=397℃$，$V_{deNO_x}=4.16\times10^{-5}mol$。

关键词　Ir　富氧含硫含水　催化同时去除　碳颗粒　NO_x

自 Yoshida 等人[1] 提出“Soot $-$ O_2 $-$ NO”三组分之间的反应以来，同时催化去除碳颗粒和 NO_x 引起了人们的普遍关注[2-14]。由于钙钛矿型和尖晶石型复合氧化物催化体系对同时催化去除碳颗粒和 NO_x 具有较高的活性，因而人们将研究重点放在以（类）钙钛矿和尖晶石型复合氧化物为主的催化剂上，并对催化剂活性的影响因素，例如制备方法、催化剂结构以及等离子体辅助技术等进行了大量的研究，但由于过渡金属催化剂普遍存在抗水抗硫性能差的缺点，在真实柴油车尾气环境下催化活性大幅下降[7]。

贵金属催化剂具有高的抗硫抗水性能。针对碳颗粒的净化，贵金属 Pt 催化剂展示了高的催化活性[15]。针对 NO_x 的净化，在贵金属和非贵金属催化剂上都进行了大量的研究，贵金属催化剂因低温下高催化活性及抗水抗硫等优点吸引了大量研究者的兴趣[16,17]。在我们的研究中，我们对 Ir 催化剂在富氧含硫含水条件下催化同时去除碳颗粒物和 NO_x 很感兴趣，这主要是由于 Ir 具有处理富氧尾气的独特性质。Ogura 等人[18] 发现 Ir 催化剂在有 O_2 条件下能促进 CO 还原 NO 成 N_2，并且受 SO_2 的影响较小。Wang 等人[19] 报道了 Pt、Rh、Pd 和 Ir 催化剂中，Ir/ZSM－5 在有 O_2 的条件下催化 CO 还原 NO 成 N_2 时具有最高的催化活性。Haneda 等人[20] 甚至发现 SO_2 的存在促进 Ir/SiO_2 在有 O_2 条件下催化 CO 还原 NO 成 N_2。我们研究小组[14] 对 Ir/Al_2O_3 在富氧条件下同时催化去除碳颗粒和 NO_x 进行了研究，发现 Ir/Al_2O_3 比 Pt/Al_2O_3 对同时催化去除碳颗粒和 NO_x 具有更高的催化活性。然而，关于 Ir 在含硫含水条件下同时催化去除碳颗粒和 NO_x 的催化活性缺乏研究。

本工作对 Ir 在富氧含硫含水条件下同时催化去除碳颗粒和 NO_x 的催化活性进行了研究，并对影响 Ir 催化活性的煅烧温度、煅烧时间、煅烧氛围、负载载体以及前驱物进行了考察。

一、实验部分

（一）原料和试剂

Ir 催化剂的前驱物为 $H_2IrCl_6\cdot6H_2O$（上海久山化工有限公司，纯度≥99.9%）。催化剂载体包括 ZrO_2（南京埃普瑞纳米材料有限公司，纯度≥99.9%，粒径 40nm，比表面 $20m^2/g$）、Al_2O_3

国家自然科学基金青年基金（20907012）、深圳市“双百计划”、哈尔滨工业大学科研创新基金和建设部研究开发资助项目。

（南京埃普瑞纳米材料有限公司，纯度≥99.9%，粒径20nm，比表面160m^2/g）、TiO_2（Degussa，粒径30～40nm，比表面52m^2/g）。

（二）催化剂的制备及表征

Ir催化剂都为负载型催化剂，Ir负载量（以Ir的质量分数表示）为1%。依照Ir负载量的要求，配制相应浓度的前驱物水溶液，采用等体积浸渍法将Ir负载在各载体上。于室温下静置24h后，在110℃干燥10h，并在一定条件下煅烧3h，得到实验所需的催化剂。煅烧条件包括：煅烧温度分别为600、800、850、900℃；煅烧氛围分别为1.5% H_2-N_2、N_2、10% H_2O-N_2、空气。将经过煅烧的粉末催化剂在20MPa压力下压片，经破碎后筛分出粒径为40～60目的催化剂颗粒以备催化剂活性评价所用。

（三）催化剂活性的评价

催化剂活性通过程序升温反应（TPR）技术进行评价。评价实验在连续流动固定床反应装置上进行[14]。反应器为内径6mm的石英管。实验所需温度由单管电阻炉提供，其温度由可编程温控仪（北京朝阳自动化仪表厂，CKW－2200）控制，程序升温速率为4℃/min。分析检测系统由气相色谱仪和NO_x分析仪构成，反应过程中产生的CO和CO_2的浓度由配有FID检测仪的气相色谱仪（中国上海精密科学仪器有限公司，GC－112A）测定，NO、NO_2、NO_x（$NO_x=NO+NO_2$）浓度由NO_x分析仪（澳大利亚ECOTECH公司，EC9841）测定。气体检测均为在线检测。

本研究采用由德国Degussa公司提供的Printex－U碳颗粒模拟柴油机排放的碳颗粒。本评价实验包括催化剂与碳颗粒“紧密接触”和“松散接触”两种方式。“紧密接触”：将碳颗粒与催化剂按1∶10质量比混合后置于玛瑙研钵中研磨1h，然后在20MPa压力下压片，经破碎后筛分出粒径为40～60目的样品颗粒以备实验所用；“松散接触”：将粉末催化剂在20MPa压力下压片，经破碎后筛分出粒径为40～60目的催化剂颗粒，然后用药匙将碳颗粒与已筛分好的粒径为40～60目的催化剂按1∶10质量比混合。每次实验取总重量为0.055g的样品置于反应器中。反应混合气的体积分数组成为NO（0.042%）、O_2（4%）、SO_2（0.003%）、H_2O（4%）、Ar（平衡气），气体总流量为100ml/min。

催化剂对碳颗粒和NO_x同时去除的催化活性，主要可由两个参数来评价：碳颗粒总量被氧化10%时的温度（T_{10},℃）和一个TPR过程中NO_x减少总量（V_{deNO_x}，mol）。T_{10}由初始形成碳氧化物CO_x（$CO_x=CO+CO_2$）量占整个TPR过程中形成总CO_x量的10%时对应的温度来确定。V_{deNO_x}可通过将NO_x减少量对温度（时间）坐标积分得到。T_{10}越低，V_{deNO_x}越大，催化剂活性越高。

二、结果与讨论

（一）Ir同时催化去除碳颗粒和NO_x的活性

本次评价的Ir/ZrO_2催化剂的煅烧温度为850℃，煅烧氛围为1.5% H_2-N_2，与碳颗粒的混合方式为“松散接触”。为进行空白对照实验，对空白载体ZrO_2进行了相同条件的处理，并进行了相同的评价实验。表1中列出了ZrO_2和Ir/ZrO_2催化去除碳颗粒和NO_x的T_{10}和V_{deNO_x}。从表1中可以看到，与空白载体ZrO_2比较，Ir/ZrO_2同时催化去除碳颗粒和NO_x时，其T_{10}降低了115℃，其V_{deNO_x}增加了2.1×10^{-5}mol。这一结果表明，Ir催化剂在富氧含硫含水条件下具有较好同时催化去除碳颗粒和NO_x的活性。

表1　同时催化去除碳颗粒和 NO_x 的活性

催化剂	T_{10}/℃	V_{deNO_x}/（$\times 10^{-5}$mol）
Ir/ZrO_2	405	4.67
ZrO_2	520	2.57

（二）煅烧氛围对催化活性的影响

在载体为 ZrO_2、煅烧温度为850℃、与碳颗粒的混合方式为“紧密接触”的条件下，考察了不同煅烧氛围对催化活性的影响。考察的煅烧氛围分别为：N_2、1.5% H_2-N_2、10% H_2O-N_2、空气。表2中列出了在各煅烧氛围下制得的 Ir/ZrO_2 催化去除碳颗粒和 NO_x 的 T_{10} 和 V_{deNO_x}，图1展示了碳颗粒和 NO_x 同时去除时 T_{10} 和 V_{deNO_x} 的相关性。从图1中可以看到：①在1.5% H_2-N_2 氛围中煅烧的 Ir/ZrO_2 具有最低的 T_{10} 和相对较大的 V_{deNO_x}；②在 N_2 氛围中煅烧的 Ir/ZrO_2 具有相对较低的 T_{10} 和最大的 V_{deNO_x}；③在10% H_2O-N_2 氛围中煅烧的 Ir/ZrO_2 具有相对较低的 T_{10} 和相对较大的 V_{deNO_x}；④在空气氛围煅烧的 Ir/ZrO_2 具有较低的 T_{10} 和相对较小的 V_{deNO_x}。根据碳颗粒氧化的 T_{10} 越低、NO_x 减少的 V_{deNO_x} 越大、催化剂活性越高的原则，那么，在 N_2 和1.5% H_2-N_2 氛围中煅烧的 Ir/ZrO_2 对碳颗粒和 NO_x 同时去除具有相对较好的催化活性。考虑到富氧条件下 NO_x 去除更受关注，因此，接下去的实验选择用 N_2 氛围煅烧催化剂。

表2　不同煅烧氛围下制得的 Ir/ZrO_2 同时催化去除碳颗粒和 NO_x 的活性

煅烧氛围	T_{10}/℃	V_{deNO_x}/（$\times 10^{-5}$mol）
N_2	397	4.16
1.5% H_2-N_2	339	3.97
10% H_2O-N_2	402	3.5
空气	403	2.72

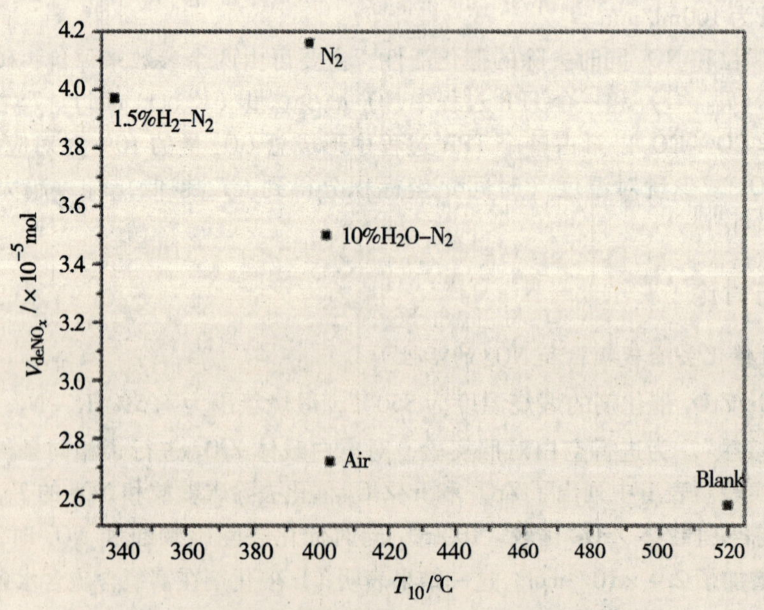

图1　不同煅烧氛围下制得的 Ir/ZrO_2 同时去除碳颗粒和 NO_x 时 T_{10} 和 V_{deNO_x} 的相关性

（三）载体对催化活性的影响

在煅烧温度为850℃、煅烧氛围为 N_2、与碳颗粒的混合方式为“紧密接触”的条件下，考察了不同载体对催化活性的影响。选择的载体分别为：ZrO_2、TiO_2、Al_2O_3。表3中列出了不同载体负载Ir催化去除碳颗粒和 NO_x 的 T_{10} 和 V_{deNO_x}。从表3中可以看到：①负载在 ZrO_2 上的贵金属Ir催化剂具有相对较低的 T_{10} 和最大的 V_{deNO_x}；②负载在 TiO_2 上的贵金属Ir催化剂具有最低的 T_{10} 和相对较大的 V_{deNO_x}；③负载在 Al_2O_3 上的贵金属Ir催化剂具有最高的 T_{10} 和最小的 V_{deNO_x}。根据碳颗粒氧化的 T_{10} 越低、NO_x 减少的 V_{deNO_x} 越大、催化剂活性越高的原则，那么，负载在 ZrO_2 和 TiO_2 上的贵金属Ir催化剂对碳颗粒和 NO_x 同时去除具有相对较好的催化活性。考虑到富氧条件下 NO_x 去除更受关注，因此，接下去的实验选择用 ZrO_2 为载体制备催化剂。

表3　不同载体负载Ir同时催化去除碳颗粒和 NO_x 的活性

负载载体	T_{10}/℃	V_{deNO_x}/（$\times10^{-5}$mol）
Ir/ZrO_2	397	4.16
Ir/TiO_2	368	2.69
Ir/Al_2O_3	430	1.18

（四）煅烧温度对催化活性的影响

在载体为 ZrO_2、煅烧氛围为 N_2、与碳颗粒的混合方式为“紧密接触”的条件下，考察了不同煅烧温度对催化活性的影响。考察的煅烧温度分别为600、800、850、900℃。表4中列出了在各煅烧温度下制得的 Ir/ZrO_2 催化去除碳颗粒和 NO_x 的 T_{10} 和 V_{deNO_x}，图2展示了碳颗粒和 NO_x 同时去除时 T_{10} 和 V_{deNO_x} 的相关性。从图2中可以看到：随着煅烧温度升高，T_{10} 升高，V_{deNO_x} 先增大后变小，当煅烧温度达850℃时，V_{deNO_x} 增大到最大。根据碳颗粒氧化的 T_{10} 越低、NO_x 减少的 V_{deNO_x} 越大、催化剂活性越高的原则，那么，在850℃煅烧的 Ir/ZrO_2 对碳颗粒和 NO_x 同时去除具有较好的催化活性。

表4　各煅烧温度下 Ir/ZrO_2 催化同时去除碳颗粒物和 NO_x 的活性

煅烧温度/℃	T_{10}/℃	V_{deNO_x}/（$\times10^{-5}$mol）
600	341	1.06
800	389	4.0
850	397	4.16
900	452	1.27

三、结　论

本文研究了富氧含硫含水条件下贵金属Ir催化同时去除碳颗粒和 NO_x 的活性，并考察和分析了催化活性的主要影响因素，得到了Ir在富氧含硫含水条件下具有较好同时催化去除碳颗粒和 NO_x 的活性，并且制备条件对催化剂活性有较大影响。当催化剂制备条件为煅烧温度850℃、煅烧氛围 N_2、负载载体 ZrO_2，并与碳颗粒的混合方式为“紧密接触”时，其催化活性表现为：$T_{10}=397$℃，$V_{deNO_x}=4.16\times10^{-5}$mol。

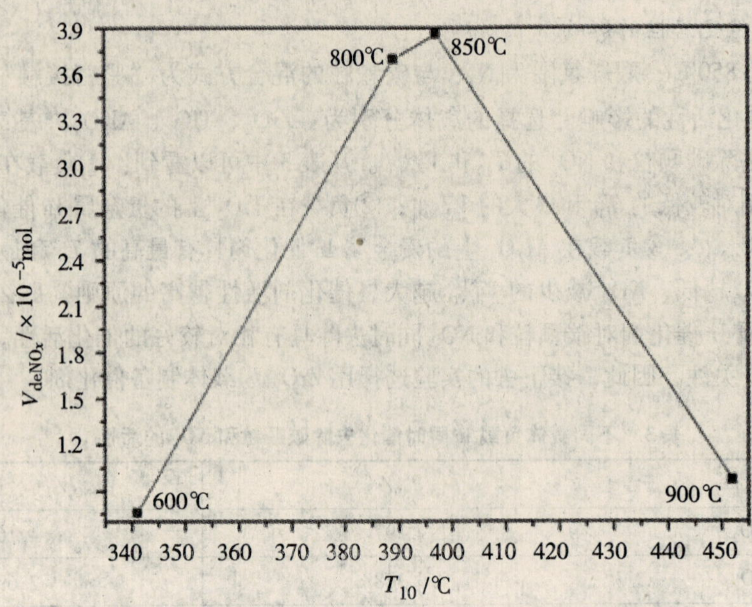

图2　不同煅烧温度下制得的 Ir/ZrO_2 同时去除碳颗粒和 NO_x 时 T_{10} 和 V_{daNO_x} 的相关性

参考文献

[1] Yoshida K., Makino S., Sumiya S., Muramatsu G., Helferich R., SAE Paper 1989, No. 892046.

[2] Teraoka Y., Nakano K., Shangguan W. F., Kagawa S., Catal. Today, 1996 (27): 107 - 113.

[3] Shangguan W. F., Teraoka Y., Kagawa S., Appl. Catal. B, 1996 (8): 217 - 227.

[4] Liu Z. M., Hao Z. P., Guo Y., Zhuang Y. H., J Envir. Sci., 2002 (14): 289 - 295.

[5] Kureti S., Weisweiler W., Hizbullah K., Appl. Catal. B, 2003 (43): 281 - 291.

[6] 裴梅香，林赫，上官文峰，等. 物理化学学报，2005 (21): 255 - 260.

[7] 刘光辉，黄震，上官文峰，等. 科学通报，2002 (47): 1620 - 1623.

[8] Fino D., Russo N., Saracco G., Specchia V., J. catal., 2006 (1): 38 - 47.

[9] Liu J., Zhao Z., Xu C. M., Duan A. J., Meng T., Bao X. J., Catal. Today, 2007 (119): 267 - 272.

[10] Illan - Gomez M. J., Brandan S., Linares - Solano A., de Lecea C. S. M., Appl. Catal. B, 2000 (25): 11 - 18.

[11] Nejar N., Garcia - Cortes J. M., de Lecea C. S. M., Illan - Gomez M. J., Catal. Comm., 2005 (6): 263 - 267.

[12] Castoldi L., Matarrese R., Lietti L., Forzatti P., Appl. Catal. B, 2006 (64): 25 - 34.

[13] Liu J., Zhao Z., Xu C. M., Duan A. J., A ppl. Catal. B, 2008, 78: 61.

[14] Zhu R. S., Guo M. X., Ouyang F., Catal. Comm., 2008 (9): 1184.

[15] Xue, E.; Seshan, K.; Ross, J. R. H. Appl. Catal. B, 1996, 11: 65.

[16] 李俊华，郝吉明，傅立新，等. 高等学校化学学报，2004，25: 131.

[17] Zhang C. B., He H., Shuai S. J., Wang J. X., Environ. Pollut., 2007, 147: 415.

[18] Ogura M., Kawamura A., Matsukata M., Kikuchi E., Chem. Lett., 2000, 29: 146.

[19] Wang A. Q., Liang D. B., Xu C. H., Sun X. Y., Zhang T., Appl. Catal. B, 2001 (32): 205.

[20] Haneda M., Pusparatu, Kintaichia Y., Sasaki M., Fujitani T., Hamada H., J. Catal., 2005, 229: 197.

六钛酸钾晶须预富集 ICP－AES 法测定环境样品中 Hg（Ⅱ）

徐婉珍 吴向阳 黄卫红 韩建刚

（江苏大学环境学院 江苏 镇江 212013）

摘 要 本文以电感耦合等离子体原子发射光谱法（ICP－AES）为检测手段，系统地研究了新型吸附剂——六钛酸钾晶须对环境样品中 Hg（Ⅱ）的分离/富集行为以及解脱的主要因素，并考察了共存离子的干扰影响。结果表明：在 pH 值为 6.0，振荡时间为 5min，静置时间为 1h 时，吸附率可达到 90% 以上。以 3mol/L HNO_3 作为解脱剂，可将吸附在六钛酸钾晶须上的 Hg（Ⅱ）定量洗脱。本法测定 Hg（Ⅱ）的检出限为：0.0023μg/ml，相对标准偏差（RSD）为 3.4%（n＝9，c＝0.3μg/ml）。在优化的实验条件下，将其用于菊花和琵琶叶中环境激素 Hg（Ⅱ）含量的测定，加标回收率在 93%～97% 之间。

关键词 电感耦合等离子体原子发射光谱法（ICP－AES） 六钛酸钾晶须 预富集 汞

一、引 言

等离子体原子发射光谱（ICP－AES）具有检出限低、精密度好、干扰水平低、线性范围宽等优点，已经成为痕量元素分析常用的方法之一，但当所分析的元素含量极低或者组分较低时，往往要求在测定之前辅以化学预分离/富集手段以纯化或去除干扰。目前常用的分离/富集方法主要包括：固相萃取光度法[10]、离子交换法[11]、固相萃取－高效液相色谱法[12]以及电化学沉积法[13]。固相萃取法因其具有操作简单、分析速度快以及可以结合多种不同的检测手段等优点受到广大分析工作者的关注。

钛基晶须材料是一种细小纤维状亚纳米高性能材料，属单斜晶系，主要包括二钛酸钾、四钛酸钾、六钛酸钾、八钛酸钾、三钛酸钠、六钛酸钠、八钛酸钠、二氧化钛等。钛酸钾晶须的化学式为 $K_2O \cdot nTiO_2$（n＝1、2、4、6、8、10、12），n＝2 和 4 时为层状结构，n＝6 和 8 时为隧道式结构，六钛酸钾（$K_2O \cdot 6TiO_2$）具有良好的化学稳定性，化学性质非常活泼的 K 离子被隧道状的 TiO_6 八面体包覆[7-9]，一般情况下不与酸、碱和盐起化学反应，不溶于有机溶剂等，经过表面处理后使用，与化学加工工业上用的其他黏土相比，六钛酸钾晶须具有比表面积大，吸附力强的特点，是痕量金属离子理想的分离/富集材料。

本文利用六钛酸钾晶须的这一特点，以 ICP－AES 为检测手段探讨了六钛酸钾晶须对 Hg（Ⅱ）吸附行为及影响其吸附的主要因素，考察了六钛酸钾晶须对 Hg（Ⅱ）的吸附容量，研究了共存离子的干扰情况。

二、实验部分

（一）仪器与试剂

VISTA MPX 型等离子体发射光谱仪（美国瓦里安），PHS－3C 型酸度计（上海理达仪器厂），802 离心沉淀器（上海手术器械厂），DHG－9140A 型电热恒温鼓风干燥箱（上海－恒科技有限公司，上海－恒科学仪器有限公司），SHZ－D（Ⅲ）循环水式真空泵（巩义市英峪予华仪器厂）。

（二）试剂和标准溶液

Hg（Ⅱ）储备液由 Hg $(NO_3)_2$ 配置，标准溶液系列由 1mg/ml 的储备液逐级稀释而成，各种干扰离子的标准储备液按常规方法配置 10mg/ml 或 1mg/ml 的溶液；硝酸、盐酸、氨水均为分析纯；实验用试剂均为分析纯；实验用水为二次蒸馏水。六钛酸钾晶须由上海复合晶须材料厂提供。菊花、枇杷叶购于江苏省镇江市存仁堂大药房。

（三）仪器工作条件

电感耦合等离子体原子发射光谱仪最佳工作条件如下：雾化气压力：200kPa，辅助气流量：1.50L/min，等离子气流量：15.0L/min，仪器稳定时间：15s，一次读数时间：5s，读数次数：2次，清洗时间：10s，进样延时：30s，泵速：15r/m，功率：1.00kW；Hg（Ⅱ）分析线：184.887nm。

（四）实验方法

1. 六钛酸钾晶须的预处理

六钛酸钾晶须使用前用3mol/L盐酸浸泡24h蒸馏水洗至中性，抽滤，置于烘箱110℃烘干，研磨，过100目及140目筛，备用。

2. 吸附和解吸实验

于50ml比色管中加入一定量的Hg（Ⅱ）的标准溶液，用盐酸和氨水溶液调解酸度至pH6，用蒸馏水定容至刻度，然后加入0.15g酸化后的六钛酸钾晶须，振荡5min，静置1h，离心，取上层清液，用ICP－AES测定残留液中Hg（Ⅱ）的含量，计算六钛酸钾晶须对Hg（Ⅱ）的吸附率。沉淀物少量二次蒸馏水洗涤两次，加入10ml 3 mol/L HNO_3，振荡5min，静置0.5h，吸取上层清液，离心后用ICP－AES测定Hg（Ⅱ）含量，计算解脱回收率。

三、结果与讨论

（一）吸附条件的确定

1. pH值对Hg（Ⅱ）吸附率的影响

于50ml比色管中加入100μg Hg（Ⅱ），固定六钛酸钾晶须用量为0.15g，分别考察了pH等于1～9不同的吸附酸度对吸附率的影响，结果如图1所示。从图1可以看出，六钛酸钾晶须对Hg（Ⅱ）的吸附率随pH值的增大而迅速提高，当吸附酸度在pH为5～9范围内，六钛酸钾晶须对Hg（Ⅱ）的吸附率达到90%以上，综合考虑，本实验选择吸附酸度为pH等于6。

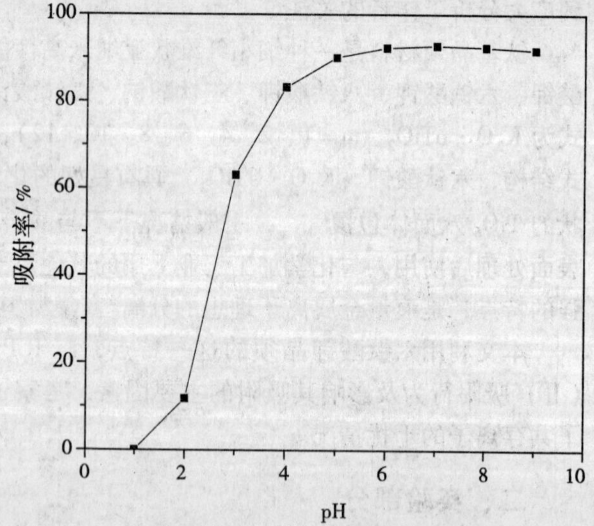

图1　pH对Hg（Ⅱ）吸附率的影响

2. 六钛酸钾晶须加入量对Hg（Ⅱ）吸附率的影响

按实验方法，其他条件不变，分别考察了0.05g，0.10g，0.15g，0.20g，0.25g，0.30g等不同加入量的六钛酸钾晶须对Hg（Ⅱ）的吸附率的影响。结果表明：吸附剂加入量达到0.15g时吸附率达到90%以上。本实验六钛酸钾晶须用量为0.15g。

3. 振荡时间和静置时间对Hg（Ⅱ）吸附率的影响

按实验方法，其他条件不变，分别考察了3min、5min、10min、15min、20min等不同的振荡时间和0.5h、1.0h、2.0h、4.0h、6.0h等不同的静置时间对Hg（Ⅱ）吸附率的影响，结果表明：振荡时间为3min以上，吸附率能达到92%以上；静置时间1h吸附率达到100%。故本实验选择振荡时间为5min，静置时间1h。

（二）吸附等温线

于一系列 50ml 比色管中分别加入不等量的 Hg（Ⅱ），浓度分别为 1、5、10、20、30、40μg/ml，pH6，加入 0.05g 吸附剂进行吸附实验，静置，离心，取上层清液，用 ICP－AES 法测定 Hg（Ⅱ）的浓度，计算吸附容量。以 Hg（Ⅱ）的加入浓度为横坐标，以吸附容量为纵坐标，绘制六钛酸钾晶须对 Hg（Ⅱ）的吸附等温线，结果如图 2 所示。结果表明，六钛酸钾晶须对 Hg（Ⅱ）的最大饱和吸附容量为 9.7mg/g。

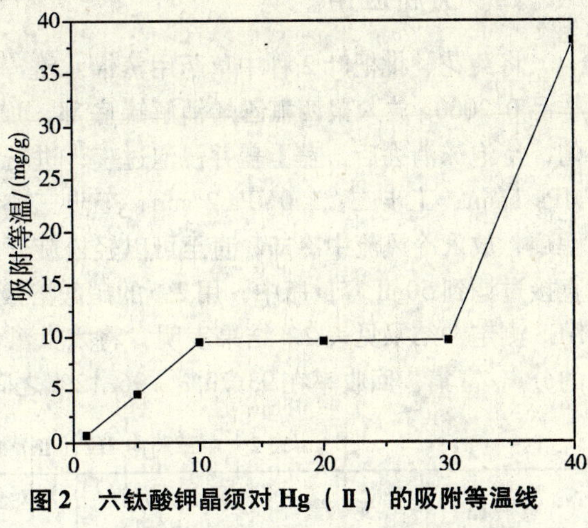

图 2　六钛酸钾晶须对 Hg（Ⅱ）的吸附等温线

（三）解脱条件的确定

1. 解脱体系的选择

从图 1 可与看出酸性条件下有利于 Hg（Ⅱ）的解脱回收，按实验方法进行吸附和解脱实验，分别考察了盐酸、硝酸、硫酸等解脱剂对 Hg（Ⅱ）的回收率的影响，结果见表 1。表 1 表明，硫酸、盐酸对 Hg（Ⅱ）的解脱回收率不理想。本实验选择硝酸作为解脱剂。

表 1　不同酸对 Hg（Ⅱ）回收率的影响

酸	浓度/（mol/L）	回收率/%
HCl	3	67.20
	5	67.50
H_2SO_4	3	67.87
	5	80.31
HNO_3	3	91.57
	5	89.66

2. 硝酸浓度对 Hg（Ⅱ）回收率的影响

选择硝酸作为解脱剂，按实验方法进行吸附和解脱实验，分别考察了 0.01mol/L、0.1mol/L、1mol/L、2mol/L、3mol/L、4mol/L、5mol/L 等不同浓度的硝酸溶液对 Hg（Ⅱ）的回收率的影响，结果如图 3 所示。结果表明，Hg（Ⅱ）的回收率随着硝酸浓度的不断增加而逐渐提高，当硝酸浓度为 3mol/L 时 Hg（Ⅱ）的回收率可达 90% 以上。故本实验选择 3mol/L HNO_3 作为解脱剂。

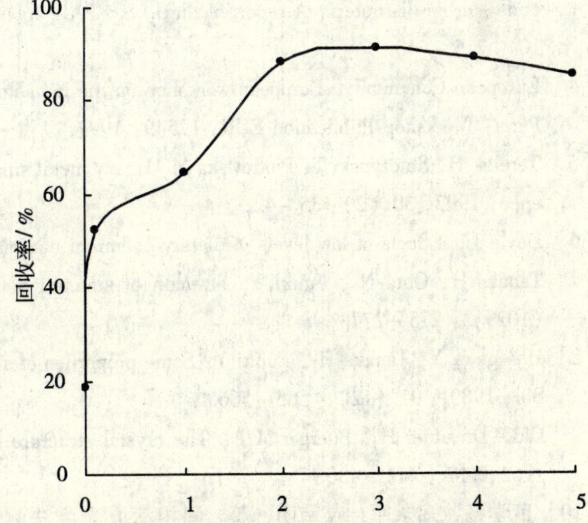

图 3　硝酸浓度对 Hg（Ⅱ）回收率的影响

（四）共存离子的干扰情况

在优化的实验条件下，对含有 2.0μg/ml Hg（Ⅱ）的 50ml 溶液，5mg 的 K^+、Na^+，3mg 的 Ca^{2+}、Mg^{2+}，500μg 的 Zn^{2+}、Co^{2+}、Cd^{2+}、Mn^{2+}、Si（Ⅳ）、W（Ⅵ）、Mo（Ⅵ）、P（Ⅴ），100μg Fe^{3+}、Al^{3+} 离子对 Hg（Ⅱ）分离测定不影响。

（五）方法的检出限和精密度

根据 IUPAC 定义，对空白溶液连续测得 9 次，测得本法对 Hg（Ⅱ）的检出限（3σ）为

0.0023μg/ml；相对标准偏差为3.4%（Hg（Ⅱ）：0.3μg/ml，n=9）。

四、分析应用

将菊花、枇杷叶2种中草药用蒸馏水洗净，在80℃的烘箱中烘干，用研钵磨碎。准确称取样品0.2000g放入聚四氟乙烯消解罐底部，加入浓硝酸和双氧水，振荡使酸与样品充分混合均匀，待泡沫消去后，盖上盖并浸泡过夜，进行预消解。按要求组装好消解罐，按照工步一：0.5 MPa 1min；工步二：1.0MPa 2 min；工步三：1.5 MPa 3 min进行消解。待程序结束后，取出消解罐，放入冷风流中冷却，直至可以轻松旋开盖子，在通风橱内打开消解罐，将冷却的消解溶液直接过滤到50ml容量瓶中，用2%的硝酸溶液定容至刻度，摇匀。平行制备2份空白，以ICP－AES测定，结果见表2。结果表明，将六钛酸钾晶须用于中草药菊花、枇杷叶样品中Hg（Ⅱ）的分离/富集，回收率在93.79%～96.12%之间。

表2　中草药中Hg（Ⅱ）的测定及加标回收实验（n=5）

样　品	元　素	测定平均值/（μg/ml）	相对标准差/%	加标量/μg	回收量/μg	回收率/%
菊　花	Hg（Ⅱ）	0.003623	2.1	0.0100	0.009612	96.12
枇杷叶	Hg（Ⅱ）	0.093211	1.7	0.0100	0.009379	93.79

参考文献

[1] Hutchinson TH, Matthiessen P. Endocrine disruption in wildlife: identification and ecological relevance [J]. The Science of the Total Environment, 1999, 233: 1－3.

[2] Colbom T. Development effects of endocrine－disrupting chemicals in wildlife and humans [J]. Environ Health Perspectire, 1993, 103: 378－384.

[3] Kavlock R J, Daston G P, Rosa C, et al. Research needs for risk assessment of health and environmental effects of endo－crine disrupters; A report of theU. S. EPA－sponsored workshop [J]. Environ. Health Perspectire, 1996, 104: 715－740.

[4] European Community. European workshop on the impactof endocrine disrupters on human health andwild life [M]. Paris: Workshop Publication EUR, 17549, 1997.

[5] Terelak H, Stuczynski T, Piotrowska M. Heavy metal sinag ricul tural soil sin poland [J]. Polish Joural of Soil Science, 1997, 30 (2): 35－42.

[6] Doyle JJ. Effects of low levels of dietary cadmium nanimalsa review [J]. J. Environ. Qual. 1997, 6: 111－116.

[7] Tanaka H, Ohta N, Fujiki Y. Strength of sintered potassium hexatitanate [J]. Yogyo Kyokai Shi, 1981, 89 (1029): 275－277.

[8] Hasegawa Y, Tanaka H, Fujiki Y. Some properties of single crystals of potassium hexatitanate [J]. Yogyo Kyokai Shi, 1983, 91 (12): 565－566.

[9] Cid－Dresdner H, Buerger M J. The crystal structure of potassium hexatitanate－$K_2Ti_6O_{13}$ [J]. Kristallogr Z, 1962, 117: 411－430.

[10] 董学畅，郑永军，郝南明，等．固相萃取光度法测定环境水样中镉（Ⅱ）的研究［J］．云南大学学报（自然科学版），2005，27（3）：235－238.

[11] 杜方，陈秋莲．离子交换预分离富ICP－AES测定钼中微量杂质元素［J］．硬质合金，2004，24（1）：45－47.

[12] 杨亚玲，赵榆林，林强，等．固相萃取－高效液相色谱法测定枸杞中的类胡萝卜素［J］．分析试验室，2004，23（6）：25－27.

[13] Fu H, Xie C, Dong J et al. Monolithic Column with Zwitterionic Stationary Phase for Capillary Electro chrmatography [J]. Anal. Chem, 2004, 76 (16): 4877－4874.

L分布函数在“0.6测量法”中的应用

王万里[1,2]　刘耀林[1]　蔡述明[4]　邓南圣[1]　侯浩波[1]　任福民[5]　谢应齐[3]

(1. 武汉大学资源与环境科学学院　武汉　430079；2. 武汉（华中）区域气候中心　武汉　430074；3. 云南大学地球科学学院　昆明　650091；4. 中国科学院测量与地球物理研究所　武汉　430077；5. 国家气候中心　北京　100081)

摘　要　用L概率分布函数求得江河平均流速在距离河面0.66倍水深处，而用传统解析法求得的是距离河面0.63倍水深处，两种计算结果大约相等，但比较之下L概率分布函数显得简洁方便，除能分析层流流速在各个阶段的变化外，还能区分稳定区与不稳定区，说明L概率分布是一类比较有效的数学变换。

关键词　应用概率　均方差　平均流速　“趋肤”水深　水力学　数学变换

在对大江大河水流速度的测量中，往往用距离水面0.6倍水（河）深处的流速近似代替整层平均流速，水文上俗称0.6测量法或一点测量法，其理论依据是层流流速随水深呈现出对数或指数变化，然后通过积分求出层流流速随高度变化的平均值，再把平均值代回方程，进而求出平均流速层距离河床（或河面）的高度距离。但如果把江（河）层流速度与水深的函数关系处理成一种随机函数与随机变量的关系后，理论上可以证明这类随机函数服从于L分布，由于L分布的m阶矩已知（王万里，王卫国，2005年），即可方便求出平均流速的深度变化均方值，再根据均方差性质，可进一步求出平均流速层与河床（或河面）的距离，用后一种方法显得简便，意义也比较明确，说明L分布是一类比较有用的数学工具，它能对对数和指数类函数实施有效随机变换，使复杂问题得以简化。

一、江河某层流速与深度呈现对数变化

$$u(y) = u_{\max} + \frac{u_*}{\kappa}\ln\frac{y}{H} \quad (1)$$（赵振兴，何建京，2001年）[1]

式中：$u_* = \sqrt{\frac{\tau_0}{\rho}}$，称摩阻流速，其中，$\tau_0$为壁面阻力或称边界处切应力，$\rho$流体密度，$\kappa = \frac{l}{y}$，其中$l$为混合长度，$\kappa$一般设为常数。显然壁面阻力愈大层流速度衰减愈快。$H$为河（水）深，$u(y)$为层流流速，$y$坐标垂直河床，指向河面正上方$u_{\max}$最大流速，示意如图1，图1中$y_{\bar{u}}$为层流速度取平均值$\bar{u}$时距离河床的垂直高度。

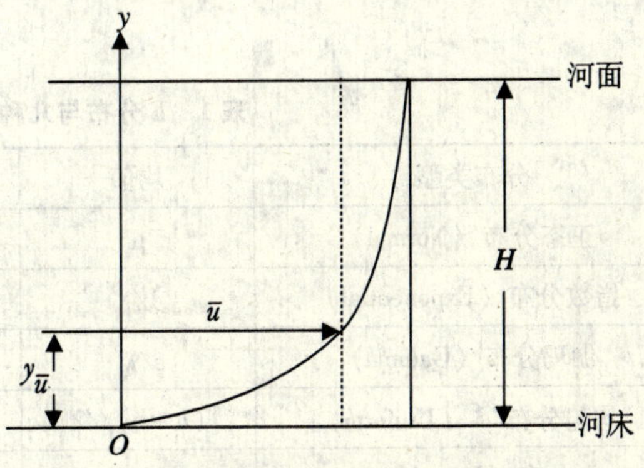

图1　江河层流速度随水深垂直变化示意图

二、用L分布函数解决下面几个问题

（1）垂直平均流速$\bar{u}$

（2）当流速u等于垂直平均流速$\bar{u}$时的y值

（3）流速u在整个河深H中的变化特点

从（1）式得知流速与垂直高度呈对数关系

$u(y) = u_{max} + \frac{u_*}{\kappa}\ln\frac{y}{H}$，这里令 $u'(y) = u_{max} - u(y)$，则有 $u'(y) = \frac{u_*}{k}\ln\frac{H}{y}$ (2)

（2）式右端分子分母同乘以 2 后有 $u'(y) = \frac{u_*}{2k}\ln(\frac{H}{y})^2$ (3)

把 y 引入为随机变量，则 $u'(y)$ 自然成为随机函数，那么如何求该随机函数 $u'(y)$ 的均方差?

下面为标准的 L 分布概率密度函数[2] $f(\theta) = \frac{1}{4\theta_M}\ln(\frac{\theta_M}{\theta})^2 \quad (-\theta_M < \theta < \theta_M)$ (4)

已知 L 分布的 m 阶矩如下（王万里，王卫国，2005 年），分奇偶两种情况：

m 为偶数时的 m 阶矩 $\nu_m = \frac{1}{4\theta_M}\int_{-\theta_M}^{\theta_M}\theta^m\ln(\frac{\theta_M}{\theta})^2 d\theta = \frac{\theta_M^m}{(m+1)^2}$ (5)

$m=2$（方差），$m=4$（4 阶中心矩）

m 为奇数时的 m 阶矩 $\nu_m = \frac{1}{4\theta_M}\int_{-\theta_M}^{\theta_M}\theta^m\ln(\frac{\theta_M}{\theta})^2 d\theta = 0$

$m=1$（数学期望），$m=3$（3 阶中心矩）。

用洛比达法则可证明

$$\lim_{\theta\to 0}\frac{2}{m+1}\theta^{m+1}\ln\theta \to \frac{2}{(m+1)}\frac{\lim\limits_{\theta\to 0}\ln\theta}{\lim\limits_{\theta\to 0}\frac{1}{\theta^{m+1}}} \to 0$$

显然 方差 $\nu_2 = D(\theta) = (\frac{\theta_M}{3})^2$，均方差 $\sigma = \frac{\theta_M}{3}$

因为 $\frac{u_*}{2\kappa}$ 在（3）式中，一般情况下都是常数，根据概率密度函数定义，可证明（3）式中在数值大小上可以假设 $H = \frac{\kappa}{2u_*}$ 则有 $u'(y) = \frac{1}{4H}\ln(\frac{H}{y})^2$ (6)

比较（4）式和（6）式不难看出两式形式上完全一致，由此可以假定随机函数 $u'(y)$ 服从 L 分布。

表 1 L 分布与几种常见分布的比较[3]

分布类型	均值	方差	4 阶原点矩	峰度
正态分布（Normal）	μ	σ^2	3.0	0
指数分布（Exponential）	1/λ	$1/\lambda^2$	9.0	6
伽玛分布（Gamma）	a/λ^2	a/λ^2	3 + 6a	b/a
均匀分布**（Uniform）	(a + b) /2	$(a-b)^2/12$	1.8	-1.2
L 分布（Logarithm）	0	$(\theta_M/3)^2$	3.24	0.24

**当峰度系数 < -1.2 时，则曲线开始呈现凹形状。

三、分析物理意义

既然服从 L 分布，根据（5）式，L 分布的方差为 $(\frac{\theta_M}{3})^2$，均方差为 $\frac{\theta_M}{3}$，数学期望值等于

0。又比较（4）式和（6）式，那么就有随机函数 $u'(y)$ 的方差为 $(\frac{H}{3})^2$，均方差为 $\frac{H}{3}$ 或均方差 $\approx 0.3333H$

数学意义：$y = 0.3333H$ 是随机函数 $u'(y)$ 的均方差，由于 $u_{\max}$ 是常数，根据方差性质有 $D[u'(y)] = D[u_{\max} - u(y)] = D[u(y)] = (\frac{H}{3})^2$，即也相当于随机函数 $u(y)$ 的均方差是 $\frac{H}{3} \approx 0.3333H$，物理意义是距河床 0.3333 倍水深（$H$）处，即距河面约 0.66 倍水深处的层流流速为随机函数 $u(y)$ 的均方值，由于 $u(y)$ 的物理意义是距离河床 y 高度时的河水层流速度，又因为均方差是稳定分布与不稳定分布的分界线，表明河水层流流速变化到距离河面大约 0.66 倍水深时，层流流速变化趋于相对稳定（或进入稳定区域）分布区，即此时河水流速较稳定，能基本代表流速的平均情况，即是河水流速测量中 0.6 法（一点法）的理论依据，而 $y < \frac{H}{3}$ 后层流流速迅速衰减，直至河床时层流流速变为零。

将 $y = \frac{H}{3}$ 代入（1）式有：$\bar{u}(\frac{H}{3}) = u_{\max} - \frac{u_*}{\kappa}\ln\frac{H}{(H/3)} = u_{\max} - \frac{u_*}{\kappa}\ln 3 \approx u_{\max} - \frac{u_*}{\kappa}$　　(7)

物理意义：（7）式是层流流速变化趋于相对稳定（或进入稳定区或）后的层流流速，或称平均流速，因为这里 $\ln 3 = 1.0986 \approx 1$，$\ln e = 1$，所以有 $\ln 3 \approx \ln e$

因为 $\frac{H}{e} \approx \frac{H}{3}$，当 $y = \frac{H}{e}$ 代入（1）式也有

$$\bar{u}(\frac{H}{e}) = u_{\max} - \frac{u_*}{\kappa}\ln\frac{H}{(H/e)} = u_{\max} - \frac{u_*}{\kappa}\ln e = u_{\max} - \frac{u_*}{\kappa} \qquad (8)$$

（8）式和（7）式基本等价，$\frac{H}{e} \approx 0.37H$，说明距河床 0.37 倍高，距河面 0.63 倍水深处的水流速为随机函数 $u(y)$ 的均方值，即此时河水流速较稳定，能基本代表流速的平均情况，而 $\frac{H}{e} \approx 0.37H$ 也可称叫“趋肤”深度，也是水文中一点（0.6）流速测法的理论依据。

通过 L 分布函数在任意区间（$\theta_1 \sim \theta_2$）的分布概率公式[2]

$$\begin{aligned} P(\theta_1 < \theta < \theta_2) &= F(\theta_2) - F(\theta_1) \\ &= \frac{1}{4\theta_M}\int_{\theta_1}^{\theta_2}\ln(\frac{\theta_M}{\theta})^2 d\theta \\ &= \frac{1}{4\theta_M}\{[\theta_2\ln(\frac{\theta_M}{\theta_2})^2 + 2\theta_2] - [\theta_1\ln(\frac{\theta_M}{\theta_1})^2 + 2\theta_1]\} \qquad (-\theta_M < \theta < \theta_M) \end{aligned}$$

L 分布 3 倍均方差内的发生概率值分别是：

$P(-\sigma < \theta < \sigma) = 0.70$

$P(-2\sigma < \theta < 2\sigma) = 0.94$

$P(-3\sigma < \theta < 3\sigma) = 1$

这里 $\sigma = \frac{\theta_M}{3}$。

对应后随机函数 $u(y)$ 的分布概率有：

$P(0 < y < \frac{H}{3}) = 0.7$

$P(0 < y < \frac{2H}{3}) = 0.94$

$P(0 < y < H) = 1$

y 的变化区间是 $(0 < y \leqslant H)$。

层流流速的变化特点：$u(y)$ 变化主要在 $(0 < y \leqslant H/3)$ 区间，“变化幅度”能达到70%，即 $u(y)$ 迅速衰减至0，即从河床底到 $H/3$ 高区间层流速度变化最快，此区间属于“趋肤”区，含一定的“边界层”性质。而在 $(H/3 \leqslant y \leqslant H)$ 区间，流速“变化幅度”只能达到30%，但却有2/3 的变化空间，说明从 $H/3$ 高到河面这区间，层流 $u(y)$ 虽有变化但相比不算剧烈，此区间属于相对稳定区，所以 $y = H/3$ 处的流速可以近似代替整层平均值。当到河面时 $y = H$，层流流速达到最大 $[u(H) = u_{max}]$。

四、传统积分解析法

分别求解下面几个问题：

（一）垂直平均流速 $\bar{u}$

根据（1）式有：

$$\bar{u} \approx \frac{1}{H}\int_{\delta_0}^{H} u\mathrm{d}y = \frac{1}{H}\int_{\delta_0}^{H}(u_{max} + \frac{u_*}{\kappa}\ln\frac{y}{H})\mathrm{d}y \tag{9}$$

（9）式中积分上限为河深 H，积分下限为黏性底层厚度 δ_0，展开后有

$$\bar{u} = \frac{u_{max}}{H}(H - \delta_0) + \frac{u_*}{\kappa}(\frac{y}{H}\ln\frac{y}{H} - \frac{y}{H})\Big|_{\delta_0}^{H}$$

$$= \frac{u_{max}}{H}(H - \delta_0) + \frac{u_*}{\kappa}[(\frac{H}{H}\ln\frac{H}{H} - \frac{H}{H}) - (\frac{\delta_0}{H}\ln\frac{\delta_0}{H} - \frac{\delta_0}{H})]$$

$$= \frac{u_{max}}{H}(H - \delta_0) + \frac{u_*}{H\kappa}[(H\ln\frac{H}{H} - H) - (\delta_0\ln\frac{\delta_0}{H} - \delta_0)]$$

$$= \frac{u_{max}}{H}(H - \delta_0) - \frac{u_*}{H\kappa}[(\delta_0\ln\frac{\delta_0}{H}) + (H - \delta_0)]$$

由于黏性底层厚度 δ_0 很小，则有 $H \approx H - \delta_0$，则有

$$\bar{u} \approx u_{max} - \frac{u_*}{H\kappa}[(\delta_0\ln\frac{\delta_0}{H}) + H] \tag{10}$$

当 $\delta_0 \to 0$ 时，$\delta_0\ln\frac{\delta_0}{H}$ 为不定式 $0\cdot(-\infty)$，用洛比达法则

$$\lim_{\delta_0\to 0}\delta_0\ln\frac{\delta_0}{H} = \lim_{\delta_0\to 0}\frac{\ln\frac{\delta_0}{H}}{\frac{1}{\delta_0}} = \lim_{\delta_0\to 0}\frac{\frac{1}{\delta_0}}{-\frac{1}{\delta_0^2}} = 0$$，则有

$$\bar{u} \approx u_{max} - \frac{u_*}{\kappa} \tag{11}$$

（11）式与（8）式和（7）式完全一样，说明把 $u(y)$ 看成随机函数后它的均方差函数值与通过解析方法求出的平均流速几乎一样。表明处于均方差内的函数值（河水流速）具有足够好的代表性，即说明把函数随机化与传统积分法这两种方法的计算结果完全一样。

（二）当流速 u 等于垂直平均流速 $\bar{u}$ 时的 y 值

$$\bar{u}(y) = u_{max} + \frac{u_*}{\kappa}\ln\frac{y}{H} = u_{max} - \frac{u_*}{\kappa}$$

$$\ln\frac{y}{H} = -1,\ 或\ \ln\frac{H}{y} = 1,\ \frac{H}{y} = e,\ y = \frac{H}{e} \approx 0.37H \tag{12}$$

说明距河床0.37 倍高，距河面0.63 倍水深处的水流速为平均流速，即此时河水流速较稳

定，能基本代表流速的平均情况，此时求得平均流速层距离河床的高度也与前面 L 分布方法的计算结果完全一样，说明两种方法几乎等价，不一样的地方就是 L 分布方法是一种数学变换，几乎可以直接变化得到，而传统解析方法相对复杂得多。

五、流速呈指数型时两种计算方法的比较

（一）使用 L 分布方法

已知层流流速与河床高（y）呈指数关系[1]，则（见图 1）

$$u = u_{max}\eta^{m} \text{ 或 } \frac{u}{u_{max}} = \eta^{m} \tag{13}$$

其中 $\eta = \frac{y}{H}, m = \frac{1}{8}$

对（13）式两边同时取对数有

$$\ln\frac{u}{u_{max}} = m\ln\frac{y}{H}\text{，或 }\ln\frac{u_{max}}{u} = m\ln\frac{H}{y} \tag{14}$$

再进一步改进后有

$$u'(y) = \ln u_{max} - \ln u = \frac{m}{2}\ln(\frac{H}{y})^{2} \tag{15}$$

假设 $\frac{1}{4H} = \frac{m}{2}$ 或 $H = \frac{1}{2m}$ 则有

$$u'(y) = \ln u_{max} - \ln u = \frac{1}{4H}\ln(\frac{H}{y})^{2} \tag{16}$$

在（16）式中引 y 为随机变量，则 $u'(y)$ 就为随机函数，（16）式与 L 分布标准型（4）式完全一致，同上，$u'(y)$ 随机函数的方差为：$(\frac{H}{3})^{2}$，均方差为：$\frac{H}{3}$，$\frac{H}{3} \approx 0.3333H$，物理意义是距河床 0.3333 高或距河面 0.66 倍水深处的水流速为随机函数 $u(y)$ 的均方值。

将 $y = \frac{H}{3}$ 代入（15）式后 $\ln\frac{u_{max}}{u} = \frac{1}{2H}\ln 3 \approx \frac{1}{2H}$，$\frac{u_{max}}{u} = e^{\frac{1}{2H}}$

$$u = \frac{u_{max}}{e^{\frac{1}{2H}}} = \frac{u_{max}}{e^{m}} = \frac{u_{max}}{e^{\frac{1}{8}}} = \frac{u_{max}}{1.3314845} = 0.88u_{max} \tag{17}$$

如果 $y = \frac{H}{e}$ 代入（16）式后有

$$\ln\frac{u_{max}}{u} = \frac{1}{2H}\ln e = \frac{1}{2H}$$

$$u = \frac{u_{max}}{e^{\frac{1}{2H}}} = \frac{u_{max}}{e^{m}} = \frac{u_{max}}{e^{\frac{1}{8}}} = \frac{u_{max}}{1.3314845} = 0.88u_{max} \tag{18}$$

（18）式和（17）式的物理意义是随机变量 y 取均方差后（距河面 0.66 倍水深处），此时的层流速大约等于最大河水流速的 0.88 倍。

（二）使用传统积分解析方法

求平均值

$$\bar{u} = \frac{1}{H}\int_{0}^{H} u\mathrm{d}y = \frac{1}{H}\int_{0}^{H} u_{max}(\frac{y}{H})^{m}\mathrm{d}y = \frac{u_{max}}{1+m}(\frac{y}{H})^{m+1}\Big|_{0}^{H} = \frac{u_{max}}{m+1} = \frac{u_{max}}{\frac{1}{8}+1} = 0.89u_{max} \tag{19}$$

（19）式约等于（17）式，同样说明 L 分布与传统积分解析法这两种方法的结果几乎等价。

求 $u=\bar{u}$ 时的 y，$u_{\max}(\frac{y}{H})^m=\frac{u_{\max}}{1+m}$，$y^m=\frac{H^m}{1+m}u_{\max}(\frac{y}{H})^m=\frac{u_{\max}}{1+m}u_{\max}(\frac{y}{H})^m=\frac{u_{\max}}{1+m}$，

$$y=\sqrt[m]{\frac{1}{m+1}}H=\sqrt[\frac{1}{8}]{\frac{1}{\frac{1}{8}+1}}H=0.39H \tag{20}$$

（20）式说明用传统解析法解出的平均流速的对应高度距离河床 0.39 倍水深，距离河面是 0.61 水深处，而通过 L 分布方法解出均值高度距离河床 0.333 倍水深，而距离河面大约 0.66 倍水深，两种方法测得的平均流速层都接近距河面 0.6 倍水深处。

六、小　结

通过 L 分布方法和传统积分解析法求到的江河平均流速位置大致都在 0.6 倍水深处，这可作为0.6 测量法的理论基础，同时这也可作为 L 概率分布函数的一个应用事例，表明 L 概率分布函数除了在大气方面能够应用外，在大气以外的领域也有一定的应用价值，但也有一些不确定方面，比如本文例子中有 $H=\frac{\kappa}{2u_*}$ 的假设，此时的假设只是把它们处理成常数（数值），并没有涉及量纲，因为长度和速度倒数单位是不一样的，虽然这种处理有一定的局限性，不过从另一角度来看它并不影响对数曲线的形状，只是把对数图形放大倍数而已，实质并不影响各部分的概率，另外把概率密度函数曲线所围成的面积定义成 1，最后同样也能证明 $H=\frac{\kappa}{2u_*}$。

参考文献

［1］赵振兴，何建京．水力学［M］．北京：清华大学出版社．

［2］王万里，王卫国．大气地转静力平衡的方差分析与 L 分布［J］．云南大学学报（自然科学版），2006，28（5）：418－424.

混凝动力学的发展历程

赵宗升 章双霜 柴 峰 贾维靖

（北京交通大学市政与环境工程系 北京 100044）

摘 要 自从波兰理论物理学家 Smoluchowski1917 年提出目前以其命名的混凝积分－微分方程以来，已经将近过去了100年。但是这个方程在近30～40年来才逐渐被学术界引起重视，对其开展了广泛而深入的研究，包括对 Smoluchowski 混凝方程的解得存在与唯一性、收敛问题、解的性状的相关数学理论研究；碰撞频率、碰撞效率、聚集体的分形几何学、破碎动力学。相关研究不仅可以帮助我们深入理解混凝现象，也可以为混凝反应器与分离装置等工程装置的设计及运行提供改进方案。

关键词 混凝 絮凝 凝聚 动力学

虽然有关胶体的研究工作主要涉及胶体的平衡性质。动力过程也没有被完全忽略，胶体混凝作用按其机制分为布朗混凝、流速剪切混凝和差分沉降混凝。Smoluchowski（1917）根据非平衡态统计力学理论导出了混凝方程：

$$\frac{\partial\ n(v,t)}{\partial\ t}=\frac{1}{2}\int_0^v\beta(v-\tilde{v},\tilde{v})\alpha(v-\tilde{v},\tilde{v})n(v-\tilde{v},t)n(v,t)\,\mathrm{d}\tilde{v}-n(v,t)\int_0^\infty\beta(v,\tilde{v})\alpha(v,\tilde{v})n(\tilde{v},t)\,\mathrm{d}\tilde{v} \tag{1}$$

式中：$n(v,t)$ 代表体积为 v 的积聚体在时间 t 的数目浓度，$\beta(v-\tilde{v},\tilde{v})$ 代表体积为 $v-\tilde{v}$ 的积聚体与体积为 $\tilde{v}$ 的积聚体发生碰撞的频率，也称其为核。这个方程的基本假设是只发生双体碰撞，而且碰撞不一定就意味着发生积聚，碰撞效率因子 $\alpha(v,\tilde{v})$ 。

基本混凝方程是一个非线性的积分－微分方程。很容易在直观上对其给予解释：其中第一项代表体积比 v 小的粒子两两相互碰撞所带来的体积为 v 的粒子数目的增加；第二项代表各种体积的粒子两两相互碰撞所带来的体积为 v 的粒子数目的减小。碰撞频率 $\beta(v,u)$ 和碰撞效率因 $\alpha(v,u)$ 均具有对称性：$\beta(v,u)=\beta(u,v)$，$\alpha(v,u)=\alpha(u,v)$。核在数学上是齐次的，即 $\beta(\eta v,\eta u)=\eta^\gamma\beta(v,u)$，混凝方程解存在且具有唯一性。

式（1）为连续形式的混凝方程，我们也可以将其写成离散形式 $\alpha(v,u)=1$：

$$\frac{\partial\ n_k(t)}{\partial\ t}=\frac{1}{2}\sum_{i+j=k}\beta(v_i,v_j)n_in_j-n_k\sum_{i=1}^{\infty}\beta(v_i,v_j)n_i \tag{2}$$

一、碰撞频率

Smoluchowski 混凝方程只有一个待定参数，显然其数值与碰撞机制有关。所以 Smoluchowski 方程将颗粒粒径分布演化问题转化为确定碰撞频率问题。流体中颗粒碰撞机制主要有三种：由于流体分子热运动引起的布朗运动、流体运动（包括层流和湍流运动）和差分沉降作用（颗粒的尺寸和密度不同）。

（一）布朗运动混凝

对于粒径小于1μm 的纳米颗粒，布朗运动控制着碰撞频率。Smoluchowski 从 Fick 扩散方程出发导出

基金项目：国家科技重大专项“水体污染控制与治理”资助，课题名：石化化纤污水深度处理及回用技术 课题编号：2008ZX07208－004－3。

$$\beta_{ij}(v_i,v_j) = \frac{2kT}{3\mu}\left(\frac{1}{v_i^{1/3}} + \frac{1}{v_j^{1/3}}\right)\left(v_i^{1/3} + v_j^{1/3}\right) \tag{3}$$

对于单一分散系，碰撞频率为常数

$$\beta_{ij} = K = \frac{8kT}{3\mu} \tag{4}$$

则 Smoluchowski 方程成为

$$\frac{\partial\ n_k(t)}{\partial\ t} = \frac{K}{2}\sum_{i+j=k} n_i n_j - K n_k N \tag{5}$$

式中：

$$N = \sum_{i=1}^{\infty} n_i \tag{6}$$

为粒子总数。由 Smoluchowski 方程，可写出粒子总数的演化方程

$$\frac{dN}{dt} = \frac{K}{2}\sum_{k=1}^{\infty}\sum_{i+j=k} n_i n_j - KN^2 = -\frac{K}{2}N^2 \tag{7}$$

式（7）的解为

$$N = \frac{N_0}{1 + t/\tau} \tag{8}$$

式中：$\tau = 2/KN_0$ 。据此，可以写出各种粒径粒子的演化规律

$$n_k = \frac{N_0(t/\tau)^{k-1}}{(1 + t/\tau)^{k+1}} \tag{9}$$

这些函数在数学形状上，当 $k \geqslant 2$ 为单峰函数，虽然峰值时间随时间增加，但具有相似性，这也就构成了粒径分布的自保守性（Self - preserving），即用某些无量纲数处理后，粒径分布谱函数保持相同的形状。对于恒定碰撞频率的，对式（9）取极限，并利用式（8），得到

$$n_k = \frac{N^2}{N_0}e^{-\eta} \tag{10}$$

式中：$\eta = (k-1)/(\bar{k}-1) \approx k/\bar{k} = v_k/\bar{v}$, $\bar{k} = N_0/N$ 。由此得出体积为 v_k 的颗粒分数关系

$$\frac{n_k}{N} = f(v_k,\bar{v}) \tag{11}$$

式中：$\bar{v} = \varphi/N$ ，为颗粒平均体积，$\varphi = N_0 v_1 = \sum N_k v_k$ ，为颗粒总体积。式（11）是一个不依赖于时间的函数。

对于变化的碰撞频率，我们同样可以假设颗粒分布函数具有如下形式

$$\frac{n(v,t)\,\mathrm{d}v}{N} = \psi\left(\frac{v}{\bar{v}}\right)\mathrm{d}\left(\frac{v}{\bar{v}}\right) \tag{12}$$

$$N = \int_0^{\infty} n\mathrm{d}v\ ,\ \varphi = \int_0^{\infty} nv\mathrm{d}v \tag{13}$$

ψ 是一个不依赖于时间的无量纲函数。式（12）可以写成

$$\frac{n(v,t)\,\mathrm{d}v}{N} = \psi(\eta)\frac{1}{\bar{v}}\mathrm{d}v \tag{14}$$

由此得相似变换

$$n(v,t) = \frac{N^2}{\varphi}\psi(\eta) \tag{15}$$

连续形的碰撞频率可表示为

$$\beta(\tilde{v},v-\tilde{v}) = \frac{2kT}{3\mu}\left(\frac{1}{\tilde{v}^{1/3}} + \frac{1}{(v-\tilde{v})^{1/3}}\right)\left(\tilde{v}^{1/3} + (v-\tilde{v})^{1/3}\right) \tag{16}$$

利用$\eta = v/\bar{v}$，$\tilde{\eta} = \tilde{v}/\bar{v}$，式（16）成为

$$\beta(\tilde{\eta},\eta-\tilde{\eta}) = \frac{2kT}{3\mu}\left(\frac{1}{\tilde{\eta}^{1/3}}+\frac{1}{(\eta-\tilde{\eta})^{1/3}}\right)\left(\tilde{\eta}^{1/3}+(\eta-\tilde{\eta})^{1/3}\right) \quad (17)$$

通过相似变换（15），混凝方程（1）可以写成

$$\frac{1}{N^2}\frac{dN}{dt}\left(2\psi+\eta\frac{d\psi}{d\eta}\right) = \frac{kT}{3\mu}\int_0^\eta \psi(\tilde{\eta})\psi(\eta-\tilde{\eta})\left(\frac{1}{\tilde{\eta}^{1/3}}+\frac{1}{(\eta-\tilde{\eta})^{1/3}}\right)\left(\tilde{\eta}^{1/3}+(\eta-\tilde{\eta})^{1/3}\right)d\tilde{\eta}$$
$$-\frac{2kT}{3\mu}\psi(\eta)\int_0^\eta \psi(\tilde{\eta})\left(\frac{1}{\eta^{1/3}}+\frac{1}{\tilde{\eta}^{1/3}}\right)\left(\eta^{1/3}+\tilde{\eta}^{1/3}\right)d\tilde{\eta} \quad (18)$$

在体积变量连续情形，颗粒总浓度的变化速率可以通过对式（1）积分得到

$$\frac{dN}{dt} = -\frac{1}{2}\int_0^\infty\int_0^\infty \beta(v,\tilde{v})n(v)n(\tilde{v})\,dv\,d\tilde{v} \quad (19)$$

以式（15）和式（16）代入式（19），得

$$\frac{dN}{dt} = -\frac{2kT}{3\mu}(1+ab)N^2 \quad (20)$$

式中，

$$a = \int_0^\infty \eta^{1/3}\psi(\eta)d\eta \quad b = \int_0^\infty \eta^{-1/3}\psi(\eta)d\eta \quad (21)$$

将式（20）代入式（18），得以η为独立变量关于ψ的常微分－积分混凝方程

$$(1+ab\eta)\frac{d\psi}{d\eta}+(2ab-b\eta^{1/3}-b\eta^{-1/3})\psi+\int_0^\eta \psi(\eta-\tilde{\eta})\psi(\tilde{\eta})\left[1+\left(\frac{\eta-\tilde{\eta}}{\tilde{\eta}}\right)^{1/3}\right]d\eta \quad (22)$$

这是在相似变换（15）下布朗运动机制混凝方程的一个特解。虽然方程（21）整体上无法求得解析解，需用数值法求解（Hidy，1965），但我们还是可以分别得到谱的低端和高端解析表达式（Wang，1966）

$$\psi(\eta) = \frac{0.5086}{\eta^{1.06}}\exp(1.758\eta^{1/3}-1.275\eta^{-1/3}) \quad \text{适合低端} \quad (23)$$

$$\psi(\eta) = 0.915\exp(-0.95\eta) \quad \text{适合高端} \quad (24)$$

这个自保守谱与看起来与一个对数正态分布很相似，这个对数正态分布为

$$\psi(\eta) = \frac{0.292}{\eta}\exp[-0.268(\ln\eta+0.1327)^2] \quad \text{整个谱} \quad (25)$$

方程（22）还提示我们有趣的是自保守粒径分布并不依赖于介质的物理性质。粒径分布完全由它的粒子总数N和其总体积φ唯一确定，而与流体的黏度和温度无关。这三个分布函数及方程（22）的数值解的函数曲线见图1，可见分布谱在$\mu=0.136$处，有最大值0.8452。

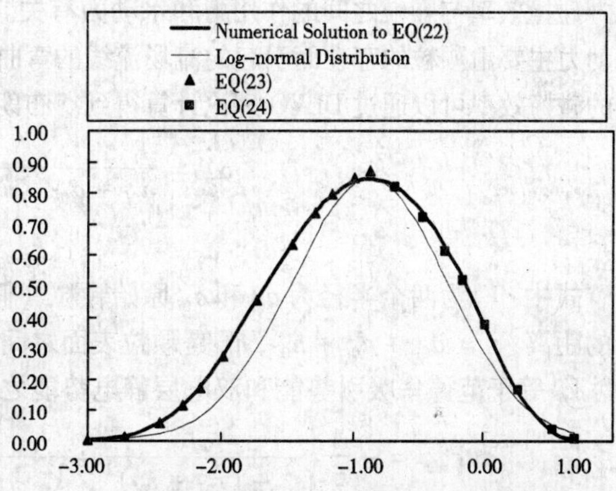

图1　布朗混凝自保守颗粒粒径分布函数

（二）流体流动碰撞

Smoluchowski（1917）就得到了简单层流剪切场的粒子碰撞频率：

$$\beta_{ij}(v_i,v_j) = \frac{4}{3}(a_i+a_j)^3\left|\frac{du}{dy}\right| \quad (26)$$

这里假设流场具有均匀一致的速度梯度，这是一种理想的简化情形。对于一般三维层流流动，Camp 和 Stein（1943）提出

$$\beta_{ij}(v_i,v_j) = \frac{4}{3}(a_i + a_j)^3\sqrt{\frac{\Phi}{\nu}} \tag{27}$$

式中：Φ 为单位质量流体的剪切功率；$\sqrt{\frac{\Phi}{\nu}}$ 称为均方根速度梯度。这个公式提出后，就不断遭到学者的质疑，准确的三维层流的粒子碰撞频率公式直到 2005 年才由 Pedocchi F 和 Piedra－Cueva I（2005）给出完整证明。实际上，式（27）中的系数不是常数（4/3），而是依赖于流场位置，在 4/3 到 4π/9 之间变化。而且在 Camp 和 Stein（1943）的文章中提出的所谓绝对速度梯度和均方根速度梯度与应变张量的关系存在错误。

但是，不管是在自然环境中、还是在工程设施内，流体流动很少是层流，绝大多是湍流。根据湍流理论，湍流是由一系列从湍流场尺度到 Kolmogorov 微尺度的涡构成。而尺度接近颗粒粒径尺度的涡控制着颗粒凝聚过程。湍涡尺度可以分成三组：①大尺度含能涡；②惯性子区；③黏性子区。

对于胶体凝聚，絮体的尺度和 Kolmogorov 微比尺都在毫米量级，所以只有黏性子区的碰撞起作用，故湍流导致的碰撞频率公式为

$$\beta_{ij} = 1.294(\varepsilon/\nu)^{1/2}(a_i + a_j)^3 \tag{28}$$

研究表明，由于颗粒粒子与周围流体惯性的不同而引起颗粒碰撞对于黏性尺度和惯性尺度颗粒是不重要的，我们在此也就不再赘述。

（三）差异沉降碰撞

差异沉降引起的颗粒碰撞频率为

$$J_{ij} = n_i n_j \int_A |V_i - V_j| \mathrm{d}A = \pi(a_i + a_j)^2 |V_i - V_j| \tag{29}$$

式中：$A = \pi(r_i + r_j)^2$，为碰撞球的投影面积；V_i 为颗粒 i 的沉降速率。将颗粒沉降速度

$$V_i = \frac{2g}{9\mu}a_i^2(\rho_p - \rho) \tag{30}$$

代入式（29），得差异沉降碰撞频率

$$\beta_{ij} = \frac{2g}{9\mu}\pi(a_i + a_j)^3(\rho_p - \rho)|a_i - a_j| \tag{31}$$

二、碰撞效率

碰撞效率与颗粒之间的作用力和水动力有关。颗粒之间的作用力包括范德华力、双电层斥力。水动力主要由颗粒的存在而引起的流场流线的弯曲而产生的排斥力。由于范德华力、双电层斥力引起的碰撞效率可以通过 DLVO 理论计算得到。布朗运动混凝的碰撞效率为胶体的稳定系数的倒数：

$$\alpha_{ij} = \frac{1}{a_{0i} + a_{0j}} \frac{1}{\int_{a_{0i}+a_{0j}}^{\infty} \frac{\exp(V_T/k_B T)}{s^2}\mathrm{d}s} \tag{32}$$

式中：V_T 为两个半径为 a_{0i} 和 a_{0j} 原始颗粒（假设为球形）相互作用的总能量；s 为颗粒中心之间的距离，$s = a_{0i} + a_{0j} + h_0$，$h_0$ 是颗粒表面之间的最小距离。

V_T 等于范德华吸引势能和双电层静电势能之和。范德华吸引势能可采用 Hamaker 表达式

$$V_{vdw}^H = -\frac{A}{6}\left\{\frac{2r_{0i}r_{0j}}{s^2 - (r_{0i} + r_{0j})^2} + \frac{2r_{0i}r_{0j}}{s^2 - (r_{0i} - r_{0j})^2} + \ln\left[\frac{s^2 - (r_{0i} + r_{0j})^2}{s^2 - (r_{0i} - r_{0j})^2}\right]\right\} \tag{33}$$

式中：A 为固体穿过溶剂介质的 Hamaker 常数。

双电层静电势能可近似用如下公式计算

$$V_{edl} = 64\pi\varepsilon_r\varepsilon_0\left(\frac{k_BT}{z_ce}\right)^2\left(\frac{r_{0i}r_{0j}}{r_{0i}+r_{0j}}\right)\tanh\left(\frac{z_ce\psi_{0i}}{4k_BT}\right)\tanh\left(\frac{z_ce\psi_{0j}}{4k_BT}\right)\exp(-\kappa h_0) \tag{34}$$

式中：e 为基本电荷；z_c 为反离子价态；ε_0 和 ε_r 分别为真空和溶剂的介电常数；Debye－Hückle 参数 κ 为含盐量 m_i、电解质离子 z_i 和温度 T 的函数。

$$\kappa = \left(\frac{N_{Av}e^2\sum_i m_i z_i^2}{\varepsilon_0\varepsilon_r k_BT}\right)^{1/2} \tag{35}$$

式中：N_{Av} 为阿伏伽德罗常数；下标 i 指代溶液中电解质种类。

对于水力剪切凝聚，在没有双电层斥力的情况下，数值计算得出相同粒径粒子的碰撞效率表达式（van de Ven and Mason，1977）

$$\alpha = K\left(\frac{A}{36\pi\mu Ga^3}\right)^{0.18} \tag{36}$$

Potanin（1993）给出了不同粒径粒子的碰撞效率表达式

$$\alpha\frac{2.1}{(\ln(d/2a))^{0.29}}\left[\left(\frac{d}{2a}\right)^{0.075}-0.2\right]^{3/2} \tag{37}$$

由此可以得出同粒径粒子之间的混凝（同混凝）比异种尺寸颗粒之间的混凝（异混凝）更有利。

但是，这样分析计算得到的碰撞效率只适合于实的刚性球之间的碰撞，即混凝早期的偶极子的形成。如果流体能够穿过多重粒子聚集体，多孔聚集体之间的水动力相互作用远没有刚性实球之间的重要。这使得通过流体力学计算得到的碰撞效率无法应用于多孔聚集体之间的碰撞。可以想象的是多孔聚集体之间的碰撞效率要高于实心球的。

三、絮体形状与破碎动力学

（一）絮体形状

原始颗粒的碰撞而发生凝聚形成颗粒簇，由比较小的颗粒簇或低级的聚集体形成比较大的二级、三级和更高级聚集体。虽然两个聚集体结合的时候固体体积或质量保持不变，但孔隙度和聚集体的形状可能发生改变。这意味着聚集体的碰撞半径依赖于它的结构。近年来已经证明，描述这种非均匀聚集体结构的方便方法是自相似分形几何学。自相似结构对于长度尺度的变化是不变的，所以它们在不同的放大率下看起来是相同的。虽然每个单个胶体聚集体不可能完全自相似，即它们经过扩张和收缩后不能完全准确地自我重合，但是胶体的结构一般显示出统计上的自相似性，这使利用分形几何学描述成为可能。

分形聚集体的结构用所谓分形维来表征。分形维是颗粒粒子如何填充聚集体空间的一种量度。聚集体中原始颗粒粒子 i 的数目对该聚集体分形尺度半径 a_i 的依赖性由下式给出

$$i = C(a_i/a_1)^D \tag{38}$$

式中：D 为分形维，在 1～3 之间；a_i 代表由 i 个原始颗粒组成的聚集体的尺度半径；C 为比例常数，即孔隙率。

$$C = \varphi_j(a_j/a_1)^{3-D} \tag{39}$$

式中：φ_j 为由 j 个原始颗粒组成的絮体的固体体积分数。如果絮体是均匀多孔性的，式（38）中的指数等于欧几里得空间维数，即等于 3。比较小的指数意味着絮体中颗粒的密度从其中心向外逐渐降低。这时絮体的平均固体密度 φ 随絮体半径 a_F 按下式变化

$$\varphi = C(a_F/a_1)^{D-3} \tag{40}$$

在絮体内部，固体体积分数随絮体径向位置 r 的变化为

$$\varphi(r) = CD/3(r/a_1)^{D-3} = \varphi_0(r/a_1)^{D-3} \tag{41}$$

式（38）可写作

$$a_i = a_1\left(\frac{i}{C}\right)^{1/D} \tag{42}$$

式中：a_1 为原始颗粒尺度。考虑聚集体的分形结构的湍流剪切混凝碰撞频率为

$$\beta_{ij} = 1.294 a_1^3 C^{-3/D}\left(\frac{\varepsilon}{\nu}\right)^{1/2}(i^{1/D} + j^{1/D})^3 \tag{43}$$

聚集体的分形结构使其具有比等体积的球大得多的碰撞轮廓，而且降低了流体黏性对碰撞的阻力，提高了碰撞速率。但多空的分形结构更容易被流体剪切力破碎。动力学模型应考虑聚集体结构、流体剪切力以及它们的相互作用。

（二）破碎机制

在混凝过程中，聚集体不可能无限制地增长下去。在实验中，已经观测到存在最大尺度的絮体。而有关最大尺度絮体的信息及其原因在混凝模拟过程中是需要考虑的。其可能的原因可能包括聚集体的破碎和碰撞效率变为零。

由于没有观测到小于或大于 Kolmogorov 微尺度凝聚体破碎速率对浓度的依赖性，可以忽略凝聚体之间碰撞的解聚机制。可以假设聚集体的破碎由作用在其上的水力剪切力引起。

湍流应力可以分成两组：

1. 主体应力，它是由跨越凝聚体的瞬时湍流速度差所引起的聚集体结构内部的剪切力。这个剪切力导致聚集体变形并最终导致絮体破裂。

2. 表面剪切力，由湍流对凝聚体的拖曳作用产生。流体拖曳作用于絮体表面从而导致絮体表面腐蚀。

（三）破碎动力学

由破碎准则可以定义跨越聚集体的流体速度差的临界值，超过这个临界值聚集体将破碎。破碎速率由速率差的随机场超过这个临界值的频率来确定。根据这个原理，Kuster（1991）得出以下破碎速率常数

$$S_i = \left(\frac{4}{15\pi}\right)^{1/2}\left(\frac{\varepsilon}{\nu}\right)^{1/2}\exp(-\varepsilon_{b,i}/\varepsilon) \tag{44}$$

式中：$\varepsilon_{b,i}$ 和 ε 分别为絮体破碎的临界湍动能耗散率和絮体所在位置的平均耗散率，根据前述，聚集体的平均尺度随剪切力的增加而减小，所以可以假设临界湍动能耗散率 $\varepsilon_{b,i}$ 反比于絮体的碰撞半径

$$\varepsilon_{b,i} = \frac{B}{r_i} \tag{45}$$

式中：比例常数 B 是剪切率的函数。这样破碎速率就随剪切率和絮体尺度的增加而增加。

除去考虑破碎速率常数，还需要有描述碎片分布的一个函数 γ，我们将在分组模型中讨论这个问题。

（四）凝聚－破碎动力学

将凝聚和破碎动力学耦合在一起，便得凝聚－破碎动力学。

$$\frac{\partial n(v,t)}{\partial t} = \frac{1}{2}\int_0^v \beta(v-\tilde{v},\tilde{v})\alpha(v-\tilde{v},\tilde{v})n(v-\tilde{v},t)n(v,t)\,\mathrm{d}\tilde{v} - n(v,t)\int_0^\infty \beta(v,\tilde{v})\alpha(v,\tilde{v})n(\tilde{v},t)\,\mathrm{d}\tilde{v} - S(v)n(v,t) + \int_v^\infty S(\tilde{v})\gamma(v,\tilde{v})n(\tilde{v})\,\mathrm{d}\tilde{v} \tag{46}$$

其中第三项代表由于破碎而导致的聚集体的减少，第四项比较小的聚集体的产生。这里假设破碎完全是由流体应力引起的，而不是由聚集体碰撞引起的，虽然碰撞也可以引起破碎。因此破碎只是聚集体浓度的一次函数，而不像凝聚速率那样是其二次函数。

四、离散化模型

由于凝聚－破碎平衡方程没有解析解，而且其对应的离散化方程的维数太大，数值求解也会要求过长的计算时间而难以实现。为了简化计算，我们不得不将尺度域分成数目较小的区间：

$$V_i = 2V_{i-1} \tag{47}$$

得如下分组离散模型

$$\begin{aligned}\frac{\partial n_i(t)}{\partial t} = {} & n_{i-1}\sum_{j=1}^{i-2}2^{j-i+1}\alpha_{i-1,j}\beta_{i-1,j}n_j + \frac{1}{2}\alpha_{i-1,i-1}\beta_{i-1,i-1}n_{i-1}^2 - n_i\sum_{j=1}^{i-1}2^{j-1}\alpha_{i,j}\beta_{i,j}n_j \\ & - n_i\sum_{j=i}^{\max_1}\alpha_{i,j}\beta_{i,j}n_j - S_i n_i + \sum_{j=i}^{\max_2}\gamma_{i,j}S_j n_j\end{aligned} \tag{48}$$

式中：n_i 为含有 2^{i-1} 个原始粒子的聚集体的数量浓度；α 为碰撞效率；β 为碰撞频率；$\gamma_{i,j}$ 为破碎分布函数，为 j 组聚集体破碎产生的 i 组聚集体的体积分数。式中，右边前两项代表小于分组 i 的聚集体碰撞产生的 i 组聚集体的数目；第三项和第四项代表 i 组聚集体与其他聚集体凝聚使其减少的数目；第五项代表破碎项；第六项代表较大聚集体破碎产生的 i 组聚集体。对于每一个组，都要解一个方程，一般取 $\max_1 = 30$ 即可覆盖的粒子粒径范围。

破碎碎片分布函数 $\gamma_{i,j}$ 可以是一个二体破碎、三体破碎分布函数，也可以是多体正态分布函数。但是为了简化起见，一般只采用二体分布函数。二体破碎即为 $i+1$ 组聚集体破碎为两个体积相等的 i 组聚集体。二体破碎的分布函数则为

$$\gamma_{i,j}\begin{cases} = \dfrac{V_j}{V_i} = 2, j = i+1 \\ = 0, \text{其他情况}\end{cases} \tag{49}$$

这时，式（48）中的最后的求和项的只有 $j=i+1$ 这一项。

三体破碎即为 $i+1$ 组聚集体一次就破碎为一个 i 组聚集体和两个 $i-1$ 组聚集体。其分布函数为

$$\gamma_{i,j}\begin{cases} = \dfrac{V_j}{2V_i} = 1, j = i+1 \\ = \dfrac{V_j}{2V_i} = 2, j = i+2 \\ = 0, \text{其他情况}\end{cases} \tag{50}$$

这时，式（48）中的最后的求和项的只有 $j=i+1$ 和 $j=i+2$ 这两项。

多体破碎即为聚集体可以破碎为各种较小尺度的聚集体，并且它们按正态分布

$$\gamma_{i,j} = \frac{V_j}{V_i}\int_{b_{i-1}}^{b_i}\frac{1}{\sqrt{2\pi\sigma_f}}\exp\left(-\frac{(V-V_{fa})^2}{2\sigma_f^2}\right)\mathrm{d}V \tag{51}$$

式中：V_{fa} 为碎片分布的平均体积，等于破碎絮体体积的一半；σ_f 为碎片尺度分布的标准差；$\sigma_f = \dfrac{V_j}{\lambda}$，$\lambda$ 是一个变数。采用多体破碎正态分布，式（48）中的最后的求和项中的 $\max_2$ 等于 i 的最大值。

这种离散化的主要缺点是颗粒尺度划分是固定的。为了克服这个缺点，Litster（1995）采用可调节离散化参数

$$\frac{V_{i+1}}{V_i} = 2^{1/q} \tag{52}$$

这样可以通过增加可调节离散化参数来增加在给定粒子尺度域上的离散区间的数目，$q \geqslant 1$

且为正整数。Fisher（1998）得出如下离散化方程：

$$\frac{\partial n_i(t)}{\partial t} = n_{i-1}\sum_{j=1}^{i-S(1)} 2^{j-i+1}\alpha_{i-1,j}\beta_{i-1,j}n_j\left(\frac{2^{(j-i+1)q}}{2^{1/q}-1}\right) + \sum_{k=2}^{q}\sum_{j=i-S(k-1)}^{i-S(k)}\alpha_{i-k,j}\beta_{i-k,j}n_{i-k}n_j\left(\frac{2^{(j-i+1)/q}-1+2^{-(k-1)/q}}{2^{1/q}-1}\right)$$

$$+\frac{1}{2}\alpha_{i-q,i-q}\beta_{i-q,i-q}n_{i-q}^2 + \sum_{k=1}^{q-1}\sum_{j=i+1-S(k)}^{i+1-S(k+1)}\alpha_{i-k+1,j}\beta_{i-k+1,j}n_{i-k+1}n_j\left(\frac{2^{(j-i)/q}+2^{1/q}-2^{-(k)/q}}{2^{1/q}-1}\right)$$

$$-n_i\sum_{j=1}^{i-S(1)+1}\alpha_{i,j}\beta_{i,j}n_j\left(\frac{2^{(j-i)/q}}{2^{1/q}-1}\right) - n_i\sum_{j=i-S(q)+1}^{\max_1}\alpha_{i,j}\beta_{i,j}n_j - S_i n_i + \sum_{j=i}^{\max_2}\gamma_{i,j}S_j n_j \tag{53}$$

式中：

$$S(p) = \mathrm{Int}\left[1 - \frac{q\ln(1-2^{-p/q})}{\ln 2}\right] \tag{54}$$

当 $q=1$，2，3，4 时，式（53）还有另一种比较简洁的形式（Fisher，1998）。

五、结束语

混凝动力学模型经过近 100 年的发展已日趋成熟。起初分别着眼于凝聚动力学或破碎动力学，最近的研究已将两者结合起来。其中絮体平衡方程的几何离散技术使问题的计算强度降低，利用分形维方法描述不规则絮体结构和絮体的可渗透性也是一个重要的进展。尽管如此，将絮体平衡方程应用于实际工业絮凝过程还有几个关键问题需要解决。首先，要将絮体平衡方程和絮体的分型结构特征以及计算流体动力学结合起来；其次，还要解决由于 pH、温度和混凝剂/絮凝剂浓度变化等引起的絮凝动力学问题。

参考文献

[1] Camp T R, Stein P C. Velocity gradients and internal work in fluid motion [J]. J. Boston Soc. Civ. Engrs. 1943, 30 (4): 219-237.

[2] Fisher Scott. A Mathematical Model for Aggregation in Colloids Sytems. Master's Thesis, University of South Florida, August 1998.

[3] Hounslow M J, R L Ryall, V R. Marshall. A Discretized Population Balance for Nucleation. Growth and Aggregation, AIChE J., 1988, 34: 1821.

[4] Kusters K A. The influence of turbulence on aggregation of small particles in agitated vessels [D]. Eindhoven, The Netherlands: Eindhoven University of Technology. 1991.

[5] Pinocchio F, Piedra-Cueva I. Camp and Stein's velocity gradient formalization [J]. J. of Environmental Engineering. 2005, 131 (10): 1369-1376.

[6] Potanin A A. ON the Computer Simulation of the deformation and Breakup of Colloidal Aggregates in Shear Flow. J. Colloid Interface Sci., 1993, 147, 140-157.

[7] Smoluchowski M V. Versuch einer Mathematischen Theorie der Koagulationskinetik [J]. Zeitschrift fuer Physikalische Chemie, 1917, 92: 129.

[8] Wang Chiu-sen. A mathematical study of the particle size distribution of coagulating disperse systems [D]. Pasadena: California Institrute of Technology, 1966.

[9] Van de Ven T G M and S G Mason. The Microrheology of Colloid Dispersions Ⅶ. Orthokinetic Doublet Formation of spheres. Colloid and Polymer Sci., 1977, 255, 468-479.

海洋石油污染的现状及防治对策

刘慧杰　张虎山

（广州军区环境监测站　广州　510507）

摘　要　石油是海洋环境最为重要的污染物之一。它不仅威胁着海洋生态安全，而且其致癌物通过在海洋生物体内浓缩蓄积给人类也会造成严重的健康危害。严峻的海洋石油污染的现实已经使其治理工作迫在眉睫。在物理、化学及生物等各种石油污染的治理技术中，生物修复技术以其高效安全而备受推崇。在海洋石油污染的原位环境中分离降解菌是关键环节，在目前的研究中许多菌属被分离得到，应用分子生物学方法对其降解基因及蛋白表达研究也成为了热点。微生物降解被认为是去除海洋环境石油污染的主要途径。

关键词　海洋环境　石油污染　微生物降解　防治对策

随着人口的增长、工业的发展和海上军事活动的增加，海洋受到各方面不同程度的污染和破坏，日益严重的污染给人类的生存和发展带来了极为不利的后果。其中较为严重的海洋污染有船舶运输、海洋石油开采、海上军事活动等，使海洋环境的石油污染问题日益突出。它不仅威胁着海洋生态安全，而且其致癌物通过在海洋生物体内浓缩蓄积给人类也会造成严重的健康威胁。去除海洋环境的石油污染已成为了亟待解决的重要科题，是海洋环境保护的重要内容之一，具有十分重要的现实意义。

一、我国及全球海洋石油污染的现状

海洋占了地球表面积的71%，为人们提供了丰富的生产、生活资源和空间资源，是全球生命支持系统的重要组成部分。近10年，随着沿海河口、港湾地区经济的迅速发展，造成海洋环境污染、生态破坏等问题日益严重。海上的石油勘探与开发及航运事故中的大量溢油等庞杂的污染物进入河口、海湾和近岸海域，使得沿海海域的水质、底质和生态环境不断恶化，我国近海承受着前所未有的环境污染压力[1]。这些有毒污染物在环境中的积累和食物链的累积效应已成为当今一大不可忽视的环境问题。目前全球面临的主要近海污染问题是石油等有机物污染、富营养化、赤潮、重金属污染、非降解垃圾污染以及放射性污染等[2]。据统计，每年通过各种渠道泄入海洋的石油和石油产品，约占全世界石油总产量的0.5%，倾注到海洋的石油量达200万~1000万t，由于航运而排入海洋的石油污染物达160万~200万t，其中1/3左右是油轮在海上发生事故导致石油泄漏造成的。

近年来，随着我国沿海城市的开发，使得港口码头年吞吐量逐年增加，加之港口码头水体迁移能力差，导致潮流速度减少，流向改变，水交换能力变弱，淤积速度增大，这样污染物的稀释扩散和自净作用不利，这给海洋环境带来很大的压力，近海海域石油污染亦呈增加趋势。

《2008年中国海洋环境质量公报》显示，海水中的主要污染物是无机氮、活性磷酸盐和石油类。“全国海洋环境监测网”多年来的监测表明：我国近海海水主要受石油、重金属、N、P以及有机物的污染。石油污染的范围很广，仍是近海海域的主要污染物之一，渤海、黄海、东海、南海四个海区石油污染都不同程度的呈逐年上升趋势。随着各种有毒有害物质输入海洋越来越多，存在环境中时间较长对于该区域的生态环境及人类的健康具有潜在的威胁。

国际社会因石油问题引发的战争不断出现，1991年的海湾战争，由于大量石油倾入阿拉伯湾，造成了海洋大面积污染，而导致海鸟死亡、赤潮频发、海洋生物受损等不可估量的损失，直到1991年12月因该海域石油污染造成的生物死亡率仍高达50%~100%[3]。不仅如此，据资料统计，近20多年世界主要石油泄漏的事故频频发生：1979年6月3日，墨西哥湾克斯托克1号探测油井发生井涌，约1.4亿加仑原油泄漏入海。1989年3月24日，“埃克逊－瓦尔德兹”号在威廉王子岛海岸搁浅，原油泄漏达1100万加仑。1992年12月3日，希腊油轮“爱琴海”号在西班牙西北海岸搁浅，2000多万加仑原油泄漏。1993年6月5日，“布里尔”号搁浅在苏格兰东北的设特兰群岛海域，泄漏了2600万加仑石油。1996年2月15日，“海洋女王”号在威尔士海岸搁浅，1800万加仑原油泄漏。1999年12月12日，“埃里卡”号发生断裂事故，法国西海岸被300万加仑原油污染。2002年11月19日，载有1800万加仑燃油“普雷斯蒂奇”号在西班牙海域沉没，泄漏200万加仑石油。2004年12月7日，二艘外籍船在珠江口海域发生碰撞，导致1200多吨的燃油泄漏。2005年4月3日，载运119574吨原油的葡萄牙籍“阿堤哥”油轮在大连海域触礁，造成附近海域受到污染。由此可见，重大海洋石油污染事故屡屡发生，海洋石油污染事态极其严重。

二、海洋环境石油污染的形式及主要危害

海上石油及其产品污染是最重要的生态灾难性污染之一，石油进入海洋后，石油中的一些成分可直接挥发而进入空气；一小部分海洋表面的石油受紫外线作用可发生光化学分解，但速度极慢；而绝大部分石油要通过微生物的降解作用得到净化。进入海洋中的石油存在形式主要有3种：①漂浮在海面的油膜；②溶解分散态，包括溶解和乳化状态；③凝聚态残留物，包括海面漂浮的焦油球和沉积物中的残留物[4]。

海洋中的这些石油每种存在形式给海洋环境和海洋生态系统均带来了严重的危害，石油在海面会形成一层油膜，隔绝大气与海水的气流交换，并减弱太阳光透入海水的能量。这种耗氧和隔绝会导致海水严重缺氧，并影响海洋光合生物的光合作用，导致鱼贝藻类死亡，海滨生物结构破坏，海鸟饲饵消失。直接或间接地影响着人类的生存和可持续发展。主要表现在以下几个方面：①对人群健康产生潜在危害。石油中存在着芳烃类有机物，它们当中大部分具有潜在的致癌、致畸和致突变作用可以通过生物累积及食物链的传递作用给海洋生物体，人类通过食用，在人体内聚积而对健康带来极大危害；②影响海气系统间物质和能量的交换。由于石油污染抑制光合作用，降低溶解氧含量，破坏生物生理机能，使近海渔业年产量逐年下降。另外，一旦近海水体被污染，导致养殖池无法正常换水，使恶劣的水质养殖的鱼类、贝类等海产品大量死亡，并带有异味，失去食用价值；③破坏海洋生态系统。据研究，在石油污染污染严重的海区，赤潮的发生频率增加，这可能与石油烃类污染有关；④制约人类社会和环境的可持续发展。石油易附着在渔网具上，加大清洗难度，降低捕捞效率，造成经济损失。

三、海洋石油污染的防治措施

目前，常用的海洋石油污染的治理方法主要有物理处理法、化学处理法和生物处理法。

（一）物理处理法

主要是用物理方法和机械装置消除海面及海岸带油污染，又可分为①清污船和回收装置。回收装置种类较多，可根据海况和气象条件的不同，选用不同的装置。②围油栏。当石油泄漏到海面后，首先用围油栏将其围住，防止其扩散，然后再处理、回收。围油栏具有滞油性、随波性强等性能。一般常用于港口码头。③吸油材料。具有亲油憎水性，可在其表面吸附石油，然后通过回收吸油材料方式回收石油。其原料包括高分子材料、无机多孔物质和纤维等。

（二）化学处理法

主要包括以下几种：①燃烧法。通过燃烧将大量浮油在短时间内彻底烧净，但不完全燃烧会放出浓烟，产生大量芳烃化合物，仍会污染海洋和大气。②乳化剂。可以将油粒分散成小油滴。

使其易于和海水充分混合利于降解。但只能处理低浓度油，且使用时有必要考虑其本身的毒性。③凝油剂。可将油凝聚成黏稠物形成一种回收的凝聚物的物质，用机械方法除去。④集油剂。可增加油表面张力，增加油膜厚度，然后用物理方法除去。该法需定期用药，且用量较大。⑤沉降剂。可使石油吸附沉降到海底，但这样会将油污染带到海洋底部，危害底栖生物。

（三）生物处理法

与化学、物理方法相比，生物修复对人和环境造成的影响小，且修复费用仅为传统物理、化学修复的30% ~50%[5]。生物修复以其投入小，无二次污染的优势被视为最有前途和经济有效的环境治理方式[6]。20世纪80年代末美国在Exxon Vadez油轮石油泄漏的生物修复项目中，短时间内清除了污染，治理了环境，是生物修复成功应用的开端，同时也开创了生物修复在治理海洋污染中的应用[7]。

目前，大多数采用的是分离海洋微生物来进行海洋石油污染的生物修复研究。海洋石油烃降解菌早在一个世纪前就已经被分离到。最近文献综述统计有79个属的细菌能利用烃类物质作为唯一的碳源和能源，9个属的蓝藻、103个属的真菌、14个属的海藻能降解或转化烃类物质[8]。大多数原核降解菌是属于α-、β-、γ-Proteobacteria和Actinomycetales的高GC含量的革兰氏阳性菌[9]。最近发现Bacillus、Geobacillus和Thermus也能降解烷烃，此外，Flavobacteria和Sphingobacteria也从石油污染的环境分离到。在海洋环境中也生活着各种各样的石油烃降解菌。在过去的十年里，分离了许多的烷烃和芳香烃类降解菌，在所分离的所有降解菌中，α-proteobacteria和γ-proterobacteria占多数[9]，而对于β-proteobacteria中的与石油烃降解相关菌株报道得较少，这主要由于α-proteobacteria在港湾河口和海洋环境中占优势[10]，而β-proteobacteria在淡水环境中为优势菌群[11]。

在α-proteobacteria中，Sphingomonas[12,13]、Rhodococcus[14]和Novosphingomonas都是已经报道不但能进行石油烃的降解，而且也与大多数有机物的降解有关，说明这类细菌不但广泛存在，而且积极参与在环境中难降解有机污染物的生物降解，是环境中一类很重要的降解菌；在γ-proterobacteria中，Marinobacter[15,16]和Pseudomonasa[17,18]也被报道是具有PAHs降解能力的菌属，在γ-proterobacteria中，Microbulbifer是另一类能够降解石油烃的菌属，它可以降解荧蒽和萘，但截至目前，这个菌属很少被分离得到[19]。在分离得到的其他降解菌中，拟杆菌门（Bacteroidetes）的鞘脂杆菌纲（Sphingobacteria）以及黄杆菌纲（Flavobacteria）[20]，放线菌门（Actinobacteria）的放线菌纲（Actinobacteria），厚壁菌门（Firmicutes）的芽孢杆菌纲（Bacilli）的细菌均有能够降解石油烃的文献报道。

近年来，随着分子生物学技术的发展[21]，按样品中DNA来计算微生物数目和种类的分子生态学技术得到了较大发展，克服传统培养方法的局限性，为微生物多样性的研究提供了一些有益的思路。应用分子生物学方法对于研究石油烃降解基因及蛋白表达开拓了新的领域[22-24]。

这些方法大部分都是应用于石油烃降解单菌的降解机制方面的研究，而对于混合菌系的研究仍然显得捉襟见肘，对于系统研究海洋环境石油污染生物修复仍然不全面。

一般认为混合菌群比单一菌株更能有效地降解石油烃类，因为石油中含有各种烷烃、芳烃以及多环芳烃等多种复杂成分，不同微生物之间的共同作用可加速油污的降解[25]。柴油是由C9-C20碳链的烃类化合物组成的复杂混合物，包括烷烃、烯烃和芳香烃等，由于其组成成分复杂，被认为是研究石油生物降解的优良底物[26]。

四、结 语

海洋石油污染是当前国际上较为突出的问题，全球每天都有大小船只和油轮穿梭于各大海域中，油轮的溢油沉船事件也时有发生，这些都给海洋生态环境带来严重危害并且对人类健康和经济的可持续发展带来不利，治理海洋环境的石油污染已刻不容缓。微生物降解是去除环境中石油污染的主要途径。我们在海洋开发的同时，时刻要树立保护海洋环境，维护生态安全的观念，加强海洋环境监测，避免石油类物质污染海洋环境，防止其对人群健康产生危害，保证海岸带的可持续发展。

参考文献

[1] 苏纪兰，唐启升．我国海洋生态系统基础研究的发展——国际趋势和国内需求［J］．地球科学进展，2005，20（2）：139－143.

[2] 夏立群，张红莲，简纪常，等．植物修复技术在近海污染治理中的研究与应用［J］．水资源保护，2005，21（1）：32－35.

[3] Jones DA，Plaza J，Watt I，Al Sanei M. Long－term（1991－1995）monitoring of the intertidal biota of Saudi Arabia after the 1991 Gulf War oil spill［J］．Marine Pollution Bulletin，1998，36（6）：472－89.

[4] 陈尧．中国近海石油污染现状及防治［J］．工业安全与环保，2003，29（11）：20－24.

[5] Hicks BN，Caplan JA. Bioremediation：a natural solution［J］．Pollution Engineering，1993，25（2）：30－33.

[6] Zhao HP，Wang L，Ren JR，Li Z，Li M，Gao HW. Isolation and characterization of phenanthrene－degrading strains Sphingomonas sp. ZP1 and Tistrella sp. ZP5. J Hazard Mater，2008，152（3）：1293－1300.

[7] Oh YS，Sim DS，Kim SJ. Effects of nutrients on crude oil biodegradation in the upper intertidal zone［J］．Mar Pollut Bull，2001，42（12）：1367－1372.

[8] Head IM，Jones DM，Roling WFM. Marine microorganisms make a meal of oil［J］．Nature Reviews Microbiology，2006，4（3）：173－82.

[9] Brito EM，Guyoneaud R，Goni－Urriza M，Ranchou－Peyruse A，Verbaere A，Crapez MA，Wasserman JC，Duran R. Characterization of hydrocarbonoclastic bacterial communities from mangrove sediments in Guanabara Bay，Brazil［J］．Res Microbiol，2006，157（8）：752－762.

[10] Kirchman DL，Dittel AI，Malmstrom RR，Cottrell MT. Biogeography of major bacterial groups in the Delaware Estuary［J］．Limnology and Oceanography，2005，50（5）：1697－1706.

[11] del Giorgio PA，Bouvier TC. Linking the physiologic and phylogenetic successions in free－living bacterial communities along an estuarine salinity gradient［J］．Limnology and Oceanography，2002，47（2）：471－486.

[12] Chen J，Wong MH，Wong YS，Tam NF. Multi－factors on biodegradation kinetics of polycyclic aromatic hydrocarbons（PAHs）by Sphingomonas sp. a bacterial strain isolated from mangrove sediment［J］．Mar Pollut Bull，2008，57（6－12）：695－702.

[13] Desai AM，Autenrieth RL，Dimitriou－Christidis P，McDonald TJ. Biodegradation kinetics of select polycyclic aromatic hydrocarbon（PAH）mixtures by Sphingomonas paucimobilis EPA505［J］．Biodegradation，2008，19（2）：223－233.

[14] Di Gennaro P，Rescalli E，Galli E，Sello G，Bestetti G. Characterization of Rhodococcus opacus R7，a strain able to degrade naphthalene and o－xylene isolated from a polycyclic aromatic hydrocarbon－contaminated soil［J］．Res Microbiol，2001，152（7）：641－651.

[15] Gu J，Cai H，Yu SL，Qu R，Yin B，Guo YF，Zhao JY，Wu XL. Marinobacter gudaonensis sp nov.，isolated from an oil－polluted saline soil in a Chinese oilfield［J］．International Journal of Systematic and Evolutionary Microbiology，2007，57：250－254.

[16] McGowan L，Herbert R，Muyzer G. A comparative study of hydrocarbon degradation by Marinobacter sp.，Rhodococcus sp and Corynebacterium sp isolated from different mat systems［J］．Ophelia，2004，58（3）：271－281.

[17] Ma Y，Wang L，Shao Z. Pseudomonas，the dominant polycyclic aromatic hydrocarbon－degrading bacteria isolated from Antarctic soils and the role of large plasmids in horizontal gene transfer［J］．Environ Microbiol，2006，8（3）：455－465.

[18] Arino S，Marchal R，Vandecasteele JP. Involvement of a rhamnolipid－producing strain of Pseudomonas aeruginosa

in the degradation of polycyclic aromatic hydrocarbons by a bacterial community [J]. J Appl Microbiol, 1998, 84 (5): 769-776.

[19] Howard MB, Ekborg NA, Taylor LE, Weiner RM, Hutcheson SW. Genomic analysis and initial characterization of the chitinolytic system of Microbulbifer degradans strain 2-40 [J]. Journal of Bacteriology, 2003, 185 (11): 3352-3360.

[20] Kwon KK, Lee HS, Jung HB, Kang JH, Kim SJ. Yeosuana aromativorans gen. nov., sp. nov., a mesophilic marine bacterium belonging to the family Flavobacteriaceae, isolated from estuarine sediment of the South Sea, Korea [J]. Int J Syst Evol Microbiol, 2006, 56 (Pt 4): 727-732.

[21] Bertrand H, Poly F, Van VT, Lombard N, Nalin R, Vogel TM, Simonet P. High molecular weight DNA recovery from soils prerequisite for biotechnological metagenomic library construction [J]. J Microbiol Methods, 2005, 62 (1): 1-11.

[22] Giovannoni SJ, Britschgi TB, Moyer CL, Field KG. Genetic diversity in Sargasso Sea bacterioplankton [J]. Nature, 1990, 345 (6270): 60-63.

[23] Ranjard L, Poly F, Nazaret S. Monitoring complex bacterial communities using culture-independent molecular techniques: application to soil environment [J]. Research in Microbiology, 2000, 151 (3): 167-177.

[24] Bano N, Hollibaugh JT. Phylogenetic composition of bacterioplankton assemblages from the Arctic Ocean [J]. Appl Environ Microbiol, 2002, 68 (2): 505-518.

[25] Komukai-Nakamura S, Sugiura K, Yamauchi-Inomata Y, Toki H, Venkateswaran K, Yamamoto S, Tanaka H, Harayama S. Construction of bacterial consortia that degrade Arabian light crude oil [J]. Journal of Fermentation and Bioengineering, 1996, 82 (6): 570-574.

[26] 田胜艳，刘廷志，高秀花，等．海洋潮间带石油烃降解菌的筛选分离与降解特性［J］．农业环境科学学报，2006（S1）．

我国非木质林产品开发利用现状与对策分析

杨春玉

（南开大学循环经济研究中心　天津市南开区卫津94号　300071）

摘　要　非木质林产品的开发利用对我国林业和山区经济发展具有重要作用。本文对我国非木质林产品开发利用现状、存在问题及其产生原因进行了系统分析，提出非木质林产品可持续开发利用对策。

关键词　非木质林产品　存在问题　可持续开发利用对策

引　言

森林资源是用来生产木材，其生态效益和社会效益越来越被人们所重视。但森林食品、药材、编织品、香料、树脂、胶乳、野生动物蛋白等非木材产品的重要性却往往被忽略。实际上，非木质林产品的经济价值是潜在的、巨大的，它在为发展中国家尤其是贫困地区的农民提供经济来源、就业机会以及食物和药材保障、改善生态环境、促进林业可持续发展等方面，具有显著的作用和重大意义。

世界各国对非木材林产品（non - timber forest product）的叫法有很多种，如非木质林产品（non - wood forest product）、林副产品（minor forest product）、多种利用林产品（multi - use forest product）等。根据联合国粮农组织（FAO）的定义：非木质林产品是从以森林资源为核心的生物群落中获得的能满足人类生存或生产需要的产品和服务。包括植物类产品如野果、药材等；动物类产品如野生动物的蛋白质、昆虫产品（蜂蜜、紫胶）；服务类产品如森林旅游等[1]。

我国是世界最大的非木质林产品采集国，非木质林产品开发利用活动具有漫长的历史。目前我国非木质林产品开发利用活动大多表现为无序化，非木质林产品资源数量快速下降，部分物种濒临枯竭，诸如兰科植物、新疆雪莲等[2]。有鉴于此，结合国内外相关研究成果和实地调研资料，分析我国非木质林产品利用现状、作用、问题及产生原因，并提出一些建议，对可持续开发利用非木质林产品具有重要的现实意义。

一、我国非木质林产品开发利用现状

世界粮农组织（FAO，Food and Agriculture Organization）在一篇题为《森林、树木与人》的报告中提出不仅要重视木材、薪材和木炭等显而易见的林产品，而且要认真考虑那些经常被忽视的非木质林产品，包括水果、纤维、油料、树胶、蘑菇、野味、药材以及大量其他产品的多种效益。FAO 认为，无论是在发达国家还是在发展中国家，非木质林产品资源的开发利用有利于增加森林的经济效益、社会效益、生态效益。因此，必须对非木质林产品资源加以保护，并合理开发利用[3]。

我国有极其丰富的非木质林产品资源。根据不完全统计，我国林区仅木本植物就有 1900 种，其中芳香植物有 340 多种，可开发利用的食用植物 120 多种；药用植物约 400 种，经济植物 100 多种；蜜源植物 800 多种。此外，还有野生动物 500 多种[4]。我国当前利用非木质林产品的现状主要具有以下几个特征。

（一）开发利用涉及的种类多、数量大

我国开发利用的非木质林产品种类繁多，包括食用、药用、工业用等所有类型产品，社会经济发展及公众生活对非木质林产品需求量大。截至 2005 年，我国食用类非木质林产品采集量已占世界总采集量的 74%，油漆等工业用非木质林产品采集量占世界比重为 72%。当前，被利用

的山野菜、食用菌品种逾百种，其中松茸、蕨菜、刺嫩芽等数十种产品还被大量用于出口。就入药用非木质林产品而言，我国可入药的植物多达11 000种，占植物种类的87.03%[5]；主要收购品种为400余种，约占常用药材的70%；年收购量4万t，约占所有品种收购总量的50%～60%，总价值16亿元左右。作为林化工业生产原料的松香、松节油等非木质林产品产量一直居高不下，诸如松香和松节油2005年全国产量分别为6017万t和615万t，较2004年增幅分别为24.9%和23.2%[6]。此外，我国竹类非木质林产品产量大，每年竹笋产量达160万t以上，毛竹产量逾5亿根，杂竹产量逾3000万t，折合1000万m^3木材当量，约占全国年木材采伐量的1/5以上。

（二）开发利用活动主要集中在山区，涉及人口众多

非木质林产品的地域分布与我国森林资源分布具有一致性，诸如山野菜广泛分布于林下、林缘、沟谷、山坡、山崖及枯朽木上，松茸生长于松林或针阔混交林地面的落叶下。我国绝大部分的森林资源处于山区，因此山区是非木质林产品的主要开发利用区域。不同省份的非木质林产品利用活动各有特点。如浙江、福建、江西竹类资源的开发利用较为活跃；云南、四川等省则偏重于食用菌和药用、观赏类非木质林产品的开发利用；陕西、宁夏则大力开发利用枸杞、沙棘等非木质林产品。

（三）开发利用方式以“采集—出售”为主

多年来，我国山区群众以“采集—出售”为参与非木质林产品开发利用的主要方式，将采集到的非木质林产品资源以原料方式直接出售给当地或外地商户。诸如，贡山县采集农户中无一人对采集所获资源进行加工。沿用“采集—出售”方式，群众从利用活动中获取的收益低。为能获取更大收益，必然加大采集力度，而不顾及当地森林生态承载力，最终导致生态系统产出减少和资源衰减[7]。

（四）区域人工种植技术不够完善

新疆有重大经济价值的非木材林产品，诸如新疆紫草、雪莲、一枝蒿等，在新疆山区都曾有很大的天然分布面积。其中一些非木质林产品得到开发利用，如新疆紫草为新疆四大支柱药材之一，由于其高效的药理活性和紫草色素含量最高，为商品紫草的主要来源，产量占全国紫草产量的70%，行销全国并出口，但是其生物学特征和人工种植技术等的研究，目前尚属空白。野生雪莲由于几十年来的无计划采收，使其自然更新困难，种群数量越来越少，以致不能满足市场的需求，因此我们要利用其资源优势，进行人工种植研究[8]。

二、非木质林产品开发中存在的问题

非木质林产品资源是森林资源的重要组成部分，其开发利用是很重要的，但是其开发中存在一些不可忽视的问题。

（一）对非木质林产品的重视不够

人们对非木质林产品不够重视。主要体现在：传统森林资源的经济分析常常忽略非木质林产品。在传统观念上，人们仍然将非木质林产品认为是林副特产品；非木质林产品的多种效益和用途并不是广为人知的，许多野生植物资源还尚未被充分开发和得到合理利用，资源不能变为财富，其潜在的价值几乎未得到体现，很少在各级投资、开发或管理部门的计划中得到重视[2]。

（二）对非木质林产品资源开发过度

更新能力非木质林产品虽是一种可再生资源，但是对其开发利用过度，就会影响其更新能力。人们采集非木质林产品由过去的按需采集到现在的最大限度、最长时间地采集，由于资源开发过度，导致非木质林产品更新能力严重下降，甚至一些非木质林产品种类趋于灭绝[9]。如云南思茅的村民大量采集竹笋，导致竹林质量下降，阔叶林树种出现，典型的热带竹林变成了栎

木林。

（三）对非木质林产品缺乏科技投入

在科技投入上，大多数加工企业普遍缺乏依靠科技进步求发展的意识。科技水平低，加工技术落后，不能形成有效的产品形式。如我国的中药材资源丰富，也深受国际欢迎，但日本、韩国等国家占领着世界中药市场，我国仅占5%左右的市场，其出口以原料为主。主要因为我国中药材加工水平低，不能研制开发出纯度高、服务方便、较高药效的中药产品。

（四）非木质林产品市场不完善

市场信息对林农的生产经营决策、收入水平的高低起着关键性的作用。由于不了解价格变化等市场信息，再加上当地缺少生产加工技术和有效的流通渠道，非木质林产品采集者只能把采集来的非木质林产品以原料或初级产品的形式低价卖给中间商，很少和消费者直接接触。因此，中间商往往利用自身的优势故意压低产品的收购价，从而影响了非木质林产品最初生产者的利益。如云南的松茸出口到日本，利润极高，从遥远的山区运到日本市场至少需要40个小时，在采集者和日本零售商之间有一个复杂的中间商网络，相同的松茸在到达日本买主之前经常转手6~7次，松茸的采集者只能获得较少的收入[9]。

（五）缺少对非木质林产品进行估价的完善的核算体系

在林区进行功能转型时，完善的非木质林产品价值核算体系能够为政府决策、山区人民的安置费等问题上提供定量的依据。当地政府在进行功能转型决策时，应考虑到非木质林产品的潜在价值，而不是仅仅考虑森林木质产品的潜在价值。非木质林产品既包括货币价值，又包括非货币价值，因而必须将这些全部包含在对森林潜在价值的经济分析中。Caroline Sullivan 运用收入核算框架对 Guyana 三个山区的非木质森林产品进行估价，这种方法是在对山区家庭调研的基础上，通过建立山区经济模型，估算出山区产品净产值，计算出山区家庭总支出。非木质林产品的价值量由产值与支出的差表示。而国内对运用类似的价值评估体系在非木质林产品的价值评估上还很罕见。

此外，山区基础设施条件差，交通运输不畅，缺乏交易场所、贮藏和处理场地以及加工厂等基础设施，使许多非木质林产品的资源优势无法转变为产业优势与经济效益优势，不能更好地体现出其潜在的经济价值。

三、我国非木质林产品开发利用的对策分析

非木质林产品的开发与利用，不仅具有经济效益，还可以通过提高现有森林资源的经济价值和多种附加效益，缓解木材过伐的压力，既不耗费森林林木资源，又不破坏森林的更新能力，从而减少人口对自然生态系统的压力，实现社会经济的可持续发展。笔者根据我国非木质林产品开发利用中存在的问题，提出了以下建议：

①合理开发利用非木质林产品资源。避免林区非木质林资源开发利用的盲目性。②充分开发利用非木质林产品资源。具体措施包括：改善山区的基础设施（包括交通运输条件、市场条件以及人们对非木质林产品的观念等），降低运输和安全成本，使山区村民能够得到更多更好的创业机会，增加家庭经济收入。③对非木质林产品加大科技投入，充分发挥科研单位和科技人才的作用，制定相关的优惠政策，吸引资金、技术和科技人才，对其进行开发研究，特别是新产品的研究，致使大多数非木质林产品得到深层次的开发利用。④合理做好非木质林产品的产业规划，加强对非木质林资源的培育和保护。在对其开发过程中注重以市场为导向，因地制宜，合理开发。变野生为人工栽植，人工引种驯化和培育非木质林产品。扩大生产经营规模，以适应市场化需求。⑤非木质林产品的采集者和生产者需要知道、了解产品的相关信息，以至于获得较高的销售价格。包括价格方面信息、产品供需情况、未来价格走向、销售渠道方面信息等。⑥加强山区

农村银行和信用卡市场的发展，向山区家庭发放小额贷款，鼓励山区居民合理开发利用非木质林产品。借鉴国外经验：像 Bangladesh 的 Grameen 这样的小型银行系统，在拉丁美洲、亚洲以及非洲等超过 25 个国家已经建成，大部分银行的贷款在 80 ~ 100 美元之间（SEEP，1995）。小型贷款总额约 250 亿美元，而偿还率高达 90%（世界银行，1997）。这种小型贷款的发放，能够为山区居民合理开发利用非木质林产品提供了一定的经济基础。

四、结　语

从全球对非木质林产品开发利用的重视程度和研究成果来看，我国对非木质林产品的关注，尤其是对非木质林产品的价值评估体系方面的研究还是远远不够的。而非木质林产品的价值评估在林区功能转型规划中，能够为政府决策提供可依的定量数据，在评估林区功能转型的成本、制定山区居民的安置费等工作中起到重要作用。因此，加强对非木质林产品的合理开发利用和价值评估的研究，具有很重要的现实意义。

参考文献

[1] 梅秀英．热带、亚热带地区非木质林产品的可持续经营［J］．世界林业研究，1998（6）：72 - 73.

[2] 乔永平，曾华锋，聂影．非木质林产品可持续开发与山区反贫困［J］．农村经济与科技，2006（11）：14 - 15.

[3] 邹积丰，韩联生，王瑛．非木质林产品资源国内外开发利用的现状、发展趋势与瞻望［J］．中国林副特产，2000（1）：35 - 38.

[4] Shi Kun shan. Status of Production & Utilization of Non - wood Forest Products in China. Regional Expert Consultation on Non - Wood Forest Products，1991.

[5] 李西林，周秀佳，南艺蕾．中药濒危药用动植物资源保护与可持续利用［J］．上海中医药大学学报，2006（6）：69 - 77.

[6] 国家林业局．中国林业统计年鉴（2005）［M］．北京：中国林业出版社，2005.

[7] 张爱美，谢屹，温亚利，等．我国非木质林产品利用现状与对策研究［J］．中国林业大学学报，2008（7）：48 - 49.

[8] 汪志军．新疆非木材林产品的开发利用前景［J］．中国林副特产，2002（11）：52 - 53.

[9] Emkly Yeh，郭广荣．非木质林产品的重要性——云南省松茸的采集和贸易［J］．林业与社会，1998（1）：15 - 16.

用废弃香蕉树制取活性炭的工艺研究

彭绍洪　李春娟　朱秀莲　王连彬　倪晓连

（茂名学院化学与生命科学学院　广东　茂名　525000）

摘　要　以农业废弃物香蕉茎秆为原料，研究了浸渍比、活化时间、活化温度等因素对活性炭产率和性能的影响，探讨了氯化锌活化法制备香蕉茎秆活性炭的工艺条件。实验结果表明，在浸渍比为1.5～2.0、活化温度为500℃、活化时间为60min的条件下所制得活性炭产率可达36%，碘吸附值可达965mg/g，亚甲基蓝吸附值可达250mg/g。

关键词　香蕉茎秆废弃物　活性炭　氯化锌活化

广东省是我国最大的香蕉产区，年产量达360万t以上，在生产香蕉的同时也产生近乎等量的香蕉茎叶废弃物。因此开发香蕉茎秆废弃物的新的利用途径，不仅可以减少环境污染、解决农业废弃物的资源化利用问题，又可增加农民的经济效益，对发展农村经济具有重要的意义。

近年来随着我国经济的快速发展，对活性炭的需求越来越大，已有的研究表明，玉米芯[1]、秸秆[2]、稻壳[3]、甘蔗渣[4]、花生壳[5]等各种农业废弃物都是制造活性炭的优质炭源，利用这些原料制备的活性炭不但具有接近木材活性炭的吸附性能，而且还能明显地降低生产成本。香蕉种植业产生的香蕉树残枝是一种资源丰富且分布较集中的可再生资源，研究表明[6]，香蕉树茎主要由纤维素、半纤维素、木质素组成，三种成分的总含量超过90%，香蕉树的茎实际上是由多层复瓦状叶鞘重叠形成的假茎，内部结构疏松多孔，是制造活性炭的理想原料，利用香蕉树制备活性炭不但可以为高效利用香蕉残余物提供一个新的途径，同时也是保护环境、节能减排、实现可持续发展的需要。本文研究了以废弃的香蕉树秆为原料，采用氯化锌为活化剂，研究了浸渍比、活化时间、活化温度等工艺参数对活性炭性能的影响，获得了制备香蕉树活性炭的优化工艺。

一、实验材料及方法

（一）原料

香蕉茎秆（产地：茂名），将香蕉茎秆去掉叶片后晒干，粉碎为粒径小于0.4mm的粉末，密封存于干燥器内备用。实验所用到的氯化锌、硫酸、盐酸、单质碘、硫代硫酸钠等试剂均为分析纯。

（二）实验方法

将4g已粉碎的原料与氯化锌水溶液（40wt%）按一定比例混合后，浸泡到规定时间后，在105℃下干燥2h去除水分，然后放入管式电子控温炉反应器中，在50ml/min的氮气保护下，以20℃/min的速度加热到设定的温度对样品进行活化。所获得活性炭样品在烧杯中用0.1mol/L的HCl溶液煮沸20min，再反复用0.1mol/L的HCl清洗，随后用蒸馏水清洗至残液无Cl^-检出为止，再经120℃下干燥12h后依照国家标准GB 12496.1～22—1991所规定的实验方法测定其碘吸附值及亚甲基蓝吸附值。

二、结果与讨论

（一）浸渍工艺对活性炭产率和性能的影响

采用化学活化法制备活性炭时，活化剂的主要作用是促进原料中的氧和氢的脱除、减少焦油的形成，并调节活性炭的孔径结构，因此活化剂的浸渍程度是影响活性炭产率和性能的重要因素。在浸渍过程中，浸渍程度主要由活化剂与原料的质量比（浸渍比）、浸渍时间及浸渍方式决定。

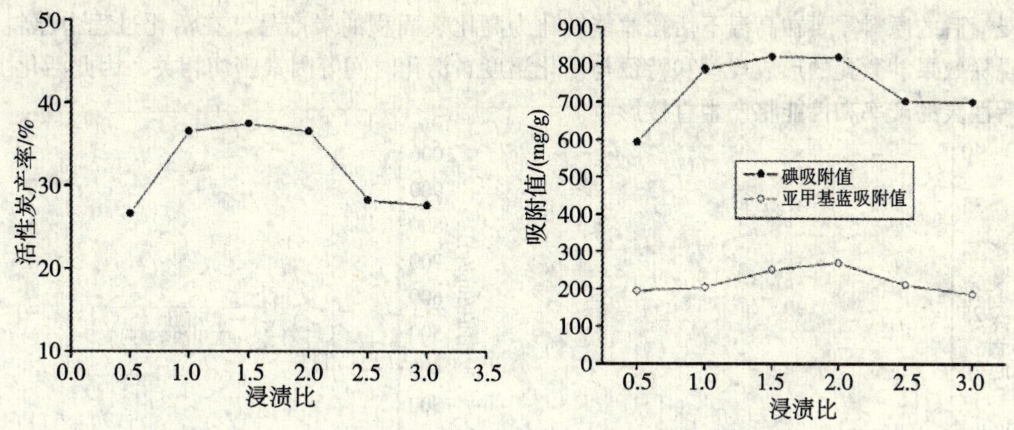

图1　浸渍比对活性炭产率的影响　　**图2　浸渍比对活性炭吸附性能的影响**

从图1的实验结果可以看出，随着浸渍比的增大，活性炭的产率随之提高，在浸渍比为1.0~2.0之间，活性炭产率的产率最高，但浸渍比大于2.0以后，活性炭产率反而呈下降的趋势。图2的实验结果表明，浸渍比对活性吸附性能的影响趋势与其对产率的影响相同，碘吸附值在浸渍比为1.0~2.0之间达到最大，亚甲基蓝值在浸渍比为2.0左右达到最大，过高的浸渍比也会导致活性炭吸附性能下降。浸渍比过高造成活性炭产率和吸附性能降低的原因是过量的氯化锌使得炭烧蚀量增加、并导致孔结构的破坏[7,8]。因此以香蕉树杆为原料制备活性炭，要获得高产率并同时保证较高的吸附性能的话，浸渍比应该控制在1.5~2.0之间。

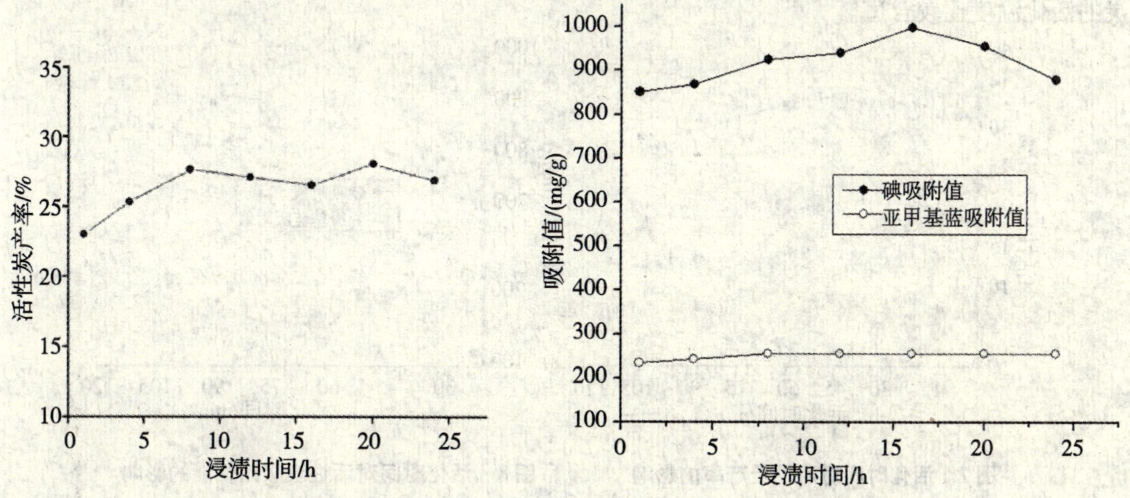

图3　浸渍时间对活性炭产率的影响　　**图4　浸渍时间对活性炭的碘及亚甲基蓝吸附值的影响**

静态浸渍过程中，活化剂的浸渍程度主要与时间有关，当时间少时，活化剂渗入到原料内部的数量不足，脱羟基能力下降，焦油生成多，孔径小，因此活性炭产率低、吸附性能差。但渗入量太多，又会对造成孔径结构破坏、也会导致吸附性能的降低。图3的实验结果显示，活性炭产率随浸渍时间延长而增加，当浸时间超过4h后，产率基本稳定在28%左右。从图4的实验数据可知，浸渍时间对碘吸附值和亚甲基蓝的吸附值的影响有所不同，浸泡时间对亚甲基蓝的吸附值的影响较小，但对碘值的影响较大，浸渍时间在16h左右，碘值可达到最高值，之后随着浸泡时间的进一步延长，吸附值又呈下降趋势，因此应该将浸泡时间控制在16h左右，可以获得较高的碘吸附值。

（二）活化工艺对活性炭产率和性能的影响

浸渍后的原料需要在高温下活化才能转化为高比表面积的炭产品，在活化过程中原料中氢、氧的脱除效果、微孔的形成规模和特征与活化温度、活化时间等因素密切相关，因此活化工艺条件对活性炭的产率和性能将产生直接影响。

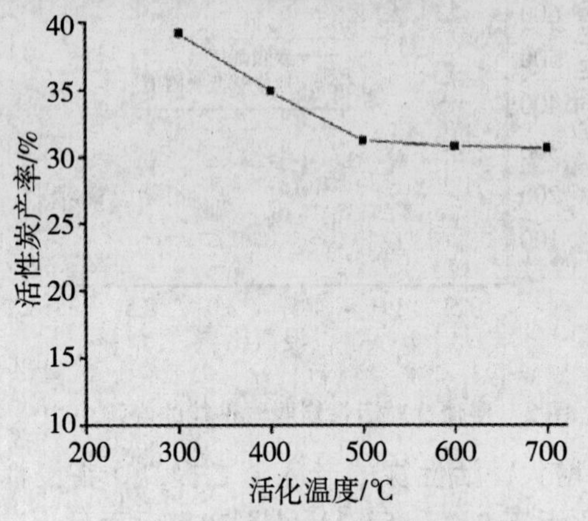

图 5　活化温度对活性炭产率的影响

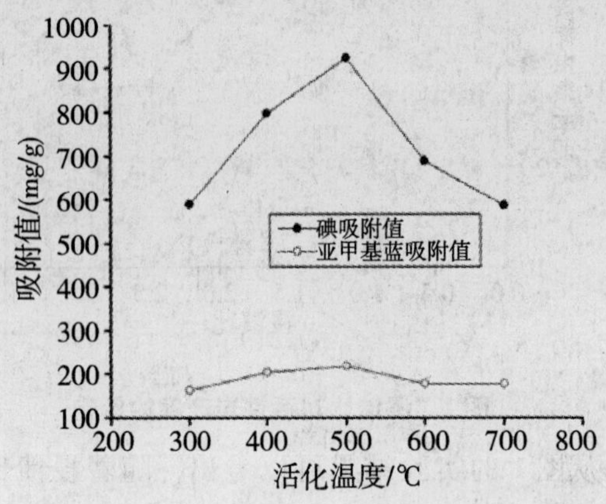

图 6　活化温度对活性炭吸附性能的影响

从图 5 的实验结果可知，在 500℃之前，产率随温度升高而降低，但当活化温度超过 500℃后，产率降低的幅度减小，稳定在 30% 左右。从图 6 中活化温度对活性炭吸附性能的影响也可以看出，活化温度在 500℃附近，活性炭的吸附性能最佳，当活化温度高于或低于 500℃时，吸附性能均有降低的趋势。因此综合活性炭的产率和吸附性来看，选择 500℃左右作为香蕉树活性炭的活化温度比较合适。

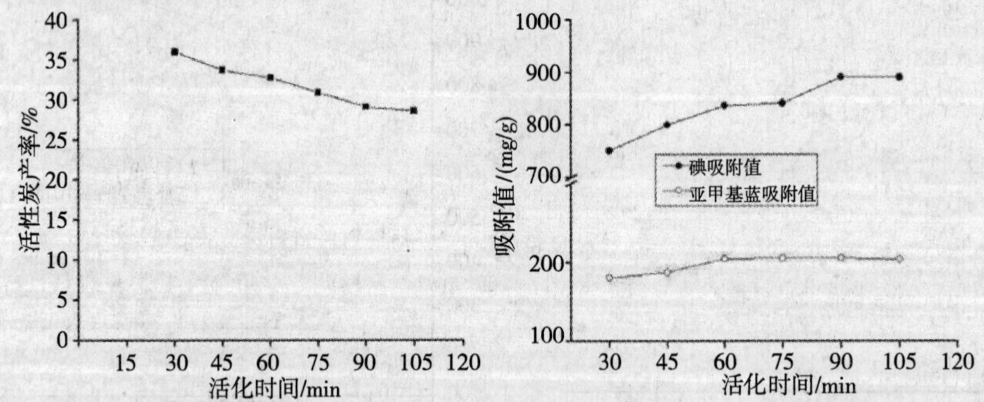

图 7　活化时间对活性炭产率的影响　　　图 8　活化时间对活性炭吸附性能的影响

图 7 的实验结果表明随着活化时间的延长，产率持续下降，因此对产率而言，活化时间越短越好，但活化时间不足的话，会增加未碳化物的含量，将导致活性炭的吸附性能的降低。从图 8 可知活化时间对亚甲基蓝的吸附值的影响不大，但碘的吸附值随活化时间延长而增加，因此活化时间的选择应根据活性炭的吸附性能和产率综合考虑。但是活化时间的长短还与活化温度密切相关，温度高，需要的时间就短，温度低，需要的时间可能就长些。因此在实际生产过程中需要从生产效率、产率、能耗、产品质量多方面来决定活化时间。

（三）香蕉树活性炭的性能

浸渍实验和活化实验表明，当浸渍比为 1.5 ~ 2.0，静态浸渍时间为 16h 左右，在 500℃下活化 60min 可以获得较高的活性炭产率和较好的吸附性能。表 1 列出了优化条件下制备的香蕉树活性炭与稻秆[9]、麦秸[10]、玉米秆[11]等农业废弃物活性炭的吸附性能。通过对这些实验结果进行比较可知，香蕉树活性炭的收率明显高于所列的几种农业废弃物，亚甲蓝的吸附值高于稻秆和玉米秆，与麦秆接近，综合来看香蕉树干比这几种农业废弃物更适于作为制备活性炭的原料。与木质净水用活性炭的产品标准相比，香蕉树活性炭的吸附性明显优于二级品的指标，接近一级品的性能。因此利用香蕉树干制备净水用活性炭是可行的。

表1　农业废弃物活性炭性能比较

活性炭原料	香蕉树秆	稻秆	麦秸	玉米秆	木质净水用活性炭*	
					一级品	二级品
活化剂	$ZnCl_2$	$ZnCl_2$	$ZnCl_2$	$ZnCl_2$	—	—
收率/%	36	22.13	17.27	34	—	—
碘吸附值/（mg/g）	965				1000	900
亚甲基蓝值/（mg/g）	250	225	255	197	135	105
灰分/%	3.2				≤5	≤5

注：*来自 GB/T13803.2—1999 木质净水用活性炭。

三、结　论

1. 以香蕉树茎秆废弃物制备活性炭的条件为：浸渍比为 1.50~2.0、静态浸渍时间为 16h，活化温度为500℃、，炭化时间为60min。

2. 香蕉树活性炭的性能能满足木质净水用活性炭二级品的性能指标，接近一级品的性能。因此利用香蕉树可以生产出合格的净水用活性炭。

参考文献

[1] 曹青，吕永康，鲍卫仁，等．玉米芯制备高比表面积活性炭的研究［J］．林产化学与工业，2005，25（1）：66-68.

[2] 刘晓权，聂志强，李计宝．用植物秸秆制备活性炭的研究［J］．内蒙古石油化工，2007（2）：23-24.

[3] 陈爱国．稻壳制备活性炭的研究［J］．新型炭材料，199914（3）：58-61.

[4] 张志航，于淑娟，李国基，等．氯化锌法蔗渣制备活性炭研究［J］．甘蔗糖业，1998（4）：32-34.

[5] 孙保帅，俞力家，龚彦文．用花生壳制备活性炭的研究［J］．河南工业大学学报（自然科学版），2009，30（4）：45-48.

[6] P Bhama Iyer，M. V. Vivekanandan，S. Sreenivasan. Banana Fibers：A Study on Properties of Some varieties［J］. Indian Text. J.，1995，105（4）：42-48.

[7] Ahmadpoura，D. The preparation of activated carbon from macadam ia nutshell by chemical activation［J］. Carbon，1997，35（12）：1723-1732.

[8] Qian Q R，Machida M，Tatsumoto H. Preparation of activated carbons from catle-manure compost by Zinc Chloride activation［J］. Bioresource Technology，2007，98（2）：353-336.

[9] 彭金辉，张世敏，张利波．微波辐照稻秆制造活性炭［J］．林产化学与工业，1999，19（3）：88-90.

[10] 彭金辉，张世敏，张利波．微波辐照麦秸制造活性炭［J］．环境污染与防治，2000，22（5）1-2.

[11] 蒋卉．微波-$ZnCl_2$ 法制备农业废弃物活性炭及吸附甲醛的研究［D］．四川大学，2005-03-25.

活性炭纤维吸附回收油气的研究

柴春玲　焦婷婷　迟广俊　周矛峰　丁炳华　王同华

（大连理工大学化工学院精细化工国家重点实验室碳素材料实验室　辽宁　大连　116012）

摘　要　以三种活性炭纤维及活性炭为吸附剂吸附分离油气/N_2混合气，采用氮吸附表征活性炭纤维的孔结构，分析微孔结构、油气进口浓度、循环使用次数等因素对活性炭纤维吸附油气性能的影响，对比相同工艺条件下活性炭纤维和活性炭油气吸附性能的优劣。结果表明：活性炭纤维对油气的吸附能力取决于其孔径为1~2nm孔的发达程度；增加进口油气浓度，可提高活性炭纤维对油气的吸附能力，明显缩短穿透时间；活性炭纤维多次循环使用后，吸附容量下降，20次后达到吸附稳定值54.2mg/g；相同工艺条件，活性炭纤维吸附油气性能明显优于活性炭。

关键词　油气回收　活性炭纤维　吸附　活性炭

汽油等轻质油品含有大量的轻烃组分，具有很强的挥发性，在生产、储存、运输、销售和使用过程中不可避免会有一部分液态轻烃组分气化而逸入大气，对环境和安全产生危害，同时造成油品质量的下降和油品数量的减少[1-3]。为了解决油品蒸发引起的一系列问题，国内外一些石化企业已陆续采取油气回收的措施，以防止大量的油气直接排放到空气中。

目前油气回收方法主要有吸附法、吸收法、冷凝法和膜分离法[4-7]。吸附法回收油气是利用混合物中各组分与吸附剂间结合力的不同使油气与空气分离的过程。目前，颗粒活性炭（GAC）是研究和应用最多的吸附剂，以活性炭为吸附剂吸附回收油气时，决定其吸附性能的主要因素是其表面结构特性如微孔结构、微孔体积、比表面积和表面化学性质如表面化学官能团[8-10]。但传统活性炭应用过程中存在飞温和易磨损的缺陷。

活性炭纤维（ACF）是20世纪70年代初在碳纤维的基础上发展起来的一种新型吸附功能材料，是继粉末状和颗粒状活性炭之后出现的炭质吸附剂[11]。其巨大的比表面积和特殊的微孔结构，使其具有吸附脱附速度快、易再生、能反复再生使用等一系列优点[12]；而且由于其结构上的独特性，克服了传统活性炭应用过程中的缺陷。因此，研究活性炭纤维的油气吸附回收性能，对使用ACF实施油气回收、消除油气引起的环境污染和提高油品质量具有重大的指导意义。

一、实　验

（一）原　料

吸附剂为江苏同康活性炭纤维有限责任公司生产的黏胶基活性炭纤维、宁夏太西活性炭厂生产的煤基柱状活性炭；吸附质为中石化生产的93JHJ汽油。

（二）活性炭纤维、活性炭的吸附性能测试

1. 测试装置

根据动态吸附原理，设计制作了实验室小型油气吸附回收系统，图1为活性炭纤维/活性炭吸附法回收油气的工艺和装置流程图。使用双柱塞微量泵使一定量的汽油进入混合罐中，与经流量积算仪控制流速后的氮气混合；混合气经过缓冲、流速控制得到模拟油气，然后进入吸附柱（$\Phi 40 \times 120$）被吸附剂吸附，当吸附达到饱和后采用真空脱附。脱附的油气在液氮温度下的冷井中被冷凝从而达到油气回收的目的。脱附后期用一定量的氮气进行吹扫。

2. 测试方法

（1）碘、苯吸附值的测定：活性炭纤维碘吸附值的测定依照GB/T 12496.8—1999。

活性炭纤维的苯吸附值是通过静态法测定的，即首先将样品在120℃下烘干2h，然后准确称

取0.5g（精确至0.4mg）放入称量瓶中，将装有样品的称量瓶（不加盖）放入底部盛有液态苯的干燥器中，72h后取出称重，求出单位质量样品所能吸附苯的质量。苯吸附值的计算方法为：

$$苯吸附值（mg/g）= \frac{W_a - W_b}{W_b} \times 1000$$

式中：W_a 为吸附后样品的重量，g；W_b 为吸附前样品的重量，g。

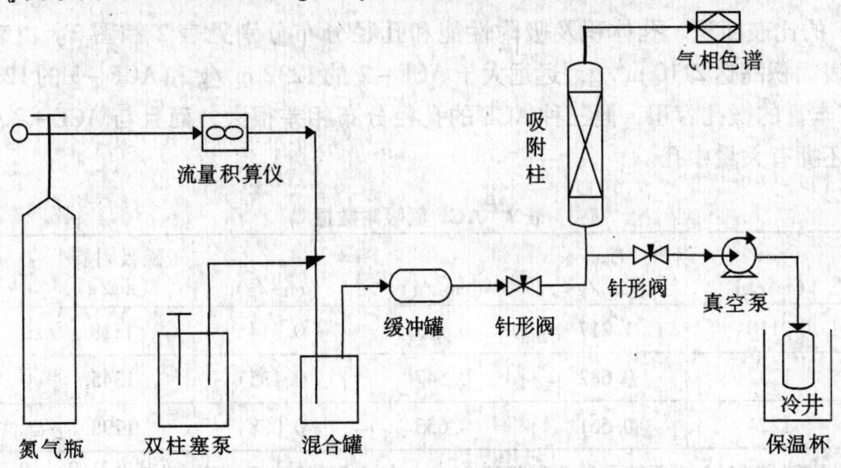

图1 活性炭纤维/活性炭吸附法回收油气流程图

（2）油气吸附的测定：实验前先将样品在120℃下烘干2h，放入干燥器冷却后将样品装入吸附柱中。吸附过程中，穿透时间、穿透吸附量、饱和时间、饱和吸附量等参数是通过在线气相色谱仪检测尾气中的油气含量并用数据处理软件测定，吸附柱的温升是由煤油温度计测定的。穿透、饱和吸附量的计算方法为：

$$吸附量（mg/g）= \frac{\sum tk(S_0 - S)Q_\rho}{m} \times 1000$$

式中：t 为时间间隔，min；k 为谱峰面积与进口浓度之间的校正因子；S_0 为进口气浓度对应的谱峰面积；S 为某一时刻测得的谱峰面积；Q 为油气流率，ml/min；ρ 为油气密度，g/cm；m为吸附剂的质量，g。

（三）分析与表征

采用AUTO SORB-1-MP型自动吸附仪测定样品在77K下的氮吸附-脱附等温线，用BET方程和H-K法分别计算活性炭纤维、活性炭的比表面积及孔径分布。

在Thermo Nicolet Corporation生产的Nexus型傅立叶变换红外光谱仪上进行样品的FT-IR分析。扫描波段为400~4000/cm。

二、结果与讨论

（一）活性炭纤维吸附油气的影响因素

1. 孔结构性能对活性炭纤维吸附油气性能的影响

进口气中油气体积分数为1.5%时，分别以三种不同孔结构的ACF作为油气吸附剂，对油气的吸附量见表1。从表可知，相同的进口油气浓度，ACF-1对油气表现出较高的吸附性能，其饱和、穿透吸附量分别高达744.1mg/g和114.0mg/g；而ACF-2和ACF-3对油气的吸附性能相对较差，其饱和吸附量分别为639.7mg/g和630.0mg/g，穿透吸附量仅为91.8 mg/g和76.5mg/g。

表 1 活性炭纤维对油气的吸附量

	饱和时间/min	饱和吸附量/（mg/g）	穿透时间/min	穿透吸附量/（mg/g）
ACF－1	100	744. 1	10	114. 0
ACF－2	105	639. 7	10	91. 8
ACF－3	105	630. 0	10	76. 5

三种 ACF 的比表面积、孔体积及吸附性能和孔径分布分别见表 2 和图 2。由表和图可知，ACF－1 的比表面积高达 2110 m^2/g，远远大于 ACF－2 的 1232 m^2/g 和 ACF－3 的 1224 m^2/g；虽然三者都具有丰富的微孔容积，但三种 ACF 的孔径分布相差很大，而且与 ACF－2、ACF－3 相比，ACF－1 还拥有大量中孔。

表 2 ACF 氮吸附数据

	S_{BET}/（m^2/g）	v_{tot}/（cm^3/g）	v_{mi}/（cm^3/g）	v_{me}/（cm^3/g）	碘吸附质/（mg/g）	苯吸附值/（mg/g）
ACF－1	2110	1. 217	0. 903	0. 314	1518	761
ACF－2	1232	0. 682	0. 547	0. 135	1345	496
ACF－3	1224	0. 661	0. 653	0. 008	1298	514

S_{BET}：BET surface area；S_{mi}：micropore surface area；v_{tot}：total pore volume calculated at P/P_0 = 0. 99；v_{mi}：micropore volume；v_{me}：mesopore volume

分析三种 ACF 的比表面积、孔体积及吸附性能可知，ACF－1 的比表面积和微孔容积都为 ACF－2 的 1.7 倍，但其对油气的饱和吸附量却不足 ACF－2 吸附量的 1.2 倍；相对有丰富中孔的 ACF－2 与 ACF－3 的比表面积基本相同，但 ACF－2 的穿透吸附量为 ACF－3 的 1.2 倍。由此可以得到结论，活性炭纤维吸附油气过程中，吸附量取决于微孔发达程度和合适孔径的中孔数量。这与前一阶段实验的结论[13]一致，吸附剂对油气的吸附能力取决于其孔径在 1～2nm 之间孔的发达程度。

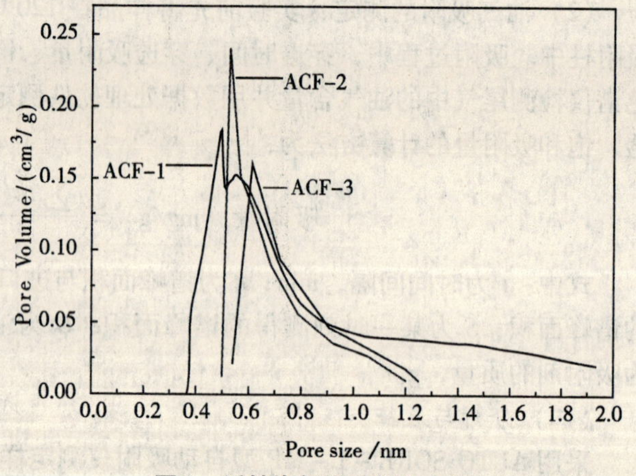

图 2 活性炭纤维孔径分布图

2. 油气进口浓度对活性炭纤维吸附油气性能的影响

不同进口油气浓度下 ACF－1 对油气的吸附量见表 3。由表可知，进口油气浓度从 1.0% 增加到 2.0% 时，ACF－1 对油气的饱和、穿透吸附量分别从 730.2 mg/g 和 78.4mg/g 增大到 756.8 mg/g和 159.2mg/g，而穿透时间则由 20min 缩短到 5min，表明进口油气浓度的提高，可增加活性炭纤维对油气的吸附能力，但明显缩短了穿透时间。

表 3 活性炭纤维对不同进口气浓度油气的吸附量

进口油气浓度	饱和时间/min	饱和吸附量/（mg/g）	穿透时间/min	穿透吸附量/（mg/g）
1. 0vol%	115	730. 2	20	78. 4
1. 5vol%	100	744. 1	10	114. 0
2. 0vol%	90	756. 8	5	159. 2

3. 循环次数对活性炭纤维吸附油气性能的影响

脱附条件为真空度 -0.1MPa，脱附时间70min时，ACF-1循环吸附/脱附时，其穿透吸附量随循环次数n的变化曲线见图4。由图可以看出，ACF多次循环吸附/脱附后，穿透时间缩短，吸附容量下降，当循环使用20次后ACF-1穿透吸附量达到稳定值54.2mg/g（为初始穿透吸附量的47.5%）。吸附容量下降的原因可能是油气中存在的大分子烃积聚在ACF表面的孔隙中，引起堵塞，由于ACF表面的孔隙较小以至于部分大分子烃无法在真空作用下脱附，多次循环使用后累积在活性炭纤维孔隙中的烃分子越来越多，从而不能再吸附油气，也就是达到了ACF稳定吸附量。

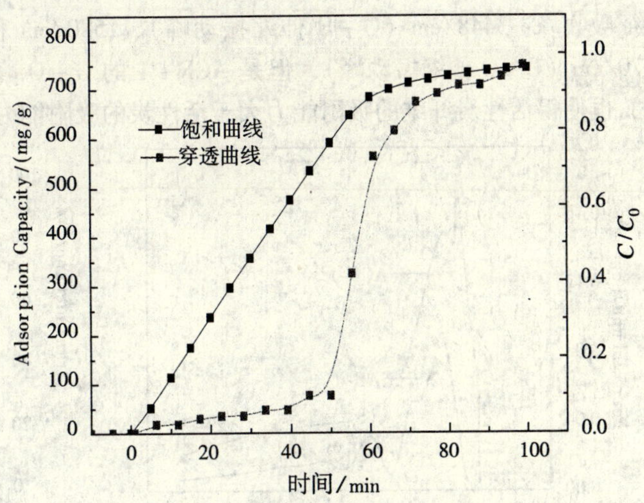

图3　ACF-1对油气的吸附曲线和穿透曲线（进口气浓度为1.5%）

（二）活性炭纤维与活性炭吸附对油气吸附性能的比较

由于活性炭纤维自身性质如比表面积、孔分布和孔结构以及表面官能团与粒状活性炭不同，二者吸附油气性能必然存在着显著差异，因此分别以活性炭纤维和活性炭为吸附剂，相同的工艺条件下对比二者对油气吸附性能是很有意义的。

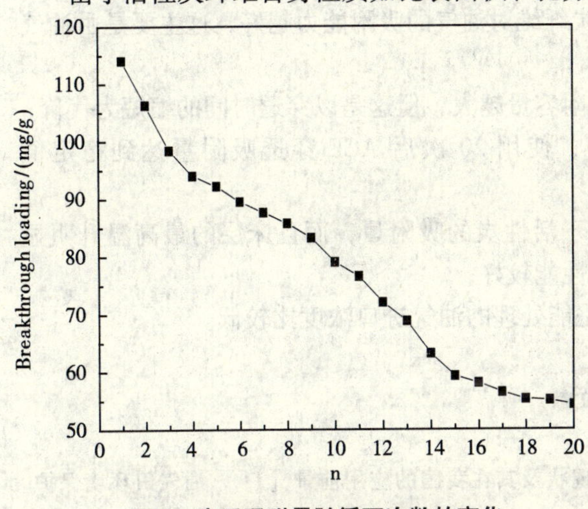

图4　穿透吸附量随循环次数的变化

表4列出了活性炭和活性纤维吸附油气时各自的吸附性能。由表可以看出，虽然AC的用量是ACF的5倍多，但ACF对油气的穿透吸附量为114.0mg/g，远远大于活性炭对油气的穿透吸附量71.8mg/g；ACF床层的最高温升仅为4.7℃，明显低于AC床层的最高温升12.0℃；油气在活性炭纤维床层中的穿透时间仅为10min，而在活性炭床层中的穿透时间长达95min，证明活性炭纤维对油气的吸附速度远比活性炭的快；活性炭和活性炭纤维的重复利用性能相差不大，AC-1循环利用18次后穿透吸附量达到稳定值26.0mg/g，ACF-1循环利用20次后达到吸附稳定值为54.2mg/g，相比活性炭纤维的重复利用性能较好。

表4　AC-1和ACF-1对油气的吸附数据

吸附剂	加入量/g	穿透时间/min	穿透吸附量/(mg/g)	床层温升/℃	循环次数	稳定吸附量/(mg/g)
AC-1	41.372	95	71.8	12.0	18	26.0
ACF-1	8.075	10	114.0	4.7	20	54.2

活性炭纤维对油气的吸附容量高，其原因主要有三个，首先从ACF-1和AC-1的孔径分布图（见图5）可以看出，ACF-1的孔容积远大于AC-1的孔容积；此外ACF孔隙结构全部是处于纤维丝表面，孔道短，且全部为开放孔，而颗粒活性炭的微孔中有一定的封闭孔和半封闭孔，难以参与吸附；第三，从图6的AC-1和ACF-1的红外谱图中可以看出，虽然它们具有相同的

特征吸收峰：3448/cm（O－H 伸缩振动峰）、1580/cm 和 1600/cm（芳烃骨架伸缩振动峰）和 1070/cm（C－O 伸缩振动峰），但是 ACF－1 的 C－O 峰明显比 AC－1 的弱，即极性含氧基团少，也使得活性炭纤维的吸附能力大于活性炭的吸附能力。

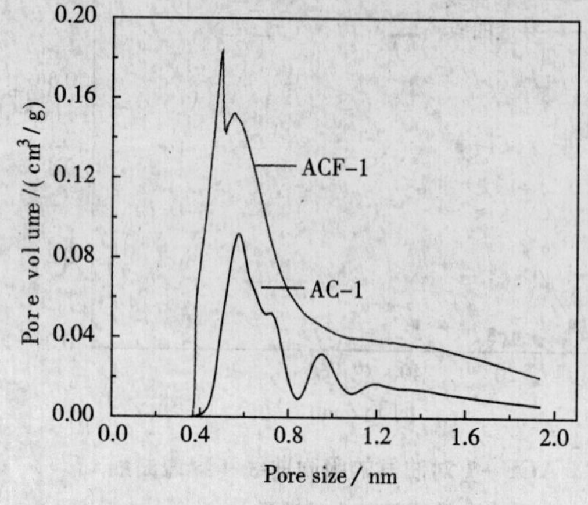

图5　AC－1 和 ACF－1 的孔径分布

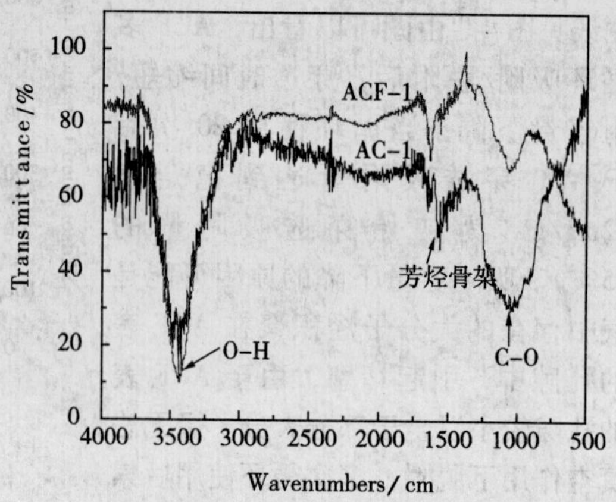

图6　活性炭和活性炭纤维的红外谱图

三、结　论

1. 孔径为 1～2nm 之间的孔隙越发达，活性炭纤维对油气的吸附能力越好，这主要是由油气分子大小决定的；

2. 油气进口浓度越大，ACF 对油气的穿透吸附容量越大，但这是以穿透时间的缩短为代价；

3. ACF 在循环使用过程中吸附量明显减小，使用 20 次后 ACF 穿透吸附量达到稳定值 54.2mg/g（为初始穿透吸附量的 47.5%）；

4. 与 AC 相比，ACF 对油气的吸附量远远大于活性炭的吸附量，而且床层的最高温升明显低于活性炭床层的最高温升，同时 ACF 重复利用性能较好；

5. ACF 对油气的吸附速度远比 AC 的快，但是能处理的油气进口浓度比较低。

参考文献

[1] 彭国庆，石油化工环境保护［J］．1998，21（1）：51.

[2] 李巨蜂，陈文龙，李斌莲，等．油气回收技术发展现状及其在我国的应用前景［J］．油气田环境保护，2006，16（1）：1－3.

[3] 黄维秋．关于油品蒸发问题［J］．油气储运，1997，16（5）：39－41.

[4] 郝保良．实施油气回收的必要性和技术方案的探讨［J］．石油化工管理干部学院学报，2002，27（2）：41－42.

[5] Rick Bennett. Petroleum Review［J］．1993，47：554.

[6] 朱亦仁．环境污染治理技术［M］．北京：中国环境科学出版社，1996：42－87.

[7] 日本化学会编．碳氢化合物污染及其对策［M］，李荞春，宇振东等译．北京：科学出版社，1987：6.

[8] 陈进富，艾春华．石油与天然气化工．1999，28（2）：95.

[9] 叶振华．化工吸附分离过程［M］．北京：中国石化出版社，1992：31－170.

[10] Jarorniec M. & Madey R. 非均匀固体上的物理吸附［M］．加璐，陈代云，王广昌译．北京：化学工业出版社，1997：51－98.

[11] 余纯丽，任建敏，傅敏，等．活性炭纤维的改性及其微孔结构［J］．环境科学学报，2008，28（4）：714－719.

[12] 贺福，王茂章．碳纤维及其复合材料［M］．北京：科学出版社，1995：113－123.

[13] 王同华，焦婷婷，柴春玲．活性炭吸附法回收油气研究［J］．石油炼制与化工，2009，40（9）：60－65.

多环芳烃检测技术研究进展

刘　艳[1,2]　张经华[2]　林金明[1]

（1. 清华大学化学系　北京　100084；2. 北京市理化分析测试中心　北京　100089）

摘　要　随着现代分析仪器及计算机技术的飞速发展，稳定、高分辨率和高灵敏度的分析仪器被不断地推向市场，为分析工作提供了一个很好的检测平台，本文综述了有关多环芳烃检测方法的最新研究。

关键词　多环芳烃　快速色谱　全二维色谱　综述

引　言

多环芳烃（PAHs）是指含有两个或两个以上芳香环结构的一类有机化合物，是具有 POPs 特征的有机污染物，长期以来得到了人们的普遍重视。多环芳烃在环境介质中的含量常常是痕量甚至超痕量的，而且环境样品基质复杂，各国也相继制定了越来越苛刻的多环芳烃限量标准，建立其快速、灵敏、可靠、高效的检测方法是发展的必然趋势。随着工业化和计算机技术的迅猛发展，稳定、高分辨率和高灵敏度的分析仪器被不断地推向市场，为分析工作提供了一个很好的检测平台，本文综述了有关多环芳烃检测方法的研究进展。

一、标准检测方法

目前 GC - FID、GC - MS 和 HPLC - UV/FL 是检测 PAHs 最常用的方法。气相色谱具有高选择性、高分辨率和高灵敏度的特性，而且由于多环芳烃的热稳定性，用质谱（如 EI 源）作为检测器时，能够得到大的分子离子峰和很少的碎片离子，所以用 GC - MS 测定时能够得到很高的灵敏度，与 GC - FID 相比，GC - MS 在定性方面更准确。相对于气相色谱，液相色谱可以更好地测定低挥发性的多环芳烃，并能够有效分离多环芳烃的同分异构体。在分离复杂的 PAHs 母体化合物及样品净化方面有着相当的优势。在 PAHs 的标准检测方法中以 GC - MS 为检测手段的主要有：针对大气的 EPA TO - 13A、ISO 12884：2000（E）、ASTMi D6209 - 98（2004）等方法；针对饮用水的 EPA 525.2 Rev 2.0 方法；针对废水的 EPA 1625 方法；针对固体废气物的 EPA 8270D；针对土壤的 EPA 8275A 和 ISO 18287：2006 方法。以 LC - UV/FL 为检测手段的标准方法主要有：针对大气的 ISO 16362：2005；针对饮用水的 EPA 550、ISO 79811：2005、ISO 79812：2005、ISO 17993：2002 和我国的 GB 13198—91；针对固体废气物的 EPA 8310；针对土壤的 ISO 13877：1998。以 GC - FID 作为检测器的有：EPA 8100 方法。

二、新的检测方法

（一）化学电离源质谱法测定多环芳烃

由于 GC - MS 在定性方面具有很好的准确性，该方法是标准方法比较认可的检测手段。在标准方法中 GC - MS 测定多环芳烃都是用的电子轰击离子源（EI 源）。近年来，将化学电离源（CI 源）用于测定多环芳烃的某些同分异构体。Simonaick 等[1]将 CI 源用于测定高分子量的 PAHs 的同分异构体，方法的分辨率由 $C_{28}H_{14}$ 和 $C_{30}H_{14}$ 两组同分异构体进行了评价，该方法能够较好地预测它们的质谱结果。Riahi 等人[2]采用 GC - PCI - MS 测定了不同种异构体，结果表明二甲醚作为反应气比 NH_3 具有更好的分离效果。

（二）快速气相色谱测定多环芳烃

快速气相色谱顾名思义就是分析速度快的 GC，其目的是在短时间内得到需要的样品信息。

快速色谱最为常见的方法就是采用微型柱作为分离柱。分析多环芳烃时，常采用 20m、10m（5%苯基，0.1mm 管径，0.1μm 膜厚），与 30m 的柱子相比，其分析时间能够分别缩短 45%和 60%[3]。

（三）超高速液相色谱测定多环芳烃

与快速气相色谱相似，配有细颗粒填料（小于2 μm）及高压泵（柱压一般大于400 bar）的超高速液相色谱（UPLC）[4]因为其快速、高效、高分辨的特点也迅速发展起来。但是由于硬件的限制，直到2004 年才被商品化。Zhu 等[5]采用填充 1.7 μm 细粒径的 C_{18}的 2.1mm ×50 mm 的色谱柱在不到 10 分钟之内分离了 BaP 及其 8 种代谢产物，并用大气化学源（APCI）质谱进行检测，其检测限能达到 0.01 ng/μl。

（四）全二维气相色谱测定多环芳烃

全二维气相色谱[6]（Comprehensive two - dimensional gas chromatography，GC × GC），是把分离机理不同而又互相独立的两支色谱柱以串联方式结合成二维气相色谱，在这两支色谱柱之间装有一个调制器，这个调制器起捕集再传送的作用。通常用全二维气相测定 PAHs 时，其中第一维的分离柱是一根常规柱 5% 苯基 - 聚二甲基硅氧烷（30m ×0.25mm ×0.25μm），第二维的分离柱是 50% 苯基 - 聚二甲基硅氧烷（1m ×0.1mm ×0.1μm）。Ong 等人[7]利用超临界流体萃取 - 全二维气相（FID）测定了土壤中的多环芳烃，并与普通气相（FID）、气质测定的结果进行了对比，发现定性结果三者一致，而对于定量来说，则由于分辨率的问题而有所不同，如当用 GC - FID 来测定 Ace 时，与全二维相比，其测定值较高，说明当萃取以后有些共萃物的干扰影响测定，而全二维气相就表现出较强的分离能力。

（五）全二维液相色谱测定多环芳烃

相对于全二维气相色谱，全二维液相色谱由于溶剂转换、转移体积和系统峰，以及实验设备和实际操作的相对复杂性，使得其发展较全二维气相色谱要困难得多。全二维液相色谱由采用两种不同分离机理色谱柱的一维分离系统通过一定的切换模式结合而成。设计一个二维分离体系的关键是相体系的选择[8]。Murahashi[9]设计了全二维 NPLC/RPLC 联用系统，第一维采用常规柱，第二维采用平行的整体柱实现快速分离。采用该联用模式分析了多环芳烃，在第一维柱后通过三通，泵入大量的纯水进行稀释，降低第一维切割液的洗脱强度，从而在第二维的柱头实现样品富集，降低谱带的扩散。

三、结　论

随着现代分析仪器及计算机技术的飞速发展，高效液相色谱、气相色谱和质谱技术取得了举世瞩目的进展，各种先进的检测方法也已被有效地应用到多环芳烃的分析检测中，其中最具有代表性的是二维色谱的应用，包括二维气相和二维液相，它们与一些高灵敏度的检测器（如 TOFMS 等）联用，具有高分辨、高选择性、高灵敏度等特点。

参考文献

[1] Simonsick W. J. , Hites R. A. Characterization of high molecular weight polycyclic aromatic hydrocarbons by charge exchange chemical ionization mass spectrometry. Anal. Chem. , 1986, 58: 2114 -2121.

[2] Riahi K. , Sellier N. Separation of isomeric polycyclic aromatic hydrocarbons by GC - MS: differentiation between isomers by positive chemical ionization with ammonia and dimethyl ether as reagent gases. Chromatographia, 1998, 47 (5/6): 309 -312.

[3] Boden A. R. , Ladwig G. E. , Reiner E. J. Analysis of polycyclic aromatic compounds using microbore columns. Polycycl Aromat Compd, 2002, 22: 301 -310.

[4] Nguyen D. T. – T., Guillarme D., Rudaz S., Veuthey J. – L. Fast analysis in liquid chromatography using small particle size and high pressure. J. Sep. Sci., 2006, 29: 1836 – 1848.

[5] Zhua S., Li L., Thornton C., Carvalho P., Avery B. A., Willett K. L. Simultaneous determination of benzo [a] pyrene and eight of its metabolites in Fundulus heteroclitus bile using ultra – performance liquid chromatography with mass spectrometry. J. Chromatogr. B, 2008, 863: 141 – 149.

[6] 许国旺，叶芬，孔宏伟，等. 全二维气相色谱技术及其进展 [J]. 色谱，2001，19 (2): 132 – 136.

[7] Ong R., Lundstedt S., Haglund P., Marriott P. Pressurised liquid extraction – comprehensive two – dimensional gas chromatography for fast – screening of polycyclic aromatic hydrocarbons in soil. J. Chromatogr. A, 2003, 1019: 221 – 232.

[8] Jandera P. Column selectivity for two – dimensional liquid chromatography. J. Sep. Sci., 2006, 29: 1763 – 1783.

[9] Murahashi T. Comprehensive two – dimensional high – performance liquid chromatography for the separation of polycyclic aromatic hydrocarbons. Analyst, 2003, 128: 611 – 615.

二安替比林甲烷分光光度法测定环保型钛合金阳极氧化工艺槽液中的钛离子

曾小岚　徐　栩　曹彦荣

（北京航空航天大学化学与环境学院　北京　100191）

摘　要　建立了测定新型环保型钛合金阳极氧化工艺活化和阳极氧化槽液中钛离子的二安替比林甲烷分光光度法。考察了吸收波长、酸度、显色剂用量、掩蔽剂用量、显色时间、共存物等干扰，确定了最优实验条件。钛含量在 0.05～2.50μg/ml 范围内符合比尔定律，线性回归方程为 $A = 0.0064 + 0.2499c_{Ti(IV)}$（μg/ml），相关系数 0.9994，检出限 8.1μg/L。该法操作简单快速、选择性好、准确度高。用于活化和阳极氧化槽液的测定，相对标准偏差依次为 0.8%、2.4%（n = 9），加标回收率分别为 99.9%～104.2%之间和 108.0%～114.5%之间，结果令人满意。

关键词　分光光度法　二安替比林甲烷　阳极氧化　钛

一、引　言

为了避免环境污染和保护人类健康，促进社会的可持续发展，本课题组研究了一种新型环保型钛合金阳极氧化工艺的槽液配方。在实际应用过程中，随着槽液的重复使用，越来越多的钛离子溶于活化与阳极氧化槽液中，当槽液中钛离子积累至一定量时，槽液的处理能力减弱，氧化膜的质量难以达到设计要求，导致一些工件报废。在生产中，通常根据电流密度、氧化的面积、槽液使用的时间估算槽液中的钛离子，以更新槽液，此法不准确。因此，迫切需要建立该工艺活化和阳极氧化槽液中钛离子的分析方法。

钛的测定方法主要有分光光度法[1]、滴定法[2]、电感耦合等离子体原子发射光谱法[3]、动力学光度法[4]、原子吸收光谱法[5~6]、X 荧光射线法等[7]。然而，这些方法多用于各种合金或矿石中钛离子的测定，有些方法缺乏灵敏性，并且耗时或需要复杂而昂贵的仪器，并不能满足生产中快速、灵敏、可靠的需要，因此不能满足工厂的常规化验需求。

二安替比林甲烷（DAPM）分光光度法近年来广泛应用于钛离子的测定[8-10]，具有高灵敏度、低检测限、选择性好、操作简单快速、无需昂贵的仪器和适用于常规检测等优点，多数用于各种合金、矿石和废水中钛含量的测定，未见用于钛合金活化和阳极氧化槽液的报道。

本文探讨了钛合金活化和阳极氧化槽液中钛离子与二安替比林甲烷 DAPM 形成络合物的条件，考虑了吸收波长、酸度、显色剂用量、掩蔽剂用量、显色时间、共存物的影响及方法的准确度，实验结果表明：钛离子与二安替比林甲烷的络合物在波长 400nm 等条件下测定，获得了很好的效果。

二、实验部分

（一）仪器与试剂

722s 型分光光度计（上海分析仪器厂）。

钛（Ⅳ）标准储备溶液：0.500g/L，称取 1.8485g 草酸钛钾置于 250ml 锥形烧杯中，加入 1.8g 硫酸铵、15ml 硫酸，微热至草酸钛钾完全溶解，再微沸 10min，冷却。将溶液移入盛有 100ml 水的烧杯中，滴加数滴 1g/L 的高锰酸钾溶液至溶液呈稳定的红色，移入 500ml 容量瓶中，定容。使用时以去离子水稀释为 10μg/ml 的钛标准溶液。

二安替比林甲烷溶液：50g/L，称取 50g 二安替比林甲烷溶于 1L 1mol/L 的盐酸溶液中。

高锰酸钾溶液：5g/L；硫酸铜溶液：50g/L；抗坏血酸溶液：20g/L，用时现配；硫酸：1+1。所用试剂均为分析纯，实验用水均为去离子水。

（二）实验内容

准确移取10ml活化槽液或20ml阳极氧化槽液两份液体，分别置于100ml容量瓶中，加入（1+1）硫酸25ml，以水稀释至60~70ml，用5g/L的高锰酸钾溶液调节至溶液呈粉红色，再依次加入50g/L的硫酸铜溶液2滴，20g/L的抗坏血酸溶液2ml，混匀。其中一份加入50g/L的二安替比林甲烷溶液10ml，以水稀释至刻度；另一份则不加二安替比林甲烷溶液，作为补偿溶液，同样以水稀释至刻度。混匀，放置30min。将部分试液移入1cm比色皿中，以不加显色剂的补偿溶液为参比，于分光光度计波长400nm处测量其吸光度。实验中选择了最佳吸收波长，研究了酸度和显色剂的用量对测定的影响，并探讨了干扰的消除。

三、结果与讨论

（一）吸收波长的选择

按实验方法，二安替比林甲烷与钛发生灵敏显色反应，生成黄色络合物，最大吸收波长位于400nm处，选取400nm为测定波长。

（二）酸度的影响

考察了硫酸的用量对显色反应的影响，试验表明，在0.45~2.7mol/L的硫酸介质中，硫酸（1+1）的用量在5~30ml，吸光度基本保持稳定，当硫酸用量继续增加时，溶液的吸光度开始缓慢降低。考虑到活化槽液里含有大量的氢氧根离子，为了使测定体系的硫酸浓度均保持在0.45~2.7mol/L的范围内，选择加入25ml的硫酸（1+1）以消除溶液中氢氧根离子的影响，且保证各溶液的酸度基本一致。

（三）显色剂的用量

以25ml的钛标准溶液为测定对象，通过加入不同量的二安替比林甲烷显色，探讨二安替比林甲烷溶液的最佳用量，试验结果如图1所示，当二安替比林甲烷溶液的用量大于10ml时，体系的吸光度达到最大且基本稳定，因此选择其用量为10ml。

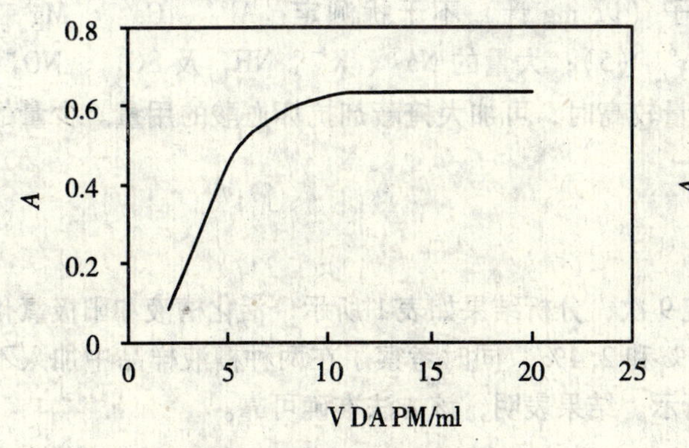

图1　显色剂用量的影响

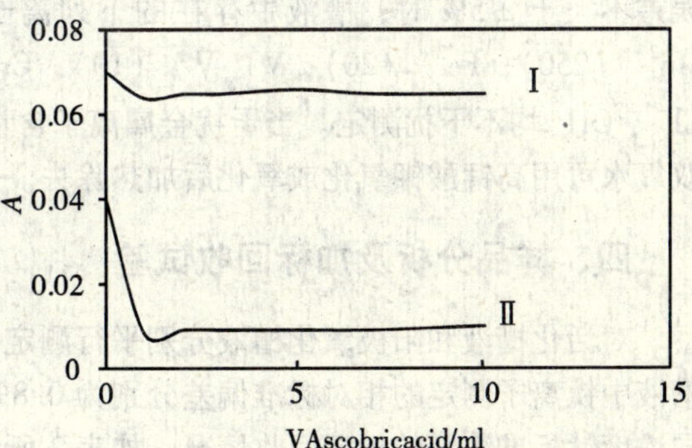

图2　抗坏血酸用量的影响

（Ⅰ活化槽液；Ⅱ阳极氧化槽液）

（四）抗坏血酸的用量

考虑到溶液中其他金属离子如钒（Ⅴ）、铬（Ⅵ）、铁（Ⅲ）可能对钛离子的测定造成干扰，选择抗坏血酸为掩蔽剂，将它们还原为低价态以消除其干扰。按实验方法考察了不同加入量抗坏血酸的测定结果，如图2所示。试验表明，抗坏血酸有效地掩蔽了其他金属离子的干扰，它的添加使得显色体系的吸光度明显降低，当抗坏血酸的用量大于1ml时，体系的吸光度开始趋于稳定，因此，抗坏血酸的用量选择2ml。

（五）显色时间的影响

考察了钛标准溶液、活化槽液和阳极氧化槽液中钛与二安替比林甲烷完成显色反应所需要的时间，如图3所示，试验表明，在25min时体系的吸光度均达到最大值，且基本保持恒定，吸光度值至少可稳定24h不变。因此选择显色时间为30min。

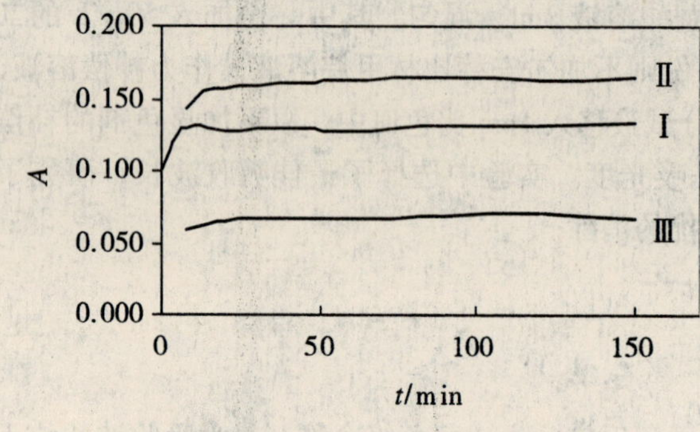

图3　显色时间的影响（Ⅰ钛标准溶液；Ⅱ活化槽液；Ⅲ阳极氧化槽液）

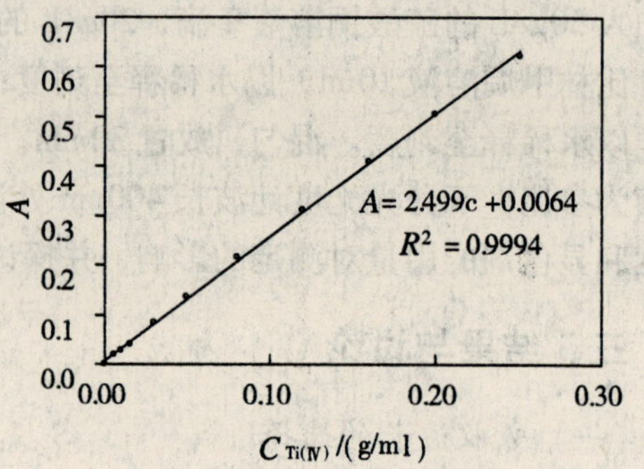

图4　钛离子的工作曲线

（六）工作曲线、线性范围及检出限

准确移取不同体积的钛标准溶液于一系列100ml容量瓶中，按上述的最佳试验条件测定相应吸光度，以钛量为横坐标，吸光度为纵坐标，绘制工作曲线，如图4所示。钛含量在0.05～2.50μg/ml范围内时具有良好的线性关系，其线性回归方程为 $A = 0.0064 + 0.2499C_{Ti(IV)}$（μg/ml），相关系数为0.9994。当浓度大于2.50μg/ml时，吸光度值发生偏移，不再符合比尔定律。

按 $LD = 3S_b/K$ 计算方法的检出限，式中，LD 为检出限，S_b 为空白标准偏差，K 为斜率取空白样品平行测定11次，计算得 LD =8.1μg /L。

（七）共存物质的干扰及消除

按实验方法，在2ml抗坏血酸存在的条件下，测定100ml显色液中100μg钛（Ⅳ），当相对误差不大于±5%时，槽液中存在的下列离子（以mg计）不干扰测定：Al^{3+}、Ca^{2+}、Mg^{2+}、Mn^{2+}（250）；Fe^{3+}（20）；V（Ⅴ）（10）；Cr^{6+}（5）；大量的 Na^+、K^+、NH_4^+ 及 SO_4^{2-}、NO_3^-、Cl^-、OH^- 均不干扰测定。当干扰金属离子含量较高时，可加大掩蔽剂抗坏血酸的用量。少量的双氧水可用高锰酸钾氧化或氧化后加热除去。

四、样品分析及加标回收试验

对活化槽液和阳极氧化槽液分别平行测定9次，分析结果如表1所示，活化槽液和阳极氧化槽液中钛离子测定的相对标准偏差分别为0.8%和2.4%。同时考察了在两种槽液样品中加入不同浓度钛标准溶液的加标回收情况，如表2所示。结果表明，该方法准确可靠。

表1　样品中钛的分析结果

样品	测定值/（μg/ml）	平均值/（μg/ml）	相对标准偏差/%
活化槽液	0.619，0.623，0.631，0.627，0.623，0.619，0.623，0.631，0.631	0.625	0.8
阳极氧化槽液	0.238，0.238，0.242，0.251，0.251，0.251，0.238，0.242，0.242	0.244	2.4

表2　加标回收试验（$n=5$）

样品	加入量/（μg/ml）	测得量/（μg/ml）	回收率/%
活化槽液	0.600 1.200	0.613，0.626，0.609，0.613，0.621 1.203，1.207，1.199，1.215，1.219	101.6～104.2 99.9～101.6
活化槽液	0.200 0.500	0.216，0.229，0.217，0.216，0.224 0.553，0.557，0.561，0.565，0.557	108.0～114.5 110.6～113.1

五、结　论

本研究建立了新型环保型钛合金阳极氧化工艺中活化槽液与阳极氧化槽液中钛离子含量测定的二安替比林甲烷分光光度法，研究表明：在酸性条件下，以抗坏血酸和高锰酸钾共同作掩蔽剂，可以有效掩蔽干扰，方法快速、简便，准确度高，所需仪器简单，普通分析人员即可操作，可以满足工厂常规检测的需要，能够精确有效地指导槽液的更换以确保整个工艺的质量。为新型环保型钛合金阳极氧化工艺在航空、航天、医疗等各个领域的广泛应用奠定了基础。

参考文献

[1] 姚淑霞，李红．二安替比林甲烷分光光度法测定电镀废水中钛的含量［J］．表面技术，2005，34（5）：89－90.

[2] 刘东，张嫦，周小菊，等．沉淀－络合滴定法快速测定陶瓷钛酸钡纳米粉中钡钛的含量［J］．西南民族大学学报（自然科学版），2007，33（5）：1109－1112.

[3] Agrawal Y. K.，Sudhakar S.．Extractive spectrophotometric and inductively coupled plasma atomic emission spectrophotometric determination of titanium by using dibenzo－18－crown－6［J］．Talanta，2002（57）：97－104.

[4] 周之荣，张丽珍，毋福海，等．过氧化氢氧化邻硝苯基荧光酮褪色反应动力学光度法测定痕量钛［J］．冶金分析，2008，28（7）：65－68.

[5] 孙宝莲，张小燕，李波．石墨炉原子吸收法测定合金钢、铜合金及铝合金中微量钛［J］．稀有金属材料与工程，2003，32（1）：66－69.

[6] 吴少尉，吴吉炎，余爱农，等．富氧空气乙炔火焰原子吸收光谱法测定地质样品中钛［J］．光谱试验室，2003，20（6）：856－858.

[7] 康学丽，张运波．X射线荧光光谱法测定钒钛矿中的钒钛锰［J］．河北冶金，2007（4）：76－77.

[8] 杨晓华，赵星洁，刘英华，等．二安替比林甲烷分光光度法测定功能纤维中 TiO_2 含量［J］．纺织学报，2007，28（8）：8－11.

[9] 姚淑霞，李红．二安替比林甲烷分光光度法测定电镀废水中钛的含量［J］．表面技术，2005，34（5）：89－90.

[10] 高琳．二安替比林甲烷分光光度法测定铝合金中钛［J］．冶金分析，2008，28（7）：56－58.

汽车行业萧条为能源转换提供契机
——从日本混合动力市场兴旺展望未来

大野木升司

（日中环境协力支援中心有限会社　北京　100081）

摘　要　目前经济萧条也正是推进能源转换的绝好契机。战后日本汽车产业环保技术的改善与发展，与日本汽车厂商的不懈努力开发及政策支持是分不开的。而现在，以京都机制为背景的全球性减排大趋势下，在世界最大汽车市场的中国推广环保混合动力车，更是具有巨大的现实意义。本文从日本战后汽车发展的经验入手对中国混合动力市场提供一些建议。

关键词　混合动力车　经济危机　能源转换　优惠政策　日本

一、前　言

受到以美国为首的金融危机的影响，全球汽车产业的大环境也变数重重。

由于受到全球规模需求的减退，日本汽车厂商在调整库存的同时，也大幅缩小了国内生产。2008年11月，丰田由于大幅亏损大大下调业绩预测产生的“丰田危机”，是个具有代表性的事件。近日，代表美国汽车产业界三巨头之一——通用汽车（GM）也由于经营状况破产了。

但是，受金融危机影响的同时，现在也正是推动能源转换，未来转变为环境友好型新能源社会的绝好契机。为此，让我们聚焦那些可能成为日本汽车产业的龙头企业，展望一下未来汽车产业的新能源技术发展。

二、日本道路情况与汽车产业的萌芽

在日本，虽然目前高度进步的汽车大众化进程遍布全国各地，但半世纪前的道路状况极其恶劣。明治时代开始（1868年）以后，远途交通方面，速度和运输力较强的铁路在全国得到了优先发展和建设。沿海地区，海运航线发展较为活跃。而城市中除了中心地区敷设了一些国道之外，陆地只有马车通行的干线道路。

1956年，美国Watquins赴日调查团通过发布报告辛辣地评价了现在为日本大动脉之一的名神高速公路，称“日本的道路情况差得让人难以置信”。之后，日本以此为契机，真正迈出了国土开发计划的一步。在那以后，经过1964年东京奥运会，城市高速公路不断完善，汽车大众化进程也使汽车保有量得以快速增长。在20世纪六七十年代经济快速发展时期，各地加快了生产，以大规模工厂产生的大量二氧化硫、氧化氮、煤尘等空气污染为代表的产业型公害污染迅速蔓延。因公害产生的人员伤害、自然环境恶化、长期的公害诉讼等问题，使环保和开发之间的矛盾愈演愈烈。因为随着汽车交通量的增长，民众当中要求控制尾气排放的声音也此起彼伏。也正是因为1970年在美国有了关于制订大气净化法修订方案的动向，所以出口美国的日本汽车产业界也对控制尾气排放表示关注。这种呼声和动向加快了日本制订控制汽车尾气排放方案的进程。随后，继本田CVCC首次突破了当时美国国内产业界认为“无法达标”马斯基法（Muskie Act）控制标准之后，其他日本汽车供应商先后增大了技术研发力度，1978年在日本国内开始实施了相当于马斯基法的控制方案。

三、从依赖石油的状态转向能源方向

20世纪60年代，日本进行了从煤炭转变到石油的能源革命，之后，从中东等地区进口的石油为高度成长的经济提供了能源供给。70年代，石油在日本一次能源供给中大约占了70%，但是1973年日本遭遇了第一次石油危机，经历了石油价格的上涨和石油供给的断绝之后，为了稳定能源供给，降低了对石油的依存程度。作为石油的替代能源，尝试引进了核能、天然气、煤炭等能源，这种能源动向在1979年的第二次石油危机中得以发展和加速。

之后，日本以钢铁和化工等高耗能产业为中心开展了质量工程管理活动，在彻底执行能源管理的同时，从根本出发开始致力于节能技术的研发。而且，国家还根据1979年制定的节能法，促进工厂的节能推广体制，推动了能源管理。另外，在产业领域加速了节能技术的开发和引进。同时，分别在1997年和2002年制定出“新能源利用促进法”和“能源政策基本法”，为能源的稳定供给以及符合环境质量要求提供了政策导向。

目前，日本运输部门能源消费的一大半都是使用燃油与轻油的汽车所消耗的。运输部门占耗能总量的23.3%（2007年），其中98%是汽油等石油燃料[1]。因此，只要开发出不消耗汽油或者能够抑制汽油使用量的新能源汽车，对于环保是非常有效的。

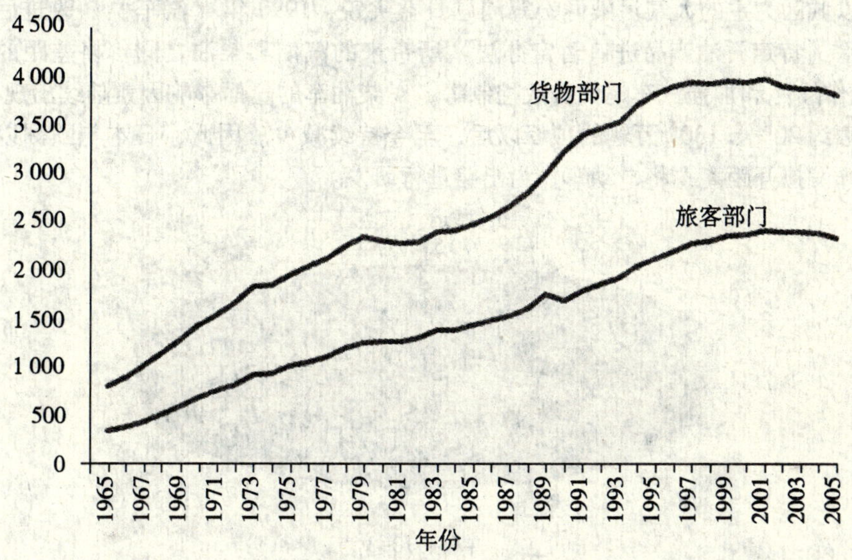

图1　运输部门的能源消费结构（2005）

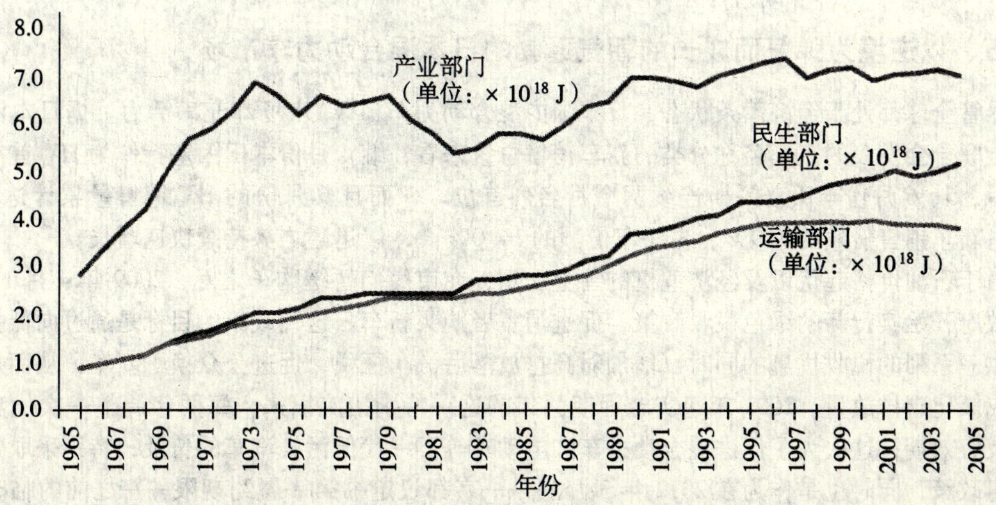

图2　最终能源消费的推移

四、为电动汽车另辟蹊径的日式环保车

日本国土因为多山、多转弯，普遍认为其道路敷设成本高，因此，注定了对汽车行驶距离的需求不是长途的而主要是短途的。由于地形复杂，造成道路狭窄、红绿灯多，因此对小型车需求高涨。美国正与此相反，其道路普遍较宽、移动距离较长，业已形成适合大中型汽车的环境条件。

日本汽车制造商看准后石油时代，很早就开始进行环保车研发。而在环保车的发展方向上，欧洲选择了清洁柴油车，与此相对，日本转为对电动车进行研发。

柴油与燃油相比，具有油耗低、二氧化碳排放少等特点，欧洲注重其经济性而将其作为低污染燃料进行推广。就连轿车的新车中也有43%是柴油车。而在日本，由于振动大、噪声强、氧化氮排放量大、产生颗粒物和黑烟、具有独特气味等原因，柴油车具有较强的负面印象。从日本国内柴油车车辆总数来看，于20世纪70年代后石油危机、80年代后的RV热时期，增长速度有所加快。但以城区为主的大气污染诉讼等问题日益尖锐，1990年《汽车税》改进后，轻油交易税增加、废除《特定石油产品进口暂定办法》所带来的汽油和柴油之间价格差距的缩小，东京《柴油车NO作战》和加强汽车尾气排放控制等，对柴油车的负面影响因素陆续出现，在1996年达到市场份额约20%、1302万辆的顶峰以后，至今持续减少。因此，日本与欧洲以柴油为主的下一代汽车开发拉开距离，将电动车作为出路进行研发。

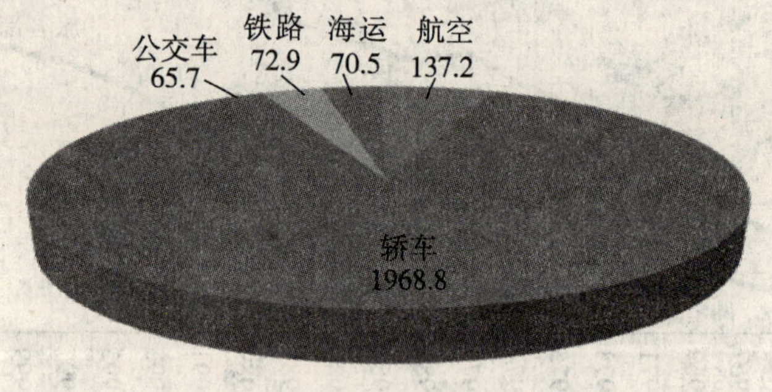

单位：10^{15}J

资料来源：日本经济产业省资源能源厅《综合能源计划》。

五、以逆境为弹簧而成长的朝气蓬勃的日本混合动力车市场

尽管全球都处于经济萧条状态，日本国内混合动力车（HV）市场却充满活力。据日本汽车销售协会联合会发表的汽车名称分类的新车销售总量来看，继4月份本田因塞特作为HV首次登上榜首后，5、6月份丰田普锐斯连续两个月名列首位[2]，而且6月份的HV销售量累计达34 152辆、占新车销售份额的8.9%，占轿车份额的14.0%[3]，以迅猛之势持续快速增长。

由于石油价格起伏以及经济危机的雪上加霜，在市民们暂缓购车之际，2009年4月1日起，日本政府开始实行新的绿色税收政策，促进消费者购买新车。这一政策的目标是通过向低排放汽车提供一系列的税收优惠的同时，增加对高排放落后汽车征税，促进公众换购新车，从而总体上减少二氧化碳排放量。2001年起实施为期两年的这一特别措施以来，每两年调整一次优惠对象产品及有效期，这次为了促进混合动力车和电动车等下一代低污染汽车的普及，特别采取了大胆的优惠政策，同时也是作为在2012年3月底——京都议定书第一履约期限——之前的临时性措施，旨在该期间内大幅度削减二氧化碳排放，同时扩大内需，摆脱不景气所导致的经济停滞。受到该措施的支持，各汽车制造商开始着力研发销售新能源节能车。伴随着该措施的实施，本田和

丰田这2家大型汽车制造商的陆续出售新型混合动力车，开展激烈的销售战。除实行相对立的广告公关销售战略外，持续不断地对电动燃料汽车等下一代汽车进行开发，包括上述两家的汽车制造商间的技术开发竞争日益激烈。

迄今为止，日本汽车行业每每遇到由各种外部因素带来的危机之际，往往通过制造商间的技术开发竞争，创造了多项环保节能技术，并将其作为产业发展的动力。目前，在汽车行业总体同比下跌20%这一经济危机中，上述2家外的汽车制造商也乘环保车减税之风，为了存续而着力研发环保车和技术并销售。着眼于未来的燃料电动车，电动车和插电式混合动力车（PHV）的研发，与汽车电子行业等周边产业也势必需要协调。至今未能在日本国内扩大市场份额的柴油车，也通过技术改良等克服各种难题，柴油现已成为代替石油的低污染燃料中的有力竞争者。

六、今后的展望和对中国的建议

目前面临着前所未有的金融经济危机，这对以石油依赖为主的全球能源结构给予了很大的打击。全球各国对现有的能源结构表示担心，同时，必须加快新能源技术的开发。在日本执行的环保车减税政策是临时的，因此大家对到期后的政策支持也有担心。到2012年京都议定书第一约定期限到期时，是一个具有很大意义的阶段性时期，全球各家制造商，短期来看要普及HV和柴油车，但在长期上，将引进远离化石燃料的电动汽车和燃料车。

今年，日本将开始销售家用燃料电池及电动汽车。中国也在北京、大连、上海等13个大城市作示范，将实施节能及新能源汽车补贴政策。美国处在汽车产业大战期间，中国的汽车却是产销两旺。2015年中国将成为全球最大的汽车市场，国内各家制造商陆续公布了燃料汽车开发计划，政府也出台了有关优惠政策。从二氧化碳减排的角度来看，这种倾向很受关注。4月份，在上海举办的上海汽车展，也看到了很多国内企业的电动车和混合动力汽车等环保车的样车，看来中国对环保车开发的意识也比较强。在全球最大市场上环保车开始活跃起来，将毫无疑问地成为大力推动和改变全球能源结构的动力。

但是，在这样的背景下，还需要从生命周期评价来分析各种型号的环保车的普及带来的影响。比如说，纯电动车和PHV的动力源要由外部电源支持，但是中国电力来源大都是煤炭，所以有些怀疑能实现多少清洁化生产。至于生物乙醇和生物柴油，原料会不会产生争夺粮食的现象，原料供给是否充分，制造过程上是否清洁等一系列问题。还有，从日本和欧洲的例子来看，要普及环保车一定需要优惠政策的支持，要借鉴日本和欧美的政策经验，考虑好对国内的总体影响，来制定环保车的推进政策。

参考文献

[1] 经济产业省资源能源厅．平城20年度与能源有关年次报告（能源白皮书2009）. 2009-5-22，108-109.

[2] 社团法人 日本汽车销售协会联合会．新车销售量排行榜．http：//www.jada.or.jp/contents/data/ranking/index.php.

[3] NIKKEI NET6 月新车销售量、普锐斯作为混合动力车首次获第一位．2009-07-06. http：//www.nikkei.co.jp/news/past/honbun.cfm？i=AT1D0600J%2006072009&g=MH&d=20090706.

水煤浆清洁燃料和水煤浆锅炉新技术的引进、创新及推广应用研究

张建国[1]　卢政旗[2]　黎光南[3]　谭鉴昆[1]　黎伯安[4]　肖以振[2]　王　渝[5]

（1. 广西益浩水煤浆设备有限公司　广西南宁市建政路49号石化厅二楼　530023；
2. 南宁百会药业集团公司；3. 加拿大康斯坦福大学；4. 南宁市环境科学学会
广西南宁市竹溪路33号　530022；5. 南宁绿波环境咨询评估中心）

摘　要　水煤浆引进创新成果，改进生产水煤浆生产工艺，提高生产效率一倍多，建成适合使用南方煤的年产20万t水煤浆的工厂；水煤浆锅炉引进创新成果：改进点火装置，改进炉墙，全面更新设计炉膛结构，大幅增加受热面积，设计新一代燃烧器，结合南方实际设计生产出金益浩系列水煤浆锅炉；推广应用水煤浆和水煤浆锅炉，环境经济效益显著，2009年南宁市区大气环境质量优良率达99.18%，优的天数达224天，当年可回收成本。

一、前　言

（一）研究背景

2000年后，我国节能减排工作进入定量考核阶段，主要污染物排放量成为国家考核地方政府的硬指标。要完成这些硬指标，关键的一环是技术上的突破和创新。长期以来，广西锅炉（窑炉）沿袭燃煤，尽管采取形式多样的除尘脱硫技术措施，但效果有限，难以达到国家减排要求，污染仍然严重；有的企业几经周折，投入大量资金采用燃油技术，但由于油费过贵，成本过大，承受不起；油源供应不足，燃油难以推广。燃煤污染严重、燃油难以承受，要完成节能减排硬指标，只有依靠技术进步和创新，开发新的清洁能源——水煤浆，开发燃用水煤浆的水煤浆锅炉新技术。这就是进行本课题研究的必然性和重要性。

广西煤的含硫量和灰分都特别高，一般含硫量2%～3%，特高的达5%；灰分20%，高的达30%，燃烧所排放的二氧化硫和烟尘的量比较大，多年来，居高难减，成为全国大气污染严重的地区之一。据统计，南宁市2005年（尚未推广应用水煤浆锅炉新技术前）工业燃煤301万t，排放二氧化硫66 509t，烟尘52 456t。5年内要减排12%，任务艰巨。按照过去采用的湿法等技术除尘脱硫，效果难以达到要求，大气严重污染局面难以改变。在这样严峻的形势下，我们迎难而上，勇于探索，敢于攻关，研究开发以水煤浆清洁能源和水煤浆锅炉新技术的创新及应用成果，取代传统的燃煤锅炉（窑炉），为解决南宁、广西摆脱劣质燃料煤造成的节能减排困境，清除大气污染，提高空气质量作出了应有的贡献。

（二）研究的目的和任务

水煤浆清洁能源和水煤浆锅炉新技术的创新和推广应用研究的目的和任务是寻求解决燃煤污染严重，燃油太贵的环境问题和经济问题的新能源、新技术。通过技术引进、创新和示范工程的成果推广应用逐步淘汰燃煤锅炉（窑炉），达到节能减排、消除污染、提高大气环境质量的目的。用创新的技术生产清洁能源——水煤浆，用以替换灰分大、含硫高的煤作燃料；用创新技术生产制造安装的水煤浆锅炉替换传统的燃煤锅炉。开创应用新的洁净的能源——水煤浆及与之相配套的水煤浆锅炉，形成新的水煤浆良性产业链；取得热效率高、环境清洁的节能减排显著的良好效果。

（三）任务来源和立项依据

引进、创新和推广应用水煤浆和水煤浆锅炉是环保节能减排的攻关技术，是能源结构改变和

燃烧技术创新的重大突破。它改变了传统的燃料，创新了燃烧技术设备，创新了南宁市燃料结构模式，拓展了南宁市燃烧工业节能减排的新的技术路线。因此，南宁市环保局、南宁市财政局给予立项，补助部分经费。研究工作在各方共同努力下，依靠技术引进和改造创新，历经三年多时间完成了一台6t/h水煤浆锅炉、两台4t/h水煤浆锅炉及20万t/a水煤浆厂等三项示范工程，完成了技术创新、应用示范研究任务，取得了良好的经济效益和环境效益。

二、研究、创新的技术原理、研究方法和技术工作路线

（一）水煤浆生产原理及工艺路线

水煤浆是由约70%的煤、30%的水和小于1%的化学添加剂混合，经过一定的加工制成流体煤基洁净燃料。液体化的水煤浆外观像油、不自燃、无腐蚀、无挥发性，热值相当于石油的一半（2.2t水煤浆等于1t OJHJ柴油的热值）；经检测，水煤浆灰分9%（而煤的灰分为20%左右），全硫0.3%（而煤的全硫高达1%～3%），故称为洁净燃料；水煤浆流动性能好，用密闭容器运输和储存，燃用时采用管道泵送，雾化燃烧，操作环境清洁，消除强体力劳动，完全可代油（气）、代煤在锅炉和工业窑炉燃用，具有省时、省力、高效、节能、无污染（或少污染）、运行经济等优点，是最适宜我国国情的新一代清洁能源。已被列为《当前国家重点鼓励发展的产业、产品和技术目录》，国家经贸委、国家环保总局明确要求“应用水煤浆替代燃料油”；被国家环保总局评为2003年环境保护实用技术（A类）。

水煤浆的主要生产工艺为：

选煤 → 粉碎 → 球磨 —水→ 搅拌混合 —添加剂→ 搅拌 → 乳化 → 储罐

（二）水煤浆锅炉的构造及燃烧原理

水煤浆锅炉主要组成部分如下图所示：

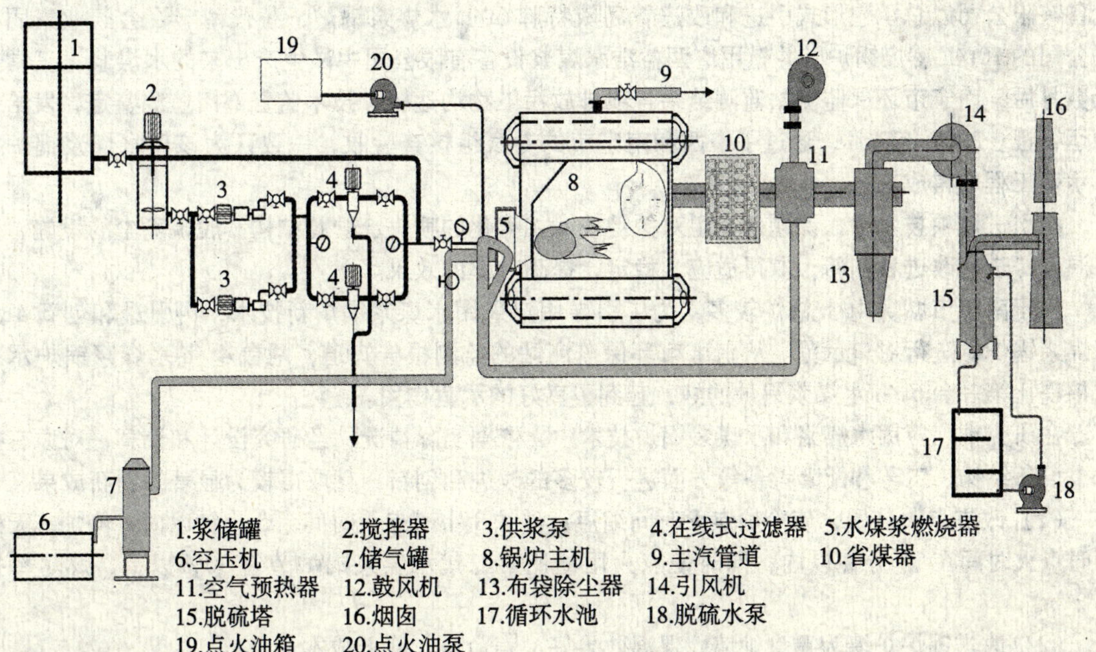

水煤浆锅炉作为燃用水煤浆的新一代燃烧设备，与一般锅炉有许多不同之处。经过改进和创新的水煤浆锅炉在运行中实现自动化控制操作，通过操作台监控，调节整个燃烧过程，达到燃烧充分、热效率高、除尘脱硫效果显著等效果。其主要燃烧工艺路线如下：

水煤浆储罐→泵送水煤浆 $\xrightarrow{\text{喷射}}$ 雾化燃烧→炉膛内燃烧→烟气脱硫除尘→排放烟气

（三）研究方法

本课题的研究、创新的主导思想是：以科学发展观为指导，深入开展（水煤浆和水煤浆锅炉）技术调查、市场调查、能源调查、试点单位调查等各方面调查研究，在此基础上，制订技术方案，进行技术、经济、环境等方面论证和修改；选择试点和设备，试验生产水煤浆（中试），引进和改进创新水煤浆锅炉炉膛等；然后用新工艺生产的水煤浆在改进的水煤浆锅炉里进行燃烧，试验成果通过广西和南宁市专家核查、验收，获得南宁市政府肯定、召开现场会进行推广应用。

（四）技术工作路线

本课题以科学发展观作为指导，深入开展有关方面的水煤浆和水煤浆锅炉技术调研分析、能源市场调研分析、环境污染调研分析以及技术经济环境调研对比分析，弃粗选精、除劣择好、反复筛选，制订出技术方案，然后邀请专家评议论证，进行修改完善；对引进的技术和设备，着重分析其存在问题和不足之处，并有针对性地采取改进和创新措施，提高技术水平和效果。

三、研究创新的内容及成果

（一）水煤浆锅炉的引进及创新内容和成果

2003 年，为解决南宁百会药业集团有限公司两台 10t/h 燃煤锅炉排放烟尘、二氧化硫严重污染危害邻近市和周边居民状况，在南宁市环保局指导和支持下，南宁市环境科学学会会同广西益浩水煤浆设备有限公司（原称广西三旭科贸公司），南宁百会药业集团有限公司组成技术攻关组，先后赴湖南株洲、湘潭、山东青岛、江苏盐城、国家水煤浆中心等处调研，制定引进和创新采用水煤浆清洁燃料和水煤浆锅炉新技术方案，经专家论证和市环保局审定后，广西益浩水煤浆设备有限公司以总承包形式引进和改进青岛威特牌 6t/h 水煤浆锅炉，替代南宁百会药业集团有限公司的 10t/h 燃煤锅炉，并燃用广西益浩水煤浆设备有限公司中试生产出来的水煤浆，正常运行数月后，南宁市环保监测站监测结果各项排放污染物均达标，技术监督部门监测鉴定，发给锅炉运行证。2005 年 3 月，通过了广西和南宁市的专家组核查验收，一致认为该项水煤浆锅炉技术示范工程取得成功。

在引进该项技术中，课题研究组对关键技术如雾化的喷头、炉膛结构、脱硫除尘的设施、进水温度等进行改进和创新，取得适应、稳定、提高效率的效果。

由于南宁市燃煤 4t/h 锅炉较多，为了引导用户采用水煤浆锅炉新技术，再引进和创新 4t/h 水煤浆锅炉，进行对口示范。从南宁市环保监测站的监测报告知道，两台 4t/h 水煤浆锅炉示范效果都比第一台 6t/h 水煤浆锅炉的好，起到了良好的示范作用。

在研究推广应用水煤浆和水煤浆锅炉技术中，依据实际情况，经研究设计和计算，对原有技术、设备结构、工艺和配套设备等方面进行较多的改进和创新，且取得较为显著的创新成果。

（1）改进点火装置，使冷炉点火时间缩短：停炉 8 小时点火时间为 5 分钟以内，停炉 3 天以上时点火时间在 15 分钟以内；同时使点火用油比第二代水煤浆锅炉节省 30% 以上，燃尽率提高 2%。

（2）改进锅炉炉墙为重型炉墙，保温效果好、寿命长、降低成本。

（3）全面更新设计炉膛结构，保证在大负荷、长时间燃烧时更不易结焦。

（4）重新设计新一代燃烧器，配风更合理，喷嘴雾化更好，火焰充满度更好，使用寿命大幅度提高。

（5）大幅度增加受热面积，使锅炉出力更足，在燃用每公斤 4 100 大卡热值的国标Ⅲ级水煤浆并在常温进水时出力率达到额定出力的100%，短时间更达到110%。

(6) 改进附属配套设施——通过重新优化设计辅机参数并优化配置消烟除尘设备和消声降噪设备，提高降噪和减排效果。

(7) 结合南方水煤浆的实际，自主设计制造生产金益浩系列水煤浆锅炉。

(二) 自主研发制造水煤浆洁净燃料并取得技术工艺创新成果

为了同步生产供应水煤浆锅炉示范工程燃用的水煤浆，2004 年下半年广西益浩水煤浆设备有限公司，在参观学习国家水煤浆中心的生产技术的基础上，自行设计研制生产水煤浆。精选优质煤，自制大部分设备，以百会药业集团原来的维 C 车间旧址进行中试，试产的水煤浆经检测各项指标符合国标的Ⅲ级浆水平，即投入中试生产，保证供应了水煤浆示范锅炉的用浆，使示范工程顺利完成。2006 年自主设计、建成了年产 20 万 t/a 水煤浆生产厂。

广西益浩水煤浆设备有限公司生产的水煤浆，质量指标达到国标Ⅲ级浆标准：发热量 4 280kcal/kg，浓度 63.5%，黏度 <1 200MPa · s，挥发分 33%，灰分 9%，全硫 0.3%。水煤浆性能稳定，有较好结构状态和流变特性，稳定性（不发生硬沉淀）可达到60d 以上。

生产水煤浆清洁能源技术改进创新内容及其优点有：改进生产流程，提高球磨机及破碎机的生产效率，提高产品质量，降低生产能耗。以往同类的生产流程不是原料煤经单级破碎后直接送入球磨机就是经过两级破碎后再送入球磨机；存在如下的问题：单级破碎表面上是流程缩短了，但是大量的粗煤粒进入球磨机，把原来由高效低耗的破碎机完成的工作转给了低效高耗的球磨机来完成，降低了单位产量；虽然双级破碎流程直接进入球磨机的粗料比单级破碎少。但二级破碎效率低，且还有不少的粗料被送入球磨机，球磨机的效能难以发挥。针对以上两个缺点，益浩公司水煤浆生产系统在采用单级破碎的基础上增加一道筛分工序，能有效地控制进入制浆球磨机的原料粒度，大幅度提高系统的生产效率，生产能力比同规格其他企业的设备增大一倍。

(三) 经创新改进后的水煤浆洁净燃料及水煤浆锅炉特性

经过创新和改进研究生产的水煤浆质量优良，达到国标，燃烧充分；经过创新和改进（自主设计）的水煤浆锅炉具有雾化良好、点火快、省油、燃烧稳定、热效率高等优点，取得良好的经济效益和环境社会效益。

(1) 燃烧状况良好。锅炉喷浆雾化燃烧稳定，炉膛内火焰透亮，充满度好。带负荷运行检测的过量空气系数为 1.3 ~ 1.47，蒸汽压力达到 1MPa（用户生产工艺设定值），表明燃烧工况好。观察沉淀的灰渣呈灰白色，显示锅炉有较高的燃尽率。锅炉采用防结渣恒温燃烧技术，炉膛温度保持在 1 200℃以下，未出现炉膛结焦现象。

(2) 负荷调节范围较大。锅炉运行中供浆泵转速可在 220 ~ 450 转间调节，炉膛温度 790 ~ 1 120℃，表明锅炉有较大的负荷调节范围，稳定性、可控性良好。

(3) 设备性能良好，可用自动控制台操作运行。锅炉喷油点火、投浆伴烧时间和油耗指标均在正常的范围内，锅炉自动点火，升温起压快。炉膛采用独特的干式侧吹灰技术，用压缩空气和喷水自动清灰，节省劳动力。机组配置的螺杆式空压机、不锈钢立式水泵、专用螺杆泵、全自动软水处理器等辅机性能可靠，自动化程度高，水泵操作简便。每班只需配置司炉工 2 人。

(4) 安全性能较好。水煤浆为煤水两相流浆体，成分稳定、不自燃、无腐蚀、无挥发性。储浆使用 $60m^3$ 钢罐（配有气搅装置），在储存状态和燃用过程均有很高的安全性。

(5) 环保减排良好。水煤浆采用密闭容器运输和储存，燃用时在管道中泵送，取消以前的储煤场，彻底解决了煤尘或煤泥水对环境造成的污染问题。锅炉车间环境干净整洁，实现了清洁生产，司炉操作简便、轻松。

水煤浆锅炉的大气污染物排放情况：燃用的水煤浆经检测灰分 9%；全硫 0.3%，而通常商品煤的灰分在 20% 左右，全硫在 1% ~3%。水煤浆与之相比，有害成分低得多，从燃料源头上减少了污染物的含量。水煤浆锅炉采用雾化燃烧方式，燃尽率较散煤燃烧提高20%以上。加上水煤浆为煤水混合物，燃烧温度比烧油和煤粉低100～200℃，大大减少SO_2和NO_x的析出；燃烧产生的水蒸气也使部分NO_x还原成N_2，显著减少NO_x的排放。水煤浆锅炉在稳定燃烧状态下产生的烟尘初始浓度为2 690～5 000mg/m^3，SO_2初始浓度为277～500mg/m^3，NO_x初始浓度为40mg/m^3，均低于相同蒸发量煤机组的排放值。

综上所述，在锅炉烟气排放考核四项指标中，水煤浆锅炉的检测数值优于国家允许的排放标准，优于燃油、燃煤排放值。

（6）水煤浆锅炉的节能较显著。

可控：从运行情况看，燃用水煤浆具有与燃油基本相同而优于燃煤的低负荷稳燃性能和调峰能力，负荷调节范围在40%～100%。避免或减少普通燃煤锅炉压火时的燃料损耗。

节能：水煤浆为雾化燃烧，燃尽率高达98%以上，国家专业机构对该型4t/h水煤浆锅炉检测的资料显示热效率接近油锅炉，达到82.52%～86%，而普通中小型燃煤锅炉的热效率仅有60%～70%，表明燃用水煤浆能提高能源利用效率，减少煤炭的燃用量（从而也相应减少了污染物排放量），节能效果显著。

燃料储运零损耗：水煤浆运输和储存均密闭，不存在损耗问题。

（四）水煤浆锅炉运行经济分析

吨蒸汽成本分析：根据6t/h水煤浆锅炉运行成本统计资料，吨蒸汽生产成本122元，基本反映了水煤浆锅炉在当前燃料、动力价格水平下的生产成本。

燃油、燃煤和水煤浆锅炉运行技术经济指标对比：根据燃油、燃煤和水煤浆锅炉一般运行的经验数据，各生产1t蒸汽（蒸汽压力1.25MPa）的综合费用比较如下：

燃料种类	燃料耗量/（kg/h）	燃料费用/元	压火煤废耗比/（元/h）	电耗/（元/h）	水耗（元/h）	工资费用/（元/h）	生产维修/（元/h）	每吨蒸汽综合费用/（元/t蒸汽）
柴油	72	310	0	1.5	1	3	1.5	317
燃煤	280	98	0～15	5～8	1	6	5	105～133
水煤浆	160	112	0	5	1	1	3	122

水煤浆代油燃用经济分析：按上表数据，燃用水煤浆的吨蒸汽综合费用（在负荷饱满、均衡的状态）仅为燃用柴油的38.49%。6t/h锅炉用水煤浆代油，按每天运行24h，年生产300d计算，则节约生产费用如下图：

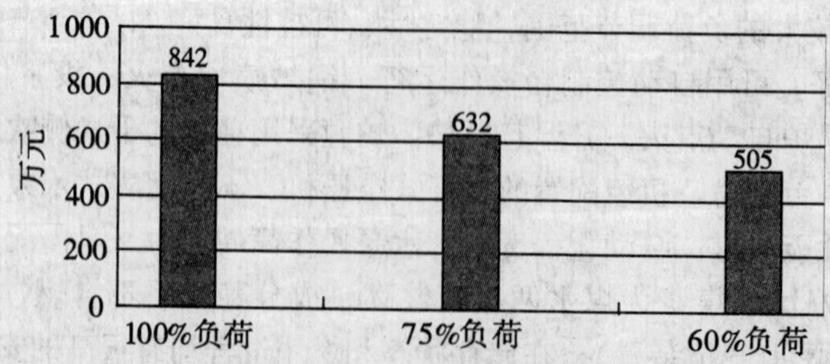

如上图所示，水煤浆代油燃用每年降低生产成本842万元，除当年收回设备投资外，还可节约费用700余万元。

水煤浆代煤燃用经济分析：从直接生产费用来比较，燃水煤浆与燃煤的吨蒸汽成本大致相当，但综合比较，水煤浆锅炉具有优于燃煤锅炉的多方面的效益——水煤浆锅炉省去了上煤等系统，方便管理，节省劳动力，减少工资费用，百会药业公司10t/h燃煤锅炉用工30余人，而改用水煤浆锅炉运行只需三分之一的人力（10人）；节省用地面积2 000多平方米；减少排污费支出，每年少交排污费50多万元。

四、结束语

经过改进和创新了的水煤浆洁净燃料生产工艺和生产技术及水煤浆锅炉新技术，具有很多优点。技术优势显著，市场竞争力强。已得到南宁市人民政府的充分肯定和用户的信赖。南宁市人民政府发出了《南宁市人民政府关于南宁市推广应用水煤浆实施的意见》（南府［2007］58号文），在南宁市掀起了推广工作的高潮。据初步统计，全市已推广应用水煤浆锅炉30多台，取得显著的经济、环境效益。据统计，南宁市2008年与2005年比较，减排二氧化硫8 000t/a，减排烟尘22 953t/a；提前完成减排任务。2008年大气环境质量全优天数比2005年大幅增加了57d。2009年，南宁市区环境空气质量全市优良率达99.18%，其中优的天数达224d，创下10年来市区环境质量新高，在全国省会（首府）城市中名列第三。

参考文献

［1］上海工业锅炉研究所．工业锅炉通用件图册．北京：中国标准出版社，2007.
［2］中国煤矿煤质及应用评价．太原：山西科学技术出版社，2006.
［3］水煤浆试验方法（GB/T 18856.2—2008～GB/T 18856.5—2008）.
［4］水煤浆技术条件（GB/T 18855—2008）.
［5］水煤浆内燃引擎的方法和应用（美国专刊5163385，1992年11月17日出版）.

浅析水煤浆技术及其应用

朱志军　许建军　杨　威

（天津市环境影响评价中心　天津　300191）

摘　要　水煤浆是国家认可的环保节能新型燃料，对能源结构优化、节约石油具有重要意义。本文介绍水煤浆的质量要求和制浆工艺技术特点，从节约能源、减少污染物排放的角度出发，叙述水煤浆技术的应用。

关键词　水煤浆　新型燃料　制浆技术　节能环保

一、水煤浆的概述

水煤浆（Coal Water Mixture，CWM）是将固体的煤经过一定的物化加工工艺后制成的具有一定流动性和稳定性的煤基流体燃料。它是由65%～70%的煤，29%～34%的水和小于1%的化学添加剂制备而成，具有高浓度、颗粒细、流动性好、便于运输、长期储存不易沉淀，是被国家认可的环保节能的新型燃料。制备水煤浆的原料煤是煤矿精选煤，煤质通常的含灰量<8%，含硫量<0.5%，发热量>18.50MJ/kg，挥发分>17%。由于水煤浆含有30%左右的水分，使水煤浆火焰温度比煤粉燃烧时低150～200℃。另外水蒸气在燃烧时的还原作用，会使 NO_x 还原为 N_2。所以通常把水煤浆称为低污染燃料。

二、水煤浆的制造工艺

（一）水煤浆的质量要求与制浆技术概要

水煤浆和一般的煤水混合物（如煤泥水）不同，是一种燃料，对其质量有如下一些特殊要求：①水煤浆中煤炭的细度。从有利于燃烧的角度出发，要求煤炭的粒度上限（通过率≥98%的粒度）不大于300微米，小于200网目（74微米）含量不低于75%。②水煤浆中的煤含量。作为燃料，应尽可能减少水煤浆中的水含量。通常要求其中含煤的重量百分数（水煤浆的浓度）大于60%。水煤浆产品的实际浓度与煤炭的质量、制浆技术及用户的需求有关，一般的标准是70%，有时可达75%。③水煤浆的流变特性。“流变性”是指流体的流动特性。为了便于使用，水煤浆使用时应有良好的流动性，以利于泵送、雾化和燃烧。此外，还要求水煤浆具有“剪切变稀”的流变特性。也就是说，在它处于流动状态时，表现出具有较低的黏度，便于使用；当它停止流动处于静置状态时，又可表现出高黏度，便于存放。④水煤浆在贮运中的稳定性。水煤浆是一种固液两相混合物，不容易保持均态，很容易发生固、液分离现象。通常要求在贮运过程中不产生硬沉淀，水煤浆能维持不产生硬沉淀的性能，称为水煤浆的“稳定性”。

为了使所制水煤浆的性能能同时满足以上各项要求，就必须掌握以下几方面的制浆技术：①煤炭成浆性规律。性质不同的煤炭，制浆的难易程度各不相同，有的煤炭在常规条件下很容易制成高浓度的水煤浆；另外一些煤炭例如神府地区的某些煤炭就很难制成，或者需要采用较复杂的制浆工艺和以较高的成本才能制出高浓度水煤浆。掌握了煤炭成浆性的规律，就可以根据实际需要，按照技术可行、经济合理的原则优选制浆用煤。②级配技术。水煤浆的粒度分布（级配）是影响水煤浆燃料的流变性、稳定性及燃烧性的重要因素。水煤浆中煤炭的粒度要求达到一定的细度，以保证其充分燃烧。应具有良好的粒度分布，即水煤浆的粒度分布应具有较高的堆积效率，或者说水煤浆中的固体粒度堆积时，希望不同大小的煤粒能够互相充填，颗粒间尽可能地减少空隙，空隙少就能达到较高的堆积效率，进而减少水的消耗，容易制成高浓度浆。因此控制好水煤浆的粒度分布是水煤浆制备中的一项关键技术。该项技术简称为级配技术，见图1。③制浆工艺与设备。在给定原料煤的粒度特性与可磨性条件下，如何使水煤浆最终产品的粒度分布能达到较高的“堆积效率”就取决于所选用的磨矿设备、磨矿设备的运行工况及制浆工艺流程。④添加剂技术。要使所制水煤浆能达到高浓度、低黏度并有良好的稳定性，还必须使用一些化学添加剂。添加剂的分子作用于煤粒与水的界面，可减小水煤浆流动时的内摩擦，降低黏度，抑制煤粒在水中的分散，提高水煤浆的稳定性。

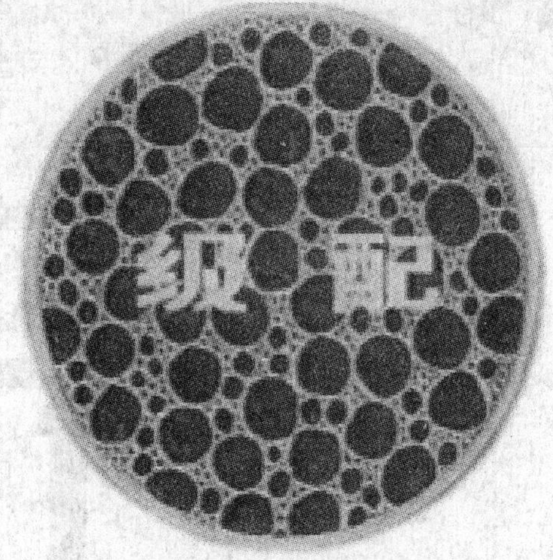

图1　水煤浆的级配

（二）典型水煤浆制浆工艺的主要环节

水煤浆制备工艺通常包括分选（脱灰、脱硫）、破碎、磨矿、加入添加剂、捏混、搅拌与剪切、滤浆（剔除最终产品中的超粒与杂物）等环节。制备工艺取决于原料煤的性质与用户对水煤浆质量的要求。①分选：当原料煤的质量不能满足用户对水煤浆灰分、硫分、热值等要求时，制浆工艺中应设有煤炭分选环节。除制备超低灰（灰分小于1%）精细水煤浆外，制浆用煤的分选采用常规的选煤方法。大多数情况下选煤应设在磨矿前，只有当煤中矿物杂质嵌布很细，需经磨细方可解离杂质选出合格制浆用煤时，才考虑采用磨矿后再选煤的工艺。②破碎与磨矿：在制浆工艺中，破碎与磨矿是为了将煤炭磨碎至水煤浆产品所要求的细度，并使粒度分布具有较高的堆积效率。为了减少磨矿功耗，除特殊情况外（如利用粉煤或煤泥制浆），磨矿前必须先经破碎。磨矿可采用干法或湿法。磨矿回路可以是一段磨矿，也可以是由多台磨机构成的多段磨矿。原则上各种类型的磨机（例如雷蒙磨、中速磨、风扇磨、球磨、棒磨、振动磨与搅拌磨）都可以用于制浆。③捏混与搅拌：捏混的作用是使干磨所产生煤粉与水和添加剂均匀混合，初步形成有一定流动性的浆体，以便于搅拌工序进一步混匀。在制浆过程中搅拌的作用不仅是为了使煤浆混匀，还可使煤浆受到强力剪切，加强添加剂与煤粒表面之间的作用力，改善浆体流变性能。④滤浆：制浆过程中必然会产生一部分超粒和混入的杂物，它将给储运和燃烧带来困难，所以产品在装入储罐前应有杂物剔除环节，一般可用筛网（条）滤浆器滤浆。

三、水煤浆的应用领域——水煤浆锅炉

（一）水煤浆锅炉燃烧系统

水煤浆锅炉的燃烧系统包括供浆系统、供油系统、供气系统（见图2）。燃料是由供浆泵送入燃烧器，经压缩空气配合雾化，在一定条件下，水煤浆在炉膛内稳定燃烧，产生的烟气经锅炉管束、省煤器等从锅炉尾部排出，通过除尘器达到环保标准后经引风机进烟囱排入大气。燃烧后的极少灰渣，通过排渣系统排出炉外。

（二）水煤浆锅炉的特点及优势

①水煤浆锅炉热效率高（83%以上），在同等热值下，大大节省了燃料的消耗量。②水煤浆锅炉的燃料耗量大约是燃油锅炉的2倍左右，热值大约是轻油的1/2（5 000kcal/kg），而价格是轻油的1/6以下，这就大大减少了燃料费用。以4t/h锅炉为例，一年运行3 000小时，燃水煤浆锅炉比燃油锅炉每年可节省资金180余万元。见表1及表2。③水煤浆锅炉与燃煤锅炉相比，渣量大幅度减少。4t/h水煤浆蒸汽炉每小时渣量仅45kg左右，减少了除渣周期、灰渣存储面积，从而减少了灰渣的二次污染。④水煤浆锅炉与燃煤锅炉相比，减少了燃料的占地面积。水煤浆系密封运输，减少了散煤运输过程中的散落损失与污染，与城市环保要求相符，节约了人力、物力

及财力。

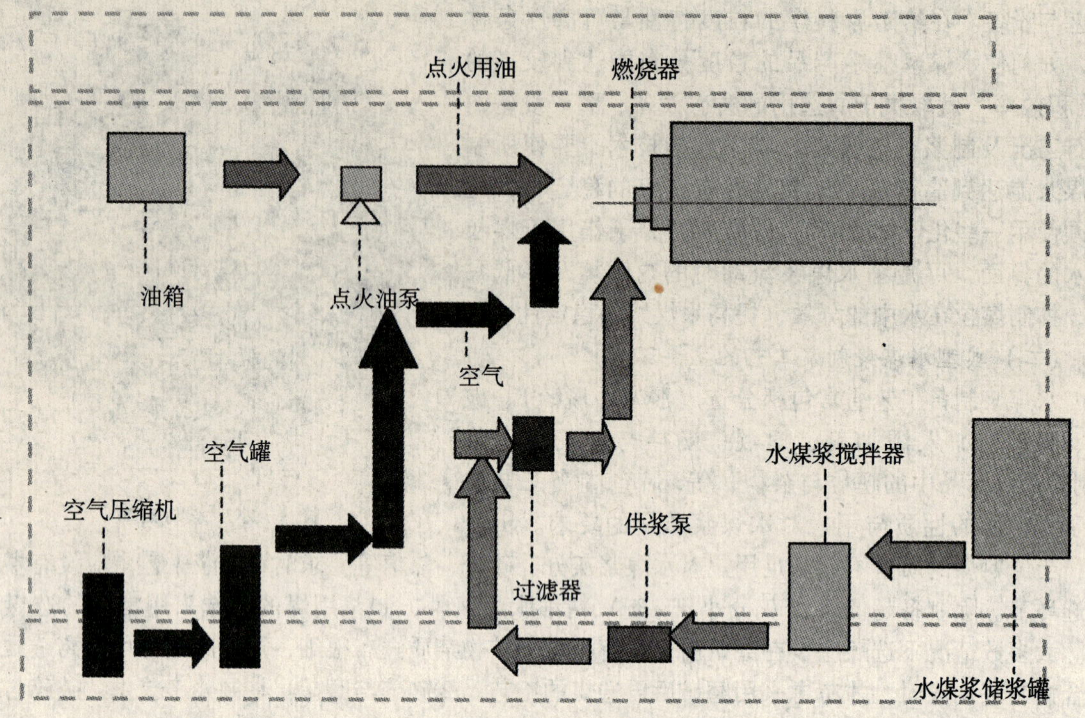

图2　水煤浆锅炉燃烧系统图

表1　几种炉型锅炉每吨蒸汽耗用燃料成本比较表

炉型＼项目	热效率/%	燃尽率/%	燃料名称	单价/（元/t）	耗量/t蒸汽	成本/t蒸汽	水煤浆与其他成本比
水煤浆锅炉	83～84	98	水煤浆	550	145kg	79.8	1
燃煤锅炉	67	80	混合煤	470	160kg	75.2	1∶0.94
重油锅炉	84	98	重油	1 800	75kg	135	1∶1.69
柴油锅炉	85	99	柴油	3 350	70kg	234.5	1∶2.94

从表1可以看出：水煤浆与混合煤的成本相当；重油是水煤浆的1.69倍；柴油是水煤浆的2.94倍。用水煤浆能为用户降低产品成本，提高市场竞争力。

根据对一台4t的燃油锅炉和水煤浆锅炉运行费用的对照比较，见表2。通过比较可知，使用水煤浆比使用柴油具有经济性，可以比燃柴油的锅炉每年节约185.7万元。

表2　4t燃油锅炉与水煤浆锅炉运行费用对照表

项　目＼炉　型	燃（柴）油锅炉	水煤浆锅炉
燃料单价	3 350元/t	550元/t
4t/h蒸汽的燃料耗量	280kg	580kg
10h/d，300d/a计算	280kg×10×300＝840t	580kg×10×300＝1740t
年燃料耗量	3 350元/t×840t＝281.4万元	550元/t×1 740＝95.7万元

注：1. 上表数据以现行市场价格为依据；2. 锅炉运行按10h/d，300d/a计算。

（三）排污与环保

表 3　燃煤锅炉与水煤浆锅炉燃烧后的污染物排放情况对比

燃料 \ 污染物	烟尘排放浓度/（mg/m^3）	烟尘排放量/（kg/h）	二氧化硫排放浓度/（mg/m^3）	二氧化硫排放量/（kg/h）
水煤浆 1	73.6	0.54	134	0.98
水煤浆 2	68.5	0.5	138	1.00
水煤浆 3	62.3	0.42	138	0.94
煤[1]	115.7	1.0	202.4	1.8
标准限值[2]	200	—	900	—

注：[1] 煤的含硫量<0.5%。水煤浆烟尘、二氧化硫的排放量及排放浓度根据 2004 年 3 月青岛市环境保护监测站对青岛南南有限公司水煤浆锅炉项目竣工验收监测报告。

[2] 标准限制指《锅炉大气污染物排放标准》（GB 13271—2001）Ⅱ时段中对于二类、三类区的要求。

由表 3 可知，水煤浆锅炉运行时排放烟气中的烟尘、二氧化硫排放浓度符合《锅炉大气污染物排放标准》（GB 13271—2001）中相关标准的要求；水煤浆锅炉排放的污染物的浓度低于燃煤锅炉，对于节能减排具有重要的意义。

四、小　结

水煤浆替代燃油，经济效益显著。国内外燃用水煤浆实践证明：约 1.8～2.1t 水煤浆可替代 1t 重油，目前国内水煤浆的出厂价格一般为 320～350 元/t，重油的价格为 1 500 元/t，1t 重油可节约 800 元，经济效益十分可观。另外，我国煤多油少，以浆代油具有重要的战略意义。但是，水煤浆技术也存在一定的局限性，抑制了该技术推广：①水煤浆技术目前主要应用于 10t/h 以下的中小型锅炉，大型水煤浆锅炉使用还较少。由于燃水煤浆的发电成本高于煤粉，在电站锅炉用水煤浆代替煤粉燃烧的可能性很小。同时，也不是所有燃油锅炉都能用燃水煤浆替代，需要对燃油锅炉内部多个系统改造，故应用领域存在局限性。②受煤质影响较大，煤质一般要求精选煤，同时需要有制浆过程，目前在有些地区水煤浆制浆厂还相对较少，部分使用水煤浆锅炉企业需要自身制浆。③对锅炉大气污染物控制标准较严地区（比如北京市和天津市）水煤浆锅炉受到煤质的影响较大，为使大气污染物（烟尘和 SO_2）稳定达到地方排放浓度，需要严格控制精选煤中的灰分和硫分的含量（否则除需要配套建设除尘设备外，可能还要建设脱硫设施）。总的来说，水煤浆技术要想在我国大面积推广与应用，除了在工艺技术方面完善外，还需水煤浆使用企业、煤炭采矿和精煤加工企业、水煤浆加工和锅炉设备生产企业以及社会各界的支持和协作，从而推动该技术在我国的发展。

参考文献

[1] 郝临山. 水煤浆制备与应用技术. 2003，9.

[2] 张荣曾. 水煤浆制浆技术. 1996，10.

[3] 天津市东垣煤基洁净燃料有限公司. 关于制造速溶水煤浆粉及新型水煤浆生产线创新的可行性研究报告. 2004.

[4] 青岛海众实业有限公司. 水煤浆环保锅炉. 应用可行性资料.

膜接触器捕集CO_2技术的开发

陆建刚　刘　聪　张　慧　嵇　艳　陈敏东

（南京信息工程大学环境科学与工程学院　南京　210044）

摘　要　在膜气体吸收实验装置上，评价了疏水性聚丙烯微孔膜，氨基乙磺酸盐（AT）溶液及添加一种高活性活化剂 A－I 的复合溶液捕集CO_2过程。在溶液浓度为 1.0mol/L，气速 0.1～3.0L/min，液速 0～150ml/min 时，测得氨基乙磺酸盐溶液的总传质系数为$1.5\times10^{-4}\sim3.8\times10^{-4}$m/s，复合溶液为$2.2\times10^{-4}\sim5.5\times10^{-4}$m/s。采用阻力层无因次关联方程模型预测总传质系数，计算值和实验值符合较好。实验证明 A－I 系列活化剂为捕集CO_2高效活化剂，复合溶液具有高传质系数。

一、前　言

膜基气体吸收（简称膜吸收），是膜分离技术与气体吸收技术相结合的新型分离装置，通常使用微孔中空纤维膜（气液膜接触器）将气液两相分开，气相中的组分（如CO_2等）在驱动力作用下，通过膜孔扩散至液相，并被液相吸收，从而达到分离的目的。1985 年 Cussler 等人[2]首次利用中空纤维膜接触器吸收气体，研究了其传质过程；其后国外在这方面研究十分活跃[3,4]；国内高校等也开展了相关的研究[5,6]。研究所涉及内容包括膜材料及结构形态、膜组件结构等对传质性能的影响，吸收溶剂的选择，操作条件对吸收性能的影响等。本文研究了采用氨基乙磺酸盐（AT）溶液和添加活化剂 A－I 的复合溶液（AT＋A－I）作为CO_2捕集剂，聚丙烯中空纤维膜接触器分离N_2/CO_2体系，建立了膜接触器吸收—再生连续循环实验室装置，研究了操作条件对吸收过程和传质性能的影响，并提出了相应的数学模型预测总传质系数，结合实验结果对膜接触器捕集CO_2过程进行了分析，比较了模型计算值和实验值，得出相关结论。

二、传质模型

膜基气体吸收传质过程可用双膜理论来描述，当传质过程处于稳定状态时，在膜两侧分别形成气相边界层和液相边界层，气相中组分CO_2在浓度差作用下，从气相主体扩散至气相边界层，再通过膜孔扩散至液相边界层，与吸收剂发生化学反应，进入液相主体。传质过程经历了气相边界阻力层（$1/k_g$），膜相阻力层（$1/k_M$）和液相边界阻力层（$1/k_L$），总阻力方程描述如下：

$$1/K = 1/k_g + 1/k_M + 1/(HEk_L) \tag{1}$$

式中：膜传质系数k_M可通过 Fick 定律推导出计算式，气液相分传质系数k_g和k_L通过准数关联式$Sh=aRebScc$得到，E和H分别为液相化学反应增强因子和 Henry 常数。

根据 Fick 定律可得出下式：

$$k_M = D_g\varepsilon/(\delta\tau) \tag{2}$$

式中：D_g、ε、δτ 分别为扩散系数、膜孔孔隙率和膜有效壁厚。

对于气相在管侧（纤维内腔）作层流形态流动时，可用下式计算[7]：

$$Sh_g = k_g d_i/D_g = 1.62\ (d_i Re_g\ Sc_g/L)\ \times 0.33 \tag{3}$$

液相在壳侧分布时，流体动力学状况比较复杂，这主要是膜组件壳侧结构复杂，涉及的影响因素较多，尤其是中空纤维在壳中分布状况及化学反应状况等。k_L为液相物理传质系数。在低填装因子状况采用下式计算[8]：

$$Sh_L = k_L d_e/D_L = 5.85\ [d_e\ (1-\varphi)\ /L]\ Re_L^{0.6} Sc_L^{0.33} \tag{4}$$

E的计算依据文献[9]，反应动力学数据来自文献[10]，溶液物性数据（如密度，黏度等）

实验室测定。

三、实验部分

（一）实验装置及流程

实验装置及流程见图1，N_2/CO_2 混合气经气体流量计进入膜组件中，混合气中 CO_2 通过膜孔扩散至膜另一侧，被醇胺溶液吸收，进入液相；吸收后的气相从膜组件另一端气体出口放出。溶液由泵经液相流量计送入膜组件中，吸收扩散过来的 CO_2，离开膜组件的溶液进入再生器再生，再生出来的 CO_2 放空。再生后的溶液经冷却器冷却由泵送入膜组件中。实验中采用的膜组件为 $\Phi 32 \times 250$，中空纤维外径 500μm，内径 400μm，膜孔径为 0.2μm，膜丝根数为1 800根，孔隙率60%。

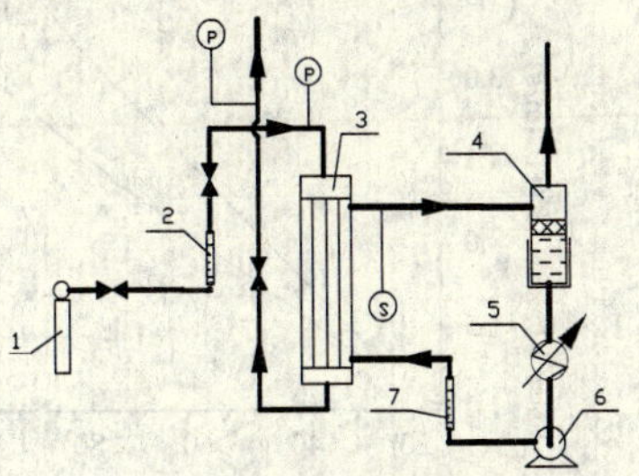

图1　实验流程示意图

1——混合气钢瓶　2，7——流量计　3——膜接触器　4——再生器　5——冷却器　6——泵

（二）实验数据处理

总传质系数：

$$K = V_L \left(C_{L,out} - C_{L,in} \right) / \left(A_T \Delta C_m \right) \tag{5}$$

其中浓度对数平均值 ΔC_m 由下式计算：

$$\Delta C_m = \frac{(C^*_{L,in} - C_{L,out}) - (C^*_{L,out} - C_{L,in})}{\ln \dfrac{C^*_{L,in} - C_{L,out}}{C^*_{L,out} - C_{L,in}}} \tag{6}$$

脱除率：

$$\eta = \left(1 - \frac{C_{g,out}}{C_{g,in}}\right) \times 100\% \tag{7}$$

四、实验结果和讨论

（一）气相流速对出口 CO_2 浓度的影响

采用无因次数 C_{out}/C_{in}（气相出口浓度与进口浓度之比）来评价流速的影响，数据见图2。分析数据可以看出，出口浓度随气相速率增大而增大。在氨基乙磺酸盐溶液中添加活化剂 A－I 后，在相同的操作条件下，与单一的氨基乙磺酸盐相比较，出口浓度明显降低。A－I 在液相中不但增大了吸收容量，而且提高了吸收速率，起到了催化活化的作用。

（二）气液流速对总传质系数的影响

图3数据表明了气液两相流速分别对总传质系数 K 的影响，随着液速的增大，K 随之增大，但在实验条件下，$V_L > 100$ml/min 时 K 值上升趋缓。在总浓度保持 1mol/L 不变情况下，添加少量$A-I$，K 值明显增大，平均增大 1.55 倍以上，这主要是 $A-I$ 在化学反应中活化效应的作用，用双膜理论分析，即增大了化学增强因子 E，使液相分传质系数 Ek_L 值增大，从而增大 K 值。从气速数据发现曲线较平缓，气速的增大对 K 值影响不明显，这是传质过程受液膜控制的缘故。

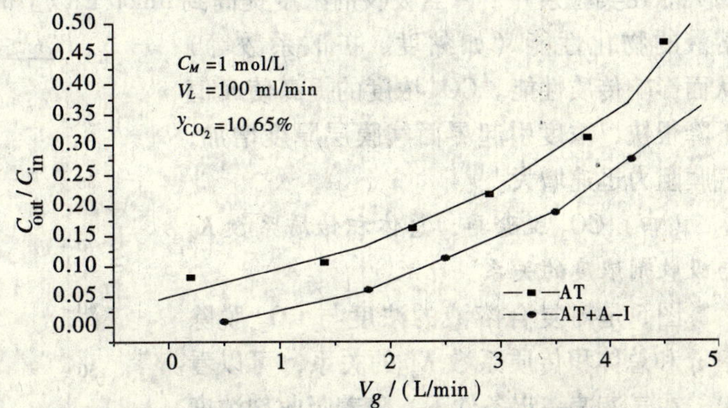

图2　气液相流速对出口 CO_2 浓度的影响

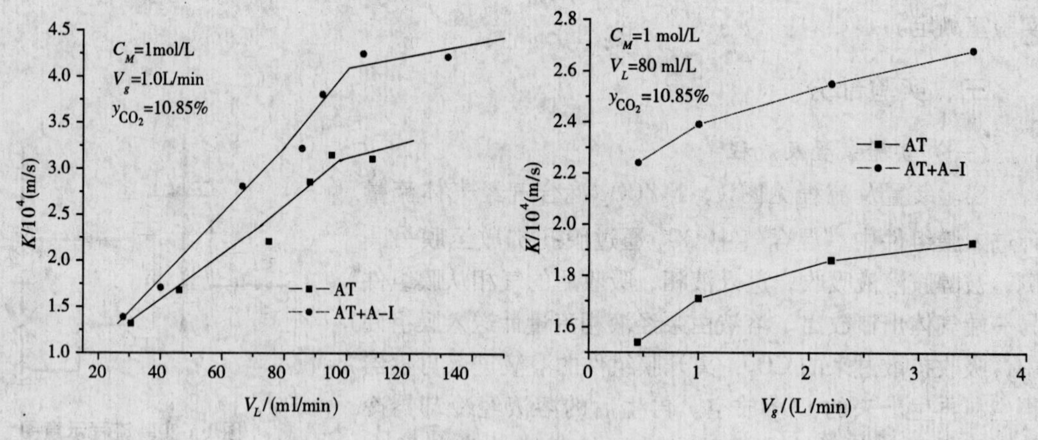

图 3　气液流速对总传质系数的影响

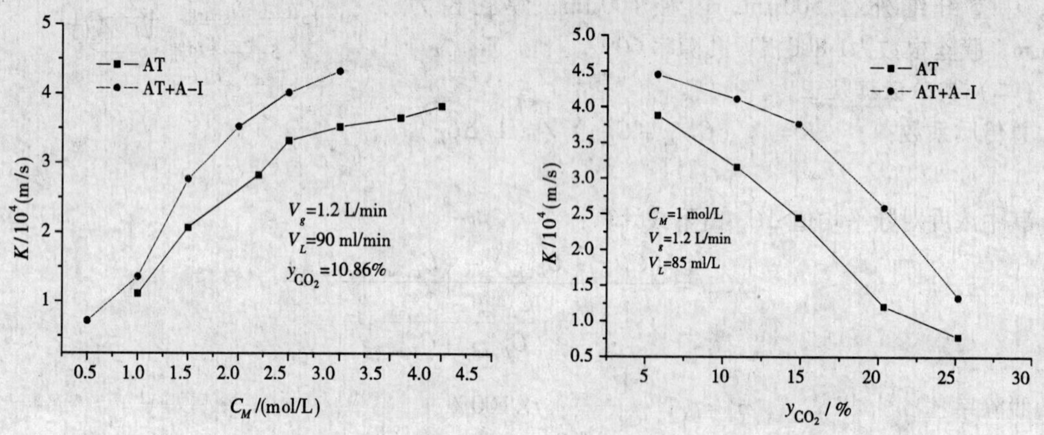

图 4　吸收剂浓度和混合气中 CO_2 浓度对传质系数的影响

（三）吸收剂浓度和混合气中 CO_2 浓度对传质系数的影响

将溶液和混合气 N_2/CO_2 比例配制成各种浓度，分别进行吸收性能的测定，评价浓度对 K 的影响。数据见图 4。实验表明吸收剂浓度增大 K 值增大，在相同条件下，混合溶液 K 增大幅度大于单一吸收剂溶液。混合气 CO_2 浓度增大，K 值降低。吸收剂浓度提高 K 值的原因是界面液膜层浓度提高，加快了反应速率，降低了液膜层表面平衡分压，加大了 CO_2 传递推动力，故使 K 增大。在实验条件下，当吸收剂浓度提高到 3mol/L 以上时，K 的增幅趋缓，浓度的提高改变了溶液的物化性能（如黏度、扩散系数等）从而影响传质性能。CO_2 浓度的提高使 K 值下降很快，浓度引起界面气膜层厚度增加，气膜阻力迅速增大。

（四）CO_2 脱除率，总体积传质系数 K_a 与吸收剂浓度的关系

图 5 是对复合溶液的浓度与 CO_2 脱除率 η 和总体积传质系数 K_a 的关系，可以看出，在气液速一定条件下，随着吸收剂浓度的提高，CO_2 脱除率 η 和总体积传质系数 K_a 增大。吸收剂浓度在 1.0mol/L ~ 3.0mol/L范围内，η 和 K_a 显著增大。根据

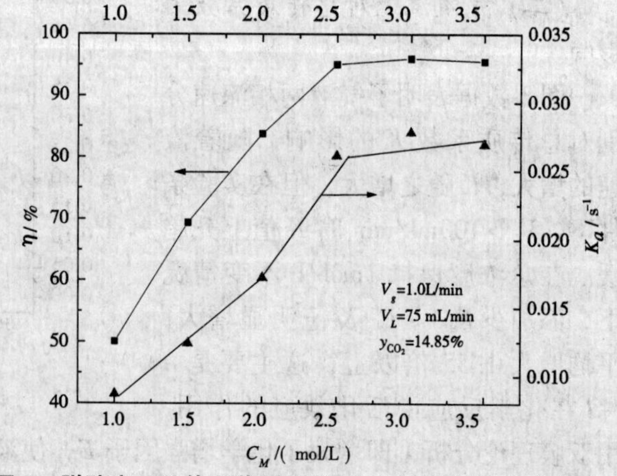

图 5　脱除率，总体积传质系数 K_a 与吸收剂深度的关系

传质机理，氨基盐与 CO_2 反应属于化学反应，反应发生在气液两相界面，吸收剂浓度的提高，使得化学增强因子增大，液相反应速率加快，液相分传质系数大大提高，导致总体积传质系数的增加。同时，由于反应速率加快，CO_2 被迅速消耗，从而增加了膜两侧的传质推动力，提高了传质速率。但当吸收液浓度 >3mol/L 时，η 和 K_a 增加趋势减缓。由于浓度的提高改变了溶液的物性（如黏度等），影响了 CO_2 及反应产物在液相中的扩散速度，削弱了液相分传质系数。

（五）模型计算值与实验值比较

图6是模拟复合溶液吸收 CO_2 过程的数据，利用模型计算的 K 值，并与实验值进行比较，从结果看，模型能较好地反映实验过程，实验值与计算值误差最小为6.8%，平均范围在20%以内。

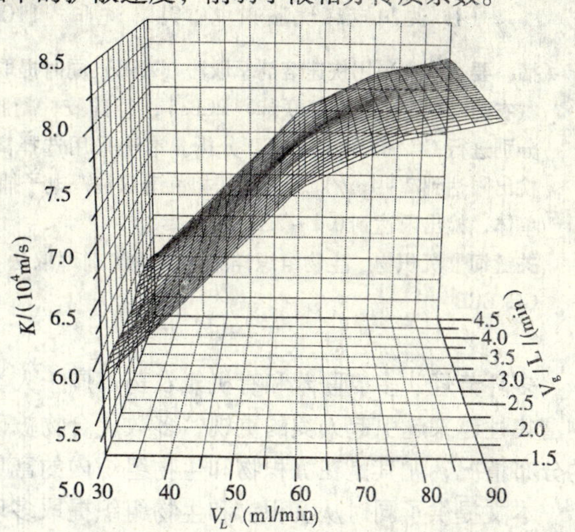

图6 总传质系数（模型值）与液流量和气流量的关系

五、结 论

1. 采用单一有机胺溶液 AT 和添加 A－I 活化剂的混合溶液，在1.0mol/L，气速0.1～3.0L/min，液速0～150ml/min 时，测得氨基乙磺酸盐溶液的总传质系数为 1.5×10^{-4}～3.8×10^{-4} m/s，复合溶液为 2.2×10^{-4}～5.5×10^{-4}m/s。添加活化剂 A－I 能提高总传质系数 K 值。

2. 采用阻力层关联方程模型预测 K 值，计算值和实验值符合较好。模型完全可以用来模拟膜气体吸收 CO_2 过程，用于膜接触器的放大。

3. 有机胺吸收剂用于膜接触器，脱除混合气中 CO_2，传质效率高，在较低流速和10% CO_2 浓度，吸收剂浓度1M下，脱除率大于97%，最佳时达99.9%。

参考文献

[1] O. Falk－Pedersen and H. Dannstrom, Separation of CO_2 from Offshore Gas Turbing Exhaust [J]. Energy Convers Mgmt, 1997, 38: 81－86.

[2] Zhang Q, Cussler EL., Microporous hollow fibers for gas absorption: I. Mass transfer across the membrane [J]. Journal of Membrane Science, 1985, 23: 333－345.

[3] Rangwala H A., Absorption of carbon dioxide into aqueous solutions using hollow fiber membrane contactors [J]. Journal of Membrane Science, 1996, 112: 229－240.

[4] Li K, Teo W K., Use of permeation and absorption methods for CO_2 removal in hollow fiber membrane modules [J]. Sep Purif Tech 1998, 13: 79－88.

[5] 王志，龚彦文，袁力，等．中空纤维膜吸收器中 CO_2 吸收过程模拟［J］．化工学报，2003，54：1563－1568.

[6] 朱宝库，陈炜，王建黎，等．膜接触器分离混合气中 CO_2 的研究［J］，环境科学，2003，24（5）：34－38.

[7] Kreulen H, Smolders C A, Versteeg G F, Microporous hollow fiber membrane modules as gas－liquid contactors [J]. Journal of Membrane Science, 1993, 78: 197－216.

[8] R. Prasad, K.K. Sirkar, Dispersion－free solvent extraction with microporous hollow－fiber modules [J]. AIChE J. 1988, 34 (2): 177－188.

[9] 张成芳．气液反应和反应器［M］．北京：化学工业出版社．1985.

[10] Jiun－Jie Ko, Meng－Hui Li, Kinetics of absorption of carbon dioxide into solutions of N－methyldiethanolamine + water [J]. Chemical Engineering Science, 2000, 55: 4139－4147.

沉积物和生物样品中持久性有机物的分析

曲　健[1]　解天民[2]

（1. 沈阳市环境监测中心站　沈阳　110016；2. 美国康涅狄格州政府实验室）

摘　要　本文采用快速溶剂萃取法（ASE）同时提取沉积物和生物组织中的多环芳烃（PAHs）、有机氯农药（OCP）和多氯联苯（PCBs），经硅胶、凝胶色谱法（GPC）、佛罗里硅土柱净化除干扰后，分别进行 GC/MS 和 GC/ECD 分析。本法采用选择离子监测（SIM），对 24 种多环芳烃进行了测定，检出限达到 2 ~ 4μg/kg；采用气相色谱双柱双电子捕获检测器测定 28 种有机氯农药和 20 种多氯联苯单体，检出限达到 0.1 ~ 2.2 μg/kg。

关键词　沉积物　生物组织样品　快速溶剂萃取法　多环芳烃　多氯联苯　有机氯农药　GC/MS　GC/ECD

多环芳烃、多氯联苯和有机氯农药都属于人类合成化学品，因其难降解性、“三致”性、生物富集性越来越引起人类的重视，多数化合物被确定为持久性有机物。了解这些化合物在环境中的分布情况，尤其是在沉积物和生物组织内的富集情况对保护人类健康有重要意义。

本文提供了同时从沉积物和生物组织提取多环芳烃、农药与多氯联苯的方法和测定方法，方法中采用快速溶剂萃取法，在一定温度和压力下用少量溶剂在较短的时间内提取目标化合物，利用多种净化方法有效除去样品中的各种干扰物质，用气相色谱质谱联机和双柱双电子捕获检测器气相色谱法分别对多环芳烃、农药和多氯联苯进行分析。前处理过程中加入了回收率指示物（替代标准物），提高了方法的准确性。提取一次完成将大大缩短样品的分析时间。这对于样品量大，前处理步骤复杂的分析具有重要意义。

一、实验部分

（一）仪器和材料

气相色谱 - 质谱联机附自动进样器，Agilent 6890N/5973N；气相色谱仪（单进样口、双柱双电子捕获检测器，Agilent 6890N；快速溶剂萃取仪（ASE 200），萃取室 34mL；凝胶渗透色谱仪，GPC AutoprepTM Model 1000，GPC 柱，Phenomenex 00W - 3035 - PO，内径 2.1cm，长 33cm；有机样品浓缩仪，Labconco * RapidVap。

层析柱，内径 2.5cm，长 30cm，下具聚四氟乙烯活塞；硅胶：100 ~ 200 目，用前于 170℃ 烘 24h，使用时加入 3.3% 水去活；佛罗里硅土小柱，1g；干燥剂，硅藻土（ASE 使用）。

二氯甲烷、丙酮、正己烷、无水硫酸钠，农残级；铜粉，使用前用浓盐酸浸泡 5 min。

多环芳烃标准使用液，以二氯甲烷为溶剂，配制 24 种多环芳烃和 2 种回收率指示物混合标准系列依次为 0.05 μg /ml、0.10 μg /ml、0.20 μg /ml、0.50 μg /ml、1.0 μg /ml、2.0 μg /ml，各取 1.00 ml，加入 5 μl 内标 1；有机氯农药和多氯联苯标准使用液，以正己烷为溶剂，配制 25 种有机氯农药、20 种多氯联苯和 2 种回收率指示物混合标准系列依次为 2.5 ng/ml、10 ng/ml、50 ng/ml、100 ng/ml、200 ng/ml，各取 1.00 ml，加入 5 μl 内标 2。多环芳烃回收率指示物溶液，对三联苯 - d_{14} 和硝基苯 - d_5 混合溶液，2μg/ml，溶剂丙酮；有机氯农药和多氯联苯回收率指示物溶液，八溴八氟联苯（DBOFB）和八氟萘（OCN）混合溶液，200 ng/ml，溶剂丙酮。多环芳烃内标（内标 1），萘 - d_8，苊 - d_{10}，菲 - d_{10}，䓛 - d_{12}，苝 - d_{12}，100μg /ml，溶剂二氯甲烷；有机氯农药和多氯联苯内标（内标 2），1 - 溴 - 2 - 硝基苯，20μg/ml，溶剂正己烷。仪器校准溶液，十氟三苯基磷（DFTPP），50 ng/μl，溶剂二氯甲烷。多环芳烃掺入用标准工作溶液：所有多环芳烃目标化合物，2μg/ml，溶剂丙酮；农药及多氯联苯掺入用标准工作溶液：所有农药及多氯联苯目标化合物，200ng/ml，溶剂丙酮。

（二）样品采集保存

采集的沉积物样品装于具聚四氟衬垫的广口玻璃瓶内，生物组织用锡纸包好冷冻带回实验室。生物组织样品用组织捣碎机捣碎后（<1mm）装于玻璃瓶中密封，于－20℃保存。样品提取液在4℃以下暗处保存。

（三）样品的提取

样品放至室温，倾出表面水分，除去杂物后混匀。生物样品如果含水量很大（捣碎后显浆状）置于真空冻干机内冻干，计算含水量。称取5~10 g样品（脂肪组织样品量不宜大于1g）放于250 mL烧杯中，按照1:4的比例加入硅藻土，混合均匀。转移到快速溶剂萃取仪的样品池中，用少许二氯甲烷浸润表面，加入0.5 mL多环芳烃回收率指示物，0.5mL有机氯农药和多氯联苯回收率指示物，旋紧样品池盖，置于快速溶剂萃取仪，用二氯甲烷提取。

空白样品：称取等量的纯净砂，与样品完全一样进行制备。实验室空白加标样品：按空白样制备，加入0.5mL多环芳烃掺入用标准工作溶液及0.5mL农药及多氯联苯掺入用标准工作溶液；基质加标样品：按样品制备，但多加入0.5mL多环芳烃掺入用标准工作溶液及0.5mL农药及多氯联苯掺入用标准工作溶液。

ASE提取条件：压力1 500psi，温度60℃，加热时间5 min，静置时间3min，冲洗体积60%，吹扫时间180s，2个循环周期。

（四）样品的净化与浓缩

1. 硅胶柱净化

层析柱依次填入玻璃棉、2cm高度无水硫酸钠、15~20g硅胶和2cm高无水硫酸钠，测定沉积物再加入一定量铜粉。柱子装好后用50ml二氯甲烷冲洗2次，确保柱内液体不能流干，把样品提取液转移入柱内，再以5~10ml/min流速接收流出液，用5ml×3次二氯甲烷淋洗提取液瓶，转移到层析柱内；用二氯甲烷洗脱层析柱，接收流出液200ml左右。流出液转移至浓缩瓶中，浓缩并准确定容至10ml。

2. 凝胶色谱（GPC）净化

用0.45μm滤膜过滤浓缩液，取5ml进行凝胶色谱净化，除去亲酯性大分子物质。收集馏分，继续浓缩并准确定容至1ml，分取0.5ml加入5.0μl内标1，混匀，作为多环芳烃的待测液。

3. 佛罗里硅土（florisil）小柱净化

将上述另外0.5mL萃取液溶剂转换为正己烷，定容至1ml。用4ml正己烷淋洗1g佛罗里硅土小柱，让其在柱内停留5min后弃去，避免溶剂流干，将经过溶剂转化的溶液全部转移至小柱，以2ml/min流速接收流出液，用少许1:9丙酮/正己烷淋洗样品浓缩瓶三次，并转到小柱中，继续洗脱，接收洗脱液10ml左右。浓缩定容至0.5ml，加入5μl内标2，混匀，用于有机氯农药和多氯联苯的测定。

（五）生物组织样品的总可萃取脂肪的含量（TEO）测定

将上述的接收瓶的液面处做标记，准确移取4.00ml提取液于预先恒重的铝箔盘（m_1）内，用铝箔纸盖在盘上，在通风橱内放置过夜，称重（m_2）。瓶内液体全部转移后，测量标记处的体积V。

$$\text{TEO}\% = \frac{(m_2 - m_1) \times V}{m \times 4.00}$$

式中：m为样品重量。

样品分析结果要对用于测定脂肪的萃取液进行修正 。

（六）样品分析

1. 仪器测试条件

（1）测定多环芳烃的 GC－MS 条件

色谱柱：石英毛细管柱（Phenomen ZB－5）30m ×0.25mm（id）×0.5μm；柱温：45℃保持 2min，以 10℃/min 升至 320℃，保持 5min；进样口温度：270℃；脉冲无分流进样，进样量 1μl；氦气恒流，36cm/s；传输线 280℃，离子源 230℃；电子轰击能量 70eV；数据采集方式，选择离子监测（SIM）。

（2）测定农药和多氯联苯的 GC 条件

色谱柱：石英毛细柱，DB－XLB 和 DB－5MS 60m ×0.25mm（id）×0.25μm；柱温：90℃保持 1min，以 50℃/min 升至 210℃，保持 5 min，以 1℃/min 升至 235℃，以 2℃/min 升至 245℃，以 4℃/min 升至 320℃，保持 2min；单进样口，接预柱经 Y 形分流管连接两根色谱柱到双 μECD 检测器，进样口 250℃，不分流进样 2.0μL；氦气恒流 27cm/s；检测器 320℃，尾吹气 25ml/min。

2. 仪器的校准及检查

（1）气相色谱质谱联机校准，仪器每运行 12h 需注入 50 ng 的 DFTPP 溶液，所得质量丰度应满足表 1 的要求。

表 1　DFTPP 关键离子及离子丰度评价

离子质量数	相对丰度要求	离子质量数	相对丰度要求
51	基峰的 30%～60%	199	基峰的 5%～9%
68	小于 69 峰的 2%	275	基峰的 10%～30%
70	小于 69 峰的 2%	365	大于基峰的 1%
127	基峰的 40%～60%	441	存在且小于 443 峰
197	小于基峰的 1%	442	大于基峰的 40%
198	基峰，丰度 100%	443	442 峰的 17%～23%

（2）GC/ECD 气相色谱系统检查，进行样品分析以前首先注入 DDT 和异狄氏剂，如果 DDT 分解为 DDD 和 DDE 的量及异狄氏剂分解为异狄氏醛和异狄氏酮的量超过 15%，必须进行系统维护。

3. 标准曲线的建立

（1）多环芳径标准曲线：多环芳烃标准系列进行 GC/MS 分析，计算各待测物的平均相对响应因子及相对标准偏差，平均相对标准偏差应小于 15%。

（2）多氯联苯及农药标准曲线：多氯联苯及农药标准系列进行 GC 分析，计算各待测物的平均相对响应因子及相对标准偏差，各化合物的平均相对标准偏差的平均值不大于 20%，且平均相对标准偏差大于 30% 的化合物不应超过两个。

4. 化合物的定性定量方法

（1）多环芳径的定性定量：以保留时间及特征离子定性，用定量离子的相对响应因子定量。

注意样品的稀释因子（D），包括 GPC 稀释倍数 2 及测定脂肪消耗的萃取液修正系数：

$$D = 2\frac{V}{V - 4.00}$$

其中：V 为样品萃取液最初体积（mL），4.00 即用于测定脂肪的萃取液毫升数。

（2）多氯联苯及农药的定性定量：以目标化合物的保留值为依据定性，当色谱图上的峰落于目标化合物的保留值窗口内即可暂定检出，并用标准曲线平均相对响应因子进行浓度定量计算，样品的稀释因子（D）同上。

对照两柱的检出结果，当两柱均检出该目标化合物，且浓度的相对百分差不大于40% 则可确定该目标化合物的检出，将第一柱的分析结果作为定量结果报告。

若两柱检出浓度的相对百分差（RPD）大于40%，要检查是否有杂质峰干扰，或峰的积分基线是否合理，若经检查仍不能修正，应将较高值作为结果报告，并在数据报告说明中进行说明。若只在一根柱检出，则该化合物为未检出。注意：当两个被检物在某柱上不能分离，而在另一柱上均检出时，应报告能分离的柱的检出结果。

二、结果与讨论

（一）方法检出限

称10g 纯净砂，加入50μl 多环芳烃掺入用标准工作溶液（2μg/ml）及50μl 农药及多氯联苯掺入用标准工作溶液（200ng/ml），与样品完全一样进行制备、分析。重复测定7 次，测得化合物的标准偏差与95%置信水平的 t_f 值之积为该化合物的检出限。

（二）准确度与精密度的测定

称10g 纯净砂，加入0.5 ml 多环芳烃掺入用标准工作溶液（2μg/ml）及1 ml 农药及多氯联苯掺入用标准工作溶液（200ng/ml），与样品完全一样进行制备、分析。重复测定4 次，计算平均回收率及相对标准偏差。

表2 及表3 分别列出了多环芳烃、有机氯农药和多氯联苯的准确度、精密度及检出限。结果表明：多环芳烃、多氯联苯及有机氯农药在中等浓度范围的回收率在43% ~170%，相对标准偏差在3% ~18%。在低浓度范围的回收率在40% ~160%；多环芳烃 MDL 在2 ~4μg/kg，多氯联苯及有机氯农药 MDL 在0.1 ~2.2μg/kg。如果条件允许时应采用质谱协助有机氯农药和多氯联苯定性。

（三）样品分析的质量控制与保证

1. 每20 个样需要与样品同时进行如下质控样的分析

空白样品：以空白砂做基质，与样品同法分析。

实验室空白加标：以空白砂，分别加入0.5ml 多环芳烃掺入用标准工作溶液（2μg/ml）及0.5ml 农药及多氯联苯掺入用标准工作溶液（200ng/ml）标准添加液，与样品同法分析，计算其回收率。各目标化合物的回收率应在30% ~130%之间。

样品加标及其平行样：取三份平行样，其中两份各分别加入，与样品同法分析，计算回收率和相对标准偏差。各目标化合物的回收率应在30% ~130%之间，相对标准偏差应不大于40%。

2. 替代标准物的使用

所有样品在前处理开始前都加入了替代标准物，用于监视样品分析全过程中待测物的损失情况。各种实际样品替代标准物的回收率40% ~85%。数据表明，样品中同时加入了多环芳烃、农药及多氯联苯的替代标准物，二者互不干扰。

3. 仪器性能及标准曲线的核查

仪器每运行12h 要对其性能进行检查。每12h 要分析标准曲线中间点浓度的标样，以验证标准曲线。各目标化合物的测出值与期望值的差不应大于15%。

（四）注意事项

样品制备过程中萃取液多次经历浓缩步骤，浓缩过程中温度过高或氮气流过大会造成低沸点化合物损失。生物样品中常含大量脂肪、蛋白质等大分子有机物，会随目标物同时被提取出来，需经过复杂的净化步骤去除。但若这些大分子有机物含量过高，会导致硅胶柱及凝胶柱过载，故当分析脂肪样品时，取样量不宜超过1g。

表2　多环芳烃的准确度、精密度及检出限的验证数据

化合物名称	空白加标/（100μg/kg）			空白加标/（10μg/kg）			
	四次平均值/（μg/kg）	平均回收率/%	相对标准偏差/%	七次平均值/（μg/kg）	平均回收率/%	标准偏差/（μg/kg）	MDL/（μg/kg）
萘	61	61	6.2	5.4	54	1.0	3
2-甲基萘	62	62	7.4	4.9	49	1.1	3
1-甲基萘	66	66	10.0	5.4	54	1.0	3
联苯	68	68	7.8	5.4	54	1.0	3
2，6-二甲基萘	65	65	8.1	4.9	49	1.6	5
苊烯	67	67	8.2	5.1	51	1.1	3
苊	72	72	7.1	5.7	57	0.8	2
2，3，5-三甲基萘	69	69	6.7	5.1	51	1.1	3
芴	76	76	8.8	5.7	57	1.4	4
二苯并噻吩	74	74	6.5	6.3	63	0.8	2
菲	67	67	5.6	6.9	69	1.1	3
蒽	85	85	6.3	6.3	63	0.8	2
1-甲基菲	86	86	5.1	6.9	69	1.1	3
荧蒽	84	84	6.4	6.6	66	1.0	3
芘	86	86	6.5	7.7	77	0.8	2
苯并（a）蒽	85	85	8.7	8.3	83	1.4	4
䓛	83	83	4.6	7.4	74	1.0	3
苯并（b）荧蒽	75	75	7.4	6.9	69	1.1	3
苯并（k）荧蒽	43	43	7.4	6.6	66	1.0	3
苯并（e）芘	65	65	4.9	5.7	57	0.8	2
苯并（a）芘	69	69	4.9	5.7	57	0.8	2
二苯并（a，h）蒽	58	58	8.4	4.3	43	0.8	2
茚并（1，2，3-c，d）芘	62	62	7.9	6.0	60	1.2	4
苯并［g，h，i］苝	61	61	5.2	5.4	54	1.0	3

注：样品量10g，凝胶色谱净化过程中稀释倍数2。

表3　双柱分析有机氯农药和多氯联苯的准确度、精密度及检出限的验证数据

化合物名称	空白加标/（20μg/kg）				空白加标/（1.0μg/kg）		检出限MDL/（μg/kg）		化合物名称	空白加标/（20μg/kg）				空白加标/（1.0μg/kg）		检出限MDL/（μg/kg）	
	回收率/%		CV/%		回收率/%					回收率/%		CV/%		回收率/%			
	柱1	柱2	柱1	柱2	柱1	柱2	柱1	柱2		柱1	柱2	柱1	柱2	柱1	柱2	柱1	柱2
PCB 8	60	65	2.6	4.7	111	111	0.9	1.5	PCB 77	73	170	7.2	4.7	69	159	0.3	0.4
α-BHC	62	60	3.5	4.7	49	55	0.1	0.1	异狄氏剂	79	87	4.3	3.5	60	108	0.2	0.3
六氯苯	69	61	2.9	5.2	71	56	0.2	0.2	o，p′-DDT	92	85	4	4.2	86	88	0.3	0.2

化合物名称	空白加标/(20μg/kg)				空白加标/(1.0μg/kg)		检出限MDL/(μg/kg)		化合物名称	空白加标/(20μg/kg)				空白加标/(1.0μg/kg)		检出限MDL/(μg/kg)	
	回收率/%		CV/%		回收率/%					回收率/%		CV/%		回收率/%			
	柱1	柱2	柱1	柱2	柱1	柱2	柱1	柱2		柱1	柱2	柱1	柱2	柱1	柱2	柱1	柱2
PCB 18	61	71	5.8	18	77	124	0.4	0.9	PCB 118	79	142	3.4	5.5	81	125	0.2	0.5
γ-BHC	64	60	4.1	4.8	64	57	0.2	0.1	顺式九氯	95	93	4.5	5	86	91	0.3	0.2
β-BHC	83	64	4.4	5.9	116	58	0.5	0.2	p，p′-DDD	84	77	5.6	6.3	66	62	0.2	0.2
PCB 28	65	66	3.1	3.1	73	99	0.8	0.9	PCB 153	80	74	3.5	4.5	78	106	0.2	0.3
δ-BHC	72	66	2.2	2.5	62	64	0.2	0.2	硫丹 II	73	142	6.4	5.5	57	124	0.1	0.5
七氯	62	65	3.6	2.5	55	111	0.1	0.5	PCB 105	108	78	14	4.4	154	115	1.1	4.6
PCB 52	63	56	4	2.9	127	131	0.4	0.3	异狄氏醛	61	57	8.2	8.5	54	52	0.1	0.1
艾氏剂	61	133	2.6	3.8	51	116	0.1	0.3	PCB 138	169	75	4.8	4.4	152	82	0.5	0.3
PCB 44	65	133	3.4	3.8	69	116	0.2	0.3	p，p′-DDT	169	85	4.8	5.4	151	85	0.5	0.4
氧化氯丹	81	85	3	4.3	76	92	0.2	0.3	PCB 187	87	72	4.5	4.2	117	79	0.4	0.2
环氧七氯	77	72	3.8	3.8	71	74	0.2	0.2	硫丹硫酸盐	87	109	6.9	14	82	162	0.2	0.6
PCB 66	71	69	2.3	2.6	75	72	0.3	0.2	PCB 126	87	73	5.7	12	101	68	0.5	0.3
o，*p*′-DDE	89	85	2.6	5	84	80	0.2	0.2	PCB 128	82	77	4.9	5	106	80	0.3	0.3
PCB 101	80	72	2.2	14	79	61	0.2	0.3	甲氧滴滴涕	83	83	7.3	6.5	83	82	0.2	0.2
γ-氯丹	81	76	2.6	2.4	74	76	0.2	0.2	异狄氏酮	89	86	5.5	7.5	82	90	0.3	0.2
α-氯丹	74	77	2.8	4.4	67	82	0.2	0.1	PCB 180	82	87	4.8	4.1	82	82	0.4	0.3
硫丹 I	73	71	4.2	4.3	69	75	0.2	0.1	PCB 170	87	79	9.2	6.4	85	80	0.3	0.2
反九氯	82	87	3.1	4.2	69	88	0.2	0.2	灭蚁灵	90	87	3.6	4.2	93	102	0.3	0.2
p，*p*′-DDE	83	74	3.3	3.5	70	72	0.2	0.2	PCB 195	93	88	6.3	6.2	90	89	0.2	0.3
狄氏剂	80	75	4.9	5	77	71	0.2	0.1	PCB 206	92	90	5.9	6.5	136	91	2.2	0.2
o，*p*′-DDD	86	167	5	4.7	97	155	0.3	0.4	PCB 209	88	94	4.8	6.2	94	103	0.3	0.5

参考文献

[1] 曲健，等．生物组织样品中微量多环芳烃的测定［J］．中国环境监测，2004，20（2）：25-27.

[2] US. EPA. Method 8082 Polychlorinated Biphenyls（PCBs）by Gas Chromatography. SW 846，1996.

[3] US. EPA. Method 3545 Pressurized fluid extraction. SW 846，1996.

[4] US. EPA. Method 3665A Sulfuric acid/permanganate cleanup. SW 846，1996.

TD－SCDMA基站电磁辐射场强预测研究

李 军 黄 欣

（天津市辐射环境管理所 天津市南开区复康路17号 300191）

摘 要 TD－SCDMA是建立在我国自主知识产权基础上的3G技术标准，采用时分双工、智能天线等先进技术，大大降低了天线发射功率和电磁辐射场强。但是，由于TD－SCDMA技术不同于传统的2G技术基站，所以对基站电磁辐射场强预测参数的选取成为广大环保工作者一个新的研究对象。本文通过对TD－SCDMA关键技术的分析，对预测参数进行了计算和选取，对于指导TD－SCDMA基站的电磁辐射环境影响评价，为管理部门提供理论及科学依据，具有现实的意义。

关键词 TD－SCDMA 基站 电磁辐射 场强 预测

一、TD－SCDMA关键技术

（一）关键技术

TD－SCDMA是建立在我国自主知识产权基础上的技术标准，已经在2000年5月的ITU－T的（ITU－T for ITU Telecommunication Standardiza－tion Sector，国际电信联盟远程通信标准化组）全会上正式成为国际3G标准，是ITU正式发布的第三代移动通信空间接口技术规范之一[1]。TD－SCDMA集CDMA、TDMA、FDMA和SDMA（（Space Division Multiple Access，空分多址）技术优势于一体，采用了时分双工（Time Division Duplexing，TDD）、智能天线（Smart Antennas，SA）、联合检测、软件无线电等关键技术，具有系统容量大、频谱利用率高、抗干扰能力强、适配因特网业务、适于独立组网、性价比高等突出优势。

（二）智能天线

智能天线（SA）的基本思想是在基站采用阵列天线自适应的形成多个波束，分别跟踪共享同一个信道的用户，并在接收时采用空域波束滤波抑制同信道干扰并将其分离；在下行发射时通过多波束形成使期望用户接收的信号功率最大，而其他位置上非期望用户所受到的干扰最小。TD－SCDMA基站的智能天线有两种工作模式：波束赋形模式和广播模式。

在蜂窝移动通信系统中，由于用户通常分布在不同方向（也有用户方向重合的情况），加之无线移动信道的多径效应，有用信号仅存在一定的空间分布而并非整个蜂窝小区或者整个扇区。当基站接收信号（在上行链路中）时，来自各个用户的有用信号到达基站的方向可能不同；当基站发射信号（在下行链路中）时，可被用户有效接收的也只是部分信号。考虑到上述因素，调整天线的方向图使其能定向性的发射和接收就非常合适了，这也就是波束形成（Beam Forming），把这种模式定义为工作模式[2-4]。

智能天线系统在未通话状态时基站仍然需要向扇区内所有用户发送公共控制信息，并通过小区内不同方向的用户返回给基站的信息来判断用户方向和数量。这种功能要求基站天线的方向图能够均匀地覆盖整个扇区，即广播模式。

二、场强预测

（一）场强预测公式

HJ/T 10.2—1996《辐射环境保护管理导则——电磁辐射监测仪器和方法》[5]中给出了远场轴向功率密度P_d的计算公式：

$$P_d = \frac{PG}{4\pi r^2}$$

式中：P_d 为远场轴向功率密度，mW/cm^2；P 为发射机平均功率，mW；G 为天线增益倍数，$G(倍数) = 10\frac{G(dB)}{10}$；$r$ 为预测位置与天线轴向距离，cm。

考虑到天线的方向性函数，则远场轴向功率密度 P_d 的计算公式修正为：

$$P_d = \frac{P \cdot G}{4\pi r^2}F(\theta)F(\varphi)$$

式中：$F(\theta)$、$F(\varphi)$ 分别为天线垂直、水平方向性函数；θ、φ 分别为预测位置偏离天线垂直和水平方向主波瓣的角度。

（二）基站输出功率 P 的计算

TD－SCDMA 基站的 BBU＋RRU 设备单通道（一个通道对应于一个功放、一个天线单元）最大输出功率 P 为 2W（33dBmW），由于采用了时分双工，一个扇区内不论配置一个或多个载波，每个下行时隙都是分时共享基站发射功率，输出到一个天线单元的所有载波的总功率不超过上述最大输入功率。因此，如果以后数据业务量增加，需要增加扇区的载波数，也不会增加扇区的最大发射功率。

一个 TD－SCDMA 基站天线含有 8 个天线单元，即含有 8 个通道，则输入到天线端口的最大输入功率 P 为 16W（42dBmW），考虑到天线与射频模块之间的长度至少为 3m 的直径 1/2 英寸的连接跳线（馈线），跳线损耗及插入损耗至少为 1 dBmW，则一根智能天线总的最大输入功率为：$2 \times 8 \times 10^{-(1dB/10)} = 12.59W$，具体计算公式如下：

单通道输入功率为：$dB(mW) = 10\lg P\ (mW) = 10\lg P(2000) = 33$ dBmW

一个天线含有 8 个通道，则天线总的输入功率为：33 dBmW＋10lg8 ＝42 dBmW

考虑跳线损耗及插入损耗至少为 1 dBmW，则天线总最大输入功率：

$P = 10^{\frac{(42-1)dBmW}{10}} = 12.59W$；或者直接计算 $P = 2 \times 8 \times 10^{\frac{-1dBmW}{10}} = 12.59W$

（三）天线最大发射功率的计算

TD－SCDMA 系统综合使用了频分多址（FDMA）、时分多址（TDMA）、码分多址（CDMA）和空分多址（SDMA）多种技术。

在时间上，TD－SCDMA 系统以“帧”为单位进行信息传输。该系统以 10ms 为一帧，每一帧又进一步分成 2 个各 5ms 长的子帧，两个子帧的结构相同。在一个子帧内，分成 3 个特殊时隙 DwPTS（下行导频时隙）、G（保护间隔）、UpPTS（上行导频时隙）和 7 个常规时隙（TS0，TS1，…，TS6）。TS0 时隙为下行时隙，用于基站发送广播等公共控制信道。在多载波配置时，仅在主载波上发送 DwPTS 和广播信息（TS0）等公共信道。TS1～TS6 这 6 个时隙用于承载诸如语音等各种业务，在业务建立时系统可将用户分配到不同的时隙上。业务发展初期，适应语音业务上下对称的特点可采用 3:3（上行:下行）的对称时隙结构；数据业务（手机上网）进一步发展时，可采用 2:4 或 1:5 的时隙结构。另外，DwPTS 和 TS0 时隙的广播波束不赋形，仅针对用户的业务波束赋形。

在同一时隙内，又可进一步采用码分，即为不同用户（或信道）分配不同的扩频码的方式来区分用户（或信道），每时隙共有 16 个码（分信）道。由于基站采用了智能天线，通过“智能”部分产生多个赋形波束，每个波束跟踪一个激活用户，实现了空分多址，每个子帧内同一个时隙的不同码道可对应不同的赋形波束。通过赋形，主波束在水平面上的宽度变小，而在垂直面上的宽度不变，即垂直方向没有赋形。即赋形波束的水平面方位角在跟踪用户，而垂直面下倾角不变，可以看成二维空间的自动跟踪，而不是立体自动跟踪。

在一个子帧内，基站天线仅在部分时隙发射电磁波。在一个帧内各时隙的长度、上下行方向等情况见表 1。

表 1　TD 子帧的各时隙情况

时隙名称	时隙功能	上行或下行	码片长度	下行波束赋形
TS0	广播信道	下行	864（其中 GP 占 16）	否
TS1 ~ TS6	业务信道	3 上 3 下 ~ 1 上 5 下	864（其中 GP 占 16）	是
DwPTS	下行导频时隙	下行	96（其中 GP 占 32）	否
GP	保护间隔	无发射	96	—
UpPTS	上行导频时隙	上行	160	—

由表 1 可见，各下行时隙实际有能量发射的码片长度为：TS0、TS1 ~ TS6 为 864 − 16 = 848，DwPTS 为 96 − 32 = 64，子帧总长度为 6 400 码片。以业务信道最大上行∶下行时隙比 1∶5 计算，天线天线发射功率 P 的取值为：

$$P = P_{(\text{TS0}+\text{DwPTS})} + P_{(5\text{个业务时隙})} = 12.59\ (\text{W}) \times [(848+64) + 5\times 848] / 6\,400 = 10.13\ (\text{W})$$

由于 TD − SCDMA 基站的时分双工技术，DwPTS、TS0 和 TS1 ~ TS6 个业务时隙共享天线发射功率 P，则天线下行占 P 的 7/8，理论上广播信道、下行导频时隙和业务信道平分发射功率 P，广播波束赋形和业务波束赋形都可以达到 7.95W 的发射功率，由于每个业务时隙共有 16 个码道，则每个业务波束赋形的发射功率为 10.13W/80 = 0.10W。

三、结　论

P（天线发射功率）与 G（天线增益，倍数）的乘积称为 EIRP（等效全向辐射功率）。

TD − SCDMA 基站智能天线的业务波束采用赋形波束，赋形波束天线增益最大值为 24dB；而广播波束不赋形，最大天线增益为 18dB。根据等效全向辐射功率的定义算出广播波束和业务波束的等效辐射功率 PG 分别为 501.6W 和 25.1W，广播波束的等效辐射功率约为业务波束等效辐射功率的 20 倍，所以 TD − SCDMA 基站电磁辐射预测时只对广播波束赋形进行计算，业务波束赋形可以忽略不计。

参考文献

[1] 傅海洋，蒋伟，陆素花．3G 移动通信主流标准的比较研究［J］．南京邮电学院学报，2004，24（4）：62 − 66.

[2] 陈胜兵，焦永昌，张福顺，等．蜂窝移动通信基站天线技术研究进展［J］．西安电子科技大学学报，2003，30（6）：792 − 796.

[3] Bruns C，Leuchtmann P，Vahldieck R. Analysis and Simulation of a 1 − 18GHz broadband double − ridged horn antenna［J］．IEEE Transactions on Electromagnetic Compatibility，2003，45（1）：55 − 60.

[4] Allen O E，Wasylkiwskyj W. Antenna pattern synthesis in operational environments with electromagnetic compatibility − based constraints［J］．IEEE Transactions on Electromagnetic Compatibility，2004，46（4）：668 − 674.

[5] HJ/T 10.2—1996，辐射环境保护管理导则电磁辐射监测仪器和方法［S］．北京：中国环境科学出版社，1996.

高效产氢菌种 *Biohydrogenbacterium R*3 sp. nov. 连续流厌氧发酵生物制氢的研究

陈　红[1]　李永峰[1,2]　徐菁利[2]　邓婕璇[1]　郜　爽[1]

（1. 东北林业大学林学院　哈尔滨　150040；
2. 上海工程技术大学化学化工学院　上海　201620）

摘　要　本次实验采用了高效产氢细菌 *Biohydrogenbacterium R*3 sp. nov. 为研究对象，探讨了将其接种入连续搅拌槽式反应器（CSTR）中进行发酵产氢的产氢特性。实验证明，当工程控制参数维持在温度为（35±1）°C，水力停留时间为 6 h，pH 值 4.5～4.6，ORP 为 －480 mV～－350 mV 条件下时，*Biohydrogenbacterium R*3 sp. nov. 生长良好并能够在 CSTR 内进行稳定的产氢发酵，产气量和氢气含量分别稳定在 3.4 L 和 47% 之间，液相末端发酵产物中乙醇和乙酸占主要发酵产物成分，细胞干重呈现波浪形变化，COD 去除率稳定在 16%～18%。

关键词　*Biohydrogenbacterium R*3 sp. nov.　CSTR　生物制氢

一、引　言

在过去的一个世纪里，化石能源主宰着人类的生活，然而其储量有限，并且由于长久以来不恰当的粗放型使用，造成空气污染和温室效应等环境问题，为了避免在未来出现因为继续大规模使用化石燃料而导致人类福利下降的结果，我们应致力于寻找一种清洁的、可持续的能源系统，使我们能够摆脱现有的能源供应方式。在所有的新型替代能源中，氢能由于清洁无污染（燃烧时仅产生水），可再生，单位重量燃料所含能量以氢气（122kJ/g）为最高等特点[1]，将替代化石燃料成为未来能源需求的主体部分。

生物法制氢包括两个类别：光合微生物法及厌氧发酵法，其中光合制氢法主要是指利用光合细菌（如蓝藻等）在光照条件下，利用小分子有机酸制成氢气的过程；而发酵法制氢（一般是暗发酵）是指通过厌氧细菌的发酵作用将有机酸/废水（各种有机废物都可以作为发酵底物）转化为氢的过程，在这个过程中起作用的细菌包括专性厌氧菌和兼性厌氧菌。与传统的物理法和化学法制氢相比，厌氧发酵法由于避免了消耗大量化石能源、产生环境污染等弊端而受到了研究学者和政府的高度重视。利用高浓度有机废水发酵生物制氢技术，实现了能源回收和废水处理的双重功效，是一种缓解能源与环境的双重压力[2,3]。

大量研究表明活性污泥生物制氢法具有较高的产氢量及产氢率，连续反应运行较稳定[4]，高效产氢纯菌种的间歇实验表明纯菌种的产氢量及产氢率相较于活性污泥要更高，如王相晶等[5]发现 B49 在 35°C 厌氧条件下，以 10g/L 葡萄糖为底物进行间歇制氢时的产氢率为 1.6 mol H_2/mol 葡萄糖，李永峰等[6]从连续流槽式搅拌反应器（continuous flow stirred tank reactor，CSTR）中乙醇型发酵的活性污泥中提取出一株高效产氢菌种 *Biohydrogenbacterium R*3 sp. nov.，发现其具有迄今为止发现的菌株中最大产氢速率（35.74 mmol H_2/g CDW·h）、较高的比产氢率（2.43 mol H_2/mol 葡萄糖）的特性，具有产业化应用的前景。

因此，本实验以 CSTR 反应器为实验装置，以高效产氢新菌种 *Biohydrogenbacterium R*3 sp. nov. 为研究对象，利用 CSTR 反应器进行 *Biohydrogenbacterium R*3 sp. nov. 发酵产氢的操作及工程控制参数，建立产氢细菌的纯培养制氢工程，为制氢工程提出一条新的有别于混合培养的工艺路线，以期纯菌种的连续流制氢工艺的研究能够应用到工业生产中。

二、材料与方法

（一）供试菌种

本实验采用的菌种为本实验室从活性污泥里提取的高效产氢新菌种 *Biohydrogenbacterium R*3 sp. nov.（菌种鉴定的国际 DNA 数据库登记号为 AF363375），其透射电镜照片如图 1 所示，*Biohydrogenbacterium R*3 sp. nov. 为革兰氏阳性菌，不形成芽孢，杆菌；大小为（0.3～0.5）μm×（1.5～2.0）μm；周生鞭毛，且鞭毛较长；形成的菌落呈现白色或乳白色，20～30d 可以长成直径为 1.0～2.5mm，菌落边缘整齐，圆形，光滑，不透明；类脂粒 4～6 个，异染粒 2～3 个。

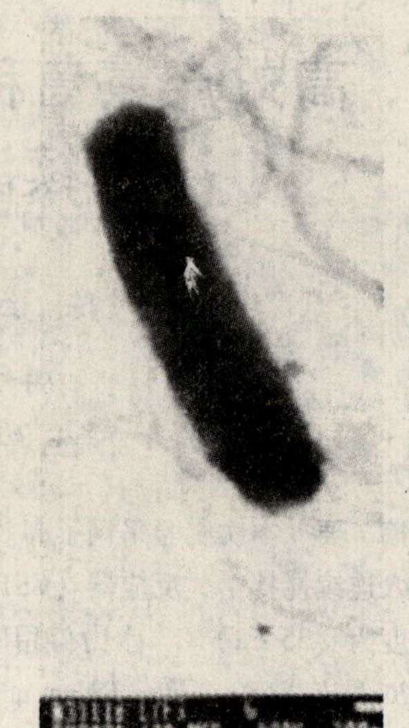

图 1　菌株 *Biohydrogenbacterium R3 sp. nov.* 的透射电镜照片（20000×）

实验时母菌培养采用 LR－HPB 培养基[7]成分如下：葡萄糖 20.0 g/L；胰蛋白胨 1.0 g/L；蛋白胨 3.0 g/L；牛肉膏 2.0 g/L；酵母汁 1.0 g/L；$NaCl_2$ 3.0 g/L；K_2HPO_4 1.0 g/L；L－半胱氨酸 0.5 g/L；维生素液与微量元素（抗坏血酸 0.025 g/L；叶酸 0.01 g/L；$NiCl_2 \cdot 6H_2O$ 0.001 g/L；$CaCl_2 \cdot 2H_2O$ 0.01 g/L；$ZnCl_2$ 0.02 g/L）10 mL；刃天青（0.2%）1 mL。

（二）实验装置

本实验采用 CSTR 反应器，实验装置如图 2 所示，反应器设有气—液—固三相分离装置，反应区和沉淀区一体化设计，设有搅拌装置，反应器外缠电阻丝作为加热系统，由温度控制器控制反应器温度为（35±1）°C；反应器进水由恒流泵泵入；水力停留时间设为 6 h 系统运行至乙醇型发酵（液相末端产物中乙醇和乙酸占总液相末端产物的 75%）阶段。

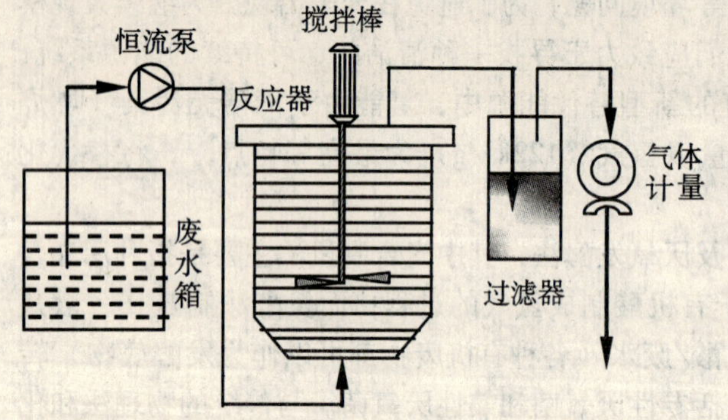

图 2　连续流混合培养生物制氢系统

实验废水采用甜菜制糖厂的废糖蜜加水稀释而成，其组分如表 1 所示，废水配制时投加一定量的农用复合肥，使废水中的 COD: N: P 保持在（200～500）：5∶1 左右，以保证 *Biohydrogenbacterium R*3 sp. nov. 在生长过程中对 N、P 营养元素的需求。

表 1　糖蜜成分组成

成分	含量/（%，w/w）	成分	含量/（%，w/w）
干物质	78～85	MgO	0.01～0.1
总糖	48～58	K_2O	2.2～4.5
TOC	28～34	SiO_2	0.1～0.5
TKN	0.2～2.8	$Al_2O_3$0.05 - 0.06	
P_2O_5	0.02～0.07	Fe_2O_3	0.001～0.02
CaO	0.15～0.8	灰分	4～8

（三）分析检测方法

以 OD_{600nm} 表示细胞生长量；pH 的测量采用国家标准方法[8]；葡萄糖浓度用葡萄糖试剂盒法进行测量；产气量由 LM－1 型湿式气体流量计测量。

液相末端发酵产物采用 GC－122 型气相色谱仪、氢火焰检测器；采用上海分析仪器厂生产的 GC－122 型气相色谱仪，不锈钢柱，柱长 2 m（内径 5 mm），担体 GDX－103，60～80 目，氢火焰检测器，汽化室 200 °C，柱温 190 °C，检测室温度 240 °C，载气氮气，流速 50 ml/min，氢气流速 50 ml/min，空气流速 500 ml/min。测量时取 1 ml 被测样品，加入浓度为 6 mol/L 的 HCl 1～2 滴，在 5000 r/min 下离心 15 min，取上清液 2 μl 进样检测。氢气、氮气和空气来源分别来自氢气发生器、氮气发生器和空气发生器。

发酵气体的组分采用上海分析仪器厂生产的 SC－Ⅱ型气相色谱仪进行测量，安装热导池检测器，不锈钢柱，柱长与直径 2 m×φ5，载体 TDX，60－80 目，载气氮气，流速 70mL/min，柱温和检测室温度 150 °C，进样量 0.5 ml。

三、结果与分析

（一）末端发酵产物与 pH

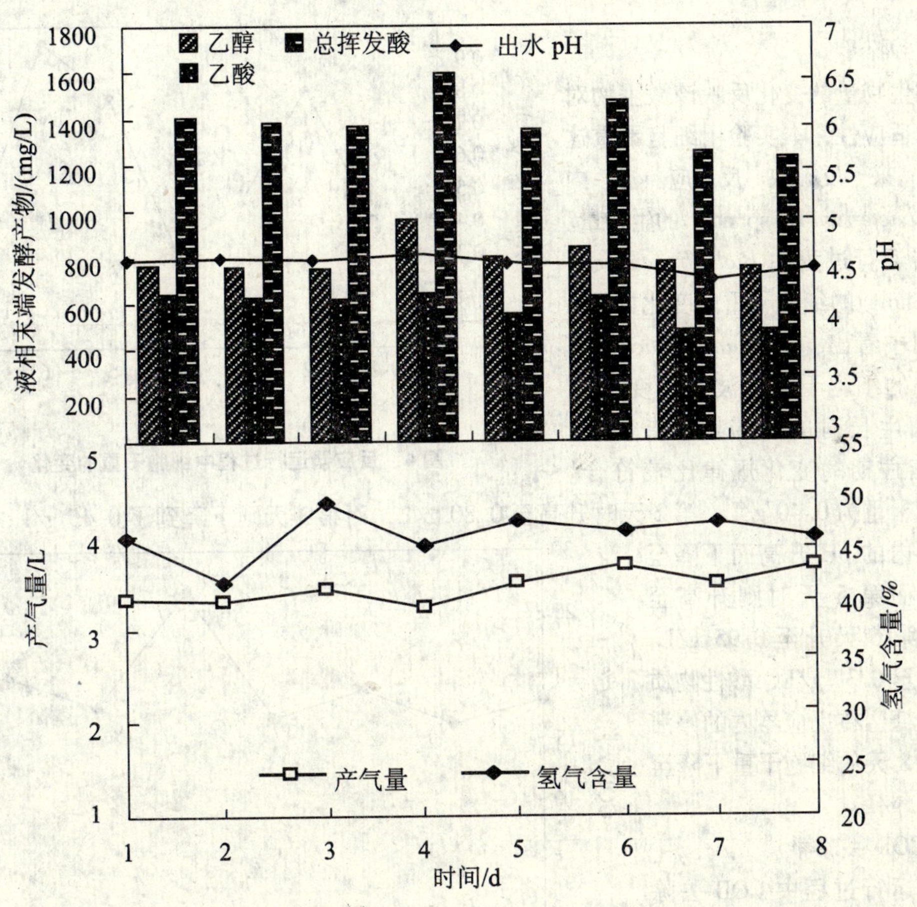

图 3 反应器运行过程中液相末端发酵产物、pH、产气量和氢气含量的变化

pH 是生物制氢系统的关键因子，运行过程中反应系统的 pH 是反应器运行的重要工程控制参数，*Biohydrogenbacterium* R3 sp. nov. 对 pH 的变化十分敏感，当反应器内 pH 在一定范围内变化时，会造成其生长繁殖速率及代谢途径发生一些改变，使其代谢产物发生相应的变化[9]。反应器运行过程中的 pH 变化如图 2 所示，糖蜜废水进入到反应器内后，经过 *Biohydrogenbacterium R3* sp. nov. 的作用将糖蜜分解成了 H_2、CO_2 和乙醇、乙酸等小分子酸，这使得反应器内部呈现酸性状态，pH 值一直稳定在 4.5～4.7，当反应器运行至第 4 天时，pH 上升至 4.63，但是随着反应器的继续运行，pH 值又下降并稳定在 4.5 左右。

液相末端发酵产物的监测对厌氧发酵制氢系统具有重要的影响，通过检测挥发性脂肪酸的组成和浓度，可以适时地反映系统运行特征及其稳定性，先前的实验表明，乙醇和乙酸为 *Biohydrogenbacterium R3* sp. nov. 的主要液相末端发酵产物。*Biohydrogenbacterium R3* sp. nov. 在接种进 CSTR 反应器之前，已经在间歇反应器内纯培养了 3d，处于高效稳定产氢状态，因此接种至 CSTR 连续流反应器内后能够很快适应反应器内环境，达到稳定运行状态，接种 1d 之后的乙醇和乙酸浓度分别达到 762.4133 mg/L 和 642.66 mg/L，此时的 pH 为 4.57，当反应器连续运行至第 4 天时，系统内的 pH 相对升高至 4.63，此时的产气量和氢气含量分别从第 3 天的 3.42L/d、49.21% 下降至 3.2L/d 和 42.6%，乙醇和乙酸浓度升高至 958.6367 mg/L 和 638.3433 mg/L。随着反应的继续运行，乙醇和乙酸浓度分别下降至 700 mg/L 和 500 mg/L，产气量和氢气含量分别上升至 3.5L 和 47%。实验证明在 CSTR 连续运行过程中，*Biohydrogenbacterium* R3 sp. nov. 能够连续运行并达到稳定，产气量和氢气含量能够保持在相对较高的水平，分别在 3 ~ 4L、40% ~50%。

（二）生物量

微生物生物量的变化反映该微生物对生长环境的适应性，本实验用细胞干重这一指标来反映反应器内 *Biohydrogenbacterium R3* sp. nov. 的生物量。

反应器运行过程中 *Biohydrogenbacterium R3* sp. nov. 的细胞干重的变化如图 4 所示，由图中看出，*Biohydrogenbacterium R3* sp. nov. 的细胞干重呈波浪形变化趋势，与细菌生长时的延滞期、指数期、稳定期和衰亡期的变化规律比较符合。第 1 天细胞干重为 0.40 g/L，第 2 天时升高至 0.80 g/L，而第 3 天则下降到了 0.45 g/L，第 4 天由于反应器内的 pH 升高而下降至 0.31 g/L，而第 5 天时则升高至 0.78 g/L，第 6 天升至 0.95 g/L，第 7 天下降至 0.37 g/L，酸性物质和未分解的糖蜜在反应器内的停滞堆积，使第 8 天的细胞干重下降至最低值 0.21 g/L。

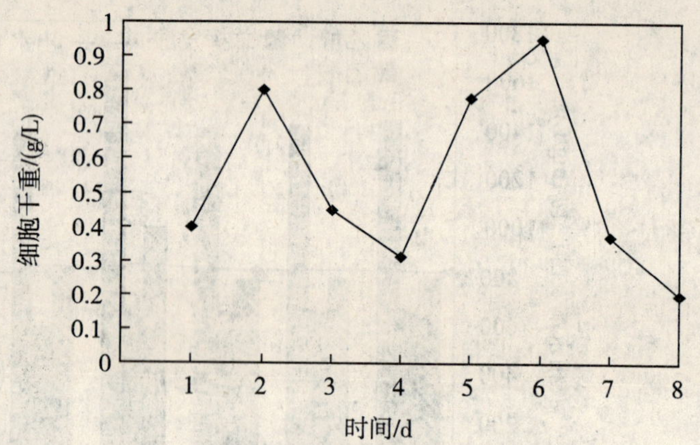

图 4　反应器运行过程中细胞干重的变化

（三）COD 去除率

反应器运行过程中 COD 去除率的变化见图 5，由于 *Biohydrogenbacterium R3* sp. nov. 在接种进 CSTR 之前，在间歇反应器内保持着高效稳定状态，因此在接种进入 CSTR 反应器后能够快速适应 CSTR 内环境并且具有较高的活性，反应器运行第 1 天时的 COD 去除率达到了 17.96%，随着反应的运行以及 *Biohydrogenbacterium R3* sp. nov. 对 CSTR 反应器的适应，COD 去除率在第 2 天时下降至 16.11%，第 3 天开始稳定，COD 去除率始终保持在 16.1%

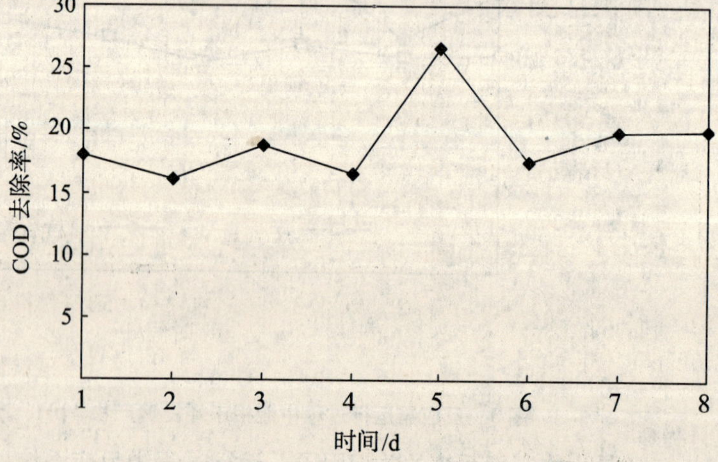

图 5　反应器运行过程中 COD 去除率的变化

~16.9%，当反应器运行至第5天时的COD去除率达到最大值26.61%。

（四）氧化还原电位

氧化还原电位（Oxidation Redox Potential，ORP）是一个非常重要的生态因子，它对发酵细菌的代谢活性和发酵类型有着很大的影响。在厌氧生物制氢工艺中，ORP是衡量产氢反应体系运行状态的一个很关键的指标。发酵环境中较低的ORP值是保证厌氧微生物进行生物氧化分解的必要条件，有机物厌氧生物降解过程就是一个发生在微生物体内的氧化还原过程。在活细胞中，厌氧性的细胞电位低，好氧性的细胞电位高，酶的活性和细胞同化能力以及微生物的生长发育等也有受氧化还原电位影响的情况，例如，厌氧微生物体内的某些酶，NAD^+、$NADP^+$等在较低的ORP条件下才可保持较高的生理活性。一些研究表明产氢细菌的氢化酶活性与体系的ORP有关，ORP低可促进氢气的释放。反应器内的ORP变化如图6所示，随着反应器的运行和*Biohydrogenbacterium R*3 sp. nov. 的代谢，反应器内部的ORP呈现下降趋势，由反应器刚启动时的-371 mV下降至第4天时的-483 mV，之后又随着反应器的继续运行而上升并稳定在-450mV左右。

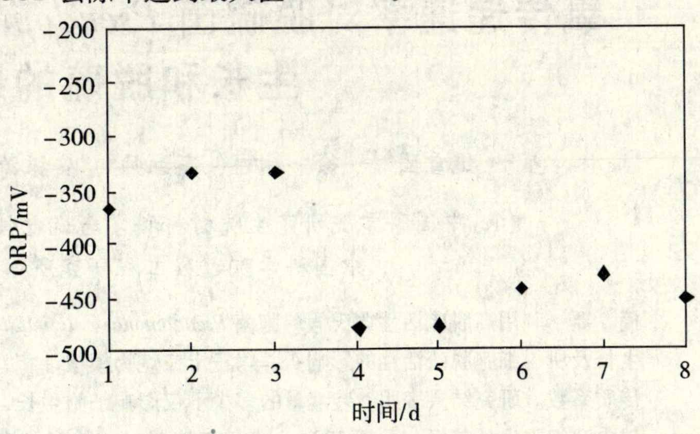

图6 反应器运行过程中ORP的变化

四、结 论

*Biohydrogenbacterium R*3 sp. nov. 纯菌种在CSTR内进行连续流发酵，在温度为（35±1）°C，水力停留时间为6h，pH4.5~4.6，ORP为-350~-480 mV下生长良好，液相末端发酵产物中乙醇和乙酸占主要发酵产物成分，产气量和氢气含量分别稳定在3.4 L和47%左右，细胞干重呈现波浪形变化，符合细菌生长时的延滞期、指数期、稳定期和衰亡期的变化规律，COD去除率稳定在16%~18%。

参考文献

[1] Debabrata Das. Advances in biohydrogen production processes: An approach towards commercialization, International Journal of Hydrogen Energy, 2009 (34): 7349-7357.

[2] Basak N, Das D. The prospect of purple non-sulfur photosynthetic bacteria for hydrogen production: the present state of art. World J Microbiol Biotechnol 2007; 98: 1183-1190.

[3] K. L. Kovacs, G. Maroti, G. Rakhely. International Journal of Hydrogen Energy. 2006 (31): 1460-1468.

[4] 任南琪．有机废水处理生物产氢原理与工程控制对策研究．哈尔滨建筑大学博士学位论文，1993.

[5] 王相晶，任南琪，向文胜．发酵条件对发酵产氢细菌B49产氢的影响［J］．太阳能学报，2005，26（1）：99-103.

[6] 李永峰．发酵产氢新菌种及纯培养生物制氢工艺研究．哈尔滨工业大学博士论文，2005：32.

[7] 林明，任南琪，马汐平，等．产氢发酵细菌培养基的选择和改进［J］．哈尔滨工业大学学报，2003，35（4）：398-402.

[8] State Environmental Protection Administration (SEPA), Water and Wastewater Monitoring Analysis Method (Ⅳ) (M) China Environment Science Press 2006, 11: 102-210.

[9] 李永峰，任南琪，史英．有机废水生物制氢的连续流发酵工艺［J］．新能源及工艺，2004，6：24-27.

氧传递速率对脱硫菌 *Pseudomonas delafieldii R*－8 生长和脱硫的影响

林 星[1] 魏雪团[2,1] 徐 林[2,1] 高红帅[2] 安振涛[2] 贾光和[2] 罗明芳[1] 刘会洲[2]

（1. 中国科学院研究生院材料科学与光电技术学院 北京 100049；
2. 中国科学院过程工程研究所 北京 100190）

摘 要 利用高脱硫活性德氏假单胞菌 *Pseudomonas delafieldii R*－8 为研究对象，考察了装液量对细胞生长及所得细胞脱硫活性的影响；并以正十二烷为模拟油相，测定了油水相生物脱硫过程中的体积氧传质系数。研究结果表明，装液量的多少不仅影响细胞生长，同时影响所得细胞的脱硫活性。装液量越少，细胞生长越好。采用 500 ml 三角瓶培养时，装液量为 150 ml 时，所得细胞的脱硫效果最佳。鼓泡曝气反应器中经过反应 10h 后体积氧传质系数 k_1a 达到最大值 0.687 min^{-1}，比脱硫活性从 0 增加到11 mg（DBT）/g。

关键词 生物脱硫 鼓泡曝气 氧传质系数 比脱硫活性

一、前 言

微生物脱硫是一个复杂的生物反应过程，涉及水相、油相和生物催化剂固相组成的多相体系；从微生物脱除 DBT 中硫的代谢途径及代谢机理可知，生物脱硫是一个多酶反应过程，并且需要辅因子的参与[1]。而大多数生物脱硫过程是耗氧的，因此这些生物过程的脱硫效率在很大程度上受到氧传质强弱的影响。由于培养基中溶解氧的浓度较低，微生物的生长和脱硫都需要大量的氧，因此必须不断地向培养基和油相中供氧，以满足细胞对氧气的需求。

在生物反应器中，以搅拌釜式反应器应用最多，通过提高搅拌速率，强化两相传质。而影响两相传质的主要因素取决于氧的传质系数，即氧摄取速率（OUR）和氧传质速率（OTR）组成。因此，系统研究和了解体系中 OUR 和 OTR 就显得非常重要。由于氧气传质的阻力以液膜为主，所以 OTR 通常用液相中体积氧传质系数 k_1a 来表征。而体积氧传质系数 k_1a 主要受到搅拌速度、气体流量、液相和气相物理性质以及反应器的几何结构等影响[2-4]。

微生物脱硫过程的效率取决于是否有足够的气液接触，即受到氧传质效果的影响。氧传质效果的好坏可以改变细胞代谢途径和稳定状态，进而影响到细胞生长速率和脱硫能力[5,6]，因此气液相间的氧传质速率对这些生物催化剂的生产具有决定性的重要性；然而，这种影响还没有被研究过[7]。

本文工作的目的就是研究氧传质系数对德氏假单胞菌 R－8 生长速率和脱硫能力的影响。通过文献调研，本文拟采用李玉光等[8]优化对脱硫细菌 R－8 的培养条件进行发酵罐高密度培养，并利培养所得细胞进行脱硫试验，主要考察氧传质系数对微生物生长过程和脱硫能力的影响，并为后续其他生物脱硫装置中微生物脱硫过程中氧传递速率的研究积累经验。

二、实验方法

（一）试剂

DBT 和 2－羟基联苯（2－HBP）购于美国 Acros Organics 公司；正己烷、甲醇为天津四友试剂公司产品（色谱纯）；正十二烷为天津市科密欧化学试剂有限公司产品（分析纯）；其余试剂均

基金项目：国家自然科学基金（编号：20606036，20976186）；中国科学院“优秀博士学位论文、院长奖获得者科研启动专项资金”；中国科学院研究生院院长基金。

为分析纯。

（二）菌种及培养

德氏假单胞菌（*Pseudomonas delafieldii*）R－8（菌种保藏号为CGMCC 0570）由本实验室分离[9]。

基本无机盐培养基（BSM）组成为：KH_2PO_4 2.44 g；$Na_2HPO_4 \cdot 12H_2O$ 12.03 g；$MgCl_2 \cdot 6H_2O$ 0.4 g；甘油10 g；NH_4Cl 2.0 g；1%（v/v）微量元素；1000 ml蒸馏水；pH值7.0。以0.2 mmol/L DBT作为硫源。DBT采用乙醇分散，储液浓度为100 mmol/L。微量元素溶液组成为（每升）：$CaCl_2$ 0.75 g，$FeCl_3 \cdot 6H_2O$ 1 g和$MnCl_2 \cdot 4H_2O$ 4 g。培养基采用121℃高压蒸汽灭菌20 min。30℃、180 rpm旋转摇床培养。

在6.6 L发酵罐（Bioflo 3000，NBS）中进行高密度培养实验。培养基组成为：KH_2PO_4 4.88 g；$Na_2HPO_4 \cdot 12H_2O$ 24.06 g；$MgCl_2 \cdot 6H_2O$ 2.0 g；NH_4Cl 4.0 g；$CaCl_2$ 3.75 mg；$FeCl_3 \cdot 6H_2O$ 5 mg；$MnCl_2 \cdot 4H_2O$ 20 mg；酵母粉1 g；甘油15 g；蔗糖10 g；乙醇5 ml；消泡剂3 g；1000 ml去离子水；初始pH值7.0。硫源为4 mmol/L DMSO。30 h补加以下组分：0.1 mmol/L DBT；4 mmol/L DMSO；15 g/L甘油；2 g/L NH_4Cl；15 ml乙醇及2倍BSM的磷酸盐组分。装液量为3 L，添加3 g/L消泡剂，接种量为4%（v/v）。搅拌速率为50～650 rpm，通气速率为0.7～1.5 L/min，30°C。溶解氧浓度（DO）和pH值分别设定为40%和6.9，由计算机控制系统在线调节。

（三）整细胞脱硫反应

5000 rpm离心5 min收集菌体，用生理盐水洗涤2～3次，－20℃真空冷冻干燥制成冻干细胞，－20℃冰箱保存待用。

油水相反应时（除特别指明外）反应液含0.20 g冻干细胞，10 ml十二烷（溶解了约1 mmol/L DBT）和10 ml水相反应介质（油水比为1∶1）。油水相反应脱硫活性以单位质量干细胞在单位时间所降解的DBT量，即mg（DBT）/（g·h）来表示。

脱硫反应在50 ml三角瓶中进行，30℃，180 rpm旋转摇床反应。

（四）分析方法

细胞浓度以600 nm波长下的光密度表示。DBT及其脱硫产物用HP1090A高压液相色谱仪（美国安捷伦化学仪器分析公司）分析。分析条件为：紫外可见检测器（检测波长为280 nm），ZORBAX SB－C18色谱柱，流动相为甲醇/水（90/10）；流速1 ml/min。DBT和脱硫产物2－羟基联苯（2－HBP）采用外标法定量。

（五）发酵罐中细胞生长过程中k_1a的测定

参照Bandyopadhpay[10]等方法测定发酵罐中细胞生长过程的体积氧传质系数（k_1a）。

在稳定的条件下，对于传统的发酵系统：

$$OUR = r \cdot X = OTR = k_1a\ (C_* - C_1)$$

在不通气的条件下，即停止通气后：

$$dC\ [DO] = \frac{dC}{dt} = -r \cdot X$$

当紧接着断气完毕开始通气后：

$$dC\ [DO] = \frac{dC}{dt} = k_1a \cdot (C_* - C_L) - r \cdot X$$

整理后：

$$C = -\frac{1}{k_1a}\left(\frac{dC}{dt} + r \cdot X\right) + C_*$$

式中：r 为微生物的呼吸速率；X 为发酵体系的微生物总量；k_1a 为氧传质系数，min^{-1}；t 为时间，min；C_* 为发酵体系中氧平衡时饱和浓度，%；C、C_L 为发酵体系中溶解氧的浓度，%。

（六）细胞脱硫过程中 k_1a 值的测定

在 500 ml 简易鼓泡曝气装置中对脱硫过程中体积氧传质系数 k_1a 进行测定[11]，反应过程中先通氮气至氧气浓度为 0，开始通空气，利用溶氧电极记录溶氧浓度随时间的变化，直至溶氧浓度达到平衡。

$$k_1a \cdot t = \ln \frac{C_* - C_0}{C_* - C_t}$$

式中：k_1a 为体积氧传质系数，min^{-1}；t 为时间，min；C_* 为氧平衡时饱和浓度，mg/L；C_0 为开始通空气时氧的初始浓度，mg/L。

三、结果与讨论

（一）装液量对 R－8 生长及所得细胞脱硫活性的影响

在 500 ml 三角瓶中分别装入 50ml、100ml、200ml、250ml BSM，以 0.2 mmol/L DBT 为硫源，初步考察了不同通气或溶氧条件（在其他条件一定的情况下，三角瓶装液量的多少与通气或溶氧状况相关，装液量越少，其通气状况越好）对脱硫菌 R－8 的生长的影响，结果见图 1。由图可知，装液量越少，细胞生长越好。当装液量为 50 ml 时，OD_{600} 值最大，为 9.9。

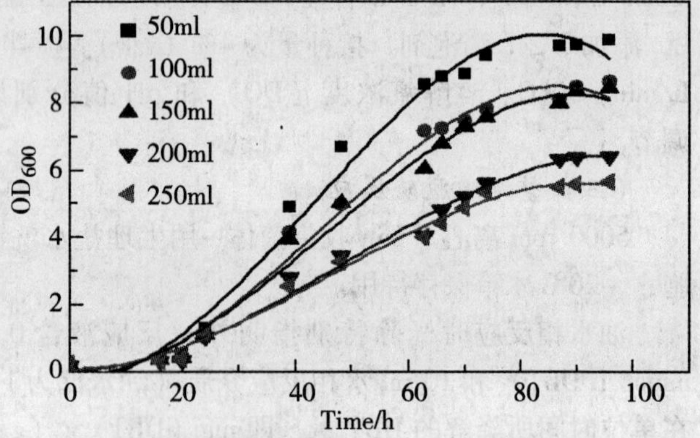

图 1　不同装液量条件下 R－8 细胞的生长曲线

进一步，离心收集培养 4 d 进入生长静止期细胞进行十二烷模拟油脱硫反应，考察不同溶氧条件下培养细胞对 DBT 的脱硫活性，结果见图 2。由图可知，装液量为 150 ml 时所培养 R－8 细胞的脱硫效果最佳，反应 10 h，DBT 浓度从 1 mmol/L 降至 0.097 mmol/L；当装液量为 50 ml 时，所培养细胞的脱硫活性反而最差。表明溶氧条件对细胞生长和所得细胞脱硫活性的影响效果不一致。要获得好的生长，必须提供充足溶氧，但所得细胞的脱硫活性不一定最佳。因此，寻求溶氧与细胞生长和所得细胞脱硫活性的关系，对于在高密度培养过程中如何控制溶氧以获得高浓度和高活性脱硫生物催化剂非常重要。

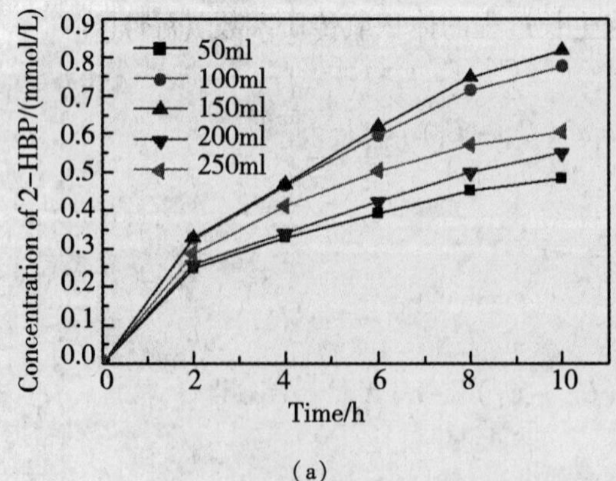

（a）

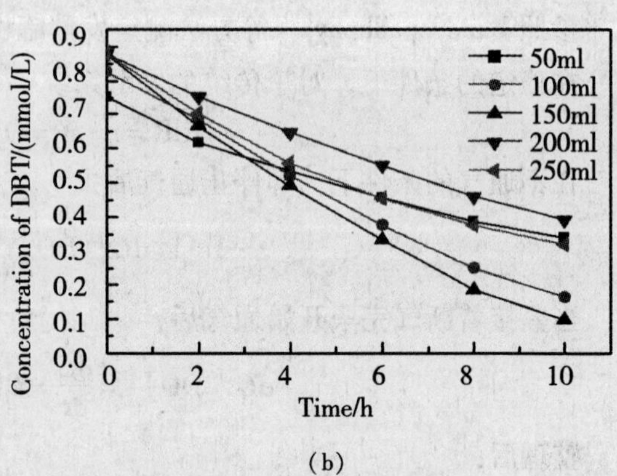

（b）

图 2　不同装液量条件下培养的 R－8 细胞对 DBT 的脱硫及产物 2－HBP 的生成曲线

（二）发酵罐高密度培养过程中操作参数对 R－8 菌生长的影响

本文在 6.6 L 发酵罐中对菌株 R－8 进行了高密度细胞培养的研究。其发酵过程的生长曲线以及参数变化见图 3。

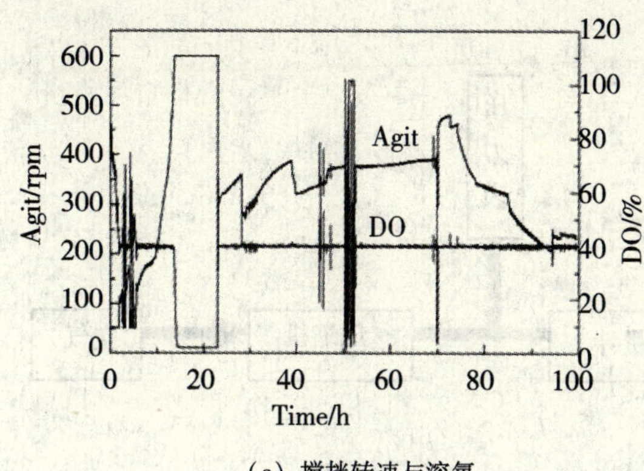

（a）搅拌转速与溶氧

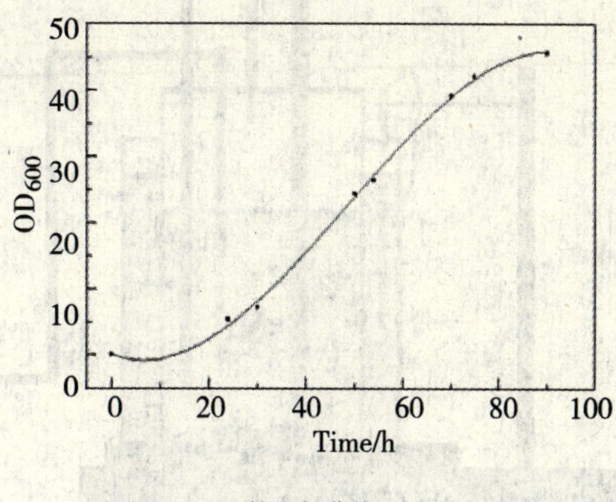

（b）R－8 的生长曲线

图 3 发酵罐中高密度培养 R－8 操作参数及生长曲线

从图 3（a）、图 3（b）可以看出，随着细菌的生长，耗氧量逐渐增大，搅拌（Agit）转速逐渐增大；R－8 细胞的生长速率较快，并且在发酵 80h 后，细胞 OD_{600} 值到达 45，细胞生长情况较佳，便于大规模培养和满足工业化需求。

（三）发酵罐培养时细胞生长过程体积氧传质系数 k_1a 的测定

本文在 6.6LNBS 发酵罐中考察了细胞生长过程中 k_1a 的变化，结果见图 4 和表 1。

表 1 k_1a 的线性回归方程及相关系数

Microorganism	Linear regression equation	Correlation coefficient，R	Standard deviation，SD
R－8	$y = -0.191x + 73.498$	0.974	0.0138

$$-\frac{1}{k_1a} = -0.191,\ C^* = 73.498$$

$$C = -\frac{1}{k_1a}\left(\frac{dC}{dt} + rX\right) + C^*$$

$$k_1a = 5.236\text{min}^{-1}$$

从计算结果来看，我们可以看出用发酵罐进行高密度培养时，R－8 细胞生长过程中耗氧量很大，而溶氧浓度的变化对细胞的生长具有很大的影响。下一步我们将考察溶氧浓度的变化对 R－8 细菌生长的影响。

图 4 R－8 细胞培养中体积氧传质系数的测定

（四）鼓泡曝气脱硫反应过程中体积氧传质系数 k_1a 的测定

为了进一步测定脱硫反应过程中的体积氧传质系数 k_1a，反应在 500 ml 搅拌釜式反应器中进行，压缩空气以鼓泡方式通入反应器（装置见图 5）。

在该装置中，油水比为 1∶1，空气流量为 0.6 L/min，转速 180 rpm，分别在反应 0、2h、4h、6h、8h、10h 时取样，经过高效液相色谱分析脱硫效果；同时利用排气法[11]测定相应的体积氧传质系数 k_1a。

本节分别对该装置中水相、油相、油水相的氧传质系数进行了测定，并且测定了脱硫效率，

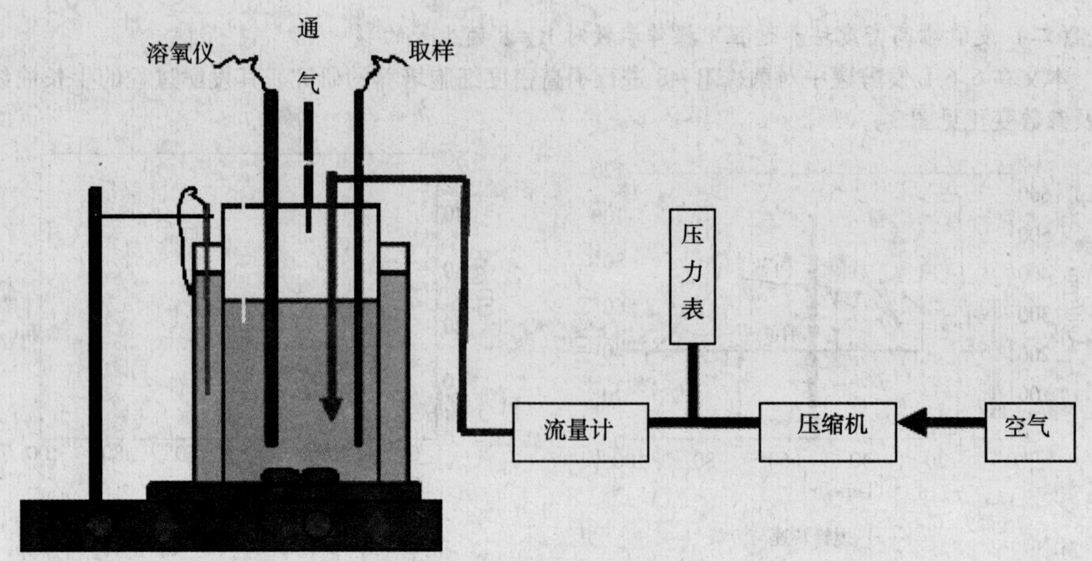

图 5　简易鼓泡曝气脱硫装置

结果见图 6、图 7，回归方程见表 2 和表 3。

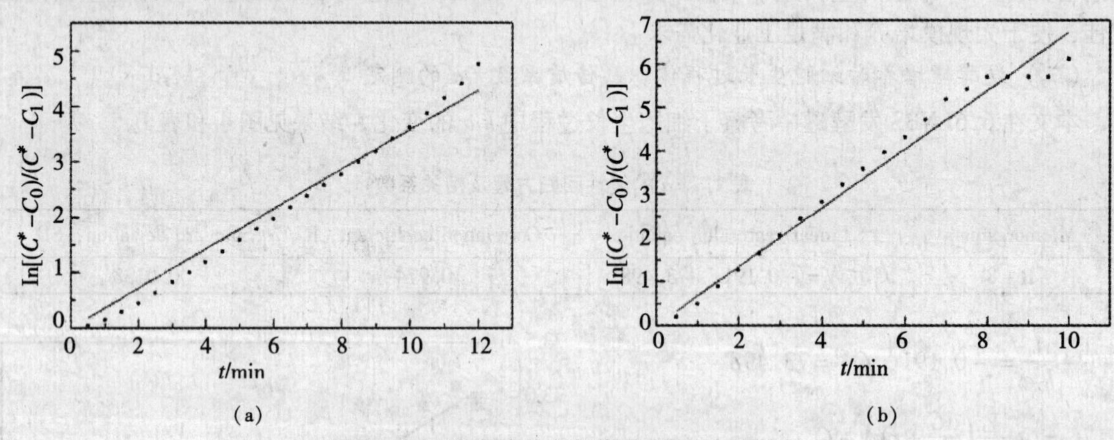

图 6　水相/油相中体积氧传质系数 k_1a 的测定

表 2　水相/油相 k_1a 的线性回归方程及相关系数

Phase	Linear regression equation	Correlation coefficient, R	k_1a/min^{-1}
Water	$y=0.356x$	0.974	0.356
Oil	$y=0.673x$	0.993	0.673

表 3　不同时间油水相 k_1a 的线性回归方程及相关系数

Time/h	Linear regression equation	Correlation coefficient, R	k_1a/min^{-1}
0	$y=0.328x$	0.938	0.328
2	$y=0.235x$	0.943	0.235
4	$y=0.476x$	0.995	0.476
6	$y=0.545x$	0.978	0.545
8	$y=0.446x$	0.980	0.446
10	$y=0.687x$	0.998	0.687

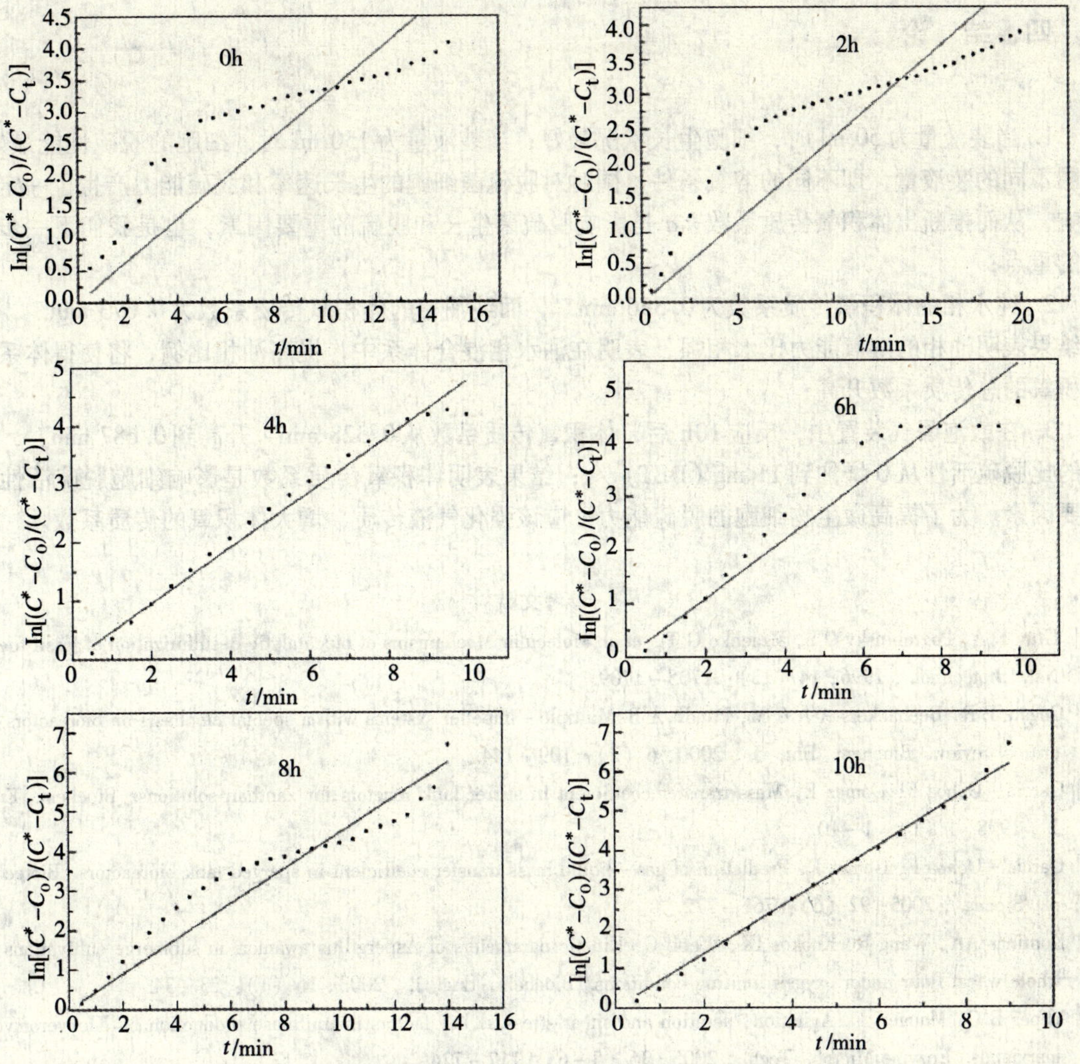

图7 不同脱硫时间下油水相 k_1a 的测定

我们可以从图6、图7以及表2、表3中看出，油水乳液(1∶1)中不同脱硫时间下的体积氧传质系数基本上处于纯油相与纯水相条件下的体积氧传质系数范围内。从图8可以看出，不同脱硫时间下，油水相中的体积氧传质系数随着比脱硫活性增大呈现总体升高的趋势，虽然两者之间并不存在严格的线性关系，但这对本文下一步进行膜曝气中氧传质系数与比脱硫活性关系研究工作有一定的指导意义。

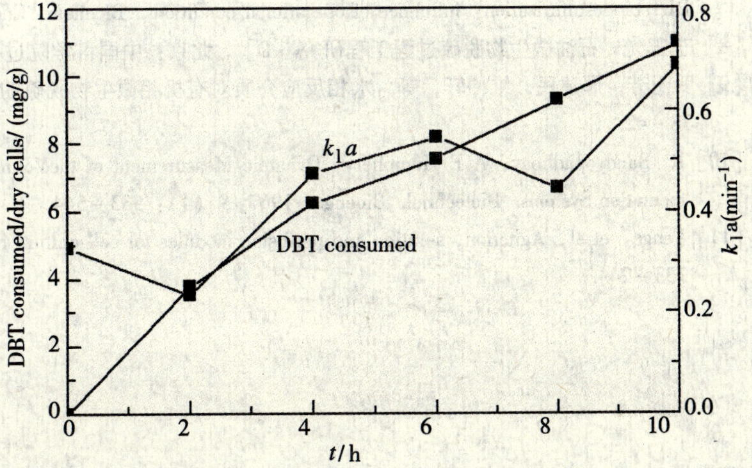

图8 不同脱硫时间下油水相 k_1a 与脱硫活性的变化

四、结　论

1. 当装液量为 50 ml 时，细胞生长状况最好；当装液量为 150 ml 时，细胞的脱硫性能最好；表明不同的装液量，即不同的溶氧条件，同时对脱硫菌细胞的生长速率和脱硫能力产生了一定的影响，从而推断出体积氧传质系数 k_1a 是影响脱硫菌生长和脱硫的重要因素，也是我们下一步研究的重点；

2. 纯水相的体积氧传质系数为0.356 min^{-1}，而纯油相的体积氧传质系数为0.673 min^{-1}，实验结果表明油相的溶氧能力比水相强，表明在油水相混合体系中，提高油相比例，将使得体系中体积氧的总传质系数升高；

3. 在鼓泡曝气装置中，反应10h 后，体积氧传质系数从0.328 min^{-1}升高到0.687 min^{-1}，细胞的比脱硫活性从 0 增加到 11 mg（DBT）/g；结果表明体积氧传质系数是影响细胞脱硫活性的重要因素。为了提高微生物细胞的脱硫能力，应该强化气液传质，增大体积氧的传质系数。

参考文献

[1] Gray K A, Pogrebinsky O S, Mrachko G T, et al. Molecular Mechanisms of biocatalytic desulfurization of fossil fuels. Nat. Biotechnol., 1996, 14 (13): 1705 - 1709.

[2] Gogate P R, Beenackers A A C M, Pandit A B. Multiple - impeller systems with a special emphasis on bioreactors: a critical review. Biochem. Eng. J., 2000, 6 (2): 109 - 144.

[3] Garcia - Ochoa F, Gomez E, Mass transfer coefficient in stirrer tank reactors for xanthan solutions. Biochem. Eng. J., 1998, 1 (1): 1 - 10.

[4] Garcia - Ochoa F, Gomez E, Prediction of gas - liquid mass transfer coefficient in sparged tank bioreactors. Biotechnol. Bioeng., 2005, 92 (6): 761 - 772.

[5] Koutinas AA, Wang R, Kookos IK, Webb C, Kinetic parameters of Aspergillus awamori in submerge cultivations on whole wheat flour under oxygen limiting conditions. Biochem. Eng. J., 2003, 16 (1): 23 - 34.

[6] Yepez B O, Maugeri F, Agitation, aeration and shear stress as key factors in inulinase production by Kluyveromyces marxianus. Enzyme Microb. Tech., 2005, 36 (5 - 6): 717 - 724.

[7] Olmo C H, Santos VE, Alcon A, Garcia - Ochoa F, Production of a Rhodococcus erythropolis IGTS8 biocatalyst for DBT biodesulfurization: influence of operational conditions. Biochem. Eng. J., 2005, 22 (3): 229 - 237.

[8] 李玉光. 石油微生物脱硫过程工程研究［D］. 北京：中国科学院过程工程研究所，2009.

[9] 罗明芳，邢建民，维仲轩，等. 水相反应介质对有机相微生物脱硫的影响［J］. 科学通报，2003，48（1）：38 - 42.

[10] R. Bandyopadhpay, A E Humphery, Dynamic Measurement of theVolumetric Oxygen Transfer Coefficient in Fermentation Systems. Biotechnol. Bioeng., 1967, 9 (4): 533 - 544.

[11] Fenge, et al, Agitation, aeration and perfusion modules for cell culture bioreactors. Cytotechnol., 1993, 11 (3): 233 - 244.

化学武器的销毁进展与日本遗弃化学武器的处理

夏治强 王曼琳 赵 钦

（防化研究院信息研究中心 北京市1044信箱14号 102205）

摘 要 本文简要介绍了国际《禁止化学武器公约》有关化学武器销毁的规定以及目前国际化学武器销毁的进展状况。介绍了日本侵华战争遗弃在华化学武器的历史情况，对中国人民和生态环境造成的巨大危害，以及当前日本遗弃在华化学武器的处理现状。期望日本政府积极行动，在公约规定的2012年4月前彻底销毁日本遗弃在华化学武器。

关键词 化学武器 销毁 日本 遗弃化学武器 进展

化学武器属于大规模杀伤性武器，化学武器的大规模使用发生在20世纪的第一次世界大战期间，化学武器素有杀人恶魔之称。自化学武器登上战争舞台以来一直遭到全世界正义人民的强烈谴责。国际社会为禁止化学武器进行了长期艰苦的努力，终于在1993年1月13日签署了《关于禁止发展、生产、储存和使用化学武器及销毁此种武器的公约》（简称《禁止化学武器公约》）。

一、《禁止化学武器公约》关于销毁化学武器的主要规定

《禁止化学武器公约》第一条第2款规定：每一缔约国承诺按照本公约的规定销毁其所拥有或占有的或位于其管辖或控制下的任何地方的化学武器。每一缔约国承诺按照本公约的规定销毁其遗留在另一缔约国领土上的所有化学武器。

《禁止化学武器公约》第四条第6款规定：缔约国应在公约生效10年内销毁其拥有的化学武器，经禁止化学武器组织批准销毁期限最多可延长5年。

《禁止化学武器公约》第四条第10款还规定：每一缔约国在运输、储存和销毁化学武器及对化学武器进行取样的过程中，应最优先地确保人民安全和保护环境。每一缔约国应按照本国的安全和排放标准运输、储存和销毁化学武器及对化学武器进行取样。

《禁止化学武器公约》于1997年4月29日生效。截至2009年10月31日，《禁止化学武器公约》共有188个缔约国，公约的普遍性得到明显加强。但是，目前有以色列和缅甸这两个国家仅签署了《禁止化学武器公约》，尚未成为缔约国。此外，还有安哥拉、朝鲜、埃及、索马里、阿拉伯叙利亚共和国5个国家既未签署也未加入《禁止化学武器公约》。

根据《禁止化学武器公约》规定，截止2009年11月30日，已有176个缔约国向禁止化学武器组织提交了初始宣布，其中有美国、俄罗斯、印度、韩国、阿尔巴尼亚、利比亚和伊拉克7个缔约国宣布拥有71 194t化学武器和867万件化学武器弹药和容器，分别存放在38个化学武器储存设施内。

日本宣布在中国遗弃有化学武器，而且分布广泛、数量巨大、品种繁多、危害严重。

二、禁止化学武器组织监督销毁化学武器的最新进展

《禁止化学武器公约》生效12多年来，国际社会为销毁化学武器作出了积极贡献，取得了丰硕成果。在国际社会的监督下，拥有化学武器的国家开始销毁其化学武器与化学武器生产设施。

截至2009年11月30日，在全世界宣布的71 194t库存化武战剂中，55.60%即39 585t已经销毁并得到核实。在受《公约》查禁的867万件化武弹药和容器中，45.33%即393万件已经销

毁并得到核实。目前，阿尔巴尼亚、韩国和印度这三个缔约国已完成了其宣布的化学武器的销毁。截至2009年9月30日，第一类化学武器的销毁情况见表1。由此可见，化学武器在未来相当长的时间里仍将长期存在。

表1　截至2009年9月30日第一类化学武器的销毁情况

宣布拥有化学武器的缔约国	宣布毒剂数量（t）	已完成销毁任务的百分比/%
阿尔巴尼亚	15	100（2007年7月11日）
韩　国	601	100（2008年7月10日）
印　度	1 044	100（2009年3月26日）
美　国	27 772	65（2009年9月30日）
俄罗斯	39 975	40.1（2009年9月30日）
利比亚	23	0

然而，按照公约规定销毁目标，至2007年4月29日应销毁完所有的化学武器。但是，现实是拥有化学武器的俄罗斯和美国远远没有完成销毁计划任务。其主要原因是美国和俄罗斯因销毁技术、环境保护要求及缺少足够的经费支持。美国向禁止化学武器组织请求将化学武器销毁的最后期限延长至2012年4月29日。俄罗斯的化学武器销毁工作困难更大。

日本遗弃在我国的化学武器的销毁进程更加缓慢，日本遗弃在华化学武器销毁也未能按公约要求完成任务。

在《禁止化学武器公约》生效已近13年的今日，如何尽快完成库存化学武器的销毁，如何尽快消除日本遗弃在华化学武器对我国人民和生态环境的威胁与危害，还我一片净土，仍是十分紧迫的问题。

三、化学武器销毁技术简介

化学武器的销毁是使其失去原有毒性、爆炸性的过程，是一个不可逆的过程。

目前世界上主要的化学武器销毁技术有高温焚烧、化学中和、等离子焚烧和电化学等方法。工业化使用最多的是高温焚烧法，其技术相对比较成熟。等离子焚烧法也已开始得到应用，而且销毁更具有彻底性，适合含砷毒剂的销毁处理。化学武器销毁处理系统还包括气体、液体和固体废物处理单元。各部分的废气经处理达到允许排放标准后方可排放。废液经蒸发处理做到无液体排放或循环使用。固体废弃物经处理后可回收利用或进行填埋处置。

目前，焚烧法仍是最主要的化学武器销毁技术。但是，由于公众环境保护意识的增强和环境标准的日趋严格，美国、俄罗斯等都在寻求替代技术来安全可靠地销毁其拥有的化学武器。高温等离子焚烧法和化学中和法也得到了一定程度的应用。

四、日本遗弃在华化学武器基本情况

1937年日本制造“7·7”卢沟桥事变，发动全面侵华战争。日军在侵华战争中曾长期和大量地使用了化学武器。由于当时中国经济落后，中国军队的化学防护能力十分薄弱，而中国民众的基本没有防护能力。据不完全统计，在八年抗战期间，日军共用毒2 000余次，造成中国军民8万多人死伤，使我国人民遭受了巨大的生命财产损失。

日本遗弃在华化学武器的毒剂主要有：芥子气、路易氏剂、二苯氰胂、氰溴甲苯、苯氯乙酮、光气、三氯化砷等。

日本生产使用以及日本战败撤退时遗弃在我国境内的化学弹药主要有以下4类：①化学炮

弹；②化学迫击炮弹；③化学航空炸弹；④化学毒烟筒。

日本投降前夕，侵华日军为了掩盖罪行，将大量化学武器就近掩埋或遗弃。新中国成立后，我国各地在生产和生活过程中陆续发现被侵华日军遗弃的化学武器。目前，在我国东北、华中、华东、华南地区均有发现，其中以东北地区最为集中。据大量调查估计，日本遗弃在华化学武器数量达数十万枚，具体数量有待今后挖掘调查确定。

到目前为止，我国已发现日本遗弃化学武器并得到核实的主要省区有：吉林省、黑龙江省、辽宁省、河北省、山西省、内蒙古自治区、江苏省、浙江省、安徽省、河南省、湖南省、江西省、广东省、广西壮族自治区等十几个省、市、自治区的70余处发现了日本遗弃的化学武器，大部分集中在东北地区。

在对日本遗弃化学武器的调查中，已发现埋藏的部分化学武器因锈蚀而发生毒剂泄漏现象。泄漏的毒剂首先污染土壤，然后通过蒸发和向下渗透进而污染大气和地下水，危害生态环境并危害附近人员的安全与健康。

中国抗日战争胜利已60多年了，《禁止化学武器公约》生效也快13年了，日本遗弃在华化学武器的处理仍是国际和中国人民都十分关注的问题。我们期盼日本政府能采取积极有效的措施，早日彻底销毁全部日本遗弃在华化学武器。

为了推进日本遗弃化学武器处理进程，中日两国政府经多轮磋商，于1999年7月30日签署了《关于销毁中国境内日本遗弃化学武器的备忘录》。日方在《备忘录》中承认在中国遗弃了大量化学武器，承诺要履行《禁止化学武器公约》的销毁义务，并在销毁作业时遵守中国的法律和环境标准。

中国政府高度重视日本遗弃在华化学武器问题，敦促日本政府承担其遗弃化学武器销毁义务，提供遗弃资料，加快处理进程，消除遗弃化学武器的危害与隐患，确保我国人民安全与生态环境的安全。

中国外交部2003年8月10日播发“关于日本遗弃在华化学武器问题”的新闻背景。全面阐述了日本遗弃化学武器问题的由来、我国政府对此的原则立场，敦促加快日本遗弃化学武器处理进程。

中国政府对此高度重视。在中日双方的共同努力下，挖掘回收及销毁准备工作取得一些进展。销毁完成时限日益临近，尽管如此，中方敦促日方切实履行《禁止化学武器公约》义务，加大投入，尽早启动并按期完成销毁。

在2009年11月30日于荷兰海牙召开的《禁止化学武器公约》第十四届缔约国大会上，中国常驻禁止化学武器组织代表张军大使指出，尽早、安全、彻底销毁日本遗弃在华化学武器是《禁止化学武器公约》的核心目标之一，也是中国作为缔约国应享有的最基本和最重要的安全保障。公约生效已12载，迄今仍未有一枚日本遗弃化学武器被销毁，伤人事件不断发生，有关地区的生态环境长时间遭受污染。他敦促日方本着负责任的态度，切实履行公约义务，尽早启动日本遗弃化学武器的实质销毁，在公约规定的2012年4月这一最终期限前完成销毁，早日消除日本遗弃在华化学武器给中国人民和生态环境带来的危害。

五、日本遗弃在华化学武器销毁处理过程

日本遗弃化学武器的销毁处理与美国和俄罗斯储存化学武器销毁相比要复杂得多。日本遗弃在华化学武器的销毁处理过程大体可分为三个阶段：①前处理，即将从地面、地下、水下的化学武器挖掘出来，并进行分类包装、运输和临时储存；②实处理，是不可逆地销毁毒剂及相关污染物的过程，包括弹药解体和毒剂销毁；③后处理，是为保证销毁处理过程中产生的各种排放物能够满足安全和排放标准的各种技术措施。通常认为，遗弃化学武器的销毁过程涉及现场调查、挖

掘、鉴别、包装、运输、临时储存、弹药解体、毒剂销毁、残渣安全处置、后续环境监测等（见图1）。在整个处理过程中还要严格实施安全防护、环境保护和监测，确保遗弃化学武器处理时的人员健康、安全和生态环境不受污染。

经中日两国政府磋商确定，将在日本遗弃化学武器主要集中地区建设遗弃化学武器销毁设施。鉴于日本遗弃化学武器的复杂性和不安全性，为避免长途运输遗弃化学武器，将对于少量的、分散的遗弃化学武器将采用移动式化学武器销毁设施进行处理。

中国常驻禁止化学武器组织代表张军大使在《禁止化学武器公约》第十四届缔约国大会发言时指出“日方最近向中方提交了总体销毁计划草案，南京移动销毁设施有望于2010年投入使用。”

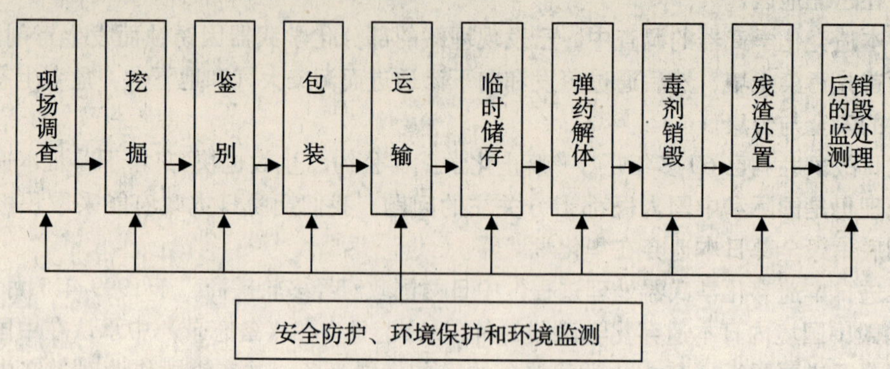

图1　日本遗弃化学武器销毁处理过程

总之，对于中国人民来说，对日本政府的要求是：按照《禁止化学武器公约》的规定，尽快、安全地把中国领土上的所有日本遗弃化学武器彻底清除干净，确保中国人民生命财产安全和生态环境安全。

参考文献

[1] 夏治强．化学武器兴衰史话［M］．北京：化学工业出版社，2008.
[2] 禁止化学武器组织．关于禁止发展、生产、储存和使用化学武器及销毁此种武器的公约．2005－7.
[3] http：//www. opcw. org/cn/禁止化学武器组织：事实与数字．2010－2－5.
[4] 夏治强．OPCW第14次科学咨询委员会会议简要情况［J］．国外防化科技动态．2010（1）．

篁竹草厌氧发酵产气特性及结构变化研究

罗　艳　陈广银　罗兴章　郑　正　郑斌国　方彩霞

（南京大学环境学院污染控制与资源化研究国家重点实验室　南京　210093）

摘　要　在中温（35℃）条件下，采用批量厌氧发酵对生长期为35d的篁竹草厌氧发酵特性进行了研究，实验结果表明，篁竹草在6%的条件下，具有较好的产气效果，产气率为222ml/gTS。使用了修正的Gompertz方程式描述产甲烷过程，经过方程式拟合，成功地测定出沼气的反应延迟时间、产气潜势和产气速率，与实际结果一致。FTIR和XRD结果显示，厌氧微生物不但利用互花米草中的易分解有机物，对纤维素的结晶区也有一定的破坏，发酵后的互花米草木质素相对含量增加。

关键词　篁竹草　模型　XRD　红外

一、前　言

篁竹草（Herba Andrographitis）又称巨象草、王草、坚尼草，为多年直立丛生的禾本科草本植物，由象草和美洲狼尾草杂交选育而成[1~2]。因其地表上部植株直立丛生、高大粗壮，可称之为草中之皇帝，且形如小斑竹，故名篁竹草[3]。原产于哥伦比亚，于1993年引进栽培，属四碳植物，是一种高产优质的饲草，产草量一般年亩产1 500kg，高者可达2 500kg[4]。

篁竹草属于木质纤维素类原料，张辉等人研究指出，篁竹草所含总纤维素为78. 15%[5]。

从能源的角度考虑，将篁竹草厌氧发酵产沼气为其有效利用提供了一条新的途径，木质纤维素类原料主要由3部分组成：纤维素、半纤维素和木质素，其中，纤维素和半纤维素是主要的可降解物质，然而木质素被认为是不可生物降解的物质，只有在分子氧存在的条件下才能被破坏[6,7]。木质素在纤维素纤丝中的存在，降低了原料可利用表面，从而阻碍了微生物和酶顺利接近易生物降解的纤维素，因此纤维素和半纤维素的水解就成为此类原料生物降解的限速步骤[7,8]。

本文的研究目的是为了开发篁竹草一种新的利用途径，即厌氧发酵产沼气，并利用使用了修正的Gompertz方程式描述产沼气过程，分析发酵前后XRD、红外光谱的变化，考察厌氧发酵对篁竹草结构的破坏。

二、实验方法

原料篁竹草取自安徽六安，将篁竹草地上部分作为研究对象，取回的篁竹草切碎至2~4cm后待用，TS为16. 01%，VS为13. 40%，试验用接种物为本实验室厌氧发酵处理互花米草后的厌氧发酵液，TS为4. 65%，VS为3. 12%，pH为7. 36。

发酵试验：试验用的篁竹草生长期为35d，实验设两个平行，在VS为6. 0%的条件下厌氧发酵，将切碎后的篁竹草装入2. 5L的厌氧反应器内，接种，接种物的加入量为400ml的厌氧消化污泥，发酵原料总量为1 500g，为用蒸馏水将各反应器内TS负荷调节至6. 0%，搅拌均匀，向反应器内通入氮气3min以驱赶反应器内的空气，密封后进行厌氧发酵，反应温度为35℃ ±1℃，每天定时搅拌，实验过程中定时取样分析有关指标。

分析测试：用排水集气法（饱和食盐水）收集气体，每日用量筒测量水的体积以确定产气量，

科技部"十一五"水专项（2008ZX07101 -004）；南京市科技计划项目（200801072）；太湖水专项（2008ZX07101 -005 -01）。

105℃烘24h，差重法测定TS；在马弗炉中550℃灼烧4h，差重法测定VS；发酵前后篁竹草烘干后粉碎过100目筛后用于红外光谱分析（Nexus 870型红外光谱仪）、XRD衍射仪（D5000 diffractometer）。

三、结果与讨论

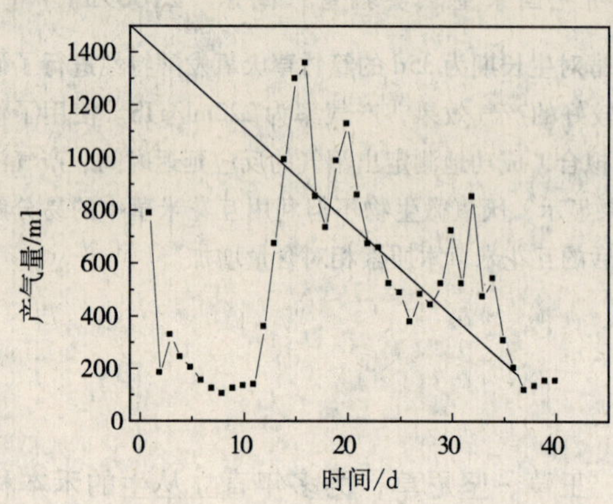

图1 发酵过程中日产气量的变化

图2 发酵过程中甲烷含量的变化

（一）厌氧发酵中日产气量和甲烷含量变化

图1、图2为篁竹草日产气量和甲烷含量变化曲线，从图1可以看出，在40d的发酵中，第1天出现一个产期高峰后，迅速下降，这主要是因为在发酵初期，篁竹草中的纤维素还没有被降解利用，在第5天到第10天，日产气量进入较低的水平，这可能与发酵液中挥发性有机酸的累积造成的抑制作用有关，到试验结束时，日产气量仅为150ml，累积产气量为19 991ml，产气率为222ml/gTS，沼气中以甲烷和二氧化碳为主，其他气体很少，从图2中可以看出，甲烷含量呈现逐渐增高的趋势，前5天甲烷平均含量仅为68.6%，第25天以后，维持在84%左右，试验刚开始的几天，主要起作用的是产酸菌群，这一时期主要是生成甲烷菌易于利用的乙酸和二氧化碳等物质，所以此阶段发酵液中的乙酸浓度很高，而沼气中甲烷含量很低，随着乙酸的积累，食乙酸产甲烷菌的数量增多，沼气中的甲烷含量逐渐增加，整个发酵过程中，甲烷的平均含量为79.8%。

（二）厌氧发酵产气的动力学研究

本研究使用了修正的Gompertz方程式[9,10]描述产甲烷过程：

$$H(t) = P \cdot \exp\{-\exp[\frac{R_m \cdot e}{P}(\lambda - t) + 1]\}$$

式中：$H(t)$ 为发酵过程中的累积产气量，ml；P 为最大产气量，ml；R_m 为最大产气速率，ml/d；λ 为产气延迟时间，d；e 为常数，其值为2.715 251 528。

P，R_m，λ 的值采用origin8.0回归拟合产气的试验数据得到。

经过回归拟合得到 P，R_m，λ 及 R^2 如表1所示。

表1 Gompertz模型中各参数值

参数	P	R_m	λ	R^2
数值	22 696	820	7.5	0.993 01

经过方程式拟合，成功地测定出最大产气量，最大产气速率，产气延迟时间。得到的预测模

型为：$H(t) = 22\,696 \times \exp\{-\exp[\frac{820 \cdot e}{P22\,696}(7.5-t)+1]\}$。从图3中可以看出，实测值和预测值基本一致，用 Gompertz 模型能够很好地预测产气过程。

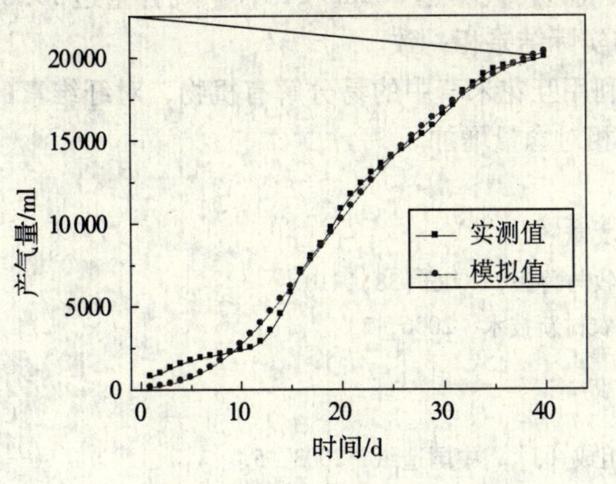

图3　累积产气量与模拟值比较

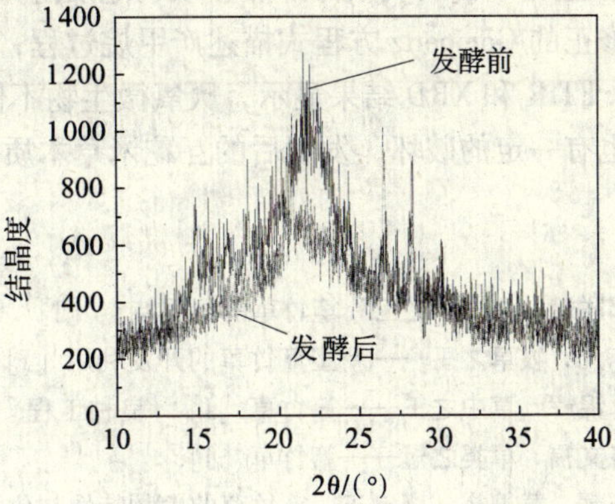

图4　篁竹草厌氧发酵前后 XRD 谱图

（三）厌氧发酵前后原料 XRD 的变化

经过40d的厌氧发酵，篁竹草的 X 射线衍射（XRD）谱图如图4所示。

样品结晶度指数通过以下公式计算：

$$CrI = \frac{I_{002} - I_{am}}{I_{002}}$$

I_{002} 是 2θ 在22°时的结晶度，即结晶区的衍射强度；I_{am} 是 2θ 在18°时的结晶度，即无定形区的衍射强度，衍射峰越敏锐，晶体结晶程度越高[11]。由图4可知，互花米草发酵前、后均在 2θ 为22°附近有一极大峰值，分别为1 066.67和583.33，发酵后22°时的峰强度明显减弱。这是因为厌氧微生物分解利用易分解有机物使纤维素相对被浓缩，同时对纤维素的结晶区也造成了一定的破坏，发酵前、后的结晶度指数 CrI 分为：0.344，0.371，出现这种情况的原因可能是微生物分解利用易分解有机物的程度远大于对纤维素结晶区的破坏程度，结果出现发酵后的结晶度指数 CrI 有少许增加。

（四）厌氧发酵前后红外光谱的变化

篁竹草厌氧发酵前后的红外谱图如图5所示，从图中可以看出，发酵前后具有相似的光谱特征，只是在吸收强度上有一定的差异，经过40d的厌氧发酵处理，篁竹草在3 300～3 350cm^{-1}处吸收峰的强度减弱，表明发酵后固形物中碳水化合物的含量有所降低；在2 923 cm^{-1}处吸收峰的强度增强，发酵处理后固形物木质素含量增加；1 650～1 655cm^{-1}是苯环上—C—C—和分子间或分子内形成氢键的羧酸—C—O的伸缩振动吸收峰，吸收峰强度增强，表明发酵后固形物中木质素含量增加，经发酵处理后，在860～865cm^{-1}处吸收峰的强度增加，表明发酵后固形物中产生了一些碳酸盐类物质，以上结果表明，经过厌氧发酵处理后，不同处理固形物中的碳水化合物被大量分解，固形物中的木质素含量均有所增加，碳酸盐含量也有所增加。

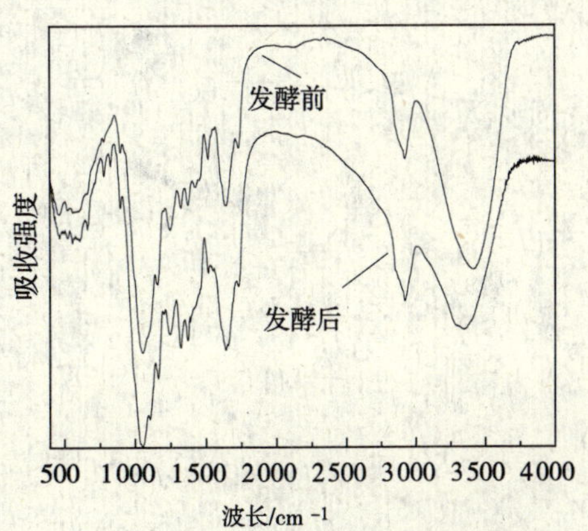

图5　篁竹草厌氧发酵前后红外光谱图

四、结 论

1. 篁竹草在厌氧条件下能够顺利地发酵产沼气，产气率达 222ml/gTS，甲烷含量达 79.8%。运用修正的 Gompertz 方程式描述产甲烷过程，与实际结果相一致。

2. FTIR 和 XRD 结果显示，厌氧微生物不但利用互花米草中的易分解有机物，对纤维素的结晶区也有一定的破坏，发酵后的互花米草木质素相对含量增加。

参考文献

[1] 邹联斌．“牧草之王”篁竹草的饲用特点［J］．畜牧与兽医，2006（38），10.

[2] 陈凡．牧草之王——新型篁竹草的开发利用［J］．农村新技术，2006，2.

[3] 卓锦辉．草中之王——篁竹草［J］．良种工程.

[4] 骆文福．草类之冠——篁竹草［J］.

[5] 张辉，黄德裕，李忠正．篁竹草的生物特性与化学组成［J］．中国造纸，2003，5.

[6] Komilis Dim itris P，H am Robert K. T he effect of lign in and sugars to the aerob ic decom po sition of so lid w aste［J］. Waste Managem en t，2003，23：419 - 423.

[7] 雷中方，陆雍森．木质素在厌氧生物处理过程中的转化［J］．同济大学学报，1995，23（4）：421 -426.

[8] Claassen PAM，Van Lier J B，Lopez Contreras A M，et al. Utilization of biomass for the supp ly of energy carriers［J］. A ppl. Microbiol. Biotechno l，1999，52：741 - 755.

[9] Lay J J，Liyy，NokeT. Mathematical model for methane produetion from landfill bioreator［J］. Environ Eng ASCE，1998，124（8）：730 -736.

[10] LAYJJ. Biohydrogen generation by mesophilic anaerobic fermentation of microcrystalline cellulose［J］. Bioteehnol Bioeng，2001，74：280 -285.

[11] 刘粤惠，刘平安．X 射线衍射分析原理与应用［M］．北京：化学工业出版社，2003：127 -132.

铜绿假单胞菌降解氯氰菊酯的特性及其动力学研究

徐小芳[1]　刘幽燕[1]　周茂钟[1]　韦王莹军[2]

（1. 广西大学化学化工学院　广西　南宁　530004；2. 广西植保站　南宁　530004）

摘　要　本文用铜绿假单胞菌降解氯氰菊酯，在无外加碳氮源时，5d 对 100mg/L 的氯氰菊酯降解率为 23.2%，外加适量浓度的葡萄糖和蛋白胨能提高降解效果，但当葡萄糖浓度超过 2mg/L 后，虽然能促进细胞生长，但是对降解效果并无促进作用。对降解过程进行动力学研究，选用米氏底物抑制模型对降解过程进行模拟，米氏常数 r_{max}，k_m，k_{si} 分别为 0.00681/d，11.54mg/L，275.97mg/L，相关系数为 0.9743。

关键词　铜绿假单胞菌　生物降解　氯氰菊酯　碳氮源　动力学

氯氰菊酯在中性环境中十分稳定，且光稳定性强，因此此类农药会在环境中长期累积，并通过渗透，浸淋至沉积岩及地下水，从而污染水体和土壤[1-3]。各国的科研工作者分离筛选了大量具有降解性能的菌类，包括细菌、真菌、放线菌和藻类[4-6]。据报道，这些菌能以氯氰菊酯为唯一的碳源、氮源或是营养源生长[7-9]；利用微生物进行的生物修复是一个复杂的过程，涉及微生物的生命代谢活动，各种微生物之间的相互关系及微生物所处环境条件等。史延茂[10]等发现对甲胺磷有降解作用的菌株，在不同温度、pH 值、培养基条件下菌体对农药有不同的降解能力。Preeti N[11]等人研究发现微球菌对氯氰菊酯的降解是通过水解使碳氧键断裂产生 3－苯氧基苯甲酸，3－苯氧基苯甲酸的苯键继续断裂生成茶儿酸和苯，该降解途径与许育新等人的研究结论一致。目前也有一些学者关注生物修复的动力学过程，借此预测污染物在环境中的残留时间及归宿，但微生物降解拟除虫菊酯的降解动力学研究的报道较少。本文主要研究了外加营养源对铜绿假单胞菌降解氯氰菊酯效果的影响，同时对其降解过程的动力学过程进行了简单的探讨。

一、材料与方法

（一）培养基配制

基础培养基成分：$MgSO_4 \cdot 7H_2O$ 0.5g，KH_2PO_4 0.5g，$Na_2HPO_4 \cdot 12H_2O$ 1.0g，$(NH_4)_2SO_4$ 0.5g，蒸馏水 1L，pH 调至 7.0。葡萄糖，蛋白胨及氯氰菊酯浓度按要求添加。

菌体培养基：氯化钠 5g，牛肉膏 5 g，蛋白胨 10g，去离子水 1L，调 pH 为 7.0。

氯氰菊酯原药浓度为 97.2%，为广西植物保护站提供。

（二）菌种鉴定

菌落形态观察参考文献[12]。厌氧生长实验，葡萄糖发酵实验，接触酶实验等生理生化测试实验委托广东省微生物菌种鉴定中心进行鉴定。

（三）外加碳源对降解效果的影响

在基础培养基中分别加入乳糖、蔗糖、葡萄糖、柠檬酸、乙酸钠、甘露醇，使碳源浓度分别为 5g/L 和 0.5g/L。将菌种定量（$OD_{600}=1.0$）接种于含 100mg/L 氯氰菊酯的上述不同液体培养基中进行降解实验，测定 5d 后铜绿假单胞菌对氯氰菊酯的降解率。

在含氯氰菊酯 100mg/L 的无机盐培养基中加入适量的葡萄糖，使培养基中的葡萄糖浓度为 2.0mg/L，每 12h 测定氯氰菊酯的去除率、葡萄糖含量和铜绿假单胞菌的生物量（OD_{600}），检测降解过程中葡萄糖对细菌生长及降解率的影响。

（四）外加氮源对降解效果的影响

在基础培养基中分别加入蛋白胨、牛肉膏、酵母膏、硫酸铵、氯化铵、硝酸铵取代基础培养基中的硫酸铵，各种氮源浓度为5g/L和0.5g/L。将菌种定量（$OD_{600}=1.0$）接种于含100mg/L氯氰菊酯的上述不同液体培养基中进行降解实验，测定5d后铜绿假单胞菌对氯氰菊酯的降解率。

在含氯氰菊酯100mg/L的无机盐培养基中加入适量的蛋白胨，使培养基中的蛋白胨浓度为1.0mg/L，每天取样测定氯氰菊酯的去除率、pH值和铜绿假单胞菌的生物量（OD_{600}），检测降解过程中蛋白胨对细菌生长及降解率的影响。

（五）铜绿假单胞菌降解氯氰菊酯的动力学研究

无机盐培养基中加入适量的氯氰菊酯溶液，使培养基中氯氰菊酯浓度达到20～100mg/L，定量接种，分装到150ml的三角瓶中，装液量10ml。放在恒温摇床（30℃，120rpm）做降解实验。参照文献［13］测定动力学参数的方法确定铜绿假单胞菌降解氯氰菊酯的初速率时间段。

氯氰菊酯单位降解速率计算：测定加入降解体系中的初始细胞量（干重法），单位细胞的降解速率定义为单位时间内质量细胞的底物消耗量，计算公式：

$$r=\frac{1}{X_0}\frac{ds}{dt}$$

式中：r为单位细胞降解速率，1/d；X_0为初始细胞浓度，mg/L；s为底物浓度；t为时间。

二、结果与讨论

（一）菌种鉴定

该菌表面光滑，边缘整齐，呈半透明状态。液体培养基中表面形成面膜，是一种兼性厌氧革兰氏阴性菌杆状菌。经16S rDNA序列测试，发现该菌与铜绿假单胞菌的同源性达100%。

（二）外加碳源对降解效果的影响

研究不同外加碳源对铜绿假单胞菌降解效果的影响，发现在碳源浓度为0.5g/L时，葡萄糖、乳糖对铜绿假单胞菌的降解有促进作用。外加0.5g/L葡萄糖时铜绿假单胞菌对氯氰菊酯的5d的降解率从23.2%提高到37.2%。这可能是由于葡萄糖是易于利用的碳源，铜绿假单胞菌能利用葡萄糖快速繁殖，从而提高了降解效果。当各种碳源浓度达到5g/L时，铜绿假单胞对氯氰菊酯的降解效果反而比碳源浓度低时有所下降（图1），这可能是由于培养基中易于利用的碳源过多，铜绿假单胞菌优先利用易于利用的碳源，减少了铜绿假单胞利用氯氰菊酯的几率[14]。

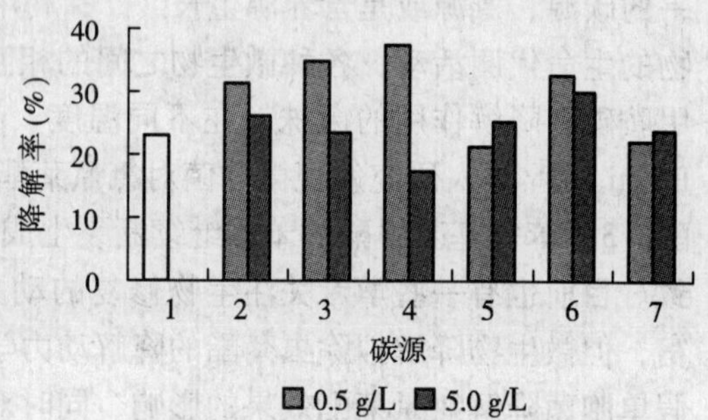

图1 不同碳源对氯氰菊酯降解效果的影响

（1—无外加碳源；2—乳糖；3—蔗糖；4—葡萄糖；5—柠檬酸；6—乙酸钠；7—甘露醇）

测定外加2g/L葡萄糖作碳源时降解过程中的菌浓度及降解率的变化，发现随着葡萄糖量的减少，细菌浓度增大，36h时达到最大值，此时葡萄糖已被消耗掉50%，之后菌浓度开始下降；2d后葡萄糖被完全消耗，细菌停止生长，与初始值持平（图2）。该过程中铜绿假单胞菌对氯氰菊酯的降解率增长缓慢，3d对100mg/L的氯氰菊酯的去除率仅为9%，低于对照组的降解率。这说明高浓度的葡萄糖反而会抑制铜绿假单胞菌对氯氰菊酯的利用。

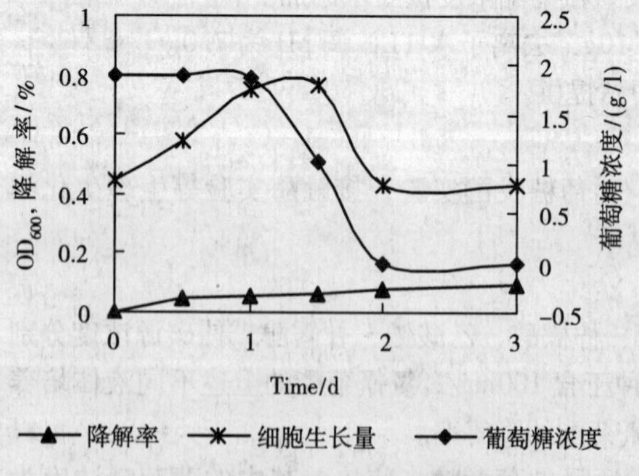

图2 葡萄糖对铜绿假单胞菌生长及其降解特性的影响

（三）外加氮源对降解效果的影响

无机盐培养基中添加不同氮源时，铜绿假单胞菌对氯氰菊酯的降解率明显要高于无外加氮源时的降解率。氮源浓度为5g/L时，有机氮源对降解的促进作用比无机氮大；而当氮源浓度为0.5g/L时，有机氮与无机氮对降解的影响效果相当；当蛋白胨浓度为5g/L时，铜绿假单胞菌对氯氰菊酯5d的降解率达到74.2%，比对照组高出49.5%。研究发现，铜绿假单胞菌以高浓度有机氮作为氮源时的降解效果比低浓度时的降解效果好；而以无机氮做氮源时结果刚好相反（图3）。

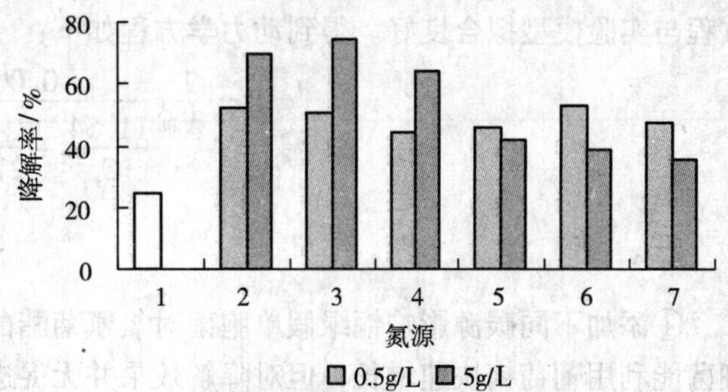

图3 不同氮源对氯氰菊酯降解效果的影响

1—无外加碳源；2—乳糖；3—蔗糖；4—葡萄糖；5—柠檬酸；6—乙酸钠；7—甘露醇

考察降解过程中1.0g/L蛋白胨对细菌生长和降解效果的影响发现，随着降解时间的延长，培养基的pH值逐渐增大，降解率也逐渐增大，但是细胞量并没有明显的增长，反而呈下降趋势，并在3d后保持稳定（图4）。

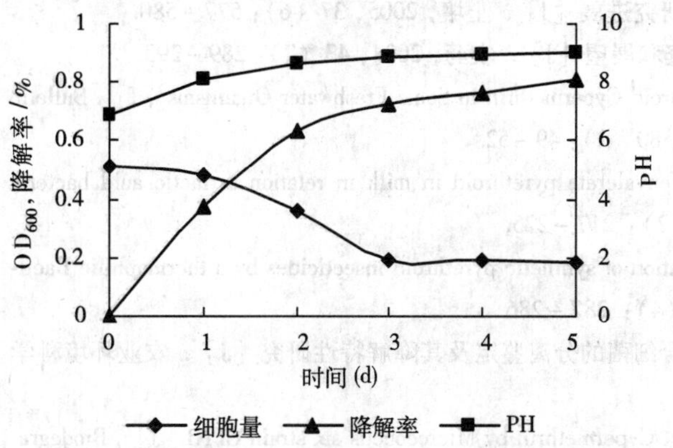

图4 蛋白胨对铜绿假单胞菌生长及其降解特性的影响

（四）铜绿假单胞菌降解氯氰菊酯的动力学研究

测定不同底物浓度下铜绿假单胞菌降解氯氰菊酯的单位细胞降解速率发现，当氯氰菊酯浓度较低时，细胞的比降解速率随浓度升高而增大，并在底物浓度为60mg/L达到最大值，最大的比降解速率为0.0056 1/d；当氯氰菊酯浓度继续升高时，单位细胞降解速率反而下降；当底物浓度达到200mg/L以上时，单位细胞降解速率维持不变，此时的单位细胞降解速率为0.0036 1/d（图5）。

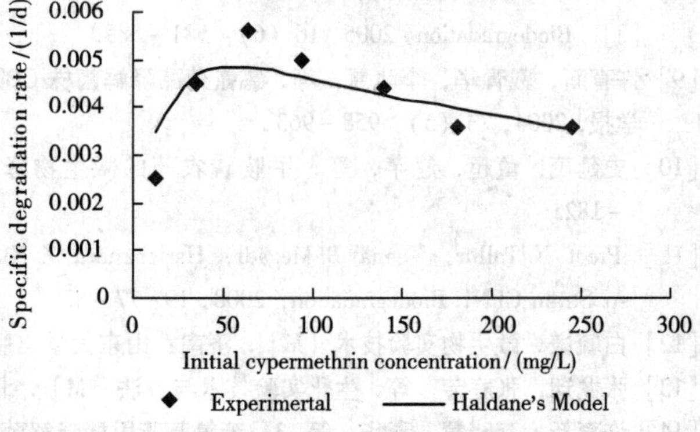

图5 单位细胞降解速率实验数据与模型拟合

从图5可以看出，此反应表现了明显的底物抑制作用。分析原因，可能是当氯氰菊酯浓度低时，铜绿假单胞菌所含的降解酶与底物结合几率不高；当氯氰菊酯浓度高时，对细胞的毒害性增大，酶活损失严重，导致反应效率降低[15,16]。

鉴于上述结果，本文选择稍做修改的米氏底物抑制动力学方程 $r=\dfrac{r_{\max}}{\dfrac{k_m}{S}+\dfrac{S}{K_{si}}+1}$ 来表征铜绿假单胞菌降解氯氰菊酯的方式[17]。结合方程 $r=\dfrac{r_{\max}}{\dfrac{k_m}{S}+\dfrac{S}{K_{si}}+1}$ 和 $r=\dfrac{1}{X_0}\dfrac{ds}{dt}$，可以得到氯氰菊酯浓度随时间变化的方程：$t=\left(\dfrac{k_m}{r_{\max}}\ln\dfrac{S_t}{S_0}+\dfrac{S_t-S_0}{r_{\max}}+\dfrac{{S_t}^2-{S_0}^2}{2r_{\max}K_i}\right)\dfrac{1}{X_0}$

将实验数据代入该方程，并利用 Mat Lab 6.5 对数据进行处理，求得该方程中的 r_{max}、k_m、k_{si} 分别为0.0068 1/d，11.54 mg/L，275.97mg/L，相关系数为0.9743。从图3及相关系数得出，该方程与实验模型拟合良好。得到动力学方程如下：

$$t = \frac{1}{X_0}\left(\frac{0.0068}{\frac{11.54}{C_s} + \frac{C_s}{275.97} + 1}\right)$$

三、结 论

①添加不同碳源影响铜绿假单胞菌对氯氰菊酯的降解，其中葡萄糖对降解效果的影响最大，细菌能利用葡萄糖快速增长，但对降解效果并无促进作用。②外加不同氮源时，无机氮在低浓度时对降解效果的积极影响要比高浓度时显著；有机氮结论相反，对比所有的氮源，蛋白胨对降解效果的促进作用最为显著。③铜绿假单胞菌对不同浓度氯氰菊酯的降解符合米氏底物抑制动力学模型。

参考文献

[1] 王兆守，李顺鹏．拟除虫菊酯类农药微生物降解研究进展［J］．土壤，2005，37（6）：577－580.

[2] 刘尚钟，王敏，陈馥衡．拟除虫菊酯类农药的研究和展望［J］．农药，2004，43（7）：289－293.

[3] Saha S.，Kaviraj A. Acute Toxicity of Synthetic Pyrethroid Cypermethrin to Some Freshwater Organisms［J］. Bulletin of Environmental Contamination and Toxicology，2008，80（1）：49－52.

[4] MNI，M. a.，AE，E. －S. M.，et al. Persistence of fenvalerate pyrethroid in milk in relation to lactic acid bacteria［J］. Egyptian Journal of Dairy Science，1989，17（2）：217－225.

[5] Maloney S. E.，Maule A.，Smith A. R. W. Transformation of synthetic pyrethroid insecticides by a thermophilic Bacillus sp.［J］. Archives of Microbiology，1992，158（4）：282－286.

[6] 张松柏，张德咏，罗香文，等．降解甲氰菊酯光合细菌的分离鉴定及其降解特性研究［J］．农业环境科学学报，2009，28（1）：140－144.

[7] Tallur P.，Megadi V.，Ninnekar H. Biodegradation of Cypermethrin by Micrococcus sp. strain CPN1［J］. Biodegradation，2008，19（1）：77－82.

[8] Saikia N.，Das S. K.，Patel B. K. C.，et al. Biodegradation of beta－cyfluthrin by Pseudomonas stutzeri strain S1［J］. Biodegradation，2005，16（6）：581－589.

[9] 许育新，戴青华，李晓慧，等．氯氰菊酯降解菌株CDT3的分离鉴定及生理特性研究［J］．农业环境科学学报，2004，23（5）：958－963.

[10] 史延茂，董超，赵芊，等．甲胺磷农药的微生物降解［J］．河北省科学院学报，2003，20（3）：179－182.

[11] Preet N. Tallur，Veena B. Megadi，Harichandra Z. Ninnekar. Biodegradation of cypermethrin by Micrococcus sp. Strain CPN1. Biodegradation，2008，19：77－82.

[12] 白毓谦．微生物实验技术［M］．济南：山东大学出版社，1987：9－11.

[13] 张龙翔，张庭芳，等．生化实验技术与方法［M］．北京：高等教育出版社，1997：46－49.

[14] 许育新，李晓慧，秦华，等．3－苯氧基苯甲酸降解菌的分离及降解特性研究［J］．微生物学通报，2005，32（5）：62－66.

[15] 石成春，郭养浩，王大奈，等．草甘膦曲霉生物降解的动力学研究［J］．中国环境科学，2005，25（3）：361－365.

[16] 戚以政，汪叔雄．生化反应动力学与反应器［M］．北京：化学工业出版社，1999：14－25.

[17] Banerjee，M R. A.，et al. Development of a general kinetic model for biodegradation and its application to chlorophenols and related compounds［J］. Environ Science Technology，1984，18：416－422.

二氧化碳制冷循环的应用

高新华[1]　高　云[2]

（1. 山东神舟制冷设备有限公司　山东德州　250200；2. 中国农业银行德州市支行）

摘　要　随着经济发展和人们环境保护和节能意识的增强，以 CO_2 为代表的自然工质越来越广泛地在制冷空调行业应用，文章对 CO_2 制冷循环有关问题进行探讨，以便实际应用。

关键词　二氧化碳　跨临界循环　制冷系统原理　应用

随着经济发展和人民生活水平的提高，人们的环保节能意识不断增强，制冷空调行业制冷工质的选择也越来越重视工质的环保节能特性。以 CO_2 和 NH_3 为代表的自然工质制冷系统已经大量应用，本文试对 CO_2 为工质的制冷循环进行探讨，以利实际应用。

一、CO_2制冷工质的特性

1. 环保特性。CO_2制冷工质属于环保型制冷工质，它的破坏臭氧层潜能值 ODP =0，地球温室效应潜能值 WMP =1。它不破坏臭氧层，不需回收和再生，对地球变暖的影响甚微，是较理想的天然制冷剂。

2. 安全性。CO_2 制冷剂，蒸发压力大于大气压，不易使空气进入制冷系统。CO_2 制冷工质的沸点为 -78.4℃，4℃时的饱和压力为 3.8686MPa，属于低温制冷剂。在一般环境条件下，无毒，不燃烧，不会给人员及环境带来安全威胁。因此，可用于食品生产车间及包装间空调、汽车空调、家用及商用空调，也可用于商用和家用热泵热水器。

3. 经济性。CO_2 制冷工质，来源广泛，价格低廉，运行费用低。

4. CO_2 制冷工质的临界温度低，31.1℃，使用一般的自然工质（水或空气）冷却，不易变为液体，故一般 CO_2 单级或双级制冷循环均为跨临界循环。

5. CO_2 制冷工质单位容积制冷量（$22600kJ/m^3$）较大，是 F22 的 5.2 倍，有利于减少制冷系统工质的容积循环量，从而减小压缩机的尺寸，降低制造成本。

6. CO_2 制冷工质的导热系数大，黏度低，流动阻力小，传热效率较高。压力将对系统的影响较小，在较低的流速下，可形成紊流，传热性能好，液体密度和蒸汽密度的比值小，节流后各制冷回路制冷剂分配均匀，有利于提高制冷（制热）系统的经济性。

7. CO_2 制冷工质化学稳定性好，不含水时对金属无腐蚀作用，有利于制冷压缩机及设备的制造、安装、运行和维护。CO_2 与水混合时，呈酸性，可腐蚀碳钢等普通金属（不锈钢和铜除外），当 CO_2 含水低于 8ppm 时，可采用普通碳素钢。

8. CO_2 绝热指数相对较小，$k=1.3$，压力比小，约 2.5 ~3.2，压缩机容积效率相对较高。

9. CO_2 制冷工质的临界压力高，为 7.372MPa，其跨临界循环和亚临界循环的工作压力都较高，一般在 3.5 ~7.5MPa。因此，CO_2 制冷系统的压缩机、换热设备、附属设备、阀门、管路及管件的耐压强度均需满足要求，故相对投资较大。

二、CO_2制冷循环的应用范围

CO_2 制冷循环适用于汽车空调，家用及商用空调；党政机关及企事业单位的热泵热水器；超市食品的保鲜储存和冷藏；食品的低温冷冻冷藏（CO_2 复叠式制冷系统）以及冷藏运输；也可用于地源热泵、水源热泵空调系统。

三、CO_2 跨临界循环制冷（制热）系统原理及系统组成

（一）CO_2 跨临界制冷循环

在冷却介质为常温的空气和水的条件下，CO_2 制冷循环必须采用跨临界制冷循环。所谓跨临界制冷循环，是指 CO_2 制冷工质由于临界温度（31.1℃）低，为使其从气体变为液体循环利用，需加压和冷却，压缩机排气压力高于临界压力，工质在超临界区定压放热，气体冷却过程是在临界压力以上依靠显热进行热交换；压缩机吸入压力低于临界压力，蒸发温度低于临界温度，蒸发吸热过程是在临界压力以下主要依靠汽化潜热进行热交换。

1. CO_2 跨临界制冷循环系统原理：低温低压的 CO_2 制冷工质在蒸发器中吸收周围环境介质或被冷却物体的热量由液体变为低压过热蒸汽，低压的 CO_2 蒸汽进入 CO_2 制冷压缩机被绝热压缩为高压高温的气体，高压高温的 CO_2 气体然后进入空气冷却器，与冷却介质进行热交换，放出热量，被定压冷却，然后进入节流装置（或膨胀机）绝热节流（或绝热膨胀）为低压低温的湿蒸汽，低压低温的 CO_2 液体重新进入蒸发器定压吸热蒸发，使被冷却介质温度降低，制取冷量。如此往复循环，实现连续制冷。

2. CO_2 跨临界制冷循环的制冷系数 $\varepsilon = Q_0/W_0$（kW/kW）

式中：Q_0 为制冷量，kW；W_0 为能耗，kW；ε 为制冷系数 kW/kW。

3. CO_2 跨临界循环制冷系统主要有以下设备组成：CO_2 制冷压缩机、油分离器、CO_2 气体冷却器、节流装置（或膨胀机）、蒸发器、气液分离器（储液器）、系统管路及阀门、过滤器、高低压保护系统、电控系统（电控箱、压力温度传感器及控制器、电线电缆、仪表等）、油冷却系统和油平衡系统、冷却水系统。

（二）CO_2 跨临界热泵循环系统原理及组成

1. 系统原理：低温低压的 CO_2 液体制冷工质在室外蒸发器中吸收周围环境介质（空气或水）的热量，在定压条件下，由液体变为低压过热蒸汽，低压气体经过四通阀，进入 CO_2 制冷压缩机，被绝热压缩为高压高温的气体，高压高温的气体经过四通阀，进入室内热交换器（风机盘管或热水器盘管），与被加热介质（空气或水）进行热交换，定压放热，使被加热的介质温度升高，制取热量。放热后被冷却的 CO_2 高压气体进入节流装置（或膨胀机）绝热节流（或绝热膨胀）为低压低温的湿蒸汽，低压低温的 CO_2 液体重新进入室外蒸发器吸热蒸发，变为低压过热气体，经过四通阀，再被压缩机吸入……如此往复循环，实现连续制热。

2. CO_2 跨临界热泵循环的制热系数 $\mu = (Q_0 + W_0)/W_0$（kW/kW）

式中：Q_0 为制冷量，kW；W_0 为能耗，kW；μ 为制热系数 kW/kW。

3. CO_2 跨临界热泵循环系统主要有以下设备组成：CO_2 制冷压缩机、四通阀、油分离器、CO_2 室外换热器（空气冷却器）、节流装置（或膨胀机）、气液分离器（储液器）、室内蒸发器（风机盘管或热水器盘管）、系统管路及阀门、过滤器、高低压保护系统、电控系统（电控箱、压力温度传感器及控制器、电线电缆、仪表等）、油冷却系统和油平衡系统。

四、NH_3/CO_2 复叠式制冷循环系统原理及系统组成

（一）NH_3/CO_2 复叠式制冷循环系统原理

低温级系统原理及流程：低压低温的 CO_2 液体在低温级的蒸发器中吸收周围环境介质（或被冷却介质）的热量，变为低压过热蒸汽被 CO_2 制冷压缩机吸入，绝热压缩为高压高温的 CO_2 气体，高压高温的 CO_2 气体进入蒸发冷凝器，被高温级低压低温的制冷工质氨定压冷却、冷凝为高压液体，高压液体再进入节流装置（或膨胀机）绝热节流（或绝热膨胀）为低压低温的湿

蒸汽，低压低温的 CO_2 液体重新进入低温级蒸发器定压吸热蒸发，使周围环境介质（或被冷却介质）的温度降低，制取冷量。如此往复循环，实现连续制冷。

高温级系统原理及流程：低压低温的氨液在蒸发冷凝器中吸收低温级 CO_2 气体的热量，变为低压过热的氨蒸汽，被高温级氨制冷压缩机吸入，绝热压缩为高压高温的气体，高压高温的 NH_3 气体再进入冷凝器，与冷却介质（空气或水）进行热交换，定压冷却、冷凝为高压氨液，高压氨液再进入节流装置绝热节流为低压低温的湿蒸汽，低压低温的氨液重新进入蒸发冷凝器定压吸热蒸发，使低温级 CO_2 高压气体定压冷却、冷凝为液体。如此往复循环，保证低温级制冷系统连续制冷。

（二）NH_3/CO_2 复叠式制冷循环的制冷系数

$$\varepsilon = Q_0/\ (W1 + W2)\ (\mathrm{kW/kW})$$

式中：Q 为制冷量，kW；$W1$ 为低温级压缩机能耗，kW；$W2$ 为高温级压缩机能耗，kW；ε 为复叠式制冷循环的制冷系数，kW/kW。

（三）NH_3/CO_2 复叠式制冷循环系统组成

低温级 CO_2 系统主要有以下设备组成：CO_2 制冷压缩机、油分离器、蒸发冷凝器、储液器、节流装置（或膨胀机）、气液分离器（循环储液器）、蒸发器、系统管路及阀门、过滤器、高低压保护系统、电控系统（电控箱、压力温度传感器及控制器、电线电缆、仪表等）、油冷却系统和油平衡系统、膨胀稳压装置。

高温级 NH_3 系统主要有以下设备组成：氨制冷压缩机、油分离器、冷凝器、储液器、节流装置、气液分离器（循环储液器）、蒸发冷凝器、系统管路及阀门、过滤器、高低压保护系统、电控系统（电控箱、压力温度传感器及控制器、电线电缆、仪表等）、油冷却系统和油平衡系统、放空气器、冷却水系统。

五、CO_2 制冷循环的节能措施

1. 采用回热循环。CO_2 跨临界循环，在系统中增加一个气热交换器，使节流装置（或膨胀机）前的高压气体降低温度，提高吸入气体的温度，减少有害过热，减少节流后湿蒸汽中的无效气体含量，降低节流过程的不可逆损失，增加单位制冷量，提高制冷系数，同时可改善制冷压缩机的润滑条件。

2. 在回热循环的基础上，采用双级压缩。虽然 CO_2 回热循环能提高单位制冷能力，但压缩机的排气温度上升，而采用双级压缩，可减少吸排气压力比，降低压缩机的排气温度，降低压缩过程的不可逆损失，提高制冷系统的经济性，还能改善压缩机的运行条件，保证压缩机安全运行。

3. 采用膨胀机代替节流阀的 CO_2 双级压缩制冷循环。在 CO_2 双级压缩制冷循环的低压级中，用膨胀机代替节流装置（热力膨胀阀等），可以回收膨胀功，减少节流不可逆损失，提高制冷系统的经济性。天津商业大学等单位已经研究出 CO_2 膨胀机，用于实验装置。

4. 在 CO_2 跨临界制冷循环中，用电子膨胀阀代替手动节流阀或热力膨胀阀，可以精确地控制蒸发器出口的过热度，既可保证压缩机安全运行，又可减少手动节流阀或热力膨胀阀对过热度控制精确度差带来的损失，提高制冷系统的经济性和运行稳定性。有资料报道，电子膨胀阀代替热力膨胀阀，可以提高制冷系统的制冷系数 10% ~30%。电子膨胀阀由膨胀阀、驱动器、过热度控制器组成。比较好的品牌有丹佛斯和意大利的 CAREL。

5. 采用并联螺杆机组的准双级压缩制冷循环。在 CO_2 跨临界制冷循环中，在压缩机的吸气管路上增设回热器，采用并联半封闭螺杆制冷压缩机组，可利用螺杆压缩机压缩过程中的补气功

能，在储液器的出液管路上增设节能器，降低节流装置前高压工质的温度，提高制冷系数。同时，并联机组可根据制冷系统负荷大小，通过控制器自动控制压缩机的启停台数，也有利于制冷系统节能运行。

6. CO_2 跨临界循环高低压压差大，节流损失大，在回热循环的基础上，带喷射器的 CO_2 跨临界循环，有利于减少节流损失。据悉，浙江大学已经研制出用于 CO_2 热泵热水器的喷射器，可提高热泵系统的经济性。

7. 在回热循环的基础上，采用并联机组，设置一个或数个中温蒸发器和低温蒸发器，即可满足用户用一套机组为不同蒸发温度的设备提供冷源的要求，也有利于制冷系统根据负荷变化自动调整机器的运行台数，实现节能运行。

8. CO_2 跨临界制冷系统运行管理中，适度提高蒸发器的蒸发温度，避免蒸发温度过低，努力降低气体冷却器出口的温度，减小换热器的换热温差，均有利于提高系统的制冷系数。CO_2 制冷循环与地源热泵、水源热泵和太阳能热泵系统相结合，更有利于节能。

9. CO_2 制冷系统的制冷压缩机、冷却水泵和风机采用直流变频技术和 PLC 可编程控制技术，有利于系统节能运行。采用液泵供液系统、满液式蒸发器、蒸发式冷却（凝）器和微通道换热器，有利于强化换热，提高系统的经济性。

六、CO_2 制冷循环应用注意事项

1. CO_2 制冷系统的设计、安装应由有资质的设计、安装单位及人员承担。制冷系统的设计、安装应符合制冷工艺要求并有利于系统回油。

2. CO_2 跨临界循环，工质的工作压力高，故要求制冷压缩机、蒸发器、气体冷却器、节流装置、附属设备及管路阀门需承受较高的压力，在选用机器设备、管路阀门等材料时，必须满足设计要求。

3. 对人体的危害。一般情况下，CO_2 气体少量泄漏，不会造成人身伤害，但是，当 CO_2 气体在空气中的含量大于 2% 时，会伤害人的呼吸器官，甚至引起窒息死亡。因此，CO_2 制冷系统应防止泄漏，制冷系统的设计、安装、试压试漏、排污、抽真空、灌注制冷剂、试运行均应由有资质的人员严格按设计要求进行。运行管理和操作人员应经过技术和安全培训合格，并按操作规程操作。

4. CO_2 制冷压缩机的冷冻油应按制造厂规定，选用跨临界循环专用油。制冷系统应设油冷却装置，一般情况下，油温应高于 30℃，低于 65℃。并联机组应设计、安装好油平衡系统。

5. CO_2 跨临界循环系统，安全阀的设定压力为：高压 16.3MPa，低压 10MPa。

6. 复叠式 CO_2 制冷系统的低温级应设置膨胀稳压装置，以防停机后压力过高引发事故。

7. 当蒸发温度低于 -35℃时，CO_2 复叠式制冷系统较双级压缩制冷系统节能效果好，且蒸发温度越低，节能效果越好；当蒸发温度高于 -35℃时，双级压缩制冷系统较 CO_2 复叠式制冷系统节能效果好。

8. CO_2 复叠式循环的低温级吸气过热度 10 ~ 15℃为宜，蒸发冷凝器中高温级的蒸发温度应低于低温级的冷凝温度 3 ~ 5℃，高温级在蒸发冷凝器中的制冷量应与低温级的排热量相匹配。

9. CO_2 制冷剂压缩量小，可采用两极电机（转速 2900rmp），与 R22 相比，相同规格的压缩机可得到双倍的排气量，压缩机的性价比高。

10. CO_2 制冷系统应定期清洗、更换干燥过滤器，应按计划进行大、中、小修，并保持运行和维修记录，以便改进运行管理及维修工作。

11. CO_2 制冷系统的压力容器、压力管道及安全阀应按法规规定管理，建档、定期检查并保持记录。

12. CO_2 双级压缩低压机吸气过热度一般取 15℃，中间压力取冷凝压力与蒸发压力的比例中项，即：P_{zj} = （$P_k \times P_0$）1/2，其中：P_{zj}为中间压力；P_k 为冷凝压力；P_0 为蒸发压力。

13. NH_3/CO_2 复叠式制冷系统开停机程序：开机时，必须先开高温级压缩机、设备及有关阀门，运行正常后，再启动低温级压缩机、设备及有关阀门；停机时，应先停止低温级压缩机、设备及有关阀门，然后，适度降低低温级系统压力后，再停止高温级压缩机、设备及有关阀门。

14. NH_3/CO_2 复叠式制冷机紧急停机程序：如果遇到紧急情况需立即停机时，应首先切断低温级压缩机电源，再迅速切断高温级压缩机电源，然后，调整系统其他设备及有关阀门。

15. CO_2 双级压缩制冷系统开停机程序：开机时，必须先开高压机、设备及有关阀门；运行正常后，再启动低压机、设备及有关阀门；停机时，应先停止低压机、设备及有关阀门，然后，适度降低系统压力后，再停止高压机、设备及有关阀门。

16. CO_2 双级压缩制冷系统紧急停机程序：如果遇到紧急情况需立即停机时，应首先切断低压机电源，再迅速切断高压机电源，然后，调整系统其他设备及有关阀门。

17. CO_2 制冷系统冬季停机，应放净机器、设备及管路中的冷却水，以防冻结、损坏设备。制冷压缩机开机前，应先预热机器中的冷冻油。

18. CO_2 制冷系统应设置不凝性气体排出装置，并定期检查、排除不凝性气体。

19. CO_2 为工质的地源热泵和水源热泵空调系统，开机时，应先启动冷却水系统和冷冻水（热水）系统运行，然后，再启动 CO_2 制冷（制热）系统运行；停机时，应先停止 CO_2 制冷（制热）系统运行，然后，再停止冷冻水（热水）系统和冷却水系统运行。冬季停机，应放出制冷（制热）系统的水，或采取其他有效措施，以防设备及管路冻结。

20. 在超临界压力下，CO_2 温度和压力是独立的参数，它们均影响气体冷却器出口 CO_2 的焓值。改变排气压力，会影响制冷量、耗功及制冷系数。对应于制冷系数最大时的排气压力为最优压力 P_{out}，当不考虑吸气过热时，其半经验公式为：P_{out} = （$2.778 - 0.015t_0$）$t_3 + 0.381t_0 - 9.34$

式中：P_{out}为最优排气压力，100kPa；t_0 为蒸发温度，℃；t_3 为气体冷却器出口温度，℃。

参考文献

[1] 彦启森．制冷技术及其应用（第一版）［M］．北京：中国建筑工业出版社，2006，6.
[2] 中国制冷学会．中国制冷简报［J］.2009，5（37）.

活性气雾空气消毒技术

王唯琴　刘志农　崔　燕　安　艳
（防化研究院　北京　102205）

摘　要　活性气雾空气消毒技术通过改进消毒药剂的分散方法，大幅提高消毒剂的使用效率，在保证消毒效果的前提下，可以较为准确地控制消毒剂用量，从而有效减少传统消毒方法因消毒剂过量使用造成的二次污染问题。本文介绍了活性气雾空气消毒技术的技术特点、工作原理、研究现状和应用范围。

关键词　活性　气雾　空气　消毒

一、引　言

传统的空气消毒技术主要用于化工生产车间和医院，由于染毒区域小、浓度低，消毒的难度不大，基本采用普通喷头或手持压力喷壶来喷洒液体消毒剂就可以完成消毒作业。这种消毒方法成本低、操作简单，但存在着消毒剂利用率低等缺点。

进入21世纪以来，空气消毒的范围有了新的扩展，特别是在应对恐怖袭击、防疫救灾、突发性大气污染事件等方面，对消毒作业的规模化需求和绿色环保要求日益提高，改进传统空气消毒技术的任务已迫在眉睫。

二、活性气雾空气消毒技术

活性气雾消毒技术是指将具有化学活性的药剂以气体或水雾的方式进行施放，利用化学反应对空气中的污染物进行消毒的技术。由于采用了雾化技术，使得液体消毒药剂与污染物接触的表面积大大增加，并且延长了消毒药剂在空气中的停留时间，从而大幅提高了消毒剂的使用效率。

顾名思义，活性气雾消毒技术由活性药剂和气雾施放装置两个核心技术构成，活性药剂需要根据空气污染物的化学性质进行选择，而气雾施放装置则要满足将药剂以适宜的雾化粒径和雾化速率施放到待消毒空气中。

（一）活性消毒药剂

由于气体消毒剂的贮存性、可控性没有水基消毒剂好，种类也有限，因此大部分消毒剂的研发都是围绕水基消毒剂展开的。

活性消毒剂的种类按照化学反应原理，主要分为以下几种：

1. 酸（碱）性消毒剂

此类消毒剂主要利用酸碱中和的原理，针对污染物产生危害的酸性或碱性，选择相对的化学物质作为消毒剂。例如当发生HCl污染时，可以用氨气或氨水来消毒，而发生氨气空气污染时，可用盐酸或HCl等进行消毒。

2. 氧化（还原）型消毒剂

此类消毒剂利用氧化－还原反应原理，与污染物发生化学反应，生成无污染或污染程度低的新物质，达到消毒的目的，应用上以氧化型消毒剂为主。常见的消毒剂有臭氧、二氧化氯、含氯消毒剂和过氧化物类消毒剂等。

3. 复方消毒剂

复方消毒剂可以围绕一种主要消毒药剂，为了适应大气环境、提高消毒功效，适当加入增溶剂、增稠剂、稳定剂、催化剂、发泡剂等物质，形成高效消毒体系；也可以是几种不同消毒特点的消毒药剂进行组合而形成的复配消毒体系。

（二）气雾施放装置

目前气雾施放装置根据分散原理主要分为：高压雾化装置、离心雾化装置、超声雾化装置、压缩空气雾化装置等。

1. 高压雾化装置

高压雾化装置的核心组件由高压雾化喷嘴和高压水泵组成。其工作原理是利用高压水泵将消毒剂以较高的压强（可达几十至上百 kg/cm^2）通过打孔直径细小的（0.1～0.2mm）雾化喷嘴，分散出 0.1～5μm 的微细雾粒。高压雾化装置的优点是雾化装置结构简单、雾化效果好、喷雾距离远；缺点是不适用于悬浊消毒液和腐蚀性强的消毒剂的分散。

2. 离心雾化装置

离心雾化装置主要由离心雾化盘和轴流风机组成，技术流程图如图 1 所示。

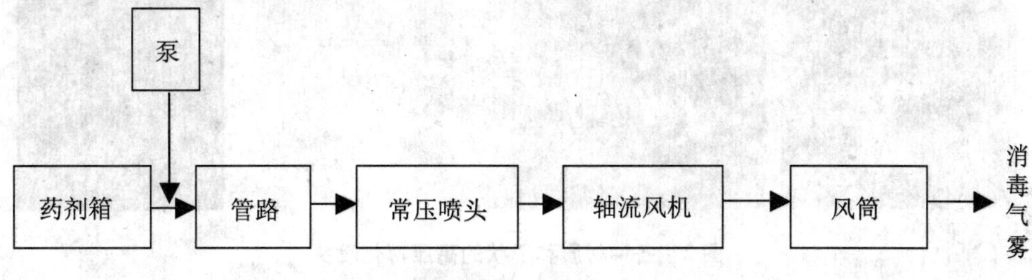

图 1　离心雾化装置技术流程图

其工作原理是利用离心盘将液体消毒剂初步分散成圆形液体薄膜，再由轴流风机吹扫，将液体薄膜进一步分散，形成细小的筒状雾流。离心雾化装置的优点是对消毒剂的组成没有特殊要求、核心组件造价比较低廉；缺点是雾化后初速度较大，对于小空间的空气洗消适用性不强。

3. 超声雾化装置

超声雾化装置的核心由雾化片和相应的电子电路构成。其工作原理是电路超声波振荡，传输到压电陶瓷振子表面，压电陶瓷振子会产生轴向机械共振变化，这种机械共振变化再传输到与其接触的液体，使液体表面产生隆起，并在隆起的周围发生空化作用，由这种空化作用产生的冲击波将以振子的振动频率不断反复，使液体表面产生有限振幅的表面张力波。这种张力波的波头飞散，使液体雾化。由于液体溶液表面张力不同，各种液体的雾化量也不完全相同，相对液体表面张力越大，雾化量越小，反之则越大。超声雾化装置的优点是造雾均匀、雾粒粒度容易控制；缺点是由于压电陶瓷片只能产生一个震荡冲击波，如果需要增加雾化量，只可采用多组并联同时工作的方法来实现。

4. 压缩空气雾化装置

压缩空气雾化装置的核心组件是空气压缩泵和雾化组件。其工作原理是利用压缩空气将药液形成强气流喷射到起雾挡板上，激化为微小雾粒或是利用压缩空气高速从喷枪的空气喷嘴流过，使喷嘴周围形成局部真空，消毒剂被吸入真空空间，并被雾化成细小的雾滴。压缩空气雾化装置的主要优点是结构简单、操作方便；缺点是压缩空气的价格较高。

三、活性气雾空气消毒技术的发展现状

（一）空气消毒剂的发展现状

由于对空气消毒过程的环保要求不断提高，以无残留见长的过氧化物消毒剂、“无三致”的二氧化氯固体消毒剂、消毒产物无二次污染的臭氧等消毒剂的应用越来越普遍。同时，以消毒药剂辅以其他技术手段进行消毒增效的研究也逐渐深入展开，如先利用过氧乙酸气溶胶喷雾后再用

静电吸附空气消毒器消毒，以及过氧化物与臭氧组成的复合消毒体系等。

（二）空气消毒装置的发展现状

由于高压水泵的改进余地有限，因此高压雾化装置的主要研究进展体现在雾化喷头的改进上，一些雾化喷头在喷孔雾化的基础上，增加了二次雾化分散的设计，如将喷孔外增加直径与喷孔孔径相同的靶针设计，使喷出的细液柱能够击中正对着它的靶针，然后形成更加细密的雾化。根据消毒剂的不同特点，喷头的种类也可由耐腐蚀性能好的黄铜、各类不锈钢、聚四氟乙烯、聚丙烯、陶瓷等材料加工而成，如图2所示。

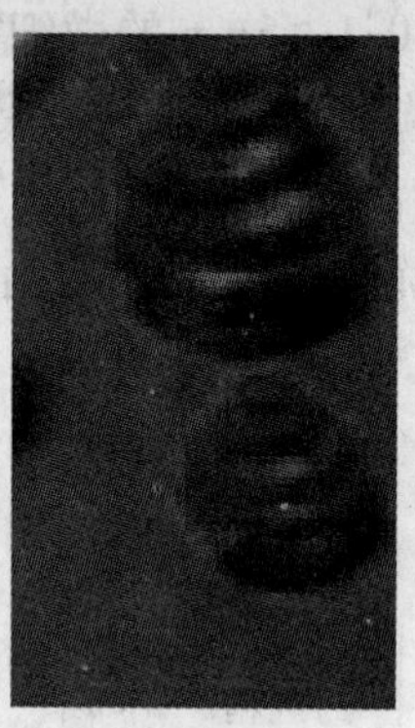

图2　各种材质和形状的高压雾化喷头

由于各种类型的雾化装置都可以用于空气消毒，近年来也涌现出很多相关的应用产品，图3为实际产品图片。

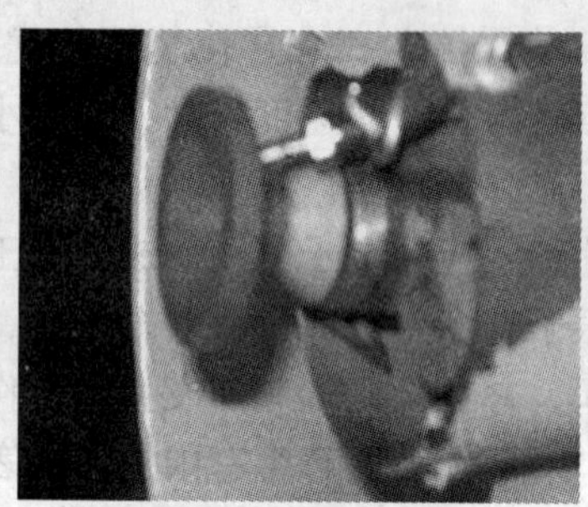

图3　空气消毒装置图片

在应对恐怖袭击等大型空气消毒装置方面，美国Edgewood生化中心和STERIS公司共同开展了移动式改性过氧化氢和过氧化氢系统对染有生化战剂飞机的洗消演示工作。在大型充气帐篷内对F-16猎鹰战略轰炸机进行全部（外部和内部）洗消的演示，如图4所示。该装置选用的主消剂过氧化氢的消毒机制为氧化反应，反应产物是水，不产生污染性副产物。洗消作业完成后通入热空气可将残余过氧化氢分解为氧气和水，不存在后勤处理负担。同时，由于过氧化氢没有活性氯类消毒剂的强吸附性能，因而也不存在消毒后较长时间内存在的腐蚀性。

四、结论与展望

由于药剂研究相对于装置研究更为简单和廉价，在相当长的时期内，空气消毒技术都侧重于药剂研发。由于施放装置的简单粗糙，存在着消毒药剂消耗量大、腐蚀性强和对环境的二次污染等问题。如何寻求更为科学、有效地利用化学消毒剂、使用方法和施放装置进行空气消毒都值得进一步研究。

图4　美国研制的大型过氧化物空气消毒装置

活性气雾空气消毒技术采用气雾方式施放消毒剂，具有消毒剂用量小、快速高效等突出优点。特别是以过氧化氢等无残留、无二次污染的消毒剂为对象的施放技术具有十分广阔的应用前景。

参考文献

[1] 张文福，刘育京．过氧化氢对细菌芽孢的杀灭研究［J］．中国消毒学，1993，10（1）：1.
[2] 张文福．医学消毒学［M］．北京：军事医学科学出版社，2002：344－345.
[3] 杨华明，易滨．现代医院消毒学［M］．北京：人民军医出版社，2002：86－158.
[4] 薛广波．现代消毒学［M］．北京：人民军医出版社，2002：362－369.
[5] 黄志明，张东曙，刘波，等．二氧化氯在空气消毒中的应用［J］．中国消毒学杂志，2004，21（2）：155.
[6] 梁金平，李强，冷小梁，等．医用生物蛋白缝合线保养液杀菌效果及对缝线性能影响的实验观察［J］．中国消毒学，2004，21（3）：239.
[7] 朱涛，等．紫外线灯和化学消毒剂对空气消毒效果的评价［J］．解放军预防医学，2001，19（3）：200.
[8] 卫生部卫生法制与监督司．消毒技术规范［S］．北京：中华人民共和国卫生部，2002：11.
[9] 杨华明，易滨．现代医院消毒学［M］．北京：人民军医出版社，2002：86－87.
[10] 潘甦，罗惠，程珊，等．不同方法对手术室空气消毒效果观察［J］．中国消毒学，2003，20（3）：222.

木醋液的性质及应用研究进展

吴　昊　韩晓颖

（辽宁经济职业技术学院生物系　辽宁　沈阳　110122）

摘　要　本文介绍了将废弃植物通过炭化方式获得木醋液的收集及制备方法，分析了木醋液的组成成分、理化性质、总结了木醋液在各种领域的应用情况，提出了木醋液应用中尚待完善的问题及解决方向。

关键词　木醋液　成分　应用

木醋液是炭材在干馏时产生的烟气混合物经冷凝分离后得到的液体产物。生产木醋液的原料一般使用木材或木材加工废弃物（如木屑）、各种杂木树枝、果园剪下来不用的枝条等，但含树脂高的针叶树、木麻黄、含油漆的废弃家具不能使用。随着制炭工业的发展，除木材以外的植物（如竹材、玉米核、蒿草、松塔、杂草、棕榈核等）也可以通过干馏得到与木醋液性质相似的液体。目前我国北方以木醋液为主，南方以竹醋液为主，这主要与原料来源方便有关。

一、木醋液的收集制备

（一）木醋液的收集

在烧炭过程中，将木材炭化时产生的烟冷凝回收，得到的液体就是含有大量焦油等的粗木醋液。木材热解过程伴随着反应温度的变化，即烧制木炭过程中产生的烟的温度不同，收集到的木醋液的成分也不同[1]。当烧制木炭过程中产生的烟的温度为90℃左右（一般是82℃开始收集，有强烈的烟香味）时，开始收集木醋液比较合适。木炭烧制时，先从烟道冒出黑烟是燃烧炉的烟，当木材初期着火时，排出的白烟大部分是水蒸气，采集木醋液时不考虑这两种气体。待有黄褐色刺激辣味的烟冒出，表明炭窑木材热解，这时可以开始收集木醋液气体，直到窑内炭化完全为止。当从炭窑冒出青色或蓝色的烟时，停止收集木醋液，因为这时木素开始热解，气体中具有高含量的木焦油或它的分解物，木醋液的数量减少（此阶段烟的温度为170～250℃）。

（二）木醋液的制备

粗木醋液是棕黑色液体，其中含有大量焦油及有害物质等，需根据不同用途进一步精制。粗木醋液的精制方法目前主要有静置澄清法、木炭（或活性炭）精制法、药品精制法、简单蒸馏法、减压蒸馏法。静置澄清法[2]是将粗木醋液放在容器中静置30天以上，就会分离出3层，去除上部10%轻油与下部30%的焦油等杂质部分，中间部分即为安全有效的木醋液成分。木炭（或活性炭）精制法是按比例向木醋液（或经过静置澄清的木醋液）中加入木炭粉以吸附其中的杂质，经混合、搅拌、过滤，得到精制木醋液。将澄清木醋液进一步加工可得到醋酸（或醋酸盐）、丙酸、丁酸、甲醇和有机溶剂等产品，沉淀木焦油经加工后可以得到杂酚油、木馏油、木焦油抗聚剂、木沥青等产品。

二、木醋液的成分

木醋液中主要成分是水，含量为80%～90%。其次是有机酸、酚类、醇类和酮类等物质[3]。酸类物质是木醋液中最具特征的成分，在木醋液中的含量也高，往往占有机物的50%以上。

GC/MS分析结果表明[4]：柞木低温（采集烟温度80～90℃）木醋液主要有机成分是醇类。柞木中温（采集烟温度90～150℃）木醋液主要有机成分是醇类、酮类、有机酸类和酚类。柞木高温（采集烟温度150℃以上）木醋液主要有机成分是酮类、有机酸类（主要是乙酸）、醇类和酚类。从组成成分分析结果看，随着收集烟温度的升高，化合物种类增加。从木醋液有效成分（以有机酸含量为标准）上看，90℃开始收集可以获得更多有效化学成分。

木醋液与竹醋液的密度、pH值、含水量略有不同，成有规律变化，但差别不大。

通过观察实验动物使用木醋液后的急、慢性毒性反应[5]，评估精制木醋液的安全性，没有发现受试物有毒性变化，说明精制木醋液为实际无毒级物质。

三、木醋液的应用

（一）木醋液在农业上的应用

1. 木醋液促进作物生长

木醋液能够影响植物的发根力，木醋液对大白菜、萝卜、水萝卜和黄瓜等蔬菜根茎的生长有良好的促进作用[6]。木醋液培养液可以明显增加蔬菜种苗的侧根数，这会加强种苗从土壤吸取养分的能力，促进作物生长。

木醋液中含有的不同有机物对不同植物生长的促进作用不尽相同。大部分醇类物质能够促进蔬菜生长，而大部分酚类物质则对蔬菜生长有抑制作用。木醋液原液去除醛、酮类物质的余液（主要含酚类、酸类及其衍生物），对水稻发芽与幼苗期生长的促进作用最为明显。

木醋液还能促进食用菌的生长。不同浓度的木醋液加入食用菌的培养基（锯屑）中，均会促进食用菌菌丝体、子实体的生长。木醋液与氮素肥料混合施用，可促进水稻对氮素的利用效率，提高作物产量，减少肥料用量。

许多实验结果显示，在使用木醋液的过程中，应注意生物活性与浓度的关系，若木醋液的浓度过高，对植物的生长就会显示抑制作用。

2. 木醋液对微生物作用

木醋液中含有的单一成分不具有抑菌能力，而是木醋液原液具有优良的抑制病原菌效果。可推测木醋液的抑菌效果是木醋液多种成分的综合效果。

为明确木醋液对土壤微生物的作用，将加入木醋液的有机肥施入土壤，观察土壤中微生物数量的变化[7]。结果表明：在1kg有机肥中加入10g木醋液，施入30kg土壤中，土壤微生物数量（特别是细菌数量）增加幅度最大，土壤微生物10d内被有效地激活。当在1kg有机肥中木醋液的添加量高达50g时，对土壤微生物有一定的抑制作用。

木醋液对病原菌（金黄色葡萄球菌、嗜水气单胞菌）等微生物具有杀菌、抑制的功效，对真菌、细菌、病毒有较强的杀灭能力。将木醋液喷洒在土壤中可以预防种子的立枯病，也可用作土壤的消毒剂。土壤中施用木醋液能有效抑制有碍植物生长的微生物类的繁殖，并能杀死根瘤线虫等害虫。对药材用木醋液作防腐剂[8]，可以减少中药材在贮存过程中的霉菌污染。利用木醋液体容易挥发的特性，将盛有稀释的木醋液瓶悬挂在大棚中，可以防治大棚蔬菜病虫害。

木醋液副作用小，易降解无残留，对人畜无害。因此可以消毒除臭、防腐保鲜。加入木醋液能提高虫害防治效果60%～70%，减少农药用量40%[9]，可降低或避免农副产品中有害物质的残留问题，是农用化学品的理想替代物，在无公害蔬菜生产中可大面积推广应用。

（二）木醋液在林业上应用

木醋液对林业各种苗木的生长都有明显的促进作用[10]。木醋液可以有效防止苗木立枯病与其它病害的发生，增强苗木的抗病、抗逆能力。木醋液可以使苗木嫩枝木质化程度加快，有增强苗木耐旱霜、抗寒、耐旱、耐瘠薄、耐涝的功效。木醋液作叶面肥应用，必须与苗木施肥结合使用，效果更好。

（三）木醋液在养殖业上应用

木醋液作为饲料添加剂[11]，可以改善家畜、养殖鱼类的肉质，改善鱼蛋等的品质和提高营养，显著提高鸡的产蛋率，增加鸡蛋产量，并且对蛋壳强度的增加，对鸡蛋保质期的延长，都有较好的促进作用。

（四）木醋液制备环保型融雪剂

以木醋液为原料，可制得低成本的醋酸钙镁盐（CMA）类融雪剂[12]，此种融雪剂具有融雪温度低，融雪效率高，可生物降解，对公路基础设施中的混凝土与金属的腐蚀性小，基本上对土壤和水源不造成污染等优点，性能优于氯化钠等氯盐融雪剂，是一种低成本环保型融雪剂。

（五）木醋液在生活上的应用

1. 护肤美容。木醋液中主要成分醋酸具有软化皮肤并去除角质的功效，醇具有清洁皮肤和杀菌、消毒等作用。另外醛具有渗透性，可将化妆品的营养成分渗透到皮肤深部，提高护肤效果。用木醋液制成的木醋皂、木醋沐浴乳、木醋洗发乳等，具有润肤、美容、抗菌等功效。

2. 医疗保健。木醋液含醋酸、酚系化合物及醇等成分[13]，具有清洁皮肤和杀菌、消毒、消炎等功效，可用于皮肤炎、脚气、瘙痒性疾病的治疗，对止痒消炎效果显著。

3. 除臭消毒。木醋液可以对恶臭源氨、硫黄化合物等恶臭成分，进行中和作用与包裹作用，吸收恶臭，使恶臭消除。将木醋液喷洒在卫生间等有恶臭的地方，能消除臭味，保持空气清新。夏天还可作为香水消除身上汗臭等气味，并使人感到凉爽。

4. 饮料添加剂。木醋液原液经过精制处理，除去甲醇、甲醛等有害物质，可作为健康饮料添加剂。它除了主成分醋酸之外，另含有钙钾钠等矿物质，及维持平衡之必须微量元素，经医学实验及临床证明可以强化肠胃，活化细胞机能，除去体脂肪，预防老化等。

目前，国内外对木醋液在农业上的研究还处于起步阶段，木醋液的各项性能正逐渐得到认识，而它的精制方法、使用方法、主要作用成分及单独和联合作用机理还有待继续研究。

参考文献

[1] 王海英，杨国亭，周丹．木醋液研究现状及其综合利用［J］．东北林业大学学报，2004，32（5）：55-57.

[2] 史咏竹，杜相革．木醋液在农业生产上的研究新进展［J］．中国农学通报，2003，19（3）：108-114.

[3] 徐社阳，陈就记，曹德榕．木醋液的成分分析［J］．广州化学，2006，31（3）：28-31.

[4] 王海英．木醋液对植物生长调节机理研究［D］．东北林业大学，2005.

[5] 张善玉，金光洙，金在久．精制木醋液的安全性评价［J］．中国野生植物资源，2005，24（2）：54-66.

[6] 杨华．木醋液对蔬菜种子发芽及其芽苗根茎生长作用的效果研究［J］．辽宁城乡环境科技，17（3）：78-80.

[7] 李太元，田广燕，王浩然．木醋液抑菌效果的观察［J］．延边大学农学学报，2005（01）：17-20.

[8] 张丽萍，史霞，于学军．木醋液防治穿地龙霉菌的试验［J］．黑龙江生态工程职业学院学报，2006，19（3）：19-20.

[9] 孙剑华，陈永宁，沈晓昆．辣椒卷叶灵加竹醋液防治辣椒病［J］．农业装备技术，2006，32（1）．

[10] 于学军，杨国亭，郭兴顺．木醋液在林业育苗上的应用研究［J］．防护林科技，2005（1）：38-70.

[11] 王贵林，瀛文风，周国彬．木醋液作为鸡饲料添加剂的应用试验［J］．贵州环保科技，1998（1）：29-33.

[12] 许英梅，张秋民，张伟．一种低成本环保型融雪剂的制备与性能研究［J］．辽宁化工，2007，36（1）：10-15.

[13] 朴哲，闫吉昌，崔香兰．木醋液的精制及有机成分研究［J］．林产化学与工业，2003，23（2）：17-20.

全氟化合物的毒理学研究进展

季宇彬[1,2]　吴　昊[1,2]　郎　朗[1,2]

（1. 哈尔滨商业大学生命科学与环境科学研究中心；

2. 抗肿瘤天然药物教育部工程研究中心　黑龙江　哈尔滨　150076）

摘　要　全氟化合物（PFCs），尤其是其代表性化合物全氟辛酸（PFOA）和全氟辛烷磺酸（PFOS）以及它们的盐类作为持久性有机环境污染物新成员，其所造成的全球性生态系统污染已成事实。本文系统地阐述了 PFOA 和 PFOS 毒物代谢动力学以及生物体毒性研究进展。同时，由于种属差异，根据现有资料对 PFOA 和 PFOS 进行安全性评价的科学性值得商榷，进一步深入对 PFOA 和 PFOS 毒作用敏感指标及毒作用机制的探讨与研究，将成为今后环境科学和预防医学领域的研究重点。

关键词　全氟化合物（PFCs）　全氟辛酸（PFOA）　全氟辛烷磺酸（PFOS）　毒物代谢动力学　毒性

全氟化合物（Perfluorinated Compounds，PFCs）最早在 1947 年由美国明尼苏达矿业制造有限公司（简称“3M 公司”）成功研制，它具有优良的热稳定性、化学稳定性、高表面活性及疏水疏油性能，被大量应用于聚合物添加剂、灭火剂、农用化学品、清洗剂、化妆品、纺织品、室内装潢、表面防污剂和电子工业、药物、航空业、电镀等诸多工业生产和生活用品中。全氟辛烷磺酸（Perfluorooctane Sulfonate，PFOS）和全氟辛酸（ Perfluorooctanoic Acid，PFOA）是目前最受关注的两种典型全氟化合物（见表 1）。近年来出于 PFOA 和 PFOS 污染调查事件的不断曝光，人们逐渐认识 PFOA 和 PFOS 的难降解性、环境持久性及生物蓄积性，并在不同的环境介质、人体及野生动物体内检测到不同浓度的 PFOA 和 PFOS[1]。本文将系统地对近年来国内外学者对 PFOS 和 PFOA 毒理学研究的进展作一综述。

表 1　PFOS 和 PFOA 的分子式及结构式

物质 [CAS No.]	化学式	结构式	简写	分子量 (g/mol)
全氟辛酸 Perflourooctanoic Acids [335-67-1]	$CF_3(CF_2)_6CO_2H$ [$C_8F_{15}O_2H$]		PFOA	414.07
全氟辛基磺酸 Perfluorooctane Sulfonic Acid [1763-23-1]	$CF_3(CF_2)_7SO_3H$ [$C_8F_{17}SO_3H$]		PFOS	500.13

一、毒代动力学

PFOA 的生物半衰期（$t1/2$）种属差异很大。SD 大鼠腹腔注射 14C - PFOA（9.4mmol/L）后，雄性、雌性大鼠血液中 PFOA 的 $t1/2$ 分别为 9d 和 4h，肝脏清除的 $t1/2$ 为 11d 和 3h，有显著的性别差异。Johnson 等给兔静脉注射 PFOA，计算其血浆 $t1/2$ 为 4h。3M 公司对接触 PFOA 的 9 名（7 名男性，2 名女性）退休工人进行了 5 年的跟踪调查，每 6 个月采一次血样，推算出人体 PFOA 的 $t1/2$ 为 4.37 ±3.53 年，没有性别差异。追踪观察 3 名退休工人血液中 PFOS 浓度变化规律，得出人类 PFOS 的 $t1/2$ 为 1 428d（大约 4 年）[2]。Harada 等[3]研究表明，每个消除半衰期内肾脏对 PFOA 和 PFOS 的清除量约占体内总量的 1/5，分析认为 PFOA 和 PFOS 的代谢符合一室开放模型。

二、一般毒性

（一）急性毒性

Olson 等用 Fisher 大鼠研究 PFOA 的急性毒性，证明 PFOA 经口染毒的急性毒性作用较弱，雄性和雌性大鼠的半数致死量（LD_{50}）分别为 > 500mg/kg 和 250 ~ 500mg/kg[4]。主要毒效应表现为颜面潮红，会阴部污垢，黏膜分泌物增多，性功能障碍，步态蹒跚，眼睑下垂，竖毛，共济失调和角膜浑浊等。

PFOS 大鼠经口 LD_{50} 为 250mg/kg，吸入 1h 半数致死浓度（LC_{50}）为 5.2mg/L，属于中等毒性化合物[5]。短期大量暴露于 PFOS，实验动物可出现明显的体重下降，胃肠道反应，肝中毒症状，甚至引发肌肉震颤和死亡。

（二）神经系统毒性

金一和[6]等采用连续灌胃染毒的方法，探讨了 PFOA 经口急性染毒对大鼠海马细胞内钙离子浓度的影响。结果表明，染毒组大鼠血清与脑中 PFOA 浓度均显著高于对照组水平（$p < 0.01$），血清与脑中 PFOA 浓度之间存在显著的正相关关系（$r^2 = 0.611$，$p < 0.01$）。研究结果显示，PFOA 暴露可使血清和脑组织中 PFOA 浓度增加，引起大鼠海马神经元细胞［Ca^{2+}］i 升高。可见 PFOA 可以引起中枢神经细胞内钙超载，进而引起神经毒性。但目前国内外尚未有研究证实 PFOA 可以引起脑组织中谷氨酸浓度升高，激活 NMDA 受体介导的钙离子通道，引起钙离子内流，最终产生神经毒性。

（三）心血管毒性

Harada 等[7]利用全细胞膜片钳技术检测暴露于 PFOA 和 PFOS 的豚鼠，探讨 PFOA 和 PFOS 对豚鼠心室肌细胞动作电位（*AP*）和 *L* 型钙离子通道电流 *I*（CaL）的影响。结果显示，当 PFOS > 10mmol 时心肌细胞自律性降低，*AP* 时程缩短，峰电位减小。电压钳实验中，PFOS 可提高 *I*（CaL），使非活性 L－型钙通道超极化而被激活。PFOA 对豚鼠心室肌细胞具有类似作用，但强度较弱。由此推测，PFOS 和 PFOA 可通过改变心肌细胞膜表面动作电位及钙通道，加速钙内流，导致细胞内的钙超载对心肌产生损伤作用。

（四）肝脏毒性

在大鼠、小鼠和猕猴体内，PFOA 和 PFOS 都能使肝过氧化物酶体增生[8]。研究染毒的实验动物，发现 PFOA 和 PFOS 可以干扰脂肪酸及其他配体与肝脏脂肪酸结合蛋白（L－FABP）的结合能力，影响脂肪酸的转移和代谢[7]。另外，PFOS 还能够导致肝细胞色素氧化酶、谷胱甘肽过氧化物酶和超氧化物歧化酶活性降低[9,10]。

PFOA 对动物肝脏（主要是雄性大鼠）的损害比较明确，主要表现为：①引起肝过氧化物酶体增生，酰基辅酶 A 等的活性亦发生异常变化，这可进一步造成肝癌的发生；②引起肝氧化应激增强，与进一步发生肝癌相关；③PFOA 通过抑制脂肪酸与 L－FABP（脂肪酸结合蛋白）结合可能是引起肝损害的原因之一；④促进肝细胞凋亡，线粒体调节途径和反应性氧类的参与可能是其机制；⑤影响肝 CYP4A 亚家族 mRNA 的表达；⑥引起肝过氧化物酶体增生激活受体 a（PPARa）高度表达，此受体过度表达与肝癌发生密切相关；⑦抑制肝细胞间通讯，可能是引起肝癌的机制之一[11]。

（五）生殖系统和胚胎毒性

美国杜邦公司的研究发现[12]，染毒的雄性大鼠血液中雌二醇水平升高，血液和睾丸中的睾酮水平下降，同时发现肝芳香化酶（能将睾酮转变为雌二醇）活性升高；转化生长因子α（TGF-α，大量产生时引起睾丸细胞癌变）水平升高；能提高谷胱甘肽转移酶、谷胱甘肽过氧化物酶和环氧化物水解酶等代谢酶的活性。美国3M公司的研究表明[13]，①暴露于PFOA的母鼠的仔鼠往往在刚断乳时就死亡，但成年后未再发生死亡；②仔鼠成年后会出现睾丸、附睾和精囊腺尺寸增大，前列腺萎缩；③继续暴露于PFOA的幼鼠会有性成熟延迟、生殖周期改变的现象；④能引起睾丸癌，年轻大鼠对PFOA尤其敏感。杜邦公司的研究也表明，PFOA能引起雄性鼠生殖毒性和睾丸癌，也能造成雌鼠乳腺癌和卵巢病变。

研究表明，PFOS隔日经口染毒1次（观察期35d），结果实验组小鼠精子活动率显著下降，5.0mg/kg和10.0mg/kg组小鼠精子畸形率与阴性对照组比较差异显著。PFOS喂饲雄性Wistar大鼠，PFOS4.5mg/kg剂量组大鼠体重和睾丸质量与对照组相比均显著降低（$P<0.05$）。PFOS1.5和4.5mg/kg剂量组大鼠与对照组比较，睾丸组织中LDHx和SDH活力降低，精子数量减少，精子畸形率升高，差异具有统计学意义（$P<0.05$）。4.5mg/kg组大鼠MDA含量明显高于对照组，精子活动率显著下降。分析认为PFOS可能导致大鼠体内自由基代谢失衡，异常水平的活性氧自由基引发生物膜磷脂的多不饱和脂肪酸发生链式反应产生脂质过氧化，导致细胞膜损伤。精子数量减少，一方面是由于PFOS影响睾丸中线粒体功能，造成细胞内能量供应不足而导致各级生精细胞的变性坏死；另一方面PFOS可以通过LPO直接损害生殖细胞[14]。

（六）免疫系统毒性

Yang等[15]研究发现，PFOA能降低小鼠血清中IgG和IgM水平，降低T细胞和B细胞的免疫功能，引起免疫抑制。分析认为，PFOA可能通过作用于细胞周期的S和G_2/M期，间接导致胸腺细胞数量减少，引起免疫毒性，并使胸腺细胞中未成熟的CD_4^+和CD_8^+细胞显著减少，脾脏中T淋巴细胞和B淋巴细胞数量减少，导致小鼠胸腺和脾脏萎缩。当小鼠停止PFOA染毒后，胸腺和脾脏的质量可在5~10d内迅速得以恢复，而过氧化物增生的作用继续存在。

（七）甲状腺毒性

研究发现，PFOA和PFOS引起啮齿类和灵长类动物体内甲状腺激素水平降低，甲状腺功能低下[16]。实验发现大鼠甲状腺细胞异常，这种异常损害与由PFOA引起的甲状腺功能低下和甲状腺瘤有关[17]。甲状腺功能异常将导致更易疲劳，焦虑，头发脱落和性欲抑制。甲状腺激素在发育过程中起到很重要的作用，在哺乳动物大脑发育和成熟过程中发挥关键作用。暴露于PFOA和PFOS的母体中的幼鼠有大脑发育延迟、听说能力受损、睾丸发育异常和学习能力下降等症状，认为这与PFOA和PFOS对甲状腺的毒性损伤有关。

（八）遗传毒性和致癌性

姚晓峰等[18]用PFOA作用于人类肝脏HepG2细胞，探讨PFOA的遗传毒性及氧化性DNA损伤作用。结果表明，PFOA作用HepG2细胞1h后，引起细胞DNA链断裂程度明显增加。PFOA作用HepG2细胞24h后，引起细胞微核率明显增加。PFOA作用HepG2细胞3h后，引起细胞内8-OHdG的表达明显增加。可见PFOA对HepG2细胞具有遗传毒性，并引起氧化性DNA损伤标记物8-OHdG的明显表达。一些学者研究认为，PFOA和PFOS可以抑制机体多脏器谷胱甘肽过氧化物酶活力并诱导过氧化氢酶，使体内自由基产生和消除平衡失调，造成氧化损伤，直接或间接地损害遗传物质，引发肿瘤[19]。

三、对职业暴露人群和非职业暴露人群的影响

（一）对职业暴露人群的影响

PFOA在工人体内的半衰期为4.37年。杜邦公司进行的流行病学调查研究表明，甲状腺是PFOA的毒作用靶器官[20]。3M公司一些暴露于PFOA的工人患前列腺癌、睾丸癌和胰腺癌的数

量增多，参与生产 PFOA 的工人（有 10a 以上的接触史）死于前列腺癌的人数是对照组工人的 3.3 倍，这些工人平均生存年龄为 54.2 岁。研究显示，暴露于 PFOA 的工人血白细胞数量升高[21]，这可能使这些工人处于易感染和易患病的状态。杜邦公司暴露于 PFOA 的女工在所生的 7 个孩子中有 2 个是畸形（1979—1981 年）。研究表明，3M 公司一个工厂的工人（高度暴露于 PFOA）血中雌二醇浓度升高，而睾酮浓度降低[22]。在另外两个工厂，已经证实，高危暴露工人更可能患上或死于与雄性生殖系统相关的癌症[23]。

（二）对非职业暴露人群的影响

有学者对 15 名孕妇的母体及脐带血的检测结果表明母体中 PFOS 浓度与胎儿脐带血中 PFOS 浓度间存在高度相关性（$r=0.876$）[24]。Koichi 等检测了 15 对非职业暴露于 PFOA 孕妇的血和她们的胎儿脐带血，只有小部分孕妇的血中检出 PFOA，而所有的胎儿脐带血均未检出 PFOA，推测 PFOA 不能通过胎盘屏障[25]。

四、结　语

全氟化合物作为持久性有机环境污染物的新成员，已经广泛存在于全球范围内的许多环境介质和人体、动物体中，对全球生态系统造成了一定的影响。目前，人类对 PFOA 和 PFOS 等全氟有机化合物的调查研究还处于初始阶段，而且多限于动物实验，其毒作用全貌及对人类的致癌性研究还尚未明确，进一步深入探讨与研究 PFOA 和 PFOS 的毒作用敏感指标及毒作用机制，将成为今后环境科学和预防医学领域的研究重点。

我国 PFOA 和 PFOS 污染研究起步较晚，有关 PFOA 和 PFOS 在我国人群和生物体内、环境介质中的污染状况的研究较少。就目前的报道来看，我国人群血清中的 PFOS 含量要远高于 PFOA，但是权威部门调查发现，目前国内所用的氟化有机物主要依赖进口并以 PFOA 为主，因此建议我国政府、环境保护部门和预防医学领域加快深入开展有关包括 PFOA 和 PFOS 在内的 PFCs 污染现状、人群暴露途径和暴露剂量以及健康影响研究，为建立我国 PFCs 生态污染控制措施和保护人群健康提供科学依据。

参考文献

[1] DeSilvaAO, Mabury SA. Isomer Distribution of perfluorocarboxylates in human blood: Potential correlation to source. Environmental Science& Technology, 2006, 40 (9): 2903－2909.

[2] 胡存丽，仲来福. 全氟辛烷磺酸和全氟辛酸毒理学研究进展 [J]. 中国工业医学杂志，2006，6 (12): 354－358.

[3] Harada K, Inoue K, Morikawa A, et al. Renal clearance of perfluorooctane sulfonate and perfluorooctanoate in humans and their species－specific excretion [J]. Environ Res, 2005, 99 (2): 253－261.

[4] Glaza S M. Acute oral toxicity study of T－6669 in rats [Z]. Corning Hazalton Inc., CHW 61001760.

[5] Perfluorooctane Sulfonate: Currrent Summary of Human Sera [Z]. Health and Toxicology Date, 3M. St. Paul, MN 1999.

[6] 刘冰，于麒麟，金一和，等. 全氟辛烷磺酸对大鼠海马神经细胞内钙离子浓度的影响 [J]. 毒理学杂志，2005，19 (3): 225.

[7] Harada K, Xu F, Ono K, et al. Effects of PFOS and PFOA on L－type Ca^{2+} currents in guinea－pig ventricular myocytes [J]. Biochem Biophys Res Commun, 2005, 329 (2): 487－494.

[8] Lin Cui, Qun－fang Zhou, Chun－yang Liao, et al. Studies on the Toxicological Effects of PFOA and PFOS on Rats Using Histological Observation and Chemical Analysis. Arch Environ Contam Toxicol, 2009, 56: 338 － 349.

[9] Xie Y, Yang Q, Nelson B D, et al. Characterization of the adipose tissue atrophy induced by peroxisome proliferators in mice [J]. Lipids, 2002, 37 (2): 139－146.

[10] Abdellatif A, Al - Tonsy A H, Awad M E, et al. Peroxisomal enzymes and 8 - hydroxydeoxyguanosine in rat liver treatedwith perfluorooctanoic acid [J]. DisMarkers, 2003—2004, 19 (1): 19 - 25.

[11] Luebker D J, Hansen K J, BassNM, et al. Interactions of fluorochemicals with rat liver fatty acid - binding protein [J]. Toxicology, 2002, 176 (3): 175 - 185.

[12] 陈江，黄幸舒，傅剑云. 全氟辛酸毒性研究进展 [J]. 职业与健康, 2006, 22 (16): 1244 - 1247.

[13] York R G. Oral (garage) two - generation (one litter per generation) reproduction study of ammonium perfluorooctanoate (APFO) in rats [J]. Rev US EPA, 2002 (8): 226 - 1092.

[14] 范轶欧，金一和，麻懿馨，等. 全氟辛烷磺酸对雄性大鼠生精功能的影响 [J]. 卫生研究, 2005, 34 (1): 37 - 39.

[15] Yang Q, Abedi - Valugerdi M, Xie Y, et al. Potent suppression of the adaptive immune response in mice upon dietary exposure to the potent peroxisome proliferator, perfluorooctanoic acid [J]. Int Immunopharmacol, 2002, 2 (2 - 3): 389 - 397.

[16] Shu - Ching Chang, David J. Ehresman, James A. Bjork, et al. Gestational and lactational exposure to potassium perfluorooctanesulfonate (K^+ PFOS) in rats: Toxic kinetics, thyroid hormone status, and related gene expression [J]. Reproductive Toxicology, 2009 (1): 13 - 27.

[17] Hill RN, Crisp TM, Hurley PM, et al. Risk assessment of thyroid follicular cell tumors. Environ Health Perspect, 1998, 106: 447 - 457.

[18] 姚晓峰，仲来福. 全氟辛酸对 HepG2 细胞的遗传毒性及氧化性 DNA 损伤 [J]. 毒理学, 2005, 19 (3): 216 - 217.

[19] Dzhekova S S, Bogdanska J, Stojkova Z. Peroxisome proliferators: their biological and toxicological effects [J]. Clin Chem Lab med, 2001, 39 (6): 468 - 474.

[20] DuPont. DuPont flurotelomer product stewardship update, presented November 25, 2002. U. S. EPA Administrative Record. AR226 - 1147. 2002.

[21] DuPont. Hazard characterization for human health C8 exposure CAS registry no. 3825 - 26 - 1. Prepared by L. B. Biegel, Senior Research Toxicologist. 1997.

[22] Butenhoff J, Costa G, Elcombe C, et al. Toxicity of ammonium perfluorooctanoate in male cynomolgus monkeys after oral dosing for 6 months. Toxicol Sci, 2002, 69: 244 - 257.

[23] Kawashima Y, Suzuki S, Kozuka H, et al. Effect of prolonged administration of perfluorooctanoic acid on hepatic activities of enzymes which detoxify peroxide and xenobiotic in the rat. Toxicology, 1994, 93, 85 - 97.

[24] Inoue K, Okada F, Ito R, et al. Perfluorooctane sulfonate (PFOS) and related perfluorinated compounds in human maternal and cord blood samples: assessment of PFOS exposure in a susceptible population during pregnancy [J]. Environ Health Perspect, 2004, 112 (11): 1204 - 1207.

[25] Harada K, Saito N, Inoue K, et al. The influence of time, sex and geographic factorson levelsof perfluorooctane sulfonate and perfluorooctanoate in human serum over the last 25 years [J]. Occup Health, 2004, 46 (2): 141 - 147.

全热交换器所采用的吸附材料与空气污染物质发生交叉污染之相关性研究

児玉昭雄[1] 岡野浩志[2] 金伟力[2]

（1. 金沢大学 日本 金沢市 920－1192；
2. 株式会社西部技研 日本 福冈市 811－3134）

一、引 言

通风换气是保持室内空气质量的一种非常有效的手段。然而对于使用空调的房间，因为导入新风必然会使空调负荷增加。近年，作为抑制因导入新风而引起的空调负荷上升的节能设备，显热交换器及全热交换器被逐渐应用在空调新风换气系统。显热交换器，顾名思义，只能对排风空气的显热热能进行回收。而全热交换器则不仅能回收排风空气中的显热，而且可以回收其潜热。后者具有更大的节能效果。以日本为例，1990 年以来仅用在商业、公共建筑方面的全热交换器，每年都在 10 万台以上[1]。全热交换器按其构造可以分为旋转型（转轮式）和静止型（板式与板翅式）两大类。对于旋转型而言，其核心设备是由涂层了吸附材料的铝箔加工而成的转轮。而静止型则是由难燃或不燃的、传热传质性能良好的透湿膜、透湿纸，经加工成波纹状并与平板状交叉叠置而成，将新风通道与排风通道隔离开。一般而言，如果处理风量相同，采用旋转型可以实现装置的小型化。可是，一方面由于转轮旋转、加之吸附材料对于室内发生的有害、有味气体同样具有吸附作用，当遇到室外空气条件突变（如连雨天）等情况，有时会发生污染物质交叉污染（新风空气有异味发生）的现象[2]。另一方面，静止型全热交换器也会因为透湿材料经年劣化，或是有害有味气体在透湿材料中的蓄积而发生交叉污染现象。因此，既要发挥全热交换器的节能作用，又要防止因室内的污染空气引发的交叉污染问题，使全热交换器得到更加广泛的普及应用。选择最佳吸附材料至关重要。

本研究针对全热交换器所采用的吸附材料对于空气污染物质发生交叉污染之影响进行了实验测试。本研究的评价对象为，吸附材料为离子交换树脂的全热交换器转轮和吸附材料选为 3A 型分子筛的全热交换器转轮。空气污染物质则选用了通常室内容易发生的氨气（来源于入居者的新陈代谢）、二氧化碳（来源于呼吸）、甲醛（来源于室内家具、墙壁纸等所使用的黏结剂）及丙烷（来源于喷雾式化妆品、杀虫剂等）。

二、实 验

实验是按照 ANSI/ASHRAE approved Standard 84—2008 及 ARI 1060—2005 标准实施的。

（一）全热交换器转轮

本实验的对象为，离子交换树脂全热交换器转轮（直径 320mm、转轮厚度 200mm）、3A 型分子筛的全热交换器转轮（直径 320mm、转轮厚度 280mm）。两种转轮型全热交换器均为市场销售品。全热交换器转轮制造过程中使用的，吸附剂涂层及转轮加工过程所需要的黏结剂的种类、使用量，离子交换树脂及 3A 型分子筛的涂层使用量等详细数据不详。离子交换树脂是苯乙烯与二乙烯基苯的共聚物（桥架度不明），并导入磺酸基及钠离子而成的强酸性阳离子交换树脂。其对于水蒸气的吸附等温线介于 A 型硅胶与 B 型硅胶之间[3-6]。

（二）实验装置及实验过程

实验装置如图 1 所示。为了调整新风送风 SA 与室内换气排风 RA 之间的静压差，采用了 3

台鼓风机。实验条件在表 1 中给出。空气温度与湿度分别用白金热电阻、镜面冷却式露点计（General Eastern HYGRO M4 ＋ 1311DR－SR）进行测定。OA，RA，SA，EA 的空气风量分别用复合型 Pitot Tube 流量计进行测定。

被测试的空气污染物质有：氨气（NH_3，分子量 17.03），二氧化碳（CO_2，分子量 44.01），甲醛（HCHO，分子量 30.03），丙烷（C_3H_8，分子量 44.10）。当各个测定点的条件达到表 1 所示、并安定后，开始导入空气污染物质。丙烷与二氧化碳的浓度通过连接气体钢瓶的调节阀进行调节。氨气及甲醛的浓度则通过微型定量流量泵调节供给其水溶液的流量进行调节。从而使 RA 空气中污染物达到所定浓度。空气中丙烷及二氧化碳浓度通过气相色谱（FID）进行测定。而氨气与甲醛的浓度则通过检测管进行检测。

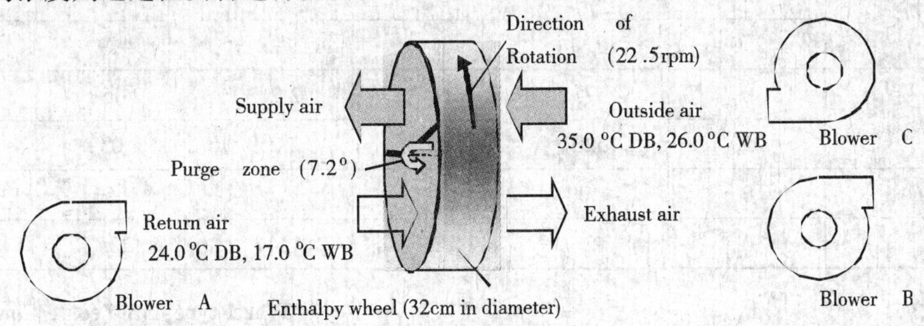

图 1　实验装置图

表 1　实验条件

Outside air condition	35.0 ℃ DB, 26.0℃ WB
Return air condition	24.0℃ DB, 17.0℃ WB
Purge zone angle	7.2 °
Rotation speed of wheel	22.5 r/min
Superficial velocity of air	3 m/s
RA/SA air flow ratio	1
Pressure difference SA－RA	0 或 250 Pa

三、实验结果与讨论

实验所测的各个空气流路中污染物浓度及污染物的转移率 X 在表 2 中给出。图 2 给出了离子交换树脂全热交换器转轮与 3A 型分子筛的全热交换器转轮的污染物转移率 X 的结果比较。转移率 X 的定义如下所示。

$$X = (C_{SA} - C_{OA})/(C_{RA} - C_{OA}) \times 100\%$$

式中：C_{SA}，C_{OA}，C_{RA} 分别是新风送风 SA，室外空气 OA，及排风 RA 中的污染物浓度，(ppm)。

从实验所用污染物的水溶性，可以将其分为氨气与甲醛，二氧化碳与丙烷两组。其中，氨气的转移率与 SA、RA 之间的压差无关，具有较高的转移率。另外，由于在 RA 与 SA 之间设置了反吹净化区。在两者之间压差为 0Pa 的情况下，两种转轮也有约为 OA 流量的 8%～9% 空气通过净化区流入到排气 EA 中。而当压差为 250Pa 时，约有 OA 流量的 13%～14% 通过净化区。从二氧化碳的转移率可以看出：由于转轮旋转而引起的污染物质转移，随着流过净化区空气流量的增加而减少。然而设置反吹净化区，增加流过净化区空气的流量对于防止氨气转移并无效果。这是因为氨气极易被水吸收，而且具有较强的极性，所以会与水分子一同被吸附而发生转移。虽然甲醛也具有同样性质，但是与3A型分子筛的全热交换器转轮相比，在离子交换树脂全热交换器转轮中的转移率却比较低。这与离子交换树脂中水分子的存在状态[7]，及伴随着水分子的吸收离子交换树脂会发生膨胀，其内部因此产生膨胀压，从而阻碍了污染物质的吸附有关。而这一现象在其他吸附剂中是不存在的。

表2　各空气流路中污染物浓度及污染物转移率

Wheel type：Ion－exchange resin

Contaminant	ΔP/Pa	OA/ppm	SA/ppm	RA/ppm	EA/ppm	X/%
NH_3	0	0.5	2.2	8.9	6.7	20.4
	250	0.2	1.6	7.2	4.9	20.4
CO_2	0	575	601	2 262	2 158	1.5
	250	520	531	2 259	2 032	0.6
HCHO	0	0.00	0.14	2.52	1.53	5.6
C_3H_8	0	2	5	244	225	1.2

Wheel type：3A Zeolite ContaminantΔP

Contaminant	ΔP/Pa	OA/ppm	SA/ppm	RA/ppm	EA/ppm	X/%
NH_3	0	2.0	5.8	10.2	6.2	46.3
	250	2.0	5.4	9.3	5.3	46.0
CO_2	0	543	588	2 172	2 039	2.8
	250	495	515	2 156	1 932	1.2
HCHO	0	0.05	1.22	3.40	1.82	35.2
C_3H_8	0	4	14	246	226	4.1

四、结　论

对4种常见的空气污染物质（氨气、二氧化碳、甲醛、丙烷）在全热交换器转轮中的转移率的测试结果进行比较可以看出：采用离子交换树脂作为吸附材料的全热交换器比采用3A型分子筛作为吸附材料的全热交换器转轮中的转移率要低得多。因此，可以认为离子交换树脂是全热交换器的最佳吸附材料。

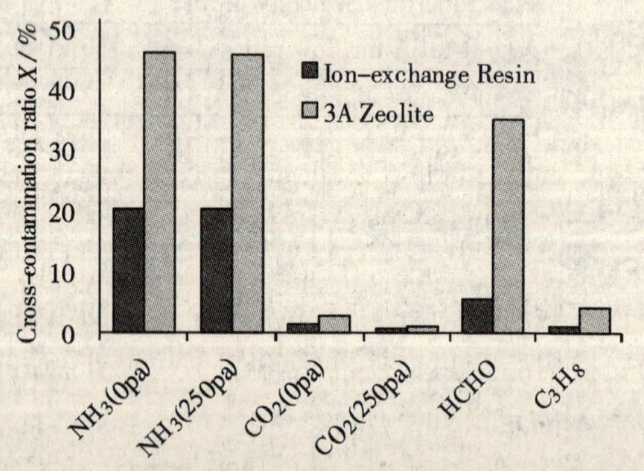

图2　离子交换树脂与3A型分子筛的全热交换器转轮的污染物转移率的结果比较

参考文献

[1] http://www.jraia.or.jp/product/exchanger/:2009,08.

[2] H. Okano:J. SHASE,2008,82(8):39.(inJapanese)

[3] H. P. Gregor, B. R. Sundheim, K. M. Held and M. H. Waxman: J. Colloid. Sci. 1952,7(5), 511.

[4] M. H. Waxman, B. R. Sundheim and H. P. Gregor: J. Phys. Chem. 1953,57(9), 969.

[5] B. R. Sundheim, M. H. Waxman and H. P. Gregor: J. Phys. Chem. 1953,57(9), 974.

[6] D. Nandan, B. Venkataramani and A. R. Gupta: Langmuir, 1993,9, 1786.

[7] A. N. Gagarin, M. G. Tokmachev, S. S. Kovaleva and N. B. Ferapontov: Russian J. Phys. Chem. A,2008,82(11), 1863.

GFP 标记对广谱拮抗菌 B96 - Ⅱ的影响

郝变青　马利平　乔雄梧

（山西省农业科学院山西省农药重点实验室　太原　030031）

摘　要　本文研究了绿色荧光蛋白标记对广谱拮抗菌 B96 - Ⅱ的生长及拮抗功能的影响。结果表明：绿色荧光蛋白标记对菌株的抑菌活性没有影响，对 12 种植物病原菌仍表现出高效广谱抑菌活性；标记对菌株的生长略有影响，标记后的菌株最大生物量减少了 19.3%，最大比生长速率降低了 5.1%，代时延长了 5.8%。

关键词　绿色荧光蛋白　拮抗菌　生物防治

生物、微生物农药对于防治植物病害具有安全、持久的效果，在“食品安全和质量安全”呼声越来越高的今天，研究开发微生物农药显得十分必要。B96 - Ⅱ是本室从沤肥浸渍液中分离筛选到的一株对多种土传病害具有良好防治效果的拮抗菌[1]。但由于微生物个体微小，新的拮抗菌施入环境后，用传统的方法不易将其与同类的土著微生物区分开，从而不易对其土壤和环境行为进行直观、快速、高效的检测，对靶标的作用以及一系列的行为动态研究成为盲区。为此，抗生素标记成为人们常用的手段，然而这种方法却不易区别环境中对标记抗生素有同样抗性的土著微生物。标记基因技术的建立与发展，为细菌定殖的微生态学研究提供了有效手段。LacZ、gus、xylE 以及 lux 等标记基因已被广泛应用于微生物的环境示踪[2,3]。其中绿色荧光蛋白（Green Fluorescent Protein，GFP）标记系统由于荧光性能稳定、检测方便、灵敏度高且表达不受种属限制等特性，而越来越为人们重视，并被成功地用于研究细菌在植物根部的定殖[4]及工程菌向环境的释放[5]。本文研究了绿色荧光蛋白标记对广谱拮抗菌 B96 - Ⅱ的生长及拮抗功能的影响。

一、材料与方法

（一）材料

1. 菌株

拮抗菌 B96 - Ⅱ为本研究室从沤肥浸渍液中分离筛选得到。

2. 主要试剂与仪器

LB 培养基；氯霉素（Cm）；荧光显微镜（OLYMPUSBX51）；高速冷冻离心机（sigma3K15）等。

（二）GFP 标记对菌株抑菌活性的影响

画线接种 B96 - Ⅱ和 B96 - Ⅱ - gfp 于 PDA 平板两侧，37℃培养，48h 后在平板中央接种病原菌菌饼，以不接拮抗菌的平板为对照，28℃培养，共培养 7d 后测量病原菌的半径，分别计算标记菌株和出发菌株对病原菌的抑制率。

$$抑制率（\%）=\frac{对照半径-处理半径}{对照半径-菌饼半径}\times 100\%$$

（三）GFP 标记对菌株生长的影响

B96 - Ⅱ和 B96 - Ⅱ - gfp 分别经活化后在 LB 平板（后者需加入氯霉素）上画线培养，然后选取单菌落接种到 LB 液体培养基（后者需加入氯霉素）中，37℃下 150rpm 培养过夜。各取 5ml

基金项目：山西省青年基金项目（2007021037），山西省重点实验室开放基金项目（200603021）和山西省留学人员项目（2006 年 82 号）。

菌液用新鲜的 LB 培养基洗涤菌体 3 次以除去抗生素和菌体代谢物，之后将菌体悬浮在 5ml 相同的培养基中，比色测定两菌的 A_{600nm} 值。其中洗涤过的 B96 – II 悬浮菌液按 1%（V/V）的接种量接种到无抗生素的 LB 培养基中，而 B96 – II – gfp 在接种到无抗生素的 LB 培养基时，则根据洗涤过的种子液的浊度值对接种体积加以调整，使接菌量的绝对值与 B96 – II 的接种量相当。两菌的培养条件完全相同，150ml 三角瓶装液量 50ml，37℃ 下 200rpm 振荡培养，定时取样并测定菌体 A_{600nm} 值。

二、结果与分析

（一）GFP 标记对菌株 B96 – II 抑菌活性的影响结果

室内平板抑菌试验结果表明，标记菌株 B96 – II – gfp 与出发菌株 B96 – II 抑菌活性无显著差异，对以枯萎菌（Fusarium oxysporum Schl）为主的 12 种植物病原真菌有较强的抑制作用（表 1）。

表 1　B96 – II 和 B96 – II – gfp 对病原菌的抑菌活性

供试菌	菌落半径/mm			抑制率/%	
	CK	B96 – II	B96 – II – gfp	B96 – II	B96 – II – gfp
黄瓜枯萎菌 *F. o. f. sp. cucumerinum*	43.3 + 1.0a	10.4 + 0.6b	10.3 + 0.4b	82.3	82.5
西瓜枯萎菌 *F. o. f. sp. niveum*	42.4 + 1.1a	15.3 + 1.8b	16.4 + 2.2b	69.3	66.5
青椒枯萎菌 *F. o. f. sp. Vasinfectum*	42.3 + 1.1a	9.4 + 2.1b	9.0 + 2.9b	84.6	85.6
一品红枯萎菌 *F. o. f. sp*	42.4 + 0.8a	16.1 + 0.9b	16.5 + 1.0b	66.9	65.9
仙客来枯萎菌 *F. o. f. sp*	42.5 + 0.6a	16.0 + 0.3b	16.3 + 0.6b	67.6	66.8
番茄枯萎菌 *F. o. f. sp. lycopersici*	26.1 + 7.8a	7.1 + 1.3b	6.4 + 1.3b	83.3	86.4
棉花枯萎菌 *F. o. f. sp. Vasinfectum*	43.0 + 1.3a	10.9 + 0.9b	10.6 + 0.6b	80.9	81.6
芦笋枯萎菌 *F. o. f. sp. Asparagi*	39.9 + 4.3a	19.6 + 1.0b	19.4 + 0.5b	55.5	56.0
芦笋茎枯菌 *Phomopsisasparagi*	43.6 + 0.8a	16.1 + 1.2b	16.4 + 0.4b	68.2	67.5
青椒疫病菌 *Phytophthoracapsici*	42.7 + 1.4a	12.5 + 0.6b	12.5 + 1.0b	76.6	76.6
番茄早疫病菌 *Alternariasolani*	34.3 + 0.8a	9.6 + 1.2b	10.0 + 0.6b	79.7	78.4
番茄晚疫病菌 *Phytophthorainfestans*	43.0 + 0.9a	8.9 + 0.8b	9.4 + 0.7b	85.9	84.6

注：表中数字均为 7 次重复的平均值，同行数据后小写字母不同者表示在 0.05 水平时差异显著。

（二）GFP 标记对菌株生长的影响

试验表明：B96 – II 和 B96 – II – gfp – 13 在 LB 液体培养基，生长曲线的变化趋势基本相同。B96 – II – gfp 生长的最大 A_{600nm} 为 0.969，B96 – II 生长的最大 A_{600nm} 为 1.200，标记菌株的最大生物量低于出发菌株约 19.3%；为了比较两者生长速度的差异，将 B96 – II 和 B96 – II – gfp 的生长配以 Logistic 曲线积分式，作图并进行回归分析。B96 – II 线性方程为 $y = -0.8037x + 3.2296$，

R_2 = 0.945 9，B96 – II – gfp 线性方程为 $y = -0.7624x + 3.1969$，R_2 = 0.967 7，这里拟合方程的相关系数 R_2 很高，相关性很好。根据拟合方程可知，B96 – II 和 B96 – II – gfp 在 LB 培养基中的最大比生长速率 μ_{max} 分别为 0.803 7h^{-1} 和 0.762 4h^{-1}，标记菌株的最大比生长速率减少了 5.1%。如果设代时为 T，则根据 $T = \ln 2/\mu_{max}$，可计算出 B96 – II 和 B96 – II – gfp 的代时分别为 0.86h 和 0.91h，标记菌株代时延长了 5.8%。

三、讨　论

野生型芽孢杆菌由于存在复杂的遗传修饰系统，遗传转化效率低，甚至不能转化[7]。本实验室通过鸟枪法构建了广谱拮抗菌 B96 – II 的启动子基因文库，其中有 4 个大小不同的穿梭表达载体成功转入拮抗菌 B96 – II，实现了 GFP 在 B96 – II – gfp 中的良好表达[8,9]。

然而微生物在外源基因标记后，研究外源基因作为一种负载对标记微生物生长的影响是极为重要的[10]。GFP 标记是否会影响菌株的生物量和生长速率，标记后的菌株是否依然保持出发菌株的高效广谱抑菌活性，这些都是标记菌株在实际应用前必须了解的。GFP 标记菌株对 12 种病原真菌的抑菌活性与出发菌株相比，经统计分析无显著性差异，可推测绿色荧光蛋白标记不会影响拮抗菌的抑菌活性物质的种类组成及含量；GFP 标记对 B96 – II 的生长略有影响，可能是由于标记菌株中 GFP 的大量表达，增加了宿主菌的营养负荷，结果使得标记菌与出发菌相比，最大生长速率降低，代时延长。

以上研究表明绿色荧光蛋白标记对 B96 – II 的生长及抑菌活性影响小，标记后的菌株可用于检测拮抗菌在土壤、植株中定殖规律及防病机理的进一步研究。

参考文献

[1] 郝变青，马利平，乔雄梧，等．拮抗菌对黄瓜枯萎病菌的室内生物活性［J］．应用与环境生物学报，2001，7（2）：155 – 157.

[2] 陈晓斌，张炳欣，楼兵干，等．应用生色基因标记黄瓜根围促生菌（PGPR）筛选菌株［J］．微生物学报，2001，41（3）：287 – 292.

[3] Xi C W，Lambrecht M，Vanderleyden J，et al. Bi – functional gfp – and gusA – containingmini – Tn5 transposon derivatives for combined gene expression and bacterial localization studies［J］. Microbiol Meth，1999，35：85 – 92.

[4] Ramos H J O，Roncato – Maccari L D B，Souza，et al. Monitoring Azospirillum – wheat interaction using the gfp and gusA genes constitutively expressed from a new broad – host range vector［J］. Biotechnol，2002，97：243 – 252.

[5] Scott K P，Mercer D K，Glover L A，et al. The green fluorescent protein as a visible marker for lactic acid bacteria in complex ecosystems［J］. Fems Microbiol Ecol，1998，26：219 – 230.

[6] 诸葛健．现代发酵微生物实验技术［M］．北京：化学工业出版社，2005.

[7] 陈中义，张杰，曹景萍，等．杀虫防病遗传工程枯草芽孢杆菌的构建［J］．生物工程学报，1999，15（2）：215 – 220.

[8] 郝变青，马利平，乔雄梧，等．广谱拮抗菌 B96 – II 启动子的克隆研究［J］．安徽农业科学，2009，37（16）：7387 – 7388，7395.

[9] 郝变青，马利平，乔雄梧．广谱拮抗菌 B96 – II 的分子鉴定及 GFP 标记［J］．华北农学报，2009，24（5）：188 – 191.

[10] Tomblini R，Unge A，Davey M E，et al. Flow cytometric and microscopic analysis of GFP – tagged Pseudomonas fluorescens bacteria［J］. Fems Microbiol Ecol，1997，17：21 – 28.

UV/Fenton/柠檬酸体系光催化氧化孔雀石绿研究

李松田　高　航　薛景娇　马　威

（平顶山学院　平顶山市建设路西段240号　467000）

摘　要　以柠檬酸为催化助剂，提出了UV/Fenton/柠檬酸体系光催化氧化有机污染物的新方法。以孔雀石绿为底物，考察了Fe^{2+}浓度、初始pH值、柠檬酸浓度、H_2O_2的用量等因素对脱色效果的影响，获得了光催化氧化孔雀石绿的优化实验条件。结果表明，在Fe^{2+}浓度为5g/L，pH控制在3.0～5.0之间，柠檬酸浓度在0.8g/L，30%H_2O_2用量在0.1ml/ml溶液的条件下降解效果良好，在20min之内，孔雀石的脱色率达到90%以上。

关键词　光催化氧化　UV/Fenton/柠檬酸　孔雀石绿

孔雀石绿是一种多环芳烃有机化合物，属于二氨基三苯甲烷类染料，其毒副作用大，有“苏丹红第二”之称，会对水体的生态系统带来较大的破坏，在动物体内能长期残留，通过代谢进入人和动物的机体后，可以通过生物转化，还原代谢成为脂溶性的无色孔雀石绿，严重危害人类健康。鉴于孔雀石绿的危害性，美国规定在食用水产品中禁止检出孔雀石绿，欧盟颁布法令禁止在渔场中使用孔雀石绿，英国食品标准局把孔雀石绿列为对人体有极大副作用的化学制剂，规定任何鱼类都不允许含有此类物质，并且不能出现在任何食品中。2002年，我国农业部已将孔雀石绿列入《食品动物禁用的兽药及其化合物清单》中，孔雀石绿在水生食品动物中被禁止使用。因此对于水体可能产生的孔雀石绿污染进行治理显得特别重要。

芬顿反应是近年来研究较多的一种均相催化氧化技术，其基本由于羟基自由基的强氧化性，可以使许多难降解有机物氧化分解成为没有毒害作用的无机小分子物质，处理效率较高，因此受到人们的普遍关注[1,2]。光助芬顿法将紫外光引入光解体系中，可以增强Fenton试剂的氧化能力，节约过氧化氢的用量，并能有效地分解有机物，矿化程度好，可以用于染料废水的处理[3,4]，但是当有机物浓度高时，被Fe^{3+}络合物所吸收的光量子数很少，且需较长的辐照时间，H_2O_2的投加量也随之增加，·OH易被高浓度的H_2O_2所削减，因而UV/Fenton法一般只适宜于处理中低浓度的有机废水。当在UV/Fenton体系中引入光化学活性较高的物质时，可有效提高对紫外线和光的利用效果。柠檬酸是一种光化学活性高的有机酸，研究以柠檬酸为催化助剂，将柠檬酸引入Fenton反应，建立了UV/Fenton/柠檬酸光催化反应新体系，并以孔雀石绿为底物对新体系的光催化性能进行了研究。

一、实验方法

（一）实验仪器

722－光栅分光光度计；GHX－2光化学反应仪（扬州大学城科技有限公司）；PHSJ－4A实验室pH计。

（二）实验药品

孔雀石绿溶液：称取5mg的孔雀石颗粒在500ml容量瓶中配制成10mg/L的溶液；

柠檬酸溶液：由柠檬酸晶体颗粒配制0.10g/L、0.20g/L、0.40g/L、0.80g/L、1.0g/L的柠檬酸溶液；

硫酸亚铁溶液：由硫酸亚铁晶体颗粒配制2g/L、3g/L、4g/L、5g/L的Fe^{2+}溶液；

30%过氧化氢；HCl；NaOH；

以上试剂均为分析纯。

（三）实验方法

将一定浓度的孔雀石绿溶液250mL加入石英杯中，用HCl和NaOH调节pH至所需值。然后加入一定浓度的硫酸亚铁溶液和一定量的30%的H_2O_2，选择加入或者不加催化助剂，在紫外灯条件下，反应一定时间后，测定溶液吸光度，根据反应前后样品吸光度值的变化求得脱色率，计算公式为：

脱色率（%）＝（A_0－A_i）/A_0×100%

式中：A_0为反应前吸光度值；A_i为反应后吸光度值。

二、结果与讨论

（一）初始pH值对脱色效果的影响

按实验方法，在紫外灯的条件下，调节各种反应条件，用HCl和NaOH调节pH1～6，考察反应在不同初始pH值时对脱色效果的影响。反应中不加助剂。反应进行15min，检测结果如图1所示。

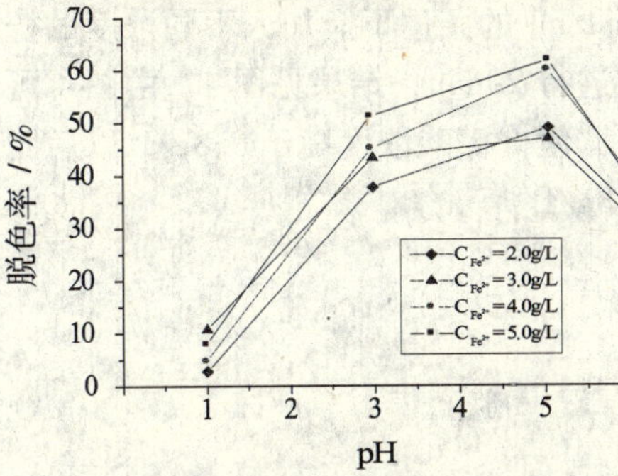

图1　pH对孔雀石绿脱色率的影响

由图1可以看出，系统的pH值较低时脱色效果不佳，随着pH值的增大，脱色率提高，但在pH5以后脱色率反而降低。因为在$H_2O_2+Fe^{2+}$系统中，存在着Fe^{2+}和Fe^{3+}的相互转化，催化分解H_2O_2产生羟基自由基的有效形式是Fe（HO）$^{2+}$，在很低pH时以Fe^{2+}形式存在，在较高的pH时，由于［OH^-］的增大会生成氢氧化物沉淀，从而使溶液中的Fe^{2+}因而失去催化能力，影响Fenton试剂的作用效果。综合分析，实验中pH值在3.0～5.0之间。

$$Fe^{2+}+h\nu\rightarrow Fe^{3+}$$

$$Fe^{3+}+H_2O\rightarrow Fe(OH)^{2+}+H^+$$

$$Fe(OH)^{2+}\rightarrow Fe^{2+}+\cdot OH$$

$$Fe^{2+}+H_2O_2\rightarrow Fe^{3+}+OH^-+\cdot OH$$

（二）Fe^{2+}离子浓度对脱色效果的影响

将10mg/L孔雀石绿溶液250mL加入石英杯中，用HCl和NaOH调节pH至1、3、5。然后加入一定量的30%的H_2O_2，调节加入不同浓度的硫酸亚铁溶液，在紫外灯条件下，考察Fe^{2+}离子溶液的用量对孔雀石绿脱色率的影响。反应时间为15min，测定结果见图2。

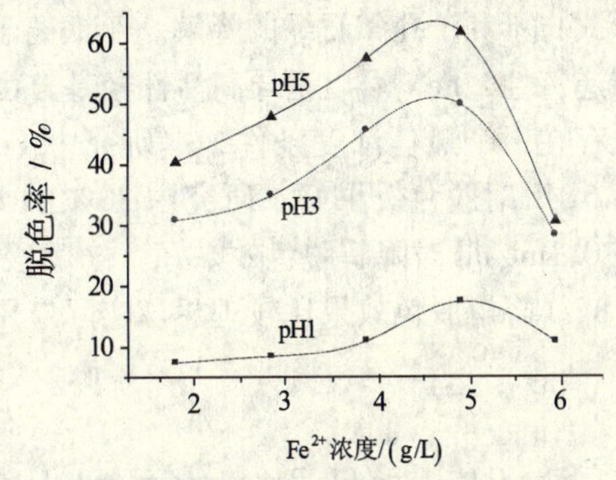

图2　Fe^{2+}对孔雀石绿脱色率的影响

由图2可见，随着Fe^{2+}浓度的增加，脱色率呈连续增加趋势，但Fe^{2+}的浓度增加到一定程度时脱色率反而降低。因为亚铁离子具有专属的氧传递特性，Fe^{2+}可以诱导高活性羟基自由基的产生。Fe^{2+}浓度过低不利于H_2O_2分解为羟基自由基，反应速率下降，Fe^{2+}浓度过高时过多地消耗H_2O_2，使生成的羟基自由基来不及与有机物反应，影响了羟基自由基的利用率，反应速率下降。综合分析，实验中选取Fe^{2+}溶液浓度为5g/L为宜。

（三）H_2O_2的用量对脱色率的影响

按实验方法，在紫外灯的条件下，调节各种反应条件，加入不同浓度的H_2O_2。考察H_2O_2用量对脱色率的影响。实验过程中不加助剂。反应进行15min，检测结果如图3所示。

由图3可以看出，H_2O_2对孔雀石绿的脱色率有较大的影响，在较低的H_2O_2浓度时脱色率不高，随着浓度的增加，底物的脱色率提高，但当 H_2O_2 浓度继续增大时，孔雀石绿的脱色率不再有显著提高甚至有下降趋势。因为是 H_2O_2 是产生羟基自由基的来源，随着 H_2O_2 浓度的增加，Fe（OH）$^{2+}$ 的形成速率加快，体系中生成的 · OH 浓度增加，底物脱色率提高。当 H_2O_2 浓度持续增加，Fe^{2+} 会被氧化成 Fe^{3+}，Fe^{3+} 的大量存在不利于羟基自由基的产生，甚至会产生色度污染，因而体系中的脱色率有所下降。实验选择加入 30% $H_2O_2$0. 1ml/ml 溶液为宜。

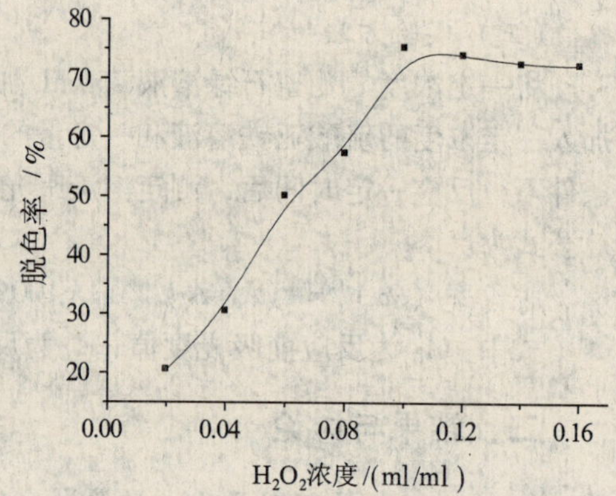

图 3　H_2O_2 用量对孔雀石绿脱色率的影响

（四）柠檬酸的浓度对脱色效果的影响

参照上述实验结果，按实验方法，在紫外灯照射下，选择 pH 为 5，Fe^{2+} 浓度为 5g/L，30% H_2O_2 用量为 0. 1ml/ml 的条件下。加入不同浓度的柠檬酸，考察反应进行柠檬酸的浓度对脱色效果的影响。反应进行 20min，结果见图 4。由图 4 可见，柠檬酸浓度过低时不能有效提高体系对紫外光的利用率，但柠檬酸浓度高于 0. 8g/L 以后脱色率没有显著变化。因此实验中选择柠檬酸的最佳浓度为 0. 8g/L。

三、结　论

采用 UV/Fenton/柠檬酸体系光催化氧化孔雀石绿得到了较好的脱色效果，反应中应控制适宜的操作条件。pH 值在 3. 0 ~ 5. 0 之间体系的降解脱色效果较好，催化分解 H_2O_2 产生羟基自由基的有效形式是 Fe（HO）$^{2+}$，pH 值过低或过高时铁离子将转化成其他形式，不利于孔雀石绿的降解。亚铁离子具有专属的氧传递特性，Fe^{2+} 可以诱导高活性羟基自由基的产生，但也存在一个最佳浓度条件，本研究中 Fe^{2+} 溶液在浓度为 5g/L 时脱色效果好。研究中 30% 的 H_2O_2 适宜用量在 0. 1ml/ml 时降解脱色效果好。柠檬酸的加入可以提高光催化的效率，柠檬酸的最佳浓度为 0. 8g/L降解脱色效果比较理想。实际应用中还应根据废水的各种不同特征进行针对性的研究。

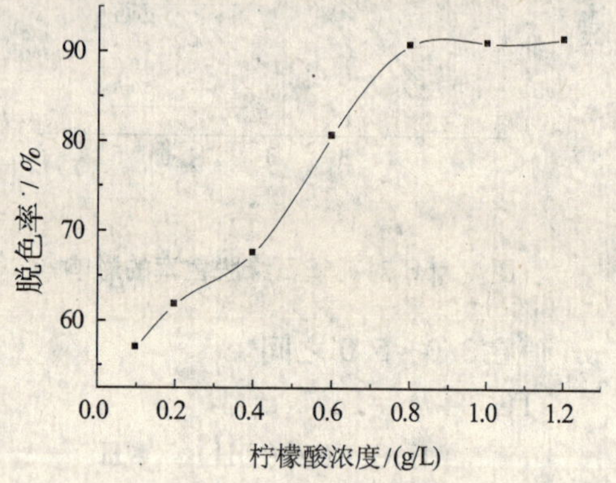

图 4　柠檬酸对孔雀石绿脱色率的影响

参考文献

[1] Silva C G, Faria J L. Photochemical and photocatalytic degradation of an azo dye in aqueous solution by UV irradiation [J]. J Photoch Photobio A, 2003, 155 (1 – 3): 133 – 143.

[2] Ma J, Song W, Zhao J, et al. Fenton Degradation of Organic Compounds Promoted by Dyes under Visible Irradiation [J]. Environ. Sci. Technol., 2005, 39 (15): 5810 – 5815.

[3] Chen C, Li X, Zhao J. et al. Effect of Transition Metal Ions on the TiO_2—Assisted Photodegradation of Dyes under Visible Irradiation—A probe for the interfacial electron transfer process and reaction mechanism [J]. J. Phys. Chem. B, 2002, 106 (2): 318 – 324.

[4] Li F, Jiang H Q, Zhang S S. An ion – imprinted silica – supported organic—inorganic hybrid sorbent prepared by a surface imprinting technique combined with a polysaccharide incorporated sol—gel process for selective separation of cadmium (II) from aqueous solution [J]. Talanta, 2007, 71 (4): 1487 – 1493.

侧进式搅拌器混合过程的CFD模拟

方　键[1]　凌　祥[1]　桑芝富[1]　杨全保[2]

(1. 南京工业大学机械与动力工程学院　江苏　南京　210009；
2. 江苏省法尔机械制造有限公司　江苏　靖江　214537)

摘　要　使用CFD软件FLUENT6.3对侧进式搅拌器运行下搅拌槽内的流体流动特征、混合过程进行了数值模拟。计算采用多重参考系方法和标准 $k-\varepsilon$ 湍流模型，研究了不同的示踪剂加料点、监测点位置、搅拌轴偏转角对混合时间的影响规律。研究结果表明，侧进式搅拌槽内的混合过程由槽内流体流动形式控制；不同加料点及监测点位置对混合时间有一定的影响，桨叶尖端附近加料及槽底部监测所得到的混合时间最短；搅拌轴最佳垂直及水平偏角分别为 $\alpha_{opt}=10°$，$\beta_{opt}=5°$。

关键词　侧进式搅拌器　CFD　混合时间　偏转角

一、引　言

侧进式搅拌器具有搅拌功耗较低、搅拌桨直径相对较小、功率利用率高等特点，且安装位置比较特殊，可应用于一些大型储罐以及顶进式搅拌器无法满足的场合，因而大量应用于石油化工、造纸、食品、废水处理等行业。近年来随着人们环保意识的增强，环境问题已经成为世界各国关注的热点。被列为大气污染首位的 SO_2 的排放受到严格控制，尤其是我国电力发电70%是火力发电的国情，使得电厂烟气脱硫装置建设迅速发展。侧进式搅拌器因其自身特点，在脱硫过程中的脱硫吸收塔、事故浆液罐中气－液－固三相物料混合等场合得到广泛应用。

近年来迅速发展的计算流体力学技术（CFD）与理论、实验方法相辅相成，逐渐成为研究流体工程的重要手段。国内外学者对传统的立式搅拌设备的研究已较为成熟[1-4]，对侧进式搅拌器作用下的搅拌槽的相关研究较少。Wesselingh[5]对不同尺寸的单个侧进式搅拌器下搅拌槽内的混合时间进行了实验研究，分析了桨型、推进桨偏角、雷诺数等多个因素对混合时间的影响。Kipke[6]研究了三个船舶用螺旋桨共同作用下搅拌槽内固体颗粒的悬浮情况，在实验研究的基础上分析搅拌桨不同伸入角度、不同桨径与槽径比对搅拌悬浮能力的影响，并讨论了放大准则。Dskhel[7]等采用RNGk－ε 湍流模型对混有两种不同密度原油的大型贮罐在单个侧进式推进桨运行下的流场和混合时间进行模拟计算，模拟结果与试验测量结果吻合较好，但R. VanLooy[8]使用CFD模拟出的混合时间值比实验值小。Saeed[9]等对单个侧进式搅拌器（莱宁A310）下的纸浆（非牛顿流体）搅拌槽流场进行了数值模拟，并使用超声波多普勒测速仪（UDV）对模拟验证，得出混合时间与叶轮动量通量的关系。国内都荣礼等[10]对侧伸式搅拌槽气液两相的传质系数进行了实验研究，郑晓东等[11]研究了侧伸式搅拌槽内固－液及气－固－液多相的悬浮性能。方键等[12]对工业规模的侧进式搅拌器运行下槽内的单相流三维流场进行了数值模拟，但未涉及混合状况。总的来说，国内外对侧进式搅拌器的研究尚未形成体系，现有的此类搅拌器设计大都依赖长期的运行经验的积累，精度较差，因而建立一套较为全面的数值模拟方法体系配合试验方法来分析侧进式搅拌器运行下槽内的功率特性、流场分布、混合状况等规律对搅拌器的优化设计、工程应用等具有重大的现实意义。

本文使用CFD软件FLUENT6.3对具有四台侧进式搅拌器作用下的小型搅拌槽内的流场及混合过程进行了三维数值模拟，分析了槽内不同位置处的流场分布，研究了不同的示踪剂加料点、监测点位置及搅拌轴偏转角对混合时间的影响规律，为侧进式搅拌器的工程应用提供一些参考依据。

二、搅拌槽结构

本文计算的模型是按照某火电厂湿法脱硫吸收塔下部的浆液池实际结构和尺寸经比例缩小简化而成，如图1所示。搅拌槽是平底，直径 $D=0.58$m，液位高 $H=0.464$m，高径比 $H/D=0.8$。搅拌槽下部沿槽周向均匀分布4台侧进式搅拌器，搅拌器浆叶伸入搅拌浆池内，搅拌轴分别与水平线和槽中心线形成一定偏角，分别记为α和β。浆型选择江苏法尔机械制造有限公司设计制造的一种新型旋桨式侧进搅拌浆，结构如图2所示。搅拌浆由4只对称分布的叶片组成，叶片倾角为35°，叶端分别焊有导流弧板，用以增强浆叶的轴向排液能力；浆叶直径 $d=0.1$m；叶梢宽度约为浆直径的9%。浆径与槽径比 $d/D=1:5.8$，搅拌轴直径 $e=0.015$m，伸入长度 $l=0.085$m。搅拌器侧向安装高度 $h=0.12$m。

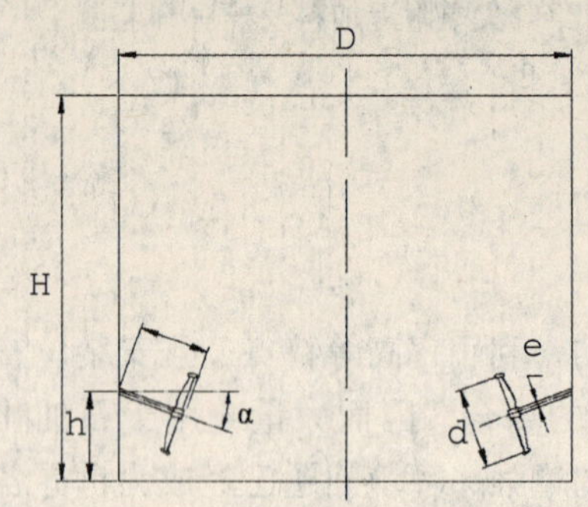

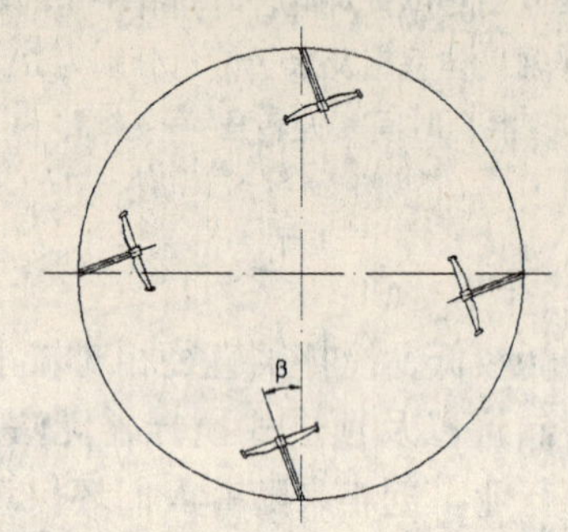

图1　搅拌槽结构示意图

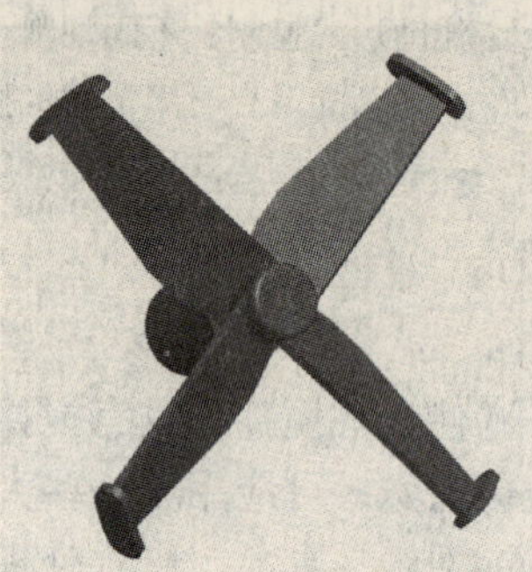

图2　搅拌浆轮廓图

三、模拟策略

（一）流体力学模型

本文采用商业CFD软件FLUENT6.3对搅拌槽中的流场与混合时间进行模拟计算。方程的求解基于有限体积法，即将计算域离散化为单元格的有限集，在每个网格单元内求解各传递变量的守恒方程。守恒方程组的通用形式如下：

$$\frac{\partial}{\partial t}(\overline{\rho\varphi})+\frac{\partial}{\partial x_k}(\overline{\rho u_k\varphi})=\frac{\partial}{\partial x_k}\left(\Gamma_\varphi\frac{\partial\overline{\varphi}}{\partial x_k}\right)+\overline{S_\varphi}$$

式中：φ表示速度、压力、湍流动能、湍流耗散、质量组分等变量，S_φ 为单位体积源项，Γ_φ 为湍流扩散系数。在计算示踪剂浓度场时，$\Gamma_\varphi=pD_\varphi+\mu_T/6\varphi$，$D_\varphi$ 为示踪剂分子扩散系数，μ_T 为湍流动力黏度，σ 为湍流Prandtl数。标准 $k-\varepsilon$ 湍流模型虽然在预测湍流动能方面存在不足，但在模拟流场及混合时间上与试验数据相比具有较好的一致性[13]。经计算各搅拌转速下的流场均处于完全湍流状态（$Re>10^4$），因此本文选用标准 $k-\varepsilon$ 湍流模型。

（二）网格划分

根据搅拌槽结构的几何对称性，选取槽体的1/4作为计算域，如图3（a）所示，坐标系原点为槽底部中心，z 轴沿槽体轴向。由于搅拌桨叶结构较为复杂，且搅拌器安装偏角α与β导致的结构不对称性，计算中采用适应性较强的四面体非结构化网格对几何体进行划分。对槽体静止部分、桨叶旋转部分分别划分网格。使用Size Function功能对桨叶、搅拌轴及交界面处网格进行加密处理以增加计算精度。划分网格单元总数分别约为39万、60万、81万，并对各自的计算结果作对比，发现后两者的结果相差很小，因而最终选用了60万网格，并认定其已达到了网格无关性标准。计算域网格节点分布如图3（b）所示。

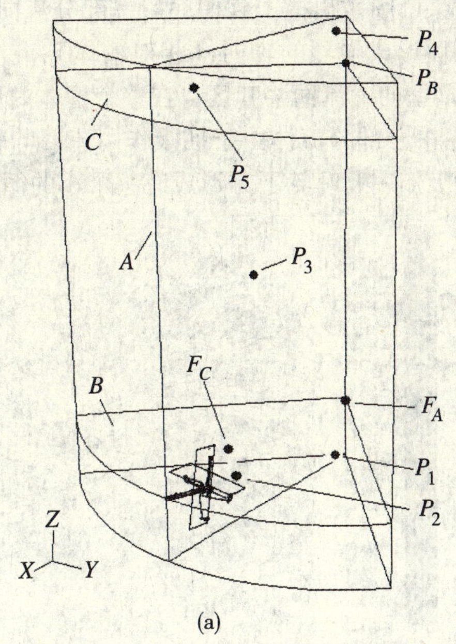

(a)

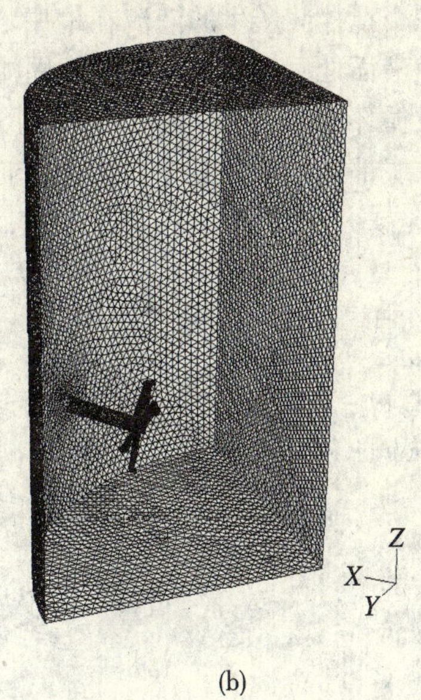

(b)

图 3　计算域的结构图及网格划分

（三）模拟方法

本文使用多重参考系法（Multi－Reference Frame，MRF）处理运动的桨叶和静止的槽壁之间的相互作用，桨叶及其附近流体区采用旋转坐标系，其他区域采用静止坐标系。两个不同区域内的动量、能量交换通过交界面上转换来实现。旋转部分搅拌轴及桨叶设为无滑移（静止）壁面，静止部分搅拌轴设为无滑移（移动）壁面边界条件；槽顶液面定义为自由滑移边界条件；槽体被分割出的一对 1/4 截面使用无压降的旋转周期性边界；固体壁面槽底、槽壁均设为壁面边界。

标准压力－速度耦合采用 SEMPLE 算法，压力离散采用 PRESTO 方法；由于使用的是非结构化网格，差分格式采用二阶迎风以提高精度；当计算残差均小于 1×10^{-4}，且监视变量（速度，搅拌轴扭矩）趋于恒定值时认定为计算收敛。首先在稳态条件下求解动量方程，然后用所得结果作为初始值在非稳态条件下求解质量守恒方程，进行混合计算，进而得到不同时刻的浓度场，求出混合时间。

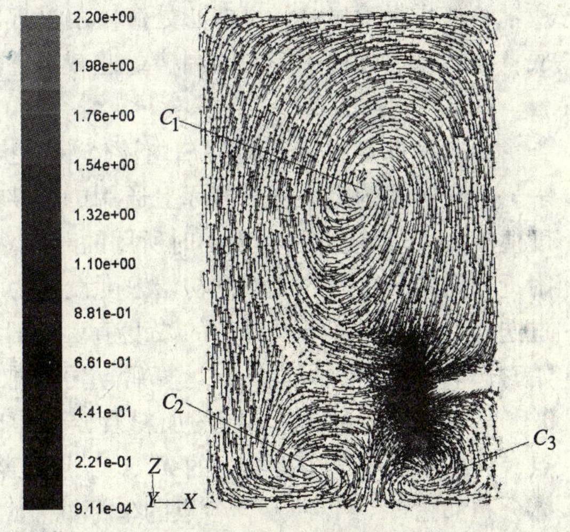

图 4　槽体 $x-z$ 截面速度矢量图（单位：m/s）

四、数值模拟结果与分析

（一）宏观速度场

本文根据工程实践中的运行经验选取搅拌轴安装倾角 $\alpha=10°$，$\beta=7°$。槽内工作介质为水。搅拌转速首先取 $N=400$rpm。由计算结果得出，最大流速出现在搅拌桨叶端附近，为 $u_{tip}=2.2$m/s；槽内高速流动区域主要集中在桨叶区附近及槽中心流域，桨叶区以外流体流速迅速衰减；整个槽体流域内流速值小于 $0.1u_{tip}$的区域体积约占总流域体积的 80%。图 4、图 5 分别为模拟计算出的不同平面的宏观速度场。图 4 所取平面为 $x-z$ 截面，即图 3（a）中的 A 面。如图所示，叶轮为典型的轴流式搅拌桨，流动形式与文献［9］中 A310 桨叶相似，叶轮产生的高速射流自桨叶呈发散状流出，在 $x-z$ 截面上共形成三个循环流：流体自桨叶喷散出撞击到槽底后一部分流向槽中心，与另外三个搅拌桨产生的液流在槽中心处相互撞击后形成强烈的轴向（相对槽体）液流，向上一直到达液面处后转为径向流向四周槽壁，然后沿槽壁向下流回桨叶区，在整个槽体内形成了较大的上下循环流 C_1，循环中心高度约为 $2/3H$；叶轮中心部分流体由于抽吸作用流回叶轮，在叶轮的前方底部形成循环 C_2；另外由于叶轮背部的抽吸作用，叶轮下方形成有一个小的循环 C_3。

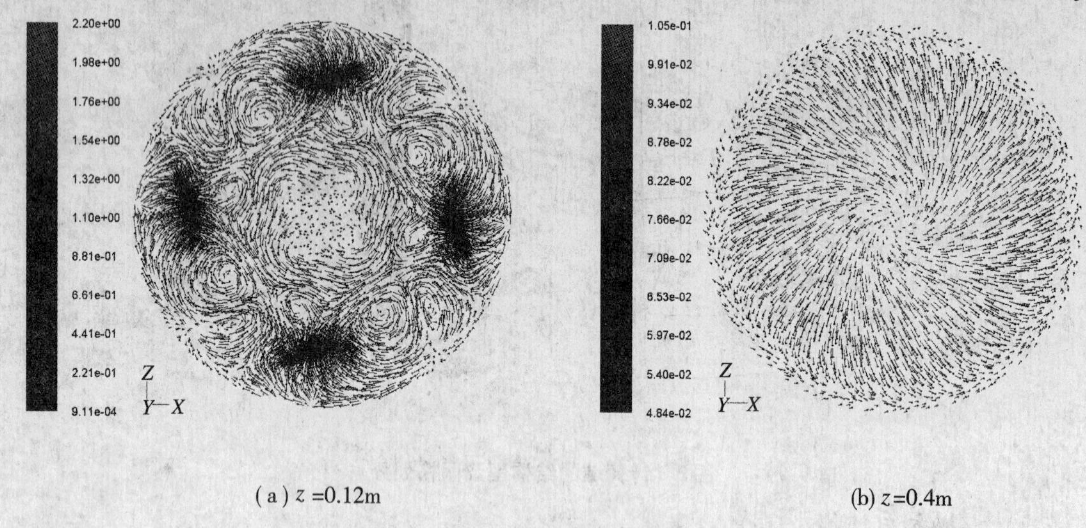

(a) $z=0.12$m　　(b) $z=0.4$m

图5　不同高度水平截面的速度矢量图（单位：m/s）

图5为 $z=0.12$m 及 $z=0.4$m 处的水平截面的流动场，所取截面的位置分别为图3（a）中的B、C面。如图5（a）所示，桨叶产生的射流在 $z=0.12$m 高度水平面上形成了不太规律的紊流；槽中心处主要是沿槽轴向向上的流动；中心稍外侧在四个叶轮的共同作用下形成有一个逆时针方向的旋涡；每个桨叶中心偏角的另一侧，在桨叶后端吸附力的作用下形成有顺时针方向的小漩涡。这种紊乱的流动形式可以使搅拌混合更加均匀。槽体上部的流形则相对简单，如图5（b）所示，流场呈喷泉状，槽中心处流体由槽底向上流向液面，而槽四周流体则由液面向下流至槽底；流体流速自槽中心向四周槽壁递减，整体速度低于 $0.1u_{tip}$。

（二）混合过程

混合时间 θ 是表征搅拌槽内流体混合状况的重要参数，是搅拌器设计及放大的重要依据之一。混合时间的定义采用国际上通用的95%规则，即从计算开始到示踪剂浓度达到最终稳定浓度值的 ±5% 以内并不再超出时所用的时间 θ_{95}[14]。计算得到稳态流场后使用Patch功能将加料点附近一定体积单元的示踪剂初始浓度设定为1，其他区域内定义为0，选取一定的时间步长，通过迭代计算可得到不同时刻的浓度值。一般时间步长取值应小于转速的倒数的1/10，在计算开始时选取较小的时间步长，计算后期可选取较大步长以节省时间。[15]本文采用时间步长范围为0.005～0.02s。为研究不同的加料及监测点位置对混合时间的影响，本工作共选择了3个加料点，分别是位于槽中心线上的 F_A、F_B 点及桨叶区附近的 F_C 点。加料点及五个监测点 P_1～P_5 具体分布如图3（a）所示，各点的坐标见表1。

表1　加料点及监测点的坐标

Axis/m	F_A	F_B	F_C	P_1	P_2	P_3	P_4	P_5
x	0	0	0.14	0.03	0.16	0.15	0.05	0.25
y	0	0	0	0	0	0	0	0.1
z	0.12	0.4	0.15	0.03	0.12	0.23	0.45	0.45

图 6 直观地描述了在转速为 400rpm 下 F_A 点加料时不同时刻的示踪剂浓度分布。对比图 4 和图 6 可以发现，槽内的混合过程与流动场密切相关。示踪剂在槽中心处注入后首先跟随轴向流分散到液面，然后沿槽壁向下流入桨叶区，之后混合加快，随着桨叶区的射流流向槽内各处，最终达到均匀混合。图 6（d）中截面中部位置有一个低浓度区，此处对应的是上下大循环流 C_1 的中心，因而混合相对较慢；液面附近浓度稍高，这是因为液面处流速较小，混合也相对较慢。

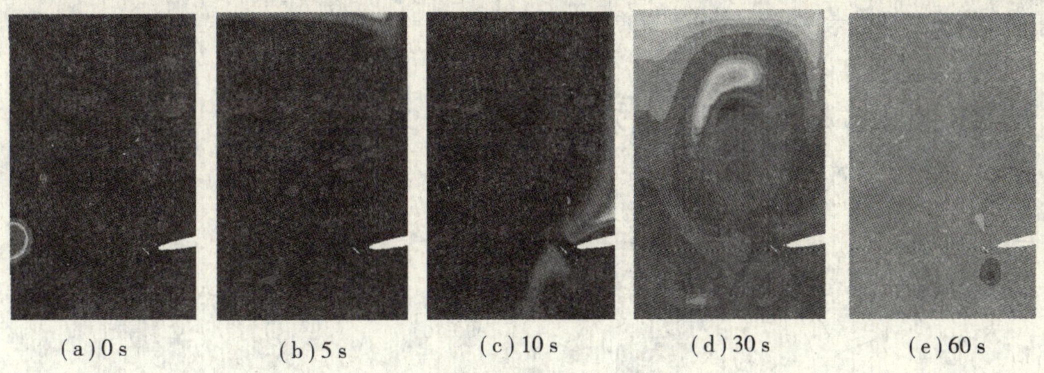

图 6　不同时刻搅拌槽内的示踪剂浓度分布

1. 示踪剂监测点及加料点位置对混合时间的影响

图 7 所示为 F_A 点加料时不同监测点位置的浓度随时间的变化曲线，图中纵坐标是示踪剂无因次浓度，即示踪剂实时浓度与最终搅拌均匀时的示踪剂浓度的比值。从图可以看出，不同监测点得到的浓度曲线有所区别，但混合时间 θ_{95} 相差较小；槽底部 P_1 点 θ_{95} 最短，液面附近的 P_5 点 θ_{95} 最长，这是由于搅拌槽下部流体包含有桨叶区，桨叶区的能量耗散率远高于液面处，因此其质量传递速率比在液面处要高得多。槽下部流体相对于槽上部属于高流速区，质量传递速率相对较高，因而混合更快更均匀，监测得到的混合时间相应就较短。液面附近的 P_4、P_5 点在前期都有一个较大的峰值，这与图 6 所显示的示踪剂的扩散过程相符。整个流域的最终混合时间取五个点监测结果的最大值，即 P_5 处的 36.9s。

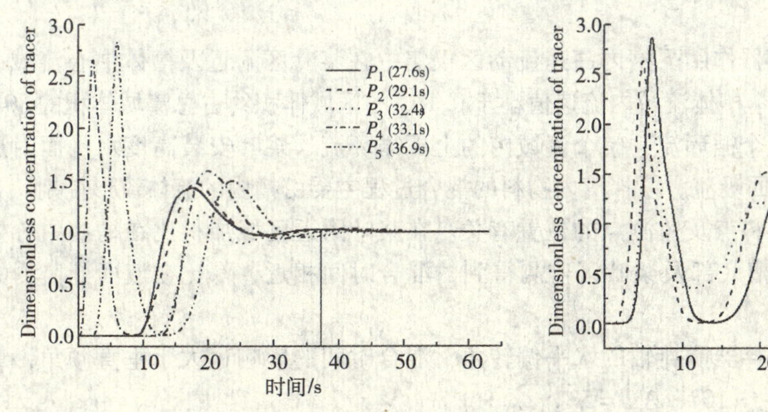

图 7　不同监测点示踪剂浓度曲线　　**图 8　不同加料点示踪剂浓度曲线**

不同的示踪剂加料点位置对混合时间的影响如图 8 所示。前文总结出在液面处 P_5 点监测时的混合时间最大，因而图中仅显示出不同加料点时 P_5 点的浓度响应曲线。从图中可以看出，在槽体中心下部 F_A 点、上部 F_B 点及桨叶尖端附近 F_C 点分别加料时，底部 F_A 点计算得到的混合时间最长，F_B 点次之，F_C 点最短。桨叶端加料得到的混合时间比中心底部加料减小了约 35%。这主要是由槽内的流体流动形式导致的。流体在槽中心处主要是轴向向上的流动，在此处加料后示踪剂首先要流向液面，分散向槽壁四周然后流入桨叶区，才能进入加速混合阶段，而桨叶区加料可以避免这一阶段，因此混合时间相应较短。

2. 搅拌轴偏转角的影响

图 9 所示为 F_B 点加料，搅拌轴垂直偏转角 α = 10°，水平偏转角 β 在 3° ~ 10°范围内混合时间的变化。由图可以看出，不同水平偏转角对混合时间的影响较大，相差最大为 40%。θ_{95}随着 β 的增大先减小后增大，在 β = 5°时出现最小值，因此可以得出在搅拌轴垂直偏转角一定时，搅拌槽混合情况最佳的水平偏转角 β_{opt} = 5°。

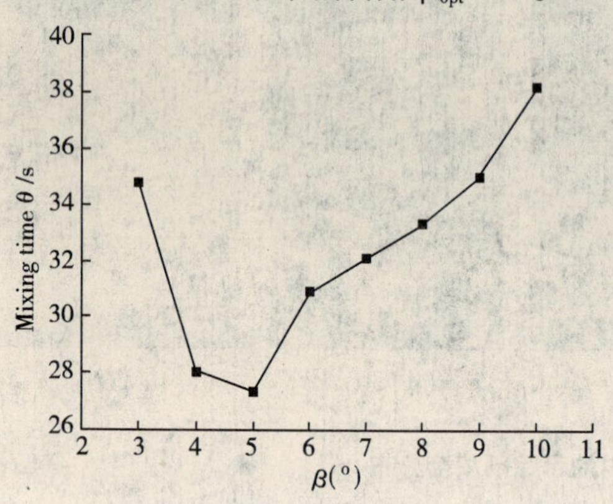

图 9　不同水平偏转角时搅拌槽内的混合时间

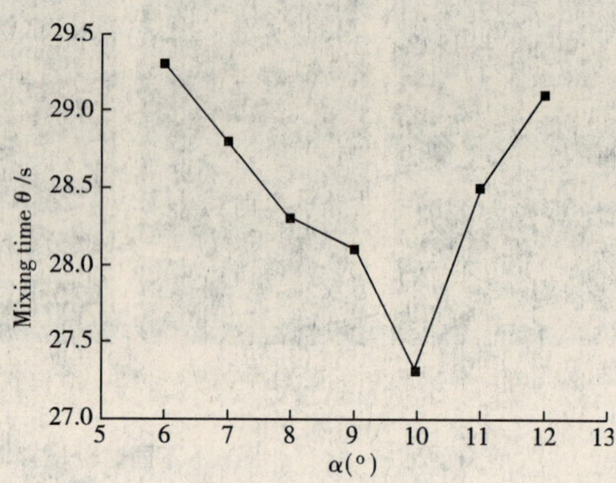

图 10　不同垂直偏转角时搅拌槽内的混合时间

图 10 所示为搅拌轴水平偏转角 β = 5°，垂直偏转角 α 在 6° ~ 12°范围内混合时间的变化。图中显示相对于水平偏转角 β，垂直偏转角 α 对混合时间的影响较小，这与文献［6］中的描述相符。θ_{95}随 α 在 6° ~ 12°范围内的变化不大，在 α = 10°时出现最小值，相差最大为 7.3%。由此可以得出在均质混合时侧向搅拌器最佳搅拌轴偏转角为 α_{opt} = 10°，β_{opt} = 5°。

五、结　论

本文利用 CFD 软件 FLUENT6.3 对侧进式搅拌器的流场特性及混合过程进行了数值模拟，根据研究结果可得到以下结论：

1. 此类侧进旋桨式搅拌器作用下槽内高速流动区仅集中在桨叶区附近及槽体中心流域；其余大部分流域速度较低，整个槽体流域内流速值小于 0.1u_{tip}的区域体积约占总流域体积的 80%。

2. 槽内流体主要形成三个循环流：整个流域内的上下循环流、桨叶安装高度水平面附近的环向流及各搅拌桨中心处的回吸流。搅拌槽内物料的混合过程主要由槽内的流体流形控制。

3. 混合时间的大小与加料点及监测点的位置有关。在桨叶附近区域加料比在槽体中心处加料时所得的混合时间短。在槽底部及桨叶区监测得到的混合时间相近，都比在液面处监测的时间短。

4. 在均质混合时侧向搅拌器搅拌轴的水平偏转角对混合时间的影响远大于垂直倾角，最佳垂直及水平偏转角分别为 α_{opt} = 10°，β_{opt} = 5°。

参考文献

［1］Ranade V V. An efficient computational model for simulating flow in stirred vessels: a case of Rushton turbine［J］. Chem Eng Sci., 1997, 52（24）: 4473 - 4484.

［2］Montante G. Lee K C. Brucato A. et al. Numerical simulations of the dependency of flow pattern on impeller clearance in stirred vesseds［J］. Chem Eng Sci., 2001, 56（12）: 3751 - 3770.

［3］A. Kukukova, M. Mostek, M. Jahoda, V. Machon. CFD prediction of flow and homogenization in a stirred vessel: Part I vessel with one and two impellers［J］. Chemical Engineering and Technology, 2005, 28（10）:

1125 - 1133.

[4] Mingzhong L. Graeme W. Derek Wilkinson. et al. Scale up study of retreat curve impeller stirred tanks using LDA measurements and CFD simulation [J]. Chem Eng Sci., 2005, 108 (1-2): 81-90.

[5] Wesselingh J A. Mixing of Liquids in Cylindrical Storage Tanks with Side - entering Propellers [J]. Chem Eng Sci., 1975, 30 (8): 973-981.

[6] Klausdieter K. Suspension by side - entering agitators [J]. Chem Eng Process, 1984, 18 (4): 233-238.

[7] Asghar A D. Masoud R. CFD simulation of homogenization in large - scale crude oil storage tanks [J]. J Pet Sci Eng, 2004, 43 (3-4): 151-169.

[8] Van Looy R. Kenjeres S. Hanjalic K. et al. CFD analysis of the mixing behaviour of a stable stratification in a cylindrical tank with a side - entry mixer [J]. ASME Pressure Vessels Piping Div Publ PVP, 2004, 491 (1): 143-170.

[9] Salwan S. Farhad E M. Simant R U. Using computational fluid dynamics modeling and ultrasonic doppler velocimetry to study pulp suspension mixing [J]. Ind Eng Chem Res, 2007, 46 (7): 2172 -2179.

[10] DU Rong - li (都荣礼), Huang Xiong - bin (黄雄斌), Wang Xin (王昕), et al. Measurement of stirring power and mass transfer by a side - entering gas - liquid agitator (侧伸式气液搅拌槽内的搅拌功率传质性能) [J]. Chinese J of Process Eng (过程工程学报), 2008, 8 (4): 709-713.

[11] Zheng Xiao - dong (郑晓东), Huang Xiong - bin (黄雄斌), Du Rong - li (都荣礼). Suspension of solid particles by side - entering agitators (侧伸式搅拌槽固液悬浮性能) [J]. Chinese J of Process Eng (过程工程学报), 2009, 9 (3): 417-423.

[12] Fang Jian (方键), Sang Zhi - fu (桑芝富), Yang Quan - bao (杨全保). Numerical simulation of 3 - D flow field in side - entering agitator (侧进式搅拌器三维流场的数值模拟) [J]. China Pet Mach (石油机械), 2009, 37 (1): 30-34.

[13] Javed K H. Mahmud T. Zhu J M. Numerical simulation of turbulent batch mixing in a vessel agitated by a Rushton turbine [J]. Chem Eng Process, 2006, 45 (2): 99-112.

[14] Fasano J B. Penney W R. Avoid blending mix up [J]. Che Eng Prog, 1991, 87 (10): 56-63.

[15] Lunden M. Stenberg O. Andersson B. Evaluation of a method for measuring mixing time using numerical simulation and experimental data [J]. Chem Eng Commun, 1995, 139: 115-136.

大型海藻浒苔水热液化提取生物油

周　东　张　良　张士成　付洪波　陈建民

（复旦大学环境科学与工程系　上海　200433）

摘　要　大型海藻浒苔引起的“绿潮”会产生大量藻类废弃物，对近海海洋生态环境及人们的生产生活等造成诸多不利影响。研究了浒苔在水热液化条件下生物油的转化，主要考察了温度和反应时间的影响。生物油的组成分析采用 FTIR、GC－MS 和元素分析。结果表明浒苔水热液化提取的生物油主要含有脂肪酸及酯类，还有各种含氧碳氢化合物以及含氮化合物，具有较高热值。因此，在保护环境的同时有利于实现藻类废弃物的资源化利用。

关键词　浒苔　水热液化　生物油

一、引　言

浒苔（Enteromorpha prolifera）是一类大型海洋绿藻，广泛生长于世界沿岸的高、中、低潮带沙砾、岩礁和石沼中，具有很强的环境适应能力和惊人的繁殖能力。“绿潮”即是由大规模的漂浮浒苔聚集海面形成的生态灾害，在世界沿海已有许多发生的记录，是一个世界性的海洋环境问题。“绿潮”的爆发带来大量的藻类废弃物，如 2008 年 6 月到 7 月我国青岛黄海爆发的浒苔“绿潮”产生了上百万吨的浒苔废弃物，给近海岸带来了一系列的生态环境问题，如藻体腐烂污染空气、水体，对底栖生态系统产生重要影响[1,2]，还会严重影响景观，干扰旅游观光和水上运动的进行等。

用藻类制取燃料近年来受到了广泛关注。自 1993 年 Ginzburg 报道盐藻液化可获得低硫低氮的油以来[3]，研究利用水热液化微藻来制取液体燃料生物油已陆续取得了一些成果[4-8]，但关于大型藻类的水热液化研究还很少，Aresta 等比较研究了 CO_2 超临界萃取和热化学液化两种技术从大型海藻 C. linum 中提取生物柴油，发现液化对于生物柴油的生产更有效[9]。浒苔含有丰富的蛋白质、水溶性多糖等，易于水热转化。为了实现浒苔废弃物的资源化利用，研究了水热液化浒苔来提取生物油，并对生物油的组成进行了分析。

二、实验原料与方法

（一）原料

实验用浒苔产自于浙江省东海海域。首先除去浒苔中掺杂的泥沙等杂质及表面的海盐，然后在60℃烘干 12h，再粉碎至 50～100 目备用。浒苔的灰分含量在550℃下灰化测定，挥发分 VM、固定碳 FC 采用热重法测定。浒苔的有机元素 CHN 用元素分析仪测定，O 的含量由 O（wt. %）＝100－（Ash＋C＋H＋N）（wt. %）计算出。浒苔的组成分析结果如表 1 所示。

表 1　浒苔的组成特征

工业分析（wt. %）			元素分析（wt. %）*				
VM	FC	Ash	C	H	N	O	H/C
42. 35	19. 54	30. 10	28. 75	5. 22	3. 65	32. 28	2. 18

＊在浒苔干基上测定。

（二）实验方法

水热液化实验在一个 250ml 的磁力反应釜中进行。每次实验均将 20g 浒苔粉末加入 150ml 蒸馏水中以形成藻浆，然后用 N_2 加压至 2.0MPa，启动加热反应釜，同时以 120r/min 进行搅拌，当温度升至预设温度时保持一段时间即反应时间，然后停止加热，通自来水冷却至室温。放出釜内气体，卸开反应釜，倒出反应混合物，然后用二氯甲烷（CH_2Cl_2）清洗釜壁和搅拌轴等。用 CH_2Cl_2 萃取反应混合物，然后过滤分离出残渣，在 105℃烘干 12h 后称重。CH_2Cl_2 相在 40℃旋转蒸发，得到的液体产物定义为生物油 Bio－oil。本实验主要考察了浒苔在不同温度和反应时间下水热转化为生物油的情况，生物油和残渣的产率由以下计算式给出：

$$\text{Bio-oil (wt. \%)} = \frac{W_{oil}}{W_{algae} - W_{ash}} \times 100\%$$

$$\text{Solid Residue (wt. \%)} = \frac{W_{residue}}{W_{algae}} \times 100\%$$

（三）产物分析

生物油用 FTIR 傅立叶红外光谱分析，其化合物组成采用 GC－MS 气质联用分析，分离出的化合物用 NIST02 质谱数据库进行鉴定。对生物油做了元素分析，生物油的高位热值 HHV 由 Dulong 公式：HHV（MJ/kg）＝0.3383C＋1.422（H－O/8）计算得到。

三、实验结果与讨论

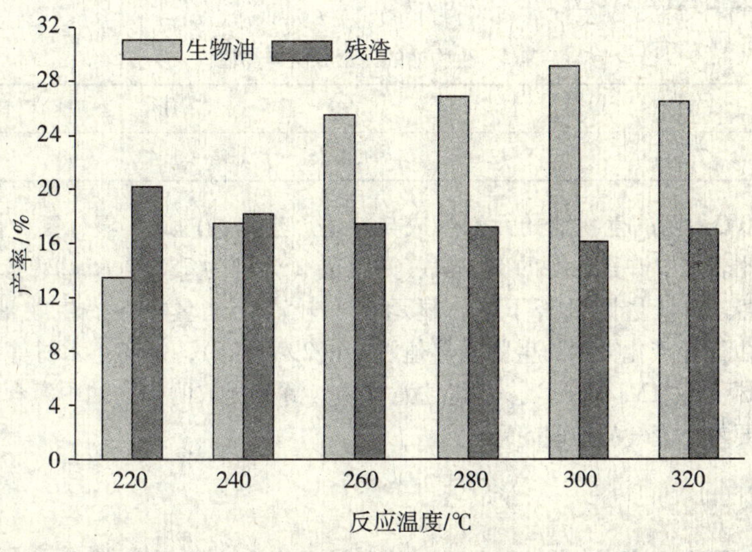

图 1　不同温度下生物油和残渣的产率

（一）温度和反应时间的影响

温度是水热液化的一个关键条件。图 1 是温度在 220～320℃，反应时间为 30min，浒苔水热液化的生物油和残渣的产率结果。从图中可以看出，生物油的产率随温度的上升而增加，在 260℃前生物油产率较低，在 260℃时产率大幅提高，并且随着温度的上升逐渐增加，在 300℃达到最大值为 29.1%，但温度进一步升高，在 320℃时生物油产率下降。残渣的产率则是随着温度的增加而逐渐减少，但是减少幅度不大。

生物质水热液化成油的过程主要分为 3 个阶段，可概括为：首先，生物质水解成低分子的水溶性化合物，然后发生聚合反应生成油，而部分油类组分又会发生再聚合生成不溶于水的结焦，同时生成气体[10]。其次，水解和聚合两类反应在水热液化过程中同时存在，在较低温度段 220℃、240℃时，浒苔的转化以水解为主，生物油的产率较低，且炭化结焦作用较明显；而随着温度的上升，在 260℃以后聚合反应加剧，使得生物油产率迅速增加，在 300℃时聚合反应过程逐渐趋于完全，同时，结焦也随温度上升而逐渐减少。最后在 320℃，由于生物油组分的再聚合反应加强，形成结焦并产生气体，使得生物油产率下降。

反应时间是水热液化的另一个重要条件，能显著影响生物油的产率。在温度为 300℃时，考察了反应时间为 5～60min 生物油和残渣的产率。结果表明 30min 是浒苔水热液化提炼生物油的一个适宜的反应时间，而反应 5min 则时间过短，聚合反应过程还未完全进行，油的产率较低，而反应时间长达 60min 时，则部分油组分又发生再聚合使得产率下降。

（二）生物油分析

浒苔水热液化提取的生物油成分十分复杂，通过 GC－MS 检测到了 100 多种化合物，但由于许多化合物结构复杂，化学性质差别很大，因此不可能完全分离出来。利用质谱数据库 NIST02 提供的化合物信息，从 300℃提取的生物油组分中鉴定出了 40 种化合物。生物油的组分主要包括酮类、醛类、酚类、醇类、烯烃、芳香烃、脂肪酸、脂肪酸甲酯以及少量的含氮化合物，这与生物油的红外光谱分析结果基本一致。生物油中含量最高的化合物是脂肪酸如棕榈酸、油酸及甲酯如棕榈酸甲酯等，它们主要来自于浒苔藻体内的脂肪的水解产物。而烃类在生物油中的含量很少，其中，烯烃如十五碳烯、十七碳烯等可能是由不饱和脂肪酸转化而来。各种酮类、酚类等化合物主要来自于水溶性多糖和纤维素的降解产物。含氮杂环化合物如喹啉、吲哚等是蛋白质分解转化生成的，还有一些含氮化合物如甲基吡嗪等则是典型的美拉德反应（Maillard Reaction）产物，即糖类和胺类化合物的反应产物[11,12]。

表 2 生物油的元素分析与热值 单位：wt. %

C	H	N	O	H/C	HHV（MJ/kg）
64.45	7.68	5.42	22.45	1.43	28.74

表 2 是在 300℃得到的生物油的元素组成与热值。生物油的碳、氢、氮含量分别为 64.45、7.68、5.42，对比表 1 中浒苔原料的碳、氢、氮组成（分别为 28.75、5.22、3.65），有了大幅提高，而 H/C 值、含氧量则显著下降，显示出了较高的能量密度。生物油的高位热值为 28.74MJ/kg，与由微藻液化得到的生物油热值相当（29MJ/kg），但高于木材等木质纤维素类热解得到的生物油热值（21MJ/kg）[13]。值得注意的是，浒苔提取的生物油中氮含量较高，因此直接燃烧利用还需要考虑废气的处理问题。

四、结　论

浒苔水热液化可提取液体燃料生物油。在水热液化温度为 300℃，反应 30min 时，生物油达到最高产率为 29.1%。生物油是一个成分极为复杂的混合物，由酮类、醛类、酚类、醇类、烯烃、芳香烃、脂肪酸、脂肪酸甲酯以及一些含氮化合物组成，具有较高能量密度，热值为 28.74MJ/kg。利用水热液化技术，在保护环境的同时有利于实现藻类废弃物的资源化利用。

参考文献

[1] 乔方利，马德毅，朱明远，等.2008 年黄海浒苔爆发的基本状况与科学应对措施［J］. 海洋科学进展，2008，26（3）：409－410.

[2] 夏斌，马绍赛，崔毅，等. 黄海绿潮（浒苔）暴发区温盐、溶解氧和营养盐的分布特征及其与绿潮发生的关系［J］. 渔业科学进展，2009，30（5）：94－101.

[3] Ginzburg Ben－Zion. Liquid fuel（oil）from halophilic algae：a renewable source of non－polluting energy［J］. Renewable Energy，1993，3，2/3，249－252.

[4] Dote Y，Sawayama S，Inoue S，et al. Recovery of liquid fuel from hydrocarbon－rich microalgae by thermochemical liquefaction［J］. Fuel，1994，73，12，1855－1857.

[5] Minowa T, Yokoyama S Y, Kishimoto M, et al. Oil production from algal cells of Dunaliella tertiolecta by direct thermochemical liquefaction [J]. Fuel, 1995, 74, 12, 1735 - 1738.

[6] Matsui T, Nishihara A, Ueda C, et al. Liquefaction of microalgae with iron catalyst [J]. Fuel, 1997, 76, 11, 1043 - 1048.

[7] Sawayama S, Minowa T, Yokoyama S Y. Possibility of renewable energy production and CO_2 mitigation by thermochemical liquefaction of microalgae [J]. Biomass Bioenergy, 1999, 17, 33 - 39.

[8] Yang Y F, Feng C P, Inamori Y, et al. Analysis of energy conversion characteristics in liquefaction of algae [J]. Resour., Conserv. Recycl, 2004, 43, 21 - 33.

[9] Aresta M, Dibenedetto A, Carone M, et al. Production of biodiesel from macroalgae by supercritical CO_2 extraction and thermochemical liquefaction [J]. Environ. Chem. Lett, 2005, 3, 136 - 139.

[10] Minowa T, Fang Z, Ogi T. Cellulose decomposition in hot - compressed water with alkali or nickel catalyst [J]. Supercrit. Fluid, 1998, 13, 253 - 259.

[11] Kruse A, Krupka A, Schwarzkopf V, et al. Influence of proteins on the hydrothermal gasification and liquefaction of biomass. 1. Comparison of different feedstocks [J]. Ind. Eng. Chem. Res, 2005, 44, 3013 - 3020.

[12] Kruse A, Maniam P, Spieler F. Influence of proteins on the hydrothermal gasification and liquefaction of biomass. 2. Model compounds [J]. Ind. Eng. Chem. Res., 2007, 46, 87 - 96.

[13] Amin Sarmidi. Review on biofuel oil and gas production processes from microalgae [J]. Energy Convers. Manage, 2009, 50, 1834 - 1840.

核事故危害预测预警数值模拟

黄顺祥　李慧敏　符天保

（防化指挥工程学院　北京　102205）

摘　要　建立了核事故危害预测预警数值模拟系统（NAPWS），分为气象场预报、扩散模拟和危害后果评价三部分。基于随机游走原理，建立了核事故危害预测扩散模模式（NDM），研发了 WRF 和 NDM 的接口，并将 WRF 和 NDM 与 ArcGIS9.3 进行了集成。应用 NECP 资料，WRF 对未来 48～72 小时内的精细气象场进行模拟，NDM 直接调用 WRF 预报的风场和湍流场，根据事故源强和应急干预水平进行危害预测模拟，得出放射性物质的危害范围和危害等级的时空分布，为核事故应急提供技术支持。以朝鲜宁边某核设施为例进行应用示范模拟。

关键词　核事故　WRF　数值模拟　危害预测

一、引　言

目前，我国已运营的核电站反应堆有 11 座，在建反应堆有 27 座，在 2020 年前拟建反应堆近 100 座。俄罗斯、朝鲜、印度、日本等我国周边地区核设施数量也不断增加[1]。这些核设施一旦发生事故，必将造成灾难性后果。1986 年 4 月 26 日，前苏联切尔诺贝利核电站第 4 号机组反应堆堆心毁坏，造成了灾难性事故，外漏放射性污染不仅影响苏联大片地区，还波及瑞典、芬兰、波兰等国，成为引起世界震动的一次核电站事故[2]。事故当天，有 132 人住院治疗，事故后共组织疏散 13.5 万人，至今仍有大量人员因该核事故健康受到影响，特别是事故后当地致癌率明显上升。切尔诺贝利核事故发生之后，核安全问题引起了全世界的关注[3]。我国作为核工业大国，潜在的核危害引起了国家及社会各界高度重视。

关于核事故危害预测数值模拟国内外均进行了大量的研究，如欧洲核应急决策支持系统 RODOS（Real－time On－line Decision Support）[4,5]。目前有 20 多个国家约 40 个研究机构参与研究，并已开发 RODOS6.0 版本。国内核电站应急系统主要采用了北京大学大气环境模式（PUMA）[6]，该模式最突出的优点是计算速度快，但 PUMA 采用了准静力假设，难以对非静力因素和复杂的热力过程进行预报模拟。为此，我们开发了基于非静力气象预报系统（WRF）的核事故危害预测数值模拟系统（Nuclear Accident Hazard Predicting and Warning System，NAPWS），并以大亚湾核电站为例进行相应的数值模拟。该系统力求解决以下两个问题：一是为应对核危机提供数据支持，根据对核危害后果做出定量的评价，提供准实时的危害后果图形，为应对核危机迅速提供科学的依据；二是指导公众进行正确防护，放射性烟羽持续时间长、影响范围广，不仅对人们的生理造成危害，同时也会对心理造成负面影响。

二、基本原理

（一）系统框架

核事故危害预测系统主要包括计算系统（底层）和展示系统（Shell 层）两大部分，系统架构和相互逻辑关系如图 1 所示。

1. 计算系统（底层）

在计算系统，气象预报系统对未来几十小时内的气象进行实时滚动预报，根据事故地点，自动调用气象数值预报系统，得出实时的精细三维风场和湍流场，扩散模式根据三维风场、湍流场、剂量计算模式和应急干预水平，计算烟羽外照射、吸入内照射、地面沉积外照射，比如得出重水反应堆 44 种或轻水反应堆 54 种核素对 19 种器官的危害状况，得出危害状况和事故后果。

对紧急防护措施干预水平如表1所示。

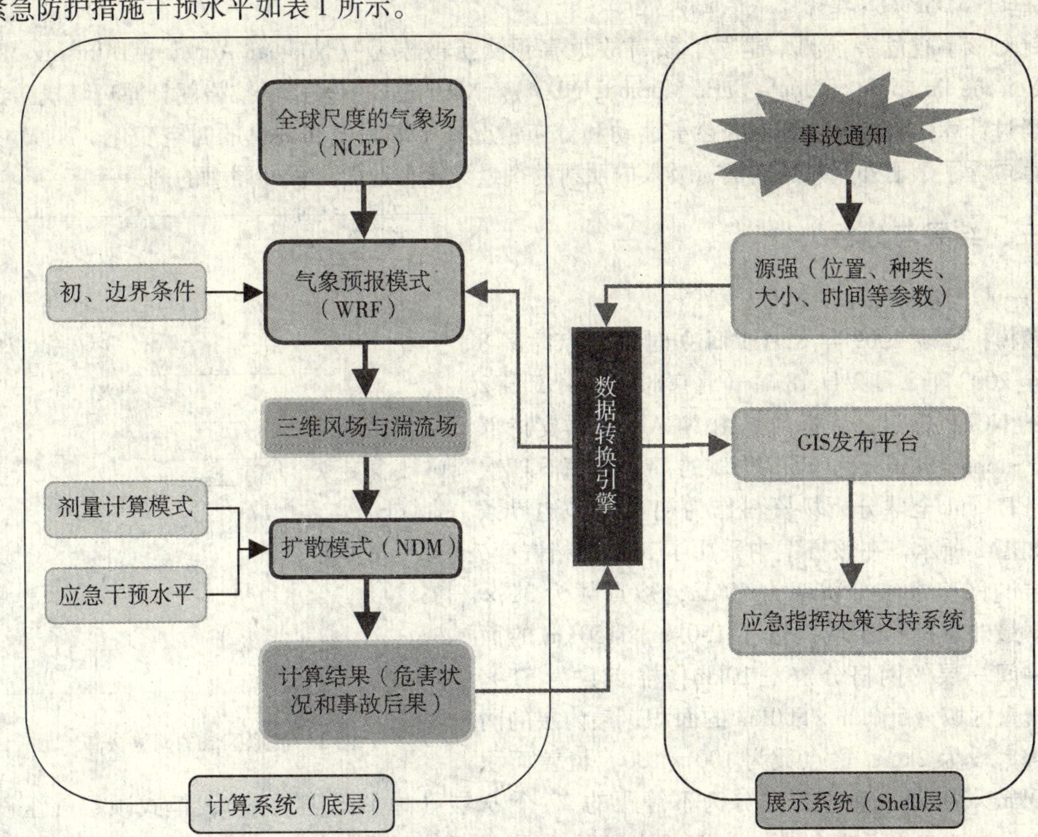

图1　核危害预测预警与控制系统构架

表1　对紧急防护措施建议的通用干预水平

防护行动	通用干预水平（由防护行动避免的剂量）
隐　蔽	10mSv
撤　离	50mSv
服用稳定碘	100mSv

2. 展示系统（Shell层）

展示系统与计算系统通过数据转换引擎实现两个系统的无缝耦合。首先，通过展示系统界面，将事故源的位置、种类、大小及发生事故的时间输入数据转换引擎提供给计算系统进行计算。其次，计算系统将计算结果通过数据转换引擎自动传给展示系统，展示系统将隐蔽区域、撤离区域、服碘区域以及危害开始时间、放射性烟羽持续时间等结果在ArcGIS 9.3系统上进行展示，实现定量化、直观化、矢量化和智能化。同时在系统中展示需隐蔽、撤离和服碘的人数及相应的面积，通过计算机网络进行实时在线发布。

（二）WRF参数化方案

系统采用WRF进行气象场预报[7]，其参数化方案包括以下五大部分：①辐射过程参数化方案；②微物理过程参数化方案；③边界层参数化方案；④陆面过程参数化方案；⑤积云对流参数化。根据大亚湾地区所属地形和气候条件，本文中微物理方案采用Lin等人的方案，长波辐射方案采用RRTM（Rapid Radiative Transfer Model）方案，短波辐射方案采用Monin－Obukhov方案，近地面层方案采用MYJ方案，边界层方案采用Eta Mellor－Janjic TKE（湍流动能）方案，陆面过程方案采用热量扩散方案。

（三）NDM 基本理论

针对核事故危害预测，建立了核事故危害预测扩散模型（Nuclear Accident Diffusing Model Based on the Principle of Monte Carlo Method，NDM）。NDM 模式中采用了拉格朗日原理随机游走方法，通过计算代表放射性烟羽的粒子运动和分布情况来了解浓度和剂量的时空变化。NDM 中剂量计算包含了烟羽外照射的剂量、吸入内照射的剂量计算和地面沉积外照射的剂量计算。

三、结果与分析

（一）气象场预报模拟与分析

该模拟选取 2009 年 8 月 1 日 0 时（北京时间 8 时）至 2009 年 8 月 2 日 18 时（北京时间 8 月 3 日 2 时）的 NCEP 资料，该资料是由 NCAR 数据支持部（Data Support Section，DSS）提供的 1°×1°每日四次的 NCEP－fnl 全球分析场资料作为初始场和边界条件。如图 2 所示，在该方案中采用了 3 层网格嵌套，最外层的网格水平分辨率为 50km，格点数为 31×31，即最外层模拟区域覆盖了 150km×150km 的面积；中间一层的网格分辨率 10km，格点数为 51×51，覆盖区域为 500km×500km 的面积；最内层的网格分辨率设为 2km，格点数为 100×100，覆盖面积为 200km×200km；垂直方向分为不等距的 27 个 σ 层（地形追随质量），模式顶层气压设为 264hPa；模式中心点的位置为（39.92N，125.56E），模拟时间自北京时间 2009 年 8 月 1 日 8 时至 2009 年 8 月 3 日 2 时，积分时间共 42 个小时，每隔 1 小时输出一次预报结果。

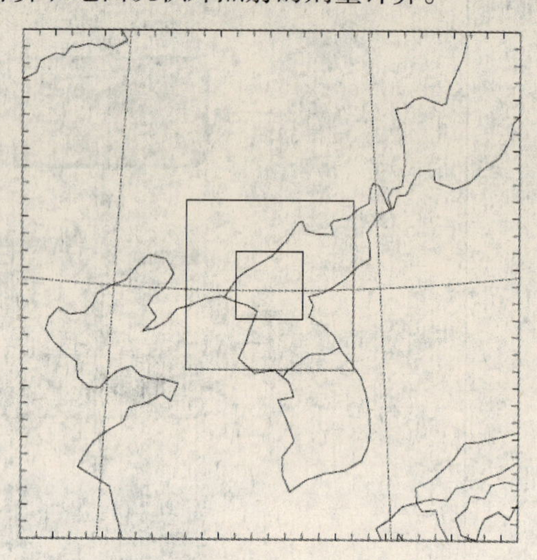

图 2　模拟区域的网格嵌套

图 3 给出的是模拟期间 2009 年 8 月 1 日 20 时至 2009 年 8 月 3 日 0 时模拟得到的近地面层（10m 高度处）的风场变化图，风速单位为 m/s；由图 2 中模拟区域的网格嵌套可以看出所模拟的第三层嵌套区域的西南方向邻近海域，白天模拟区域的主导风向为西南风，风从海面吹向陆地，从图 3（a）和图 3（c）可明显看出海风的影响，从 0 时开始风向变得比较紊乱，海风和陆风开始交汇；4 时海陆风表现最为明显；直到早晨 8 时继续受陆风影响较大，陆风明显强于海风；中午 12 时左右，海风重新影响陆面地区，主导风向为从西南海域吹来的西南风。该区域受西南方向的海域影响较为明显，存在明显的海陆风，对于污染物的扩散起着重要的影响。

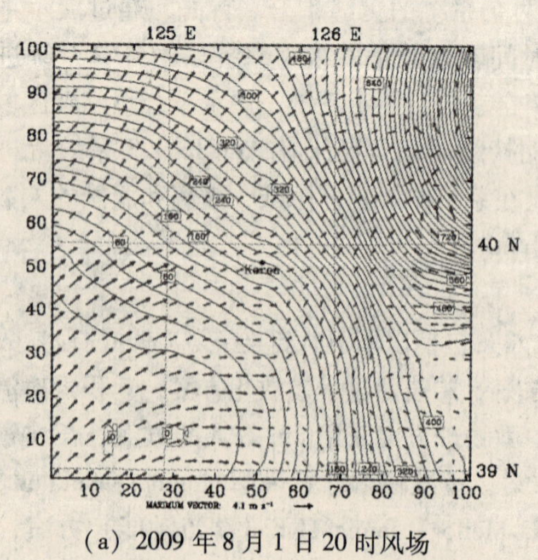

（a）2009 年 8 月 1 日 20 时风场

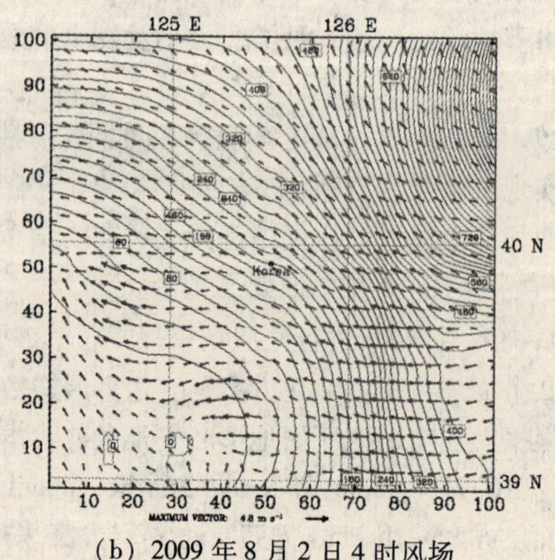

（b）2009 年 8 月 2 日 4 时风场

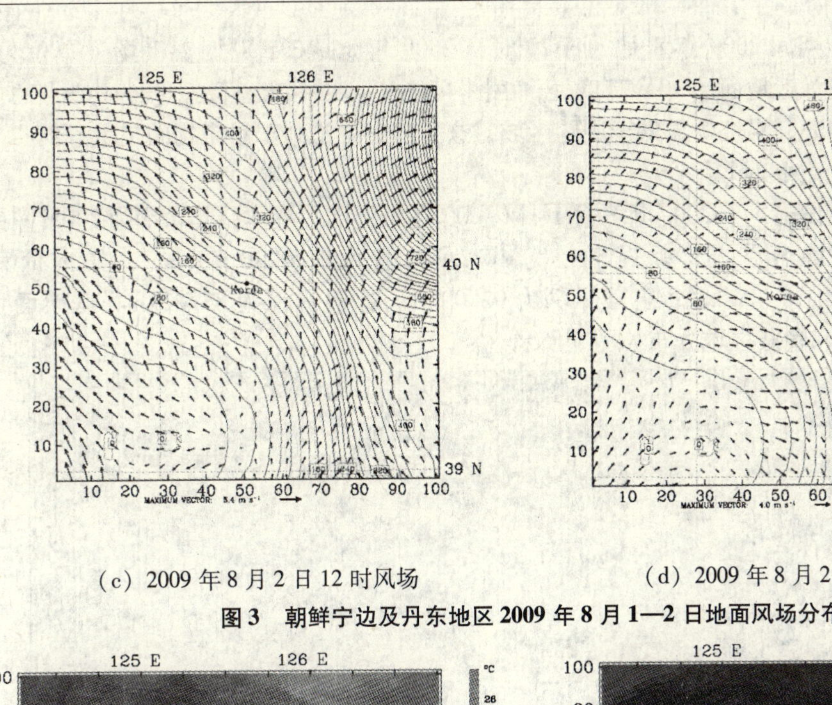

（c）2009 年 8 月 2 日 12 时风场　　（d）2009 年 8 月 2 日 20 时风场

图 3　朝鲜宁边及丹东地区 2009 年 8 月 1—2 日地面风场分布

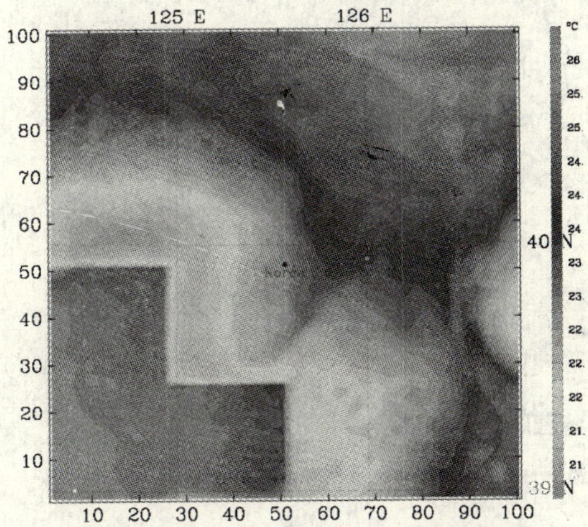

（a）2009 年 8 月 1 日 20 时温度场 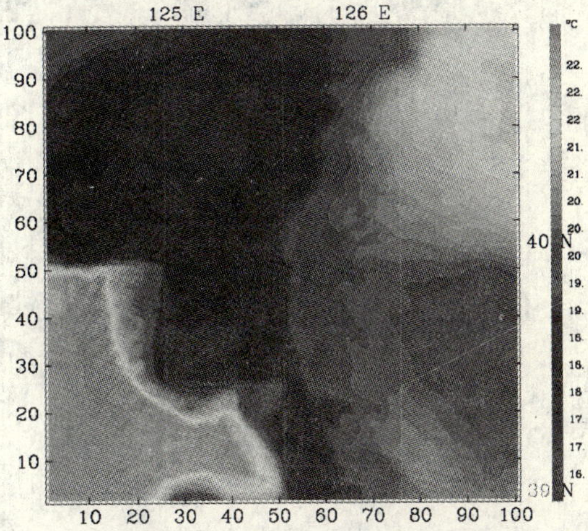　　（b）2009 年 8 月 2 日 4 时温度场

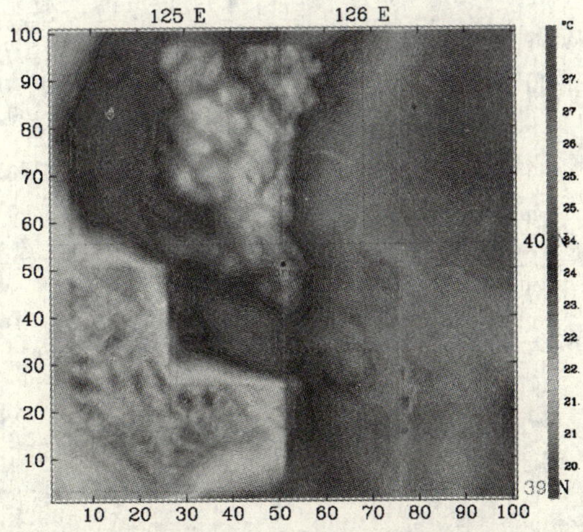

（c）2009 年 8 月 2 日 12 时温度场 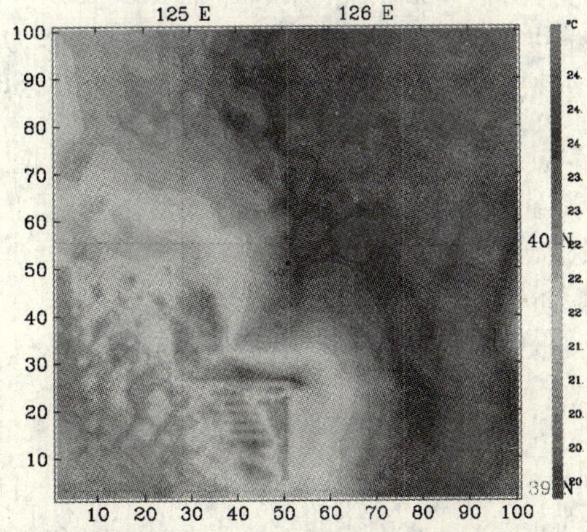　　（d）2009 年 8 月 2 日 20 时温度场

图 4　2009 年 8 月 1—2 日地面温度场分布

图 4 给出的是模拟期间 2009 年 8 月 1 日 20 时至 2009 年 8 月 3 日 0 时温度场（单位为℃）时间变化图，模拟高度为近地面层 10m 高度处，由图 4（b）可以看出，模拟区域中心点的位置在夜间形成一个低温中心，温度明显低于周围区域，这种情况将不利于污染物的扩散。

（二）核事故危害预测模拟算例

假设朝鲜宁边某核设施，于 2009 年 8 月 1 日 0：00 在早期堆芯解体，其功率为 200MW 的重水反应堆，人员处于隐蔽状况，源强半径为 10m。隐蔽面积为 26 700hm²，撤离面积为 20 900hm²，服碘面积为 15 400hm²；隐蔽纵深为 92.09km，撤离纵深为 83.22km，服碘面积为 65.51km，服碘、撤离和隐蔽区域分布如图 5 所示。

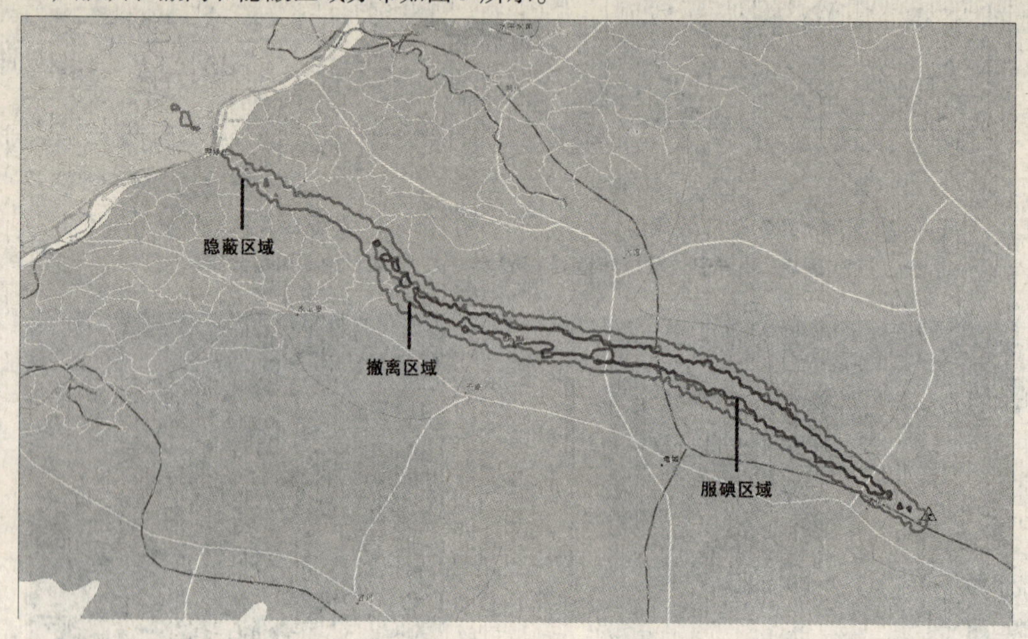

图 5　服碘、撤离和隐蔽区域分布

参考文献

[1] 于义风，史波波．朝鲜核问题研究．防化指挥工程学院，2009. 12.

[2] http：//www. history. huanqiu. com/today/2009 - 04/445518. html.

[3] Huang Shunxiang，Liu P. ，Hu F. ，Chen H. P. ，Liu F. Countering Nuclear，Chemical and Biological Terrors and the Essential Role of Atmospheric Sciences，PROGRESS IN SAFETY SCIENCE AND TECHNOLOGY V，2005. 10：1830 - 1836.

[4] W. Raskob，J. Ehrhardt. Status of the RODOS system for off - site emergency management after nuclear and radiological accidents，Proceedings of the First International Conference on Risk Analysis and Crisis Response，2007.

[5] 周银行，雷家荣，钟志京，等．RODOS 系统与核事故预警应急响应［D］．全国第一届核技术与公共安全学术研讨会论文集，2007.

[6] 姚仁太，郝宏伟，等．田湾核电站场外事故后果评价系统——TW2NAOCAS［J］．辐射防护通讯，2006，26（2）：1 -9.

[7] 胡向军，陶键红，等．WRF 模式物理过程参数化方案简介［J］．甘肃科技，2008，24（20）：73 -75.

水葫芦低温液化制取生物油的试验研究

张　良　周　东　张士成　陈建民

（复旦大学环境科学与工程系　上海　200433）

摘　要　以水葫芦为原料，在低温高压条件下进行液化反应制备生物油，研究了不同温度条件下水葫芦的液化效果，分析了生物油的主要成分。结果表明，水葫芦转化率在240～300℃温度范围内受温度影响不大，280℃时转化率达到最高，约为22.8%。生物油成分复杂，主要成分有芳香族有机物、烃类有机物以及其他复杂有机物等。

关键词　水葫芦　低温液化　生物油

目前水葫芦的利用方式主要归纳为以下几种：由于水葫芦生长会吸收大量的氮和磷，同时根部可以富集重金属，因此被用于水体净化技术中；水葫芦的主要成分是木质纤维素（约占干重的33%～55%）[1]，对其进行厌氧消化可以制备甲烷，通过水解发酵可以制备生物乙醇[2-4]等燃料。利用水葫芦制备甲烷被认为是最有效、对环境良性效应最好的替代能源方式，同时制备生物乙醇更是具有替代化石燃料的重大意义，但是上述水葫芦的能源化方式是通过厌氧消化和发酵等生物工程完成的，具有工艺相对复杂、生产周期较长、转化率低、产物成分复杂等缺点。

本实验采用一种低温高压的方法对水葫芦进行液化，主要研究水葫芦液化制取生物油的可能性及其转化率，明确产物的分布与主要成分。

一、实验原料与方法

（一）实验原料及处理

实验原料水葫芦在实验室条件下培养，取材时取水葫芦的茎和叶用自来水冲洗干净并晾干。

原料的含水率和灰分含量分别在105℃和550℃条件下烘干后测得。液化前需将一定量的原料磨成浆状后倒入反应釜。

（二）实验方法

表1　实验基本条件

原料/g	蒸馏水/ml	反应气氛
100.0	50	N_2
压强/MPa	搅拌速度/（r/min）	反应时间/min
2.0	160	10

水葫芦液化在型号为GSH－0.25，容积为250ml的锆合金材质磁力反应釜中进行，实验时将一定量的水葫芦样品和蒸馏水倒入反应釜并搅拌，使之成为浆状溶液；调节反应条件，设定反应温度，开启电源并加热，在反应釜内反应温度达到设定温度后继续反应10min停止加热，用冷却水迅速冷却反应釜至室温后将产物取出。具体反应条件如表1所示。本实验研究了水葫芦在240℃、260℃、280℃和300℃温度条件下的液化反应。

（三）产物处理

实验产物处理分为三个步骤：萃取、抽滤和旋转蒸发。实验使用二氯甲烷（CH_2Cl_2）作为产物处理萃取剂，液化产物从反应釜取出后首先用二氯甲烷进行萃取，静置一段时间后溶液分层，上层定义为水溶相产物，下层定义为二氯甲烷相产物；然后分别对水溶相产物和二氯甲烷相产物进行抽滤操作去除产物中的残渣；最后将二氯甲烷相产物在一定温度条件下旋转蒸发，除去二氯甲烷溶剂即为本实验的目标产物，定义为生物油（bio-oil）。

（四）产物分析

本实验研究对象主要为水葫芦液化产生生物油的产量和成分，因此产物分析重点为生物油。

旋转蒸发后称取生物油质量，可计算得到水葫芦的液化转化率。生物油和残渣的产率由以下计算式给出：

$$\text{Bio-oil (wt. \%)} = \frac{W_{oil}}{W_{material} - W_{ash}} \times 100\%$$

$$\text{Solid Residue (wt. \%)} = \frac{W_{residue}}{W_{material}} \times 100\%$$

生物油的主要成分利用 GC/MS 进行分析；利用 X 射线荧光光谱分析（XRF）分析过滤残渣的主要元素组成。

二、实验结果和讨论

（一）液化产率

实验结果表明，在 280℃ 条件下生物油产率最高，为 22.8%；在 240℃、260℃、280℃和 300℃四个温度条件下得到的生物油产率相比于其他原料均不高，产率范围在 20%~23%。

表 2　280℃和 300℃条件下液化产物主要成分表

RT /min	Compounds Name	Compounds Area/%	
		280℃	300℃
5.21	2-Cyclopenten-1-one, 3-methyl-	0.81	1.87
5.93	Phenol	1.82	6.07
6.82	Benzenamine, 2-methoxy-	—	0.96
7.21	1, 2-Cyclopentanedione, 3-methyl-	0.81	2.41
7.41	2-Cyclopenten-1-one, 2, 3-dimethyl-	0.50	1.30
8.93	Phenol, 2-methoxy-	3.04	4.75
9.65	Phenylethyl Alcohol	0.47	1.27
9.95	2-Cyclopenten-1-one, 3-ethyl-2-hydroxy-	1.22	1.89
14.44	Phenol, 4-ethyl-2-methoxy-	1.66	1.58
14.91	Indole	0.89	2.09
19.93	1-Pentadecene	1.42	0.88
24.21	8-Heptadecene	0.39	0.60
29.35	Decanoic acid, methyl ester	—	0.85
32.51	7-Pentadecyne	0.35	0.85
32.65	Z-7-Pentadecenol	—	1.18
33.96	cis, cis, cis-7, 10, 13-Hexadecatrienal	25.42	1.70
34.84	9, 12, 15-Octadecatrienoic acid, methyl ester, (Z, Z, Z)-	6.22	—
36.04	2, 5-Piperazinedione, 3-benzyl-6-isopropyl-	1.18	2.21
45.67	D-Tryptophan	—	2.27

因此，在 240~300℃温度范围内温度的变化对水葫芦的液化效率并没有产生十分明显的影响，同时水葫芦液化效率相对于其他原料并不高，因而需要在接下来的实验中进行实验条件的改

进，通过添加催化剂、改变反应条件等方法提高水葫芦液化的效率。

（二）液化产物分析

表2是280℃和300℃条件下水葫芦液化制得生物油的主要成分表。从表2可以看出，两种条件下得到的生物油成分都比较复杂，而且主要成分相似。综合看来，实验条件下水葫芦液化产物生物油的主要成分可以分为以下几个部分：芳香族有机物，包括苯酚及其衍生物，以及带有苯环的复杂有机物等；烃类有机物，包括烯烃（1－Pentadecene，8－Heptadecene）等；其他的结构相对比较复杂的有机物。生物油傅立叶转换红外线光谱分析（FTIR）的测试结果也表明其成分中具有羰基、烯烃双键以及苯环等官能团结构。据此推测低温高压条件下水葫芦的水热液化主要经历两个反应步骤：裂化反应和再缩聚反应，在裂化反应过程中水葫芦的木质纤维素被裂解为烃类和苯酚等简单有机物，而再缩聚反应会因为反应的继续进行而发生，在这一阶段中裂化反应所产生的简单有机物将重新反应形成具有环状结构的产物如芳香族有机物甚至结构更加复杂的产物。

表2还表明300℃温度条件下得到的液化产物成分明显比280℃温度条件下得到的产物成分复杂，说明较高的温度加剧了裂化反应后再缩聚反应的发生，从而形成了更多更复杂的产物。这在一定程度上增加了液化产物的精馏过程难度。

（三）残渣分析

表3　残渣元素表　单位：wt%

C	Na	Mg	Al	Si	P
78.80	0.32	2.61	0.05	0.02	7.58
S	Cl	K	Ca	Mn	Cu
0.73	0.65	0.32	8.74	0.14	0.03

表3是利用X射线荧光光谱分析仪分析过滤残渣元素组成的结果，从结果可以看出，水葫芦液化过程中产生的残渣元素比较集中，其中磷、钙、镁的含量较多，同时也含有钠、铝、锰等微量元素，没有重金属有毒元素，因此残渣经过处理后可考虑作为肥料使用。

三、结　论

以水葫芦为原料，低温液化制备生物油，其转化率在240～300℃温度范围内受温度影响不大，280℃时转化率达到最高，约为22.8%。生物油成分复杂，主要成分有芳香族、烃类有机物等。水葫芦液化后的残渣主要元素为磷、钙、镁，同时含有一些微量元素，无重金属有毒元素。

参考文献

[1] Ashish Kumar, L. K. Singh, Sanjoy Ghosh. Bioconversion of lignocellulosic fraction of water－hyacinth（Eichhornia crassipes）hemicellulose acid hydrolysate to ethanol by Pichia stipitis. Bioresource Technology［J］. 2009（100）：3293－3297.

[2] J. N. Nigam. Bioconversion of water－hyacinth（Eichhornia crassipes）hemicellulose acid hydrolysate to motor fuel ethanol by xylose － fermenting yeast［J］. Journal of Biotechnology. 2002（97）：107－116.

[3] Rajeev K. Sukumaran, Reeta Rani Singhania, Gincy Marina Mathew, Ashok Pandey. Cellulase production using biomass feed stock and its application in lignocellulose saccharification for bio－ethanol production［J］. Renewable Energy. 2009（34）：421－424.

[4] D. Mishima a, M. Kuniki, K. Sei, S. Soda, M. Ike, M. Fujita. Ethanol production from candidate energy crops：Water hyacinth（Eichhornia crassipes）and water lettuce（Pistia stratiotes L.）［J］. Bioresource Technology. 2008（99）：2495－2500.

水体多效唑残留对挺水植物生物量及生理特性的影响

王庆海[1] 李瑞华[1,2] 李建洪[2]

（1. 北京市农林科学院草业与环境研究发展中心 北京 100097；
2. 华中农业大学植物科技学院 湖北 武汉 430070）

摘 要 在温室条件下，研究了水体中不同浓度多效唑（PP_{333}）残留对水生鸢尾（*Iris pseudacorus L.*）、菖蒲（*Acorus calamus L.*）、水葱（*Scirpus tabernaemontani G.*）和千屈菜（*Lythrum salicaria L.*）等挺水植物生长及叶片生理特性的影响。结果表明，千屈菜对多效唑敏感，较低浓度的多效唑即可显著抑制其干重，显著降低叶片含水量（RWC）、叶绿素 a、b 含量和过氧化物酶（POD）活性，同时还促进丙二醛（MDA）含量显著升高。水生鸢尾对多效唑的敏感性次之。高浓度的多效唑对水葱 RWC、叶绿素 a、b 含量以及 MDA 含量的影响不显著，说明水葱对多效唑的耐药性较高，而菖蒲对多效唑的耐药性较弱。

关键词 多效唑 挺水植物 干重 叶绿素 MDA POD

多效唑（Paclobutrazol，PP_{333}）是一种高效植物生长调节剂，主要是通过根系被吸收，从而抑制植物的纵向伸长，促进分蘖，提高植株体内叶绿素、蛋白质和核酸的含量[1]。多效唑化学性质稳定、降解慢、易残留，可通过多种途径进入水体，影响生物尤其是水生生物的正常生理活动，其毒性会随暴露时间的延长而加大[2]；一定浓度范围内，混合细菌的生长速度、总脱氢酶活性和硝化作用抑制率与多效唑浓度呈显著的负相关[3-5]。因此，多效唑在水生生态系统中的行为、归宿及安全性，应予以足够的关注。本试验选用了水生鸢尾（*Iris pseudacorus L.*）、菖蒲（*Acorus calamus L.*）、水葱（*Scirpus tabernaemontani G.*）和千屈菜（*Lythrum salicaria L.*）四种常见的挺水植物，测定水体中多效唑残留对这四种植物干重和生理指标的影响，为研究多效唑水体污染的植物修复技术提供理论依据。

一、材料与方法

供试材料

1. 植物材料 水生鸢尾、菖蒲、水葱和千屈菜。四种植物均采于北京市农林科学院草业与环境研究发展中心实验基地。试验前洗净根部附着的泥土，用自来水在温室预培养一周，试验时选取长势一致、生长良好的植株进行实验。

2. 试验药剂 92%多效唑原药（江苏腾龙生物药业有限公司生产）。

3. 营养液的配制 本试验采用人工配制的霍格兰氏液作为植物生长的培养液。

4. 指标的测量

（1）干重的测定 先在 105℃下杀青半小时，后 80℃烘干至恒重，冷却后称取每桶植物干重。

（2）叶片含水量（RWC） 采用饱和称重法[6]。

（3）叶绿素含量 丙酮－乙醇浸泡提取法[7]。

（4）丙二醛（MDA）含量 用硫代巴比妥比色法测定[8]。

（5）过氧化物酶（POD）活性 采用愈创木酚比色法[8]。

5. 试验方法 以塑料圆桶（高×下直径×上直径：27cm×23cm ×26cm）作为培养容器，底质采用经自来水 3 次洗涤过的洁净沙子，沙层厚度为 5～7 cm，洗净植株根部附着的泥土后移入圆桶中。每桶加入5 L含不同浓度多效唑的营养液，多效唑浓度梯度设置为：20 mg/L、50 mg/L、100 mg/L、150 mg/L、200 mg/L，同时设置空白对照（CK），每个处理4次重复，室外避雨培养。试验期间每天向各处理组添加营养液保持桶内培养液体积不变。20d后取植物样，测植物样的干重和有关生理指标。

二、结果与分析

（一）多效唑对植物干重的影响

从图1可知，低浓度的多效唑对水生鸢尾、菖蒲和水葱有一定的增重作用，但是随着多效唑浓度的增加，植株的干重逐渐受到抑制。多效唑浓度与千屈菜、水生鸢尾、菖蒲和水葱的抑制率基本呈线性相关，其线性方程及相关系数分别为：①$y=0.1091x-1.1$，$r^2=0.9735$；②$y=0.0832x-4.9363$，$r^2=0.9717$；③$y=0.0821x-9.2449$，$r^2=0.9658$；④$y=0.0336x-4.3707$，$r^2=0.9453$。20 mg/L的多效唑对千屈菜就已经表现出一定的抑制作用，200 mg·L^{-1}的多效唑对千屈菜、水生鸢尾、菖蒲和水葱干重的抑制率分别为22.2%、10.5%、6.7%、3.0%。而水葱受多效唑抑制作用较小，浓度低于100 mg/L时，其干重抑制率为负，生物量仍表现为增加。多效唑对4种供试植物生物量的抑制作用强弱顺序为：千屈菜>水生鸢尾>菖蒲>水葱。

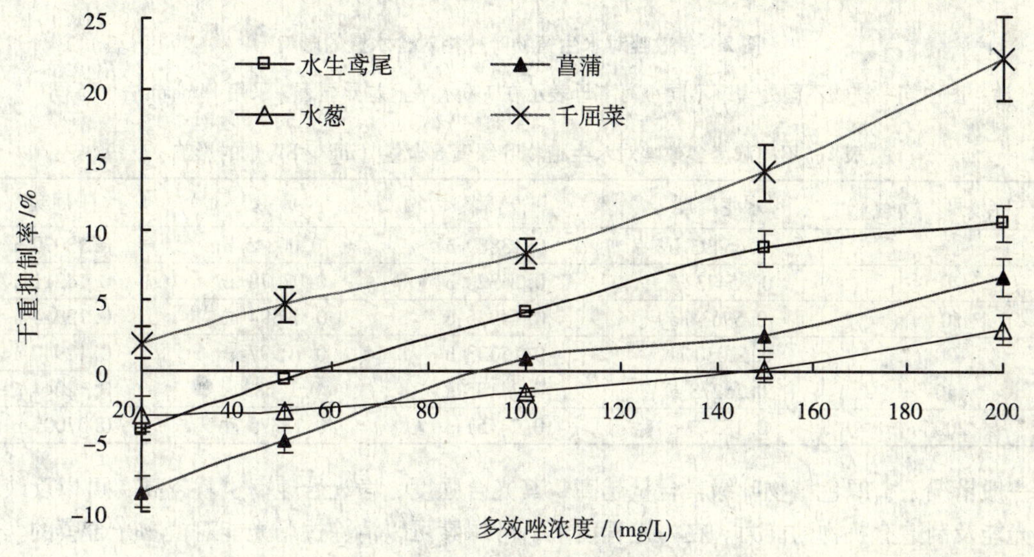

图1　多效唑对水生植物干重的影响

（二）多效唑对植物RWC的影响

叶片含水量影响到植物的生长、气孔状况以及光合作用，叶片相对含水量较高时，植物组织或器官的代谢活动比较旺盛，植株生长良好。

四种植物的RWC随着多效唑浓度的增大逐渐减小。千屈菜在200 mg/L多效唑处理下的RWC与CK、20 mg/L组的RWC差异显著；水生鸢尾的RWC在150mg/L和200 mg/L多效唑处理下与CK差异显著；水葱在各处理下RWC差异均不显著（图2）。由此可看出，多效唑对千屈菜和水生鸢尾RWC的影响最大，200 mg/L处理下的RWC与CK组具有显著性差异，而水葱RWC对于多效唑不敏感，菖蒲RWC对多效唑的敏感性比水葱较强。

（三）多效唑对植物叶片叶绿素含量的影响

与叶绿素b相比，叶绿素a能促进糖和蛋白质的合成且能减少过剩高能光子导致自由基的产生及其对蛋白质的破坏。所以叶绿素a的提高可增强植物的抗逆能力，是判断植物适应性强弱的一项生理指标[9]。水生鸢尾和千屈菜叶绿素a含量随着多效唑浓度的增大先升后降，在50 mg/L

多效唑处理下叶绿素 a 的含量达到最大值，而后随着多效唑浓度的增加叶绿素 a 含量开始减少；此两植物 200 mg/L 处理的叶绿素 a 含量均显著低于其他处理。菖蒲和水葱在 20 ~ 200 mg/L 范围内随着多效唑浓度的增加叶绿素 a 的含量不断升高（表 1）。

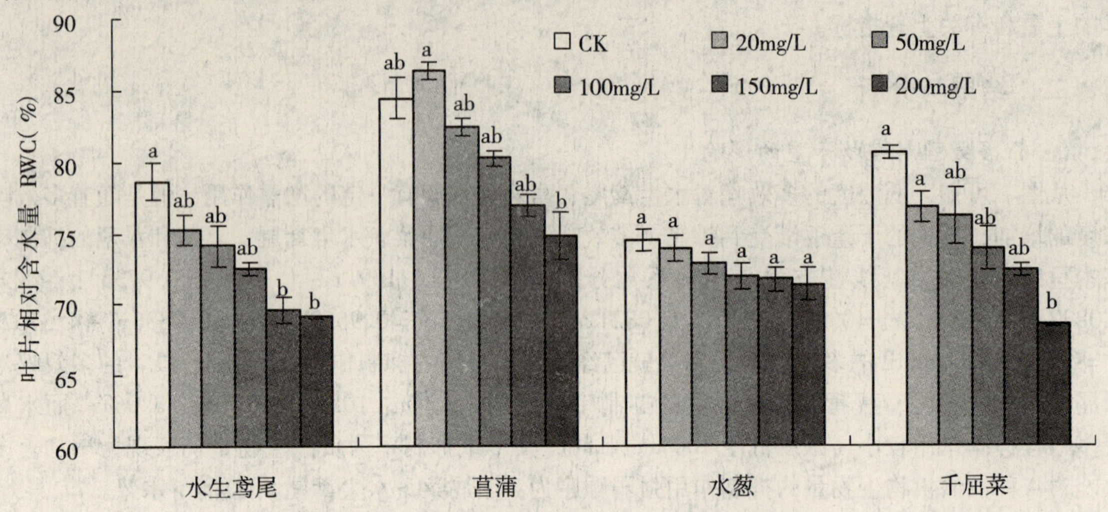

图 2　多效唑对水生植物叶片相对含水量的影响

注：图中同一植物不同处理下不同小写字母表示在 1% 水平上差异显著，采用 Duncan 法（下同）。

表 1　不同浓度多效唑对水生植物叶绿素 a 含量（mg/g FW）的影响

多效唑浓度/（mg/L）	水生鸢尾	菖蒲	水葱	千屈菜
CK	0.45493 b	0.13889 b	0.06845 b	0.13070 a
20	0.55473 ab	0.14320 b	0.07078 ab	0.14211 a
50	0.59634 a	0.14955 b	0.09594 ab	0.15914 a
100	0.52030 ab	0.15733 b	0.10997 ab	0.12940 a
150	0.25278 c	0.24185 a	0.13683 a	0.12044 a
200	0.18373 c	0.24751 a	0.13375 ab	0.07005 b

一般情况下，绿色植物叶绿素含量越高，其光合强度、净光合速率也就越高，可以反映植物利用光能及制造有机物的能力。在一定程度下，叶绿素可以清除过剩光能对植物光合膜的伤害。

就叶绿素总量而言，水生鸢尾 150 mg/L 和 200 mg/L 两处理处于同一水平，但显著低于其他处理；菖蒲 150 mg/L 和 200 mg/L 两处理则显著高于其他处理；水葱各处理差异不显著，千屈菜 200 mg/L 处理显著低于其他各处理。水生鸢尾和千屈菜叶绿素总量随多效唑浓度的增加呈先增加后减少的变化趋势，菖蒲和水葱则为一直增加的趋势。这可能是由于多效唑处理后叶绿体内基粒变大，片层增大，垛层增厚造成的。

表 2　不同浓度多效唑对水生植物叶绿素总量（mg/g FW）的影响

多效唑浓度/（mg/L）	水生鸢尾	菖蒲	水葱	千屈菜
CK	0.60058 b	0.18739 b	0.08047 b	0.18478 ab
20	0.74029 a	0.19121 b	0.09399 ab	0.19732 ab
50	0.81038 a	0.19522 b	0.12740 ab	0.23180 a
100	0.68349 ab	0.21437 b	0.14612 ab	0.18147 ab
150	0.44883 c	0.31376 a	0.17185 a	0.15639 b
200	0.32635 c	0.34362 a	0.17429 a	0.09433 c

（四）多效唑对植物叶片 MDA 含量的影响

MDA 是活性氧启动膜脂过氧化过程中的主要产物之一，它能与蛋白质的氨基或核酸反应生成 shiff 碱，MDA 的积累可对膜和细胞造成进一步的伤害，进而引起一系列生理生化变化，其含量高低是人们用来衡量植物在逆境胁迫下活性氧伤害程度的常用指标[10]。

总体上，四种水生植物叶片中 MDA 的含量随着多效唑浓度的增加有升高的趋势。水生鸢尾和千屈菜叶片的 MDA 含量 200 mg/L 处理最高；对于水葱和菖蒲这两种植物而言，多效唑各浓度处理下与 CK 相比差异均不显著。可见，这两种植物对多效唑的敏感性较低。

表 3　多效唑对水生植物 MDA 含量（μmol/g）的影响

多效唑浓度/（mg/L）	水生鸢尾	菖蒲	水葱	千屈菜
CK	0.8192 b	0.8248 a	0.7576 a	0.8344 b
20	0.7226 b	0.8390 a	0.7618 a	1.1878 ab
50	0.8543 ab	0.9889 a	0.8136 a	1.2626 ab
100	1.0800 ab	1.0927 a	0.9286 a	1.4682 ab
150	1.1922 ab	1.1249 a	0.9398 a	1.5403 a
200	1.5078 a	1.2623 a	1.0548 a	1.6691 a

（五）多效唑对植物叶片 POD 活性的影响

POD 活性的提高有利于植物细胞迅速清除活性氧，消除过氧化氢的危害，控制脂质氧化，减少膜系统的伤害[11]。

水葱和菖蒲在多效唑各浓度处理的 POD 活性较 CK 均有显著增加，但各个浓度处理之间差异均不显著；水生鸢尾在 200 mg/L 处理下的 POD 活性与其他处理间差异均显著；千屈菜的 POD 活性在各处理间均无显著差异。可见，水葱和菖蒲在多效唑逆境胁迫下，保护性反应较强。

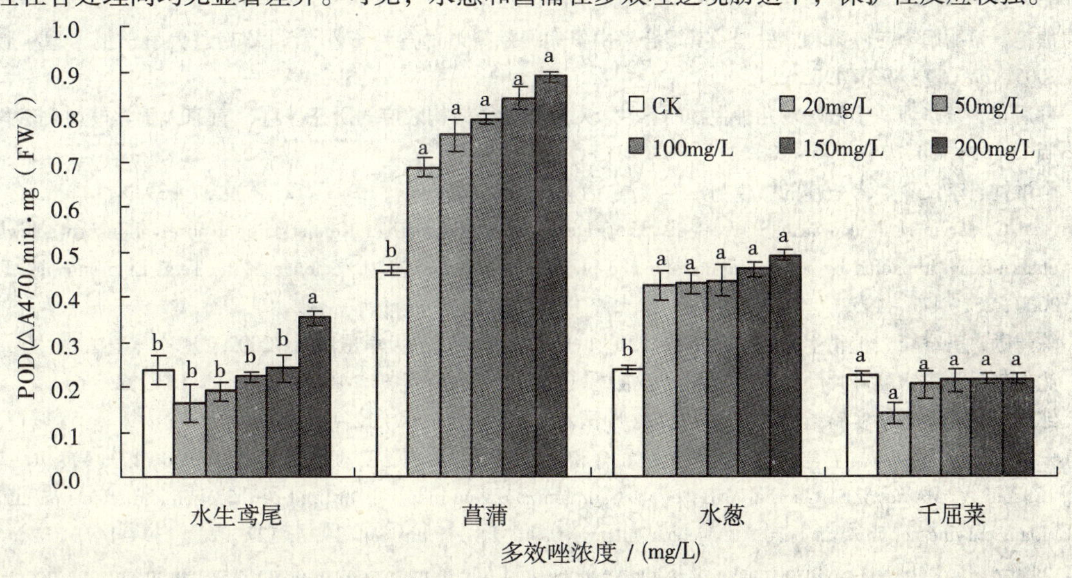

图 3　多效唑对水生植物 POD 活性的影响

水葱和菖蒲在多效唑处理下 POD 活性增强，增强了植物对多效唑的抗逆能力，能够很好地生长。并且在较低浓度时就能迅速地自动提高 POD 活性来防止被氧化。水生鸢尾在较高浓度下才能开始产生调控，而此时浓度相对较低的多效唑已经对植物造成了伤害。千屈菜在多效唑处理下一直没能通过自身调节来提高 POD 活性致使受到过氧化氢的危害，植株迅速衰老。

三、结　论

通过多效唑对水生鸢尾、菖蒲、水葱和千屈菜的生物量及叶片各项生理指标的影响实验，我们发现低浓度的多效唑对植物生长具有一定的促进作用，而高浓度的多效唑则会抑制植物生长，不同植物对于多效唑作用的生理响应程度不同，水葱和菖蒲对多效唑的响应较迟钝，千屈菜和水生鸢尾对多效唑的生理响应较为敏感。

多效唑对千屈菜的干重抑制作用明显，对菖蒲和水葱干重的抑制率较低。多效唑浓度与抑制率的线性方程的斜率，可从一定程度上反映出多效唑对植物生长影响幅度的大小，可以作为一种"辅助性指标"来衡量多效唑对植物毒性的大小，斜率越大说明对植物的毒性影响随浓度增加的变化幅度越大，对该植物的毒性也就越强。

多效唑处理下，水葱和菖蒲植物的叶片含水量均有不同程度的降低，但影响都不太大；叶绿素 a 含量和叶绿素总量随着多效唑浓度的增加而升高；经较高浓度多效唑处理后，MDA 含量和 CK 相比差异不大；在较低浓度多效唑处理下，即可通过自身调节提高 POD 的活性，减弱外界对其伤害，从这些指标的测量结果均可表明，水葱和菖蒲对多效唑具有一定的抗性，水生鸢尾对于多效唑胁迫的抗性次之，而千屈菜对于多效唑最为敏感，这可为今后用植物进行多效唑水体污染的修复提供参考。

生物量、RWC、叶绿素含量、MDA 含量、POD 活性等指标都能在不同层面一定程度上反映植物受到污染物的影响，这些指标应该存在某种联系，但是如何将这些不同层次的指标组成一个有效的指标体系来评判农药对植物的环境风险是今后值得探讨的问题。

参考文献

[1] 奚海福，叶庆富．油菜叶片对多效唑的吸收及在体内和土壤中残留［J］．中国油料，1995，17（1）：33－35.

[2] 熊艳，万丽娟．三唑磷和多效唑及其混合对中华大蟾蜍蝌蚪的急性毒性［J］．南昌大学学报（理科版），2005，29（5）：493－496.

[3] 蔡后建，黄华强．多效唑对几种生物的毒性及对植物超微结构效应的研究［J］．南京大学学报（自然科学版），1994，30（2）：274－280.

[4] 金洪钧，李江平．多效唑的微生物毒性检测［J］．上海环境科学，1993，12（6）：37－39.

[5] Neal C, Jarvie H P, Howarth S M, et al. The water quality of the River Kennet: initial observations on a lowland chalk stream impacted by sewage inputs and phosphorus remediation [J]. Science of the Total Environment, The. 2000, 251: 477－495.

[6] 陈建勋，王晓峰．植物生理学实验指导［M］．广州：华南理工大学出版社，2002.

[7] 沈伟其．测定水稻叶片叶绿素含量的混合液提取法［J］．植物生理学通讯，1988，3（3）：62－64.

[8] 邹琦．植物生理学实验指导［M］．北京：中国农业出版社，2000：72－75.

[9] 朱永友，王治．PP_{333}复合剂对高羊茅生长发育和生理效应的影响［J］．草业科学，2000，17（4）：70－73.

[10] Chaoui A, Mazhoudi S, Ghorbal M H, et al. Cadmium and zinc induction of lipid peroxidation and effects on antioxidant enzyme activities in bean (Phaseolus vulgaris L.) [J]. Plant Sci. 1997, 127 (2): 139－147.

[11] Sharma P, Dubey R S. Involvement of oxidative stress and role of antioxidative defense system in growing rice seedlings exposed to toxic concentrations of aluminum [J]. Plant Cell Reports. 2007, 26 (11): 2027－2038.

液—液—固流化床反应器中氧传递速率和柴油生物脱硫研究

林　星　罗明芳

（中国科学院研究生院材料科学与光电技术学院
北京海淀区中关村北二条1号中国科学院过程工程研究所　100190）

摘　要　从能源和环保两方面综合考虑，生物脱硫（BDS）是实现超低硫柴油生产的最有效的技术之一。本项目采用无泡膜曝气方式为油品BDS过程安全、高效、连续提供充足溶氧，以解决该过程放大可能存在的安全性问题。同时，结合BDS过程特点，拟建立液—液—固膜曝气流化床反应器固定化细胞柴油深度脱硫新工艺。

关键词　生物脱硫　膜曝气　油品　流化床

一、引　言

油品的微生物脱硫是一个复杂的生物反应过程，涉及水相、油相和生物催化剂固相组成的多相体系；从微生物脱除DBT中硫的代谢途径及代谢机理可知，生物脱硫是一个多酶反应过程，并且需要辅因子的参与[1]。因此，脱硫反应存在两相混合、含硫化合物传递、反应后的两相分离、生物催化剂的分离回收等问题。Monot等[2]发表的美国专利USP 6 337 204 B1认为BDS包括：细菌发酵罐培养→脱硫生物催化剂的制备→生物催化脱硫反应→油水相分离→消除硫酸盐。其中，生物催化剂可以是细菌直接培养液或使用过滤、离心等方法分离收集菌体后，制备成静息细胞或固定化细胞。

根据脱硫菌的游离状态，BDS工艺可分为游离细胞生物脱硫工艺和固定化细胞生物脱硫工艺。游离细胞（free cell）是指菌体培养液经洗涤后，直接作为酶源进行底物转化或生物催化。游离细胞生物脱硫可分为两类，一种是静息细胞（resting cell）脱硫[3-6]：将细菌发酵液离心后，分散到生理盐水或缓冲液中制成静息细胞，然后进行生物脱硫反应；另外一种是生长细胞（growing cell）脱硫[7]：细菌分散在培养基中，微生物仍然维持生长状态，进行脱硫。其中，静息细胞生物脱硫研究最多。

要使生物脱硫技术实现产业化，必须在廉价的具有高活性和稳定性的生物催化剂的制备方面、生物反应器的设计、油水相混合技术以及分离系统等方面取得进展。而生物催化剂的大规模生产是微生物脱硫工业化的先决条件。

通过文献调研，对前人工作的总结，本文拟采用李玉光等[8]优化对脱硫细菌R-8的培养条件进行发酵罐高密度培养，并利培养所得细胞进行脱硫试验，由于本文主要考察微生物脱硫过程中氧传递速率对脱硫效率的影响，因此本文初始研究了500ml简易脱硫装置中，脱硫过程油水相氧传质系数与脱硫效果的关系。以此指导后续流化床反应器中微生物脱硫过程中氧传递速率的研究。

二、游离细胞生物脱硫

（一）材料与方法

二苯并噻吩（DBT）　99%美国Acros Organics公司
2-羟基联苯（2-HBP）　95%日本TCI公司
正十二烷　98%天津市科密欧化学试剂有限公司

二甲基亚砜（DMSO）	天津市大茂化学试剂厂
正己烷（色谱纯）	天津市西华特种试剂厂
甲醇（色谱纯）	天津四友公司
硫含量测定用标准物质	石油化工科学研
其余试剂均为分析纯。	
超净工作台	北京冠鹏净化设备有限责任公司
HZQ－X100 振荡培养箱	哈尔滨市东联电子开发有限公司
高压蒸汽灭菌锅	上海分析仪器厂
超速离心机	美国贝克曼公司
LGJ－冷冻干燥机	军事医学科学实验仪器厂
发酵罐 BIOFLO 3000	NEW BRUNSWICK SCIENTIFIC，美国
Agilent1100 系列高效液相色谱仪	美国 Agilent 科技公司

（二）菌种及培养

德氏假单胞菌（Pseudomonas delafieldii）R－8（菌种保藏号为 CGMCC 0570）由本实验室分离[9]。

基本无机盐培养基（BSM）组成为：KH_2PO_4 2.44 g；$Na_2HPO_4 \cdot 12H_2O$ 12.03 g；$MgCl_2 \cdot 6H_2O$ 0.4 g；甘油 10 g；NH_4Cl 2.0 g；1%（v/v）微量元素；1000ml 蒸馏水；pH 7.0。以 0.2mmol/L DBT 作为硫源。DBT 采用乙醇分散，储液浓度为 100mmol/L。微量元素溶液组成为（每升）：$CaCl_2$ 0.75 g，$FeCl_3 \cdot 6H_2O$ 1 g 和 $MnCl_2 \cdot 4H_2O$ 4 g。培养基采用 121℃ 高压蒸汽灭菌 20min。30℃、180rpm 旋转摇床培养。

在 6.6L 发酵罐（Bioflo 3000，NBS）中进行高密度培养实验。培养基组分为摇瓶实验选择的最佳培养基配方。实验条件为：初始培养基体积 3L，30°C，接种量为 4%（v/v），搅拌速度 50～650rpm，充气速度 0.7～1.5L/min。溶解氧浓度（DO）和 pH 由计算机控制系统在线调节和监控，DO 通过调节搅拌速度和充气速度控制在 40%。实验过程中添加“泡敌”或二甲基硅油消泡。

（三）静止细胞反应

取在不同溶氧条件下（粗略以不同培养基体积，置于 500ml 三角瓶中培养）摇床培养至对数生长后期的菌液，5000r/min 离心 5min 收集菌体，用生理盐水洗涤 2～3 次，－20℃ 真空冷冻干燥制成冻干细胞，－20℃ 冰箱保存待用。

油水相反应时（除特别指明外）反应液含 0.20g 冻干细胞，10ml 十二烷（溶解了约 1mmol/L DBT）和 10ml 水相反应介质（油水比为 1∶1）。油水相反应脱硫活性以单位质量干细胞在单位时间所降解的 DBT 量 mg（DBT）/（g·h）来表示。

脱硫反应在 50ml 三角瓶中进行，30℃，180r/min 旋转摇床反应。

（四）样品处理及分析方法

1. 细胞浓度

使用比浊法测定细胞量。将培养液稀释一定倍数，采用 UV/Vis 分光光度计测定其光密度（OD），波长设定为 600nm，其光密度记为 OD_{600}。对于 R－8 菌，一个 OD_{600} 单位相当于 0.363g DCW/L。

2. HPLC

水相中 DBT 的分析方法：取培养液或水相反应液 0.6ml，加 6N 盐酸酸化至 pH2.0，然后用等体积的正己烷萃取，10000rpm 离心 3min，正己烷层中的 DBT 和 2－HBP 用 Agilent 1100 系列高效液相色谱（HPLC）分析。分析条件：二极管阵列检测器（检测波长设为 254nm 和 280nm）；

ZORBAX SB－C18 色谱柱（4.6mm×250mm；3.5μm）；柱温30℃；流动相为甲醇/水，体积比为90:10；流速为1ml/min。自动进样器进样5.0L。在此测试条件下，DBT和2－HBP的保留时间分别为5.49min和3.29min。DBT和2－HBP均采用外标法定量。

以正十二烷为模拟油相进行BDS反应时，间隔一定时间取样，离心后，上层油相正十二烷中的DBT和2－HBP直接用HPLC分析。

（五）发酵罐中细胞生长过程与脱硫过程中 k_1a 的测定

1. 发酵罐中细胞生长过程中 k_1a 的测定

通过文献调研，R. BANDYOPADHPAY[10]等人给出了发酵罐中细胞生长过程中 k_1a 测定方法：

在稳定的条件下，对于传统的发酵系统：

$$\mathrm{OUR} = rX = \mathrm{OTR} = k_1a\ (C^* - C_L)$$

在不通气的条件下，亦即断气后：

$$dC\ [\mathrm{DO}] = dC/dt = -rX$$

当紧接着断气完毕开始通气后：

$$dC\ [\mathrm{DO}] = dC/dt = k_1a\ (C^* - C_L)\ - rX$$

整理后：

$$C = -\frac{1}{k_1a}\left(\frac{dC}{dt} + rX\right) + C^*$$

2. 细胞脱硫过程中 k_1a 的测定

在500ml简易鼓泡曝气装置中进行对脱硫过程中氧传质系数 k_1a 的测定[11]，反应过程中先同氮气至氧气浓度为0，开始通空气，利用溶氧电极记录溶氧浓度随时间的变化，直至溶氧浓度达到平衡。

$$k_1a \cdot t = \ln\frac{C^* - C_0}{C^* - C_t}$$

式中：k_1a 为氧传质系数，min^{-1}；t 为时间，min；C^* 为氧平衡时饱和浓度，mg/L；C_0 为开始通空气时氧的初始浓度，mg/L。

（六）结果与讨论

1. R－8细胞的培养

（1）不同溶氧条件下摇瓶培养与脱硫试验

在普通摇瓶（500ml三角瓶）中以0.2mmol/L DBT为硫源，以BSM为培养基，改变培养基的体积，即改变了培养的溶氧条件，考察了溶氧条件对R－8细胞生长的影响，结果见图1。由图1可知，培养基体积最小（50ml）时，其生长情况最好，其吸光度接近10。其次，是100ml、150ml、200ml、250ml；也就是说溶氧条件越大，其生长越好。但是由以上培养所得的培R－8细胞进行了脱硫效果的考察，结果见图2（a）、（b）。由图可知，培养基体积为150ml时，其脱硫效果最佳，其次是100ml、250ml、200ml、50ml；也就是说溶氧条件最好培养的细胞，其脱硫效果最差，只是具有一定溶氧条件下培养的细胞的脱硫能力最强。因此，我们可以推断出，溶氧条件，即氧传递

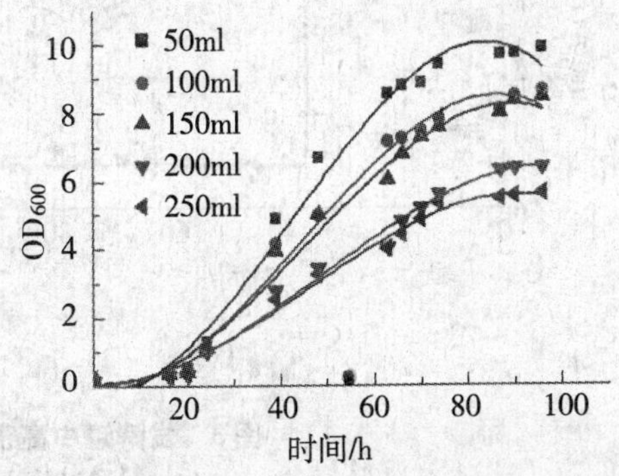

图1　不同溶氧条件下R－8细菌的生长曲线

速率对微生物细胞脱硫具有重要的影响，也是我们今后考察的重点。

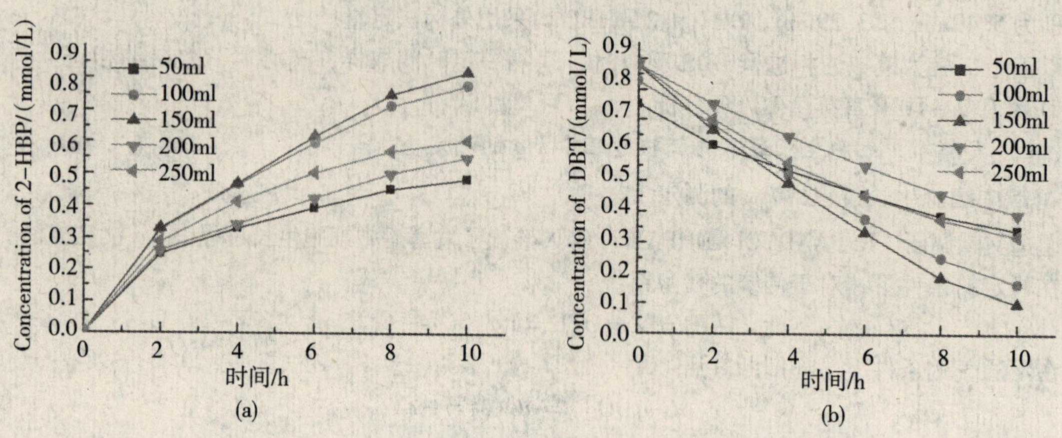

图 2　不同溶氧条件下培养的 R－8 细菌的脱硫曲线

（2）发酵罐高密度培养 R－8 菌

在前人的研究基础上，本文在 6.6L 发酵罐中对菌株 R－8 进行了高密度细胞培养的研究。其发酵过程的生长曲线以及参数变化见图 3。

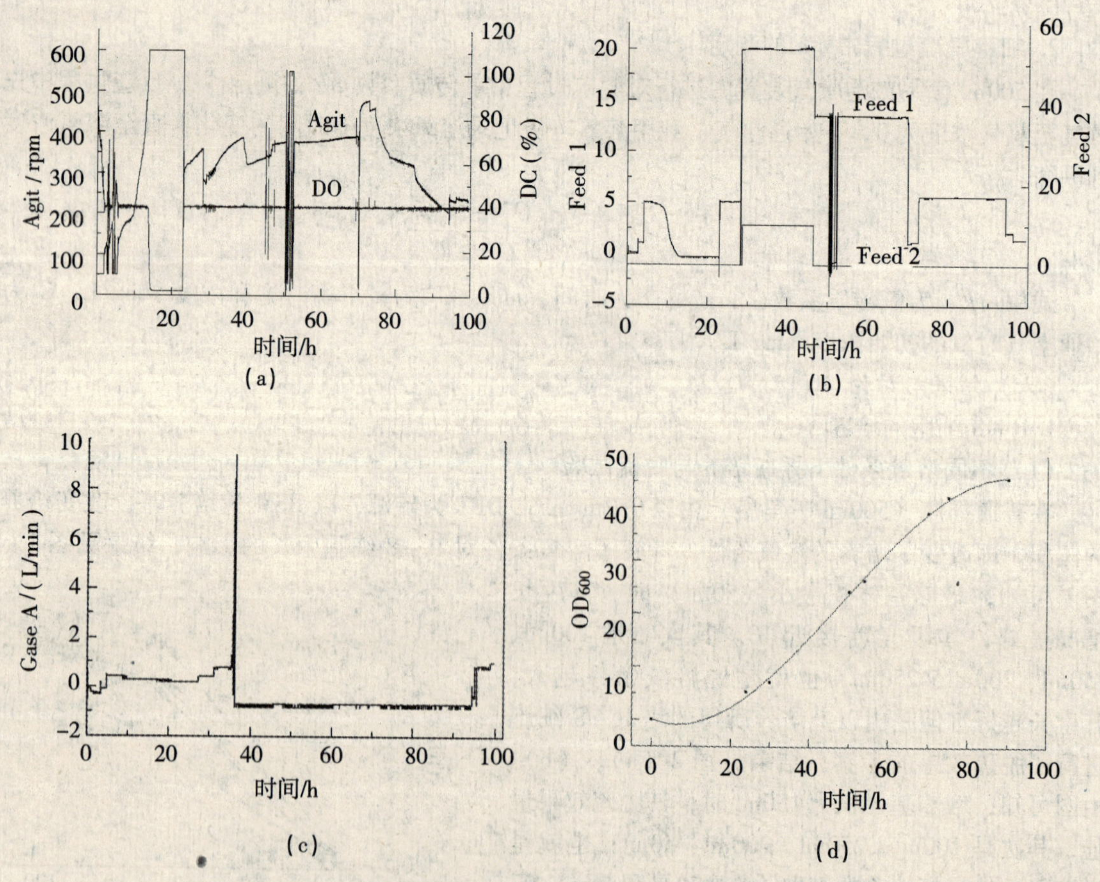

图 3　发酵罐中高密度培养 R－8 操作参数及生长曲线

（a）搅拌转速与溶氧；（b）Feed 补料情况；

（c）通气量变化；（d）R－8 的生长曲线

从图3（a）、（b）可以看出，随着细菌的生长，耗氧量逐渐增大，搅拌（Agit）转速逐渐增大；在培养30h后，开始补料。从图3（d）中可以看出，R－8细胞的生长速率较快，并且在发酵80h后，细胞OD值到达近45，细胞生长情况较佳，便于大规模培养和满足工业化需求。

2. R－8细胞生长过程和脱硫过程 k_1a 研究

（1）发酵罐中细胞生长过程 k_1a 测定

本文在6.6LNBS发酵罐中进行了细胞生长过程中 k_1a 的测定工作，结果见图4和表3。

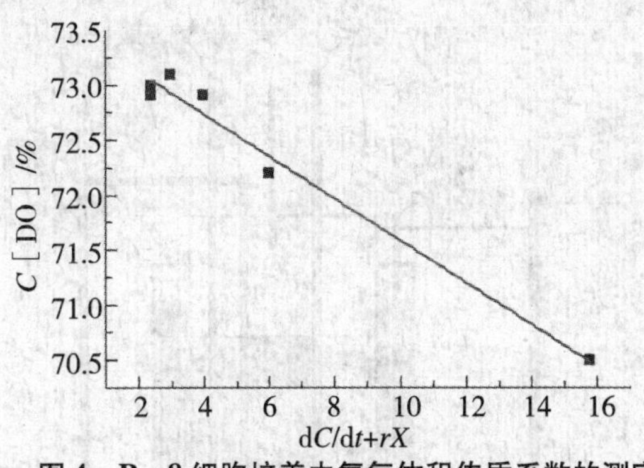

图4　R－8细胞培养中氧气体积传质系数的测定

表1　k_1a 的线性回归方程及相关系数

Microorganism	Linear regressione quation	Correlation coefficient, R	Standard Deviation, SD
R－8	$y = -0.191x + 73.498$	0.974	0.0138

$$C = -\frac{1}{k_1a}\left(\frac{dC}{dt} + rX\right) + C^*$$

$$-\frac{1}{k_1a} = -0.191, C^* = 73.498$$

$$k_1a = 5.236\text{min}^{-1}$$

从计算结果来看，我们可以看出用发酵罐进行高密度培养时，R－8细菌生长过程中耗氧量很大，溶氧浓度的保证具有重要的作用，也就是说溶氧浓度的变化对细胞的生长具有很大的影响。下一步我们将考察溶氧浓度的变化对R－8细菌生长的影响。

（2）500ml简易脱硫装置脱硫过程 k_1a 测定

为了进一步研究脱硫过程中氧传质的影响，以及为后续流化床膜曝气反应器中氧传质的研究，本文搭建了500ml简易的鼓泡曝气脱硫装置，装置图见图5，旨在初步研究氧传质对脱硫效果的影响，也为后续研究提供一定的指导。

本节分别对建议装置中水相、油相、油水相的氧传质系数进行了测定，并且测定了脱硫效率，结果见图6、图7，回归方程见表4和表5。

我们可以从图6、图7以及表4、表5中看出，油水乳液（1∶1）中不同脱硫时间下的氧传质系数基本上处于纯油相与纯水相条件下的氧传质系数范围内。从图8可以看出，不同脱硫时间下，油水相中的氧传质系数随着比脱硫活性降低呈现总体升高的趋势，虽然两者之间并不存在严格的线性关系，但这对本文下一步进行膜曝气中氧传质系数与比脱硫活性关系研究工作有一定的指导意义。

表2　水相/油相 k_1a 的线性回归方程及相关系数

Phase	Linear regression equation	Correlation coefficient, R	k_La (min^{-1})
Water	$y = 0.356x$	0.974	0.356
Oil	$y = 0.673x$	0.993	0.673

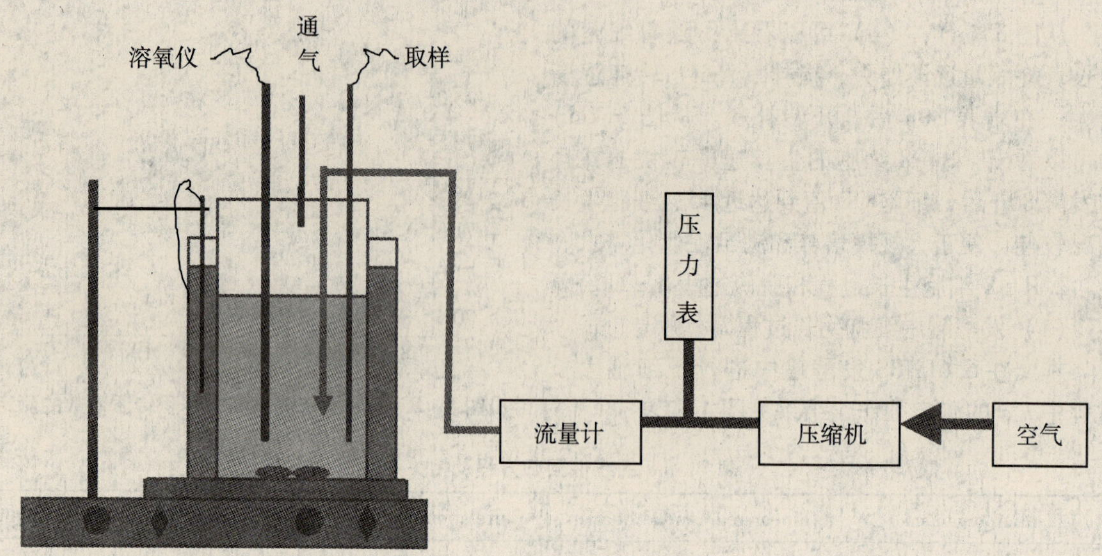

图5　简易鼓泡曝气脱硫装置

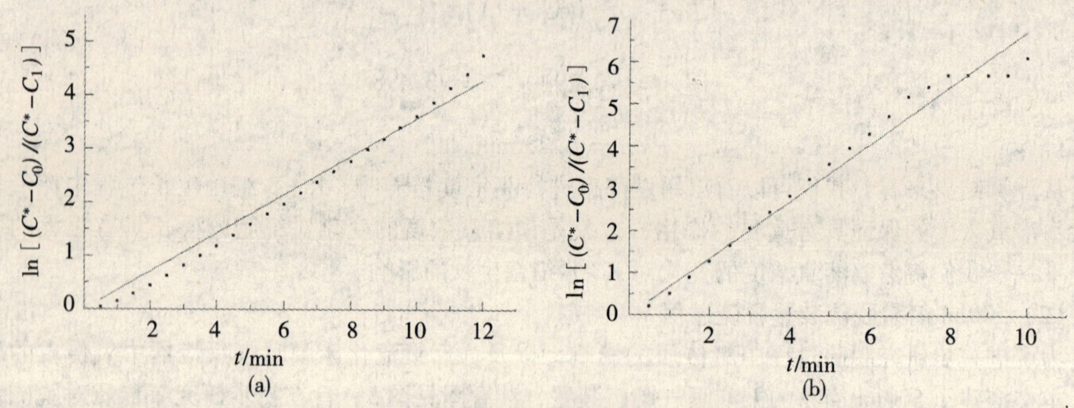

图6　水相/油相中样传质系数 k_1a 的测定

表3　不同时间油水相 k_1a 的线性回归方程及相关系数

Time/h	Linear regression equation	Correlation coefficient, R	k_1a/min^{-1}
0	$y=0.328x$	0.938	0.328
2	$y=0.235x$	0.943	0.235
4	$y=0.476x$	0.995	0.476
6	$y=0.545x$	0.978	0.545
8	$y=0.446x$	0.980	0.446
10	$y=0.687x$	0.998	0.687

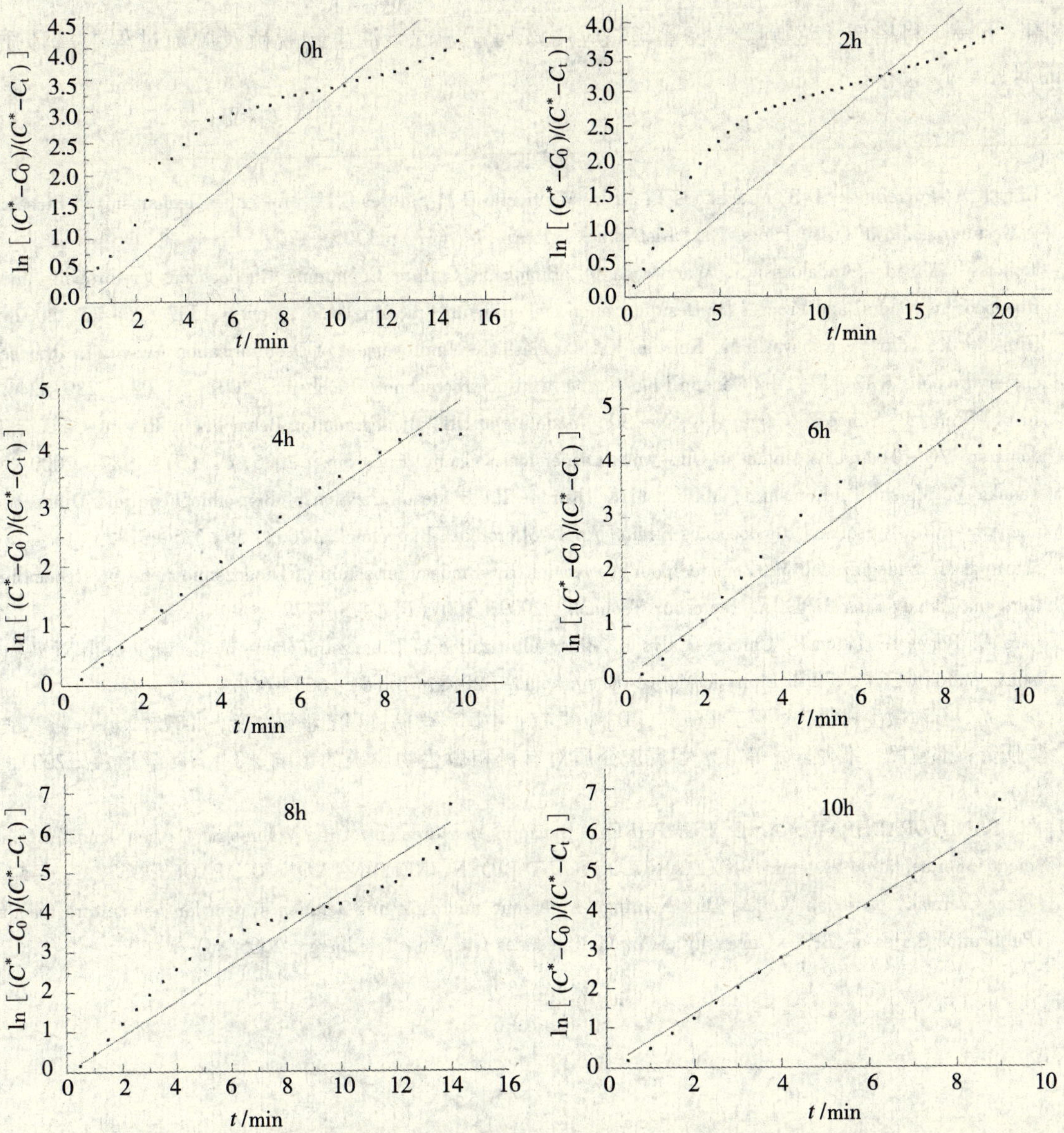

图7　不同脱硫时间下油水相 k_1a 的测定

三、小　结

1. 考察了不同溶氧条件下培养的 R-8 细胞的脱硫效果，从而得出溶氧浓度对脱硫性能具有一定的影响，也是我们下一步研究的重点；

2. 对 R-8 细胞进行了发酵罐高密度培养，并对培养过程中细胞生长曲线和氧传质系数进行了测定，以及考察相关参数的变化；

3. 对500ml 鼓泡曝气简易装置进行了脱硫试验，考察了氧传质系数对脱硫效率的

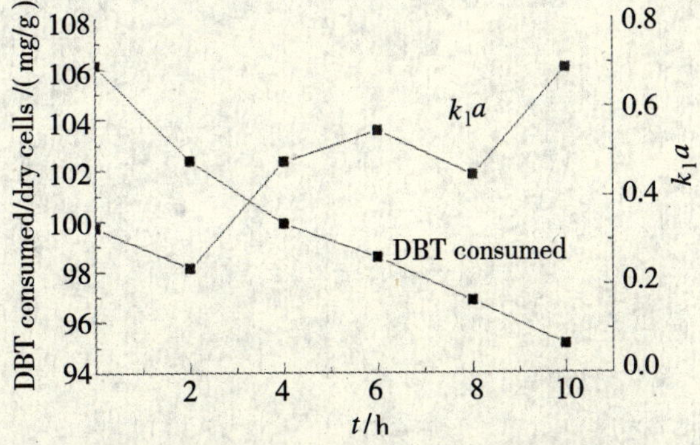

图8　不同脱硫时间下油水相 k_1a 与脱硫活性的变化

影响；

4. 下一步将搭建无泡膜曝气装置，并应用该装置进行柴油生物脱硫及脱硫过程中氧传质速率的研究。

参考文献

[1] Gray K A, Pogrebinsky O S, Mrachko G T, Xi L, Monticello D J, Squires C H. Molecular Mechanisms of Biocatalytic Desulfurization of Fossil Fuels. Nat. Biotechnol., 1996, 14 (13): 1705 – 1709.

[2] Monot F, Abbad – Andaloussi S, Warzywoda M. Biological Culture Containing Rhodococcus erythropolis and/or Rhodococcus rhodnii and Process for Desulfurization of Petroleum Fraction. U. S. patent 6, 337, 204 B1, 2002.

[3] Hirasawa K, Ishii Y, Kobayashi M, Koizumi K, Maruhashi K. Improvement of Desulfurization Activity in Rhodococcus erythropolis KA2 – 5 – 1 by Genetic Engineering. Biosci. Biotechnol. Biochem., 2001, 65 (2): 239 – 246.

[4] Jia X, Wen J P, Sun Z P, Caiyin Q G, Xie S P. Modeling of DBT Biodegradation Behaviors by Resting Cells of Gordonia sp WQ – 01 and its Mutant in Oil – water Dispersions. Chem. Eng. Sci., 2006, 61 (6): 1987 – 2000.

[5] Tanaka Y, Matsui T, Konishi J, Maruhashi K, Kurane R. Biodesulfurization of Benzothiophene and Dibenzothiophene by a Newly Isolated Rhodococcus Strain. Appl. Microbiol. Biotechnol., 2002, 59: 325 – 328.

[6] Shavandi M, Sadeghizadeh M, Zomorodipour A, Khajeh K. Biodesulfurization of Dibenzothiophene by Recombinant Gordonia alkanivorans RIPI90A. Bioresour. Technol., 2009, 100 (1): 475 – 479.

[7] Caro A, Boltes K, Letón P, García – Calvo E. Biodesulfurization of Dibenzothiophene by Growing Cells of Pseudomonas putida CECT 5279 in Biphasic Media. Chemosphere, 2008, 73 (5): 663 – 669.

[8] 李玉光. 石油微生物脱硫过程工程研究［D］. 北京：中国科学院过程工程研究所，2009.

[9] 罗明芳，邢建民，维仲轩，等. 水相反应介质对有机相微生物脱硫的影响［J］. 科学通报，2003，48 (1).

[10] R. BANDYOPADHPAY , A. E. HUMPHREY. Dynamic Measurement of the Volumetric Oxygen Transfer Coefficient inFermentation Systems. BIOTECIINOLOGY AND BIOENGINEERING VOL. IX, PAGES 1967: 533 – 544.

[11] Peter Czermak, Christian Weber, Dirk Nehring. A ceramic microsparging aeration system for cell culture reactors. Publication Series of IBPT – University of Applied Sciences Giessen – Friedberg , 2005 (1).

表面活性剂在环境保护中的应用及前景

金东青

（沈阳市环境监测中心站　110016）

摘　要　介绍了表面活性剂、生物表面活性剂和绿色表面活性剂的结构特点及性能和在绿色化工领域和污染治理方面的应用情况，并对其发展前景进行了展望。

关键词　表面活性剂　生物表面活性剂　环境保护　应用

表面活性剂在工业生产和人类日常生活中的应用越来越广，并占有特殊而重要的地位，被称作为“工业味精”。由于本身的优越性及实践证实的高效性，表面活性剂的发展与应用领域呈现出日新月异的良好局面，在水处理方面也有着不可替代的、越来越重要的作用。

一、表面活性剂

（一）表面活性剂

表面活性剂的结构特点：

1. 双亲性　表面活性剂的分子结构具有不对称的极性的特点，分子中同时含有亲水性的极性基团和亲油性的非极性基团——亲水基和亲油基，因此，表面活性剂具有既亲水又亲油的双亲性；

2. 溶解性　表面活性剂至少应溶入液相中的某一相；

3. 表面吸附　表面活性剂的溶解，使溶液表面自由能降低，产生表面吸附，在达到平衡时，表面活性剂在界面上的浓度大于溶液整体中的浓度；

4. 界面定向　吸附在界面上的表面活性剂分子，定向排列成分子膜，覆盖于界面上；

5. 形成胶束　当表面活性剂在溶剂中的浓度达到一定值时，其分子会产生聚集生成胶束，这一浓度的极限值称为临界胶束浓度（简称 CMC）；

6. 多功能性　表面活性剂在其溶液中显示多种复合功能。如清洗、发泡、润湿、乳化、增溶、分散等。

（二）生物表面活性剂

生物表面活性剂和传统化学合成表面活性剂相比，生物表面活性剂具有以下优点：

1. 较低的表面张力和界面张力；

2. 耐温性，有些生物表面活性剂在90℃的高温下仍能保持其表面活性；

3. 耐盐性，盐溶液中不易盐析；

4. 可生物降解性，生物表面活性剂在水体和土壤中容易降解；

5. 环境友好性，不对环境产生污染和破坏；

6. 可原位合成，因而可以大大降低使用成本；

7. 生产工艺简单，常温常压下即可发生反应；

8. 生产原料来源广阔、价廉，可以利用工业废料和农副产品为原料，生产过程对环境不产生危害。

（三）绿色表面活性剂

绿色表面活性剂是由天然的或可再生资源加工而成的，即具有天然性、温和性、刺激性小等优良特点。同传统表面活性剂一样，绿色表面活性剂具有亲水基和憎水基。与传统表面活性剂相比，绿色表面活性剂具有高效强力去污性、优良的配伍性及良好的环境相容性，并表现出良好的乳化性、洗涤性、增溶性、润湿性、溶解性和稳定性等。除此以外，每一种绿色表面活性剂都具有其特有的性能，如α-磺基脂肪酸酯盐（MEC）在低浓度下就具有表面活性、耐硬水，单烷基膦酸酯具有优良的起泡乳化性、抗静电性能以及特有的皮肤亲和性。

二、表面活性剂在绿色化工中的应用

（一）表面活性剂在纺织工业中的应用

绿色纺织品是纺织业在21世纪中的发展重点，市场潜力巨大，不仅体现了产品内在品质，也反映了企业按照国际标准生产的技术实力，更展示了企业的环保意识和文明素质。所以，开发绿色纺织品具有十分重要的社会和经济效益。由于纺织助剂对绿色纺织品品质和附加值的作用和影响举足轻重，按生态标准的要求，其中有些助剂问题较多，引人注目，必须予以坚决取缔，引入安全无毒和易生物降解的环保助剂。“环保助剂”符合环保生态要求，具有在染整工艺上的应用功能和性能，经过染整加工后在织物上残留有害物在规定限量范围，对空气和水的污染减少到最低限度。

（二）表面活性剂在造纸工业中的应用

表面活性剂在制浆造纸工业中的使用越来越受到造纸科学工作者的重视。我国每年仅废纸脱墨用表面活性剂就达7000t之多。这说明表面活性剂在改善制浆造纸过程、提高纸张性能方面越来越重要。制浆过程主要是从木材中将木素、半纤维素、树脂、色素以及灰分等尽量地与纤维素分离开，可利用表面活性剂的分散作用和洗涤作用达到分离杂质、除去树脂、分离纤维的效果。在漂白工序中添加的渗透性好的阴离子和非离子表面活性剂（一般用量为纸张产量的0.03%～0.05%），能取得均一的漂白效果。在纸浆漂洗过程中加入洗涤活性物质烷基苯磺酸钠或壬基酚聚氧乙烯醚，能获得良好的洗涤效果。另外在废纸脱墨、造纸施胶、毛毯洗涤及造纸涂布涂料分散剂等方面，表面活性剂都有广泛的应用。

（三）表面活性剂在涂料行业中的应用

在环境保护的浪潮中，涂料水性化是一个重要的潮流和途径。然而由于水性涂料的光泽、附着力、耐水性以及流平润湿性与溶剂型涂料相比还有一定的差距，所以在工业涂料及其他特种涂料中，溶剂型涂料仍占有绝大部分市场。

但是随着保护环境和有效利用石油资源的意识不断提高，使得水性化成为涂料行业不可逆转的趋势，解决技术问题是涂料行业水性化的关键所在。氟碳表面活性剂已在水性涂料特别是水性塑胶涂料中有所应用，随着科技的进步，水性塑胶涂料必将会逐渐推广使用。

（四）在皮革生产中的应用

目前在皮革的生产中，原皮的利用率非常低，残余物主要以固体废弃物的形式存在。其中产生的废气主要是皮革生产涂饰过程中释放出的有机溶剂，产生大量的废水中含有一定量的未被皮革吸收的化学品。在人类日益重视保护环境的今天，皮革生产的绿色化愈加受到人们的关注。

表面活性剂的应用贯穿于从生皮到成品的各个工序。这就要求表面活性剂具有高润湿渗透性、易生物降解、含多种反应活性基团、复配相容性好、适应性强等。

近年来，许多具有特殊化学结构的功能性表面活性剂如：Gemini型表面活性剂、螯合性表面活性剂、可裂解性表面活性剂、可聚合性表面活性剂以及绿色表面活性剂等应运而生。研究新型两亲分子有序组合体的构筑结构和功能调控，溶液中的两亲分子有序组合体调控，可为皮革生产提供更适宜、有效的化学助剂，同时，皮革工业的发展，也不断拓展表面活性剂应用领域。随着胶体与表面化学、材料科学、生物科学的研究与发展，表面活性剂在皮革工业中的应用将发挥更大作用[1]。

三、表面活性剂在污染物治理方面的应用

近年来，污染界面过程的动力学已成为环境科学研究的一个热点问题和前沿领域。污染物排出后，通过各种途径进入水体、大气和土壤，其中涉及许多界面问题，如土壤和植物界面、水体和沉积物界面、大气和土壤界面等。表面活性剂由于具有特殊的界面性质，在环境污染治理中的应用越来越广泛。

表面活性剂是一类即使在很低浓度时也能显著降低表（界）面张力的物质。其分子结构均由两部分构成，分子的一端为极亲油的疏水基，另一端为极性的亲水基，两类结构与性能截然相反的分子碎片或基团分处于同一分子的两端并以化学键相连接，形成了一种不对称的、极性的结构，赋予了该类特殊分子既亲水又亲油，又不是整体亲水或亲油的特性，这种特有结构通常被称为“双亲结构”[2]。表面活性剂在环境污染治理中主要发挥了5种作用：乳化作用、润湿作用、增溶作用、分散作用和泡沫作用。

四、表面活性剂的发展趋势及展望

随着全球经济的发展以及科学技术领域的开拓，表面活性剂工业将得到快速发展，其应用领域从日用化学工业发展到石油、纺织、食品、农业、新型材料等方面。环保型表面活性剂的研究开发势在必行，且市场前景广阔，具有安全、温和、易生物降解等特性的表面活性剂的开发和应用为大势所趋。结合我国产品结构及应用领域，今后阴离子表面活性剂烷基苯磺酸盐和烷基磺酸盐的使用将趋于减少，脂肪醇硫酸盐则呈增加趋势；阳离子表面活性剂双十八烷基二甲基氯化铵呈减少趋势；非离子表面活性剂脂醇醚呈增加趋势；两性离子表面活性剂甜菜碱保持相对稳定[3]。

我国表面活性剂工业起步晚，基础弱，为适应国际发展潮流，今后应重点开发糖苷类表面活性剂；系统研究开发大豆磷脂类表面活性剂，磷脂既有表面活性，又有生物活性，是特种表面活性剂；开发蔗糖脂肪酸酯系列产品，蔗糖脂肪酸酯具有无毒、无臭、无刺激性、易生物降解性等优点，可做食品添加剂（乳化剂）；研究表面活性剂在工业催化方面的应用，以降低工业生产成本。值得关注的是利用葡萄糖和脂肪醇或脂肪酸反应生成的烷基多糖苷（APG）和葡糖酰胺（APA）两种非离子表面活性剂，具有对人体温和、生物降解快、性能优异、与别的表面活性剂具有协同效应等特点；醇醚羧酸盐（AEC）抗 Ca^{2+}、Mg^{2+} 能力加强，受到人们青睐。

未来表面活性剂应满足环保安全、节能以及其他相应的性能要求，其发展趋势表现在以下几个方面：

1. 表面活性剂要易于生物降解，原料可再生，广泛使用后，对环境无污染，对人、畜安全温和；

2. 表面活性剂要高效、多功能、专用化等，并应不断开发新用途；

3. 表面活性剂将围绕环境保护、节约能源等各个方面的要求在开辟天然原料这一目标上作出努力，向着多样化、多功能、天然化和分子设计方向发展。

参考文献

[1] 刘彩娟．表面活性剂的应用与发展［J］．河北化工，2007，30（4）：21.
[2] 刘瞻．表面活性剂的结构特点与应用［J］．怀化学院学报，2004，23（5）：33－37.
[3] 张高勇，王军．表面活性剂的绿色化学进展［J］．2007，23（1）：200－202.

焊接车间污染源放散与控制的研究

刘秋新[1]　张琳琳[2]

（1. 武汉科技大学城建学院　430070；2. 武汉钢铁公司工会　430080）

摘　要　对焊接车间的污染源进行了测试与模拟，对通风形式进行了模拟计算，在保证消除有害物、保证室内温湿度要求的情况下，得到最佳的、节能的通风空调形式，从而指导工程设计与施工。

关键词　焊接车间　污染源　放散控制

一、前　言

在汽车制造过程中，最重要的一个生产工艺环节是焊接工艺。在焊接过程中，其焊烟对人体产生危害。焊烟的主要成分是金属烟尘，产生于焊接过程中金属元素的蒸发和金属氧化物。对人体的危害主要表现在尘肺和金属元素的微粒和蒸汽中毒。其次是在焊接过程中产生的有害气体对人体的毒性作用[1]。为此，需要搞清楚这些有害物的流场、浓度场，用节能的通风方式除去有害物，保证生产工人的身体健康。

下面用一个实际工程来描述其有害物的流场、浓度场，并得到节能的空调通风方式用于工程实践。该项目焊接车间的建筑面积约为三万平方米。焊接工位点位图详见图1。

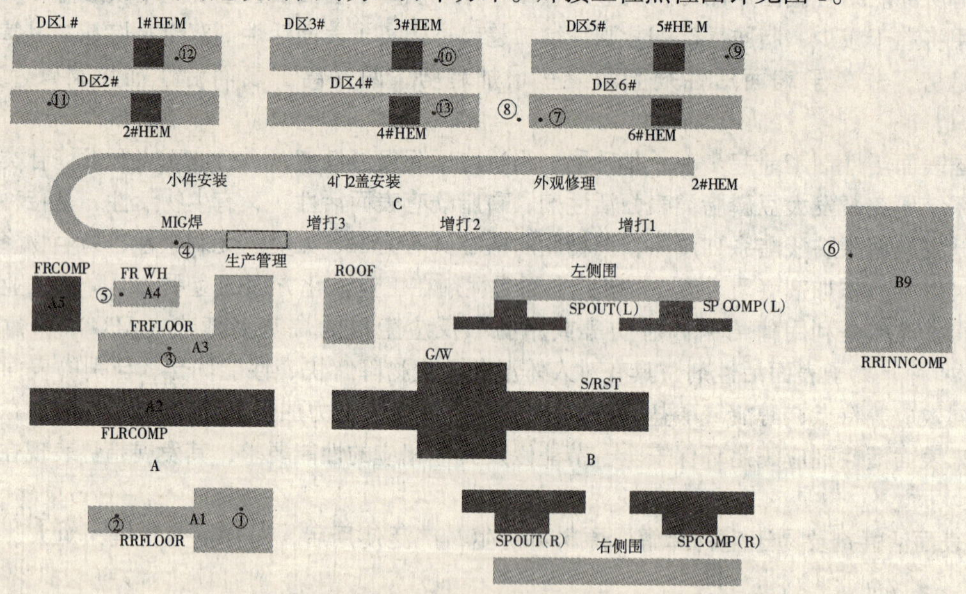

图1　焊接工位点位图

二、有害物散发量的实测及计算

（一）焊烟发烟量的计算及实测

1. 焊烟发烟量的计算[2]

焊机本身产生高温，当焊机和周围空间有较大的温差时，通过对流散热把热量传给相邻空气，周围空气受热上升，形成热射流。对热射流观察发现，在离热源表面（1～2）B处（通常在1.5B以下）射流发生收缩，在收缩断面上流速最大，随后上升气流逐渐缓慢扩大，可以把它近似看做是从一个假想点源以一定角度扩散上升的气流，如图2所示[5]。

当假想点至热源距离 H 在 2B 左右时，Z 断面上热射流的流量 L_z 一般采用下式：

$$L_z = \frac{7.3 \times Q^{1/3} \times Z^{1.47}}{1000}\ (m^3/s)$$

式中：Q 为热源的对流散热量，kJ/s。

其计算式为：$Q = \alpha F \Delta t$（kJ/s）

式中：F 为热源的对流放热面积，m^2，$F = \frac{\pi \times B^2}{4}$；

Δt 为热源表面与周围空气温度差,℃，$\Delta t = tr - tkd$；

tr 为热源表面温度,℃；

tkd 为周围空气温度,℃；

α 为对流放热系数，（kJ/ m^2·S·℃）$\alpha = A \cdot \Delta t1/3$；

A 为系数，水平散热面 A = 1.7；垂直散热面 $A = 1.17$。

则热源的对流散热量：$Q = AF\Delta t4/3$（kJ/s）

在某一高度上热射流的断面直径：d_z = 0.43 × $Z0.88$（m）

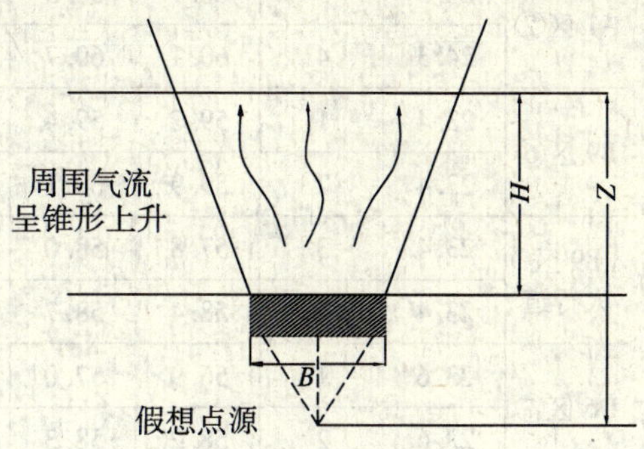

图 2　热射流扩散图

B——热源水平投影的直径或长边尺寸（m）；

H——热源至计算断面距离（m）；

Z——某断面的高度（m）。

2. 测试数据与计算结果

测试数据与计算结果详见表 1。测点位置详见图 1。

表 1

测试点	热源直径 B	测试高度	有效距离 Z	热射流直径 d_z	热源表面温度	周围空气温度	温差	系数	对流散热量	热射流流量
	B/m	H/m	Z/m	d_z/m	tr/℃	t_k/℃	Δt/℃	A	Q/（kJ/s）	L_z/（m^3/h）
A1 区 1 点水平	0.01	0.335	0.355	0.1729	1531.5	24.8	1506.7	1.7	2.3051	7.5746
A1 区 1 点水平	0.01	1.035	1.055	0.4507	1531.5	25.2	1506.3	1.7	2.3043	37.5536
A1 区试片 2 水平	0.01	0.2	0.22	0.1134	1531.5	25.3	1506.2	1.7	2.3041	3.7482
D 区试片 1 水平	0.01	0.4	0.42	0.2004	1531.5	23.2	1508.3	1.7	2.3084	9.7029
D 区试片 1 垂直	0.01	0.4	0.42	0.2004	1531.5	23.2	1508.3	1.13	1.5344	8.4680
D 区试片 1 垂直 1 次	0.01	1.1	1.12	0.4751	1531.5	23.2	1508.3	1.13	1.5344	35.8058
D 区试片 1 垂直 2 次	0.01	1.1	1.12	0.4751	1531.5	23.2	1508.3	1.13	1.5344	35.8058

（二）焊接过程产生的粉尘浓度

测点位置图详见图 1。测试结果详见表 2。

表 2

采样点	温度 t/℃	滤膜编号	采样前滤膜的质量 G_1/mg	采样后滤膜的质量 G_2/mg	流量计读数 L_j/（l/min）	实际流量 L_j/（l/min）	采样时间 τ/min	实际抽气量 V_t/l	换算成标准状况后的抽气量 V_0（Nl）	空气的含尘浓度 Y/（mg/m^3）	平均含尘浓度 Yp/（mg/m^3）
A1 区①	24.5	1	58.8	59.5	20.3	20.35	13.704	278.81	258.63	2.71	2.69
	24.5	2	60.5	61.2	20.6	20.65	13.704	282.93	262.45	2.67	

采样点	温度 t/℃	滤膜编号	采样前滤膜的质量 G_1/mg	采样后滤膜的质量 G_2/mg	流量计读数 L_j/(l/min)	实际流量 L_j/(l/min)	采样时间 τ/min	实际抽气量 V_t/l	换算成标准状况后的抽气量 V_0（Nl）	空气的含尘浓度 Y/（mg/m^3）	平均含尘浓度 Yp/（mg/m^3）
A1 区②	24.3	3	60.1	60.5	20.4	20.44	10.400	212.56	197.31	2.03	2.48
	24.3	4	60.1	60.7	21.1	21.14	10.400	219.85	204.08	2.94	
B9 区⑥	23.4	1	59.2	59.4	21.7	21.71	10.127	219.84	204.68	0.98	0.96
	23.4	2	59.9	60.1	22.7	22.71	10.127	229.97	214.11	0.93	
B9 区人行道	23.4	3	57.8	58.0	21.2	21.21	15.341	325.35	302.92	0.66	0.81
	23.4	4	58.4	58.7	21.8	21.81	15.341	334.56	311.49	0.96	
D6 区⑦	23.6	1	56.9	57.0	21.3	21.32	10.370	221.04	205.66	0.49	0.48
	23.6	2	58.2	58.3	22.0	22.02	10.370	228.30	212.42	0.47	
D6 区人行道⑧	23.6	3	57.7	57.8	21.9	21.92	10.139	222.20	206.74	0.48	0.48
	23.6	4	58.0	58.1	22.4	22.42	10.139	227.27	211.46	0.47	
A1 区①	24.5	1	58.2	58.9	21.7	21.75	15.643	340.21	315.58	2.22	2.48
	24.5	2	58.1	59.0	22.5	22.55	15.643	352.75	327.21	2.75	
A1 区①人行道	24.5	3	57.6	58.3	22.0	22.05	10.981	242.12	224.59	3.12	3.06
	24.5	4	57.5	58.2	22.8	22.85	10.981	250.92	232.76	3.01	

（三）被测区域的 CO_2、CO 浓度

测点位置图详见图 1。测试结果详见表 3。

表 3

测点	温度 t/℃	相对湿度/%	CO_2 浓度/ppm	CO 浓度/ppm	备　注
A1 区①	23.5	—	453	0 ~ 1	
	24.3	25	441	—	
A1 区②	23.4	31	434 – 485	0 ~ 2	
A3 区③	23.6	26	450	0	
C 区④	25.7	24	572	1 ~ 3	
	26.1	23	587	—	
B9 区⑥	24.4	26	447	0	
D6 区⑦	—	—	462	0 ~ 1	
D6 区人行道⑧	24.3	27	446	0	
户外	26.8	27	409	0	
户外	23.2	35	—	0	
B9 区⑥	23.4	35	430	0	
A1 区①	23.2	34	464	0	有人在

测点	温度 t/℃	相对湿度/%	CO_2 浓度/ppm	CO 浓度/ppm	备　注
A1 区②	23.2	34	429	0	无人在
A2 区	—	—	—	—	自动区，有少量间歇运行
A3 区③	23.1	34	453 - 448	0	
A4 区	23.4	33	434 - 448	0	
C 区④	23.6	33	428	0	未运行，有部分风扇开启
A1 区①	24.5	30	428	0 ~ 1（少量为 2）	
A1 区②	24.9	29	436	1	
B1 区	24.4	33	428	0 ~ 1	
B9 区⑥	23.4	34	430	0 ~ 1	
D6 区⑦	23.6	36	430 - 450 - 476	0	中途休息，人来时变到 450，开工时达 476
D5 区	23.7	36	420	1 月 5 日	此区通风好，但正在刷保护油
A1 区①人行道	24.5	37	438	0 ~ 1	
D3 区	23.7	43	437	2	
D1 区	25.2	39	434	0	
D5 区	24.5	42	450 - 431	0 ~ 1	就餐前，无人工作时，风扇关

三、控制方法

1. 全面通风量的计算[3]。车间工作一般都在 8 小时以上。根据 $Ly0d\tau + xd\tau - Lyd\tau = Vdy$，可得积分式：$\int_0^{\tau}\frac{d\tau}{V} = -\frac{1}{L}\int_{y_1}^{y_2}\frac{d\ (Ly_0 + x - Ly)}{Ly_0 + x - Ly}$

式中：τ 为通风时间，$\tau \geq 8$；x 为有害物的散发量，g/s；y_0 为新风人口有害物浓度，$y_0 = 0$；y_1 为车间有害物的起始浓度，$y_1 = 0$；y_2为车间有害物的终了浓度，$y_2 \leq 2\text{mg/m}^3$。

对积分式进行积分，并近似认为通风过程是稳态的过程，同时取安全系数 $K = 6$ 可得全面通风换气量的值为 $L = 98.4 \times 10^4\ \text{m}^3/\text{h}$；考虑车间内负压，采用屋顶风机加风管送风，每个系统的送风量为 $L = 30\ 000\text{m}^3/\text{h}$，系统总送风量为 $L = 54 \times 10^4\text{m}^3/\text{h}$。

2. 诱导风机的风量计算与配置[4]。为了保证全面通风除去污染物的效果，利用吹吸式通风原理，在车间内每跨配置了诱导风机，这样做使室内的焊烟及有害气体的层流运动受到破坏，顺应向上的诱导气流，再通过屋顶风机抽吸将有害物排至室外。从而大大减少工作区污染物的浓度。根据计算式：$L/L_0 = 4.4\ (as/d_0 + 0.147)$ 可以计算出诱导风机喷口流量 L_0 的值，即：

$$L_0 = L/4.4\ (as/d_0 + 0.147)$$

式中：a 为紊流系数，$a = 0.066$（带有收缩口的喷嘴）；s 为 射流射程，$s = 30\text{m}$；d_0 为喷口直径，取 $d_0 = 200\text{mm}$；L 为射流在 30m 处的流量值，则 L_0 为 11129 m^3/h。

3. 局部排风罩设置。在焊架上方设置局部排风罩，将在焊接过程产生的有害物通过局部排风罩排除。

4. 空调工位送风。由于该工程地处广州，所以夏天设置工位送风降温。但该工位送风冬天也送风，既可以降低工位的温度，同时又起到吹吸式通风的效果，更有效地控制有害物的散发与外溢。因此，局部排风罩的设计应按接受罩的理论计算。

四、数值模拟[5-7]

依据对现场的测试与计算结果以及基本设计，做了车间通风空调系统的数值模拟。研究探讨车间的温度场、速度场、浓度场是否满足设计要求，保障工人的舒适与安全。

（一）计算模型

取该车间的4～6轴为计算区域，几何尺寸为122m×24m×10m（长×宽×高），图3为模拟区域的平面图。

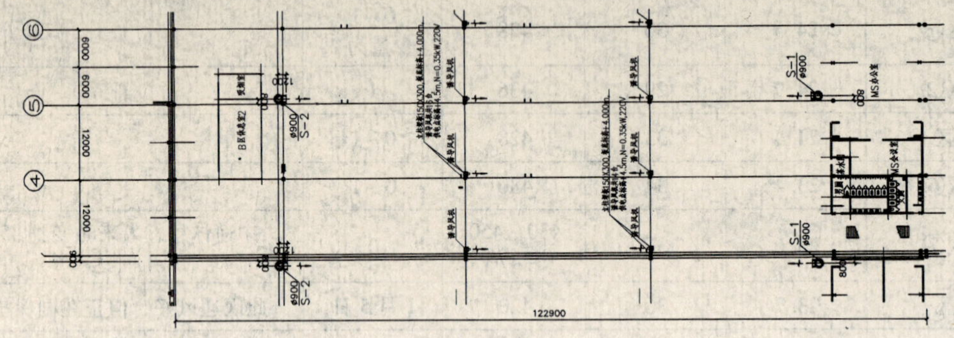

图3　模拟区域平面图

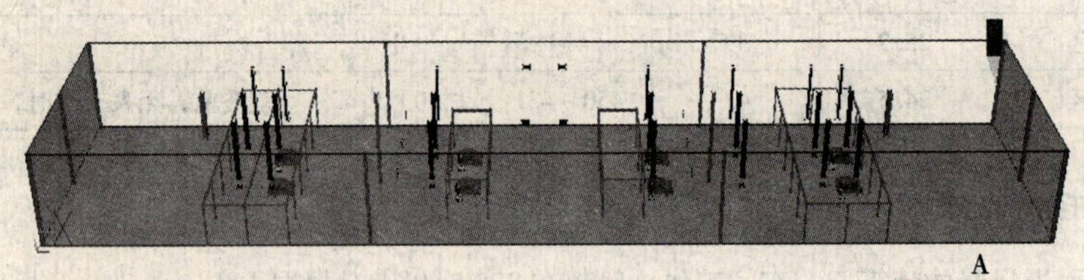

图4　车间大流场做吹吸式通风且具有空调工位送风计算模型（模型A）

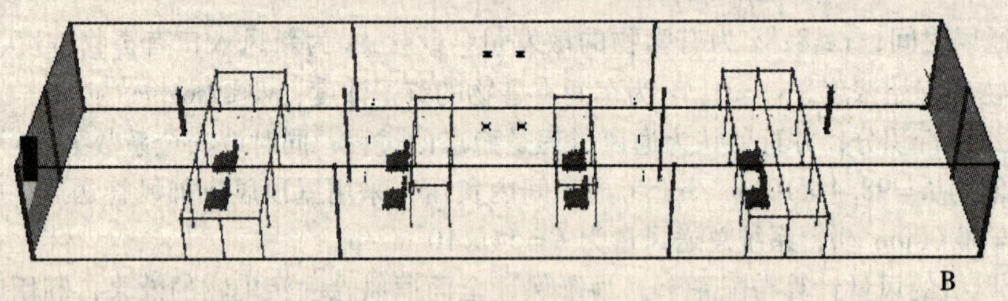

图5　车间内做局部通风时有害物的控制与工位送风计算模型（模型B）

（二）计算结果

1. 车间大流场做吹吸式通风且具有空调工位送风计算模型（模型A）的计算结果

（1）浓度分布

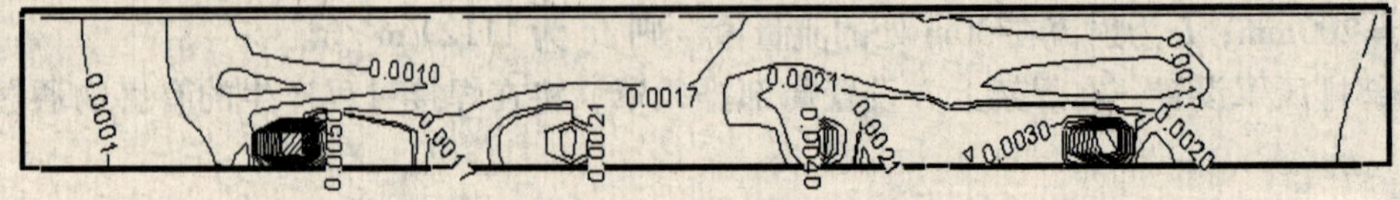

图6　纵断面12米断面上的等浓度线图

（2）温度分布

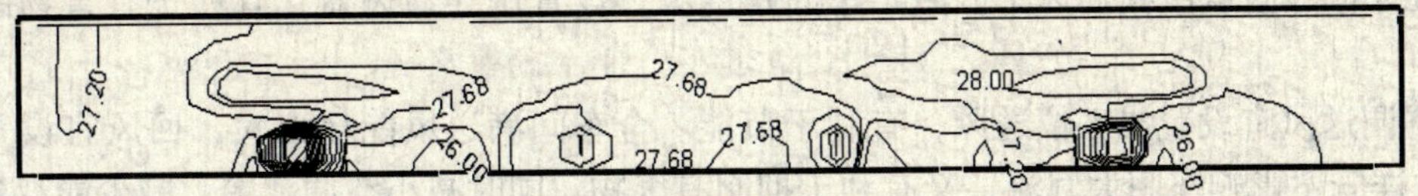

图 7　纵断面 12 米断面上的等温度线图

（3）速度分布

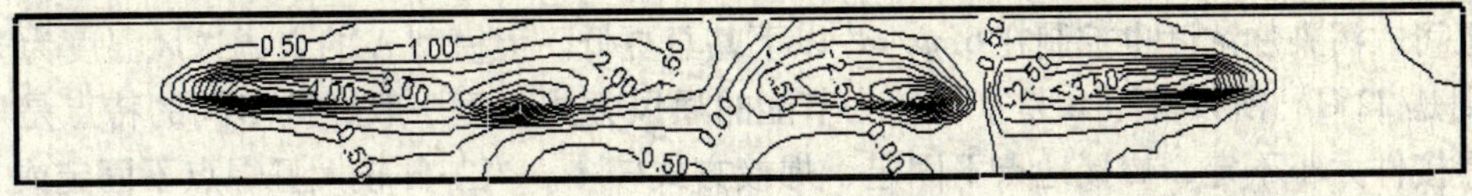

图 8　纵断面 12 米断面上的等速度线图

2. 车间内做局部通风时有害物的控制与工位送风计算模型（模型 B）的计算结果

（1）速度分布

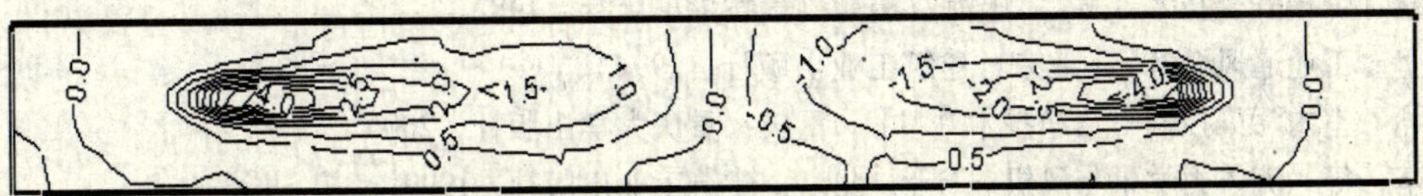

图 9　纵断面 12 米断面上的等速度线图

（2）温度分布

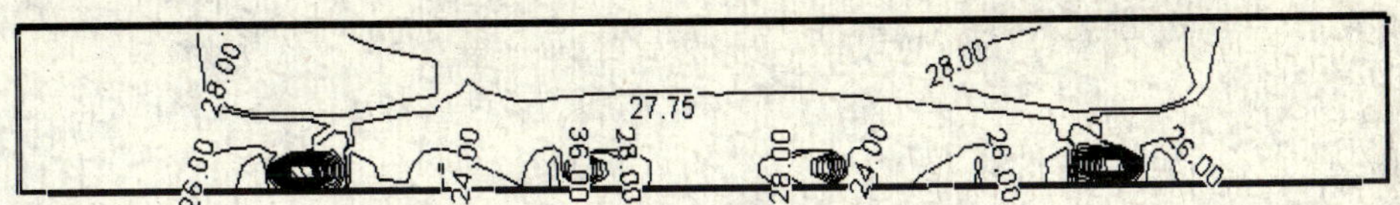

图 10　纵断面 12 米断面上的等温度线图

（3）浓度分布

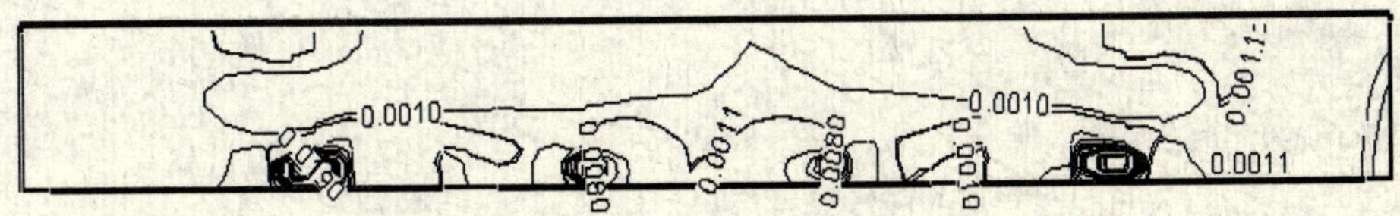

图 11　纵断面 12 米断面上的等浓度线图

五、结　论

从测试数据和数值模拟计算结果看来，有如下几点结论：

1. 热射流对车间的气流影响不大，主要还是通风气流的作用与影响。

2. 焊接所产生的粉尘粒径较大，到达工作区的浓度较小，大部分都沉降了。焊烟的主要有害物还是金属元素的蒸发和金属氧化物。这些需要通风的方式消除。

3. CO 浓度基本为零，没有危害。CO_2 浓度需要通风的方式消除。其浓度和扩散也反映金属元素的蒸发和金属氧化物一些情况。

4. 在车间设置吹吸式通风中，由于车间跨度大，设置诱导通风器，有利于有害物的扩散及排出。

5. 空调送风宜设置成工位送风，有利于节能。全车间满送风能耗太大，回风宜设置在焊架上方，这样既不影响车间大气流，又有利于抑制有害物，同时减小空调范围，减少能耗。

6. 对于焊接车间，既要有效地排除焊烟、抑制有害物，又要有较好的舒适的温度场、速度场。通过对两种通风模型的对比，模型 A 的车间工作区的温度基本都在 26 ~ 27℃之间，污染物浓度也控制在 $6mg/m^3$ 以下，是一种有效的通风方式；模型 B 同样可以把工作区的温度控制在 26 ~ 27℃之间，污染物浓度也控制在 $6mg/m^3$ 以下甚至更低。但模型 A 的空调送风温度为 18℃，而模型 B 则是 22℃，所以模型 B 是一种较为节能的通风方式，但一般焊接车间的特点是厂房比较高大、焊接件大小不定、焊接地点不固定、焊接方式较多。当工件较大且焊点不固定或工件位置不固定或工位上方因工艺干涉等原因不能设局部排风罩时，模型 A 便成为了一种可以选择的通风方式，这样做既节能又能有效地控制污染物。

参考文献

[1] 杨泗霖．焊接安全技术［M］．上海：上海科学技术出版社，1982.

[2] 孙一坚．工业通风［M］．北京：建筑工业出版社，1994.

[3] 徐玉党．室内污染控制与洁净技术［M］．重庆：重庆大学出版社，2006.

[4] 蔡增基，等．流体力学泵与风机［M］．北京：建筑工业出版社，1999.

[5] 李万平．计算流体力学［M］．武汉：华中科技大学出版社，2004.

[6] 陶文铨．数值传热学［M］．西安：西安交通大学出版社，2004.

[7] 章熙民，等．传热学［M］．北京：建筑工业出版社，1999.

硝基苯对微生物活性的影响及其降解菌的筛选

战培荣 陈中祥 赵彩霞

（中国水产科学研究院黑龙江水产研究所 哈尔滨市道里区河松街232号 150076）

摘 要 通过对生物化学需氧量（BOD）曲线的分析和化学耗氧量（COD）的测定，研究了不同浓度的硝基苯对微生物活性的影响，结果表明：硝基苯对微生物活性产生一定的影响，高浓度的硝基苯对微生物的活性产生抑制作用，硝基苯浓度为17mg/L时，BOD值只有对照组的6.25%，COD的降解率只有13%。实验过程中筛选、分离得到了能够降解硝基苯的菌株，通过正交试验，优化了影响降解率的因素，测得72小时硝基苯的降解率为58.67%。

关键词 硝基苯 生物化学需氧量 微生物 筛选和分离

硝基苯（Nitrobenzene）分子式为$C_6H_5NO_2$，微溶于水，密度为1.20。硝基苯是一种重要化工原料，主要用于苯胺等的生产。由于种种原因硝基苯从不同途径进入环境中的事件时有发生，全世界每年排入环境中的硝基苯类化合物约为10 000t，依据它的危害性美国环保局规定硝基苯为优先监测物[1-3]。硝基苯对人体具有高毒性，它进入人体后与谷胱甘肽结合，从而造成血红细胞中二价铁离子失去保护，被体内的氧化性物质氧化成三价铁离子失去运输氧的能力，从而导致高铁血红蛋白贫血症[4,5]。硝基苯进入环境后主要的降解途径是靠微生物的分解，因此，模拟自然利用微生物的代谢活性处理污染物的方法，安全可靠备受关注。硝基苯污染的生物治理已引起重视，并有一些相关报道[6]。本研究是通过观察分析硝基苯对水中微生物的活性指标生物化学需氧量（BOD）的变化，来了解微生物的新陈代谢情况。一方面能够得出硝基苯对微生物的影响作用，另一方面具有耐受性的菌株也容易被获得。通过富集培养得到具有降解硝基苯的优势菌群后，再使用以硝基苯为唯一碳源的培养基对其进行筛选，分离得到了对硝基苯具有高效降解能力的菌株。采用正交试验方法，对影响降解率的菌株、温度、硝基苯浓度因素进行优化，本文对其实验结果进行报道。

一、材料与方法

（一）实验菌

取经硝基苯暴露过的含水污泥，进行充氧培养，取上清液作为试验样品。

（二）设备

BOD自动测定记录装置（日本产）；Agilent6890气相色谱仪（美国产）。

（三）富集培养基

葡萄糖0.1%；蛋白胨0.05%；硝基苯25mg/L；NaCl 0.5%；K_2HPO_4 0.5%；KH_2PO_4 0.3%；$MgSO_4 \cdot 7H_2O$ 0.05%；pH6.5。

（四）筛选培养基

$(NH_4)_2SO_4$ 2.0 g；NaH_2PO_4 0.5g；K_2HPO_4 0.5g；$MgSO_4 \cdot 7H_2O$ 0.2g；$CaCl_2 \cdot 2H_2O$ 0.1g；蒸馏水1000ml，pH6.5~7.2。琼脂20g，硝基苯25mg，其浓度随实验条件而定。

（五）硝基苯浓度的测定

参照GB 13194—1991水质硝基苯的测定气相色谱法，COD浓度的测定，参照GB 11914—1989水质化学需氧量的测定。

（六）硝基苯乙醇溶液的配置

硝基苯微溶于水，但其乙醇溶液（1:200）易溶于水。取50ml的硝基苯加入到1000ml的无水乙醇中，摇匀后在暗处封口保存备用。实验中以国家地表水环境质量标准中硝基苯最高限量0.017mg/L作为基数，配制此限量的50～1000倍等几个浓度作为实验组，另设空白对照组。

（七）硝基苯降解菌的富集与筛选

先配制500ml富集培养基，然后使用高温蒸汽灭菌锅进行灭菌，冷却后取BOD试验后的水样5ml加入到富集培养基中，在35℃温箱中培养三天。然后配制筛选培养基，经过高温蒸汽灭菌后放置在无菌操作台中进行冷却，冷却到一定温度时加入硝基苯的乙醇溶液，然后在培养基中倒平板。待培养基平板凝固后以接种针蘸取富集培养基进行划平板。然后以封口膜封口后在35℃温箱中进行培养，待长出菌落，按照上面的方法再次配制筛选培养基倒平板。在无菌操作台中挑取单菌落溶于5ml无菌水中，用接种针蘸取菌液在培养基上划平板，封口后35℃条件下进行培养。待菌落长出后再次进行纯化。

（八）实验设计及优化方法

对菌种、温度和硝基苯浓度三个因素进行优化，实验方法为：挑选三个硝基苯降解率较高的真菌菌株，进行3个因素的优化试验。试验按$L_9 3^4$正交设计，每轮试验进行72h，共进行3轮试验，取相同温度的组为同一轮试验，培养基使用筛选培养基，硝基苯浓度按照式样要求加入，培养基配制500ml，在摇床上以100r/min进行培养，72h后进行硝基苯浓度的测定，从而确定硝基苯的降解情况。

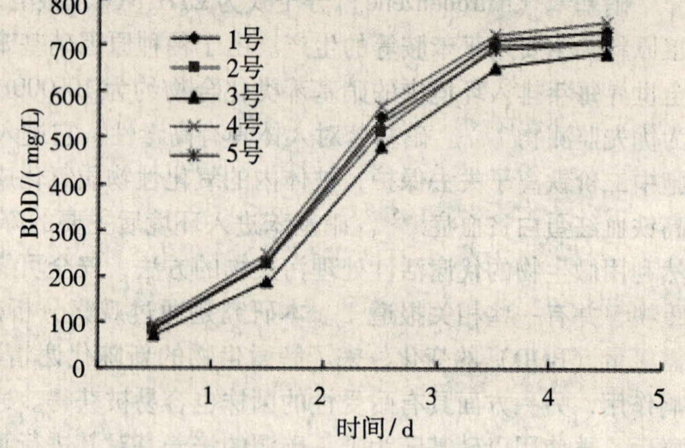

图1　硝基苯和硝基苯乙醇溶液对微生物活性影响的比较

二、实验结果

（一）硝基苯对BOD的影响

使用BOD自动测定仪进行硝基苯和乙醇混合溶液对水样中微生物活性影响情况的实验，在20℃条件下，试验的5个水样分别为，1号，空白对照样；2号，50倍硝基苯样；3号，100倍硝基苯样；4号，50倍硝基苯乙醇样（含乙醇1.4%）；5号，100倍硝基苯乙醇样（含乙醇2.8%），硝基苯浓度倍数均以国家水环境质量标准中硝基苯最高限量0.017mg/L为作为基数，实验结果见图1。

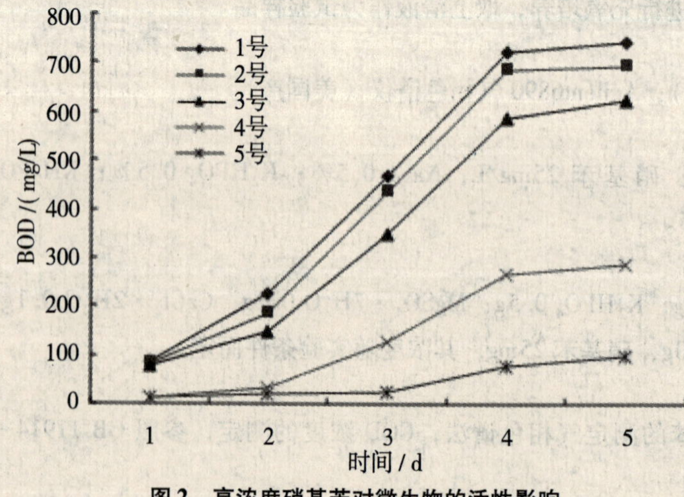

图2　高浓度硝基苯对微生物的活性影响

从图1曲线中我们可以了解到低浓度的硝基苯对水样中的微生物确实具有一定的抑制作用，但是在100倍国家标准限量以下抑制作用并不是很明显；从另一方面我们也不难看到低浓度的乙醇在水样中不仅没有对微生物起到抑制作用，反而使水样中的微生物的新陈代谢作用较早地活跃起来，这样可以解释为低浓度的乙醇可以作为一种简单的碳源较早地被水中的微生物利用。

硝基苯较高浓度下对水中微生物的代谢的影响见图2，设置1号，空白对照样；2号，50倍硝基苯样；3号，100倍硝基苯样；

4号，500倍硝基苯样；5号，1000倍硝基苯样；实验温度20℃。样品中乙醇浓度1.4%～28%。

500倍和1000倍水样对微生物活性产生抑制作用，表明高浓度的硝基苯对微生物的抑制作用是很明显的，1000倍水样对微生物活性基本完全抑制，BOD值只有对照组的6.25%。

（二）COD测定结果

每次进行BOD测定试验时都要在试验前后测定COD值，图3是含硝基苯样品和含乙醇的硝基苯样品实验前后COD值变化情况，1号样品为空白对照样，2号样品为50倍硝基苯样，3号样品为100倍硝基苯样，4号样品为50倍硝基苯乙醇对照样，5号样品为100倍硝基苯乙醇对照样。

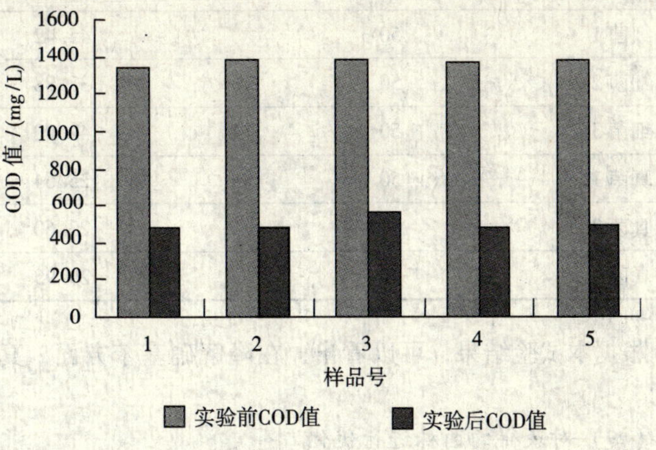

图3　硝基苯和硝基苯乙醇样品实验前后COD值变化

从图3中可以看出每一种样品中硝基苯均有降解，COD的去除率达到50%以上，样品中含有少量乙醇对COD去除率没有产生影响。

图4是50～1000倍硝基苯样品实验前后COD的变化情况，1号样品为空白对照样，2号样品为50倍硝基苯样，3号样品为100倍硝基苯样，4号样品为500倍硝基苯样，5号样品为1000倍硝基苯样。

从图4中可以看出随着样品中硝基苯浓度的增加，COD的去除率逐渐减少，5号样品1000倍硝基苯去除率只有13%，抑制作用明显。上述测定结果与BOD的测定结果一致。

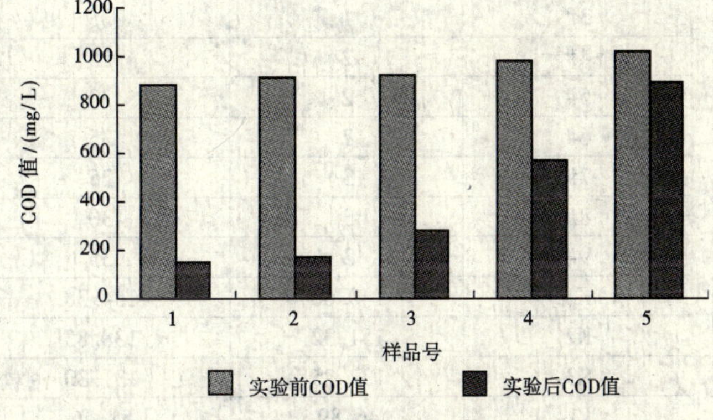

图4　50～1000倍硝基苯样品实验前后COD的变化

（三）富集和筛选的结果

通过富集培养，得到了混浊的菌液，配制筛选培养基倒平板，然后将菌液进行梯度稀释，将稀释到10^{-7}的菌液涂布到筛选培养基中，经过3天在35℃条件下的培养，平板上有明显的菌落产生。再一次配制筛选培养基并倒平板，然后挑取比较明显的单菌落在筛选培养基上进行画线，在35℃条件下再次培养三天得到较为好的菌落。再使用筛选培养基对菌进行一次纯化，从而得到较为纯化的菌落。最终一共选取6株菌，其中3株为细菌3株为真菌。

配制筛选培养基，其中硝基苯浓度为50mg/L。将6株菌分别接入6瓶培养基中，再加上一个不接入菌的空白对照样在35℃条件下进行5天的培养，然后取7瓶摇匀后的培养液，利用气相色谱测定硝基苯的浓度，得到如下结果（表1）。

表1　菌株对硝基苯的降解能力测定结果

样品	试验前硝基苯浓度/（mg/L）	试验后硝基苯浓度/（mg/L）	降解率/%
对照	50	48.14	3.712

样品	试验前硝基苯浓度/（mg/L）	试验后硝基苯浓度/（mg/L）	降解率/%
细菌 1	50	45.42	9.152
细菌 2	50	37.88	24.23
细菌 3	50	42.90	14.20
真菌 1	50	25.64	48.72
真菌 2	50	23.60	52.79
真菌 3	50	29.95	40.10

根据本试验结果，可以看出，在降解硝基苯方面，真菌的降解能力明显高于细菌的降解能力。

（四）对获得的菌株进行优化

由于真菌的降解能力明显高于细菌的降解能力，决定对三株真菌进行优化，优化的影响因素为菌株、温度以及硝基苯浓度。优化方法如下：

以筛选培养基培养，按照如下表进行三次试验，在摇床上进行 3 天的试验，每天提出一定量的菌液进行硝基苯浓度的测定，从而得出不同条件的影响，试验结果见表 2。

表 2　正交优化试验结果

试验组	菌种	温度/℃	硝基苯浓度/（mg/L）	72h 降解率/%
1#	1	25	25	52.52
2#	1	30	50	45.71
3#	1	35	75	42.43
4#	2	25	50	58.67
5#	2	30	75	47.82
6#	2	35	25	44.83
7#	3	25	75	43.19
8#	3	30	25	44.82
9#	3	35	50	44.24
K1	140.66	154.38	142.17	—
K2	151.32	138.85	148.62	—
K3	132.25	131.30	133.44	—
k1	46.89	51.46	47.39	—
k2	50.44	46.12	49.54	—
k3	44.08	43.77	44.48	—
极差 R	6.36	7.69	5.06	—
因素主次	2	1	3	—

正交试验结果表明在菌株、培养温度和硝基苯浓度 3 个因素中，培养温度是最重要的影响因素，菌株因素次之，最后是硝基苯浓度。为了获得较好的降解效果，优化后的最佳条件是降解菌株是菌株 2，培养温度 25℃，硝基苯浓度为 50mg/L。在此优化条件下，72h 硝基苯降解率为 58.67%。

通过分析不同浓度硝基苯作用下水样的 BOD 曲线变化情况，我们得到如下的结论，硝基苯对水体中微生物的新陈代谢能够产生一定的抑制作用。但低浓度硝基苯的影响作用并不明显，而高浓度的硝基苯影响较大。当一定浓度的硝基苯进入水体后，由于硝基苯微溶于水，短时间内对微生物的毒害作用并不十分明显，并且低浓度的硝基苯会促使水体中微生物产生适应能力并能够缓慢地降解水中的硝基苯。另外，实验发现真菌对硝基苯的降解能力要明显地高于细菌，这可能是由于真菌比较容易利用芳香族化合物的原因。

三、讨　论

本试验的主要目的是通过分析 BOD 曲线的变化趋势来了解硝基苯对水体中微生物的活性影响情况。微生物在含有硝基苯的环境中暴露后，能够利用硝基苯的微生物可以生存下来，对硝基苯敏感的微生物就会消失。实验结果可看出硝基苯对水体中的微生物确实具有一定的影响，通过测定水样的 BOD 曲线可以反映出这种影响的程度及微生物对硝基苯的适应和利用情况，进而较为直观地分析硝基苯进入水体后的动态。富集、筛选能够利用硝基苯的微生物并对其影响降解率的因素进行优化，是有效利用微生物进行环境修复的必要条件[7]。由于生物处理技术无二次污染、费用低，且微生物具有较强的适应性和可变异性。在一定条件下，微生物能使废水中的硝基苯得到有效降解。因此，生物法处理硝基苯成为较理想的方法。当前，生物技术在治理和防治环境污染方面起到了相当重要的作用，但是自然环境的治理上仍存在许多实际困难。这是因为在自然环境中分布的污染物不能像工业废水一样进行集中统一处理，受污染环境中化合物成分变化大，有可能存在其他抑制降解菌生长的物质，影响降解菌对其目标污染物的降解速度或效果，达不到实际需要的程度或发生变异不能够继续降解污染物。还有受污染环境不能有效地维持降解菌的生物量等，这些都是今后要着重需要研究解决的问题。

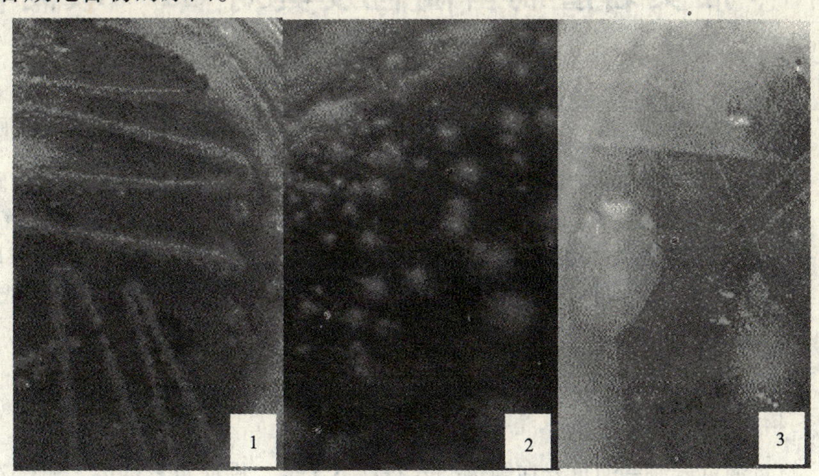

1，2 为真菌，3 为细菌

图 5　选择、分离获得的硝基苯典型降解菌

参考文献

[1] 周文敏，傅德黔，孙宗光．中国水中优先控制污染物黑名单的确定［J］．环境监测管理与技术，1991，3（4）：18 - 20.

[2] World Health Organization. Environmental health criteria：nitrobenzene［M］. Geneva：WHO Press，2003.

[3] 于常荣，曹喆．松花江鱼类有机污染物的研究［J］．中国环境科学，1994，14（4）：283 - 288.

[4] 李俊生，徐靖，罗建武，等．硝基苯环境效应的研究综述［J］．生态环境学报，2009，18（2）：771 - 776.

[5] 王宏，沈英娃，卢玲，等．几种典型有害化学品对水生生物的急性毒性［J］．应用与环境生物学报，2003，9（1）：49 - 52.

[6] 赵钰，曾苏，傅大放，等．多株硝基苯降解菌的筛选［J］．应用与环境生物学报，2002，8（4）：427 - 429.

[7] WU Q，BLUME H P，REXILIUS L，et al. Sorption of atrazine，2，4 - D，nitrobenzene and pentachlorophenol by urban and industrial wastes［J］. European Journal of Soil Science，2000，51：335 - 344.

油页岩渣制备陶粒及其对 Cu^{2+} 吸附性能实验分析

郭　立

（湖北大学资源环境学院　湖北　武汉　430062）

摘　要　以油页岩渣为主要原料，采用阶段升温法制备油页岩渣陶粒，研究其在不同环境条件下对 Cu^{2+} 的吸附性能。结果表明，陶粒对 Cu^{2+} 的吸附 900min 可达到吸附平衡。随着陶粒投加量的增大，Cu^{2+} 的吸附效率增大；溶液 pH 值在 5～6.5 时，陶粒对 Cu^{2+} 的去除效果明显。初始浓度增大，其去除效率有所下降，但陶粒对 Cu^{2+} 的吸附容量却随溶液初始浓度的升高而增大。

关键词　油页岩渣陶粒　Cu^{2+}　吸附性能

一、引　言

油页岩渣是油页岩在绝热空气条件下干馏，提取页岩油后，再经过煅烧，最后从炉底排出的灰渣。目前对油页岩灰渣的处理方式大多数都是将其直接丢弃，堆置在附近。油页岩渣的堆放带来一系列的生态与环境问题[1-5]：油页岩渣废弃物的堆放不仅占用了大量的土地，而且形成了大量的固体废物，这些废物是含有大量毒性或潜在毒性的物质，如重金属元素、微量放射性元素、致癌物质等，经过雨水淋溶或扩散后严重污染周围的水源、土地及生物，破坏农业生产，使土地毒化、酸化，破坏土壤生产能力，从而危害居民健康。对于我国这样一个人口多、而人均耕地面积小的农业大国，油页岩灰渣的大量堆积无疑对可耕地面积造成了严重的威胁。因此，充分合理地利用油页岩渣，既能变废为宝，产生重要的经济意义，又可以保护环境，为实现开采无废弃物化作出重大贡献。为此本文采用油页岩渣为主要原料制备陶粒，并针对铜冶炼废水中含有大量 Cu^{2+} 离子，严重污染环境、危害人体健康这一问题[6-8]，进行利用油页岩渣制备的陶粒处理含铜废水的试验研究，为切实解决含铜废水 Cu^{2+} 的污染问题，达到以废治废的目的，进行了有益的探索。

二、油页岩渣制备陶粒

（一）实验原料

本实验以广东茂名油页岩渣为主要研究对象，掺加量从 50% 增加到 100%。为了使配方含有适量的熔剂成分 K_2O 和 Na_2O，在配方中掺加废玻璃，为了保证陶粒坯料有适当的膨胀性能，在配方中掺加铁渣；最后，向配方中掺加油页岩围岩，使 SiO_2 和 Al_2O_3 的含量趋于合理。最终设计出 6 个配方进行高温烧结制备陶粒，主要配方见表 1。

表 1　主要原料配方表

编号	油页岩渣		废玻璃		油页岩围岩		铁　渣		合　计	
	百分含量	重量/g	百分含量	重量/g	百分含量	重量/g	百分含量	重量/g	百分含量	重量/g
1	50%	80	30%	48	17%	27.2	3%	4.8	100%	160
2	60%	96	25%	40	13%	20.8	2%	3.2	100%	160
3	70%	112	25%	40	5%	8	—	—	100%	160
4	80%	128	20%	32	—	—	—	—	100%	160
5	90%	144	10%	16	—	—	—	—	100%	160
6	100%	160	—	—	—	—	—	—	100%	160

（二）实验工艺流程

油页岩渣制备陶粒的工艺流程如图 1 所示。

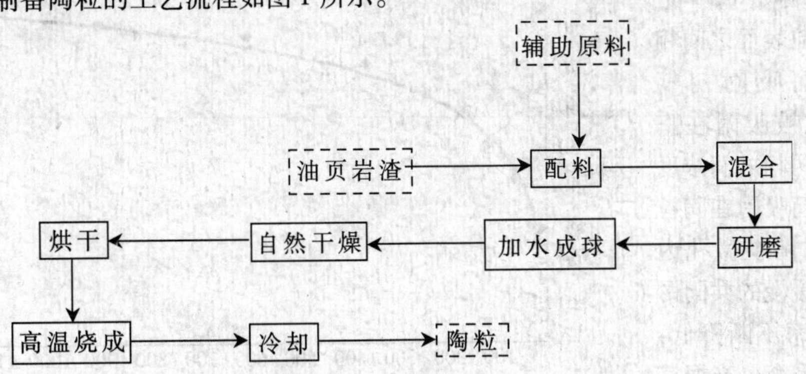

图 1　油页岩渣制备陶粒的工艺流程图

烧制过程采用阶段升温法，平均升温速度为 8℃/min，陶粒烧结温度为 1100℃。

（三）油页岩渣陶粒性能分析

油页岩渣陶粒吸水率的测试采用国家标准 GB/T 17431.1—1998 和 GB/T 17431.2—1998；抗压强度的测试按照 GB/T 4740—1999 在 WE－50 型液压式万能试验机上实施；颗粒容重测试按照 GB 2842—1981 测试。各配方陶粒的吸水率、抗压强度和颗粒容重见表 2。

表 2　各配方的吸水率、抗压强度（MPa）和颗粒容重（kg/m^3）测试结果

实验配方	吸水率/%	抗压强度/MPa	颗粒容重/（kg/m^3）
1	0.25	71.12	1830
2	0.44	69.36	1630
3	0.43	68.87	1710
4	0.40	69.98	1820
5	2.85	51.92	2180
6	11.25	32.99	1840

三、油页岩渣陶粒去除 Cu^{2+} 的实验

（一）实验原料、方法及仪器

鉴于篇幅所限，去除实验仅以配方 3 所制备的陶粒为例，进行油页岩渣陶粒去除 Cu^{2+} 的实验研究。实验过程中所采用的含铜废水为人工模拟废水，制备方法如下：用精度为 0.100g 的电子天平准确称量 $CuSO_4$ 试样，用去离子水准确定容至 1000ml，即得实验所需的模拟废水。

油页岩渣陶粒去除 Cu^{2+} 的实验方法：取 100ml 初始浓度为 C_0 的含铜实验废水于容量为 250ml 的锥形瓶中，用 HCl 和 NaOH 调节溶液的 pH 值，加入质量为 M 的陶粒，在恒温水浴中振荡，然后在事先设定的时间点上对溶液中的 Cu^{2+} 浓度进行取样测试，得出 Cu^{2+} 浓度为 C_0 测试方法按照国家标准 GB 7475—1987 中水质铜离子吸收分光光度法测定。

（二）吸附性能影响因素分析

1. 去除率随时间变化规律

陶粒的投加量为 1.5g，初始溶液浓度为 50.00mg/L，溶液初始 pH 值为 5.5 的条件下，Cu^{2+} 的去除率随时间的变化关系见图 2。Cu^{2+} 的去除率随接触时间的增加而增大。整个去除过程大致可分为两个阶段：初始 240min 时，Cu^{2+} 的去除率即达到 64.00%；在随后过程中，Cu^{2+} 的去除

率只有 20% 左右。出现以上现象是由于初始 Cu^{2+} 浓度在溶液和陶粒表面之间相差较大，因而吸附初期 Cu^{2+} 能较快地被吸附在陶粒表面；随着两相之间浓度差的降低以及已吸附在陶粒表面的 Cu^{2+} 向陶粒微孔内部扩散的速率缓慢的共同影响使得吸附速率不断降低，最后趋于吸附平衡。当振荡时间达到 360min 时，Cu^{2+} 的去除率已经超过 70%，随着时间的增加，达到 600min 后，Cu^{2+} 去除率在一定数值内波动。

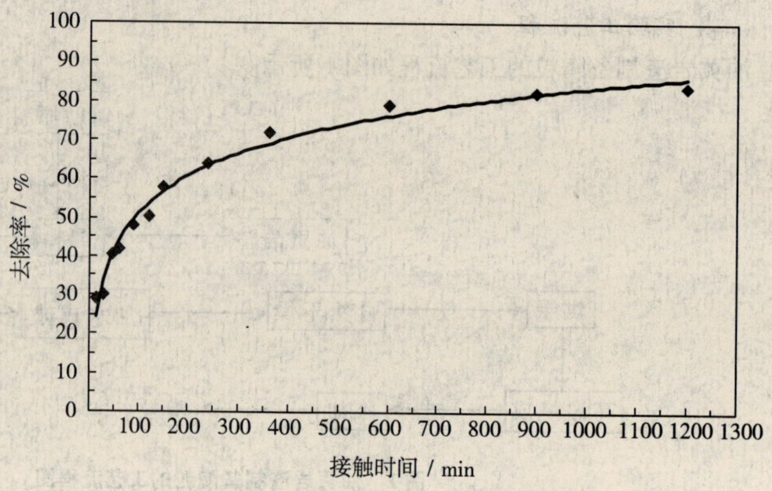

图 2　接触时间对 Cu^{2+} 去除率的影响

2. 去除率随陶粒投加量变化规律

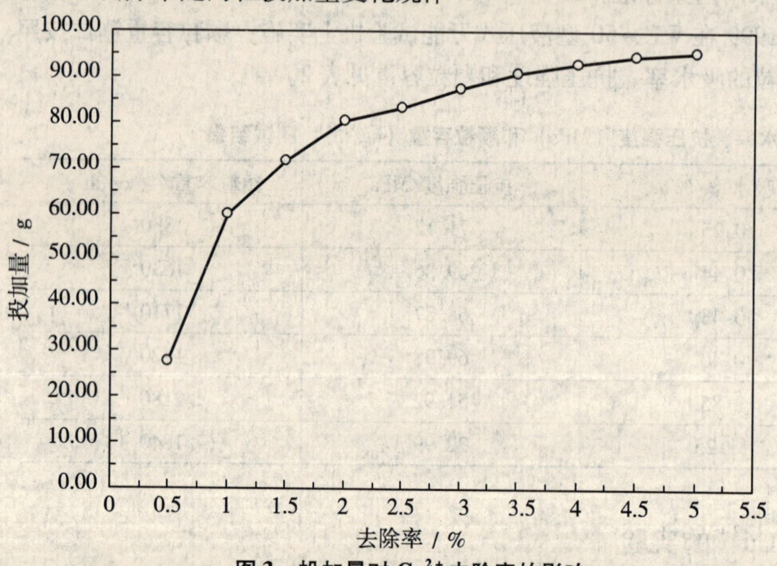

图 3　投加量对 Cu^{2+} 去除率的影响

初始浓度为 50.00mg/L 的含铜溶液，初始 pH 值为 5.5 的条件下，去除率和陶粒投加量的变化规律见图 3。经过不同投加量的陶粒的处理，可以发现 Cu^{2+} 的平衡浓度随着陶粒投加量的增加而明显减小，随着投加量的增大，吸附率也增大，这符合通常的吸附规律。在本实验中，当废水中 Cu^{2+} 的初始浓度为 50mg/L，陶粒的投加量分别为 1g 和 1.5g 时，Cu^{2+} 的去除率可达到 60.00% 和 71.60%。当陶粒的投加量超过 2g 时，Cu^{2+} 的去除率达到 80.20% 以上。

3. pH 值对陶粒去除 Cu^{2+} 的影响

采用稀盐酸调节含铜试液的 pH 值，在陶粒的投加量为 1g，初始溶液浓度为 50.00mg/L 时进行 Cu^{2+} 的吸附实验，pH 值对 Cu^{2+} 去除率的影响见图 4。当初始溶液的 pH 值 <4 时，陶粒

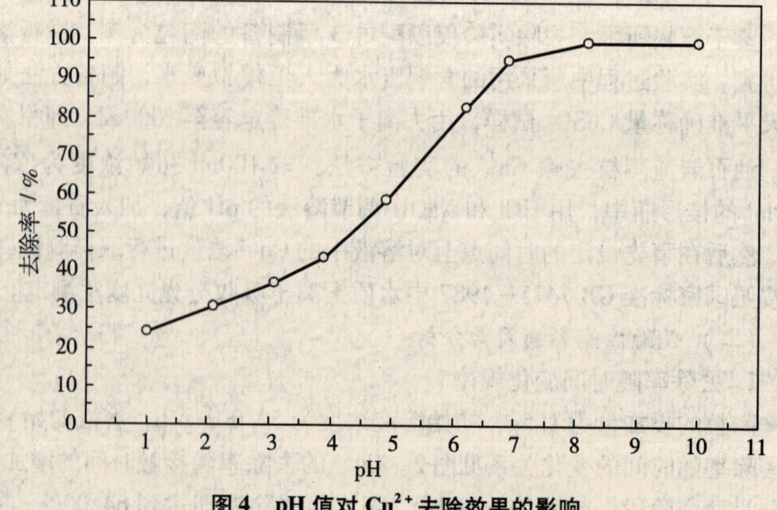

图 4　pH 值对 Cu^{2+} 去除效果的影响

对 Cu^{2+} 的去除率较小，最大只能达到36.60%；溶液pH值在5～6.5时，陶粒对 Cu^{2+} 的去除效果有一个很大的提升，去除率分别为58.40%和82.40%。当初始溶液的pH值>6.5时，导致产生大量氢氧化铜沉淀，Cu^{2+} 的去除率也高达95.00%以上。这时 Cu^{2+} 被去除原因，是因为pH值过高而产生的沉淀作用，不再是陶粒的吸附作用。

含铜废水处理前后pH值的变化规律图5。在溶液初始pH值<6.9时，处理后的溶液pH值有所提升。在陶粒的制备原料中含有一定量的长石，经过烧结后长石数量减少，但由陶粒样品的XRD图谱可知，烧结后的陶粒仍含有少量的长石，有一些为完全反应的碱性氧化物。这使得陶粒在投加到含铜溶液中使溶液的pH值有适当的增加。当溶液初始pH值>6.9时，由于大量的氢氧化铜沉淀产生，使处理后溶液pH值有所降低。

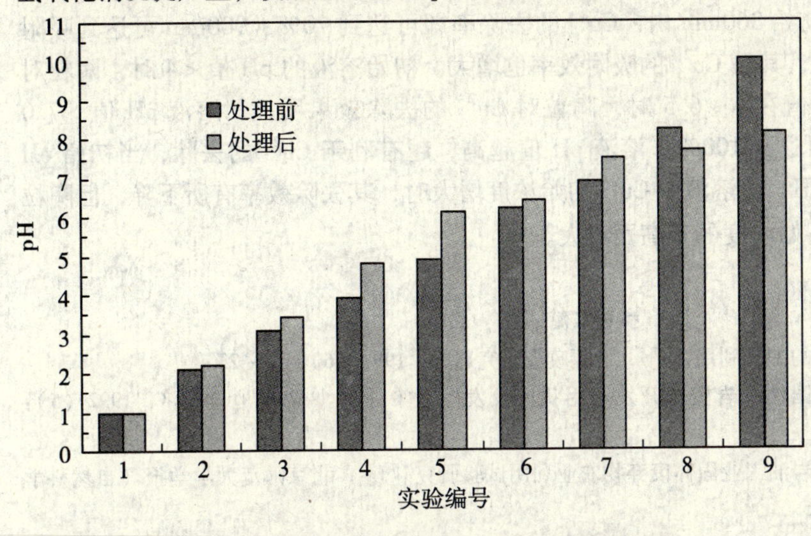

图5　处理前后溶液pH值的变化

4. 初始浓度对陶粒去除 Cu^{2+} 的影响

陶粒的投加量为1g，pH值为5.5，含铜溶液去除率与初始浓度的变化关系见图6。当初始浓度小于75mg/L时，去除率可达到50%以上；当废水中 Cu^{2+} 的初始浓度大于75g/L时，Cu^{2+} 去除率急剧下降，而且达到平衡的时间较初始浓度低时有很大的缩短。虽然溶液中 Cu^{2+} 的初始浓度增大时，去除效率有所下降，但陶粒对 Cu^{2+} 的吸附容量却随溶液初始浓度的升高而增大。

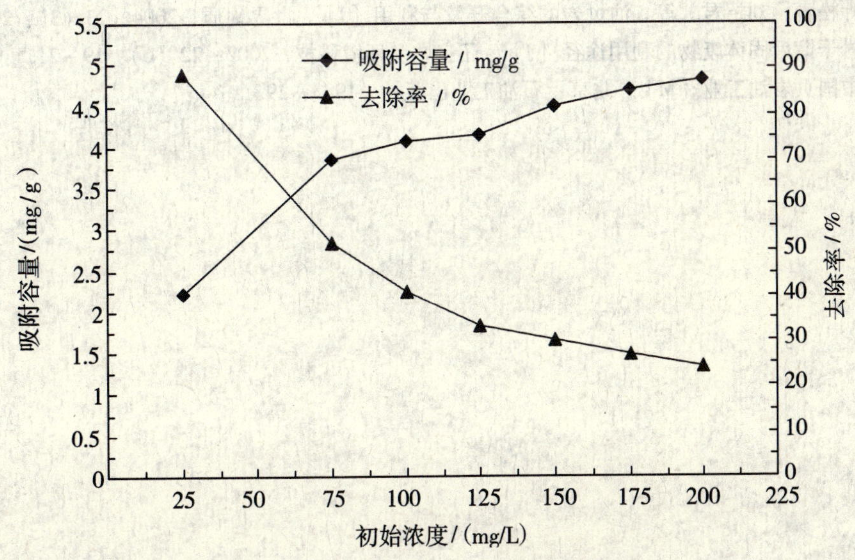

图6　初始浓度对去除率和吸附量的影响

（三）陶粒的再生

油页岩渣陶粒在吸附 Cu^{2+} 失去处理能力后，可利用0.1mol/L的HCl溶液进行解吸处理，此

时陶粒吸附的 Cu^{2+} 将全部溶出，陶粒得到再生，可以再用。取已吸附饱和的陶粒 10g 加入 0.1mol/L 的 HCl100ml 浸泡 24h，用水洗至近中性，烘干备用。取浓度为 50mg/L 的含铜试液 100ml 置于 250ml 锥形瓶中，加入 1g 再生陶粒，作吸附试验。实验结果表明，Cu^{2+} 的去除率较原陶粒有所降低，结果相差不大。

四、结　论

1. 采用掺加量为 50% ~100% 的油页岩渣为主要原料，以废玻璃、油页岩围岩和铁渣为辅助原料，在 1100℃烧结制备油页岩渣陶粒。其吸水率为 0.25%，抗压强度为 71.12MPa，颗粒容重为 $1830kg/m^3$。

2. 陶粒对 Cu^{2+} 的吸附，初始 360min 内，Cu^{2+} 的去除率即可达到 70%；900min 可达到吸附平衡。随着陶粒投加量的增大，其对 Cu^{2+} 的吸附效率也增大。初始溶液的 pH 值 <4 时，陶粒对 Cu^{2+} 的去除率较小；溶液 pH 值在 5 ~6.5 时，陶粒对 Cu^{2+} 的去除效果明显；溶液 pH 值 >7.0 时，陶粒对 Cu^{2+} 的去除效果可达到 100%。溶液 pH 值越高，越有利于 Cu^{2+} 的去除，当初始 pH 值超过 7 时，将会形成 $Cu(OH)_2$。溶液中 Cu^{2+} 初始浓度增大时，其去除效率有所下降，但陶粒对 Cu^{2+} 的吸附容量却随溶液初始浓度的升高而增大。

参考文献

[1] 施国泉，郭家俊．油页岩灰渣的综合利用［J］．能源政策研究通讯，1991（6）：20－23.
[2] 王慎余，许家明，王振海．我国油页岩资源开发利用状况及发展对策［J］．中国地质经济，1992（5）：16－19.
[3] 荆红卫，刘虹，张平，等．页岩油工业固体废弃物农业利用试验研究［J］．北京师范大学学报（自然科学版），2001，37（2）：260－265.
[4] 夏汉平，黄娟，孔国辉．油页岩废渣场的生态恢复［J］．生态学报，2004，24（12）：2887－2893.
[5] 诙根洪，吴自香，张瑞香，等．油页岩及其灰渣的放射性水平［J］．中国环境监测，1993，9（5）：15－17.
[6] 游君君，叶松青，刘招君，等．油页岩的综合开发与利用［J］．世界地质，2004，23（3）：261－265.
[7] 高健．页岩干馏后固体废物的利用途径［J］．辽宁城乡环境科技，2002，22（6）：19－21.
[8] 侯祥麟．中国页岩油工业［M］．北京：石油工业出版社，1983：29.

EM技术在优质无公害烤烟生产中的应用展望

邵孝侯[1,2] 刘 钰[1,2] 于 静[1,2] 刘 旭[1,2] 袁有波[3] 李继新[3]

（1. 河海大学南方地区高效灌排与农业水土环境教育部重点实验室 江苏 南京 210098；
2. 河海大学水利水电学院 江苏 南京 210098； 3. 贵州省烟草科学研究所 贵阳 550003）

摘 要 烤烟是我国的主要经济作物之一，种植面积和总产量均居世界首位。多年来，我国在烤烟种植中大量施用农药、化肥，不但造成了烟田有机质含量的下降、土壤板结和地力衰竭，也导致了烟叶和土壤中重金属、农药残留等有害物质含量的升高，从而影响到烟叶的品质和烟田生态环境。本文综述了有效微生物（Effective Microorganisms，EM）组成及其相关功效，在此基础上，展望了EM技术在优质无公害烤烟生产中应用的广阔前景。

关键词 烤烟 EM技术 应用研究 展望

一、EM的技术特点及其在种植业中的应用

（一）EM及其技术特点

有效微生物（Effective Microorganisms，EM）是日本琉球大学比嘉照夫教授等人研制出的一种由乳酸菌、酵母菌、放线菌及光合细菌等10个属的80余种微生物复合培养而成的新型有益微生物制剂，具有组成复杂、结构稳定、功能广泛、不含任何化学有害物质、无毒害作用、不污染环境等特点，目前已被广泛用于种植、养殖、水环境保护等领域并取得了显著的经济、生态和社会效益。EM是从自然界分离出的有益微生物菌群，一方面，其内部各种微生物能协同作用、互为营养，将较大的动植物残体逐级分解为植物、有益微生物能利用的养分，形成稳定的共生增殖关系；另一方面，EM有益微生物菌群与有害微生物争夺营养和空间，通过生成抗氧化物，抑制了与病虫害相联系的有害微生物的繁殖[1]。

（二）EM在种植业中的应用

自20世纪80年代发现EM以来，科研人员已在辣椒、白菜[2]等数十种作物上进行了EM应用技术研究，结果一致证明EM能促进农作物增产、优质。目前该领域的研究更加广泛、深入，根据作物的不同，科研人员已在前期试验的基础上进一步通过实验筛选出适合于不同作物需要的EM料液，如EM肥料、EM活性液等。通过对植物进行EM施肥、EM喷肥、EM根施及EM浸种等多种环节，使EM进入土壤植物生态系统中，从而获得植物增产、提高品质和抗病抗逆能力。研究表明EM通过以下几方面影响土壤进而影响农业生产：①加速土壤有机物分解转化，使土壤中养分含量增加；②增加土壤微生物含量，尤其是植物根部微生物系统组成丰富，提高了土壤生物活性和缓冲能力；③有效微生物大量繁殖，有效抑制了病原微生物侵袭和发展，大大减少病虫害发生；④大量微生物分泌物质中含有维生素、植物生长激素等，大大促进了植物生长及光合作用。此外，EM的一些其他功能也逐渐为人们所认识，如EM浸种可促进种子发芽，EM喷洒作物叶面可促进作物的光合作用。

二、EM技术在优质无公害烤烟生产中的应用及其展望

（一）我国烤烟生产面临的问题

烤烟是我国的主要经济作物之一，种植面积和总产量均居世界首位。多年来，我国在烤烟种植中大量施用农药、化肥，不但造成了烟田有机质含量的下降、土壤板结和地力衰竭，也导致了烟叶和土壤中重金属、农药残留等有害物质含量的升高，从而影响到烟叶的品质和烟田生态环

境。我国的烤烟生产亟须开辟一条高产值、低污染的科技创新之路以增加行业在国际市场的竞争力。

（二）EM 在优质无公害烤烟生产中的应用展望

EM 的多功能性和稳定性使其为新产品开发搭建了平台。随着微生物技术的研究日益深入，多种与烤烟生产有关的有益微生物被发现、分离，并被试验性地用于育种、病虫害防治、储藏等各个领域。借鉴 EM 在其他作物上的使用开发经验，可以期待通过加强 EM 在烤烟方面的应用研究，在以下几方面取得成果。

1. 改良烟田土壤

我国传统依靠化肥、农药的烟草种植模式使土壤中的有益微生物受到抑制，土壤有机质长期得不到补充，而有机质和微生物含量的下降又使土壤对农药、化肥中有害物质的缓冲、分解能力下降，造成地力下降、土壤板结、水土流失加剧、有毒物质积累等烟田土壤环境恶化现象。EM 可以改良烟田土壤。向土壤中施用 EM 以后，动植物残体可在光合菌、酵母菌、放线菌、真菌等细菌的联合作用下加快分解为作物需要的有机质，土壤孔隙度、土壤肥力、有益细菌的数量得到提高，而有机质和有益微生物对重金属和农药残留也有一定的钝化、分解作用。目前国内外有关 EM 改良土壤的研究成果已经很多。

2. 提高烟草产量和品质

EM 除了能分解动植物残体、促进释放土壤营养元素增加土壤中的养分以外，其中的一些微生物的生物活性还可促进烤烟生长，如光合细菌菌体富含蛋白质、维生素及多种生理活性物质，能促进作物生长。EM 还可能提高烤烟品质。烤烟是同时注重产量与品质的经济作物，氮元素是影响烤烟品质的主要因素，其供应量在一定范围内与烟草的产量、品质分别呈正相关、负相关的关系。EM 的生物活性与烤烟生长期代谢强度有很高的一致性，可以期待通过 EM 影响烤烟代谢进而影响烟草品质。目前国内已有用微生物提高烤烟品质并取得成功的先例。阎启富[3]针对山地烤烟缺氮的现状提出把共生性固氮菌应用于山地烤烟，处理的株高和茎围都高于对照，小区产量比对照高 13%，烟叶质量和经济效益也明显高于对照。何金旺等[4]发现施用钾细菌肥料能使烟叶落黄速度加快，比对照成熟度提高一个等级，烤后烟叶金黄至橘黄，烟叶还原糖、总氮和氯离子含量略有减少，品质优良。

3. 烤烟微生物农药开发

EM 对有害微细菌的拮抗和促进植物生长的特性使其本身就具有某些农药的功能。EM 中的乳酸菌具有很强的杀菌能力；放线菌可分泌抗生物质，抑制病原菌的生长，增强植物对病虫害的抵抗性和免疫力。目前已有研究证明，EM 对防治小麦全蚀病、草霉根腐病 、茎腐病和水稻立枯病都有良好的防治效果，EM 对蚜虫等有良好的预防效果 ，防治率与喷施农药基本一样[5-7]。微生物农药的最大特点是来源于自然界，对害虫选择性高，昆虫不易产生抗性，对非靶标昆虫、益虫和人类没有或少有影响。除了目前应用最广的微生物农药苏云金芽孢杆菌［Bacillus thuringieusis（Bt）］以外，与烤烟青枯病、烤烟黑茎病、烤烟白绢病等疾病相克的有益菌种纷纷被发现[8]，这无疑为 EM 烤烟微生物农药的开发提供了菌种储备。

4. 培育烤烟优良品种

由于种种原因，我国在烤烟育种方面尚存在发芽率不足的问题，可以加强 EM 在烤烟育种方面的研究。目前 EM 在水稻育种方面的研究已取得进展，研究证明 EM 稀释液能明显提高水稻种子中的 a－淀粉酶、CAT 的活性，促进水稻种子萌发 ，并提高苗期抗逆性[9]。

5. 降低烟碱

烟碱是烤烟生物碱的主要成分，占烤烟生物碱总量的 95% 以上，烟碱含量过高不但会增加烟气的刺激性，影响卷烟吸味，而且也是不利于吸食安全性的一个重要因素，因此控制卷烟中的烟碱在一个合适的水平就显得尤为重要。研究表明[10]，烟叶表面的细菌种类和数量能影响烟碱的含量，因此可以分离对烟碱有影响的特异细菌并尝试与 EM 融合以培育出具有降烟碱功能的专用 EM 产品。

三、EM 技术应用于烤烟生产中需要进一步研究的问题

EM 自问世以来，功能一直在拓展，各种专用 EM 产品相继被开发出来，加上近年来烟草行业内有关“烟草无害化”“烟草无公害”的提出，该方向的投资必将增加，研究开发 EM 烤烟专用肥料和生物农药极具前景。尽管如此，还应看到 EM 技术在烤烟生产中涉足尚浅，大规模推广应用之前还有大量的基础工作要做，具体如下：

1. 通过试验示范获得 EM 增加烤烟产量、提高烤烟品质的数据，如 EM 的喷施浓度，EM 使用技术和方法等参数；

2. 加强对 EM 产品活性的研究，解决 EM 操作技术难度大、存储条件要求高的问题；

3. 在烤烟生产中对 EM 专用产品的开发要十分重视土著有益微生物的作用，解决好特异微生物与 EM 的相容问题。

4. 需重点在不同生态烟区开展 EM－1、EM 植物保健剂和 EM 土壤改良剂对烟草病虫害防治、土壤改良及土壤水分和养分有效性的影响的示范研究。通过 EM 技术在烤烟生产中的应用研究，开发适用于不同生态烟区无公害烟叶生产的专用生物有机肥和生物农药，建立适合不同生态烟区的 EM 烤烟无公害栽培技术体系。

总之要通过 EM 的使用，减少因化肥使用对土壤、水体的污染，保护生态环境，减少农药的使用，同时保护有害生物的天敌，形成田间生态链的良性循环。EM 烤烟有机栽培技术将通过发挥 EM 菌群的强大功能使无公害烟叶栽培技术上一个新台阶，烟叶品质得到进一步提高，从而做大做强不同生态烟区特色烟叶的品牌。

参考文献

[1] 比嘉照夫著．拯救地球大变革［M］．冯玉润译．北京：中国农业大学出版社，1997：10－30.

[2] 廖林仙，邵孝侯，李洪良．EM 用于污水灌溉对小白菜产量和土壤肥力的影响［J］．农业环境科学学报，2007，26（2）：704－707.

[3] 阎启富．共生性固氮菌在山地烤烟上的应用［J］．烟草科技，1997（4）：39.

[4] 何金旺．生物钾肥对烤烟产量和品质的影响［J］．广西农业科学，1994（2）：77.

[5] 周福红，欧红梅．EM 原露防治小麦全蚀病效果［J］．安徽农业科学，2000，28（2）：212－214.

[6] 李维炯，倪永珍．EM 的研究与应用［J］．天津畜牧兽医，1995（16）：1－5.

[7] 冀素梅，安永勤．EM 在果树生产上的效应［J］．山西果树，2000（1）：23－24.

[8] 王津军，李永忠，文国松，等．微生物技术在烟草生产上应用研究进展［J］．耕作与栽培，2004（6）：4－10.

[9] 任大明，王术．水稻应用有效微生物群（EM）试验［J］．垦殖稻作，1999（2）：22－23.

[10] 邵惠芳，焦桂珍，刘金霞，等．烟碱含量的影响因素及其调控技术［J］．中国农学通报，2007（23）：84－87.

地热技术在温室降温中的应用研究

张晓文

（北京市农业机械研究所　北京海淀区德外西三旗建材城西路31号　100096）

摘　要　本文介绍了浅层地能的开发利用原理，通过对北京西三旗生态园温室工程项目设计的地源热泵系统夏季使用情况的测试，分析了大型农业设施地源热泵夏季降温的能耗情况，并与相同工况下常规空调所需能耗进行了对比分析，试验结果表明地源热泵夏季制冷比使用常规空调可节能35%，并针对地源热泵系统在设施农业中的应用提出了有效的建议。

关键词　浅层地能　温室降温　地源热泵

引　言

浅层地温能广泛存在于地球浅表层（＜200m）巨大的恒温带中，其能量主要来源于太阳辐射和地球梯度增温，土壤温度相对恒定，几乎不受环境气候变化的影响。与深层地热相比，浅层地温能分布广泛、储量巨大、再生迅速、采集方便、开发利用价值更大。因此，浅层地温能作为一种新型、可再生的优质清洁能源，越来越受到国家和社会的重视[1]。

伴随着我国以设施农业为主体的现代农业的迅速发展，能源消耗对农业生产成本的影响也越来越大。节能、高效、环保已经成为未来设施农业发展的主题。目前大型农业设施主要包括各种大型连栋温室、农业交易展销大厅、大型畜禽舍，以及正在全国快速发展的各种新型生态园。目前这些大型农业设施多采用燃煤、燃油或天然气等传统能源，冬季利用锅炉集中供暖，夏季有的还用中央空调集中降温制冷。由于大型农业设施较普通建筑物所需冷热负荷大得多，采用传统能源消耗比较大，环境污染严重，而采用中央空调制冷电能消耗大，能源利用率低；且二者的运行费用都比较高[2]。因此开发利用浅层地能已经成为我国乃至全世界未来供暖与制冷替代化石能源的首选。

一、地源热泵系统组成及工作原理

地源热泵系统是浅层地能利用的重要形式。如图1所示，所述的流程由三套循环系统、两套能量交换系统及末端能量释放系统构成，用井水作为中间介质与地下恒温岩土进行热交换，以获取岩土中能量。热泵机组的能量转换，是利用其压缩机的作用，通过消耗一定的辅助能量（如电能），在压缩机和换热系统内循环的制冷剂的共同作用下，由环境热源（如水、空气）中吸取较低温热能，然后转换为较高温热能释放至循环介质（如水、空气）中成为高温热源输出，冬季可用于为农业设施内部加温，该技术夏季还可用于对农业设施进行降温。

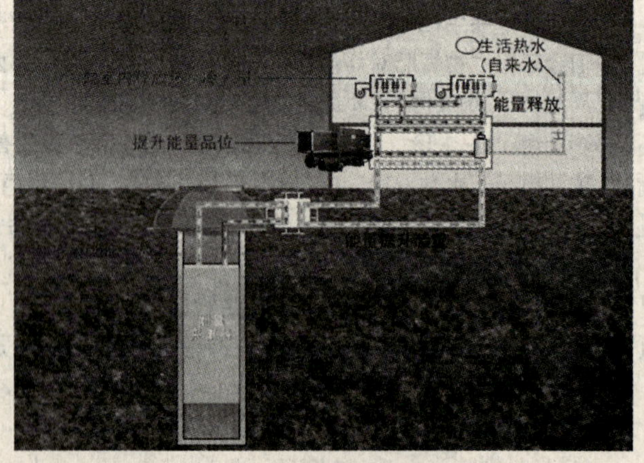

图1　地源热泵系统原理

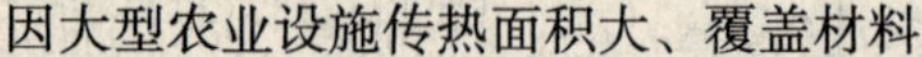

因大型农业设施传热面积大、覆盖材料传热系数大，所以能耗非常大，运行费用含冬季补温和夏季降温较高，这也是影响大型农业设施在我国发展一个主要原因，利用地源热泵技术可以很好地解决这个问题。为此在北京西三旗生态园进行了地源热泵技术的应用，见图2。

二、生态园地源热泵系统夏季降温试验设计

（一）测试目的

此实验是对位于北京西三旗生态园地源热泵夏季使用状况进行测试，通过测试温、湿度来检测温室地源热泵夏季使用时能耗情况，并与相同情况下使用空调所需能耗作比较，通过实际检测地源热泵夏季节能状况。

图2 北京西三旗生态园地源热泵应用实景

（二）测试指标

主要测试指标为温室内、外空气温度和湿度两项指标。

（三）试验设备器材

全自动温、湿度记录仪4个。其中室外放置1台，室内放置3台。

（四）西三旗生态园概况

温室占地面积9504m^2，跨度33m，开间8m，天沟高7.5m，顶高8.65m，温室主体骨架为工字钢结构，温室顶部采用8mm厚拜耳索拉塔夫PC板覆盖与100mm厚彩钢复合板，北立面采用100mm厚彩钢复合板，南立面采用12mm厚钢化玻璃，东西立面采用（5×6×5）mm双层中空玻璃。

图3 北京西三旗生态园外部、内部实景

三、数据处理及实验分析

（一）温湿度测试试验数据与分析

此次测试主要对西三旗生态园室内外温度、湿度和夏季环境下生态园的使用情况进行了测

试。同时对地源热泵夏季降温与普通空调夏季降温性能进行对比。

试验是在生态园正常运行时间 10：00～24：00 进行，且运营期间保证室内温度在 26℃左右，天气为晴天。试验从早 9：30 开始，其中自动记录仪每 15 分钟测试一次，测定结果如图 4、图 5 所示。其中 1 点温度和 1 点湿度分别为室外温度和湿度。

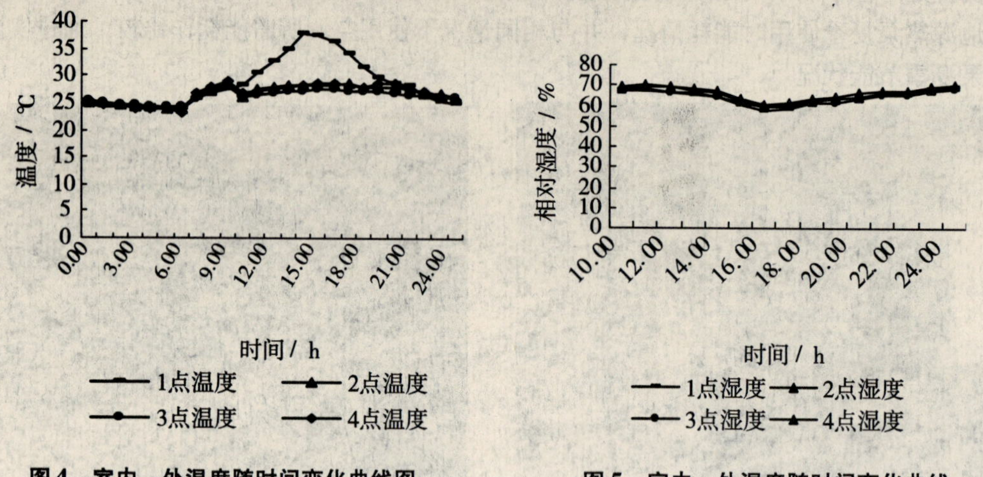

图 4　室内、外温度随时间变化曲线图　　**图 5　室内、外湿度随时间变化曲线**

从图 4、图 5 可以看出，在空调工作时间内（10：00～24：00），室内最高温度为 28.7℃，最低温度为 25.9℃，日较差为 2.8℃；同一时刻不同点温度最高相差 1.7℃，出现在傍晚 19：00 点，最高点温度为 28.7℃，最低点温度为 27.0℃。从以上分析知西三旗生态园室内温度分布比较均匀，且日温度波动较小。而室内最高湿度为 70.6%，最低湿度为 59.5%，室内日湿度较差为 11.1%；同一时刻不同点湿度最高相差 2.7%，出现在傍晚 19：00 点，最高点湿度为 64.2%，最低点湿度为 61.5%。从以上分析知西三旗生态园室内湿度分布比较均匀，可满足大多数绿色植物生长的需要，但大部分时间不在人感觉最舒适湿度范围内。

（二）生态园地源热泵系统能耗分析

西三旗生态园地源热泵系统主要参数：主机两台，一备一用；制热功率 1251kW，耗电量 258kW；制冷功率 1020kW，耗电量 192kW；风机盘管 331 台，每台耗电量 50W；循环水泵两台，每台功率 35kW，两台同时运行；潜水泵一台，功率 35kW；制热能效比 cop 为 4.85，制冷能效比 cop 为 5.32。

由前面测试结果可以看出室内外温差基本保持在 26℃左右，最高温差可达 28.7℃。通过实际测试统计主机运行时间及费用如表 1 所示。

表 1　地源热泵系统周天运行费用名称主机风机

名　称	主机	风机盘管	循环水泵	潜水泵
数量/台	1	331	2	1
耗电量/（kW·h）	192	0.05	35	35
运行时间/h	12.6	13	13	13
总耗电量/（kW·h）	2419.2	215.15	910	455
单价/元	1	1	1	1
费用/元	2419.2	215.15	910	455
总计费用/元	3999.35			

（三）普通冷水机组空调运行分析

相同负荷相同工况下普通水冷式空调分析[3-5]：

主机两台，一备一用；制热功率 1251kW，制冷功率 1020kW；制热能效比 cop 为 3.3，制冷能效比 cop 为 3.4；制热耗电量 379kW，制冷耗电量 300kW；风机盘管 331 台，每台耗电量 50W；循环水泵两台，每台功率 35kW，两台同时运行；潜水泵一台，功率：35kW。

表 2　普通空调运行费用

名　称	主机	风机盘管	循环水泵	潜水泵
数量/台	1	331	2	1
耗电量/（kW·h）	300	0.05	35	35
运行时间/h	12.6	13	13	13
合计耗电量/kW	3780	215.15	910	455
单价/元	1	1	1	1
费用/元	3780	215.15	910	455
合计费用/元	5360.15			

（四）地源热泵系统与普通空调系统对比分析

经过计算，西三旗生态园总冷负荷为 945kW，选用的主机名义工况下 35℃，制冷负荷为 1020kW，耗电功率为 192kW，能效比 cop 为 5.32；一天运行费用为 3999.35 元；如果选用普通水冷空调，由于实际室外温度比标准状况 35℃要高，这样能效比即 cop 的值也会随之下降，而且呈直线下降，当室外温度 38℃时，根据统计结果 cop 一般在 2.5 左右，如果室外温度再升高，则普通空调能耗比会更低。

按照一个采暖季节 90 天计算，从表 2 可以看出西三旗生态园地源热泵夏季运行费用为 359941.5 元，如使用普通空调夏季运行费用为 482413.5 元；使用地源热泵比使用普通空调夏季节约 122472 元，节约 34.03%。

（五）地源热泵系统投资对比分析

地源热泵系统同常规的燃油锅炉加冷水机组初投资分析如表 3 和表 4 所示。就西三旗生态园项目两种调温系统投资而言，地源热泵系统投资低于常规的燃油锅炉加冷水机组投资。

表 3　地源热泵初投资分析

序号	名　称	单价/万元
1	热泵机组	220
2	各类泵	30
3	热泵机组机房电气与控制	5
4	抽灌井	15
5	井内采集装置	93
6	末端系统	130
合计		493

表 4　燃油锅炉＋冷水机组初投资分析

序号	名　称	单价/万元
1	锅炉	98
2	各种泵类	9

序号	名　称	单价/万元
3	水处理除氧设备	9
4	燃油锅炉房防爆设备	7
5	过滤装置	3
6	锅炉房电控与自控	5
7	锅炉房设备基础及烟筒	8
8	冷水机组	190
9	各类泵	19
10	冷却塔	16
11	冷水机组机房电气与控制	5
12	水处理设备	8
13	末端系统	120
合计		497

四、结论与建议

通过对西三旗生态园地源热泵项目理论与实际测试分析，可以看出地源热泵系统相对普通中央空调机组具有环保节能的优点。具体结论与建议如下：

（1）夏季使用地源热泵制冷比使用普通中央空调节约能耗约35%。

（2）地源热泵系统能够实现供暖（冷）建筑使用区域的零排放、零污染。

（3）一套地源热泵设备，冬季既可供暖，夏季又可制冷，并提供日常生活热水，能有效节约总体投资。

地源热泵具有广泛的应用前景。面积比较大、负荷比较大的农业设施及生态园建议采用地源热泵，地源热泵相对燃油锅炉 + 普通空调初投资要低一点，但运行费用相对燃油锅炉 + 普通空调模式要低得多，故在面积比较大、档次比较高的设施农业项目上建议采用地源热泵作为供暖和降温手段。

从上述实验数据表格可以看出设施内湿度日偏差比较大，可满足大多数绿色植物生长的需要，但多数时间略高于人最舒适感范围45% ~65%。因此，建议像西三旗生态园这种高档生态园项目应增设新风系统，从而可以有效控制湿度，提高人的舒适感。

参考文献

[1] 程韧．浅层地能（热）得开发与利用［J］．高科技与产业化，2007，4.

[2] 吕世华．地源热泵技术与建筑节能［J］．暖通空调，2006，7.

[3] 陆耀庆．实用供暖空调设计手册［M］．北京：中国建筑工业出版社，2004.

[4] 李岱森．简明供暖设计手册［M］．北京：中国建筑工业出版社，1999.

[5] 陆延魁．空气调节设计手册［M］．北京：中国建筑工业出版社，2003.

二氧化硅膜分离正己烷/氮气的研究

钟 璟[1] 陈 燕[1] 黄维秋[2] 陈若愚[1]

(1. 江苏工业学院化学化工学院江苏省精细石油化工重点实验室 常州 213164;
2. 江苏工业学院机械与能源工程学院 常州 213016)

摘 要 油品中有机蒸气的蒸发损耗不仅严重影响人体健康、污染环境，且存在安全隐患，因此必须对这些油气进行回收或处理。本文采用自制的二氧化硅膜对正己烷/氮气进行分离，考察操作条件对膜分离性能的影响，实验结果表明跨膜压差为0.04MPa，操作温度为20℃，进料浓度为30vol%时，膜对混合气的分离效果最佳，分离因子可达2.80。

一、引 言

在炼油厂和油码头的储存和运输过程中，在油库周转和加油站的经营过程中，有大量的油品蒸发损耗。这些蒸发损耗的物质以烃类有机蒸汽（“油气”）的形式排放到大气中，不仅带来严重的环境污染，还给企业带来火灾隐患；而且会造成油品数量损失和质量下降，带来巨大的经济损失[1-3]。因此回收成品油的蒸发损耗，具有很明显的环境效益、社会效益和经济效益。

20世纪80年代后期，国外开始采用聚丙烯腈、聚醚酰胺类等高分子复合膜进行空气中油气的回收[4-6]，但由于高分子膜存在耐溶剂性能差、渗透通量低等问题[7,8]，开发新的用于有机蒸气回收的膜材料成为一个研究方向。陶瓷膜因其具有耐高温、耐化学腐蚀、机械强度高、可清洗性强和使用寿命长等特点[9]，近年来受到广泛关注，并逐渐应用于H_2/CH_4，CO_2/CH_4等[10-13]混合气体的分离研究中。因此本文采用自制的二氧化硅膜，选取正己烷/氮气混合气作为模拟油气，探讨了跨膜压差、操作温度以及进料浓度对分离效果的影响，以期对膜法油气回收的工业应用提供基础。

二、实 验

（一）实验试剂与仪器

正己烷（分析纯，国药集团）；氮气（99.5%，常州华阳气体有限公司）；二氧化硅膜（长75mm，内径6mm，最可几孔径为2.4nm，实验室自制）；

气相色谱（GC950型，FID检测器，SE30毛细管色谱柱，上海海欣色谱有限公司）；低温恒温槽（DKB－2006型，上海精宏实验设备有限公司）。

（二）实验过程

正己烷/氮气分离工艺包括三部分：

①进料系统：采用鼓泡法产生正己烷蒸汽，与氮气相混合后，经过流率、压力等的控制，产生所需要的模拟混合气体；②膜分离系统：进料气在经过预热管达到一定的温度后进入膜组件，调整渗透侧和截留侧的压力及流量。待装置达到稳定后测定膜分离性能；③分析系统：用皂膜流量计测定气体透过膜的速率，用气相色谱在线分析进料气体和渗透气体的组成。

膜性能以渗透速率Q［式（1）］和分离因数α［式（2）］来作为评价指标。

本文工作得到江苏省自然科学基金（批准号：BK2009580和BK2008143）和常州市青年人才基金（批准号：CQ2008003）的资助。

$$Q = \frac{F}{At\Delta P} \quad (1), \qquad \alpha_{2/1} = \frac{y_2/y_1}{x_2/x_1} \quad (2)$$

式中：Q 为气体渗透通量，mol/m^{2}sPa；F 为气体透过量，mol；A 为膜面积，m^2；ΔP 为膜压差，MPa；y_i 为渗透物组成（mol%）；x_i 为进料汽组成；$i=1$，2（1 为氮气，2 为正己烷）。

三、结果与讨论

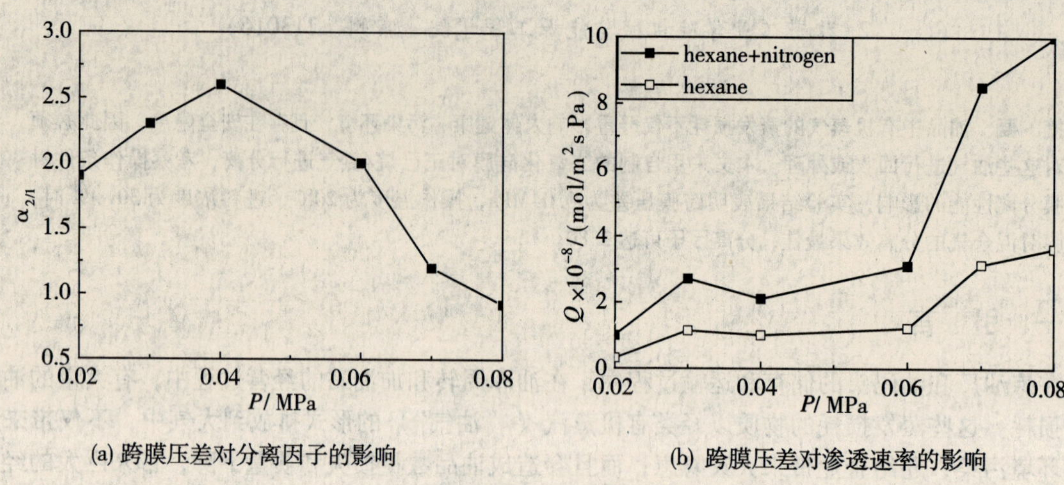

(a) 跨膜压差对分离因子的影响　(b) 跨膜压差对渗透速率的影响

图 1　跨膜压差对分离性能的影响

（一）跨膜压差对分离性能的影响

在正己烷浓度 30vol%，操作温度 30℃条件下，考察了跨膜压差对膜分离性能的影响，数据如图 1 所示。

从图 1 中可以看出，分离因子随跨膜压差的增加而增加。跨膜压差达到 0.04MPa 时，分离因子达到最大。原因是：跨膜压差较小时，增加压力利于正己烷在膜表面的吸附，促进正己烷在部分膜孔内发生毛细管冷凝，“堵住”膜孔，阻碍氮气的渗透，分离因子逐渐增加。继续增加压差，混合气在压力的推动作用下直接透过膜，无毛细管冷凝现象发生，分离因子降低。

膜压差对渗透速率的影响与分离因子的变化趋势不同。渗透侧气体混合物总的渗透速率和其中正己烷的渗透速率（按照总渗透速率和渗透气中正己烷的浓度确定）都随着跨膜压差的增大呈上升趋势，这是由于跨膜压差的增大提高了过程的传质推动力，增加了气体在膜中的扩散速率，从而渗透速率增加。

（二）操作温度对分离性能的影响

在正己烷浓度 30vol%，跨膜压差 0.04MPa 条件下，考察了操作温度对膜分离性能的影响。

从图 2 的数据可以看出，分离因子在操作温度为 20℃时出现最大值。低温时，有利于膜孔内发生毛细管冷凝，这时氮气溶解于正己烷中透过膜。由于氮气的溶解度随着温度的增大而减小，因此随温度升高（5~20℃），渗透侧氮气相应减小，分离因子随温度的增大而增大。但继续升高温度不利于正己烷在膜内的吸附和冷凝，减弱了正己烷对氮气的阻挡作用，从而分离因子下降（20~50℃）分离效果变差。

温度升高，气体扩散速率增加，因此混合气体的渗透速率随着温度的升高逐渐增加。但其中正己烷的渗透速率随操作温度升高出现先增加后下降的趋势。这是由于：升高温度会降低油气的饱和蒸汽压，增大了正己烷多层吸附扩散的速率，提高正己烷的渗透速率；但继续升高温度会减弱正己烷在膜孔内的多层吸附和毛细管冷凝效应，从而降低其渗透量，分离因子也随着降低。

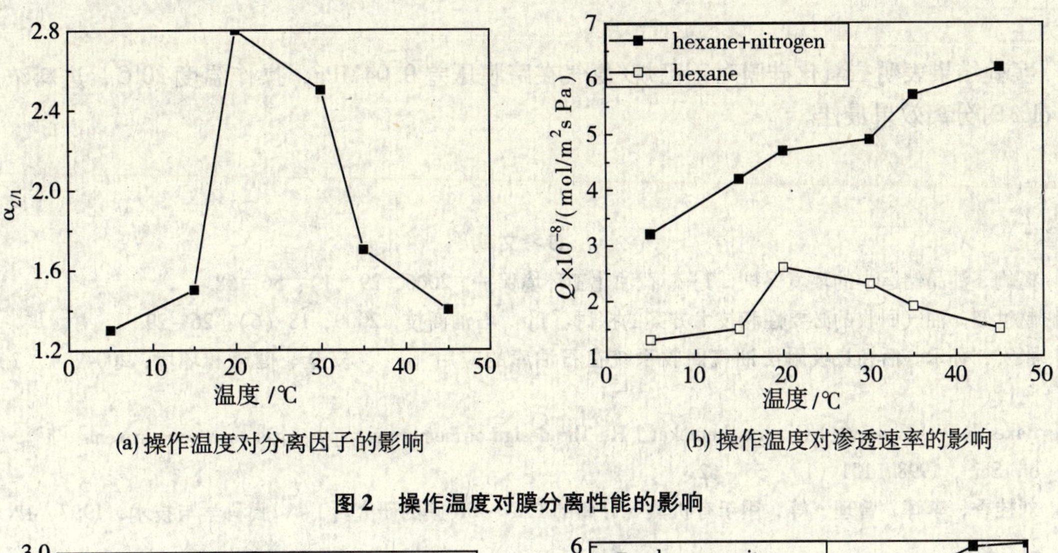

(a) 操作温度对分离因子的影响　(b) 操作温度对渗透速率的影响

图2　操作温度对膜分离性能的影响

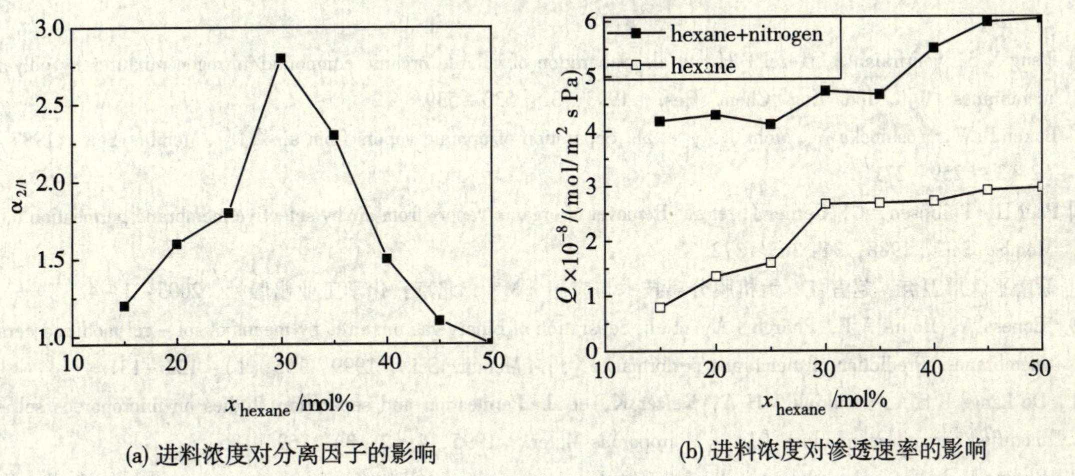

(a) 进料浓度对分离因子的影响　(b) 进料浓度对渗透速率的影响

图3　进料浓度对膜分离性能的影响

（三）进料浓度对分离性能的影响

在操作温度20℃，跨膜压差0.04MPa条件下，对不同进料浓度的正己烷/氮气混合气体进行了研究，数据如图3所示。

低浓度下，提高原料气中正己烷的浓度可提高其分压，从而提高正己烷在膜中的传质推动力。而氮气的分压随正己烷浓度的增加而减小，二者在膜内传质速率的差别使分离因子增加。随着进料中正己烷浓度进一步增加，正己烷在混合气体中的相对蒸汽压（分压与饱和压力之比）增加，不利于其在膜孔内发生多层吸附及毛细管冷凝[14]，分离因子变小。最佳的进料浓度为30vol%。在本文测定的浓度范围内，膜对正己烷/氮气的分离因子都在1.2以上，说明对于不同浓度的混合气，膜都具有较好的分离性能。

提高原料气中正己烷的浓度可提高其分压，从而提高正己烷在膜中的溶解度和扩散的推动力，因而混合气和正己烷的渗透率随进料浓度的增加而增大。

四、结　论

本研究结果表明：跨膜压差、操作温度、进料浓度等参数对膜分离正己烷/氮气体系有重要影响。改变实验条件会影响正己烷在膜内的吸附量和其在膜孔内发生毛细管冷凝的程度，从而影响膜对混合气的分离性能。在整个实验过程中，自制的二氧化硅膜对正己烷/氮气的分离因子都大于0.57（正己烷/氮气 Knudsen 扩散的理想分离因子），正己烷的渗透以表面扩散和毛细管冷凝为主。

实验结果表明二氧化硅膜对正己烷/氮气在跨膜压差0.04MPa，操作温度20℃，进料浓度为30vol%时分离效果最佳。

参考文献

[1] 杨峋．油品储运中的环境保护［J］．石油化工环境保护，2006，29（1）：56－58.

[2] 赵世健．油气回收的必要性和技术方案的探讨［J］．石油商技，2000，18（6）：26－29.

[3] 张宏，孙禾．活性炭吸附法油气回收系统在石油库的应用［J］．安全、健康和环境，2004，4（7）：14－15.

[4] Baker R W，Wijmans J G，Kaschemekat J H. The design of membrane vapor－gas separation systems［J］．Membr. Sci.，1998，151（1）：55－62.

[5] 刘桂香，李晖，曾理，等．用于有机蒸气分离的PAN－SR膜的研究［J］．膜科学与技术，1997，17（5）：21－27.

[6] Feng X S，Souriraian S，Tezel F H，et al. Separation of volatile organic compound/nitrogen mixtures by polymeric membranes［J］．Ind. Eng. Chem. Res.，1993，32：533－539.

[7] Baker R W，Yoshiooka N，Mohr J M，et al. Separation of organic vapors from air［J］．Membr. Sci.，1987，31（2－3）：259－271.

[8] Paul H，Philipsen，C，Gerner J，et al. Removel of organic vapors from air by selective membrane permeation［J］．Membr. Sci.，1988，36：363－372.

[9] 徐南平，邢卫红，赵宜江．无机膜分离技术与应用［M］．北京：化学工业出版社，2003：1－4.

[10] Conesa A，Roura A F，Pitarch J A，et al. Separation of binary gas mixtures by means of sol－gel modified ceramic membranes. Prediction of membrane performance［J］．Membr. Sci.，1999，155（1）：123－131.

[11] De Lange R S A，Hekkink J H A，Keizer K，et al. Permeation and separation studies on microporous sol－gel modified ceramic membranes［J］．Microporous Mater.，1995，4（2－3）：169－186.

[12] Renate M de Vos，Henk Verweij. Improved performance of silica membranes for gas separation［J］．Membr. Sci.，1998，143（1－2）：37－51.

[13] Masashi Asaeda，Shin Yamasaki. Separation of inorganic/organic gas mixtures by porous silica membranes［J］．Sep. Purif. Technol.，2001，25（1－3）：151－159.

[14] 黄培．氧化铝陶瓷膜的制备、表征及应用研究［D］．南京：南京化工大学，1996.

负载型 $LaCoO_3$ 催化剂性能与结构研究

明彩兵[1] 叶代启[2]

(1. 仲恺农业工程学院环境科学与工程学院 广东 广州 510225

2. 华南理工大学环境科学与工程学院 广东 广州 510640)

摘 要 用柠檬酸法制备了铈锆固溶体负载不同量 $LaCoO_3$ 的催化剂。用热重法测试了催化剂样品对炭烟的催化活性。采用程序升温还原法（H_2 - TPR）、BET、X - 射线衍射仪（XRD）和 X - 射线光电子能谱仪（XPS）对催化剂进行了测试。结果表明，铈锆固溶体表面形成了稳定的 $LaCoO_3$ 钙钛矿相结构；负载量为 30% $LaCoO_3$ 的催化剂具有最高的催化活性，起燃温度降到 530℃；催化剂的催化活性与催化剂还原峰强度以及催化剂表面氧物种 O_{II} 的含量紧密相关。

关键词 铈锆固溶体 $LaCoO_3$ 负载 炭烟

钙钛矿型氧化物的催化氧化性能在 1952 年发现报道的。1970 年，有报道 $La_{0.5}Sr_{0.2}CoO_3$ 有很高的催化活性，可与 Pt 催化剂对氧的电化还原相比较，钙钛矿氧化物可能是电催化、催化燃烧和汽车尾气处理潜在可用的催化剂。此外，稀土钙钛矿型复合氧化物 ABO_3，由于其稳定的晶体结构和良好的催化活性，相对于贵金属来说具有价格低廉的优势，其在机动车尾气控制方面受到了广泛的关注[1-4]。只要满足 A 位和 B 位的所要求的离子半径范围，例如 rA > 0. 90 Å和 rB > 0. 51 Å，就可以将不同的金属离子引入钙钛矿结构里，形成 ABO_3 型的钙钛矿结构。但钙钛矿有个缺点是前躯体在高温焙烧下制备出的钙钛矿催化剂的比表面积都比较小，在经过 800℃以上高温焙烧后，通常比表面积都小于 $10m^2/g$。为了扩大钙钛矿催化剂的活性界面，可以将钙钛矿成分负载在一种载体上，$\gamma - Al_2O_3$ 比表面积较大，但问题是钙钛矿在高温下会和载体发生交叉反应，生成其他物质，影响钙钛矿的生成。譬如钙钛矿 $LaCoO_3$ 就容易和载体 Al_2O_3 发生反应，生产尖晶石[5-8]。因此本文选择 $Ce_{0.6}Zr_{0.4}O_2$ 充当载体，由于其具有较大的比表面积和较好的氧存储能力。本实验制备了系列 $Ce_{0.6}Zr_{0.4}O_2$（后面简称 CZ）负载不同量钙钛矿的催化剂，用 TG 对它们催化燃烧炭烟的催化活性进行了研究，以 BET、TPR、XRD 和 XPS 等技术对催化剂进行了表征。

一、实 验

（一）样品的制备

试剂按化学式计量比称取所需硝酸铈和硝酸锆，溶于水中加入与阳离子等摩尔柠檬酸，快速脱水烘干，450℃恒温燃烧后，放入马弗炉，在 550℃的温度下，焙烧 4h，得到铈锆固溶体粉末 $Ce_{0.6}Zr_{0.4}O_2$，简称 CZ。称取所需硝酸镧和硝酸钴，溶于水加入等摩尔柠檬酸，按照在铈锆固溶体上负载不同量的钙钛矿的计算，将称取所需质量的 CZ 放入溶液中，在 80℃加热的情况下进行剧烈搅拌，等到开始脱水分解后，放入马弗炉，在 450℃下进行恒温燃烧分解 4h 后，然后在 800℃下焙烧 5h，分别制备出负载 10%、20%、30% 和 40% $LaCoO_3$，记作 10LCo/CZ、20LCo/CZ、30LCo/CZ 和 40LCo/CZ。

（二）催化剂的活性测试

采用 TG 分析仪（Netzsch）对催化剂的活性进行测试。炭烟选用 Printex - U 炭黑（德国 degussa），在 950℃挥发分仅为 5%，灰分含量低于 0. 02%，平均原生粒径为 25nm，性质比较稳定。催化剂和炭黑按 9∶1 的比例在坩埚内混合均匀即可装样，即所谓的松散接触。取 8mg 样品，置于热平衡反应室里，N_2 和 O_2 混合气流为 50ml/min，其中 O_2 含量为 10% 程序升温到 650℃，升温速率为 10K/min。

（三）催化剂的表征

X 射线粉末衍射仪（日本理学公司 D/max－A 型）上测定，测试条件：室温，CuKα 源，Cu 靶激发的 Kα 辐射为射线源，管压为 30kV，电流为 40mA，扫描范围为 20～80°（2θ），扫描速度为 5°/min。程序升温还原反应（H_2－TPR）采用 TP5000 多功能吸附仪（天津先权仪器公司），实验前催化剂先分别在 300℃ 氮气和氦气气氛中处理 30min 以净化其表面，待样品温度降至室温，分别切换成 10% H_2－90% N_2 的还原气，气体流速为 30ml/min，均按 15℃/min 的升温速度升至 600℃。H_2－TPR 实验所用的催化剂量分别为 50mg，尾气中的水蒸气用分子筛和 KOH 吸收后进入热导池，分别检测氢气含量的变化。采用美国 BECKMAN COULTER 公司生产的 SA3100 比表面分析仪进行测定，样品量为 0.1～0.5 克，在 300℃ 抽真空预处理 2h，以 N_2 为吸附质，于 77K 进行测定。利用 X－射线光电子能谱仪 VG Multilab 2000 对催化剂表面的元素成分进行定性、定量检测及元素价态分析，测试条件 Mg Kα（hν ＝ 1253.6 eV）射线，全谱（0～1000 eV），C1s 校准结合能 284.6eV。

二、结果与讨论

（一）催化剂活性测试结果

图 1 是各催化剂样品催化燃烧炭烟的起燃温度图。炭烟的起燃温度是指炭烟燃烧失重 50% 时的温度。没有催化剂时炭烟的起燃温度是 639℃。当 CZ 上 La、Co 负载量为 10% 时，催化剂催化燃烧炭烟的起燃温度为 580℃；随着 La、Co 的负载量增加，催化剂对炭烟的催化燃烧活性增强，当负载量达到 30% 时，催化活性最高，起燃温度在 530℃；当 La、Co 的负载量达到 40% 时，催化剂对炭烟的催化燃烧活性变差，起燃温度转为 570℃。

（二）催化剂表面特性测定

表 1 是各样品的比表面特性和晶粒尺寸，数据显示 10LCo/CZ 的比表面积为 16.5m^2/g，随着 La、Co 组分负载量的增加，催化剂的比表面积开始下降，孔容也缩小。根据 Shcerrer 公式的计算，表 1 也列出了 CZ 固溶体相和钙钛矿相的晶粒粒径。当 CZ 固溶体负载 La、Co 量少时，10LCo/CZ 和 20LCo/CZ 催化剂中 CZ 固溶体相的晶粒尺寸都在 12nm 左右；但随着 La、Co 量的增加，CZ 固溶体相晶粒尺寸变小约为 7nm，可能是由于表面 $LaCoO_3$ 相增厚，在钙钛矿层的保护作用下 CZ 晶粒粒径没有烧结长大。而钙钛矿相的晶粒粒径则随着负载量的增大粒径有增大的趋势，显然负载量的增加不利于它的 CZ 固溶体相表面分散。D. Fino 等人认为纳米超微粒结构的催化剂表面颗粒粒径小，表面原子自由能高，表面原子易于移动，能显著改进炭黑在松散接触时的燃烧活性，且比表面积大有助于催化剂和炭烟的接触[9]。但结合催化剂

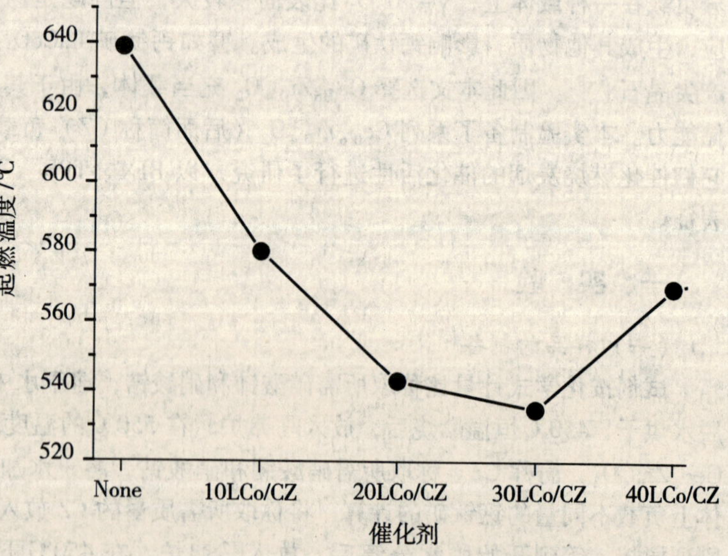

图 1　各催化剂催化燃烧炭烟的起燃温度

的活性来看，催化剂的活性与比表面积并没有必然的关系，可能还有其他因素起着作用。

表1　各样品的比表面特性和晶粒尺寸

样品	BET/ (m^2/g)	孔容/ (ml/g)	CZ 固溶体相晶粒尺寸/nm	钙钛矿相晶粒尺寸/nm
10LCo/CZ	16.5	5.3	12.5	25.7
20LCo/CZ	14.4	4.8	12.7	29.6
30LCo/CZ	12.5	4.1	7.1	29.9
40LCo/CZ	10.8	3.8	7.3	30.2

（三）XRD 结构分析

图2是催化剂10LCo/CZ、20LCo/CZ、30LCo/CZ和40LaC/CZ的XRD衍射峰。当La、Co负载量增加到10%，在10LCo/CZ衍射图上显示着$Ce_{0.6}Zr_{0.4}O_2$固溶体结构特征峰的2θ衍射角（见表2）29.12、33.81、48.35、57.57和标准图谱（PDFJHJ34－0394）以及参考文献里的CeO_2的衍射角位置在33.28相比，衍射角的位置向高角度移动，表示晶体的晶粒变小。除了$Ce_{0.6}Zr_{0.4}O_2$固溶体的特征峰外，在2θ衍射角23.12、32.88、40.66、47.44和58.96位置处出现了微弱的杂峰，这些衍射角的位置和文献中$LaCoO_3$钙钛矿（2θ衍射角23.28、32.58、40.78、47.48、58.98）的位置一致[10]，表明在铈锆固溶体表面生成了钙钛矿。随在La、Co含量的进一步增加，钙钛矿的特征峰进一步增强，而CZ固溶体的衍射峰强度随着含量的减少也逐渐减弱。表明La、Co组分在铈锆固溶体上负载，都没有发现La、Co在高温焙烧的过程中没有和铈锆固溶体发生相互反应，阻碍钙钛矿的生成。

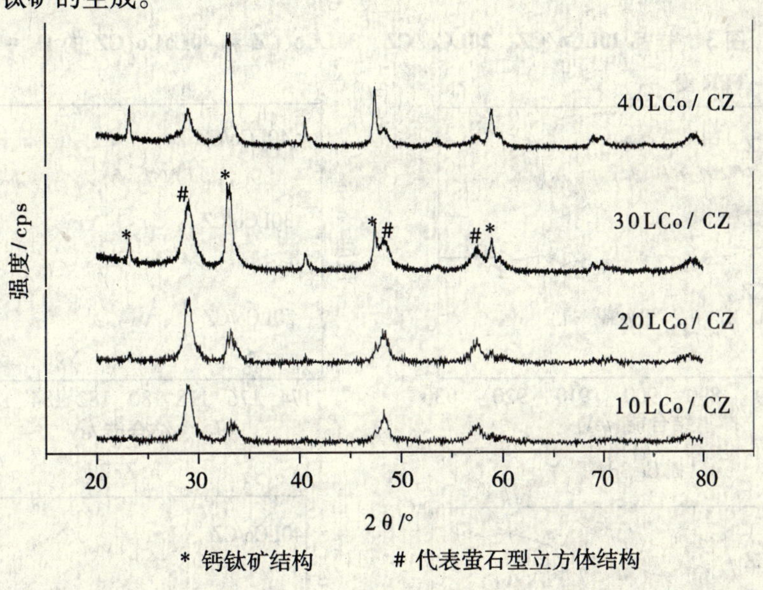

图2　样品10LCo/CZ、20LCo/CZ、30LCo/CZ和40LaCo/CZ的XRD衍射峰

（四）TPR 分析

图3是样品10LCo/CZ、20LCo/CZ、30LCo/CZ和40LaCo/CZ的H_2－TPR图。10LCo/CZ样品的还原图谱有两个还原峰，一个在324℃时的低温还原峰，由于La^{3+}没有还原的条件，可能归属于催化剂的Co^{3+}离子还原为Co^{2+}，形成$LaCoO_{2.5}$的结构$LaCO_3 + O_3 + \frac{1}{2}H_2 \rightarrow LaCo^{2+}O\,2.5 + \frac{1}{2}H_2O$，另一个在512℃的还原峰可能归属于$Co^{2+}$还原为$Co^0$，可能还原为La（OH）$_3$、$La_2CoO_4$[11－13]。20LCo/CZ样品的还原峰和10LCo/CZ的还原峰的峰形比较接近，只是还原峰向

高温移动，分别在385℃和563℃，峰的强度有所增加；30LCo/CZ的还原峰形出现了变化，在低温还原峰出现在383℃，在426℃出现了个峰肩，低温段还原峰可能归属于Co^{3+}离子还原为Co^{2+}，在高温段574℃可能归属于Co^{2+}离子还原为Co^{0}[14]。当样品中负载La、Co量为40%时，样品的峰都是两个峰，一个低温还原峰在399℃，附带一个峰肩在447℃，一个在579℃附近的高温还原峰。它们分别归属于Co^{3+}离子还原为Co^{2+}和Co^{2+}还原为金属Co^{0}，但是两还原峰都向高温移动了。结合催化剂催化燃烧炭烟的活性来看，催化剂还原峰越强的催化活性越高，其中30LCo/CZ的还原峰最强，其催化活性也最高。

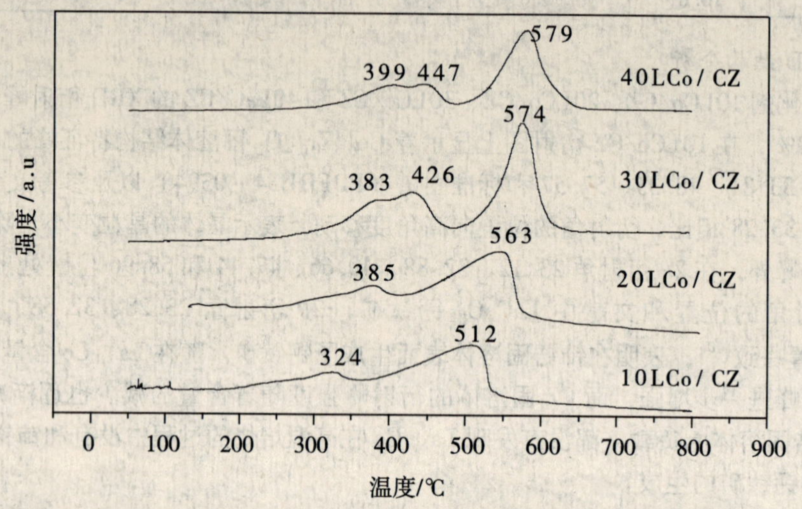

图3 样品10LCo/CZ、20LCo/CZ、30LCo/CZ和40LaCo/CZ的H_2-TPR图

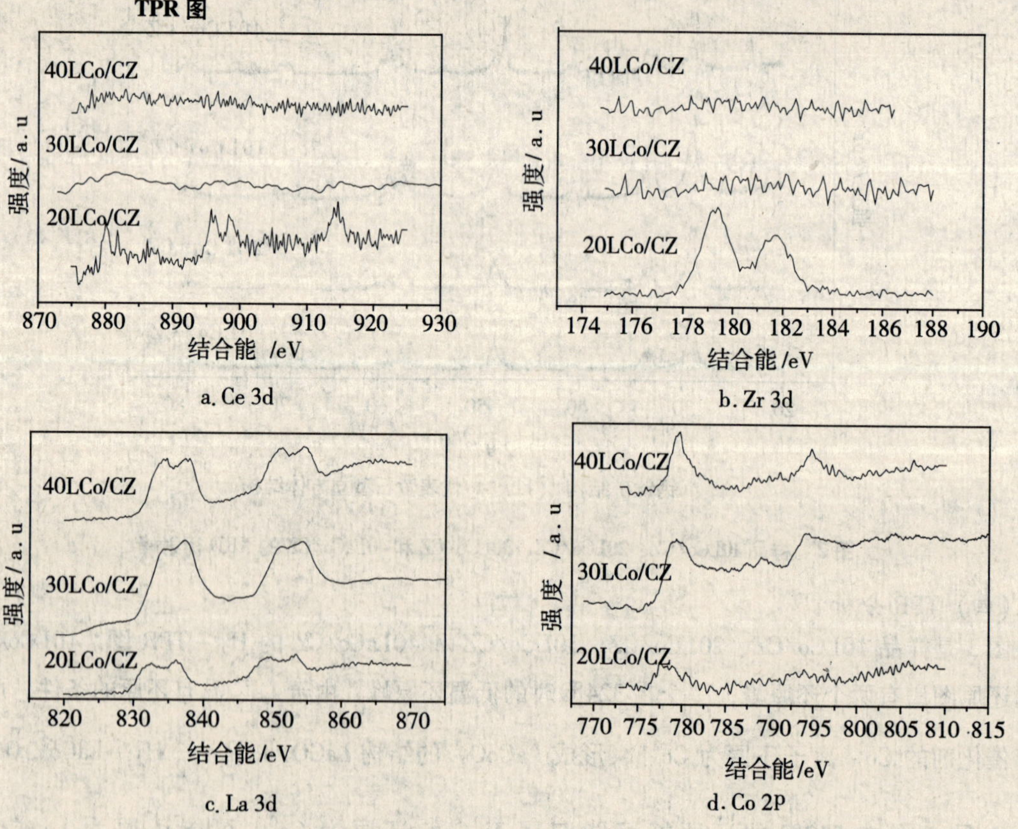

图4 各催化剂的Ce 3d、Zr 3d、La 3d和Co 2p的XPS图谱

（五）XPS 分析

图 4 是催化剂 20LCo/CZ、30LCo/CZ 和 40LCo/CZ 的 Ce 3d、Zr 3d、La 3d 和 Co 2p 的 XPS 图谱。图 4a 和图 4b 分别是 Ce 3d 和 Zr 3d 的 XPS 图谱，其峰的结合能位置分别在 882. 5eV、889. 4eV、898. 7eV[15] 和 182. 4eV，184. 8eV[16] 文献中的一致。催化剂 20LCo/CZ 的表面能够检测到较强的 Ce 和 Zr 的特征峰，说明 Ce 和 Zr 掺杂到表面的钙钛矿层中。随着表面 La、Co 组分负载层的加厚，Ce、Zr 峰的强度逐渐减弱到完全消失，说明当负载层超过 30% 后，Ce、Zr 很能少渗透到表面来。图 4c 和 d 显示是 La3d 和 Co2p 的 XPS 图谱。La、Co 的特征峰分别在 851. 2eV、854. 3eV[14] 和 778eV[17]。对应的 La、Co 组分负载量越高，其 XPS 峰越强。

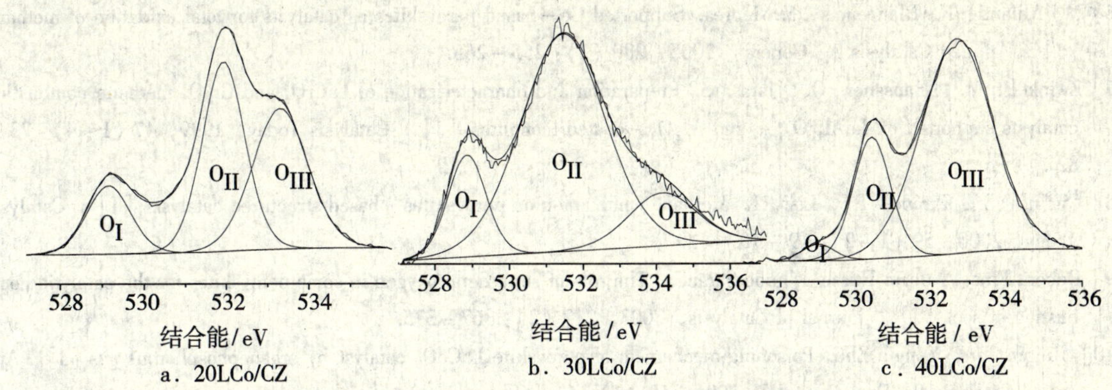

图 5　各催化剂的 O_Is 的 XPS 图谱和它们的拟合图

表 2　样品 20LCo/CZ、30LCo/CZ 和 40LCo/CZ 的各氧种的百分含量

样品	结合能 O_I（eV）	结合能 O_{II}（eV）	结合能 O_{III}（eV）	O_I（%）	O_{II}（%）	O_{III}（%）
20LCo/CZ	529. 2	531. 9	533. 3	15. 5	43. 2	58. 7
30LCo/CZ	528. 8	531. 5	533. 9	14. 8	71. 2	14
40LCo/CZ	528. 9	530. 6	532. 7	2. 6	22. 1	75. 3

图 5 是催化剂 20LCo/CZ、30LCo/CZ 和 40LCo/CZ 的 O_Is 的 XPS 图谱和各氧种的拟合图。这里分别将 O_Is 谱拟合成三个单峰 O_I、O_{II} 和 O_{III}。O_I 归属于晶格氧，其结合能在 528. 8 ~ 529. 5eV 之间，属于晶格氧的特征峰；O_{II} 归属于表面弱吸附的氧（O－）的峰，其结合能在 530. 6 ~ 531. 9eV 之间。O_{III} 归属于表面羟基和水结合的氧物种。氧拟合峰的结合能列在表 2 中。有研究者认为催化剂催化燃烧炭烟的活性可能与催化剂表面弱结合的氧离子有关系[18]。结合本试验催化剂催化燃烧炭烟的活性，也发现催化剂的活性和 O_{II} 含量有较密切的关系。其中催化剂 30LCo/CZ 的表面 O_{II} 的百分含量最高，它催化活性最高；而催化剂 40LCo/CZ 的表面氧物种 O_{II} 的百分含量最低，而对应的活性也最差。

三、结　论

铈锆固溶体负载型钙钛矿催化剂，La、Co 组分不会明显和铈锆固溶体发生交叉反应，能够较好地在其表面形成钙钛矿相，催化剂的催化活性随着负载量的增加，催化剂的活性逐渐增强。当钙钛矿的负载量达到 30% 时，其催化活性最高。当负载量进一步增大时，催化活性反而开始降低。催化剂还原峰的强度和催化剂的催化活性有着紧密的关系。XPS 的 O_Is的拟合峰显示，催化剂催化燃烧炭烟的活性与催化剂表面氧物种 O_{II} 的含量有较大关系。

参考文献

[1] Lucio Forni, I. Rossetti. Catalytic combustion of hydrocarbons over perovskites [J]. Applied Catalysis B: Envi-

ronmental, 2002, 38 (1): 29 -37.

[2] Runduo Zhang, Adrian Villanueva, Houshang Alamdari. Cu - and Pd - substituted nanoscale Fe - based perovskites for selective catalytic reduction of NO by propene [J]. Journal of Catalysis, 2006, 237 (2): 368 -380.

[3] Tatsumi Ishihara, Makoto Ando, Kenji Sada. Direct decomposition of NO into N_2 and O_2 over La (Ba) Mn (In) O_3 perovskite oxide [J]. Journal of Catalysis, 2003, 220 (1): 104 - 114.

[4] M. Alifanti, J. Kirchnerova, B. Delmon. Effect of substitution by cerium on the activity of $LaMnO_3$ perovskite in methane combustion [J]. Applied Catalysis A: General, 2003, 245 (2): 231 -243.

[5] Hirohisa Tanaka, Makoto Misono. Advances in designing perovskite catalysts [J]. Current Opinion in Solid State and Materials Science, 2001, 5 (2): 381 -387.

[6] M. Alifanti, N. Blangenois, M. Florea. Supported Co - based perovskites as catalysts for total oxidation of methane [J]. Applied Catalysis A: General, 2005, 280 (2): 255 -265.

[7] Zwinkels. M., Haussner. O., Jaras. S. Preparation and characterization of $LaCrO_3$ and Cr_2O_3 methane combustion catalysts supported on $LaAl_{11}O_{18}$ - and Al_2O_3 - coated monoliths [J]. Catalysis Today, 1999, 47 (1 -4): 73 - 82.

[8] Cimino, S., Pirone, R., Lisi, L. Methane combustion on perovskites - based structured catalysts [J]. Catalysis Today, 2000, 59 (1 -2): 19 -31.

[9] Debora Fino, Nunzio Russo, Guido Saracco. The role of superficial oxygen in some perovskites for the catalytic combustion of soot [J]. Journal of Catalysis, 2003, 217 (2): 367 -375.

[10] Ruiqin Tan, Yongfa Zhu. Poisoning mechanism of perovskite $LaCoO_3$ catalyst by organophosphorous gas [J]. Applied Catalysis B: Environmental, 2005, 58 (1): 61 -68.

[11] Sébastien Royer, Francois Bérubé, Serge Kaliaguine. Effect of the synthesis conditions on the redox and catalytic properties in oxidation reactions of $LaCo_{1-x}Fe_xO_3$. Applied Catalysis A: General, 2005, 282 (2): 273 -284.

[12] Laure Simonot, Franqois Garin, Gilbert Maire. A comparative study of $LaCoO_3$, Co_3O_4 and $LaCoO_3$ - Co_3O_4 I. Preparation, characterisation and catalytic properties for the oxidation of CO [J]. Applied Catalysis B: Environmental, 1997, 11 (1): 167 -179.

[13] Lin Huang, Mahbod Bassir, Serge Kaliaguine. Reducibility of Co^{3+} in perovskite - type $LaCoO_3$ and promotion of copper on the reduction of Co^{3+} in perovskite - type oxides [J]. Applied Surface Science, 2005, 243 (2): 360 -375.

[14] Beata Bialobok, Janusz Trawczynski, Wlodzimierz Mista. Ethanol combustion over strontium - and cerium - doped $LaCoO_3$ catalysts [J]. Applied Catalysis B: Environmental, 2007, 72 (2): 395 -403.

[15] H. He, H. X. Dai, K. W. Wong. $RE_{0.6}Zr_{0.4-x}Y_xO_2$ (RE = Ce, Pr; x = 0, 0.05) solid solutions: an investigation on defective structure, oxygen mobility, oxygen storage capacity, and redox properties [J]. Applied Catalysis A: General, 2003, 251 (1): 61 -74.

[16] Limei Qiu, Fen Liu, Liangzhong Zhao. Comparative XPS study of surface reduction for nanocrystalline and microcrystalline ceria powder [J]. Applied Surface Science, 2006, 252 (14): 4931 -4935.

[17] S. Suhonen, M. Valden, M. Hietikko. Effect of Ce - Zr mixed oxides on the chemical state of Rh in alumina supported automotive exhaust catalysts studied by XPS and XRD [J]. Applied Catalysis A: General, 2001, 218 (1): 151 -160.

[18] M. ÓConnell, A. K. Norman, C. F. Hüttermann. Catalytic oxidation over lanthanum - transition metal perovskite materials [J]. Catalysis Today, 1999, 47 (1 -4): 123 -132.

脉冲电晕等离子体降解有毒气体研究

李战国　胡　真　曹　鹏

（防化研究院）

摘　要　采用脉冲电晕等离子体放电装置对有毒气体氯膦酸二乙酯（DECP）进行降解研究，结果表明，对初始浓度为30.7 mg/m^3 的 DECP 消除后残余浓度为0.68 mg/m^3，消除率为97.8%，其降解产物主要有 HCl、$CHCl_2-CH_2Cl$、$CHCl_2-CHCl_2$ 和二氯膦酸乙酯。通过对反应动力学特征的分析讨论，发现 DECP 为二级反应，速率常数为0.0035 $(mg/m^3)^{-1}\cdot s^{-1}$。

关键词　脉冲电晕放电　等离子体　消除　化学毒剂　DECP

1995年东京地铁毒气事件、2001年美国炭疽事件以及2003年伊拉克战争中的化学危害等都表明，生化武器的威胁并没有随着国际公约的生效而远去，因此需要研究可以对建筑设施、公共交通系统（地铁、机场、码头等）以及军用装备等实施快速洗消的新技术[1]。以高压脉冲放电为代表的非平衡等离子体技术可以在大气压下对有害气体放电产生高反应性的活性物质，将有害成分降解达到消除污染目的，且设备结构简单、无选择性（应用范围广）、对气流几乎无阻力，可根据需要研制出不同规模大小的移动式处理设备或固定设施，可用于各种场合有毒气体的降解处理。早在1975年 Bailin 等人[2]就采用微波放电等离子体对军用毒剂沙林的模拟剂甲基膦酸二甲酯（Dimethyl methyl phosphonate，DMMP）蒸气进行了降解研究，1985年 Fraser 等[3]采用交流电容耦合放电对 DMMP 的降解产物和机理进行了分析研究。但是他们当时的研究需要消耗成本较高的惰性气体氦气来产生等离子体。20世纪80年代，日本东京大学 S. Masuda 教授提出的高压窄脉冲电晕放电法可以在常温常压下直接对空气放电而产生非平衡等离子体，使得该技术在处理有毒有害气体领域得到了快速发展。

本文采用高压脉冲等离子体装置对沙林的模拟剂氯膦酸二乙酯（DECP）进行降解研究，分析降解产物，探讨其反应动力学特征。

（a）反应器

（b）毛刺形高压电极

图1　脉冲电晕等离子体反应器

一、实验方法

（一）实验装置

反应器：如图1所示类线板式反应器（尺寸1000 mm×500 mm×100 mm），高压电极为不锈钢毛刺形，即在不锈钢棒上焊接高度为20 mm的三角形不锈钢片，通过不锈钢片尖端与接地极板间施加脉冲高压击穿空气实现电晕放电。高压电极尖端与接地极板间距离30 mm，相邻高压电极间距50 mm，有效放电容积约45 L。

高压脉冲电源：旋转火花隙式，正极性输出，最大脉冲电压峰值60 kV，脉冲频率范围0~200 Hz。加载于反应器上的脉冲高压采用TDS1012B型示波器实时测量，如图2所示为输入峰压 30 kV 时测得的电压波形。其实测峰值电压为 29.4 kV，前沿上升时间 15.9 ns，脉冲宽度约 400 ns。

（二）分析方法

对 DECP 浓度的定量分析采用气相色谱外标法。色谱仪为 SP3420 型气相色谱，配备火焰光度检测器（FPD），采用 φ2mm（ID）×2m（L）不锈钢柱，CWD 担体（60～80 目），10% SE－30 固定液，柱温 160℃，气化室温度 220℃、检测器温度 200℃，载气（N_2）流量 30 ml/min、燃气（H_2）流量 140 ml/min、助燃气（空气）：流量 1 为 80 ml/min、流量 2 为 170 ml/min。

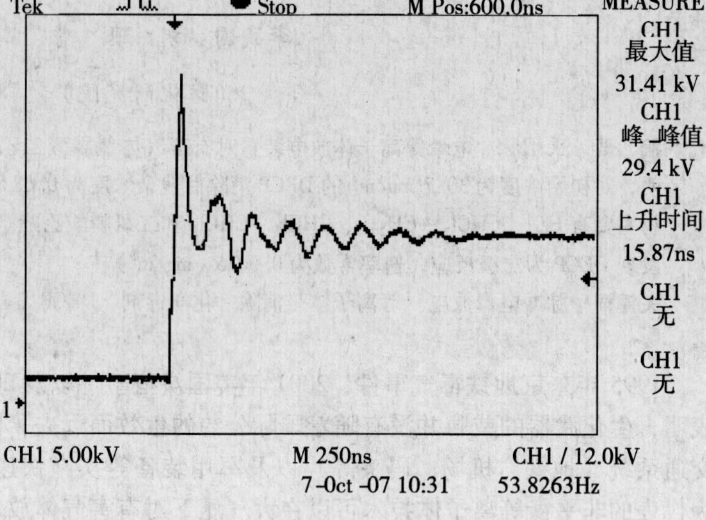

图 2　脉冲电晕放电电压波形

降解产物的定性分析采用 DSQⅡ型 GC－MS（美国 Thermo），操作条件如下：载气（He）流量 1.0 ml/min；进样口温度 250 ℃；柱温（程序升温）：40 ℃保持 1 min，以 10 ℃/min 升到 160 ℃保持 3 min 后再以 15 ℃/min 升到 250 ℃保持 1 min；离化方式 EI；离化电压 70 eV；离化电流 100 μA；离子源温度 200 ℃；倍增器电压 1000 V；扫描时间间隔 0.5 s；扫描范围 33～300 amu；不分流进样；进样量 0.2 μL。

臭氧浓度参考《CJ/T 3028.2—94 臭氧发生器臭氧浓度、产量、电耗的测量》采用碘量法测定。

二、对有毒气体 DECP 的降解研究

（一）对不同浓度 DECP 的降解

在气体流量 1.2 m^3/h 的条件下，DECP 有毒气体的降解效果随初始浓度的变化如图 3 所示。随着初始浓度的增大，残余浓度也增大，其中对初始浓度 30.7 mg/m^3 的 DECP 降解后残余浓度为 0.68 mg/m^3，降解率 97.8%。

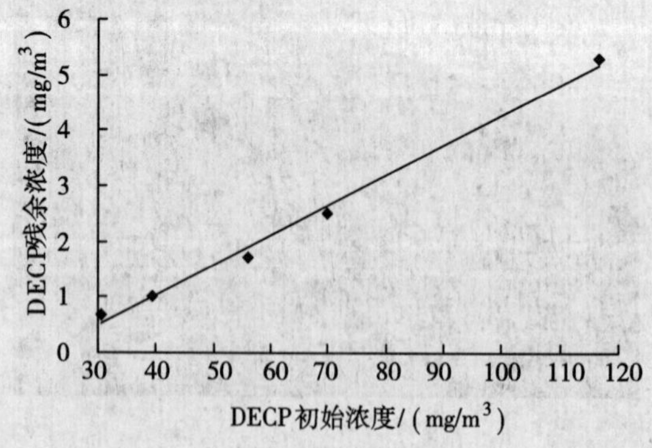

图 3　对不同初始浓度 DECP 的降解

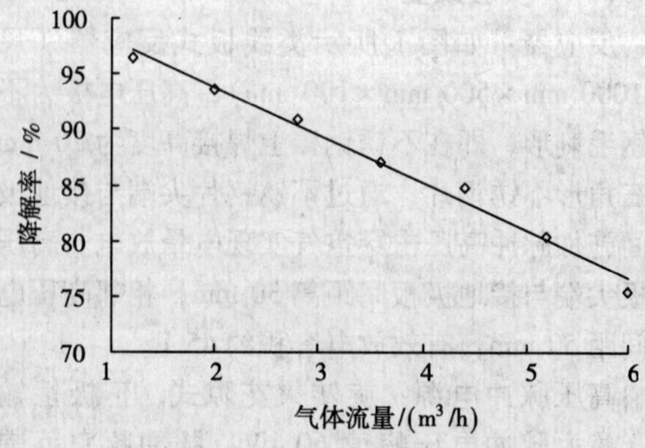

图 4　气体流量对 DECP 降解率的影响

（二）气体流量对 DECP 降解率的影响

反应器几何尺寸固定的情况下，气体流量的大小决定着气流在等离子体放电区停留时间的长短，同时也影响着等离子体反应器内的能量密度（注入反应器的平均功率与气体流量之比，P_T/Q），而能量密度是影响降解反应速率的重要参数之一[4]。

本研究也表明，在保持电源功率不变、DECP 初始浓度约 70 mg/m^3 不变的条件下，气体流量从 1.2 m^3/h 增大到 6.0 m^3/h，消除率从 96.4% 减小到 75.3%，如图 4 所示。同时从表 1 可看出，在气体流量从 1.2 m^3/h 增大到 4.4 m^3/h 时，DECP 在反应器内的停留时间从 120 s 减小到 36 s，能量密度也由 288 kJ/m^3 减小到 86 kJ/m^3，O_3 的浓度从 717 mg/m^3 减小到 407 mg/m^3，表明气体流量增大，一方面造成有毒物质停留时间减小，反应不能充分进行，另一方面注入反应器的能量密度也减小，产生的活性粒子浓度大大降低，从而导致降解率减小。

表 1 气体流量对能量密度、降解率及 O_3 浓度的影响

流量 Q/（m^3/h）	停留时间/s	注入功率 P_T/W	能量密度 ED/（kJ/m^3）	降解率/%	O_3 浓度/（mg/m^3）
1.2	122	112	288	96.4	717
2.8	52	112	123	90.9	551
4.4	36	112	86	84.9	407

注：$ED = \frac{P_T}{Q}, W \cdot h/m^3 = 3.6\frac{P_T}{Q}, kJ/m^3$

对图中曲线作线性拟合得到方程：

$$\eta = -4.273Q + 102.14 \ (1.2 \leq Q \leq 6.0)$$

相关系数 $R = 0.9915$，表明在 1.2 $m^3/h \leq Q \leq 6.0$ m^3/h 范围内，η 与 Q 符合线性关系。

（三）产物分析

在初始浓度 230 mg/m^3、气体流量 1.2 m^3/h 的条件下，用 QC－3 型大气采样器和装填 XAD－2 吸附剂的吸附管对反应尾气进行吸附采样。采样条件为：采样速率 1200 ml/min、采样时间 30 min。用 2ml CH_2Cl_2 淋洗吸附管进行解吸处理后作 GC－MS 分析，如图 5 所示。

图中除了保留时间 8.37 min 处为残余 DECP 的谱峰外，在保留时间 4.24 min、6.50min 和 6.22 min 处分别发现了 $CHCl_2-CH_2Cl$ 和 $CHCl_2-CHCl_2$ 和二氯膦酸乙酯。

用 30 ml 去离子水吸收反应尾气（初始浓度 230 mg/m^3、采样速率 1200 ml/min、采样时间 30 min），采用离子色谱检测到吸收液中含有 Cl^-，表明降解产物中有 HCl 产生。

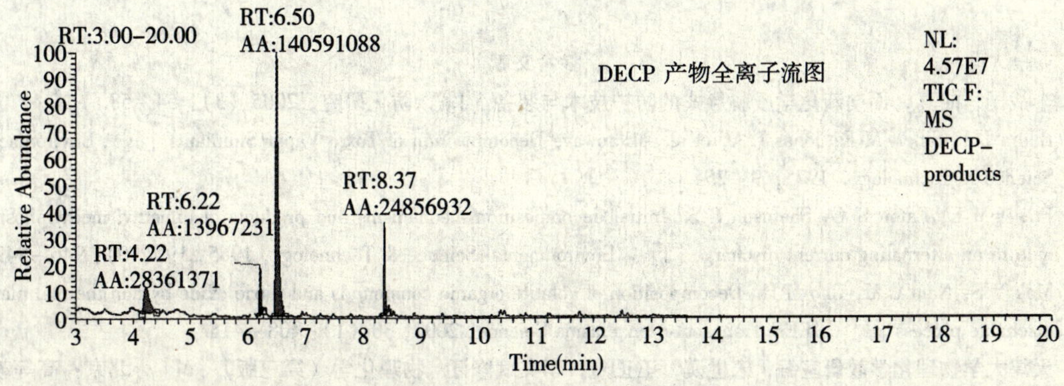

图 5 DECP 降解产物分析

三、反应动力学探讨

研究有毒物质在非平衡等离子体体系中的化学反应规律是化学反应工程学的一项重要内容之一。反应速率常数的大小代表着有毒物质在等离子体体系内的反应快慢，因此可以直接反映出等离子体的化学反应性能。影响反应速率的基本因素是浓度和温度，对于小型脉冲电晕放电实验装置而言，放电过程中气体的温度变化几乎可以忽略，因此只需要考虑浓度因素。

鉴于污染物在等离子体体系中的反应比较复杂，这里首先采用试差法[5]确定各污染物的反应级数。对于二级反应而言，反应动力学方程为

$$-\frac{dC_A}{dt}=kC_A{}^2$$

上式变形积分后可得到二级反应的特征为

$$\frac{1}{C_{A,t}}-\frac{1}{C_{A,0}}=kt$$

即以反应时间 t 为横坐标，$1/C_{A,t}$ 为纵坐标若得到一直线，则该反应为二级反应，直线的斜率即为二级反应的速率常数 k。

对图4中DECP的实验数据代入二级反应特征方程式作图，如图6所示。对图中曲线作线性拟合发现线性相关性良好（$R=0.9986$），说明DECP在等离子体中的反应为二级反应，其反应速率常数为 $k_{DECP}=0.0035\ (mg/m^3)^{-1}\cdot s^{-1}$。

四、结　论

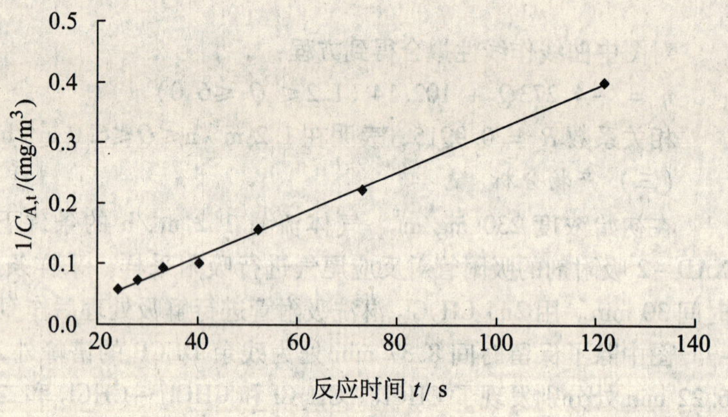

图6　DECP反应速率常数

1. 采用脉冲电晕等离子体装置对空气中的有毒物质DECP进行降解研究，对初始浓度为30.7 mg/m^3 的DECP降解后残余浓度为0.68 mg/m^3，降解率达97.8%，其降解产物主要有HCl、$CHCl_2-CHCl$、$CHCl_2-CHCl_2$ 和二氯膦酸乙酯。

2. 通过对反应动力学特征的分析讨论，发现DECP为二级反应，速率常数为0.0035 $(mg/m^3)^{-1}\cdot s^{-1}$。

参考文献

[1] 李战国，胡真．面向新化学威胁形式的防护技术与装备［J］．防化研究，2005（3）：54－58.

[2] Bailin L J, Sibert M E, Jonas L A, et al. Microwave Decomposition of Toxic Vapor Simulants［J］. Environmental Science & Technology, 1975, 9: 254.

[3] Fraser M E, Eaton H G, Shelnson R S. Initial decomposition mechanisms and products of dimethyl methylphosphonate in an alternating current discharge［J］. Environmental Science & Technology, 1985, 19 (10): 946－949.

[4] Mok Y S, Nam C M, Cho M H. Decomposition of volatile organic compounds and nitric oxide by non thermal plasma discharge process［J］. IEEE Transaction on Plasma Science, 2002, 30 (1): 408－415.

[5] 天津大学物理化学教研室编，宋世谟，王正烈，李文斌修订．物理化学（第三版）［M］．北京：高等教育出版社，1993.

葡萄糖条件下厌氧氨氧化微生物利用硝酸盐作电子受体的反应特性

王丽娇　钟玉鸣　贾晓珊

（中山大学环境科学与工程学院）

摘　要　研究了葡萄糖条件下厌氧氨氧化微生物利用硝酸盐作电子受体的反应特性。结果表明：无机碳源条件下不能被厌氧氨氧化微生物利用的硝酸盐，可以在葡萄糖存在的有机条件下被利用；在葡萄糖条件下，厌氧氨氧化微生物能利用硝酸盐作电子受体发生典型的硝酸盐型反硝化反应，在反硝化过程中由硝酸盐产生并累积中间产物亚硝酸盐；葡萄糖条件下厌氧氨氧化微生物不但具有硝酸盐还原的代谢途径，同时还保留着厌氧氨氧化途径，两种途径相辅相成。

关键词　厌氧氨氧化　氨氮　硝酸盐　亚硝酸盐　葡萄糖

一、前　言

过往厌氧氨氧化微生物一直被认为是严格自养型细菌，以 NH_4^+ 为电子供体，以 NO_2^- 为电子受体，固定 CO_2，产物为 N_2 和 NO_3^-。但是，近年来在有机碳源条件下，厌氧氨氧化微生物的非氨氧化代谢途径相继被发现，使得问题复杂化。Güven 等[1]首次发现在丙酸盐存在时厌氧氨氧化微生物能分解丙酸盐为 CO_2 进行反硝化脱氮这一非厌氧氨氧化的代谢途径。Kartal 等认为在有机碳源条件下，厌氧氨氧化微生物仍然占据重要生态位置，和反硝化菌竞争并优先利用有机碳源，代谢途径表现多样化[2]。徐昕荣[3]和刘金苓[4]等的研究结果也表明厌氧氨氧化微生物在有机条件下有多种代谢途径，不但具有厌氧氨氧化能力，还具有亚硝酸盐型反硝化和硫酸盐还原的能力。考虑到厌氧氨氧化过程的工程应用和有机物在废水中的普遍性，该领域的研究显得尤为必要和紧迫。

作为本研究的前期工作，我们在添加葡萄糖的实验中初次发现硝酸盐累积变少的现象，于是本研究以经过长期连续培养的厌氧氨氧化微生物 A2（Accession No. AM056027）为对象，进一步详细研究葡萄糖条件下厌氧氨氧化微生物利用硝酸盐作电子受体的反应特性。考察厌氧氨氧化微生物在有机条件下是否既具有厌氧氨氧化能力又有硝酸盐型反硝化能力，这对丰富厌氧氨氧化微生物的有机代谢途径具有重要的理论意义，同时对实际工程应用也有重要的指导意义。

二、材料和方法

（一）供试厌氧氨氧化微生物

采用完全混合连续流反应器（CSTR）启动养厌氧氨氧化微生物，经过 2 年后，其 NH_4^+-N 的解活性为 2160 mg/（g·d）（以 VSS 计），NH_4^+-N、NO_2^--N 的去除量与 NO_3^--N 的生成量比 1.00∶1.26∶0.24，反应器内微生物形态单一，采用子生物学手段测定 16S rDNA 基因序列，命名为 A2（Accession No. AM056027），系统发育分析表明该属于 Planctomycetales 的一个分支（徐昕荣等，2006）[3]。

（二）基本血清瓶实验操作方法

本研究采用改进的微生物血清瓶方法[5]。首先在充满氩气的无菌厌氧箱内对灭菌后的血清瓶（100 ml）用丁基橡胶塞塞住并加铝盖用封口钳密封待用；其次用医用注射器从完全混合连续流反应器（CSTR）中取出 40 ml 厌氧氨氧化培养物，在厌氧条件下经过 4000 r/min10min 的离心后移去上清液，用除氧的高纯水清洗 3 遍；然后加入 40 ml 根据不同实验目的配制的培养液（基础无机盐溶液+目标成分）使厌氧氨氧化培养物处于悬浮状态，悬浮后的40 ml混合液再用医用注射器注入前述待用血清瓶内，并用黑布包裹后置入恒温摇床中在35℃、160r/min的条件下进行实验，基础无机盐溶液为$MgSO_4 \cdot 7H_2O$ 0.34 g/L、$KH_2PO_4$0.027 g/L、$CaCl_2$ 0.136 g/L、微量元素I溶液（EDTA－$FeSO_4$溶液，其中，EDTA和$FeSO_4$质量浓度均为5g/l）1 ml/L、微量元素II溶液1 ml/L[2-5]。

（三）　实验条件

实验分4系列，均安排3个重复采用基本血清瓶实验方法分别在下述实验条件下进行：

系列－1：无机条件下硝酸盐电子受体的利用实验：在基础无机盐溶液中添加浓度为500 mg/L的$KHCO_3$作为反应的碳源，NH_4^+－N 70mg/L，NO_2^-－N为90mg/L，pH为8.0。对照实验是把NO_2^-－N换成90mg/L的NO_3^-－N，其他条件相同。

系列－2：葡萄糖条件下硝酸盐电子受体的利用实验：在基础无机盐溶液中添加浓度为0.25mM/L和1mM/L的葡萄糖，NH_4^+－N 70mg/L，NO_3^-－N 90mg/L，$KHCO_3$500 mg/L，pH值为8.0。

系列－3：葡萄糖条件下利用硝酸盐电子受体的中间产物实验：在基础无机盐溶液中添加1mM的葡萄糖，NO_3^-－N浓度分别为50mg/L，90mg/L，120mg/L，$KHCO_3$500 mg/L，pH值为8.0。

系列－4：葡萄糖条件下利用硝酸盐电子受体反应的验证实验：验证分两步，第一为青霉素抑制实验；第二为甲醇添加实验。青霉素抑制实验的条件同相应的系列－2和系列－3，仅仅另外添加500mg/L的青霉素。甲醇添加实验设置两组，其一是在基础无机盐溶液中添加甲醇1mM/L,亚硝酸盐90mg/L；其二是在基础无机盐溶液中添加甲醇1mM/L，硝酸盐90mg/L。所有验证实验的pH值均为8.0。

（四）常规测试分析方法

常规分析测定项目包括NH_4^+－N、NO_2^-－N、NO_3^-－N，所有项目采用标准方法（国家环保总局，2002）[6]进行。其中，NH_4^+－N采用水杨酸－次氯酸盐光度法；NO_2^-－N：N－（1－萘基）－已二胺分光光度法、NO_3^-－N盐酸紫外分光光度法；SS：105℃烘干称重法。

三、结果与讨论

（一）无机条件下硝酸盐电子受体的利用

图1是无机条件下硝酸盐电子受体的利用结果。以无机碳酸氢钾作为厌氧氨氧化反应的碳源时，厌氧氨氧化反应仅仅能够利用亚硝酸根进行厌氧氨氧化反应（图1A），完全不能利用硝酸盐作为电子受体进行反应（图1B）。

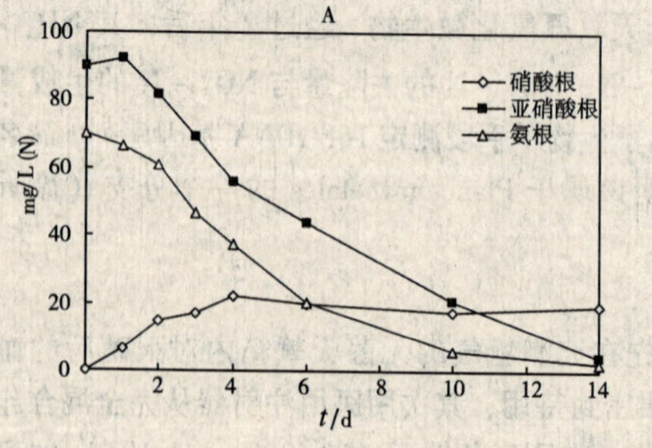

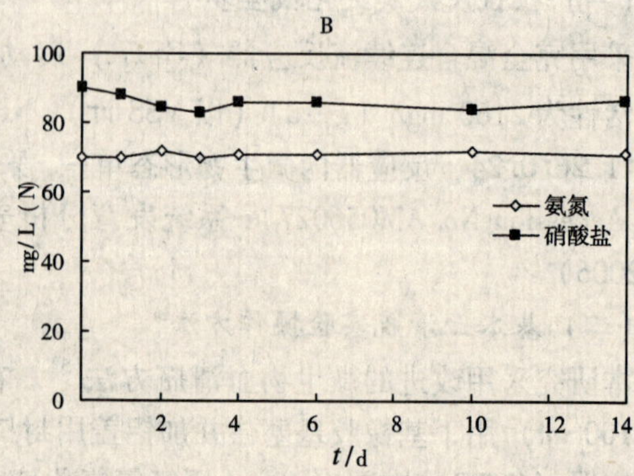

图1　无机条件下硝酸盐电子受体的利用

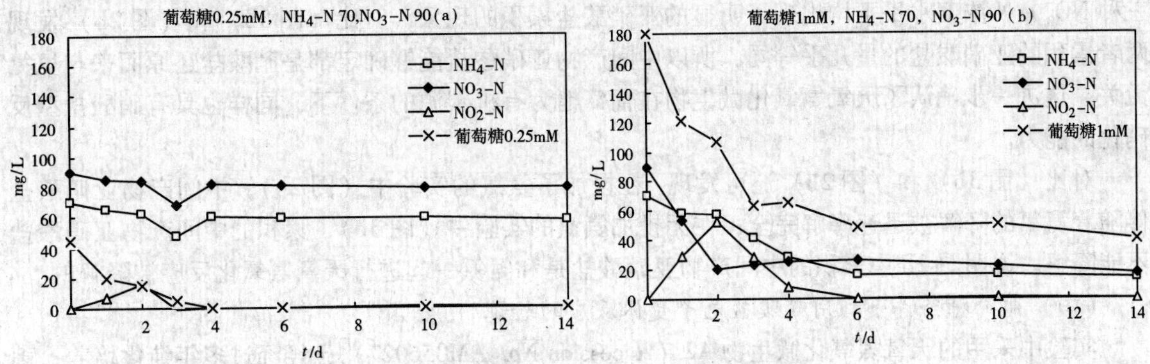

图2　葡萄糖条件下硝酸盐电子受体的利用

（二）葡萄糖条件下硝酸盐电子受体的利用

葡萄糖条件下硝酸盐电子受体的利用结果如图 2 所示。与无机条件下硝酸盐电子受体的利用结果完全不同，当葡萄糖浓度为 0.25mM/L 时（图 2a），硝酸盐、氨氮和葡萄糖均产生明显的降解，降解过程中会产生中间产物亚硝酸盐，并在反应的第 2 天亚硝酸盐积累达到最高值后又被完全降解。当葡萄糖浓度提高到 1 mM/L（图 2b）时，硝酸盐的降解更加显著，中间产物亚硝酸盐在反应第 2 天迅速累积到最高值 52mg/L，接下来中间产物亚硝酸盐被迅速降解，并在第 6 天降解完全。

由以上的结果可知，在葡萄糖条件下，厌氧氨氧化微生物能够利用在无机条件下不能利用的硝酸盐作电子受体发生反应。反应伴随着中间产物亚硝酸根的出现和消失显示出典型的硝酸盐型反硝化反应特征。以往我们的研究结果已经表明[3,4]，厌氧氨氧化微生物在有机条件下具有亚硝酸盐型反硝化的能力。本研究的结果进一步表明厌氧氨氧化微生物在葡萄糖为有机碳源的条件下，可能同样也具有硝酸盐型反硝化的能力。

（三）葡萄糖条件下利用硝酸盐电子受体的中间产物

为进一步确定中间产物亚硝酸盐的来源，进行了在初始营养液中只添加NO_3^-－N一种氮素的实验。实验设定了三种 NO_3^-－N 浓度水平分别进行，其结果如图 3 所示。

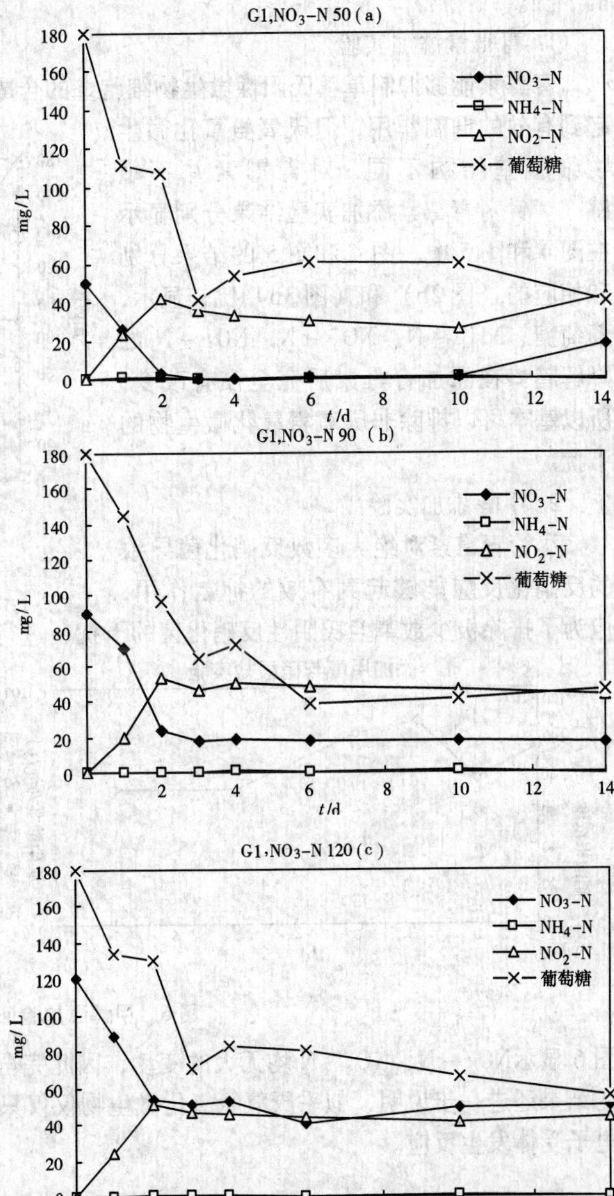

图3　葡萄糖条件下利用硝酸盐电子受体的中间产物变化

三种 NO_3^- - N 浓度水平下均出现了明显的亚硝酸盐累积的现象，对比（图 3b）和（图 2b）发现两者累积的亚硝酸盐的量几乎等同，所以中间产物亚硝酸盐能够确定都是硝酸盐还原而来与氨氮无关。这进一步确认了厌氧氨氧化微生物在葡萄糖为有机碳源的条件下，同样也具有硝酸盐型反硝化的能力。

对比（图 3b）和（图 2b）还可发现：在投加了氨氮的实验中（图 2b），中间产物亚硝酸盐伴随着氨氮的降解被迅速降解完全；在无投加氨氮的实验中（图 3b），累积的中间产物亚硝酸盐不能降解。说明图 2b 中累积的中间产物亚硝酸盐是和氨氮一起进行厌氧氨氧化反应被降解的。

（四）葡萄糖条件下利用硝酸盐电子受体反应的验证

实验中采用的厌氧氨氧化微生物 A2（Accession No. AM056027）已经经过多年纯化培养，菌种高度单一，但为慎重起见进行了添加青霉素和甲醇两种类验证实验，排除非厌氧氨氧化微生物的干扰。

1. 青霉素添加实验

青霉素能够抑制革兰氏阳性微生物细胞壁的合成，对常规的反硝化菌导致的反硝化反应能够起到有效的抑制作用，但厌氧氨氧化微生物细胞壁结构不同，对青霉素并不敏感[7]。针对青霉素添加实验结果分别显示在图 4 和图 5 中。图 4 和图 5 的结果分别和相应的（图 2b）和（图 3b）比较显示，葡萄糖、NH_4^+ - N、NO_2^- - N、NO_3 - N 的降解趋势在添加青霉素后完全没有改变，所以基本可以排除非厌氧氨氧化微生物的干扰。

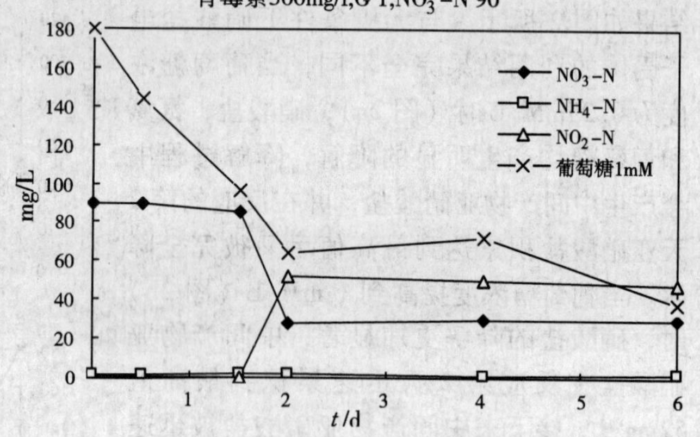

图 5 青霉素添加验证实验结果

2. 甲醇添加实验

尽管青霉素对绝大多数反硝化菌导致的反硝化反应能够起到有效的抑制作用，但为了排除极少数革兰氏阴性反硝化菌的干扰，进行了甲醇添加验证实验，其结果如图 6 所示。

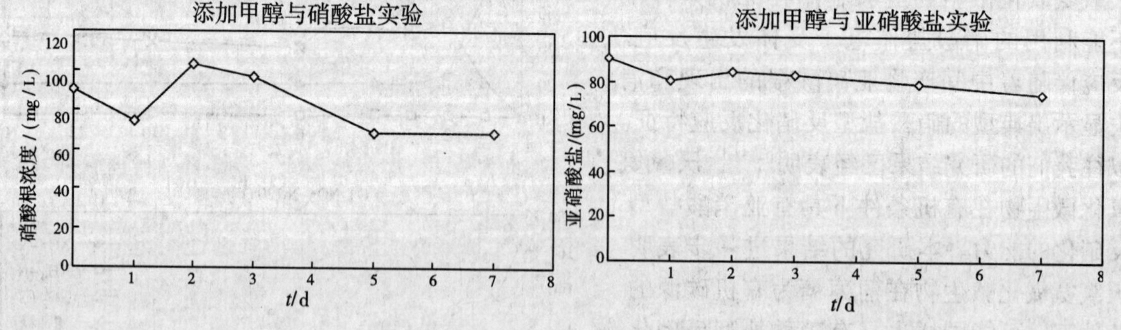

图 6 甲醇添加验证实验结果

图 6 显示 NO_2^- - N、NO_3 - N 均无大的变动，因此完全可以排除非厌氧氨氧化微生物的干扰。图 6 的结果还进一步说明，似乎厌氧氨氧化微生物仅仅只能在葡萄糖为有机碳源条件下利用硝酸根作电子受体发生反应。

四、结　论

1. 无机碳源条件下不能被厌氧氨氧化微生物利用的硝酸盐，可以在葡萄糖存在的有机条件下被利用。

2. 在葡萄糖条件下，厌氧氨氧化微生物能利用硝酸盐作电子受体发生典型的硝酸盐型反硝化反应。在反硝化过程中由硝酸盐产生并累积中间产物亚硝酸盐。

3. 葡萄糖条件下厌氧氨氧化微生物不但具有硝酸盐还原的代谢途径，同时还保留着厌氧氨氧化途径，两种途径相辅相成。

参考文献

[1] Güven D, Dapena A, Kartal B, et al. Propionate oxidation by and methanol inhibition of anaerobic ammonium – oxidizing bacteria [J]. Applied and Environmental Microbiology, 2005, 71 (2): 1066 – 1071.

[2] Kartal B, Rattray J, van Niftrik L A, et al. Candidutu "Anammoxoglobuspropionicus" a new propionate oxidizing species oanaerobic ammonium oxidizing bacteria [J]. Syst. Appl. Microbio, 2007, 30: 39 – 49.

[3] 徐昕荣，贾晓珊，陈杰峨. 一种未见报道过的厌氧氨氧化微生物的鉴定及其活性分析 [J]. 环境科学学报，2006, 26 (6): 912 – 918.

[4] 刘金苓，钟玉鸣，谢志儒，等. 厌氧氨氧化微生物在有机碳源条件下的代谢特性 [J]. 环境科学学报，2009 (10).

[5] H. H. P. Fang and X. S. Jia: Formation of Interim By – Products in Methanogenic Degradation of Butyrate. Water Research, 1999, 33 (8), 1791 – 1798.

[6] 国家环境保护总局. 水和废水监测分析方法（第四版）[M]. 北京：中国环境科学出版社，1989.

[7] Jetten M S M, Strous M, van de Pas – Schoonen K T, et al. The anaerobic oxidation of ammonium [J]. FEMS Microbiology Reviews, 1999, 22: 421 – 437.

酸雨、Cd^{2+} 和敌杀死复合污染对小白菜营养品质的影响

颜丙花[1] 唐美珍[2] 罗 琳[1] 杨海君[3] 李香芝[2]

（1. 湖南农业大学资源环境学院 湖南 长沙 410128；2. 曲阜师范大学生命科学学院 山东 曲阜 273165；3. 湖南农业大学生物安全科技学院 湖南 长沙 410128）

摘 要 采用实验室盆栽方法，运用正交试验方案研究了模拟酸雨、重金属 Cd^{2+} 和农药敌杀死复合污染对小白菜营养品质的影响。结果表明，在 95% 置信区间下，酸雨对粗纤维表现为较强的促进作用，影响极显著，对可溶性蛋白产生一定影响，但影响不显著，对还原性糖的影响很小，无统计学意义；Cd^{2+} 对可溶性蛋白的影响达到了显著性水平，对粗纤维的影响不显著，对还原性糖的影响很小，无统计学意义；敌杀死对小白菜三种营养指标都能产生一定的影响，但影响均不显著。

关键词 Cd^{2+} 敌杀死 酸雨 小白菜 营养品质

酸雨已成为一个国际性的环境问题，它对农作物的影响一直受到人们广泛的关注[1,2]。实验数据显示 pH 为 3.5 时，小白菜的产量下降 10% 左右，营养品质也相应的降低[3]。Cd 是毒性最强的重金属污染元素之一，在 GB 15618—1995 中[4]，pH < 6.5 的土壤 Cd 的二级限量标准为：全 Cd 含量≤0.3 mg/kg。Cd 是一种植物非必需的重金属元素，如果大量的 Cd 在作物体内累积就会影响其对必需营养元素的吸收和运输，破坏植物体的正常代谢；另外，对作物的生长和繁殖也有一定影响[5]。由于工业采矿和污水、生活垃圾的排放，土壤中 Cd 污染日趋严重[6-10]。研究表明，植物在 Cd 胁迫下产生超氧阴离子自由基、羟自由基等活性氧[11,12]，能引起细胞脂质过氧化，破坏光合系统和加速植物衰老[13]。另外，重金属在蔬菜可食部分积累，然后通过食物链进入人体，从而对人类健康构成威胁；敌杀死（Decis）是拟除虫菊酯类农药溴氰菊酯（Deltamethrin，DM）的主要农用剂型，在我国已广泛应用于棉花、果树、蔬菜等作物的虫害防治。对敌杀死分装工人及喷洒敌杀死的农民的调查表明，敌杀死中毒的主要表现有皮肤刺激症状和神经系统中毒[14]。在自然状况下，这 3 种因素同时存在，又相互影响。

随着人们生活水平的提高和我国加入世界贸易组织，农产品的质量和安全问题越来越受到关注，尤其是农产品中的农药残留限值问题，不但会影响到我国农产品的出口，而且更重要的是关系到消费者的身体健康。蔬菜是人类饮食不可缺少的部分，一些蔬菜食用中毒事件曝光后，人们对蔬菜的要求除品种多、质量好、营养丰富外，更加注重蔬菜的质量安全，因而无公害蔬菜就越来越受到青睐[15]。目前，有关酸雨、重金属和农药单因素或酸雨和重金属二因素复合污染对蔬菜的毒性效应研究很多，而全球工农业迅速发展的一个重要后果是导致现实土壤中的多种污染物的共存，由于很多环境效应无法用单一污染物的作用来解释，因此复合污染已逐渐被人们所重视，并成为环境科学发展的重要方向之一[16]。本试验以小白菜为研究对象，探讨了重金属镉、酸雨和农药敌杀死联合作用对小白菜营养品质的影响，以期为该区域土壤 - 植物系统研究、环境质量评价等提供科学依据。

一、材料与方法

（一）试验材料

供试土壤：采自曲阜市郊未受 Cd^{2+} 和敌杀死污染的农田土壤（0 ~ 20cm），风干后过 3mm 筛，并检测其理化性质[17]，其基本理化性质见表 1。

小白菜（Non - heading Chinese cabbage），由苏州寒山种业有限公司提供。

供试农药：25g/L 的敌杀死制剂，拜耳作物科学公司提供。

模拟酸雨的配制：模拟酸雨是根据山东省大气监测结果（酸雨中含有 H^+，Ca^{2+}，Mg^{2+}，NH_4^+，SO_4^{2-}，NO_3^-，Cl^- 等），并参照有关资料配制[18]，$[SO_4^{2-}]:[NO_3^-]=8:1$，在 1L 去离子水中加入 $CaCl_2$ 14.34mg，$MgSO_4$ 9.88mg，NH_4Cl 8.12mg，然后用 H_2SO_4 调成不同 pH 模拟酸雨溶液，pH 分别为 4.0、5.0、6.0。

表 1　供试土壤的主要理化性质

pH	含水率 H_2O/%	总氮 TN/（g/kg）	总磷 TP/（g·kg）	有机质/%	阳离子交换量 CEC/（cmol/kg）	Cd/（mg/kg）	敌杀死/（mg/kg）
7.2	3.3	0.75	0.83	3.69	11.13	<0.01	<0.05

（二）试验设计与实施

试验采用 3 因素 3 水平的 $L_9(3^4)$ 型正交表，试验因素和水平设计列于表 2。

表 2　正交试验水平表

水平	Cd^{2+}/（mg/kg）	酸雨（pH）	敌杀死（ml/hm^2）
1	1	4	50
2	5	5	100
3	15	6	150

白菜种子经 75% 的酒精消毒后，在土壤中发芽生长，长出 3 片真叶后，选择均匀一致的幼苗待移栽。用塑料盆（20 cm×25 cm）装过 3mm 筛孔土壤 2.5kg，按表 2 中的重金属 Cd 的水平和正交试验设计法，施入土壤，充分混匀稳定一周后移栽小白菜。试验设置 9 个处理，每个处理 3 个平行。同时设置不加任何污染物的作对照。酸雨施用量根据山东省济宁地区的年降水量（781mm）进行模拟喷施，共喷 2 次，每隔 10 天喷淋一次。敌杀死于收获前 10 天施于作物上。收获时测定小白菜的还原性糖、可溶性蛋白和粗纤维。

（三）测定方法[19,20]

还原性糖：斐林试剂比色法测定。以单位鲜样品中还原性糖的百分含量表示。

可溶性蛋白：紫外吸收法测定。以单位鲜样品中可溶性蛋白的百分含量表示。

粗纤维：酸碱洗涤法测定。以单位干样品中粗纤维的百分含量表示。

（四）统计分析

小白菜营养品质指标的变化以其含量平均值 ± 标准误差（mean ± SD）给出（$n=3$），t－检验试验组与对照组之间的差异显著性，$p<0.05$ 被认为是在 $\alpha=0.05$ 水平上显著差异。

二、结果分析

酸雨、重金属 Cd、农药敌杀死复合污染对小白菜还原性糖、可溶性蛋白和粗纤维的影响趋势见表 3，正交试验方差分析见表 4。

（一）复合污染对还原性糖含量的影响

由表 3 和表 4 可见，Cd 和酸雨对小白菜还原性糖含量有轻微的降低作用，但其各处理水平间相关性不显著。敌杀死对小白菜还原性糖含量有一定影响，且显著性水平在 75% 以上。

相关研究表明[21-24]，单因素的 Cd、酸雨和农药对小白菜还原性糖的影响均是随着其污染因子浓度的增加，小白菜还原性糖的含量呈明显的下降趋势，相关系数为 -0.9782**，达极显著水平。而在本试验中，Cd、酸雨和农药敌杀死对小白菜还原性糖的影响很小。由此可以看出，Cd、酸雨和敌杀死对小白菜还原性糖的联合毒性作用为拮抗作用。

表3　酸雨、Cd和敌杀死复合污染对小白菜品质的影响

<table>
<tr><th>试验号</th><th colspan="3">Cd^{2+}</th><th colspan="3">酸雨</th><th colspan="3">敌杀死</th><th>还原性糖</th><th>可溶性蛋白</th><th>粗纤维</th></tr>
<tr><td>1</td><td colspan="3">1</td><td colspan="3">1</td><td colspan="3">1</td><td>0.049</td><td>0.27</td><td>41.68</td></tr>
<tr><td>2</td><td colspan="3">1</td><td colspan="3">2</td><td colspan="3">2</td><td>0.048</td><td>0.29</td><td>28.86</td></tr>
<tr><td>3</td><td colspan="3">1</td><td colspan="3">3</td><td colspan="3">3</td><td>0.048</td><td>0.31</td><td>36.81</td></tr>
<tr><td>4</td><td colspan="3">2</td><td colspan="3">1</td><td colspan="3">2</td><td>0.048</td><td>0.34</td><td>24.58</td></tr>
<tr><td>5</td><td colspan="3">2</td><td colspan="3">2</td><td colspan="3">3</td><td>0.049</td><td>0.31</td><td>32.40</td></tr>
<tr><td>6</td><td colspan="3">2</td><td colspan="3">3</td><td colspan="3">1</td><td>0.049</td><td>0.39</td><td>37.46</td></tr>
<tr><td>7</td><td colspan="3">3</td><td colspan="3">1</td><td colspan="3">3</td><td>0.045</td><td>0.24</td><td>23.15</td></tr>
<tr><td>8</td><td colspan="3">3</td><td colspan="3">2</td><td colspan="3">1</td><td>0.049</td><td>0.33</td><td>36.06</td></tr>
<tr><td>9</td><td colspan="3">3</td><td colspan="3">3</td><td colspan="3">2</td><td>0.049</td><td>0.32</td><td>58.72</td></tr>
<tr><td>10（CK）</td><td colspan="3">0</td><td colspan="3">0</td><td colspan="3">0</td><td>0.051</td><td>0.35</td><td>22.89</td></tr>
<tr><td rowspan="3">趋势分析</td><td>0.44</td><td>2.76</td><td>316.07</td><td>0.42</td><td>2.75</td><td>268.25</td><td>0.44</td><td>3.11</td><td>345.61</td><td></td><td></td><td></td></tr>
<tr><td>0.43</td><td>3.23</td><td>283.35</td><td>0.44</td><td>2.79</td><td>285.98</td><td>0.43</td><td>2.72</td><td>363.51</td><td></td><td></td><td></td></tr>
<tr><td>0.43</td><td>2.54</td><td>353.80</td><td>0.43</td><td>2.99</td><td>398.99</td><td>0.42</td><td>2.70</td><td>277.10</td><td></td><td></td><td></td></tr>
</table>

表4　正交试验方差分析表

变异来源	自由度	平方和			均方			F值			临界值
		还原性糖	可溶性蛋白	粗纤维	还原性糖	可溶性蛋白	粗纤维	还原性糖	可溶性蛋白	粗纤维	
区组	2	0.000002	0.0099	32.85	0.000001	0.0049	16.42				
Cd	2	0.000004	0.0144	342.31	0.000002	0.0072	171.16	0.42	3.93*	3.54△	$F_{0.01}$(2，16)=6.23
酸雨	2	0.000007	0.0129	749.65	0.000035	0.0065	374.82	0.48	3.52△	7.74*	$F_{0.05}$(2，16)=3.63
敌杀死	2	0.000009	0.0128	246.88	0.0000045	0.0064	123.44	1.54△	3.50△	2.55△	$F_{0.10}$(2，16)=2.67
误差	16	0.000010	0.02938	774.67	0.0000006	0.0018	48.42				$F_{0.25}$(2，16)=1.51
总和	24	0.000023	0.08444	3478.31							

*影响显著；△因素对指标有一定影响，看不出因素对指标有什么影响，不作标记。

（二）复合污染对可溶性蛋白含量的影响

从表3和表4可以看出，重金属 Cd^{2+} 对小白菜可溶性蛋白含量有显著的降低作用。当 Cd^{2+} 含量在 1 ~5 mg/kg 时，随着 Cd^{2+} 浓度的增加，可溶性蛋白含量降低的幅度逐渐减少；但当 Cd^{2+}

浓度超过5mg/kg时，可溶性蛋白含量呈现急剧下降趋势，Cd^{2+}浓度达15 mg/kg时，可溶性蛋白的降低率可达19.43%。出现该现象的原因可能是：镉能与含羧基、氨基、特别是含巯基的蛋白分子结合，而使许多酶的活性受到抑制，从而使蛋白质合成减弱，分解加快；也可能是由于小白菜体内的一部分蛋白质与其吸收的Cd^{2+}发生沉淀作用而导致蛋白质变性、失活[25]。

酸雨对小白菜可溶性蛋白含量的影响总体表现为下降趋势。pH越低可溶性蛋白含量降低越明显，当pH为4时，降低率可达12.57%，影响较严重。可能原因是酸雨能使蔬菜体内硝酸还原酶等一系列酶的活性破坏，导致代谢紊乱，从而使蛋白质合成减弱，分解加快[22]。

农药敌杀死对可溶性蛋白表现为一定的抑制作用。当敌杀死浓度为2250ml/hm^{2}时，降低率可达14.29%。其可能原因是：在植物细胞正常代谢过程中，活性氧可由多种途径产生，如叶绿体、线粒体和质膜上的电子传递产生了一个不可避免的后果，即电子传递至分子氧上，随着产生活跃的、具有毒性的活性氧，生物和非生物胁迫的介入都可使活性氧的水平升高[26]。过多的活性氧对细胞极为有害，可直接作用于蛋白质、核酸和脂类等生物大分子，导致超微结构严重破坏，并可使蛋白质合成减弱，分解加快。

（三）复合污染对粗纤维含量的影响

从表3和表4可以看出，重金属Cd^{2+}和敌杀死对小白菜粗纤维含量有一定的影响，表现为随着Cd^{2+}和敌杀死含量的增加，粗纤维的含量也随着增加。当镉浓度为15 mg/kg时，粗纤维的增加率高达71.73%。敌杀死浓度为2250ml/hm^{2}时，粗纤维的增加率达67.76%。酸雨对小白菜粗纤维含量有显著的影响，显著性水平可达0.00271，表现为随pH的下降，纤维素的含量增加，呈显著负相关。当pH为4时，粗纤维的增加率高达98.71%。其可能原因是重金属Cd^{2+}、酸雨和农药敌杀死污染使小白菜生长受到影响，小白菜茎叶严重木质化和纤维化所致[23]。

三、结　论

1. Cd^{2+}、酸雨和敌杀死复合污染对小白菜营养品质均会造成不同程度的影响，对小白菜营养品质影响最大的污染因子的水平组合为Cd^{2+}（2），酸雨（2），敌杀死（3）。

2. 在该土壤类型区条件下，以土壤重金属镉含量、酸雨水平以及农药施用量作为评价土壤污染对作物系统的影响的评价指标是可行的。

3. 近年来，蔬菜的污染水平和质量安全备受关注。为了消费者的健康和生命安全，研究复合污染条件及其对蔬菜的效应以揭示蔬菜污染的时空变化规律具有重大意义。

参考文献

[1] Menz F C, Seip H M. Acid rain in Europe and the United States: An update. Environmental Science & Policy, 2004, 7: 253－265.

[2] IPCC. Climate Change 2001［EB/OL］.（2001）［2008－12－01］. http://www. ipcc. ch/ipccreports/tar/vol4/english/index. htm.

[3] 谢建治，张书廷，刘树庆，等．潮褐土重金属Cd^{2+}污染对小白菜营养品质指标的影响［J］．农业环境科学学报，2004，23（4）：678－682.

[4] 中华人民共和国国家标准．GB 15618—1995 土壤环境质量标准［S］.

[5] Shuiping Cheng. Effects of Heavy Metals on Plants and Resistance Mechanisms［J］. Environ Sci & Pollut Res., 2009, 10: 256－264.

[6] Emst W H O, Nielssen H J M. Life－cycle phases of zinc and cadmium resistant ecotype of Silene vulgaris in risk assessment of polymetallic mine soils［J］. Environmental Pollution, 2000, 107: 329－338.

[7] Lombi E, Zhao F J. Cadmium accumulation in populations of Thlaspi goesingenes［J］. New Phytologist, 2000, 145: 11－20.

[8] Angela P Vitoria, Peter J Lea. Antioxidant enzymes responses to cadmium in radish tissues [J]. Phytochemistry, 2001, 57: 701-710.

[9] 廖自基．微量元素的环境化学及生物效应［M］．北京：中国环境科学出版社，1993.

[10] 吴燕玉，陈涛，等．沈阳张士灌区 Cd 污染生态研究［J］．生态学报，1989，9（1）：21-26.

[11] Yeon-ok Kim, Masakazu Hara, Toru Kubot. Response of an Active-Oxygen scavenging system to cadmium in cadmium-tolerant cell of carrot [J]. Plant Biotechnology, 2001, 18: 39-43.

[12] Kavita Shah, titambhara G, Kumar, et al. Effect of cadmium on lipid peroxidation, superoxide anion generation activities or antioxidant enzymes in growing rice seeding [J]. Plant Science, 2001, 161: 1135-1141.

[13] Pereira G H G, Molina S M G. Activity of antioxidant enzymes in response to cadmium in Crotalaria [J]. Plant and Soil, 2002, 239: 123-132.

[14] 曹涤环．高效低毒低残留杀虫剂 2-5-敌杀死在蔬菜生产上的应用［J］．农药市场信息，2009，8：31，47.

[15] 夏晶晖，吴中军，胡华．蔬菜有机磷农药残留检测分析［J］．西南大学学报（自然科学版），2008，30（6）：720-723.

[16] 徐冬梅，刘广深，李克斌，等．酸雨胁迫下有机-无机复合污染对土壤过氧化氢酶活性的影响［J］．农业环境科学学报，2003，22（1）：31-33.

[17] 鲁如坤．土壤农业化学分析方法［M］．北京：中国农业科技出版社，2000.

[18] 高连存，何桂华，冯素萍，等．模拟酸雨条件下降尘中 Cu，Pb，Zn，Cr 各形态的溶出和转化研究［J］．环境化学，1994，13（5）：448-452.

[19] 李合生．植物生理生化实验原理和技术［M］．北京：高等教育出版社，2000：134-137，201-202.

[20] 张志良．植物生理学实验指导［M］．北京：高等教育出版社，1987：90.

[21] 唐红枫，生秀梅，熊丽，等．有机磷农药对小白菜可溶性蛋白质及 SOD、Mg^{2+}-ATPase、Ca^{2+}-ATPase 和 CAT 的影响［J］．华中师范大学学报，2006，40（1）：82-85.

[22] 黄开志．模拟酸雨对蔬菜细胞透性和营养及卫生品质的影响［J］．生物学通报，2000，35（2）：34.

[23] 谢建治，张书廷，刘树庆，等．潮褐土重金属 Cd^{2+} 污染对小白菜营养品质指标的影响［J］．农业环境科学学报，2004，23（4）：678-682.

[24] 谢建治，李博文，刘树庆．Cd、Zn 污染对小白菜营养品质的影响［J］．华南农业大学学报，2005，26（1）：42-45.

[25] 孟紫强．环境毒理学［M］．北京：中国环境科学出版社，2000.

[26] 杜秀敏，殷文旋，赵彦修，等．植物中活性氧的产生及清除机制［J］．生物工程学报，2001，17（2）：121-125.

微生物电解池降解芳香烃类化合物的研究

许炉生　吴伟勇

（浙江工业大学生物与环境工程学院　杭州市下城区潮王路18号　310014）

摘　要　微生物电解池是利用电解强化生物催化降解有机物的一项新型技术。用微生物电解池降解芳香烃类化合物，通过质谱分析，苯胺、硝基苯、氯苯的降解中间产物完全不同于常规生物降解过程，并建立了新的生物-电催化降解途径。微生物电解池的电极电位影响微生物酶体系，阴极的还原气氛对芳香烃类有机物降解产生关键性影响。

关键词　微生物电解池　中间产物　还原气氛　生物-电催化　降解途径

微生物燃料电池（MFC）是利用细菌降解生物质并直接输出生物电能的反应器。反应器中的胞外产电菌可将有机质生物降解产生的电子导出细胞外，从而通过MFC系统产生电能。该领域的研究证实了微生物细胞可与电极表面进行电子交换。因此，对MFC电路进行逆向操作，施以外加电压，则电流也可逆向进入胞外产电菌细胞内，影响细菌对底物的降解。如果氧化底物释放的电子与同步产生的质子结合形成氢气，这个过程为电辅助产氢。实现这个过程的反应器称为生物电化学辅助微生物反应器[1-3]，它是一个基于生物催化电解有机物的反应器，故叫做生物催化电解池[4,5]。如果遵循微生物燃料电池的命名方法，像燃料电池一样产电而像电解池一样产氢，则称为微生物电解池（MEC）。

微生物电解池的微生物和电极紧密结合，电子从电极直接交换进入菌体细胞，形成了高效传递关系。微生物及胞外酶受到电极电位的影响，分别在阴、阳两极形成还原、氧化气氛，对有机物的酶催化水解、氧化还原等降解反应存在促进作用。本文以苯胺、硝基苯、氯苯为对象，研究微生物电解池对芳香烃类化合物的降解规律及途径。

一、方法与材料

（一）实验装置

微生物电解池反应器见图1，反应槽尺寸：9.0cm×9.0cm×14.5cm。将活性炭纤维膜以碳材料导电胶粘合于石墨基板，培养微生物附着生长，构成生物膜电极。电极面积8.9cm×9.8cm，活性炭纤维膜厚度2mm。电极间距6.7cm，外接恒流电源（WYL302SS直流稳压稳流电源，杭州余杭四岭电子设备有限公司）。反应槽放于超级恒温槽（Y-501型，±0.5K）中恒温反应。

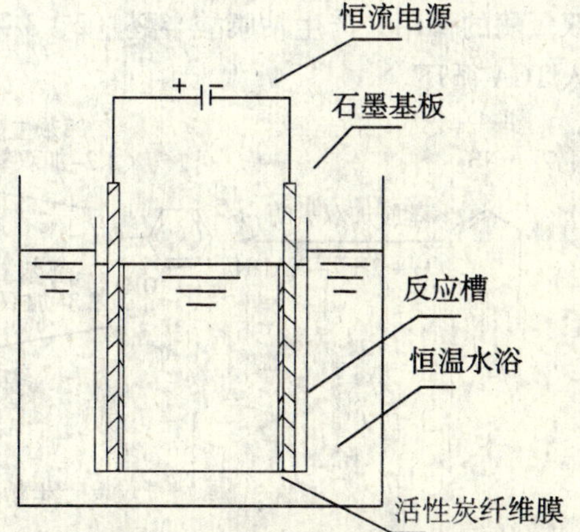

图1　微生物电解池

（二）方案设计

1. 生物膜的培养和驯化

培养驯化阶段对反应槽进行接种和培养，接种污泥来自杭州四堡污水处理厂的硝化污泥。培养液成分按实验需求配置（如表1）。污泥淘洗沉淀后，撇去上清液，取污泥层倒入反应器，开启恒流电源，电流强度5mA，反应温度为36℃±0.5℃，进行培养和挂膜，每天更新培养液。反应体系培养液起始pH为7.2~7.5，终点pH为6.0~6.2。

25天后开始在培养液中分别添加低浓度苯胺、硝基苯、氯苯，24h去除率高于90%，认为驯化培养成功。培养驯化时逐步洗脱污泥，培养完成后仅保留电极生物膜进行研究。

2. 实验内容

维持电流强度、温度不变，分别以苯胺、硝基苯、氯苯类有机物作为唯一碳源底物配制培养液，用质谱测定降解过程的中间产物，以此判断微生物电解池条件下芳香烃类化合物的降解规律及途径。

表1 培养驯化阶段培养液成分

去离子水	葡萄糖	醋酸钠	尿素	磷酸氢二钾
750ml	0.81g	0.12g	0.075g	0.102g

（三）分析方法与仪器

质谱仪：Saturn 2000 四极杆质谱仪，美国瓦里安公司（Varian）；直接进样器：水样直接进样，气相吹扫捕集。

二、结果与讨论

（一）苯胺降解途径

1. 中间产物

将仅含 34mg/L 苯胺的水样（不含葡萄糖及其他营养元素，苯胺为唯一 COD 来源）进行生物膜电极降解，反应时间 10h。水样经萃取、干燥，GC/MS 分析得到底物苯胺及中间产物的图谱，结构分析认定中间产物为 4 - 羟基 - α - 氨基戊酸如下：

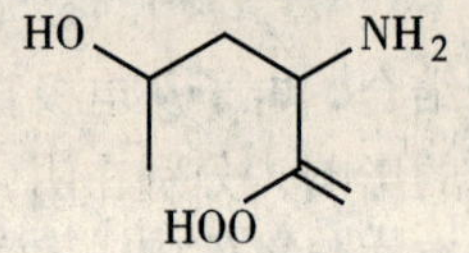

HO　NH_2

HOO

2. 推测微生物电解池降解苯胺途径

目前已经见报道的苯胺降解途径为邻苯二酚途径[6]，详见图 2。该途径的主要反应步骤是氧化脱去胺基，代之以羟基并转化为邻苯二酚。后续则是邻苯二酚的降解开环，通过间位或邻位加双氧酶的作用，产生粘康酸半醛（2，3 - 加双氧酶）或粘康酸（1，2 - 加双氧酶），进而分解进入 TCA 循环。

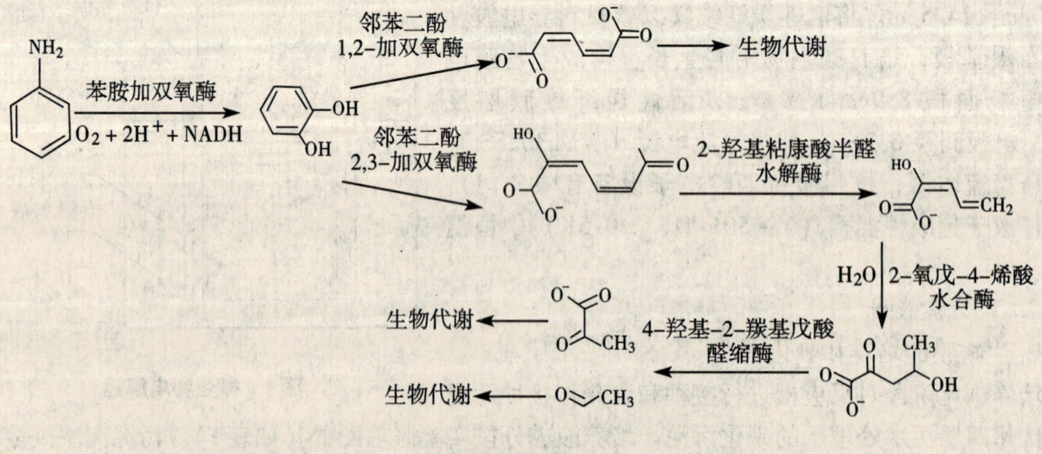

NH_2 苯胺加双氧酶 $O_2 + 2H^+ + NADH$ OH OH 邻苯二酚 1,2-加双氧酶 生物代谢 邻苯二酚 2,3-加双氧酶 2-羟基粘康酸半醛 水解酶 CH_2 H_2O 2-氧戊-4-烯酸 水合酶 4-羟基-2-羰基戊酸 醛缩酶 CH_3 OH 生物代谢 生物代谢

图2 已见报道的苯胺生物降解途径

而微生物电解池降解苯胺得到中间产物 4 - 羟基 - α - 氨基戊酸，结构特征与 4 - 羟基 - α - 酮 - 戊酸是一致的，结构相似性说明苯环断裂以 2，3 - 加双氧酶催化的粘康酸半醛方式进行，

1，2－加双氧酶催化的对称型开环无法得到这样的结构。其次，反应过程中保留的氨基说明，阴极还原气氛对较易氧化脱落的氨基起到了保护作用。在此基础上，推测微生物电解池降解苯胺途径如图3。

开环后的4－羟基－α－氨基戊酸可继续羧基氧化或脱氨，以不同途径逐步降解为小分子有机酸。

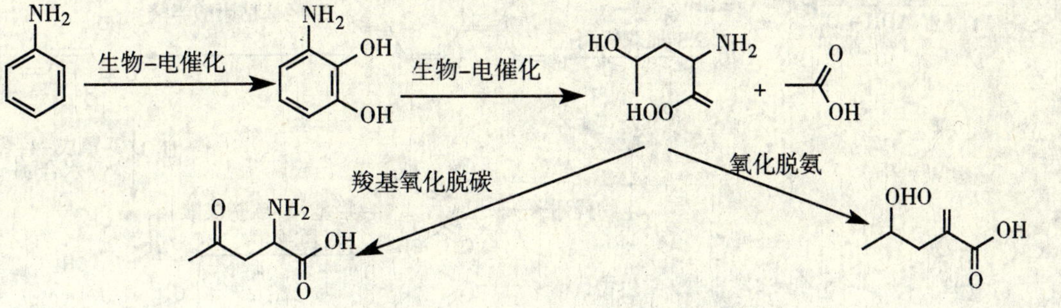

图3　推测的苯胺微生物电解池降解途径

（二）硝基苯降解途径

1. 中间产物

将以硝基苯为唯一碳源的水样进行微生物电解池降解。水样经萃取、干燥，GC/MS分析得到底物硝基苯及中间产物的图谱，结构分析认定的中间产物见表2。

表2　中间产物列表

序号	结构	名称
1	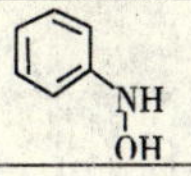	苯胲
2	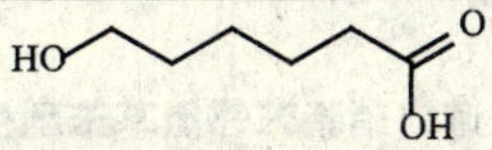	6－羟基－1－己酸
3	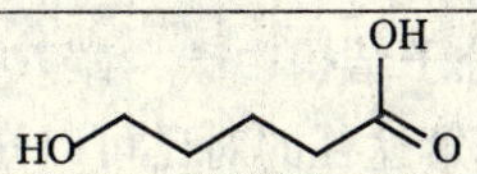	5－羟基－1－戊酸
4	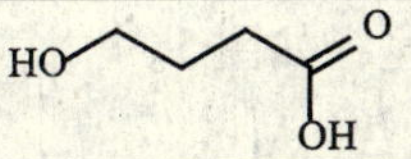	4－羟基－1－丁酸
5	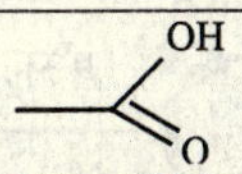	乙酸

2. 推测微生物电解池降解硝基苯途径

Shirley F N[7]于1993年报道硝基苯生物降解途径为邻苯二酚途径，详见图4a。主要反应步骤是氧化脱去硝基，代之以羟基并转化为邻苯二酚。后续则是邻苯二酚的降解开环，通过间位或邻位双加氧酶的作用，产生粘康酸半醛（2，3加氧酶）或粘康酸（1，2加氧酶），进而分解进入TCA循环。Takenaka S[8]于2003年报道了另一种生物降解途径为邻氨基苯酚途径，详见图4b。主要反应步骤是硝基还原加氢变为苯胲，继而转化邻氨基苯酚，后续则是邻氨基苯酚的羟基被加氧开环，进而分解进入TCA循环。

根据质谱图的中间产物鉴定结果，并结合目前已知的硝基苯的两种生物降解途径，可以推断出微生物电解池下硝基苯降解开环的历程为：硝基苯还原生成苯胲，苯胲还原脱氮，并以类似邻苯二酸2，3加氧酶的方式断开苯环，生成一端为羟基、一端为羧酸的6－羟基－1－己酸。之后，6－羟基－1－己酸从羧基端开始被生化降解，以 TCA 循环逐步脱除碳原子，最终降解到小分子的乙酸。

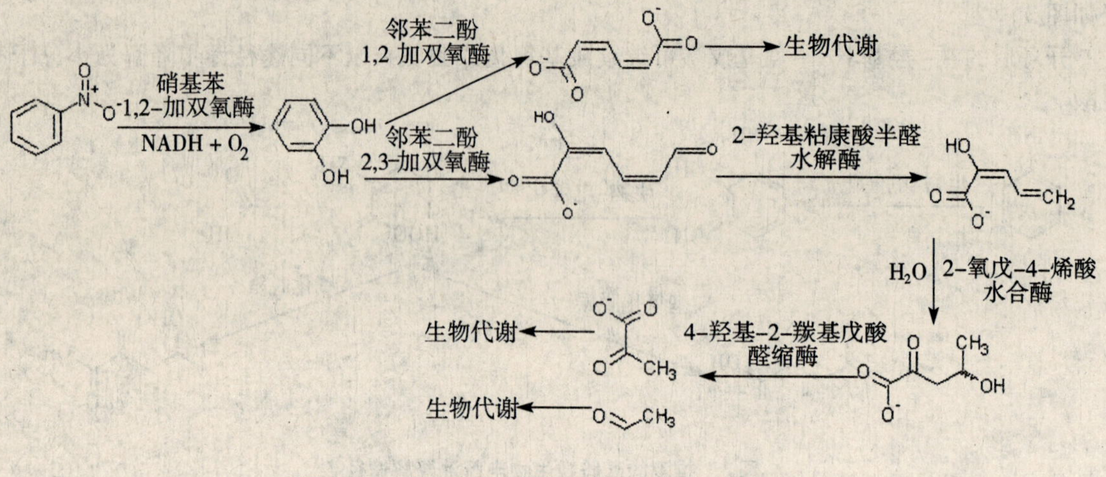

图 4a　已见报道的硝基苯邻苯二酚生物降解途径

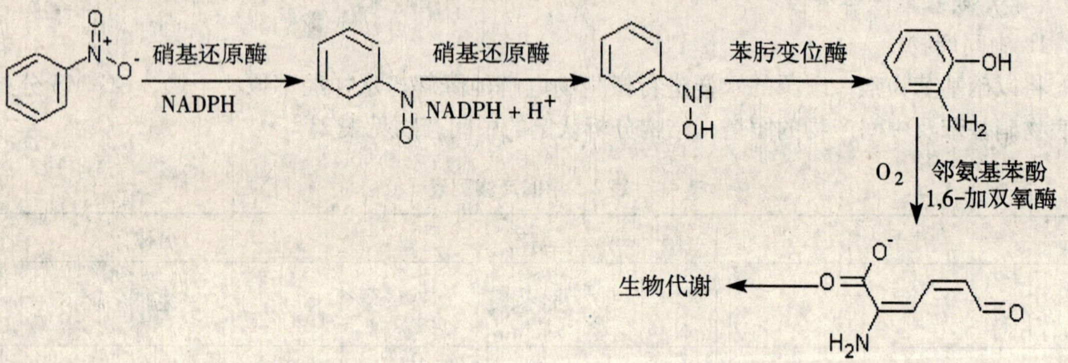

图 4b　已见报道的硝基苯邻氨基苯酚生物降解途径

由苯肟生成及 6－羟基－1－己酸分子结构中碳－碳双键均被还原的事实可以得出，开环反应在阴极的还原气氛下进行。与已知降解途径的对比可以知道，微生物电解池的阴极还原气氛对开环历程起到关键性影响。推测的降解途径如图 5。

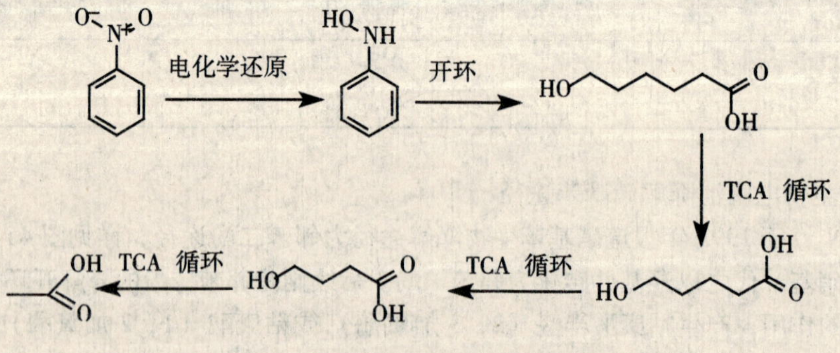

图 5　推测的微生物电解池降解硝基苯途径

（三）氯苯降解途径

1. 中间产物

分别以氯苯和二氯苯的三种同分异构体为唯一碳源底物配制培养液，进行降解实验，并取降解 6 小时的样品进行质谱分析，经谱图分析并对照标准质谱图，氯苯的产物中存在苯酚、乙酸。

二氯苯的三种同分异构体产物中均存在氯苯酚、苯酚和乙酸，如表3所示。

表3　中间产物列表

	氯苯	邻二氯苯	间二氯苯	对二氯苯	中间产物名称
1	—	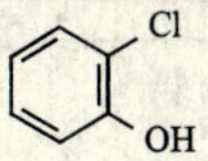 Cl OH	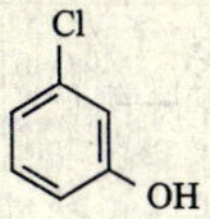 Cl OH	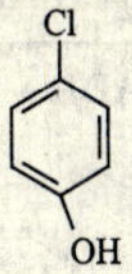 Cl OH	氯酚
2	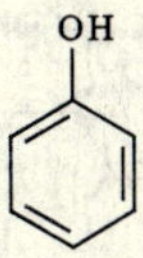 OH	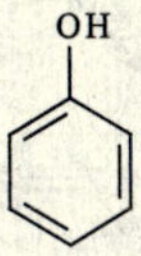 OH	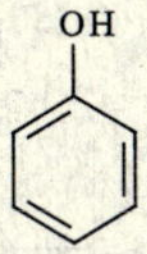 OH	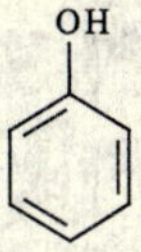 OH	苯酚
3	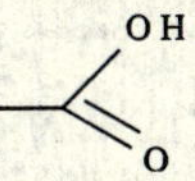 OH O	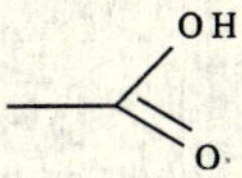 OH O	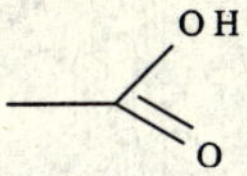 OH O	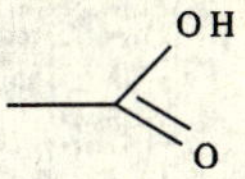 OH O	乙酸

2. 推测微生物电解池降解氯苯途径

从中间产物检测结果可见，微生物电解池下的氯苯、二氯苯降解中间产物与文献已报道的两类途径完全不同。电化学强化后，生物催化产生了新的途径。过程较为显著的特点是，4个化合物以苯酚为共同中间产物，显示了较强的优先脱氯特征，而非文献报道的先开环后脱氯。由于氯原子是强吸电子基团，优先脱氯说明生物膜电极较常规生化降解提供了更强的还原性，主要过程应发生在阴极。

根据以上分析，可推测生物膜电极下氯苯、二氯苯的降解途径，如图6a、图6b。阴极的还原气氛对脱氯历程起到关键性影响。

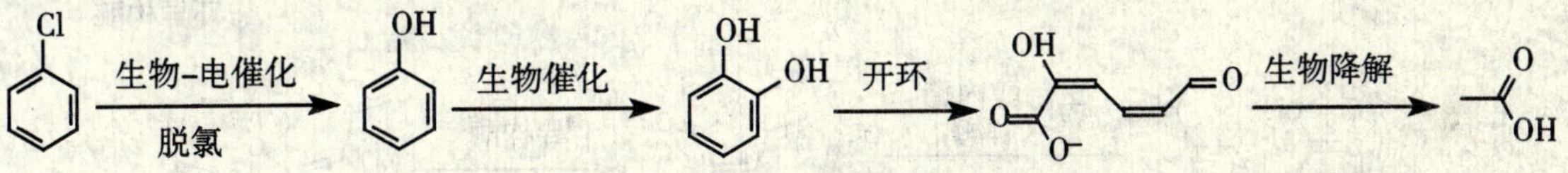

图6a　推测微生物电解池降解氯苯途径

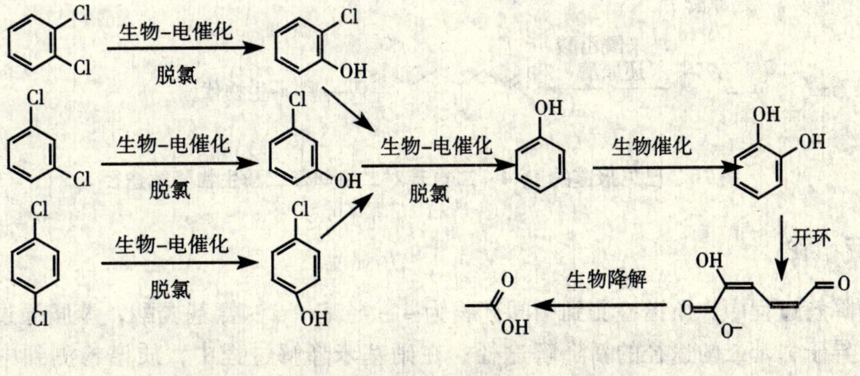

图6b　推测的微生物电解池降解二氯苯途径

（四）常规生物降解途径

Christoph W等[9]于1996年报道了如图7a的生物降解途径。氯苯先后经历加双氧酶和脱氢酶转化为3－氯－1，2－苯二酚，3－氯－1，2－苯二酚开环降解为氯代烯烃，随后脱氯，最终进入TCA循环降解。1，4－二氯苯则通过还原脱氯转化为氯苯，再按照氯苯途径降解。Claudia

S 等[10]于 1997 年观察到图 7b 所示的另一种途径，1，4－二氯苯直接在氯苯加双氧酶和醇脱氢酶作用下转化为 3，6－二氯－1，2－苯二酚，3，6－二氯－1，2－苯二酚开环降解为二氯代烯烃，随后脱氯，最终进入 TCA 循环降解。

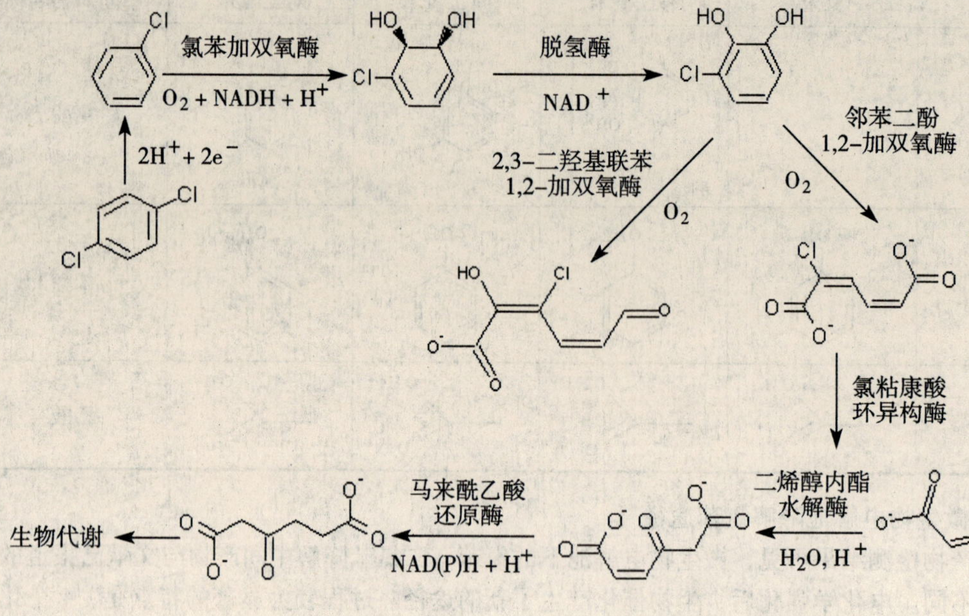

氯苯加双氧酶
O_2 + NADH + H^+
脱氢酶
NAD^+
$2H^+ + 2e^-$
2,3–二羟基联苯 1,2–加双氧酶
O_2
邻苯二酚 1,2–加双氧酶
O_2
氯粘康酸环异构酶
二烯醇内酯水解酶
H_2O, H^+
马来酰乙酸还原酶
NAD(P)H + H^+
生物代谢

图 7a　已见报道的 1，4－二氯苯 3－氯邻苯二酚生物降解途径

氯苯加双氧酶
O_2 + NADH + H^+
醇脱氢酶
NAD^+
3,6–二氯–1,2–苯二酚 1,2–加双氧酶
O_2
氯粘康酸环异构酶
异构酶
二烯醇内酯水解酶
NADH
马来酰乙酸还原酶
马来酰乙酸还原酶
生物代谢

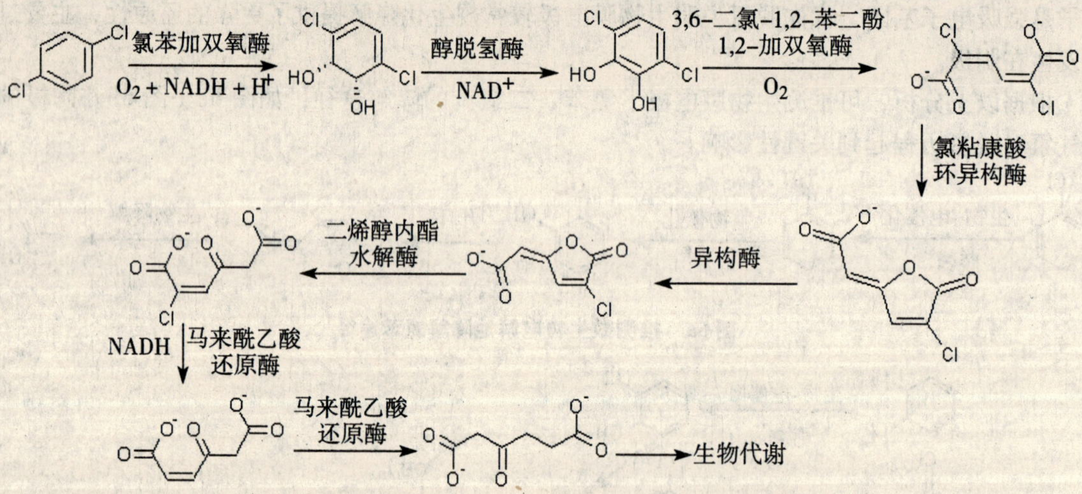

图 7b　已见报道的 1，4－二氯苯对二氯邻苯二酚生物降解途径

三、结　论

在苯胺降解过程中，质谱检测到中间产物为 4－羟基－α－氨基戊酸，苯胺通过阴极还原开环，发现了异于邻苯二酚途径的新降解途径；在硝基苯降解过程中，质谱检测到中间产物为苯肟，证实开环是一个还原过程；在氯苯、二氯苯的降解过程中，质谱分析检测到中间产物为氯苯酚、苯酚和乙酸，中间产物的分析表明，微生物电解池能提供较一般生化更强的还原脱氯能力，氯苯、二氯苯优先脱氯后再降解开环。结果证实微生物电解池的生物－电催化降解途径不同于已报道的常规生物降解。微生物电解池的电极电位影响微生物酶体系，阴极的还原气氛对芳香烃类有机物降解产生关键性影响。

参考文献

[1] Ditzig J, Liu H, Logan B E. Production of hydrogen from domestic wastewater using a bio – electrochemically assisted microbial reactor (BEAMR) [J]. Int. J. Hydrogen Energy, 2007, 32 (13): 2296 – 2304.

[2] Liu H, Cheng, Logan B E. Production of electricity from acetate or butyrate in a single chamber microbial fuel cell [J]. Environ. Sci. Technol, 2005, 39 (2): 658 – 662.

[3] Liu H, Cheng, Logan B E. Power generation in fed – batch microbial fuel cells as a function of ionic strength, temperature, and reactor configuration [J]. Environ. Sci. Technol, 2005, 39 (14): 5488 – 5493.

[4] Logan B E, Aelterman P, Hamelers B. Microbial fuel cells: methodology and technology [J]. Environmental science & technology, 2006, 40 (17): 5181 – 5192.

[5] Rozendal R A, Hamelers H V M, Euverink G J W, et al. Principle and perspectives of hydrogen production through bio – catalyzed electrolysis [J]. Int. J. Hydrogen Energy, 2006, 31 (12): 1632 – 1640.

[6] Takenak S, Okugawa S, Kadowakiet M. The Metabolic Pathway of 4 – Aminophenol in Burkholderia sp. Strain AK – 5 Differs from That of Aniline and Aniline with C – 4 Substituents [J]. Applied and Environmental Microbiology, 2003, 69: 5410 – 5413.

[7] Shirley F N, Jim C S. Degradation of Nitrobenzene by a pseudomonas pseudoalcaligenes [J]. Applied and Environmental Microbiology, 1993, 59 (8): 2520 – 2525.

[8] Takenaka S, Okugawa S, Kadowakiet M. The Metabolic Pathway of 4 – Aminophenol in Burkholderia sp. Strain AK – 5 Differs from That of Aniline and Aniline with C – 4 Substituent [J]. Applied and Environmental Microbiology, 2003, 69: 5410 – 5413.

[9] Christoph W, Hans P E K, Jan R M. The Broad Substrate Chlorobenzene Dioxygenase and cis – Chlorobenzene Dihydrodiol Dehydrogenase of Pseudomonas sp. Strain P51 Are Linked Evolutionarily to the Enzymes for Benzene and Toluene Degradation [J]. Journal of Biological Chemistry, 1996, 271: 4009 – 4016.

[10] Claudia S, Helmut G. Enzymology of the degradation of (di) chlorobenzenes by Xanthobacter flavus 14p1 [J]. Archives of Microbiology, 1997, 167 (6): 384 – 391.

有机溴污染物及稳定溴同位素研究进展

郑　华[1,2]　梁重山[1]

（1. 中科院地球化学研究所环境地球化学国家重点实验室　贵阳　550002；

2. 中国科学院研究生院　北京　100049）

摘　要　文章综述了环境中溴代污染物的主要污染来源。着重介绍了当前较常用的稳定溴同位素的测试方法及相关应用。并在此基础上，对稳定溴同位素体系（79Br/81Br）将来在环境领域中的应用研究进行了展望。

关键词　溴　稳定同位素　应用

目前，含溴的污染物已经成为环境领域的又一研究热点，众多研究表明，无论在水体、土壤以及大气中都能检测到大量的含溴有机污染物的存在[1-3]。不仅如此，在已有的人体毒素积累研究报道中，瑞典妇女母乳中的多溴联苯醚类浓度值平均每五年就成倍增加[4]，温哥华妇女母乳中的 PBDEs 浓度值在 1992—2002 年短短 10 年间竟增加了 5 倍，美国妇女母乳的 PBDEs 含量远比欧洲高出 10～100 倍[5]。并且在瑞典、比利时、日本以及新加坡等地的人体脂肪中均发现多溴联苯醚不同程度上的累积[6-9]。因此，为了人体健康及人类的发展，有必要对环境中的含溴污染物进行深入研究。而稳定同位素研究方法作为近几十年环境研究领域中新起的研究方法之一，本文也介绍了国内外发展起来的几种稳定溴同位素的测试方法，以及在不同领域的应用情况。

一、环境中有机溴的主要污染来源

目前环境中含溴污染物已知的污染来源主要包括有溴系阻燃剂、含溴制冷剂、清洗剂、有机溴类杀菌剂以及农药等[10-14]。

（一）有机溴类杀菌剂及农药

有机溴类杀菌剂作为杀菌效果很好的一类杀菌剂，广泛应用于多种清洗行业。其杀菌的主要原理在于，在水体中，通过不断释放出 Br^+，形成 HOBr，从而干扰微生物的新陈代谢过程致其死亡[15]。而溴系农药主要包括有溴氟菊酯、三氟氯氰菊酯、氯菊酯、氯氰菊酯以及溴氰菊酯等，均属于光谱性农药。此外通过毒性试验表明其对鸟类、蜜蜂以及蚯蚓等动物的毒性较小，所以在农业生产中更是被广泛使用[12]。

（二）含溴制冷剂

由于氟利昂等传统制冷剂在 20 世纪被禁止使用后，就为溴化锂吸收式制冷提供了很好的发展条件。以及 2－溴丙烷等均用作了空调、冰箱中传统制冷剂 CFC 和 HCFC 的替代者[13]。

（三）清洗剂

目前作为清洗剂主要成员的正丙基溴（nPB）和异溴丙烷（iPB）能成为 ODS 清洗剂替换剂的主要原因，在于美国国家职业安全及健康学会（NIOSH）曾对其毒性进行评估[11]。最终因证据不足而导致美国环保署在 2003 年发布公告，称 nPB 在适当条件下可以成为 ODS 的替换剂[16]。但是，其对人体健康的影响，对肝脏、生殖系统中枢神经的毒副作用，以及皮肤的吸收作用，甚至是否会导致癌变等都存在一定风险，还有待于进一步研究阐述。

（四）溴系阻燃剂

溴系阻燃剂主要是在 20 世纪 70、80 年代得到蓬勃发展，并且在随后的几十年里，每年的使用量平均都以 6%～8% 的速度在不断增加[17]。到 2004 年，溴系阻燃剂就占有阻燃添加剂市场 40% 的比例[18]。虽说阻燃剂的应用对火灾的危害有了很大的改善[19]，但是，关于其对生态环境以及人类的健康繁衍的影响也一直备受关注。国内外均开展了许多的关于这方面的研究。但是，面临的困难却也颇多，因为溴系阻燃剂的种类多达近 80 种，而且结构复杂。最为典型的阻燃剂之一——多溴联苯醚已知的同类异构体就多达 209 个[20,21]。鉴于此，目前在环境领域中广泛应用的稳定同位素研究方法就有必要引入到对溴系污染物的各项研究中，为溴系污染物的污染来源及其降解途径等环境行为进行详细阐述。

二、稳定溴同位素测试方法

溴元素有两个天然稳定的同位素，79Br 和 81Br，有报道称二者的自然丰度分别为 50.685% 和 49.314%[22]。但是，因为其质量差异相对较小，相对于同为卤族元素的氯而言，溴同位素的分馏效应也没有 35Cl 和 37Cl 那么明显，并且受其他种种因素的限制，到目前为止，还没有制定出关于溴同位素比值的国际标准。

（一）传统测试方法

关于稳定溴同位素的研究最早可以追溯到 1920 年，Aston 首次报道了溴的两个同位素，由于受当时实验条件的限制，却并未发现二者的丰度差异[23]。随后诸多研究者运用电子轰击的方法研究了多个地方的地层水以及海湾水等天然样品中的溴同位素组成情况，不同地方的水样中 81Br/79Br 平均比值分别为 0.975 ± 0.025[24]；0.979 ± 0.004[25] 和 1.0217 ± 0.0002[26]。1964 年，Catanzaro 首次采用负热电离质谱法测得了溴同位素的绝对比值为 1.02784 ± 0.00190[27]。随后的两三年间，关于溴同位素的研究方法以及各种研究的报道几乎进入冰冻期，一直停滞不前。

（二）最新测试方法

一直延续到 1992 年，我国学者肖应凯首次论证了正热电离质谱（PTIMS）方法在溴同位素测定中的可行性，研究者采用与氯同位素 TIMS 测试方法相似的前处理过程，最终通过质谱扫描 Cs_2Br^+ 离子强度作为检测目标，该方法的测试精度达到 0.011%[28]。

2000 年，Eggenkamp 又报道了 CH_4Br^+ 质谱法，研究者首先采用 $K_2Cr_2O_7$ 和 H_2SO_4 混合加热的方法使溴元素发生氧化，从而达到与大量氯元素分离的目的，随后将溴元素以溴化银沉淀的形式进行纯化，再转化成 CH_4Br，方法与稳定氯同位素的 CH_4Cl^+ 离子质谱法相似。该方法采用平均大洋水作为标准，测试精度为 0.18‰[29]。然而，Shouakar - Stash 采用相同的前处理步骤，最终利用连续流质谱仪扫描 CH_4Br，对天然样品中的溴同位素组成进行测定时，取得了更好的测试精度。内精度达到了 ±0.03‰，外精度也有 ±0.06‰[30]。并成功利用这一方法对西伯利亚地区不同地质区域、不同深度的地下水以及地表水进行了溴同位素组成特征研究，研究发现，不同取样点之间的溴同位素有很大的变化区间（−0.80‰ ~ +3.35‰），研究者通过测试水体中元素的不同组成情况以及采用溴、氯两种同位素综合比较的方法分析了造成不同区域、不同深度下的水体同位素组成差异的原因[31]。

最近，Gelman 和 Halicz 又提出了气相色谱/质谱联机的测试方法（GC - MC - ICPMS）。方法采用 GC 对有机物进行分离后进入质谱仪进行同位素分析，采用锶（Sr）作为基准参考峰对溴（^{79}Br、^{81}Br）进行测定，并用 $^{84}Sr/^{86}Sr$ 对 $^{79}Br/^{81}Br$ 进行校正，测试的外精度有 0.1‰[32]。

三、展　望

1. 目前，稳定溴同位素的测试方法主要有 5 种，包括电子轰击法、质谱法（3 种）以及色谱/质谱联机法等。其中较有发展潜力的只有质谱法以及色谱/质谱联机法，不过，在此值得我们注意的是，目前这些方法基本上都处在建立起步阶段，虽然在实验室中，各种方法都取得较好的精度效果，但是，对于各种天然样品的测试尚未大力开展。

2. 有研究表明稳定溴同位素跟氯同位素一样都可以在地表地下水的无机态中得到较好的应

用，并阐述其分馏机理。但是对于环境中的溴系有机污染物能否适用还有待于进一步证实。

3. 对于溴系有机污染物的降解、转移等环境过程的机理性研究中，传统的研究方法有时难以达到目的。而当前环境污染的严峻形势，迫切需要我们通过稳定溴同位素的研究方法，以及与其他多种同位素联合分析污染物的来源、扩散、转移以及降解问题，为环境监测和治理提供更加可靠的科学依据。

参考文献

[1] 田青，徐殿斗，柴之芳，等．北京城区大气中有机溴污染物的研究［J］．核化学与放射化学，2005，27：236－239.

[2] 杨永亮，潘静，李悦，等．青岛近岸沉积物中持久性有机污染物多氯萘和多溴联苯醚［J］．科学通报，2003，48：2244－2251.

[3] 孟范平，李卓娜．多溴联苯醚（PBDEs）在海洋环境中的行为研究进展［J］．中国海洋大学学报，2009，39：285－289.

[4] Vos J G，Becher G，Van den Berg M，et al. Pure Appl. Chem.，2003，75：2039－2046.

[5] Schecter A，Pavuk M，Papke O，et al. Environmental Health Prospect，2003，111：1723－1729.

[6] Luross J M，Alaee M，Sergeant D B，et al. Organohalogen Compds.，2000，47：73－76.

[7] Hale R C，Laguardia M J，Harvey F A，et al. Ecvieon. Sci. Technol.，2001，35：4585－4591.

[8] Darnerud P O，Eriksen G S，Johannesson T，et al. Environmental Health Perspect，2001，109：49－68.

[9] De Wit C A. Chemosphere，2002，46：583－624.

[10] 陆海燕，廖全堂，谢培轩．环境友好型消毒抗菌剂——二溴海因［J］．化学教育，2008，11：4－6.

[11] 朱家淇．新型 ODS 清洗剂替换剂——正丙基溴［J］．技术·专家论坛，2004，2：7－14.

[12] 龚瑞忠，陈悦，陈良燕，等．溴氰菊酯对环境生物的安全评价研究［J］．农药学学报，2001，3：67－72.

[13] 李夏莉，李树林，刘咸定．溴化锂吸收式制冷装置对环境影响因素的分析［J］．制冷学报，1999，2：54－57.

[14] 张翔，李风，王玉忠，等．修阻燃剂对环境安全性的影响［J］．中国安全科学学报，2007，17：5－13.

[15] 陈强，李清禄．复方溴氯海因消毒剂的性能［J］．福建农林大学学报（自然科学版），2003，32：2.

[16] 美国环境保护署（EPA）．Federal Register：June 3，2003（Volume 68，No. 106），Protection of Stratospheric Ozone：Listing of Substitutes for Ozone－Depleting Substances－n－Propyl Bromide.

[17] 徐启杰，李伟，时文中．溴系反应型阻燃剂的研究进展［J］．天中学刊，2007，22：25－28.

[18] 郭仁义，Orit M，Pierre G. 溴系阻燃剂与环境［J］．塑料助剂，2006，2：12－17.

[19] Babrauskas V. Flam hazard comparison of flame－retarded & non－flame－retarded products，NBS special publication，1998.

[20] 欧育湘，许冬梅．国际环保法规中的溴系阻燃剂动态［J］．塑料助剂，2009，1：13－20.

[21] 魏爱雪，王学彤，徐晓白．环境中多溴联苯醚类（PBDEs）化合物污染研究［J］．化学进展，2006，18：1227－1233.

[22] Commission on Atomic Weight and Isotopic Abundances. Pure Appl. Chem.，1998，70：217.

[23] Aston. Philos. Mag.，1920，40：628－634.

[24] Blewett J P. Phys. Rev.，1936，49：900－903.

[25] Williams D，Yuster P. Phys. Rev.，1946，49：556－567.

[26] Cameron A E，Lippet E L. Science，1955，121：136－137.

[27] Catanzaro E J，Murphy T J，Garner E L，et al. J. Res. Natl. Bur. Stand.，Sect. A，1964，68：593－599.

[28] Xiao Y K，Liu W G，Qi H P，et al. Inter. J. of Mass Spec. and Ion Pro，1993，123：117－123.

[29] Eggenkamp H G M，Coleman M L. Chem. Geol.，2000，167：393－402.

[30] Shouakar－Stash O，Frape S K，Drimmie R J. Anal. Chem.，2005，77：4027－4033.

[31] Shouakar－Stash O，Alexeev S V，Frape S K，et al. Appl. Geochem.，2007，22：589－605.

[32] Gelman F，Halicz L. Int. J. of Mass Spec.，2010，289：167－169.

高性能竹质活性炭制备方法的热重试验分析

赵晓媛[1]　朴桂林[2]　谢　浩[2]　汪小蕾[1]

（1. 东南大学能源与环境学院　南京　210096；
2. 南京师范大学动力工程学院　南京　210042）

摘　要　该文对制备高性能竹质活性炭的三种方法进行了热重分析研究。采用 KOH 和二氧化碳作为活化剂，碱炭比分别为 0.7 和 4，采用高纯氮气做保护气，加热终温为 1273K。通过对 TG、DTG 曲线的分析，深入研究了几种反应条件对质量变化和反应速度变化的影响，而且根据反应动力学方程得出的表观活化能 E 和频率因子 A，提出了相应的反应机理。

关键词　活性炭　活化能　热重

活性炭是一种由含碳材料制成的具有丰富孔隙结构（包括微孔、中孔和大孔），巨大比表面积的一类微晶质碳素材料。它具有吸附能力强、化学稳定性好、机械强度高，且方便再生等优点，是一种常用的吸附剂、催化剂或催化剂载体。目前制备高性能活性炭的原料以煤炭为主，通常采用碱土金属的氢氧化物和碱金属盐为活化剂[1]。由于化石原料和煤炭资源为不可再生资源，所以如何寻求廉价而丰富的原料替代木材和煤炭是目前活性炭制备领域需要解决的问题，而且开发高性能活性炭已经成为当前活性炭工业发展的方向之一。

目前国内外针对以生物质为原料制备高性能活性炭运用各种活化方法，Chi - Chang Hu[2]等用 KOH 活化开心果壳，得到了比表面积为 $1013m^2/g$ 的活性炭，再用 CO_2 进行物理活化，可进一步拓宽微孔和中孔，用此法制备的活性炭比表面积最高可达 $2145m^2/g$；Molina - Sabio[3]等用 H_3PO_4 和 CO_2 活化木质纤维素材料的活性炭，其比表面积达到 $3700m^2/g$ 的超级活性炭。Mitsuhiro Kubota[4]等用微波法加热 KOH 浸渍的酚醛树脂，得到活性炭比表面积所需的温度比传统加热法低。国内最近几年，樊希安[5,6]等利用微波辐射处理竹节废料制备活性炭，大大提高了传统的活性炭制备效率。而以竹子为原料的高性能活性炭的研究很少，我国是竹资源非常丰富的国家，据我国森林资源清查统计[7]显示，我国现有竹林面积 484.26 万 hm^2，竹林面积、蓄积量及年产量均居世界之首。作为原料常常用于制备竹炭、竹醋、竹药膳、竹沥等，然而竹材加工业过程中附加值较低。若按本研究方案提出的竹子中抽去纤维素，剩余木质素制备高性能活性炭，由于其加工剩余物或废弃物高达 50% ~70%[8]，以替代煤炭为原料的活性炭，既可节约化石资源，又可给当地农民增加经济效益。

一、实验装置及方法

（一）样品

试验采用的样品以常见的毛竹为试验材料，将毛竹干燥磨细，然后过筛，选用 100 ~200 目的竹子粉末进行元素分析与工业分析，如表 1 所示。

表 1　元素分析与工业分析

	C_{ad}/%	H_{ad}/%	O_{ad}/%	N_{ad}/%	M_{ad}/%	V_{ad}/%	A_{ad}/%	Q_{GW}/kJ/kg
竹子	43.37	5.66	37.78	0.34	11.33	70.84	1.52	17 131

（二）样品的制备方法

选用天然毛竹作为原料，将竹子洗净，切成长约 2cm，宽约 0.5cm，厚约 0.5cm 的小块，放置在烘箱中干燥 24h，再放入管式炉中在 700℃下（升温速率为 15℃/min）烧制 1h，通入 N_2 的流量是 400ml/min，自然冷却至常温后取出制备的竹炭，然后将其粉碎过筛，收集 100～200 目的竹炭粉，按 KOH/C = 0.7 和 4 的不同 KOH 比例制成。

表 2 样品的特性

	样品名称	碱炭比	气氛
Run 1	T700	0	CO_2
Run 2	T700/X0.7	0.7	N_2
Run 3	T700/X0.7	0.7	CO_2
Run 4	T700/X4	4	N_2
Run 5	T700/X4	4	CO_2
Run 6	T700/X4	4	N_2-CO_2

（三）TG 实验方法

在 TG 实验中，取经过 700℃炭化以后的竹炭粉，得到的竹炭经过 KOH 浸渍 12h，按表 1 的试验条件进行热重分析。TG 实验系统图如图 1 所示。

称取一定量的竹炭加入坩埚中，分别采用 99.99% 的 N_2 与 99.99% 的 CO_2 两种不同气氛，流量为 100ml/min，通入 1h 以置换炉中空气。再以 15℃/min 的升温速率升至 1000℃。实验数据由与热天平相连的计算机自动记录，并由其自带的分析软件进行数据处理，实验完成后继续通入 N_2 直到残余物质冷却。

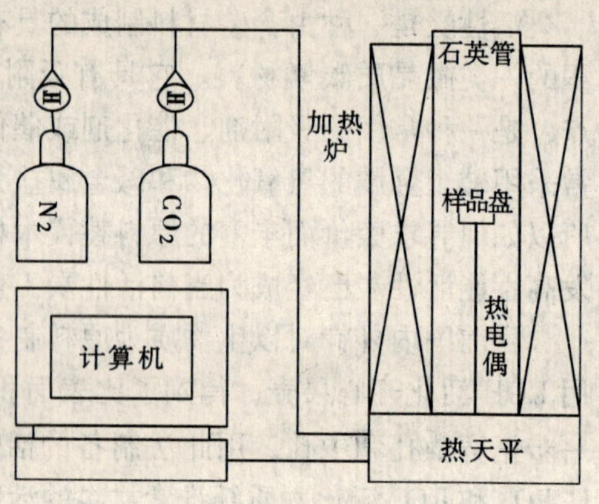

图 1 热天平实验台

二、结果与讨论

各种样品的热重变化曲线如图 2 所示。

根据反应动力学方程[8,9]，求得反应的表观活化能 E 和频率因子 A，表 3 为不同反应条件下的 E、A 值。

表 3 不同反应条件下的 E、A 值

	E/（kJ/mol）		A（-）	
温度 Run1	800～1 000℃			
	51.55		20.01	
温度 Run2	600～761℃	820～935℃	600～761℃	820～935℃
	65.75	211.37	29.99	95 763 497.70
温度 Run3	690～845℃			
	133.84		296 483.14	
温度 Run4	856～1 000℃			
	212.93		50 257 398.01	
温度 Run5	627～847℃			
	115.10		32 448.90	

根据图2与表3得出Run1在CO_2的气氛中，竹炭在800℃开始发生：$C + CO_2 \rightarrow 2CO$气化反应[10]，在8～9min间迅速反应，至完全反应为止。Run3在690℃左右开始发生活化反应，而物理活化法中采用二氧化碳活化制备活性炭需要850～1100℃的温度[11]，如图2中Run1所示。在常温下，KOH与CO_2反应生成K_2CO_3，而且K_2CO_3与C反应的温度在800℃以上，所以有K_2CO_3的存在，使CO_2活化的温度降低。Run2与Run3相比较可以看出，有CO_2的存在加快了反应速率，也就见证了KOH和CO_2共存下，一方面是因为生成的碳酸钾、金属钾和氧化钾对CO_2活化起到了催化作用[12]，促进了气化反应的进行，另一方面可能是因为CO_2对KOH活化法起了催化作用；因此得出单独用KOH作活化剂的活化反应开始的温度比KOH－CO_2活化剂的要高，后者的温度一般考虑控制在800℃左右。目前工业上用KOH和K_2CO_3做催化剂，用量在0.1%～5%之间，可以显著地提高物理活化速率和产品的性能[12]。Run3和Run5在碱金属的催化作用下进行脱水反应后，并在CO_2的反应影响下，650℃左右开始进行氧化钾的活化反应，认为在800℃左右被氢气和碳还原，以金属钾（沸点762℃）形式析出，金属钾的蒸气不断挤入碳原子所构成的层与层之间进行活化。Run2和Run4反应速度比较缓慢，即是在800℃以上的高温区才开始脱水反应和$4KOH + C \rightarrow K_2CO_3 + K_2O + 2H_2$反应[13]。不难看出$CO_2$和KOH活化的复合方法能够提高活化反应速率。

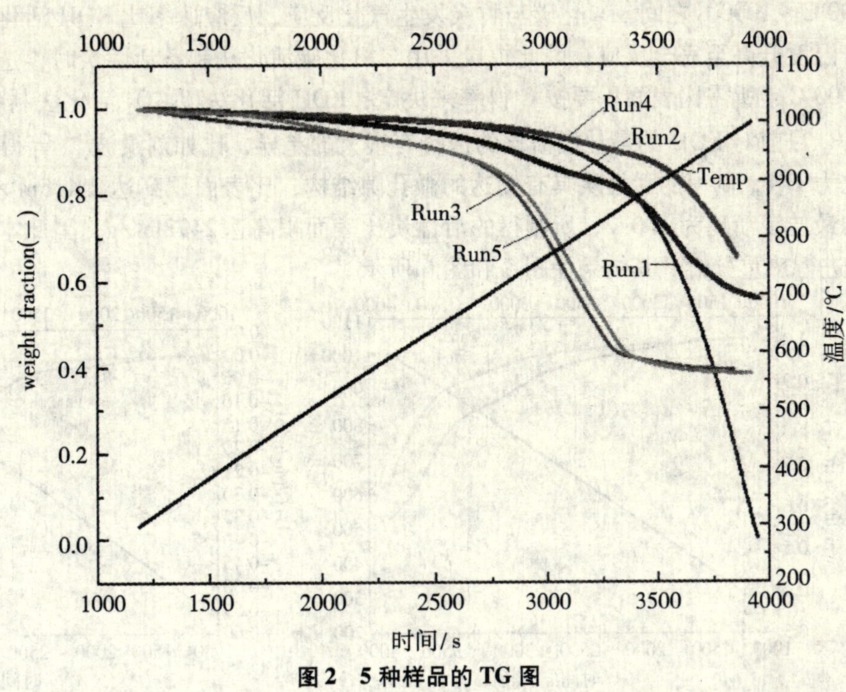

图2　5种样品的TG图

为了考察二氧化碳气氛和KOH对活化反应的影响程度，由图3和图4所示。

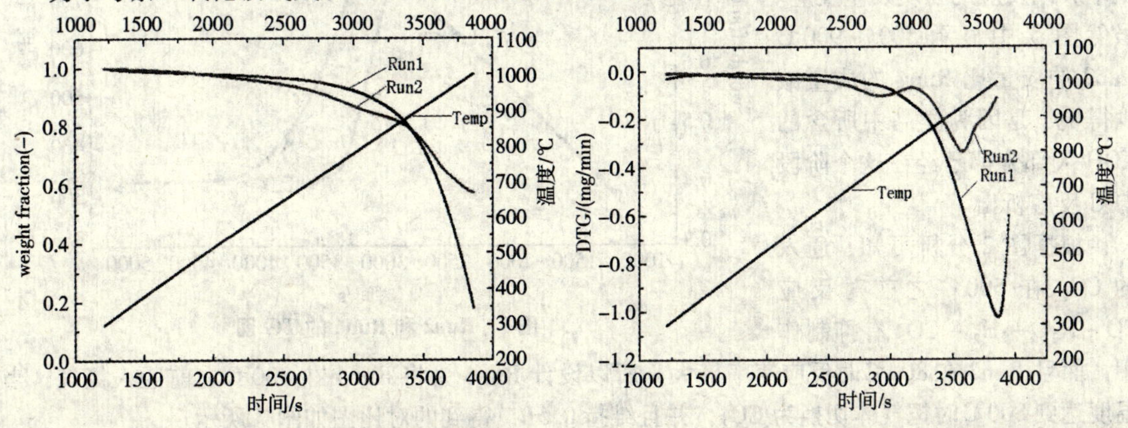

图3　KOH和CO_2活化的重量变化对比

图4　KOH和CO_2活化反应速度的比较

由图3和图4可以看出在500～800℃之间二氧化碳与竹炭的反应比KOH活化反应慢，而在

800℃～1000℃之间二氧化碳与竹炭发生气化反应，反应速率比 KOH 活化反应的速率大，而且随着温度升高至完全反应。因此竹炭采用二氧化碳活化法制备活性炭时，选取的活化温度不能超过1000℃，所需比表面积要按 C 得率来决定；KOH 活化法比 CO_2 活化法制备活性炭的温度低。

目前对 KOH 的最佳浸渍比的选择有很大的差异，比如刘洪波[14]等得到的最佳条件下的料液比为 1∶4，制得的活性炭具有发达的微孔隙结构，比表面积高达 2 415m^2/g。而余梅芳[15]等得到的最佳浸渍比为 1∶0.7，所制得的活性炭比表面积高达 2492m^2/g，因此本实验研究选择了 0.7 和 4 进行热重分析。其结果如图 5 和图 6 所示。

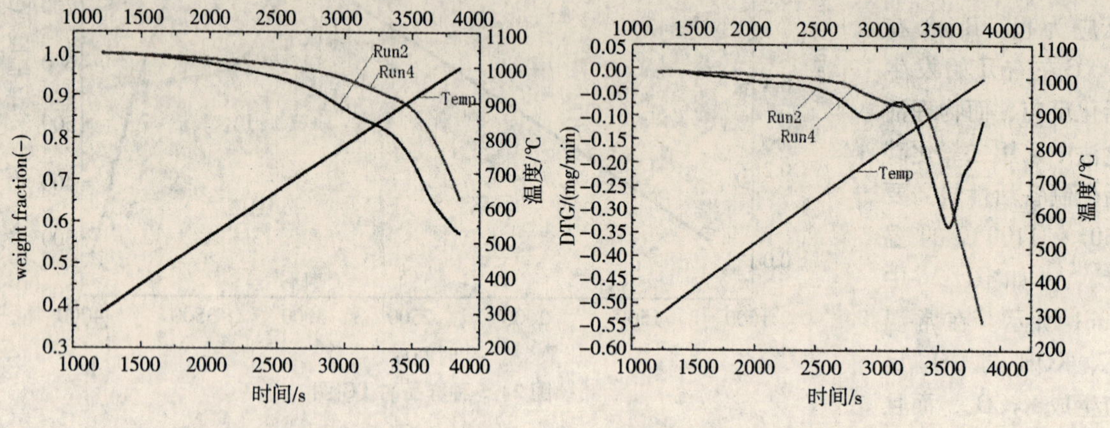

图 5　Run2 和 Run4 的 TG 图　　　图 6　Run2 和 Run4 的 DTG 图

从热重曲线可以得出虽然都在氮气气氛下，KOH 的含量不同的条件 Run2 和 Run4 从 500℃左右以后的反应速率就开始发生变化，前者要比后者反应得快，而且 Run2 的最大反应速率发生在 900℃左右，比 Run4 的样品要降低 100℃左右，说明发生活化反应的温度要比 Run4 低。而且从图 6 中还可以看出两者的速率变化较大的点有两个，其中前面的点可能是由于金属钾的析出，而且 Run4 的最大反应速率是 Run2 的两倍，这说明在 1000℃下前者比后者的反应要彻底，是因为 KOH 的量在这个温度下对反应的影响比较大，Run2 中 KOH 已经在 1000℃以前基本消耗掉，而 Run4 中前面反应剩下的 KOH 在 1000℃左右与竹炭中难以反应的物质发生反应。虽然图 5 中显示 500～900℃ Run2 的质量比 Run4 的质量减少得快，是因为样品中所含的 KOH 大部分都已经在这个阶段与 C 反应析出。

根据图 2 分析可知，通入的 CO_2 在 500℃之前对反应 $CO + H_2O \rightarrow H_2 + CO_2$ 有抑制作用，而且 Run2 在 800℃时反应速率最大，所以设计 Run6 为将 Run4 在 800℃之前通入氮气，当温度达到 800℃时把气体切换为 CO_2，并且维持 0.5h，得到的对比图如图 7 所示。

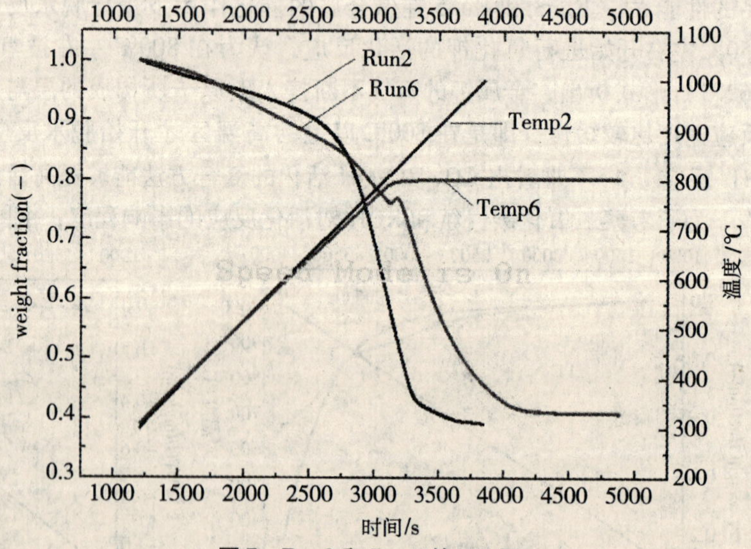

图 7　Run2 和 Run6 的 TG 图

由图 7 可以看出，800℃以后两种条件的剩余质量分数差别很小，而且 Run6 在维持 800℃一段时间后，质量一直不变，而 Run2 从 800～1000℃质量还在减小，这是因为反应 $K_2CO_3 + C \rightarrow$

2K+3CO 发生的温度比较高，在800℃时不能完全反应。但是生成 K_2CO_3 的量比较少，所以在今后的活化实验中可以选取800℃作为反应温度。

三、结　论

1. 通过单独使用 CO_2 和 KOH 作为活化剂，然后再用两者结合的方法进行热重分析，得到用不同活化剂的活化温度范围，而且得出使用结合活化法对竹子进行活化的温度比单独使用其他两种活化剂要低100~200℃。结合活化法与传统的物理化学方法不一样，可以看出在低温的时候 CO_2 对 KOH 活化反应有一定的影响，但是影响很小。

2. 通过对比浸渍比分别为0.7和4的两个热重曲线可以看出浸渍比为0.7的样品在达到最大反应速率的温度和时间较快，而且在500~900℃之间反应速率比浸渍比为4的样品快。但是在1000℃左右前面反应剩下的KOH与竹炭中难以反应的物质发生反应，消耗掉这些物质，使竹炭的孔隙变大；根据所需比表面积要按C得率来决定，热重实验不能显示C的质量变化，所以我们需要通过后续的活化实验结果得出最佳的浸渍比。

参考文献

[1] 刘月蓉．氢氧化钾法制备竹活性炭［J］．生物质化学工程，2006，40（4）：38-40.

[2] Rodriguez - Reinoso F1 In：Lahaye J，Ehrburgor P eds1 Fundamental issues in control of carbon gasification reactivity1 Kluwer Academic Publishers，1991：533-534.

[3] Molina—sabio M，Rodriguez·Reineso F，Caturla F，et a1. Development of porosity in combined acid—carbon dioxide activation. Carbon，1996，34（4）：457-462.

[4] Characterization of pistachio shell - derived carbons activated by a combination of KOH and CO_2 for electric double - layer capacitors.

[5] 樊希安，彭金辉，秦文峰，等．微波辐射处理竹节废料制备活性炭研究［J］．林产化学与工业，2003，23（3）：56-60.

[6] 樊希安，彭金辉，秦文峰，等．微波辐射在制备竹节活性炭中的应用研究［J］．离子交换与吸附，2003，19（3）：254-261.

[7] 戴宪德，徐传保，戴庆敏．竹子资源及研究进展［J］．山东林业科技，2009（1）：107-111.

[8] 邵千钧，彭锦星，徐群芳，等．竹质材料热解失重行为及其动力学研究［J］．太阳能学报，2006，27（7）：671-675.

[9] 赖艳华，吕明新，马春元，等．秸秆类生物质热解特性及其动力学研究［J］．太阳能学报，2002，23（2）：203-206.

[10] 立本英机，安部郁夫．高尚愚，译．活性炭的应用技术——其维持管理及存在问题［M］．南京：东南大学出版社，2002：30-124.

[11] 司崇殿，郭庆杰．活性炭活化机理与再生研究进展［J］．中国粉体技术，2008，14（5）：48-52.

[12] 窦智峰，姚伯元．高性能活性炭制备技术新进展［J］．海南大学学报，2006，24（1）：74-81.

[13] 张发新．化学教学，1999（4）：17.

[14] 刘洪波，常俊玲，张红波，等．竹炭基高比表面积活性炭电极材料的研究［J］．炭素技术，2003（5）：1-7.

[15] 余梅芳，胡晓斌，王康成，等．KOH活化制备高比表面积竹活性炭研究［J］．浙江林业科技，2006，26（3）：17-20.

纳米材料的毒理学安全性研究进展

宋云扬　余　涛　李艳军

（防化研究院　北京市1044信箱400号　102205）

摘　要　由于纳米材料独特的物理化学性质，正被人们广泛应用于医药、军工、化工等众多领域，使研究者、生产者和消费者有更多机会接触纳米材料，纳米材料的安全性引起了各方面的关注和争论。文中简述了纳米材料的发展近况、特点、其对人体与环境潜在威胁及毒理学研究进展，最后提出在纳米技术形成产业之前，人类应有机会了解其对环境和人类健康的影响。

关键词　纳米材料　毒性　半数致死剂量

一、前　言

纳米材料是纳米粒子组成的超微颗粒材料，纳米材料的粒径分布在1～100 nm。纳米材料作为一种新型材料正被人们广泛应用于机械、电子、纺织、汽车、军事装备、家用电器、医药和化工等众多领域。目前，人们已经掌握了直接用纳米材料制造产品或将其添加到常规材料中改变原材料性能的技术。由于纳米材料的发展领域广泛，使研究者、生产者和消费者今后将有许多机会接触纳米材料，但是纳米材料独特的理化性质，可能会对人体及生态环境造成污染，从而危及人类健康。因此，科学家们逐渐认识和重视纳米材料可能带来的生物安全性方面的影响以及相关研究。

二、纳米材料的特点及其对人体与环境的潜在威胁

当粒子尺寸进入纳米量级时，纳米级颗粒本身和由它构成的纳米固体主要具有4个方面的效应，即小尺寸效应、量子尺寸效应、表面效应和宏观量子隧道效应。由这些效应可导致异常的吸附能力、化学反应能力、分散与团聚能力等，其特征与大块的材料有明显的区别。

（一）纳米材料的扩散和渗透能力

纳米材料的超微性提醒我们应该重新认识和理解人体对颗粒性物质的吸收过程和它能引起的生物学影响。皮肤是人类阻挡外源性物质的重要屏障系统，它能有效地阻止宏观颗粒物经皮肤进入体内，而纳米粒子有可能会随着人的呼吸作用进入气管和肺部。对于纳米粒子来说，即使在宏观状态时，也完全有可能通过简单扩散或以渗透形式经过肺血屏障和皮肤进入体内[1]。科学家们已经知道，纳米微粒比大一些的颗粒能更多地沉积于肺内，也更深入于肺组织内[2]。

（二）纳米材料的吸附能力和化学活性

纳米材料比表面积大，粒子表面的原子数多，周围缺少相邻原子，存在许多空键，故具有很强的吸附能力和很高的化学活性[1]。

（三）纳米材料的环境效应

把纳米材料放在环境中来考虑，将发现它们有许多共同的环境和生态特征，归纳如下[3]：①生物大分子的强烈结合性。纳米污染物往往具有显著的配位、极性、亲脂特性，有与生命物质强烈结合进入体内的趋势。②生态系统的潜在蓄积毒性。纳米级污染物在环境中存在的浓度一般较低，往往被大量污染物所掩盖。但它们一旦被摄入后即可长期结合潜伏，在特定器官内不断积累增大浓度，终致产生显著毒性效应。另外，通过食物链逐级高位富集，也可导致高级生物的毒性效应。③多种污染物的组合复合性。环境中永远是多种化合物以各种形态同时存在，相互拮抗或协同，成为复合污染体系，难以分辨和控制。④扩散和迁移的传播广阔性。小分子化合物的扩

散属于分子扩散，纳米级物质则可由布朗运动及介质涡流促成扩散，特别是当它们吸附在颗粒物表面上或由生命体携带，可以实现远距离的输送传播，在广阔的空间范围内产生污染效应。

（四）纳米材料的潜在性威胁

宏观物质被制成纳米材料后虽然物质组成未发生变化，但是对机体产生的生物学效应性质和作用强度可能发生本质上的改变。通过扩散和渗透作用纳米材料除了比较容易进入人体外，还可以比较容易透过生物膜上的孔隙进入细胞内或细胞中的细胞器内，并和生物大分子发生反应，使生物大分子和生物膜的正常立体结构发生改变，导致体内一些激素和重要酶系的活性丧失；或使遗传物质产生突变导致肿瘤发病率升高或促进老化进程。纳米材料也可以比较容易通过血脑屏障和血睾屏障对中枢神经系统的神经元功能、精子生成过程和精子形态及活力产生不良影响。它也可能通过胎盘屏障对胚胎早期的组织分化和发育产生不良影响，导致胎儿畸形[1]。当纳米材料在生产、使用、处置过程中向环境释放时，可能导致环境污染。有研究者提出，纳米颗粒难溶于水，故不必担心其会污染地下水环境[4]。但有研究发现，由于纳米碳管具有相当大的表面积，所以其他种类的分子能够吸附在碳管上，并通过地下水作用将污染物大面积传播，而导致环境恶化[5]。也有研究表明，C_{60}是一种亲水的纳米材料，它可以在没有任何表面处理的情况下于水中形成胶体样物质，其溶解度是多环芳烃（PAHS）在水中溶解度的100余倍，而水中很低浓度的PAHS也会对环境产生影响，因此推测C_{60}可能具有相似的属性，因此有必要对水环境中可能存在的纳米颗粒进行理化特性的评价[4]。

三、纳米材料毒理学研究进展

多数学者认为在颗粒尺寸减小到一定程度时，原本无毒或毒性不强的物质或材料开始出现毒性或毒性明显加强；而且纳米材料在生物体内可能会出现特殊的代谢情况，产生特殊毒性。当纳米材料进入生物体后首先是通过体液流动渗透进入血液循环系统，通过内循环进入组织液、淋巴等。随着体液的流动，纳米材料将进入其他的器官或在组织中蓄积，纳米粒子极有可能在这些地方蓄积并起破坏作用。至于纳米材料的毒作用机制，有学者猜测：纳米级的微小颗粒可能会穿越生理屏障，干扰相应功能；因此，根据常规物质研究所得到的毒理学数据库与安全性评价结果，可能并不适用于纳米物质。许多纳米分子具有自我组装能力，当其进入人体后，也许会干扰正常生命中本来的分子组装过程。纳米物质有无毒性以及在体内是如何发挥毒性的，毒理学家对这一基本问题未有明确答案，不过已经开展许多相关的研究。

（一）纳米二氧化钛（TiO_2）的毒性研究

纳米二氧化钛（TiO_2）是一种广泛使用的材料，有抗菌、光催化、抗紫外线等特性，可以通过各种产品如化妆品、涂料、印刷、医药和染料等多种途径，甚至是通过空气、食物链进入人体，它的应用安全性也引起人们的广泛关注。Afaq等[6]用支气管注入法研究超细TiO_2颗粒对老鼠的毒性时，发现TiO_2颗粒引起了肺部组织间质化，并诱发了炎症，使上皮组织的渗透性增加。宋文华[7]等采用非暴露式气管内注入法将TiO_2颗粒悬液注入动物模型小鼠，定期染毒。实验证实纳米TiO_2颗粒对小鼠肺的急性损伤作用比常规TiO_2更严重，对生物体健康构成潜在威胁。大剂量TiO_2染毒对小鼠血清生化指标的测试表明，纳米TiO_2组小鼠血清LDH水平明显高于对照组和微米TiO_2组，提示TiO_2可能引起组织和细胞损伤[8]。

（二）纳米铁粉的毒性研究

由于纳米铁粉具有比一般铁材料更好的性能，正广泛进入生产、生活领域。谷氨酸修饰的磁性三氧化二铁纳米颗粒在小鼠体内的代谢情况研究表明：该纳米颗粒可以穿过血脑屏障，血睾屏障和血眼屏障[9]。王天成等[10]观察到纳米铁粉还可使染毒小鼠血清血糖（GLU）明显降低，而微米铁粉染毒组小鼠血清 GLU 水平与对照组相比差异无统计学意义，显示纳米粒径铁粉对小鼠血糖的影响明显要大于微米粒径铁粉。

（三）碳纳米管的肺毒理学研究

碳纳米管具有强度高、吸收能力强、热稳定性好和电磁学性能优异等多种特性，已应用于人们日常生活的多个方面。但碳纳米管质量轻，可在空气中传播，尤其可以在肺部沉积，由此引起人们对于其生物安全性的关注。Lam 等[11]以 0.1 ~0.5mg/kg 碳纳米管以气管注入大鼠染毒，结果碳纳米管染毒组大鼠观察到肺上皮肉芽肿，存在剂量反应关系。周晓蓉等[12]通过实验证实，单壁碳纳米管对大鼠的肺脏有损伤作用，可能引起肺组织纤维化。

（四）纳米聚四氟乙烯的毒性研究

Service 等[13]用纳米聚四氟乙烯对大鼠做吸入染毒，当聚四氟乙烯直径为 20nm 时，染毒 15min，多数大鼠在 4h 内死亡，而直径为 130nm 时，大鼠则不受影响。

（五）C_{60}的毒性研究

有研究发现 C_{60}可引起脑损伤[14]，并可以通过肺进入人体的组织器官；经腹腔注射 C_{60}对大鼠的 LD_{50}为 600 mg/kg，较低剂量时可观察到异常肾损伤[15]，静脉给予大鼠 25 mg/kg 的 C_{60}颗粒后，大鼠出现呼吸困难和自发性运动亢进以致死亡。

（六）纳米 SiO_2 毒性研究

范轶欧[16]等研究了纳米 SiO_2 和微米 SiO_2 对大鼠生精功能的影响。研究表明纳米 SiO_2 致生殖损伤的能力强于微米 SiO_2。应杏秋等[17]观察并比较了纳米 SiO_2 与标准 SiO_2 对大鼠的急性肺损伤作用，结果显示纳米 SiO_2 致急性肺损伤作用比标准 SiO_2 强。

（七）其他纳米材料的毒理学研究

目前，研制开发的纳米材料种类繁多，除了前面介绍的几种生产量大、应用广泛的纳米材料外，其他纳米材料的毒理学研究也时有报道。稀土纳米抗菌材料能够引起人血淋巴细胞微核率显著升高，提示稀土纳米抗菌材料具有一定的遗传毒性[18]。马建伟[19]也证实在稀土纳米抗菌材料作用下，红细胞的生物膜结构发生了变化，红细胞脆性增加，抵抗低渗盐水的能力降低。

四、讨论与展望

正是因为纳米材料的特殊性质及其潜在的负面效应引起人们的关注，有必要对纳米材料的安全性作出毒理学评价。虽然国内外一些学者对纳米材料的安全性问题展开了初步的研究，获得了一些数据，取得了一些成果，但仍存在一些不足。当前世界各国对纳米材料毒理学研究还处在初级阶段，没有统一、标准、规范的研究方法；各实验室研究得到的结果会有不一致的情况，有必要建立合理、有效、快速的评价方法，制定纳米材料的安全性评价规范。且目前对纳米颗粒物对环境中的植物、动物、水等的影响，以及纳米材料在大气等环境中的迁移行为、转化行为、团聚的方式和速率，环境纳米颗粒的检测方法和技术等研究还很不充分，需要进行更深入研究。为了研究纳米物质生物效应的机制，准确评价和发现纳米材料的毒性，我们需要确定纳米颗粒在体内的吸收、分布、代谢和清除的生物学通路，各种形态纳米物质与生物器官相互作用的方式，不同纳米材料可能的靶器官或生物标志物等，才有可能全面地考察其体内作用效应和安全性。纳米材料安全性研究，需要多学科地融合和互相协作来完成。纳米技术研究将是人类历史上首次能够在技术成熟并形成产业之前，就有机会对其在健康和环境方面的影响进行评估的课题。

参考文献

[1] JIN Yi - he, SUN Peng, ZHANG Ying - hua. Problem of potential effects of nanomaterials on mankind [J]. Chi-

nese Journal of Nature, 2001, 23 (5): 306 - 307.

[2] Hoet PHM, Nemmar A, Nemery B. Health risk of inhaled (nano) - particles [C] //7th World Biomaterials Congress. Australia Sydney: Sydney Convention & Exhibition Centre, Darling Harboar, 2004, 751.

[3] 赵春芳. 纳米材料的环境风险 [J]. 化学教学, 2005, (5): 42 - 43.

[4] 王翔, 贾光, 王生, 等. 纳米材料与健康效应关系的研究进展 [J]. 国外医学卫生学分册, 2005, 33 (1): 1 - 6.

[5] 邓平晔. 纳米科技新课题: 纳米科技潜在风险与纳米安全研究 [J]. 现代科学仪器, 2004, (5): 3 - 6.

[6] Afaq F, Abidi P, Matin R et al. J Appl Toxicol, 1998, 18: 307 - 312.

[7] 宋文华, 白茹, 王雯. 纳米 TiO_2 材料的环境与健康效应初探 [J]. 南开大学学报 (自然科学版), 2006, 39 (6): 41 - 44.

[8] 王天成, 王江雪, 陈春英. 大剂量纳米二氧化钛染毒对小鼠血清生化指标的影响 [J]. 工业卫生与职业病, 2007, 33 (3): 129 - 131.

[9] 刘岚, 唐萌, 刘璐, 等. Fe_2O_3 - Glu 纳米颗粒在小鼠体内的代谢动力学研究 [J]. 环境与职业医学, 2006, 23 (1): 1 - 3.

[10] 王天成, 贾光, 王翔. 纳米铁粉对小鼠血糖和血脂的影响 [J]. 现代预防医学, 2007, 34 (1): 7 - 10.

[11] Lam CW, Jmes JT, Mccluskey R, et al. Pulmonary toxicity of single - wall carbon nanotubes in mice 7 and 90 days after intratracheal instillation [J]. Toxicol sci, 2004, 77 (1): 126 - 134.

[12] 周晓蓉, 郑薇薇. 单壁碳纳米管肺脏毒性的研究 [J]. 毒理学杂志, 2005, 9 (3) (增刊): 195.

[13] Service RF. Show signs of toxicity [J]. science, 2003, 300 (11): 243.

[14] Oberdorster E. Manufactured nanomaterials (fullerenes, C_{60}) induce oxidative stress in brain of juvenile largemouth bass [J]. Environ Health Perspect, 2004, 112: 1058 - 1062.

[15] Chen HH, Yu C, Ueng TH, et al. Acute and subacute toxicity study of water - soluble polyalkylsulfonated C_{60} in rats [J]. Toxicol Pathol, 1998, 26 (1): 143 - 151.

[16] 范铁欧, 张颖花, 张晓芃, 等. 吸入二氧化硅纳米颗粒和微米颗粒对雄性大鼠精子及其功能的影响 [J]. 卫生研究, 2006, 35 (5): 549 - 553.

[17] 应杏秋, 郑一凡, 祝惠娟, 等. 纳米 SiO_2 与标准 SiO_2 对大鼠肺毒作用的比较研究 [J]. 中华劳动卫生职业病杂志, 2007, 25 (1): 26 - 29.

[18] 陆兴熠, 苏冬梅, 艾福花. 纳米抗菌材料对人体健康的影响 [J]. 中国临床康复, 2006, 10 (13): 164 - 166.

[19] 马建伟, 秦泗霞, 苏冬梅. 稀土纳米抗菌材料对红细胞脆性的影响 [J]. 环境与职业医学, 2006, 23 (2): 153 - 155.

新型生物材料细菌纤维素在环境领域中的应用进展

朱艳彬　夏　露　李　珊　刘振鸿

（东华大学环境科学与工程学院生态纺织教育部重点实验室　上海　201620）

摘　要　细菌纤维素（bacterial cellulose）是由微生物合成的一种超微纯纤维素，具有纯度高、结晶度高，吸水性强，抗张强度好、生物适应性强等独特的性质。作为一种新型的生物可降解材料，近年来细菌纤维素逐步应用于废水处理技术和环境友好型材料等领域。

细菌纤维素（bacterial cellulose）是由微生物合成的一类高分子化合物，具有纯度高、结晶度高、吸水性强、抗张强度好、生物适应性强等独特的性质，广泛地应用于食品、造纸、医学工程等领域。作为一种新型的生物可降解材料，近年来细菌纤维素逐渐应用于环境保护领域。

一、细菌纤维素的结构及特点

（一）结构

细菌纤维素（bacterial cellulose，BC）是由微生物合成的一种超微纯纤维素，与自然界中的植物纤维素化学结构相似，都是由吡喃型葡萄糖单体（β－D－葡萄糖）通过β－1，4－糖苷键连接而形成的一种无分支、大分子直链聚合物，具有（$C_6H_{10}O_5$）$_n$ 的组成，直链间彼此平行，不呈螺旋构象，无分支结构，又称为β－1，4－葡聚糖[1]。与高等植物细胞中的纤维素相比，细菌纤维素具有特殊的形态结构[2]。它由独特的丝状纤维组成，纤维直径在0.01～0.1μm之间，每一丝状纤维由一定数量的微纤维组成，微纤维的大小与结晶度有关[1]。细菌纤维素的结构随菌株种类和培养条件的不同而有所变化。

（二）特点

细菌纤维素虽然与植物纤维素的化学组成相同，但从纤维素分子的高级结构和存在状态来看，它是由超细纤维组成的超微纤维网。一根典型的细菌纤维线宽仅有0.1μm，而针叶木浆纤维的宽度至少有30μm，即使棉花纤维的宽度也约为15μm[3]。因此，细菌纤维素除了具有吸水性、溶解性、耐热性、可及性等纤维素的共有特点外，还具有独特的理化性质和机械性能[4]。

1. 细菌纤维不含半纤维素、木素和其他细胞壁成分，是100%的纤维素；高聚合度可达2000～8000。

2. 弹性模量大，高达1.5×10^{10}Pa[5]，为一般植物纤维素的数倍至10倍；且抗张强度高，在造纸工业中已表现出广阔的应用前景，如增稠剂、高强度纸张、高品质薄层印刷纸等纸面的开发。贾士儒等人[6]在苇浆中分别配加2%、10%、40%的细菌纤维，裂断长分别提高了17%、22%、29%，同时耐破指数分别提高了8%、8%、58%；纤维间结合力也明显增加，当细菌纤维添加量为40%时，耐破度大幅上升。

3. 高持水能力，未经干燥的细菌纤维素的持水量（WRV）值高达1000%以上，冷冻干燥后的持水能力仍超过600%[7]。经干燥后的细菌纤维素的持水值也比典型的植物纤维棉绒纤维高70%。

4. 形状可塑性和生物合成的可调控性。细菌纤维素是一类多糖聚合物，可以通过生物、化学或物理的方法对其分子进行修饰，改变分子特性，从而更好的应用。Y. Z. Wan等人[8]将细菌纤维素表面磷酸化，然后与羟基磷灰石混合，制成了有超微结构的改性纤维素，经过SEM、XRD、FTIR、TEM扫描以后，分析此改性物质具备了更高的机械性能和可降解性能。赵琼等人[9]以木醋杆菌 C5 为出发菌株对其进行紫外诱变，将照射时间 3min 作为紫外诱变剂量，获得一株纤维素高产菌株 C544，比原出发菌株产量提高近 50%。

5. 较高的生物相容性、适应性。细菌纤维素膜已经成功地应用于处理烧伤、烫伤及皮肤移植和慢性皮肤溃疡等[10]。它还可以用作人造皮肤、人造血管等新型材料。S. W. Chen[11]等人将细菌纤维素制成的一种生物膜用于处理伤口，与普通纱布比较 7 天、14 天、21 天、28 天后，伤口恢复效果均优于后者，从而显示其在医学材料方面广阔的应用前景。

6. 良好的生物可降解性，在自然界可直接降解，不污染环境，是环境友好型产品[12]。

二、细菌纤维素在环境工程领域中的应用

细菌纤维素发现至今已有 100 多年的历史，近年来随着对其生物合成机制的深入了解以及发酵条件的改善，加速了细菌纤维素的工业合成和应用。目前，细菌纤维素在环境工程领域的应用主要涉及两个方向：一是作为废水处理单元中的吸附介质用于处理含重金属的废水；二是作为一种新型绿色材料，制备环境友好型膜或无纺布。

（一）废水中重金属离子的吸附去除

吸附法去除重金属是一种较为高效、经济的处理重金属离子废水的方法[13]，而开发低投入、高效率的新型环保吸附剂也成为适应经济社会发展的方向之一。纤维素及其改性物质已被广泛地应用于吸附重金属离子[14-17]。细菌纤维素由于其分子内存在大量的亲水性基团，使其具有强吸水和持水保湿能力，吸附效果很好。

近年来，应用细菌纤维素吸附去除废水中的重金属离子已有诸多报道[18-20]。B. R. Evans 等人[21]就发现细菌纤维素膜能够催化溶液中的钯离子发生置换反应，使钯离子沉积到膜表面，对于溶液中的银离子和金离子具有同样的效果。艾亚菲[22]指出椰果纤维素对于电镀废水中的 Cu^{2+} 具有良好的吸附效果，其超细粉体的粒度大小对其吸附 Cu^{2+} 的影响很大，粒度越小，对 Cu^{2+} 的吸附作用便越明显；溶液的 pH 值从 4.0 上升到 6.0 平衡吸附量明显增加，但在高 pH 值时，平衡吸附量随 pH 值增加变得缓慢；增加吸附溶液的初始浓度和少量钾离子的加入都有利于提高平衡吸附量。而且该细菌纤维素对 Cu^{2+} 的吸附符合 Langmuir 模型，其最大吸附量可达到 4.58mg/g。

不仅纤维素单体能够吸附废水中的重金属，由于纤维素中含有大量的游离醇羟基，通过羟基的酯化、醚化、接枝共聚等一系列衍生化反应对其进行改性，在分子中引入具有特定吸附性能的官能团，可以制备出吸附力更强的天然高分子吸附剂。Wei Shen[23,24]等人就发现改性纤维素材料 EABC（二亚乙基三胺－细菌纤维素）和 CM－BC（羧甲基－细菌纤维素）对废水中的 Cu^{2+} 和 Pb^{2+} 具有更大的吸附量，pH 为 4.5 时具有最佳的吸附效果，用 EABC 吸附 2h 后达到平衡，Cu^{2+} 和 Pb^{2+} 的最大吸附量可达 63.09 mg/g 和 87.41mg/g；用 CM－BC 吸附 1h 后达到平衡，相对于 BC 单体吸附 Cu^{2+} 和 Pb^{2+} 的最大吸附量为 9.67mg/g 和 22.56mg/g，CM－BC 吸附的最大吸附量可达 12.63mg/g 和 60.42mg/g。同时吸附等温线方程服从 Langmuir 模型。而对于比表面积很大（可达 $800m^2/g$）的黏土类吸附剂，对 Pb^{2+} 的吸附能力仅有 6mg/g，经四甲铵离子改性处理后也只提高到 58mg/g[25]。应用细菌纤维素及其改性物吸附电镀废水中的 Ni^{2+} 和 Cr^{6+} 也都具有很好的效果，最大吸附量分别为 38.9mg/g 和 137.91mg/g[26,27]。因吸附容量与溶液 pH 值、重金属离子含量和离子强度等有关，所以不同研究者报道的容量值不同。

（二）环境友好型膜或无纺布合成与应用

细菌纤维素具有较高的生物相容性、适应性和良好的生物可降解性，在自然界中可直接降解[28,29]。因此，细菌纤维素作为生物材料，由此获得的薄膜强度高，是可生物降解的材料，能够满足当今开发绿色能源的需要。

王敏等人[30]以细菌纤维素为原料，氯化锂（LiCl）/二甲基乙酰胺（DMAc）为溶剂，通过相转化法制备了细菌纤维素膜。经扫描电镜观察膜的断面呈一定的片层结构，几乎没有孔洞；表面光滑均匀，非常致密，为均相结构，可见力学性能优良。由于细菌纤维素持水性和透水、透气性好，L. K. Pandey 等人[31]用细菌纤维素膜将溶于水中的二元有机混合物在蒸发过程中与水分离，以便于有机物的回收利用，阻止了有机物随水排入环境中造成污染，充分显示了纤维素膜的环境友好性。而且分离过程的能耗也很低，相比 PVA 膜 36kJ/mol，聚醚酰亚胺膜 22 kJ/mol，乳液聚合物 18 kJ/mol，细菌纤维素膜仅为 10kJ/mol。

细菌纤维素的开发使可回收或可降解的无纺布产品的技术开发成为可能，如纸尿布、一次性医疗防护服等废弃物处理问题的合理解决[3]。可利用微生物在培养液上层生成细菌纤维素，自行编织成天然的无纺布，也可在细菌纤维素合成过程中，通过添加特定的物质，得到所需特性的改性纤维素。

作为一种新型的绿色生物材料，细菌纤维素在食品、造纸、医学领域均有飞速发展的同时，在环境工程领域规模化生产应用范围还较窄。目前，纤维素类物质已经作为有机高分子絮凝剂和纳滤膜的材料用于废水净化处理中[32,33]，也有报道指出细菌纤维素用于生物传感器表面膜或许有助于进行环境监测中的生物毒性测定[34]。

参考文献

[1] 刘四新，李从发．细菌纤维素［M］．北京：中国农业大学出版社，1997.

[2] 马承铸，顾真荣．细菌纤维素生物理化特性和商业用途［J］．上海农业学报，2001，14（4）：93 - 98.

[3] 宋海农，张远秋，郭华清．细菌纤维素在造纸工业中的应用和展望［J］．广西大学学报，2004，29（1）：73 -76.

[4] 杨礼富．细菌纤维素研究新进展［J］．微生物学通报，2003，30（4）：95 -98.

[5] 张永凤，卢红梅，何绪晓，等．细菌纤维素及其应用［J］．江西食品工业，2007，1：29 - 32.

[6] 贾士儒，张恺瑞，胡惠仁，等．细菌纤维素在草浆纸中应用的探讨［J］．中国造纸学报，2002，17（2）：74 - 77.

[7] 周毓，刘艳．细菌纤维素研究进展［J］．广州化工，2007，35（2）：8 - 9.

[8] Y. Z. Wan，Y. Huang，et al. Biomimetic synthesis of hydroxyapatite/bacterial cellulose nanocomposites for biomedical applications［J］．Materials Science and Engineering，2007，27：855 - 864.

[9] 赵琼，杨谦．细菌纤维素高产菌株的紫外诱变育种研究［J］．食品与发酵工业，2007，33（7）：26 - 28.

[10] H. J. Son，M. S. Heo，Y. G. Kim，et al. Optimization of fermentation conditions for the production of bacterial cellulose by a newly isolated Acetobacter sp. A9 in shaking cultures［J］．Biotechnol Appl Biochem，2001，33：1 -5.

[11] S. W. Chen，X. Ma，R. M. Wang. Application of bacterial cellulose as the wound dressing in rats［J］．Abstracts/Journal of Biotechnology，2008，136：419.

[12] T. Kenji，F. Masashi，T. Mitstuo，et al. Synthesis of Acetobacter xylinum bacterial cellulose composition and its mechanical strength and biodegradability［J］．Mokuzai Gakkaishi，1995，41（8）：749 - 757.

[13] W. S. Wan Ngah，C. S. Endud，R. Mayanar. Removal of copper（Ⅱ）ions from aqueous solution onto chitosan and cross - linked chitosan beads［J］．Reactive and Functional Polymers，2002，50：181 - 190.

[14] 刘明华，林春香，黄建辉，等．一种新型球形纤维素吸附剂的制备Ⅱ．纤维素/AMPS 接枝共聚物的合成［J］．纤维素科学与技术，2006，14（2）：23 - 26.

[15] B. Acemioglu，M. H. Alma. Equilibrium studies on adsorption of Cu（II）from aqueous solution onto cellulose［J］．Journal of Colloid and Interface Science，2001，81 - 84.

[16] C. Liu，R. Bai，Adsorptive removal of copper ions with highly porous chitosan/cellulose acetate blend hollow ? ber membranes［J］．Membr. Sci.，2006，284：313 - 322.

[17] D. W. O' Connell，C. Birkinshawb，T. F. O' Dwyer. Heavy metal adsorbents prepared from the modi? cation of

cellulose: A review [J]. Bioresource Technology, 2008, 99: 6709 - 6724.

[18] M. Seifert, S. Hesse, V. Kabrelian, et al. Controlling the water content of never dried and reswollen bacterial cellulose by the addition of water - soluble polymers to the culture medium [J]. Polym. Sci. Part A: Polym. Chem. 2004, 42: 463 - 470.

[19] 邹瑜，陈仕艳，王静芸，等. 细菌纤维素吸附 Cu^{2+} 的研究 [J]. 材料科学与工程学报，2008，26 (3): 426 -429.

[20] T. Oshima, K. Kondo, K. Ohto, et al. Preparation of phosphorylated bacterial cellulose as an adsorbent for metal ions [J]. Reactive&Functional Polymers, 2008, 68: 376 - 383.

[21] B. R. Evans, H. M. O' Neill, V. P. Malyvanh, et al. Palladium - bacterial cellulose membranes for fuel cells [J]. Biosensors and Bioelectronics, 2003, 18: 917 - 923.

[22] 艾亚菲. 超细椰果纤维素对铜离子的吸附研究 [J]. 水处理技术，2008，30 (7): 19 - 21.

[23] W. Shen, S. Y. Chen, S. K. Shi, et al. Adsorption of Cu (II) and Pb (II) onto diethylenetriamine - bacterial cellulose [J]. Carbohydrate Polymers, 2009, 75: 110 - 114.

[24] S. Y. Chen, Y. Zou, Z. Y. Yan, et al. Carboxymethylated - bacterial cellulose for copper and lead ion removal [J]. Journal of Hazardous Materials, 2009, 161: 1355 - 1359.

[25] 郭嘉林. 天然高分子吸附剂在重金属离子废水处理中的应用 [J]. 大众科学，2008，6: 16 - 17.

[26] Ewecharoen, P. Thiravetyan, W. Nakbanpote. Comparison of nickel adsorption from electroplating rinse water by coir pith and modified coir pith [J]. Chemical Engineering Journal, 2008, 137: 181 -188.

[27] P. Suksabyea, P. Thiravetyanb, W. Nakbanpote. Column study of chromium (VI) adsorption from electroplating industry by coconut coir pith [J]. Journal of Hazardous Materials, 2008, 160: 56 - 62.

[28] 马承铸. 生物有机纳米材料——细菌纤维素 [J]. 精细与专用化学品，2001，18: 14 - 16.

[29] F. Yashinaga, N. Tonouchi, W. Kunihiko. Research progress in production of bacterial cellulose by aeration anti agitation culture and it s application as a new industrial material [J]. Bioscience Biotechnology Biochemistry, 1997, 61 (2): 219 - 224.

[30] 王敏，朱平，赵晓霞，等. 细菌纤维素膜的制备与性能 [J]. 功能高分子学报，2008，21 (4): 405 - 410.

[31] L. K. Pandey, C. Saxena, V. Dubey. Studies on pervaporative characteristics of bacterial cellulose membrane [J]. Separation and Purification Technology, 2005, 42: 213 - 218.

[32] J. H. Choi, K. Fukushi, K. Yamamoto. A submerged nano? ltration membrane bioreactor for domestic wastewater treatment: the performance of cellulose acetate nanofilltration membranes for long - term operation [J]. Separation and Purification Technology, 2007, 52: 470 - 477.

[33] 路婷，何静，王岩. LiCl/DMAc 非水溶液中纤维素均相接枝制备絮凝剂材料 [J]. 精细与专用化学品，2006，14 (6): 23 - 25.

[34] M. Tauber, R. Rosen, S. Belkin. Whole - cell biodetection of halogenated organic acids [J]. Talanta, 2001, 55: 959 - 964.

海胆毒物代谢酶分子生物学数据库的构建和应用

郝大程　李金洋　穆　军

（大连交通大学环境学院　大连　黄河路 794 号　116028）

摘　要　利用本研究组预测的海胆毒物代谢酶基因数据信息和网上公用数据库中有关海胆分子生物学数据，采用 MYSQL 为后台数据库，以 JSP 为开发工具，在 Windows XP 操作系统下实现了海胆毒物代谢酶分子生物学数据库系统的构建和 wwwBLAST 的本地化服务。在脱机状态下使用 BLAST 进行同源性比对，使得数据查询和序列比对更加方便、快捷、稳定和安全，而且增强了针对性。数据库最终以局域网的形式发布，通过授予权限可向同行提供利用。本课题组在中国产海胆等相关基因的克隆研究中使该数据库得到初步应用。

关键词　数据库　紫海胆基因组　隐马氏模型　JSP　MySQL

一、背景介绍

人类进入 21 世纪，人口增长、环境恶化和资源短缺已成为国际关注的焦点。海洋生物学和海洋生物技术研究和发展将在解决生命起源和进化以及解决人类面临的人口增长、环境恶化和资源短缺三大难题方面起突出作用。目前，对海洋生物资源的开发和利用已成为世界各国高科技竞争的焦点，核心问题之一就是海洋生物功能基因的研究与利用，而现在国际基因数据库中海洋生物基因仅占 5% 左右，极大地暴露了海洋分子生物学研究的落后局面。因此，世界各国纷纷投巨资开展海洋分子生物学和生物技术研究。紫海胆 *Strongylocentrotus purpuratus* 是海洋环境污染的重要指示生物及降解生物，是进行海洋环境监测、预警与分析测试及近岸海域污染防治的重要模式生物，但是目前缺乏应用计算机软件技术构建数据库对紫海胆基因的研究。本研究应用隐马氏模型预测紫海胆毒物代谢酶基因，结合最新的计算机软件技术对紫海胆 5 种毒物代谢酶基因进行了初步的研究。

根据外源性化学物质的体内生物转化反应的类型，毒物代谢酶可相应分为Ⅰ相代谢酶和Ⅱ相代谢酶。海洋生物Ⅰ相代谢酶包括 cytochrome P450/CYP——细胞色素 P450，flavoprotein monooxygenase/FMO——黄素单加氧酶。海洋生物Ⅱ相代谢酶包括 glutathione - S - transferases/GST——谷胱甘肽 - S - 转移酶，Sulfotransferases/SULT——磺基转移酶，UDP - glucuronosyl transferases/UGT——尿苷二磷酸葡萄糖醛酸转移酶等多种。海洋生物Ⅰ相代谢酶（以 CYP 为例）：主要参与外来化合物进入体内后的第一阶段激活反应。它们进入体内后主要经混合功能氧化酶催化，把无活性的毒物激活转变形成亲电子化合物，亲电子化合物可以攻击细胞内的生物大分子，与 DNA 形成加合物，进而启动毒物突变过程。海洋生物Ⅱ相代谢酶（以 GST 为例）：是体内重要的解毒酶系，催化还原性 GST 和Ⅰ相代谢酶代谢活化而来的广泛的活性亲电子化合物，共轭结合成亲电子物质，增加水溶性并将其排出，从而发挥解毒功能。一旦有毒物质进入细胞质，生物转化要求提高消除或失活作用。氧化（第一阶段）化学品，形成更多的亲水性代谢产物往往是导致排泄的最初的一步。氧化作用由 FMO 和 CYP 催化，特别是 CYP1，CYP2，CYP3 和 CYP4 家族成员。而后的接合由 GSTS，SULTS 和 UGTS 等介导。

1. 系统开发工具，本系统在 ECLIPSE 开发环境下，以 JSP 为前台开发工具，MYSQL 为后台数据库，TOMCAT 为服务器，JDBC - ODBC 桥接器实现动态数据的交换，即前台和后台的连接。

辽宁省教育厅科研基金（2009A120）资助。

2. 系统运行配置，本系统的最小系统要求如下：处理器 P4 或更高处理器的 IBM PC 及其兼容机。内存：512MB。硬盘空间：典型安装需要 200MB，最大安装需要 1GB。显示器：VGA 或更高分辨率的显示器。需要安装 SUN™公司发布的 JDK1.5 或其他 JDK 更高的版本。操作系统：Win9x、WinMe、Win2K、WinXP 或其他更高 Windows 版本。

目前世界上的生物信息数据库种类繁多，为科学工作者提供了丰富的研究资料。但由于这些不同种类的数据源具有分布式、自制性、异构性、查询界面不统一、数据更新快、数据量大等特点，使得数据共享、数据交流变得极其困难。考虑到生物信息自身的特点以及目前对数据处理的需求，本文充分研究当前生物数据库的特点，找出它们的不足，结合生物数据和生物研究的特点，利用最新的计算机技术，实现紫海胆 5 种毒物代谢酶基因数据库的构建及这 5 种毒物代谢酶基因序列与人类、小鼠和其他生物的该种酶基因序列的比对。从而达到对紫海胆毒物代谢深入而全面的理解。

本研究特色：实现了序列相似性比对（BLAST）结果的本地数据库存储。本系统提供了统一的信息查询界面，使得信息查询步骤变得简单且易操作。本系统数据库不是分布式的（统一于本地数据库），数据源不是自制的（统一来源于美国国家生物技术信息中心 NCBI），数据源也不是异构的（统一于文本文件）。

二、预测方法与数据库总体设计

（一）生物信息学方法

在 WWW.ENSEMBL.ORG 找到海鞘Ⅰ，Ⅱ相代谢酶序列，用海鞘 CYP，FMO，SULT，UGT 和 GST DNA 序列搜索紫海胆基因组 HTTP：//SUGP.CALTECH.EDU/SPBASE，找到同源序列后将其拼接成完整的或接近完整的Ⅰ，Ⅱ相代谢酶的序列；用隐马氏模型（HMMER V2.3.2）搜索识别紫海胆Ⅰ，Ⅱ相代谢酶，以人，小鼠，大鼠和鱼类Ⅰ，Ⅱ相代谢酶构建隐马氏模型（HMM）。用全局和局部多结构域 HMM 搜索紫海胆预测蛋白数据库。用 CLUSTAL W 和 GCG 将预测蛋白与其他物种已知Ⅰ，Ⅱ相代谢酶蛋白序列联配。在基因水平，用 BLAST 搜索紫海胆基因组，以便证实Ⅰ，Ⅱ相代谢酶蛋白序列预测结果；用 GENEWISE 和 GENSCAN 预测基因并与上述方法相互验证。

（二）数据库实现的功能

本文根据生物信息数据库的特点及其构建原则，构建了一个面向海洋生物毒物代谢酶基因数据库。环境生物基因及其文献是息息相关的信息，为此，应该实现一个集成的、统一的研究平台来提供这类信息。正是基于这种需求，本文确定了紫海胆的主题是面向环境生物方面的，同时提供基因注释信息、基因序列信息（MRNA、PEPTIDE）和序列相似性比对信息。

数据库的具体功能：中英文资料的显示，海胆图片的滚动显示，基因检索，实现对 CYP、FMO、UGT、SULT、GST 基因的检索并显示基因信息。实现对所检索基因的 MRNA 和 PEPTIDE 序列的显示，实现对所检索基因序列与人、鼠和其他基因序列的比对并显示结果。

（三）系统功能模块（见图 1）

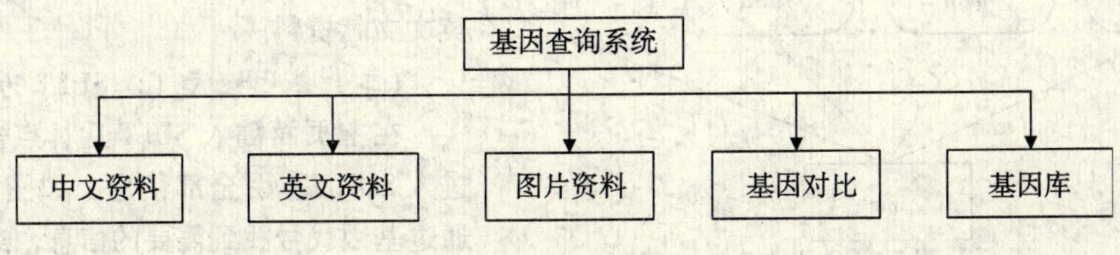

图 1　系统功能模块图

（四）数据库流程图（见图2）

（五）数据库的概念设计

实体：CYP——CYP 基因信息表，FMO——FMO 基因信息表，GST——GST 基因信息表，SULT——SULT 基因信息表，UGT——UGT 基因信息表，CHINESE——中文资料信息表，ENGLISH——英文资料信息表，IMGS——海胆图片信息表等。

各个实体的实体－联系图（ENTITY－RELATION DIAGRAM，ER 图）。

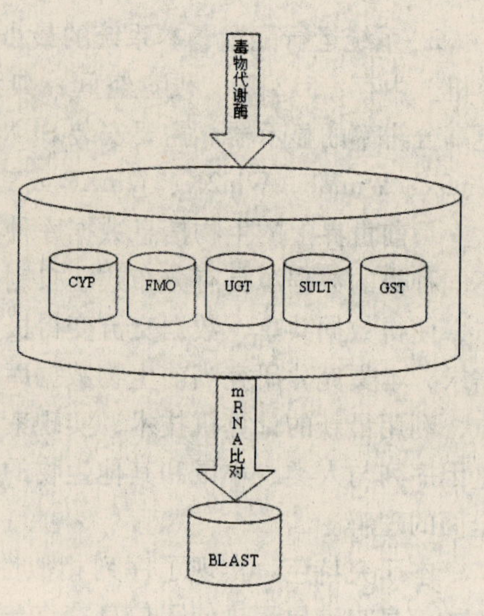

图2 数据库流程图

三、结果——系统详细设计与示例

用 HMM 预测代谢酶基因，找到海胆 CYP 序列 137 个，FMO 17 个，SULT 17 个，UGT 60 个，GST 14 个，用于构建数据库。数据库查询种类包括查询 SULT、CYP、GST、UGT、FMO 基因信息和以上各个信息里的基因序列相关的基因注释信息，以及该基因序列中 MRNA 序列，氨基酸序列的序列相似性比对结果，为未来数据库扩充奠定基础。

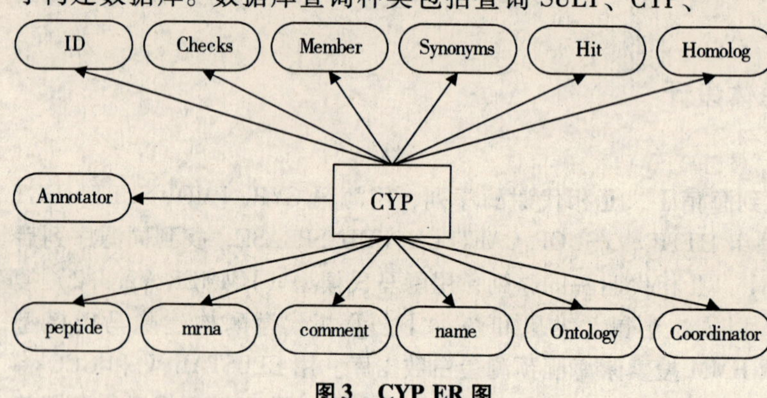

图3 CYP ER 图

代码（由于字数太多，不予显示。可向作者索取文件：HEAD. JSP，FOOT. JSP，INDEX. JSP）。

（一）主页设计

进入查询页面图 8，SEA URCHIN DATABASE，左上角是两个链接 Web 网页的地址，可以为研究者提供查询更多数据库资料。右上角是显示当前北京时间。输入栏中可以查询海胆基因的相关信息包括 SULT、CYP、GST、UGT、FMO 基因信息。中英文栏是对海胆基因的介绍。打开页面后会显示中英文文献资料。

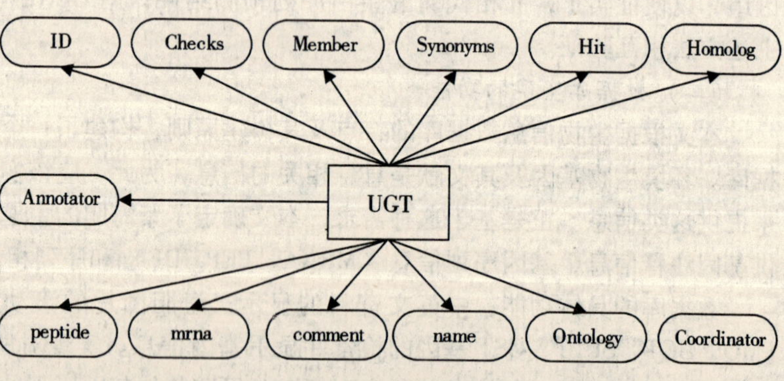

图4 UGT ER 图

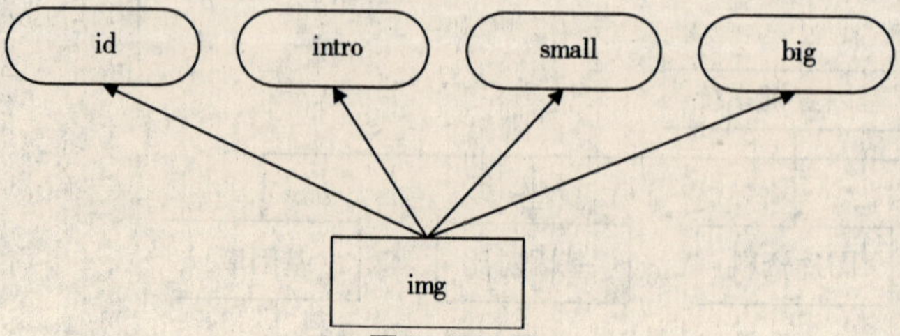

id
intro
small
big
img

图5 ER 图

（二）基因检索（以 SULT 为例）

在主页面键入 SULT 后，点击 Search 进入 SULT 基因全部信息，如图 9 所示，通过基因代号找到需要的信息，进行相关资料的查看。

1. 显示 SULT 全部基因及相关信息

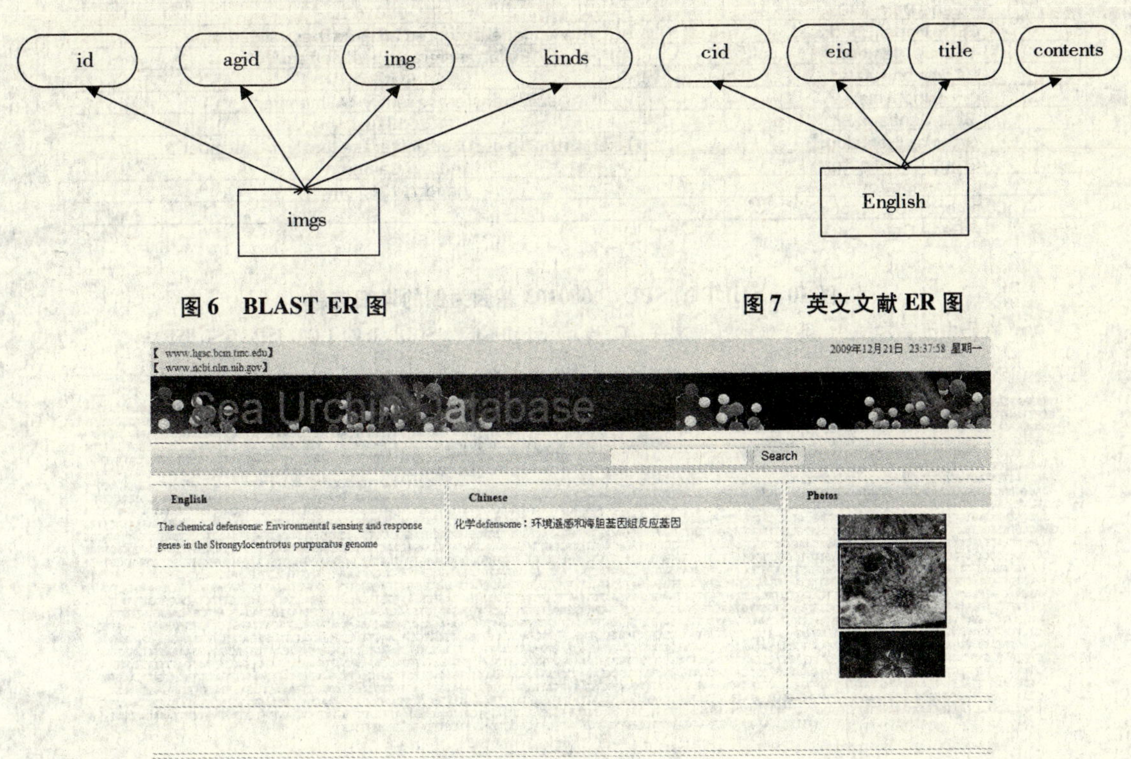

图 6　BLAST ER 图　　图 7　英文文献 ER 图

图 8　查询主页面

Annotated Gene	Anotator	Common Names	Synonyms	Gene Sequences	BLAST(mRNA)
SPU_000163	haodc@126.com	Sp-Sult4a1	sulfotransferase family 4A, member 1	mRNA Peptide	Human genomic + transcript Mouse genomic + transcript Others (nr etc.)
SPU_006187	haodc@126.com	Sp-Sult1c_2	sulfotransferase 1C; sulfotransferase, cytosolic-2	mRNA Peptide	Human genomic + transcript Mouse genomic + transcript Others (nr etc.)
SPU_007924	haodc@126.com	Sp-Sult1c	sulfotransferase family, cytosolic 1C member 1; sulfotransferase 1C2	mRNA Peptide	Human genomic + transcript Mouse genomic + transcript Others (nr etc.)
SPU_007926	haodc@126.com	Sp-Sult1a2	sulfotransferase family, cytosolic, 1A, phenol-preferring, member 2	mRNA Peptide	Human genomic + transcript Mouse genomic + transcript Others (nr etc.)
SPU_009775	haodc@126.com	Sp-Sult1a4	sulfotransferase family, cytosolic, 1A; phenol sulfotransferase	mRNA Peptide	Human genomic + transcript Mouse genomic + transcript Others (nr etc.)
SPU_011255	haodc@126.com	Sp-Sult1a	sulfotransferase family, cytosolic, 1A	mRNA Peptide	Human genomic + transcript Mouse genomic + transcript Others (nr etc.)
SPU_012342	haodc@126.com	Sp-Sult1c_3	sulfotransferase family, cytosolic, 1C-3	mRNA Peptide	Human genomic + transcript Mouse genomic + transcript Others (nr etc.)
SPU_012343	haodc@126.com	Sp-Sult1b	sulfotransferase family, cytosolic, 1B	mRNA Peptide	Human genomic + transcript Mouse genomic + transcript Others (nr etc.)
SPU_018874	haodc@126.com	Sp-Sult1b1	sulfotransferase family, cytosolic, 1B, member 1	mRNA Peptide	Human genomic + transcript Mouse genomic + transcript Others (nr etc.)

图 9　SULT 下的全部基因序列

代码由于字数太多，不予显示（可向作者索取附录 CHECK. JSP)。

2. 基因详细信息（以 SULT 的 SPU _ 000163 基因为例）

点击 ANNOTATED GENE 进入此号码基因的详细信息，如图 10 所示，显示基因的 ID，GENE MODEL CHECK，FAMILY MEMBER，COMMON NAME，SYNONYMS 等各项详细信息供学者查阅。

（三）基因的 MRNA 和 PEPTIDE 序列（以 CYP 的 SPU——013102 基因为例）

1. MRNA 序列

此查询可以显示基因的 MRNA 序列，以用于学者的基因比对中，给学者提供方便快捷的查询方法。如图 11 所示。

Gene Official ID:	SPU_000163
GENE Model Check:	Gene model accepted after further validation
Family Member:	Sulfotransferase_1 superfamily
Common Name:	Sp-Sult4a1
Synonyms:	sulfotransferase family 4A, member 1
Best Genbank Hit:	ACI66310.1
Ortholog/Homolog:	Likely ortholog of sulfotransferase family 4A, member 1
Group Coordinator:	Andrew Cameron
Annotator:	haodc@126.com
Comment (V0.5 Mapping):	
Gene Ontology:	

图 10　SULT 的 SPU _ 000163 基因为例的详细信息

代码由于字数太多，不予显示（见文件：CYP. JSP，FMO. JSP，SULT. JSP，UGT. JSP，GST. JSP）。

SPU_013102　Sequence(mRNA)

```
>SPU_013102 mRNA Sequence TTAGTTGCGCTTGACTGCTCGAAGAGTAATGCCGTTGGGAGGAGAAAGGAAACCATTGGTTGCTTGCTTT
GGTGGCATCTATGATAAAATAGAAGAACAGTACCACAATAAACATCACTCCAAATCAAATCGAATCCCAT CAAATCAGATCAATTCTTTTAAAAAATGGGGTGGTCCTTATACAAGGTTCACCCCAAAAGAAAAAGCATA
CCCTTGACTTGTTGTGATTTATACTAATACCCAGGGGCAGCAATTTCTTTTCATGACCGGGGGCCCGGAT CGACATATCCAATAACCTCCGCGCGTGGTCTTCACTCATCGCACGATCCCCCCAAACAACCGTCGGGGTC
CAGAATGAGAGATAAGGACTAATATACTGTCACCGGATCAGCGTTGAGTGTGTGCTGTGTTGGACTATTG CAATTGCAAGGGCTGCACGTGGGTTGTGATTTCACCTCCCGAATTCTTGCATGTGAGGAGGAGAAGGAGG
AGGGGGGGGGGGGGGGTAGTTTTTCTGTAGGGTACACAAGAAGGATTTTAAGAATAACGTACGAATGGT AGGAGTTTGCCTGCGACTCGACTGCATGAAGCTAGCTGCGGATCGACACGTAAAGACGCACGGTGAGTTG
TGGCCATTATTAGCTTTTCTGCCCTGCTTCAATCACCAATTCTTATACTGTAACCAAGAAAACTAACCTC CGTTTGAGGGCAGGTTTCAATCTGGTATTTCTGCAGAATTCGTACGATGACCATCTTGGCTTCCATTATT
GCAAACCTCATCCCAACGCAGGCACGAGGCCCTGTTCCAAACGGCATCCAAGCACATGGGTGATGTTTTT CACGGTTTTCTTTGCGGAATCTGTTATTAACAAACAAATACAAATTATACTTAATATTATGCAGTTACAA
CTTAGTTATAGTGCATTCTCAAAGCGGTGTTTTCCCGTCAAGGTATGTTATTCACCTACAAGCAAATATC CCTTCAGATGGGACTAACATCCATGTGATTGGTCCCTCGATCCCTCTTACTACATTGTATTACTAATAAT
AAGGTAACATTGTAACGCACCTAATACTACATTTCTAGGCGCTCTGATGCTGTTGCTGTCCTAGCAGACA TTATAGGTAAACCATAGTACCTCTACCAGACATTGACAAATTTCTTCAAGTACAAGGCACCCACGAGGGT
TCGCAAGAAGAACGTGAGAATAATAGAAGTTGGCCTACCACCCGACCGCAGCTGCAAACACACGTGCAAA AAGACATACGGCAGGTTGTGACCATTATGGCATCATAGTTGGAGGTGGGAAGAAGCGGAAGCAGATCGCA
GCCGGGAAGAGTCCGCCCTAGATAGGGCAGTGACCATCGTGAATATTGAAGGCAAGGGGAATAATTTTGA ATTATACACGTTGAGGTATCATAGCCAGTGGAGATTACGGAGGATCGGAGTGATGTGTCAATAATACTTT
GAGCAATTGACCTGCAAACGTGCTGTAAAGTTTTGGATGCGCTGGAGTGGACTATATGGTAGCGAGGGTG GTAGATTGGGTTCTAGGACACCTACCCCCTGGACATCCACCCCCGGATAACCACCCCAGTCGACTACCCC
CACGGACAACTTTCCCAGAAAACTACCCCCTAGGACAACTACCCCTGGAAAACTGCCCCCGGACAACTAC CCCTTAGAAAAACTACACCCGGACAACTATTCCCTACGACAACCATTCCCTACGACAACCATCCTCTAGG
ACAACTACCCCCGGACAACTGTTCTAGGGGATAGTTGTCCGGGGGTAGTTGTCGTAGGGGGTAGTTGTCT GGGGGTAGTTGTCCGGGGGTAGTTGTCCCGCGGGGACGTCGTCCTAGAGAGTGGTTGCCCTAGGGGTAGT
TGTTCTAGGGGGTAGTTGACTGGACGTGATCCGGGGTTGATGTCCAGGGGGTAGGTGTCCGGATACGGGT AGATTGATATTGTAGATGCCATTAGATGCTAAAATTAAATGCCTTCTCTGCAACGAGATAATATTTATTA
TTGTTATATAATTATTATAAATGAACAATTATTTTTACCAATCAATCAGCATACCTGTCAGGATCAAATG TTTCCGGGTCAGGCCACAAATTGGGGTTACGATGGATGGTGTAGATAGGAATGAAGATTCGCATGCCTTT
TGGAACGGTGAATCCGTTGACGTTGAATGGCTCATTACATACGCGATCAATCCTGAGAGAGGAATGTTAT TGGTTTATTCATATGGTAGTTTGCTTGGTTAAAGTGGCACCACAAACTTCTTTCTACAATCCATTTATTA
GTTTTTAATGTAGCTTAATTGTTTACATAATGCTTTGAAATGCTTGTAACTGCCCCAGAATCATAATTGG TCATTGGTAGTCCATTAGAGTGTCAACTGAAGTGTTTTTCAATTTCGAAATCATTCGACAGATCCTTTTT
AATGATTCAAAACAGAGAAAAACTAACAATCAAAACCTGACAATATAGGTATACAGAGTATGCATCTTTG GGAATTTGCAAATCACAATAGAGACAAGGAAAAAACAAACATACATTATGGCTGGTGGATATATGCGTTC
TGTCTCGCAAAAGATTTGTTCAAGGTAAGGCATTTTCGAGAGTGATTGGTATCCGACATCCTCTGCCTTG GGCGCTACATCGTTGATTTCATCCACAAGTTTGTCCTGTACGTCGGGATTTGTTGCAAGGAAGTATAGCA
AGAATCCACAAGTGGTGTTTGTTGTCTCATAACCAGCCAAGAAAAAGATCAAAGCCTAGTCAAATACAAA AGATAATATATTTCTTTTAGCAGACTACATGTACAGTACTTTCAATGTAACGCAGGAAAATTACACGTAT
CTTCTGTCCTGGATTCCAAAAATATATAGGTTGTTATACCTCCGACCTTAAATGAGGGCGCTATGGTAAA AAAGGTCAATGCACTTTAGAAATTCACCAACACAGTTAACATCGTCCGATTCTAATGATTTTAGTGTCTA
ATATGTTTTCTGACCTAAGCAATTTTTCAAATAAAAAATGGTTGCCATAACCTTGAAATTTCCCCCTAAA CCCATGAATAAGAAGTTGTTAGATGTTTGTCACCGAAACAGCAGCCATTTTGAATTTACATGGTCAAGGT
AAGCACTTTTACTTTTGAAAGTTGTATAGTTGAATTTGCCATGTCACAAAACATATTATTAGACCCTCAA ATTATTAGAATCGGAAAATGTTAACTGTGTTGGTGAATTTTTAAAGTGCATTGACCTTTTTGACCATAGC
GCCCTCATTTAAGGTCGGAGGTATAAGAACCTATACATTTTTGGAATCCTTATGACCAGACGAGTAATTT GATATGCAATTTAAGGTTTTCCGTGCAAGGCATCAAACGCATGAACTTTCTATCTCCAGTCATTAAGTTC
AAACCAAACTAAACCAAAGTATATTATTTGAGGATATTTATGGCAAAAGAAAGGTATTCTATGAGGTTTA TGTCAAATTTATATGAAGAACAGTAATTTCTTTAGTATTCAAAATTTTCCTTATATTCTTTAAACACAAC
TTTTGAATATTTTCTGACGATGAAGGGATTACCTGGCTGATCACCTCACTTTCGTTTAGCCTGATTTTCT
```

图 11　CYP 的 MRNA 序列

代码由于字数太多，不予显示（见文件：CYPRNA. JSP，FMORNA. JSP，SULTRNA. JSP，UGTRNA. JSP，GSTRNA. JSP）。

2. PEPTIDE 序列

PEPTIDE（蛋白质）的序列显示如图 12 所示。

SPU_013102　Sequence(Peptide)

```
>SPU_013102 Peptide Sequence
VTPLFSDDLKDALFNSKDEHWKGVRNIVTPTFSAAKMKLMSPLINKCADRLLKHLEKRQELHGNIECREL
VGAFVMDTIASCAFGLNIDCQENRFGPFVTNAKKAFSGNIFTSPYLLLVSLFPWTLPILEYLDFNIIDRK
STQFFADIIKKTSAVRRESKNSDSAKRIDYLQLLLDAQERDITGNNKNKADGIHGDPEDEAIDEGGLQKK
SSKKIRLNESEVISQALIFFLAGYETTNTTCGFLLYFLATNPDVQDKLVDEINDVAPKAEDVGYQSLSKM
PYLEQIFCETERIYPPAIMIDRVCNEPFNVNGFTVPKGMRIFIPIYTIHRNPNLWPDPETFDPDRFRKEN
REKHHPCAWMPFGTGPRACVGMRFAIMEAKMVIVRILQKYQIETCPQTEMPPKQATNGFLSPPNGITLRA VKRN
```

图 12　CYP 的 PEPTIDE 信息

代码由于字数太多，不予显示（见文件：CYPPEP. JSP，FMOPEP. JSP，SULTPEP. JSP，UGTPEP. JSP，GSTPEP. JSP）。

（四）BLAST（以 CYP 的 SPU—000436 基因为例）

1. 与人类 CYP 基因的 mRNA 序列比对（图 13）

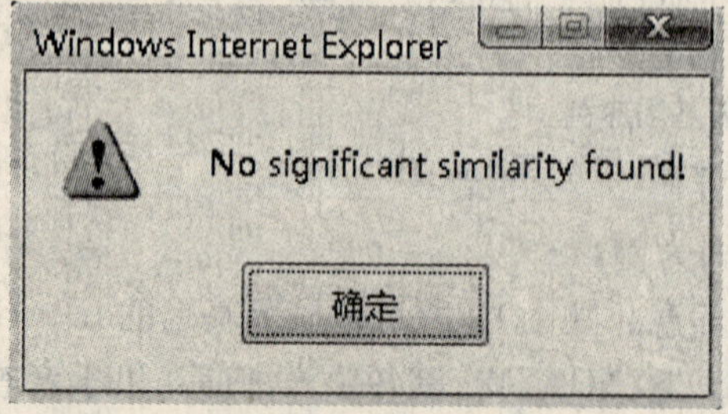

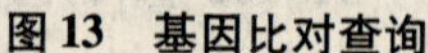

图 13　基因比对查询

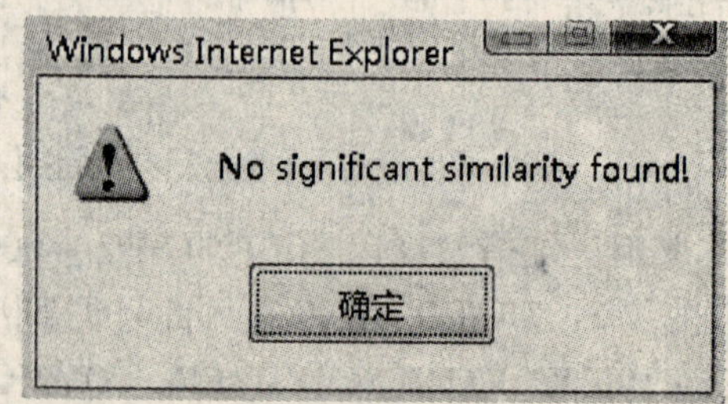

图 14　基因比对查询

2. 与小鼠 CYP 基因的 mRNA 序列比对（图 14）

3. 与其他物种 CYP 基因的 mRNA 序列比对（图 15）

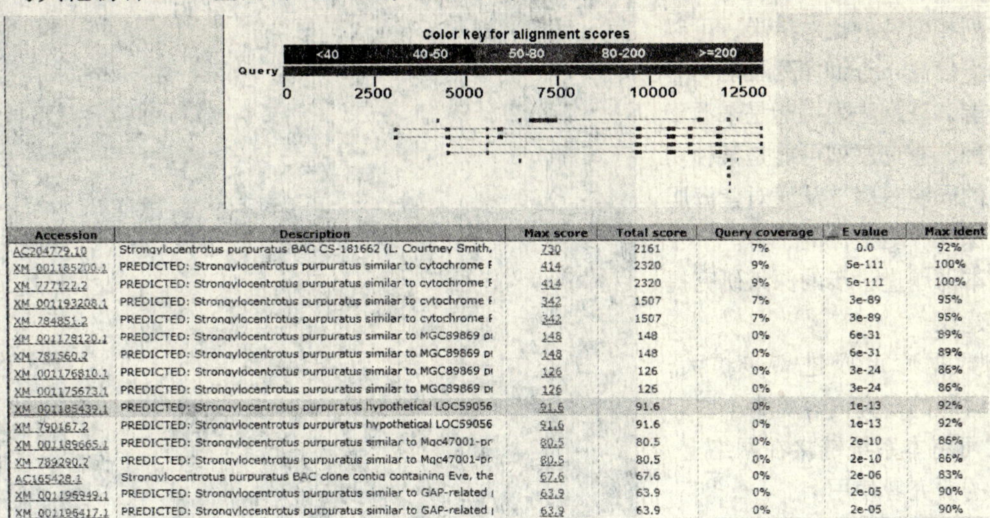

Accession	Description	Max score	Total score	Query coverage	E value	Max ident
AC204779.10	Strongylocentrotus purpuratus BAC CS-181662 (L. Courtney Smith,	730	2161	7%	0.0	92%
XM_001185200.1	PREDICTED: Strongylocentrotus purpuratus similar to cytochrome F	414	2320	9%	5e-111	100%
XM_777122.2	PREDICTED: Strongylocentrotus purpuratus similar to cytochrome F	414	2320	9%	5e-111	100%
XM_001193208.1	PREDICTED: Strongylocentrotus purpuratus similar to cytochrome F	342	1507	7%	3e-89	95%
XM_784851.2	PREDICTED: Strongylocentrotus purpuratus similar to cytochrome F	342	1507	7%	3e-89	95%
XM_001178120.1	PREDICTED: Strongylocentrotus purpuratus similar to MGC89869 p	148	148	0%	6e-31	89%
XM_781560.2	PREDICTED: Strongylocentrotus purpuratus similar to MGC89869 p	148	148	0%	6e-31	89%
XM_001176810.1	PREDICTED: Strongylocentrotus purpuratus similar to MGC89869 p	126	126	0%	3e-24	86%
XM_001175673.1	PREDICTED: Strongylocentrotus purpuratus similar to MGC89869 p	126	126	0%	3e-24	86%
XM_001185439.1	PREDICTED: Strongylocentrotus purpuratus hypothetical LOC59056	91.6	91.6	0%	1e-13	92%
XM_790167.2	PREDICTED: Strongylocentrotus purpuratus hypothetical LOC59056	91.6	91.6	0%	1e-13	92%
XM_001189665.1	PREDICTED: Strongylocentrotus purpuratus similar to Mgc47001-pr	80.5	80.5	0%	2e-10	86%
XM_789290.2	PREDICTED: Strongylocentrotus purpuratus similar to Mgc47001-pr	80.5	80.5	0%	2e-10	86%
AC165428.1	Strongylocentrotus purpuratus BAC clone contig containing Eve, the	67.6	67.6	0%	2e-06	83%
XM_001196949.1	PREDICTED: Strongylocentrotus purpuratus similar to GAP-related	63.9	63.9	0%	2e-05	90%
XM_001196417.1	PREDICTED: Strongylocentrotus purpuratus similar to GAP-related	63.9	63.9	0%	2e-05	90%

图 15 基因比对查询

代码由于字数太多，不予显示（见文件：BLASTINFO. JSP）。

（五）显示中英文文献

在首页面点击中英文文献可以分别显示中英文摘要和全文，如图 16 所示。

化学防御：环境遥感和海胆基因组反应基因

摘要：后生动物基因组含有大量的基因在参与环境压力的反应。我们调查了对家庭的同源基因海胆海胆基因组认为，以防止化学品压力;这些基因共同组成的'化学defensome'。防化基因包括细胞色素P450和其他氧化酶，各种结合酶，ATPdependent流出运输，氧化解毒蛋白质和转录因子调节这些基因。一起这种基因占超过400海胆基因组基因。转录因子包括芳香烃受体，缺氧诱导因子，核因子产生红2，热休克转录因子同源，核激素受体，调节应激反应基因在脊椎动物。一些防御基因包括ABCC，UGT，CYP家族，都发生在Urchin扩展相对于其他deuterostome基因组，而应力传感器基因家族不显示这种扩展。超过一半的防御基因表达的幼体在胚胎或生命阶段，表明他们在开发过程中的重要性。这种基因组中的海胆防化广泛的调查显示，基因进化的保护与传承这个网络相结合，具体多样化的共同建议，在早期后口动物的这些化学传感压力和反应机制的重要性。这些成果将有助于未来研究的化学防御基因网络的发展在保护化学应力胚胎在发育过程中在这些网络的作用。© 2006 Elsevier公司版权所有。导言：生物学的一个中心问题是如何维持细胞和生物体在恶劣的环境中所面对的动态平衡。需要处理的物理、化学和生物挑战，带动了一个基因家族和途径，从阵列提供保护的演变、修理、损坏。基因和蛋白质提供为集体可被视为"defensome一个有机体这种保护。"这种系统的核心部分是"化学defensome"，一种基因和途径的综合网络，使有机体发动对有毒化学品的一场精心策划的防御。防化基因可能是特别重要的早期胚胎，它必须应付分化过程中的敏感阶段和发展的环境。这项研究提出了一种潜在的毒物涉及遥感和海胆保护美国扇贝的基因概述。本defensome处理的环境化学制品包括微生物，重金属，植物毒素，和其他天然化合物包括生物活动所产生的衍生多环芳烃和有机卤化物。尽管结构不同，这些有毒物质很多都是疏水性，这有助于他们穿过细胞膜和进入细胞的运动。细胞稳态也要求失活和消除内源信号分子，如类固醇，以及防御内源性生成的有毒物质，如活性氧（ROS），脂质过氧化物和血红素降解产物。如上图1所示，化学defensome主要包括可溶性受体和其他配体激活的转录因子充当毒物或损害细胞传感器;氧化，还原，或共轭的生物转化酶转化成化学品毒性更小，易排出的代谢物；有效的从细胞基质中外排流出；和抗氧化酶免受外部和内部产生的活性氧或其他激进分子的干扰。虽然生物转化的一般结果是解毒，它也是一个众所周之的一把双刃剑，氧化的N乙酰化和硫酸盐或谷胱甘肽共轭可能导致有毒和致突变的细胞和代谢产物化学的具体方式（加米奇等，2006年；京格里希等，2003；海恩等，1993年，约安尼季斯和刘易斯，2004年；Surh，1998年）。生物活性的中间体，因此有毒的化学结构多样性的结果和随后的共轭反应的化学反应偶尔建立网站的必要性。因此，有保护和有害程序的平衡，以及内部和外部之间的职能（Nebert，1991年；Nebert和罗素，2002）。对细胞的第一道防线，尤其是对两
亲或略脂化合物，是由与ATP结合盒（ABC）的或已知的多药外排转运（院长等，2001）。三个众所周知的例子是一个P-糖蛋白（PGP），在ABCB的亚科成员（Ambudkar等，1999）；themultidrug性蛋白（MRP）的orABCCproteins（科尔和Deeley，1998年）和多异生电阻（重联）或ABCG蛋白（绍尔考迪等，2004）。一般来说，一旦有毒物进入细胞质，生物转化要求提高消除或失活作用。氧化（第一阶段）化学品的修改，形成更多的亲水性代谢产物往往是导致排泄的最初的一步。氧化作用是进行黄素单加氧酶FMO（调频振荡器）和细胞色素P450（CYP）酶，特别是CYP1，CYP2，CYP3和CYP4家族成员。往往是由氧化还原或报合修改后的谷胱甘肽-S-转移酶（GSTs），磺基转移酶（SULTs），尿苷（转移酶）葡萄糖醛酸转移UGT，Nacety转移（NAT），阿尔多酮还原酶（AKRs），环氧化物水解酶（EPHXs）和NAD（P）H对苯二醌氧化还原（NQOs）。抗氧化防御是防御系统的重要组成部分，在有氧环境下生物活性氧可以使有毒物质暴露于紫外线下造成辐射，或在正常代谢下能够破坏DNA、脂质和蛋白质，造成的病理和毒性。抗氧化防御蛋白包括超氧化物歧化酶（SODs），过氧化氢酶（CATs），并包括谷胱甘肽过氧化物酶（GPXs）过氧化物，和硫氧（TXNs）。脊椎动物的蛋白质几个家庭都参与了遥感有机化学制品和蛋白质治理表示的生物转化及运输化学品及其代谢产物。PAS（逐位蛋白-SIM）的蛋白家族包含转录因子在发育过程中信号的参与，建立和维持生理节律，和遥感等小分子氧和环境变量（例如，激素和外源物）（顾等，2000；Kewley等，2004）。是这个家族的一个化学传感器的主要成员，但也有发展的作用，是芳香族烃基的碳氢化合物感受器官(AHR)，是由平面环芳香烃及其他化学品品种（丹尼森和纳吉，2003）。AHR后来规定了一些亲合素基因和基因编码的共轭降低酶（Nebert等，2004年；惠特洛克，1999）。核感受器（NR）家族包括一系列第二组化学传感器。在孕-X受体（PXR），构成雄甾烷受体（CAR）和非哺乳动物PXR同源BXR和CXP，胸部X光过氧化物酶体增殖物激活受体（PPARs），肝脏X受体（LXR），和法尼-Xreceptor（FXR）被激活由外源性和endobiotic化合物种类和协调反应调节涉及各CYP2s，CYP3s和CYP4s，结合酶和运输（Bock和Kohle，2004；Klaassen和Slitt，2005年，谢和Evans，2001）。第三组传感器包括核因子红细胞源性2（NFE2）相关因子2（NRF2基因，NFE2-like2）和有关cap'n'collar（数控）-基本-亮氨酸拉链（bZIP）家族蛋白，它被激活由氧化剂和亲电和小农林部蛋白形成异二聚体刺激编码，如GST，NQO，谷氨酸，半胱氨酸连接酶（GCL），超氧化物歧化酶，和其他抗氧化酶
（阮等基因的转录，2003年b）。海胆是一种发展研究既定的模式，因此是解决在萌芽阶段，早期后口动物的化学毒性和防御机制的主要候选人。一定数量研究的机制形容，化学制品影响海胆胚胎发育（例如，绿色等，1997；Hamdoun等，2004；诺布克等，2005；斯米塔尔等，2004年；Vega和埃佩尔，2004），但防御机制还不太清楚。这种对海胆基因描述防化研究，将有助于更好地了解化学反应的机制胚胎的挑战，以及如何使酶和信号途径有两种应激反应和发展作用的协同完成的双重职能。结果：受体及信号转导芳香烃受体（AHR）和相关的bHLH-PAS蛋白质 PAS-家族的基因编码信号的发展，包括应对内部和外部环境变化有关的蛋白质。海胆基因组中至少有14个基因预
测首席助理秘书长代表的14个已知的后生首席助理秘书长亚科12（参考表中一）。其中包括参与在节律（CLOCK，BMAL / ARNTL）基因，神经（NXF/NPAS4，SIM，AHR），缺氧和化学信号（HIF-1α，ARNT，AHR，

图 16 中文文献

代码由于字数太多，不予显示（见文件：CHINESEINFO. JSP，ENGLISH. JSP）。

（六）显示海胆图片

查询者可观看清晰的图片，观看紫海胆的形状（图 17）。

四、讨论和结论

本研究在分析了紫海胆对环境污染的指示作用和对环境污染物的降解作用的基础上，为了深入地理解紫海胆与环境污染间的关系，结合生物信息学的最新理论，提出了对紫海胆 5 种毒物代谢酶基因的研究和数据库构建策略。结合生物数据和海洋模式生物研究的特点，利用最新的计算机技术，在分析了当前基因数据库方法存在的不足的基础上，构建了紫海胆的 5 种毒物代谢酶基因数据库及实现了 5 种毒物代谢酶基因的 mRNA 序列与已知的人、小鼠和其他动物的代谢酶基

因的 mRNA 序列相似性的比对。通过序列相似性的比对结果，可以获取如下信息：查询序列可能具有某种功能，查询序列可能是来源于某个物种，查询序列可能是某种功能基因的同源基因，从而对紫海胆有了更深入、更全面的了解。

对本课题进一步的深入研究提出如下建议：

1. 数据库可以进一步扩大，使对紫海胆的研究内容更为丰富。

2. 可将本系统链接在网络上，供更多的研究者使用。

3. 本系统中对信息的更改、插入、删除都在后台数据库中进行，对非专业人员很不方便。因此，可以在前台页面上增加相关功能。

图 17　海胆图片

参考文献

[1] 耿祥义．JSP 实用教程（第二版）［M］．北京：清华大学出版社．

[2] 张跃平，耿祥义．JAVA 2 实用教程（第三版）［M］．北京：清华大学出版社．

[3] 闫洪亮，潘勇．JSP 程序设计教程［M］．上海：上海交通大学出版社．

[4] 宾晟，周峰，孙更新．JSP 网络程序开发原理与实践教程［M］．北京：电子工业出版社，2007.

[5] 李晓黎．JSP + SQL SERVER 网络应用系统开发与实例［M］．北京：人民邮电出版社．

[6]［美］IAN F. DARWIN. JAVA 经典实例［M］．北京：中国电力出版社，2002.

[7] 管贻生．JAVA 高级实用编程［M］．北京：清华大学出版社，2004.

[8] 王涛，刘继光，刘勇．JAVA2 API 大全（上、下）［M］．北京：电子工业出版社，2003.

[9]［美］布雷恩·奥弗兰，迈克尔·莫里森．JAVA2 精要 语言详解与编程指南［M］．北京：清华大学出版社，2002.

[10] 王禄山，高培基．生物信息学应用技术［M］．北京：化学工业出版社．

[11] 高绪生，常亚青．中国经济海胆及其增养殖［M］．北京：中国农业出版社．

[12] 林永成．海洋微生物及其代谢产物［M］．北京：化学工业出版社．

[13] 常亚青，丁君，宋坚，等．海参海胆生物学研究与养殖［M］．北京：海洋出版社．

[14]［美］吉伯斯等著，孙超等译．生物信息学中的计算机技术［M］．北京：中国电力出版社．

[15] 朱扬勇，熊赟．生物数据整合与挖掘［M］．上海：复旦大学出版社．

[16] Goldstone JV，HamdounA，Cole BJ，et al. The Chemical Defensome：Envronmental Sensing and Response Genes in the Strongylocentrotus Purpuratus Genome［J］. Developmental Biology 300 . 2006：366 - 384.

[17] J. V. Goldstone. Environmental Sensing and Response Genes in Cnidaria：The Chemical Defensome in the Sea Anemone Nematostella Vectensis. Cell Biol Toxicol. 2008，24：483 - 502 DOI 10. 1007/S10565 - 008 - 9107 - 5.

[18] Jared V. Goldstone，Heather M. H. Cytochrome P450 1 Genes in Early Deuterostomes（Tunicates and Sea Urchins）and Vertebrates（Chicken and Frog）：Origin and Diversification of the Cyp1 Gene Family . Mol. Biol. Evol. 2007，24（12）：2619 - 2631.

牛粪好氧堆肥中纤维素分解菌的分离及堆肥效果研究

孙俊丽[1] 刘克锋[2] 王顺利[2] 杨 萌[1] 金珠理达[1] 王 亮[3] 王红利[1]

(1. 北京农学院园林系 北京 102206；2. 北京农学院城乡发展学院 北京 102206；
3. 北京林业大学水土保持学院 北京 100083)

摘 要 从新鲜牛粪和不同发酵阶段的牛粪中分离、纯化获得6株纤维素分解菌ZH2、ZH3、ZH4、ZH5、ZH7、ZH9。在初步测定各菌种纤维素分解酶活性的同时，对其分别扩大培养，进行单菌种牛粪好氧堆肥实验。通过观测堆肥过程温度变化，测定堆肥结束后各堆料的pH、种子发芽指数、堆料的纤维素和半纤维素含量，对各纤维素分解菌的堆肥效果进行了分析。结果表明：ZH4和ZH7纤维素分解酶活性较高，用于牛粪堆肥时温度上升快，高温持续时间长，能促进牛粪发酵腐熟；堆肥结束后，堆料的纤维素和半纤维素的降解率明显提高。因此ZH4和ZH7是课题组自选获得的用于牛粪堆肥的优势菌种。

关键词 纤维素分解菌 牛粪堆肥 好氧发酵

随着北京市郊养牛产业的飞速发展，牛粪污染对环境的压力越来越大。如何有效的处理牛粪污染，已经在一定程度上成为限制养牛产业发展的瓶颈之一。因此牛粪无害化处理和资源化利用技术成为亟待解决的难题。

高温堆肥是处理畜禽粪便的有效方法，通过微生物降解畜禽粪便中的有机质，从而产生高温，杀死其中的病原菌，使有机物腐殖质含量增加，提高肥效[1]。由于牛粪中纤维素和半纤维素等难降解的有机物比较多，在畜禽粪便中最难降解。因此，牛粪高温堆肥时，如何有效地加强纤维素的分解转化，提高堆肥过程中纤维素和半纤维素的降解效率，成为堆肥能否充分腐熟的关键[2]。自然堆肥的牛粪中有效降解纤维素和半纤维素的微生物数量较少，堆肥过程中很难快速繁殖，因此自然堆肥的牛粪发酵周期长，效果也不好。本研究针对上述问题，从不同发酵阶段的牛粪中筛选出对纤维素分解能力较强的菌种，并接种至新鲜牛粪中，观测堆肥效果，以期获得能够加速牛粪堆肥进程，提高牛粪堆肥效率的微生物种类，并为牛粪的堆肥化处理提供参考。

一、材料与方法

（一）试验材料

新鲜牛粪取自北京市郊区养牛场，不同发酵阶段的牛粪取自课题组发酵池。

表1 堆肥材料主要理化性质

原料	全氮/%	有机碳/%	C/N	全磷/%	全钾/%	含水量/%
鲜牛粪	1.52	46.99	30.88	1.41	0.79	72.30

（二）试验方法

1. 纤维素分解菌分离及纯化

采用梯度稀释法[3]在赫奇逊滤纸培养基上分别从新鲜牛粪和不同发酵阶段的牛粪中进行纤维素分解菌的分离。称取各样品各10g分别放入装有90ml无菌水的三角瓶中，在摇床上振荡30min，使样品充分分散，静置20min后即为10－1稀释液，然后连续稀释制成10－2～10－8浓度的稀释液备用。取100μl各浓度的稀释液，采用常规涂抹法用涂布器分别在纤维分解菌的选择培养基上涂布，每个浓度梯度三个重复，置于30℃恒温培养箱中培养。3d后挑取平板上长出的单菌落，进一步纯化培养。

赫奇逊滤纸培养基[4]：其中有去淀粉滤纸、$KH_2PO_4$1.00g/L、NaCl 0.10g/L、$MgSO_4 \cdot 7H_2O$ 0.30g/L、$NaNO_3$2.50g/L、$FeCl_3$0.01g/L、琼脂 18.00g/L、$CaCl_2$0.10g/L、水 1000ml，pH7.2。

纯化培养及扩大培养基：牛肉膏蛋白胨培养基（纯化细菌菌株）[5]：其中牛肉膏 5.0g/L、蛋白胨 10.0g/L、NaCl5.0g/L、琼脂 15～20g/L、水 1000ml，pH7.2～7.4。高氏一号培养基（纯化放线菌菌株）[6]：其中可溶性淀粉 20.0g/L、$KNO_3$1.0g/L、$K_2HPO_4$0.5g/L、$MgSO_4 \cdot 7H_2O$0.5g/L、NaCl0.5g/L、$FeSO_4$0.01g/L、水 1000ml，pH7.2～7.4。改良后的高氏一号培养基（纯化真菌菌株）：其中葡萄糖 10.0g/L、蛋白胨 5.0g/L、KNO_3 1.0g/L、$K_2HPO_4$0.5g/L、$MgSO_4 \cdot 7H_2O$ 0.5g/L、NaCl 0.5g/L、$FeSO_4$0.01g/L、水 1000ml，pH7.2。

2. 测定纤维素分解酶活性

在纤维素刚果红培养基上，采用透明圈法检测获得菌株的纤维素分解酶活性。从单菌落挑取若干细胞接种至纤维素刚果红培养基上，于 30℃下恒温培养，测定各菌株产生的透明圈直径大小，以及相应的菌落直径大小，分别以 D 和 d 表示，纤维素分解酶组分（Cx）活性按 D/d 计算得出[7]。

纤维素刚果红培养基[4]：$K_2HPO_4$0.50g/L、$MgSO_4 \cdot 7H_2O$0.25g/L、微晶纤维素粉 1.88g/L、刚果红 0.20g/L、明胶 2.00g/L、琼脂 14.00g/L、水 1000ml，pH7.0。

3. 菌种堆肥效果评价

将上述纯化的菌株进行扩大培养，以 0.8% 的接菌量接种到堆肥物料中进行单菌种堆肥。堆肥物料为新鲜牛粪，并用提前晾晒的干牛粪调节物料水分含水量为 60%。每个处理设置三次重复。

（1）堆肥过程中温度测定

在每处理物料中不同位置的 25cm 深处分别插入三支温度计，每日 8：00、12：00、16：00 测定堆体温度，当天的料温以三次温度的平均值作为当天堆体温度。

（2）堆肥结束后各处理 pH 测定

称取试样 5.0g 于 100ml 烧杯中，加 50ml 蒸馏水（去除 CO_2），搅动 15min，静置 30min，采用雷磁 PHS－3C 型 pH 计（上海精密科学仪器有限公司）进行测定。

（3）堆肥结束后各处理种子发芽指数（GI）测定

堆肥结束后用小土钻多点钻取堆体中部样品，每处理采样 500g，混合均匀，然后采用四分法取样 200g。称取 50g 加 250ml 蒸馏水混合搅拌 30min 后，经 3000r/min 离心 10min，上清液即为堆肥浸提液。

在直径 9cm 铺有滤纸的无菌培养皿中，均匀放入 20 粒白菜（*Brassica campestris* L.）种子，吸取 5ml 堆肥浸提液润湿滤纸，以蒸馏水作对照，每个处理 3 次重复，在 25℃恒温培养箱中培养 24h，测定种子发芽率和根长，并计算种子发芽指数。

GI（%）＝处理平均发芽率×处理平均根长/（对照平均发芽率×对照平均根长）×100

（4）堆肥结束后各处理纤维素、半纤维素含量的测定

采用范氏（Van Soest）洗涤纤维分析法测定中性洗涤纤维（Neutral Detergent Fiber，NDF）和酸性洗涤纤维（Acid Detergent Fiber，ADF）。

①试剂的配制

中性洗涤剂（3% 十二烷基硫酸钠）：准确称取 18.6g 乙二胺四乙酸二钠（Na_2EDTA）和 6.8g 硼酸钠（$Na_2B_4O_7$）－十水放入烧杯中，加入少量蒸馏水，加热溶解后，再加入 30g 十二烷基硫酸钠（USP）和 10ml 乙二醇乙醚；再称取 4.56g 无水磷酸氢二钠（Na_2HPO_4，分析纯）置于另一烧杯中，加入少量蒸馏水微微加热溶解后，倒入前一个烧杯中，在容量瓶中稀释至

1000ml，其中 pH 为 6.9～7.1；

1N 硫酸：量取约 27.87ml 浓硫酸（分析纯，比重 1.84，98%），徐徐加入已装有 500ml 蒸馏水的烧杯中，冷却后注入 1000ml 容量瓶定容，标定；

酸性洗涤剂（2% 十六烷基三甲基溴化铵）：称取 20g 十六烷基三甲基溴化铵（CTAB，分析纯）溶于 1000ml1N 硫酸，必要时过滤；

丙酮分析纯。

②仪器

纤维分析仪、滤袋、封口机、干燥箱、pH 计、马弗炉、干燥器（无水氯化钙或变色硅胶为干燥剂）。

③计算方法

半纤维素含量的计算：半纤维素（%）＝NDF（%）－ADF（%）

纤维素含量的计算：纤维素＝ADF（%）－经 72% 硫酸处理后的残渣（%）

二、结果与分析

（一）纤维素分解菌的分离与纯化

通过培养，共获得 6 种纤维素分解菌，其菌落形态见表 2。

表 2　纤维素分解菌的菌落形态特征

菌种编号	菌落形态特征
ZH2	灰色粉末，边缘不整齐，无色素分泌
ZH3	浅黄绿色粉末状，中心空，呈环状
ZH4	白色，短毛，圆形，边缘不整齐
ZH5	边缘不规则，整片土黄色，圆上有金黄色小球颗粒，边缘到中心颗粒依次变大，呈黄灰色，颗粒顶部或侧面呈沙土亮色，颗粒有弹性
ZH7	颗粒状，呈灰绿色
ZH9	边缘不规则，不明显，中心黄绿色，整体呈淡粉色

（二）纤维素分解酶活性测定

从表 3 中可以看出，各菌种纤维素分解酶活性由强到弱的顺序依次为：ZH4＞ZH2＞ZH7＞ZH9＝ZH5＞ZH3。王志超[7]等认为 Cx（纤维素分解酶组分活性）保持在 2.5 以上，酶活性是较高的。本研究中 ZH4 的酶活最高，达 10.7，其次 ZH2、ZH7 的酶活大于或等于 2.5，由此可知，ZH4、ZH2、ZH7 对纤维素的分解能力较强。而 ZH5 和 ZH9 纤维素分解酶的活性为 2.1，说明这两种菌能从一定程度上分解纤维素。而 ZH3 纤维素分解酶活性仅为 1.8，说明该菌对纤维素分解的能力较差。

表 3　纤维素分解菌的透明圈与菌落直径的比值（D/d）

菌株编号	透明圈直径（D/mm）	菌落直径（d/mm）	D/d
ZH2	10.0	3.7	2.7
ZH3	7.0	4.0	1.8
ZH4	24.5	2.3	10.7
ZH5	18.5	8.7	2.1

菌株编号	透明圈直径（D/mm）	菌落直径（d/mm）	D/d
ZH7	15.7	6.3	2.5
ZH9	10.0	4.7	2.1

（三）单菌种堆肥效果

1. 堆肥过程中温度的变化

堆肥温度是堆肥过程中的一个重要指标，是微生物活动的表征，它的高低同时也决定着堆肥速度的快慢[8]。由图1可知，各处理堆体的温度整体呈现出先上升后下降的趋势，并且与未接菌的对照相比，接种微生物菌株的堆体最高温度高，高温持续期长，这说明添加了外源菌剂可以维持堆体高温的时间延长，促进堆体发酵腐熟。

堆肥温度在50℃以上保持5～7d，是杀灭堆肥所含致病微生物和害虫卵，保证堆肥腐熟的重要条件[9]。由表4可知：从堆肥过程的最高温来看，CK和ZH3处理其最高温均未达到50℃；而ZH2、ZH4、ZH5、ZH7、ZH9处理的最高温度都达到50℃以上。从升温速度来看，ZH7处理升温最快，其次为ZH4处理，二者基本与CK升温速度相当。而ZH2、ZH5和ZH9升到最高温的时间为5～6d。从50℃以上持续时间来看，ZH7处理的高温持续时间最长，达6d；ZH5和ZH9高温持续时间为5d；而ZH4和ZH2的持续时间分别为3d和1d。

因此从各处理堆肥过程的温度变化来看，ZH7处理的堆肥效果最佳，不仅升温快，最高温度高，而且高温持续的时间最长。ZH4处理在升温速度上具有较大的优势，而ZH5和ZH9在高温持续时间上具有较大的优势，而ZH2和ZH3堆肥效果差。

表4 不同堆肥处理温度变化情况

菌种编号	起始温度/℃	最高温度/℃	达到最高温所需天数	50℃以上持续天数	堆肥结束后温度/℃
CK	42	49	1	0	36
ZH2	40	50	5	1	38
ZH3	40	49	5	0	41
ZH4	41	50	2	3	37
ZH5	40	51	5	5	41
ZH7	42	53	1	6	38
ZH9	42	52	6	5	42

2. 堆肥结束后pH

pH是微生物生长的重要条件，它说明微生物的生长环境。一般而言，微生物最适宜的pH是中性或弱碱性[10]。通过对堆肥结束后各处理的pH进行测定（见图2），可以看出各处理堆肥后的pH介

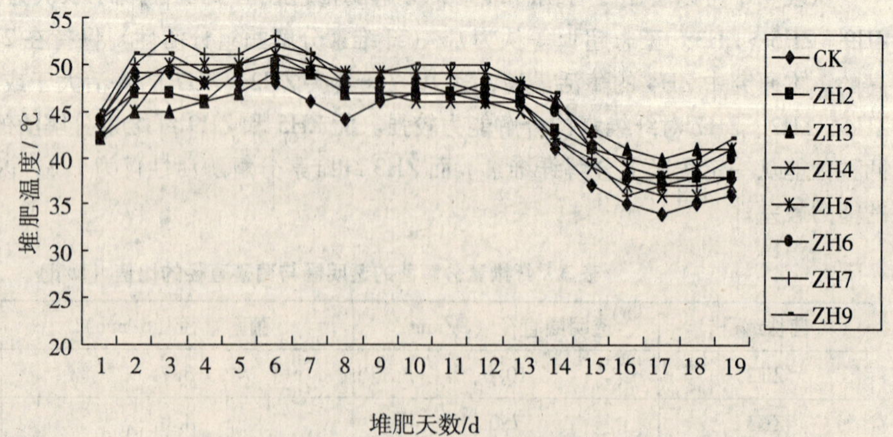

图1 不同堆肥处理温度变化情况

于7.5~8.2，其中ZH4、ZH7分别为7.92和7.76，说明这对于微生物的生存是有利的，同时也满足中华人民共和国农业行业标准中规定的有机肥料酸碱度为5.5~8.0[11]。而ZH2、ZH3、ZH5、ZH9的pH都在8以上，对于微生物的生长相对较差一些。

3. 堆肥结束后种子发芽指数（GI）

种子发芽指数（GI）是通过检验堆肥对植物发芽是否产生抑制作用来评价堆肥无害化、稳定化程度的指标，它不但能检测堆肥样品的植物毒性水平，而且能预测堆肥植物毒性的变化。一般情况下，当发芽指数达到80%时，即可认为堆肥没有植物毒性或堆肥已经腐熟[12]。Zucconi等[13]认为，当Cress种子发芽系数大于50%时，堆肥被认为已达腐熟。从图3中可以看出，接种ZH2、ZH3、ZH5、ZH9的处理和CK（未接菌的堆肥对照），其种子发芽指数均达到80%以上，而接种ZH4、ZH7的处理虽然没有达到80%，但均达到了50%以上，因此也可以认为达到腐熟。所以从各处理的种子发芽指数来看，所有堆肥处理都达到了腐熟。

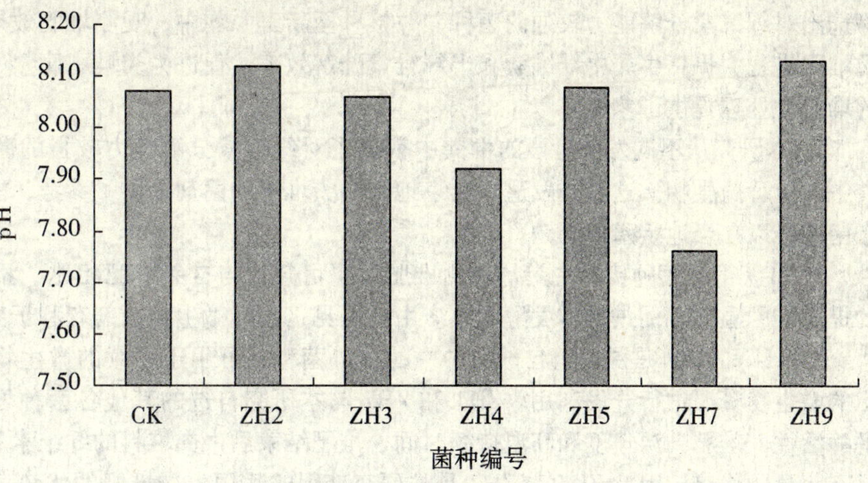

图2　不同堆肥处理的pH

4. 堆肥后各处理纤维素、半纤维素降解率

测定初始物料的纤维素和半纤维素的含量，并根据堆肥过程中温度变化，于堆肥结束后，选取堆肥效果较好的ZH4、ZH5、ZH7和ZH9处理的物料测定其纤维素和半纤维素含量（见表4），可知，堆肥结束后各处理的纤维素和半纤维素的含量均比堆肥前显著降低。其中，ZH5和ZH9处理的纤维素和半纤维素的降解率均比未接菌的对照小，而接种ZH4和ZH7菌株的处理无论是纤维素还是半纤维的降解率均比未接菌的对照大。因此接种ZH4和ZH7菌株更能促进牛粪中纤维素和半纤维素的分解，促进牛粪堆肥腐熟。

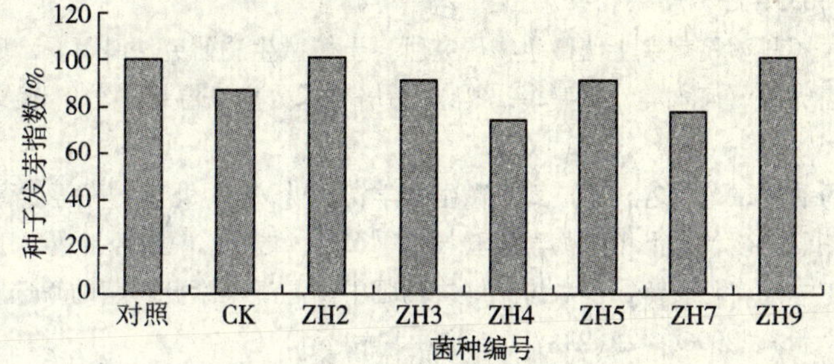

图3　不同堆肥处理的种子发芽指数

表5　部分堆肥处理纤维素和半纤维素含量测定

样品名称	纤维素含量/%	纤维素降解率/%	半纤维素含量/%	半纤维素降解率/%	纤维素与半纤维素降解率总和/%
初始物料	16.59	—	24.16	—	—
CK	2.81	83.05	7.58	68.64	151.69
ZH4	2.62	84.21	6.65	72.47	156.68
ZH5	3.52	78.76	8.61	64.37	143.12
ZH7	2.44	85.26	6.36	73.68	158.95
ZH9	4.32	73.96	9.56	60.43	134.39

三、结　论

本研究针对牛粪在好氧堆肥中纤维素和半纤维素较难降解的难题，从不同发酵阶段的牛粪中筛选出对纤维素分解能力较强的菌种，并接种至新鲜牛粪中，观测堆肥效果，获得了能够加速牛粪堆肥进程，提高牛粪中纤维素和半纤维素降解效率，促进牛粪堆肥腐熟的微生物种类，为牛粪的堆肥化处理提供了参考。

1. 本研究从不同发酵阶段的牛粪中获得了对纤维素分解能力较强的菌种，属于北京当地牛粪中的土著微生物。这为开发适于北京地区牛粪堆肥的菌剂提供了参考，能从一定程度上避免外来菌种难以在当地定殖的问题。

2. 将获得的菌种接种牛粪，观测堆肥效果可知：与自然堆肥相比，添加外源菌剂能更快速的提高堆肥温度，促进堆体发酵腐熟。由此可见，添加微生物菌剂有利于牛粪堆肥腐熟。

3. ZH4 和 ZH7 是课题组自选菌种中的优势菌种，可用于后续的微生物鉴定，并作为牛粪堆肥的微生物资源进行开发利用。ZH4 和 ZH7 与本研究自选的其他各菌种处理相比，在纤维素分解酶活性、堆肥升温速度和高温持续时间、堆肥结束后牛粪堆料的纤维素和半纤维素降解能力上具有明显的优势。因此 ZH4 和 ZH7 是本研究获得的适用牛粪堆肥的优势菌株，研究开发的价值较大，应用前景较好。

参考文献

[1] 汪建飞，于群英，陈世勇，等．农业固体有机废弃物的环境危害及堆肥化技术展望［J］．安徽农业科学，2006，34（18）：4720－4722.

[2] 牛粪堆肥高效降解菌的筛选及复合微生物菌剂的制备［J］．安徽农业科学，2008，36（35）：15653－15655.

[3] 中国科学院南京土壤微生物研究所．土壤微生物研究法［M］．北京：科学出版社，1985.

[4] 湛方栋，何永美，陈建军，等．3 种培养基分离高温纤维分解菌及其酶活测定［J］．安徽农业科学，2008，36（15）：6171－6172，6232.

[5] 习沈萍，范秀容，李广武．微生物学实验［M］．北京：高等教育出版社，1999.

[6] 刘慧．现代食品微生物学实验技术［M］．北京：中国轻工业出版社，2006.

[7] 王志超，陆文静，王洪涛．好氧堆肥中高温纤维素分解菌的筛选及性状研究［J］．北京大学学报（自然科学版），2006，42（2）：260－264.

[8] 沈根祥，袁大伟．Hsp 菌剂在牛粪堆肥中的试验应用［J］．农业环境保护，1999，18（2）：62－64.

[9] 王岩，李玉红，李清飞．添加微生物菌剂对牛粪高温堆肥腐熟的影响［J］．2006，22（2）：220－223.

[10] Xin－TaoHe，Terry JLogasn，Samuel JTraina. Physical and chemical characteristics of selected U. S. municipal solid waste composts［J］. Environ Qual，1995，24：543－552.

[11] NY525－2002. 中华人民共和国农业行业标准．中华人民共和国农业部，2002.

[12] 陈同斌，罗维，郑国砥，等．翻堆对强制通风静态垛混合堆肥过程及其理化性质的影响［J］．环境科学学报，2005，25（1）：117－122.

[13] Zucconi F，Forte M，Monac A， et al. Evaluating toxicity of immature compost［J］. Biocycle，1981，22：54－57.

曝气器的孔隙运动

——弹跳孔、工字组合孔

邢旭明

（北京南岛曝气设备技术有限公司　北京市崇文区东兴隆街58号北京汇517室　100062）

摘　要　污水处理关键设备曝气器要由简单的孔隙形式，转变为孔的新概念、新技术，这是曝气器技术进步的必然趋势，要解决的重要问题就是：曝气器的孔隙应当成为自身可以运动的孔隙。本文就曝气器的可见孔与非可见孔、孔隙要由固态向动态转变、孔隙愈细愈好的观点是片面的、氧利用率要服从于运行可靠性等问题进行了一些阐述，并介绍了PD曝气器的两种孔隙新技术——弹跳孔（大孔）和工字组合孔（微孔），这两种新型的孔隙采用先进的技术解决了曝气器孔隙自身可以运动的难题。

关键词　曝气器　曝气器孔隙　氧利用率　曝气器实际功率　孔的新概念新技术　弹跳孔　大孔　工字组合孔　微孔

鼓风类曝气器的功能就是通过孔隙而排气，在污水中产生大量气泡而形成较多的气液接触界面而获取较高的氧传质效率，曝气器的核心功能部分就是孔隙。

在鼓风曝气器的运行中，轻质流体（空气）作主动运动，重质流体（污水）作被动接触，曝气池全池产生立体的氧传质运动，动能作用合理，节能效果明显，是目前污水处理的主流曝气方式。

曝气器的排气终端就是孔隙，孔隙看起只是一个简单的概念，但是综观目前曝气器的实际运行情况，出现问题大都是集中在孔隙上。曝气器要由简单的孔隙形式，转变为孔的新概念、新技术，这是曝气器采用高新科技发展的必然趋势。

一、可见孔与非可见孔

按照人的肉眼可见程度，曝气器排气的大孔隙是可见孔，排气的微孔隙则是非可见孔。可见孔排气的物理特性是：阻力小与不易堵塞，但通常会认为大孔是产生大泡，气液接触界面少而氧利用率低。非可见孔排气的物理特性是：阻力大与易堵塞，但通常会认为微孔是产生细泡，气液接触界面多而氧利用率高。

曝气器实际应用中，在可见孔与非可见孔之间，始终存在着一个运行可靠性与氧利用率的矛盾，因为氧利用率直接关系到污水中微生物的分解活动，通常都会选择微孔曝气器。但是，不能忽视大孔优越的物理特性，采用新的技术，大孔排气也可以产生细泡，从而实现氧利用率与运行可靠性的基本统一。

二、孔隙要由固态向动态转变

目前的曝气器应用技术中，孔隙通常是以固态的形式出现，孔隙结构的本身不能动作。膜片微孔的孔隙一般都是"一"字形，在运行中需要膜片的整体膨胀，"一"字孔隙方可张开排气。刚玉微孔的排气方式相当于就是在对空气进行过滤，灰尘在厚实、曲折、密集的微孔隙中容易滞留而形成堵塞。一般的可见孔曝气器，如现在产品较多的、由本文作者1997年发明的"旋混曝气器"，也是属于固态可见孔排气。

曝气器孔隙结构如果本身可以动作而成为动态的孔隙，则可以使孔隙单一的排气功能发生根本的改变，孔隙不仅仅只是排气，还可具有防堵塞与综合调节的多种功能。曝气器孔隙技术进步方向就是由固态向动态转变，要让孔隙可运动。

三、孔隙愈细愈好的观点是片面的

微孔曝气器如果走孔隙愈细愈好的技术路线，片面追求氧利用率是错误的。曝气器氧利用率通常只能是在清水条件测试，氧利用率只是反映理论上的气泡扩散大小的物理数据，而不是曝气器的实际功效。

按照孔隙扩散的原理，曝气器扩散气泡的大小取决于孔隙的大小。假定微孔曝气器可以将 $1m^3$ 空气扩散成 1000 万个细泡，这仅仅只是与曝气器的孔隙尺寸有关，无论曝气器的孔隙堵塞了多少、阻力有多大、有效通气流量如何，这些都不会影响曝气器将"$1m^3$ 空气扩散成 1000 万个气泡"的物理特性。氧利用率反映的仅仅是微孔隙产生细气泡的孔隙扩散状态；阻力大小、堵塞程度、通气流量等反映的才是曝气器实际功效；氧利用率与实际功效是完全不同的概念，二者是不能相等的。曝气器如果走孔愈细氧利用率愈高的技术路线，则将导致的结果就是曝气器的运行可靠性更加难以保障，不利于污水处理的长期稳定运行。

四、氧利用率要服从于运行可靠性

氧利用率再高，如果难以保证曝气长期运行稳定的可靠性，则曝气器的产品品质是不高的。从多年来曝气器的实际应用情况来看，氧利用率 22% 是一个临界线，如果氧利用率不能达到 22% 则是品质不理想的曝气器，如果氧利用率可以达到 22% 以上，产品从技术上确保曝气器的长期稳定运行可靠性则是第一位的，氧利用率要服从于运行可靠性，在曝气器的实际应用中既要努力提高氧利用率，又不能只看重氧利用率而忽视运行的可靠性。

将曝气器孔隙制造得愈来愈细，技术上并不困难。但是要实现氧利用率与运行可靠性都必须要高的要求，此问题不是一般的孔隙技术可以解决的。让孔隙自身可以运动，则是解决此问题的一把钥匙，也是孔的新概念新技术的核心内容。

五、曝气器的两种可运动孔隙的新技术

南岛公司的曝气器应用研发团队，多年来一直在致力于曝气器孔的新概念新技术的研发与制造。近年研发成功的孔隙新技术成果是：弹跳孔（大孔），专利号 ZL200720125876.4；工字组合孔（微孔），专利号 ZL200720004066.3。

弹跳孔和工字组合孔，采用先进技术解决了孔隙自身可以运动的难题。采用弹跳孔技术制造了 PD5、PD6 弹跳孔曝气器，采用工字组合孔技术制造了 PD280 工字组合孔曝气器，PD 是我公司注册商标。

（一）弹跳孔（大孔）

在曝气器的排气孔之上设置了一个可以作弹跳运动的锥头，排时气流将弹跳锥头顶起，孔隙张开而排气，属于可见的大孔排气。随着气流的大小，孔隙的张开程度会有细小的波动，均衡气流的分配；停止供气时，弹跳锥头则将孔隙封闭而形成止回；孔隙结构是自身可以运动的大孔。

弹跳孔图照如下（图中有一个锥头为升跳运动的示范）：

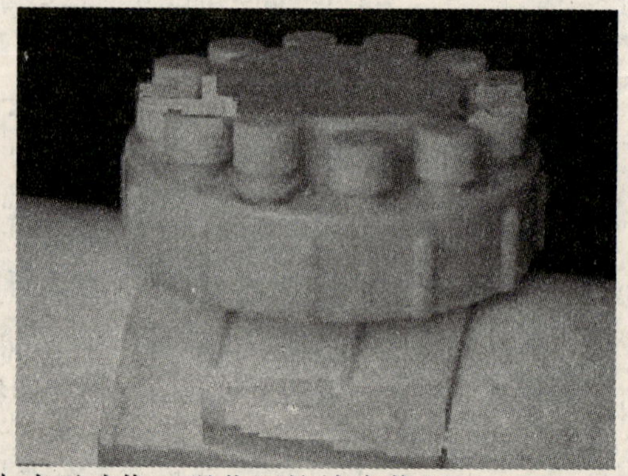

弹跳孔排气——排气孔具有运动的智能，随气流波动而动作，强化了抗堵塞作用；

弹跳孔分气——单个曝气器由多个弹跳孔分气，确保了分气的均衡；

弹跳孔止回——停止供气时弹跳孔智能弹压止回，避免了杂物进入管道内；

进气无需过滤除尘——属于大孔排气，对进气无除尘要求；

动态的弹跳孔，是确保曝气器长期稳定运行的可靠技术支持。

在弹跳孔之上，利用气泡上浮动力，装配倒锥齿扩散罩更进一步破碎气泡，达到了大孔排气细泡布气的功效。下图是在弹跳孔之上装配了不同倒锥齿扩散罩的 PD5 曝气器（氧利用率 23.16%）和 PD6 曝气器（氧利用率 30.66%）：

（二）“工”字组合孔（微孔）

孔隙单元是由一个直线孔隙加二个横线孔隙组合而成，组合的孔隙呈“工”字形状，组合孔是自身可产生细微动作的对称二片结构，排气是通过孔隙自身的对称二片结构的细微动作而进行的。因此，一是缓解和避免了易撕裂末端，膜片运行可靠性提高；二是改变和分散了膜片整体受压向外膨胀的状态，膜片抗疲劳性能提高；三是如有堵塞物则较为容易通过组合孔排出，膜片防堵塞性能提高。

膜片上的工字组合孔形状图如下。

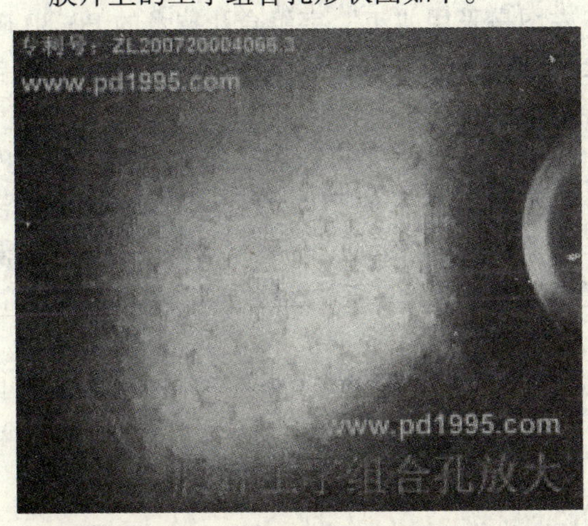

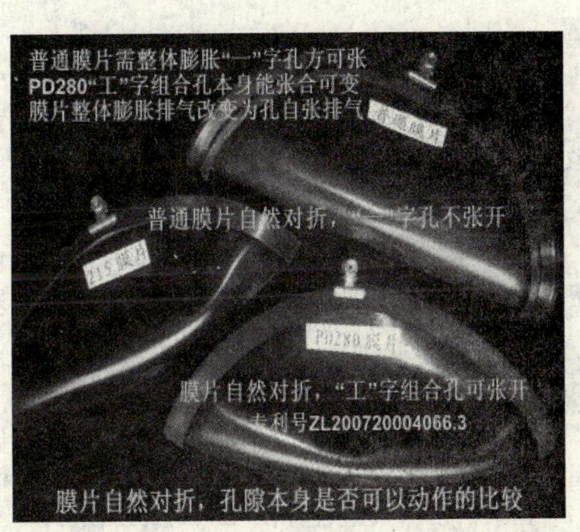

曝气器膜片采用“工”字组合孔，实现了微孔隙的自身张合可变，使膜片的增大孔隙量、降阻力、抗堵塞、抗疲劳、抗老化、抗撕裂等一系列问题迎刃而解。

膜片上大量的对称二片结构，解决了空气可以流畅的从自身可运动的微孔隙通过而形成微泡。因为对称二片结构只会是确保空气均衡流畅排泄，气压差分散到大量对称二片结构自身的细微动作，使膜片的受压几乎为零，所以气流不可能使对称二片结构扩大而脱离微孔隙的范畴，更不存在膜片膨胀的问题。权威检测机构对工字组合孔膜片检测的氧利用率是 36.57%，就是很好的证明。

“一”字孔就是一个孔隙，而“工”字是三个孔隙，孔隙量增加了三倍。

下图说明的是采用膜片自然对折对比的方式演示：对折处“一”字孔不张开，孔隙自身不可动作；对折处“工”字孔可张开，孔隙自身能够动作。

“一”字孔与“工”字组合孔比较

序号	内容	“一”字孔	“工”字组合孔
01	孔隙形式	“一”字形状的孔隙，孔隙单元由一个缝隙而构成	“工”字形状的组合孔，孔隙单元由一个竖缝隙与二个横缝隙组合
02	孔隙结构	单一线状缝隙，存在二个易撕裂末端	“工”字形组合孔二侧，构成可以产生细微动作的对称二片结构
03	工作原理	膜片整体膨胀方可以使孔隙张开，孔隙自身不能动作	无需膜片整体膨胀，组合孔对称二片结构孔隙自身能张合可变
04	排气动作	膜片整体受压膨胀，孔隙方可以张开排气	膜片不膨胀，气压差分散至组合孔的对称二片结构自身动作而排气
05	排气阻力	膜片整体受压膨胀阻力大	将膜片整体膨胀改变为分散的对称二片结构的细微动作，阻力小
06	孔隙撕裂	单一线状缝隙，存在容易产生撕裂作用的可延伸末端	对称二片结构的缝隙，缓解和避免了孔隙的易撕裂末端
07	膜片疲劳	膜片整体受压膨胀易疲劳	对称二片结构动作不易疲劳
08	细微颗粒	灰尘等细微颗粒，容易被单一线状缝隙卡住	灰尘等细微颗粒，难以被可产生细微动作的对称二片结构卡住
09	孔隙数量	一个孔一个孔隙	一个孔三个孔隙
10	耐用程度	运行时是膜片整体膨胀，使膜片耐用程度低	运行时大量分散的对称二片结构的细微动作，使膜片耐用程度增高

左图是采用“工”字组合孔技术的 PD280 曝气器（球冠形、膜片弧长 280 ㎜、双重止回、自动导流排水、氧利用率 36.06%）。

采用弹跳孔（大孔）和工字组合孔（微孔）二种新型孔隙技术的 PD5、PD6、PD280 曝气器，由于孔隙自身能够运动，使曝气器的运行可靠性得到了强有力的保障，正常运行可以达到 8 年以上。

参考文献

［1］大孔细泡新型旋混曝气器［J］. 中国给水排水，1999（1）.

［2］国家专利局. 专利说明书，ZL200720125876.4.

［3］国家专利局. 专利说明书，ZL200720004066.3.

［4］建设部给水排水设备产品质量监督检验中心. 检验报告. 2007－22.

［5］建设部给水排水设备产品质量监督检验中心. 检验报告. 2007－27.

我国道路交通污染及其对职业人群健康影响

王菲菲　刘芳盈　丁明玉　张金良

（中国环境科学研究院　北京朝阳安外大羊坊8号　100012）

随着我国社会经济的快速增长和城市化进程的推进，道路交通污染已取代燃煤成为我国城市主要污染源。道路交通系统产生的环境污染包括大气污染、噪声污染及土壤重金属富集等。随着我国机动车保有量的增长，道路交通污染日益严重并危害人群健康。

一、我国道路交通污染现状

（一）机动车保有量快速增长

近年来，我国机动车数量的急速增长，大城市表现尤为突出。以北京为例，1980 年机动车总量为 10.4 万辆，每百人保有量为 1.2 辆；2008 年机动车总量为 350.4 万辆，每百人保有量为 20.7 辆。由图 1 可见，北京市机动车人均保有量呈现逐年上升趋势，尤其在 1994 年以后，上升趋势明显加大。

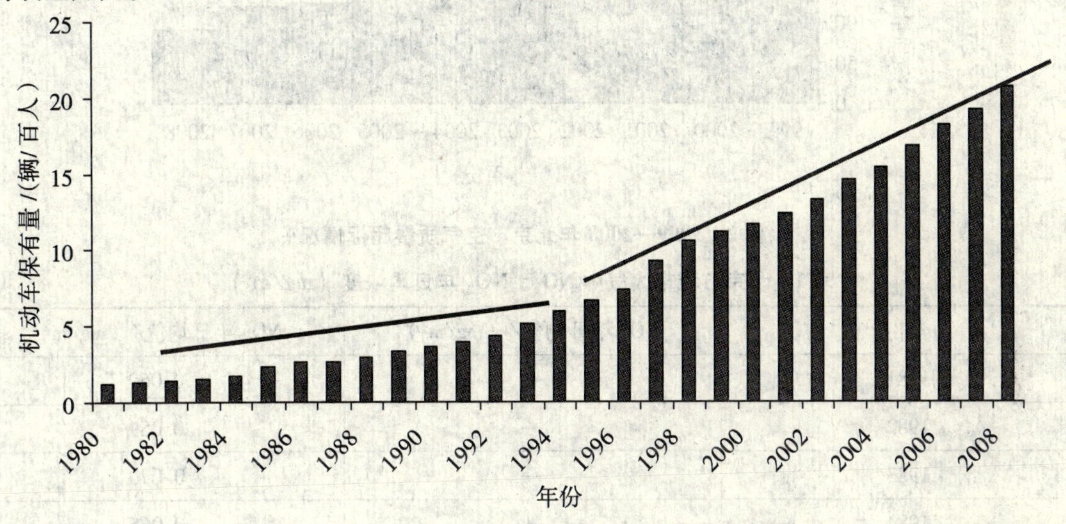

图 1　1980—2008 年北京市机动车保有量

（数据来源于北京市交通管理局及北京市统计年鉴）

（二）机动车尾气排放带来的大气污染

机动车尾气主要由一氧化碳（CO）、碳氢化合物（HC）、氮氧化物（NO_x）、铅（Pb）及颗粒物等组成，且在阳光紫外线的作用下产生光化学烟雾，它们是造成城市大气污染的主要污染物。以北京市为例，从图 2 可见 1999—2008 年北京空气质量超标天数逐年递增，但 NO_x 年日均浓度呈现逐年上升的趋势，在 1998 年达到峰值。在 1998 年以后，开始监测 NO_2 的年日均浓度，其年日均浓度处于较高水平且变化不明显，但在 2008 年浓度最低，尚不能确定其是否具有下降趋势（表 1）（注：数据来源于北京市环境质量报告书）。

（三）土壤重金属富集

江苏宁连高速公路两侧 200 m 范围内的土壤中 Pb、Cu、及 Ni 的最大累积系数分别为 1.94、1.82 及 1.69；小麦籽粒中 Ph 含量有随距离增加而下降的趋势，在距公路 50 m 处受到的影响最大，采样范围内小麦籽粒 Ph 含量超标严重，最大超标倍数达 3.5 倍，而 Cd、Cu 及 Zn 无超标现象[1]。中科院2009年对沈阳－哈尔滨高速公路两侧农田60个土壤样品Pb、Cu、Zn、Cd分布状况进行了分析，结果表明，高速公路两侧在距路肩0～320 m范围内，Cu、Pb和Zn全量和有效态含量总体上呈现随距离增加而降低的趋势，Cd的变化规律不明显。

319国道某路段旁水稻田土壤和稻谷中镉铅含量与对照区相比，污染区显著高于对照区，土壤和稻谷中镉铅含量分别呈正相关，镉、铅主要富集于表层土壤[3]。采集兰州市交通主干道两侧及远离交通主干道的公园及大学校园里的槐树叶片和土壤样品并对土壤及植物叶片中重金属含量进行测定，结果发现交通主干道两侧土壤中Zn、Cd、Hg、Pb、Cu、Cr等7种微量元素的含量显著高于公园土壤，且生长在交通主干道两侧的槐树叶片中Zn、Cd、As、Hg、Pb、Ni、Co、Cr、N 9种元素的含量显著高于生长在公园的槐树叶片[4]。

可见，无论高速公路两侧、国道或者城市交通干道旁的土壤已不同程度出现重金属富集现象，土壤重金属以Pb、Cd污染为主，污染物主要来源于汽车尾气，并已对农作物生长产生影响。

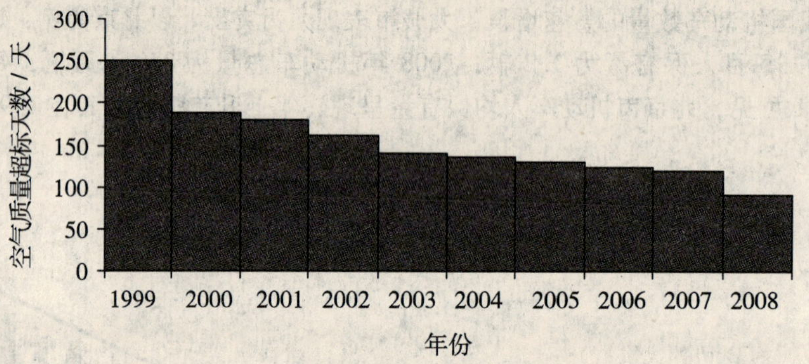

图2　1999—2008年北京市空气质量超标情况

表1　北京市城市大气中NO_x、NO_2年日均浓度（mg/m^3）

年份	NO_2年日均值/（mg/m^3）	NO_x年日均值/（mg/m^3）
1981	—	0.060
1982	—	0.059
1983	—	0.070
1984	—	0.065
1985	—	0.066
1986	—	0.077
1987	—	0.077
1988	—	0.078
1989	—	0.083
1990	—	0.098
1991	—	0.109
1992	—	0.119
1993	—	0.109
1994	—	0.120
1995	—	0.124

年份	NO_2 年日均值/（mg/m³）	NO_x 年日均值/（mg/m³）
1996	—	0.117
1997	—	0.115
1998	0.074	0.152
1999	0.077	0.140
2000	0.071	—
2001	0.071	—
2002	0.076	—
2003	0.072	—
2004	0.071	—
2005	0.066	—
2006	0.066	—
2007	0.066	—
2008	0.049	—

（四）噪声污染

2008 年，我国道路交通噪声监测的 384 个城市中，7.6% 的城市存在道路交通噪声污染[5]。因我国道路交通噪声监测区域有限，因此该数据并不能代表全国道路噪声污染水平。有研究对福州市道路交通噪声污染程度及传播范围的测定结果显示，交通道路边的噪声值最高，距离路边越远，噪声值越小，离交通干道较远的居民区噪声值最低；一天中各个时段城市噪声值不同，白天比夜间噪声值高，且二者均超过国家标准；路边一定距离内噪声主要由道路中心噪声传播所致，它们与车流量有关；交通噪声对居住在路边的市民的睡眠、学习、生活等产生影响[6]。2008 年修订后的《声环境质量标准》有两点重大变化，一是适用范围扩大到广大乡村地区，二是对交通干线的内涵进行了明确，适当补充了交通干线两侧 4 类区的环境噪声限值。

二、职业人群健康影响

交警及交通协管员、公交车司售人员及出租车司机、高速路收费人员等常年在交通干道上作业，因此被视为暴露于道路交通污染的特殊职业人群。广州市监测公交车运营时司机呼吸带范围 NO_2、CO、SO_2 的浓度，结果显示公交车司机污染物最高暴露水平的时间加权浓度分别为 NO_2 10.62mg/m³、CO 0.34 mg/m³、SO_2 0.99mg/m³，处于交通污染的高暴露水平[7]。

（一）呼吸系统健康影响

城市机动车排放的尾气一般集中在离地面 1 m 左右，处于人们的呼吸带附近，严重影响呼吸系统健康状况。刘克俭等[8]应用回顾性队列调查方法，对全国 16 个城市 4433 名交通警察的健康状况调查结果显示交通警察（固定警、流动警和岗亭警）呼吸系统疾患明显增高。兰州、包头、南宁的研究也得出此结论[9-11]。朱娅玲等[12]对北京市城区五环之内工作的 100 名交通警察肺功能情况调查，测定指标峰流速值（PEF）、用力呼气肺活量（FVC）、第 1 秒用力呼气容量（FEV1）及弥散量（TLCOs /SB），结果发现与健康人相比，二环路组、三环路组、四环路组的交通警察的 PEF 和二环路组的 TLCOs /SB 均明显降低，差异有统计学意义；说明长期接触汽车尾气污染物不仅造成肺通气功能下降，也能造成肺弥散功能的下降。对上海市司机、售票员和出租车司机调查也发现咽痛、慢性鼻炎和咽炎的发生率显著高于对照组（$P<0.05$）[13]。

（二）心血管系统健康影响

河南省某市 281 名男性内、外勤交通警察健康调查结果显示，外勤组交通警察血压异常率高于内勤组，外勤组交通警察收缩压（SBP）、舒张压（DBP）水平均高于内勤组（$P<0.05$）。但经分层分析，在高年龄组（≥45 岁）和高工龄组（≥20 年）中内外勤组间血压异常率、舒张压、收缩压差异有显著性（$P<0.05$），而在低年龄组和低工龄组中内外勤组间血压异常率、舒张压、收缩压差异无显著性（$P<0.05$）。结论认为长期接触交通污染环境能引起交通警察血压的改变[14]。西安市 630 例交通警察的心电图检测结果发现，窦性心律不齐、窦性心律过缓伴不齐及左心室高电压等心电图异常有 143 例，占受检人数的 22.7%，明显高于对照组（$P<0.01$）[15]。

（三）血液及造血系统健康影响

潘小川等[16]对北京市 4 个区县 1400 名值勤交通警察进行调查研究，并抽样测定了部分对象外周血铅含量、血 COHb 饱和度、肺最大呼气流速（PEF）等健康效应指标。结果显示，调查对象的 COHb 饱和度较对照明显升高，血铅含量相对偏高。提示北京市汽车废气污染对部分职业人群已产生一定的健康影响，同时城区交通警察的肺 PEF 亦较郊区下降。唐山市 1998—2000 年的大气 CO 浓度值分别为 3.20mg/m^3、3.08 mg/m^3 和 3.93 mg/m^3，在控制吸烟等混杂因素外，唐山市外勤交警的碳氧血红蛋白饱和度比内勤警明显增高，不同年龄段的外勤警的碳氧血红蛋白饱和度均高于内勤警[17]。青岛市的调查研究发现，机动车尾气污染可导致交通警察红细胞、血红蛋白及血小板的代偿性增高，显著高于内勤警[18]。

（四）其他健康影响

交通污染对职业人群的神经行为、免疫功能等产生影响。童宁等[19]对合肥市公交公司 46 名男性司机和 24 名男性售票员进行神经行为功能调查，采用 WHO 神经行为核心测试组合（WHO 2NCTB），结果发现司售人员工作环境中的有害因素强度明显高于对照组，在行为功能测试中，司售人员的平均反应时间、目标追踪、数字译码、视觉记忆、数字跨度测试得分与对照组差异有显著性。在情感调查中，司机组的疲劳惰性和售票员的紧张焦虑得分与对照组差异有显著性。李忠民等[20]的研究发现工作在不同污染状态下的交通警的免疫水平是有差异的，即交通流量越大，交通污染越重，交通警察唾液 SIgA 及溶菌酶含量就越低。

三、小　结

综上所述，我国城市交通的快速发展已经对环境及健康造成危害。已有许多职业人群流行病学研究结果表明，机动车尾气污染对人群健康可产生不良影响。但我国目前道路交通污染健康影响的研究仍然流于表面，深度不够并缺乏系统性，未来我们应开展机动车尾气污染的暴露评价研究及个体暴露特征分析，并深入研究道路交通污染对心血管系统及神经行为的影响，探讨职业人群及易感人群的保护措施。

参考文献

[1] 李波，林玉锁，张孝飞，等．宁连高速公路两侧土壤和农产品中重金属污染的研究［J］．农业环境科学学报，2005，24（2）：266－269.

[2] 秦莹，娄翼来，姜勇，等．沈哈高速公路两侧土壤重金属污染特征及评价［J］．农业环境科学学报，2009，28（4）：663－667.

[3] 林健，杜恣闲，陈建安，等．公路交通污染土壤和稻谷中镉铅分布特征［J］．环境与健康．2002，19（2）：119－121.

[4] 康玲芬，李锋瑞，张爱胜，等．交通污染对城市土壤和植物的影响［J］．环境科学，2006，27（3）：

556 - 560.
[5] 国家环境保护总局.2008 年中国环境状况公报.
[6] 郑振佺，林育纯，张津．城市交通噪声污染及其对市民的影响［J］．预防医学情报，1995，2：88 - 90.
[7] 张秋丽，林蓉，于莹莹，等．城市公交车司机交通污染暴露水平评估［J］．中国卫生检验，2009，19（7）：1651 - 1653.
[8] 刘克俭，蔡荣泰，毛福英．交通警察健康状况及其影响因素［J］．中华劳动卫生职业病，1998，16（3）：151 - 154.
[9] 黄励，胡衡生，陈学斌．南宁市道路空气污染对交通警察呼吸系统的影响［J］．环境与健康，2005，22（4）：274 - 276.
[10] Zhao XH, Niu JP, Wang YM, et al. Genotoxicity and chronic health effects of automobile exhaust: a study on the traffic policeman in the city of Lanzhou [J]. Mutat. Res, 1998, 415: 185 - 189.
[11] 高红萍，张翼翔，姚碧云，等．包头市昆区交通污染状况及对交警健康的影响［J］．包头医学院学报，19：182 - 184.
[12] 朱娅玲，王辰，林英翔，等．道路空气污染对交通警察肺功能的影响［J］．中华劳动卫生职业病，2006，24（2）：109 - 110.
[13] Yuan ZW, Ye D, Qi S, et al. Health effects of occupational exposures to vehicle emissions in Shangha [J]. International Journal of Occupational &Environmental Health, 2001, 7: 23 - 30.
[14] 李海斌，刘艳芹．某市交通污染对交通警察血压影响的初步研究［J］．广西预防医学，2006，12（4）：72 - 74.
[15] 赵茜，马兰，李军．交通警察心电变化的探讨［J］．中国工业医学，2001，14（5）：309 - 310.
[16] 潘小川，全宝玲，李刚，等．北京市汽车废气污染对交通警察健康影响的初步研究［J］．中国公共卫生，2000，16（6）：502 - 503.
[17] 李君，蒋守芳，白玉萍，等．汽车废气污染对交警碳氧血红蛋白水平影响的研究［J］．环境与健康，2002，19（1）：48 - 49.
[18] 刘志胜，王海东，于飞，等．大气污染对交通警察造血系统的影响［J］．中国热带医学，2005，5（3）：589 - 590.
[19] 童宁，张海燕，陈文军．交通污染对公交汽车司售人员神经行为功能的影响［J］．疾病控制，2004（3）：231 - 233.
[20] 李忠民，吴艳军，李永勇．交通污染对交通警察免疫水平的影响［J］．环境与健康，1994（3）：136.

阿维菌素类药物胁迫对非靶标昆虫家蚕的毒理学效应

朱九生　王　静　高海燕　余清军　乔雄梧

（山西省农药重点实验室　山西　太原　030031）

摘　要　食下毒叶法测定结果表明，阿维菌素和甲维盐对1~5龄家蚕幼虫的LC_{50}分别为0.0013~0.0243mg/L和0.0007~0.0200mg/L；而药膜法测定结果显示供试农药对家蚕的LC_{50}分别为3.57~35.36mg/L和3.02~34.89mg/L。两种供试农药田间推荐使用剂量（1.8%阿维菌素乳油4.5mg/L和1%甲维盐乳油2.5mg/L）喷施桑园后，对家蚕的残毒期分别为14d和7d。根据国家环境保护总局《农药对家蚕的毒性与风险性等级划分标准》，阿维菌素和甲维盐对家蚕剧毒，田间喷雾使用对家蚕具有极高风险性。

关键词　阿维菌素　甲维盐　家蚕　急性毒性　残留毒性　内吸毒性

阿维菌素（AVMs）是一类新型生物农药。它是由链霉菌发酵菌丝内产生的一组大环内酯类物质，含有8个结构相近的天然物质，其中AVM B1活性最高，即商品化的阿维菌素—abamectin。阿维菌素B1组分的羟基衍生化产物称为甲氨基阿维菌素（Emamectin），该产物在一定条件下与苯甲酸发生反应生成稳定性好的甲氨基阿维菌素苯甲酸盐（Emamectin benzoate，以下简称甲维盐）。阿维菌素类农药对多种农作物的害螨和害虫具有很高的生物活性，是一类优良的抗生素杀虫杀螨剂，广泛应用于农业害虫防治。然而，作为一类农药，阿维菌素类药物同样也面临着使用后的生态安全性问题，其中包括对非靶标重要经济昆虫——家蚕的潜在影响。有关阿维菌素类农药对家蚕的毒性已有零星研究[1-4]，但对不同龄期家蚕幼虫的急性毒性、对敏感龄期幼虫的残留毒性及其内吸毒性则缺乏系统研究。本文就阿维菌素和甲维盐对家蚕幼虫的毒性进行试验研究，以探讨阿维菌素类药物对家蚕的急性毒性、残留毒性和内吸毒性效应，为该类药物在蚕桑区的合理使用提供依据。

一、材料与方法

（一）供试材料

家蚕品种为鲁七×9202，其卵种购于山东省广通蚕种厂。用常规方法催青和饲养至各龄期备用。

桑树品种为陕桑305，树龄2年，处于桑叶盛产期，种植于山西省农药重点实验室试验田（太原）。

95%阿维菌素原药，河北威远生物化工股份有限公司产品。原药用少量丙酮溶解后，再用蒸馏水稀释并配制成母液，冰箱（5~7℃）中保存备用。

64.12%甲维盐原药，青岛凯源祥化工有限公司产品。母液配制与保存同上。

1.8%阿维菌素乳油（商品名为虫螨光），浙江升华拜克生物股份有限公司产品（市售）。

1%甲维盐乳油（商品名为铃断），天津农药股份有限公司产品（市售）。

（二）试验方法

1. 急性毒性测定

食下毒叶法：选择健康且大小较为一致的1龄、2龄、3龄、4龄和5龄起蚕进行试验。通过预试验确定各龄家蚕幼虫全部致死和全部存活的浓度范围，正式试验在此浓度范围内以一定的等比级差设5~6个浓度组（母液用清水稀释，每100ml加3滴吐温80），并设清水（加吐温80）为空白对照组。将桑叶切成约10~15cm^2小块，在不同浓度的药液中浸渍30s，取出自然晾干，置于直径为15cm培养皿中或20cm×20cm的纸盒内，移入家蚕后放入人工气候箱中培养。取食24h后改喂新鲜桑叶，观察记录48h的中毒死亡情况（用昆虫针刺激虫体，不动者视为死亡）。每组20头蚕，重复3次。对照组死亡率小于10%的试验为有效试验。

容器药膜法：试虫选择和药液配置方法同上。将不同浓度的药液倒满直径为15cm的培养皿，静置1min后倒掉，待药液挥发干后即形成药膜，然后移入各龄起蚕，令其爬行30min后转入直径为15cm的培养皿中用无药新鲜桑叶饲养。观察记录48h的中毒死亡情况。每组20头蚕，重复3次。观察记录方法同上。

2. 残留毒性测定

试验采用多次喷药集中采样测定方法进行。在桑树新长枝条的叶片数达到9～15片时开始施药，将1.8%阿维菌素乳油和1%甲维盐乳油分别用清水稀释成田间推荐使用剂量4.5mg/L和2.5mg/L和两倍田间推荐使用剂量9.0mg/L和5.0mg/L，用手持喷雾器分别对桑树进行喷施，叶面和枝条喷湿为止，并设清水为空白对照。每处理重复3次，每3株桑树为一重复。药后1d、3d、5d、7d、10d、14d、21d、28d、35d分别采集标签以下的桑叶，分别饲喂2龄和3龄起蚕48h，后改用新鲜无毒桑叶饲养，观察记录开始饲喂后96h的中毒死亡情况，计算死亡率。试验日期：2007年7月9日至8月16日。试验前期（15天）只有少量降雨。

3. 内吸毒性测定

在进行残留毒性田间试验的同时，将需要喷雾的桑树枝条梢端约30cm用塑料袋套住，然后在桑树上喷药，待药液干后去除塑料袋，间隔一定的时间采摘新长出的叶子或袋中未污染的叶子饲喂2龄和3龄起蚕，试虫处理和观察记录方法同上。

（三）试虫饲养条件

供试家蚕均在温度25℃±1℃，相对湿度80%±5%的人工气候箱中饲养。

（四）数据处理

急性毒性试验采用Finney概率分析法计算各个龄期的LC_{50}及95%置信限。残留毒性试验中的死亡率数据需进行反正玄转换，再采用SPSS软件进行单因素方差分析与Duncan's新复极差测验。

二、结果与分析

（一）阿维菌素和甲氨基阿维菌素苯甲酸盐对家蚕的急性毒性

1. 食下毒叶法对家蚕的毒性

由表1可以看出，不同龄期家蚕幼虫对阿维菌素和甲维盐的敏感性存在差异。总的来说，随着龄期增大，家蚕敏感性降低。采用食下毒叶法处理后48h，阿维菌素对1龄家蚕的LC_{50}值为0.0013mg/L，而对2龄、3龄、4龄、5龄家蚕的LC_{50}值分别是1龄家蚕LC_{50}值的6.46倍、6.77倍、18.15倍、18.69倍；甲维盐对1龄家蚕的LC_{50}值为0.0007mg/L，而对2龄、3龄、4龄、5龄家蚕的LC_{50}值分别是1龄家蚕LC_{50}值的8.57倍、11.71倍、27.71倍、28.57倍。结果显示，2～3龄家蚕对阿维菌素类药物的敏感性较为接近，4龄以上的壮蚕对该类药物的敏感性明显降低。这可能与低龄家蚕个体较小，对外源化合物的解毒能力较弱有关。甲维盐对家蚕的LC_{50}值均小于阿维菌素对相同龄期家蚕的LC_{50}值，表明由阿维菌素衍生化的甲维盐对家蚕的毒性强于其母体化合物——阿维菌素。

2. 药膜法对家蚕的毒性

药膜法测定结果见表2。总体来说，随着龄期增大，家蚕对阿维菌素和甲维盐的触杀活性敏感性降低，到4龄期达最低值，随后又有所升高。药膜法处理后48h，阿维菌素对1龄家蚕的LC_{50}值为3.57mg/L，而对2龄、3龄、4龄、5龄家蚕的LC_{50}值分别是1龄家蚕LC_{50}值的4.06

倍、9.66倍、11.63倍、9.90倍；甲维盐对1龄家蚕的LC_{50}值为3.02mg/L，而对2龄、3龄、4龄、5龄家蚕的LC_{50}值分别是1龄家蚕LC_{50}值的3.32倍、7.80倍、13.73倍、11.55倍。从表2中还可以看出，甲维盐对1~3龄家蚕的LC_{50}值均小于阿维菌素对相同龄期家蚕的LC_{50}值，而对4~5龄家蚕的LC_{50}值与阿维菌素对相同龄期家蚕的LC_{50}值基本相当，表明甲维盐对低龄家蚕幼虫的触杀毒性强于阿维菌素的毒性。

表1　阿维菌素和甲维盐对家蚕48h的急性毒性（食下毒叶法）

供试药剂	试虫龄期	毒力回归方程	相关系数/R	LC50/（mg/L）	95%置信限/（mg/L）
阿维菌素	1	$Y=11.845+2.3673X$	0.9970	0.0013	0.0011~0.0015
	2	$Y=10.378+2.5879X$	0.9770	0.0084	0.0071~0.0099
	3	$Y=8.8304+1.8639X$	0.9814	0.0088	0.0072~0.0107
	4	$Y=8.9872+2.4497X$	0.9873	0.0236	0.0201~0.0276
	5	$Y=8.6244+2.2443X$	0.9846	0.0243	0.0204~0.0290
甲维盐	1	$Y=11.168+1.9692X$	0.9947	0.0007	0.0006~0.0009
	2	$Y=10.341+2.4782X$	0.9862	0.0060	0.0059~0.0083
	3	$Y=10.5029+2.6402X$	0.9931	0.0082	0.0070~0.0097
	4	$Y=9.3560+2.5445X$	0.9983	0.0194	0.0165~0.0228
	5	$Y=9.1948+2.4674X$	0.9624	0.0200	0.0170~0.0234

表2　阿维菌素和甲维盐对家蚕48h的急性毒性（药膜触杀法）

供试药剂	试虫龄期	毒力回归方程	相关系数/R	LC50/（mg/L）	95%置信限/（mg/L）
阿维菌素	1	$Y=3.8594+2.0649X$	0.9524	3.57	3.00~4.24
	2	$Y=2.1567+2.4497X$	0.9868	14.48	12.54~16.72
	3	$Y=-3.1993+5.3328X$	0.9754	34.48	32.34~36.75
	4	$Y=1.0773+2.4240X$	0.9932	41.53	35.56~48.50
	5	$Y=-1.9345+4.4781X$	0.9904	35.36	32.60~38.36
甲维盐	1	$Y=4.0047+2.0764X$	0.9219	3.02	2.55~3.56
	2	$Y=2.6370+2.3601X$	0.9884	10.03	8.60~11.70
	3	$Y=-0.6166+4.0933X$	0.9911	23.56	21.66~25.62
	4	$Y=-0.7236+3.5380X$	0.9963	41.47	37.24~46.19
	5	$Y=-0.0753+3.2898X$	0.9732	34.89	31.25~38.96

（二）残留毒性

由表3可知，1.8%阿维菌素乳油4.5mg/L喷雾后，采集桑叶连续饲喂2龄和3龄家蚕48h，施药后3d，家蚕96h的死亡率均为100%，此后缓慢降低，至药后第14d，降至5.0%，第21d后未见家蚕死亡。该药9.0mg/L喷雾后3~7d，家蚕96h的死亡率均为100%；施药后第10d，死亡率分别为100%和98.3%；施药后第14d，降至11.7%和8.3%；第21d后未见家蚕死亡。可见，在太原地区，1.8%阿维菌素乳油田间推荐使用剂量（4.5mg/L）和2倍田间推荐使用剂量（9.0mg/L）喷雾至桑树后，残毒期分别为14d和21d。

1%甲维盐乳油2.5mg/L喷雾后，采集桑叶连续饲喂2龄和3龄家蚕48h，施药后1d，家蚕

96h 的死亡率均为 100%，此后死亡率迅速降低，至施药后第 5d，2 龄和 3 龄家蚕的死亡率分别降至 36.7% 和 0%，第 7d 未见家蚕死亡。该药 5.0mg/L 喷雾后 1d，家蚕 96h 的死亡率均为 100%；施药后 7d 降至 35.0% 和 26.7%；第 10d 降至 5.0%。由以上数据分析得出，1% 甲维盐乳油田间推荐剂量（2.5mg/L）和 2 倍田间推荐用量（5.0mg/L）喷施桑树后，在太原地区对家蚕的残毒期分别为 7d 和 10d。

（三）内吸毒性测定

将桑树枝条梢端用塑料袋套住，然后喷药，待药液干后去除塑料袋，药后 3d、5d、7d、10d、14d 采摘新长出的叶子或袋中未污染的叶子饲喂 2 龄和 3 龄起蚕。结果表明，试验家蚕发育正常，未见中毒症状的家蚕出现。说明，阿维菌素和甲维盐对家蚕无内吸毒杀活性。

表 3　1.8% 阿维菌素乳油和 1% 甲维盐乳油对家蚕残留毒性测定

药后天数（d）	试虫龄期	死亡率/%			
		1.8% 阿维菌素乳油		1% 甲维盐乳油	
		4.5mg/L	9.0mg/L	2.5mg/L	5.0mg/L
3	2	100.0 ± 0.0f	100.0 ± 0.0c	46.7 ± 7.6b	78.3 ± 7.6de
	3	100.0 ± 0.0f	100.0 ± 0.0c	38.3 ± 10.4b	73.3 ± 5.8de
5	2	98.3 ± 2.9f	100.0 ± 0.0c	36.7 ± 7.6b	85.0 ± 10.0e
	3	90.0 ± 8.7e	100.0 ± 0.0c	0.0 ± 0.0a	65.0 ± 10.0d
7	2	83.3 ± 7.6de	100.0 ± 0.0c	0.0 ± 0.0a	35.0 ± 8.7c
	3	65.0 ± 5.0c	100.0 ± 0.0c	0.0 ± 0.0a	26.7 ± 7.6c
10	2	70.0 ± 8.7cd	100.0 ± 0.0c	1.7 ± 2.9a	5.0 ± 0.0b
	3	30.0 ± 18.0b	98.3 ± 2.9c	0.0 ± 0.0a	5.0 ± 5.0b
14	2	5.0 ± 5.0a	11.7 ± 2.9b	0.0 ± 0.0a	0.0 ± 0.0a
	3	5.0 ± 5.0a	8.3 ± 5.8b	0.0 ± 0.0a	0.0 ± 0.0a
21	2	0.0 ± 0.0a	0.0 ± 0.0a	0.0 ± 0.0a	0.0 ± 0.0a
	3	0.0 ± 0.0a	0.0 ± 0.0a	0.0 ± 0.0a	0.0 ± 0.0a
对照	2	1.7 ± 2.9a	1.7 ± 2.9a	1.7 ± 2.9a	1.7 ± 2.9ab
	3	1.7 ± 2.9a	1.7 ± 2.9a	1.7 ± 2.9a	1.7 ± 2.9ab

注：同列中数据，如果后缀字母不同，则表示经 Duncan 检验，处理间差异显著（$P < 0.05$）。

三、小结与讨论

本文采用食下毒叶法和药膜法测定了阿维菌素和甲维盐对家蚕的毒性，其中，药膜法反映了杀虫剂对家蚕触杀方面的毒性，而食下毒叶法反映了杀虫剂对家蚕的胃毒、触杀和熏蒸的联合毒性。结果显示，食下毒叶法的毒性很高，而药膜法的毒性较低。说明胃毒是该类农药对家蚕的主要作用方式，触杀是其次要方式。这与吴声敢等[1] 的研究结果相一致。由于食下毒叶法的测定更接近于杀虫剂对家蚕的实际危害情况，因此，进行农药对家蚕的毒性测定和安全性评价时，建议首先选择食下毒叶法。

农药对家蚕的毒性与家蚕的品种、生育期、试验季节和饲养条件密切相关，不同研究者对同一药剂的试验结果往往有一定的差异，其中供试家蚕的虫龄是重要的影响因素之一。本试验结果表明，不同龄期家蚕对阿维菌素类农药的敏感性差异较大，1～3 龄家蚕个体较小，对外源化合物的解毒能力可能较弱，对该药物尤其敏感。食下毒叶法测定的阿维菌素和甲维盐对 1～5 龄家蚕幼虫的致死中浓度 LC_{50} 值分别为 0.0013～0.0243mg/L 和 0.0007～0.0200mg/L，远远低于两种农药在田间的推荐使用浓度 4.5mg/L 和 2.5mg/L。就急性毒性而言，阿维菌素和甲维盐对家蚕的毒性高于部分有机磷、吡虫啉等农药，而与菊酯类和杀虫双等农药相类似。根据国家环境保护总局“农药对家蚕的毒性与风险性等级划分标准”，两种供试农药属剧毒农药范围，田间喷雾使用对家蚕具有极高风险性。

阿维菌素和甲维盐喷施后，在植物表面易发生光解和氧化，所以，这类农药在环境中的降解速度较快。阿维菌素在西蓝花、枸杞中的半衰期分别为 1.5～2.2d 和 1.3～1.5d[5,6]，甲维盐在甘蓝、黄瓜上的半衰期为 0.5～1d 和 0.6～1.5d[7,8]。本研究结果表明，两种供试农药田间推荐使用剂量喷施桑园后，对家蚕的残毒期分别为 14d 和 7d。其中阿维菌素的残毒期与张午中等[9]的研究结果比较接近。阿维菌素的残毒期虽长于甲维盐，但远远短于菊酯类和杀虫双等农药。阿维菌素类农药具有良好的层移活性，但田间喷药试验结果表明，供试农药对家蚕并无内吸毒杀活性。

根据供试农药毒性较强和残毒期相对较长（特别是阿维菌素）的特点，阿维菌素和甲维盐在桑园治虫使用的风险较大。如桑园确实需要使用这类农药，一定要严格按照推荐剂量用药，不能随意加大用药剂量，同时要计算好残毒期（安全间隔期），先少量采叶饲喂家蚕，确信无毒后再扩大使用。也可将桑园一分为二，一部分用药，另一部分留作家蚕食用，待喷药部分过了残毒期后，再喷剩余部分桑树。如在桑园附近的农作物上使用，施药时一方面要与桑园保持足够的间距，另一方面要注意采用适当的施药技术，选择合适的喷头与施药液量，并注意风向与风力，以避免雾滴飘移对桑叶的污染。如在养蚕季节桑园受到阿维菌素类农药的污染，根据此类药剂无内吸作用的特点，选择污染以后新长出的桑叶饲喂家蚕，但也需要先进行少量试验，确认无毒后才能扩大使用。

参考文献

[1] 吴声敢，王强，赵学平，等. 阿维菌素和氟虫腈对家蚕毒性与安全性评价研究［J］. 浙江农业学报，2004，16（5）：309－312.

[2] 陈丽萍，赵学平，吴成兴，等. 4 种不同作用机制的杀虫剂对家蚕的毒性与安全性评价［J］. 浙江农业科学，2006，3：330－332.

[3] 张海燕，周勤，潘美良，等. 阿维菌素对家蚕毒性的试验［J］. 蚕桑通报，2006，37（1）：18－20.

[4] 魏方林，朱金文，李少南，等. 甲氨基阿维菌素苯甲酸盐乳油对环境生物的急性毒性研究［J］. 农药科学与管理，2008，29（3）：19－24.

[5] 谢显传，张少华，王冬生，等. 阿维菌素在西兰花和土壤中的残留消解动态［J］. 农药，2006，45（11）：678－680.

[6] 张怡，张宗山，王芳，等. 阿维菌素在枸杞果实中的残留动态［J］. 农药，2007，46（1）：46－47.

[7] 刘丰茂，王道全，明九雪，等. 甘蓝及其土壤中富表甲氨基阿维菌素残留动态研究［J］. 农药学学报，2002，4（4）：67－70.

[8] 王小丽，王素利，陈振山，等. 黄瓜及其栽培土壤中甲氨基阿维菌素苯甲酸盐的残留动态研究［J］. 农业环境科学学报，2005，24（增刊）：307－310.

[9] 张午中，白锡川，吴明良. 阿维菌素对家蚕毒性试验［J］. 江苏蚕业，2007，29，3：8－10.

苯酚降解菌 TX1 的分离鉴定及其降解特性

邱凌峰　吴芳芳　姚　尧

（福州大学环境与资源学院　福建　福州　350108）

摘　要　从受酚类污染的土壤中分离筛选出一株能够高效降解苯酚的菌株。通过形态学、生理生化以及 26SrDNA 测序等手段对其进行初步鉴定，确定该菌株为丝孢酵母菌属（Trichosporon sp.），命名为 TX1。该菌株对苯酚的代谢途径初步研究结果表明，将苯酚先转化为邻苯二酚的苯酚羟化酶定位于细胞膜和细胞质；进而通过邻苯二酚 1，2－双加氧酶（C12O）邻位开环裂解，C12O 为诱导型胞内酶。通过分批培养得到菌株 TX1 降解苯酚的生长动力学模型可用 Haldane 方程表述，参数为 μ_{max} = 0.667/h，K_s = 51.14 mg/L，K_i = 271.7 mg/L。

关键词　苯酚　丝孢酵母菌　邻苯二酚　1，2－双加氧酶　生长动力学

酚类物质是重要的工业原材料，被广泛用作防腐剂、农药、杀虫剂和灭菌剂等。由于苯酚及其衍生物属高毒物质，因此酚类化合物已成为我国优先控制的污染物之一。

利用微生物降解酚类物质是去除该类污染的重要途径。目前已经分离筛选到很多能以该类物质作为唯一碳源的微生物菌株，主要集中在假单胞菌、不动杆菌和红球菌等非芽孢细菌；而真菌对不良环境的高度抗性使其在环境处理中具有一定的优势[1,2]。研究表明，苯酚主要的好氧生物降解途径为：首先，苯酚羟化酶将苯酚转化成邻苯二酚[3]。接着，邻苯二酚或者通过邻苯二酚 1，2－双加氧酶（C12O）邻位途径开环形成乙酰辅酶 A 和琥珀酰辅酶 A；或者通过邻苯二酚 2，3－双加氧酶（C23O）间位途径开环，形成丙酮酸和乙醛。最后通过不同的下游途径进入三羧酸循环[4]。在生物降解苯酚过程中，苯酚羟化酶和邻苯二酚双加氧酶是苯酚代谢途径中的关键酶，而到目前为止的研究均证实邻苯二酚的裂解主要遵循上述两条代谢途径之一[5~7]。本研究以受酚类污染的土壤为菌源，分离筛选出一株能耐受和降解高浓度苯酚的真菌菌株，对其进行分类鉴定，并对该菌株降解苯酚代谢途径及生长动力学进行了初步研究，以期为其实际应用提供依据。

一、材料与方法

（一）材料

1. 菌源

菌源采自闽清县红叶建陶有限公司废水处理系统附近的表层土壤。

2. 培养基

无机盐培养基：NH_4NO_3 1.0 g，Na_2HPO_4 0.7 g，NaH_2PO_4 0.4 g，KCl 0.1 g，MgSO4 0.1 g，$CaCl_2$ 0.1 g，$FeSO_4$ 0.01 g，$MnSO_4$ 0.01 g，溶于 1 L 蒸馏水中，于 121℃灭菌。其中，Na_2HPO_4、NaH_2PO_4 根据实验所需的 pH 值加以调整。

选择培养基：无机盐培养基中加入经 0.22 μm 醋酸膜过滤的苯酚，达到所需浓度。

富集培养基：无机盐培养基中加入葡萄糖 2 g，蛋白胨 1 g，牛肉膏 0.3 g。

以上液体培养基若需配成固体培养基，则再添加 1.8% 琼脂后，于 121℃灭菌 20 min。

（二）方法

1. 菌株的驯化和分离

将菌源充分搅拌、捣碎后置于生理盐水中，使用旋涡混合器振荡打散土壤颗粒。该浊液静置

基金项目：福建省重大科技项目“闽清县白樟镇建筑陶瓷业清洁生产”（2006SZ010080044）。

10 min 后，取上清液于离心机 5000 rpm 离心 10 min，弃清液。将所得样品用 pH 为 6.8 的磷酸缓冲溶液洗涤后加入污泥驯化反应器中，初始溶液为富集培养基，pH7.2 左右，温度 30℃，培养 3d 后开始加入苯酚选择培养基，使反应器中的苯酚初始浓度为 300 mg/L。然后以梯度压力式驯化法驯化直至苯酚浓度为 1500 mg/L。

经上述驯化后，取 5 ml 悬浊液加入 50 ml 初始苯酚浓度为 500 mg/L 的选择培养基中，30℃、150 rpm 摇瓶连续培养三代，每代培养至指数生长期末期以 5% 的接种量进行转接。当第三代培养结束后，取悬浊液在 500 mg/L 苯酚固体选择培养基上画线分离。平板上形成菌落后，根据单菌落的外观形态，将形态不同且高度分散的单菌落，分别挑取至 500 mg/L 苯酚选择培养基中，30℃、150 rpm 摇瓶培养后画线分离。重复以上操作直至每个平板上形成的菌落单一，无法再继续分离。

2. 菌株的鉴定

进行形态学、生理生化鉴定以及 26SrDNA 扩增和序列测定。参考常规方法[8]，对筛选出的菌株镜检观察菌落特征、菌体形态以及生理生化反应进行鉴定测试。同时，委托宝生物工程（大连）有限公司进行分子生物学鉴定，完成引物设计与 PCR 扩增、PCR 产物凝胶电泳分析、26S rDNA 测序、NCBI 比对分析。

3. 菌株代谢苯酚途径

（1）粗酶液的制备：将菌体接种到 100 ml 含有 500 mg/L 苯酚的 pH 7.0 无机培养基中，在 30℃、150 rpm 振摇培养 24 h 后，4℃、10000 rpm 离心 10min 收集菌体，培养物上清液留取待用；用预冷的 pH 7.0 磷酸缓冲液洗涤细胞 2 次，用同样的缓冲液 4 ml 重悬并于冰浴中用超声波破碎细胞（每次 3 s，停留 8 s，循环 99 次）。粗酶液于 4℃、12000 rpm 离心 10 min，上清液即为粗酶液，显微镜观察细胞破碎率大于 95%；用于酶活的测定[9]。沉淀中加入 2 倍体积的含有 0.15% Triton - x100 的预冷的 pH 7.0 磷酸缓冲液，旋涡混匀后于 4℃ 冰箱过夜，再于 4℃、12000 rpm 离心 10 min，收集上清液。

（2）酶活测定：苯酚羟化酶（Phenol hydroxylase）的测定以反映产物邻苯二酚生成量测定来计算[10]；邻苯二酚 2，3 - 双加氧酶（C23O）以测定在单位时间内反应产物（2 - 羟粘糠酸半醛）在 375 nm（ε_{375} = 12000 M/cm）的光吸收量来计算[11]；邻苯二酚 1，2 双加氧酶（C12O）以测定在单位时间内反应产物（粘糠酸）在 260 nm（ε_{260} = 16000 M/cm）的光吸收量来计算[12]。测定系统总体积 9 ml，内含 8.01 ml 0.3 mM 反应底物、0.39 ml pH 7.0 磷酸缓冲液和 0.6 ml 粗酶液。一个酶单位（U）定义为在该反应条件下，1 min 内催化产生 1 μmol 反应产物所需要的酶量。蛋白含量按 Bradford[13] 的方法测定。

4. 菌株降酚生长动力学模型

为量化表征丝孢酵母 TX1 降解苯酚能力，研究其细胞生长动力学。相关的实验由一系列不同初始浓度的分批培养实验组成。

（1）种子菌液的制备：将平板上的 X1 菌落挑取至 50ml 无机液体培养基中，摇瓶培养至指数生长期后期，以 5% 的接种量进行转接，再培养至指数生长期后期，以此菌液为种子菌液。

（2）分批培养：初步研究表明，菌株 X1 降解苯酚最适宜条件为温度 30℃，pH7.0，摇床转速 150 rpm，以此作为实验基本条件。在 250ml 三角烧瓶中加入 50ml 无机培养基，使培养基中的苯酚初始浓度为各组实验所需，接种量为 5%（V/V），并保证每次接种后的细胞浓度相同。摇瓶培养，定时采样分析。

苯酚浓度的测定采用国家标准 4—氨基安替比林分光光度法[14]。工作曲线相关系数 R2 为 0.9992。

（3）比生长速率 μ_g：在每次分批培养过程中，在对数增长阶段，其内源衰减系数 K_d 可以忽略不计，简化方程 $\frac{dX}{dt}=\mu_g X-K_d X$，并与边界条件（在 $t=t_L$ 时 $X=X_0$）联立，积分得微生物的生长与时间的关系如下：

$$X = X_0 \exp[\mu_g(t-t_L)] \tag{1}$$

式中：X 为菌体浓度；X_0 为对数增长期菌体初始浓度；t_L 为延迟时间；μ_g 为比生长速率。

每个初始苯酚浓度下的生长过程数据可以用于确定一对 μ_g 和 t_L 值。本文使用 Matlab 7.0 软件对式（1）进行线性拟合，得到各个初始苯酚浓度下，相应的 TX1 生长 μ_g 和 t_L 值。

（4）建立动力学方程：苯酚是一种典型的抑制性底物。Haldane 方程是最常用的描述反竞争性单底物抑制的细胞生长动力学模型[15]。

$$\mu_g = \mu_{max}\frac{1}{1+\frac{K_S}{S}+\frac{S}{K_i}} \tag{2}$$

式中：μ_g 为微生物比生长速率；μ_{max} 为最大比生长速率；S 为底物浓度；K_S 为半饱和常数；K_i 为抑制常数。

采用 Matlab 7.0 软件，使用上述获得的一组 μ_g 和相应苯酚初始浓度 S_0 对式（2）进行拟合，得到 Haldane 方程的动力学参数为 μ_{max}，K_S，K_i。

二、结果与讨论

（一）菌株的形态、生理生化鉴定

通过富集驯化、分离纯化得到的多株能以苯酚为唯一碳源和能源的菌株，其中以 X1 的降解能力最强，耐酚浓度为 1500mg/L，因此将菌株 X1 作为后续的研究对象。

菌株 X1 的形态学特征：X1 在富集培养基上生长，3d 后菌落直径可达 0.5～1.5cm，呈厚绒状，菌落为白色，中央部分凸起，边缘呈纤毛状。7d 后菌落逐渐变为黄色。

对菌株 X1 的部分生理生化特性进行了分析，结果如表 1 所示。可以发现，菌株 X1 能利用葡萄糖、蔗糖、麦芽糖等多种糖类物质，不分解尿素，不能利用部分氨基酸，且发酵产生酸性物质，具有氧化酶活性，属好氧型。

表 1 菌株 X1 的部分生理生化特性

底物	生长情况	底物	生长情况	底物	生长情况
糖类代谢		果糖	-	赖氨酸	+
葡萄糖	+	山梨糖	-	香豆酸	+
木糖	+	乳糖	-	其他	
松子糖	+	核糖醇	-	氧化酶	+
棉子糖	+	有机酸代谢		硝酸盐还原	+
阿拉伯糖	+	尿素	-	硫化氢	-
蔗糖	+	丙二酸 d	-	葡萄糖氧化	+
麦芽糖	+	氨基酸代谢		葡萄糖发酵	+
纤维二糖	+	苯丙氨酸	-	产酸	+

注：+阳性；-阴性

（二）菌株的 26S rDNA 测序鉴定

X1 基因序列已在 GenBank 库上作了登记，获得的登记号为 FJ210677。将菌株的 26S rDNA 测序结果用 BLAST 软件与 Genbank 中所有已知的 26S rDNA 序列进行同源性比较。结果表明，菌株 X1 的 26S rDNA 片段序列与 Genbanks 数据库中的 Trichosporon mycotoxinivorans（Accession

NO. AJ601389）具有100%的同源性。将结果使用 MEGA 4 软件构建菌株 X1 的 26S rDNA 系统进化树（图1），结果显示菌株 X1 与已报道的丝孢酵母菌具有高度同源性。

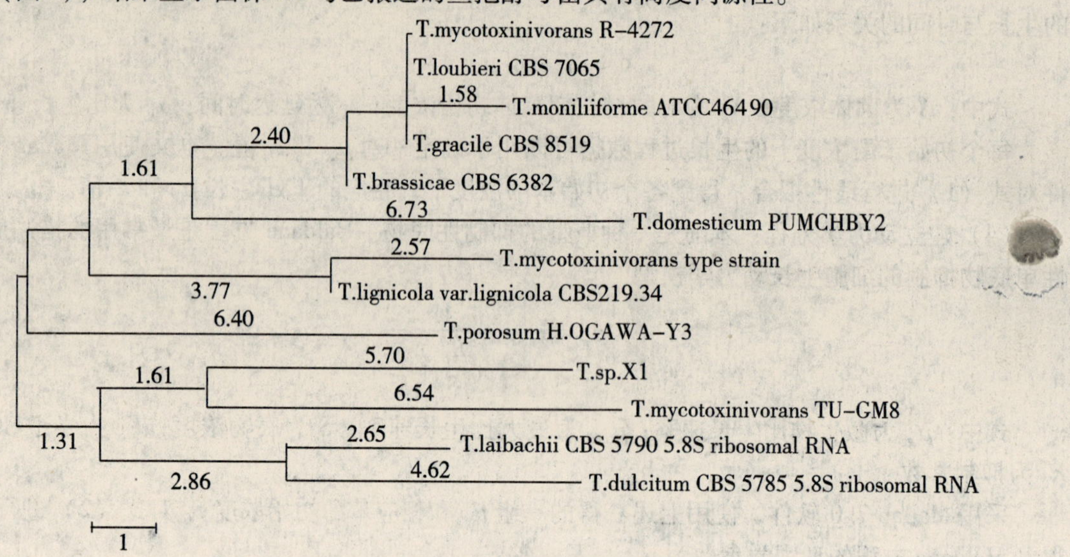

图1　菌株 X1 的 26S rDNA 系统进化树

综合菌株的形态特征、常规生理生化特性和 26S rDNA 序列测定/同源性比较结果，初步鉴定菌株 X1 属于丝孢酵母菌属（*Trichosporon sp.*）。丝孢酵母菌属是一种较常见酵母样真菌，其复制的主要方式是形成节孢子（arthrospores）和芽生孢子（blastospores）。关于 *Trichosporon* sp. 菌属能以苯酚为唯一碳源生长的相关报道早在1973年就已出现，Neujahr[16]等曾报道从 *Trichosporon cutaneum* 获得了可将苯酚催化为邻苯二酚的苯酚羟化酶。之后，Gaal[17]从以苯酚为碳源生长的 *Trichosporon cutaneum* 培养液中成功提取了顺，顺－黏糠酸内酯酶。近年来，Xu 等人曾报道成功将菌株 *Trichosporon* 和 *Serratia* 联合降解农药毒死蜱，将其分解成3，5，6－三氯－2－吡啶酚[18]。本研究所获得的 *Trichosporon* 菌属内的 *mycotoxinivorans*，其降解苯酚能力还未见报道。由于深入鉴定手段的限制，将其暂命名为 *Trichosporon* sp. X1（下文简称 TX1）。

（三）菌株 TX1 降解苯酚的代谢途径

1. 苯酚羟基氧化酶

测定菌株 TX1 细胞粗提液中苯酚羟化酶的比酶活，结果为 1.563 ± 0.024 U/mg protein；而菌体破碎后的沉淀物用非离子型表面活性剂 Triton－x100 处理的上清液，其比酶活为 8.275 ± 0.078 U/mg protein，大于菌体破碎后未经处理的上清液；而菌体离心上清液未测出比酶活。以上表明该菌株产生的苯酚羟化酶为胞内酶，主要定位于细胞膜和细胞质。

2. 邻苯二酚双加氧酶

为了确定 TX1 菌株降解邻苯二酚的途径，测定了不同预处理上清液中 C12O 和 C23O 的活性，结果如表2所示。

表2　不同预处理 TX1 的邻苯二酚1，2－双加氧酶（A）和邻苯二酚2，3－双加氧酶（B）活性

组分	A （U/mg protein）	B （U/mg protein）
培养物上清[1]	0	0
菌体破碎后上清[2]	20.19 ± 0.04	0
Triton－x100 处理后上清[3]	0	0

注：1. 来自培养基；2. 来自菌体破碎后重悬液；3. 来自菌体破碎后的沉淀物经 Triton－x100 处理后的重悬液。

从表2可以看出，无论胞内还是胞外均检测不到C23O的活性，而菌体破碎后上清液具有较高的C12O的活性，表明该菌株是通过邻位裂解途径将邻苯二酚开环裂解的。而在菌体离心上清液和菌体破碎后沉淀物用非离子型表面活性剂 Triton - x100 处理的上清液中C12O活性均为零，表明该菌株产生的邻苯二酚1，2 - 双加氧酶为胞内酶。

3. 诱导前后C12O活性

为了进一步考察TX1代谢苯酚途径，分别在诱导及未诱导（葡萄糖为底物培养）条件下测定了C12O的比酶活，结果见表3。

表3 诱导前后TX1的细胞粗提液中双加氧酶的活性

诱导前 以葡萄糖为底物	诱导后 以苯酚为底物	以葡萄糖和苯酚为底物 培养40h后
1.521 ± 0.249	20.19 ± 0.04	8.546 ± 0.136

注：培养条件：含10mmol/L苯酚和20mmol/L葡萄糖的50mL无机培养基，pH7.0，培养温度30℃，摇床转速150rpm。

从表3可以看出，当环境中完全不存在苯酚时，邻苯二酚1，2 - 双加氧酶的活性很低；经诱导后C12O的活性是诱导前的15倍。由此可以确定C12O是一种诱导酶，负责该反应的酶（C12O）只有在苯酚存在时才能达到较高水平，这与其他研究得到的结论是一致的[19]。同时，还可以发现有苯酚但同时存在葡萄糖时，酶活也明显低于单独含有苯酚的培养，说明该菌株产生的C12O数量受葡萄糖抑制。

（四）菌株TX1的生长动力学模型

将分批培养得到的一组比生长速率μ_g和底物初始浓度S_0数据，使用Matlab 7.0软件拟合得到$\mu_{max}=0.667/h$，$K_S=51.14$ mg/L，$K_i=271.7$ mg/L，最小二乘法残差为1.24×10^{-3}。因此，式（2）表达成：

$$\mu_g \quad \frac{0.667S}{S+51.14+\frac{S^2}{271.7}} \tag{3}$$

将式（3）计算出细胞比生长速率和初始苯酚浓度的关系曲线以及实验数据点绘制于图2。

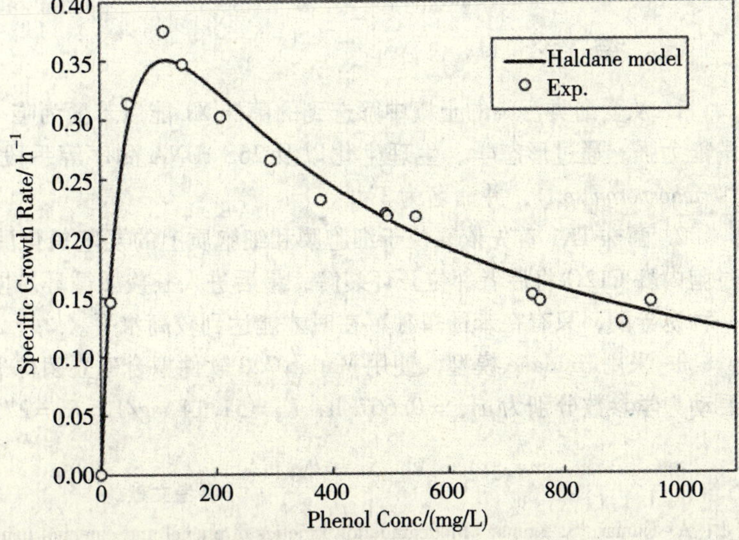

图2 不同初始苯酚浓度下菌株TX1的比生长速率

由图2可知，菌株TX1降解苯酚的生长动力学模型可用Haldane方程表述，其最大比生长速率发生在较低的苯酚浓度下，其值约为110 mg/L。曲线最大值两侧出现不同趋势的下降，其中，在最高点右侧，细胞比生长速率的下降主要是由于底物抑制作用不断增强的结果；而在另一侧，曲线呈现陡降趋势，这可以解释为在苯酚 - 无机培养基中缺乏碳源导致发生底物限制作用所致。将上述动力学参数μ_{max}、K_S、K_i值与其他利用Haldane方程进行生长动力学研究的文献报道的比较见表4。

表4　TX1与其他菌株降解酚的细胞生长动力学的参数比较

菌株	培养体系	浓度范围/（mg/L）	Haldane 模型			其它培养条件	参考文献
			μ_{max}/h^{-1}	K_S/（mg/L）	K_i/（mg/L）		
TX1	Batch	0 ~ 1200	0.667	51.14	271.7	pH7 $T=30℃$	本文
P. putida ATCC49451	Batch	25 – 800	0.900	6.93	284.3	pH 6.5 $T=30℃$	[20]
Acinetobacter calcoaceticus	Batch	60 – 500	0.542	36.2	145	–	[21]
Candida tropicalis	Batch	0 ~ 1800	0.48	11.7	207.9	pH6.5 $T=30℃$	[22]
Alcaligenes faecalis	Batch	0 ~ 1600	0.15	2.22	245.37	pH7 $T=30℃$	[23]

本研究获得的动力学参数在文献报道值范围内，表明在上述培养条件下的生长率和降解率结果与文献报道具有可比性。表中的动力学参数值的差异，可能是由于微生物种类和不同环境因素的变化等造成的[24]。

从表4可见，在各种常见的微生物处理苯酚（单底物）系统中，最大比生长速率（μ_{max}）范围为0.15 ~ 0.90/h。μ_{max}越大反映出菌体的增殖能力越大，表明微生物能更迅速地降解底物。TX1的μ_{max}值等于0.667/h，在文献报道范围属较大值。

K_S值大小指示微生物对底物亲和力。低K_S值指示微生物对底物亲和力高，因此增长率较高。表4中其他研究获得的K_S值范围是2.22 ~ 36.2 mg/L，而本研究获得的K_S值（51.14 mg/L）大于文献报道值，表明TX1对苯酚具较高的亲和力。

K_i值的大小体现了底物抑制的趋势，还表明了其生物毒性大小。较大的K_i值表示该菌株具有较高的抗抑制能力。表4显示其他研究获得的K_i值在145mg/L和284.3 mg/L之间。本研究获得的K_i值为271.7mg/L，在文献报道范围内属较大值，这意味着苯酚不容易抑制TX1增长。因此综合上述分析可知，苯酚对TX1的抑制程度较小。

三、结　论

1. 从受酚类污染的土壤中筛选到的菌株X1能以苯酚为唯一碳源和能源生长，降酚速率和耐酚能力强；通过形态学、生理生化以及26S rDNA测序等手段初步鉴定该菌株为丝孢酵母菌属（*Trichosporon sp.*），并命名为TX1。

2. 菌株TX1首先依靠位于细胞膜和细胞质上的羟基氧化酶将苯酚降解为邻苯二酚，进而通过胞内酶C12O将后者邻位开环裂解，最后进入三羧酸循环。同时，还确定TX1胞内的C12O是一种诱导酶，只有在苯酚单独存在时才能达到较高水平。

3. 采用Haldane模型，使用Matlab 7.0软件拟合建立菌株TX1的动力学方程，得出方程的主要动力学参数分别为$\mu_{max}=0.667/h$，$K_S=51.14$ mg/L，$K_i=271.7$ mg/L。

参考文献

[1] A. Kumar, S. Kumar. Biodegradation kinetics of phenol and catechol using Pseudomonas putida MTCC 1194 [J]. Biochem. Eng. J., 2005, 22: 151 – 159.

[2] 沈锡辉，刘志培，王保军，等. 苯酚降解菌红球菌PNAN5菌株的分离鉴定、降解特性及其开环双加氧酶性

质研究［J］. 环境科学学报, 2004, 24（3）: 482－486.

［3］Gerginova, M.; Manasiev, J.; Shivarova, N.; et al. Influence of various phenolic compounds on phenol hydroxylase activity of a Trichosporon cutaneum strain［J］. Chem., 2007, 62: 83－86.

［4］Arai H, Akahira S, Ohishi T, et al. Adaptation of Comamonas testosteroni TA441 to utilize phenol: organization and regulation of the genes involved in phenol degradation［J］. Microbiol., 1998, 144: 2895－2903.

［5］Alexieva Z, Gerginova M, Zlateva P, et al., Comparison of growth kinetics and phenol metabolizing enzymes of Trichosporon cutaneum R57 and mutants with modified degradation abilities［J］. Enz. Microb. Tech., 2004, 34: 242－247.

［6］Kohli R, Pradeep K G, Irradiance dependence of the He－Ne laser－induced protection against UVC radiation in E. coli strains［J］. J. Photochem. Photobiol. B: Biol., 2003, 69: 161－167.

［7］Enroth C, Neujahr H, Schneider G, et al., The crystal structure of phenol hydroxylase in complex with FAD and phenol provides evidence for a concerted conformational change in the enzyme and its cofactor during catalysis, Current Biology Ltd., 1998, 6: 605－617.

［8］Yarrow D. Methods for the isolation, maintenance, classification and identification of yeasts. In: Kurtzman CP, Fell JW (eds.) The yeasts, a taxonomic study. Elsevier, Amsterdam, 1998.

［9］El－Sayed W S, Ibrahim M K, Abu－Shady M, et al. Isolation and characterization of phenol－catabolizing bacteria from a coking plant［J］. Biosci. Biotechnol. Biochem., 2003, 67（9）: 2026－2029.

［10］Cafaro V, Scognamiglio R, Viggiani A, et al. Expression and purification of the recombinant subunits of toluene/oxylene monooxygenase and reconstitution of the active complex［J］. Eur. J. Biochem., 2002, 269: 5689－5699.

［11］张杰, 刘永生, 冯家勋, 等. 邻苯二酚2, 3－双加氧酶基因克隆、定位和高效表达［J］. 应用与环境生物学报, 2003, 9（5）: 542－545.

［12］Strachan P D, Freer A A, Fewson C A. Purification and characterization of catechol 1, 2－dioxygenase from Rhodococcus rhodochrous NCIMB 13259 and cloning and sequencing of its catA gene［J］. Biochem. J., 1998, 333（3）: 741 － 747.

［13］Bradford M M. A rapid and sensitive method for the quantitation of microgram quantities of protein utilizing the principle of protein dye binding［J］. Anal. Biochem., 1976, 72: 248－254.

［14］GB 7490—1987, 水质 挥发酚的测定 蒸馏后4－氨基安替比林分光光度法［S］.

［15］Haldane J S B. Enzymes［M］. Longmans, green and co. London, Republished by MIT press, Cambrige, MA, 1965.

［16］Neujahr H. Y., A. Gaal. Phenol hydroxylase from yeast. Purification and properties of the enzyme from Trichosporon cutaneum［J］. Eur. J. Biochem., 1973, 35（2）: 386－400.

［17］Gaal A., H. Y. Neujahr. cis, cis－Muconate cyclase from Trichosporon cutaneum［J］. Biochem. J., 1980, 191（1）: 37－43.

［18］G M Xu, Y Y Li, Z Wei. Mineralization of chlorpyrifos by co－culture of Serratia and Trichosporon spp［J］. Biotechnol. Letters, 2007, 29（10）: 1469－1473.

［19］Katsivela E, Wray V, Pieper DH, et al. Initial reactions in the biodegradation of 1－chloro－4－nitrobenzene by a newly isolated bacterium strain Lw1. Appl. Environ. Microbiol., 1995, 65: 1405－1412.

［20］Wang S. J., Loh K. C. Modeling the role of metabolic intermediates in kinetics of phenol biodegradation［J］. Enzyme Microb. Technol., 1999, 25: 177－184.

［21］P. Kumaran, Y. L. Paruchuri. Kinetics of phenol biotransformation［J］. Water Res., 1997, 31: 11－22.

［22］姜岩. Candida tropicalis 激光育种技术及其降酚特性研究［D］. 天津: 天津大学化工学院, 2005.

［23］Y. Jiang, J. Wen, et al. Biodegradation of phenol at high initial concentration by Alcaligenes faecalis［J］. J. Hazard Mater., 2007, 147（1－2）: 672－678.

［24］Allsop P J, Chisti T, Moo－Young M, Sullivan GR. Dynamics of phenol degradation by Pseudomonas putida［J］. Biotechnol Bioeng, 1993; 41: 572－580.

城市旅游中的公共自行车租赁系统分析

高 莹

（北京第二外国语学院 北京 100024）

摘 要 研究公共自行车租赁系统，可以满足旅游者的个性化需求，改善旅游城市的交通状况，使城市旅游服务功能进一步完善，对城市旅游的发展具有促进意义。本文阐述了城市旅游中，公共自行车租赁系统的优势以及国内外在此方面的实践。根据北京市公共自行车服务现状和代表模式的分析，提出了旅游城市推广公共自行车租赁系统的实施机制和发展对策。

关键词 公共自行车租赁系统 城市旅游 实施机制

长久以来，我国的城市交通多以发展快速交通为先，自行车这种交通工具逐步被汽车、轨道交通所取代。然而，在城市旅游中，旅游者的游览并不是散点式的，而是根据一个区域内旅游吸引物的分布情况，进行点—线—面式的游览。这样一来，自行车就发挥了它的优势。骑自行车游览不仅便利、健康、无污染，还可以细细品味目的地的秀美景色和风土人情，从中得到深度体验和独特享受，这是乘坐其他交通工具所难以替代的。公共自行车租赁系统，是指公司或组织在大型居住区、商业中心、交通枢纽、旅游景点等客流集聚地设置公共自行车租车站，随时为不同人群提供适于骑行的公共自行车，并根据使用时间的长短征收一定额度费用，以该服务系统和配套的自行车路网为载体，提供公共自行车出行服务的城市交通系统[1]。为了使城市旅游服务功能进一步完善、满足旅游者的个性化需求而研究公共自行车租赁系统，对城市旅游的发展具有促进意义。

一、公共自行车租赁系统在城市旅游中的优势

（一）节能减排，保护环境

骑自行车是一种绿色的旅游方式。它没有大气和噪声污染，既能保护环境，又能强身健体，符合生态旅游的要求。全新的绿色交通系统，节约了城市能源，减少了城市大气污染的排放量，有效地改善了城市的大气质量。具体来讲，以全市范围内投放 1 万辆免费租赁自行车，按照每天使用 6 人次的保守估计，直接服务人群即达 6 万人次。每天可节省燃油 4 万 L，每月则更是高达 120 万 L[2]。

（二）给旅游者不一样的体验，符合个性化需求

给外地旅游者和本地居民在城市旅游中提供便利。对于北京的胡同区、后海等大范围的游览区域，旅游者可以骑着自行车细细品味其中的韵味，而且自行车体形小，使用轻便，可以随时停住，根据个人喜好进行观光体验。

（三）与轨道交通、公交连接，为旅游者出行提供便利

像北京这样的大城市，公交车站与站之间间隔远，地铁虽然已开通 1 号线、2 号线、4 号线、5 号线、10 号线、13 号线和八通线，可是地铁网仍然不够发达。外地游客往往是下了地铁或公交车，还要步行一段路程才能到达目的地。本地居民出游时，由于附近地铁站距居住小区有一段距离，需要乘坐一两站公交车才能到。步行再加上等车的过程都比较耽误时间。有了公共自行车租赁系统，可以构成“公交 + 自行车”或“自行车 + 地铁”的模式，既方便了外地游客到达目的地，又节省了本地居民出行的时间。

（四）缓解城市交通压力

中心城区的交通拥堵是城市高速扩张发展中不可避免的现象，这也是国内许多高速成长城市

的管理者们最头痛的问题之一。公共自行车租赁系统，提供了另一种经济、高效的交通方式，能够有效地缓解城市的交通压力。良好的交通状况为城市旅游的有效进行排除了隐患。

（五）为旅游城市创造就业岗位

公共自行车租赁网点的管理和工作人员，可以由本市的下岗和贫困职工担任。按照项目运营要求，每个网点的日常管理和维护工作需1～2人，如按全市建设500个网点计算，总共可以提供再就业岗位1000多个。

二、公共自行车租赁系统在国外及国内的实施

公共自行车在国外和国内的一些城市已有实行。近年来，各个城市根据当地的情况推出了属于自己的“公共自行车”计划。其中，以法国的巴黎、丹麦的哥本哈根、中国的杭州最具有代表性。

（一）巴黎

2007年7月15日，巴黎“自行车自助租赁服务计划”正式启动，名曰 vélib，在法语中是“自行车”和“自由”两个词的合成，意为“自由行”。当日，巴黎市内共有750个24h营业的无人管理自行车出租站投入运营，新投放自行车的总数达1.06万辆，市民和游客可以在一地租车，另一地还车。到2007年底，已有2.06万辆自行车散布在巴黎市内的1450个自行车租赁站。这就意味着，巴黎市内每隔200多米就有一个联网的租赁站[3]，其密度是地铁站的3倍。

供租用的自行车都是经过专门设计，装有防盗防砸及电子识别系统。租车程序十分简便，只要将预付费卡或信用卡插入租车站的终端，车锁便会打开。自行车的租金随租用期限的增加而增加：每次租车后的前30min免费，超过租用时间30min后，第二个30min收取1欧元租金，第三个30min收2欧元，第四个30min收4欧元。这是为了鼓励自行车在有限时间内快速循环利用，也是为了避免与传统的自行车出租商构成不公平竞争。根据与巴黎市政厅的协议，户外广告公司德高集团负责购置自行车、设置车站和对自行车进行维修。交换条件是，它可以独家使用由巴黎市政厅拥有的1628块户外广告牌。巴黎市政厅则收取自行车租赁费。考虑到行车安全和便利，巴黎市政府在不宽敞的交通道路上专门开辟了自行车专用线路。据预测，此类自行车的使用量将会达到每天25万人次。

（二）哥本哈根

哥本哈根的公共自行车，称为 City Bike。目前，在市中心大约有150处停车点，约有1300辆自行车供居民和游客免费使用。自行车的前轮上方有个特殊的锁车装置。使用者只要往车锁上塞进一个20克朗的硬币，便可以推车走人，在市中心规定的范围内免费无时间限制的使用。用罢，只要将它停在街上任意一个停车点，重新将车锁锁回，就可以自动取出20克朗的押金[4]。City Bike 是一项非常成功的政策，据一项以12h为区间的调查，一辆公共自行车平均闲置的时间只有8min，可见其受欢迎的程度。City Bike 全部由私人商家捐赠，商家也可以在自行车架上替自己打广告，因此，City Bike 几乎是不需要花纳税人钱的双赢措施[5]。

（三）杭州

2008年5月1日，杭州市推出公共自行车租赁服务，采用“一次规划，分步实施”的举措，一期在景区、城西和城北，二期在城南、城东。首批公共自行车的租车点包括31个固定租车点和30个移动租车点，一共拥有2800辆自行车[6]。截至2008年11月，杭州市的自行车租车站已达241处，公共自行车总数达8100辆。计划到2009年底，杭州公共自行车租赁系统将达到市区内平均200m就有一个服务点的规模。车站均采用IC卡电子计费系统和车辆自动锁，大大减少了租还车手续的复杂和人力成本。收费标准是：1小时以内免费，1～2h以内收费1元，2～3h以内收费2元，3h以上每小时收费3元。目前，自行车服务点设施的投入都由政府埋单，服务

点的工作还能解决很多40岁、50岁人员的就业问题。公共自行车服务推出后，最高日出租量是2008年6月8日的5194辆次，目前平均日出租量在2000辆次左右。

三、北京实施公共自行车租赁服务的现状

2007年，北京为迎接奥运的到来，倡导绿色奥运，也推出了自己的“公共自行车”，但效果不佳。自2007年8月19日起，北京市多家自行车租赁公司开始宣传并提供公共自行车出行服务。截至2008年7月底，北京市自行车租车站已有近200个，可出租自行车近8 000辆[7]。公共自行车租车站逐渐由中心城区扩大至繁华地段、地铁站、高校及景区附近，提供全城联网、异地存取的租赁业务。目前，北京的公共自行车租赁服务主要有政府直接参与的运作模式和以贝科蓝图、甲乙木为代表的自行车租赁公司。

（一）政府直接参与的运作模式

自行车由政府和街道出资购买，分发到各个街道和社区，由居委会负责管理，居民和游客只要交纳一定押金，即可免费使用自行车。2007年6月，由宣武区政府出资6万元，在全区108个社区投放了250辆自行车。这些橘黄色的自行车都标有“便民自行车”、“便民服务车”的标识。与区政府的工作相衔接，很多街道也购买了一些自行车，为更多居民提供服务。

然而，很少有人去尝试这些便民自行车，它们的使用率非常低。而且对于游客来说，这种租车方式，需要较多个人信息，而且使用完后必须在同一个地点归还，给他们带来了极大的不便。目前，这种管理还比较粗放，租车程序、损坏赔偿、违约处理未能够进一步细化，其可操作性较差。这种模式下自行车的购买和维护均由政府买单，资金压力大，限制了这一惠民措施的推广。自行车出租的日常运作多由居委会承担，既增加了居委会的工作负担，又由于不够专业化而容易产生诸如效率低下等问题。

（二）公共自行车租赁公司

1. 贝科蓝图

贝科蓝图自2005年8月成立以来，已形成了一个初具规模的中心城区的连锁服务网络，到2008年底，服务站点共有200个，基本在三环内的主要旅游景区、商业区以及住宅区。自行车总量达5万辆。该公司的自行车联网租赁项目包括贵宾卡和计时卡两种服务品种。贵宾卡包括押金400元和全年服务费100元，持卡人可从城里某一网点租赁自行车，使用过后在最近的网点存放。计时卡在交纳400元押金并预交服务费后，将按每小时5元，4小时10元，8小时20元收取费用。计时卡无法实现异地存取，只为顾客提供短时服务。

这两种卡的押金都为400元，对于在城市中观光的学生一族来说，钱包里不一定能够准备这么多现金。而且租金也偏高，居民在市区旅游包年租还比较划算，但是对于短期旅游者，计时卡的租金标准过高。租一小时需要5元，这就大大削弱了对短时间租车游客的吸引力。此外，外地游客一般都会采取计时卡的方式，然而计时卡由于押金不能异地退还，无法实现异地存取。这给游客带来了不便。

2. 甲乙木

2007年8月17日，甲乙木自行车出租网点正式营业。该公司在北京市宣武区、海淀区、朝阳区、上地地区等处设有77个网点，各站点均可办理异地租还、办卡、退卡、充值等所有业务。其收费标准为：普通卡0.5元/半小时，退卡工本费2元，年卡120元/年（合0.33元/天）；办卡押金180元。该公司计划在北京城八区建成1万个租车站点，容纳40万辆自行车。

相对而言，甲乙木的收费较为合理，可以实现异地存取。但是目前租赁网点覆盖面小，自行车常常不方便停入网点。由游客自行保管，又有遗失的风险。

四、推广公共自行车租赁系统的实施机制和发展对策

在北京城的大街小巷的一些自行车租赁网点，常常能看到数十辆具有鲜艳喷漆的公共自行车整齐地停放着，却很少有人问津。旅游城市的公共自行车租赁服务究竟该如何实施和推广，也是需要深入探讨的话题。

（一）市场化的运作方式

市场化运作的公共自行车租赁系统对旅游者需求的反应比较灵敏，服务可以更加周到、细致和人性化；由市场导向进行资源配置，通常要胜过政府部门的安排和策划；在目前社会道德和公民素质状况下，可以自行解决车辆丢失、损坏所带来的尴尬；政府不必进行设备、设施和人员管理方面的投入，可以减轻纳税人的负担。从旅游服务的角度，现阶段，我国城市一般以市场化运作的方式发展自行车租赁业较为实际和适宜。当然，这一看法并不排除特定地区或区域、在特定条件下实施自行车公共服务的可能性，也不排除由市场化运作向公共服务过渡的可能性。

（二）信息化操作

实行信息化联网操作机制。在每个租赁网点配备 POS 机。游客购 IC 卡租车，卡内有租车押金信息和租车时间信息，可以在任意网点读取。这样就可以完全实行异地存取，异地退款。如果一个网点的停放车辆低于需求数量，可通过 POS 机反映给其他网点或由总部协调，将其他网点的自行车调到该网点。还可以与公交一卡通合作，通过刷公交卡租公共自行车。

（三）增加租赁网点的覆盖度

增加公共自行车的租赁网点数量，做到每隔 200～300m 就有一个租赁点。在一些游客流量较大的地点，增设为旅游者服务的特殊网点。例如宾馆门口、地铁站等。租用自行车时为旅游者提供游览地图以及推荐游览路线。

（四）政府为公共自行车创造有利环境

我国在 20 世纪八九十年代曾是“自行车王国”，但是随着其他交通工具对自行车的替代，城市中的自行车道也越来越窄。城市内应该推行“城市慢行系统”工程，考虑增加慢车道宽度、禁止占用慢车道和人行道，实施主要道路自行车的停放管理。在旅游景区、地铁站点、主要交通枢纽、大型广场、购物娱乐设施建设过程中，开发自行车的停车场所。而且，自行车租赁行业的环境也需要政府的相关政策来维护。建立自行车租赁行业的法规，统一行业规范。

（五）把公共自行车纳入公共交通体系

未来我国旅游城市，要把公共自行车纳入公共交通体系。应该形成以轨道交通为骨干，以公共交通为主体，以自行车交通为辅助和补充的综合交通体系。只有形成了各种交通方式相互协调，分担合理，在各自合适范围内发挥应有作用的良好局面，才能更好地发挥旅游城市的功能。

参考文献

[1] 龚迪嘉，朱忠东．城市公共自行车交通系统实施机制［J］．城市交通，2008（6）：27.
[2] 贺丰，海文．浅析公共单车免费租赁系统的社会效益［J］．现代商业，2008（26）：286.
[3] 徐超．巴黎打造“自行车城市”［J］．城市交通，2007（5）：98.
[4] 清早．丹麦的公共自行车［J］．文明，2004（12）：20.
[5] 王毅．公共自行车如何一路走好［J］．综合运输，2007（12）：62.
[6] 吕剑波．杭州首推公共自行车服务［J］．共产党员，2008（17）：53.
[7] 吴文治．北京自行车租赁有望引进外资［N］．北京商报，2008－07－31.

丛枝菌根真菌从土壤环境中吸收不同氮素并向寄主植物运转的机制

金海如

（浙江师范大学化学与生命科学学院　浙江省金华市迎宾路688号　321004）

摘　要　AM真菌与80%以上的陆地植物有共生关系，依赖寄主植物获得碳源而提供给寄主各种矿物质。其中氮是AM真菌从土壤吸收并提供给寄主的重要营养元素。利用Ri T-DNA carrot root和AM真菌双重培养系统研究了AM真菌在不同氮源时对氮的吸收、精氨酸运转及其储存的影响。研究发现AM真菌能吸收多种不同的氮源，吸收的氮在根外菌丝体内大多用于合成精氨酸并运转到根内菌丝，以氨的形式释放，再传递至寄主植物。研究结果阐明了精氨酸在AM真菌共生系统中N的代谢运转及其储存中的作用，对开发利用AM真菌治理环境中氮的污染和生产新一代生物氮肥具有非常重要的理论研究和现实经济价值。

关键词　丛枝菌根真菌　氮代谢　精氨酸　生物肥料　氮污染

丛枝菌根（Arbuscular Mycorrhizae，AM）是自然界中普遍存在的与植物共生的真菌。在自然界中，AM真菌的寄主和分布范围均很广泛，能与绝大多数植物形成共生关系，至今已发现150多种AM真菌能与植物形成共生体，是菌根中最普遍的类型之一。它与宿主植物互惠共生，寄主植物经光合作用合成的糖类可以运转给AM真菌的内生菌丝（一般是已糖），内生菌丝把已糖合成脂类，再运转给外生菌丝，以供该菌的生长繁殖。而AM真菌将菌丝伸延到土壤中去，从而扩大了吸收面，不但可以提高对土壤营养物质的吸收效率，如P、N、S、Zn和水等物质，还能活化并吸收距根系较远的土壤中的矿物养分，从而最大限度地开发土壤肥力。

目前人们对AM真菌的基础研究主要是着眼于与植物共生的生化代谢机理和信号机制、遗传学、建立共生关系相关基因的研究。虽然对AM真菌从土壤吸收P的分子基础和基因调控已经有了较为深刻的研究，但是氮（N）显然也是AM真菌通过侵染从土壤吸收后向植物根部输送的重要元素，也值得我们进一步地研究。AM真菌的根外菌丝（extraradical mycelium，ERM）可以从周围的环境中吸收利用NH_4^+、NO_3^-和氨基酸，并把这不同来源的氮素运转至植物宿主。而且AM真菌可以通过菌丝网络将N从一个植物转移至另一个植物，明显地提高了寄主植物利用不同来源氮的机会。

AM真菌系统中N吸收的主要方式是对NH_4^+的同化。在外生菌根中发现N的吸收并整合入氨基酸是通过谷氨酰胺合成酶-谷氨酸合成酶（GS-GOGAT）途径。同样，Smith等发现在AM真菌中也存在GS/GOGAT酶的活性。此外，Govindarajulu等通过用实时定量PCR测定根外菌丝（ERM）和根内菌丝（intraradical mycelium，IRM）关键酶的mRNA转录水平支持了根外菌丝以GS-GOGAT途径进行氮同化的观点；同时也测定了ERM组织中NAD依赖的谷氨酸脱氢酶（GDH）基因的表达，GDH酶是受NH_4^+、NO_3^-负调节作用的，与它作为分解代谢的作用是一致的。Breuninger等也报道了GS酶是在AM真菌的所有生命阶段表达的组成型酶，当与NH_4^+接触时，GS酶活就增加，这也是与ERM组织中对无机氮的同化吸收是通过GS/GOGAT途径是一致的。

AM真菌吸收不同的氮源，并如何向宿主植物运转氮的机制已有研究（Johansen等，1996；Hawkins等，2000；Hodge等，2001；Bago等，2001），但是AM真菌如何运转并以何种形式向寄主植物运转氮的机制是由Bago等提出的，并由作者和Govindarajulu等最近证明的。作者利用农杆菌根基因质粒DNA转化的胡萝卜根（Ri T-DNA transformed carrot root）与AM真菌（Glomus intraradices）作为共生系统，主要开展研究了AM真菌的根外菌丝（ERM）对氮的吸收和运转机理，并提出了该共生系统中氮的吸收、运转及其代谢模型。

一、材料和方法

（一）离体培养菌根

采用 St - Arnaud 等人分割培养皿方法将毛根农杆菌质粒 DNA 转化的胡萝卜根（Ri T - DNA trans - formed carrot roots）（Daucus carota L.）于 24℃培养在含有 4 g/L 植物胶的改进型 M 培养基中，菌根室的培养基依照 Jin 等人方法改进后限制 N 浓度。

（二）对不同氮源的吸收和 15N 的标记

真菌室中除了加标准氨基酸混合液和 N 标记物［guanido - 2 - 15N，98%］Arg，［U - 13C，98%］Arg，［U - 15N/13C，98%］Arg，［15N，98%］NH4Cl，不加其他氮源，配好培养基后调节 pH 至 6.0，采用 Jin 等人的 HPLC 方法测定其中氨基酸的吸收，游离氨基酸和 Arg 的浓度。

（三）提取和分离自由氨基酸及同位素分析

依据 Jin 等人的方法提取和分离自由氨基酸。通过将甲硅烷基化的提取物注射进 Finnigan Trace MS 2000（Thermo Electron，Madison，WI，USA），气相色谱/质谱分析氨基酸标记丰度[28]采用毛细管色谱柱（RTX - 5MS，0.25 mm × 0.25 mm × 30 m），He 作为载气，流速 1 ml/min。程序升温：注射后维持 110℃ 2 min，随后以 10℃ /min 升温至 260 ℃，再维持 5 min。电子冲击离子化能量为 70 eV，检测器扫描质量范围为 150 ~ 600 m/z，时间为 0.5 s。

除了 Arg，Orn 和其他氨基酸是通过 N -（特丁基二甲基硅）- N - 甲基三氟乙酰胺（MTB-STFA）衍生化后测定 M - 57 离子而确定。

二、研究结果

（一）AM 真菌根外菌丝吸收同化不同的氮源生成氨基酸

如图 1 所示，研究发现 AM 真菌的根外菌丝（extraradical mycelium，ERM）可以吸收同化不同的无机氮和有机氮，并且主要整合入 Gln，Glu，Asn 和 Arg，其中 Gln 吸收最少，其次是 Arg，无机氮源最易被吸收，尤其是铵盐和尿素。在含 $15NH_4Cl$ 的合成培养基中培养后，根外菌丝中的所有氨基酸皆被［15N］标记，并且精氨酸（Arg）是所有氨基酸中含量最高的，如表 1 所示，精氨酸占所有氨基酸总 N 的 90% 以上。在含［15N］尿素培养基中培养后得到同样的结果。

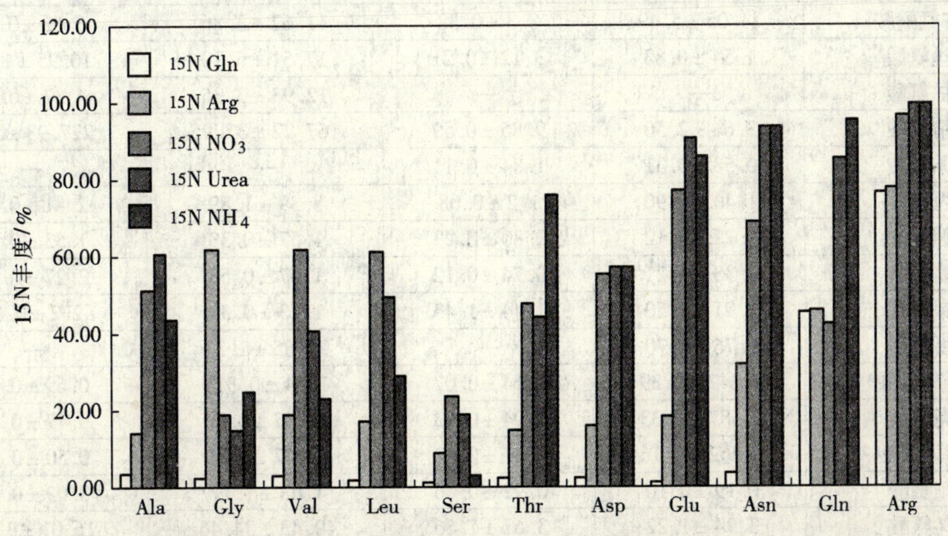

图 1　从枝菌根真菌菌丝吸收不同氮源时根外菌丝中的游离氨基酸 15N 含量

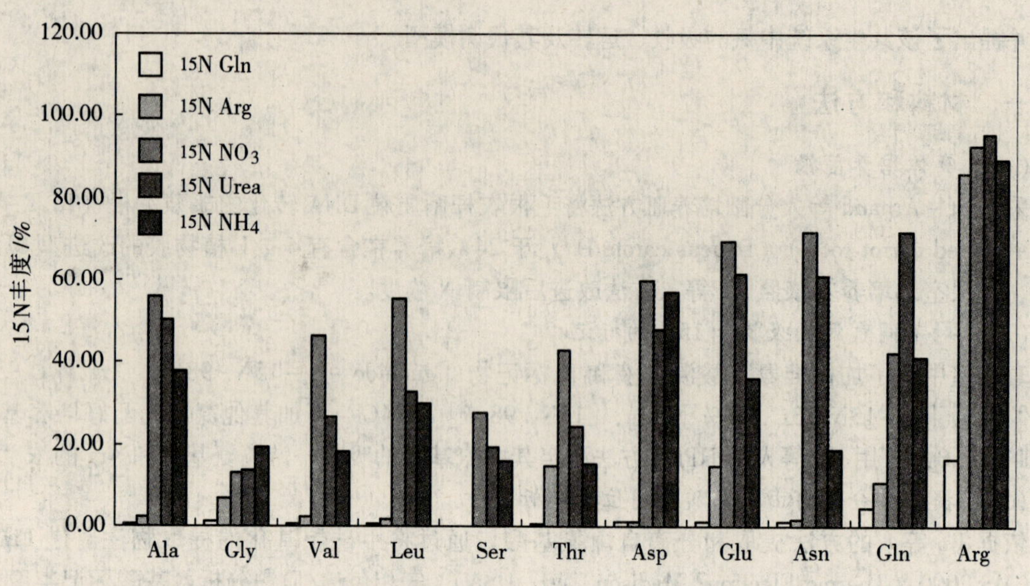

图 2　丛枝菌根真菌菌丝吸收不同氮源时菌根组织中的游离氨基酸 15N 含量

（二）以［U－13C］Arg 示踪菌根菌丝内氮的运转

在把 AM 真菌的根外菌丝培养在含有［U－13C］Arg 的培养基中时，AM 真菌的根内菌丝（intraradical mycelium，IRM）和根外菌丝都有完整的［U－13C］Arg 分子，如图 3 所示，这说明了根外菌丝吸收 Arg 后把整个分子通过菌丝输送到了根内菌丝。用［U－13C/U－15N］Arg 实验得到了同样的研究结果。通过这些实验研究表明了 AM 真菌在吸收 N 后储存于 Arg，然后由菌丝运转到根内菌丝，再由根内菌丝把 N 释放后转移给植物根。

表 1　丛枝菌根真菌菌丝吸收铵时菌根组织中的游离氨基酸浓度

游离氨基酸	菌根组织/（nmol/mg 干重）		根外菌丝/（nmol/mg 干重）	
	1 周	3 周	1 周	3 周
天门冬氨酸	0.40±0.01	6.87±0.56	0.52±0.13	12.26±1.87
谷氨酸	3.09±1.91	7.35±0.74	6.44±2.81	22.20±2.34
天门冬酰胺	21.01±12.52	4.80±0.23	25.58±1.24	17.12±1.58
谷氨酰胺	14.05±5.49	8.3±0.38	11.62±3.86	6.66±0.87
丝氨酸	1.54±0.83	3.12±0.21	17.51±6.10	10.95±1.32
甘氨酸	—	—	12.93±3.35	4.37±0.58
精氨酸	3.64±2.50	9.85±0.59	167.22±32.95	227.93±5.8
苏氨酸	0.58±0.31	1.84±0.11	—	—
丙氨酸	1.43±0.90	1.2±0.08	8.39±1.89	2.81±0.34
脯氨酸	0.22±0.12	0.80±0.23	1.57±0.33	1.53±0.23
酪氨酸	0.38±0.21	0.74±0.12	1.67±0.53	2.27±0.67
缬氨酸	0.91±0.50	1.44±1.43	1.73±0.37	2.2±0.11
蛋氨酸	0.76±0.70	—	9.485±1.31	—
异亮氨酸	0.647±0.39	0.64±0.07	1.14±0.311	0.69±0.09
亮氨酸	0.587±0.33	0.94±0.03	1.537±0.31	0.77±0.06
苯丙氨酸	0.262±0.16	0.37±0.12	1.027±0.33	0.50±0.11
赖氨酸	0.19±0.10	0.92±0.06	1.63±1.17	3.03±0.56
鸟氨酸	3.94±1.22	3.67±1.66	40.43±34.46	16.01±3.63

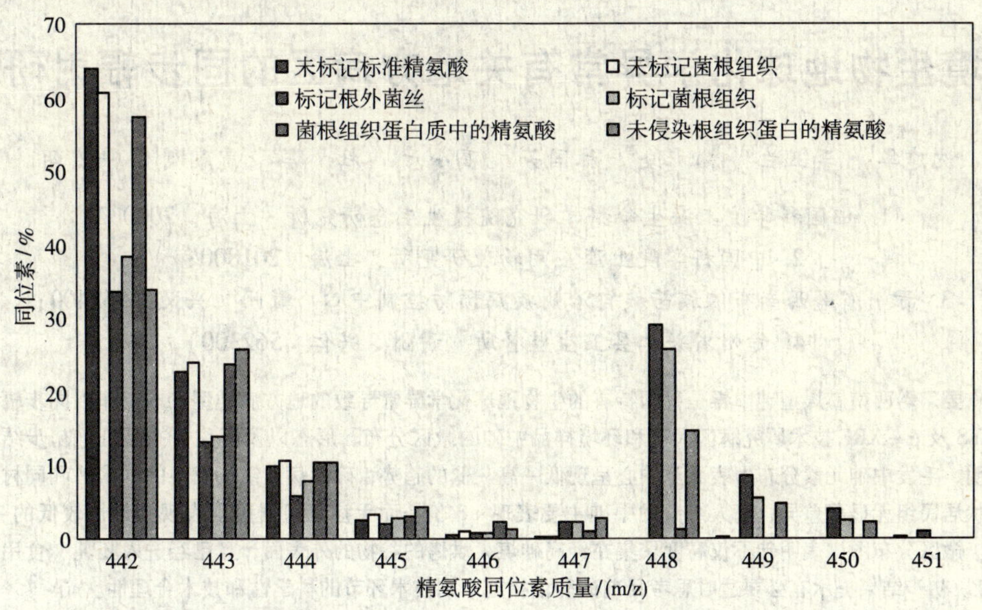

图3 从枝菌根真菌菌丝被［U-13C］Arg标记后的菌根组织和菌丝中精氨酸的同位素分布

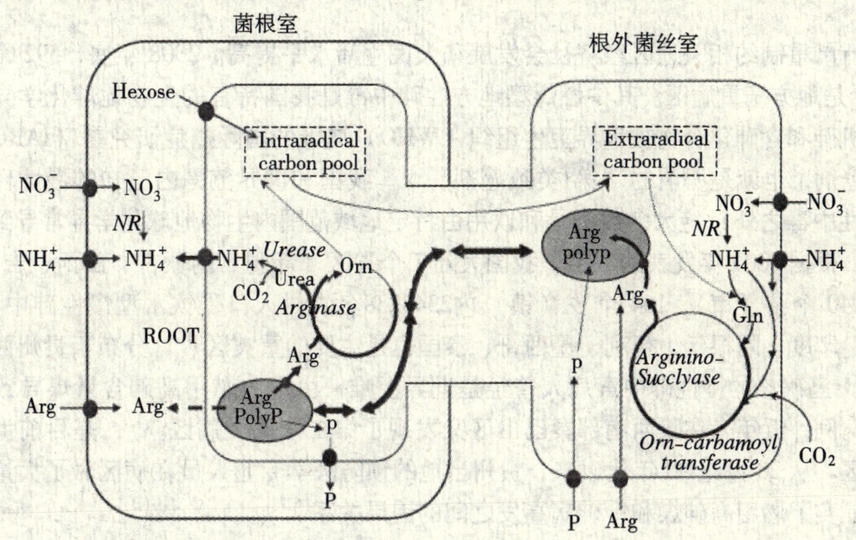

图4 AM真菌共生系统中氮的吸收、代谢和运转的过程模型。Arg: arginine; polyP: poly-phosphate; Orn: ornithine; Gln: glutamine; P: phosphorus; NR: nitrate reductase.

三、结 论

实验研究表明了AM真菌可以从周围环境吸收多种不同来源的氮，如尿素、NH_4^+、NO_3^-和氨基酸，但是吸收尿素和NH_4^+比其他氮源速度更快，而精氨酸是较难被吸收利用的氨基酸。这些不同的氮源一般都是通过AM真菌根外菌丝ERM内谷氨酰胺合成酶-谷氨酸合成酶（GS-GOGAT）途径和尿素循环被吸收利用的，而吸收的氮大都是整合入精氨酸Arg分子，因为每一Arg分子含有4个N原子，合成的精氨酸Arg可以被AM真菌根外菌丝ERM完整地运转至根内菌丝IRM，而且可以在菌丝体内双向运转，从被运转的精氨酸释放出来的N以NH_4^+形式传递给植物寄主，并可以整合入菌根内的其他氨基酸，而在氮被传递给植物寄主的同时，Arg分子中的C没有随N一起传递而是继续留在根外菌丝ERM。这些研究结论揭示了AM真菌吸收、运转和传递外源氮的机制（图4）。

环境生物地球化学异常有关地方病区的同步辐射研究

沈建华[1]　李玉兰[2]　林　俊[2]　林国芳[1]　高小彦[1]　杜　晖[3]　贾朝刚[4]　陆宏朝[3]

（1. 中国科学院上海生命科学研究院植生生态研究所　上海　200032；
2. 中国科学院上海应用物理研究所　上海　201800；
3. 贵州省黔西南布依族苗族自治州疾病预防控制中心　贵州　兴义　562400；
4. 贵州省兴仁县卫生监督所　贵州　兴仁　562300）

摘　要　黔西南燃煤型砷中毒是我国特有的生物地球化学异常导致的地方病类型。本工作以同步辐射 XAFS 及 μ－XRF 技术研究病区人群和环境样品中砷的微区分布、形态以及配位分布特征。初步结果表明，毛发中砷元素分布由表面至中心呈现低－高－低的趋势；确诊病人组头发中的砷水平和同村无症状居民组无显著差异；病人组头发中砷主要表现＋3 价，而无症状组居民则表现为毒性较低的＋5 价。微区分布图谱表明砷不仅高度聚集在经高砷煤火烘烤的谷物的外表面，且已经进入胚乳（食用部分）。初步结果提示有必要适时思考目前的防治措施个别技术环节的科学性和技术合理性。

关键词　生物地球化学异常　地方病　砷中毒　同步辐射

地方病流行严重制约相关地区经济社会发展和人民生活水平提高。2008 年底，592 个国家级扶贫县中，576 个是地方病重病区。其中燃煤型地方性砷中毒是我国特有的生物地球化学异常型地方病类型[1]。无机砷和含砷化合物被世界卫生组织（WHO）属下的国际癌症研究署（IARC）确定为肯定的人类致癌剂，也就是所谓的“第Ⅰ类致癌剂”[2]。我国和世界范围内已知的慢性环境砷中毒病例（除职业性中毒之外）绝大多数都是和饮用由特定地域范围内生物地球化学异常导致的高砷含量饮用水有关。根据 2003 年发表的数字，我国大陆 7 个省区（新疆、内蒙古、山西、吉林、宁夏、青海、安徽），40 个县（市），154 个乡（镇）内2343238名农村人口受饮水型慢性砷中毒之苦[1]。另外孟加拉国、印度、阿根廷、智利、墨西哥、泰国也是主要的重灾区[3]。分布于贵州西南部四个县市内2 402例[1]已确诊的慢性砷中毒病人曾经是世界上唯一由室内燃用高砷含量煤导致的大规模地方性砷中毒病例，近年来在陕西南部秦巴山区又发现了第二个此类病区[4,5]，是目前世界上仅有的两个此类病区。从 20 世纪 90 年代以来，贵州当地的预防医学专业人员在病区做了大量的人群流行病学工作，证实了燃用高砷煤和慢砷病高发之间的因果关系[6,7]。

2004—2007 年期间，中央补助地方病防治高达 5.9 亿元。各级政府和有关卫生职能部门在病区开展了人群健康教育、综合防治和健康干预等方面的工作，这一部分工作不仅得到中央政府专项拨款和地方政府的配套支持，还得到了有关国际组织和友好国家政府的大力资助。这些年来，在改善环境质量，逐步阻断煤烟暴露方面有了长足的进步。现场数据也表明，室内环境中总砷浓度和人群体内砷的负荷大大降低[8~11]。然而病区的整个态势还不能说得到了有效的控制。新的病例仍在不断出现，贵州省疾控中心有关人士认为“病区范围呈扩大趋势，新的中毒病人不断发生”，病区范围从 8 个乡 26 个行政村扩展到 9 个乡 32 个行政村，确诊病例从2372例上升为 2848 例[12,13]。虽然各方面都在努力对于上述现象提供解释，但是迄今为止，各种解释大多还只是处于假设的地步。陕西南部病区也同样观察到类似现象[14]，如果不能及时得到一个有充分科学基础的合理解释，不仅会影响到对已推出控改措施的合理评估，也将影响到具有更高投入/效应比的行政措施和技术措施的推出和实施。有必要对以下两个层面的科学问题有突破性的认识：①暴露人群中罹病易感性显著差异以及相关机理。②多种环境化学因素复合暴露对人群发病率及疾病严重程度以及治疗预后效果的影响。关于第①个问题，近年来我们开展了一系列研究工作，发现除了和室内暴露有关外，发病率还和个体的民族属性和家族血缘有关，当地的“弯梳苗”（苗族的一个支系）人群是当地四个世居民族人群中对于慢性砷中毒最不敏感的[9]。人类基因组中和砷体内代谢以及DNA损伤修复有关的一些单核苷酸多态性（SNP）位点被证明参与暴露人群砷中毒风险调谐（Risk modulation）[8~10]。问题②的解读必须依赖能够实施人体和环境样品的原位检测，依赖能够原位检测砷以及其他元素存在状态（砷的形态，砷和其他元素原子的配位分布以及微区分布等）的技术手段，要求同步辐射研究技术的介入。同时，同步技术的应用也将有助于问题①研究的进一步深入。

一、材料与方法

（一）人体生物材料的收集

毛发和指甲样品收集于黔西南布依族苗族自治州燃煤型地方性慢性砷中毒病区一个高发村子里，在知情同意的基础上，由已确诊的慢砷病人以及同样经受室内燃用高砷煤暴露但尚未表现任何相关症状的健康个体分别自愿提供头发和指甲样品。对照样品由上海地区个人提供，上海供样人从未从事和无机砷和含砷物质有关的职业。两地的样品提供人均确认近年内无染发史。毛发样品在上机前均经过表面脱脂清洁。

（二）微束硬X射线荧光光谱分析和X射线吸收精细结构分析

微束硬X射线荧光光谱（μ-XRF）实验在上海光源BL15U硬X射线微聚焦站进行，X射线吸收精细结构分析（XAFS）在上海光源BL14W1线站进行。

（三）电感耦合等离子质谱（ICP-MS）分析

人发剪成约1cm长，以乙醇清洗两遍，于相对湿度30%的环境中自然干燥，精确称重于聚四氟乙烯消解罐中用浓硝酸和双氧水微波消解，进行ICP-MS测量。人发标准物质GBW9101b用于做质控样。

二、结　果

（一）头发样品的μ-XRF面扫描

一般来说，头发和指甲里的总砷含量可以作为一段时间内（<1年，一般来说）环境砷暴露后内剂量的生物标记物[15]，所反映的时段要比尿砷长得多，尤其是女性的头发。头发样品不同区段的砷含量差别曾被法医学上用作推定投毒的大致时间和投毒剂量变化，例如有关拿破仑·波拿巴在圣海仑娜岛放逐地被慢性投毒谋杀过程的历史推演[16]。头发的μ-XRF纵向面扫描结果显示，头发样品中砷含量基本是均一的，就是说在样品采集之前的较长一段时间内病区这个村子里的砷环境暴露水平基本是稳定的，我们可以取毛发样品的任何一段进行相关研究。

（二）砷中毒地方病区居民和非病区居民头发μ-XRF光谱比对

初步工作进行了黔西南病区一个无症状健康村民和上海市一个无砷接触史市民的头发样品的μ-XRF光谱比对，两人均为中年女性，无吸烟史，亦无近期染发史。结果显示黔西南州人体样品中不仅As峰高，而且Mn和Fe的含量也高，Se峰基本重合，作为毛发特征的Zn峰是重合的。

（三）同为疫区居民的无慢砷症状个体和确诊病人毛发样品μ-XRF光谱比对

进行了黔西南一个燃煤型地方性砷中毒病区村子里确诊病人和无症状居民之间毛发样品μ-XRF光谱比对。病例和健康对照样均为女性。大多数情况下，病例和健康人对比，As不一定显著高，Mn、Ni、Cr则比较高。

（四）同为疫区居民的无症状个体和确诊病人毛发样品中砷的ICP-MS分析比较

为了对于病区人群头发中砷的含量有一个定量的比较，我们对于更多的燃煤性慢性砷中毒病区人群（确诊病人10个，同村居住的无慢砷症状居民6人）的头发样品进行了ICP-MS分析，结果表明同一村子里两组居民之间，毛发内As75的含量基本在同一水平上（$F=0.001$；$P=0.981$）；在此我们加入了同一县内由于生物地球化学异常导致的慢性铊中毒病区村子[17]（6人，包括铊中毒确诊病人3人，非病人3人)，发现铊中毒病区村子居民毛发内的As75含量也很高，和已确诊的慢性砷中毒病人并无统计显著性差异（$F=0.018$；$P=0.896$)），而在慢性铊中毒病区居民人群中，迄今没有发现任何慢性砷中毒的症状。

（五）慢性砷中毒病区人群毛发样品中砷的微区分布和砷形态特征

毛发超薄切片μ-XRF面扫描结果显示，毛发中砷元素分布由表面至中心呈现低-高-低的趋势。病区居民（病人和非病人）毛发样品的X射线吸收精细结构（XAFS）分析结果显示确诊病人组个体毛发中的砷主要为+3价的，而无症状村民组的样品主要为+5价的，也有个别病人样品表现为中间状态，即同时表现+3价和+5价砷的存在。

（六）经高砷煤火烘烤的谷物中砷的微区分布特征

病区所处的云贵高原终年潮湿多雨，历来以“天无三日晴”闻名于外部世界。当地农民在粮食收获以后，一般装在麻袋里，吊在炉火上方烘干，以保持干燥，防止霉变。在保存过程中，谷物（稻谷、玉米等）从空气中吸收了大量的砷。日常生活中从食物中摄入成了当地居民除室内空气吸入之外，第二个最主要的环境砷的暴露途径。

在病区收集经过煤火烘烤的稻谷样品的μ-XRF面扫描结果显示砷主要集中在稻米的颖壳及颖果的表层，砷在整个颖果部分从外向内表现由高到低分布，可以观察到砷已由外向内进入稻米的食用部分，即胚乳部分。但在胚芽部分没有看到在背景水平以上的砷分布。同样在经室内煤火烘烤的玉米样品的面扫描中也观察到砷元素从外向内由高到低分布，已进入玉米粒的胚乳部分。

三、讨论

本文首次报道了对我国特有的生物地球化学异常类型地方病种类——燃煤性地方性慢性砷中毒病区人群及环境样品进行同步辐射研究的初步结果，工作在于2009年下半年建成的上海同步辐射光源装置（SSRF）的BL15U线站（硬X射线微聚焦）和BL14W1线站（X射线吸收精细结构）进行。初步实验数据提供了以其他技术手段所不能提供的科学信息。得到的数据首先证明，同步辐射技术用以研究地方性慢性砷中毒是可行的，由于所需样品数量少，过程是非破坏性的，较之现行的技术有不可比拟的优越性，此技术也可考虑用于我国其他生物地球化学异常导致的地方病的研究，例如同样发生在贵州黔西南布依族苗族自治州内世界特有的地方性铊中毒[17]以及地方性汞中毒[18]病区等。

微束硬X射线荧光光谱（μ-XRF）证明同为病区长住居民人群的已确诊慢性砷中毒病人组毛发砷含量并不比无症状人群组的高。对于这一“不同常理”的现象，我们随后谨慎地进行了两组人群样品的ICP-MS分析，ICP-MS结果显示：两组人群毛发砷含量几乎在同一水平上（$F=0.001$，$P=0.981$）。这个观察与国内和国际主要饮水型砷中毒病区所报道的情况显然不同[19,20]。出于慎重，我们和病区州、县疾控中心和病区卫生院进行了查对，查阅了多年来病区人群医学监护工作记录，确认病区最近一次用二巯基类药物进行暴露人群的脱砷治疗，还是在1990—1991年，而且远不是全员覆盖，只做了近500例[21]。综合各方面情况，可以认为1990—1991年的部分人群脱砷治疗不至于造成影响深远的后果。

通过病区高砷暴露人群头发样品的XAFS研究显示：已经确诊病人毛发中的砷形态主要为+3价，而同村居住的无症状居民毛发中砷主要为+5价。这和目前砷的人体毒理学基本概念是相符的，即+3价砷的毒性大于+5价砷[22]。

长期以来，在病区一直进行这样的防病教育，要求病区群众在制作和取食食物时要先用水清洗外表面，现在经过高砷煤火烘烤的稻谷和玉米样品的微束硬X射线荧光光谱“面扫描”结果显示砷已经进入了谷物内部的食用部分，即胚乳部分。这些结果虽然尚属初步结果，但也提示有必要适时思考目前病区推行的预防和防治技术措施系统某些环节以及对群众教育部分内容的科学性和技术合理性，可以通过进一步的多种试验技术手段的深入研究，共同探讨如何进一步完善和细化现行的防治技术措施的相关技术环节。

参考文献

[1] 金银龙，梁超轲，何公理，等．中国地方性砷中毒分布调查（总报告），卫生研究，2003，32（6）：519－540.

[2] International Agency of Research on Cancer（IARC）Overall Evaluations of Carcinogenicity to Humans，List of all agents evaluated to date，as evaluated in IARC Monographs Volumes 1－98，2007. URL：http：//monographs. iarc. fr/ENG/Classification/ crthallalph. php.

[3] WHO，Environmental Health Criteria 224，2002.

[4] 范中学，李平安，白爱梅．陕西省地方性砷中毒流行概况，微量元素与健康研究，2006，23：45－47.

[5] 白广禄，刘晓莉，范中学，等．陕西省燃煤污染型砷中毒流行病学调查．中国地方病学杂志，2006，25：57－60.

[6] 周运书，周代兴，朱绍廉，等．一起燃煤所致人群慢性砷中毒的调查．中国公共卫生，1994，10（1）：41.

[7] Liu J，Zheng B，Aposhian HV，et al. Chronic arsenic poisoning from burning high－arsenic coal in Guizhou，China. Environ Health Perspect 2002，110：119－122.

[8] Lin GF，Du H，Chen JG，et al. Arsenic－related skin lesions and glutathione S－transferase P1 A1578G（Ile105Val）polymorphism in two ethnic clans exposed to indoor combustion of high arsenic coal in one village. Pharmacogenet Genomics，2006，16：863－871.

[9] Lin GF，Du H，Chen JG，et al. Glutathione S－transferases M1 and T1 polymorphisms and arsenic content in hair and urine in two ethnic clans exposed to indoor combustion of high arsenic coal in Southwest Guizhou，China. Arch Toxicol 2007，81：545－551.

[10] Lin GF，Du H，Chen JG，et al. The association of XPD/XRCC2 A35931C（K751Q）polymorphism and skin lesion in two ethnic clans exposed to indoor combustion of high arsenic coal in southwest China. Arch Toxicol. 2010，84：17－24.

[11] Lin GF，Meng H，Du H，et al. Factors impacting on the excess arseniasis prevalence due to indoor combustion of high arsenic coal in a hyperendemic village. Int Arch Occup Environ Health. 2009 Dec 5.（Epub ahead of print）

[12] 安冬，李达圣．贵州省地方性砷中毒防治现状及对策．中国地方病学杂志，2005，24（2）：214－216.

[13] 李达圣，安冬．贵州燃煤污染型地方性砷中毒的流行病学．中华临床医学杂志，2005，6（6）：50－53.

[14] Lin GF，Gong SY，Chen JG，et al. Co－endemia of fluorosis and arseniasis due to indoor combustion of coal in a rural township in Shaanxi Province，China，Submitted.

[15] Chen CJ，Hsu LI，Wang CH，et al. Biomarkers of exposure，effect，and susceptibility of arsenic－induced health hazards in Taiwan. Biomarkers of exposure，effect，and susceptibility of arsenic－induced health hazards in Taiwan. Toxicol Appl Pharmacol 2005，206：198－206.

[16] Weider B，Fournier JH. Activation analyses of authenticated hairs of Napoleon Bonaparte confirm arsenic poisoning. Am J Forensic Med Pathol. 1999，20（4）：378－382.

[17] Xiao T，Guha J，Boyle D，et al. Naturally occurring thallium：a hidden geoenvironmental health hazard. Environment International 2004，30：501－507.

[18] Feng X，Qiu G，Mercury pollution in Guizhou，southwestern China － an overview. Sci Total Environ. 2008，400：227－237.

[19] Ahsan T，Zehra K，Munshi A，et al. Chronic Arsenic poisoning. J Pak Med Assoc. 2009，59（2）：105－107.

[20] 杨林生，侯少范，王五一，等．地方性砷中毒患者皮肤改变与发砷关系研究，中国地方病杂志，2000，19（1）：62－64.

[21] 刘定南，陆兴忠，李本立，等．燃用高砷煤引起慢性砷中毒 535 例临床分析，中华内科杂志，1992，31（9），560－562.

[22] WHO Environmental Health Criteria 224：Arsenic and Arsenic Compounds 2nd ed.，International Program on Chemical Safety，World Health Organization，2001 Geneva.

禁食引起小鼠多组织砷吸收增加及其机制研究

鞠晶昀　陈　刚

（南通大学公共卫生学院　江苏省南通市青年东路99号　226007）

摘　要　为了探讨禁食对各组织砷吸收量的影响及其机制，将18只雄性小鼠随机分成3组：非禁食组、禁食组和禁食染 Hg^{2+} 组。禁食48h后，三组均经灌胃给予 $As_2O_3$3mg/kg，1h后分别取血清、心脏、肝脏、睾丸和脂肪组织。原子荧光分光光度计测定各组织中砷含量，与不禁食组相比，禁食组肝脏、心脏和脂肪组织中砷含量明显增高，而血清和睾丸组织中砷含量没有显著变化。禁食染 Hg^{2+} 组肝脏中砷的含量受 Hg^{2+} 的抑制，而心脏组织没有。半定量RT－PCR检测各组织中AQP7和AQP9mRNA表达，禁食后，肝脏和脂肪组织中AQP9基因表达明显增加，脂肪和心脏组织中AQP7表达明显增加。而睾丸组织AQP7和AQP9表达没有明显变化。以上结果表明禁食使小鼠肝脏和脂肪组织中AQP9、心脏和脂肪组织中AQP7基因表达增加从而使这些组织吸收砷的增加。

砷是全球重要的污染物之一，一方面，由于地理地质的原因，一些地区土壤和水中含有较高浓度的砷；另一方面，由于工业、含砷农药喷洒以及污水灌溉或污泥施用的影响，许多矿区、流域沉积区、蔬菜基地均受到不同程度的砷污染，使一些地区饮用水和食物中含有较高浓度的砷。在亚洲超过一亿人通过饮水而慢性暴露于砷。我国是全球重要的砷中毒危害病区之一，暴露人口高达1500万，已确诊患者超过数万人。贵州省还发现了全球唯一的燃煤型污染而引起的砷中毒病区。

无机砷常以五价砷和三价砷的形式存在，三价砷的毒性明显高于五价砷。五价氧化态砷溶液以 H_3AsO_4 形式存在，固体 As_2O_3 在中性水溶液以 $As(OH)_3$ 的形式存在[1]。砷通过细胞膜转运进细胞是发挥其生物学作用的第一步。五价无机砷在原核生物、酵母及哺乳动物细胞是通过磷转运通道蛋白进入细胞内的[2]。而三价无机砷是通过细胞膜上的水－甘油通道蛋白（aquaglyceroprins，AQPs）进入细胞内[3-5]。细胞膜上已发现的水－甘油通道蛋白有4种，即AQP3，AQP7，AQP9和AQP10。这四种水－甘油通道蛋白不仅参与水的分泌、吸收及细胞内外水的平衡，而且可以转运甘油分子。从分子结构、热力学和电荷方面比较三价无机砷 $As(OH)_3$ 和甘油发现它们具有相似的结构和电荷分布，$As(OH)_3$ 分子的体积稍微比甘油分子小一些。由于 $As(OH)_3$ 与甘油结构极相似，它模仿甘油分子通过水－甘油通道而进入细胞中[6]。细胞膜上的水－甘油通道蛋白受多种因素调控，如脑中的AQP9的表达受血液中的胰岛素水平的控制[7]、大鼠输卵管上皮细胞中AQP9受雌激素的调控[8]等。

本研究中，我们将小鼠禁食，而后给予一定剂量的三价无机砷，检测砷在小鼠几个主要组织中的分布和各组织中水－甘油通道蛋白的表达，从而探讨禁食对砷吸收的影响。

一、材料和方法

（一）实验材料

1. 试剂：三氧化二砷（德国MERCK试剂公司），氯化汞（上海试剂二厂），硝酸（优级纯，国药集团上海化学试剂有限公司），过氧化氢（优级纯，国药集团上海化学试剂有限公司），RNAiso Plus（TaKaRa公司），M－MLV逆转录酶试剂盒（TaKaRa公司）。

2. 方法

（1）实验动物及处理

SPF级ICR雄性小鼠，体重24～30g，购于南通大学实验动物中心，将18只小鼠随机分为三组，每组6只，三组分别为：未禁食组、禁食组和禁食染 Hg^{2+} 组。禁食组禁食48h，但自由饮水。各组均经灌胃给予 As_2O_3，剂量为3mg/kg，禁食染 Hg^{2+} 组先经腹腔注射氯化汞1mg/kg，10min后灌胃染砷。

三组均于染砷1h后，用1.5%戊巴比妥钠0.1ml/20g将小鼠腹腔麻醉后，取血清（心脏取血，离心1500r/min 10min，取上清）、心脏、肝脏、睾丸和附睾脂肪组织。

（2）组织中砷含量的测定

取0.2g组织（不足的组织按实际重量计）用生理盐水快速冲洗3遍，转入经10%硝酸溶液浸泡过夜并经去离子水冲洗洁净的100ml小烧杯中，分别加5.0ml的65%硝酸过夜，次日在电热板上缓慢加热消化；待硝酸蒸发近干时，分别加入3.0ml65%硝酸和3.0ml30%过氧化氢混合液加热消化；当消化液再次蒸发近干时，再加3.0ml30%过氧化氢加热至物质消化完全，烧杯呈无色。消化过程中，电热板加热温度控制在120℃以内。消化结束后，先用少量三蒸水将样本转移到10ml试管中，加入150g/L硫脲溶液0.5ml和36%浓盐酸0.5ml，最后用三蒸水定容。用原子荧光光度计测其中As的浓度。

（3）半定量RT－PCR

分别取肝脏、睾丸、心脏、脂肪组织0.05g，按RNAiso Plus试剂说明书提取总RNA，取1.5μg总RNA逆转录合成cDNA。其中1.0μlcDNA为模板扩增，扩增产物8μl在1.5%琼脂糖凝胶上电泳，溴化乙啶（ethidium bromide，EB）染色，β－actin基因为内对照，利用凝胶成像系统拍片，本研究中各基因引物的序列见表1。引物由上海英骏生物制品公司合成。

表1 RT－PCR引物序列

	sense	antisense	bp
AQP9	5′－GAAGGATGGAGTGGTTCAAG－3′	5′－CAGAAGGAGGAACATGGGTAG－3′	238
AQP7	5′－GCTATCTCGGTGTCAACTTG－3′	5′－CTGGACTGTTCTTCTTGTCG－3′	392b
β－actin	5′－GTACAATGAGCTGCGTGTGG－3′	5′－CTCCGGAGTCCATCACAATG－3′	201

（4）统计学处理

采用SPSS 13.0统计软件进行处理，数据以〈$\bar{x}$〉±s表示，组间均数比较采用t检验，P≤0.05为差异具有统计学意义。

（二）结 果

1. 禁食后各组织中砷含量的变化

为了研究禁食对小鼠各组织摄入砷含量的影响，我们测定了三组小鼠各组织中砷的含量。结果见表2。表2结果表明，一次性灌胃给予3mg/kgAs_2O_3后，禁食组小鼠心脏，肝脏和脂肪中砷的含量比不禁食组明显增加，而血清和睾丸中砷含量没有明显变化。禁食染 Hg^{2+} 组与禁食组相比，肝脏和脂肪组织中的砷含量明显下降。而心脏、睾丸和血清中没有明显变化。

表2 小鼠各组织中三价无机砷的浓度（$\bar{x}\pm s$，ng/g，$n=6$）

组别	血清	心脏	肝脏	睾丸	脂肪
未禁食组	46.45±2.70	139.70±25.83	4483.86±2009.489	48.05±20.86	78.71±20.86
禁食组	41.06±23.0	253.63±63.10**	12369.32±6632.896**	42.27±19.22	454.79±198.47**
禁食染Hg^{2+}组	31.33±2.78	209.45±68.85	5538.79±638.61△	47.27±25.15	54.92±29.29△△

与未禁食组相比**$P\leq0.01$，与禁食染砷组相比，△$P\leq0.05$，△△$P\leq0.01$。

2. 禁食后各组织中水－甘油通道蛋白表达的变化

细胞膜上水－甘油通道蛋白是三价无机砷转运进细胞的转运通道。因此利用半定量 RT－PCR 方法检测了 AQP7 和 AQP9 基因在各组织的表达变化情况。

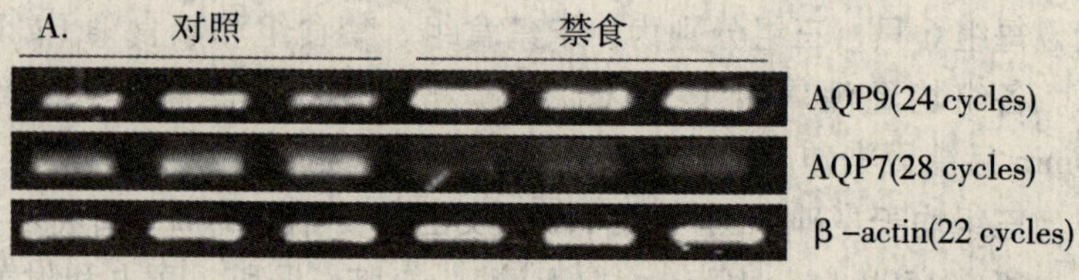

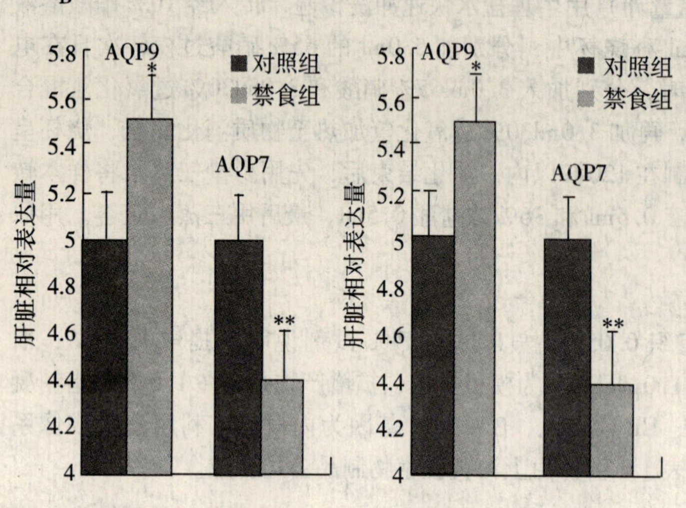

图 1　半定量 RT－PCR 检测禁食后肝脏 AQP7 和 AQP9 表达的变化

A：RT－PCR 检测 AQP7 和 AQP9 在肝脏组织中的表达。B：计算机图像灰度分析结果。与未禁食组相比，$P \leqslant 0.05$，$P \leqslant 0.01$

图 1 是禁食后肝脏组织的 AQP9 和 AQP7 表达水平与未禁食组比较。禁食后肝脏组织 AQP9 表达水平显著高于未禁食组（$P<0.05$），AQP7 表达水平显著低于未禁食组（$P<0.01$）（见图 1）。

禁食后睾丸组织的 AQP9 和 AQP7 表达水平与未禁食组比较见图 2。禁食后睾丸组织中 AQP7 和 AQP9 的表达没有明显变化。

图 3 是脂肪组织的 AQP9 和 AQP7mRNA 的表达变化情况。禁食 48h 后，脂肪组织中 AQP7 和 AQP9mRNA 的表达明显增强。有趣的是，在未禁食的情况下，AQP9 在脂肪组织中表达较低，禁食后其表达明显增加。

图 4 是心脏组织中 AQP7 的表达变化情况。禁食 48h 后心脏组织中 AQP7mRNA 的表达明显增强（$P<0.05$）。

二、讨　论

上述研究结果表明，小鼠禁食后能使肝脏、心脏和脂肪摄取砷的含量明显增加，Hg^{2+} 能抑制肝脏和脂肪摄入砷，而不能抑制心脏组织摄入砷。在禁食 48h 给予砷后，睾丸组织中砷的含量没有明显变化。禁食后，肝脏和脂肪组织的 AQP9 表达明显增加，心脏和脂肪组织的 AQP7 的表达明显增加。这一结果说明禁食使一些组织中 AQP7 和 AQP9 表达增加，AQP7 和 AQP9 是三价无机砷转运入细胞的主要通道蛋白，因此引起相应组织摄入三价无机砷的量增加。肝脏、心脏、脂肪组织中 AQP9 和 AQP7 表达增加，相应的这些组织中的砷含量也增加，而睾丸组织中 AQP7 和 AQP9 的表达禁食后没有明显变化，其摄入砷的量也没有明显变化。

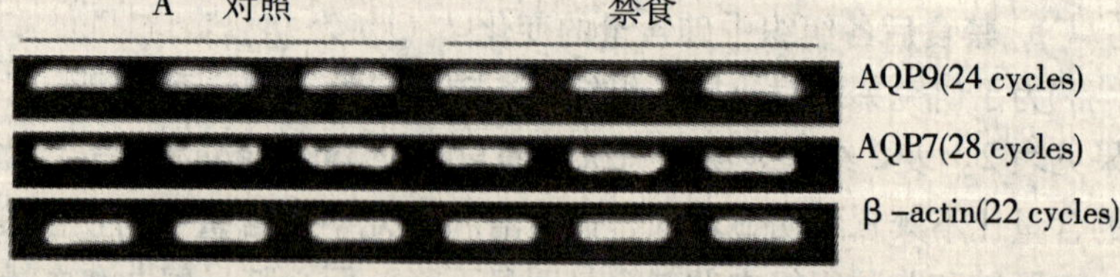

二价汞离子是非选择性的水通道蛋白抑制剂，它能与水通道蛋白质 189 位的半胱氨酸结合使水通道蛋白失去其功能，AQP4 和 AQP7 不含 189 半胱氨酸残基，为汞不敏感水通道蛋白[9]。本研究中我们使用 Hg^{2+} 来作为抑制剂，观察 Hg^{2+} 影响各组织砷吸收情况。我们的研究结果表明，Hg^{2+} 能明显抑制肝脏和脂肪组织的砷的吸收，而对心脏组织的砷的吸收没有明显的抑制作用。

这是由于在肝脏和脂肪组织中三价无机砷主要是通过 AQP9 进入组织中的，而 AQP9 的功能能被 Hg^{2+} 抑制，而心脏组织中仅表达 AQP7，而 Hg^{2+} 不能抑制 AQP7 的功能，因此心脏组织中砷的摄入不受 Hg^{2+} 的影响。

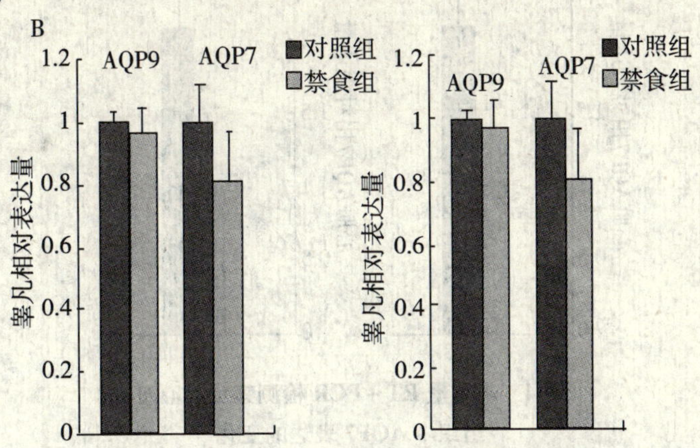

图 2　半定量 RT – PCR 检测禁食后
睾丸 AQP7 和 AQP9 表达的变化

A：RT – PCR 检测 AQP7 和 AQP9 在睾丸组织中的表达。B：计算机图像灰度分析结果。与未禁食组相比，$^{*}P \leq 0.05$，$^{**}P \leq 0.01$

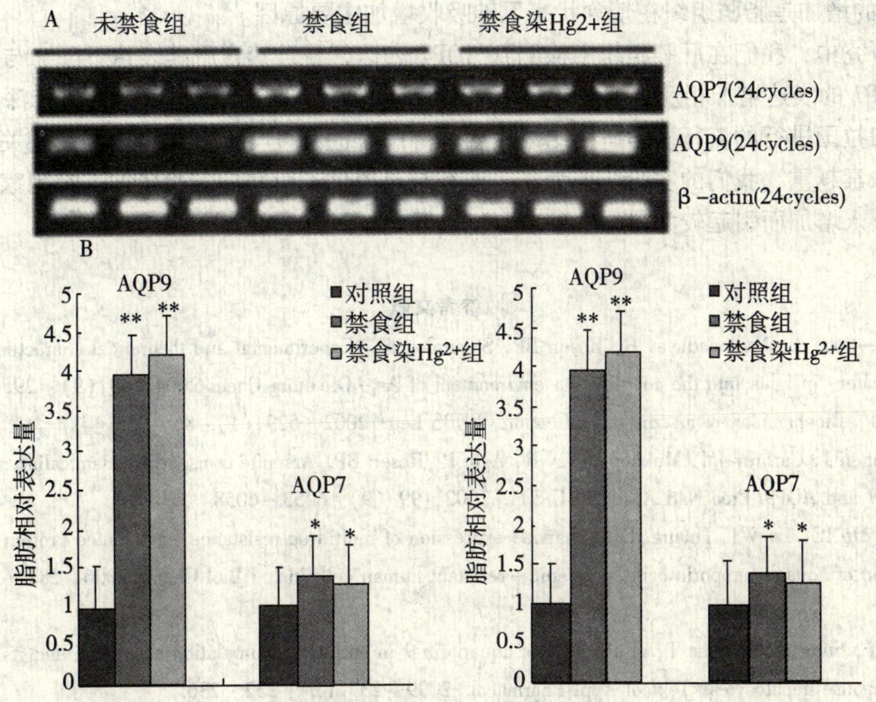

图 3　半定量 RT – PCR 检测禁食后脂肪组织中 AQP7 和 AQP9 表达的变化

A：RT – PCR 检测 AQP7 和 AQP9 在脂肪组织中的表达。B：计算机图像灰度分析结果。
与未禁食组相比，$^{*}P \leq 0.05$，$^{**}P \leq 0.01$

A　未禁食组　禁食组

AQ97(24cycles)

β -actin(24cycles)

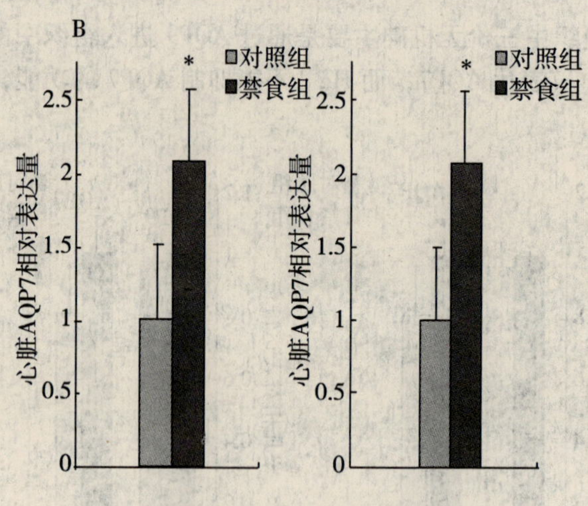

图4 半定量 RT－PCR 检测禁食后心脏组织中 AQP7 表达的变化

A：RT－PCR 检测 AQP7 在心脏组织中的表达。B：计算机图像灰度分析结果。

与未禁食组相比，$^{*}P\leqslant0.05$

禁食不仅使脂肪组织 AQP7 表达增加，而且使本来在脂肪组织表达甚少的 AQP9 表达明显增加，从而增加了脂肪组织吸收砷。从禁食状态下脂肪组织吸收砷增加受 Hg^{2+} 的结果来判断，AQP9 表达的增加是脂肪组织在禁食状态下砷吸收增加主要原因。

在本研究中，我们在肝脏组织中检测到 AQP7 表达，并且禁食后其表达下降，与在心脏和脂肪组织 AQP7 的表达增加相反。到现在为止还没有这方面的报道，我们将对此进行深入地研究。

在孟加拉国进行的流行病学研究结果表明，砷中毒的程度与家庭的贫困程度相关，即越贫困的家庭砷中毒越重，我们的实验结果为这一调查结果提供了可靠的实验依据。贫困家庭由于饥饿使机体砷摄入增加而引起较为严重的砷中毒。

参考文献

[1] Ramírez－Solís A，Mukopadhyay R，Rosen BP，Stemmler TL. Experimental and theoretical characterization of arsenite in water：insights into the coordination environment of As－O. Inorg Chem. 2004，43（9）：2954－2959.

[2] Rosen BP. Biochemistry of arsenic detoxification. FEBS Lett. 2002，529（1）：86－92.

[3] Liu Z，Shen J，Carbrey JM，Mukhopadhyay R，Agre P，Rosen BP. Arsenite transport by mammalian aquaglyceroporins AQP7 and AQP9. Proc Natl Acad Sci U S A. 2002，99（9）：6053－6058.

[4] Lee TC，Ho IC，Lu WJ，Huang JD. Enhanced expression of multidrug resistance－associated protein 2 and reduced expression of aquaglyceroporin 3 in an arsenic－resistant human cell line. J Biol Chem. 2006，281（27）：18401－18407.

[5] Shinkai Y，Sumi D，Toyama T，et al. Role of aquaporin 9 in cellular accumulation of arsenic and its cytotoxicity in primary mouse hepatocytes. Toxicol Appl Pharmacol. 2009，237（2）：232－236.

[6] Porquet A，Filella M. Structural evidence of the similarity of Sb（OH）$_3$ and As（OH）$_3$ with glycerol：implications for their uptake. Chem Res Toxicol. 2007，20（9）：1269－1276.

[7] Badaut J. Aquaglyceroporin 9 in brain pathologies. Neuroscience. 2009，10，20.

[8] Braes MC，Morales B，Ríos M，Villalón MJ Regulation of the immunoexpression of aquaporin 9 by ovarian hormones in the rat oviductal epithelium. Am J Physiol Cell Physiol. 2005，288（5）：C1048－57.

[9] Preston GM，Jung JS，Guggino WB，Agre P. The mercury－sensitive residue at cysteine 189 in the CHIP28 water channel. J Biol Chem. 1993，268（1）：17－20.

利用渗透汽化膜分离燃料乙醇的研究进展

张文毓　马鸿志　高　明　汪群慧

（北京科技大学土木与环境工程学院　100083）

摘　要　渗透汽化技术作为一种新型的有机物分离技术，以其清洁低耗的优点日益受到人们的关注，本文简述了渗透汽化技术的原理及研究背景，总结了近年来国内外较有代表性的研究成果，阐述了这一技术的研究现状和存在问题，展望了渗透汽化膜这一新型的研究方向。

关键词　渗透汽化技术　乙醇　膜分离

一、序　言

近年来，随着化石能源的日益短缺及国际原油价格的不断攀升，生物质能源的研究越来越受到人们的重视。在众多的生物质能源中，燃料乙醇由于其生产工艺简单，可生产乙醇汽油，向环境净排放的温室气体为零等优点，得到了世界各国的青睐。无水乙醇与汽油混合物形成稳定的混合物，俗称汽油醇，可做内燃机的燃料。将无水乙醇添加入汽油中可以提高燃料的抗震性能，同时免去汽油的添加剂铅，防止铅对大气和人类的污染[1]，鉴于燃料乙醇在国计民生中的重要地位，我国也在“十一五”规划中提出了大力发展燃料乙醇的目标。

在传统的燃料乙醇生产工艺中，大多是先通过蒸馏的方式来浓缩发酵液中的低浓度乙醇，再通过真空蒸馏法、恒沸精馏法等方式脱除残余水分从而得到无水乙醇，这些技术的共同点是都需要将待脱水的物料体系完全汽化，其过程需要消耗巨大的相变潜热，产生极高的能耗，从而使运行成本居高不下[2]。

自20世纪60年代以来，渗透汽化膜作为一种新型的膜分离技术，由于其在分离过程中所固有的低能耗、不引入第三组分、排污少等优势，逐渐得到了人们的认可与接受，已在石油化工、精细化工、医药化工等工业企业推广应用[3]。

二、渗透汽化原理

渗透汽化是在液体混合物中组分蒸汽分压差的推动下，利用料液中不同组分在特定的材料膜中的溶解和扩散速度的差异，达到组分分离的目的。其分离机理常用溶解－扩散模型来描述。其分离原理如图所示。膜将膜器分隔为上游侧的液相室和下游侧的汽相室，汽相室与真空系统相连接。料液经过加热器加热到一定温度后进入液相室。膜对料液中的某种组分有选择通过性，易透过组分分子溶解吸附于膜表面，在膜的化学位梯度作用下优先扩散通过，使上游侧料液组成发生改变。通过高分子膜渗透到下侧的组分，由于其蒸汽分压小于其饱和蒸汽压而在膜表面汽化，随后进入冷凝系统，蒸汽冷凝下来即得渗透产物。由于致密膜的透过性很差，用于渗透蒸发的分离膜都必须尽可能做得很薄，以提高单位面积膜的生产能力。真正有应用价值的渗透蒸发膜厚度仅几微米。为了使超薄膜有足够的机械强度，它们必须用微孔膜支撑，制成具有多层结构的复合膜。

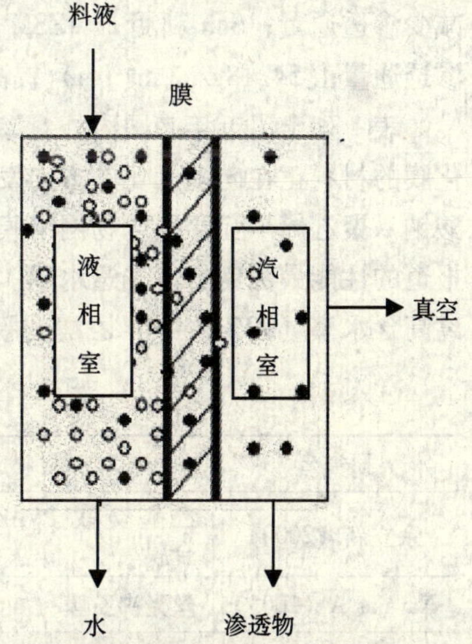

图1　渗透汽化膜工作原理

用以衡量渗透蒸发膜性能的主要参数有两个。一个是渗透通量，另一个是分离因子。

分离因子 α =（YA/YB）/（XA/XB）

式中：XA 和 XB 分别为待分离液中 A 和 B 的质量分数，YA 和 YB 分别为渗透液中 A 和 B 的质量分数。当 $\alpha=1$ 时膜没有渗透选择性，α 偏离 1 的程度越高，膜的渗透选择性越好。

渗透通量是指每小时被单位面积的膜脱除的透液的质量，用 J 来表示。

渗透通量（J）=渗透液的质量/（时间×面积）

三、渗透汽化膜的分类

渗透汽化膜的分类方法多种多样，按照膜的结构可分为均质膜、非对称膜和复合膜；按膜的基本分离体系可分为优先透水膜和优先透醇膜；按膜材料可分为有机高分子膜、无机膜和有机复合膜；按膜的形态可分为玻璃态膜、橡胶态膜和离子型聚合物膜等。其中按照膜的基本分离体系将其分为优先透水膜和优先透醇膜为目前最常用的方法。

（一）优先透水膜

优先透水膜是目前研究最广泛、最成熟的渗透汽化膜。由于其均质层的高分子上带有亲水性的基团，使得在醇水分离时优先透过水，适宜分离含水量低的乙醇 & 水混合物（如分离乙醇 & 水共沸物），目前，该工艺多用于无水乙醇的生产，在国内已有大规模的工业化应用，与传统的蒸馏法相比，渗透汽化工艺可节省投资 40%，而能耗仅为蒸馏法的 10% ~70%[4,5]。

常用的优先透水膜包括材料为有机膜的聚乙烯醇膜（PVA）、聚醚酰亚胺（PEI）、壳聚糖、藻酸及有机聚合物改性膜；材料为无机膜的微孔二氧化硅膜和沸石分子筛膜；以及材料为有机无机复合膜的 PVA/陶瓷复合膜等[6,7]。其中聚乙烯醇（PVA）和壳聚糖是目前广泛使用的水－乙醇渗透分离均质层的膜材料。但它们本身都具有一定的缺陷，如 PVA 膜的渗透性相对较低，纯壳聚糖膜的分离系数较低等，因此，近年来国内外的研究者多通过交联、共混及化学改性等方式来改善膜的性能[8]；例如余立新等用多种二醛交联 PVA/PAN 复合膜，使膜的渗透通量提高，但分离因子有所下降，Chen 的实验表明在聚砜类膜中添加纳米铁微粒有助于分离因子的提高，会减少渗透通量；Sun 利用 H－ZSM－5 沸石填充壳聚糖膜，在分离因子变化不大的条件下将膜的渗透通量由 54.18g/（m^2·h）提高到 230.96g/（m^2·h）。

表 1 列出了近年来国内外对渗透汽化优先透水膜的一些研究进展，结果表明，近年来渗透汽化膜的材料正在向多元化的方向发展，其改性方式也愈加丰富，其中 Teli 在 2007 年报道的海藻酸钠－聚乙烯半互穿聚合物网络膜能够分离浓度较低的乙醇溶液，分离因子高达 18881，是迄今报道的性能最优良的优先透水膜。目前，优先透水膜的局限性主要存在于工作温度范围较小，分离高含水率（90% 以下）乙醇的膜较少等，有待进一步的探索和研究。

表 1　渗透汽化优先透水膜[9-20]

研究者	膜材料	工作温度	乙醇浓度	分离因子	膜通量/g/（m^2·h）
余立新（2000）	二醛交联 PVA/PAN 复合膜	70℃	95（wt%）	200 ~600	150 ~280
Navajas A（2003）	丝光沸石膜	—	—	150	200
Li（2006）	可溶性聚酰亚胺膜	—	90（wt%）	141	255
Shih（2007）	磺化聚乙烯膜	—	—	700	300
Teli（2007）	海藻酸钠－聚乙烯半互穿				
聚合物网络膜	40℃	85（wt%）	18881	137	

研究者	膜材料	工作温度	乙醇浓度	分离因子	膜通量/g/（m²·h）
Kalyani（2008）	海藻酸钠致密膜	30℃	—	2182	35
Chen SH（2008）	聚砜膜内嵌纳米铁微粒	—	—	1000	350
Sun（2008）	H－ZSM－5 沸石填充壳聚糖膜	80℃	90（wt%）	152.82	230.96
Wu（2008）	PSF 中空纤维复合膜	40℃	95（wt%）	886	12.6
Ma（2009）	多孔硅橡胶膜	—	94（wt%）	10～500	300～800
李继定（2009）	ZSM－5 填充 PDMS/PVDF	50℃	95（wt%）	11.7	749.8
Nguyen HH（2009）	PVA/PAN 复合膜	66℃	95（v/v%）	40	107

（二）优先透醇膜

制造优先透醇膜的材料通常具有极性低、表面能小和溶解度小等性质[8]，常用的材料并不多。目前常见的几种聚合物材料为：硅橡胶膜、含氟共聚物膜、含硅油的聚二甲基硅氧烷膜，以及聚二甲蒸硅氧烷的共聚体膜等[21]。其中含硅油的聚二甲基硅氧烷膜（PDMS）以其优异的性能被广泛研究，且大多数工作是基于 PDMS 的改性及其复合膜的制备来开展的，目前国内外对优先透醇膜的研究多集中于其与生物发酵设备的耦合，以期使发酵罐中的乙醇浓度维持在一个稳定的水平，避免过高的乙醇浓度对微生物发酵的抑制作用，因此，在考察优先透醇膜的性能时，多将其与整个发酵体系耦合考察[22]。表 2 列出了一些较有代表性的优先透醇膜性能表征。

表 2　渗透汽化优先透醇膜[22－29]

研究者	膜材料	工作温度	乙醇浓度	分离因子	膜通量/g/（m²·h）
Schmidt（1997）	PDMS	35℃	6（wt%）	4.5	33
Chang（2002）	PVDF/硅橡胶复合膜	—	10（wt%）	4.6	285
Lin（2003）	沸石分子筛膜	—	5（wt%）	106	930
徐玲芳（2007）	PDMS/陶瓷复合膜	60℃	6.5（wt%）	8.3～10.3	4500～4700
Vane（2008）	ZSM－5/PDMS 复合膜	50～70℃	1～15（wt%）	1.5～3.0	110
Gu（2009）	沸石填充 PEBA 膜	—	3（wt%）	3.6	833
Aroujalian（2009）	PTFE 膜	60℃	2（wt%）	1.66～2.85	86～465
Thongsukmak（2009）	三辛胺支撑中空纤维膜	54℃	5～10（wt%）	100～113	16.2～59.8
Zhan X（2010）	多层 PDMS/PVDF 复合膜	60℃	5（wt%）	15	450

与优先透水膜相比，优先透醇膜的分离因子并不高，其主要优势体现于水溶液中低浓度乙醇的初步分离，目前有报道性能最优异的优先透醇膜是 Lin 在 2003 年以莫来石为支撑体的沸石分子筛膜，其渗透通量为 0.93kg/（m²·h），分离因子为 106，Thongsukmak 认为在低浓度乙醇溶液中引入第三方组分（如正丁醇）有助于分离因子的提高，并以该方式使以三辛胺为液膜支撑的中空纤维膜的分离因子由 38 提高到 100 以上，但仍不能运用于大批量工业生产。相对于透水膜，优先透醇膜的研究起步晚，进展慢，有广阔的发展前景和改进空间。

四、渗透汽化技术存在的问题

（一）膜污染问题

由于渗透气化膜是无孔膜，因此在运行过程中，不会出现堵塞的情况，也不需要反洗，但由于在进料侧老龄化细胞、无机盐和非挥发性产物聚集，会造成膜污染和浓差极化的现象，使渗透汽化性能下降，而且传统的渗透气化膜组件多数是板框式，这种设计不利于克服膜表面的极化现象。要解决这种问题，首先应从改善微生物生长环境入手，降低发酵液中副产物浓度，使发酵环境更适合微生物生长代谢，其次，可在膜分离过程前添加适当的预处理过程，保护膜在工作过程中不受到外来组分的污染，此外优化膜组件的结构也是渗透气化膜分离技术待完善的地方。

（二）膜的耐受性能较差

与传统的分离方式相比较，渗透汽化法的制约因素有很多，包括渗透汽化膜的强度、耐久性以及其他性能，而目前大多数的渗透汽化膜存在不耐高温，机械强度低，耐酸碱能力差等一系列问题，直接阻碍了渗透汽化技术在工业上的大规模推广和应用，因此，研制高的热力学稳定性和耐溶剂性的膜材料将成为该技术工业化的关键因素。

（三）膜的分离性能偏低

虽然渗透汽化膜分离技术在有机溶剂脱水领域已实现了工业化，但是优先透醇膜的研究起步较晚，与水优先透过的膜相比，普遍存在分离选择性低、渗透通量低的缺点，达不到工业化应用的要求。目前此项技术的研究大多还停留在实验室研究阶段，膜的渗透通量和选择性距实用化的要求还有差距，限制了该技术大范围的工业应用，因此，开发选择性好，通量高的渗透汽化膜具有很大意义。

五、膜成本偏高

虽然与传统的蒸馏方式相比较，在一定的生产规模下渗透汽化具有一定的经济优势，但结合更换原设备的成本以及长期运行的可行性，该工艺还没有彻底地得到人们的认可与接受，因此，开发运行稳定，低成本，高处理能力的膜组件应得到进一步的深入研究。

六、渗透汽化技术前景展望

渗透汽化技术以其高效、低能和环保的优势，具有广泛的应用前景，在能源日趋短缺的今天，燃料乙醇等新型能源方兴未艾，更为渗透汽化膜技术提供了广阔的发展空间。但渗透汽化法受到渗透汽化膜的强度、耐久性以及其他性能的制约，要使其在工业上能够得到广泛应用，在膜和膜组件的研制等方面还需要大量的研究和开发工作，在不远的将来，膜分离技术及其产业将发展得更加成熟和完善，必将成为乙醇发酵分离技术领域中一项具有相当优势的分离技术。

参考文献

[1] 谢林，吕西军．玉米酒精生产新技术［M］．北京：中国轻工业出版社，2001：311－312.

[2] 张庆武，曹蕊．渗透汽化膜技术及其在有机溶剂脱水领域的应用［J］．过滤与分离，2008，18（1）：31－33.

[3] 陈翠仙，李继定．我国渗透汽化技术的工业化应用［J］．膜科学与技术，2007，27（5）：1－4.

[4] 刘继泉，胡存．膜分离技术在无水乙醇生产中的应用［J］．酿酒，2005，32（3）：38－40.

[5] 王彦峰，陈砺．渗透汽化法在无水乙醇生产中的应用研究［J］．可再生能源，2004（4）：9－15.

[6] 徐玲芳，相里粉娟．渗透汽化在生物燃料乙醇制备中的研究进展［J］．化工进展，2007，26（6）：788－796.

[7] Peters T A，Poeth C H S，Benes N E，et al. Ceramic － supported thin PVA pervaporation membranes combining high flux and high selectivity；contradicting the flux － selectivity paradigm［J］. J. Membr. Sci.，2006，276：42 －50.

[8] 张鹏霞．渗透气化膜分离技术如何在燃料乙醇的生产中发挥作用［J］．现代化工，2008，28（2）：144－146.

[9] 余立新，陈翠仙．二醛交联 PVA/PAN 复合膜的渗透汽化脱水性能［J］．膜科学与技术，2000，20（2）：20－25.

[10] Navajas A, Mallada R. Preparation of mordenite membranes for pervaporation of water－ethanol mixtures. DESALINATION. 2002, 148（1－3）：25－29.

[11] Li CL, Lee KR. Dehydration of ethanol/water mixtures by pervaporation using soluble polyimide membranes. POLYMER INTERNATIONAL. 2006, 55（5）：505－512.

[12] Shih CY, Chen SH. Pervaporation separation of water/ethanol mixture by poly（phenylene oxide）and sulfonated poly（phenylene oxide）membranes. JOURNAL OF APPLIED POLYMER SCIENCE. 2007, 105（3）：566－1574.

[13] Teli SB, Gokavi GS. Novel sodium alginate－poly（N－isopropylacrylamide）semi－interpenetrating polymer network membranes for pervaporation separation of water plus ethanol mixtures. SEPARATION AND PURIFICATION TECHNOLOGY. 2007, 56（2）：150－157.

[14] Kalyani S, Smitha B. Pervaporation separation of ethanol－water mixtures through sodium alginate membranes. DESALINATION. 2008, 22（1－3）：68－81.

[15] Chen SH, Liou RM. Embedded nano－iron polysulfone membrane for dehydration of the ethanol/water mixtures by pervaporation. DESALINATION. 2008, 234（1－3）：221－231.

[16] Sun HL, Lu LY. Pervaporation dehydration of aqueous ethanol solution using H－ZSM－5 filled chitosan membranes. SEPARATION AND PURIFICATION TECHNOLOGY. 2008, 58（3）：429－436.

[17] Wu Kai. Sodium alginate－polyvinyl alcohol/polysulfone（SA－PVA/PSF）hollow fiber composite pervaporation membrane for dehydration of ethanol－water solution, J Shnghai Univ. 2008, 12（2）：163－170.

[18] Ma Y, Wang JH. Pervaporation of water/ethanol mixtures through microporous silica membranes. SEPARATION AND PURIFICATION TECHNOLOGY. 2009, 66（3）：479－485.

[19] 展侠，李继定．高通量 ZSM－5 填充硅橡胶复合膜渗透汽化性能研究［J］．膜科学与技术，2009，29（4）：25－28.

[20] Nguyen HH, Jang N. Multiresponse optimization based on the desirability function for a pervaporation process for producing anhydrous ethanol. KOREAN JOURNAL OF CHEMICAL ENGINEERING. 2009. 26（1）：1－6.

[21] 张可达．渗透汽化法分离液体混合物［J］．应用化学，1986，3（5）：6－12.

[22] Schmidt SL, MyersMD. Pervaporation of 50 wt % ethanol－water mixtures with poly（1－trimethylsilyl－1－propyne）membranes at high temperatures. Applied Biochemistry and Biotechnology, 1997, 63（55）：496－482.

[23] Chang CL, Chang MS. Preparation of composite membranes of functionalised silicone polymers and PVDF for pervaporation of ethanol－water mixture. DESALINATION. 2002, 148（1－3）：39－42.

[24] Lin X, Chen X, Kita H. Synthesis of silicalite tubular membranesby in situ crystallization. AIChE J. 2003, 49：237－247.

[25] Vane LM. Hydrophobic zeolite－silicone rubber mixed matrix membranes for ethanol－water separation：Effect of zeolite and silicone component selection on pervaporation performance. JOURNAL OF MEMBRANE SCIENCE. 2008, 308（1－2）：230－241.

[26] Gu J, Shi X. Silicalite－Filled Polyether－block－amides Membranes for Recovering Ethanol from Aqueous Solution by Pervaporation. CHEMICAL ENGINEERING & TECHNOLOGY. 2009, 32（1）：155－160.

[27] Aroujalian A, Raisi A. Pervaporation as a means of recovering ethanol from lignocellulosic bioconversions. DESALINATION. 2009, 247（1－3）：509－517.

[28] Thongsukmak A, Sirkar KK. Extractive pervaporation to separate ethanol from its dilute aqueous solutions characteristic of ethanol－producing fermentation processes. JOURNAL OF MEMBRANE SCIENCE. 2009, 329（1－2）：119－129.

[29] Zhan X, Li JD. Enhanced Pervaporation Performance of Multi－layer PDMS/PVDF Composite Membrane for Ethanol Recovery from Aqueous Solution. APPLIED BIOCHEMISTRY AND BIOTECHNOLOGY. 2010, 160（2）：632－642.

强化尤美肝泰的人工配合饲料对加州鲈生长及品质的影响

千　钢[1]　金　成[3]　张高立[2]　吴晓琴[3]

（1. 浙江省水利科技推广与发展中心　浙江　杭州　310012；
2. 杭州飞迅生物科技有限公司　浙江　杭州　311107；
3. 浙江大学食品科学与营养系　浙江　杭州　310029）

摘　要　养殖用水不对地表水构成污染是对水产养殖业的严峻挑战。以加州鲈为代表的肉食性鱼类传统的“以鱼养鱼”模式，水体污染十分严重，且后期常常出现肝胆综合征，鱼体生长缓慢，体色和条形不佳，肉质松散，商品性差。本研究在加州鲈配合饲料中强化“尤美肝泰”，成功解决了人工养殖后期的肝胆综合征问题，有效改善了体型、体色和肌肉品质；显著增强了鱼体的非特异性免疫功能，表现出良好的促生长和抗病害效果。同时，养殖水体的水质大为改善，塘水可重复使用，初步实现了清洁化生产。

关键词　加州鲈　人工养殖　肝胆综合征　尤美肝泰　清洁化生产

加州鲈（Micropterus salmoniodes）又名大口黑鲈，分类学上属鲈形目、太阳鱼科、黑鲈属[1]，是一种肉质鲜美、抗病力强、生长迅速、易起捕、适温较广的名贵肉食性鱼类。原产美国密西西比河水系[2]，20 世纪 70 年代末我国台湾从国外引进并于 1983 年人工繁殖获得成功，同年从我国台湾引进广东省，现已推广到全国各地，成为国内重要的淡水养殖品种之一[3]。

以加州鲈为代表的肉食性鱼类传统的“以鱼养鱼”模式，水体污染十分严重，且后期常常出现肝胆综合征，鱼体生长缓慢，体色和条形不佳，肉质松散，商品性差。同时引发了资源、环境、病害和食品安全等一系列问题，严重制约了产业的可持续发展，加州鲈人工养殖亟须寻求技术上的突破。针对这一热点和难点，浙江省水利科技推广与发展中心和浙江大学、杭州飞迅生物科技有限公司一起，于 2009 年共同开展了尤美肝泰（一种以竹叶提取物为主的植物制剂）对加州鲈生长及其品质的影响研究，试验分为比对试验和全程养殖试验，以期为加州鲈人工养殖的绿色、生态、清洁化生产提供解决方案。

一、材料与方法

（一）材料与试剂

1. 尤美肝泰

一种植物来源的生物抗氧化剂、脂代谢调节剂和免疫功能增强剂。总黄酮含量 14.3%，多糖含量 13.5%；杭州尤美特科技有限公司提供。

2. 试验鱼

加州鲈：由杭州飞迅生物科技有限公司饲养并提供。

3. 其他主要试剂

超氧化物歧化酶测试盒、微量丙二醛测试盒、过氧化氢酶测试盒（可见光分光光度法）：南京建成生物工程研究所；溶壁微球菌（Micrococcus Lysoleikticus）冻干粉：美国 Sigma 公司；其他实验室常用试剂，均为 AR 级，实验所用水为去离子水。

（二）实验方法

1. 强化尤美肝泰的特种加州鲈配合饲料的制造

在杭州飞迅生物科技有限公司现有的加州鲈饲料配方的基础上，强化0.1%～0.2%的尤美肝泰，调整饲料的能蛋比和糖脂比，并采用低淀粉膨化技术，创制出碳水化合物含量为15%，油脂含量在15%～22%，产品膨化度在1.1%～1.25%的低糖、高脂、缓沉型加州鲈膨化配合颗粒饲料，以满足肉食性鱼类的营养需求和摄食习惯。

2. 试验组别设计

养殖试验将加州鲈分为三组，A为高剂量组（尤美肝泰的添加量为0.2%），B为低剂量组（尤美肝泰的添加量为0.1%），C为冰鲜饲喂的对照组。在相同环境和条件下饲养2个月后起捕。

3. 样品采集方法

随机抽取试验鲈鱼，以注射器从尾静脉取血，一部分用肝素钠抗凝后于室温静置2h，吸取血浆与白细胞交接面的白细胞用于吞噬指数的测定；一部分不加抗凝剂，待析出血清后－70℃保存。剖杀鲈鱼，取背部肌肉，－20℃保存。取肝脏切一小块，以10%甲醛固定，其余部分加9倍生理盐水匀浆，离心取上清液，－20℃保存。

4. 测定方法

（1）形态学指标观察

肉眼观察鲈鱼的体型、体表特征并拍摄照片，称量记录鲈鱼的体长、重量、肝脏重量、脂肪块重量等，计算肝脏和脂肪占鱼体的重量比。

（2）免疫学指标测定

采用张璐等[4]介绍的方法，取白细胞以及血清测定吞噬指数（PI）、溶菌酶活力（LA）和替代途径补体活力（ACH50）。

（3）肌肉理化指标分析

将冷冻鲈鱼背部肌肉解冻，去皮、剔骨，用组织捣碎机捣碎成泥。采用相关国家标准中的方法[5-7]，分析鲈鱼肌肉的水分、蛋白质和脂肪含量。

（4）鱼体抗氧化能力测定

根据试剂盒中说明书介绍方法测定鲈鱼肝脏组织中的超氧化物歧化酶（SOD）活性、丙二醛（MDA）含量、过氧化氢酶（CAT）活性。测定前用生理盐水稀释肝脏匀浆到相应浓度（SOD：1%，MDA：10%，CAT：1%）。

（5）肝脏切片观察

经10%甲醛固定的鲈鱼肝脏组织经石蜡包埋、病理切片后用HE染色，400倍光学显微镜下观察并拍照。

5. 大塘全程养殖试验

将加州鲈饲料配方中尤美肝泰的添加剂量调整到0.15%，于2009年6月1日起在余杭区仁和镇云会鲈鱼养殖示范基地（面积为10亩的大塘）进行了为期5个月的养殖试验，设冰鲜对照、市售普通配合饲料和试验组进行对比。

二、结果与分析

（一）尤美肝泰对配合饲料的货架期延长作用

添加尤美肝泰后，有效地保护了饲料中脂质的氧化。同一批次饲料间隔30d后检测饲料中油脂的酸价和碘价，酸价从4.34mg/g上升至4.38mg/g，碘价从112.2g/100g上升至112.9g/100g，均无显著变化；产品保质期由30d增至60d，显著延长了饲料的货架寿命。

（二）尤美肝泰对加州鲈的体型修正作用

从外表上看，对照组的体型较为臃肿，腹部突出，且背部青绿色花纹较淡。解剖后发现，患有脂肪肝的病鱼肝脏肿大，肝体比较高，肝脏颜色近白色，肝脏附近脂肪块较大且无血色。

1. 体型体色

图1可见，试验组鲈鱼的体型与对照有明显差异，其中高剂量组更显得修长、苗条，腹部紧致。同时，高剂量组鲈鱼背部花纹清晰、颜色很深，与空白相比具有显著区别。

图1　尤美肝泰对加州鲈体型和体色的影响

2. 体型指数

由表1可知，尤美肝泰低剂量饲养2个月，对鲈鱼肝体比几乎无影响，而高剂量影响极显著，鱼体肝脏的重量只有对照组的一半左右。试样组脂体比与对照组比较皆有所下降，但无显著差异，可能与取样时脂肪块剥离的完整程度和个体误差较大有关。

表1　尤美肝泰对加州鲈体型指数的影响

组　别	N	肝体比/%	脂体比/%
C对照组（冰鲜喂养）	6	1.877 ±1.178	1.495 ±0.470
B低剂量组（0.1%尤美肝泰）	6	1.807 ±1.014	1.198 ±0.394
A高剂量组（0.2%尤美肝泰）	6	0.925 ±0.199**	1.205 ±0.462

3. 内脏形态

从图2可见，高剂量组的肝脏明显小于低剂量和对照组，色泽绛红，肺叶清晰，活力充沛；低剂量组介于高剂量和对照之间；用冰鲜饲养的对照组肝脏已出现肿大，色泽浅，活力明显不足。

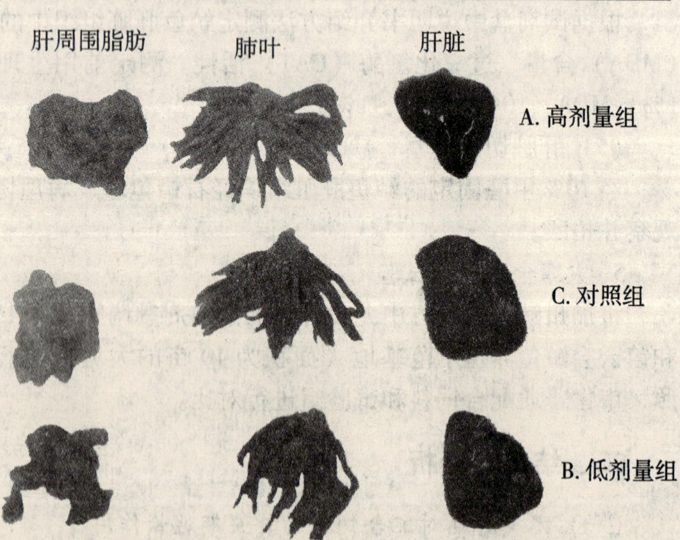

图2　尤美肝泰对加州鲈内脏形态的影响

4. 肝脏切片观察

肝脏中的脂肪组织在HE染色标本上因脂肪被二甲苯溶解而成大空泡状，通过观察空泡的大小及个数，可以大致了解鲈鱼肝脏中脂肪组织的分布状况以及肝组织中脂肪的多少，并进行组间比较，结果见图3（图中白色空泡即为脂肪组织）。高剂量组的鲈鱼其肝脏病理切片中脂肪空泡明显小于冰鲜对照组，低剂量组脂肪空泡大小则介于对照组与高剂量组之间。表明尤美肝泰具有显著的抗脂肪肝功效。

（三）尤美肝泰对加州鲈的免疫增强作用

结果显示，添加尤美肝泰极其显著地提高了加州鲈的非特异性免疫能力，增强了抗病性和抵御不良环境的能力。在配合饲料中添加0.1%和0.2%的竹叶黄酮极显著地提高了鲈鱼白细胞的吞噬指数、血清溶菌酶活力和替代途径补体活力，并显示出剂量依赖的关系，见表2。

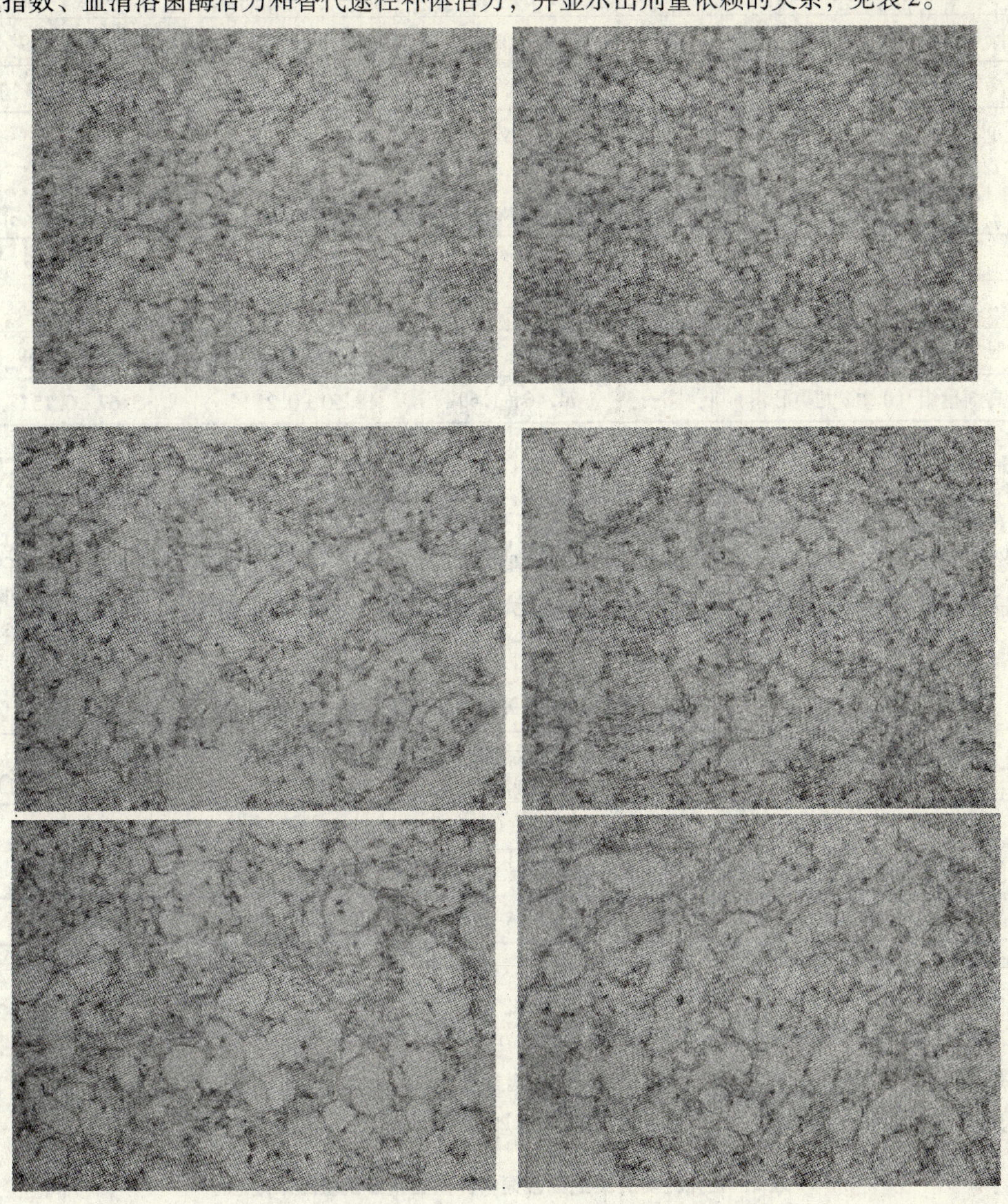

图3　尤美肝泰对加州鲈肝脏脂肪组织形态的影响

（四）尤美肝泰对加州鲈的肉质改善作用

加州鲈背部肌肉理化分析结果见表3。试验组与对照相比，背部肌肉中的水分含量差异不显著；而高剂量组的蛋白质含量显著高于对照，脂肪含量显著低于对照。高剂量组背部肌肉中蛋白质含量的显著增加，伴随着相应的脂肪和水分含量下降，是其质地精致，更有弹性和咀嚼感的物质基础。

表2 尤美肝泰对加州鲈非特异性免疫功能的影响

组 别	n	吞噬指数 PI	溶菌酶活力测定 LA/（U/ml）	替代途径补体活力 ACH50/（U/ml）
C 对照组（冰鲜喂养）	9	1.30 ±0.15	98.18 ±4.58	92.14 ±2.40
B 低剂量组（0.1%尤美肝泰）	9	1.51 ±0.10*	146.7 ±5.05**	141.97 ±2.59**
A 高剂量组（0.2%尤美肝泰）	9	1.87 ±0.16**	196.23 ±5.91**	196.4 ±2.73**

*p<0.01；**p<0.001；与对照组相比。

表3 尤美肝泰对加州鲈肌肉组分的影响

组 别	n	水分/%	蛋白质/%	粗脂肪/%
C 对照组（冰鲜喂养）	6	75.87 ±1.89	16.21 ±1.18	5.00 ±0.45
B 低剂量组（0.1%尤美肝泰）	6	75.04 ±1.28	17.48 ±0.67*	4.92 ±0.39
A 高剂量组（0.2%尤美肝泰）	6	74.46 ±1.69	18.50 ±0.25**	3.67 ±0.15**

*p<0.01；**p<0.001；与对照组相比。

（五）尤美肝泰对加州鲈的抗氧化能力提高作用

结果见表4。试验与对照肝脏组织的SOD活性差异极显著，表明尤美肝泰极大提升了肝细胞防御氧化损伤的能力。但CAT的活性相差不大，脂质过氧化产物（MDA）的含量也无显著差异。

表4 尤美肝泰对加州鲈肝脏组织抗氧化能力的影响

组 别	n	SOD 活力/（U/mg 蛋白）	CAT 活力/（U/mg 蛋白）	MDA 含量/（nmol/mg 蛋白）
C 对照组（冰鲜喂养）	6	16.88 ±0.29	2.07 ±0.20	11.44 ±3.27
B 低剂量组（0.1%尤美肝泰）	6	50.69 ±5.28**	2.49 ±0.60	10.34 ±2.49
A 高剂量组（0.2%尤美肝泰）	6	96.57 ±6.48**	2.16 ±0.26	11.41 ±1.82

**p<0.001；与对照组相比。

（六）加州鲈全程养殖试验效果

结果发现，使用该缓沉膨化饲料后，初始体重为200g左右的加州鲈，自11月15日起捕重量平均可达820g；饲料系数1∶1；经解剖，肝脏组织正常健康。具体数据如表5所示。

表5 强化尤美肝泰的配合饲料养殖加州鲈试验结果汇总

组 别	饲料系数	上市正品率/%	病害死亡率/%	肝脏病变率/%	体形体色	池塘水质状况
冰鲜对照	5.0	91	12.6	6	正常	差
市售饲料对照	1.8	79	4.3	35	变形	良
尤美肝泰试验组	1.1	97	1.45	2	良好	良

试验结果表明，强化尤美肝泰后的人工配合饲料全程饲养，突破了加州鲈原有的产业瓶颈，可彻底取代传统的冰鲜养殖模式；成品鱼的体形、体色和肉质得到显著提高，商品性大大增强，经济效益显著；鱼体自身的免疫力、抗应激能力和耐缺氧能力显著提高，病害得到有效控制；养

殖水体的水质得到显著改善，塘水可重复使用，初步实现了清洁化生产。

三、结论与讨论

包括加州鲈在内的肉食性鱼类的人工养殖，目前我国一般采用以投饲冰鲜鱼和鲜杂鱼虾为主(或在前期阶段性使用配合饲料)，产业发展存在的主要瓶颈问题有：①“三两变色，五两变形”的现象突出，生长后期肝胆容易出现病变，导致肝胆综合征，六两以上生长显著减缓。病鱼抗应激能力下降，尤其在高温季节还会引起“翻塘”，造成巨大损失。患有肝胆综合征的商品鱼，肌肉脂肪含量明显升高，口感肥腻，肉质松散，腹部突出，体色和条形不佳，商品性差，对消费者的吸引力不强。②冰鲜、野杂鱼利用率低，残饵及其在消化道内未能完全消化就被排出体外的物质，使养殖水体富营养化，严重污染了水环境。鱼塘水体的排放和网箱养殖已成为其所在区域的河道、湖泊重要的污染源之一。③投喂冰鲜、野杂鱼，养殖模式粗放，生产成本高。且国家明令禁止“以鱼养鱼”这种过度浪费资源的产业模式。近年来，如何有效解决加州鲈人工养殖的瓶颈问题，一直是该行业研究和关注的热点。

尤美肝泰在加州鲈配合饲料中的成功应用，解决了加州鲈人工饲养后期的肝胆综合征，使用剂量在0.15%~0.2%，具有显著的促生长和抗病害效果，大大提升了养殖对象的品质、质量、商品性和食用安全性，初步实现了清洁化生产，对于养殖水体的水污染防治具有重要意义，具有显著的社会、经济和生态效益，极具推广价值。

尤美肝泰是以竹子有效成分为主要原料，配合了松和梅的活性物质，制剂总黄酮含量在10%~15%，多糖含量在10%以上，是一种天然来源的生物抗氧化剂、脂代谢调节剂和免疫功能增强剂。尤美肝泰与水产养殖和饲料科学相关的生物学功效主要为抗自由基、抗氧化、抗应激、抗过敏、抗菌、抗病毒、降脂、保肝、利胆等，表现出卓越的促长、消炎、解毒功能，对肝脏诱变和氧化损伤起保护作用，缓和持久的利胆功效和显著的耐缺氧、抗应激功能，且安全、高效，无毒副作用。尤美肝泰在加州鲈配合饲料中的成功应用，对存在类似问题的其他水产养殖品种极具借鉴意义。

参考文献

[1] 李亦华. 加州鲈鱼养殖技术（一）[J]. 内陆水产, 2000, (1): 30-31.
[2] 段建华. 加州鲈鱼的养殖 [J]. 云南农业, 1996, (7): 25.
[3] 白俊杰, 李胜杰, 邓国成, 等. 我国加州鲈的养殖现状和养殖技术（上）[J]. 科学养鱼, 2009, (6): 15-16.
[4] 张璐, 艾庆辉, 麦康森, 等. 肽聚糖对鲈鱼生长和非特异性免疫力的影响 [J]. 中国海洋大学学报（自然科学版）, 2008, (4): 551-556.
[5] 全国肉禽蛋制品标准化技术委员会. GB/T 9695.15—2008 肉与肉制品 水分含量测定 [S]. 北京: 中国标准出版社, 2008.
[6] 中华人民共和国卫生部. GB/T 5009.5—2003 食品中蛋白质的测定 [S]. 北京: 中国标准出版社, 2003.
[7] 全国肉禽蛋制品标准化技术委员会. GB/T 9695.1—2008 肉与肉制品 游离脂肪含量测定 [S]. 北京: 中国标准出版社, 2008.

树脂型包膜尿素氮素和氨挥发特征研究

刘俊松　黄丽娜

（湖北大学资源环境学院　湖北　武汉　430062）

摘　要　采用水培和土培法分别测 3 种控释尿素在 40% 和 75% 含水量土壤 NH_4^+-N 转化，结果表明 3 种控释尿素在 25℃水中释放方程相关系数 r 分别为 0.998、0.971 和 0.968，均为“直线（L）型”温度调节型肥料。与尿素相比 3 种控释尿素在 40% 含水量土壤 NH_4^+-N 转化量分别为 37.2% ~45.9%、48.5% ~56.8% 和 50.1% ~57.4%；在 75% 含水量土壤中分别为 38.7% ~48.7%、47.5% ~57.3% 和 48.7% ~58.6%。

关键词　树脂型包膜尿素　氨挥发　硝态氮释放

农业上过量施用尿素会造成土壤污染，而控释尿素可以提高肥料养分利用率。但是，对其在不同含水量土壤 NH_4^+-N 氮转化报道较少。为此，试验采用研发的 3 种树脂控释尿素，分析了在土壤中 NH_4^+-N 氮转化，为阐明尿素控释机理和应用提供参考。

一、材料与方法

（一）试验材料

如表 1 所示，3 种包膜控释尿素由笔者于 2006 年 3 月研制，选直径 3 ~4mm 颗粒尿素为原料，用流化床法包衣，瞬间干燥后用于试验。材料为高分子、矿物质等。其中，样品 2 和 3 工艺不同。

表 1　包膜控释尿素的基本性状

编号	包膜控释肥料	释放期/天	总氮量/%	来　源
1	样品 1	120	42.0	湖北大学控释肥中心
2	样品 2	80	42.0	湖北大学控释肥中心
3	样品 3	80	42.0	湖北大学控释肥中心
4	尿素		46.0	中海油富裕尿素

（二）测定方法

1. 控释尿素水中溶出率测定参照作者已经报道方法[1]，取样时间为第 1、3、5、7、10、14、28、42、56、84 天和第 112 天。其中，初期溶出率（%）（25℃水中浸泡 24h 养分释放量）由第 1 天累积溶出的养分量/试样中养分含量 ×100% 计算，微分溶出率（%）由前 7 天累积溶出率—初期溶出率/6 计算，养分释放期为 25℃水中累积释放率达到 80% 时所需天数。

2. 铵态氮测定称土样 10g 放入 100ml 三角瓶后加入 2mol/LKCl 溶液 50.00ml 塞紧，震荡 30min 过滤。用移液管吸取滤液 2 ~10ml 于 50ml 容量瓶，用浸提剂补充至 10ml 后稀释至约 30ml，依次加 5ml 酚溶液、5ml 次氯酸钠碱性溶液，摇匀后室温放置 1h，加入 1ml 掩蔽剂，摇匀定容至刻度。用 9100 紫外 - 可见光分光光度计在 625nm 处读取定吸光度[2,3]，铵态氮含量（mgN/kg）$= \frac{cn}{W} \times 1000$ n 为稀释倍数；W 为干土重；c 为待测浓度。

3. 统计分析用 Excel 对样品在 25℃、40℃水中，40% 和 75% 含水量土中释放速率进行统计，用 SPSS 软件对数据进行双因子方差分析，用线性回归分析相关系数。

二、结果与分析

（一）控释尿素25℃和40℃水中释放率

由表2可知，样品1在25℃和40℃水中初期溶出率分别为7%、8.9%；样品2分别为22.8%、24.9%；样品3分别为23.2%、24.1%。3样品在2种温度释放期依次为84和42d；42和21d；42和21d，3种样品在40℃水中养分释放期是25℃水中1/2。3种样品释放率随着温度升高加快，显示“温度调节型肥料”特征。但是包膜里均不存在尿素“后滞”现象，而造成尿素浪费。

表2　样品1在水中释放率随时间的变化

温度	25℃				40℃			
天数	吸光度	分段释放率/%		总释放率/%	吸光度	分段释放率/%		总释放率/%
		矫正前	矫正后			矫正前	矫正后	
1	0.172	6.9±0.10	7±0.10	7±0.10	0.219	8.8±0.11	8.9±0.11	8.9±0.11
3	0.115	4.6±0.11	4.6±0.11	11.6±0.17	0.132	5.3±0.11	5.4±0.11	14.3±0.26
5	0.078	3.1±0.36	3.1±0.37	14.7±0.21	0.105	4.2±0.18	4.3±0.20	18.6±0.25
7	0.052	2.1±0.15	2.1±0.15	16.8±0.35	0.079	3.2±0.11	3.2±0.11	21.8±0.32
10	0.054	2.2±0.22	2.2±0.22	19±0.20	0.134	5.4±0.04	5.5±0.05	27.3±0.29
14	0.067	2.7±0.68	2.7±0.68	21.6±0.86	0.151	6±0.61	6±0.61	33.3±0.36
28	0.237	9.5±0.20	9.6±0.21	31.2±1.00	0.672	26.9±0.18	27.4±0.18	60.7±0.26
42	0.307	12.3±1.03	12.4±1.04	43.6±0.65	0.513	20.6±0.66	21±0.67	81.7±1.00
56	0.0351	14.1±0.79	14.1±0.80	57.7±1.04	0.297	11.9±1.01	12.1±1.02	93.8±1.24
84	0.576	23.1±0.30	23.1±0.30	80.8±0.72	0.147	5.89±0.38	5.9±0.39	99.7±1.46
112	0.387	15.6±1.42	15.7±1.43	96.5±0.081				

注：表中测定值均为M±Sd；在25℃、40℃水中总回收率分别是99.2%、98.2%，分段释放率（矫正后）=段释放率（矫正前）/总回收率。

表3　样品2在水中释放率随时间变化

温度	25℃				40℃			
天数	吸光度	分段释放率/%		总释放率/%	吸光度	分段释放率/%		总释放率/%
		矫正前	矫正后			矫正前	矫正后	
1	0.562	22.6±0.31	22.8±0.31	22.8±0.31	0.617	24.6±0.53	24.9±0.53	24.9±0.53
3	0.269	10.8±0.86	10.9±0.86	33.7±1.04	0.317	10.2±1.51	12.9±1.56	37.8±1.11
5	0.128	5.1±0.36	5.2±0.36	38.9±0.30	0.194	7.8±0.46	7.9±0.46	45.7±0.76
7	0.089	3.6±0.45	3.6±0.45	42.5±0.15	0.147	5.9±0.15	5.9±0.15	51.6±0.72
10	0.083	3.3±0.35	3.3±0.35	45.8±0.37	0.225	9±0.45	9.1±0.45	60.7±0.35
14	0.162	6.5±0.56	6.6±0.56	52.4±0.87	0.216	8.7±0.57	8.8±0.53	69.5±0.72
21	0.194	7.8±0.67	7.8±0.67	60.2±0.75	0.404	16.2±0.78	16.4±0.78	85.9±0.17
28	0.197	7.9±0.85	8±0.85	68.2±0.84	0.244	9.8±0.31	9.9±0.30	95.8±0.30
42	0.116	11.6±0.67	11.7±0.67	79.9±1.08				
56	0.319	12.8±0.95	12.8±0.95	92.7±1.05				

注：表中测定值均为M±Sd；在25℃、40℃水中总回收率分别是99.0%、98.7%，分段释放率（矫正后）=段释放率（矫正前）/总回收率。

表4 样品3在水中释放率随时间变化

温度		25℃				40℃			
天数	吸光度	分段释放率/%		总释放率/%	吸光度	分段释放率/%		总释放率/%
		矫正前	矫正后			矫正前	矫正后	
1	0.572	23±0.25	23.2±0.25	23.2±0.25	0.601	24.1±1.49	24.1±1.49	24.1±1.49
3	0.255	10.2±0.82	10.3±0.81	33.5±0.42	0.268	10.8±1.12	10.8±1.12	34.8±1.51
5	0.1126	5.1±0.31	5.1±0.26	38.6±0.40	0.171	6.9±0.38	6.9±0.38	41.7±0.53
7	0.091	3.7±0.45	3.7±0.45	42.3±1.40	0.153	6.1±0.06	6.1±0.06	47.8±0.49
10	0.141	5.7±0.35	5.8±0.35	48.1±0.93	0.25	10±1.49	10±1.49	57.8±1.24
14	0.119	4.8±0.95	4.8±0.95	52.9±1.23	0.344	13.8±0.70	13.8±0.70	71.6±0.80
21	0.19	7.6±0.67	7.7±0.67	60.6±0.45	0.391	15.7±0.49	0..7±0.49	87.3±0.46
28	0.197	7.9±0.85	8±0.85	68.6±0.32	0.309	12.4±0.11	12.4±0.11	99.7±0.58
42	0.273	10.9±0.72	11±0.72	79.6±1.06				
56	0.34	13.7±0.99	13.8±0.99	93.4±1.37				

注：表中测定值均为M±Sd；在25℃、40℃水中总回收率分别是99.1%、99.8%，分段释放率（矫正后）=段释放率（矫正前）/总回收率。

控释尿素25℃水中初级溶出率、微分溶解率、养分释放期直线方程拟合结果如表5。

表5 样品1、样品2和样品3在25℃水中释放特性比较

样品	初期溶出率	微分溶解率	养分释放期	拟合直线方程	r
1	7	1.63	84	$y=0.85x+9.12$	0.998
2	22.8	3.28	42	$y=1.28x+30.78$	0.971
3	23.2	3.18	42	$y=1.27x+31.21$	0.968

样品1、样品2和样品3初期溶解率为7.0%、22.8%、23.2%；微分溶解率为1.63%、3.28%、3.18%，3者释放相关系数分别为0.998、0.971、0.968，属直线型包膜肥料。

（二）铵态氮（NH_4^+-N）转化

如表6所示，在40%和75%含水量土壤NH_4^+-N量，样品1第10天分别为6.968mg/kg和8.3681mg/kg；样品2分别为9.076mg/kg和10.292mg/kg；样品3分别为9.388mg/kg和10.536mg/kg。3种样品土壤NH_4^+-N转化量均随时间增长而增加，并且样品1在第100天达到最大值（15.168mg/kg和15.968mg/kg），样品2在第60天达到最大值（15.504mg/kg和15.900mg/kg），样品3在第60天达到最大值（15.700mg/kg和16.188mg/kg）。而尿素40%和75%含水量土壤中NH_4^+-N转化量第90天达到最大值，第10天最小值是18.728mg/kg和21.648mg/kg，比样品1、样品2和样品3的最大值要少。样品1、样品2和样品3在不同含水量土壤NH_4^+-N转化量差别不大，但都与尿素相差较大。

已知尿素以分子态溶于土壤溶液被土壤胶体吸附，尿素与黏土矿物或为腐殖质以氢键相结合，经土壤微生物分泌的脲酶作用水解成碳酸铵或碳酸氢铵，碳酸氢铵以电离生成铵离子，铵离子在亚硝化酶和硝化酶作用下生成硝态氮，尿素处于不断转化之中[4]。由试验结果可知，与尿素相比控释尿素在土壤中转化为NH_4^+-N量较少，避免了碱性土壤（或盐碱地）或高温下氨挥发，对提高尿素利用率，减少氮肥损失及环境污染具有重要意义。

表6 样品1、样品2和样品3在不同含水量土壤中 NH_4^+ -N转化量

天数	百分比					
	样品1/尿素		样品2/尿素		样品3/尿素	
	40%含水量	75%含水量	40%含水量	75%含水量	40%含水量	75%含水量
10	37.2	38.7	48.5	47.5	50.1	48.7
20	43.1	46.1	53.8	55.6	54	56.4
30	43.8	48.7	56.8	57.3	57.4	58.6
40	43.1	47.3	54.3	54.2	56.8	56.3
50	43.5	46.1	53.8	52	55.8	53.5
60	42.8	46.9	52.5	52.3	53.2	53.2
70	42.5	45.9				
80	41.9	45.3				
90	41.6	43.9				
100	45.9	44.6				

三、结 论

控释尿素在不同土壤含水量与温度条件下N素营养和 NH_4^+ -N的释放特性结果如下：

1.3种控释尿素25℃和40℃养分释放期分别为84d和42d、42d和21d、42d和21d。25℃水中释放曲线直线方程相关系数 r 分别为0.998、0.971和0.968，均为"直线（L）形"温度调节型肥料。

2.3种样品40%含水量土壤 NH_4^+ -N转化量分别占尿素 NH_4^+ -N转化量37.2% ~45.9%、48.5% ~56.8%和50.1% ~57.4%，75%含水量土壤 NH_4^+ -N转化量分别占尿素 NH_4^+ -N转化量的38.7% ~48.7%、47.5% ~57.3%和48.7% ~58.6%。

参考文献

[1] 刘俊松. 高温－超低温处理对控释肥氮素释放特性的影响［J］. 植物营养与肥料学报，2008，14（1）：173－177.

[2] 张行峰. 实用农化分析［M］. 北京：化学工业出版社，2005：98－110，158－162.

[3] 南京农业大学. 土壤农化分析（第二版）［M］. 北京：中国农业出版社，2005：106－164.

[4] 奚振邦. 现代化学肥料学［M］. 北京：中国农业出版社，2008：108－11.

新型抗蒸腾剂对玉米的节水增产效应

闫玉敏[1]　黄占斌[1,2]　杨玉姣[1]　景生鹏[1]　裴　力[1]

（1. 中国矿业大学（北京）化学与环境工程学院　北京　100083；
2. 河南大学生命学院　河南　开封　475001）

摘　要　为获得具有代谢调节、膜阻断等多功能的复合型抗蒸腾剂，本研究采用黄腐酸（FA）为主要成分，配以高分子材料、氨基酸液肥、微量元素以及生长素等组分，按照不同方案配制 A、B、C3 种新型抗蒸腾剂。在盆栽条件下比较其对作物生长的影响及其生理效用。结果表明，玉米拔节后期叶面喷施后，B 和 C 可降低玉米的蒸腾速率、降低气孔导度、提高光合速率和单叶水分利用效率（WUE），并增加玉米株高和干重，促进玉米生长；A 抑制蒸腾作用不明显，但能提高光合速率和单叶 WUE，增加玉米的株高和干重，促进玉米生长。B 和 C 可作为新型抗蒸腾剂应到农业节水。

关键词　抗蒸腾剂　玉米　光合速率　水分利用效率

干旱缺水是世界范围内农业可持续发展的主要制约因素，在我国尤其严重。中国人均水资源占有量仅为世界人均值的 1/4[1]，水资源分布南多北少，占全国耕地面积 63.6% 的北方地区，水资源占有量仅为全国的 17.1% [2]。干旱是我国最常见、影响最大的气候灾害，根据统计结果，全国每年平均旱灾面积约 2000 万 hm^2，占我国耕地总面积的 1/6 左右。导致农作物大幅减产，经济损失严重[3]。

水资源紧缺，提高作物水分利用效率尤为重要。陆生植物从土壤中吸收的水分，只有极少部分（约为 1% ~5%）用于自身的组成和参与代谢活动，而绝大部分即 95% ~99% 的水分排出体外[4]。这其中大部分是以气体状态即通过蒸腾作用散失的，这部分被称为无效消耗的蒸腾作用。因此，降低作物蒸腾，是提高农田水分利用效率的关键措施之一。

抗蒸腾剂（Anti－transpirant）是指作用于植物叶表面，降低蒸腾强度，减少水分散失的一类化学物质[5]。依据不同抗蒸腾剂的作用方式和特点，可将其分为三类：代谢型，也称气孔抑制剂。其作用于气孔保卫细胞后，可使气孔开度减少或关闭气孔，增大气孔蒸腾阻力，从而降低水分蒸腾量。成膜型，成分为有机高分子化合物，喷施于叶表面后形成一层很薄的膜，覆盖在叶表面，降低水分蒸腾。反射型，此类物质喷施到叶片的上表面后，能够反射部分太阳辐射能，减少叶片吸收的太阳辐射，从而降低叶片温度，减少蒸腾[6-8]。

抗蒸腾剂的研究始于 20 世纪 50 年代初，学者们对 100 余种药剂进行了实验筛选，经过 50 多年的研究，抗蒸腾剂的研究取得了一定进展[9,10]。但由于价格、毒性及效果等因素至今大部分抗蒸腾剂研究仍处于试验阶段，生产中主要推广的是黄腐酸[2,11]。现行的抗蒸腾剂多为功能单一的抗蒸腾剂，随着抗蒸腾剂应用范围的扩大，研制具有代谢、成膜和反射等多功能复合型新型抗蒸腾剂，成为目前抗蒸腾剂研究的主要方向。

玉米是我国主要的粮食作物之一，每年因干旱缺水减产 10 亿 ~35 亿 kg，经济损失约 15 亿 ~40 亿元[12]。长期以来，干旱缺水成为制约我国北方玉米稳产高产的主要因素。因此，采取各种措施减轻干旱带来的影响是促进玉米生产可持续发展的需要，而喷施抗蒸腾剂是比较有效的措施之一[13]。

本试验以黄腐酸（FA）为主要成分，配以高分子化合物、氨基酸液肥、微量元素以及生长素等组分，研制出具有代谢调节、膜阻断等多功能复合型抗蒸腾剂；以玉米为应用对象，比较其对玉米生长和生理指标的影响，为研制节水效果明显且能促进玉米增产的抗蒸腾剂提供依据。

一、材料与方法

（一）材料

1. 新型抗蒸腾剂研制材料。黄腐酸（FA）为内蒙古霍煤中科腐植酸科技有限责任公司生产，氨基酸为中国科学院沈阳应用生态研究所提供，微量元素选用 $ZnSO_4$ 和 $MnSO_4$，高分子化合物材料（Polymer）为法国 SNF 公司提供，生长素（IAA）为市场购买。

2. 盆栽试验材料。玉米品种为纪元 1 号。土壤为北京市通州区田间土壤表土，土质为沙壤土。

（二）处理方法

1. 配方研制方法。经过 2 年的预试验，筛选出了各个成分的配制浓度、添加顺序以及溶解条件等配制工艺，由此确定了本次试验所使用的 3 种配方，分别为 A、B、C。

2. 试验方法。采用温室盆栽方法。新型抗蒸腾剂为 A、B、C，市售产品“旱露植宝”（北京产）对照（O），以清水作为试验对照（CK）。喷施采用手动喷雾器，将药剂均匀喷在叶片正反两面；喷施时期为玉米拔节后期和抽雄期，喷时为傍晚。每处理重复 3 次。

（三）测定指标及方法

1. 物理化学性质。物理性质用观测描述法表述颜色、气味。化学性质用电导率（电导仪）和 pH 值（pH 计）指标。

2. 生长指标。干重采用烘干称重法，将鲜样称重后放入烘箱，105℃杀青 10min，在 75℃条件下烘干至恒重后称量。株高用直尺法测定。

3. 生理指标。植物生理指标选取叶片光合作用（Pn）、蒸腾速率（Tr）、气孔导度（Gs）和单叶水分利用效率（WUE）。WUE ＝Pn/Tr（μmol CO_2/mmol H_2O）。喷施后次日，开始进行各指标的测定，晴天 09:00－11:00 采用光合仪（英国 ADC 生产 Lcpro＋）测定叶片蒸腾速率、光合速率和气孔导度。每处理选 3 片叶片测定，每隔 2～4 d 测定 1 次，共测定 5 次。

（四）数据处理

采用 Excel 2003 作为数据处理和分析软件。

二、结果与分析

（一）新型抗蒸腾剂配制及其物理化学性质

试验使用的 3 种新型抗蒸腾剂的配方为 A：黄腐酸与氨基酸液肥复合；B：黄腐酸与生长素及微量元素复合；C：黄腐酸与微量元素、生长素和高分子材料复合。3 种新型抗蒸腾剂的理化性质见表 1。

表 1　A、B 和 C 的理化性质

	A	B	C
颜色	浅棕黄色	浅黄色	浅黄色
气味	微刺激性气味	无味	无味
酸碱度 pH	5.77	6.78	7.01
电导率 EC（单位：ms/cm，温度：24℃）	0.97	0.56	0.58

A 呈弱酸性，B 和 C 接近中性，而北方土壤多呈碱性，因此，B、C 较适用于北方土壤。A 的电导率高于 B 和 C，说明 A 中的电荷密度较高，离子较多，因此，A 中有效成分可能更易被植

物吸收。

（二）蒸腾速率

图1表明，喷施新型抗蒸腾剂后，B和C较对照（CK）的蒸腾作用均有抑制效果，蒸腾速率平均比对照分别降低了5.43%和8.16%，A与对照差异不明显；新型抗蒸腾剂与旱露植宝相比，B和C抑制效果均好于旱露植宝，蒸腾速率较旱露植宝分别降低4.22%和6.98%。表明新型抗蒸腾剂B和C抑制叶片蒸腾作用的效果好于旱露植宝。

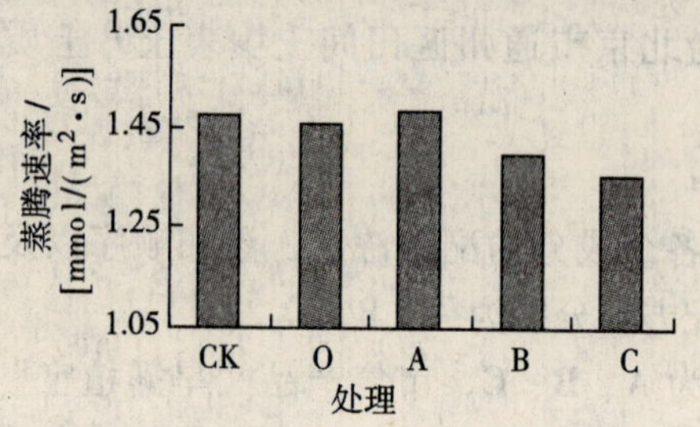

图1 不同处理下玉米叶片的蒸腾速率

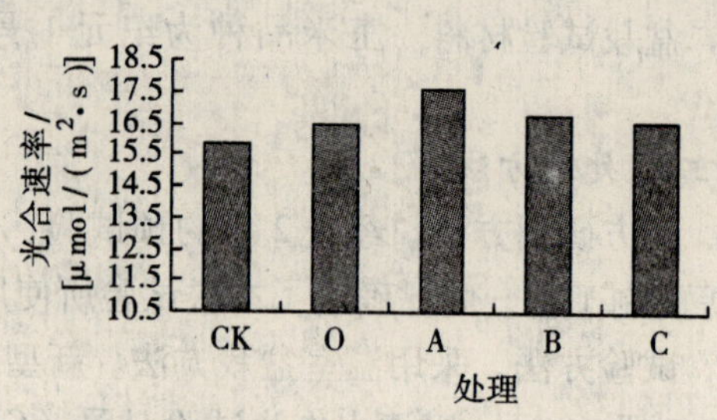

图2 不同处理下玉米叶片的光合速率

（三）光合速率

图2表明，玉米喷施新型抗蒸腾剂后，各处理的光合速率均较对照有所提高。其中A对玉米光合速率促进最明显，增加10.68%；B对光合速率提高5.84%；C比对照提高4.51%。与旱露植宝相比，C促进光合速率效果与旱露植宝差异不大，A对光合速率促进较为明显，提高6.77%；B提高2.09%。因此，A和B促进光合作用的效果好于旱露植宝。

（四）气孔导度

图3表明，喷施抗蒸腾剂后，除A外，各处理下的气孔导度均比对照有所下降。B和C下降较为显著，比对照分别下降了3.19%和7.52%。与旱露植宝相比，B和C降低气孔导度的效果比较表明，分别降低了2.07%和6.45%；而A提高了4.38%。

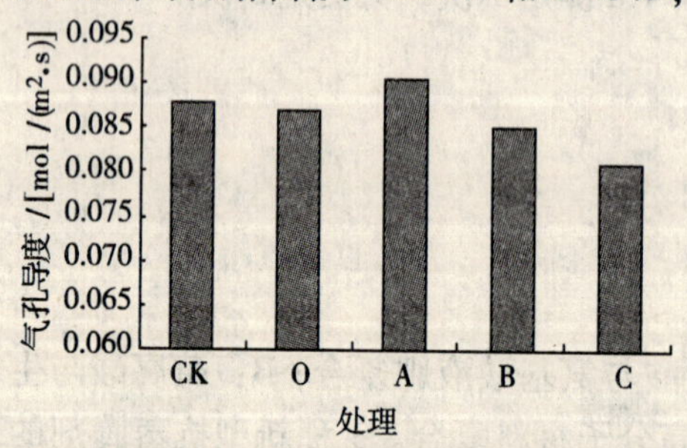

图3 不同处理下玉米叶片的气孔导度

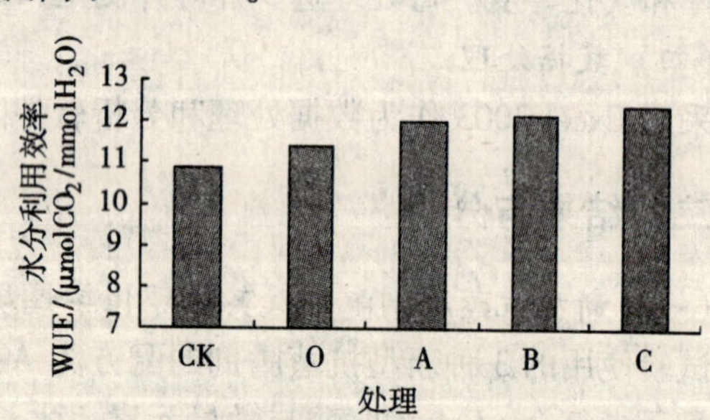

图4 不同处理下玉米叶片的WUE

（五）单叶水分利用效率（WUE）

图4表明，各处理都能提高玉米单叶WUE，其中B和C处理的WUE增加最明显。与对照相比WUE分别增加12.13%和14.24%；A与对照相比增加10.8%。与旱露植宝相比，A、B和C处理下WUE分别增加5.36%、6.62%和8.62%，A、B和C增加WUE效果均好于旱露植宝，其中C增加WUE的效果最好。

（六）株高

图5表明，A、B和C均较对照增加玉米株高，其中B最为显著。与对照相比，株高增加2.97cm；旱露植宝与对照相比减少5.03cm。与旱露植宝相比，A、B和C均能增加玉米的株高，其中B效果最显著。

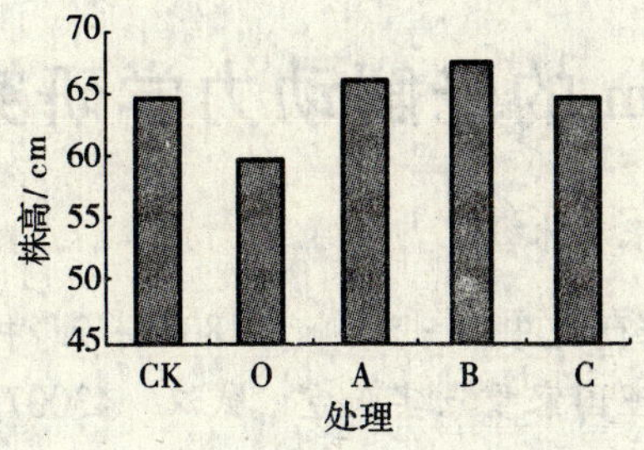

图5　不同处理下玉米的株高

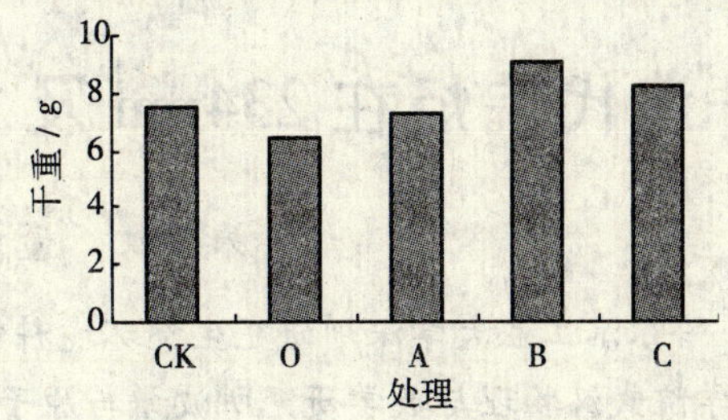

图6　不同处理下玉米的干重

（七）玉米干重

图6表明喷施抗蒸腾剂后，B和C均较对照增加玉米干重，其中B效果最明显，比对照干重增加20.79%。与旱露植保相比，A、B和C均增加玉米干重，其中B效果最为明显。

干重和株高与光合作用密切相关，A、B、C均能提高玉米的光合速率和水分利用效率，促进玉米的生长，因此，喷施新型抗蒸腾剂后，可增加玉米的干重和株高。

三、讨论与结论

试验表明，B和C均可降低玉米叶片的蒸腾速率、减小气孔导度、提高光合速率、提高WUE，并能增加株高和干重。A降低蒸腾速率效果不明显，但提高了光合速率和WUE；增加了玉米的株高和叶面积。由此表明，A的抗蒸腾的作用不显著，其效果类似于叶面肥。

新型抗蒸腾剂以FA为主要成分，是具有代谢调节、膜阻断等多功能复合型抗蒸腾剂。通过试验证明，B和C均减小气孔导度，这与文献中气孔导度增大的结论[10,13]不同，可能与新型抗蒸腾剂的成膜功能有关，其机理有待进一步研究。新型抗蒸腾剂B和C是性能比旱露植保更为优越的抗蒸腾剂，具有进一步推广应用的价值。

参考文献

[1] 杜太生，康邵忠，魏华．保水剂在节水农业中应用研究现状与展望［J］．农业现代化研究，2000，21（5）：317－320.

[2] 丁枫华，吴向东，赵鹏．试论我国生态农业及其可持续发展［J］．中国农业资源与区划，2003，24（2）：17－20.

[3] 黄荣辉，周连童．我国重大气候灾害特征、形成机理和预测研究［J］．自然灾害学报，2002，11（1）：1－9.

[4] 潘瑞炽．植物生理学［M］．北京：高等教育出版社，2004.

[5] 王一鸣．我国抗蒸腾剂的研究和应用［J］．腐殖酸，2000（4）：35－40.

[6] 李金洪，李伯航．植物抗蒸腾剂的研究及应用［J］．中国农学通报，1993，9（4）：28－32.

[7] DAIVES W J，SALL Y WIKINSON，BRIAN LOVEYS. Stomata control by chemical signaling and the exploitation of this mechanism to increase water use efficiency in agriculture［J］. New Phytologist，2002，153（3）：449－460.

[8] Marco Bittelli et al. Reduction of transpiration through foliar application of chitosan［J］. Agricultural and Forest Meteorology，2001，107（3）：167－175.

[9] 冯建灿，郑根宝，何威，等．抗蒸腾剂在林业上的应用研究进展与展望［J］．林业科学研究，2005，18（6）：55－160.

[10] 李茂松，李森，张述义，等．灌浆期喷施新型FA抗蒸腾剂对冬小麦的生理调节作用研究［J］．中国农业科学，2005，38（4）：703－708.

[11] 王天立，王栓柱．我国在腐殖酸类物质抗蒸腾作用方面的研究进展［J］．腐殖酸，1996（3）：1－7.

[12] 黄晓荣，等．中国水资源危机的成因及其对策［J］．东北水利水电，2002，9（20）：25－27.

[13] 李茂松，李森，张述义，等．一种新型FA抗蒸腾剂对春玉米生理调节作用的研究［J］．中国农业科学，2003，36（11）：1266－1271.

一溴代烷烃在234nm及267nm的光解动力学研究

朱荣淑[1] 董文艺[1] 张 冰[2]

（1. 哈尔滨工业大学深圳研究生院环境科学与工程研究中心 深圳 518055；2. 中国科学院武汉物理与数学研究所波谱与原子分子物理国家重点实验室 武汉 430071）

摘 要 利用共振增强多光子电离飞行时间质谱（REMPI－TOFMS），研究了长链一溴代烷烃R－Br（R为烷烃基）（C_2H_5Br、$n-C_3H_7Br$、$n-C_4H_9Br$、$n-C_5H_{11}Br$、$n-C_7H_{15}Br$、$i-C_3H_7Br$）在234nm及267nm附近的光解动力学。R－Br直接解离产生溴碎片：R－Br（R + Br（$2P_{3/2}$）/Br^*（$2P_{1/2}$）。根据测定的溴离子信号强度，得到了Br^*与Br的分支比N（Br^*）/N（Br）及相应的相对量子产额φ（Br^*）和φ（Br）。φ（Br^*）$_{234nm}$的数值依次分别为0.40、0.55、0.75、0.81、0.53、0.53；φ（Br^*）$_{267nm}$的数值依次分别为0.51、0.42、0.52、0.35、0.24、0.24。φ（Br^*）与激光波长显示了很好的依赖关系。将实验结果用CH_3Br的解离模型进行拟合，对长链R－Br的光解动力学行为进行了定性的描述。

关键词 一溴代烷烃 飞行时间质谱 光解动力学 分支比

一、前 言

氯原子对臭氧层的破坏已受到广泛的关注。随着对大气化学反应动力学更深入研究，不仅了解到溴原子也参与了臭氧层的破坏，而且发现溴原子对臭氧层的破坏力比氯原子还强40倍[1]。在这个意义上，含溴的有机化合物，如CH_3Br[2-3]、CD_3Br[3]、CF_3Br[4]、CH_2Br_2[5]、$CHBr_3$[6]，在环境科学领域受到了空前的重视。近几年，在平流层的低层大气观测中，观测到了C_2H_5Br[7,8]、$n-C_3H_7Br$、$i-C_3H_7Br$[9-12]，长链一溴代烷烃也成了溴原子来源的重要观测对象。对于结构简单的CY_3Br（Y＝H，D，F）型一溴代烷烃分子，其光解动力学已经得到了深入的研究[2-4]。相比之下，长链一溴代烷烃R－Br（R为烷烃基）（C_2H_5Br、$n-C_3H_7Br$、$n-C_4H_9Br$、$n-C_5H_{11}Br$、$n-C_7H_{15}Br$、$i-C_3H_7Br$）有更加复杂的紫外（UV）吸收谱、电子态对称类及更多的解离通道，与其相关的紫外光解动力学研究就非常少。仅有少量关于C_2H_5Br光解动力学的研究报道，也主要集中在里德堡态的研究[13-22]。

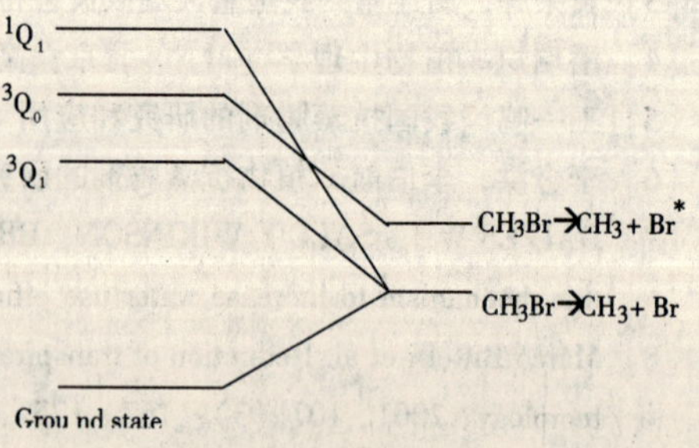

图1 CH_3Br解离相关图

CH_3Br是结构最简单的溴代烷烃，其A吸收带在200nm有最大吸收[7,23]。Mulliken的理论计算[24]以及Kataumi等人[23]和Russell等人[25]的实验表明，卤代烷烃在最长波长方向上的吸收，是卤素原子X的孤电子对向C－X键的反键轨道σ^*发生$n\rightarrow\sigma^*$跃迁所致，其吸收带是快速解离的排斥态。CH_3Br A吸收带由三个解离带组成，用Mulliken[24]的方法标识，三个解离带依能量递增排序为$^3Q_1$、$^3Q_0$和$^1Q_1$，$^3Q_0$对应于平行跃迁，其解离通道对应于自旋激发态原子Br（$2P_{1/2}$）（用Br^*表示），而$^3Q_1$和$^1Q_1$对应于垂直跃迁，其解离通道对应于基态原子Br（$2P_{3/2}$）（用Br表示），如图1所示。Kitsopoulos等人[2]利用最新的离子成像方法研究了CH_3Br在215～251nm的光解，指出了CH_3Br在A吸收带的激发导致了C－Br键的断裂，解离成$CH_3Br\rightarrow CH_3$ + Br/ Br^*，其主要激发来自于基态N到$^3Q_0$和$^3Q_1$的跃迁。

长链R－Br的光解动力学研究甚少，但与其有着相似结构的碘代烷烃R－I却已经有相当多的报道[26-29]。R - Br 与 R - I 有非常相似的物理和化学特性，不同的是 C - Br 的键能比 C - I 的键能大，使 R - Br 的 A 吸收带有明显的蓝移[23]。R - Br 吸收谱在 118nm、194nm 和 200nm 有最大吸收，A 吸收带的中心吸收波长在 200nm 附近，并在 270nm 仍有吸收[23]。在 Mulliken 的理论计算中[24]，其认为两个真空紫外（VUV）吸收峰是由 Rydberg 态的跃迁造成，在最长波长方向上的吸收，是发生 n→σ＊跃迁所致。Russell 等人[23]还指出 $n \to \sigma^*$ 跃迁随甲基、乙基、丙基的结构递变有明显的红移。Suto 等人[16]在 118nm 光解 C_2H_5Br 的实验中推测，R - Br 的 UV 光解离的过程应该是 C - Br 键断裂成中性碎片的过程。在 154nm 的闪光光解 C_2H_5Br 实验[13]中表明，一溴代烷烃光解的初级解离过程中包括 $R - Br \to R + Br^*$。在 193nm、222nm 及 248nm 光解溴代烷烃来获取 R 自由基进行脱 H 的通道研究实验[30-33]中，一溴代烷烃的初级解离过程 $R - Br \to R + Br$ 作为获取 R 自由基的初步过程而被探测。

本文利用态选择电离的共振增强多光子电离飞行时间质谱（REMPI - TOFMS）技术，在 234nm 及 267nm 附近对长链 R - Br（C_2H_5Br、$n - C_3H_7Br$、$n - C_4H_9Br$、$n - C_5H_{11}Br$、$n - C_7H_{15}Br$、$i - C_3H_7Br$）的光解动力学进行了研究，目的在于研究各一溴代烷烃的相对量子产额 $\varphi(Br^*)$ 随激光波长及分子结构的变化情况。同时通过与 R - I 进行比较来理解官能团 Br 取代 I 后可能引起的变化。

二、实 验

实验是在飞行时间质谱（TOFMS）装置上完成的。图 2 为实验装置系统示意图。实验系统大致由超声分子束进样、真空系统、激光光源和探测系统四部分组成。

真空系统由两个抽速都为 1500L/s 的扩散泵获得，真空保持为 4.0×10^{-4}Pa。超声分子束由一个喷嘴孔径为 0.2mm、重复频率为 10Hz 的脉冲阀（Park，General Valve）产生。样品分子随载气 He 超声喷射进作用区，载气气压为 1.2atm。由 Nd：YAG（Quantel，YG980）的三倍频 355nm 的激光泵浦带有染料为 Coumarin102 和 Coumarin307 的染料激光器（Lambda Physik，Scan-Mate 2E OG），输出的光经 BBO 晶体倍频，并通过四块石英 Pellin - Broca 分光镜片将基频光和 UV 光分开。线宽为 $0.1cm^{-1}$的 UV 光通过焦距 $f = 180$mm 的聚焦透镜聚焦后与分子束垂直交叉。分子吸收一个光子发生解离，解离后的溴原子中性碎片在同一束激光下发生态选择的（2 + 1）共振增强多光子电离（REMPI）。为了用单束激光研究 Br 和 Br^* 的分支比，分别在 234nm 和 267nm 附近选择了 Br 和 Br^* REMPI 很相近的两个波长进行研究，其分别是在 233.957［6p（$2S0_{1/2}$）←4p5（$2P0_{1/2}$）］和 266.619nm［5p（$4S0_{1/2}$）←4p5（$2P0_{1/2}$）］（2 + 1）REMPI Br^*，在 233.647［6p（$4P0_{3/2}$）←4p5（$2P0_{3/2}$）］和 266.556nm［5p（$4P0_{3/2}$）←4p5（$2P0_{3/2}$）］（2 + 1）REMPI Br[34]。解离电离后产生的离子由三块外径 70mm、中心孔径 5mm 的“离子透镜”加速聚焦，再经过 52cm 的自由飞行区域后由微通道板（MCP）倍增探测。信号输出到 100MHz 的数字示波器（Tektronix，TDS 2012）进行收集平均，再传输到个人电脑里存储。整个系统的时序由一台时序控制器（Stanford Research System，DG535）控制。

样品为商品分析纯，未做进一步纯化。He 纯度为 99.99%。

三、结果与讨论

研究 R - X 的解离产物 X 和 X^* 的分支比 $N(X^*)/N(X)$，一般是基于卤代烷烃的相继解离和电离过程[35]：

$$R - Br \to R + Br \text{ 或 } Br^* \quad (1)$$

$$Br \text{ 或 } Br^* \to Br + e^- \quad (2)$$

分支比 N（Br*）/N（Br）测定是通过测定 Br* 与 Br 的 TOF 质谱信号，并根据方程求得。

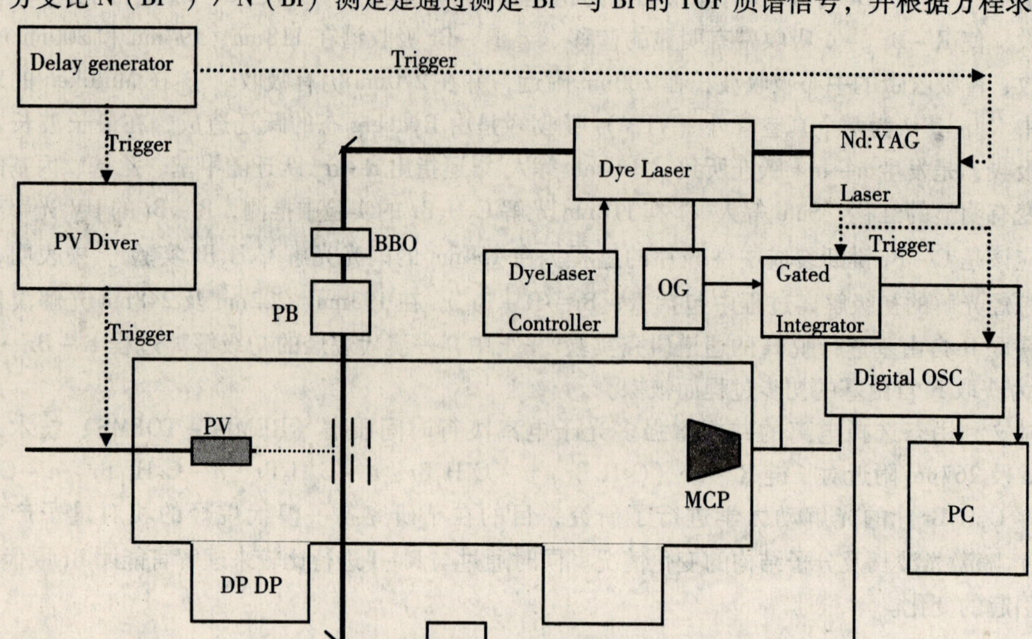

图2 TOFMS 实验装置图

PV：脉冲阀；PB：Pellin－Broca 分光镜；PC：个人计算机；

OG：光电流计；MCP：微通道板；DP：扩散泵；PD：光电二极管

$$N(Br^*)/N(Br) = \kappa S(Br^*)/S(Br) \quad (3)$$

其中 N（X）表示光解过程中产生 X 原子的数目，S（X）表示实验中测量的 X 的信号强度，κ 是一个比例常数。κ 值由 Br* 和 Br 的相对探测效率和实验系统所决定，由于在 234nm 处 Br_2 和 267nm 处 $CHBr_3$ 的分支比是分别在文献［36］和文献［6］中已知，因此可通过在实验的相同条件下光解，即分别在 234nm 处光解 Br_2、在 267nm 处光解 $CHBr_3$，可求得其值分别为 0.32 和 0.70。求得的各分支比列于表 1 中。

根据分支比的结果，Br* 和 Br 的相对量子产额 φ（Br*）和 φ（Br）可由方程

$$\varphi(Br^*) = N(Br^*)/[N(Br) + N(Br^*)] \text{ 和 } \varphi(Br) = 1 - \varphi(Br^*) \quad (4)$$

得到，结果也列于表 1 中。

表1 长链一溴代烷烃在 234nm 和 367nm 光解的分支比及相对量子产额

Compound	234nm			267nm		
	N（Br*）/N（Br）	Φ（Br*）	Φ（Br）	N（Br*）/N（Br）	Φ（Br*）	Φ（Br）
C_2H_5Br	0.40	0.31	0.69	0.51	0.34	0.66
$n-C_3H_7Br$	0.55	0.36	0.64	0.42	0.29	0.71
$n-C_4H_9Br$	0.75	0.43	0.57	0.52	0.34	0.66
$n-C_5H_{11}Br$	0.81	0.45	0.55	0.35	0.26	0.74
$n-C_7H_{15}Br$	0.53	0.35	0.65	0.24	0.20	0.80
$i-C_3H_7Br$	0.53	0.35	0.65	0.24	0.20	0.80

从表 1 中不难发现，随着光子能量的增大，各相应一溴代烷烃的 φ（Br*）呈上升趋势，即

φ（Br^*）$_{267nm}$ < φ（Br^*）$_{234nm}$，表明长链一溴代烷烃 R－Br 光解时，在 234nm 处光解比在 267nm 处光解更容易进入到 Br^* 的解离通道。这一结果与同系物 CH_3Br[2] 以及 R－I[29] 的光解结果非常一致。对于 C_2H_5Br 在 234nm 及 267nm 光解时 φ（Br^*）随光子能量的增大而减少的现象，可能来自于团簇干扰。虽然实验通过选择脉冲分子束前端的分子进行光解，以便最小化来自团簇的干扰，但在超声分子束流中团簇是很难完全避免的。尽管本次实验中并没有发现分子团簇存在，但根据以前实验来预测[21]，C_2H_5Br 极易形成团簇，这种偏差很可能来自团簇的干扰。

在实验选定的两个波长下光解长链一溴代烷烃，φ（Br^*）都比相应的 φ（Br）要小，即 φ（Br^*）< φ（Br），Br 是解离过程的主要产物。对于长链一溴代烷烃光解离研究尚未建立起一定的理论模型，但长链的 R－Br 应与 CH_3Br 有着类似的解离带和电子跃迁类型，这种相似的解离行为都可归因于 C－Br 键的解离是通过 $n\rightarrow\sigma^*$ 跃迁直接解离产生。利用 CH_3Br 这一最简单的解离模型，可以对长链一溴代烷烃在 A 吸收带的红端光解离过程进行定性描述。在 215～251nm 光解 CH_3Br 的离子成像实验[2] 中表明，在这个波长区域，只发生了从基态到 $^3Q_1$ 和 $^3Q_0$ 跃迁激发。在 230nm 的蓝端，$^3Q_0$ 态的跃迁决定着整个吸收强度，其对应于自旋激发态原子 Br^* 解离通道，主要产物为 Br^*，φ（Br^*）>0.54。但在 230nm 红端，到 $^3Q_0$ 态的跃迁减少，贡献较小的 $^3Q_1$ 态就显得不可忽略[2,29,37]，其对应于基态原子 Br 解离通道，基态 Br 成了解离过程的主要产物。长链一溴代烷烃在选定的实验波长下光解，φ（Br^*）都比相应的 φ（Br）要小，可能就是由于吸收发生在 A 吸收带的最红端，主要发生了到 $^3Q_1$ 态的跃迁激发，从而导致了基态 Br 是解离过程的主要产物。N（Br^*）/N（Br）<1 也很好地说明了这一点[28-30]。

另外，各一溴代烷烃分子光解分支比与分子构型的复杂性也有一定的关系，主要表现在，在 234nm 光解时，从 C_2H_5Br 到 $n-C_5H_{11}Br$，分支比 N（Br^*）/ N（Br）从 0.40 递增到 0.81，这可能与烷烃基结构递变引起吸收带红移有关[23]。在 267nm 光解时，各分支比之间的差别相对较小，可能是由于解离发生在溴代烷烃 A 吸收带的最红端，吸收截面都比较小，受构型的影响基本可以忽略。对于实验中 $n-C_7H_{15}Br$ 与 $i-C_3H_7Br$ 的结果如此相近的发现，暂时还找不到一个定性的模型来解释，这有待对它们的结构影响进行进一步的研究。

四、结　论

通过对长链一溴代烷烃 R－Br（C_2H_5Br、$n-C_3H_7Br$、$n-C_4H_9Br$、$n-C_5H_{11}Br$、$n-C_7H_{15}Br$、$i-C_3H_7Br$）在 234nm 及 267nm 附近的光解动力学研究，得到了各溴代烷烃在不同波长下的分支比 N（Br^*）/N（Br）及相应的相对量子产额 φ（Br^*）和 φ（Br），发现了长链一溴代烷烃在吸收带的最红端光解时，基态 Br 是解离过程的主要产物，主要是由激发到了 $^3Q_1$ 态解离所致；随着光子能量的增大，各相应一溴代烷烃的 φ（Br^*）呈上升趋势，是由于激发的激光波长蓝移时，激发到 $^3Q_0$ 态的可能性增大，使在 234nm 处的光解比在 267nm 的光解更容易进入 Br^* 的解离通道；产物分支比 N（Br^*）/N（Br）与烷烃基构型有关，但在 A 吸收带的最红端，烷烃基构型的影响几乎可以忽略。

参考文献

[1] Wayne, R. P. The Chemistry of Atmospheres, New York: oxford university, 1991.
[2] Gougousi, T.; Samartzis, P. C.; Kitsopoulos T. N. J. Chem. Phys., 1998, 108: 542.
[3] Hess W. P., Chandler D. W., Thoman Jr. J. W. et al.. Chem. Phys., 1992, 163: 277.
[4] Kim, T. K.; Park, M. S.; Jumg, K. H. J. Chem. Phys., 2001, 115: 10745.
[5] 李全新，冉琴，陈从香，等．高等学校化学学报，1996，17（2）：264.

[6] Xu, D . D. ; Francisco, J. S. ; Jackson M. J. Chem. Phys. , 2002, 117: 2578.
[7] Pfeilsticker, K. ; Sturges, W. T. ; Sinnhuber, B. M. Geophys. Res. Lett. , 2000, 27: 3305.
[8] Carpenter, L. J. ; Sturges, W. T. ; Platt, U. J. Geophys. Res. Atmos. , 1999, 104: 1679.
[9] Wuebbles, D. J. ; Patten, K. O. ; Kotamarth, R. J. Geophys. Res. Atmos. , 2001, 106: 14551.
[10] Bridgeman, C. H. ; Pyle, J. A. ; Shallcross, D. E. J. Geophys. Res. Atmos. , 2000, 105: 26493.
[11] Wuebbles, D. ; Kotamarthi, J. R. ; Patten, K. O. Atmos. Envir. , 1999, 33: 1641.
[12] Wuebbles, D. J. ; Jain, A. K. ; Connell, P. S. Atmos. Envir. , 1998, 32: 107.
[13] Ebenstein, W. L. ; Wiesenfeld, J. R. ; Wolk, G. L. Chem. Phys. Lett. , 1978, 53: 185.
[14] Katayanagi, H. ; Yonekuira, N. ; Suzuki, T. ; Chem. Phys. , 1998, 231: 245.
[15] Park, M. S. ; Lee, K. W. ; Jung, K. H. J. Chem. Phys. , 2001, 114: 10368.
[16] Suto, K. ; Sato, Y. ; Kawasaki, M. J. Phys. Chem. A, 1997, 101: 1222.
[17] Jung, K. H. ; Oh, D. K. ; Kwon, O. S. J. Photochem. Photobiol. A, 1988, 42: 39.
[18] Jung, K. H. ; Oh, D. K. J. Photochem. , 1987, 39: 217.
[19] Miller, B. E. ; Bear, T. Chem. Phys. , 1984, 85: 39.
[20] Jung, K. H. ; Yoo, H. S. ; Hwang, J. S. J. Photochem. , 1986, 23: 289.
[21] Fan, Y. B. ; Randall, K. L. ; Donaldson, D. J. J. Chem. Phys. , 1993, 98 : 4700.
[22] 周卫东，盛六四，张允武．化学物理学报，1999，15：948.
[23] Kimura, K. ; Nagakura, S. Spectr. Acta , 1961, 17: 166.
[24] Mulliken, R. S. J. Chem. Phys. , 1940, 8: 382.
[25] Causley, G. C. ; Russell, B. R. J. Chem. Phys. , 1975, 62: 848.
[26] Kim, Y. S. ; Kang, W. K. ; Jung, K. H. J. Chem. Phys. , 1996, 105: 551.
[27] Zhu, Q. H. ; Cao, J. R. ; Wu X. J. Chem. Phys. Lett. , 1988, 144: 486.
[28] Kang, W. K. ; Jung, K. W. ; Jung, K. H. J. Phys. Chem. , 1994, 98: 1525.
[29] Kang, W. K. ; Jung, K. W. ; Jung, K. H. J. Chem. Phys. , 1996, 104: 5815.
[30] Brum, J. L. ; Deshmukh, S. ; Koplitz, B. J. Chem. Phys. , 1990, 93: 7504.
[31] Brum, J. L. ; Deshmukh, S. ; Koplitz, B. J. Phys. Chem. , 1991, 95 : 8676.
[32] Brum, J. L. ; Deshmukh, S. ; Koplitz, B. J. Chem. Phys. , 1993, 98: 1178.
[33] Wang, Z. R. ; Mathews, M. G. ; Koplitz, B. J. Phys. Chem. , 1995, 99: 6913.
[34] AREPALLI, S. ; PRESSER, N. ; ROBIE, D. ; GORDON R. J. Chem. Phys. Lett. , 1985, 117: 649.
[35] Jiang, Y. ; Arnazzi, M. R. G. ; Bernstein, R. B. Chem. Phys. , 1986, 106: 171.
[36] Jee, Y. J. ; Jung, Y. J. ; Jung, K. H. J. Chem. Phys. , 2001, 115: 9739.
[37] Hertz, R. A. ; Syage, J. A. J. Chem. Phys. , 1994, 100: 9265.

有机磷水解酶的表达和纯化

谭 烽[1,2] 兰文升[1] 杨 超[1] 江 红[1] 陈雯莉[2] 乔传令[1]

（1. 中国科学院动物研究所农业虫害鼠害综合治理国家重点实验室 北京 100101；
2. 华中农业大学农业微生物学国家重点实验室 湖北 武汉 430070）

摘 要 从有机磷降解菌株 YC-1 中克隆出了有机磷水解酶基因 mpd，成功构建了融合蛋白 MPH 的表达载体 pETM，并构建了大肠杆菌基因工程菌，在 1μM 的 IPTG，25℃ 诱导，能够高效表达 MPH，经 SDS-PAGE 凝胶电泳验证为有机磷水解酶 MPH。进行了酶活性的测定，表明该蛋白具有较高活性。对 MPH 进行了分离纯化，SDS-PAGE 电泳和酶活性的测定验证了 MPH 纯蛋白，比活力为 5525.9/g 蛋白。MPH 纯蛋白广泛用于日常食用瓜果蔬菜的预处理中，并为生物传感器的应用奠定了基础。

关键词 有机磷水解酶 表达 纯化

伴随着现代农业的快速发展，农药在消灭害虫、提高农作物产量和质量中发挥着不可估量的作用。使用化学农药是最重要的农作物保护手段。有机磷农药是世界上使用量最大的农药之一，占到全球销售量的 34% 和全球使用量的 38%，在我国，比例达 70% 左右。据化工部统计，每年至少有 20 万 t 的有机磷农药和和 17 万 t 杀虫剂[1]被使用。其中甲基对硫磷、对硫磷、甲胺磷、久效磷、敌敌畏等剧毒有机磷杀虫剂占杀虫剂的 46%[2]。

随着农药的过度使用，产生了许多环境问题，这些物质造成了大气、水资源和土壤生态系统的严重污染，并且对不同生态圈及地球化学循环带来严重破坏。有机磷农药是毒性极高的神经毒剂，能不可逆地抑制脊椎动物体内的乙酰胆碱酯酶的活性，造成中毒死亡。在我国，有机磷残留的污染现象普遍存在。无论是在水中，土壤还是瓜果蔬菜中，都存在着不同程度的有机磷农药的残留污染。其中通过食物链或直接进食，这些残留的农药被摄入生物体内，危害生命安全和人的身体健康。由蔬菜瓜果中残留农药引发的中毒现象是一个全球性的健康问题，研究统计结果显示每年全球 300 万人中毒并且 20 万人死亡[3,4]。

处理有机磷毒剂的传统方法主要是物理法和化学方法[5,6]，但这些方法具有处理费用高、不彻底、易造成二次污染等缺陷。目前生物修复方法被广泛地运用在农药残留的治理领域。一种有机磷杀虫剂的降解基因 opd 被分离出来[7,8]，该基因编码产物 OPH 是一种有机磷杀虫剂水解酶，能广泛降解对硫磷等一些有机磷杀虫剂，但对甲基对硫磷的水解活性不高。杨超等从一株能降解毒死蜱的菌株 YC-1 中克隆出了 mpd 基因，该编码蛋白 MPH 与 OPH 没有同源性，对底物一定的选择性[9]，对毒死蜱、甲基对硫磷等的水解活性较高。

本文从已经克隆的 mpd 基因[10]，构建了表达载体。并对该蛋白进行了表达和纯化以及活性的测定，该酶制品被广泛运用于蔬菜瓜果等农药残留的处理中。作为传感器的固定材料，以此来检测环境中有机磷农药的残留，目前正处于研究阶段。

一、材料与方法

（一）mpd 基因

mpd 基因由中国科学院动物研究所杨超赠送。

（二）质粒和试剂

pMD18-T 载体购自大连宝生物工程有限公司；pET-30a 购自默克化工技术（北京）有限

公司；感受态细胞 DH5α 和 BL21（DE3）购自天根生化科技（北京）有限公司；Ni Sepharose 6 Fast Flow 购自 GE Healthcare；甲基对硫磷购自中国农业部农药检定所；DNA 聚合酶 Ex Taq 、限制性内切酶 BamHI 和 HindIII 均购自大连宝生物工程有限公司；TIANgel Midi Purification Kit 和 TIANprep Plasmid Kit 均购自天根生化科技（北京）有限公司。

（三）表达载体的构建

根据 mpd 在 GenBank 中的注册（序列号为 AF338729）的已知序列设计引物：上游 Pmpd - F 5’ - CATATGGCCGCACCGCAGGTGCG - 3’（含 Nde1 酶切位点和起始密码子），下游 Pmpd - R 5’ - CTCGAGCTTGGGGTTGACGACCG - 3’（含 Xho1 酶切位点）。以 pMD18 - T - mpd 为模板，Pmpd - F 和 Pmpd - R 分别作为两端引物克隆含酶切位点的 mpd 基因。反应条件：94℃ 5min；94℃ 1min，55℃ 1min，72℃ 1min，共 30 个循环；72℃延伸 8min。

PCR 产物经 TIANgel Midi Purification Kit 试剂盒纯化后连接到 pMD18 - T 载体上，转化 DH5α 感受态细胞，用含 Amp（100μg/mL）的 LB 琼脂培养基过夜培养 16h 左右，挑取阳性克隆，TIANprep Plasmid Kit 试剂盒提取质粒，Nde1 和 Xho1 双酶切消化，回收 mpd 目的片段。将 mpd 和与经过相同酶处理的质粒 pET - 30a 片段进行 16℃过夜酶连。连接产物转化 DH5α 感受态细胞，菌液 PCR 筛选阳性克隆，TIANprep Plasmid Kit 试剂盒提取质粒，质粒命名为 pETM。

（四）MPH 蛋白的表达

将 pET - M 转化 E. coli BL21（DE3）感受态细胞，挑取阳性克隆，菌液 PCR 鉴定为阳性后接种含 Kana（50μg/ml）的 LB 液体培养液中，37℃，220rpm 摇床培养，待 OD600 到 0.5 左右时，加入终浓度为 1μM 的 IPTG 诱导，25℃，180rpm 过夜诱导。取 1ml 培养液于 1.5ml 的 eppedorf 管中，加入 10μl 的 2000ppm 的甲基对硫磷溶液检测蛋白活性。另一组阴性对照 pET - 30a 空载体转化 BL21（DE3）感受态细胞，培养条件一样。

（五）蛋白的纯化

将过夜诱导的培养物 4℃，4000rpm 离心收集细胞，用 pH7.4 的 Bingding buffer 溶液悬浮细胞，10ml（Buffer）/100ml（培养物）。冰上超声波破碎 30min，再 4℃离心收集上清溶液，得到粗酶溶液。

将纯化柱装填入 2ml 螯合有 Ni^{2+} 的琼脂糖基质填料悬浮液，5ml 蒸馏水过柱洗涤填料，再用 5ml 的 Bingding buffer 平衡填料，Bingding buffer 含有 50mM 的咪唑，防止其他杂蛋白非特异性地结合在填料上面。将一定量的粗酶溶液过柱，流出液为杂蛋白，用 5 倍体积的 Binding buffer 洗涤，弃掉流出液体，再用 2 倍体积的 Elute buffer 洗脱，收集洗脱液。Elute buffer 含高浓度的咪唑，可以使结合在基质上面的目标蛋白洗脱下来，此时收集流出液为纯化了的 MPH，SDS - PAGE 检测。纯化了的 MPH 蛋白进行透析，除去高浓度的咪唑，加入 30% 的甘油，-80℃保藏，或透析后直接制成冻干粉保存。

（六）MPH 的活性测定

绘制对硝基苯酚（PNP）标准曲线。在 30℃下，在分光光度计上，用 1cm 光径的比色杯测定 410nm 处的吸光值 OD410，以标准 PNP 浓度为横坐标，吸光值 OD410 为纵坐标，绘制对硝基酚（PNP）标准曲线。

$Y = aX$　　（Y：410 处的吸光值；X：PNP 浓度，μM）

有机磷水解酶酶活力单位定义：在 30℃、pH 8.0 条件下，每分钟降解甲基对硫磷生成 1μmol 对硝基苯酚（PNP）所需的酶量，定义为 1 个酶活力单位（U）。将酶溶液用 50mm 的 pH7.4 的 Binding buffer 溶液稀释 10^{-1}、10^{-2}、10^{-3}等一系列浓度。由于考虑到乙醇对酶活性的影响以及酶活性中心要全部被饱和等因素，酶的活性用下面两个体系测定：

	PBS/（ml）	甲基对硫磷（2000ppm）溶液/（μl）	无水乙醇/（μl）	酶溶液/（μl）
一	0.94	30	10	20
二	0.94	40	0	20

将未加酶的体系放入30℃水浴5min后，再加入20μl的酶溶液，迅速混匀后倒入1cm光径的比色杯，每15s读一次410处的吸光值，时间为横坐标（单位为min），吸光值为纵坐标，求得函数：$Y=bX+c$（Y：410处的吸光值；X：时间，min。）

MPH的酶促反应符合米氏方程

$V=\dfrac{S\times V_{max}}{K_m+S}$　（S底物浓度；V_{max}最大反应速度；K_m米氏常数）

当两个体系测得的斜率b相同时，说明产物生成速率相同，底物量充足，此时酶的活性中心被全部饱和，所测定的结果可以用来求出酶的总活力。再用bradford法测定纯酶蛋白溶液的浓度。

酶活力计算公式：

总活力（U）＝（b/a）×50 ×n×V　（n为稀释倍数；V为酶溶液总体积）

比活力（I）＝U/m　（U为总活力数；m为酶总的质量，g）

二、结　果

（一）表达载体的构建

以Pmpd－F和Pmpd－R为引物扩增mpd基因后，琼脂糖凝胶电泳检测，mpd基因大约1000bp，产物经测序鉴定为mpd基因。酶切产物纯化后连接到pET－30a载体上。菌液PCR检测产生相同的条带，表明目的基因已成功连接到表达载体上，见图1。

（二）蛋白的表达和纯化

诱导表达产物经超声波破碎后离心收集液体，纯化后，进行SDS－PAGE电泳。对照组没有相关片段大小的蛋白，粗酶有很多杂蛋白，纯化后蛋白条带单一，大约为3.7KDa。

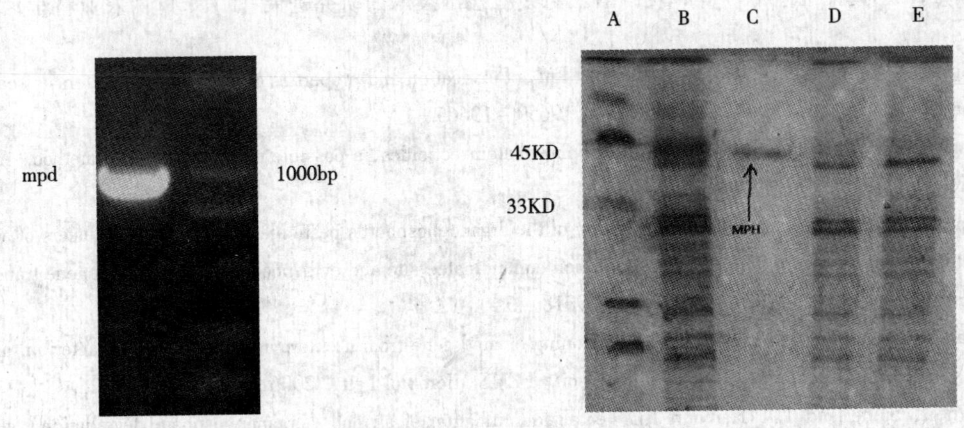

图1　左侧为扩增的mpd基因，大约为1000bp，右侧为Marker

（三）活性测定

粗酶活性经测定数据计算得比活力为7.6794/ml，经纯化后测得比活力为2.0269/ml，每毫升粗酶经纯化后得到2ml的纯酶溶液，回收率为52.79%。用Bradford法测定纯酶蛋白的浓度，求得每克酶蛋白的活力为5525.9。

三、讨　论

从缺陷假单胞菌 MG 和黄杆菌 ATCC27551 中分离得到的 mpd 基因都是位于质粒上的。2002 年，从澳大利亚的土壤中分离到了一株蝇毒磷降解菌，从这株菌中克隆了一个染色体型的有机磷降解基因，命名为 opdA，它与 opd 基因在核苷酸序列上有 88% 的同源性[11]。Cui 等从一株甲基对硫磷降解菌中分离到了一个新颖的有机磷降解基因 mpd，它在核苷酸水平上与 opd 基因没有同源性，在蛋白质水平上同源性仅为 19%。

菌株 YC－1 的 mpd 基因编码了一个甲基对硫磷水解酶（MPH），它与来自邻单胞菌 M6 的 MPH 在氨基酸序列上有98.5% 的同源性[10]，仅有5 个氨基酸的差异。MPH 有比较宽广的有机磷降解谱。在本研究中，我们构建了大肠杆菌基因工程菌株，它能够高水平地表达具有较高活性的 MPH 重组蛋白，该蛋白 C 末端带有 6 个连续的 His 的标签，能够利用 Ni Sepharose 6 Fast Flow 试剂盒进行蛋白的纯化，得到纯蛋白 MPH。

已知 MPH 具有广泛的有机磷杀虫剂降解谱，而且对甲基对硫磷和毒死蜱等的活性较高，因此可以用来直接处理农药残留的瓜果蔬菜。目前已有利用固定细胞制作生物传感器检测残留农药的报道[12]，利用固定单一的酶制作传感器鲜有报道。目前正在进一步研究将该酶固定在电极上制作灵敏度高的生物传感器，用于检测环境中有机磷杀虫剂的残留情况，这将大大改善了检测的灵敏度，降低成本和简化检测的流程，提高检测的效率。

参考文献

[1] Zhang ZL, Hong HS, Zhou JL, Yu G. Occurence&behavior of organophosphorous insecticides in the River Wuchuan, southeast China. J. Environ. Monit, 2002, 4: 498－504.

[2] 邹明强，杨蕊．金钦汉农药与农药污染［J］．大学化学，2004，19：1－8.

[3] Karalliedde L & Senanayake N. Organophosphorous insecticide poisoning. J Int Fed Clin Chem , 1999, 11: 4－9.

[4] Sogorb MA, Vilanova E & Carrera V Future application of phosphotriesterases in the prophylaxis&treatment of organophosphorus insecticide&nerve agent poisoning. Toxicol Lett , 2004, 151: 219－233.

[5] 徐喧．蔬菜中农药残留检测技术研究进展［J］．贵州农业科学，2009，37（1）：178－181.

[6] 王新雄，成秀娟，徐伟松，等．农产品农药残留检测技术的研究进展［J］．广西农业科学，2008，39（5）．

[7] Dumas DP, Caldwell SR, Wild JR & Raushel FM . Purification and properties of the phosphotriesterase from Pseudomonas diminuta. J Biol Chem , 1989, 264: 19659－19665.

[8] Munneck DM. Enzymatic hydrolysis of organophosphateinsecticides, a possible pesticide disposal method. Appl Envir Microbiol , 1976, 62: 1805－1807.

[9] Zhang RF, Cui ZL, Zhang XZ, et al. Cloning of the organophosphorus pesticide hydrolase gene clusters of seven degradative bacteria isolated from a methyl parathion contaminated site and evidence of their horizontal gene transfer. Biodegradation in press , 2006, 10532－005－9018－6.

[10] Chao Yang, Na Liu, Xinmin Guo, et al. Cloning of mpd gene from a chlorpyrifos－degrading bacterium and use of this strain in bioremediation of contaminated soil. FEMS Microbiol Lett , 2006, 265 : 118 － 125.

[11] Horne I, Sutherland TD, Harcourt RL, et al. Identification of an opd (organophosphate degradation) gene in an Agrobacterium isolate. Appl Environ Microbiol , 2002, 68: 3371 － 3376.

[12] Jitendra Kumar, Sandeep Kumar Jha, S. F. D' Souza. Optical microbial biosensor for detection of methyl parathion pesticide using Flavobacterium sp. whole cells adsorbed on glass fiber filters as disposable biocomponent. Biosensors and Bioelectronics , 2006, 21: 2100－2105.

绿色责任：生态文明背景下媒体组织的新使命

李　鸣

（桂林电子科技大学生态文化研究所　广西桂林市金鸡路1号东区　541004）

摘　要　21世纪不仅仅是知识经济时代，而且是生态文明的时代。生态文明要求和呼唤着媒体组织的“绿色变革”。媒体组织理应超越工业文明时代的功能与责任，直面生态环境危机的挑战，做一个“理性的生态人”，勇于承担绿色责任。本文以构建生态文明为背景，以媒体组织绿色责任为研究对象，对我国媒体组织的绿色责任的内涵特征、分类以及实现机制进行了探讨。

关键词　绿色责任　媒体组织　内涵特征　构建策略

一、媒体组织绿色责任特征

在信息化时代里，信息传播与新闻媒体都获得了空前发展，媒体对社会的影响力与日俱增。与此同时，媒体作为一个公共的社会组织而承担社会责任越来越重要而且必不可少、不可推卸。1947年美国新闻自由委员会出版的研究报告《一个自由而负责任的新闻界》是新闻史上的一个里程碑。报告书首次提出了媒体组织的社会责任，提倡自由而负责的报刊，主张新闻自由应以社会责任为规范，媒体对社会有责任提供确实和重要的消息。如果媒体忽略它的公共责任，政府可有限度地控制，同时新闻媒体在行使社会责任时要进行自律，注意职业水准的品质，致力于客观公正的报道，使得人人有使用媒体的权利，新闻传播进而成为社会公器。此后，新闻界开始有了社会责任论的理念与规范[1]。媒体组织的责任，包括媒体的政治责任、社会责任、文化责任、监督责任和经济责任[2]。所谓媒体社会责任是指各类媒体组织在从事信息传播业务的过程中，基于社会公共利益、伦理、法律、宗教、团体等规范的要求而主动或被动地对社会所承担的责任。其作用表现为：信息的广泛传播，满足公众的知情权；舆论的正确导向，引领科学的发展航向；舆论监督、揭露腐败、批评邪恶、弘扬先进文化、促进社会主义政治秩序、法律秩序、道德秩序的良性循环，促进公平正义的实现、社会良知的彰显；提供健康、科学、向上的精神文化产品，提供丰富多彩的媒体娱乐形式，营造安乐、祥和的媒体文化氛围等。

媒体组织绿色责任则是媒体社会责任中的一个新责任。一般是指在生态文明背景下，媒体组织为了营造生态文明的氛围，积极参与建设资源节约型、环境友好社会而承担的相应责任。其内涵特征如下：

1. 时代性。工业文明时代媒体对其经济的发展、科技的传播、社会的进步发挥了重要的舆论、资讯作用。但是在工业文明时代，由于媒体组织是在“人类中心主义”的旗帜下承担社会责任的，因此，在媒体组织的社会责任体系中没有绿色责任之说。只有在建设生态文明的背景中，在生态环境日益恶化地考问下，在媒体理性者的反思中才能产生。

2. 广泛性。在高度发达的信息化社会里，媒体的信息力量无处不在、无时不有。媒体组织是否履行绿色责任，将对社会的生态文明建设产生积极或消极的广泛性影响。

3. 生态伦理性。我们知道媒体的业务工作有一定的自由度和选择性，如果媒体组织具备了较高的生态伦理、环保素质，那么，他们就会有高度的责任感去关注、报道、评价、宣传、监督生态理念、环境事件，去营造良好的生态文明氛围。例如，中央电视台《新闻调查》栏目记者柴静当选为2007年度绿色人物。

4. 社会公器导向的有力性。由于媒体组织社会角色的特殊性，使其导向性比一般社会组织的作用更大。媒体的介入，可以更快地促使问题的迅速解决。例如，云南香格里拉碧沽天池

“毁容”事件，在媒体和社会的高度关注下得到迅速解决；在《无极》破坏环境的事件中，媒体的曝光与批评，促进了风景名胜区域的生态保护政策的出炉和公众环保意识的增强[3]。

5. 国际性。面对工业文明的负面作用——全球气候变暖、生物多样性锐减、生态系统功能退化、资源枯竭、环境问题日趋严峻的危机，人类在文明发展的道路上出现了新的转向：从1972年联合国召开的斯德哥尔摩人类环境会议到1992年联合国巴西里约热内卢召开的环境与发展大会，再到联合国于2002年南非约翰内斯堡可持续发展世界首脑会议、2007年联合国气候变化大会通过的“巴厘岛路线图”以及2009年哥本哈根世界气候大会等。显而易见，人类理性一次又一次觉醒和复苏，人类正在从工业文明走向生态文明，这是一个革命性的大转变，是一个长期的、复杂的过程，涉及人类社会的政治、经济、文化、理念、制度、行为、发展模式、生存方式等一系列的绿色革命。因此，生态文明、环境保护、走可持续发展之路是继农业革命和工业革命之后人类历史上的第三次革命。人类已经深刻而理性的认识到：与“和平”“发展”一样，生态文明、环境保护已成为当今世界新的时代主题[4]。作为具有前瞻性、引导性使命的媒体，应当顺应国际绿色潮流，在自己的媒体工作中渗透国际生态文明与环境保护的资讯，促进中国与国际先进环保国家的互动，促进中国与全球生态文明建设共同进步。

二、媒体组织绿色责任的分类

1. 积极的绿色责任与消极的绿色责任。媒体组织的运行方式和主轴人格是不相同的，有的主轴人格是追求经济利益型的媒体组织；有的主轴人格是追求社会效益型的媒体组织；有的主轴人格是追求社会效益与经济利益有机结合型的媒体组织。有的媒体承担绿色责任堪称优秀；有的媒体承担绿色责任良好；有的媒体承担绿色责任为不及格，甚至是零分。

2. 根据其工作性质可分为：信息、宣传、监督、曝光、督促等模式。诸如，通过大量传播生态伦理、环境法律、绿色科技、低碳经济、循环经济等方面的信息，营造生态文明建设氛围来履行绿色责任；通过曝光、揭露、抨击、监督、评论破坏生态、污染环境、浪费资源行为的单位和个人，促进全社会构建生态文明。

3. 意识形态层面的绿色责任与行为层面的绿色责任。媒体组织通过信息、宣传、监督、曝光、督促、评论等模式履行绿色责任属于前者；媒体组织以身示范，内部实行绿色管理，节能减排、绿色运营、绿色消费；外部业务活动中，注重走绿色路线，践行环保理念，这属于后者。

4. 生态伦理层面的媒体组织绿色责任和法律层面媒体组织绿色责任。所谓法律层面的媒体组织绿色责任，是指媒体组织在其工作中，认真地执行国际国内有关生态环保的标准和法律，从而履行绿色责任的法定义务。所谓生态伦理层面的媒体组织绿色责任，是指媒体组织积极响应建设生态文明的重大战略思想，在科学发展观和生态伦理的指导下，充分利用媒体的特点与优势，创办高质量、新鲜而活泼，有吸引力，有指导性的生态环保栏目、节目、作品和新闻，促使公众树立科学的生态伦理价值观，养成生态文明行为习惯，自觉、主动地投身于生态环保工作之中。

三、媒体组织绿色责任的实现机制

1. 顺应生态文明的时代潮流，创新媒体组织的绿色理念与形象。如果说工业文明时代的媒体组织的主轴工作理念与形象是为政治服务，为国泰民安服务，为经济发展服务；那么生态文明时代的媒体组织的主轴工作理念与形象则要求注入可持续发展、生态文明、环境保护、低碳经济、循环经济、绿色财富、绿色幸福等绿色基因，要求媒体组织转变“理性的生态人”。

2. 强化媒体组织绿色化管理机制建设，为媒体组织的绿色革命提供制度支撑。媒体作为舆论宣传工具，发挥着宣传政治观点、引导社会舆论、动员人民群众、教化普通百姓的作用；与此同时作为社会公器的一种公共舆论的载体发挥着对政府的监督和制约、反映民意、为社会提供信息和文化娱乐产品的作用。新闻媒体的责任在人类物质文明、精神文明、政治文明建设中，都是一个严肃而十分重要的力量，不可忽视。媒体绝非媒体自己的媒体，乃是整个国家和社会的媒体，其肩负的责任和使命重大，这都是国际社会一个基本的共识[5]。因此，在生态文明构建的系统工程中，我国政府必须强化媒体组织绿色化管理机制建设，促进媒体组织尽快地、全方位地、充分地履行绿色责任。

3. 利用多种手段，激励媒体组织承担绿色责任。就政治层面而言，可以通过媒体组织的党员、团员的带头作用，引领大家履行绿色责任；就道德层面而言，可以通过媒体组织的环境伦理教育，评先表模，呼唤和推动媒体工作者履行绿色责任；就平台层面而言，可以通过创办绿色期刊、绿色报纸、绿色电台、绿色专栏、绿色频道、绿色节目和生态环保网站等，致力于宣传、沟通、披露、评论、监督、反映生态环保信息；就经济层面而言，可以通过生态环保基金资助和激励媒体组织积极履行绿色责任。

4. 借鉴国际国内优秀企业绿色管理经验，构建一流的资源节约型、环境友好型媒体组织。由于媒体组织在社会领域中的特殊性质、地位和影响力，决定了她应该成为生态文明建设的领跑者和构建和谐社会文化氛围的营造者。因此，媒体组织理应全方位履行绿色责任。诸如，构建低碳或无碳工作室；使用绿色环保交通工具；将绿色管理、清洁生产、循环经济引入媒体业务流程等。

参考文献

[1] 江波．媒体社会责任的体现及约束［J］．新闻导刊，2006（3）：12-31.
[2] 王开荣．和谐社会与媒体责任［J］．新闻前哨，2006（12）：16-17.
[3] 刘冰．生态环境恶化考问新闻媒体公共责任［J］．新闻传播，2006（8）：9-13.
[4] 曲格平．从斯德哥尔摩到约翰内斯堡的发展道路——2002年11月14日在香港城市大学的演讲．中国环境生态网，http：//www.eedu.org.cn.
[5] 梁建增．略论新闻媒体的社会责任［J］．新闻战线，2007（11）：38-41.
[6] 邓利平．环境新闻传播：提升公众环境伦理的重要途径［J］．广播电视大学学报，2007（3）：27-31.
[7] 李瑞农．环境新闻的崛起及其特点［J］．新闻战线，2003（6）：49-50.
[8] 赵凡．环境新闻记者的责任感［J］．新闻记者，2002（9）：26-27.
[9] 杨立新，等．媒体文化的生态觉醒与生态媒体文化发展［J］．环渤海经济瞭望，2008（9）：30-33.
[10] 张政法．关于中国广播电视公共服务的战略思考［J］．中国广播电视学刊，2008（6）：29-31.
[11] 王积龙．环境新闻的核心价值［J］．当代传播，2008（2）：96-98.

草浆碱回收白泥高效碳化制碳酸钙填料技术及其应用

潘桂华　陈金山　李望南

（湖南泰格林纸集团　湖南　长沙　410100）

摘　要　介绍了国内目前规模最大、具有多项自主知识产权的泰格林纸 100t/d 草浆碱回收白泥高效碳化制碳酸钙填料生产线运行的情况。

关键词　草浆　白泥　碳化　专利　填料

长期以来，草浆白泥只能填埋造成极大环境污染。如何综合利用草浆白泥已成为我国造纸行业一大难题。鉴于此，岳阳纸业公司于 1998 年提出了草浆碱回收白泥综合利用的研究开发课题，经过多年的深化研究及开发应用，成功攻克了草类碱法制浆废液中二氧化硅、有机物及有色粒子三大杂质高效去除的技术难题，发明了具有多项自主知识产权的专利技术并成功进行了转化。2005 年泰格林纸集团岳阳纸业公司实施了综合节水工程，兴建了新的碱回收苛化工序，并在原有苛化工序建立了一条 100t/d 白泥精制填料级碳酸钙新工艺生产线。经过较短时间的生产优化，该生产线基本达到设计规模，其工艺技术先进、可靠，运行平稳；利用白泥废弃物高效碳化生产的碳酸钙产品技术指标完全能满足在中高速纸机加填生产不同纸品种的要求，而生产成本为商品轻钙 1/3 左右，泰格林纸集团公司每年白泥减排 7 万 t，省去干燥标煤 2 万多 t，节能降耗成效显著。

一、草类原料制浆、碱回收、白泥回收工艺及设备特点

（一）制浆、碱回收、白泥回收工艺流程

其工艺技术特点：制浆生产流程系统中废水、废渣、废气实现了闭路循环利用和余热的回收利用，基本杜绝了“三废”排放。工艺流程见图 1。

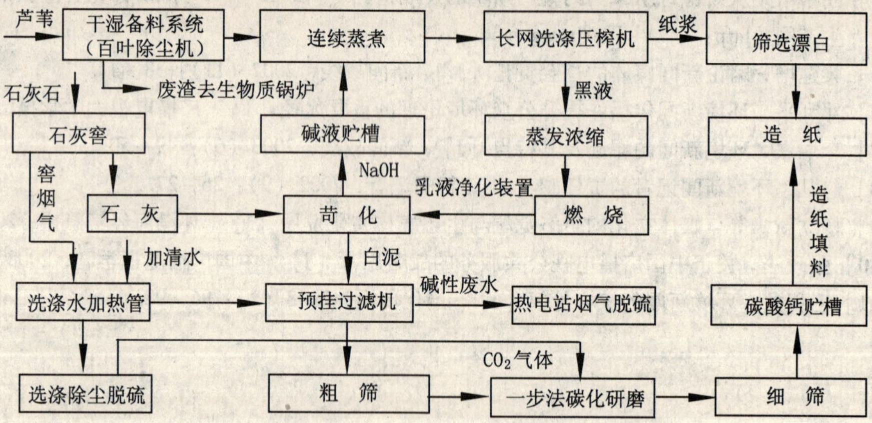

图 1　芦苇制浆、碱回收、白泥回收工艺流程图

（二）自主研制了先进实用的成套专利设备，解决了除杂效率低的技术难题

1. Y 型百叶除尘机

根据苇片和杂质不同力学性质（容重）在气流中不同的运动特性差异，设计了可调式 Y 型截面流道结构和流量参数。采用“百叶正吹扩散”和“重力沉降分离”相结合的原理结构，有效解决了扩散、分离、絮聚、堵塞等方面的技术难题。在经旋风分离器、圆筛干法设备配合下，辅以物料水力洗涤除杂，比传统技术体积去除率高 10%（主要指苇叶、苇髓、苇毛等）；去除原料硅含量大于 50%；为碱回收白泥回收利用轻钙提供保障；减少了芦苇损耗；从而提高制浆得率，节省蒸煮汽耗、化学药品消耗。

2. 高效长网洗涤压榨机

碱回收是解决硫酸盐法蒸煮废液的最好途径，高效长网洗涤机压榨专利产品具有独特风轮式消泡技术、淌流式真空箱结构、双向喷淋与消除黑边、压榨过滤分离等多项关键功能，使草浆洗涤效率大大提高，设备的适应性、运行稳定性和调控性能都达到了较高水平。黑液浓度和提取率有较大的提高，能大大改善黑液蒸发和燃烧效果，使碱液中的有机熔融物得到充分燃烧，达到节能、高效除杂，对提高绿液的品质和碱回收率提供技术保障。

3. 悬浮乳液净化设备

该设备采用离心分离和气浮原理，去除白泥中夹带的微小煤粒、炭粒、炭灰、炭黑等细小的有色粒子，减少尘埃，不但使进入絮凝澄清器的绿液有一个稳定的流量，还使绿液的澄清速度和澄清效果比原来提高了2~3倍，澄清出来的绿液清澈透明，可较大幅度提高白泥白度。

4. 高效碳化研磨装置

该装置采用特殊管道结构，使苛化白泥在 CO_2 作用下进行高效碳化、均整解絮，同时对其研磨，是白泥回收的关键装置，碳化研磨后的浆状轻钙经进一步筛选后可直接送纸机加填免除了高能耗干燥过程，简化了工艺，年节标煤近万吨。

二、白泥高效碳化制备碳酸钙工艺特点

(一) 白泥的化学组成及物理性能

碱法苇浆白泥的化学组成：碳酸钙83.39%，残余氢氧化钠1.21%（以 Na_2O 计），活性氧化钙4.58%，硅7.96%（SiO_2），铁1.93%（Fe_2O_3），其他微量组分0.93%。

白泥的物理性能检测：沉降体积2ml/g，120目筛余物2.5%，SBD白度78.8%，粒径分布：>50μm占10%，20~30μm占60%，5~10μm占30%。

(二) 白泥碳化法工艺流程

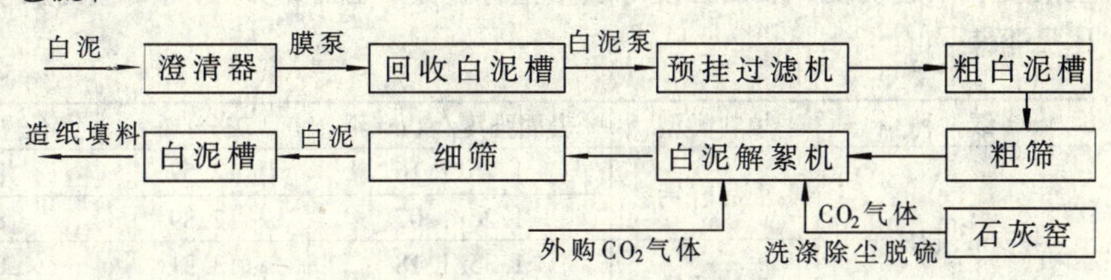

图2　白泥高效碳化精制填料轻质碳酸钙工艺流程

(三) 白泥回收利用中存在的主要问题

1. 白泥的白度：碳酸钙作为无机填料来使用，对白度是有要求的，而现行的设备技术条件下白度只有80%。主要是绿液、石灰带进来的炉渣粒、炭粒、石灰渣粒等杂质及绿液中存在有色物质，绿液与石灰乳进行苛化反应中，就混入白泥颗粒之中，所以，要提高白度需要改进石灰、绿液质量。

2. 白泥中含有杂质：商品轻质碳酸钙的含量要求达到98%以上，对盐酸不溶物、氧化铁、锰、游离碱、沉降体积都有一定的要求。而白泥碳酸钙的含量不够，盐酸不溶物超过标准。而盐酸不溶物主要是硅酸钙，硅酸钙与碳酸钙的比重等物理、化学性能都非常相似，要用机械分离很困难，这也是无法将白泥精制成商品碳酸钙的另一困难。而对硅酸钙基本没有过高要求的造纸行业，开发作填料是完全可行的。

(四) 白泥粒度及粒子匀整性的问题

碳酸钙作为无机填料来使用，对粒度及粒径分布有较高的要求，而苛化产生的白泥碳酸钙粒度大、粒子匀整性差，作中高档文化纸填料还存在湿部化学不稳定，成纸质量难达标等问题。白泥乳液的沉降体积虽然较高，但不能说明粒子的特性，这主要是由于硅存在的结果。

(五) 提高苛化反应绿液和石灰的品质

公司综合节水工程碱回收子项中新增了板式换热器、180t碱炉、增绿液澄清器、预挂式绿

泥过滤机、预挂式白泥过滤机等设施，优化了化木浆和化苇浆蒸发黑液流程，通过对设备改造与工艺优化等措施，明显改善了绿液澄清效果，减少炉渣粒、炭粒、石灰渣粒进入苛化系统。

为了保障石灰品质，研制了一种特殊的圆筛，安装在石灰窑中，确保石灰的洁净度，也大大降低白泥残碱，为白泥回收轻钙项目的实施提供了有利条件。

（六）碳化法调整 pH 值

采用高效碳化法调整白泥的 pH，使 pH 值控制在 8.0～11.0。CO_2 的制备：在煅烧石灰石时，排出的窑气中含有大量的二氧化碳，窑气经除尘、脱硫、加压处理（见图 1），可得到浓度约 25% 的二氧化碳气体（二氧化碳不够时外购补充）。碳化的主要工艺条件：碳酸化液浓度 15%，碳酸化温度 40℃，碳酸化时间 15min，终点 pH 值：8.0～10.0。

（七）白泥匀整解絮处理

白泥的高强分散与匀整处理是在白泥匀整机中进行，控制好匀整工艺可得到平均粒度适中，表面带阳电荷的超细活性碳酸钙产品。调节该产品的浓度至 18%～20% 直接送造纸辅料中心。

三、优化调配白泥制轻钙技术参数及抄造工艺，开发不同车速和不同纸品的碳酸钙纸品系列填料产品

根据不同的纸机抄造车速，结合纸机网部留着状况、上网浆 PCD 含量、网下白水 COD 浓度、相同加填量下成纸的灰分的变化、网子的磨损情况、对其他化学品的影响情况等综合因素，合理调配了白泥回收碳酸钙的填料纯度、白度、粒径及粒径分布比率，pH 值等技术参数以满足不同车速和不同纸品对填料的技术要求。通过不断研究改造，较好实现了填料品质与不同纸品抄造工艺的最佳组合，成功开发中高档纸产品达数十个。

本项目投产至今，与商品轻钙的比较明显提高纸机网部首程着率；降低了白水浓度；成纸的平滑度、不透明度、表面强度等质量指标稳定；自制轻钙与商品轻钙加填超级压光纸质量指标对比见下表：

纸　种	填料类型	表面强度/（m/s）	灰分/%	不透明度/%	白度/%
$49g/m^2$ 超压纸	商品轻钙	1.25/1.16	12.57	88.4	76.1
		1.26/1.07	12.89	88.8	76.2
	自制轻钙	1.35/1.18	13.31	88.5	75.7
		1.31/1.09	13.08	88.9	76.2

四、结　论

1. 在传统碳化法工艺的基础上，创新的草类浆碱回收白泥高效碳化制轻碳酸钙填料新工艺技术经过生产实践证明是可行的。

2. 自主开发的多种专利设备为较好解决草类碱法制浆中二氧化硅、有机物及有色粒子 3 大杂质高效去除提供了技术保障。

3. 从白泥高效碳化制轻碳酸钙生产运行来看，白泥品质的提高对生产轻碳酸钙质量和生产运行稳定尤其重要。

4. 如果对绿液和白液采用压滤力过滤技术，能较大提高绿泥和白泥品质。

5. 利用碱回收白泥高效碳化制轻碳酸钙填料新工艺技术的成功应用，不仅彻底消除了白泥土壤和水资源的二次污染，又充分利用了资源，还可给企业带来可观的经济效益，完全符合国家循环经济政策，在资源利用、社会效益和经济效益方面都具有显著的价值。

湿地植物芦竹生物炭的制备及特性表征研究

王震宇　郑　浩　李锋民

（中国海洋大学环境科学与工程学院　山东　青岛　266100）

摘　要　为了揭示热解温度和恒温时间与生物炭性能之间的规律，采用了限氧升温炭化法，研究了不同热解温度和恒温时间对生物炭的产率、元素组成、原子比值、表面官能团结构和 pH 的影响。结果表明：温度从 200℃升高至 500℃时，产率从 75.19% ~96.50% 降低至 31.17% ~34.61%；含碳量从 46.75% ~53.51% 增加至 73.38% ~76.84%，含氢量从 4.86% ~5.79% 减少至 2.14% ~3.73%，含氧量从 40.55% ~47.13 减少至 20.20% ~21.99%；表面极性基团显著减少，非极性基团增加，脂肪族结构的基团减少，芳香结构的基团增加，表面极性减弱，稳定性增强；pH 从 4.90 ~5.63 升高至 9.27 ~9.62。因此，本研究中热解温度是影响芦竹生物炭特性的重要因素，而恒温时间对芦竹生物炭的特性影响较小。

关键词　芦竹　生物炭（biochar）　特性表征

一、前　言

生物炭（biochar）指在缺氧或限氧条件下植物生物质热解而得到的一种黑炭材料，含碳量高且空隙结构发达，可以保持养分和水分，是一种理想的土壤改良剂[1]。生物炭主要用来作为土壤改良剂，原因主要包括：①相当高的防腐稳定性；②具有超高的养分保留能力。其作为土壤改良剂的环境效益主要包括三方面：①减缓温室效应；②改良土壤；③减轻环境污染。生物炭的特性决定其用途。如果以固炭为目标，则要求其在稳定性高的基础上增大产量，这样固碳效益才会显著；若以改良土壤为目标，则要求其不仅能保留土壤养分、水分，还必须具备一定的抗分解能力。生物炭的特性由原料和制备条件所决定。

目前研究中，生物炭的原料包括阔叶树、牧草、树皮、作物残余物（如稻草、坚果壳和稻壳）、柳枝稷、有机废物（如酒糟、甘蔗渣、橄榄废物、鸡粪、牛粪、剩余污泥和纸浆）。生物炭的原料种类繁多，其制备条件也多种多样。按生物质热解技术升温速率可分为快速热解、中速热解和慢速热解，其特点如表 1 所示。温度是不同制备技术的关键因素。因此，针对于具体的原料，必须系统的研究制备条件与生物炭性能之间的关系和规律，以期获得优质的生物炭。

表 1　不同热解技术的比较

热解技术	特　点	生物油	生物炭	生物气
快速热解	中温，约 500℃ 很短的热气停留时间，小于 2s	75% （25% 水分）	12%	13%
中速热解	低中温，适度的热气停留时间	50%（50% 水分）	25%	25%
慢速热解	低中温，数小时停留时间	30%（70% 水分）	35%	35%

芦竹，一种水生植物，为禾本科芦竹属多年生草本植物。芦竹繁殖速度快，生物量大，是湿地生态修复的常用植物。但是，目前缺乏经济有效的资源化利用技术，导致湿地系统中芦竹不能及时去除，任其自然腐烂分解，污染物及营养物质又被释放到湿地系统中，造成二次污染。同时，在退耕还湿的背景下，芦竹占用大量耕地，农民的收入不能得到保障，导致农民在湿地修复和生态保护过程中积极性不高，甚至破坏已有的修复成果。本研究以芦竹为原料热解制备生物炭，通过对生物炭特性的表征，揭示生物炭特性与制备条件热解温度和热解时间之间的规律，为

生物炭的引用和推广提供基本依据，同时增加湿地植物芦竹的经济价值，为湿地植物的资源化利用开发新技术。

二、材料和方法

（一）生物炭的制备

原料采自山东省南四湖人工湿地。芦竹地上茎剥除叶子及叶柄，用自来水清洗干净，风干，剪成 1cm×4cm 小片，并在 70～80℃烘箱中过夜干燥，保存于干燥器中，备用。

生物炭的制备采用限氧升温炭化法[3]。具体为：称取 50 g 处理好的芦竹样品于刚玉管中，置于一定温度（200，300，500℃）的真空管式炉中炭化 0.5、2、6、12h；经冷却至室温后取出。整个过程中始终保持氮气氛围。制得的炭化产物粉碎，过 0.5mm 筛子，装于玻璃瓶中，用于特性表征。

（二）生物炭的特性表征方法

用 CHN 元素分析仪[4]（Vario EL III，德国 Elementa）测定生物炭中的 C、H、N 元素百分含量，O 元素通过差减法得到。采用傅立叶红外分析仪（AVATAR 360 FT－IR SEP，美国 Nicolet 公司）测定生物炭表面官能团[5]。pH 测定[6]：称取一定质量的生物炭于试管中，分别加入蒸馏水，使生物炭的质量/溶液体积＝1/20，密封，室温下振荡 24h，用 pH 计测定溶液 pH。

三、结果和讨论

（一）生物炭产率

不同热解时间和热解温度下的生物炭的产量如图 1 所示。相同热解时间下，随着温度升高，生物炭的产率降低；温度一定时，产率随热解时间的变化不大。低温下，生物炭的产率高是由于原料中脂肪烃类物质的浓缩程度小，且 CH_4、H_2 和 CO 的逸失量小[7]。200℃时，生物炭的产率在保持在 75.19%～96.50%，当温度升至 500℃时，产率降低至 31.17%～34.61%，产率降低了大约 60%。

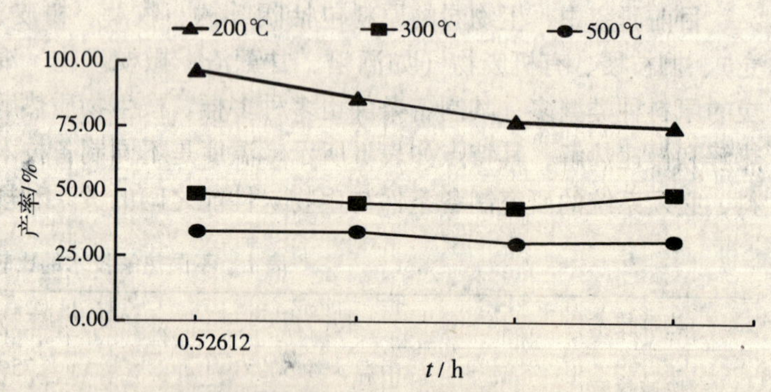

图 1　不同温度和时间下生物炭的产量

生物质主要是由纤维素、半纤维素、木质素和少量的有机浸出物及无机物矿物质构成。这些组成因生物质种类不同而差异较大，同时，对于特定的生物质，其组分比例受土壤类型、气候条件和收集时间等因素的影响较大。表 2 列出了现有研究中一些原料的组成及比例。芦竹纤维素、半纤维素和木质素含量分别约为 35.34%、14.08% 和 14.47%。半纤维素的分解温度为 200～260℃，纤维素的分解温度为 240～350℃，木质素的分解温度为 280～500℃[8]。因此，原料中这些组分的比例影响生物炭的活性程度及在热解过程中的结构变化。对于给定的原料，影响生物炭的因素包括加热速率、最高热解温度、最高热解温度停留时间、预处理及采用的设备等，其中最关键的因素是最高热解温度，因为挥发物的释放、中间熔体的形成和挥发均与温度密切相关。本研究中，当温度升高到 500℃时，木质素结构的热解导致了生物炭产率急剧降低至约 30%。因此，生物炭的特性在满足其用途的前提下，应该实现产率最大化，而产率的最大化应该根据原料种类来确定最佳的热解温度。

表 2　几种生物质组分含量表

生物质	纤维素/%	半纤维素/%	木质素/%	浸提物/%	灰分/%	参考文献
杂交杨	45	19	26	7	1.7	[9]
柳树	43	21	26	—	1	[10]
芒	38	24	25	5	2	[11]
芦竹	35.34	14.08	14.47	—	7.67	本研究

（二）元素组成

表 3　不同条件下生物炭的元素组成、原子比及灰分含量

温度/℃	时间/h	C/%	H/%	N/%	O/%	H/C	O/C
原料	—	45.60	5.80	0.35	48.24	1.53	0.79
200	0.5	46.75	5.79	0.33	47.13	1.49	0.76
	2	47.73	5.71	0.45	46.11	1.43	0.72
	6	52.07	5.58	0.40	41.95	1.29	0.60
	12	53.51	5.53	0.42	40.55	1.24	0.60
300	0.5	63.19	4.86	0.56	31.39	0.92	0.57
	2	64.68	4.73	0.54	30.04	0.88	0.37
	6	64.07	4.67	0.52	30.74	0.88	0.35
	12	66.10	4.55	0.45	28.89	0.83	0.36
500	0.5	74.40	3.13	0.49	21.99	0.50	0.36
	2	73.38	3.01	0.49	23.12	0.49	0.33
	6	76.89	2.36	0.55	20.19	0.37	0.22
	12	76.84	2.47	0.48	20.20	0.39	0.24

芦竹原料和生物炭的元素组成及原子比如表 3 所示，随着温度的升高，生物炭的含碳量增加，氧元素和氢元素含量减少。当温度从 200℃升高至 500℃时，生物炭的含碳量从 46.75% ~ 53.51%增加至 73.38% ~76.84%，含氢量从 4.86% ~5.79%减少至 2.14% ~3.73%，含氧量从 40.55% ~47.13%减少至 20.20% ~21.99%。相同温度下，热解时间的延长对生物炭元素组成影响较小。这是热解过程中典型的 feedstock response，该过程中，由于脱水作用导致芦竹原料表面的羟基（-OH）丢失，同时在高温的条件下，原料结构核心分解导致与 C 键合的 O 和 H 丢失[12]。木质纤维素原料 H/C 比值大约为 1.5，本研究中芦竹原料的 H/C 比值为 1.53，符合基本规律。Kuhlbusch 等定义黑炭的 H/C 比值≤0.2[13]。Graetz 等认为生物质在燃烧过程中温度一般高于 400℃，且在如此高的温度下形成的生物炭 H/C 比值一般≤0.5[14]。本研究中当热解温度达到 500℃时，H/C 比值≤0.5，且随着热解时间的延长，该比值降低至 0.39。但是，和许多生物质完全燃烧的产物一样，并不是所有 H/C 比值≤0.5 的生物质热解产物都能称作生物炭。正如 Schmidt 和 Noack 认为黑炭包括生物炭，且黑炭是介于部分炭化与完全炭化为石墨或者烟灰之间的一种连续体的材料[15]。通常认为，随着热解温度的升高和热解时间的延长，H/C 比值和 O/C 比值降低[15]。因此，在生物炭制备过程中常通过 C、H、O、N 等元素组成的变化来评价最终的产品特性，尤其重要的是以 H/C 和 O/C 比值来确定生物炭的芳香性和熟化程度[9]。

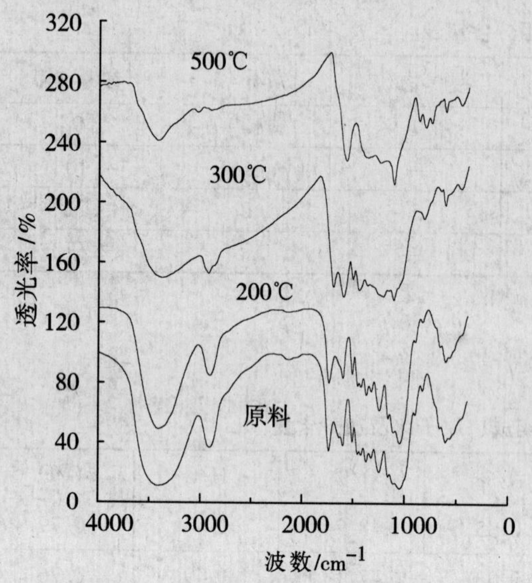

图2　0.5h 下不同温度的生物炭的 FTIR 谱图

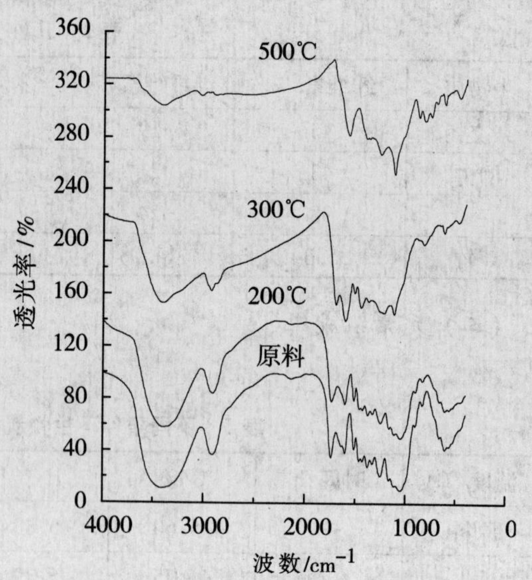

图3　2h 时下不同温度的生物炭的 FTIR 谱图

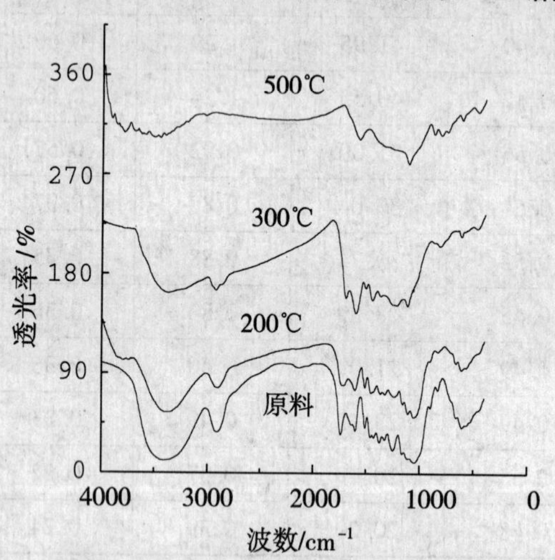

图4　6h 下不同温度的生物炭的 FTIR 谱图

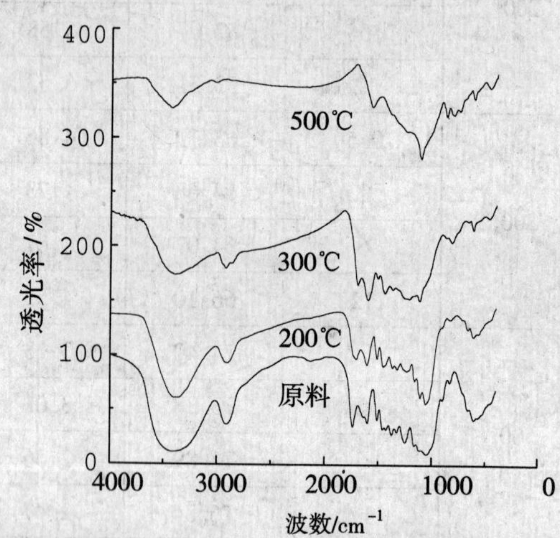

图5　12h 时下不同温度的生物炭的 FTIR 谱图

（三）FTIR

图2是0.5h 下不同温度的生物炭的 FTIR 谱图。从图中可以看出，原料 $3400cm^{-1}$ 的强吸收代表了羟基（－OH）的伸缩振动。2927、1446 和 $1370cm^{-1}$ 主要指原料中生物高聚物的 CH_2 振动。1734 和 $1160cm^{-1}$ 的吸收峰代表了酯基中的 C＝O 和 C－O 的伸缩振动。1160～1030cm 的谱带代表了纤维素含氧官能团中的脂肪族 C－O－C 和醇羟基（－OH）。$1613cm^{-1}$ 处的谱带是由于芳环中的 C＝O 和 C＝O 伸缩引起的，1514 cm^{-1} 处的谱带是由于木质素中的 C＝C 环伸缩振动引起的。2927、1446 和 $1370cm^{-1}$ 处随着温度升高，吸收峰逐渐变小，500℃时吸收峰基本消失，表明随着热解温度的升高，$-CH_2$ 含量也逐渐减

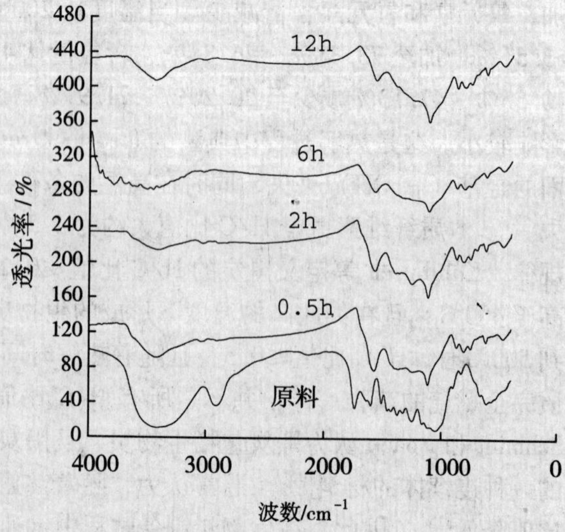

图6　500℃下不同时间的生物炭 FTIR 谱图

少，当达到一定温度时，制备的产品中 $-CH_2$ 最终消失。

$1270cm^{-1}$ 处的谱带是由于芳香族 CO－和酚－OH 伸缩引起的。$815cm^{-1}$ 的吸收峰是由于芳香族的 CH 平面变形引起的。随着温度的升高，这些基团经历了不同的变化。300℃以下，3400 cm^{-1}（－OH）和 1160～1030 cm^{-1} 吸收峰强度急剧减弱，其他的吸收峰仍然保留，表明随着温度升高，极性基团显著减少。当加热至 300℃时，芳香族 CO－和酚－OH（1270 cm^{-1}）伸缩减弱。酯 C＝O 吸收峰（1734 和 $1160cm^{-1}$）在 300℃时减少，当温度达到 500℃时，基本消失，而 $815cm^{-1}$（CH）和 $1270cm^{-1}$（芳香族 CO－和酚－OH）处吸收峰强度增大，表明随着温度的升高，生物炭中芳香结构的基团增加，表面极性减弱，稳定性增强[16]。图 3～图 5 分别热解时间为 2、6、12h 时不同温度下的生物炭的 FTIR 谱图，从图中可以看出，不同温度下其表面官能团变化和 0.5h 时基本一致。图 6 是 500℃时不同热解时间下生物炭的 FTIR 谱图，可以看出，在温度一定时，热解时间对表面官能团的影响较小。因此，不同温度下生物炭表面官能团结构的变化与温度密切相关。

（四）pH

生物炭的元素组成及表面结构决定了生物炭的特性，其中 pH 是重要特性之一。图 7 是不同温度和时间下生物炭水溶液的 pH。由图中可以看出，随着热解温度的升高，pH 从 4.90～5.63 升高至 9.27～9.62，而热解时间对 pH 的影响较小，大约为 0.06～0.73。这与上述 FTIR 分析结果一致，温度升高，酸性基团减少而碱性基团增加。同时，高温条件下，包裹于原料高聚物中的矿物元素 K、Ca、Na、Mg 易于暴露，溶解于水溶液时对 pH 起了一定的贡献。在现有研究中，用于改良土壤的生物炭的 pH 一般为碱性。然而，通过改变制备条件和原料，pH 范围为 4～12 的生物炭均可获得。同时，在 70℃下经过 4 个月的培养，其 pH 可降低至 2.5[17]。众多研究表明，生物炭加入土壤可以显著地改变土壤 pH。这与焚烧秸秆然后还田原理相似，生物炭含有不同浓度的碱性物质，如 K、Ca、Na、Mg 氧化物、氢氧化物及碳酸盐物质。生物炭中的这些碱性物质可以快速地释放到土壤中，并沿着土壤剖面垂直下渗，从而改善了土壤的酸碱性[18]。土壤的 pH 的改变对土壤温室气体的释放有一定的影响。土壤的 pH 增加时，某些温室气体的释放受到抑制。因此可以通过向土壤中添加一定量的具有适宜的 pH 的生物炭的方法，从一定程度上减缓全球气候变暖的趋势。但是在 Luckas[19] 等的研究指出，两种家禽粪便制备的生物炭分别使土壤 pH 从 4.8 增加至 6.0 和 5.8，而绿色植物制备的生物炭对土壤 pH 没有任何改变。因此，生物炭作为土壤改良剂时，必须根据原料和土壤特性进行科学系统的分析。

四、结　论

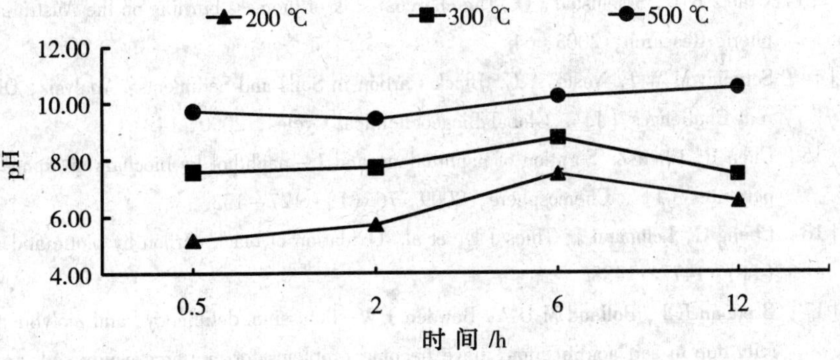

图 7　不同温度和时间下生物炭水溶液的 pH

1. 相同热解时间下，随着温度升高，芦竹生物炭的产率降低；温度一定时，热解时间对产率影响不大。

2. 随着温度升高，生物炭的含碳量增加，氧元素和氢元素含量减少，含碳量从 46.75%～53.51%增加至 73.38%～76.84%，含氢量从 4.86%～5.79%减少至 2.14%～3.73%，含氧量从 40.55%～47.13%减少至 20.20%～21.99%。相同温度下，热解时间的延长对生物炭元素组成影响较小。

3. FTIR 分析结果表明，随着温度升高，极性基团显著减少，非极性基团增加，脂肪族结构的基团减少，芳香结构的基团增加，表面极性减弱，稳定性增强。

4. 随着热解温度的升高，pH 从 4. 90 ~ 5. 63 升高至 9. 27 ~ 9. 62，而热解时间对 pH 的影响较小，时间从 0. 5h 延长至 12h，pH 的变化范围大约为 0. 06 ~ 0. 73。

参考文献

[1] Lehmann J, Gaunt J, Rondon M. Biochar sequestration in terrestrial ecosystem [J]. Mitigation and Adaptation Strategies for Global Change, 2006 (11): 403 - 427.

[2] Chun Y, Sheng G, Chiou C T, et al. Compositions and Sorptive Properties of Crop Residue - Derived Chars [J]. Environmental Science & Technology, 2004, 38 (17): 4649 - 4655.

[3] Cheng C, Lehmann J. Ageing of black carbon along a temperature gradient [J]. 2009, 75 (8): 1021 - 1027.

[4] Cheng C, Lehmann J, Engelhard M H. Natural oxidation of black carbon in soils: Changes in molecular form and surface charge along a climosequence [J]. 2008, 72 (6): 1598 - 1610.

[5] Nguyen B T, Lehmann J. Black carbon decomposition under varying water regimes [J]. Organic Geochemistry, 2009, 40 (8): 846 - 853.

[6] Novak J M, Lima I, Xing B. Characterization of designer biochar produced at different temperatures and their effects on a loamy sand [J]. 2009.

[7] Yang H, Yan R, Chen H, et al. Characteristics of hemicellulose, cellulose and lignin pyrolysis [J]. Fuel, 2007, 86 (12 - 13): 1781 - 1788.

[8] Hamelinck C N, Hooijdonk G V, Faaij A P. Ethanol from lignocellulosic biomass: techno - economic performance in short - , middle - and long - term [J]. Biomass and Bioenergy, 2005, 28 (4): 384 - 410.

[9] Sassner P, Galbe M, Zacchi G. Bioethanol production based on simultaneous saccharification and fermentation of steam - pretreated Salix at high dry - matter content [J]. Enzyme and Microbial Technology, 2006, 39 (4): 756 - 762.

[10] de Vrije T, de Haas G G, Tan G B, et al. Pretreatment of Miscanthus for hydrogen production by Thermotoga elfii [J]. International Journal of Hydrogen Energy, 2002, 27 (11 - 12): 1381 - 1390.

[11] Antal M J, Gronli M. The Art, Science, and Technology of Charcoal Production? [J]. Industrial & Engineering Chemistry Research, 2003, 42 (8): 1619 - 1640.

[12] Kuhlbusch T A J, Crutzen P J. Black carbon, the global carbon cycle, and atmospheric carbon dioxide [M]. Cambrige: MIT Press, 1996: 161 - 169.

[13] Graetz R D, Skjemstad J O. The charcoal sink of biomass burning on the Australian continent [J]. CSIRO Atmospheric Research, 2003, 64.

[14] Schmidt M W I, Noack A G. Black Carbon in Soils and Sediments: Analysis, Distribution, Implications, and Current Challenges [J]. Global Biogeochemical Cycles, 2000, 14.

[15] Chen B, Chen Z. Sorption of naphthalene and 1 - naphthol by biochars of orange peels with different pyrolytic temperatures [J]. Chemosphere, 2009, 76 (1): 127 - 133.

[16] Cheng C, Lehmann J, Thies J E, et al. Oxidation of black carbon by biotic and abiotic processes [J]. 2006, 37 (11): 1477 - 1488.

[17] Brennan R F, Bolland M D A, Bowden J W. Potassium deficiency, and molybdenum deficiency and aluminium toxicity due to soil acidification, have become problems for cropping sandy soils in south - western Australia [J]. Australian Journal of Experimental Agriculture, 2004, 44: 1031 - 1039.

[18] Van Zwieten L, Singh B, Joseph S. Biochar and Emissions of Non - CO_2 Greenhouse Gases from Soil. In: Lehmann JL, Joseph S. ed. Biochar for Environmental Management, Science and Technology [M]. London: Earthscan, 2009: 33 - 52.

舟山渔场及附近海域浮游动物指示种的研究

朱根海[1] 徐汉祥[2] 陈全震[1] 薛利建[2] 周永东[2]

(1. 国家海洋局第二海洋研究所海洋生态系统与生物地球化学重点实验室 杭州 310012；2. 浙江省海洋水产研究所 浙江 舟山 316100)

摘 要 本文根据2009年春季（5月）、夏季（8月）、秋季（10月）和冬季（12月）在舟山渔场及附近海域所采集的浮游动物样品与环境资料，分析了浮游动物个体密度、生物量、种类多样性指数 、均匀度、种类丰度、优势度及其与环境因子的关系。结果表明，在调查区共鉴定饵料浮游动物269种，分5门16大类，以桡足类占优势（88种，32.7%）。舟山渔场及附近海域浮游动物可划分为5个生态指示种：半咸水河口生态指示种、低盐近岸生态指示种、暖温带沿岸生态指示种、广温广盐暖水性广布生态指示种、高温高盐热带外海生态指示种。舟山渔场及附近海域浮游动物个体密度、生物量、种类多样性指数属于中等，个体密度平均值为春季 > 夏季 > 秋季 > 冬季；生物量、种类多样性指数的平均值为夏季 > 春季 > 秋季 > 冬季。

关键词 浮游动物 指示种 舟山渔场 东海

引 言

舟山渔场是我国最大的近海渔场，与苏联的千岛渔场、加拿大的纽芬兰渔场、秘鲁的秘鲁渔场齐名。渔民习惯按各作业海域，把舟山渔场划分为大戢渔场、嵊山渔场、浪岗渔场、黄泽渔场、岱衢渔场、中街山渔场、洋鞍渔场和金塘渔场。舟山渔场其地理位置位于北纬29°32′~31°04′,东经121°30′~125°00′，东侧为舟外渔场，南连渔山渔场，北接长江口渔场，面积约5.3万km^2。海底以粉砂质软泥和黏土质软泥等细颗粒沉积混合物为主，是东海大陆架的组成部分。水深一般在20~40m。自北向南80m等深线距岸宽280~150km。舟山渔场地处长江、钱塘江、甬江入海口，沿岸流、台湾暖流和黄海冷水团交汇于此。大陆泾流每年平均入海近1万亿m^3，形成强大的低盐水团，水色混浊，春夏向外伸展，秋冬向沿岸退却。台湾暖流高温高盐，水色澄清，春夏自南向北楔入，直抵沿岸水域，冬季偏离沿岸，向南退缩。黄海冷水团南下，随台湾暖流强弱的变化，秋冬季似舌尖状伸入渔场，初夏逐渐向北退缩，形成南北带状逶迤的水团混合区。舟山群岛是多种鱼、虾、蟹类的繁殖、索饵场所，也是洄游鱼类的必经之路。浮游动物是海洋食物网的关键环节之一，在海洋生态系统的物质循环和能量流动中起着重要作用，其数量分布和季节变化制约着初级生产力的规模和节律，也影响鱼类资源的变动。其种类组成，数量分布以及种群数量变动直接或间接地制约了海洋生产力的发展，从而对海洋渔业资源的合理开发利用和保护起着重要的指示作用。

浙江沿岸海域浮游动物已有许多报道[1-5]，但对舟山渔场及附近海域浮游动物指示种没有系统的研究。本研究为今后舟山渔场海洋渔业资源的合理开发利用和保护提供重要的科学依据。

一、材料与方法

浮游动物样品于2009年春季（5月）、夏季（8月）、秋季（10月）和冬季（12月）采集于舟山渔场及附近海域（29°32′~31°04′N，121°30′~125°00′E）。用装有流量计浅水Ⅰ型浮游生物网（网口内径50cm，网长145cm，筛绢孔径为505μm）自底至表层垂直拖网采集一次样品，装入容积为600cm^3的塑料瓶中，样品加5%甲醛溶液固定保存。实验室内挑去杂物后，以湿重法称量浮游动物生物量（包括水母类）。显微镜和体视镜下对样品进行鉴定和计数。分析方法按

《海洋调查规范》、海洋生物调查（GB12763.6，2007）。

各生态学参数分别依如下公式进行评价：

多样性指数（H'）采用 Shannon – Wiener 公式：$H' = -\sum_{i=1}^{S}(N_i/N)\log_2(N_i/N)$

均匀度（J）采用 Pielou 公式：$J = H'/\log_2 S$

式中：S 为样品中的种类总数；N 为样品中的总个体数；N_i 为样品中第 i 种的个体数。

群落优势度（D）：$D = (N_1 + N_2)/N$

式中：N_1 和 N_2 分别为第一和第二优势种的个体数，N 为总个体数。

二、结果和讨论

（一）种类组成

在调查区共鉴定饵料浮游动物 269 种，分 5 门 16 大类，其中以桡足类占优势（88 种），占总数的 32.7%；其次为水母类 68 种，占总数的 25.3%；浮游幼体 23 种，占总数的 8.5%；端足类 19 种，占总数的 7.1%；十足类 14 种，占总数的 5.2%；其他类 57 种，占总数的 21.2%。

表 1　舟山渔场及附近海域主要浮游动物指示种的季节变化（2009.1—12）

序号	种类组成	春	夏	秋	冬
一	水螅水母类 Hydromedusae				
1	半口壮丽水母 *Aglaura hemistoma Peron et Lesueur*	–	+	–	–
2	贝氏拟线水母 *Nemopsis bachei L. Agassiz*	–	+	–	–
3	卡拟杯水母 *Phialucium carolinae*（*Maye*）	+	+	+	–
4	嵊山杯水母 *Phialidium chengshanenses*（*Ling*）	+	+	+	–
5	半球杯水母 *Phialidium hemisphicum*（*Ling*）	+	+	+	–
二	管水母类 Siphonophora				
6	双生水母 *Diphyes chamissonis Huxley*	+	+	+	+
7	拟细浅室水母 *Lensia subtiloides*（*Lens et Van Riem.*）	+	+	+	+
8	大西洋五角水母 *Muggiaea atlantica Cunningham*	+	+	–	–
三	栉水母类 Ctenophora				
9	瓜水母 *Beroe cucumis Fabricius*	+	+	+	+
10	碟水母 *Ocyropsis crystalline*（*Rang*）	+	+	+	+
11	球型侧腕水母 *Pleurobrachia globosa Moser*	+	+	+	+
四	桡足类 Copepoda				
12	太平洋纺锤水蚤 *Acartia pacifica Steuer*	+	+	+	+
13	中华哲水蚤 *Calanus sinicus Brodsky*	+	+	+	+
14	背针胸刺水蚤 *Centropages dorsispinatus Thompson et Scott*	+	+	+	+
15	近缘大眼剑水蚤 *Corycaeus affinis Mcmurrichi*	+	+	+	+
16	美丽大眼剑水蚤 *Corycaeus speciosus Dana*	–	+	+	+
17	亚强真哲水蚤 *Eucalanus subcrassus Giesbrecht*	+	+	+	+
18	海洋真刺水蚤 *Euchaeta marina Prestandrea*	+	+	–	–

序号	种类组成	春	夏	秋	冬
19	精致真刺水蚤 *Euchaeta concinna Dana*	+	+	+	+
20	平滑真刺水蚤 *Euchaeta plana Mori*	+	+	+	+
21	真刺唇角水蚤 *Labidocera euchaeta Giesbrecht*	+	+	+	+
22	双刺唇角水蚤 *Labidocera bipinnata Tanaka*	+	+	+	−
23	火腿许水蚤 *Schmackeria poplesia Shea*	+	+	+	+
24	华哲水蚤 *Sinocalanus sinensis Poppe*	+	−	+	+
25	锥形宽水蚤 *Temora turbinate*（*Dana*）	+	+	+	+
26	虫肢歪水蚤 *Tortanus vermiculus Shen*	+	+	+	+
27	捷氏歪水蚤 *Tortanus derjugini Smironov*	+	+	+	+
28	普通波水蚤 *Undinula nulgaris Dana*	−	+	+	+
五	介形类 Ostracoda				
29	尖尾海萤 *Cypridina acuminate Muller*	+	+	+	+
30	针刺真浮萤 *Euconchoecia aculeate Scott*	+	+	+	+
六	糠虾类 Mysidacea				
31	短额刺糠虾 *Acanthomysis brevirostris Wang et Liu*	+	+	+	+
32	长额刺糠虾 *Acanthomysis longirostris Ii*	−	−	+	+
33	漂浮囊糠虾 *Gastrosaccus pelagicus Ii*	−	+	−	−
七	涟虫类 Cumacea				
34	三叶针尾涟虫 *Diastylis tricincta*（*Zimmer*）	+	+	+	+
35	细长涟虫 *Iphinoe tenera Lomakina*	+	+	+	+
八	端足类 Amphipoda				
36	裂颚蛮虫戎 *Lestrigonus schizogeneios Stebbing*	+	+	+	−
37	江湖独眼钩虾 *Monoculodes limnophilus Tattersall*	+	+	+	−
九	磷虾类 Euphausiacea				
38	中华假磷虾 *Pseudeuphausia sinica Wang et Chen*	+	+	+	+
十	十足类 Decapoda				
39	中国毛虾 *Acetes chinensis Hansen*	+	+	+	+
40	亨生莹虾 *Lucifer hanseni Nobili*	+	+	+	+
41	中型莹虾 *Lucifer intermedius Hansen*	+	+	+	+
十一	毛颚类 Chaetognatha				
42	肥胖箭虫 *Flaccisagitta enflata*（*Grassi*）	+	+	+	+
43	拿卡箭虫 *Sagitta nagae Alvarino*	+	+	+	+
44	百陶箭虫 *Sagitta bedoti Beraneck*	+	+	+	+
45	美丽箭虫 *Sagitta pulchra Doncaster*	+	+	+	+
46	琴形箭虫 *Pseudosagitta lyra*（*Krohn*）	+	+	+	+

序号	种类组成	春	夏	秋	冬
十二	被囊类 Tunicata				
47	小齿海樽 *Doliolum denticulatum Quoy et Caimard*	+	+	+	+
48	软拟海樽 *Dolioletta gegenbauri Uljanin*	+	+	–	–
49	异体住囊虫 *Oikopleura dioica Fol*	+	+	+	+
50	长尾住囊虫 *Oikopleura longicauda Vogt*	+	+	+	+

（二）浮游动物的生态类群和渔场指示种

舟山渔场及附近海域浮游动物可划分为5个生态类群：

半咸水河口生态类群：该类群主要分布于盐度在2～12的半咸水区域，代表种有火腿许水蚤 *Schmackeria poplesia*、虫肢歪水蚤 *Tortanus vermiculus*、长额刺糠虾 *Acanthomysis longirostris*、江湖独眼钩虾 *Monoculodes limnophilus* 等，这些种可作为舟山渔场附近半咸水水域的指示种。并且中华哲水蚤也可作为长江径流的指示种[5]。

低盐近岸生态类群：该类群的适盐范围在10～26，主要分布在盐度在10～26受长江冲淡水影响的近岸低盐区域，代表种有背针胸刺水蚤 *Centropages dorsispinatus*、中华假磷虾 *Pseudeuphausia sinica*、真刺唇角水蚤 *Labidocera euchaeta*、太平洋纺缍水蚤 *Acartia pacifica* 和中国毛虾 *Acetes chinensis* 等，这些种可作为舟山渔场附近低盐水域的指示种。

暖温带沿岸生态类群：该类群属于偏低温低盐种类，通常春、秋季水温在10～20℃海域出现种类多，丰度高，代表种有中华哲水蚤 *Calanus sinicus*、拿卡箭虫 *Sagitta nagae*、百陶箭虫 *Sagitta bedoti*、大西洋五角水母 *Muggiaea atlantica*、双生水母 *Diphyes chamissonis*、拟细浅室水母 *Lensia subtiloides*、近缘大眼剑水蚤 *Corycaeus affinis* 等，这些种可作为春秋季舟山渔场附近沿岸海域的指示种。

广温广盐暖水性广布生态类群：该类群属于适温适盐范围较宽的种类，通常夏、秋季水温在18℃以上海域出现种类多，丰度高，代表种有精致真刺水蚤 *Euchaeta concinna*、亚强真哲水蚤 *Eucalanus subcrassus*、平滑真刺水蚤 *Euchaeta plana*、普通波水蚤 *Undinula nulgaris*、肥胖箭虫 *Flaccisagitta enflata* 和美丽大眼剑水蚤 *Corycaeus speciosus* 等，这些种可作为夏、秋季舟山渔场附近海域的指示种。

高温高盐热带外海生态类群：该类群一般夏季随外海高温高盐水进入舟山渔场区，丰度较低，种类较少，代表种有海洋真刺水蚤 *Euchaeta marina*、正型莹虾 *Lucifer typus* 等，这些种可作为夏季舟山渔场外海域的指示种。

（三）浮游动物个体密度、生物量、种类多样性指数 、均匀度、种类丰度、优势度

舟山渔场及附近海域浮游动物个体密度、生物量、种类多样性指数属于中等，个体密度平均值为春季＞夏季＞秋季＞冬季；生物量、种类多样性指数的平均值为夏季＞春季＞秋季＞冬季（表2）。

表2 浮游动物个体密度、生物量、多样性指数、均匀度、种类丰度、优势度

季节	类 别	多样性指数	密度/（ind/m³）	生物量/（mg/ m³）	种类丰度	均匀度	优势度
春季	平均	2.527	163.80	384.27	1.721	0.724	0.571
	最小值	1.626	26.22	46.26	1.337	0.521	0.416
	最大值	2.873	388.26	761.76	2.816	0.828	0.762

季节	类 别	多样性指数	密度/（ind/m³）	生物量/（mg/ m³）	种类丰度	均匀度	优势度
夏季	平 均	2.615	116.67	393.01	1.694	0.730	0.564
	最小值	2.017	20.02	33.33	1.310	0.583	0.397
	最大值	2.903	198.65	1072.73	2.600	0.874	0.755
秋季	平均	2.488	95.17	148.18	1.564	0.736	0.596
	最小值	1.568	28.82	23.21	0.212	0.586	0.516
	最大值	2.867	226.21	297.83	2.816	0.885	0.862
冬季	平均	2.416	10.30	15.53	2.104	0.833	0.582
	最小值	2.056	4.00	1.06	1.351	0.733	0.427
	最大值	2.777	20.60	70.83	2.943	0.919	0.692

春季，浮游动物种类多样性指数平均值为2.527，均匀度的平均值为0.724。种类丰度、优势度见表2。

夏季，浮游动物种类多样性指数平均值为2.615，均匀度的平均值为0.730。种类丰度、优势度见表2。

秋季，浮游动物种类多样性指数平均值为2.488，均匀度的平均值为0.736。种类丰度、优势度见表2。

冬季，浮游动物种类多样性指数平均值为2.416，均匀度的平均值为0.833。种类丰度、优势度见表2。

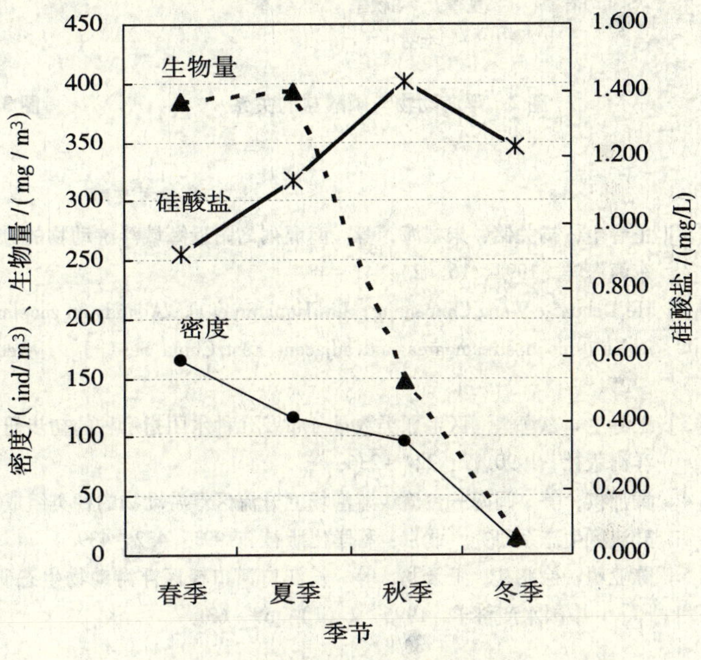

图1　浮游动物与硅酸盐的关系

（四）浮游动物个体密度、生物量与营养盐的关系

浮游动物个体密度与生物量与硅酸盐、磷酸盐具有负相关（图1，图2）。

浮游动物个体密度与生物量与硝酸盐则相反，春、夏季浮游动物个体密度与生物量高硝酸盐浓度也高（图3）。

三、小　结

舟山渔场及其邻近海域浮游动物个体密度和生物量属于中等水平，营养盐丰富，受江浙沿岸水、台湾暖流表层水、台湾暖流深层水和黄海混合水的影响，浮游动物个体密度和生物量与温、盐、营养盐具有明显的季节变化。浮游动物可作为渔场半咸水河口生态指示种、低盐近岸生态指示种、暖温带沿岸生态指示种、广温广盐暖水性广布生态指示种、高温高盐热带外海生态指示种。

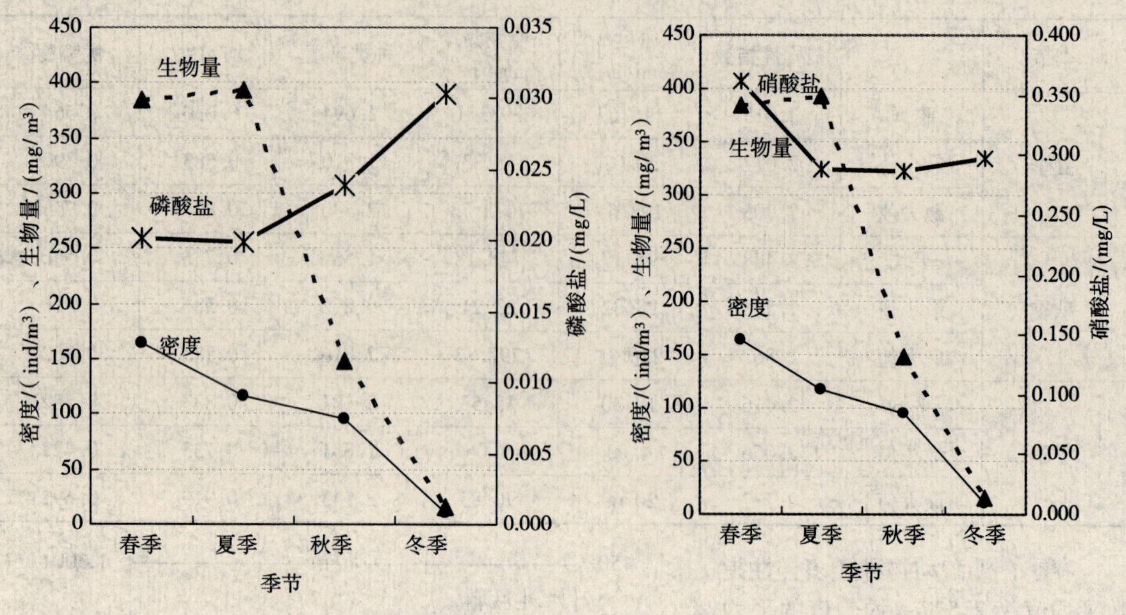

图2 浮游动物与磷酸盐的关系 **图3 浮游动物与硝酸盐的关系**

参考文献

[1] 王春生，杨关铭，朱根海，等．南麂列岛附近海域浮游动物的分布及其与浮游藻类和营养盐的关系［J］．东海海洋，1998，16（2）：41－48.

[2] He Dehua，Wang Chunsheng，Liu Hongbin et al.．A study on zooplankton distribution patterns and indicator species in Kuroshio upstream area and adjacent East China Sea［J］．Acta Oceanologica Sinica，1992，11（2）：237－254.

[3] 王春生．东海黑潮区毛颚类数量分布及几种水团指示种的初步研究［C］．黑潮调查研究论文选，北京：海洋出版社，1990，2：224－236.

[4] 黄加祺，等．闽南—台湾浅滩渔场上升流区浮游动物的种类组成和数量分布［J］．闽南－台湾浅滩渔场上升流区生态系研究，北京：科学出版社，1991：432－439.

[5] 陈亚瞿，徐兆礼，王云龙，等．长江口河口锋区浮游动物生态研究Ⅱ．种类组成、群落结构、水系指示种［J］．中国水产科学，1995，2（1）：59－63.

铜、镉胁迫下施硫对冬小麦碳氮运转和籽粒产量的影响

朱云集　夏来坤　郭天财　王晨阳　韩燕来

（河南农业大学国家小麦工程技术研究中心　河南　郑州　450002）

摘　要　在盆栽试验条件下，研究了施硫对铜、镉胁迫条件下冬小麦碳氮运转的影响。结果表明，与对照相比，低施硫的铜、镉处理增加了小麦叶片、茎鞘、颖壳穗轴等营养器官花前贮藏物质、氮素的再运转量和运转率以及营养器官花前贮藏物质、氮素的总再运转量和总运转率。施硫的铜、镉处理增加了成熟期籽粒重和花后光合同化物输入籽粒量以及籽粒氮素含量和花后氮素积累量。施硫和铜处理与低施硫的镉处理增加了成熟期小麦的穗数、穗粒数和千粒重，提高了籽粒产量；而高施硫的镉处理则变化不大。低施硫铜、镉处理均增加了籽粒淀粉含量，高施硫的铜、镉处理则未表现出此规律。此外，施硫的铜、镉各处理在一定程度上增加了籽粒蛋白质的含量。

关键词　铜、镉胁迫　硫肥　冬小麦　碳氮运转　籽粒产量

目前，土壤重金属污染已成为生态环境的重要污染源之一，对环境和农业安全生产产生了重要影响。小麦产量和品质的形成受开花前后贮藏碳、氮物质同化、运转的调节[1]，因此灌浆期同化物的分配、运转和积累具有重要意义。关于小麦籽粒灌浆期物质的运转积累[2,3]和土壤逆境条件下小麦物质的运转分配[4,5]已有较多的报道，而在重金属胁迫条件下对小麦物质运转影响的研究尚不多见，尤其是在重金属胁迫条件下施用硫肥对缓解重金属胁迫危害，以及调节小麦物质运转影响的研究迄今尚未见报道。为此，本试验在盆栽条件下，研究了重金属铜、镉胁迫条件下施用硫肥对冬小麦花前贮藏物质、氮素再运转和花后同化物质运转、氮素积累以及对籽粒淀粉和蛋白质含量的影响，以期探明施用硫肥对减缓重金属对冬小麦的胁迫危害，以及对物质运转和籽粒产量、品质等性状影响的生理基础，为小麦高产优质安全生产提供参考依据。

一、材料与方法

（一）试验设计

试验于2004—2005年在河南农业大学科教园区（郑州）进行。试验用土为沙壤土，有机质含量1.5%，全氮0.112g/kg，速效氮73.3mg/kg，速效磷29.1mg/kg，速效钾65.9mg/kg，有效硫15.8mg/kg。土壤重金属背景值为：Cu：61.2mg/kg，Cd：0.15mg/kg。采用盆栽试验，基础土过筛装盆，每盆（直径35cm，高25cm）装土17.5kg，基肥为尿素、磷酸二铵、硫酸钾，按高产田水平施用。所用重金属元素药品为分析纯的氯化铜、氯化镉，硫肥采用分析纯的硫酸铵，设3个处理（见表1），每个处理设20盆。基础土样、基础肥料、硫肥和重金属药品混匀于播种前两周装盆。供试品种为中筋小麦品种豫麦70。2004年10月22日播种，3叶期定苗18株/盆，拔节期追肥1次，5月中旬防治蚜虫1次，视土壤墒情进行浇水。开花期选择同日开花的单茎挂牌标记，用于测定和取样。

表1　基本处理设计

铜处理	处理浓度	镉处理	处理浓度
Cu（CK_1）	300mg/kg	Cd（CK_2）	100mg/kg
Cu + S_1	300mg/kg + 20kg/m^2	Cd + S_1	100mg/kg + 20kg/m^2
Cu + S_2	300mg/kg + 40kg/m^2	Cd + S_2	100mg/kg + 40kg/m^2

（二）干物质测定

开花期、成熟期取样，每个处理各取 10 个单株，按叶、茎、鞘、穗轴（含颖壳）、籽粒等器官分样，105℃下杀青 20min，80℃烘至恒重，称干重。计算方法[6]如下：

营养器官花前贮藏物质运转量 = 开花期干重 - 成熟期干重

营养器官花前贮藏物质运转率 = （开花期干重 - 成熟期干重）/开花期干重

花后光合同化量（输入籽粒部分，下同） = 成熟期籽粒干重 - 营养器官花前贮藏物质运转量

对籽粒重的贡献率 = 花前贮藏物质运转量（或花后同化物量）/成熟期籽粒干重

（三）氮素测定

用 KDN - 04 型蛋白质测定仪测定各样品全氮含量，籽粒蛋白质含量按全氮量的 5.7 倍换算。计算方法[6]如下：

开花前贮藏氮素运转量 = 开花期全氮量 - 成熟期全氮量

开花前贮藏氮素运转率 = （开花期全氮量 - 成熟期全氮量）/开花期全氮量

花后氮素积累量 = 成熟期籽粒全氮量 - 开花前营养器官贮藏氮素运转量

对籽粒氮贡献率 = 开花前贮藏氮素运转量（或花后同化氮素量）/成熟期籽粒全氮量

（四）籽粒淀粉含量测定

按双波长法[7]测定。

（五）数据分析与利用

采用 DPS（Data Processing System）软件对试验数据进行方差分析和显著性测验。

二、结果与分析

（一）铜、镉胁迫条件下施硫对冬小麦花前贮藏物质再运转和花后光合同化的影响

与对照相比，低施硫铜、镉处理（$Cu+S_1$；$Cd+S_1$，下同）增加了小麦叶片、茎鞘、颖壳穗轴等营养器官花前贮藏物质再运转量和运转率以及总再运转量和运转率；高施硫的铜、镉处理（$Cu+S_2$，$Cd+S_2$，下同）则有增有减，规律性不明显，表明适量施用硫肥增加了花前贮藏干物质向籽粒的再运转，起到了缓解重金属毒害的作用。其中对叶片花前贮藏物质再运转量和运转率的影响表现为 $S_1>CK>S_2$。对茎鞘、颖壳穗轴花前贮藏物质再运转及总再运转量和运转率，低施硫的铜、镉处理表现为 $S_1>CK$，高施硫的铜、镉处理与对照相比则没有明显规律（见表 2）。

表 2　铜、镉胁迫下施硫对冬小麦花前贮藏物质再运转和花后光合同化的影响

处理	①				②	③	④	⑤
	叶	茎鞘	颖壳 + 穗轴	叶 + 茎鞘 + 穗轴 + 颖壳				
Cu（CK_1）	0.081*	0.021	0.003	0.105	0.76	13.82%	0.66	86.18%
	42.41%**	4.12%	0.8%	9.78%				
Cd（CK_2）	0.131*	0.253	0.071	0.455	1.23	36.91%	0.78	63.09%
	47.99%**	31.35%	14.64%	29.07%				
$Cd+S_1$	0.149	0.301	0.149	0.599	2.16	27.77%	1.56	72.23%
	48.16%	33.33%	26.85%	33.89%				
$Cd+S_2$	0.063	0.242	0.04	0.345	1.82	18.94%	1.48	81.06%
	34.62%	31.93%	9.64%	25.46%				
	37.44%	16.79%	23.09%	22.18%				

注：①*，**营养器官花前贮藏物质运转量（g/单茎）和运转率（%）；②成熟期籽粒干重（g/单茎）；③花前贮藏物质对籽粒重的贡献率（%）；④花后光合同化物输入籽粒量（g/单茎）；⑤花后同化物对籽粒重的贡献率（%）。

由表2还可以看出，与对照相比，施硫的铜、镉处理增加了成熟期的籽粒干重和花后光合同化物输入籽粒量，而花前贮藏物质总运转量和花后同化量对籽粒重的贡献率在铜、镉各处理间表现并不一致，但花后同化量对籽粒重的贡献率远大于花前贮藏物质总运转量对籽粒重的贡献率。铜、镉各处理对籽粒重的影响均表现为 $S_1 > S_2 > CK$，其增加幅度达20% ~146%。表明在本试验条件下，增施硫肥有利于缓解铜、镉重金属过量对小麦的危害，促进干物质向结实器官运转，提高粒重。

（二）铜、镉胁迫条件下施硫对冬小麦花前贮藏氮素再运转和花后氮素同化的影响

与对照相比，低施硫的铜、镉处理增加了小麦叶片、茎鞘、颖壳穗轴等营养器官花前贮藏氮素再运转量和运转率以及总运转量和总运转率，高施硫的铜、镉处理则规律性不明显（表3），表明适量施用硫肥增加了花前贮藏氮素向籽粒的再运转，起到了减轻重金属毒害的作用。其中铜处理对叶片花前贮藏氮素再运转量的影响表现为 $S_1 > S_2 > CK$，镉处理表现为 $S_1 > CK > S_2$；对运转率的影响铜、镉处理均表现为 $S_1 > CK > S_2$。对茎鞘、颖壳穗轴花前贮藏氮素再运转量和运转率以及总再运转量和运转率的测定结果表明，低施硫铜、镉处理均表现为 $S_1 > CK$，高施硫的铜、镉处理与对照相比则没有明显的规律。

由表3还可以看出，与对照相比，施硫的铜、镉处理增加了成熟期的籽粒氮素含量和花后氮素积累量，而花前贮藏氮素总运转量和花后氮素积累量对籽粒氮素含量的贡献率在铜、镉各处理间表现并不一致，但花前贮藏氮素总运转量对籽粒氮素含量的贡献率大于花后氮素积累量对籽粒氮素含量的贡献率。铜、镉各处理对籽粒氮素含量的影响均表现为 $S_1 > S_2 > CK$。表明在土壤铜、镉含量超标的条件下增施硫肥有利于促进花前贮藏氮素向籽粒运转，从而缓解重金属过量对小麦植株产生的危害。

表3　铜、镉胁迫下施硫对冬小麦花前贮藏氮素再运转和花后氮素同化的影响

处理	①				②	③	④	⑤
	叶	茎鞘	颖壳+穗轴	叶+茎鞘+穗轴+颖壳				
Cu（CK_1）	5.67*	9.74	3.31	18.72	19.74	94.79%	1.03	5.21%
	79.98%**	65.47%	50.61%	65.67%				
Cu + S_1	6.38	10.07	3.82	20.27	28.06	72.24%	7.79	27.76%
	85.02%	67.19%	55.81%	68.88%				
	5.71	9.64	3.59	18.94				
Cd + S_2	76.34%	66.7%	54.33%	66.379%	25.8	73.42%	6.86	26.58%
	76.94%	61.46%	39.92%	60.5%				
Cd + S_2	0.081*	0.021	0.003	0.105	32.15	97.69%	0.74	2.31%
	42.41%**	4.12%	0.8%	9.78%				
Cd + S_1	0.099	0.136	0.007	0.242	59.6	56.33%	26.03	43.67%
	46.26%	21.69%	1.78%	19.61%				
	0.063	0.03	0.009	0.102				
Cd + S_2	37.5%	5.87%	2.34%	9.59%	32.88	53.8%	15.19	46.2%
	29.03%	12.44%	10.18%	14.44%				

注：①*，**营养器官花前贮藏氮素运转量（mg/单茎）和运转率（%）；②成熟期籽粒全氮含量（mg/单茎）；③花前贮藏氮素总运转量对籽粒氮素的贡献率（%）；④花后氮素积累量（mg/单茎）；⑤花后氮素积累量对籽粒氮素的贡献率（%）。

（三）铜、镉胁迫下施硫对冬小麦籽粒产量及产量性状和蛋白质、淀粉含量的影响

表 4　铜、镉胁迫下施硫对成熟期籽粒产量及产量性状和蛋白质、淀粉含量的影响

处理	穗数	穗粒数	千粒重/g	产量/(g/pot)	淀粉含量/%	蛋白质含量/%
Cu（CK_1）	17.7bA	29.1aA	38.8cB	19.9cC	60.2aA	14.8aA
Cu + S_1	21.3aA	34.7aA	45.1aA	33.3aA	67.3aA	15.3aA
Cu + S_2	21.7aA	29.7aA	42.9bA	27.5bB	63.0aA	15.3aA
Cu（CK_1）	17.7bA	29.1aA	38.8bA	19.9bA	60.2aA	14.8aA
Cd（CK_2）	23.8bB	40.8aA	45.2aA	44.1bB	58.3aA	14.9aA
Cd + S_1	32.0aA	40.9aA	46.5aA	60.8aA	59.5aA	15.9aA
Cd + S_2	23.0bB	40.7aA	44.9aA	42.0bB	54.6aA	15.9aA
Cd（CK_2）	23.8bB	40.9aA	45.2bAB	44.1bB	58.3aAB	14.9aA

铜、镉胁迫条件下施用硫肥对小麦籽粒产量及产量性状的影响见表 4。从表 4 可以看出，与对照相比，铜处理施用硫肥增加了单位面积成穗数、穗粒数和千粒重，从而提高了籽粒产量。其中施用硫肥的两个铜处理籽粒产量分别增加了 67.3% 和 38.2%，均达 1% 显著水平。与对照相比，Cd + S_1 处理的产量构成因素均有不同程度增加，籽粒产量分别提高了 37.9% 和 38.9%，均达 1% 显著水平。Cd + S_2 处理则变化不大，差异不显著。本试验结果表明在重金属污染条件下，施用硫肥可缓解其危害，增加籽粒产量。

由表 4 还可以看出，与对照相比，低施硫的铜、镉处理均增加了籽粒淀粉含量，且增幅较小，处理间差异未达显著水平，高施硫的铜、镉处理则未表现出此规律。施硫的铜、镉各处理均增加了籽粒蛋白质含量，但增幅较小，各处理间差异也未达显著水平。表明在本试验条件下适量施用硫肥对重金属毒害有缓解作用，但对提高籽粒淀粉和蛋白质含量的效果较小。

三、结　论

高产、优质、高效、生态、安全是我国今后小麦生产的发展方向。重金属污染作为农业和生态环境的重要污染源之一，已引起许多研究者的高度重视。前人关于土壤重金属胁迫对小麦影响的研究多集中在种子萌发、幼苗、根系生长[8-10]和膜脂过氧化影响[11]等方面，也有对施用有机肥减缓重金属危害的报道[12-14]，但在重金属胁迫条件下施用硫肥对小麦物质运转影响的研究迄今尚未见报道。

本研究结果表明，与对照相比，低施硫（20kg/m^2））的铜、镉处理增加了小麦叶片、茎鞘、颖壳穗轴等营养器官花前贮藏物质、贮藏氮素的再运转量和运转率以及总再运转量和运转率，高施硫的铜、镉处理则规律性不明显。施硫的铜、镉处理增加了花后光合同化物输入籽粒量以及籽粒氮素含量和花后氮素积累量，提高了籽粒干重，对籽粒重和籽粒氮素含量的影响均表现为$S_1 > S_2 > CK$，表明在本试验条件下，适量增施硫肥可以缓解过量的土壤铜、镉对小麦植株造成的危害，有利于花前贮藏干物质和氮素向籽粒的再运转，提高小麦粒重。

根据本试验结果，施用硫肥的铜处理与低施硫的镉处理与对照相比，增加了成熟期小麦的穗数、穗粒数和千粒重，从而提高了籽粒产量；而高施硫的镉处理（Cd + S_2）的效果则不明显，这可能因为在高施硫肥条件下物质之间的螯合作用所致。在本试验设置的重金属胁迫条件下，适

量施用硫肥还可增加籽粒淀粉和蛋白质含量。有关施硫缓解重金属胁迫、调控物质运转的内在机理有待进一步研究。

参考文献

[1] 沈建辉，戴廷波，荆奇，等．施氮时期对专用小麦干物质和氮素积累、运转及产量和蛋白质含量的影响［J］．麦类作物学报，2004，24（1）：55－58.

[2] 荆奇，戴廷波，姜东，等．不同生态条件下不同基因型小麦干物质和氮素积累与分配特征［J］．南京农业大学学报，2004，27（1）：1－5.

[3] 周琴，姜东，戴廷波，等．不同基因型小麦籽粒蛋白质和淀粉积累与碳氮转运的关系［J］．南京农业大学学报，2002，25（3）：1－4.

[4] 王月福，于振文，潘庆民，等．水分处理与耐旱性不同的小麦光合特性及物质运转［J］．麦类作物学报，1998，18（3）：44－47.

[5] 姜东，谢祝捷，曹卫星，等．花后干旱和渍水对冬小麦光合特性和物质运转的影响［J］．作物学报，2004，2（2）：175－182.

[6] 范雪梅，戴廷波，姜东，等．花后干旱与渍水下氮素供应对小麦碳氮运转的影响［J］．水土保持学报，2004，12（6）：63－67.

[7] 何照范．粮油籽粒品质及其分析技术［M］．北京：农业出版社，1985.

[8] 秦秀昌，郭秀璞，史国安．镉对小麦种子萌发和幼苗生长影响［J］．麦类作物学报，2002，2（3）：89－91.

[9] 张玲，李俊梅，王焕校．镉胁迫下小麦根系的生理生态变化［J］．土壤通报，2002，33（1）：61－65.

[10] 朱云集，王晨阳，马元喜，等．砷对冬小麦根系生长及活性氧代谢的影响［J］．生态学报，2000，20（4）：707－710.

[11] 罗立新，孙铁珩，靳月华．镉胁迫对小麦叶片细胞膜脂过氧化的影响［J］．中国环境科学，1998，18（1）：72－75.

[12] 华珞，白铃玉，韦东普，等．镉锌复合污染对小麦籽粒镉累积的影响和有机肥调控作用［J］．农业环境保护，2002，21（5）：393－398.

[13] 华珞，白铃玉，韦东普，等．土壤镉锌复合污染的植物效应与有机肥的调控作用［J］．中国农业科学，2002，35（3）：291－296.

[14] 陈世宝，华珞，白铃玉，等．小麦籽粒中镉对锌的拮抗作用与有机肥的调控［J］．生态环境，2003，12（1）：15－18.

抑菌剂 K1、K2 与植物青枯菌（*Ralstonia solanacearum*）的剂量-效应关系研究

赵志峰　刘义新　王阿楠　刘臻真　吕　珩

（中国科学技术大学　合肥　230026）

摘　要　抑菌剂 K1、K2 对烟草青枯菌的抑制率、抑制率变率、半致死浓度 LC_{50} 分别能够反映出：K1、K2 对青枯菌的抑制作用；青枯菌对 K1、K2 的敏感浓度；K1、K2 对青枯菌的毒力作用。本文借助这三个参数，通过用 K1、K2 对 1×10^6、1×10^7、1×10^8、1×10^9 个/ml 的 4 种密度的青枯菌的处理来研究 K1、K2 与烟草青枯菌的剂量-效应关系，为合理利用 K1、K2 防治植物青枯病提供参考。

关键词　烟草青枯菌　K1、K2 抑制剂

前　言

探明青枯菌密度与寄主（烟草）发病率的关系问题，有助于烟田青枯病的及时防治。一般来说，在有易（敏）感青枯病的寄主（作物）存在下，土壤带菌量和青枯病的发生有正相关关系，即含菌量大的土壤青枯病发生一般较严重[1]。Hiryati Abdullah 等[2]发现土壤中有毒菌株数量低于 3 ~10CFU（CFU：colony-formingunit，细胞因子单位）每克土壤时，用于侵染试验的作物（番茄）不会发病。青枯菌要经过一定阶段的繁殖、数量积累，才能表现病征，最后暴发流行。为防治青枯病，国内各地已做了大量研究，陈顺辉[3]等发现青枯病发病与土壤温湿度关系密切，东南烟区青枯病发生的趋势：4 月中旬感病品种红花大金元首先发病后，其他云烟、CB-1、K326 品种相继始见病情，当 5 月 20cm 土层温度达 25 ~26℃、土壤含水量 18.5%时，病害进入普发期；当 6 月上旬土温 28℃时，病害即达发病高峰期。此时，高感品种红花大金元发病率高达 100%，全田枯死。彭怀俊等[4]的研究发现，根系中病原菌繁殖到一定数量且生长一段时期后，田间烟株才会出现症状且与前者存在显著的相关性。刘勇[5]等发现云南烟草青枯病侵染动态，随移栽周数延长，根系青枯菌的检出率与发病率同步递增。这些研究都启示人们，青枯病发生必须有菌量积累，由量变到质变，由物理阻碍到化学阻塞到暴发流行的过程。显然，过低密度青枯菌从危害上、环境安全上讲都不必要防治；而过高密度的青枯菌必定导致严重病害，防治已晚。在多大菌密度时必需实施防治仍然是个问题。有资料表明青枯菌密度 10^6 个/g 土的病源细菌不发生病害流行[5]。本研究室新近研发的 K1、K2 具有显著的抑制青枯菌菌落生长的效果[6]，但它们抑制青枯菌的最低有效浓度尚需进一步探明。

为此，本文着重研究 K1、K2 抑制烟草青枯菌的剂量-效应关系问题，在 10^6 ~10^9 个/ml 不同菌密度范围内，用 K1、K2 分别对 4 种不同密度青枯菌处理后，探讨抑制率、抑制率变率、半致浓度等参数，为 K1、K2 的合理、及时应用提供技术依据。

一、材料与方法

（一）仪器设备

722S 分光光度仪（上海精密科学仪器有限公司）

电热恒温培养箱（上海新苗医疗仪器械制造有限公司）

高压灭菌锅（上海博迅实业有限公司）

（二）试剂溶液

菌种：烟草青枯菌菌株 RS71（Ralstonia solanacearum），由安徽省农业科学院烟草研究所植

物病研究室提供。K1 和 K2：二者均系氮－杂多糖类生物抑菌剂，但分子链长、分子量不一，由本实验室研制、筛选而得。

液体培养基：每 1000ml 的培养基中，3g 牛肉膏，10g 蛋白胨，5g NaCl 调节 pH＝6.5，121℃ 灭菌 30min。

PBS 溶液配制[7]：8g 氯化钠，1.15g 磷酸氢二钾，0.2g 磷酸二氢钾，去离子水定容 1000ml，调节 pH＝7.2，溶液浓度为 0.01mol/L。

MTT 溶液配制[7]：称取 100mg MTT（Alfa Aesar 分装）于小烧杯中。20mlPBS（0.01mol/L pH＝7.2 使其充分溶解，用 0.22μm 的微孔过滤器除菌，分装，4℃保存。两周内使用。

干燥剂：无水硫酸钠（AR，国药集团化学试剂有限公司）。

萃取剂：四氯化碳（AR，国药集团化学试剂有限公司）。

（三）试验方法

四唑盐是一种能接受氢原子的染料，化学名为 3－（4，5－二甲基－2－噻唑基）－2，5－二苯基四氮唑溴化物，商品名为噻唑蓝，以下简称 MTT。活细胞中的琥珀酸脱氢酶能使外源性的 MTT 的四唑环还原为难溶性的蓝紫色结晶物甲臜（Fonmazan），而死细胞无此作用[8]。用四氯化碳溶解此蓝紫色结晶物，该溶液在一定波长下的光吸收值可反映活细胞数量[7]。一定细菌浓度范围内，光吸收值与活细胞数成正比。

1. 选择检测波长

1×10^9 个/ml 密度的青枯菌的最大吸收波长为 536nm。所以本实验选定 536nm 为检测波长。

2. 绘制标准曲线

绘制吸光度对青枯菌菌密度的标准曲线。

3. 样品处理方法

准备 45 支 100×15 的试管，分成 15 组（每组 3 个作为 3 次重复），在 121℃下灭菌 30min。冷却后在无菌条件下，向各组试管中加入 0.99ml 的 1×10^6 个/ml 的青枯菌菌液。然后向各组试管中分别加入 0.01ml 系列浓度为 6250nl/ml、4687.5nl/ml、3125nl/ml、2343.75nl/ml、1562.5nl/ml、1171.88nl/ml、781.25nl/ml、585.94nl/ml、390.63nl/ml、292.97nl/ml、195.31nl/ml、146.48nl/ml、97.66nl/ml、73.24nl/ml、0nl/ml 的 K1。在 35℃的恒温培养箱内培养 18h 备用。用同样的方法进行同浓度 K2 对该密度青枯菌的抑制试验。在对 10^8、10^7 个/ml青枯菌处理的两组试验中，K1、K2 的系列浓度设置为 50000nl/ml、25000nl/ml、12500nl/ml、6250nl/ml、4687.5nl/ml、3125nl/ml、2343.75nl/ml、1562.5nl/ml、1171.88nl/ml、781.25nl/ml、585.94nl/ml、390.63nl/ml、292.97nl/ml、195.31nl/ml、97.66nl/ml、0nl/ml。在对 10^9 个/ml 青枯菌处理试验中，K1、K2 的使用浓度设置为 0.1ml/ml、0.096ml/ml、0.048ml/ml、0.024ml/ml、0.012ml/ml、0.01ml/ml、0.008ml/ml、0.004ml/ml、0.002ml/ml、0.001ml/ml、0ml/ml 11 个浓度。每组处理中均设置 K1、K2 的全程空白试验（0.01ml 无菌水＋0.99ml 纯牛肉膏蛋白胨液体培养基）。

4. MTT 比色试验

向各组试管分别加入 0.1mlMTT 溶液，混匀后 35℃下放置 2h，加入 5ml 四氯化碳振荡萃取，取下层清液 4ml 于加有少许干燥剂无水硫酸钠的试管中，稍微振荡，静置，进行吸光值测定。记录数据并进行统计分析。

5. 统计方法

剂量－效应曲线是一条 S 形曲线因此无法准确的计算 LC_{50}的值。鉴于此 Bliss[9] 根据曲线中的均数、标准差与曲线下面积的关系，设计了由抑制率检索“几率单位”的表格。利用这个表格就可以将抑制率转化为抑制几率值。其与药物浓度对数值之间呈直线关系[9,10]。

借助 origin 软件对抑制率曲线拟合及对抑制率曲线差分。用 BLISS 法及相关软件（Bliss 法计算软件，华西医科大学编）对药剂处理结果进行统计分析，可以求出 LC_{50}。

二、结果与分析

（一）K1、K2 对 4 种不同浓度青枯菌菌液作用的抑制率

试验中设置 1×10^6 个/ml、1×10^7 个/ml、1×10^8 个/ml、1×10^9 个/ml 4 种供试青枯菌菌种密度。同时分别设置不同浓度梯度的 K1、K2 处理 4 种密度的青枯菌菌液。当 K1、K2 的浓度为 0.73 ~62.5nl/ml 时，K1、K2 对 1×10^6 个/ml 浓度的青枯菌的抑制率分别为 0.62% ~99.91%、0.72% ~100%；当 K1、K2 的浓度为 0.98 ~500nl/ml 时，K1 对 1×10^7 个/ml、1×10^8 个/ml 两种浓度的青枯菌的抑制率分别为 0.21% ~97.85%、0.21% ~94.33%。而 K2 对这两个密度的青枯菌的抑制率分别为 0.51% ~98.67%、0.31% ~97.64%；当 K1、K2 的浓度为 1000 ~100000nl/ml 时，K1、K2 对 1×10^9 个/ml 青枯菌抑制率分别为 0.20% ~91.00%、5.83% ~94.69%（图 1）。从 4 种密度的菌液的 8 种处理中，可以看出：K1、K2 对于低密度菌液的抑制作用优于高密度菌液，主要反映为同浓度的 K1、K2 对低密度菌液的抑制率高于高密度菌液（图 1）。

在图 1 中，当 K1 的浓度分别为 2.70 ~ 30.72nl/ml、8.99 ~ 107.66nl/ml、9.18 ~ 200nl/ml、2876.40 ~ 62494nl/ml，K2 的浓度分别为 1.78 ~ 16.53nl/ml、2.03 ~ 81.02nl/ml、3.04 ~ 131.55nl/ml、2675.79 ~43348.67nl/ml 时，K1、K2 对 1×10^6 个/ml、1×10^7 个/ml、1×10^8 个/ml、1×10^9 个/ml 的青枯菌菌液的抑制率随 K1、K2 的浓度变化呈现显著变化。而当 K1、K2 的浓度不在这些浓度区间内时，对相应密度菌液处理的抑制率随 K1、K2 浓度变化的变幅较小。这说明当 K1、K2 的用量较少时不能达到抑制青枯菌的目的，然而当 K1、K2 的用量过大时不仅不能带来更好的处理效果还会造成 K1、K2 的浪费。

其中抑制率（%）=［（对照组细菌数－处理组细菌数）/对照组细菌数］×100%

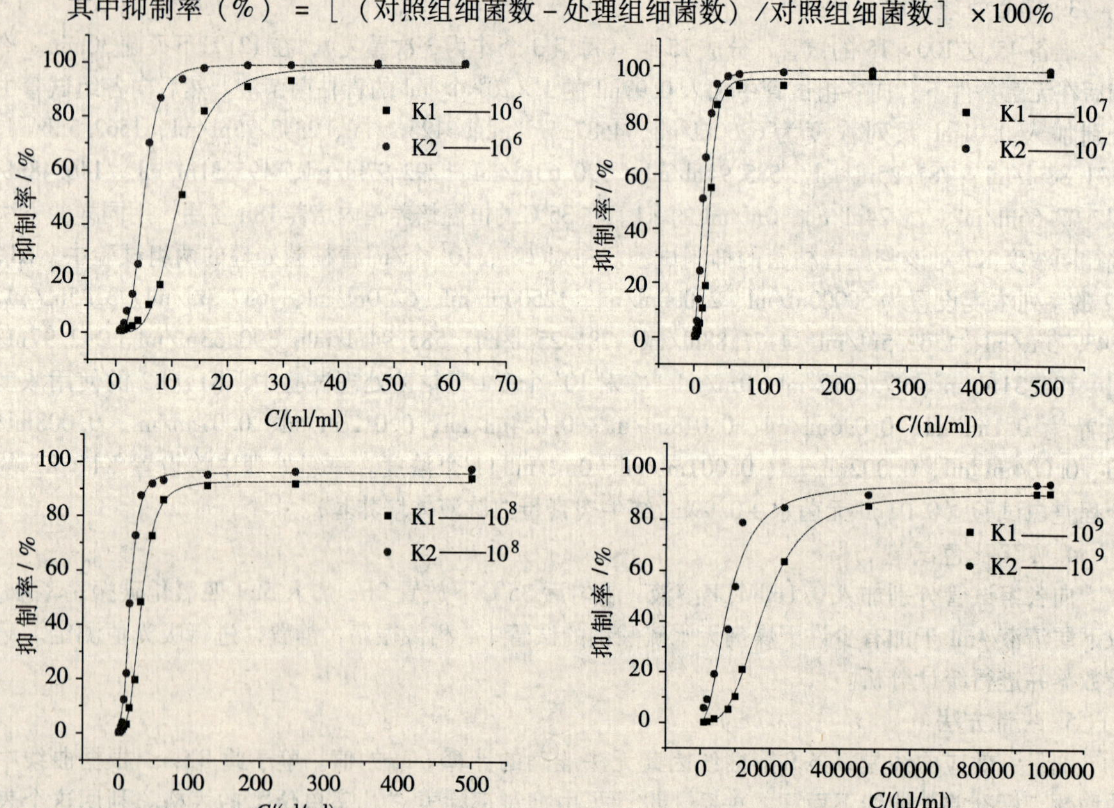

图 1　K1、K2 对 4 种密度的青枯菌处理的抑制率曲线

（二）K1、K2 对 4 种密度青枯菌菌液作用的抑制变率

为了研究不同密度的青枯菌对 K1、K2 敏感程度的强弱，以求找到处理不同密度的青枯菌所用的最敏感浓度的 K1、K2，笔者用抑制率对 K1、K2 浓度进行差分得到抑制率变率参数如图 2 所示。图 2 中括号所标注的点即为青枯菌对 K1、K2 最敏感浓度的点（也就是当 K1、K2 浓度每变化一个最小单位时抑制率变化最大的点）。可以明显的看出 1×10^6、1×10^7、1×10^8、1×10^9 个/ml 密度的青枯菌对 K1 最敏感浓度分别为：11.72、23.34、31.36、11982.43nl/ml；对 K2 最敏感浓度分别为：3.91、7.78、15.56、9962.36nl/ml。得知不同密度的青枯菌对 K1、K2 的最敏感浓度对青枯菌的防治有重要的指导意义。

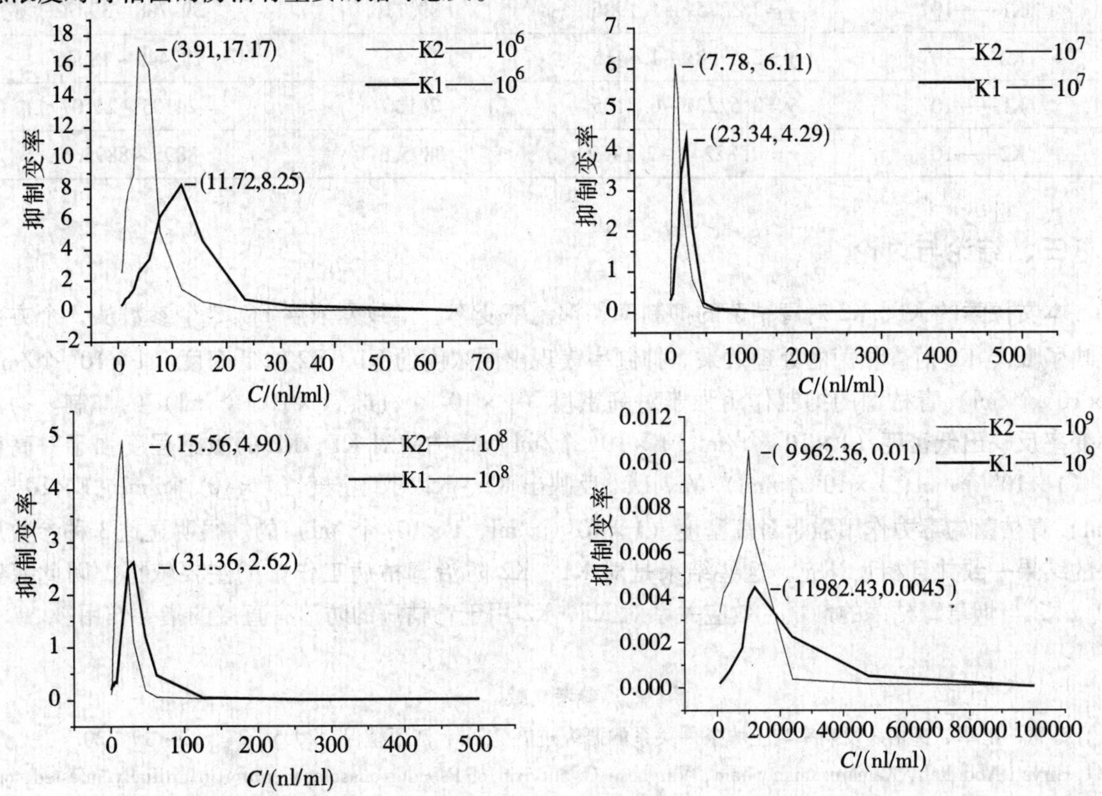

图 2　不同浓度的 K1、K2 对 4 种密度的青枯菌处理的抑制变率曲线

其中抑制变率为抑制率对 K1、K2 浓度的差分。

（三）K1、K2 对 4 种密度的青枯菌菌液的毒性大小比较

LC_{50}是指在动物急性毒性试验中，使受试动物半数死亡的毒物浓度，也称半致死浓度。它是最敏感最稳定的反应致死剂量的一种指标。青枯菌只有达到一定的数量后在适合的条件下才能暴发病害。得出 K1、K2 处理青枯病的 LC_{50}对 K1、K2 预防青枯病害中有着举足轻重的意义。对预防青枯病害时，K1、K2 的用量有指导作用。

K1、K2 对 4 种密度的青枯菌处理的 LC_{50}值（表 1）的大小顺序为：K1—10^6 < K1—10^7 < K1—10^8 < K1—10^9；K2—10^6 < K2—10^7 < K2—10^8 < K2—10^9。从这种结果不难得出：K1、K2 对高密度的菌液作用的 LC_{50}高于对低密度的菌液。这表明：同浓度的 K1、K2 对低密度（1×10^6 个/ml、1×10^7 个/ml）的菌液毒力作用明显强于对高密度（1×10^8 个/ml、1×10^9 个/ml）的青枯菌的毒力作用，这种毒性大小的分别主要表现为 LC_{50}不同；这与 2.1，2.2 的分析的结果完全吻合。

表1　K1、K2对4种密度的青枯菌的毒力比较

处理	回归方程	18小时LC50/（nl/ml）	95%的可信限/（nl/ml）
K1——10^6	$y=3.5988x+1.2565$	10.97	10.962～10.98
K2——10^6	$y=3.8174x+2.409$	4.77	4.7691～4.78
K1——10^7	$y=2.7359x+1.235$	23.78	23.77～23.78
K2——10^7	$y=2.6879x+2.057$	12.44	12.439～12.45
K1——10^8	$y=2.3775x+1.1986$	39.71	39.708～39.72
K2——10^8	$y=2.5738x+1.7415$	18.45	18.449～18.45
K1——10^9	$y=2.6723x-6.7105$	24106	24105～24107
K2——10^9	$y=1.8224x-2.1969$	8895.3	8895～8895.6

三、结论与讨论

本文探索的K1、K2对青枯菌的抑制率、抑制率变率、半致死浓度LC_{50}3个参数从3个方面反映了K1、K2对青枯菌的处理效果。抑制率表现出同浓度的K1、K2对低密度（1×10^6个/ml、1×10^7个/ml）青枯菌的抑制作用强于对高密度（1×10^8个/ml、1×10^9个/ml）的抑制。抑制率变率反映出低密度（1×10^6个/ml、1×10^7个/ml）青枯菌对K1、K2的敏感程度强于对高密度（1×10^8个/ml、1×10^9个/ml）的。LC_{50}反映出K1、K2对低密度（1×10^6个/ml、1×10^7个/ml）青枯菌的毒力作用强于对高密度（1×10^8个/ml、1×10^9个/ml）的。很明显这3种参数反映的结果一致并且相互补充。这些结果是对K1、K2防治青枯病工作中的主要依据，因此探索K1、K2与烟草青枯菌的剂量－效应关系对K1、K2用于青枯病的防治有直接的指导作用。

参考文献

[1] 孙思，王军．青枯病发病率与土壤条件关系的研究进展［J］．江西植保，2005，28（1）：17－20.

[2] Hiryati Abdullah, Kamaruzaman Sijam, Varghese G. Survival of Pseudomonasolanacearum in artifially infested soil. Proceedings of the 3rd International Conference on Plant Protection in the Tropics: volume VI. Kuala Lumpur (Malaysia). Malaysian Plant Protection Society, 1990: 83－87.

[3] 陈顺辉，顾钢，纪成灿，等．烟草青枯病流行动态监测［J］．中国烟草科学，2003（3）：32－33.

[4] 彭怀俊，顾钢，纪成灿，等．烤烟根系土壤中青枯病菌动态与田间病害发生发展的关系［J］．湖南农业大学学报（自然科学版），2005，31（4）：384－387.

[5] 刘勇，于海芹，秦西云．云南省烟草青枯病的侵染动态，Chinese Agricultural Science Bulletin，2007，23（11）：207－210.

[6] 王阿楠，赵志峰，刘臻真，等．抑菌剂K1、K2对烟草青枯病菌（Ralstonia solanacearum.）的抑制效果研究［J］．中国烟草科学，2010.

[7] 任娇蓉，李璐，郜洪文，等．MTT－四氯化碳萃取吸光光度法测定活菌数［J］．环境科学与技术，2007，30（2）：48－50.

[8] 郭万学，陈子元，缪鸿石，等．理疗学［M］．北京：人民卫生出版社，1984.

[9] 周立国．药物毒理学［M］．北京：中国医药科学出版社，2003：146－151.

[10] 沈建忠．动物毒理学［M］．北京：中国农业出版社，2002：18－19.

放射源销售过程中应注意的辐射安全问题

张　晶

（天津市辐射环境管理所　天津　300191）

摘　要　本文通过对放射源进货渠道、运输、贮存进行分析，提出可能产生的污染，应采取相应防护措施和监测手段。

关键词　放射源　运输　贮存　污染　监测　防护

前　言

随着核技术的迅猛发展，放射源应用领域越来越广，在工业、农业、医学、环保等诸多领域发挥了不可替代的作用，目前天津市放射源销售的年增长率为35.6%。可见增长速度之快，增长幅度之大。保证放射源销售过程中的辐射安全问题，应从放射源购买、运输、贮存、退役等方面进行分析。

一、放射源

放射源是指放射性物质形成的能产生辐射照射的物质或实体，放射源按其密封状况可分为密封源和非密封源。密封源是密封在包壳或紧密覆盖层里的放射性物质，工业生产中应用的料位计、探伤机等使用的都是密封源，如钴－60、铯－137、铱－192等。非密封源是指没有包壳的放射性物质，医院里使用的放射性示踪剂属于非密封源，如碘－131、碘－125、锝－99等。

二、放射源进货渠道和运输

1. 进口放射源。购源前应向当地环境保护主管部门和环境保护部及相关部门申报，经批准后进口，运输由有运输资质的单位负责全部运输过程。

2. 国产放射源。经当地环境保护主管部门、公安部门和环境保护部登记备案，并通报相关省市；运输由有运输资质单位负责全部运输过程。

三、放射源贮存

根据需要而购进放射源，一旦放射源出现需要贮存情况，则贮存在有放射源回收及代收贮存资质的单位，并签订代为贮存协议。

四、放射源退役

销售进口放射源，应附有源生产厂家负责回收的承诺文件。国内生产放射源退役应由有资质的单位回收。

五、放射源销售过程中可能产生污染

放射源在运输过程中发生被盗、丢失、失控或破损等意外事故，将对环境造成严重的辐射污染，源破损后有可能通过食物链对人体造成内照射危害。

六、运输相关标准及规定要求

放射源货包表面剂量率应符合国际和国内相关标准，源货包表面放射性剂量率由有检测资质的部门监测，监测合格后装车。并对运输车表面及距车表面外2m处进行辐射水平监测，监测合格后予以运输。运输由具有放射源运输资质的单位承运。运输过程对环境辐射影响在国家规定允许范围内，符合GB 11806—2004《放射性物质安全运输规程》。放射源货包表面任一点表面剂量率应小于2mSv/h；运输车表面和运输车表面外2m处的剂量率应分别小于2mSv/h和0.1mSv/h。涉及国际运输时，还应符合途经国或抵达国所制定的相关规定，遵守一些公认的运输组织的规定。

七、监测计划及污染防护措施

（1）由有资质的单位负责放射源货包表面剂量率及运输工具表面剂量率监测。

（2）押运人员佩戴个人剂量计，进行个人剂量监测，建立个人剂量档案。

（3）承运单位负责安全运送至目的地，中途若出现放射性事故则该单位立即启动应急预案，并及时报告环保及相关主管部门。

（4）公司放射源管理及销售业务设专人负责，管理、销售人员必须对公司销售的放射源的特性、应用、辐射防护的相关知识进行培训教育，考试合格后，持证上岗。

（5）建立放射源台账，记载放射源核素名称、出厂时间和活度、标号、编码、来源和去向等事项。建立放射源销售、转让、管理规章制度、放射源事故报告制度。

（6）销售进口放射源时，应当具有源生产厂家负责回收的承诺文件。

（7）运输时，运输车辆要符合防护和安全要求，运输途中要有专人押运，防止发生放射源丢失和其他意外事故。

（8）在运输、装卸放射源时，注意不要把放射源容器和源外壳打破，以免造成辐射和污染事故。

（9）配备辐射环境巡检仪和直读式个人剂量报警仪，完善应急监测手段和辐射事故应急措施。

（10）放射源购置、退役和进出严格执行国家相关法规制度，办理相关手续。

公司进口、销售、使用放射源依据《放射性同位素与放射线装置安全许可管理办法》的规定申领许可证。

（11）禁止向无辐射安全许可证单位或未经审批单位销售放射源。

（12）严格执行放射源进口、销售、使用、运输、贮存放射源的规定，确保放射源安全和环境不受污染。

八、总　结

目前，全国放射源应用单位12000多家，使用和废弃的放射源142000余枚，主要分布在建材、医疗、科研、教学、石油等24个行业。放射性是看不见、听不到、无色、无味、无形的，有的放射性同位素本身就是一种极毒性物质。由于放射源其独特的性质，在国民经济各个行业和人们日常生活中的应用是其他技术无法替代的，为人类造福。因此，放射源在进口、销售、运输、贮存、退役过程中落实各项防护措施及相应监测手段，保证放射源在销售过程中的安全和环境不受污染。

参考文献

[1] 电离辐射防护与辐射源安全基本标准［S］. GB1887—2002.

[2] 放射性物质安全运输规程［S］. GB11806—2004.